〈명주보월빙〉연작 3부작 중 제1부작

낙 선 재 본 과 박 순 호 본 을 교 감 주 석 한

교감본

明珠寶月聘

교감본

明珠寶月聘

2

교주 최길용

學古房

이 저서는 2010년도 정부재원(교육부 인문사회연구역량강화사업비)으로 한국연구재단의 지원을 받아 연구되었음(NRF-2010-327-A00283)

This work was supported by the National Research Foundation of Korea Grant funded by the Korean Government(NRF-2010-327-A00283)

서 문

〈명주보월빙〉은 100권 100책으로 된 거질의 대장편소설로, 105권 105책의 〈윤하정삼문취록〉과 30권 30책의 〈엄씨효문청행록〉을 그 속편으로 거느리고 있어, 이들 두 작품과 함께 《명주보월빙 연작》을 구성하고 있으면서, 연작 전체를 하나의 예술적 총체 곧 하나의 작품으로 묶는 중심작의 기능을 하고 있다. 그런데 이 연작은 그 3부작을 합하면 원문 글자 수가 도합 332만3천여 자(〈보월빙〉1,475,000, 〈삼문취록〉1,455,000, 〈청행록〉393,000)에 이를 만큼 방대하여, 세계문학사에서도 그 유례를 찾아볼 수 없는 대장편서사체인 동시에, 1700년대 말 내지 1800년대 초의 조선조 소설문단의 창작적 역량을 한눈에 보여주는 대작이자, 한국고소설사상 최장편소설로 꼽히고 있다.

양식 면에서, 《명주보월빙 연작》은 중국 송나라를 무대로 하여 윤·하·정 3가문의 인물들이 대를 이어 펼쳐가는 삶을 다룬 〈보월빙〉·〈삼문취록〉과, 윤문과 연혼가인 엄문의 인물들이 펼쳐가는 삶을 다룬 〈청행록〉으로 이루어져, 그 외적양식 면에서는 〈보월빙〉-〈삼문취록〉-〈청행록〉으로 이어지는 3부 연작소설이며, 내적양식 면에서는 윤·하·정·엄문이라는 네 가문의 가문사가 축이 되어 전개되는 가문소설이다.

내용면에서 보면, 이 연작에는 모두 787명(〈보월빙〉275, 〈삼문취록〉399, 〈청행록〉113)에 이르는 엄청난 수의 인물들이 등장하여, 군신·부자·부부·처첩·형제·친구 등 다양한 인간관계에서 벌어지는 수많은 사건들을 펼쳐가면서, 충·효·열·화목·우애·신의 등의 주제를 내세워, 인륜의 수호와 이상적인 인간 공동체의 유지, 발전을 위한 善的 價値들을 권장하고 있다. 아울러 주동인물군의 삶을 통해 고귀한 혈통·입신양명·전지전능한 인간·일부다처·오복향수·이상향의 건설 등과 같은 사대부귀족계급의 현세적 이상을 시현해놓고 있다.

이 책 『교감본 명주보월빙』은 〈명주보월빙〉의 두 이본, 곧 100권100책으로 필사된 '낙선재본'과 36권36책으로 필사된 '박순호본'을 原文內校와 異本對校의 2단계 원문교정 과정을 거쳐 각 텍스트의 필사과정에서 생긴 원문의 오자·탈자·오기·연문·결락들을 교정하고, 여기에 띄어쓰기와 한자병기 및 광범한 주석을 가해 편찬한 것이다.

그 목적은, 첫째로는 필사본 텍스트들이 갖고 있는 태생적 오류, 곧 작품의 창작 또는 전사가 手記로 이루어질 수밖에 없었던 한계 때문에, 마땅한 퇴고나 교정 수단이 없음으로 해서 불가피하게 방치해버린, 잘못 쓰고(誤字), 빠뜨리고(脫字), 거듭 쓴(衍字)글자들과, 또 거듭쓰고(衍文) 빠뜨린(缺落) 문장들, 그리고 문법이나 맞춤법·표준어 규정 같은 어문규범이 없었던 시대에, 글쓰기가 전적으로 필사자의 작문능력에 따라 달라질 수밖에 없음으로 해서 생겨난 무수한 비문들과 오기들, 이러한 것들을 텍스트의 이본대교와, 전후 문장이나 문맥, 필사자의 문투나 글씨체, 그리고 고사·성어·속담·격언·관용구·인용구 등을 비교·대조하여 바로잡음으로써, 정확한 원문을 구축하는 데 있다. 또 이러한 교정과정을 일정한 기호를 사용하여 원문에 병기함으로써, 원문을 원표기 그대로 보존하여 보여주는 한편으로, 독자가 그 교정·교주의 타당성을 판단할 수 있게 하는데 있다. 그 이유는, 이렇게 함으로써 텍스트의 불완전성을 극복할 수 있을 뿐만 아니라, 원문의 표기법을 원문 그대로 재현해 놓음으로써 원본이 갖고 있는 문학적·어학적 가치는 물론 그 밖의 여러 인문·사회학적 가치를 훼손함이 없이 보존하고 전승해 갈 수 있다고 믿기 때문이다.

둘째로는 한 작품의 이본들을 교감·주석하여 竝置시켜 보여줌으로써, 그 교정과 주석의 타당성은 물론, 각 이본이 갖고 있는 표현과 서사의 차이를 한눈에 볼 수 있게 하여, 적층문학적 성격을 갖고 있는 한국 필사본 고소설들에[1] 대한 해석학적 지평을 확장하는 데 있다. 나아가 이 연구의 수행을 통해 '原文校訂'이라는 한·중의 오랜 학문적 전통의 하나인 텍스트 교감학[2]의 유용성을 실증하여, 앞으로의 필사본 고소설들의 정리작업[데이터베이스(data base)구축과 출판]의 한 모델을 수립하는데 있다.

셋째로는 정확한 원문구축과 광범한 주석으로 작품의 可讀性을 높이고 해석적 불완전성을 제거하여, 일반 독자들이나 연구자들이 쉽게 원문 자료에 접근할 수 있게 하는데 있다.

넷째로는 이렇게 정리 구축한 교감본을 현대어본 편찬의 저본(底本)으로 활용하기 위함이다. 현대어본 편찬의 선결과제는 정확한 원문텍스트의 구축과 원문에 대한 정확한 주석이다. 이 책은 처음부터 이 현대어본의 저본 구축을 목표로 편찬된 것이기 때문에 이점 곧 정확한 원문텍스트의 구축과 원문에 대한 정확한 주석에 각별한 정성을 쏟았다.

컴퓨터 문서통계 프로그램이 계산해준 이 책의 파라텍스트(para-text)를 제외한 본문 총글자수는 5,389,773자다. 원문 289만5천자(낙본 145만9천자, 박본143만6천자)를 입력하고, 여기에 15,360곳(낙본2,736곳, 박본12,624곳)의 오자·탈자·오기·연문·결락 등에 대한 원문교정과 31만4천자(낙본16만6천자, 박본14만8천자)의 한자병기, 그리고 15,701개(낙본8,240개, 박본7,461개)의 주석이 더해지고, 또 116만 4천 곳(낙본60만2천 곳, 박본56만2천 곳)의 띄어쓰기가 가해져서 이루어진 결과다. 앞서 언급한 것처럼 이 책은 현대어본 출판까지를 계획하고 편찬한 것이다. 따라서 두 이본 중 선본인 '낙선재본'을 현대어로 옮겨 현재 출판 작업이 진행 중이다. 그 분량도 273만자에 이른다. 전자 교감본은 전문 연구자와 국문학도에게 바치는 학술도서로, 후자 현대어본은 일반 독자들에게 드리는 교

1) 여러 이본들을 갖고 있는 한국 필사본 고소설들은 필사자들이 이를 轉寫하는 과정에서 원작의 표현과 서사에 임의적으로 첨삭과 변개를 가한다는 점에서 원작자의 생각에 필사자들의 생각이 보태져서 유통되는 적층문학적 성격을 갖는다.

2) 고증학의 한 분파로, 경전이나 일반서적을 서로 다른 판본 또는 관련 있는 자료와 대조하여 내용이나 문자·문장의 異同을 밝히고 誤記·誤傳 따위를 찾아 바로잡는 학문이다. 중국 前漢 시대의 학자 劉向에 의해 창시되었으며, 청나라 때 가장 성하였다. 우리나라에서도 고려 때 한림원에 종 9품 校勘을 두었고, 조선시대에는 승문원에 종4품 校勘을 두어 경서 및 외교 문서를 조사하고 교정하는 일을 맡아보게 하였다.

양도서로, 전자는 국배판(A4규격) 3600쪽 5책1질로, 후자는 국판(A5규격) 3400쪽 10책1질로 간행될 예정이다.

그러나 필자의 편찬 작업은 이것으로 끝나는 것이 아니다. 필자는 2010년에 〈명주보월빙〉을, 2011년에는 〈윤하정삼문취록〉을, 그리고 2012년에는 〈엄씨효문청행록〉을 각각 한국연구재단의 연구지원 사업 과제에 지원하여 3회 연속 선정되는 결과를 안았다. 그리하여 지금껏 4년 동안을 필자는 두문불출, 주야불철하며 이 《명주보월빙 연작》의 원문입력과 교정, 주석에 골몰하면서 답답하고 지리한 일상을 보내고 있다. 현재 〈삼문취록〉의 교감본과 현대어본 편찬 작업은 초벌 작업만 마쳐, 출판사에 원고를 넘기기 전의 마지막 교정을 남겨두고 있는 상태다. 〈청행록〉은 교감본 편찬 작업 중 지난해 11월부터 일단 작업을 제쳐둔 채로, 지금 이 책 〈보월빙〉의 교감본과 현대어본의 출판을 위한 마지막 교정에 여념이 없다. 그 교감본은 이제 서문을 넘기게 되니 이달, 곧 2014년 2월 10일자로 간행이 될 것이다. 현대어본은 또 하루에 원문 두 권 분량을 목표로 교정작업을 진행하고 있지만, 그 분량이 100권이나 되니 오는 4월 결과물제출 마감시한을 꼬박 채워서야 발간이 될 것 같다. 〈삼문취록〉은 또 내년인 2015년4월이 제출 마감시한이고, 〈청행록〉은 2016년 4월까지 제출해야 한다. 지금까지의 작업결과로 보아 〈삼문취록〉의 분량은 교감본이 292만2천자, 현대어본이 281만자가 되고, 〈청행록〉은 아직 초벌작업도 마치지 못한 상태이지만 어림잡아 그 분량이 교감본 136만6천자(낙선재본 74만6천자, 고려대본62만자), 현대어본이 74만자(낙선재본)가 되어, 이들을 〈보월빙〉과 같은 형태로 출판을 한다면, 〈삼문취록〉은 교감본 5책, 현대어본 10책, 또 〈청행록〉은 교감본 2책, 현대어본 3책이 될 것이다.

이 3부작을 모두 합하면 교감본 12책, 현대어본 23책이 되어, 23책1질의 현대어본을 단순히 책 수로만 비교한다면 우리 현대소설사상 최장편 소설로 평가되는 20책1질로 출판된 박경리 선생의 〈토지〉를 훌쩍 넘어서는 분량이다. 등장인물 수도 〈토지〉 인물사전에는 600여명이 등장하는 것으로 소개되어 있는데 《명주보월빙 연작》에는 이보다 더 많은 인물이 등장한다. 필자가 작성하여 2007년에 〈한・중 고전소설 인명지명대사전〉 편찬사업팀에 제출한, A4용지 224쪽 분량의《명주보월빙 연작》 인명사전 원고에는 앞에서 잠깐 언급한 것처럼 787명의 인물이 등장하여 각각 작가가 부여한 작품 속 삶을 펼쳐가고 있다. 필자는 이 등장인물 사전을 현대어본 마지막 권(24권)으로 독자에게 제공할 계획이다.

"인내는 쓰고 열매는 달다"고 하였던가! 과정은 힘들었지만 결과를 이렇게 큰 출판물로, 또 DB화된 기록물로 세상에 내놓게 되니, 한국문학의 위대함을 한 자락 열어 보인 것 같아 여간 기쁘지 않다. 또 하나 이 책의 성과를 든다면, 이본 대교 작업을 통해 낙선재본 결권 '卷之七十八'을 박순호본 가운데서 찾아 복원하였다는 점이다. 이로써 이제 '낙본'은 그간 낙질 상태에 있던 자료적 불완전성을 해소하고 완전한 텍스트로 거듭나게 되어, 완질본으로서의 새로운 지위와 가치를 부여받게 된 것이다.

아무쪼록 이 책의 출판을 계기로 이 연작이 더 많은 독자들과 연구자, 문화계 인사들의 사랑과 관심을 받게 되고, 영화나 TV드라마 등으로 제작되어 민족의 삶과 문화가 더 널리 전파되어 갈 수 있기를 기대한다. 이 작품들 속에 등장하는 앵혈・개용단・도봉잠・회면단・도술・부적・신몽・천경 등의 다양한 상상력을 장착한 소설적 도구들은 민족을 넘어 세계인들의 사랑과 흥미를 이끌어내기에 충분할 것이다. 또 세계문학사적 대작이자 한국고소설사상 최장편소설로 평가되는 이 작품이 국민들의 더 높은 사랑과 관심을 받을 수 있도록 국가 보물로 지정되는 날이 쉬이 오기를 기대해 마지않는다.

이 책이 결과물제출 마감시한 전에 출판될 수 있게 된 데에는 박순호본 17권부터 36권까지의 원문 입력을 해 준 김영숙 박사의 도움이 컸다. 또 어려운 출판 여건 속에서도 인문학의 위기를 걱정하며 이 책의 출판을 흔쾌히 맡아주신 도서출판 학고방의 하운근 대표님과 편집과 출판을 맡아 애써주신 직원 여러분의 후의를 잊을 수가 없다. 도움을 주신 분들께 이 자리를 빌어 깊은 감사를 드린다.

2014년 설날 아침
최 길 용
(전북대학교 겸임교수)

* 일러두기 *

이 책『교감본 명주보월빙』은 〈명주보월빙〉의 두 이본, 곧 100권100책으로 필사된 '낙선재본'과 36권 36책으로 필사된 '박순호본'의 입력원문을 서사진행순서에 따라 같은 내용을 같은 지면에다 단락단위로 竝置시켜, 이를 각본의 '원문 내 교정'과 '이본 간 상호대조를 통한 교정'의 2단계 원문교정 과정을 거쳐, 각 텍스트의 필사과정에서 생긴 원문의 誤字・脫字・誤記・衍文・缺落・落張・錯寫들을 교정하고, 여기에 띄어쓰기와 한자병기 및 광범한 주석을 가해 편찬한 것이다.

이 때문에 이 책은 불가피하게 원문에 대한 많은 교정과 보완이 가해졌다. 따라서 이 책은 이처럼 원문에 가해진 많은 교정・보완 사항들을 일관성 있게 보여주고, 누구나 이를 원문과 쉽게 구별할 수 있게 하기 위해 다음 부호들을 사용하였다.

( ) : 한자병기를 나타내는 부호. ( )의 앞에 한글을 적고 속에 한자를 적는다.
예) 붕성지통(崩城之痛)

[ ] : 원문의 잘못 쓴 글자를 바로잡거나 빠진 글자를 보충해 넣은 부호. 오자・탈자・결락・낙장・마멸자 등의 교정에서 바로잡거나 빠진 글자를 보충해 넣을 때 사용한다.
예) 번셩ᄒᆞᆫ믄[믈], 번셩○[ᄒᆞᆫ]믈, 번□□[셩ᄒᆞᆫ]믈,

○ : 원문의 필사 과정에서 생긴 탈자를 표시하는 부호. 3어절 이내, 또는 8자 이내의 글자를 실수로 빠트리고 쓴 것을 교정하는 경우로, 빠진 글자 수만큼 '○'를 삽입하고 그 뒤에 '[ ]'를 붙여, '[ ]' 안에 빠진 글자를 보완해 넣어 교정한다.
예) 넉넉ᄒᆞᆫ○○○[미 이시]니

{ } : 중복된 글자나 불필요하게 들어간 말을 표시하는 부호. 衍字나 衍文을 교정하는 경우로, 중복해서 쓴 글자나 불필요한 말의 앞・뒤에 '{' 과 '}'를 삽입하여 연자나 연문을 '{ }'로 묶어 중복된 글자이거나 불필요한 말임을 표시한다.
예) 공이 쳥파의 희연히{희연히} 쇼왈

《‖》 : 원문의 필사 과정에서 두 글자 이상의 단어나 구・절 등을 잘못 쓴 오기를 교정하는 부호. 이때 '‖'의 앞은 원문이고 뒤는 바로잡은 글자를 나타낸다.
예) 《잠비‖잠미》 를 거ᄉᆞ리고

○…결락○자…○ : 원문에 3어절 이상의 말을 빠뜨리고 쓴 것을 보완하여 교정할 때 사용하는 부호. '○…결락○자…○' 뒤에 '[ ]'를 붙여 보완할 말을 넣고, 빠진 글자 수를 헤아려 결락 뒤의 '○'를

지우고 결락된 글자 수를 밝힌다.

예) ○…결락9자…○[계손의 혼인을 셔돌식]

○…낙장○자…○ : 원문에 본디 낙장이 있거나, 원본의 책장이 손상되어 떨어져 나간 것을 보완할 때 사용하는 부호. '○…낙장○자…○' 뒤에 '[ ]'를 붙여 보완할 말을 넣고, 빠진 글자 수를 헤아려 낙장 뒤의 '○'를 지우고 빠진 글자 수를 밝힌다.

예) ○…결락9자…○[계손의 혼인을 셔돌식]

□ : 원본의 글자가 마멸되거나 汚損으로 인해 판독이 불가능한 글자를 표시하는 부호. 오손된 글자 수만큼 '□'를 삽입하고 그 뒤에 '[ ]'를 붙여, 오손된 글자를 보완해 넣는다.

예) 예) 번□□[셩ᄒᆡ]믈,

▌①❰ ❱▐ : 원문에 필사자가 책장을 잘 못 넘기거나 착오로 쓰던 쪽이나 행을 잘못 인식하여 글의 순서가 뒤바뀐 착사(錯寫; 필사 착오)를 교정하는 부호. 필사착오가 일어난 처음과 끝에 '▌'를 넣어 착오가 일어난 경계를 표시한 후, 순서가 뒤바뀐 부분들을 '❰ ❱'로 묶어 순서에 맞게 옮긴 뒤, 각 부분들 곧 '❰ ❱'의 앞에 원문에 놓여 있던 순서를 밝혀 두어, 교정 전 원문의 순서를 알 수 있게 한다.

예) 원문의 글이 ▌①❰ ❱②❰ ❱③❰ ❱▐의 순서로 쓰여 있는 것이 ②❰ ❱-①❰ ❱-③❰ ❱의 순서로 써야 옳다면, 이를 옳은 순서대로 옮기고, 각 부분들의 앞에는 본래 순서에 해당하는 번호를 붙여 ▌②❰ ❱①❰ ❱③❰ ❱▐으로 교정한다.

목 차

낙선재본과 박순호본의 권차(券次) 대조표

<table>
<tr><th colspan="2">낙선재본</th><th colspan="2">박순본</th></tr>
<tr><th>권차</th><th>쪽수</th><th>쪽수</th><th>권차</th></tr>
<tr><td>권디 일</td><td>1-68</td><td>1-41</td><td rowspan="3">권지 일 (103쪽)</td></tr>
<tr><td>권디 이</td><td>1-74</td><td>41-80</td></tr>
<tr><td rowspan="2">권디 삼 (70쪽)</td><td>1-46</td><td>80-103</td></tr>
<tr><td>46-70</td><td>1-16</td><td rowspan="3">권지 이 (89〃)</td></tr>
<tr><td>권디 ᄉᆞ</td><td>1-75</td><td>16-68</td></tr>
<tr><td rowspan="2">권디 오 (75〃)</td><td>1-33</td><td>68-89</td></tr>
<tr><td>33-75</td><td>1-22</td><td rowspan="3">권지 ᄉᆞᆷ (106〃)</td></tr>
<tr><td>권디 뉵</td><td>1-75</td><td>23-60</td></tr>
<tr><td>권디 칠</td><td>1-75</td><td>60-106</td></tr>
<tr><td>권디 팔</td><td>1-75</td><td>1-35</td><td rowspan="4">권지 ᄉᆞ (100〃)</td></tr>
<tr><td>권디 구</td><td>1-75</td><td>35-64</td></tr>
<tr><td>권디 십</td><td>1-73</td><td>64-98</td></tr>
<tr><td rowspan="2">권디 십일 (75〃)</td><td>1- 5</td><td>98-100</td></tr>
<tr><td>5-75</td><td>1-24</td><td rowspan="4">권지 오 (93〃)</td></tr>
<tr><td>권디 십이</td><td>1-73</td><td>24-51</td></tr>
<tr><td>권디 십삼</td><td>1-73</td><td>51-83</td></tr>
<tr><td rowspan="2">권디 십ᄉᆞ (76〃)</td><td>1-27</td><td>83-93</td></tr>
<tr><td>27-76</td><td>1-29</td><td rowspan="4">권지 뉵 (103〃)</td></tr>
<tr><td>권디 십오</td><td>1-71</td><td>29-65</td></tr>
<tr><td>권디 십뉵</td><td>1-71</td><td>65-99</td></tr>
<tr><td rowspan="2">권디 십칠 (73〃)</td><td>1-12</td><td>99-103</td></tr>
<tr><td>12-73</td><td>1-34</td><td rowspan="3">권지 칠 (95〃)</td></tr>
<tr><td>권디 십팔</td><td>1-69</td><td>34-69</td></tr>
<tr><td rowspan="2">권디 십구 (70〃)</td><td>1-55</td><td>69-95</td></tr>
<tr><td>55-70</td><td>1-7</td><td rowspan="2">권지 팔</td></tr>
<tr><td>권디 이십</td><td>1-74</td><td>7-40</td></tr>
</table>

<table>
<tr><th colspan="2">낙선재본</th><th colspan="2">박순호본</th></tr>
<tr><th>권차</th><th>쪽수</th><th>쪽수</th><th>권차</th></tr>
<tr><td>권디이십일</td><td>1-73</td><td>40-71</td><td rowspan="2">권지 팔 (82〃)</td></tr>
<tr><td rowspan="2">권디이십이 (75쪽)</td><td>1-30</td><td>71-82</td></tr>
<tr><td>30-75</td><td>1-19</td><td rowspan="4">권지 구 (76〃)</td></tr>
<tr><td>권디이십삼</td><td>1-75</td><td>19-43</td></tr>
<tr><td>권디이십ᄉᆞ</td><td>1-75</td><td>43-72</td></tr>
<tr><td rowspan="2">권디이십오 (75〃)</td><td>1-14</td><td>72-76</td></tr>
<tr><td>14-75</td><td>1-38</td><td rowspan="3">권지 십 (106〃)</td></tr>
<tr><td>권디이십뉵</td><td>1-73</td><td>38-77</td></tr>
<tr><td rowspan="2">권디이십칠 (72〃)</td><td>1-55</td><td>77-106</td></tr>
<tr><td>55-72</td><td>1-7</td><td rowspan="4">권지 십일 (65〃)</td></tr>
<tr><td>권디이십팔</td><td>1-75</td><td>7-31</td></tr>
<tr><td>권디이십구</td><td>1-71</td><td>31-58</td></tr>
<tr><td rowspan="2">권디 삼십 (73〃)</td><td>1-20</td><td>58-65</td></tr>
<tr><td>20-73</td><td>1-22</td><td rowspan="3">권지 십이 (71〃)</td></tr>
<tr><td>권디삼십일</td><td>1-75</td><td>22-52</td></tr>
<tr><td rowspan="2">권디삼십이 (73〃)</td><td>1-46</td><td>52-71</td></tr>
<tr><td>46-73</td><td>1-12</td><td rowspan="3">권지 십삼 (68〃)</td></tr>
<tr><td>권디삼십삼</td><td>1-71</td><td>12-46</td></tr>
<tr><td rowspan="2">권디삼십ᄉᆞ (74〃)</td><td>1-44</td><td>46-68</td></tr>
<tr><td>44-74</td><td>1-13</td><td rowspan="3">권지 십ᄉᆞ (60〃)</td></tr>
<tr><td>권디삼십오</td><td>1-75</td><td>13-41</td></tr>
<tr><td rowspan="2">권디삼십뉵 (75〃)</td><td>1-46</td><td>41-60</td></tr>
<tr><td>46-75</td><td>1-15</td><td rowspan="5">권지 십오 (122〃)</td></tr>
<tr><td>권디삼십칠</td><td>1-74</td><td>15-54</td></tr>
<tr><td>권디삼십팔</td><td>1-73</td><td>54-86</td></tr>
<tr><td>권디삼십구</td><td>1-73</td><td>86-115</td></tr>
<tr><td rowspan="2">권디ᄉᆞ십 (74〃)</td><td>1-15</td><td>115-122</td></tr>
<tr><td>15-74</td><td>1-43</td><td rowspan="3">권지 십육 (152〃)</td></tr>
<tr><td>권디ᄉᆞ십일</td><td>1-74</td><td>43-99</td></tr>
<tr><td>권디ᄉᆞ십이</td><td>1-73</td><td>99-152</td></tr>
</table>

낙선재본		박순호본	
권차	쪽수	쪽수	권차
권디ᄉᆞ십삼	1-73	1-51	권지십칠 (152쪽)
권디ᄉᆞ십ᄉᆞ	1-73	51-103	
권디ᄉᆞ십오	1-72	103-152	
권디ᄉᆞ십뉵	1-75	1-49	권지십팔 (157〃)
권디ᄉᆞ십칠	1-75	49-104	
권디ᄉᆞ십팔	1-73	104-157	
권디ᄉᆞ십구	1-73	1-61	권지십구 (184〃)
권디오십	1-73	61-122	
권디오십일 (74쪽)	1-72	122-184	
	72-74	1-2	권지이십 (176〃)
권디오십이	1-74	2-59	
권디오십삼	1-70	59-112	
권디오십ᄉᆞ	1-72	112-176	
권디오십오	1-75	1-67	권지이십일 (207〃)
권디오십뉵	1-73	67-137	
권디오십칠	1-72	137-207	
권디오십팔	1-73	1-64	권지이십이 (196〃)
권디오십구	1-73	64-131	
권디뉵십	1-72	131-196	
권디뉵십일	1-73	1-63	권지이십ᄉᆞᆷ (188〃)
권디뉵십이	1-73	63-124	
권디뉵십삼	1-73	124-188	
권디뉵십ᄉᆞ	1-74	1-64	권지이십ᄉᆞ (189〃)
권디뉵십오	1-73	64-124	
권디뉵십뉵	1-74	124-189	
권디뉵십칠	1-71	1-66	권지이십오 (185〃)
권디뉵십팔	1-69	66-126	
권디뉵십구	1-76	126-175	
권디칠십 (74〃)	1-2	175-185	
	2-74	1-63	권지이십육 (167〃)
권디칠십일	1-71	63-114	
권디칠십이	1-71	114-167	

낙선재1-본		박순호본	
권차	쪽수	쪽수	권차
권디칠십삼	1-71	1-78	권지이십칠 (187〃)
권디칠십ᄉᆞ	1-70	79-140	
권디칠십오	1-70	141-187	
권디칠십뉵	1-72	1-55	권지이십팔 (163〃)
권디칠십칠	1-71	55-108	
권디칠십팔	'박본'복원	108-163	
권디칠십구	1-71	1-40	권지이십구 (128〃)
권디팔십	1-73	40-71	
권디팔십일	1-69	71-114	
권디팔십이 (71〃)	1-19	114-128	
	19-71	1-32	권지삼십 (160〃)
권디팔십삼	1-69	32-78	
권디팔십ᄉᆞ	1-69	78-135	
권디팔십오 (69〃)	1-36	135-160	
	36-69	1-22	권지삼십일 (137〃)
권디팔십뉵	1-71	22-66	
권디팔십칠	1-71	66-105	
권디팔십팔	1-73	105-137	
권디팔십구	1-73	1-50	권지삼십이 (97〃)
권디구십 (71〃)	1-70	50-97	
	70-71	1-2	권지삼십삼 (119〃)
권디구십일	1-69	2-49	
권디구십이	1-70	49-94	
권디구십삼 (75〃)	1-46	94-119	
	46-75	1-19	권지삼십ᄉᆞ (177〃)
권디구십ᄉᆞ	1-76	19-96	
권디구십오	1-75	96-172	
권디구십뉵 (70〃)	1-6	172-177	
	6-70	1-63	권지삼십오 (174〃)
권디구십칠	1-74	63-128	
권디구십팔 (76〃)	1-54	128-174	
	54-76	1-21	권지삼십육 (131〃)
권디구십구	1-71	21-79	
권디일빅	1-68	79-131	

【낙선재본】

명듀보월빙 권디이십일

어시의 신묘랑이 뎡숙녈의 면젼을 나ᄆᆡ, 비로소 살 곳을 어더 다힝ᄒᆞ여 ᄒᆞᆫ번 소ᄅᆡᄒᆞ고 아아(峨峨)히 공듕의 치다라 가니, 셰월이 짐줏 노코 여이 다라나를 보ᄒᆞ니, 위·뉘 흔힝(欣幸)ᄒᆞ나, 거즛 고장(告狀)ᄒᆞ여 져주지[1] 못ᄒᆞ믈 ᄋᆡ돌와 ᄒᆞᄂᆞᆫ 쳬ᄒᆞ며, 임의 뎡시를 잡혀 보ᄂᆡ디 못ᄒᆞ니 엇디 ᄒᆞᆫ 션들 ᄉᆞ침(私寢)의 편히 두리오.

위뇌(老) 거즛 요악지ᄉᆞ(妖惡之事)를 ᄭᅬᄒᆞ다ᄒᆞ여 ᄭᅮ지져 압셰워 경희뎐으로 오니, 뉴시 소원을 일우지 못ᄒᆞ믈 통ᄒᆞᆫᄒᆞ고, ᄯᅩ 셰월이 오릴ᄉᆞ록 명ᄋᆞ의 산 곡졀(曲折)을 모로고, 츈월의 ᄉᆞ 【1】 ᄉᆡᆼ(死生)을 몰나 ᄆᆡ양 묘랑을 ᄃᆡᄒᆞ여 므르면, 윤시 팔ᄌᆡ(八字) 길ᄒᆞ여 존귀ᄒᆞ미 만복(萬福)의 무흠(無欠)ᄒᆞ고, 츈월은 옥듕의셔 아딕 죽든 아녓다 ᄒᆞ니, 쥬야 분분난측(紛紛難測)ᄒᆞ여 온가지로 ᄉᆞ량(思量)ᄒᆞ나, 형봉의 머리를 버혀 드리치고, ○○○[명아를] 살와ᄂᆡ며, 츈월을 옥듕 죄슈를 삼아시믄, 귀신의 됴홰며 사ᄅᆞᆷ의 작용이믈 블분(不分)ᄒᆞ여, 뎡시ᄂᆞᆫ ᄇᆞᆰ히 알 줄 알오ᄃᆡ, ᄎᆞ마 그 말을 뭇지 못ᄒᆞ더니, 이ᄣᆡ 태괴(太姑)[2] 뎡시를 요졍(妖精)을 드러[려][3] 가ᄂᆡ의 작변(作變)ᄒᆞᆫ다 조로고 보ᄎᆡᄂᆞᆫ ᄃᆡ[4], 뉴시 존고를 도도아 뎡시다려 왈,

“삼ᄉᆞ년 젼 딜녜 셩혼 후 쳐음 귀령ᄒᆞ여, 아녜(我女) 쵹디(蜀地)로 가ᄆᆡ, 져희 죵형뎨(從兄弟) 별회를 펴고 【2】 상공(相公)이 녀ᄋᆞ를 다려 쵹으로 가신 후, 딜ᄋᆡ 즉시 도라갓더니 딜녜 므ᄉᆞᆷ 화를 만낫더라 ᄒᆞᄃᆡ, 그 후 딜녜 귀근(歸覲)치 아니므로 곡졀을 ᄌᆞ

1)져주다 : 형신(刑訊)하다. 심문하다

2)태괴(太姑) : 태부인(太夫人). 고(姑)는 부녀(婦女)시의 통칭.

3)드리다 : 들이다. 들어오게 하다. 집 안에서 부릴 사람을 고용하다.

4)ᄃᆡ : =ᄣᆡ. 때. 시(時)

【박순호본】

셰월 등이 짐짓 노코 여이 다라나물 보ᄒᆞ니, 위·뉴 흔힝(欣幸)ᄒᆞ나, 거즛 고장(告狀)ᄒᆞ여 져주지[1] 못ᄒᆞ물 ᄋᆡ달와 ᄒᆞᄂᆞᆫ체 ᄒᆞ며, 임의 뎡시을 ᄌᆞᆸ혀 보ᄂᆡ지 못ᄒᆞᄆᆡ, 엇지 일신들 ᄉᆞ침(私寢)의 편히 두리오.

위뇌(老) 거즛 요악지ᄉᆞ(妖惡之事)을 ᄭᅬᄒᆞᆫ다 ᄒᆞ여 ᄭᅮ지져 압셰워 경희젼으로 오니, 뉴시 소원을 일우지 못ᄒᆞ믈 통ᄒᆞᆫᄒᆞ고, 셰월이 오릴ᄉᆞ록 명아의 산 곡졀(曲折)을 모로고, 츈월의 ᄉᆞᄉᆡᆼ(死生){의 ᄉᆞᄉᆡᆼ}을 몰나 ᄆᆡ양 묘랑을 ᄃᆡᄒᆞ여 무르면 윤시 팔ᄌᆡ(八字) 길ᄒᆞ여 존귀ᄒᆞ미 만복(萬福)의 무【40】흠(無欠)ᄒᆞ고, 츈월은 옥듕의셔 아즉 죽든 아냣다 ᄒᆞ니, 쥬야 분분난측(紛紛難測)ᄒᆞ여 온가지로 ᄉᆞ량(思量)ᄒᆞ나, 《봉형‖형봉》의 머리을 버혀 드리치고, ○○○[명아를] ᄉᆞᆯ와ᄂᆡ며, 츈월을 옥듕의 죄슈○[를] ᄉᆞᆷ아시물 귀신의 조화며 ᄉᆞᄅᆞᆷ의 작용이물 불분(不分)ᄒᆞ여 뎡시ᄂᆞᆫ 밝히 알 쥴 알오ᄃᆡ, ᄎᆞ마 그 말을 뭇지 못ᄒᆞ더니, 이 ᄣᆡ ᄐᆡ부인(太夫人)이 뎡시을 요졍(妖精)을 드려[2] 가ᄂᆡ의 작변ᄒᆞᆫ다 조러[로]고 보ᄎᆡᄂᆞᆫ ᄉᆞᆺ히, 뉴시 존고을 도도며 뎡시다려 왈,

“ᄉᆞᆷᄉᆞ년 젼 질녀 셩혼 후 쳐음 귀령ᄒᆞ여 아녀(我女) 쵹지(蜀地)을 가ᄆᆡ, 져의 종형뎨(從兄弟) ᄂᆡ별ᄒᆞᄂᆞᆫ 회포을 펴고 상공(相公)이 녀아을 다리고 쵹으로 가신 후, 질ᄋᆡ 즉시 도라갓더니, 질녜 무ᄉᆞᆷ 화을 만낫더라 ᄒᆞ되, 그 후 질녀 귀근(歸覲)치 아니므로 곡졀을 ᄌᆞ세 모로더니, 금야의 그ᄃᆡ 침실의 이상ᄒᆞᆫ 요졍이 드러시물 보니, 아니 날 마

1)져주다 : 형신(刑訊)하다. 심문하다

2)드리다 : 들이다. 들어오게 하다. 집 안에서 부릴 사람을 고용하다.

시 모로더니, 금야의 그ᄃᆡ 침실의 이상ᄒᆞᆫ 변고를 보니 아니 날 ᄆᆞ음이 업셔, 그ᄃᆡ 집으로 좃ᄎᆞ 그런 일이 잇셔 딜녀도 괴이ᄒᆞᆫ 변을 만나고, 츈월도 요정의 홀니여 딜ᄋᆞ의 ᄆᆡ골5)을 뼛던가 시브니, 그ᄃᆡᄂᆞᆫ 소유(所由)6)를 알디라, 모로미 ᄌᆞ시 니르라.”

쇼제 그 말마다 간흉(姦凶)ᄒᆞ믈 탄ᄒᆞ여 ᄌᆞ긔 등 비고(悲苦)ᄂᆞᆫ 닛치이고7), 도로혀 져를 위ᄒᆞ여 당ᄂᆡ를 근심ᄒᆞ며, 윤시 화란(禍亂)을 므르미 츈월의 ᄉᆞᄉᆡᆼ을 알녀 ᄒᆞ민 줄 알ᄆᆡ, 아조 낙막(落寞)게 【3】 ᄃᆡ답ᄒᆞ려 ᄃᆡ왈,

“모년 월일의 져져(姐姐) 참화ᄉᆞ(慘禍事)ᄂᆞᆫ ᄉᆡᆼ각ᄒᆞᆯᄉᆞ록 심골(心骨)이 경한(驚寒)ᄒᆞᆫ디라. 져제 귀령(歸寧)ᄒᆞ시ᄆᆡ 부뫼 타렴(他念) 업셔 슈히 도라오기를 기다렷더니, 가형이 맛츔 셩ᄂᆡ의 드러왓다가 십ᄌᆞ가(十字街) 도즁의 큰 농을 바려시니, 하리 등이 여러 본 즉 사ᄅᆞᆷ의 시슈(屍首)라 ᄒᆞᄆᆡ, 가형이 무쥬시신(無主屍身)8)으로 아라 측은디심(惻隱之心)이 발ᄒᆞ여 거두어 뭇고져 ᄒᆞᆯ ᄎᆞ, 그 의형(儀形)을 얼픗 보ᄆᆡ 분명ᄒᆞᆫ 져젠(姐姐) 고로, 대경ᄎᆞ악(大驚且愕)ᄒᆞ여 집을 어더 시신을 드려 두로 본 즉, 만면의 피 빗치오, 다리를 칼노 ᄣᅴ여시며9), 입의 독약을 브어시ᄃᆡ 오히려 명ᄆᆡᆨ이 걸녀시므로, 디셩 구호ᄒᆞ여, 계오 ᄉᆡᆼ되(生道) 이신 【2】 후, 취운산으로 나오니, 그 ᄉᆞ이 거교(車轎)를 존부의 보ᄂᆡ여 져제(姐姐)라 ᄒᆞ리10)를 다려오니, ᄒᆡᆼ동거디(行動擧止) 긔괴망측(奇怪罔測)ᄒᆞᄃᆡ, 얼골인즉 츄호 다르미 업ᄉᆞ니 구ᄐᆞ여 의심치 아녓다가, 형이 져져를 ᄉᆞᆯ오고 나오ᄆᆡ, 거교(車轎)의 다려온 거ᄉᆞᆫ 져제 아니믈 ᄭᆡᄃᆞ라, 엄히 져주려 외헌으로 나가니, 그 복쵸(服招)ᄂᆞᆫ 모로고 일흠이 츈월인 줄 모

5)ᄆᆡ골 : 축이 나서 못쓰게 된 사람의 모습.
6)소유(所由) : 말미암은 바. 까닭. 이유(理由).
7)닛치이다 : 잊히다. 생각이 나지 않다.
8)무쥬시신(無主屍身) : 주인(主人) 곧 상주(喪主)가 없는 시신.
9)ᄣᅴ다 : 찢다. 째다.
10)ᄒᆞ리 : (-라) 하는 이. (-라) 하는 사람.

음이 업셔, 그ᄃᆡ 집으로 조ᄎᆞ 그런 일이 이셔 질녀도 고이ᄒᆞᆫ 변을 만나고, 츈월도 요정의 홀니여 질아의 ᄆᆡ골3)을 썻던가 시브니 그ᄃᆡᄂᆞᆫ 그 ᄣᆡ 소유(所由)4)을 알지라, 모로미 ᄌᆞ셰 이르라.”

소제 그 말마다 간흉(姦凶)ᄒᆞ믈 탄ᄒᆞ여 ᄌᆞ긔 등 비고(悲苦)ᄂᆞᆫ 이치이고5) 도로혀 져을 위ᄒᆞ여 장ᄂᆡ을 근심ᄒᆞ며, 뉴시 화란(禍亂)을 무르미 츈월의 ᄉᆞᄉᆡᆼ을 알녀ᄒᆞ〇〇〇[민 줄 알]ᄆᆡ, 아조 낙막(落寞)게 ᄒᆞ려 ᄃᆡ답 ᄒᆞᄃᆡ,

“모년 월일의 참화ᄉᆞ(慘禍事)ᄂᆞᆫ ᄉᆡᆼ각ᄒᆞᆯ ᄉᆞ록 심ᄒᆞᆫ(心寒)이 경황(驚惶)ᄒᆞᆫ지라. 졔졔(姐姐) 그 ᄣᆡ 귀령ᄒᆞ시ᄆᆡ 부모 타렴(他念)이 업셔 슈히 도라오기를 기ᄃᆞ리더니, 가형이 마츔 셩ᄂᆡ의 드러와[왓]다가 십ᄌᆞ가(十字街) 도즁의 큰 농을 바려시니, ᄒᆞ리 등이 여러 본 즉, ᄉᆞᄅᆞᆷ의 신체라 ᄒᆞᄆᆡ, 가【41】형이 무주(無主)ᄒᆞᆫ 시신(屍身)6)으로 알아 측은ᄒᆞᆫ 마음이 발ᄒᆞ여 거두어 뭇고져 ᄒᆞᆯ ᄎᆞ, 그 의형(儀形)을 얼픗 보ᄆᆡ 분명ᄒᆞᆫ 졔젼(姐姐) 고로, ᄃᆡ경ᄎᆞ악(大驚且愕)ᄒᆞ여 집을 어더 시신을 드러[려] 본 즉, 만면의 피빗치오, 다리을 칼노 찌여시며, 입의 독약을 부어시되, 오히려 명ᄆᆡᆨ이 걸녀시므로, 지셩 구호ᄒᆞ여 겨우 ᄉᆡᆼ되(生道) 이신 후 취운산으로 나오니, 그 ᄉᆞ이 거교(車轎)을 존부의 보ᄂᆡ며, 졔졔(姐姐)라 ᄒᆞ리7)을 다려오니, ᄒᆡᆼ동거지(行動擧止) 긔괴망측(奇怪罔測)ᄒᆞ여도, 얼골은 츄호 다르미 업ᄉᆞ니, 굿타여 의심치 아녓다가 가형이 졔졔을 ᄉᆞᆯ오고 나오ᄆᆡ, 거교의 다려온 거ᄉᆞᆫ 졔졔 아니믈 ᄭᆡ다라, 엄히 져주려 외헌으로 나가니, 그 복초ᄂᆞᆫ 모로고 일흠이 츈월인지 모로ᄃᆡ, 그 입으로 ᄒᆞᄂᆞᆫ 말이 망측(罔測)ᄒᆞ여 가술지죄

3)ᄆᆡ골 : 축이 나서 못쓰게 된 사람의 모습.
4)소유(所由) : 말미암은 바. 까닭. 이유(理由).
5)이치이다 : 잊히다. 생각이 나지 않다.
6)무주(無主) 시신(屍身) : 주인(主人) 곧 상주(喪主)가 없는 시신.
7)ᄒᆞ리 : 하는 이. 하는 사람.

로ᄃᆡ, 입으로 ᄒᆞᄂᆞᆫ 말이 망측(罔測)ᄒᆞ여 가살지죄(可殺之罪)11)라 ᄒᆞ고, 그날 쟝하(杖下)의 맛ᄎᆞᆺ다 ᄒᆞ옵거ᄂᆞᆯ, 드를 ᄉᆡᆫ이언졍 쳡의 집으로좃ᄎᆞ 요졍(妖精)이 이셔 그리 변화ᄒᆞ믄, 쳔ᄉᆞ만상(千思萬想)12)ᄒᆞ여도 ᄭᆡᄃᆞᆺ지 못ᄒᆞᆯ소이다.”

위흉(凶)과 경ᄋᆞ 모녜 쳥[쳔]흉만악(千凶萬惡)이 구비(具備)ᄒᆞ나, 뎡소져【5】의 말을 드ᄅᆞᄆᆡ 젹년(積年) 아득히 모로고 념녜 무궁ᄒᆞ던 바, 츈월이 발셔 죽고 악ᄉᆡ 그ᄣᆡ 발각ᄒᆞ여 뎡부 샹히 모로리 업던 바를 ᄉᆡᆼ각ᄒᆞ니 낫치 달호이고13) 말이 막혀, 위ᄐᆡ(太)14)ᄂᆞᆫ 눈을 뒤룩여15) 좌우를 보고, 경ᄋᆡ 면홍(面紅)이 ᄌᆞ져16) ᄒᆞᄃᆡ, 뉴시 십분 강작(强作)ᄒᆞ여 혀 ᄎᆞ고 왈,

“그ᄃᆡ 집 변고ᄂᆞᆫ 블가ᄉᆞ문어타인(不可使聞於他人)17)이라. 우리 분명이 딜녜 무ᄉᆞ히 도라가믈 보아시니 그 ᄉᆞ이 변괴 이시미야 엇디 몽니(夢裏)18)의나 ᄉᆡᆼ각ᄒᆞ리오마ᄂᆞᆫ, 젼셜(傳說)을 우연이 드르니, 그ᄃᆡ 집의 요졍이 이셔 사ᄅᆞᆷ을 히ᄒᆞ고 우리 비ᄌᆞ 츈월이 변ᄒᆞ여 딜녜 되엿더라 ᄒᆞ거ᄂᆞᆯ, 측냥치 못ᄒᆞ엿더니【6】 이졔 그ᄃᆡ 말을 드르니 놀납고 한심ᄒᆞᆫ디라. 그ᄃᆡ 침실의 드럿던 요졍이 딜녀를 히ᄒᆞᆫ 무린가 ᄒᆞ노라.”

쇼졔 다시 말이 업고, 츈월을 죽다 ᄒᆞ믄 혹ᄌᆞ 요졍과 모의ᄒᆞ여 월을 도뎍ᄒᆞ여 갈가 념○[녀](念慮)ᄒᆞᄂᆞᆫ 고로 망단(望斷)19)케 ᄒᆞ미라.

(可殺之罪)8)라 ᄒᆞ고, 그날 장ᄒᆞ(杖下)의 맛ᄎᆞᆺ다 ᄒᆞ거ᄂᆞᆯ, 들을 ᄉᆡᆫ이라, 쳡의 집으로 좃ᄎᆞ ○○○[요졍이] 잇셔 그리 변화ᄒᆞ믄 쳔ᄉᆞ만상(千思萬想)9)ᄒᆞ여도 ᄭᆡ닷지 못ᄒᆞᆯ 소이다.”

ᄐᆡ부인과 경아 모녀 쳔흉만악(千凶萬惡)이 구비(具備)ᄒᆞ나, 뎡시 말을 들으ᄆᆡ 젹년(積年) 아득히 모로고 념녀 무궁턴 바, 츈월이 발셔 죽고, 악ᄉᆡ 그 ᄣᆡ 발각ᄒᆞ니 낫치 달호이고10) 말이 막혀, 위노(老)11)ᄂᆞᆫ 눈을 두룩여12) 좌우을 보고, 경ᄋᆡ 면홍(面紅)이 ᄌᆞ져13) ᄒᆞᄃᆡ, 뉴시 십분 강작(强作)ᄒᆞ여 혀 ᄎᆞ고 왈,

“그ᄃᆡ 집 변고을 불가ᄉᆞ문어타인(不可使聞於他人)14)이라. 운[우]리ᄂᆞᆫ 분명이 질녀 무ᄉᆞ히 도라가믈 보아시니, 그 ᄉᆞ이 변괴 이시미야 엇지 몽니(夢裏)15)의나 ᄉᆡᆼ각ᄒᆞ리오마ᄂᆞᆫ 젼셜(傳說)의 우연이 드르니, 그ᄃᆡ 집의 요졍이 잇셔 ᄉᆞᄅᆞᆷ을 히ᄒᆞ고 우리 비ᄌᆞ 츈월이 변ᄒᆞ여 질【42】녀 되엇더라 ᄒᆞ거ᄂᆞᆯ, 측냥치 못ᄒᆞ엿더니, 이졔 그ᄃᆡ 말을 드르니 놀납고 ᄒᆞᆫ심ᄒᆞᆫ지라. 그ᄃᆡ 침실의 드럿든 요졍이 질녀을 히ᄒᆞᆫ 무린가 ᄒᆞ노라.”

소졔 다시 말이 업고 츈월이 죽다ᄒᆞ믄 ᄉᆞ라 옥니의 잇시물 드른 즉 요졍과 모의ᄒᆞ여 츈월을 도젹ᄒᆞ여 갈가 념여(念慮)ᄒᆞᄂᆞᆫ 고로 망단(望斷)16)케 ᄒᆞ미라.

11)가살지죄(可殺之罪) : 살려둘 수 없을 만큼 큰 죄.
12)쳔ᄉᆞ만상(千思萬想) : 천번 만번 생각함.
13)달호다 : 붉히다. 달구다. ①성이 나거나 또는 부끄러워 얼굴이 붉어지다. ②분위기나 사상, 감정 따위를 고조시키다.
14)위ᄐᆡ(太) : 위태부인(太夫人)의 별칭. ☞위노(老), 위흉(凶)
15)뒤룩이다 : 크고 둥그런 눈알이 힘 있게 움직이다. ⇒두룩이다.
16)ᄌᆞᆽ다 : 잦다. 잇따라 자주 있다.
17)블가ᄉᆞ문어타인(不可使聞於他人) : 남에게 들려줄 수 없는 일. 남이 듣게 할 수 없는 일.
18)몽니(夢裏) : 꿈 속.
19)망단(望斷) : 바라던 것을 단념하다. 어떤 바라던 일이 실패하다.

8)가살지죄(可殺之罪) : 살려둘 수 없을 만큼 큰 죄.
9)쳔ᄉᆞ만상(千思萬想) : 천번 만번 생각함.
10)달호다 : 붉히다. 달구다. ①성이 나거나 또는 부끄러워 얼굴이 붉어지다. ②분위기나 사상, 감정 따위를 고조시키다.
11)위노(老) : 위태부인(太夫人)의 별칭. ☞위ᄐᆡ(太), 위흉(凶)
12)두룩이다 : 크고 둥그런 눈알이 힘 있게 움직이다. ⇒뒤룩이다.
13)ᄌᆞᆽ다 : 잦다. 잇따라 자주 있다.
14)블가ᄉᆞ문어타인(不可使聞於他人) : 남에게 들려줄 수 없는 일. 남이 듣게 할 수 없는 일.
15)몽니(夢裏) : 꿈 속.
16)망단(望斷) : 바라던 것을 단념하다. 어떤 바라던 일이 실패하다.

뉴시 ᄉᆡᄇᆡ[20] 머디 아니믈 일ᄏᆞ라 존고 취침을 권ᄒᆞ고 모녜 물너 왓더니, 명일 위방이 밧긔셔 청알(請謁)ᄒᆞ니, 뉴시 ᄭᅬ를 ᄉᆡᆼ각고 존고긔 위방을 여ᄎᆞ여ᄎᆞ 계교를 지휘ᄒᆞ쇼셔 ᄒᆞ니, 위뇌(老)[21] 졈두(點頭)ᄒᆞ고 방을 불너, 방이 녜파(禮罷) 좌뎡(坐定)의 존후를 뭇ᄌᆞᆸ고 왈,

"쳔딜이 금션법ᄉᆞ와 쟉일 뎡부인 다려오믈 언약ᄒᆞ고 죵야토록 기다리ᄃᆡ【7】 ○[종]젹(蹤迹)이 업ᄉᆞᄆᆡ 괴이ᄒᆞ여 니르과이다."

위뇌 머리를 긁젹어 왈,

"법ᄉᆡ 너를 위ᄒᆞ여 뎡시를 잡으라 그 방의 갓다가 도로혀 뎡시의게 귀를 버히고 ○○[져ᄂᆞᆫ] 안연 무ᄉᆞᄒᆞ니, 그런 별물이 어ᄃᆡ 이시리오마ᄂᆞᆫ, 다만 뉴현뷔 일계를 니르니 이ᄂᆞᆫ 아모리 신이ᄒᆞ나 속으리니, 네 이리이리 노복을 변용ᄒᆞ여 효신(曉晨)의 거교(車轎)를 가지고 와 여ᄎᆞ여ᄎᆞ 젼어ᄒᆞ여 뎡시를 다려가미 엇더ᄒᆞ뇨?"

위방이 청파(聽罷)의 블승경희(不勝驚喜)[22]ᄒᆞ니 놀나믄 뎡시 긔졀(氣節)이 초고(超高)ᄒᆞ믈 ᄋᆡ돌와ᄒᆞ고, 깃거ᄒᆞ믄 뉴시 계괴 긔묘ᄒᆞ미라. 니러 칭샤 왈,

"태부인은 천딜(賤姪)을 위ᄒᆞ샤미 슉딜지경(叔姪之情)을【8】 ᄉᆡᆼ각ᄒᆞ시미어니와 뉴부인의 지교ᄒᆞ신 은혜(恩惠) 난망(難忘)이니 셔딜(庶姪)이 ᄯᅩᄒᆞᆫ 범ᄉᆞ의 힘ᄡᅧ 은덕을 갑고져 ᄒᆞᄂᆞ이다."

위뇌 쇼왈,

"뉴현부의 현심은 본ᄃᆡ 사ᄅᆞᆷ의 일을 ᄀᆞ라치ᄆᆡ ᄉᆞᆺ출 여무러[23] 되도록 ᄒᆞᄂᆞ니 엇디 구ᄐᆞ여 칭은ᄒᆞ리오."

ᄒᆞ고 개용단(改容丹)을 주며 삼가믈 ᄌᆡ삼 당부ᄒᆞ니, 방이 ᄇᆡ샤응명(拜謝應命)ᄒᆞ고 단약(丹藥)을 낭듕(囊中)의 너코 즉시 도라가

---

20)ᄉᆡᄇᆡ : 새벽.

21)위뇌(老) : 위태부인(太夫人)의 별칭(別稱). ☞ 위ᄐᆡ(太), 위흉(凶)

22)블승경희(不勝驚喜) : 뜻밖의 좋은 일에 몹시 놀라며 기쁨을 이기지 못함.

23)여물다 : 일이나 말 따위를 잘 매듭지어 끝마치다.

뉴시 젼혀 무미(無味)ᄒᆞ여 ᄉᆡᄇᆡ[17] 머지 아니믈 일카라 존고 취침ᄒᆞ물 권ᄒᆞ고, 모녀 물너 왓더니, 명일 위방이 박긔셔 청알(請謁)ᄒᆞ니, 뉴시 ᄒᆞᆫ ᄭᅬ을 ᄉᆡᆼ각고 존고긔 '위방을 여ᄎᆞ여ᄎᆞ 계교을 지휘ᄒᆞ소셔' ᄒᆞ니, 위뇌 졈두ᄒᆞ고 방을 불너보니, 방이 녜파(禮罷) 좌졍(坐定)의 존후을 뭇고 왈,

"쳔질이 금션법ᄉᆞ와 작일 뎡부인 다려 오믈 언약ᄒᆞ고 죵야토록 기ᄃᆞ려도 종젹(蹤迹)을 모로ᄆᆡ 고이ᄒᆞ여 이르과이다."

ᄐᆡ부인이 머리을 극젹여 왈,

"법ᄉᆡ 너을 위ᄒᆞ여 뎡시을 잡으려 그 방의 갓다가 도로혀 뎡시의게 귀을 버히고 ○○[져ᄂᆞᆫ] 안연 무ᄉᆞᄒᆞ니, 그런 별물이 어ᄃᆡ 이시리오. 다만 뉴현뷔 일계을 일우니 이ᄂᆞᆫ 아모리 신이ᄒᆞ나 속오리니, 네 이리이리 노복으로 변용ᄒᆞ여 효신(曉晨)의 거교(車轎)을 가지고 와, 여ᄎᆞ여ᄎᆞ 전의[어](傳語)ᄒᆞ여 뎡시을 다려가미 엇더ᄒᆞ뇨?."

방이 청파(聽罷)의 불승경희(不勝驚喜)[18]ᄒᆞ니, 놀나믄 뎡시 긔질(氣質)이 초고(超高)하믈 ᄋᆡ달와 ᄒᆞ미오, 깃거ᄒᆞ믄 뉴시 계교 긔묘ᄒᆞ미라. 이러 칭ᄉᆞ 왈,

"ᄐᆡ부인은 쳔질(賤姪)을 위ᄒᆞ여 슉질지졍(叔姪之情)을 ᄉᆡᆼ각ᄒᆞ시여니와 뉴부인의 지교ᄒᆞ신 은혜(恩惠) 난망(難忘)이니, 질(姪)이 ᄯᅩᄒᆞᆫ 범ᄉᆞ의 힘써 은덕을 갑고져【43】 ᄒᆞᄂᆞ이다."

위뇌 소왈.

"○[뉴]현부의 현심은 본ᄃᆡ ᄉᆞᄅᆞᆷ의 일을 가르치ᄆᆡ ᄉᆞᆺ즐 여무러[19] 되도록 ᄒᆞᄂᆞ니 엇지 굿ᄒᆞ여 칭은ᄒᆞ리오."

ᄒᆞ고 ᄀᆡ용단(改容丹)을 주며 삼가믈 ᄌᆡᄉᆞᆷ 당부ᄒᆞ니 방이 ᄇᆡᄉᆞ은[응]명(拜謝應命)ᄒᆞ고 단약(丹藥)을 낭듕(囊中)의 너코 즉시 도라가니, ᄎᆞ시 뎡시 요경의 자최 이르믈 지긔

---

17)ᄉᆡᄇᆡ : 새벽.

18)블승경희(不勝驚喜) : 뜻밖의 좋은 일에 몹시 놀라며 기쁨을 이기지 못함.

19)여물다 : 일이나 말 따위를 잘 매듭지어 끝마치다.

니, ᄎᆞ시 뎡슉녈이 요졍의 ᄌᆞ최 니르므로브터 반ᄃᆞ시 흉ᄒᆞᆫ 징상(徵狀)이믈 ᄇᆞᆰ히 지긔ᄒᆞ고, 위방의 오ᄂᆞᆫ ᄯᆡ면 위뇌 ᄉᆞ 쇼져를 ᄉᆞ침으로 보ᄂᆡᄂᆞᆫ 고로, ᄎᆞ일 홍션으로 잠간 규시ᄒᆞ라 ᄒᆞ니, 션이 ᄀᆞ마니 후창하(後窓下)의 은신ᄒᆞ여 그 문【9】답을 일일이 듯고 심골이 경한ᄒᆞ여, 급히 도라와 쇼져를 보고 슈말을 고ᄒᆞ니, 쇼졔 블승통ᄒᆡ(不勝痛駭) ᄒᆞ여, 방을 크게 속이려, 션다려 왈,

"병부 거거(哥哥)의 군관 니곽이 용ᄆᆡᆼ이 절뉸(絶倫)ᄒᆞ고 위인이 튱박(忠朴)ᄒᆞ므로 ᄀᆞ장 신임ᄒᆞ더니, 윤군이 보고 거거(哥哥)긔 청ᄒᆞ여 다려왓ᄂᆞᆫ디라, 네 곽을 가 보고 젼어ᄒᆞᄃᆡ 명일 위가 거교의 드러가, 여ᄎᆞ여ᄎᆞ 위방을 속이ᄃᆡ 인귀(人鬼)를 분간치 못ᄒᆞ게 ᄒᆞ라."

션이 슈명(受命)이어ᄂᆞᆯ, 쇼졔 우왈,

"내 ᄯᆡ를 타 옥화산의 가 존고긔 뵈오려 ᄒᆞᄂᆞ니, 계튱 등으로 교ᄌᆞ를 후문으로 ᄃᆡ후ᄒᆞ라."

쇼졔 원ᄂᆡ 홍션으로 어ᄉᆞ긔 므러 존괴 옥화산의【10】 올므시믈 알고, 진·하·댱 삼인으로 더브러 심복 비ᄌᆞ를 ᄌᆞ로 보ᄂᆡ여 존후(尊候)○[을] 아ᄂᆞᆫ디라. 효부의 영모지경(永慕之情)이 간졀ᄒᆞ여 ᄉᆞ이를 타 존고긔 ᄇᆡ현(拜見)ᄒᆞ려 ᄒᆞ니, 홍션은 일개 튱의(忠義)예 비ᄌᆡ라. 즉시 나가 그윽ᄒᆞᆫ 곳의셔 니곽을 청ᄒᆞ여 부인 분부를 전ᄒᆞᄃᆡ,

"명일 위방 젹ᄌᆡ(賊者) 흉심을 발ᄒᆞ여 운산 본부 노복의 얼골을 비러 거교를 가져오리니, 날이 ᄇᆞᆰ지 아냐 교ᄌᆞ를 ᄂᆡ청(內廳) 듕문 알패 노코 여러히 덤벙일 ᄉᆞ이 교듕의 드러, 위가의 가 일당을 즐ᄎᆡᆨ(叱責)ᄒᆞ고 죽지 아닐만치 친 후 도라오ᄃᆡ, ᄎᆞᄉᆞ를 블츌구외(不出口外)ᄒᆞ라."

곽이 브복【11】 청교(聽敎)ᄒᆞ고 스ᄉᆞ로 용약(勇躍) 왈,

"내 평ᄉᆡᆼ 음황무도(淫荒無道)ᄒᆞᆫ 뉴를 절치 통한ᄒᆞ더니, 위방 쳔인이 엇디 감히 여ᄎᆞ 방ᄌᆞ ᄒᆞ리오. 삼가 부인 명을 봉승(奉承)ᄒᆞ리라."

ᄒᆞ고, 위방이 오ᄂᆞᆫ ᄯᆡᄂᆞᆫ ○○[위뇌] ᄉᆞ(四) 소져을 ᄉᆞ침으로 보ᄂᆡ는 고로, ᄎᆞ일 시아 홍션으로 잠간 규시ᄒᆞ라 ᄒᆞ니, 션이 가마니 후창하(後窓下)의 은신ᄒᆞ여 그 문답을 일일히 듯고, 심골(心骨)이 경ᄒᆞᆫᄒᆞ여 급히 도라와 소져을 보고 수말을 고ᄒᆞ니, 소졔 불승통ᄒᆡ(不勝痛駭)ᄒᆞ여 방을 크게 속이려, 션다려 왈,

"병부 노야(老爺)의 군관 녀[니]곽이 용ᄆᆡᆼ이 절윤(絶倫)ᄒᆞ고 위인이 《풍박‖충박(忠朴)》ᄒᆞ므로 가장 신임ᄒᆞ드니, 윤군이 보고 거거(哥哥)긔 청ᄒᆞ여 다려왓ᄂᆞᆫ지라. 녀곽을 가 보고 젼어ᄒᆞ되, 명일 위가 거교의 드러가 여ᄎᆞ여ᄎᆞ 위방을 속이ᄃᆡ, 인귀(人鬼)을 분간치 못ᄒᆞ게 ᄒᆞ라."

션이 수명이어ᄂᆞᆯ 소졔 우왈,

"ᄂᆡ ᄯᆡ을 타 옥화산의 가 존고을 뵈오려 ᄒᆞᄂᆞ니 계츙 등으로 교ᄌᆞ을 후원 문으로 ᄃᆡ령ᄒᆞ라."

소졔 원ᄂᆡ 홍션으로 어ᄉᆞ긔 무러 존괴 옥화산의 올무시물 알고. 진·하·장 ᄉᆞᆷ인으로 더부러 심복 비ᄌᆞ을 ᄌᆞ로 보ᄂᆡ여 존후(尊候)을 아ᄂᆞᆫ지라. 효부의 ᄉᆞ모지졍(思慕之情)이 간졀ᄒᆞ여 ᄉᆞ이을 타 존고을 ᄇᆡ견(拜見)ᄒᆞ려 ᄒᆞ니, 홍션은 일ᄀᆡ 츙의 비ᄌᆡ라. 즉시 나가 그윽ᄒᆞᆫ 곳의셔 녀곽을 청ᄒᆞ여 부인 분부을 젼ᄒᆞᄃᆡ,

"명일 위방 젹ᄌᆡ(賊者) 흉심을 발ᄒᆞ여 운산 본부 노복의 얼골을 비러 거교을 가져오【44】리니, 날이 박지 아냐 교ᄌᆞ을 ᄂᆡ청(內廳) 듕문 압회 놋코 여러이 덤벙일 ᄉᆞ이 교듕의 드러 위가의 가 일장을 즐ᄎᆡᆨ(叱責)ᄒᆞ고, 죽지 아닐만치 친 후 도라오ᄃᆡ, ᄎᆞᄉᆞ을 불츌구외(不出口外)ᄒᆞ라."

곽이 부복ᄒᆞ여 분부을 다 듯고 스ᄉᆞ로 용냑(勇躍) 왈,

"ᄂᆡ 평ᄉᆡᆼ 음황무도(淫荒無道)ᄒᆞᆫ 뉴을 뮈이 녀이드니, 위방 쳔인이 엇지 감히 여ᄎᆞ 방ᄌᆞᄒᆞ리오. ᄉᆞᆷ가 부인 명을 봉승(奉承)ᄒᆞ리라."

션이 ᄌᆡ삼 쥬밀(周密)이 ᄒᆞ믈 당부ᄒᆞ고 또 계듕을 보아 ᄀᆞ마니 니ᄅᆞᄃᆡ,

"부인이 여ᄎᆞ여ᄎᆞ 니관인을 위가로 보ᄂᆡ고, 부인은 옥화산으로 가려 ᄒᆞ시니 군 등이 교ᄌᆞ를 가져 후문으로 와 대후(待候)ᄒᆞ라,"

듕 등이 블승분개(不勝憤慨)ᄒᆞ나 ᄒᆞᆯ 일 업셔, 다만 교ᄌᆞ를 후문으로 ᄃᆡ령ᄒᆞ기를 언약ᄒᆞ니, 션이 도라가 쇼져긔 고ᄒᆞ니라.

ᄎᆞ시 위방이 태부인 ᄀᆞᄅᆞ친 바를 좃ᄎᆞ 져의 노복 등을 다리고, 취운산 뎡부의 가 문외【12】의셔 여러 노복이 왕ᄂᆡᄒᆞ믈 보고 호쥬셩찬(壺酒盛饌)으로 ᄃᆡ졉ᄒᆞ며, 그 셩명을 므러 안 후, 날이 져물기로 훗터 도라오니, 방이 개용단(改容丹)[24]을 가라 져의 노복을 먹이며 각각 뎡부 노ᄌᆞ의 셩명을 일ᄏᆞ라 얼골 ᄀᆞᆺ기를 튝원ᄒᆞ니, 졔뇌(諸奴) 다 뎡부 노ᄌᆞ의 얼골이 되거ᄂᆞᆯ, 방이 스ᄉᆞ로 영ᄒᆡᆼ(榮幸)ᄒᆞ믈 니긔지 못ᄒᆞ여 하날긔 샤례ᄒᆞ여, 혹 니러 춤추며 노ᄅᆡ 브르고 거울을 드러 제 얼골을 빗최며 손으로 슈염을 만져 왈,

"내 나히 ᄉᆞ십 후 쳐궁(妻宮)이 이ᄃᆡ록 유복(有福)ᄒᆞ여 황샹의 졍문(旌門) 포댱(褒奬)ᄒᆞ신 바, 금평후 천금녀ᄋᆞ(千金女兒)로 ᄇᆡ위 될 줄 알니오."

혼ᄌᆞ 말노 ᄡᅣ어려 잠【13】을 아니 ᄌᆞ고 ᄉᆡ비를 기다리더니, 계셩(鷄聲)이 악악ᄒᆞ믈 듯고, 즉시 일승화교(一乘華轎)로 여러 노복을 메워 보ᄂᆡ며, 윤부의 가 ᄒᆞᆯ 말을 일일이 지휘ᄒᆞ니, 졔뇌(諸奴) 슈명ᄒᆞ고 윤부의 가 홍션을 ᄎᆞᄎᆞ 금평후 말ᄉᆞᆷ을 젼ᄒᆞ ᄃᆡ, 야ᄅᆡ(夜來)의 진부인 환휘 만○[분](萬分) 위악(危惡)ᄒᆞ여 인ᄉᆞ를 모로ᄂᆞᆫ 지경이시니, 존당 태부인긔 고ᄒᆞ고 밧비 도라오믈 ᄌᆡ쵹ᄒᆞ니, 션이 블승분에(不勝憤恚)[25] ᄒᆞ나 ᄉᆡᆨ디 아니코 짐즛 경황ᄒᆞᆫ 거동으로 쇼져긔 젼보(轉

24)개용단(改容丹) : 한국고소설 특유의 서사도구의 하나. 이 약을 먹으면 자기가 되고자 하는 사람과 얼굴을 비롯해서 온몸이 똑같은 모습으로 둔갑(遁甲)하게 된다.

25)블승분에(不勝憤恚) : 분노(憤怒)를 이기지 못함.

션이 ᄌᆡᄉᆞᆷ 주밀(周密)ᄒᆞ믈 당부ᄒᆞ고 또 계츙을 보아 가마니 이로ᄃᆡ,

"부인이 여ᄎᆞ여ᄎᆞ 녀관인을 위가로 보ᄂᆡ고 부인은 옥화산으로 가려 ᄒᆞ시니 군 등이 교ᄌᆞ을 가져 후원문으로 와 ᄃᆡ후(待候)ᄒᆞ라."

츙 등이 이 말을 듯고 불승분ᄀᆡᄒᆞ나 ᄒᆞᆯ일 업셔 다만 교ᄌᆞ을 후문으로 ᄃᆡ령키을 언약ᄒᆞ니, 션이 도가가 소져긔 고ᄒᆞ니라.

위방이 ᄐᆡ부인 가르친 바을 조ᄎᆞ 져의 노복 등을 다리고, 취운산 뎡부의 가 문외의셔 여러 노복이 왕ᄂᆡᄒᆞ믈 보고 호쥬셩찬(壺酒盛饌)으로 ᄃᆡ졉ᄒᆞ며, 그 셩명을 무러 안 후, 날이 져물ᄆᆡ 훗터져 도라오니, 방이 ᄀᆡ용단(改容丹)[20]을 갈아 져의 노복을 먹이며, 각각 뎡부 노ᄌᆞ의 셩명을 일카라 얼골 갓기을 츅원ᄒᆞ니, 졔뇌 다 뎡부 노ᄌᆞ와[의] 얼골이 되거ᄂᆞᆯ, 방이 스ᄉᆞ로 영ᄒᆡᆼ(榮幸)ᄒᆞ믈 이긔지 못ᄒᆞ여 하날긔 ᄉᆞ례ᄒᆞ며 혹 이러 츔츄며 노ᄅᆡ 브르며 거울을 들어 졔 얼골을 비최며, ○…결락 9자…○[손으로 슈염을 만져 왈]

"ᄂᆡ 나히 ᄉᆞ십 후 쳐궁(妻宮)이 이ᄃᆡ도록 유복(有福)ᄒᆞ여 황상의 졍문표창(旌門表彰)ᄒᆞ신 바 금평후 쳔금녀아(千金女兒)로 ᄇᆡ필 될 쥴 알니오."

혼ᄌᆞ 말노 쓔어려 잠을 아니 ᄌᆞ고 ᄉᆡ비을 기【45】다리더니, 계셩이 악악ᄒᆞ믈 듯고 즉시 일승화교(一乘華轎)로 여러 노복을 메워 보ᄂᆡ며 윤부의 가 ᄒᆞᆯ말을 일일이 지휘ᄒᆞ니, 졔뇌 수명ᄒᆞ고 윤부의 가 홍션을 ᄎᆞᄌᆞ 금후 말ᄉᆞᆷ을 젼ᄒᆞᄃᆡ, 야ᄅᆡ(夜來)의 진부인 환휘 만분(萬分) 위악(危惡)ᄒᆞ여 인ᄉᆞ을 모로시니, 존당 ᄐᆡ부인긔 고ᄒᆞ고 밧비 도라가물 ᄌᆡ촉ᄒᆞ니, 션이 불승분연(不勝憤然)ᄒᆞ나 ᄉᆡᆨ지 아니코 짐짓 경황ᄒᆞᆫ 거동으로 소져긔 젼보(轉報)ᄒᆞ니, 소졔 짐짓 놀나ᄂᆞᆫ 쳬ᄒᆞ

20)ᄀᆡ용단(改容丹) : 한국고소설 특유의 서사도구의 하나. 이 약을 먹으면 자기가 되고자 하는 사람과 얼굴을 비롯해서 온몸이 똑같은 모습으로 둔갑(遁甲)하게 된다.

報)ᄒᆞ니, 쇼제 짐줏 놀나ᄂᆞᆫ 쳬ᄒᆞ니, 태부인이 과도히 경동(驚動)ᄒᆞᄂᆞᆫ 빗ᄎᆞᆯ 디어 왈,

"딘부인 환휘 블의에 그ᄃᆡ도록 위악ᄒᆞ시니 ᄋᆞ부ᄂᆞᆫ 어서가라."

덩시 ᄃᆡ왈,

"ᄌᆞ모의 질환이 듕ᄒᆞ오믄 경악ᄒᆞ【14】오나 가군(家君)이 입번(入番)ᄒᆞ여시니 도라가믈 고치 못ᄒᆞ여 민박(憫迫)ᄒᆞ도소이다."

위뇌 요두(搖頭) 왈,

"일이 경권(經權)이 잇ᄂᆞ니, 친환이 위독ᄒᆞ믈 듯고 엇디 이러틋 이완(弛緩)ᄒᆞ리오. 광ᄋᆡ 츌번ᄒᆞ거든 노뫼 이 말을 젼ᄒᆞ리니 ᄋᆞ부ᄂᆞᆫ 믈녀(勿慮)ᄒᆞ라."

인ᄒᆞ여 급급히 ᄌᆡ쵹ᄒᆞ니, 쇼졔 즉시 니려 슉당(叔堂)긔 하딕고져 ᄒᆞ니, 츄밀은 혼혼블셩(昏昏不性)ᄒᆞ여 거디 날노 그릇되니 고치 못ᄒᆞ고, 오ᄃᆡᆨ 태부인긔 ᄇᆡ샤 후, 진·하·댱 삼쇼져의 손을 잡아 쳥ᄉᆞ의 나와 그 ᄉᆞ이 무양(無恙)ᄒᆞ믈 당부ᄒᆞ니, 삼쇼졔 옥누(玉淚)를 ᄲᅳ려 왈,

"쇼데 등은 져져의 신긔묘산(神技妙算)이 업ᄉᆞ니 엇디 무ᄉᆞᄒᆞ믈 바라리오."

슉녈이 손을 져어 말을 긋【15】게[26] ᄒᆞ고, 경아의게 도라가믈 니르고져 ᄒᆞ나 ᄯᅩᄒᆞᆫ ᄭᆡ지 못ᄒᆞ여시므로 니별치 못ᄒᆞ고, 가듕인(家中人)이 ᄎᆡ ᄭᆡ디 못ᄒᆞ니, 다ᄒᆡᆼᄒᆞ여 운산셔 온 교ᄌᆞ를 ᄃᆡ쳥 듕문의 노흐라 ᄒᆞ니, 니곽이 맛ᄎᆞᆫ 일이라, 거줏 두로 다니며 사ᄅᆞᆷ을 츼오ᄂᆞᆫ 쳬ᄒᆞ고, 홍션 등을 알패 셰오고 분분ᄒᆞᆯ ᄉᆞ이, 나ᄂᆞᆫ ᄃᆞ시 교듕(轎中)의 들ᄆᆡ, 션이 소ᄅᆡᄒᆞ여 부인 힝ᄎᆞ를 뫼시라 ᄒᆞ고, 져ᄂᆞᆫ 쇼져 침금을 거두어 가지고 ᄀᆞ마니 쇼제를 뫼셔 후원의 가니, 계튱 등이 교ᄌᆞ를 ᄃᆡ령(待令)ᄒᆞ엿거ᄂᆞᆯ, 쇼졔 교듕의 드러 옥화산으로 가니라.

위가 노ᄌᆡ 교ᄌᆞ를 메고 나ᄂᆞᆫ ᄃᆞ시 가려ᄒᆞ나, 교ᄌᆡ 무겁기 태산이 누르ᄂᆞᆫ ᄃᆞᆺᄒᆞ니 졔뇌(諸奴) 갓【16】브믈[27] 니긔지 못ᄒᆞ여 계오 뫼셔 집의 니르니, 위방이 노복을 보

---

26)긋다 : 끊다.
27)갓브다 : 곤(困)하다. 피로하다.

ᄃᆡ, ᄐᆡ부인이 과도이 경동(驚動)ᄒᆞᄂᆞᆫ 빗ᄎᆞᆯ 지어 왈,

"진부인 환휘 불의에 그ᄃᆡ도록 위악ᄒᆞ시니 아부ᄂᆞᆫ 어셔 가라."

덩시 ᄃᆡ왈,

"조모의 질환이 듕ᄒᆞ오믄 경악ᄒᆞ오나, 가군(家君)이 입번(入番)ᄒᆞ여시니 도라가물 고치 못ᄒᆞ여 민박(憫迫)도소이다."

위뇌 요두(搖頭) 왈,

"일이란 거시 경권(經權)이 잇ᄂᆞ니, 친환이 위독ᄒᆞ믈 듯고 엇지 이러틋 이완(弛緩)ᄒᆞ리오. 광ᄋᆡ 츌번 ᄒᆞ거든 노뫼 이 말을 젼ᄒᆞ리니 아부ᄂᆞᆫ 물녀(勿慮)ᄒᆞ라."

인ᄒᆞ여 급급히 ᄌᆡ촉ᄒᆞ니, 소졔 즉시 이러 슉당(叔堂)긔 ᄒᆞ직ᄒᆞ고져 ᄒᆞ니, 츄밀은 혼혼불셩(昏昏不性)ᄒᆞ여 거지 날노 그릇되니, 효신(曉晨)의 엇지 ᄭᆡ리오. 원앙금니(鴛鴦衾裏)[21]의 부뷔 여름 잠이 몽농ᄒᆞ니, 위뇌 츄밀게도 ᄒᆞ직 말고 가라 ᄒᆞ거ᄂᆞᆯ, 소져 다만 ᄐᆡ부인긔만 ᄒᆞ직ᄒᆞ고 진·하·장 ᄉᆞᆷ소져 손을 익그러 쳥ᄉᆞ의 나와 그 ᄉᆞ이 무양(無恙)ᄒᆞ믈 당부ᄒᆞ니, ᄉᆞᆷ 소졔 쥬누(珠淚)을 ᄲᅮ려 니별ᄒᆞ더라.

홍션이 운산 교ᄌᆞ을 ᄂᆡ청 듕으로 노흐라 ᄒᆞ고 분분할 ᄉᆞ이의 녀곽이 나ᄂᆞᆫ 드시 교듕(轎中)의 들ᄆᆡ, 홍션이 소ᄅᆡᄒᆞ여 '부인이 상교(上轎)ᄒᆞ시니 교부ᄂᆞᆫ 힝ᄎᆞ을 잘 뫼시라' ᄒᆞ고, 져ᄂᆞᆫ 소져 침금을 거두어 뒤흘 ᄯᆞ로ᄂᆞᆫ 쳬ᄒᆞ다가, 즉시 드러가 소져을 뫼셔 후원문의 이르니, 게츙 등이 교ᄌᆞ을 ᄃᆡ후(待候)ᄒᆞ엿거ᄂᆞᆯ, 소져 교듕의 드러 옥화산으로 가니라.

위가 노ᄌᆡ 교ᄌᆞ을 메고 나ᄂᆞᆫ 드시 가려ᄒᆞ나, 교ᄌᆞ 무겁기 ᄐᆡ산 갓트여 졔뇌(諸奴) 갓부믈[22] 이긔지 못ᄒᆞ여 겨유 뫼셔 집의 니

---

21)원앙금니(鴛鴦衾裏) : ①원앙을 수놓은 이불 속. ②부부가 함께 덮는 이불 속.
22)갓브다 : 곤(困)하다. 피로하다.

ᄂᆡ고 ᄂᆡ당 대청(大廳)을 ᄡᅳᆯ고 금슈포진(錦繡鋪陳)[28]을 휘황이 ᄒᆞ고 독좌긔구(獨坐器具)[29]를 버리며 시녀(侍女) 양낭(養娘)[30]을 다 ᄉᆡ옷 닙혀 좌우로 향을 들니고 ᄌᆞ녀를 싼 집의 옴겨 왈,

"신인(新人)이 블과 십삼ᄉᆞ(十三四) 유튱ᄒᆞᆫ 쇼졔라, 나의 여러 ᄌᆞ녀를 보면 경동(驚動)ᄒᆞ리니, ᄉᆞ오일 후 ᄒᆞ나식 ᄎᆞ례로 와 뵈라."

ᄒᆞ고 즐거오미 극ᄒᆞ여 미위(眉宇) 움즉이며, 입을 힐우기고[31] 더러온 니를 ᄀᆞᆷ초지 못ᄒᆞ더니, 교뷔 ᄯᅡᆷ을 흘니며 드러오니 방이 깃브미 황홀ᄒᆞ여 놉흔 셤의 나리다가 압히 드틔여[32] 둔탁한 몸이 것구려져 낫치 돌모히 다질녀[33] 【17】 코히 피 흐르ᄃᆡ, 알픈 줄 모로고 젼지도디(顚之倒之)[34]ᄒᆞ여 교ᄌᆞ(轎子)를 븟드러 듕계(中階)의 올니니, 모든 시녀 양낭이 쥬렴을 것고 쇼져를 븟드러 ᄂᆡ려홀 ᄉᆡ, 위방이 그 사이를 ᄎᆞᆷ지 못ᄒᆞ여 쥬렴으로 드리미러 보니, 믄득 션풍이질(仙風異質)의 부인이 변ᄒᆞ여, 낫빗치 쥬토(朱土)를 칠ᄒᆞᆫ ᄃᆞᆺ, 긴 슈염이 가숨의 셔린 일개 당ᄉᆡ 냥안이 횃불 ᄀᆞᆺ고 눈썹이 텬창(天窓)[35]을 ᄲᅥᆯ친 ᄃᆞᆺ, 용밍이 당당ᄒᆞᆫᄃᆡ, ᄒᆞᆫ 손의 방패를 들고 ᄂᆡᄃᆞ라 방의 상토를 잡고, 고셩대즐(高聲大叱) 왈,

28)금슈포진(錦繡鋪陳) : ①수놓은 비단으로 화려하게 만든 방석, 요 따위를 통틀어 이르는 말 ②잔치 따위를 할 때에 앉을 자리를 수놓은 비단으로 화려하게 꾸며 깖.

29)독좌긔구(獨坐器具) : 혼례에서 신랑 신부의 교배례(交拜禮)를 위한 좌석기구.

30)양낭(養娘) : 여자 종. 주로 혼인한 여종을 일컫는다.

31)힐우기다 : 힐욱이다. 실룩이다. 근육의 한 부분이 실그러지게 움직이다. 또는 그렇게 되게 하다.

32)드틔다 : 드티다. 밀리거나 비켜나거나 하여 약간 틈이 생기다. 또는 그렇게 하여 틈을 내다.

33) 다질니다 : 부딪쳐 질리다. *질리다; 부딪치거나 넘어지거나 하면서 무겁고 단단한 것에 닿아 충격을 받다.

34)젼지도디(顚之倒之) : 엎드러지고 곱드러지며 몹시 급히 달아나는 모양.

35)텬창(天窓) : '눈'을 달리 표현한 말.

르니, 위방이 노복을 보ᄂᆡ고 ᄂᆡ당 ○[대]청(大廳)을 쓸고 금슈포진(錦繡鋪陳)을 휘황히 ᄒᆞ고 독좌긔구(獨坐器具)[23]을 버리며, 시녀 양낭(養娘)[24]을 다 ᄉᆡ옷 입혀 좌우로 향을 들니고 ᄌᆞ녀을 싼 집의 옴겨 왈,

"신인(新人)이 불과 십삼ᄉᆞ(十三四) 유츙ᄒᆞᆫ 소져라, 나의 여러 ᄌᆞ녀을 보면 경동(驚動)ᄒᆞ리니 ᄉᆞ오일 후 ᄒᆞ나식 ᄎᆞ례로 와 뵈라."

ᄒᆞ고 깃거오미 극ᄒᆞ여 미위(眉宇) 움작이고, 입을 힐욱이고[25] 더러온 니을 감초지 못ᄒᆞ더니, 교뷔 ᄯᅡᆷ을 흘니며 드러오니, 방이 깃부미 황홀ᄒᆞ여 놉흠[흔] 셤의 나리다라 어셔 보려 ᄒᆞ다가, 압히 드ᄃᆡ[틔]여[26] 둔탁ᄒᆞᆫ 몸이 것ᄭᅮ러쳐 낫치 돌모희 다질녀[27] 코의 피흐르ᄃᆡ 압흔 줄 모로고 젼지도지(顚之倒之)[28]ᄒᆞ여 교ᄌᆞ을 븟드러 즁계의 올니니, 모든 시녀 양낭이 쥬렴을 것고 소져을 ᄂᆡ랴 홀ᄉᆡ, 위방이 그 ᄉᆞ이을 참지 못ᄒᆞ여 쥬렴으로 조ᄎᆞ 드리미러 보니, 믄득 션풍이질(仙風異質)의 부인이 변ᄒᆞ여 낫빗치 쥬토(朱土)을 칠ᄒᆞᆫ 듯, 슈염이 가숨의 셔린 일ᄀᆡ 장뷔 양안(兩眼)이 홰불[29] 갓고 눈셥이 《쳔장 ‖ 쳔창(天窓)[30]》을 ᄲᅥᆯ친 듯, 용밍이 당당ᄒᆞᆫ ᄃᆡ, 손의 방ᄑᆡ을 들고 《ᄂᆡᄃᆡ릐 ‖ ᄂᆡᄃᆞ라》 방의 상토을 잡고, 고셩ᄃᆡ즐(高聲大叱) 왈, 【47】

23)독좌긔구(獨坐器具) : 혼례에서 신랑 신부의 교배례(交拜禮)를 위한 좌석기구.

24)양낭(養娘) : 여자 종. 주로 혼인한 여종을 일컫는다.

25)힐욱이다 : 실룩이다. 근육의 한 부분이 실그러지게 움직이다. 또는 그렇게 되게 하다.

26)드틔다 : 드티다. 밀리거나 비켜나거나 하여 약간 틈이 생기다. 또는 그렇게 하여 틈을 내다.

27)다질니다 : 부딪치다.

28)젼지도디(顚之倒之) : 엎드러지고 곱드러지며 몹시 급히 달아나는 모양.

29)홰불 : 횃불. 싸리, 갈대, 또는 노간주나무 따위를 묶어 불을 붙여서, 밤길을 밝히거나 제사를 지낼 때에 쓰는 불.

30)쳔창(天窓) : '눈'을 달리 표현한 말.

“텬일(天日)이 ᄌᆡ샹(在上)ᄒᆞ고 신명(神明)이 ᄌᆡ방(在傍)ᄒᆞ니, 네 일개 쳔인으로 음흉불측(淫凶不測)ᄒᆞᆫ ᄯᅳᆺ을 두어 샹문명부(相門命婦)를 겁탈코져 ᄒᆞ니, 죄역이 관영(貫盈)ᄒᆞᆫ디라. 내 임의 샹【18】뎨(上帝)[36] 명을 밧ᄌᆞ와 네 죄를 다ᄉᆞ리노라.”

ᄒᆞ니, 신댱이 구쳑이오, 상뫼(相貌) 녕한(獰悍)ᄒᆞ여 쇽셰인 ᄀᆞᆺ지 아닐 ᄲᅮᆫ 아니라, 용ᄆᆡᆼ을 발ᄒᆞ여 위방을 ᄭᅥ어 쳥ᄉᆞ의 올나오니, 위방이 녀력(膂力)이 과인ᄒᆞᄃᆡ, ᄎᆞ일 술을 미란(迷亂)이 취ᄒᆞ고, ᄯᅩ 무심듕 이 경광(景光)을 만나 놀나오미 쳥텬의 급ᄒᆞᆫ 벽녁이 일신을 분쇄ᄒᆞᄂᆞᆫ ᄃᆞᆺ 긔운이 막힐 ᄃᆞᆺᄒᆞ니, ᄋᆞ히ᄀᆞᆺ치 ᄭᅵ이여 쳥듕(廳中)의 오로ᄆᆡ, 니곽이 방의 옷ᄉᆞᆯ 다 벗겨 ᄡᅳ져 바리고 그 허리의 결타안ᄌᆞ, 방패를 드러 힘을 다ᄒᆞ여 결둔(結臀)[37]ᄒᆞᆯᄉᆡ 일장의 피육(皮肉)이 ᄡᅥ러지믈 그음ᄒᆞ니, 방이 황황망극(惶惶罔極)ᄒᆞ여 머리를 두다려 ᄋᆡ걸 왈,

“텬신님아 죄를 아ᄂᆞ이다. 그러나 방【19】이 스ᄉᆞ로 샹문명부를 겁탈코져 ᄒᆞ미 아니라, 젹슉모(嫡叔母) 위태부인 지휘로ᄡᅧ 호ᄉᆡᆨ지심(好色之心)의 외람ᄒᆞᆫ ᄯᅳᆺ을 두미니, 구ᄐᆞ여 방의 혼ᄌᆞ 지은 죄 아니로소이다.”

곽이 녀셩 왈,

너의 젹슉뫼 노망(老妄)ᄒᆞ여 블의지ᄉᆞ를 ᄀᆞᄅᆞ친들 네 일분 인심이 이시면, 엇디 그런 죄를 범ᄒᆞ리오마ᄂᆞᆫ 방ᄌᆞ무지ᄒᆞ고 패악무도ᄒᆞ미 ‘ᄀᆞ만ᄒᆞᆫ 듕 뉘 알니’ ᄒᆞ여시나, 텬디신지(天知神知)ᄒᆞ니 슈이브지(誰以不知)[38]리오. 내 너를 죽여 음악ᄒᆞᆫ 죄를 다ᄉᆞ리리라.

위방이 가이업셔[39] 오ᄃᆡᆨ 쳬읍 ᄋᆡ걸ᄒᆞ여,

“텬신은 살오쇼셔.”

ᄒᆞ니, 곽이 긔괴ᄒᆞ나 아조 죽일 ᄃᆞ시 벼

36)샹뎨(上帝) : 옥황상제(玉皇上帝)의 줄임말로, 흔히 도가(道家)에서 ‘하느님’을 이르는 말.

37)결둔(結臀) : 볼기를 침.

38)텬디신지(天知神知) 슈이브지(誰以不知) : 하늘이 알고 귀신이 아니 누가 모르겠느냐?

39)가이업다 : 가엾다. 가엽다. 마음이 아플 만큼 안되고 처연하다.

“쳔일(天日)이 ᄌᆡ상(在上)ᄒᆞ고 신명(神命)이 ᄌᆡ방(在傍)ᄒᆞ니, 네 일ᄀᆡ 쳔인으로 음흉불측(淫凶不測)ᄒᆞᆫ ᄯᅳᆺ을 구[두]어 상문명부(相門命婦)을 겁탈코져 ᄒᆞ니, 죄악이 관영(貫盈)ᄒᆞᆫ지라. ᄂᆡ 임의 상제(上帝)[31] 명을 밧ᄌᆞ와 네 죄을 다ᄉᆞ리노라.”

ᄒᆞ니, 신장이 구쳑이오 상뫼(相貌) 영한(獰悍)ᄒᆞ여 속세인 갓지 아닐 분 아니라, 용ᄆᆡᆼ을 발ᄒᆞ여 위방을 ᄭᅳᆯ어 쳥ᄉᆞ의 올나오니 방의 녀력(膂力)이 과인ᄒᆞᄃᆡ, ᄎᆞ일 술을 미란(迷亂)이 취ᄒᆞ고 ᄯᅩ 무심 듕 이 경광(景光)을 만나 놀나오미 청천의 급ᄒᆞᆫ 벽녁이 일신을 분쇄ᄒᆞᄂᆞᆫ 듯 긔운이 막힐 듯ᄒᆞ니, 아희 갓치 ᄭᅳᆯ녀 청듕(廳中)의 오르ᄆᆡ, 니곽이 방의 옷슬 다 벗겨 쓰져 바리고 그 허리의 《거리안져 ‖ 결타안ᄌᆞ》 방ᄑᆡ을 들어 힘을 다ᄒᆞ여 결둔(結臀)[32]ᄒᆞᆯᄉᆡ, 일장의 피육(皮肉)이 후란(朽爛)ᄒᆞ니, 방이 ᄋᆡ걸 왈,

“쳔신님아 죄을 아나니 감히 명부(命婦)을 겁탈코져 ᄒᆞ미 아니라, 슉모 위부인 지휘로ᄡᅧ 호ᄉᆡᆨ지심(好色之心)의 외람ᄒᆞᆫ ᄯᅳᆺ즐 두미니, 굿ᄒᆞ여 방의 혼ᄌᆞ 지은 죄 아니로소이다.”

곽이 여셩 왈,

“네의 슉모 노망(老妄)ᄒᆞ여 불의지ᄉᆞ(不義之事)을 가르친들 네 일분 인심이 잇시면 엇지 그런 죄을 범ᄒᆞ리오. 방ᄌᆞ무지(放恣無知)ᄒᆞ고 ᄑᆡ악무도(悖惡無道)ᄒᆞ미 ‘가만 ᄒᆞᆫ 듕 뉘 알니’ ᄒᆞ나, 쳔지신지(天知神知)ᄒᆞ니 수이브지(誰以不知)[33]리오. ᄂᆡ 네[너]을 죽여 음악ᄒᆞᆫ 죄을 다ᄉᆞ리리라 ᄒᆞ고, 오십장을 ᄆᆡᆼ타ᄒᆞ니, 셩혈(腥血)이 옷슬 젹시오[고], 위방이 혼혼(昏昏)ᄒᆞ거ᄂᆞᆯ 비로소 긋치고 니로ᄃᆡ,

31)상제(上帝) : 옥황상제(玉皇上帝)의 줄임말로, 흔히 도가(道家)에서 ‘하느님’을 이르는 말.

32)결둔(結臀) : 볼기를 침.

33) 텬디신지(天知神知) 슈이브지(誰以不知) : 하늘이 알고 귀신이 아니 누가 모르겠느냐?

르며 오십쟝을 ᄆᆡᆼ타ᄒᆞ니, 셩혈(腥血)이 옷ᄉᆞᆯ 젹시고, 위방이 혼혼ᄒᆞ거ᄂᆞᆯ【20】 비로소 긋치고, 니르ᄃᆡ,

"이제도 블인ᄒᆞᆫ 슉모의 다ᄅᆡ믈 듯고 음흉디ᄉᆞ(淫凶之事)을 ᄒᆡᆼᄒᆞᆯ다?"

방이 쳬읍(涕泣) 왈,

"ᄎᆞ후ᄂᆞᆫ 젹슉모의 말을 니르디 말고 별셰ᄒᆞᆫ 부뫼 환ᄉᆡᆼᄒᆞ여 권ᄒᆞ여도 다시 죄를 범치 아니리니 텬신님은 잔명을 살오쇼셔."

곽이 방패로 위방의 머리를 쳐 ᄭᆡ치며 왈,

"네 개과(改過)ᄒᆞ믈 니르니 내 십분 ᄎᆞᆷ아 일명을 빌니거니와, ᄎᆞ후 네 젹슉모의 곳의 죡젹을 ᄭᅳᆺ코 음흉지ᄉᆞ를 먼니ᄒᆞ라."

위방이 반ᄉᆡᆼ반ᄉᆞ(半生半死)ᄒᆞ여 머리를 조으며, ᄎᆞ후 범죄 아니키를 슌슌 ᄃᆡ답ᄒᆞ니, 곽이 방패를 들고 거러가ᄃᆡ, ᄒᆡᆼ뵈 신쇽ᄒᆞ여 경ᄀᆡᆨ의 간 ᄃᆡ 업ᄉᆞ니, 위가 비복들이 인귀(人鬼)를 분【21】변치 못ᄒᆞ고, 감히 우러러 보지 못ᄒᆞ더라.

곽이 간 후, 드러와 방을 구호ᄒᆞ며 방의 ᄌᆞ녀의게 고ᄒᆞ니, 모다 대경ᄎᆞ악ᄒᆞ여 방을 붓드러 상처를 보고 방셩통곡ᄒᆞ니, 방이 비록 혼혼듕이나 남이 붓그러워 손을 져어 우름을 금ᄒᆞ고, 약셕(藥石)으로 됴보(調保)ᄒᆞ며, 제 동뉴와 친쳑의게 이런 말을 ᄡᆞᆫᄃᆞ시[40] 긔이고, 사ᄅᆞᆷ의 일인 줄 모로고 귀신의 됴홴가 녁이니, 원간 위방이 어리고 남활(濫闊)ᄒᆞᆯ지언정 잔 ᄭᅬ 업고 춍명치 못ᄒᆞ여, 혹ᄌᆞ 블미지ᄉᆡ(不美之事) 소문날가 근심ᄒᆞ여 슉식간(宿食間)의 노치 못ᄒᆞ더라.

ᄎᆞ시 뎡슉녈이 니곽을 위방의게 보ᄂᆡ고 ᄌᆞ긔ᄂᆞᆫ 몸을 ᄡᅢ혀 옥화산의 니르니, ᄎᆞ시 조공 형뎨와【22】 합개(闔家) 다 샹경ᄒᆞ여 군샹(君上)긔 툥우(寵遇)를 닙ᄉᆞ오니, 영화부귀 디극ᄒᆞᆫ지라. 조부인이 남ᄆᆡ 슉뎔이 ᄒᆞᆫ 당의 모다 디ᄂᆡ믈 만분 희ᄒᆡᆼᄒᆞ나, 위·뉴의 포악 간흉ᄒᆞ믈 조공 등이 졀치통한ᄒᆞᄃᆡ, 조

40)ᄡᆞ다 : 싸다. 물건을 안에 넣고 보이지 않게 씌워 가리거나 둘러 말다. ⇒ ᄊᆞ다

"이제도 불인ᄒᆞᆫ 슉모의 다ᄅᆡ물 듯고 음흉지ᄉᆞ(淫凶之事)을 ᄒᆡᆼᄒᆞᆯ다?"

방이 쳬읍(涕泣) 왈,

"ᄎᆞ후ᄂᆞᆫ 슉모의 말은 니르지 말【48】고 별셰ᄒᆞ신 부모 환ᄉᆡᆼᄒᆞ여 친졀히 권ᄒᆞ여도 다시 죄을 범치 아니리니, 텬신님 덕의 잔명을 ᄉᆞᆯ오소셔."

곽이 방ᄑᆡ로 방의 머리을 쳐 ᄭᆡ치며 왈,

"네 ᄀᆡ과(改過)ᄒᆞ믈 니르니 ᄂᆡ 십분 참아 일명을 빌니거니와, ᄎᆞ후 네 숙모의 곳의 종적을 ᄭᅳᆫ코 음흉지ᄉᆞ을 멀니ᄒᆞ라."

방이 반ᄉᆡᆼ반ᄉᆞ(半生半死)ᄒᆞ여 ᄶᅡ린 머리을 조아 ᄎᆞ후 범죄 아니키을 슌슌 ᄃᆡ답ᄒᆞ니, 곽이 방ᄑᆡ을 들고 거러가ᄆᆡ, ᄒᆡᆼ뵈 신속ᄒᆞ여 경각의 간ᄃᆡ 업ᄉᆞ니, 위가 비복들이 《신귀 ‖ 인귀(人鬼)》을 분변치 못ᄒᆞ고 감히 우러러 보지 못ᄒᆞ다가, 곽이 간 후, 드러와 방을 구호ᄒᆞ며 방의 ᄌᆞ녀의게 통ᄒᆞ니, 모다 ᄃᆡ경ᄒᆞ여 방을 붓드러 상쳐을 보고, 방셩통곡ᄒᆞ니 방이 비록 혼혼 듕이나, 남이 붓그러워 손을 져허 우름을 금ᄒᆞ고, 약셕(藥石)으로 보호ᄒᆞ며 졔 동뉴와 친쳑의게도 이런 말을 ᄊᆞᆫ드시[34] 긔이고, ᄉᆞᄅᆞᆷ의 일인쥴 모로고 귀신의 조홴가 녁이미니, 원간 위방이 어리고 남활(濫闊)ᄒᆞᆯ지언졍 잔ᄭᅬ 업고 총명치 《못ᄒᆞ더라 ‖ 못ᄒᆞ여》, 혹ᄌᆞ 불미지ᄉᆡ(不美之事) 소문날가 근심ᄒᆞ여, 슉식간(宿食間)의 놋치 못ᄒᆞ더라.

ᄎᆞ시 뎡시 니곽을 위방의게 보ᄂᆡ고 ᄌᆞ긔ᄂᆞᆫ 몸을 ᄲᅢ혀 옥화산의 이르니, 이ᄯᅢ 조공 형뎨와 합ᄀᆡ(闔家) 다 상경ᄒᆞ여 군상긔 총우(寵遇)을 입으니, 영화부귀 극ᄒᆞᆫ지라. 조부인이 남ᄆᆡ 슉질이 ᄒᆞᆫ 당의 모다 지ᄂᆡ믈 만분 희ᄒᆡᆼᄒᆞ나, 위·뉴의 포악 간흉ᄒᆞ믈 조공 등이 졀치ᄒᆞᄃᆡ, 조부인이 진졍으로 듯고

34)ᄊᆞ다 : 싸다. 물건을 안에 넣고 보이지 않게 씌워 가리거나 둘러 말다. ⇒ ᄡᆞ다.

부인이 진졍으로 듯고져 아니니, 조공 등이 부인을 ᄃᆡᄒᆞ여ᄂᆞᆫ 윤부 변고를 니르지 못ᄒᆞ고 함구블언(緘口不言)ᄒᆞ니, 조부인이 화산의 이시믈 타인이 모로고, 어ᄉᆞ 형뎨 틈을 타 조부의 와 모친과 표슉(表叔) ᄂᆡ외긔 ᄇᆡ알ᄒᆞ고, 혹 밤을 머믈 젹도 이셔, 모친의 편히 계시믈 ᄒᆡᆼ열ᄒᆞ나, 딕ᄉᆞᄂᆞᆫ 양모(養母)의 허물을 븟그려 제조(諸曺)의 말이 ᄌᆞ가변고(自家變故)의 밋ᄎᆞ면 믁연 단좌ᄒᆞ여 츈풍화긔 소삭ᄒᆞ니, 조공 등【23】이 그 신셰 화평치 못ᄒᆞ믈 ᄋᆡ련ᄒᆞ더라.

뎡시의 ᄒᆡᆼ게(行車) 화산의 와 존고와 슉당의 ᄇᆡ현ᄒᆞ니, 조부인의 반기믄 니르도 말고 조공 부뷔 그 츌셰ᄒᆞᆫ 긔질을 ᄉᆞ랑ᄒᆞ미 가득ᄒᆞ더라. 조부인이 다리고 침소의 도라가 기간 가듕형셰를 므르니, 쇼졔 각별 다른 ᄉᆞ괴 업ᄉᆞᄃᆡ, 위방이 겁칙고져 ᄒᆞ므로 니곽을 교듕의 너허 보ᄂᆡ고, ᄌᆞ긔ᄂᆞᆫ 이리 나오믈 고ᄒᆞ니, 부인이 듯ᄂᆞᆫ 말마다 개연(慨然)○[코] 한심ᄒᆞ여 당ᄂᆡ(將來)를 우려ᄒᆞ고, 아미(蛾眉)의 슈운(愁雲)이 녕녕(盈盈)ᄒᆞ니 쇼졔 이셩화긔(怡聲和氣)로 위로ᄒᆞ고, 홍션을 본부의 보ᄂᆡ여 부모긔 고ᄒᆞ고, 윤부인을 화산으로 보ᄂᆡ시믈 청ᄒᆞ니, 금휘 윤시를 화산으로 가라 ᄒᆞᆫᄃᆡ, 윤【24】부인이 누년 ᄉᆞ친ᄒᆞᄂᆞᆫ 회픠 간졀ᄒᆞ다가, 금일 ᄇᆡ견(拜見)ᄒᆞᆯ 바를 영ᄒᆡᆼᄒᆞ여 심복 비ᄌᆞ만 다리고 화산으로 가며, 양・니 이부인을 당부ᄒᆞ여 '화산ᄒᆡᆼ도를 함구ᄒᆞ라' ᄒᆞ고, 손을 난화 조부의 니르니 부인이 삼거거(三哥哥)로 더부러 여ᄋᆞ를 보ᄆᆡ, 반기ᄂᆞᆫ 졍이 늉흡(隆洽)ᄒᆞ나, 당ᄂᆡ를 우려ᄒᆞ니, 조공 등이 대쇼 왈,

"현ᄆᆡᄂᆞᆫ 윤부 화란을 근심ᄒᆞ거니와 뎔녀의 당ᄂᆡᄂᆞᆫ 구ᄐᆞ여 념녀 업ᄂᆞ니, 셩샹이 임의 챵ᄇᆡᆨ의 여러 쳐실을 허ᄒᆞ신 후, 공쥐 엇디 ᄒᆞ리오. 브졀업시 여러가지로 념녀ᄒᆞ여 회포를 어ᄌᆞ럽게 말나. 작인이 광텬 형뎨와 뎔녀 ᄀᆞᆺᄐᆞᆫ 후ᄂᆞᆫ 슈화듕(水火中)의 드러도 근심이 업ᄂᆞ니,【25】 일시 운건(運蹇)ᄒᆞ여 뜻ᄀᆞᆺ지 아니미 만흐나, 길운을 기다리미 가ᄒᆞ니라."

져 아니니, 조공 등이 부인을 ᄃᆡᄒᆞ여ᄂᆞᆫ 윤부 변고을 니르지 못ᄒᆞ고, 또【49】 흠구불언(緘口不言)ᄒᆞ니, 조부인이 ○[옥]화산의 이시믈 타인은 모로고, 어ᄉᆞ 형뎨 틈을 타 조부의 와 모친과 표슉(表叔) ᄂᆡ외게 ᄇᆡ알ᄒᆞ고 혹 머물젹도 잇셔, 모친이 편히 겨시믈 ᄒᆡᆼ열ᄒᆞ나, 직ᄉᆞᄂᆞᆫ 양모(養母)의 허물을 붓그려 졔조(諸曺)의 말이 ᄌᆞ가변고(自家變故)의 밋치면 묵연단좌ᄒᆞ여 츈풍화긔 소삭ᄒᆞ니, 조공 등이 그 신셰 화평치 못ᄒᆞ믈 ᄋᆡ련ᄒᆞ더니, 뎡시의 ᄒᆡᆼ거(行車) 화산의 와 존고와 슉당의 ᄇᆡ현ᄒᆞ니, 조부인의 반기믄 니르도 말고, 조공 부부 그 츌셰ᄒᆞᆫ 긔질을 ᄉᆞ랑ᄒᆞ미 가득ᄒᆞ더라. 조부인이 다리고 침소의 도라가 기간 가듕형셰을 무르니, 뎡시 각별 다른 ᄉᆞ괴 업ᄉᆞᄃᆡ 위방이 겁칙고져 ᄒᆞ므로, 니곽을 교듕의 너허보ᄂᆡ고, ᄌᆞ긔ᄂᆞᆫ 이리 나오믈 고ᄒᆞ니, 부인이 듯는 말마다 가변을 ᄒᆞᆫ심ᄒᆞ고 장ᄂᆡ(將來)을 우려ᄒᆞ여 ○○○[아미(蛾眉)의] 슈운(愁雲)이 영영(盈盈)ᄒᆞ니, 뎡시 이셩화긔(怡聲和氣)로 위로ᄒᆞ고, 홍션을 본부의 보ᄂᆡ여 부모게 고ᄒᆞ고, 윤부인을 화산으로 보ᄂᆡ시믈 쳥ᄒᆞ니, 금휘 윤시을 화산으로 가라 ᄒᆞᆫᄃᆡ, 윤부인이 누년 ᄉᆞ친ᄒᆞᄂᆞᆫ 회포 간졀ᄒᆞ다가, 금일 ᄇᆡ견(拜見)ᄒᆞᆯ 바을 영ᄒᆡᆼᄒᆞ여 심복 비ᄌᆞ만 다리고 화산으로 가며, 양・니 이부인을 당부ᄒᆞ여 '화산ᄒᆡᆼ도을 함구ᄒᆞ라' ᄒᆞ고, 손을 난화 조부의 니르니, 부인이 ᄉᆞᆷ거거(三哥哥)로 더부러 녀ᄋᆞ을 보ᄆᆡ, 반기ᄂᆞᆫ 졍이 융흡(隆洽)ᄒᆞ나 장ᄂᆡ을 우려ᄒᆞ니, 조공 등이 위로 왈,

"현ᄆᆡ 윤부화란을 근심ᄒᆞ려니와 질녀의 장ᄂᆡᄂᆞᆫ 굿ᄒᆞ여 염녀 업나니, 셩상이 임의 창ᄇᆡᆨ의 여러 쳐실을 허ᄒᆞ신 후, 공쥐 엇지 ᄒᆞ리오.【50】 부졀업시 여러 가지을 념녀ᄒᆞ여 회포을 어즈립[럽]게 말나. 작인이 광쳔형뎨와 질녀 갓튼 후ᄂᆞᆫ 수화듕(水火中)의 드러도 근심이 업ᄉᆞ리니, 일시 운건(運蹇)ᄒᆞ여 뜻 갓지 아니미 만흐니라."

부인이 탄식 믁연이러라.

윤부인이 모친을 위로ᄒᆞ며 피화(避禍)ᄒᆞ심을 깃거ᄒᆞ나, 뎡시 ᄌᆡ조 일ᄏᆞᄅᆞᆷ을 깃거 아닛는 고로 졔긔치 아니터라.

조부인이 녀부(女婦)[41]를 다리고 가득ᄒᆞᆫ 졍을 니긔지 못ᄒᆞ나, 뎡시 도로 윤부의 드러가려 ᄒᆞ니, 부인이 탄왈,

"현부의 일이 비록 가ᄒᆞ나, 다시 드러가미 ᄉᆞ디를 드듸미니, ᄋᆞᄌᆞ와 의논ᄒᆞ여 이곳의 머믈면 화를 면ᄒᆞᆯ가 ᄒᆞ노라."

뎡시 ᄃᆡ왈,

"존괴 맛당ᄒᆞ시나 존괴 이에 머므시고 쳡이 또 존고를 뫼시면, 하졍의 흔힝 ᄒᆞ오나 이목이 번거ᄒᆞ여 ᄆᆡ양 ᄀᆞᆷ초기 어렵ᄉᆞ오니 혹【26】ᄌᆞ 누셜ᄒᆞᆫ 즉, ᄒᆞᆫ갓 쳡의게 유헤ᄒᆞᆯ ᄲᅮᆫ 아니라, 존고긔 화익이 《밋ᄌᆞ‖밋ᄎᆞ》오리니, 명일 비ᄌᆞ를 부려 문후ᄒᆞ여 도라오라 ᄒᆞ시면, 드러가려 ᄒᆞᄂᆞ이다."

부인이 올히 넉여 말니지 아니나, ᄌᆞ부 위ᄒᆞᆫ 념녜 일시도 방하치 못ᄒᆞ더라.

위노와 뉴시 모녜 뎡시 위방의게 간 쥴노 아라, 양양 ᄌᆞ득ᄒᆞᄃᆡ, 묘랑이 도망ᄒᆞ여 간 후 다시 오지 아니니, 뉴시 셰월을 보ᄂᆡ여 병을 므ᄅᆞᆫᄃᆡ, 묘랑이 알키를 심히 ᄒᆞ여 왈,

"내 ᄋᆡᆨ회 비상ᄒᆞ여 뎡시긔 왼 귀를 버히고 알프미 심ᄒᆞ니 엇디 움즉이리오. ᄎᆞ경ᄒᆞᆫ 후 부인긔 뵈오려니와, 귀 업ᄉᆞᆫ 사ᄅᆞᆷ이 되여 붓그럽고 ᄋᆡ돌오미 ᄃᆡ인ᄒᆞᆯ【27】 낫치 업셰라."

셰월이 ᄌᆡ삼 위로ᄒᆞ고 도라와 묘랑의 말을 고ᄒᆞ니, 뉴시 왈,

"뎡시 위관인의게 가시니 관인이 우리 은혜를 아라, 금ᄇᆡᆨ(金帛)을 각별이 줄 거시니, 묘랑의게 만히 보ᄂᆡ여 그 ᄆᆞ음을 위로ᄒᆞ리라."

ᄒᆞ더라.

뉴시 그 션친 긔ᄉᆡᆨ(忌祀)[42] 님박ᄒᆞ므로 위부인긔 고ᄒᆞ고 경ᄋᆞ로 더브러 뉴금오 집

41)녀부(女婦) : 딸과 며느리.
42)긔ᄉᆡᆨ(忌祀) : 기제사(忌祭祀). 해마다 사람이 죽은 날에 지내는 제사.

○[윤]부인이 모친을 위로ᄒᆞ여 피화(避禍)ᄒᆞ시믈 깃거ᄒᆞ나, 뎡시 ᄌᆡ조 일카르믈 깃거 아닛는 고로 제긔ᄒᆞ미 업더라.

조부인이 녀부(女婦)[35]을 다리고 가득ᄒᆞᆫ 졍을 이긔지 못ᄒᆞ나 뎡시 도로 윤부로 드러가려 ᄒᆞ니, 부인이 탄왈,

"현부의 일이 비록 가ᄒᆞ나 다시 드러가미 ᄉᆞ지을 드듸미니 아ᄌᆞ와 의논ᄒᆞ여 이곳의 머물면 화을 면ᄒᆞᆯ가 ᄒᆞ노라."

뎡시 ᄃᆡ왈,

"《조고‖존고》 ᄒᆞ교 맛당하오나, 존괴 이의 머무시고 쳡이 또 존고을 뫼시면 하졍(下情)의 흔힝(欣幸)ᄒᆞ오나, 이목이 번거ᄒᆞ여 ᄆᆡ양 감초기 어렵ᄉᆞ오니, 혹ᄌᆞ 누셜ᄒᆞᆫ 즉 ᄒᆞᆫ갓 쳡의게 죄 도라올 ᄲᅮᆫ 아니라, 존고긔 화익이 미ᄎᆞ리니, 명일 취운산으로 가리로소이다. 낙장

○…**낙장 336자**…○[부인이 올히 넉여 말니지 아니나 ᄌᆞ부 위ᄒᆞᆫ 념녜 일시도 방하치 못ᄒᆞ더라.

위노와 뉴시 모녜 뎡시 위방의게 간 쥴노 아라 양양 ᄌᆞ득ᄒᆞᄃᆡ 묘랑이 도망ᄒᆞ여 간 후 다시 오지 아니니, 뉴시 셰월을 보ᄂᆡ여 병을 므ᄅᆞᆫᄃᆡ, 묘랑이 알키를 심히 ᄒᆞ여 왈,

"내 ᄋᆡᆨ회 비상ᄒᆞ여 뎡시긔 왼 귀를 버히고 알프미 심ᄒᆞ니 엇디 움즉이리오 ᄎᆞ경ᄒᆞᆫ 후 부인긔 뵈오려니와 귀 업ᄉᆞᆫ 사ᄅᆞᆷ이 되여 붓그럽고 ᄋᆡ돌오미 ᄃᆡ인ᄒᆞᆯ 낫치 업셰라."

셰월이 ᄌᆡ삼 위로ᄒᆞ고 도라와 묘랑의 말을 고ᄒᆞ니 뉴시 왈,

"뎡시 위관인의게 가시니 관인이 우리 은혜를 아라 금ᄇᆡᆨ을 각별이 줄 거시니 묘랑의게 만히 보ᄂᆡ여 그 ᄆᆞ음을 위로ᄒᆞ리라."

ᄒᆞ더라.

뉴시 그 션친 긔ᄉᆡᆨ(忌祀)[36] 님박ᄒᆞ므로 위부인긔 고ᄒᆞ고 경ᄋᆞ로 더브러 뉴금오 집으로 가니 위뇌 진·하·댱 숌쇼제만 다리고 잇셔, 뎍뇨ᄒᆞ미 보ᄎᆡ미 심ᄒᆞ더니 문득 홍션이 니르러 문후ᄒᆞ고 진부인 환휘 업ᄉᆞᆫ 거ᄉᆞᆯ 와젼(訛傳)으로 급히 나오믈 고ᄒᆞ니, 위뇌 청흘(請訖)의 노분이 ᄐᆡᆼ만ᄒᆞ여]

35)녀부(女婦) : 딸과 며느리.
36)긔ᄉᆡᆨ(忌祀) : 기제사(忌祭祀). 해마다 사람이 죽은 날에 지내는 제사.

으로 가니, 위뇌 진·하·당 ᄉᆞᆷ 쇼제만 다리고 잇셔 덕뇨ᄒᆞᄆᆡ 보ᄎᆡ미 심ᄒᆞ더니, 문득 홍션이 니르러 문후ᄒᆞ고 진부인 환휘 업ᄉᆞᆫ 거술 와젼(訛傳)으로 급히 나오믈 고ᄒᆞ니, 위뇌 청흘(請訖)의 노분이 듕만ᄒᆞ여 능히 심신을 뎡치 못ᄒᆞ고, 뎡시 분명이 위방의 교ᄌᆞ의 담겨 간【28】ᄇᆡ, 므ᄉᆞᆷ ᄌᆡ조로 탈신ᄒᆞ여 취운산으로 간고? 그 됴화를 측냥치 못ᄒᆞ여 어린 ᄃᆞᆺ 말이 업더니, 흉심을 강인ᄒᆞ여 됴흔 ᄃᆞ시 회답ᄒᆞᄃᆡ 진부인 환휘 업ᄉᆞ믈 깃거ᄒᆞ며 슈히 도라오라 ᄒᆞ니, 이ᄂᆞᆫ 뎡부 셰엄(勢嚴)을 긔탄(忌憚)ᄒᆞ미러라.

원ᄂᆡ 집금오 뉴담은 뉴시 형남이라. 부인 영시 ᄉᆞ남이녀를 두어 다 셩취ᄒᆞ고, 필녀(畢女) 교ᄋᆡ 년미십ᄉᆞ(年未十四)의 묘질(妙質)[43]이 졀승ᄒᆞ고 셩되() 총민ᄒᆞ니, 부뫼 만ᄂᆡ(晩來) ᄉᆞ랑이 가득ᄒᆞ여 ᄀᆞᆺ튼 빵을 구ᄒᆞᄃᆡ, 교ᄋᆡ 규녀의 삼가미 업고 음일(淫佚) 방ᄌᆞ(放恣)ᄒᆞ여 ᄆᆡ양 부모긔 고왈,

"쇼녀는 녹발(綠髮)이 희기를 그음ᄒᆞ여도 눈의 ᄎᆞᄂᆞᆫ 군ᄌᆞ 영쥰을 ᄀᆞᆯ희리니, 브졀업시【29】{시} ᄇᆡᆨ면쥬슌ᄌᆞ(白面朱脣者)[44]로뻐 의논치 마르쇼셔."

뉴공 부뷔 두굿기를 마디 아니코, 가듕이 츄앙ᄒᆞ나 뉴공의 댱ᄌᆞ 흑ᄉᆞ 뉴랑과 필ᄌᆞ 뉴현이 ᄆᆡ양 그 힝ᄉᆞ를 깃거 아냐, 규녀의 졍뎡(貞靜)ᄒᆞ기를 경계(警戒)ᄒᆞ더니, 뉴시 니르러 남ᄆᆡ 반기며, 윤ᄃᆡᆨᄉᆡ 츌번(出番)ᄒᆞ여 뉴부의 와 모부인을 뫼셔 참ᄉᆞ(參祀)ᄒᆞ고 됴셕 왕ᄂᆡᄒᆞ여 긔거를 뭇ᄌᆞ오니, 뉴흑ᄉᆞ 등이 그 효의를 항복ᄒᆞ고, 뉴금오ᄂᆞᆫ 듕무소쥬(中無所主)ᄒᆞ여 극악이 아니나 어지지ᄂᆞᆫ 못ᄒᆞᆫ지라, 오ᄃᆡᆨ 금오 부인이 간악요ᄉᆞ(奸惡妖邪)ᄒᆞ여 쇼고(小姑)와 지긔상됴(志氣相照)ᄒᆞᄆᆡ ᄆᆡᄉᆞ를 의논ᄒᆞ더니, 뉴시 삼ᄉᆞ일 머물ᄉᆞ이의 윤어ᄉᆞ 츌번환가ᄒᆞᄂᆞᆫ 길희 뉴부를 지나ᄂᆞᆫ 고【30】로, 슉뫼 이의 계시믈 듯고 과문블입(過門不入)지 못ᄒᆞ여 잠간 드러와

능히 심신을 뎡치 못ᄒᆞ고 뎡시 분명이 위방의 교ᄌᆞ의 담겨 간 ᄇᆡ, 므ᄉᆞᆷ ᄌᆡ조로 탈신ᄒᆞ여 취운산으로 간고? 그 됴화를 측냥치 못ᄒᆞ여 어린 ᄃᆞᆺ 말이 업더니, 흉심을 강인ᄒᆞ여 됴흔 ᄃᆞ시 회답ᄒᆞᄃᆡ 진부인 환휘 업ᄉᆞ믈 깃거ᄒᆞ며 슈히 도라오라 ᄒᆞ니, 이ᄂᆞᆫ 뎡부 셰엄(勢嚴)을 긔탄(忌憚)ᄒᆞ미러라.

원ᄂᆡ 집금오 뉴담은 뉴시 형남이라. 부인 영시 ᄉᆞ남이녀을 두어 다 셩취ᄒᆞ고 필녀(畢女) 교ᄋᆡ 년이 십ᄉᆞ셰(十四歲)의 묘질(妙質)[37]이 졀승ᄒᆞ고 셩되 총민ᄒᆞ나, 부모 만ᄂᆡ ᄉᆞ랑이 가득ᄒᆞ여 갓튼 쌍을 구ᄒᆞᄃᆡ 교ᄋᆡ 슉녀의 ᄉᆞᆷ가미 업고 음일 방ᄌᆞᄒᆞ여【51】, ᄆᆡ양 부모게 고왈,

"소녀ᄂᆞᆫ 두발(頭髮)이 희기을 그음ᄒᆞ여도 눈의 찬 군ᄌᆞ 영쥰을 갈희리니, 부졀업시 ᄇᆡᆨ면쥬슌ᄌᆞ(白面朱脣者)[38]을 의논치 마르소셔."

뉴공 부부 두굿기믈 마지 아니코, 가듕이 추앙ᄒᆞ나 뉴공 장ᄌᆞ 흑ᄉᆞ 뉴광과 필ᄌᆞ 뉴현이 ᄆᆡ양 그 힝ᄉᆞ을 깃거 아냐 슉녀의 졍뎡(貞靜)ᄒᆞ기을 당부ᄒᆞ더니, 뉴시 이르러 남ᄆᆡ 반기며 윤직ᄉᆞ 츌번(出番)ᄒᆞ여 뉴부의 와 양모을 뫼셔 외됴(外祖) 졔(祭)을 참ᄉᆞ(參祀)ᄒᆞ고 조셕왕ᄂᆡᄒᆞ여 긔거을 뭇ᄌᆞ오니, 뉴흑ᄉᆞ 등이 그 효의를 항복ᄒᆞ고, 뉴금오ᄂᆞᆫ 듕무소주(中無所主)ᄒᆞ여 극악이 아니나 어지지ᄂᆞᆫ 못ᄒᆞᆫ지라, 오작 금오부인이 간악요ᄉᆞ(奸惡妖邪)ᄒᆞ여 소고(小姑)와 ᄌᆞ[지]긔상조(志氣相照)ᄒᆞ여 《고ᄉᆞ‖ᄆᆡ사(每事)》을 의논터니, 뉴시 ᄉᆞᆷ○[ᄉᆞ]일 머물 ᄉᆡ[ᄉᆞ]이의 윤어ᄉᆞ 츌번환가(出番還家)ᄒᆞᄂᆞᆫ 길의 뉴부을 지나ᄂᆞᆫ 고로, 숙뫼 이의 이시믈 듯고

43)묘질(妙質) : 타고난 미모가 뛰어나게 아름다움.
44)ᄇᆡᆨ면쥬슌ᄌᆞ(白面朱脣者) : 하얀 얼굴과 붉은 입술을 가진 미남자.

37)묘질(妙質) : 타고난 미모가 뛰어나게 아름다움.
38)ᄇᆡᆨ면쥬슌ᄌᆞ(白面朱脣者) : 하얀 얼굴과 붉은 입술을 가진 미남자.

시믈 고ᄒᆞᆫᄃᆡ, 부인이 딜녀부를 ᄎᆡ오고 불너 볼ᄉᆡ, 어ᄉᆡ 드러와 슉모긔 ᄇᆡ알ᄒᆞ고 근일 존후를 뭇ᄌᆞ오니, 고온 용홰 츄ᄐᆡᆨ(秋澤)의 ᄇᆡᆨ년(白蓮)이 셩개(盛開)ᄒᆞ며, 빗난 풍ᄎᆡ 만됴양ᄂᆔ(萬條楊柳) 금당(金塘)의 휘듯ᄂᆞᆫ[45] ᄃᆞᆺ, 오ᄉᆞ(烏紗)ᄂᆞᆫ 월ᄋᆡᆨ(月額)의 빗기며, 홍포(紅袍)ᄂᆞᆫ 옥산(玉山)[46]의 엄연ᄒᆞ니 팔쳑 경뉸(經綸)의 언건(偃蹇)ᄒᆞᆫ 위의와, 뇽봉미목(龍鳳眉目)과 호비쥬슌(虎鼻朱脣)이 텬승(千乘)을 긔필(期必)ᄒᆞ며 거셰명상(擧世名相)이 될디라.

교ᄋᆡ 쟝 뒤히셔 여어보고 졍혼이 어ᄉᆞ 신상의 ᄡᅩ엿더니, 어ᄉᆡ ᄂᆡ졍(內庭)이 비편(非便)ᄒᆞᆫ 고로 즉시 도라가니, 교ᄋᆡ 므어ᄉᆞᆯ 일흔 ᄃᆞᆺᄒᆞ여 스ᄉᆞ로 혜오ᄃᆡ,

"내 그윽이 윤ᄃᆡᆨ【31】ᄉᆞ의 풍신용화를 흠앙ᄒᆞ여 시쇽의 표종혼인(表從婚姻)[47]이 업지 아니ᄆᆡ 셤기고져 ᄒᆞᄃᆡ, ᄇᆡᆨ형과 ᄉᆞ형이 반ᄃᆞ시 날을 죽이려 ᄒᆞᆯ 거시ᄆᆡ, 다만 ᄉᆞᄉᆞᆼ지심(思想之心)을 품엇더니, 이제 어ᄉᆞ를 보니 신ᄎᆡ 긔질이 기뎨(其弟)와 ᄀᆞᆺᄐᆞ나, 발양ᄒᆞᆫ 호긔ᄂᆞᆫ ᄃᆡᆨᄉᆞ의 우히라, 내 부모긔 고ᄒᆞ여 죽기로ᄡᅧ 윤어ᄉᆞ를 셤기리라."

쥬의를 뎡ᄒᆞ고 ᄎᆞ야의 죵용ᄒᆞ믈 타 부모긔 고왈,

"쇼녜 비록 규녜오나 평ᄉᆡᆼ 쥬의 잇ᄉᆞ와 시쇽 용우쇽ᄌᆞ(庸愚俗者)의게ᄂᆞᆫ 허신(許身)치 아니려 ᄒᆞ오니, 이런 소회를 부모긔 고치 아니코 뉘게 ᄒᆞ리잇고? 향일 윤어ᄉᆞ를 잠간 보오니 용모 풍신이 비범ᄒᆞᆯ ᄲᆞᆫ더러, 군ᄌᆞ지풍이 흡연 ᄒᆞ【32】오니 아모리 부뫼 널리 구ᄒᆞ시나, 이의 디난 ᄌᆡ 업ᄉᆞ오리니, 만일 쇼녀의 뎡심(貞心)을 좃지 아니시면 평ᄉᆡᆼ을 공규의 늙어 실우지탄(失耦之嘆)[48]이 업게 ᄒᆞ리이다."

---

45)휘듯다 : 흔들거리다. 휘날리다.

46)옥산(玉山) : 외모와 풍채가 뛰어난 사람을 비유적으로 이르는 말.

47)표종혼인(表從婚姻) : 내외종(內外從) 남매사이의 혼인.

과문불입(過門不入)지 못ᄒᆞ여 잠간 드러와 시물 고ᄒᆞᆫᄃᆡ, 부인○[이] 질녀부을 ᄎᆡ우고 불너 볼ᄉᆡ, 어ᄉᆡ 드러와 슉모긔 ᄇᆡ알ᄒᆞ고 근일 존후을 뭇ᄌᆞ오니, 고은 용홰(容華) 츄슈(秋水)의 ᄇᆡᆨ년(白蓮)이 셩ᄀᆡ(盛開)ᄒᆞ고, 빗ᄂᆞᆫ 풍ᄎᆡ 일만 버들○[이] 금당(金塘)○[의] 휘듯ᄂᆞᆫ[39] 듯, 오ᄉᆞ(烏紗)ᄂᆞᆫ 월ᄋᆡᆨ(月額)의 빗겻고, 홍포(紅袍)ᄂᆞᆫ 옥산(玉山)[40]의 엄연ᄒᆞ니 팔쳑 경윤(經綸)의 언건(偃蹇)ᄒᆞᆫ 위의와, 뇽봉미목(龍鳳眉目)《이요‖과》, 호비쥬슌이{라} 천승(千乘)을 긔필ᄒᆞᆯ 거세명상(擧世名相)이 될지라.

교ᄋᆡ 장 뒤히셔 여어보고 졍혼이 어ᄉᆞ 신상의 쏘엿더니, 어ᄉᆡ ᄂᆡ졍(內庭)이 비편(非便)ᄒᆞ므로 즉시 도라가니, 교ᄋᆡ 홀연ᄒᆞ미 무엇ᄉᆞᆯ 일흔 듯ᄒᆞ여, 스ᄉᆞ로 혀아리ᄃᆡ,

"ᄂᆡ 그윽이 윤직ᄉᆞ의 풍신용화을 흠앙ᄒᆞ여 시【52】속의 듕[종]표혼인(從表婚姻)[41]이 업지 아니ᄆᆡ 셤기고져 ᄒᆞ되, ᄇᆡᆨ형과 ᄉᆞ형(四兄)이 반드시 날을 줄[죽]이려 ᄒᆞᆯ 고로, 다만 ᄉᆞ상지심(思想之心)을 품엇더니, 이졔 광천을 보니 신ᄎᆡ 긔질이 기뎨(其弟)와 갓트나, 발양ᄒᆞᆫ 호긔ᄂᆞᆫ 희쳔의 우희라. ᄂᆡ 부모긔 고ᄒᆞ○…**결락11자**…○[여 죽기로ᄡᅧ 윤어ᄉᆞ를 셤기]리라."

ᄒᆞ고, 조용ᄒᆞᆫ ᄯᆡ을 타 이 ᄯᅳᆺ즐 부모긔 ᄉᆞᆯ온ᄃᆡ, 금오 부뷔 뉴시을 쳥ᄒᆞ여 조흔 말노 강권ᄒᆞ니, 뉴시 짐즛 뎡ᄉᆡᆨ 왈,

---

39)휘듯다 : 흔들거리다. 휘날리다.

40)옥산(玉山) : 외모와 풍채가 뛰어난 사람을 비유적으로 이르는 말.

41)종표혼인(從表婚姻) : 내외종(內外從) 남매사이의 혼인.

그 어리쳑쳑49)ᄒᆞᆫ 부뫼 그 말을 아름다이 녁여 잠쇼ᄒᆞ고, 익일의 부뷔 뉴부인을 쳥ᄒᆞ여 여ᄋᆞ의 소회를 젼ᄒᆞ고 아모조록 극녁 쥬션ᄒᆞ여 겹겹이 인친이 되게 ᄒᆞ라 ᄒᆞ니, 뉴시 역시 대간이나 일졈 념치 잇ᄂᆞᆫ 고로 그리 반갑디 아니ᄒᆞᄃᆡ, 공의 부뷔 면쳥(面請)ᄒᆞ고, 딜녀의 ᄆᆞ음이 망부셕(望夫石)이 되려 ᄒᆞᆫ단 말을 듯고 빈미(嚬眉) ᄃᆡ왈,

“혼인은 인뉸듕ᄉᆡ(人倫重事)라. ᄒᆞᆫ번 그릇ᄒᆞᆫ즉 후회 막급이니, 광텬의 풍신이 아름【33】다오나 셩졍이 강ᄒᆞ고 쳐ᄌᆞ의게 ᄀᆞ박ᄒᆞ여, 뎡·진 ᄀᆞᆺ튼 졀염도 흔연 후ᄃᆡᄒᆞ미 업고, 공연ᄒᆞᆫ 호령이 싱풍ᄒᆞ여 ᄒᆞᆫ 조각 인졍이 업술 쁜 아냐, 호쥬탐ᄉᆡᆨ(好酒貪色)이 뉴달나 녀ᄌᆞ 일싱이 괴롭기 심ᄒᆞ리니, 거거의 농쥬(弄珠)로ᄡᅧ 패ᄌᆞ(悖子)의 뎨삼 부실을 삼으미 블가ᄒᆞᄆᆡ, ᄎᆞ혼의 듕ᄆᆡ 되고져 아닛ᄂᆞ이다.”

뉴시 이리 니르믄 교ᄋᆡ 셔운ᄒᆞ여 망단(望斷)케 ᄒᆞ미나, 음녜 불ᄀᆞᆺ튼 욕심을 발ᄒᆞ엿거든 엇지 긋치리오. 교ᄋᆡ 믄득 함누 왈,

슉뫼 쇼딜의 ᄌᆞ용을 불ᄉᆞ(不似)히 녁이샤 짐즛 말솜이 이 ᄀᆞᆺᄐᆞ시나, 쇼딜이 ᄯᅳᆺ을 결ᄒᆞ여 타인은 셤기지 아니려 ᄒᆞᄂᆞ이다.

뉴시 크게 블힝○○[ᄒᆞ나],【34】 뉘(類)뉴(類)를 ᄌᆞᄎᆞ므로, 교ᄋᆞ를 ᄉᆞ랑ᄒᆞ며 경ᄋᆡ 또 교ᄋᆞ로 졍의 후ᄒᆞᆫ 고로, 모친을 권왈,

“표뎨(表弟)의 뎡심이 이러틋 간졀ᄒᆞ니, 모친○○○○[은 잔 곡졀(曲折)]을 니르지 마르시고 야야긔 고ᄒᆞ여 친ᄉᆞ(親事)를 일우게 ᄒᆞ쇼셔.”

뉴시 왈,

“내 딜ᄋᆞ 위ᄒᆞᆫ 졍이 친녀와 다르미 업셔, 기간 ᄉᆞ괴 됴치 아니믈 깃거 아녓더니, 딜ᄋᆡ 브ᄃᆡ 광텬을 좃고져 ᄒᆞ면 엇디 막으리오. 거게(哥哥) 윤군을 보고 쳥ᄒᆞ면 쇼ᄆᆡ 됴언ᄒᆞ여 허케 ᄒᆞ리이다.”

48)실우지탄(失耦之嘆) : 아내를 잃은 탄식.

49)어리쳑쳑[쵹](--躑躅) : 어리석고 결단성이 없음. 쳑쵹(躑躅)은 주저(躊躇)하다의 의미.

“아ᄌᆞ(兒子)42) 부부은졍이 각박ᄒᆞ여 졍·진 갓튼 졀염(絶艶)도 흔연 후ᄃᆡᄒᆞ미 업고, 공연ᄒᆞᆫ 호령이 싱풍ᄒᆞ여 ᄒᆞᆫ 조각 인졍이 업술 ᄲᅳᆫ 아냐, 호주탐ᄉᆡᆨ(豪酒貪色)이 유달나 녀ᄌᆞ의 일싱이 괴롭기 심ᄒᆞ리니, 거거 농쥬(弄珠)로ᄡᅧ 픽ᄌᆞ(悖子)의 졔솜부실을 삼으미 불가ᄒᆞᆯ지라. ᄎᆞ혼의 즁ᄆᆡ 되고져 아닛ᄂᆞ이다.”

뉴시 이리 이르믄 교ᄋᆡ 셔운ᄒᆞ여 망단(望斷)케 ᄒᆞ○[미]나 음녀 불 갓튼 욕심을 발ᄒᆞ엿거든 엇지 긋치리오. 교ᄋᆡ 문득 흠누 왈,

“슉뫼 소질의 ᄌᆞ용을 불ᄉᆞ(不似)이 녁이ᄉᆞ 짐즛 말솜이 이 갓타시나, 소질의 ᄯᅳᆺ즐 결ᄒᆞ여 타인은 셤기지 아니려 ᄒᆞᄂᆞ이다.”

뉴시 크게 불힝ᄒᆞ나, 뉴뉴상종(類類相從)으로 교ᄋᆞ을 ᄉᆞ랑ᄒᆞ며, 경ᄋᆡ 또 교아로 졍의 후ᄒᆞᆫ지라, 웃고 모친을 권ᄒᆞ여 왈,

“표져(表姐)의 졍심이 여ᄎᆞ 간졀ᄒᆞ니, 모친은 잔 곡졀(曲折)을 이르지 마르시고 부친긔 고ᄒᆞ여 친ᄉᆞ(親事)을 일우게 ᄒᆞ소셔.”

뉴시 왈,

“ᄂᆡ 질ᄋᆞ 위ᄒᆞᆫ 졍이 친녀와 다르미 업셔 기간 ᄉᆞ괴 조치 아니믈 깃거 아냣더니, 질ᄋᆡ 부ᄃᆡ 광쳔을 좃고져 ᄒᆞ면 엇지 막으리오. 거거(哥哥) 윤군을 보고 쳥【53】혼ᄒᆞ면, 소ᄆᆡ 조언ᄒᆞ여 허케 ᄒᆞ리이다.”

42)아ᄌᆞ(兒子) : 아이. 나이가 어린 사람. 어른이 아닌 제삼자를 예사롭게 이르거나 낮잡아 이르는 말

교ᄋᆡ 대희ᄒᆞ고 금오 부체 깃거 쇼왈,

“윤광텬의 풍치 남달리 긔특ᄒᆞ며, 긔졀풍녁(氣節風力)과 ᄌᆡ덕물망(才德物望)이 세ᄃᆡ의 희한ᄒᆞ니 비록 졔삼 부실이라도 쇽ᄌᆞ(俗子)의 원비도곤 나으리니, 현ᄆᆡ는【35】 호의 말고 ᄎᆞ혼이 셩젼토록 ᄒᆞ라.”

뉴부인이 마지 못ᄒᆞ여 응낙ᄒᆞ고 다른 말ᄒᆞ다가 각각 취침ᄒᆞ고, 명일 뉴시를 몬져 윤부로 도라보ᄂᆡ여 윤공의 허락을 바드라 ᄒᆞ니, 부인이 윤부의 도라오니, 위뇌 반기고 진・하・댱 삼쇼졔 ᄇᆡ알ᄒᆞᄆᆡ, 존고를 뫼셔 말ᄉᆞᆷᄒᆞᆯᄉᆡ, 삼쇼졔 퇴ᄒᆞᄆᆡ, 위뇌 뎡시 운산의 가 편히 이시믈 젼ᄒᆞ고, 기간 됴화를 측냥치 못ᄒᆞ여 블승분에(不勝憤恚)ᄒᆞ니, 뉴시 모녜 역시 대경 분히(憤駭) 왈,

“그리면 위관인 집의 사ᄅᆞᆷ을 보ᄂᆡ여 곡졀이나 므르실 것 아니니잇가?”

위뇌 왈,

“하 ᄋᆡ돏고 분ᄒᆞᄆᆡ 타렴이 밋쳐 나지 아니므로 므러 보지 못ᄒᆞᆯ와.”

뉴시 즉시【36】 노ᄌᆞ로 ᄒᆞ여금 태부인 명으로 위방을 브르라 ᄒᆞ니, 이ᄯᆡ 위방은 쟝쳬(杖處) 위듕ᄒᆞ고, 방의 ᄌᆞ녜 태부인을 믜워 ᄌᆡ보만 허비ᄒᆞ고 몸이 듕상ᄒᆞ니, 태부인을 크게 원망ᄒᆞ여 방이 모로게 회답ᄒᆞᄃᆡ, 기뷔 졀도ᄉᆞ를 ᄯᆞ라 원방의 간 지 ᄉᆞ오일이라 ᄒᆞ니 도라와 그ᄃᆡ로 고ᄒᆞᆫᄃᆡ, 위・뉘 의례(疑慮) ᄇᆡᆨ츌(百出)ᄒᆞ고, 경ᄋᆡ 탄왈,

“사ᄅᆞᆷ이 일을 묘히 ᄉᆡᆼ각ᄒᆞ나 하날이 돕지 아니시니 엇디 ᄋᆡ돏디 아니리오. 뎡시를 다려간 ᄌᆡ 위관인 노ᄌᆡ 아니오 뉘런고, 아지 못ᄒᆞ리로소이다.”

뉴시 왈,

“뎡녜 됴홰 무궁ᄒᆞ니 반ᄃᆞ시 우리 계교를 몬져 아라 피화ᄒᆞ다 닐너도, 위방이 뎡시를【37】 못 엇고 원방으로 갈 졔는 존고긔 하ᄃᆡᆨᄒᆞᆯ 듯ᄒᆞᄃᆡ 말이 업ᄉᆞ니, 극히 괴이ᄒᆞᆫ 일이오, 진부인 병이 듕타 ᄒᆞ고 뎡시를 다려간 ᄌᆡ 위방의 노복 밧긔 나디 아니나, 혹ᄌᆞ 위방이 일을 그릇ᄒᆞ여 뎡시를 일코, 원방으로 간가 아모란 줄 몰나, 흉치(胸次) 답

교ᄋᆡ ᄃᆡ희ᄒᆞ며[고], 금오부쳐 소왈,

“윤광쳔의 풍치 남달니 긔특ᄒᆞ며, 긔졀츙녁(氣節忠力)과 ᄌᆡ덕물망(才德物望)이 세ᄃᆡ의 희ᄒᆞᆫ(稀罕)ᄒᆞ니 비록 졔ᄉᆞᆷ부실이라도 속ᄉᆞ(俗士)의 원비도곤 나흐니, 현ᄆᆡ는 호의 말고 ᄎᆞ혼이 셩젼토록 ᄒᆞ라.”

뉴부인이 마지 못ᄒᆞ여 응낙ᄒᆞ고 다른 말ᄒᆞ다가 각각 취침ᄒᆞ고, 명일 뉴시을 몬져 도라보ᄂᆡ여 윤공의 허락을 바드라 ᄒᆞ니, 부인이 도라오ᄆᆡ 위뇌 반기고, 진・하・장 ᄉᆞᆷ소져 ᄇᆡ알ᄒᆞ니, 존고을 뫼셔 말ᄉᆞᆷᄒᆞᆯᄉᆡ, ᄉᆞᆷ소져 퇴ᄒᆞ거늘, 위뇌 뎡시 운산의 가 편히 잇시물 젼ᄒᆞ고, 기간 조화을 측냥치 못ᄒᆞ여 불승분예(不勝憤恚)ᄒᆞ니, 뉴시 모녜 역시 ᄃᆡ경 분히(憤駭) 왈,

“그리면 위 관인 집의 ᄉᆞᄅᆞᆷ을 보ᄂᆡ여 곡졀이나 무르실 것 아니니잇가?”

위뇌 왈,

“ᄒᆞ ᄋᆡ답고 분ᄒᆞᄆᆡ 타렴이 밋쳐 ○○[나지] 아니므로 무러보지 못ᄒᆞᆯ와.”

뉴시 즉시 노ᄌᆞ을 명ᄒᆞ여 ᄐᆡ부인 명으로 위방을 부러[르]라 ᄒᆞ니, 이 ᄯᆡ 위방은 장쳐(杖處) 위듕ᄒᆞ고, 방의 ᄌᆞ녀 ᄐᆡ부인으로 말ᄆᆡ아마 기뷔 ᄌᆡ보만 허비ᄒᆞ고 몸이 듕상ᄒᆞ니 ᄐᆡ부인을 크게 원망ᄒᆞ여 방이 모로게 회답ᄒᆞ되, 기뷔 졀도ᄉᆞ을 ᄯᆞ라 원방의 간지 ᄉᆞ오일이라 ᄒᆞ니, 도라와 그ᄃᆡ로 고ᄒᆞᆫᄃᆡ, 위・뉘 의례(疑慮) ᄇᆡᆨ츌(百出)ᄒᆞ고, 경ᄋᆡ 탄왈,

“ᄉᆞᄅᆞᆷ이 일을 모[묘]히 ᄉᆡᆼ각ᄒᆞ나 하날이 돕지 아니시니 엇지 ᄋᆡ답지 아니리오. 뎡시을 다려간 ᄌᆡ 위관인 노ᄌᆡ 아니오 뉘던고? 아지 못ᄒᆞ리【54】로소이다.”

뉴시 왈,

“뎡시 조홰 무궁ᄒᆞ니 반다시 우리 계교을 몬져 알아 피화○○[ᄒᆞᆷ이]라 일너도, 위방이 뎡시을 못엇고 원방으로 갈 제는 존고긔 ᄒᆞ직ᄒᆞᆯ 듯ᄒᆞ되 ᄒᆞᆫ 말이 업ᄉᆞ니 고이ᄒᆞᆫ 일이오, 진부인 병이 듕타ᄒᆞ고 뎡시을 다려간 ᄌᆡ 위가 노복 밧긔 나지 아니ᄂᆞ, 혹ᄌᆞ 위방이 일을 그릇ᄒᆞ여 뎡시을 일고 원방으로 간가, 아모란 줄 몰나 흉치(胸次) 답답ᄒᆞ도

답ᄒᆞ도다.”

ᄒᆞ여, 고식모녜(姑媳母女) 셔로 닐너 분분통히ᄒᆞ믈 니긔지 못ᄒᆞ더라.

뉴시 믈너와 츄밀을 ᄃᆡᄒᆞ여 뉴금오의 구혼흠과 딜ᄋᆞ의 ᄌᆡ용을 닐너 감언미어(甘言美語)로 허혼ᄒᆞ믈 다릔ᄃᆡ, 츄밀이 뉴시 말인 즉 ᄉᆞᄉᆞ언쳥(事事言聽)50) ᄒᆞᄂᆞᆫ디라, 어린 ᄃᆞ시 쇼왈,

“광텬이 년쇼ᄒᆞᆫᄃᆡ 삼쳬 과커니와 뉴형이 구혼ᄒᆞ면 엇지 허치 아니리오.”

ᄒᆞ더니【38】 명일 뉴금외 니르러 츄밀노 한훤파(寒喧罷)의 쇼왈,

“작일 쇼ᄆᆡ로뼈 내 ᄯᅳᆺ을 몬져 통ᄒᆞ엿더니, 오히려 ᄃᆡ답이 업ᄉᆞᄆᆡ 굼거워51) 이의 니르럿ᄂᆞ니, 오문이 쇠미ᄒᆞ나 명강이 녯날 오가 동상(東床)이라, 녕딜(令姪)로뼈 아셔(我壻)를 삼지 못ᄒᆞ며, 아녜 블민ᄒᆞ나 ᄉᆞ원의 뎨삼 부빈 되미 외람치 아니리니 허ᄒᆞ믈 어드랴?”

츄밀 왈,

“형이 블민ᄒᆞᆫ 딜ᄋᆞ를 과ᄋᆡᄒᆞ여 영ᄋᆡ로뼈 삼취를 구ᄒᆞ니, 실노 딜ᄋᆞ의 과ᄒᆞᆯ지언졍 엇디 ᄉᆞ양ᄒᆞ리오.”

ᄎᆞ시 어ᄉᆞ 형뎨 시좌(侍坐)러니, 어ᄉᆡ 뉴공의 구혼흠과 계부의 쾌허ᄒᆞ믈 보니, 뉴공의 위인을 블복ᄒᆞ며 슉모의 간교 극악을 통히ᄒᆞ니 엇지 결○[혼]【39】ᄒᆞᆯ 의ᄉᆡ 이시리오. 이에 좌를 ᄲᅥ나 계부긔 고왈,

“유ᄌᆞ(猶子)의 용우 블민ᄒᆞ믈 허물치 아냐 옥녀로뼈 삼취를 허ᄒᆞ시니 후의 즉, 감격ᄒᆞ오나 유ᄌᆡ 어린 나히 냥쳬 잇고, ᄌᆞ위(慈闈)를 실산(失散)ᄒᆞ와 지금 거쳐를 모로오니, 유ᄌᆞ 등은 텬디간 죄인이라, 임의 어든 쳐ᄌᆞᄂᆞᆫ 바리지 못ᄒᆞ오나, 므ᄉᆞᆫ 호화로 신취(新娶)를 ᄒᆞ리잇고? 복원 계부는 유ᄌᆞ 등의 졍ᄉᆞ를 ᄌᆡ삼 ᄉᆞᆯ피샤, ᄎᆞ혼을 물허(勿許)ᄒᆞ쇼셔.”

뉴공이 힝혀 혼ᄉᆡ 못될가 겁ᄒᆞ여 왈,

50)ᄉᆞᄉᆞ언쳥(事事言聽) : 일마다 말하는 대로 잘 들어 줌.

51) 굼겁다 : 궁금하다. 답답하다. ⇒궁겁다

다.”

고식모녀(姑媳母女) 셔로 일너 분분통히ᄒᆞ더라.

뉴시 물너와 츄밀을 ᄃᆡᄒᆞ여 뉴금오 구혼흠과 질아의 ᄌᆡ용을 일너 감언미어(甘言美語)로 허혼ᄒᆞ믈 다릔ᄃᆡ, 츄밀이 뉴시 말인 즉 ᄉᆞᄉᆞ언쳥(事事言聽)43)ᄒᆞᄂᆞᆫ지라, 어린 ᄃᆞ시 소왈,

“광쳔이 년소ᄒᆞᆫᄃᆡ 숨쳐 과커니와 영형(令兄)이 구혼ᄒᆞ면 엇지 허치 아니리오.”

ᄒᆞ더니, 명일 뉴금오 이르러 츄밀노 ᄒᆞᆫ헌파(寒喧罷)의 소왈,

“작일 소ᄆᆡ로써 ᄂᆡ ᄯᅳᆺ즐 몬져 통ᄒᆞ엿더니 오히려 ᄃᆡ답이 업ᄉᆞᄆᆡ 궁거워44) 이의 이로럿ᄂᆞ니, 오문이 쇠미ᄒᆞ나 명강이 엿[옛]날 오가의 동상(東床)이라, 영질노써 ᄂᆡ 셔랑을 숨지 못ᄒᆞ며, 아녜 블민ᄒᆞ나 ᄉᆞ원의 졔숨부빈 되미 외람치 아니리니 《허물며‖허ᄒᆞ믈》 어드랴?”

츄밀 왈,

“형이 불민ᄒᆞᆫ 질ᄋᆞ을 과ᄋᆡᄒᆞ여 영ᄋᆡ로써 숨취을 구ᄒᆞ니, 실노 질아의게 과ᄒᆞᆯ지언졍 엇지 ᄉᆞ양ᄒᆞ리오.”

ᄎᆞ시 어시[ᄉᆞ] 형뎨 시좌(侍坐)라. 어ᄉᆡ 뉴공의 구혼흠과 슉부의 쾌허ᄒᆞ믈 보ᄆᆡ, 뉴공의 위인을 불복ᄒᆞ여[고], 슉모이 간교극악을 통히ᄒᆞ니, 엇지 결혼ᄒᆞᆯ 의【55】ᄉᆡ 잇시리오. 이의 좌을 ᄲᅥᄂᆞ 슉부긔 고왈,

“뉴합히(閤下) 유ᄌᆞ(猶子)의 용우불민ᄒᆞ믈 허물치 아냐 옥녀로써 숨취을 허ᄒᆞ시니 후읜 즉 감격ᄒᆞ오나, 유ᄌᆡ 어린 나희 양쳐 잇고, ᄌᆞ위(慈闈)을 실산ᄒᆞ와 직금 거쳐을 모로오니, 유ᄌᆞ 등은 쳔지간 죄인이라, 임의 어든 쳐ᄌᆞᄂᆞᆫ 바리지 못ᄒᆞ오나, 무산 호화로 숨취(三娶)을 ᄒᆞ오리잇고? 복원 계부ᄂᆞᆫ 유ᄌᆞ 등의 졍ᄉᆞ을 ᄌᆡ숨 ᄉᆞᆯ피ᄉᆞ ᄎᆞ혼을 《물의‖물허(勿許)》 ᄒᆞ소셔.”

뉴공이 힝혀 혼ᄉᆡ 못될가 겁ᄒᆞ여 왈,

43)ᄉᆞᄉᆞ언쳥(事事言聽) : 일마다 말하는 대로 잘 들어 줌.

44)궁겁다 : 궁금하다. 답답하다. ⇒굼겁다.

“ᄉᆞ원이 ᄎᆞ혼을 고샤ᄒᆞ믄 반ᄃᆞ시 내 집을 괴로이 넉이미어니와, 녕슉이 나의 ᄆᆡ뷔니 ᄉᆞ원이 ᄯᅩ 셔랑되미 므슴 욕되리오. 모로미 거졀치말나.”

어【40】ᄉᆡ 심니의 통완ᄒᆞᄃᆡ 계부 면젼이라 ᄉᆞᄉᆡᆨ을 블변ᄒᆞ고 샤왈,

“합ᄒᆡ(閤下) 쇼ᄉᆡᆼ을 동상(東床)을 유의ᄒᆞ시니 엇지 감격지 아니리잇고마ᄂᆞᆫ, ᄉᆡᆼ이 용우 블민ᄒᆞ여 어든 냥쳐도 능히 잘 거ᄂᆞ리지 못ᄒᆞ옵ᄂᆞ니, 녕녀의 일ᄉᆡᆼ이 욕될지라. 존문이 셰ᄃᆡ벌○[열](世代閥閱)[52]이시니, 인인이 구ᄒᆞ여 엇지 못ᄒᆞᆯ ᄇᆡ라. 그러나 쇼ᄉᆡᆼ이 ᄌᆞ모의 거쳐 모로ᄂᆞᆫ 죄인으로 호화의 ᄯᅳᆺ 업ᄂᆞ니, 합ᄒᆡ 통가(通家)[53] 슉질지의(叔姪之義)예 위ᄎᆡ 존엄ᄒᆞ시나, 텬ᄌᆞ도 블탈필부지지(不奪匹夫之志)[54]니 혼인은 인뉸대관(人倫大關)이오, 냥가의 호ᄉᆡ어ᄂᆞᆯ 쇼ᄉᆡᆼ이 블감(不堪)ᄒᆞ여 샤양ᄒᆞᄂᆞᆫ 바를 엇지 욱여 지ᄂᆡ리잇고?

언파의 ᄉᆞ긔 ᄉᆡᆨᄉᆡᆨ 쥰녈(峻烈)ᄒᆞ여, 하일지위(夏日之威)와【41】 상텬긔상(霜天氣像)이라. 뉴공은 디극 용녈ᄒᆞ므로ᄡᅧ 무류(無聊)ᄒᆞ여 말이 업ᄉᆞ니, 뉴시 왈,

“광텬이 번화를 구치 아니미 공근(恭謹)타 ᄒᆞ려니와, 져의게 다른 슉뷔 업고 샹공이 슉딜지졍과 부ᄌᆞ의 도를 겸ᄒᆞ엿거ᄂᆞᆯ, 상공의 허ᄒᆞ신 바를 딜(姪)ᄋᆡ 이ᄃᆡ도록 샤양ᄒᆞ니 블슌ᄒᆞ믈 면치 못ᄒᆞ리로다.”

어ᄉᆡ 텬셩이 과격ᄒᆞ믈 ᄎᆞᆷ지 못ᄒᆞ여 《뎡ᄉᆡᆼ ‖ 뎡ᄉᆡᆨ(正色)》 ᄃᆡ왈,

“슉뫼 유ᄌᆞ의 블슌ᄒᆞ믈 ᄎᆡᆨᄒᆞ시나, 계뷔 유ᄌᆞ 훈ᄎᆡᆨᄒᆞ심과 유ᄌᆡ 계부 우럴미 구ᄐᆞ여 희텬과 다르미 업ᄉᆞᆸᄂᆞ니, 딘졍 소회를 고ᄒᆞ고 신취를 샤양ᄒᆞ미 므슴 죄리잇고? 타일은 십미인을 모화도 시금은 ᄌᆞ모 거쳐 모【42】로ᄂᆞᆫ 죄인으로, 뉴합하 셔랑되미 과람

---

52)셰ᄃᆡ벌열(世代名門閥閱) :대대로 나라에 공이 많고 벼슬아치가 많이 나온 집안.

53)통가(通家) : ≒인척(姻戚). 혼인에 의하여 맺어진 친척.

54)텬ᄌᆞ(天子) 블탈필부지지(不奪匹夫之志) : 천자도 한 사내의 마음을 빼앗지 못한다.

“ᄉᆞ원이 ᄎᆞ혼을 고ᄉᆞᄒᆞ믄 반드시 ᄂᆡ 집을 괴로이 넉이미어니와, 영슉이 나의 ᄆᆡ부니 ᄉᆞ원이 ᄯᅩ 셔랑 되미 무슴 욕되리오. 모로미 거졀치 말나.”

어ᄉᆡ 심니의 통완ᄒᆞ되 슉부면젼이라 ᄉᆞᄉᆡᆨ 불변ᄒᆞ고 ᄉᆞ왈,

“합ᄒᆡ(閤下) 소ᄉᆡᆼ으로 동상(東床)을 유의ᄒᆞ시니 엇지 감격지 아니리잇고마ᄂᆞᆫ, ᄉᆡᆼ이 용우 불명ᄒᆞ여 어든 두 녀ᄌᆞ도 능히 거ᄂᆞ리지 못ᄒᆞ옵ᄂᆞ니, 영녀의 일ᄉᆡᆼ이 욕될지라. 존문이 셰ᄃᆡ명문벌열(世代名門閥閱)[45]이시니 인인이 구ᄒᆞ여 엇지 못ᄒᆞᆯ ᄇᆡ라. 그라[러]나 소ᄉᆡᆼ이 ᄌᆞ모의 거쳐을 모로ᄂᆞᆫ 죄인으로, 호화의 ᄯᅳᆺ이 업ᄂᆞ니, 합ᄒᆡ 통가(通家)[46] 슉질지의(叔姪之義)로 위ᄎᆡ 존엄ᄒᆞ시나, 쳔ᄌᆞ도 불탈필부지지(不奪匹夫之志)[47]니, ᄒᆞ물며 혼인은 인륜ᄃᆡ관(人倫大關)이오, 냥ᄌᆞ[가]의 호ᄉᆞ어날, 소ᄉᆡᆼ이 불감(不堪)ᄒᆞ여 ᄉᆞ양ᄒᆞᄂᆞᆫ 바을 엇지 우겨 지ᄂᆡ시리잇고?”

언파의 ᄉᆞ긔 ᄊᆡᆨᄊᆡᆨ 쥰녈(峻烈)ᄒᆞ여 하일지위(夏日之威)와 상쳔긔상(霜天氣像)이라. 뉴공은 지극 용열ᄒᆞ므로 져의 거동을 보고 무류(無聊)ᄒᆞ여 말이 업스니, 뉴시 왈,

“광쳔이 번【56】화을 구치 아니미 공근(恭謹)타 ᄒᆞ려니와, 져의게 다른 슉부 업고 상공이 슉질지졍과 부ᄌᆞ지도을 겸ᄒᆞ엿거ᄂᆞᆯ, 상공이 허ᄒᆞ신 바을 질(姪)ᄋᆡ 져ᄃᆡ도록 ᄉᆞ양ᄒᆞ니 불슌ᄒᆞ믈 면치 못ᄒᆞ리로다.”

어ᄉᆡ 쳔셩이 과격ᄒᆞᆫ 고로 참지 못ᄒᆞ여 졍ᄉᆡᆨ ᄃᆡ왈,

“슉뫼 소질의 불슌함을 ᄎᆡᆨᄒᆞ시나, 계뷔 소질 훈ᄎᆡᆨᄒᆞ심과 유ᄌᆡ 계부 울얼미 ᄀᆞᆺᄒᆞ여 희쳔과 다름이 업ᄉᆞᆸ나니, 진졍 소회을 고ᄒᆞ고 신취을 ᄉᆞ양ᄒᆞ미 무슴 죄리잇고? 타일은 십미인을 모화도 즉금은 ᄌᆞ모 거쳐 모로ᄂᆞᆫ 죄인으로 뉴합하 셔랑되미 과람(過濫) 번ᄉᆞ

---

45)셰ᄃᆡ명문벌열(世代名門閥閱) : 대대로 나라에 공이 많고 벼슬아치가 많이 나온 이름난 집안.

46)통가(通家) : ≒인척(姻戚). 혼인에 의하여 맺어진 친척.

47)쳔ᄌᆞ(天子) 불탈필부지지(不奪匹夫之志) : 천자도 한 사내의 마음을 빼앗지 못한다.

(過濫) 번ᄉᆞ(繁事)ᄒᆞ온지라. 텬하의 옥인군ᄌᆞ(玉人君子) ᄒᆞ나 둘히 아니오, 명문 귀가의 취쳐(娶妻) 아닌 가랑(佳郞)이 만흐니, 구ᄐᆞ여 쇼딜의 뎨삼부빈(第三副嬪)을 간쳥ᄒᆞ실 ᄇᆡ리잇고? 유ᄌᆞ의 문견이 고루ᄒᆞ오나 뉴대인을 위ᄒᆞ여 옥인준걸(玉人俊傑)을 스ᄉᆞ로 듕ᄆᆡ될 법은 잇거니와, 동상(東床)되기ᄂᆞᆫ 원치 아니ᄒᆞ나이다."

츄밀이 어ᄉᆞ의 샤양ᄒᆞ믈 보니, 일분 녯 ᄆᆞ음이면 엇디 강박ᄒᆞ리오마ᄂᆞᆫ, 뉴시 말을 아니듯지 못ᄒᆞ고 어ᄉᆡ ᄌᆞ긔 말 욱이믈 미안ᄒᆞ여 뎡ᄉᆡᆨ 왈,

"뉴형이 너를 ᄉᆞ랑ᄒᆞ여 혼ᄉᆞ를 구ᄒᆞ니, 내 그 후의를 감샤ᄒᆞ여 허혼(許婚)ᄒᆞᆫ 바를 네 엇디 【43】 다언(多言)ᄒᆞᄂᆞ뇨? 비록 너의 소원이 아니나 대ᄉᆞ(大事)[55]의 네 의견을 셰오지 아닐 ᄇᆡ니 괴이히 구지 말나."

어ᄉᆡ 형셰 ᄒᆞᆯ일업셔, 반ᄃᆞ시 뉴시 별물(別物) 요악(妖惡)이믈 짐작고, 듕심의 분완ᄒᆞ나 계부 힝ᄉᆡ 날노 다르믈 한심ᄒᆞ여, 념녜 다른 ᄃᆡ 밋지 아니코, 계부의 환후를 곳치려 ᄒᆞ나 일복(一服) 약(藥)도 ᄡᅧ보지 못ᄒᆞ고, 일시도 ᄂᆡ당을 ᄯᅥ나지 아니니 엇디 ᄎᆞ셩(差成)ᄒᆞ믈 어드리오. 츄연 무언이오, ᄃᆡᆨᄉᆞᄂᆞᆫ ᄒᆞᆫ 말 ᄎᆞᆷ에ᄒᆞ미 업더니, 날이 느ᄌᆞᄆᆡ 뉴금외 도라갈ᄉᆡ 어ᄉᆞᄂᆞᆫ ᄆᆡ이 넉이고 ᄃᆡᆨᄉᆞᄂᆞᆫ 하당 ᄇᆡ송ᄒᆞ더라.

ᄎᆞ야의 어ᄉᆡ ᄇᆡᆨ화헌의셔 조모 명으로 삿출[56] ᄭᅩ며,

"금일 뉴공이 ᄉᆡᆼ각 밧 혼인을 뇌뎡ᄒᆞ【44】니, 우리 가되 더욱 어ᄌᆞ럽기ᄂᆞᆫ 보지 아냐 알지라. 내 너를 ᄃᆡᄒᆞ여 ᄒᆞᆯ 말이 아니어니와, 져믄 녀지 슉모 지휘를 좃출진ᄃᆡ, 필경 날을 죽이고 말니니, 뉴개 우리 집과 결원이 아니되랴?"

ᄃᆡᆨ시 ᄎᆞ언을 듯고 믄득 누쉬여우(淚水如

55)대ᄉᆞ(大事) : 큰일. 여기서는 인륜지대사(人倫之大事)인 '혼인'을 말한다.

56)삿출 : 삿+ㅊ+을. 새끼를. '삿ㅊ'은 새끼, 곧 짚으로 꼬아 만든 줄. ⇒삿기.

(繁事)ᄒᆞ온지라. 쳔ᄒᆞ의 옥인군ᄌᆞ(玉人君子) ᄒᆞᆫ 둘이 아니오, 명문 귀가의 취쳐 아닌 가랑이 만흐니, 굿ᄒᆞ여 소질의 ᄉᆞᆷ부빈(三副嬪)을 간쳥ᄒᆞ실 ᄇᆡ리잇고? 소질의 ᄉᆞᆷ부빈을 간쳥ᄒᆞ시니, 소질의 문견이 고루ᄒᆞ오나 뉴ᄃᆡ인 ᄐᆡᆨ셔(擇壻)을 위ᄒᆞ여 옥인듄걸(玉人俊傑)을 스ᄉᆞ로 듕ᄆᆡ 될 법은 잇거니와, 동상(東床) 되기ᄂᆞᆫ 원치 아니ᄒᆞᄂᆞ이다."

츄밀이 어ᄉᆞ의 ᄉᆞ양ᄒᆞ물 보니 일분 옛 마음이 잇스며[면] 엇지 강박ᄒᆞ리오마ᄂᆞᆫ, 뉴시 말을 아니 듯지 못ᄒᆞ여 어ᄉᆡ ᄌᆞ긔 말 우기믈 미안ᄒᆞ여 졍ᄉᆡᆨ 왈,

"뉴형○[이] 너을 ᄉᆞ랑ᄒᆞ여 혼ᄉᆞ을 구ᄒᆞ니, ᄂᆡ 그 후의을 감ᄉᆞᄒᆞ여 허혼(許婚)ᄒᆞᆫ ᄇᆞ을 네 엇지 다언(多言)ᄒᆞᄂᆞ뇨? 비록 너의 소원이 아니나 ᄃᆡᄉᆞ(大事)[48]의 네 의견을 셰울 ᄇᆡ 아니니 고이히 구지 말나."

어ᄉᆞ 《형뎨‖형셰(形勢)》 ᄒᆞᆯ 일 업셔, 다시 뉴시 별물(別物) 요악(妖惡)이믈 짐작고, 즁심의 분완ᄒᆞ나 계부 힝【57】ᄉᆡ 날노 다르믈 ᄒᆞᆫ심ᄒᆞ여, 념녜 다른 ᄃᆡ 잇[밋]지 아니코, 계부의 환후을 곳치려 ᄒᆞ나, 일복(一服) 약(藥)도 ᄡᅧ 보지 못ᄒᆞ고, 일시도 ᄂᆡ당을 ᄯᅥᄂᆞ지 아니니 엇지 ᄎᆞ경(差境)ᄒᆞ믈 어드리오. 츄연 무에(無語)오, 직ᄉᆞᄂᆞᆫ ᄒᆞᆫ 말 참녜ᄒᆞ미 업더니, 날이 느즈ᄆᆡ 뉴금오 도라갈ᄉᆡ, 어ᄉᆞᄂᆞᆫ ᄆᆡ이 역이고 직ᄉᆞᄂᆞᆫ ᄒᆞ당 ᄇᆡ송ᄒᆞ더라.

ᄎᆞ야의 어ᄉᆡ ○[ᄇᆡᆨ]화원의셔 조모 명으로 삿기[49]을 ᄭᅩ며,

"금일 뉴공이 ᄉᆡᆼ각 밧 혼인을 뇌졍ᄒᆞ니 우리 가되 더욱 어ᄌᆞ럽기ᄂᆞᆫ 불문가지(不問可知)라. ᄂᆡ 너을 ᄃᆡᄒᆞ여 ᄒᆞᆯ 말이 아니여니와 졀문 녀지 슉모 지휘을 좃출진ᄃᆡ 필경 날을 죽이고 말니니 뉴기 우리 집과 결원이 아니되랴?"

직시 ᄎᆞ언을 듯고 믄득 누쉬여우(淚水如雨)ᄒᆞ여 왈,

48)ᄃᆡᄉᆞ(大事) : 큰일. 여기서는 인륜지대사(人倫之大事)인 '혼인'을 말한다.

49)삿기 : 새끼, 곧 짚으로 꼬아 만든 줄.

雨)ᄒᆞ여 왈,

"형댱이 엇디 ᄎᆞ마 쇼데를 ᄃᆡᄒᆞ여 이 말ᄉᆞᆷ을 ᄒᆞ시ᄂᆞ니잇고? 양뫼 비록 셩덕이 브죡ᄒᆞ시나, 일즉 인명(人命)을 살히ᄒᆞ시ᄂᆞᆫ ᄇᆡ 업고, 형댱긔 쇼쇼 브ᄌᆞᄒᆞ미 계시나 ᄌᆞ뎔의 도리 이런 말을 아니셤 즉 ᄒᆞ니, ᄎᆞ후 이런 괴이ᄒᆞᆫ ᄆᆞᄋᆞᆷ을 두지 마르쇼셔."

어ᄉᆡ 아의 슬허ᄒᆞ믈 보고 ᄌᆞ긔 실언(失言)을 ᄭᆡᄃᆞ라 왈,

"우형이 분두(忿頭)[57]의 실언ᄒᆞ나 ᄎᆞ【45】ᄉᆡ 됴흔 인연이 아니라. 뉴광 뉴현은 군ᄌᆞ지풍(君子之風)이나, 뉴안 뉴유ᄂᆞᆫ 쇼인이니, 기 ᄆᆡ(妹) 뉴안을 달마시면 므어ᄉᆡ 쓰리오."

ᄃᆡᄉᆡ 표ᄆᆡ(表妹)의 위인이 요ᄉᆞ흠과 상뫼 블길ᄒᆞ믈 ᄇᆞᆰ히 아나, 다만 니르ᄃᆡ,

"만ᄉᆡ(萬事) 텬애(天也)라, 인력의 밋츨 ᄇᆡ 아니니 되여가믈 볼 ᄲᅮᆫ이니{니}이다."

어ᄉᆡ 크게 블힝ᄒᆞ여 말이 업더라.

뉴부의셔 즉시 퇴일ᄒᆞ여 보ᄒᆞ니, 길긔 신쇽ᄒᆞ여 보ᄒᆞ니 길긔(吉期) 신쇽ᄒᆞ여 일삭이 격ᄒᆞ여시니, 위뇌 뉴시다려 왈,

"현뷔 광텬 형데를 죽이려 ᄒᆞ며 그 뎔녀로ᄡᅧ 뎡혼ᄒᆞ믄 엇진 ᄯᅳᆺ고?"

뉴시의 뎔녀의 소힝을 바로 고치 아냐 다만 웃고 ᄃᆡ왈,

"ᄎᆞᄉᆡ 실노 망계(妄計)오ᄃᆡ, 가형이 광ᄋᆞ를 ᄉᆞ랑ᄒᆞ여 브ᄃᆡ 녀【46】셔(女壻)를 삼고져 ᄒᆞ고 상공이 허ᄒᆞ니, ᄯᅳᆺᄀᆞᆺ지 못ᄒᆞ나 ᄒᆞᆯ일 업ᄉᆞᆫ디라. ᄉᆞ셰를 보아 희텬 부부와 뎡·진 등을 몬져 죽이고 광텬을 마ᄌᆞ 업시코져 ᄒᆞᄂᆞ이다."

위뇌 그러히 넉이나, 인졍의 거리ᄭᅵ미 이실가 념녀ᄒᆞ더라.

뉴시 위노를 권ᄒᆞ여 뎡시를 다려오게 ᄒᆞ니, 위태 홍션 왕ᄂᆡ의, 어ᄉᆞ의 삼취 혼긔 다ᄃᆞ르니 슈히 도라오믈 지쵹ᄒᆞᆫᄃᆡ, 뎡시 존고 ᄯᅥ나ᄂᆞᆫ 졍과 조부인의 보ᄂᆡᄂᆞᆫ ᄯᅳᆺ이 ᄒᆞᆫ가지나, 오ᄅᆡ 머므지 못ᄒᆞ여 윤부로 갈ᄉᆡ, 윤쇼졔 ᄯᅩ 운산으로 도라가려 ᄒᆞ니, 조부인이

57)분두(忿頭) : 분결. 분한 마음이 왈칵 일어난 바람.

"형쟝이 엇지 ᄎᆞ마 소졔을 ᄃᆡᄒᆞ여 이 말ᄉᆞᆷ을 ᄒᆞ시ᄂᆞ잇고? 양뫼 비록 셩덕이 브족ᄒᆞ시나, 일작 인명(人命)을 ᄉᆞᆯ(殺)ᄒᆞ신 ᄇᆡ 업고, 형쟝긔 소소 부ᄌᆞᄒᆞ미 잇시나 ᄌᆞ질의 도리 이런 말을 아니셤 즉 ᄒᆞ니, ᄎᆞ후 이런 고이ᄒᆞᆫ 마음을 두지 마르소셔."

어ᄉᆡ 아의 슬허ᄒᆞ믈 보고 ᄌᆞ긔 실언(失言)을 ᄭᆡ다라 왈,

"우형이 분두(忿頭)[50]의 실언ᄒᆞ나 ᄎᆞᄉᆡ 조흔 인연이 아니라. 뉴광 뉴현은 군자유풍(君子遺風)이나, 뉴안 뉴유ᄂᆞᆫ 소인이니 기 ᄆᆡ(妹) 뉴안을 달마시면 무어ᄉᆡ 쓰리오."

직ᄉᆡ 종ᄆᆡ(從妹))의 위인이 요ᄉᆞ흠과 상뫼 불길ᄒᆞ물 밝히 아니, 다만 니로ᄃᆡ,

"만ᄉᆡ(萬事) 쳔야(天也)라. 비인력소치(非人力所致)[51]니 되어가물 볼 ᄲᅮᆫ이니이다."

어ᄉᆡ 크게 불힝ᄒᆞ여 말이 업더라.

뉴부의셔 즉시 틱일ᄒᆞ여【58】 보ᄒᆞ니, 길긔(吉期) 신속ᄒᆞ여 일삭이 격ᄒᆞ여시니 위뇌 뉴녀다려 왈,

"현뷔 광쳔형데을 죽이려 ᄒᆞ며 그 질여로 ᄡᅧ 뎡혼ᄒᆞ믄 엇진 ᄯᅳᆺ고?"

뉴시 질녀의 소힝을 고치 아냐 다만 웃고 ᄃᆡ왈,

"ᄎᆞᄉᆡ 실노 망계(妄計)오ᄃᆡ 형이 광아을 ᄉᆞ랑ᄒᆞ여 부ᄃᆡ 녀셔(女壻)을 ᄉᆞᆷ고져 ᄒᆞ고, 상공이 허ᄒᆞ니, ᄯᅳᆺ갓지 못ᄒᆞ나 ᄒᆞᆯ일 업ᄉᆞᆫ지라, ᄉᆞ셰을 보아 희쳔부부와 뎡·진 등을 몬져 죽이고 광쳔을 마ᄌᆞ 업시코져 ᄒᆞᄂᆞ이다."

위뇌 그러이 역이나, 인졍의 거리ᄭᅵ미 잇실가 념여ᄒᆞ더라.

뉴시 틱부인을 권ᄒᆞ여 뎡시을 다려오믈 말ᄒᆞ니, 위틱 홍션 왕ᄂᆡ의 어ᄉᆞ의 ᄉᆞᆷ취 혼긔 다다르니 수이 도라오믈 지촉ᄒᆞᆫᄃᆡ, 뎡시 존고 ᄯᅥ나ᄂᆞᆫ 졍과 조부인의 보ᄂᆡᄂᆞᆫ ᄯᅳᆺ지 ᄒᆞᆫ

50)분두(忿頭) : 분결. 분한 마음이 왈칵 일어난 바람.
51)비인력소치(非人力所致) : 사람의 힘으로 어찌할 수 있는 일이 아님.

뉴쳬 왈,

"녀ᄋᆞᄂᆞᆫ 급ᄒᆞᆫ 근심이 업거니와, 현부ᄂᆞᆫ 위험지지(危險之地)의 화란이 아모 곳의 밋출 줄 모로니, 이 심ᄉᆞ를【47】 엇지 견ᄃᆡ리오. 모로미 보듕ᄒᆞ여 몸이 무ᄉᆞ키를 바라노라."

윤·뎡 냥쇼제 호언으로 위로ᄒᆞ여 기리 안강ᄒᆞ시믈 쳥ᄒᆞ고, 슉당의 하딕고 윤부인은 운산으로 가고 뎡시ᄂᆞᆫ 윤부로 가, 위흉과 츄밀 부부긔 ᄇᆡ알ᄒᆞ니, 위·뉘 믜오미 고ᄃᆡ 삼킬 ᄃᆞᆺᄒᆞᄃᆡ, 계오 강인ᄒᆞ여 진부인 환휘 업ᄉᆞᆫ 거ᄉᆞᆯ 와젼ᄒᆞ믈 일ᄏᆞᄅᆞ니, 뎡시 나즉이 ᄃᆡ답ᄒᆞ고 한셜(閑說)[58]이 업더라.

뎡쇼제 ᄌᆞ긔 화란이 위방의 유무의 업ᄉᆞᄃᆡ, 방이 ᄎᆞ셩ᄒᆞ면 다시 태부인긔 뵈와 음흉지ᄉᆞ를 ᄒᆞᆯ가 ᄒᆞ여, 거거긔 소찰(小札)노 통ᄒᆞ여,

"호위댱관 위방이 경샤의 이시ᄆᆡ 통완지ᄉᆡ(痛惋之事) 만흐니, 구ᄐᆞ여 논죄치 말고 군졍ᄉᆞ(軍政使)로 먼니 ᄂᆡ여 보ᄂᆡ여,【48】 경샤 왕ᄂᆡ를 임의치 못ᄒᆞ게 ᄒᆞ쇼셔."

ᄒᆞᆫᄃᆡ, 병뷔 하령(下令)ᄒᆞ여 위방으로 삭방마쇽도위ᄉᆞ(朔方馬粟都尉使)를 보ᄂᆡ여 ᄉᆞ년을 한ᄒᆞᄃᆡ, 브르기 젼 오면 효시(梟示)ᄒᆞ리라 ᄒᆞ고, 삼일 치힝ᄒᆞ게 ᄒᆞ니, 방이 샹쳬 듕ᄒᆞ여 원노(遠路) ᄒᆡᆼ역(行役)을 능히 ᄒᆞᆯ 길 업ᄉᆞ나, 어ᄃᆡ가 댱녕(將令)을 어긔며, 마쇽도위 금은을 만히 ᄡᅳ므로 젼일 구ᄒᆞ여 가려 ᄒᆞ던 ᄇᆡ라. 방이 냥ᄌᆞ(兩子)로 더브러 ᄆᆞᆯ긔 실녀 가ᄃᆡ 태부인긔 하딕지 아니코 가니라.

이러구러 뉴가 길긔 니르니, 뉴시 연셕긔구를 출히니, 어시 괴로이 녁여 뉴시긔 고왈,

"유지 ᄌᆞ모 거쳐 모로ᄂᆞᆫ 죄인으로 만시 무흥(無興)ᄒᆞ오니, 브졀업시 연셕을 개장ᄒᆞ여 손을 쳥치 마르쇼셔."

---

58)한셜(閑說) ; 한가로운 말. 쓸 데 없는 말.

가지라. 오ᄅᆡ 머무지 못ᄒᆞ여 윤부로 도라갈 ᄉᆡ, 윤소제 ᄯᅩ 운산으로 가랴ᄒᆞ니 조부인이 유쳬 왈,

"녀아ᄂᆞᆫ 급ᄒᆞᆫ 근심이 업거니와 현부 등은 위험지지(危險之地)의 화란이 아모 곳의 밋츨 줄 모로니 심ᄉᆞ을 엇지 견ᄃᆡ리오. 모로미 보즁ᄒᆞ여 몸이 무ᄉᆞ키을 바라노라."

윤·뎡 냥소제 호언으로 위로ᄒᆞ여 기리 안강ᄒᆞ시물 쳥ᄒᆞ고, 슉당의 ᄒᆞ직고 윤부인은 운산으로 가고 뎡시ᄂᆞᆫ 윤부로 가, ᄐᆡ부인과 츄밀부부긔 ᄇᆡ알ᄒᆞ니, 위·뉴의 믜오미 고ᄃᆡ ᄉᆞᆷ킬 듯ᄒᆞᄃᆡ, 겨유 강잉ᄒᆞ여 진부인 환후 업ᄉᆞᆫ 거ᄉᆞᆯ 와젼ᄒᆞ믈 일카르니, 뎡시ᄂᆞᆫ 나작이 ᄃᆡ답ᄒᆞ고 ᄒᆞᆫ셜(閑說)[52]이 업더라.

뎡소져 ᄌᆞ긔 화란이 위방의 유무의 업ᄉᆞᄃᆡ 방이 ᄎᆞ셩【59】ᄒᆞ면 다시 ᄐᆡ부인긔 와 음흉지ᄉᆞ을 ᄒᆞᆯ가 ᄒᆞ여, 거거긔 소출(小札)노 통ᄒᆞᄃᆡ,

"호위장관 위방이 경ᄉᆞ의 잇시ᄆᆡ 통완지ᄉᆡ(痛惋之事) 만으니, 굿ᄒᆞ여 논죄치 말고 군졍ᄉᆞ(軍政使)로 멀니 ᄂᆡ여 ○○[보ᄂᆡ], 경ᄉᆞ 왕ᄂᆡ을 임의치 못ᄒᆞ게 ᄒᆞ소셔."

ᄒᆞᆫᄃᆡ, 병뷔 하량[령](下令)ᄒᆞ여 위방으로 삭방마속도위ᄉᆞ(朔方馬粟都尉使)로 보ᄂᆡ여 ᄉᆞ년 ᄒᆞᆫᄒᆞᄃᆡ 만일 부르기 젼 오면 효시(梟示)ᄒᆞ리라 ᄒᆞ고, ᄉᆞᆷ일 치힝케 ᄒᆞ니, 방이 창쳬 즁ᄒᆞ여 원노(遠路) ᄒᆡᆼ역(行役)을 능히 ᄒᆞᆯ 길이 업ᄉᆞ나, 어ᄃᆡ 가 장녕(將令)을 어긔며, 마속도위 금은을 만히 쓰므로 젼일 구ᄒᆞ여 가려ᄒᆞ든 ᄇᆡ라. 방이 냥ᄌᆞ로 더부러 말○[긔] 실여가되, ᄐᆡ부인긔 ᄒᆞ직지 아니코 가니라.

이러구러 뉴가 길긔 이르니, 뉴시 연셕긔구을 ᄎᆞ릴 ᄶᅴ[시], 어시 괴로이 녁여 뉴시긔 고왈,

"유지 ᄌᆞ모 거쳐을 모로ᄂᆞᆫ 죄인으로 만시 무흥(無興)ᄒᆞ오니, 부졀업시 연셕을 ᄀᆡ장ᄒᆞ여 손을 쳥치 마르소셔."

---

52)ᄒᆞᆫ셜(閑說) ; 한가로운 말. 쓸 데 없는 말.

뉴시【49】흔연 왈,

"네 브ᄃᆡ 말과져 ᄒᆞ면 엇지 구ᄐᆞ여 빈ᄀᆡᆨ을 모호리오. 녜만 일우게 ᄒᆞ리라."

어ᄉᆡ 칭샤이퇴(稱謝而退)ᄒᆞ니, 뉴시 어ᄉᆞ의 뜻을 바다 손을 청치 아니코, 다만 태부인을 뫼시여 뎡·진·하·댱 ᄉᆞ인과 경ᄋᆞ로 더브러 신부 보ᄂᆞᆫ 녜를 출힐ᄉᆡ, 뎡·진 이쇼졔 뉴부인 딜녜 뎍인(敵人)이 되ᄆᆡ, ᄌᆞ긔 등 신셰 위ᄐᆡᄒᆞ미 급ᄒᆞ믈 디긔ᄒᆞ나, 외뫼 ᄌᆞ약ᄒᆞ여 그 심쳔(深淺)을 알기 어려오니, 위ᄐᆡ 그 어질믈 더욱 믜이 넉여 밧비 업시코져 ᄒᆞ더라.

일반(日半)59)의 어ᄉᆡ 괴롭고 분ᄒᆞ믈 ᄎᆞᆷ아 ᄂᆡ당의 드러와 길복을 닙고, 위의를 다 쎨쳐 뉴부의 니르러 뎐안지녜(奠雁之禮)를 맛고, 좌(座)의 드니 그 뇌락(磊落)ᄒᆞᆫ 풍신이 ᄎᆞ일【50】더욱 긔이ᄒᆞ여, 태산의 암암ᄒᆞᆫ 긔질과 텬일의 의의ᄒᆞᆫ 상뫼 ᄀᆞᆺ초 긔이ᄒᆞ니, 뉴공이 흔흔 쾌락ᄒᆞ여 집슈 ᄋᆡ듕ᄒᆞ나, 어ᄉᆞ의 뜻은 ᄂᆡ도ᄒᆞ여60) 블승분에(不勝憤恚)ᄒᆞ더라.

신뷔 샹교(上轎)ᄒᆞᄆᆡ 어ᄉᆡ 봉교(封轎) 상마(上馬)ᄒᆞ여, 본부의 도라와 쳥듕의셔 합증교ᄇᆡ(合巹交拜)를 파ᄒᆞ고, 금쥬션(錦珠扇)을 반개(半開)ᄒᆞ니, 어ᄉᆡ 투목(偸目)으로 신부를 보ᄆᆡ, 흰 낫ᄎᆞᆫ 니홰(梨花) 츈우(春雨)를 마신 ᄃᆞᆺ, 《빵험 ‖ 빵협(雙頰)》이 도화(桃花) ᄀᆞᆺ고, 잉슌(櫻脣)이 함홍(含紅)ᄒᆞ나 초월아미(初月蛾眉)의 살긔등등(殺氣騰騰)ᄒᆞ여 음잡(陰雜)ᄒᆞ미 가득ᄒᆞ고, 빵안의 독ᄉᆞ의 모질믈 겸ᄒᆞ고, 면모의 블길지긔(不吉之氣) 어ᄅᆡ여 션죵(善終)ᄒᆞᆯ 상격(相格)이 아니라. 어ᄉᆡ 경히ᄎᆞ악ᄒᆞ여 ᄉᆞ매를 쎨쳐 외헌으로 나가니, 신뷔 단장을 곳쳐 태부인【51】긔 폐ᄇᆡᆨ을 헌ᄒᆞ니, 태괴61) 뉴시 딜녜므로 놉히 듯고 그 안ᄉᆡᆨ이 교려(巧麗)ᄒᆞ믈 황홀이 ᄉᆞ랑ᄒᆞ며, 츄밀은 쥬견(主見) 업ᄉᆞᆫ 사ᄅᆞᆷ이 되여 어린 ᄃᆞ시 신부를 볼 ᄲᅮᆫ이오, 구파ᄂᆞᆫ 실

59)일반(日半) : 하룻낮의 반. 반나절.
60)ᄂᆡ도ᄒᆞ다 : 다르다. 판이(判異)하다.
61)태괴(太姑): : 위태부인의 별칭.

뉴시 흔연 왈,

"네 부ᄃᆡ 말고져 ᄒᆞ면 엇지 굿ᄒᆞ여 빈ᄀᆡᆨ을 모호리오. 네 말ᄃᆡ로 ᄒᆞ리라."

어ᄉᆡ 칭ᄉᆞ이퇴(稱謝而退)ᄒᆞ니, 뉴시 어ᄉᆞ의 뜻즐 바라[다] 손을 청치 아니코, 다만 ᄐᆡ부인을 뫼시며 뎡·진·하·장 ᄉᆞ인과 경ᄋᆞ로 더부러 신부 보ᄂᆞᆫ 녜을 ᄎᆞ릴ᄉᆡ, 뎡·진 이소져 뉴부인 질네 젹인(敵人)이 되ᄆᆡ ᄌᆞ긔 등 신셰 위ᄐᆡᄒᆞ미 급ᄒᆞᆯ 쥴 지긔ᄒᆞᄂᆞ, 외뫼 ᄌᆞ약ᄒᆞ여 그 심쳔(深淺)을 알기 어려오니, 위시 그 어질믈 더욱 믜이 넉여 밧비 업시코져 ᄒᆞ더라.

일반(日半)53)의 어ᄉᆡ 괴롭고 분ᄒᆞ믈 ᄎᆞᆷ아 ᄂᆡ당의 드러와 길복을 입고, 위의○[를] 다 쎨쳐 뉴부의 이르러【60】뎐안지녜(奠雁之禮)을 맛고, 좌의 드니, 뇌락(磊落)ᄒᆞᆫ 풍신이 ᄎᆞ일 더욱 긔이ᄒᆞ여 당셰 무쌍이라. 뉴공이 흔흔쾌락ᄒᆞ여 집수 ᄋᆡ듕ᄒᆞ나, 어ᄉᆞ의 뜻은 ᄂᆡ도ᄒᆞ여54) 불승분연(不勝憤然)ᄒᆞ더라.

신뷔 상교(上轎)ᄒᆞᄆᆡ 어ᄉᆡ 봉교(封轎) 상마(上馬)ᄒᆞ여 본부의 도라와 쳥듕의셔 교ᄇᆡ을 파ᄒᆞ고, 금주션(錦珠扇)을 반ᄀᆡ(半開)ᄒᆞ니, 어ᄉᆡ 투목(偸目)으로 신부을 보ᄆᆡ, 흰 낫ᄎᆡ 니홰(梨花) 츈우(春雨)을 마신 듯, 쌍협(雙頰)○[은] 도화(桃花) 갓고, 잉슌(櫻脣)이 홈홍(含紅)ᄒᆞ나, 초월아미(初月蛾眉)의 ᄉᆞᆯ긔등등(殺氣騰騰)ᄒᆞ여 음잡(陰雜)ᄒᆞ미 가득ᄒᆞ고, 쌍안의 독ᄉᆞ의 모질믈 겸ᄒᆞ여시며, 면모의 불길지긔(不吉之氣) 어릐여 션종(善終)ᄒᆞᆯ 상격(相格)이 아니라. 어ᄉᆡ 경히ᄎᆞ악(驚駭嗟愕)ᄒᆞ여 ᄉᆞᄆᆡ을 쎨쳐 외헌으로 나가니, 신뷔 단장을 곳쳐 ᄐᆡ부인긔 폐ᄇᆡᆨ을 헌ᄒᆞ니, ᄐᆡ뇌(太老)55) 뉴시의 질녀므로 놉히 듯고 안ᄉᆡᆨ이 묘려ᄒᆞ믈 황홀이 ᄉᆞ랑ᄒᆞ며, 츄밀○[은] 주션[견](主見)업ᄉᆞᆫ ᄉᆞᄅᆞᆷ이 되어, 어린 드시 신부을 볼 ᄲᅮᆫ이오, 구파ᄂᆞᆫ 실업

53)일반(日半) : 하룻낮의 반. 반나절.
54)ᄂᆡ도ᄒᆞ다 : 다르다. 판이(判異)하다.
55)ᄐᆡ뇌(太老) ; 위태부인 의 별칭.

업슨 우음이 긋지디 아냐 아조 실셩지인(失性之人)이라.

뉴시 양양 ᄌᆞ득ᄒᆞ여 태부인긔 고왈,

"딜녜 비록 광텬의 뎨삼부실이나, 경상지녀로 위인이 하등이 아니니, 뎡·진으로 엇지 고히 이시리잇고?"

위뇌 쇼왈,

"현부지언(賢婦之言)이 션(善)ᄒᆞ다. 신부의 특이ᄒᆞ믄 나의 쳐음 보ᄂᆞᆫ ᄇᆡ오, 광텬의게 외람ᄒᆞᆫ 쳐ᄌᆡ니, 뎡·진 등이 엇지 션후를 의논ᄒᆞ리오."

이의 뎡·진 이쇼졔를 명ᄒᆞ여,

"신부와 셔로 보ᄃᆡ, 피ᄎᆞ ᄉᆞ문일ᄆᆡᆨ(士門一脈)이니 션후고하(先後高下)를 닷토지 말나."

이(二)【52】쇼졔 슈명ᄒᆞᄆᆡ, 신뷔 안년(晏然)이 이쇼졔긔 단ᄇᆡ(單拜)ᄒᆞ나, 이쇼졔 천연 답녜ᄒᆞ여 츈풍화긔 볼ᄉᆞ록 긔이ᄒᆞ니, 뉴시 뎡·진·하·댱 ᄉᆞ쇼져를 보ᄆᆡ, ᄉᆡ오지심(猜惡之心)이 만복ᄒᆞ니, 투현질능(妬賢嫉能)ᄒᆞ믄 기슉(其叔)의셔 세번 더ᄒᆞᆫ지라. 뎡·진을 ᄆᆡ워ᄒᆞ믄 니르지 말고, 하·댱은 뎍인이 아니로ᄃᆡ ᄉᆡ긔지심(猜忌之心)을 ᄎᆞᆷ지 못ᄒᆞ니, 위·뉴의 간흉을 승시(乘時)ᄒᆞ여 난 별물(別物) 대악이라. 뎡시 됴심경(照心鏡)[62]안광(眼光)으로 신부를 보ᄆᆡ, ᄌᆞ긔 등 화ᄋᆡᆨ(禍厄)이 급ᄒᆞ믈 혜아리ᄃᆡ ᄉᆞᄉᆡᆨ지 아니터라.

신부 슉소를 취련각의 뎡ᄒᆞ여 보ᄂᆡ고, 뉴시 모녜 나아가 그 장복을 벗기고, 집슈(執手) ᄋᆡ련(愛憐)ᄒᆞ니 교ᄋᆡ 슉모 므릅흘 의디ᄒᆞ여 누어 왈,

"쇼딜이 윤어ᄉᆞ 풍모를【53】 흠모ᄒᆞ여 뎨삼부빈을 혐의치 아니니, 금일 뎡·진 등을 보ᄆᆡ 그 ᄉᆡᆨ광 긔질이 쳐음 본ᄇᆡ니 가부의 은졍은 뭇지 아냐 알니러이다."

뉴시 요슈(搖首) 왈,

이런 말을 날회라. 금일이 신혼 초일이니

62)됴심경(照心鏡) : 마음을 비추어 볼 수 있다는 상상의 거울.

산 우음이 ᄉᆞᆺ지 아냐 아조 실셩지인(失性之人)이라.

뉴시 양양ᄌᆞ득ᄒᆞ여 ᄐᆡ부인긔 고왈,

"질녜 비록 광천의 졔ᄉᆞᆷ부실이나, 경상지녀로 위인이 ᄒᆞ등이 아니니, 뎡·진으로 엇지 고하 잇시리잇고?"

위ᄐᆡ 소왈,

"현부지언(賢婦之言)이 션(善)ᄒᆞ다. 신부의 특이ᄒᆞ믄 나의 쳐음 보ᄂᆞᆫ ᄇᆡ오, 광천의게 외롬ᄒᆞᆫ 쳐ᄌᆡ니 뎡·진 등이 엇지 션후을 의논ᄒᆞ리오."

이의 뎡·진 이소져을 명ᄒᆞ여,

"신부와 셔로 보ᄃᆡ 피ᄎᆞ ᄉᆞ문일ᄆᆡᆨ(士門一脈)이니 션후고하(先後高下)을 닷토지 말나."

이(二) 소졔 수명ᄒᆞᄆᆡ 신뷔 안연(晏然)【61】이 냥소져긔 단ᄇᆡ(單拜)ᄒᆞ니, 이소졔 천연 답녜ᄒᆞ여 츈퓽화긔 볼ᄉᆞ록 긔이ᄒᆞ니, 소뉴시 뎡·진·하·장 ᄉᆞ소져을 보ᄆᆡ, ᄉᆡ오지심(猜惡之心)이 만복ᄒᆞ니 투현질능(妬賢嫉能)홈은 기슉(其叔)의 셰번 더은지라. 뎡·진을 ᄆᆡ워ᄒᆞ믄 이르지 말고 하·장은 젹인이 아니로ᄃᆡ ᄉᆡ긔지심(猜忌之心)을 이긔지 못ᄒᆞ니, 위·뉴의 간흉을 승시(乘時)ᄒᆞ여 ᄂᆞᆫ 별물(別物) ᄃᆡ악이라. 뎡시 됴심경(照心鏡)[56] 안광(眼光)으로 신부을 보ᄆᆡ ᄌᆞ긔 등 화ᄋᆡᆨ(禍厄)이 급ᄒᆞ물 혜아리ᄃᆡ ᄉᆞᄉᆡᆨ지 아니터라.

신부 슉소을 취련각의 뎡ᄒᆞ여 보ᄂᆡ고, 뉴시 모녀 나아가 그 장복을 벗기고, 집수(執手) ᄋᆡ련(愛憐)ᄒᆞ니 교ᄋᆡ 슉모 무릅흘 의지ᄒᆞ여, 우어 왈,

"소질이 윤어ᄉᆞ 풍모을 흠앙ᄒᆞ여 졔ᄉᆞᆷ실(第三室)을 혐의치 아니니, 금일 뎡·진 등으로 보ᄆᆡ 그 ᄉᆡᆨ광 긔질이 쳐음 본 ᄇᆡ니, 가부의 은총은 뭇지아냐 알니《러라‖러이다》."

뉴시 요수(搖首) 왈,

"이런 말을 날회라. 금일이 신혼 초일이

56)됴심경(照心鏡) : 마음을 비추어 볼 수 있다는 상상의 거울.

뎍인 부치[63]를 니르지 말나. 광텬이 ᄀᆞ장 어려온 위인이니 힝ᄉᆞ를 삼가 명예를 모호고, 가부의 은ᄋᆡ를 일치 말나.

교ᄋᆡ 샤왈,

쇼딜이 비록 블민ᄒᆞ나 슉모의 교훈을 쥰봉ᄒᆞ리이다.

ᄒᆞ고 슉딜이 담화ᄒᆞ여 야심ᄒᆞᄃᆡ, 어ᄉᆡᆨ 드러오지 아니니, 교ᄋᆡ 착급ᄒᆞ여 거지 괴이ᄒᆞ니, 뉴시 민망ᄒᆞ여 침소의 도라와 츄밀을 도도아 어ᄉᆞ를 신방의 보ᄂᆡ게 ᄒᆞᆫᄃᆡ, 츄밀이 좌우로 어ᄉᆞ를 브르니, 【54】 이ᄯᆡ 어ᄉᆡᆨ 혼졍 후 ᄇᆡᆨ화헌의 와 옷술 벗고 ᄌᆞ리의 누으니, 딕ᄉᆡᆨ 왈,

"금일이 초혼일이니 신방을 ᄇᆡ오미 블가ᄒᆞᆫ디라 엇지 이의 헐슉(歇宿)ᄒᆞ시ᄂᆞ니잇가?"

어ᄉᆡᆨ 분연 왈,

"우형의 명되 긔구ᄒᆞ여 한(漢) 녀후(呂后)[64]와 당(唐) 무후(武后)[65]의게 지난 별물 악죵(惡種)[66]을 취ᄒᆞ니, 문호의 큰 블힝이오, 얼골을 보ᄆᆡ, ᄲᅨ 셔늘ᄒᆞ니 ᄃᆡ코져 의ᄉᆡᆨ 쑴의도 업노라."

딕ᄉᆡᆨ 화평이 위로 왈,

"표ᄆᆡ 비록 슉녜 아니나 그리 흉참튼 아니리니, 엇지 괴이ᄒᆞᆫ 말숨을 ᄒᆞ시ᄂᆞ니잇가?"

어ᄉᆡᆨ 왈,

"현데 지감(知鑑)이 어둡지 아니니, 뉴녀의 블길지상(不吉之相)을 엇지 모로리오. ᄒᆞᆫ갓 음악 간교ᄒᆞ미 만고 일인일 ᄲᅮᆫ 아냐, 반

63)-부치 : -붙이. 일부 명사 뒤에 붙어, 같은 겨레라는 뜻을 더하는 접미사.

64)녀후(呂后) : 중국 한고조의 황후. 성은 여(呂). 이름은 치(雉). 고조를 보좌하여 진(秦)나라 말기·한(漢)나라 초기의 국난을 수습하였으나, 고조가 죽은 뒤 실권을 장악하여 유씨 일족을 압박하여 그의 사후에 여씨(呂氏)의 난을 초래하였다.

65)무후(武后) : 624~705.중국 당나라 고종의 황후. 성은 무(武). 이름은 조(曌). 중국 역사에서 유일한 여제(女帝)로 고종을 대신하여 실권을 쥐고, 두 아들을 차례로 제왕의 자리에 오르게 하였으며, 스스로 제왕의 자리에 올라 국호를 주(周)로 고치고 성신황제(聖神皇帝)라 칭하였다

66)악종(惡種) : 성질이 흉악한 사람이.

니 젹인부치[57]을 이르지 말나. 광쳔이 가장 어려온 위인이니 힝ᄉᆞ을 삼가 명예을 모흐고 가부의 은ᄋᆡ을 일치 말ᄂᆞ."

교ᄋᆡ ᄉᆞ왈,

"소질이 비록 불민ᄒᆞ나 숙모의 교훈을 쥰봉ᄒᆞ리이다."

ᄒᆞ고 숙질이 담화ᄒᆞ여 야심ᄒᆞᄃᆡ 어ᄉᆡᆨ 드러오지 아니니, 교ᄋᆡ 착급ᄒᆞ여 거지 고이ᄒᆞ니, 부인이 민망ᄒᆞ여 침소의 도라와 츄밀을 도도와 어ᄉᆞ을 신방의 보ᄂᆡ게 ᄒᆞᆫᄃᆡ, 츄밀이 좌우로 어ᄉᆞ을 브르니, ᄎᆞ시 어ᄉᆡᆨ 혼뎡 후 ᄇᆡᆨ화헌의 와 옷술 벗고 ᄌᆞ리의 누으니, 직ᄉᆡᆨ 왈,

"금일이 초혼일이니 신방을 ᄇᆡ오미 불가ᄒᆞᆫ지라, 엇지 이의셔【62】 헐숙(歇宿)ᄒᆞ시ᄂᆞᆫ잇고?"

어ᄉᆡᆨ 분연 왈,

"우형의 명되 긔구ᄒᆞ여 한(漢) 녀후(呂后)[58]와 당(唐) 무후(武后)[59]의 지난 별물 악종(惡種)[60]을 취ᄒᆞ니 문호의 큰 불힝이오, 얼골을 보ᄆᆡ ᄲᅨ 셔늘ᄒᆞ니 ᄃᆡ코져 의ᄉᆡᆨ 쑴의도 업노라."

직ᄉᆡᆨ 화평이 위로 왈,

"표ᄆᆡ 비록 슉녀 아니ᄂᆞ 그리 흉참튼 아니리니 엇지 고이ᄒᆞᆫ 말숨을 ᄒᆞ시ᄂᆞᆫ잇고?"

어ᄉᆡᆨ 왈

"현데 지감(知鑑)이 어둡지 아니니, 뉴녀의 불길지상(不吉之相)을 엇지 모로리오. ᄒᆞᆫ갓 음악 간교ᄒᆞ미 만고 일인일 ᄲᅮᆫ 아니라,

57)-부치 : -붙이. 일부 명사 뒤에 붙어, 같은 겨레라는 뜻을 더하는 접미사.

58)녀후(呂后) : 중국 한고조의 황후. 성은 여(呂). 이름은 치(雉). 고조를 보좌하여 진(秦)나라 말기·한(漢)나라 초기의 국난을 수습하였으나, 고조가 죽은 뒤 실권을 장악하여 유씨 일족을 압박하여 그의 사후에 여씨(呂氏)의 난을 초래하였다.

59)무후(武后) : 624~705.중국 당나라 고종의 황후. 성은 무(武). 이름은 조(曌). 중국 역사에서 유일한 여제(女帝)로 고종을 대신하여 실권을 쥐고, 두 아들을 차례로 제왕의 자리에 오르게 하였으며, 스스로 제왕의 자리에 올라 국호를 주(周)로 고치고 성신황제(聖神皇帝)라 칭하였다

60)악종(惡種) : 성질이 흉악한 사람이.

역지형(叛逆之形)으로 영죵지상(令終之相)67)이 아니니, 그런【55】 놀나온 일이 어ᄃᆡ 이시리오."

ᄃᆡᆨᄉᆡ 민망(憫惘)ᄒᆞ여 ᄌᆡ삼 개유ᄒᆞ더니, 츄밀의 소명이 니르니 어ᄉᆡ 의관을 슈렴ᄒᆞ고 드러와 응명ᄒᆞᆫᄃᆡ, 츄밀 왈,

"야심커ᄂᆞᆯ 엇디 신방의 가지 아닛ᄂᆞ뇨?"

어ᄉᆡ 공슈(拱手) ᄃᆡ왈,

"신방을 븨오미 녜 아니오ᄃᆡ, 유ᄌᆞ(猶子)의 졍ᄉᆡ 타인과 다르와 부부지락의 ᄯᅳᆺ이 업ᄉᆞ오므로 드러가지 아녓ᄂᆞ이다."

츄밀 왈,

"브졀업시 괴로온 말 말고 ᄲᆞᆯ니 신방으로 가라".

어ᄉᆡ 혜오ᄃᆡ,

"져 찰녀(刹女)를 비록 일실의 ᄃᆡᄒᆞ나 내 ᄯᅳᆺ이 구드니 계부 명을 위월(違越)ᄒᆞ미 블가타."

ᄒᆞ고, 유유히 승명ᄒᆞ여 ᄎᆡ련각의 니르니, 교ᄋᆡ 바야흐로 초조ᄒᆞ다가 어ᄉᆡ 드러와 좌ᄒᆞ니, 년망(連忙)이 마ᄌᆞ 바라보ᄆᆡ【56】 옥모영풍이 ᄉᆡ로이 음녀의 눈을 놀ᄂᆡᄂᆞᆫ디라. 다만 젼일 얼프시 여어보ᄆᆡ 츈양화긔 우휠68) ᄃᆞᆺᄒᆞ더니, 금일은 미위(眉宇) 묵묵(默默)ᄒᆞ여 셜풍(雪風)이 은은ᄒᆞ고 한텬(寒天)의 상뇌(霜露) 나린 ᄃᆞᆺᄒᆞᆫ 거동이, 견ᄌᆞ로 ᄒᆞ여금 블감앙시(不敢仰視)라.

교ᄋᆡ 방ᄌᆞ 교악(狡惡)ᄒᆞ나, ᄌᆞ연 국튝(跼縮)ᄒᆞ여 다시 낫출 드지 못ᄒᆞ더니, 어ᄉᆡ 일언을 아니코 ᄌᆞ리의 고요히 누엇다가, 계셩(鷄聲)을 응ᄒᆞ여 니러 관소ᄒᆞ고 ᄲᆞᆯ니 나가니, 교ᄋᆡ 안ᄌᆞ ᄉᆡ와 여산듕졍(如山重情)69)을 펴디 못ᄒᆞ고, 져의 ᄉᆡᆨᄉᆡᆨ 엄녈(嚴烈)ᄒᆞ미 져를 미워ᄒᆞ미 현져ᄒᆞ니, ᄋᆡᄃᆞᆲ고 분ᄒᆞ여 소ᄅᆡ 나믈 ᄭᆡᄃᆞᆺ지 못ᄒᆞ여 진진이 늣기니, 뉴시 니르러 거동을 보고 그 팔홀 ᄲᆡ혀 본즉 쥬픠(朱標) 희미토 아니니, 발셔70) 어【5

67)영죵지상(令終之相) : 제명대로 살다가 편히 죽을 상모(相貌).

68)우희다 : 움키다. 손가락을 오므려 물건 따위를 놓치지 않도록 힘 있게 잡다.

69)여산듕졍(如山重情) : 산처럼 무겁고 두터운 정.

반역지형(叛逆之形)으로 영종지상(令終之相)61)이 아니니, 그런 놀나온 일이 엇ᄃᆡ 잇시리오."

ᄌᆡᆨᄉᆡ 민망(憫惘)ᄒᆞ여 ᄌᆡᄉᆞᆷ ᄀᆡ유ᄒᆞ더니, 츄밀의 수[소]명(召命)이 니르ᄆᆡ 어ᄉᆡ 의관을 슈렴ᄒᆞ고 드러와 응명ᄒᆞ[ᄒᆞᆫ]ᄃᆡ, 공 왈,

"야심커ᄂᆞᆯ 엇지 신방의 가지 아닛ᄂᆞ뇨?"

어ᄉᆡ 공수(拱手) ᄃᆡ왈,

"신방을 븨오미 녜 아니오ᄃᆡ 유ᄌᆞ(猶子)의 졍ᄉᆡ 타인과 다르와 부부의 낙이 업ᄂᆞ이다."

츄밀 왈

"부졀업시 괴이ᄒᆞᆫ 말 말고 ᄲᆞᆯ이 신방으로 가라."

어ᄉᆡ 혜오ᄃᆡ

"져 찰녀(刹女)을 비록 일실의 피[ᄃᆡ]ᄒᆞᄂᆞ 내 ᄯᅳᆺ지 구드니 슉부 명을 위역ᄒᆞ미 불가타."

ᄒᆞ고 유유히 명을 밧드러 ᄎᆡ련각의 이르니, 교ᄋᆡ 바야흐로 초조ᄒᆞ다가 어ᄉᆡ 드러와 좌ᄒᆞ니, 연망(連忙)이 마ᄌᆞ 바라보ᄆᆡ 옥뫼영풍이 ᄉᆡ로와 음녀의 눈을 놀ᄂᆡᄂᆞᆫ지라. 다만 젼일 얼푸시 여어보ᄆᆡ 츈양화긔(春陽和氣) 우휠62) 듯ᄒᆞ더니, 금일은 미위(眉宇) 묵묵(默默)ᄒᆞ여 셜풍(雪風)이 은은ᄒᆞ고 ᄒᆞᆫ쳔의 상뇌(霜露) 나리ᄂᆞᆫ ○[ᄃᆞᆺ]ᄒᆞᆫ 거동이 견ᄌᆞ로 ᄒᆞ여곰 불감앙시(不敢仰視)라.

교ᄋᆡ 방ᄌᆞ 교악(狡惡)ᄒᆞ나 ᄌᆞ연 국츅(跼縮)ᄒᆞ여【63】 다시 낫출 드지 못ᄒᆞ더니, 어ᄉᆡ 일언을 아니코 ᄌᆞ리의 고요히 누엇다가 계셩(鷄聲)을 응ᄒᆞ여 이러 관소ᄒᆞ고 ᄲᆞᆯ니 나가니, 교ᄋᆡ 안져 ᄉᆡ워 여산듕졍(如山重情)63)을 펴지 못ᄒᆞ고, 져의 ᄲᅥᆨᄲᅥᆨ 엄졀(嚴絶)ᄒᆞ미 져을 믜워ᄒᆞ미 현져ᄒᆞ니, ᄋᆡ답고 분ᄒᆞ여 소ᄅᆡ나믈 ᄭᆡ닷지 못ᄒᆞ고 진진이 늣기니, 유시 니르러 이 거동을 보고 그 필을 ᄲᅢ혀 본 즉 쥬표(朱標) 두렷ᄒᆞᆫ지라. 발셔64)

61)영죵지상(令終之相) : 제명대로 살다가 편히 죽을 상모(相貌).

62)우희다 : 움키다. 손가락을 오므려 물건 따위를 놓치지 않도록 힘 있게 잡다.

63)여산듕졍(如山重情) : 산처럼 무겁고 두터운 정.

7】 ᄉᆞ의 박졍ᄒᆞᆫ 줄 지긔ᄒᆞ고 쳔만 위로 왈,

"경ᄋᆞ는 셩혼칠ᄌᆡ(成婚七載)[71]의 가부의 박졍이 ᄒᆡᆼ노(行路)[72] ᄀᆞᆺᄐᆞ나 오히려 견ᄃᆡ거놀, 너는 신혼 초일의 이ᄃᆡ도록 ᄒᆞᆯ 거시 아니니, 모로미 괴이ᄒᆞᆫ 거조를 뵈지 말나."

교ᄋᆡ 비읍(悲泣) 왈,

"쇼딜이 부모의 교ᄋᆡ(嬌愛)로 인연{연}이 괴이ᄒᆞ여 윤어ᄉᆞ긔 도라오ᄆᆡ, 져의 ᄆᆡ몰ᄒᆞ미 신혼초일의 여ᄎᆞᄒᆞ니, 댱ᄂᆡ를 볼 거시 업ᄉᆞᆯ가 ᄒᆞᄂᆞ이다."

부인이 ᄌᆡ삼 위로ᄒᆞ고 소셰(梳洗)를 ᄌᆡ쵹ᄒᆞ여 단장을 ᄭᅮᆷ여 위태부인긔 문안ᄒᆞ니, 위뇌 ᄉᆡ로이 어로만져 ᄉᆞ랑ᄒᆞ미 경ᄋᆞ의게 나리지 아냐, 왈,

"뉴현부의 딜네 범연ᄒᆞᆯ 니는 업ᄉᆞᆫ들 이ᄃᆡ도록 아름다오믄 ᄉᆡᆼ각 밧기라. 광텬이 므ᄉᆞᆫ 복으로 이 ᄀᆞᆺ 【58】 ᄐᆞᆫ 현쳐를 취ᄒᆞᆫ고."

뉴시 웃고 샤례ᄒᆞ니, 교ᄋᆡ 두리며 거칠 거시 업셔 ᄒᆞ나, 어ᄉᆞ의 박졍(薄情)을 한ᄒᆞ여 슬허ᄒᆞ믈 마디 아니니, 뉴시 도로혀 민망히 넉이더라.

이ᄯᆡ 신묘랑이 뎡쇼져긔 왼 귀를 버히이고 암ᄌᆞ의 도라와 일삭(一朔)이나 됴리ᄒᆞ여 쾌ᄎᆞᄒᆞᆫ 후, 옥누항의 와 뉴부인긔 뵈니, 부인이 크게 반겨 뎡시를 ᄉᆡ로이 통완ᄒᆞ며, 위방의 집 교뷔 니르러 뎡시를 여ᄎᆞ여ᄎᆞ 속여 다려가므로 아랏더니, ᄯᅳᆺ밧긔 뎡시 운산의 편히 잇다가 오고, 위방은 그 후 외방을 가다 ᄒᆞᄃᆡ 그 연고를 몰나 의심되믈 니르고, 다시 ᄒᆡᄒᆞᆯ ᄡᅬ를 므르며, 교ᄋᆞ를 뵈여 ᄌᆞ긔 딜녜니 팔ᄌᆞ를【59】 므른ᄃᆡ, 묘랑이 교ᄋᆞ의 ᄉᆡᆼ년월일을 므러 팔ᄌᆞ를 츄졈(推占)ᄒᆞ다가 ᄉᆞᄉᆡᆨ이 경히ᄒᆞ여, 미우를 ᄧᅵᆼ긔며 왈,

"팔ᄌᆡ 험난ᄒᆞ니 ᄎᆞ마 바로 고치 못ᄒᆞᄂᆞ니 부인과 쇼져는 괴이히 넉이지 마르쇼셔."

뉴시 ᄀᆞ장 셔운ᄒᆞ며, 교ᄋᆡ 놀나 왈,

어ᄉᆞ의 박졍을 지긔ᄒᆞ고 쳔만 위로 왈,

"경ᄋᆞ는 셩혼칠ᄌᆡ(成婚七載)[65]의 가부의 박졍이 ᄒᆡᆼ노(行路)[66] 갓ᄐᆞ나 오히려 견ᄃᆡ거놀, 너는 신혼 초일의 이ᄃᆡ도록 ᄒᆞᆯ 거시 아니니 모로미 고이ᄒᆞᆫ 거조을 뵈지 말나."

교ᄋᆡ 비읍(悲泣) 왈,

"소질이 부모의 교ᄋᆡ(嬌愛)로 인연이 고이ᄒᆞ여 윤어ᄉᆞ긔 도라오ᄆᆡ, 져의 ᄆᆡ몰ᄒᆞ미 신혼 초일의 여ᄎᆞᄒᆞ니, 장ᄂᆡ을 볼 거시 업ᄉᆞᆯ가 ᄒᆞᄂᆞ이다."

부인이 ᄌᆡᄉᆞᆷ 위로ᄒᆞ고 소셰(梳洗)을 ᄌᆡ촉ᄒᆞ여 단장을 ᄊᆞ며 위ᄐᆡ(太)긔 문안ᄒᆞ니, 위ᄐᆡ ᄉᆡ로이 어로만져 ᄉᆞ랑ᄒᆞ미 경ᄋᆞ의 나리지 아냐 왈,

"뉴형[현]부 질녜 범연ᄒᆞᆯ 니는 업ᄉᆞᆫ들 이ᄃᆡ도록 아름다오믄 ᄉᆡᆼ각 밧긔라. 광쳔이 무ᄉᆞᆷ 복으로 이갓ᄐᆞᆫ 현쳐을 취ᄒᆞᆫ고."

뉴시 웃고 ᄉᆞ례ᄒᆞ니, 교ᄋᆡ 두리고 거칠 거시 업셔 ᄒᆞ나, 어ᄉᆞ의 박졍(薄情)을 ᄒᆞᆫᄒᆞ여 슬허ᄒᆞ니, 뉴시 도록[로]혀 민망이 녁이더라.

이ᄯᆡ 신묘랑이 뎡소져긔 왼귀을 버히고 암ᄌᆞ의 도라와 일삭(一朔)이나 조리ᄒᆞ여 쾌ᄎᆞᄒᆞᆫ 후, 옥누항의 와 뉴부인긔 뵈오니, 부인이 크게 반겨 뎡시을 ᄉᆡ로이 통ᄒᆞᆫᄒᆞ며, 위방의 집 교【64】뷔 이르러 뎡시을 여ᄎᆞ여ᄎᆞ 속여 다려가므로 아랏더니, ᄯᅳᆺ박긔 뎡시 운산의 편이 잇다가 오고, 위방은 그 후 외방 갓다 ᄒᆞᄃᆡ 그 연고을 몰나 의심되물 이르고, 다시 ᄒᆡᄒᆞᆯ ᄡᅬ을 무르며, 교아을 뵈여 ᄌᆞ긔 질녀니 팔ᄌᆞ을 무른ᄃᆡ, 묘랑이 교아의 ᄉᆡᆼ년월일을 무러 팔ᄌᆞ을 츄졈(推占)ᄒᆞ다가 ᄉᆞᄉᆡᆨ이 경아ᄒᆞ여, 미우을 ᄶᅵᆼ긔여 왈,

"팔ᄌᆡᆫ 즉 험난ᄒᆞ니 ᄎᆞ마 바로 고치 못ᄒᆞᄂᆞ니 부인과 소져는 고이히 녁이지 마르소셔."

뉴시 가장 셔운ᄒᆞ며 교ᄋᆡ 놀나 ○[왈],

70)발셔 : 벌써.
71)셩혼칠ᄌᆡ(成婚七載) : 결혼한 지 7년이 됨. 재(載)는 해[年]의 의미.
72)ᄒᆡᆼ노(行路) : 행로인(行路人). 길 가는 사람.

64)발셔 ; 벌써.
65)셩혼칠ᄌᆡ(成婚七載) : 결혼한 지 7년이 됨. 재(載)는 해[年]의 의미.
66)ᄒᆡᆼ노(行路) : 행로인(行路人). 길 가는 사람.

"팔ᄌᆡ 엇더ᄒᆞ여 그ᄃᆡ도록 ᄒᆞᆫ고, 바로 니르고 금은을 드려 도ᄋᆡᆨ(度厄)ᄒᆞᆯ가 ○○[보라]."

묘랑이 요슈(搖首) 왈,

"만금이라도 도ᄋᆡᆨᄒᆞᆯ 길 업고 년이 십칠셰면 아조 인셰를 하ᄃᆡᆨᄒᆞᆯ소이다."

교ᄋᆡ 본ᄃᆡ 셩이 독ᄒᆞᆫ디라, 대로 즐왈,

"어ᄃᆡ로셔 요악ᄒᆞᆫ 니괴(尼姑) 거즛 팔ᄌᆞ 길흉을 알언 쳬ᄒᆞ고, 이런 요언을 ᄒᆞᄂᆞ뇨? 내 ᄌᆡ상의 만금 필와(畢婐)로 십ᄉᆞ쳥츈의 명부의 존귀를 가졋거ᄂᆞᆯ 블길ᄒᆞᆫ【60】 언참(言讖)을 만히 ᄒᆞᄂᆞ뇨?"

묘랑이 어ᄉᆞ 형뎨와 뎡·진·하·댱 등을 죽일 길은 업고, ᄀᆞ장 울울ᄒᆞ더니, 교ᄋᆞ의 말을 듯고 역시 대로ᄒᆞ여 니러, 왈,

"빈도ᄂᆞᆫ 본ᄃᆡ 소견을 은닉지 못ᄒᆞ여 바른ᄃᆡ로 고ᄒᆞᄃᆡ, 오히려 다 고치 아녓더니 쇼져의 빈도 칙ᄒᆞ미 이 ᄀᆞᆺᄐᆞ니, 빈되 쇼져 ᄎᆞ환이 아니라 엇디 일시나 머물니오."

언파의 발연이 밧그로 나가니 경ᄋᆞ 모녜 쳔만 비러 머물기를 쳥ᄒᆞᄃᆡ, 묘랑이 짐즛 빗ᄉᆡ와[73] 듯디 아니코 도라가니, 뉴시 교ᄋᆞ의 셩급ᄒᆞ믈 칙ᄒᆞᆫᄃᆡ, 교ᄋᆡ 함분(含憤), 왈,

"원간 숙뫼 괴이ᄒᆞᆫ 거ᄉᆞᆯ ᄉᆞ괴여 계시이다. 졔 엇디 젼졍(前程) 길흉(吉凶)을 ᄌᆞ시 알니잇고? 허언을 만히 ᄒᆞ고 남의 금은을 울녀ᄂᆡ【61】ᄂᆞᆫ[74] 뉘로소이다."

뉴시 왈,

"ᄋᆞ희 혬 업ᄉᆞ미 이ᄀᆞᆺᄐᆞ니, 엇지 대ᄉᆞ를 일우리오. 묘랑이 모를 ᄌᆡ죄 업고 과거 미래ᄉᆞ를 본 ᄃᆞ시 알므로, 내 공경ᄒᆞ며 범ᄉᆞ를 의논ᄒᆞ고 금보를 허비ᄒᆞ나 앗가오믈 모로더니, 오날 묘랑을 덧ᄂᆡ여시니[75] 엇디 블힝치 아니리오."

교ᄋᆡ 잠간 뉘웃쳐 왈,

"쇼딜이 년쇼지심(年少之心)의 일시 실언

73)빗ᄉᆡ오다 : 핑계하다. 구실을 삼다. 토라지다.

74)울녀ᄂᆡ다 : 우려내다. 꾀거나 위협하거나 하여서 자신에게 필요한 돈이나 물품을 빼앗다.

75)덧ᄂᆡ다 : 덧내다. 마음을 노엽게 하다. 병이나 상처 따위를 잘못 다루어 상태가 더 나빠지게 하다.

"팔ᄌᆡ 엇더ᄒᆞ여 그ᄃᆡ도록 ᄒᆞᆫ고, 바로 이르고 금은을 드려 도ᄋᆡᆨ(度厄)ᄒᆞᆯ가 보라."

묘랑이 요수(搖首) 왈,

"만일 만금이라도 도ᄋᆡᆨᄒᆞᆯ 길 업고 년이 십칠셰면 아조 인셰을 하직ᄒᆞᆯ 소이다."

교ᄋᆡ 본ᄃᆡ 셩이 독ᄒᆞᆫ지라. ᄃᆡ로 즐왈,

"어ᄃᆡ로셔 요악ᄒᆞᆫ 니괴(尼姑) 거즛 팔ᄌᆞ 길흉을 알건 쳬ᄒᆞ고 이런 요언을 ᄒᆞᄂᆞ뇨? ᄂᆡ ᄌᆡ상의 만금 ᄐᆡᆨ[필]와(畢婐)로 십ᄉᆞ 쳥츈의 명부의 존ᄒᆞᆫ 부귀을 가졋거ᄂᆞᆯ 불길ᄒᆞᆫ 언ᄎᆞᆷ(言讖)을 만히 ᄒᆞᄂᆞ뇨?"

묘랑이 어ᄉᆞ 형뎨와 뎡·진·하·장 등을 죽일 길흔 업고, 가장 울울ᄒᆞ더니, 교아의 말을 듯고 역시 ᄃᆡ로ᄒᆞ여 니러 왈,

"빈도ᄂᆞᆫ 본ᄃᆡ 소견을 은익지 못ᄒᆞ여 바르[른]ᄃᆡ로 고ᄒᆞ되, 오히려 다 고치 아냣더니 소져의 빈도 칙ᄒᆞ미 이 갓트니, 빈되 소져 ᄎᆞ환이 아니라 엇지 일시나 머물니오."

언파의 발연이 밧그로 나가니 경이[ᄋᆡ] 모녜 쳔만 비러 머물기을 쳥ᄒᆞ되, 묘랑이【65】 짐즛 빗ᄉᆡ워[67] 듯지 아니코 도라가니, 뉴시 교아의 셩급ᄒᆞ믈 칙ᄒᆞᄃᆡ, 교ᄋᆡ 참분(慙憤) 왈,

"원간 숙뫼 고이ᄒᆞᆫ 거ᄉᆞᆯ ᄉᆞ괴여 겨셔이다. 졔 엇지 졍[젼]졍(前程) 길흉(吉凶)을 ᄌᆞ셰 알니잇고? 허언을 만히 ᄒᆞ고 남의 금은을 물[울]녀ᄂᆡᄂᆞᆫ[68] 뉘로 소이다."

뉴시 왈

"아희 혬 업ᄉᆞ미 이갓ᄐᆞ니 ᄃᆡᄉᆞ을 일우지 못ᄒᆞ리로다. 묘랑이 몰을 ᄌᆡ조 업고 과거 미ᄅᆡᄉᆞ을 본다시 알므로, ᄂᆡ 공경ᄒᆞ여 범ᄉᆞ을 의논ᄒᆞ고 금보을 허비ᄒᆞ나 앗가오물 모로더니, 오날 묘랑을 덧ᄂᆡ여시니[69] 엇지 불힝치 아니리오."

교ᄋᆡ 잠간 뉘웃쳐 왈,

"소질이 졀문 ᄆᆞ음의 일시 실언 ᄒᆞ나 그

67)빗ᄉᆡ우다 : 핑계하다. 구실을 삼다. 토라지다.

68)울녀ᄂᆡ다 : 우려내다. 꾀거나 위협하거나 하여서 자신에게 필요한 돈이나 물품을 빼앗다.

69)덧ᄂᆡ다 : 덧내다. 마음을 노엽게 하다. 병이나 상처 따위를 더 나빠지게 하다.

ᄒᆞ나, 긔 므슴 대ᄉᆡ라 그ᄃᆡ도록 노ᄒᆞ리잇고? 명일 시녀를 보ᄂᆡ여 브르쇼셔."

뉴시 왈,

"묘랑이 발노(發怒)ᄒᆞ여 가시니 경(輕)히 오든 아니려니와 비ᄌᆞ로 불너 보ᄌᆞ."

ᄒᆞ고, 날마다 셰월 비영 등을 년쇽히 보ᄂᆡᄃᆡ, 묘랑이 ᄆᆡᄆᆡ히[76] 사양ᄒᆞᄂᆞᆫ 쳬ᄒᆞ고 오지 아니니, 뉴시 ᄀᆞ장 우민ᄒᆞ고 교ᄋᆡ 윤부의 쇽현ᄒᆞᆫ 지 【62】 일삭이 디나ᄃᆡ, 어ᄉᆞ의 박ᄃᆡ 날노 심ᄒᆞ여 듕회 듕의도 눈 들미 업고, ᄆᆡ워ᄒᆞᄂᆞᆫ 긔ᄉᆡᆨ이 현져ᄒᆞ니, 뉴시 대계를 도모ᄒᆞ여 뎡·진 등을 아조 셔릇고져[77] ᄒᆞ므로, 태부인을 권ᄒᆞ여 뎡·진 이쇼졔를 각각 그 침소로 보ᄂᆡ여 비록 온갖 고역을 식이나 밤이면 ᄉᆞ침의 믈너가 ᄌᆞ게 ᄒᆞ니, 뎡·진 이쇼졔 결단코 됴흔 ᄠᅳᆺ이 아닌 줄 알오ᄃᆡ, 범ᄉᆞ의 태부인 명녕을 위월(違越)치 못ᄒᆞ여 각각 침소의 도라오니, 어ᄉᆞᄂᆞᆫ ᄀᆞ장 다힝ᄒᆞ여 츌번ᄒᆞᄂᆞᆫ 날이면 ᄎᆡ봉각과 ᄎᆡ영각의 빈빈 왕ᄂᆡᄒᆞ여 여산듕졍(如山重情)[78]을 펴나, ᄎᆡ련각의ᄂᆞᆫ 그림ᄌᆡ 님치 아니니, 교ᄋᆡ 쥬야 심장을 ᄐᆡ오고 음졍을 ᄎᆞᆷ지 못ᄒᆞ여, 【63】 쳥등야우(靑燈夜雨)[79]의 깁 ᄉᆞᄆᆡ를 젹시니, 뉴시 호언으로 위로ᄒᆞ고, ᄆᆡ양 뎡·진 향ᄒᆞᆫ 졍을 버히려 ᄒᆞ니, 므릇 어ᄉᆞ의 먹ᄂᆞᆫ 음식의 익봉ᄌᆞᆷ[80]을 화ᄒᆞ며 튝원ᄒᆞᄃᆡ, 뎡·진 냥인의게 은졍이 ᄆᆡᆨᄆᆡᆨᄒᆞ여 ᄆᆡ온 ᄉᆞ이 되고 뉴교ᄋᆞ로 화락게 ᄒᆞ믈 {슌} 도튝(禱祝)ᄒᆞ여 어ᄉᆞ의 변심ᄒᆞ믈 죄오ᄃᆡ, 어ᄉᆡ 만일 익봉ᄌᆞᆷ을 복즁의 너흔 즉 엇디 변심치 아니리오마ᄂᆞᆫ, ᄉᆡᆼ셩(生成)ᄒᆞᆫ ᄇᆡ 텬디강산(天地江山)의 슈츌(秀出)ᄒᆞᆫ 졍화와 일월졍긔를 타 나시므로 비록 무심코 먹으나 스ᄉᆞ로 아닛고으미 후셜(喉舌)을 넘지 못ᄒᆞ니, 슌

76)ᄆᆡᄆᆡ히 : 창피를 줄 정도로 거절하는 태도가 쌀쌀맞게.

77)셔릇다 : 거두어 치우다. 아주 없애버리다.

78)여산듕졍(如山重情) : 산처럼 무거운 정.

79)쳥등야우(靑燈夜雨) : 비 내리는 밤 외로이 등불 앞에 앉아 있음.

80)익봉ᄌᆞᆷ : =도봉잠. 사람을 변심시키는 약. 이 약을 사람에게 먹이면 마음이 변하게 되어 먹은 사람의 마음이 먹인 사람의 뜻대로 조종당하게 된다.

무슴 ᄃᆡᄉᆞ라 그ᄃᆡ도록 노ᄒᆞ리잇고? 명일 시녀을 보ᄂᆡ여 브르소셔."

뉴시 왈,

"묘랑이 발노(發怒)ᄒᆞ여 갓시니 경(輕)이 오든 아니려니와 비ᄌᆞ로 불너 보ᄌᆞ."

ᄒᆞ고, 날마다 세월 비영 등을 연속ᄒᆞ여 보ᄂᆡᄃᆡ 묘랑이 ᄆᆡᄆᆡ○[히][70] ᄉᆞ양ᄒᆞᄂᆞᆫ 쳬ᄒᆞ고 오지 아니니, 뉴시 가장 우민ᄒᆞ고 교ᄋᆡ 윤부의 온 제 일삭이 지ᄂᆡ되, 어ᄉᆞ의 박ᄃᆡ 날노 심ᄒᆞ여 즁회 듕의도 눈을 들미 업고, ᄆᆡ워ᄒᆞᄂᆞᆫ 긔ᄉᆡᆨ이 현져ᄒᆞ니, 뉴시 ᄃᆡ계을 도모ᄒᆞ여 뎡·진 등을 아조 셔릇고쳐[져][71] ᄒᆞ므로, ᄐᆡ부인을 권ᄒᆞ여 뎡·진 니소져을 각각 그 침소로 보ᄂᆡ여 미록 온갖 고역을 시기나 밤이면 ᄉᆞ침의 물너가 ᄌᆞ게 ᄒᆞ니, 뎡·진 니소졔 결단코 조흔 ᄠᅳᆺ지 아닌 쥴 알오ᄃᆡ, 범ᄉᆞ의 ᄐᆡ부인 명녕을 위월(違越)치 못ᄒᆞ여 각각 침소의 도아오니, 어ᄉᆞᄂᆞᆫ 다힝ᄒᆞ여 츌번ᄒᆞᄂᆞᆫ 날이면 ᄎᆡ【66】봉각과 ᄎᆡ영각의 빈빈 왕ᄂᆡᄒᆞ여 여산듕졍(如山重情)[72]을 펴나, ᄎᆡ련각의ᄂᆞᆫ 그림ᄌᆞ도 님치 아니니, 교ᄋᆡ 주야로 심장을 ᄐᆡ오고 황음ᄒᆞᆫ 졍을 참지 못ᄒᆞ여 쳥등야우(靑燈夜雨)[73]의 깁ᄉᆞᄆᆡ을 젹시니, 뉴시 호언 위로ᄒᆞ고, ᄆᆡ양 뎡·진 향ᄒᆞᆫ 졍을 버히려 ᄒᆞ여, 무럿[릇] 어ᄉᆞ의 먹ᄂᆞᆫ 음식의 익봉잠[74]을 화ᄒᆞ며 축원ᄒᆞ되, 뎡·진 양인의게 은졍이 ᄆᆡᆨᄆᆡᆨᄒᆞ여 ᄆᆡ운 ᄉᆞ이 되고, 뉴교ᄋᆡ로 화락게 ᄒᆞ물 비러, 어ᄉᆞ의 변심ᄒᆞ물 죄오ᄃᆡ, 어ᄉᆡ 만일 익봉잠을 복듕의 너흔 즉 변심치 아니리오마ᄂᆞᆫ, 상[ᄉᆡᆼ]셩(生成)ᄒᆞᄆᆡ 쳔지강산(天地江山)의 수츌(秀出)ᄒᆞᆫ 졍화와 일월졍긔을 타 나시므로 비록 무심코 먹으나 스ᄉᆞ로 아니ᄭᅩ오미 후셜(喉舌)을 넘지 못ᄒᆞ니, 슌

70)ᄆᆡᄆᆡ히 : 창피를 줄 정도로 거절하는 태도가 쌀쌀맞게.

71)셔릇다 : 거두어 치우다. 아주 없애버리다.

72)여산듕졍(如山重情) : 산처럼 무거운 정.

73)쳥등야우(靑燈夜雨) : 비 내리는 밤 외로이 등불 앞에 앉아 있음.

74)익봉잠 : =도봉잠. 사람을 변심시키는 약. 이 약을 사람에게 먹이면 마음이 변하게 되어 먹은 사람의 마음이 먹인 사람의 뜻대로 조종당하게 된다.

슌[81] 구토ᄒᆞ고 비위 거슬녀 요약 ᄂᆡ음을 긔이히 아라 ᄂᆡ니, 원간 익봉즘이 음식【64】의 들ᄆᆡ 각별이 맛슬 도아 ᄀᆞ장 유미ᄒᆞᆯ ᄲᅳᆫ이오, ᄂᆡ음ᄉᆡ 업ᄉᆞᄃᆡ, 어ᄉᆞᄂᆞᆫ 능히 요약이 셧긴 거ᄉᆞᆯ 신긔히 짐작ᄒᆞ고, 조뫼 권ᄒᆞ면 혹 무심히 먹어도 일일이 토ᄒᆞ며 짐ᄌᆞᆺ 알고 먹어도 즉시 나와 토ᄒᆞ니, 젼후의 익봉잠 시험ᄒᆞ미 그 슈를 혜지 못ᄒᆞᆯ ᄇᆡ로ᄃᆡ 일분도 변심ᄒᆞ미 업ᄉᆞ니, 뉴시 슉딜이 더욱 착급ᄒᆞ여, 뎡·진 냥인의 글시를 모ᄡᅧ 간부셔(姦夫書)를 ᄆᆡᆫ들며, 혹 간뷔 뎡·진의게 ᄒᆞᄂᆞᆫ 글을 ᄆᆡᆫᄃᆞ라, 어ᄉᆡ 봉각과 영각 츌입ᄒᆞᆯ ᄶᅴ, 의심된 셔간을 짐ᄌᆞᆺ 보게 ᄒᆞ니, 어ᄉᆡ 음악ᄒᆞᆫ 셔찰을 보미 ᄒᆞᆫ 두 번이 아니로ᄃᆡ, 발셔 뉴시 슉딜의 작용이믈 아라 슌슌【65】 소화(消火)ᄒᆞ고, 뎡·진 이쇼져 듕ᄃᆡᄒᆞ미 날노 더으니, 뉴시 계괴 ᄒᆞᆫ 일도 일우지 못ᄒᆞ믈 ᄋᆡ돌와 분원(忿怨)이 뎡·진 이인의게 다 못기고[82], ᄆᆡ오미 점점 더ᄒᆞ니, ᄐᆡ부인을 도도며 츄밀을 ᄡᅬ와 어ᄉᆞ다려 '뉴시를 후ᄃᆡᄒᆞ라' ᄒᆞ고, 뎡·진 이인을 칙ᄒᆞ여 '가부의 은툥을 뉴시긔도 난호라' ᄒᆞ여, 어ᄉᆞ 부부의 괴로온 경계와 ᄌᆞ심이 보ᄎᆡ믄 뉴시 취ᄒᆞ므로브터 ᄀᆡᆼ가일층(更可一層)이라.

태부인 밋친 셩이 발ᄒᆞ면, 쇠와 돌을 혜지 아니코 어ᄉᆞ를 난타ᄒᆞ여 피나기를 그음ᄒᆞ며, ᄆᆡ양 한미[83]를 박ᄃᆡᄒᆞ고 ᄆᆡ달(妹妲)[84] ᄀᆞᆺ튼 요쳐(妖妻)를 듕ᄃᆡᄒᆞᆫ다 슈죄(數罪)ᄒᆞ며, 뎡·진 등을 면젼의 ᄭᅮᆯ녀 칼노 지를 ᄃᆞ시 셔도라, 가부를 농낙【66】ᄒᆞ여 뎍인을 박ᄃᆡ케 ᄒᆞᆫ다 즐칙ᄒᆞ여 못견ᄃᆡ도록 보ᄎᆡ고, 츄밀이 뉴시의 ᄡᅬ오믈 드러 어ᄉᆞ의 졔개(齊家) 공평(公平)치 못ᄒᆞ믈 칙ᄒᆞ고, 뎡·진 냥쇼져 미안이 넉이미 긔ᄉᆡᆨ의 현현(顯顯)ᄒᆞ니, 이(二) 쇼졔 쥬야 황황젼뉼(惶惶戰慄)ᄒᆞ여 치신무디(置身無地)ᄒᆞ나, 어ᄉᆡ ᄆᆞᄋᆞᆷ

81)슌슌 : 순순. 그때마다.
82)못기다 : 모이다.
83)한미 : 할미. 할머니의 낮춤말.
84)ᄆᆡ달(妹妲) : 중국 하(夏)의 마지막 황제 걸(桀)의 비(妃)인 매희(妹喜)와 주(周)의 마지막 황제 주(紂)의 비(妃) 달기(妲己)를 함께 이르는 말.

슌[75]구토ᄒᆞ고 비위 거슬이며 요약 ᄂᆡ음ᄉᆡ을 긔여히[76] 아라ᄂᆡ니, 원간 익봉잠이 음식의 들ᄆᆡ 각별이 맛슬 도아 가장 유미ᄒᆞᆯ ᄲᅮᆫ이오, ᄂᆡ음ᄉᆡ 업ᄉᆞᄃᆡ 어ᄉᆞᄂᆞᆫ 능히 짐작ᄒᆞ고 조뫼 권ᄒᆞ면 혹 무심이 먹어도 일일이 토ᄒᆞ며, 짐즛 알고 먹어도 즉시 나와 토ᄒᆞ니, 젼후의 익봉잠 시험이 무수ᄒᆞ되 일분도 변심ᄒᆞ미 업ᄉᆞ니, 뉴시 슉질이 더욱 착급ᄒᆞ여, 뎡·진 양인의 글시을 모ᄡᅧ 간부셔(姦夫書)을 ᄆᆡᆫ드러, 어ᄉᆞ 봉각과 영각의 츌입ᄒᆞᆯ ᄶᅴ의 의심된 셔간을 짐즛 보게 ᄒᆞ니, 어ᄉᆡ 음악ᄒᆞᆫ 셔간을 보미 ᄒᆞᆫ 두 번이 아니라, 발셔 뉴시 슉질의 작용이믈 알아 슌슌 소화ᄒᆞ고, 뎡·진 냥소져 즁ᄃᆡᄒᆞ미 날노 더으니, 뉴시 계교, ᄒᆞᆫ 일도 일우지 못ᄒᆞ믈 ᄋᆡ달와【67】 분원이 뎡·진의게 다 뭇[못]기[77]고, ᄆᆡ오미 졈졈 더으니, ᄐᆡ부인을 도도며 츄밀을 ᄡᅬ와 어ᄉᆞ다려 '뉴시을 후ᄃᆡᄒᆞ라' ᄒᆞ고, 뎡·진 이인을 칙ᄒᆞ여 '가부의 은춍을 뉴시게도 난호라' ᄒᆞ여, 어ᄉᆞ 부부의 괴로온 경계와 ᄌᆞ심히 보ᄎᆡ믄 뉴시 취ᄒᆞ므로부터 ᄀᆡᆼ가일층(更可一層)이라.

ᄐᆡ부인의 미친 성이 발ᄒᆞ면 쇠와 돌을 혜지 아니코 어ᄉᆞ을 난타ᄒᆞ여 피나기을 그음ᄒᆞ며, ᄆᆡ양 뉴시을 박ᄃᆡᄒᆞ고 ᄆᆡ달(妹妲)[78] 갓튼 요악ᄒᆞᆫ 안ᄒᆡ을 듕ᄃᆡᄒᆞᆫ다 수죄(數罪)ᄒᆞ며, 뎡·진 등을 면젼의 ᄭᅮᆯ녀 칼노 질을 듯시 셔도라, 가부을 농낙ᄒᆞ여 젹인을 박ᄃᆡ케 ᄒᆞᆫ다 즐칙ᄒᆞ여 못견ᄃᆡ도록 보ᄎᆡ고, 츄밀이 뉴시의 ᄡᅬ오믈 들어 어ᄉᆞ의 졔가 공평치 못ᄒᆞ믈 칙ᄒᆞ고, 뎡·진을 ᄯᅩᄒᆞᆫ 미안이 녁이ᄂᆞᆫ 긔ᄉᆡᆨ이 현연(顯然)ᄒᆞ니, 니(二) 소제 쥬야 황황젼뉼(惶惶戰慄)ᄒᆞ여 치신무지(置身無地)ᄒᆞ나, 어ᄉᆡ 마음을 쳘졍(鐵鼎)갓치 뎡ᄒᆞᄆᆡ,

75)슌슌 : 순순. 그때마다.
76)긔여히 : 기어이(其於-), 기어코. 반드시.
77)못기다 : 모이다
78)ᄆᆡ달(妹妲) : 중국 하(夏)의 마지막 황제 걸(桀)의 비(妃)인 매희(妹喜)와 주(周)의 마지막 황제 주(紂)의 비(妃) 달기(妲己)를 함께 이르는 말.

을 쳘졍(鐵鼎) ᄀᆞᆺ치 뎡ᄒᆞᄆᆡ 요개(搖改)ᄒᆞᆯ 길히 업ᄉᆞᆫ디라. 조뫼 비록 혈육이 듕상ᄒᆞᄂᆞᆫ 듕장을 더으며, 계뷔 계칙(戒責)ᄒᆞ나 조금도 회심ᄒᆞ미 업셔, 디ᄉᆞ위한(至死爲限)ᄒᆞ여 교ᄋᆞ로 부부지졍을 ᄆᆡᆺ지 아니려 ᄒᆞ니, 뉴시 ᄌᆞ긔 혬의 나지 아니믈 아나, 교ᄋᆡ 불 ᄀᆞᆺ튼 음심(淫心)을 ᄎᆞᆷ지 못ᄒᆞ여 ᄆᆡ양 비홍(臂紅)으로ᄡᅧ, 슉모를 뵈여 울기를 마디 아니며, 뎡·진 이인의【67】 침소의 어ᄉᆡᆨ 드러가면, 능히 안졉(安接)지 못ᄒᆞ여, 두 곳으로 단니며 ᄀᆞ마니 ᄉᆞ어(私語)를 엿듯고, 은졍이 듕ᄒᆞ믈 불워 스ᄉᆞ로 뎡·진의 몸이되여 어ᄉᆞ의 은ᄋᆡ를 밧고져 ᄒᆞ니, ᄌᆞ연 식블감미(食不甘味)ᄒᆞ고 침블안셕(寢不安席)ᄒᆞ여 용뫼 초췌ᄒᆞ니, 뉴시 념녀ᄒᆞ고 위태 과히 근심ᄒᆞ여 어ᄉᆞ를 죽일 놈 벼르 ᄃᆞᆺᄒᆞ고, 뉴시 뎡·진 냥쇼져를 ᄃᆡᄒᆞ여,

"광텬이 그ᄃᆡ 등의 말이면 다 드러 명녕(命令)을 듕히 넉이미 존명의 눼 아니니, 모로미 가부의 통셰를 너모 독당치 말고 딜ᄋᆞ도 광텬의 안히믈 ᄉᆡᆼ각ᄒᆞ여 그ᄃᆡ 침소의 드러오ᄂᆞᆫ ᄊᆡ 취련각으로 가라 권ᄒᆞ여 광텬으로 ᄒᆞ여금 그ᄃᆡᄂᆡ 투기 업ᄉᆞ믈 아ᄅᆞᆷ다이 넉이고【68】 딜녀의 단장박명(斷腸薄命)도 덜게 ᄒᆞ라."

냥쇼제 안셔(安徐)히 샤죄 왈,

"쳡 등이 고인의 ᄂᆡ됴(內助)를 효측(效則)지 못ᄒᆞ여 뉴부인 단장지회(斷腸之懷)를 모로지 아니ᄒᆞᄃᆡ, 미미(微微)ᄒᆞᆫ 말이 군ᄌᆞ의 쳥둉(聽從)ᄒᆞᆯ ᄇᆡ 아니므로, 감히 토셜(吐說)치 아녓ᄉᆞᆸ더니, 명괴(明敎) 지ᄎᆞ(至此)ᄒᆞ시니 황공 불안ᄒᆞ와 엇디 슌셜(脣舌)을 앗기리잇고? ᄒᆞᆫ번 간ᄒᆞ여 보오려니와, 군ᄌᆡ 존명도 아니 밧드ᄋᆞᆸᄂᆞᆫ 디경의 쳡 등의 간언이 공이 업ᄉᆞᆯ가 민울(悶鬱)ᄒᆞᄂᆞ이다."

위ᄐᆡ 대로 즐왈,

"니르기 슬커든 아이의 발셜치 말녀니와, 너희 요녀 등이 광텬의 은ᄋᆡ를 낫고아, 뉴ᄋᆞ의게ᄂᆞᆫ 빗최도 못ᄒᆞ게 가부를 춍단(總斷)ᄒᆞ니 이 죄로 필경 ᄒᆞᆫ 번 죽지 아닐 만치치【69】 리라."

요ᄀᆡ(搖改)ᄒᆞᆯ 길 업ᄂᆞᆫ지라. 조뫼 비록 혈육이 상ᄒᆞᄂᆞᆫ 듕장을 더으며, 슉뷔 계칙(戒責)ᄒᆞ나 조곰도 회심ᄒᆞ미 업셔, 지ᄉᆞ위한(至死爲限)ᄒᆞ여 교아로 부부지졍을 ᄆᆡᆺ지 아니려 ᄒᆞ니, 뉴시 ᄌᆞ긔 혐[혬]의 나지 아니믈 아ᄂᆞ, 교ᄋᆡ 어ᄉᆞ의 은ᄋᆡ을 ᄆᆡᆺ지 못ᄒᆞᄆᆡ 불갓튼 음심(淫心)을 참지 못ᄒᆞ여 ᄆᆡ양 비홍(臂紅)으로ᄡᅧ 슉모을 뵈고 울기을 마지 아니며, 뎡·진 이인의 침소의 어ᄉᆡᆨ 드러가면, 능히 안졉(安接)지 못ᄒᆞ여 두곳으로 단이며 가마니 ᄉᆞ어(私語)을 엿듯고, 은졍이 듕ᄒᆞ믈 불워 스ᄉᆞ로 뎡·진의 몸이 되여 어ᄉᆞ의 은ᄋᆡ을 밧고져 ᄒᆞ니, ᄌᆞ연 식불감미(食不甘味)ᄒᆞ고 침불안셕(寢不安席)ᄒᆞ여 용【68】뫼 초췌ᄒᆞ니, 뉴시 념녀ᄒᆞ고 위시 과히 근심ᄒᆞ여 어ᄉᆞ을 죽일 놈 벼르듯 ᄒᆞ고, 뉴시 뎡·진 이소져을 ᄃᆡᄒᆞ여,

"광쳔이 그ᄃᆡ 등의 말이면 다 드러, 명녕(命令)을 듕히 녁이미 존당보다 더ᄒᆞ니, 모로미 가부 총셰을 너무 독당치 말고 질아도 광쳔의{의} 안히물 ᄉᆡᆼ각ᄒᆞ여 그ᄃᆡ 침소의 드러오ᄂᆞᆫ ᄊᆡ, 취련각으로 가라 권ᄒᆞ여 광쳔으로 ᄒᆞ여곰 그ᄃᆡᄂᆡ 투긔 업ᄉᆞ물 아름다이 녁이고 질녀의 단장박명(斷腸薄命)도 덜게 ᄒᆞ라."

냥 소제 안셔(安舒)히 ᄉᆞ죄 왈,

"쳡 등이 고인의 ᄂᆡ조을 효측지 못ᄒᆞ여 뉴부인 단장지회(斷腸之懷)을 모로지 아니ᄒᆞᄃᆡ, 미미(微微)ᄒᆞᆫ 말이 군ᄌᆞ의 쳥종(聽從)ᄒᆞᆯ ᄇᆡ 아니므로, 감히 토셜(吐說)치 아냣ᄉᆞᆸ더니, 명교(明敎) 여ᄎᆞ(如此)ᄒᆞ시니 황공 불안ᄒᆞ와 ᄒᆞᆯ 말이 업ᄂᆞᆫ지라, ᄒᆞᆫ 번 간ᄒᆞ여 보려니와, 군ᄌᆡ 존명도 아니 밧ᄂᆞᆫ 지경의 초초ᄒᆞᆫ 쳡 등의 간언이 공이 업ᄉᆞᆯ가 민울(悶鬱)ᄒᆞᄂᆞ이다."

위ᄐᆡ ᄃᆡ로 질왈,

"니르기 슬커든 아이의 발셜치 말녀니와, 너의 ○[요]여 등이 광쳔의 은ᄋᆡ을 낙고와, 《뉴녀‖뉴ᄋᆞ》의게ᄂᆞᆫ 빗최도 못ᄒᆞ게 옥잡아[79] 가부을 총단(總斷)ᄒᆞ니, 이 죄을 필경

79)옥잡다 : 옥죄다. 욱죄다. 우겨 바싹 죄다.

뎡·진 등이 피셕 청죄ᄒᆞ여 일언을 아니ᄃᆡ ᄐᆡ괴(太姑) 노긔 녈화(熱火) ᄀᆞᆺ고, 뉴시 ᄭᅬ오미 년쇽브졀(連續不絶)ᄒᆞ여 못견ᄃᆡ게 ᄒᆞ나, 이(二) 쇼졔 다만 팔ᄌᆞ를 탄ᄒᆞ고 조금도 원망치 아냐 청죄 ᄲᅳᆫ이오, 믈너난 즉, 뉴시 이인을 즐욕ᄒᆞᄃᆡ, 금평후 부부와 낙양후 부부로브터 뎡·진 냥문 조션(祖先)을 다 드노화, 사ᄅᆞᆷ의 ᄎᆞ마 듯디 못ᄒᆞᆯ 욕셜이 블가형언(不可形言)이로ᄃᆡ, 이 쇼졔 모로ᄂᆞᆫ ᄃᆞᆺ ᄒᆞ여 일양 함구ᄒᆞ니, 뉴시 참욕(慘辱)을 무궁히 ᄒᆞ다가도 이인의 드른 쳬 아님과 졔 긔운이 ᄂᆡᆺ브ᄆᆡ, 밋친 것 ᄀᆞᆺ치 졔 침소로 도라가니, 이 쇼졔 못견될 경계 ᄒᆞᆫ 두 일이 아니러니, 일일은 어ᄉᆡ ᄎᆡ봉각의 드러와 촉하의 슉녈을【70】 ᄃᆡᄒᆞᄆᆡ, 찬난ᄒᆞᆫ 용광과 어리로온[85] ᄐᆡ되 쳔만긔이ᄒᆞ믈 보ᄆᆡ, 풍뉴댱부의 은ᄋᆡ ᄉᆡ로이 뉴동ᄒᆞᄃᆡ, 쇼졔 흉듕의 슈한(愁恨)이 뫼 ᄀᆞᆺ고, ᄌᆞ긔 말이 일분 효험이 업셔 ᄒᆞᆫ층 노분이 더ᄒᆞᆯ 줄 알오ᄃᆡ, 뉴시 댱부를 위월(違越)치 못ᄒᆞ고 어ᄉᆡ 침소의 드러오면 뉴시 모녜 규시ᄒᆞ믈 알므로, 쳔만 블가ᄒᆞᄃᆡ 마디 못ᄒᆞ여 날회여 옷깃ᄉᆞᆯ 념의고 왈,

"쳡이 감히 군ᄌᆞ 힝ᄉᆞ를 시비ᄒᆞ미 아니오, 우견(愚見)을 고ᄒᆞ미 당돌ᄒᆞ나, 셩인도 초부지언(樵夫之言)을 션용(善用)ᄒᆞ시고, ᄂᆡ조의 공을 닐너시니, 슈신졔가(修身齊家)ᄂᆞᆫ 치국평텬하지본(治國平天下之本)[86]이라, 진시와 쳡은 표죵형뎨(表從兄弟)[87]로 징툥징투(爭寵爭鬪)ᄒᆞᆯ ᄇᆡ 아니어니와, 뉴부인이 ᄉᆡ로 드러온 셔【71】어(齟齬)ᄒᆞ미 잇고, 용화(容華) 긔딜(氣質)이 초셰(超世)ᄒᆞ니, 군ᄌᆡ 셰낫 녀ᄌᆞ를 거ᄂᆞ리시ᄆᆡ 은ᄋᆡ를 공평이 ᄒᆞ시미 올커늘, 죡젹이 ᄎᆡ련각의 님치 아니ᄒᆞ시니, 쳡이 그윽이 군ᄌᆞ의 일편되시믈 블복(不服)ᄒᆞᄂᆞ이다."

85)어리롭다 : 아리땁다. 귀엽다. ⇒어리럽다.

86)슈신졔가(修身齊家)ᄂᆞᆫ 치국평텬하지본(治國平天下之本) : 몸을 닦고 집안을 잘 다스리는 것은 나라를 다스리고 천하를 태평하게 하는 근본이다.

87)표죵형뎨(表從兄弟) : 내외종(內外從) 형제 사이.

ᄒᆞᆫ 번 죽지 아닐만치 치리라."

뎡·진 등이 피셕 청죄ᄒᆞ여 일언을 아니ᄒᆞᆫᄃᆡ, ᄐᆡ부인 노긔 열화(熱火) 갓고, 뉴시 ᄭᅬ오미 연속브졀(連續不絶)ᄒᆞ여 못 견ᄃᆡ게 ᄒᆞ나, 이 소져 다만 팔ᄌᆞ을 탄ᄒᆞ고 조곰도 원망치 아냐 청죄 ᄲᅮᆫ이오, 물너ᄂᆞᆫ 즉, 뉴시 이인을 즐욕ᄒᆞᄃᆡ, 금평후로부터 낙양후 부부와 뎡·진 양문 조션(祖先)을 다 드노아 ᄉᆞᄅᆞᆷ의 ᄎᆞ마 듯지 못ᄒᆞᆯ 욕셜이 블가형언(不可形言)이로ᄃᆡ, 이 소져 못 듯ᄂᆞᆫ 듯 일양 ᄒᆞᆷ구ᄒᆞ니, 뉴【69】시 참욕을 무수히 ᄒᆞ다가도 이인의 드른 쳬 아님과 졔 긔운이 잇부ᄆᆡ, 밋친 것 갓치 제 침소로 도라가니, 이 소져{이 소져} 못 견딜 경겨[계] ᄒᆞᆫ두 번이 아니러니, 일일은 어ᄉᆡ 봉각의 드러와 촉ᄒᆞ의 뎡슉녈을 ᄃᆡᄒᆞᄆᆡ, 찬난ᄒᆞᆫ 용광과 어리러온[80] ᄐᆡ되 쳔만 긔이ᄒᆞ믈 보ᄆᆡ, 가히 풍뉴장부의 은졍을 유동ᄒᆞᄂᆞᆫ지라. 소져 흉즁의 슈한(愁恨)이 뫼갓고, ᄌᆞ긔 말이 일분 효험이 업셔 ᄒᆞᆫ층 노분이 더ᄒᆞᆯ 줄 알오ᄃᆡ, 뉴시 당부을 위월(違越)치 못ᄒᆞ고, 어ᄉᆡ 침소의 드러오면 뉴시 모녀숙질(母女叔姪)이 규시ᄒᆞ믈 알므로 쳔만 불가ᄒᆞᄃᆡ, 마지 못ᄒᆞ여 날호여 옷깃ᄉᆞᆯ 염의고 왈,

"쳡이 감히 군ᄌᆞ 힝ᄉᆞ을 시비ᄒᆞ미 아니오 우견(愚見)을 고ᄒᆞ미 당돌ᄒᆞ오나, 셩인도 초부지언(樵夫之言)을 션용(善用)ᄒᆞ시고, ᄂᆡ조의 공을 일너시니, 수신졔가(修身齊家)ᄂᆞᆫ 치국평쳔하지본(治國平天下之本)[81]이라. 진시와 쳡은 종형뎨(從兄弟)[82]로 징총질투(爭寵嫉妬)ᄒᆞᆯ ᄇᆡ 아니연이와, 뉴부인은 ᄉᆡ로 드러온 셔어(齟齬)ᄒᆞ미 잇고, 용화(容華) 긔질(氣質)이 초셰(超世)ᄒᆞ시니, 군ᄌᆡ 셰낫 녀ᄌᆞ을 거ᄂᆞ려 은ᄋᆡ을 공평이 ᄒᆞ기[시]미 올커날, 죵젹이 ᄎᆡ련각의 님치 아니시니, 쳡이 그윽이 군ᄌᆞ의 일편되시물 불복(不服)ᄒᆞᄂᆞ이다."

80)어리럽다 : 아리땁다. 귀엽다. ⇒어리롭다.

81)슈신졔가(修身齊家)ᄂᆞᆫ 치국평텬하지본(治國平天下之本) : 몸을 닦고 집안을 잘 다스리는 것은 나라를 다스리고 천하를 태평하게 하는 근본이다.

82)종형뎨(從兄弟) : 4촌 형제 사이.

어ᄉᆡ 청파의 발셔 위·뉴의 명으로 마지 못ᄒᆞ민 줄 디긔ᄒᆞ며 창외의 규시홈도 아ᄂᆞᆫ 디라, 짐즛 츈풍화긔 변ᄒᆞ여 미위 믁믁ᄒᆞ미 ᄎᆞᆫ 셔리 ᄀᆞᆺᄐᆞ여 뎡ᄉᆡᆨ(正色) 위좌(危坐)ᄒᆞ니, 엄녈(嚴烈)ᄒᆞᆫ 긔위(氣威) 츄텬(秋天)이 음애(陰崖)를 디으며, 빙셜(氷雪)의 북풍이 놉흠 ᄀᆞᆺᄐᆞᆫ디라. 뎡시 기의(其意)를 모로지 아니나 군ᄌᆞ의 이 ᄀᆞᆺᄐᆞᆫ 위풍을 쳐음 보ᄆᆡ, 블승슈괴(不勝羞愧)ᄒᆞ여 봉관을 ᄉᆞᆨ이고 ᄡᅡᆼ안을 낫초아 다시 말을 못ᄒᆞ니, 그 ᄐᆡ되 더욱 졀【72】승ᄒᆞᆫ디라. 어ᄉᆡ 더욱 ᄋᆡ련(哀憐)ᄒᆞ나 거즛 노분을 지어 경셩 왈,

"오슈용위(吾雖庸愚)나 ᄌᆞ(子)의 가뷔(家夫)오, 년긔 셔로 동년이니, 혬과 디혜 ᄀᆞᄅᆞ치믈 듯디 아닐 ᄇᆡ오, ᄒᆞᆫ갓 ᄌᆞ의 지휘를 니르지 말고, 대모(大母)와 계뷔(季父) 뉴시 후ᄃᆡ를 명ᄒᆞ시미 ᄒᆞᆫ 두 슌이 아니시고, 디어존당(至於尊堂)[88]이 댱칙(杖責)가지 ᄒᆞ신 줄, 그ᄃᆡ 듕청폐ᄆᆡᆼ(重聽廢盲)[89]이 아니니, 임의 드르며 본 ᄇᆡ어ᄂᆞᆯ, 나 윤ᄉᆞ원이 ᄎᆞᄉᆞ의 당ᄒᆞ여ᄂᆞᆫ 존명도 능히 슌슈(順受)치 아니ᄒᆞᆯ 졔, 그ᄃᆡ 말을 청납ᄒᆞ랴?"

ᄒᆞ더라.【73】

88)디어존당(至於尊堂) : 존당께서는. 존당(尊堂)은 자당(慈堂) 또는 직계존속(直系尊屬).

89)듕청폐ᄆᆡᆼ(重聽廢盲) : 귀가 어두워서 소리를 잘 듣지 못하고, 눈이 멀어 잘 보지 못함.

어ᄉᆡ 청파의 발셔 위·뉴의 명으로 마지 못ᄒᆞ민 쥴 지긔ᄒᆞ며, 창외의 규시홈도 아ᄂᆞᆫ 지라. 짐즛 츈풍화긔 변ᄒᆞ여 미위 묵묵ᄒᆞ미 찬셔리 갓트여 뎡ᄉᆡᆨ 위좌ᄒᆞ니, 엄녈ᄒᆞᆫ 긔위(氣威) 츄쳔(秋天)이 음ᄋᆡ(陰崖)을 지으며, 빙셜(氷雪)의 북풍이 놉흠 갓튼지라. 뎡시 기의(其意)을 모로지 아니나 장부의 이 갓튼 위풍을 쳐음 보ᄆᆡ, 불승송구【70】 슈괴(不勝悚懼羞愧)ᄒᆞ여 봉관을 ᄉᆞᆨ이고 쌍안을 낫초아 다시 말을 못ᄒᆞ니, 어ᄉᆡ 더욱 ᄋᆡ련ᄒᆞ나 거즛 노분을 지어 정셩 왈,

"ᄉᆡᆼ이 수용(雖庸)이나 ᄌᆞ(子)의 가부(家夫)오, 년긔 셔로 동년이나 혐[혬]과 지감이 가르치믈 듯지 아닐 ᄇᆡ오, ᄒᆞᆫ갓 ᄌᆞ의 지휘로 니르지 말고, ᄃᆡ모와 계뷔 뉴시 후ᄃᆡ을 명ᄒᆞ시미 한 두 슌이 아니시고, 지어존당(至於尊堂)[83]이 장칙(杖責)가지 ᄒᆞ신 쥴, 그ᄃᆡ 즁청폐ᄆᆡᆼ(重聽廢盲)[84]이 아니니, 임의 드르며 ○○○○[본 ᄇᆡ어ᄂᆞᆯ], 나 윤ᄉᆞ원이 ᄎᆞ시의 당ᄒᆞ여ᄂᆞᆫ 존명도 능히 순치 아닐 졔, 그ᄃᆡ 말을 청납ᄒᆞ랴?"

83)디어존당(至於尊堂) : 존당께서는. 존당(尊堂)은 자당(慈堂) 또는 직계존속(直系尊屬).

84)즁청폐ᄆᆡᆼ(重聽廢盲) : 귀가 어두워서 소리를 잘 듣지 못하고, 눈이 멀어 잘 보지 못함.

명듀보월빙 권디이십이

익셜 시ᄎᆞ(時此)[90]의 윤어ᄉᆡ 왈,

"나 윤ᄉᆞ원이 ᄎᆞᄉᆞ(此事)의 당ᄒᆞ여ᄂᆞᆫ, 존명(尊命)도 능히 슌슈(順守)치 아니ᄒᆞᆯ 제, 그ᄃᆡ 말을 청납(聽納)ᄒᆞ랴? 내 그ᄃᆡ 알오미 쳔연(天然)ᄒᆞᆫ 녀ᄌᆡ라 ᄒᆞ엿더니, 이졔 뉴시 후ᄃᆡ 권ᄒᆞ믈 드르니, 투긔 업ᄉᆞ믈 ᄌᆞ랑ᄒᆞ여 어진 쳬ᄒᆞ미 심ᄒᆞ도다. 원간 내 쇼원은 홍분(紅粉)[91]으로 집을 메오며 미ᄉᆡᆨ을 모호려 ᄒᆞ니, 그ᄃᆡ 권치 아냐도 내 눈의 들고 ᄆᆞᄋᆞᆷ의 ᄎᆞᆫ ᄌᆞᆨ 열히라도 샤양치 아니나, 금ᄎᆞ지ᄉᆞ(今此之事)[92] ᄒᆞ여ᄂᆞᆫ ᄌᆞ경 계신 곳을 모로고 만ᄉᆡ 비황(悲惶)ᄒᆞ니, 그ᄃᆡ와 딘시는 임의 취ᄒᆞᆫ ᄇᆡ라 바리지 못ᄒᆞ고 졍의상합ᄒᆞ【1】미 잇거니와, 뉴시ᄂᆞᆫ 위력으로 친ᄉᆞ(親事)[93]를 일우니 ᄉᆡᆼ의 ᄯᅳᆺ 아ᄉᆞ미 통ᄒᆡ(痛駭)ᄒᆞ고, 뉴시의 위인이 군ᄌᆞ의 뎡시ᄒᆞᆯᄇᆡ 아니라, 쳐신(處身) 동디(動止) 음악교샤(淫惡巧詐)ᄒᆞᆯ ᄲᅮᆫ 아냐, 블길지상(不吉之相)이 현져ᄒᆞ니, 그ᄃᆡ 뉴시의 당ᄂᆡ를 보라, 형톄를 완젼치 못ᄒᆞ여 필연 흉ᄉᆞᄒᆞ리니, 군ᄌᆡ 엇디 그런 흉참지녀(凶慘之女)로 상ᄃᆡᄒᆞ리오."

언필(言畢)의 노긔 대발ᄒᆞ여 겻ᄐᆡ 노힌 연갑을 쥬머괴로 산산 바ᄋᆞ고[94], 벽상의 칼흘 ᄲᆡ혀 좌셕을 ᄭᅳᆺ쳐 왈,

"쳔만인이 권ᄒᆞ나 내 고집을 두르혀지 아닐 거시오, 이 머리ᄂᆞᆫ 버히나 내 텬셩은 곳치지 못ᄒᆞ리니, 내 비록 용우ᄒᆞ나 음악(淫惡) 발부(潑婦)[95]를 이 ᄌᆞ리ᄀᆞᆺ치【2】 ᄒᆞ리라."

뎡시 어ᄉᆞ의 과격ᄒᆞ믈 보ᄆᆡ 출하리 ᄌᆞ긔 뉴시긔 졸니이고 보ᄎᆡ여도 브졀업ᄉᆞᆫ 말을

"《나‖ᄂᆡ》 ᄌᆞ(子) 알음이 쳔연(天然)ᄒᆞᆫ 녀ᄌᆡ라 ᄒᆞ엿더니, 이졔 뉴시 후ᄃᆡ 권ᄒᆞ믈 드르니, 투긔 업ᄉᆞ믈 ᄌᆞ랑ᄒᆞ미 심토다. 원간 ᄂᆡ 소원은 홍분(紅粉)[85]으로 집을 메오려 ᄒᆞ니, 그ᄃᆡ 권치 아냐도 ᄂᆡ 눈의 들고 마음의 찬 즉 열이라도 ᄉᆞ양치 아니나, 금ᄎᆞ지시(今此之時)[86] ᄒᆞ여ᄂᆞᆫ ᄌᆞ경 계신 곳을 모로고 만ᄉᆡ 비황(悲惶)ᄒᆞ니, 그ᄃᆡ와 진시ᄂᆞᆫ 임의 취ᄒᆞᆫ ᄇᆡᄆᆡ 바리지 못ᄒᆞ고, 졍의상합ᄒᆞ미 잇거니와, 뉴시ᄂᆞᆫ 위력으로 친ᄉᆞ(親事)[87]을 일우니, ᄉᆡᆼ의 ᄯᅳᆺ 아ᄉᆞ미 통ᄒᆡ(痛駭)ᄒᆞ고, 뉴시 위인이 교ᄉᆞ(巧詐)ᄒᆞᆯ ᄲᅮᆫ 아냐, 불길지상(不吉之相)이 현져ᄒᆞ이[니], 그ᄃᆡ 뉴시 장ᄂᆡ을 보라. 형쳬을 완젼치 못ᄒᆞ여 필연 흉ᄉᆞᄒᆞ리니, 군ᄌᆡ 엇지 그런 흉참지녀(凶慘之女)로 상ᄃᆡᄒᆞ리오."

언ᄑᆞ(言罷)의 노긔 ᄃᆡ발ᄒᆞ여 겻ᄒᆡ 노힌 연갑을 듀머괴로 산산이 바으고[88] 벽상의 칼을 ᄲᆡ여 좌셕을 긋쳐 왈,

"쳔만인이 권ᄒᆞ나 ᄂᆡ 고집은 두루혀지 알[아]닐 거시오, 나[ᄂᆡ] 머리ᄂᆞᆫ 버히나 ᄂᆡ 쳔성은 곳치지 못ᄒᆞ리니, ᄂᆡ 비록 용우ᄒᆞ나 음악(淫惡) 발부(潑婦)[89]을 이 ᄌᆞ리 갓치 ᄒᆞ리라."

뎡시 어ᄉᆞ의 과격ᄒᆞ믈 보ᄆᆡ 출히[90] ᄌᆞ긔 뉴【71】시긔 졸니고 보ᄎᆡ여도 브졀업ᄉᆞᆫ

90)시ᄎᆞ(時此) : 차시(此時). 이때.
91)홍분(紅粉) : 연지와 분을 아울러 이르는 말. 여기서는 화장을 한 여자를 말함.
92)금ᄎᆞ지ᄉᆞ(今此之事) : 이번 일.
93)친ᄉᆞ(親事) : 혼인.
94)바ᄋᆞ다 : 부수다. 여러 조각이 나게 두드려 잘게 깨뜨리다. ⇒바ᄋᆞ다.
95)발부(潑婦) : 패역(悖逆)한 여자. 무지막지한 여자.

85)홍분(紅粉) : 연지와 분을 아울러 이르는 말. 여기서는 화장을 한 여자를 말함.
86)금ᄎᆞ지시(今此之時) : 지금.
87)친ᄉᆞ(親事) : 혼인.
88)바으다 : 부수다. 여러 조각이 나게 두드려 잘게 깨뜨리다. ⇒바ᄋᆞ다.
89)발부(潑婦) : 패역(悖逆)한 여자. 무지막지한 여자.
90)출히 : 차라리.

아님만 ᄀᆞᆺ치 못ᄒᆞ고, 창외의 규시ᄌᆞ(窺視者)ᄂᆞᆫ 낫낫치 다 듯고 졈졈 원이 길며 한이 ᄡᅡᆨ힐 바를 혜아리ᄆᆡ, 블힝ᄒᆞ미 심ᄒᆞ나 미리 초조ᄒᆞ미 무익ᄒᆞ여, 좌셕을 브동ᄒᆞ고 홍슈(紅袖)를 뎡히 ᄭᅩᆺᄌᆞ 단슌(丹脣)이 ᄆᆡᆨᄆᆡᆨᄒᆞ여 다시 ᄒᆞᆫ 말을 아니니, 어ᄉᆡ 날호여 홍션을 명ᄒᆞ여 침금을 포셜ᄒᆞᄆᆡ, 쵹을 믈니고 쇼져를 븟드러 나위에 나아가니, 뎡시 가부의 은통을 몽니(夢裏)의나 구ᄒᆞ리요마ᄂᆞᆫ, 화란츈풍(花欄春風)의 미개화(未開花) 븟치이믈 면치 못ᄒᆞ여, 원앙침상의 ᄡᅡᆼ옥(雙玉)이 완젼ᄒᆞ니, ᄇᆡᆨ셰긔봉(百世奇逢)이오 【3】 텬뎡가위(天定佳偶)라. 간인이 온가지로 모계ᄒᆞ나 이ᄀᆞᆺ튼 은졍을 희짓기 어려올디라.

ᄎᆞ시 교ᄋᆞ와 경ᄋᆡ 창외의 규시ᄒᆞ여 ᄉᆞ어를 듯다가, 어ᄉᆞ의 분발ᄒᆞ믈 보ᄆᆡ, 교ᄋᆡ 젼졍을 판단ᄒᆞ니 ᄆᆞ어ᄉᆞᆯ 바라고 견ᄃᆡ리오. 악인의 심간이 ᄯᅱ노라 ᄋᆡ듧고 셜우미 비ᄒᆞᆯ ᄃᆡ 업ᄂᆞᆫ디라. ᄌᆞ연이 슈족이 ᄯᅥᆯ니고 긔운이 막혀 슈습기 어려오니, 경ᄋᆡ 계오 븟드러 침소의 도라오ᄆᆡ, 교ᄋᆡ ᄒᆞᆫ 소ᄅᆡ를 지르고 구러져 인ᄉᆞ를 모로거ᄂᆞᆯ, 경ᄋᆡ 쥐믈너 ᄭᆡ온ᄃᆡ, 교ᄋᆡ 울며 왈,

"윤어ᄉᆡ 날 ᄆᆡ워ᄒᆞ미 ᄎᆞ마 입의 못담을 말노 영죵지상(令終之相)이 아니라 ᄒᆞ니, 졀노 더부러 젼셰 원슈로 금셰의 부뷔 되【4】엿ᄂᆞᆫ가 시브니, 쳐음 그 몹ᄡᅳᆯ 놈의 풍모를 황홀ᄒᆞ여 ᄌᆞ원ᄒᆞ여 셤기고져 ᄒᆞ미 쇼녜의 탓시라, 눌을 원ᄒᆞ리오."

경ᄋᆡ 위로 왈,

"광뎨 실셩ᄒᆞ여 일시 분두의 그런 말 ᄒᆞ여시나, 뎡·진 두 요녜 업ᄉᆞ면 ᄌᆞ연 현뎨긔 은ᄋᆡ 도라오리니, 남ᄌᆞ의 ᄆᆞ음을 미리 알 ᄇᆡ 아니라 타일을 기다리라."

교ᄋᆡ 탄왈,

"비록 뎡·진이 업순들 후ᄃᆡᄒᆞᆯ 줄 엇디 긔약ᄒᆞ리오. 셕상셰ᄂᆞᆫ 결단코 그러치 아니리라. 윤ᄌᆡ 므ᄉᆞᆫ 슈극(讐極)[96]이완ᄃᆡ 칼노 죽이려 ᄒᆞᄂᆞᆫ고? 그 용심을 ᄉᆡᆼ각ᄒᆞ니 통원ᄒᆞ

96)슈극(讐極) : 원수(怨讐).

말을 아님만 못ᄒᆞ고, 창외의 규시ᄌᆞ(窺視者)ᄂᆞᆫ 낫낫치 다 듯고 졈졈 원이 길며 한이 ᄊᆞᆨ힐 바을 혜아리ᄆᆡ, 불힝ᄒᆞ미 심ᄒᆞ나 미리 초조ᄒᆞ미 무익ᄒᆞ여 좌셕을 부동ᄒᆞ고 홍수(紅袖)을 졍히 ᄭᅩᆺᄌᆞ 단슌(丹脣)이 ᄆᆡᆨᄆᆡᆨᄒᆞ여 다시 ᄒᆞᆫ 말을 아니니, 어ᄉᆡ 날호여 홍션을 명ᄒᆞ여 침금을 포셜ᄒᆞ고, 촉을 물니고 소져을 붓드러 나위의 나아가니, 뎡시 가부의 은총을 몽니(夢裏)의나 구ᄒᆞ리오마ᄂᆞᆫ, 화란츈풍(花欄春風)의 미ᄀᆡ화(未開花) 붓치이물 면치 못ᄒᆞ여, ○[원]앙침(鴛鴦枕)의 쌍옥(雙玉)이 완젼ᄒᆞ니 ᄇᆡᆨ셰긔봉(百世奇逢)이오 쳔졍가위(天定佳偶)라. 간인이 온가지로 모계ᄒᆞ나 이갓튼 은졍을 희짓기 어려올지라.

ᄎᆞ시 교아와 경ᄋᆡ 창외의 규시ᄒᆞ여 ᄉᆞ어을 듯다가, 어ᄉᆞ의 분발ᄒᆞ믈 보ᄆᆡ, 교ᄋᆡ 경[젼]경을 판단ᄒᆞ니 무어ᄉᆞᆯ 바라고 견ᄃᆡ리오. 악인의 심간이 ᄯᅱ노라 ᄋᆡ답고 셜우미 비ᄒᆞᆯ ᄃᆡ 업ᄂᆞᆫ지라. ᄌᆞ연 수족이 ᄯᅥᆯ니고 긔운이 막혀 수습기 어려오니, 경ᄋᆡ 겨유 붓드러 침소의 도라오ᄆᆡ, 교ᄋᆡ ᄒᆞᆫ 소ᄅᆡ 지르고 구러져 인ᄉᆞ을 모로거ᄂᆞᆯ, 경ᄋᆡ 쥬물너 ᄭᆡ온ᄃᆡ, 교ᄋᆡ 울며 왈,

"윤어ᄉᆡ 날 미워ᄒᆞ미 ᄎᆞ마 입의 담지 못ᄒᆞᆯ 말노 영종지상(令終之相)이 아니라 ᄒᆞ니, 져노[로] 더부러 젼셰 원슈로 금셰의 부뷔 되엿ᄂᆞᆫ가 시브니, 쳐음 그 몹쓸 놈의 풍모을 황홀ᄒᆞ여 ᄌᆞ원ᄒᆞ여 셤기고ᄌᆞ ᄒᆞ미 소져[졔](小弟)의 탓시라. 누을 원ᄒᆞ리오."

경ᄋᆡ 위로 왈,

"광뎨 실셩ᄒᆞ여 분두의 그런 말을 ᄒᆞ엿시나, 뎡·진 두 요녀 업ᄉᆞ면 ᄌᆞ연 현뎨긔 은ᄋᆡ 도라 오리니, 남ᄌᆞ의 마음을 미리 알 ᄇᆡ 아니라. 현뎨ᄂᆞᆫ 분을 참고 타일을 【72】 기다리라."

교ᄋᆡ 탄왈,

"비록 경·○[진]이 업순들 후ᄃᆡᄒᆞᆯ 줄 어이 긔약ᄒᆞ리오. 셕상셔ᄂᆞᆫ 결단코 그리치 아니리라. 윤ᄌᆡ 므ᄉᆞᆫ 슈극(讐極)[91]이완ᄃᆡ 칼노 죽이려 ᄒᆞᄂᆞᆫ고? 그 용심을 《ᄉᆡᆨ각‖ᄉᆡᆼ

91)슈극(讐極) : 원수(怨讐).

믈 견ᄃᆡ지 못ᄒᆞ리로소이다."

경ᄋᆡ 탄왈,

"현데ᄂᆞᆫ 오히려 셕군의 무고히 날 박ᄃᆡᄒᆞ믈 모로ᄂᆞ니, 오녀로 더브러 【5】 유ᄌᆞᄉᆡᆼ녀(有子生女)97)ᄒᆞ여 무흠이 즐기고, 날을 보면 믜워ᄒᆞ미 죽일 ᄃᆞᆺᄒᆞᄃᆡ, 칠년을 ᄎᆞᆷ고 견ᄃᆡᄂᆞ니 현데 엇지 이러ᄐᆞᆺ 구ᄂᆞ뇨?"

교ᄋᆡ 블승비분ᄒᆞᄃᆡ 소ᄅᆡ를 못ᄒᆞ고 긔졀ᄒᆞᆯ ᄃᆞᆺᄒᆞ거ᄂᆞᆯ, 경ᄋᆡ ᄇᆡᆨ단 위로ᄒᆞ여 계오 밤을 ᄉᆡ올ᄉᆡ, 명됴(明朝)의 뉴부인을 보고 작야 어ᄉᆞ 부부의 문답을 고ᄒᆞ니, 부인의 춍명인즉 츌뉴ᄒᆞ고 디감(知鑑)이 ᄇᆞᆰ아, 어ᄉᆞ의 그러케 녁이믈 ᄯᅩᄒᆞᆫ 괴이히 녁이지 아니나, 다만 교ᄋᆞ를 위로 왈,

"뎡·진 등을 ᄉᆞ침의 보ᄂᆡ여 광텬으로 화락케 ᄒᆞ믄, 음비ᄒᆞᆫ 셔찰을 더져 의심된 경젹을 뵈여, 뎡·진 등을 만고일죄(萬古一罪)98)로 모라 너코져 ᄒᆞ미러니, 흉ᄒᆞᆫ 놈이 약을 먹어도 변심 【6】 치 아니ᄒᆞ고, 의심된 셔간을 보아도 경동(輕動)ᄒᆞ미 업셔, 뎡·진 후ᄃᆡ 더욱 심ᄒᆞ니 통완ᄒᆞ거니와, 내 너를 위ᄒᆞ여 몬져 뎡·진으로 강상대죄(綱常大罪)99)의 모라 너흐리니, 광텬이 비록 냥쳐(兩妻)의 혹(惑)ᄒᆞ여 말이 그러ᄒᆞ나, 너의 ᄌᆞ미운치(姿美韻致)를 무심치 아니리니, 너모 슬허 말나".

교ᄋᆡ 눈물을 거두고 샤례 왈,

"슉모 말ᄉᆞᆷ이 디극ᄒᆞ시니, 쇼딜은 슉모만 바라ᄂᆞ니, 므ᄉᆞᆫ 계교로 이녀를 죽이리잇고?"

뉴시 쇼왈,

"당시 뎡텬흥 형데 셰력이 댱(壯)ᄒᆞ나, 뎡시를 의법(依法)히 ᄉᆞ죄(死罪)로 모라 너흐면 어이 살 길이 이시리오. 다만 뎡시의 시

97)유ᄌᆞᄉᆡᆼ녀(有子生女) : 아들도 낳고 딸도 낳음.
98)만고일죄(萬古一罪) : 세상에서 비할 데가 없을 만큼 질이 나쁜 죄.
99)강상대죄(綱常大罪) : 사람이 마땅히 지켜야 할 도리인 삼강(三綱)과 오상(五常)을 범한 큰 죄, 곧 인륜범죄(人倫犯罪)를 이른다. 여기서 오상(五常)은 오륜(五倫)을 달리 이른 말.

각》ᄒᆞ니 통원ᄒᆞ물 견ᄃᆡ지 못ᄒᆞ리로소이다."

경ᄋᆡ 탄왈,

"현데ᄂᆞᆫ 오히려 셕ᄉᆡᆼ의 무고히 날 박ᄃᆡᄒᆞ믈 모로나니, 오녀로 더부러 유ᄌᆞᄉᆡᆼ녀(有子生女)92)ᄒᆞ여 무흠이 질기고, 나을 보면 뮈워ᄒᆞ여 죽일 닷ᄒᆞᄃᆡ, 칠년을 참고 견ᄃᆡ나니 현데 엇지 이리 조급히 구ᄂᆞ뇨?"

교ᄋᆡ 불승비분ᄒᆞᄃᆡ, 소ᄅᆡ을 못ᄒᆞ고 긔식ᄒᆞᆯ 듯ᄒᆞ거ᄂᆞᆯ 경ᄋᆡ ᄇᆡᆨ단 위로ᄒᆞ여 겨유 밤을 ᄉᆡ워, 명조(明朝)의 뉴부인을 보고 작야 어ᄉᆞ부부 문답을 고ᄒᆞ니, 부인의 총명인 즉 츌뉴ᄒᆞ고 지감(知鑑)이 발가, 어ᄉᆞ의 그러케 녁이믈 ᄯᅩᄒᆞᆫ 고이히 녁이지 아니ᄂᆞ, 다만 교아을 위로 왈,

"뎡·진 등을 ᄉᆞ침의 보ᄂᆡ여 광쳔으로 화락게 ᄒᆞ믄, 음비ᄒᆞᆫ 셔찰을 더져 의심된 경젹을 뵈여, 뎡·진 등을 만고일죄(萬古一罪)93)로 모라 너코져 ᄒᆞ미러니, 흉ᄒᆞᆫ 놈이 약을 멕여도 변심치 아니코, 의심된 셔간을 보아도 경동(輕動)ᄒᆞ미 업셔, 뎡·진 후ᄃᆡ 더욱 심ᄒᆞ니 통완ᄒᆞ거니와, ᄂᆡ 너을 위ᄒᆞ여 뎡·진을 강상ᄃᆡ죄(綱常大罪)94)의 모라 너흐리니, 광쳔이 비록 양쳐(兩妻)의 혹(惑)ᄒᆞ여 말이 그러ᄒᆞ나 너의 ᄌᆞ미운치(姿美韻致)을 무심치 아니리니, 너무 슬허말나."

교ᄋᆡ 눈물을 거두고 ᄉᆞ례 왈,

"슉모 말ᄉᆞᆷ이 지극ᄒᆞ시니 소질은 슉모만 바라ᄂᆞ이다. 무ᄉᆞᆷ 계교로 이년(二女)을 죽이리잇고?"

뉴시 소왈,

"당시 뎡쳔홍 형뎨 셰염(勢嚴)이 장ᄒᆞ나 뎡시을 광명졍ᄃᆡ(光明正大)히 ᄉᆞ죄(死罪)의 모라 너흐면 어이 ᄉᆞᆯ 길이 잇【73】시리오.

92)유ᄌᆞᄉᆡᆼ녀(有子生女) : 아들도 낳고 딸도 낳음.
93)만고일죄(萬古一罪) : 세상에서 비할 데가 없을 만큼 질이 나쁜 죄.
94)강상대죄(綱常大罪) : 사람이 마땅히 지켜야 할 도리인 삼강(三綱)과 오상(五常)을 범한 큰 죄, 곧 인륜범죄(人倫犯罪)를 이른다. 여기서 오상(五常)은 오륜(五倫)을 달리 이른 말.

녀 등을 술피니, 다 튱셩이 이셔 쥬인을 ᄒᆡ치 아닐디니, 신묘랑을 청ᄒᆞ【7】여 와야 일이 되리라."

교ᄋᆡ 왈,

"묘랑이 쇼딜의 말의 노ᄒᆞ여 오지 아니니 청키 어렵도소이다."

뉴시 왈,

"ᄎᆞ고로 묘랑을 우리 슉딜간 ᄒᆞ나히 가 보고 청코져 ᄒᆞ노라."

교ᄋᆡ 맛당ᄒᆞ믈 일ᄏᆞ르니, 경ᄋᆡ 왈,

"묘랑은 종용이 불너오고 몬져 태모 침뎐의 여ᄎᆞ여ᄎᆞ 작변하미 올흐니이다."

뉴시 즉시 셰월을 불너 보슈암의 보ᄂᆡ여 묘랑을 보고 흉예지물(凶穢之物)[100]을 구ᄒᆞ여 오라 ᄒᆞ고, 모녀슉딜(母女叔姪)이 협ᄉᆞ(篋笥)의 금은을 ᄡᅥ러 주어 부쳐긔 공양케 ᄒᆞ고, 그만ᄒᆞ여 ᄒᆡ로 ᄒᆞ고 녜ᄀᆞᆺ치 왕ᄂᆡᄒᆞ믈 니르니, 묘랑이 금은을 밧고 됴히 넉이나, 뎡·딘·하·댱 ᄉᆞ(四) 소져와 어ᄉᆞ 형뎨를 죽일 도리 업ᄉᆞ므로 짐즛 견집ᄒᆞ고 가디【8】 아니며, 요예디믈(妖穢之物)을 가득이 어더 보ᄂᆡ니, 뉴시 대열ᄒᆞ여 뎡·딘 이 쇼져의 글시를 모ᄡᅧ 튝ᄉᆞ(祝辭)를 일워 무고(巫蠱)[101]를 힝ᄒᆞᆯᄉᆡ, 태부인 침뎐 좌우 벽틈과 ᄒᆡ츈누 ᄉᆞ면의 요예지물을 뭇고 모녀 슉딜이 흔흔(欣欣)ᄒᆞ여, 다만 묘랑을 불너 악ᄉᆞ를 힝ᄒᆞ려 ᄒᆞᄃᆡ, 묘랑이 슌히 오지 아니믈 민망ᄒᆞ여 교ᄋᆡ 친히 가보려 ᄒᆞᆯᄉᆡ, 금거옥눈(金車玉輪)[102]을 ᄀᆞᆺ초고 시녀 등의 니르히 목욕ᄌᆡ계(沐浴齋戒)ᄒᆞ여 정셩을 드리며, 부쳐 공양ᄒᆞᆯ 긔구를 출혀 거즛 귀령(歸寧)ᄒᆞ믈 칭ᄒᆞ고 암ᄌᆞ로 가니, 당당ᄒᆞᆫ 명부(命婦) 힝ᄎᆡ라.

위의(威儀) 십분 영요(榮耀)ᄒᆞ니 암듕니괴(庵中尼姑) 황황디영(遑遑祗迎)[103]ᄒᆞ고, 묘랑이 비록 ᄌᆞ듕(自重)ᄒᆞ기로 웃듬ᄒᆞ나, 뉴녜져를 청ᄒᆞ라【9】 친님(親臨)ᄒᆞᄆᆡ, 암듕의

100)흉예지물(凶穢之物) : 흉하고 더러운 물건.

101)무고(巫蠱) : 무술(巫術)로써 남을 저주함.

102)금거옥눈(金車玉輪) : 금과 옥으로 치장한 수레.

103)황황디영(遑遑祗迎) : 높은 사람의 행차를 미처 대비하고 있지 못하다가 놀라 허둥대며 맞이함.

다만 뎡시의 시녀 등을 술피□[니] 츙셩이 잇셔 주인을 ᄒᆡ치 아닐지라. 신묘랑을 청ᄒᆞ여 와야 일이 되리라."

교ᄋᆡ 왈,

"묘랑이 소질의 말의 노ᄒᆞ여 오지 아니니 청키 어렵도 소이다."

뉴시 왈,

"ᄎᆞ고로 묘랑을 우리 슉질간 ᄒᆞ나히 《나‖가》 보고 청코져 ᄒᆞ노라."

교ᄋᆡ 맛당ᄒᆞ믈 일커르니, 경ᄋᆡ 왈,

"묘랑을 종용이 불너오고 몬져 ᄃᆡ모 침젼의 여ᄎᆞ여ᄎᆞ 작변ᄒᆞ미 올흐니다."

뉴시 즉시 셰월을 불너 보유암의 보ᄂᆡ여 묘랑을 보고 흉예지물(凶穢之物)[95]을 구ᄒᆞ여 오라 ᄒᆞ고, 모녀슉질(母女叔姪)이 협ᄉᆞ(篋笥)의 금은을 ᄡᅥ러주어 부쳐긔 공양ᄒᆞ라 ᄒᆞ고, 그만ᄒᆞ여 ᄒᆡ로ᄒᆞ고 예갓치 왕ᄂᆡᄒᆞ믈 니르니, 묘랑이 금은을 밧고 조히 《녁여‖녁이나》, 뎡·진·하·장 ᄉᆞ(四) 소져와 어ᄉᆞ 형뎨을 죽일 도리 업ᄉᆞ므로 짐즛 견집ᄒᆞ고 가지 아니며, 요여[예]지물(妖穢之物)을 가득히 어더 보ᄂᆡ니, 뉴시 ᄃᆡ열ᄒᆞ여 뎡·진 이소져 글시을 모ᄡᅧ 츅ᄉᆞ(祝辭)을 일워 무고(巫蠱)[96]을 힝ᄒᆞᆯᄉᆡ, ᄐᆡ부인 침젼 좌우 벽틈과 ᄒᆡ츈누 ᄉᆞ면의 요여[예]지물을 뭇고 모녀 슉질이 흔흔(欣欣)ᄒᆞ여, 다만 묘랑을 불너 악ᄉᆞ을 힝ᄒᆞ려 ᄒᆞᄃᆡ, 묘랑이 수히 오지 아니믈 민망ᄒᆞ여 교ᄋᆡ 친히 가 보려 ᄒᆞᆯᄉᆡ, 금거옥눈(金車玉輪)[97]을 가초고 시녀 등의 이르히 목욕ᄌᆡ계(沐浴齋戒)ᄒᆞ여 정셩을 드리며, 불[부]쳐 공양ᄒᆞᆯ 긔구을 출혀 거즛 귀령(歸寧)ᄒᆞ믈 칭ᄒᆞ고 암ᄌᆞ로 가니, 이 당당ᄒᆞᆫ 명부(命婦) 히[힝]ᄎᆞ라.

위의(威儀) 십분 부려(富麗)ᄒᆞ니, 암즁니괴(庵中尼姑) 황황지영(遑遑祗迎)[98]ᄒᆞ고 묘랑이 비록 ᄌᆞ즁(自重)ᄒᆞ기로 웃듬ᄒᆞ나, 뉴녀 청죄(請罪)ᄒᆞ러 친님(親臨)ᄒᆞᄆᆡ 암즁의 영광

95)흉예지물(凶穢之物) : 흉하고 더러운 물건.

96)무고(巫蠱) : 무술(巫術)로써 남을 저주함.

97)금거옥눈(金車玉輪) : 금과 옥으로 치장한 수레.

98)황황디영(遑遑祗迎) : 높은 사람의 행차를 미처 대비하고 있지 못하다가 놀라 허둥대며 맞이함.

영광이 되믈 깃거ᄒᆞ며, 져를 놉히 듸졉ᄒᆞ믈 양양(揚揚)ᄒᆞ여, 뎨ᄌᆞ 등으로 더브러 뉴시를 붓드러 교ᄌᆞ 밧긔 ᄂᆡᄆᆡ, 뉴시 묘랑을 향ᄒᆞ여 졀ᄒᆞ고 그릇 실언ᄒᆞ믈 일ᄏᆞ라 뉘웃ᄂᆞᆫ 뜻을 만만 칭샤ᄒᆞ니, 묘랑은 이상ᄒᆞᆫ 요졍이라. 교ᄋᆞ의 팔ᄌᆡ 험ᄒᆞ며 상뫼 블길ᄒᆞ믈 명명(明明) 디긔ᄒᆞ나, ᄌᆡ상지녜(宰相之女)며 명부지위(命婦地位)로 산문의 와 실언ᄒᆞ믈 니르고, 댱ᄂᆡ 슈복을 튝원코져 ᄒᆞ믈 보ᄆᆡ, 그 팔ᄌᆞ를 곳치지 못ᄒᆞᆯ 줄 알오ᄃᆡ, 아ᄃᆡ 그 ᄆᆞ음을 다ᄅᆡ여 금ᄇᆡᆨ(金帛)을 낫고려 ᄒᆞ여 밧비 불뎐의 녜ᄇᆡᄒᆞ라 ᄒᆞ니, 교ᄋᆡ 불뎐의 나아가 고두ᄇᆡ튝(叩頭拜祝)[104]ᄒᆞ여 부부호합(夫婦好合)과 유ᄌᆞᄉᆡᆼ녀(有子生女)를 쳥ᄒᆞ며, 뎡·딘 등을【10】 죽여 뎍인 업시키를 원ᄒᆞ여 말마다 음악간교ᄒᆞ니, 부쳬 녕ᄒᆞᆷ 곳 이시면 가히 벌ᄒᆞᆯ 거시오, 원을 좃출 니 업ᄉᆞᄃᆡ, 묘랑이 거즛 부쳐를 위ᄒᆞ노라 ᄒᆞ나, 졔 욕심을 위ᄒᆞ미오 부쳐 밧드ᄂᆞᆫ 바ᄂᆞᆫ 업더라.

교ᄋᆡ 불뎐의 ᄇᆡ례를 맛ᄎᆞᄆᆡ, 묘랑이 그윽ᄒᆞᆫ 당샤(堂舍)의 포진(鋪陳)을 ᄇᆡ셜ᄒᆞ여 뉴시를 안치고, 비로소 말을 펴 왈,

"빈되 쳐음 쇼져 팔ᄌᆞ를 츄졈ᄒᆞ니 실노 놀나오미 젹디 아냐 딘졍을 고ᄒᆞ엿더니, 쇼졔 과도히 노ᄒᆞ시니, 빈되 붓그려 다시 존ᄐᆡᆨ을 드ᄃᆡ지 말고져 쥬의어ᄂᆞᆯ, 이졔 쇼져 힝치 친님ᄒᆞ샤 영광이 무비(無比)ᄒᆞ니 감격ᄒᆞ여이다."

교ᄋᆡ 휘루 왈,

"쳡이 부모의 만ᄂᆡ(晩來) 필와(畢瓦)[105]로 ᄌᆞᄋᆡ를 씌여【11】 부귀호치(富貴豪侈) 듕 ᄉᆡᆼ댱ᄒᆞ니, 셰ᄉᆞ를 모로고 사ᄅᆞᆷ이 날을 나모라 ᄒᆞ믈 듯디 아녓더니, 구가의 니르러 가부의 박ᄃᆡ 태심ᄒᆞ고 법ᄉᆡᆨ 팔ᄌᆞ를 나모라 ᄒᆞ니, 년쇼 젼도ᄒᆞᆫ ᄆᆞ음의 우연이 분발ᄒᆞ여 말을 삼가지 못ᄒᆞ나, ᄉᆞ뷔 그ᄃᆡ도록 노ᄒᆞᆯ 줄 엇디 알니오. 쳔만 뉘웃ᄂᆞ니, 모로미 쳡

104)고두ᄇᆡ츅(叩頭拜祝) : 머리를 바닥에 조아려 절하며 소원을 빔.

105)필와(畢瓦) : 막내 딸. '와(瓦)'는 실을 감는 '실패'를 뜻하는 것으로 딸을 비유한 말. ☞ 농와지경(弄瓦之慶).

이 되믈 깃거ᄒᆞ며, 져을 놉히 듸졉ᄒᆞ【74】믈 양양(揚揚)ᄒᆞ여, 졔ᄌᆞ 등으로 더부러 뉴시을 붓드러 교ᄌᆞ 밧긔 ᄂᆡᄆᆡ, 뉴시 묘랑을 향ᄒᆞ여 졀ᄒᆞ고 그릇 실언ᄒᆞ물 일커러 뉘웃ᄂᆞᆫ 뜻즈로 만만 칭ᄉᆞᄒᆞ니, 묘랑은 이ᄉᆞᆼᄒᆞᆫ 요졍이라. 교아의 팔ᄌᆞ 험ᄒᆞ며 상모 불길ᄒᆞ물 명명(明明)이 지긔ᄒᆞ나, ᄌᆡ상지녀(宰相之女)요 명부지위(命婦地位)로 산문의 와 실언ᄒᆞ물 이르고, 장ᄂᆡ 수복을 축원코져 ᄒᆞ믈 보ᄆᆡ, 그 팔ᄌᆞ을 곳치지 못ᄒᆞᆯ 줄 알되, 아즉 그 마음을 다ᄅᆡ여 금ᄇᆡᆨ(金帛)을 낙고고져 ᄒᆞ여, 밧비 불젼의 녜ᄇᆡᄒᆞ라 ᄒᆞ니, 교ᄋᆡ 불젼의 나아가 고두ᄇᆡ츅(叩頭拜祝)[99]ᄒᆞ여 부부호합 유ᄌᆞᄉᆡᆼ녀을 쳥ᄒᆞ며, 뎡·진 등○[을] 쥭여 젹인 업시키을 원ᄒᆞ여 말마다 음악간교ᄒᆞ니, 부쳐 영험 곳 잇시면 가히 벌ᄒᆞᆯ 거시오, 원을 좃출니 업ᄉᆞᄃᆡ, 묘랑이 거즛 부쳐을 위ᄒᆞ노라 ᄒᆞ고[나], 졔 욕심을 위ᄒᆞ미오, 부쳐 븟드ᄂᆞᆫ 바ᄂᆞᆫ 업더라.

교ᄋᆡ 불젼의 ᄇᆡ례를 맛치ᄆᆡ 묘랑이 그윽ᄒᆞᆫ 당ᄉᆞ(堂舍)의 포진(鋪陳)을 ᄇᆡ셜ᄒᆞ여 뉴시을 안치고, 비로소 말을 펴 왈,

"빈되 쳐음 쇼져 팔ᄌᆞ을 주[츄]졈ᄒᆞ니 실노 놀나오미 젹지 아냐 진졍을 고ᄒᆞ엿더니, 쇼져 과도히 노ᄒᆞ시니 빈되 붓그려 다시 존ᄐᆡᆨ을 드ᄃᆡ지 말고져 쥬의여ᄂᆞᆯ, 이졔 부인 힝치 친님ᄒᆞᄉᆞ 영광이 무비(無比)ᄒᆞ니 감격ᄒᆞ여이다."

교ᄋᆡ 휘누 왈,

"쳡이 부모의 만ᄂᆡ 필아(畢兒)[100]로 ᄌᆞᄋᆡ을 씌여 부귀호치(富貴豪侈) 듕 ᄉᆡᆼ장ᄒᆞ니, 셰ᄉᆞ을 모로고 사ᄅᆞᆷ이 날을 나모라 ᄒᆞ믈 듯디 아냐더니, 구가의 니르러 가부의 박ᄃᆡ 태심ᄒᆞ고 법ᄉᆡᆨ 팔ᄌᆞ□□□□[을 나모라] ᄒᆞ니, 년소 젼도ᄒᆞᆫ ᄆᆞ음의 무[우]연이 분발ᄒᆞ여 말【75】을 삼가지 못ᄒᆞ나, ᄉᆞ뷔 그ᄃᆡ도록 노□□[ᄒᆞᆯ 줄] 엇지 알니오. 쳔만 뉘웃ᄂᆞ니 모로미 쳡의 경조[도](輕度)ᄒᆞ믈 용ᄉᆞᄒᆞ

99)고두ᄇᆡ츅(叩頭拜祝) : 머리를 바닥에 조아려 절하며 소원을 빔.

100)필아(畢兒) : 막내 아이.

의 경도(輕度)ᄒᆞ믈 용셔ᄒᆞ고 윤부 왕ᄂᆡ를 젼ᄀᆞᆺ치 ᄒᆞ고, 대소ᄉᆞ의 지휘ᄒᆞ라."

묘랑이 여러 번 빗ᄉᆡ오다가 허락고, 오반을 졍히 ᄒᆞ여 ᄃᆡ졉ᄒᆞ니, 교ᄋᆡ 즉시 도라올 거시로ᄃᆡ 묘랑을 다리고 오려ᄒᆞ므로, 암ᄌᆞ의 일야를 지ᄂᆡ고 명됴의 뉴시 묘랑으로 더브러 옥누항의 도라오니, 뉴시 묘랑을 반겨ᄒᆞ미 젹ᄌᆡ(赤子) ᄌᆞ모(慈母) 만남ᄀᆞᆺ【12】ᄐᆞ여, 별회 무궁ᄒᆞ니, 묘랑이 감격ᄒᆞ여 ᄒᆞᄂᆞᆫ디라. 묘랑을 경ᄋᆞ의 침소의 머므르고 ᄇᆡᆨᄉᆞ를 의논ᄒᆞᆯᄉᆡ, 뉴시 왈,

"ᄉᆞ부의 익봉ᄌᆞᆷ 효험이 긔특ᄒᆞ여 상공과 구패 젼후 두 사ᄅᆞᆷ이 되어시ᄃᆡ, 광텬은 여러 번 시험ᄒᆞ나 변심ᄒᆞ미 업ᄉᆞ니, 긔 엇진 일이뇨?"

묘랑이 침음냥구(沈吟良久)의 왈,

"어ᄉᆞ의 졍명지긔 츄밀 노야긔 승ᄒᆞ시고, 텬궁샹션(天宮上仙)이ᄆᆡ 요약이 범치 못ᄒᆞ여 먹은 젹마다 필연 토ᄒᆞ므로 변심치 아니미니이다."

뉴시 근심을 마디 아냐 왈,

"이러므로 내 일념이 방하(放下)치 못ᄒᆞᄂᆞᆫ ᄇᆡ나, 아딕 날회고, 뎡·딘 냥인을 ᄒᆡ코져 ᄒᆞᄂᆞ니, 임의 무고(巫蠱)를 존당과 내 침소의 베퍼시니, ᄉᆞ부ᄂᆞᆫ 일이 발각【13】ᄒᆞᆫ 후 여ᄎᆞ여ᄎᆞ ᄒᆞ여 졔 구구삼셜(九口三舌)106)이라도 발명치 못ᄒᆞ게 ᄒᆞ라."

묘랑이 쇼왈,

"부인 계괴 ᄀᆞ장 맛당ᄒᆞ나 무고를 힝ᄒᆞ려 ᄒᆞ면 뎡·진 이 쇼져 시비를 ᄉᆞ괴여, 믓ᄂᆞᆫ ᄊᆡ 복초케 ᄒᆞ미 올흐니이다."

뉴시 왈,

"내 ᄯᅩ 이 ᄯᅳᆺ이 이시ᄃᆡ 뎡·진의 비ᄌᆡ 다 튱심이 관일(貫一)ᄒᆞ여 쥬인 ᄒᆡᄒᆞᆯ ᄯᅳᆺ이 업ᄉᆞᆯ 쁜 아냐, 쳔인이 맛츰ᄂᆡ 반복기 쉬오니, 쳐음은 우리 말을 드러 동ᄉᆞᄒᆞ다가도, 광텬이 뎡·진 등을 원억(冤抑)히 넉여 브ᄃᆡ 신ᄇᆡᆨ(伸白)고져 ᄒᆞ여, 모진 위엄으로 복초ᄒᆞᆫ

106)구구삼셜(九口三舌) : '아홉 입과 세 혀'라는 뜻으로, 유창한 말주변으로 많은 말을 늘어놓는 것을 말함.

고 윤부 왕ᄂᆡ을 젼ᄀᆞᆺ치 ᄒᆞ여 대소ᄉᆞ을 지휘ᄒᆞ라."

묘랑이 여러 번 빗ᄉᆡ오다가 허락ᄒᆞ니, 교ᄋᆡ 묘랑과 ᄒᆞᆷ긔 오려 ᄒᆞ므로 이의셔 일야을 지ᄂᆡ다.

어시의 뉴소졔 묘랑으로 더부러 옥누항의 도라오니, 뉴시 묘랑 반기미 유ᄋᆡ(幼兒) ᄌᆞ모(慈母) 만남 갓트여 별회 무궁ᄒᆞ니, 묘랑을 경아 침소의 머무르고 ᄇᆡᆨᄉᆞ을 의논ᄒᆞᆯᄉᆡ, 뉴시 왈,

"ᄉᆞ부의 익봉ᄌᆞᆷ 효험이 긔특ᄒᆞ여 상공과 구파 젼후 두 ᄉᆞᄅᆞᆷ이 되엿시ᄃᆡ, 광쳔은 여러 번 시험ᄒᆞᄃᆡ 변심ᄒᆞ미 업ᄉᆞ니 그 엇진 일이뇨?"

묘랑이 침음양구(沈吟良久)의 왈,

"이 ᄉᆞᄅᆞᆷ의 졍명지긔 츄밀긔 셩ᄒᆞ고, 쳔궁상션(天宮上仙)이ᄆᆡ 요약이 범치 못ᄒᆞ여 먹은 젹마다 필연 토ᄒᆞ므로 변심치 아니미니다."

뉴시 근심을 마지 아냐 왈,

"이러므로 ᄂᆡ 일념이 방하치 못ᄒᆞᄂᆞᆫ ᄇᆡ나, 아직 날회고 뎡·진 양인을 ᄒᆡ코져 ᄒᆞ나니, 임의 무고(巫蠱)로 존당과 ᄂᆡ 침소의 베퍼시니, ᄉᆞ부ᄂᆞᆫ 일이 발각ᄒᆞᆫ 후 여ᄎᆞ여ᄎᆞ ᄒᆞ여 졔 아홉 입과 무[구]리 혀101)라도 발명치 못ᄒᆞ게 ᄒᆞ라."

묘랑이 소왈,

"부인 계교 맛당ᄒᆞ나, 무고을 힝ᄒᆞ려 ᄒᆞ면 뎡·진 이 소져 시비을 ᄉᆞ괴여, 믓ᄂᆞᆫ ᄊᆡ 복초케 ᄒᆞ미 올흐니다."

뉴시 왈,

"ᄂᆡ ᄯᅩ 이 ᄯᅳᆺ지 잇시ᄃᆡ, 뎡·진의 비ᄌᆡ 다 츙심이 관일(貫一)ᄒᆞ여 주인 ᄒᆡᄒᆞᆯ ᄯᅳ지 업ᄉᆞᆯ 쁜 아냐 ,쳔인이 마츰ᄂᆡ 반복기 쉬우니, 쳐음은 우리 말을 드러 종ᄉᆞᄒᆞ다가도, 광쳔이 뎡·진 등을 {졔 ᄯᅳᆺ을} 원억(冤抑)

101)구리 혀 : '동설(銅舌)'의 번역어. 조선조 궁중악기의 하나인 '순(錞)'에 달았던 작은 방울 모양의 것으로, 이것을 흔들어 소리를 냈다. 여기서는 방울소리처럼 유창한 말주변을 뜻한다.

비ᄌᆡ라도 다시 실상을 구획(究覈)ᄒᆞ여 져주면, 우리의 ᄀᆞᄅᆞ치믈 ᄃᆡ고ᄒᆞᆯ 거시니, ᄎᆞ고로 져의 비ᄌᆞ를 합심치 못ᄒᆞ노라.”

묘랑이 부인 말이 올흐【14】믈 ᄭᆡᄃᆞ라, 다만 교ᄋᆞ 등으로 더브러 흉ᄉᆞ를 힝ᄒᆞ니 위태 엇디 모로리오. 요예지물을 무든 지 오라디 아냐, 거즛 칭병ᄒᆞ고 상셕(床席)을 ᄯᅥ나디 아니터니, 믄득 ○○[극듕](極重)ᄒᆞᆫ 형상으로 셤어를 무궁히 ᄒᆞ며, 좌우의셔 검극(劍戟)든 군ᄉᆡ ᄌᆞ긔를 지르려 든다 ᄒᆞ여 병이 나날 더ᄒᆞ니, 츄밀이 비록 변심ᄒᆞ여시나 모친 환휘 이ᄃᆡ도록 ᄒᆞᄆᆡ 엇디 황황(惶惶)치 아니며, 어ᄉᆞ 형뎨의 우황(憂惶)ᄒᆞ믈 ᄯᅩ 엇디 비ᄒᆞ리오마ᄂᆞᆫ, 어ᄉᆞ 형뎨ᄂᆞᆫ ‘ᄉᆞ광(師曠)의 툥(聰)’107)이라. 조모 ᄆᆡᆨ후를 ᄉᆞᆯ핀즉 조곰도 위증(危症)이 업ᄉᆞᄃᆡ, 증졍(症情)과 셤어(譫語)108)ᄂᆞᆫ 괴이키의 밋ᄎᆞ니, 가변이 망측ᄒᆞ믈 ᄭᆡᄃᆞ라 모발(毛髮)이 숑연(悚然)ᄒᆞ고, 뎡・진・하・댱 ᄉᆞ 쇼져ᄂᆞᆫ 쥬야 경희뎐 난함(欄檻)을【15】 ᄃᆡ희여 시탕ᄒᆞ나, 뎡시ᄂᆞᆫ 이 환후의 근본을 아나, 진쇼져ᄂᆞᆫ 태부인 흉ᄒᆞᆫ 셤어를 듯고 ᄭᆡᄃᆞᆺ지 못ᄒᆞ여, 슉녈을 향ᄒᆞ여 왈,

“존당 좌우 벽간의 검극 든 군ᄉᆡ 나온다 ᄒᆞ시니, 원간 그 벽의 므어시 드럿ᄂᆞᆫ고 ᄯᅳ어 보미 무방ᄒᆞᆯ가 시브이다.”

뎡시 탄왈,

“현뎨 이를 ᄯᅳ더 보쟈 ᄒᆞ니, 우리 필연 블측지화(不測之禍)의 걸녀 어ᄂᆞ 곳의 밋출 줄 모로니, 죄목이 경ᄒᆡ(驚駭)ᄒᆞ고 부모긔 블효를 탄ᄒᆞ노라.”

진시 쳥파의 변ᄉᆡᆨ 왈,

“이럴진ᄃᆡ 아등의 몸을 장ᄎᆞᆺ 어나 ᄯᅡ희 두리오. 현져ᄂᆞᆫ 디략이 츌범ᄒᆞ시니 모르미

---

107)ᄉᆞ광(師曠)의 툥(聰) : 사광(師曠)은 춘추시대 진나라 음악가로, 소리를 들으면 이를 분별하여 길흉을 정확히 점쳤다 하여, 소리를 잘 분별하는 것을 ‘사광의 총명’이라 함.

108)셤어(譫語) : 헛소리. 잠꼬대.

히 역여 부ᄃᆡ 신ᄇᆡᆨ(伸白)고져 ᄒᆞ여 모친 위엄【76】으로 복초ᄒᆞᆫ 비ᄌᆞ라도 다시 실상을 구획(究覈)ᄒᆞ여 져주면, 우리의 가라치믈 직고ᄒᆞᆯ 거시니 ᄎᆞ고로 비ᄌᆞ을 합심치 못ᄒᆞ노라.”

묘랑이 부인 말이 올흐믈 ᄭᆡ다라 다만, 교아 등으로 더부러 흉ᄉᆞ을 힝ᄒᆞ니, 위뇌 엇지 모로리오. 요예지물을 무던지 오라지 아냐 거즛 칭병ᄒᆞ고 상셕(床席)을 ᄯᅥ나지 아니터니, 믄득 극듕(極重)ᄒᆞᆫ 형상으로 셤어을 무궁이 ᄒᆞ며 좌우의셔 검극(劍戟) ○[든] 군ᄉᆡ ᄌᆞ긔을 지르려 ᄒᆞᆫ다 ᄒᆞ며 병이 나날 더ᄒᆞ니, 츄밀이 비록 변심ᄒᆞ여시나, 모친 환휘 이ᄃᆡ도록 ᄒᆞᄆᆡ 엇지 황황(惶惶)치 아니며, 어ᄉᆞ 형뎨 우황(憂惶)ᄒᆞ믈 ᄯᅩ 엇지 비ᄒᆞ리오마ᄂᆞᆫ 어ᄉᆞ 형뎨ᄂᆞᆫ ‘ᄉᆞ광(師曠)의 총(聰)’102)이라, 조모 ᄆᆡᆨ후을 ᄉᆞᆯ핀 즉 조곰도 위증(危症)이 업ᄉᆞᄃᆡ 증졍(症情)과 셤어(譫語)103)ᄂᆞᆫ 가[고]이키의 밋츠니, 가변이 망측ᄒᆞ믈 ᄭᆡ다라 모발(毛髮)이 송연(悚然)ᄒᆞ고, 뎡・진・하・장 ᄉᆞ 소져ᄂᆞᆫ 쥬야 경희젼 난ᄒᆞᆷ(欄檻)의 직희여 시탕ᄒᆞ며, 뎡시ᄂᆞᆫ 이 환후의 근본을 아나, 진소져ᄂᆞᆫ ᄐᆡ모의 흉ᄒᆞᆫ 셤어을 듯고 ᄭᆡ닷지 못ᄒᆞ여, 슉녈을 ᄃᆡᄒᆞ여 왈,

“존당 좌우 벽간의 ○…결락19자…○[검극 든 군ᄉᆡ 나온다 ᄒᆞ시니, 원간 그 벽의 므어시] 드런ᄂᆞᆫ가 ᄯᅳ더보미 무방ᄒᆞᆫ가 시버이다.”

뎡시 탄왈,

“현뎨 이을 ᄯᅳ더보라 ᄒᆞ니, 우리 필연 불측지화(不測之禍)을[의] 걸녀 어ᄂᆡ 곳의 맛출 쥴 모로니 죄목이 경ᄒᆡᄒᆞ고 부모긔 불효을 한ᄒᆞ노라.”

진시 쳥파의 변ᄉᆡᆨ 왈,

“이럴진ᄃᆡ 아등의 몸이 장ᄎᆞᆺ 어나 ᄯᆞ히 두리오. 현뎨[뎌](賢姐)ᄂᆞᆫ 지략이 츌범ᄒᆞ시

---

102)ᄉᆞ광(師曠)의 총(聰) : 사광(師曠)은 춘추시대 진나라 음악가로, 소리를 들으면 이를 분별하여 길흉을 정확히 점쳤다 하여, 소리를 잘 분별하는 것을 ‘사광의 총명’이라 함.

103)셤어(譫語) : 헛소리. 잠꼬대.

각별 도모ᄒᆞ여 피화케 ᄒᆞ쇼셔."

뎡시 왈,

"셩인도 오는 익을 면치 못ᄒᆞ시니, 내【16】 므ᄉᆞᆫ 사ᄅᆞᆷ이라 화란(禍亂)을 피ᄒᆞ리오. 다만 각각 압히 굽지 아니코 지은 죄업ᄉᆞ니, 신명이 ᄇᆞᆰ히 질졍(叱正)ᄒᆞ믈 미들 ᄯᆞᄅᆞᆷ이니, 미리 근심ᄒᆞ여 구구(區區)히 슬허ᄒᆞ미 가치 아니ᄒᆞ니, ᄉᆞᄉᆡᆼ지졔(死生之際)의 요동치 말디니 무익히 구지 말나."

진쇼졔 역시 그러히 넉이나, 위노(老)의게 졸니기의 만히 상ᄒᆞ여 감슈홀 징죄 무슈ᄒᆞᆫ디라. 뎡시의 말을 드ᄅᆞᄆᆡ 강인(强忍)ᄒᆞ여 황황ᄒᆞᆫ 거동을 아니나, 경황ᄒᆞ믈 니긔지 못ᄒᆞ더라.

뉴부인이 어ᄉᆞ 형뎨를 ᄃᆡᄒᆞ여 태부인 환휘 예ᄉᆞ 질환이 아니니, 술ᄉᆞ(術士)를 불너 망긔(望氣)[109]ᄒᆞᄌᆞ ᄒᆞ니, 어ᄉᆞ 형뎨 뉴부인 작용을 거울ᄀᆞᆺ치 짐작ᄒᆞ니, 가변을【17】 경심ᄎᆞ악(驚心嗟愕)ᄒᆞ나, 일이 되여가믈 보려 ᄒᆞ여, 오직 츄연 ᄃᆡ왈,

"술ᄉᆡ 아니라타, 쇼딜과 희텬이 각별 두로 살펴 보온 즉, 아라 ᄂᆡ오리니 금일 죵용히 술펴 보샤이다."

뉴부인이 돈죡(頓足)[110] 혼동 왈,

"너희 엇디 이리 이완(弛緩)ᄒᆞ뇨? 존고 환휘 일시의 듕ᄒᆞ시니, 요얼(妖孼)[111]을 스ᄉᆞ로 아라 볼가 시브거든, 어셔 두로 술펴 밧비 파 ᄂᆡ게 ᄒᆞ라."

어ᄉᆞ 형뎨 다시 말을 아니코, 임의 좌우 벽 ᄉᆞ이의 요ᄉᆡ(妖邪) 어릐여시를 ᄇᆞᆰ히 아라 벽을 ᄯᅳᆺ고 본 즉, 사ᄅᆞᆷ의 ᄆᆡ골(埋骨)과 괴이ᄒᆞᆫ 즘ᄉᆡᆼ과 검극(劍戟) 든 목인을 나[너], 요예지물이 무슈ᄒᆞ니, 뉴시 이를 보고 손벽 쳐 왈,

"고금 쳔하의 이런 일이 어ᄃᆡ 이시리오. 존고【18】 침뎐의 요예지물을 이ᄀᆞᆺ치 뭇고, 나죵이 무ᄉᆞᄒᆞ랴으로[112] 아랏더냐?"

---

109)망긔(望氣) : 엉기어 있는 기운(氣運)을 보아서 일의 조짐을 알아냄.

110)돈죡(頓足) : 발을 구름.

111)요얼(妖孼) : 요악한 귀신의 재앙. 또는 재앙의 징조.

니 모로미 각별 도모ᄒᆞ여 피화케 ᄒᆞ소셔."

뎡□□[시 왈],

"셩인도 오는 익을 면치 못ᄒᆞ시니 ᄂᆡ 무ᄉᆞᆷ ᄉᆞᄅᆞᆷ【77】이라 화란(禍亂)을 피ᄒᆞ리오. 다만 각각 □□[압히] 굽지 아니니 되어가물 볼 ᄯᆞᄅᆞᆷ이라, 현마[104] 엇지리오."

ᄒᆞ더라.

어ᄉᆞ 형뎨 임의 짐작고 불승(不勝) 히연(駭然)ᄒᆞ나, 마지 못ᄒᆞ여 ᄐᆡ부인 셤어을 조ᄎᆞ 침젼 좌우을 벽틈을 ᄯᅳᆺ고 요예지물을 무슈히 집어ᄂᆡ니, 뉴시 손으로 ᄯᆞᄒᆞᆯ 치며 고셩ᄃᆡᄆᆡ 왈,

---

104)현마 : 설마. 아무리 하기로.

뎡·딘 등의 화ᄋᆡᆨ(禍厄)이 어나 디경의 밋ᄎᆞᆯ고.

ᄎᆞ셜 윤어ᄉᆞ 형데 태부인 침당 벽틈의 요예지물을 무슈히 파 ᄂᆡ니, 뉴시 돈족 왈,

“존당 셩덕으로 뎡·진·하·댱 등을 무휼ᄒᆞ샤 ᄌᆞᄋᆡ ᄌᆞ별ᄒᆞ시니, 원쉬 어나 곳의 밋쳐 가듕의 흉ᄉᆞ를 비치ᄒᆞ고, 디존을 무고ᄒᆞ미 이 디경의 밋ᄎᆞ리오. 튝ᄉᆞ를 보건ᄃᆡ 말이 흉참ᄒᆞ고 글시 뎡·딘의 필체니 강상(綱常)의 변(變)이라. 너의 ᄉᆞ정으로 믈시(勿視)ᄒᆞ려 ᄒᆞ나, 내 도리 ᄌᆞ부항(子婦行)의셔 존고 위질이 무고지ᄉᆞ(巫蠱之事)로 비로ᄉᆞᆫ 줄 안 후, 엇디 타연(泰然) 괄시(恝視)ᄒᆞ리오.”

이에 튝ᄉᆞ를 가지고【19】 침소의 오니, 츄밀이 묘랑의 요약의 경긔를 일허 도봉즘독이 ᄎᆡ 풀니지 아냐, 일신을 ᄌᆞ통ᄒᆞᄂᆞᆫ 고로 젼연 브디ᄒᆞ고, 뉴시 침소의 머리를 박고 신음ᄒᆞᆯ ᄲᅮᆫ이오, 모환이 위악ᄒᆞ시믈 모로니, 뉴시 ᄊᆡᆨ를 타 뎡·진을 강상대죄의 모라 너허 셔르ᄌᆞ려 ᄒᆞ니, 희라! 뎡·딘 냥 쇼졔 구구삼셜(九口三舌)이나 폭ᄇᆡᆨ(暴白)지 못ᄒᆞᆯ디라.

어ᄉᆞ 형데 가변의 빌ᄆᆡ믈 디긔ᄒᆞ고, ᄒᆞᆯ일업셔 의약으로 치료ᄒᆞᆫ ᄲᅮᆫ이러니, 홀연 뉴시 혼동으로 좃ᄎᆞ ○○○[무슈ᄒᆞᆫ] 요예지물과 튝ᄉᆞ의 흉ᄒᆞ미 ᄎᆞ악ᄒᆞ니, 심하의 가변을 슬허ᄒᆞ나 무가ᄂᆡ하라. 그 흉예지물을 파 ᄂᆡᄆᆡ 뉴시 모녜 ᄯᅡ라가며 쥬으믈 보ᄃᆡ 개【20】구ᄒᆞ미 어렵고, 태부인 머리 두ᄂᆞᆫ 벽틈을 다 ᄯᅳ더 요예지물을 업시ᄒᆞ며, 쥬ᄉᆞ(朱砂)[113]로 《약을 환‖약의 화(化)》ᄒᆞ여

“존당이 셩덕으로 뎡·진·하·장 등 제부을 무휼ᄒᆞᄉᆞ ᄌᆞᄋᆡ 잘[자]별(自別)ᄒᆞ시거늘 원쉬 어ᄂᆡ 곳의 ᄆᆡ쳐 가듕의 흉ᄉᆞ을 비치ᄒᆞ고 지존을 무고ᄒᆞ미 이 지경의 밋쳐ᄂᆞ뇨? 츅ᄉᆞ을 보건ᄃᆡ 말이 흉참ᄒᆞ고 글시 뎡·진 이 질부의 필체니, ᄎᆞᄂᆞᆫ 강상ᄃᆡ변(綱常大變)이라. 여등이 ᄉᆞ정으로 《무르시고져‖물시ᄒᆞ려》ᄒᆞ나, 네[내] 도리의 엇지 참아 그져 《두려ᄒᆞᄂᆞ뇨‖두리오》. 존고의 위질이 무고ᄉᆞ(巫蠱事)로 비로ᄉᆞ믈 아니, 이런 ᄃᆡ변을 불가ᄉᆞ문어타인(不可使聞於他人)이라.”

이러틋 고셩ᄃᆡᄆᆡᄒᆞ니, 츄밀은 날노 실혼상성ᄒᆞ여 변ᄉᆞ을 젼연 부지ᄒᆞ고, 침소의 머리을 움쳐 신음ᄒᆞᆯ ᄲᅮᆫ이오, 모친 병셰 위악ᄒᆞ믈 모로니, 뉴시 ᄊᆡᆨ을 타 뎡·진을 강상ᄃᆡ죄(綱常大罪)로 모라 너흐려 ᄒᆞ니, ᄎᆞ회라! 뎡·진 양인이 열 입이 잇신들 어ᄃᆡ 가 ᄋᆡᄆᆡᄒᆞ물 발명(發明)ᄒᆞ리오.

어ᄉᆡ 형제 의외의 조모 환휘 듕ᄒᆞ고 거동이 슈상ᄒᆞ니 발셔 가변이 빌ᄆᆡ 되물 지긔ᄒᆞᄂᆞ, ᄒᆞᆯ일 업셔 다만 의약으로 치료ᄒᆞᆯ ᄲᅮᆫ이러니, 홀연 뉴시 혼동ᄒᆞ여 술ᄉᆞ[105]을 어더 무슈ᄒᆞᆫ 요예지물을 ○○○[파 ᄂᆡᄆᆡ], 츅ᄉᆞ의 흉참ᄒᆞ미 여ᄎᆞᄒᆞ니, 가변을 슬허ᄒᆞ나 무가ᄂᆡ하라. 흉예지물을 뉴【78】시 모녀 ᄯᅡ라가 주으믈 보고, 긔[ᄀᆡ]구(開口)ᄒᆞ미 업셔, 다만 단ᄉᆞ(丹砂)[106]을 약의 화ᄒᆞ여 ᄐᆡ부인의 ᄉᆞ증(邪症)을 진졍케 ᄒᆞ나, 흉ᄒᆞ[ᄒᆞᆫ]

---

112)무ᄉᆞᄒᆞᆯ 양으로 : 무사 할 것으로. ‘양’은 어미 ‘을’ ‘ㄹ’ 뒤에 ‘양으로’, ‘양이면’의 꼴로 쓰여, ‘의향’이나 ‘의도’의 뜻을 나타내는 말.

113)쥬ᄉᆞ(朱砂) : 수은으로 이루어진 황화 광물. 육방정계에 속하며 진한 붉은색을 띠고 다이아몬드 광택이 난다. 흔히 덩어리 모양으로 점판암, 혈암, 석회암 속에서 나며 수은의 원료, 붉은색 안료(顔料), 약재로 쓴다. ☞단사(丹沙). 진사(辰砂)

105) 낙선재본에는 ‘술사’를 부르지 않고 광천 형제가 직접 무수한 요예지물들을 파낸다.

106)단ᄉᆞ(丹砂) : 수은으로 이루어진 황화 광물. 육방정계에 속하며 진한 붉은색을 띠고 다이아몬드 광택이 난다. 흔히 덩어리 모양으로 점판암, 혈암, 석회암 속에서 나며 수은의 원료, 붉은색 안료(顔料), 약재로 쓴다. ☞주사(朱沙). 진사(辰砂)

ᄉᆞ긔(邪氣)를 진정케 ᄒᆞᆫ 후, 구호ᄒᆞᄂᆞᆫ 졍셩이 가득ᄒᆞᄃᆡ, 냥흉(兩凶)이 임의 의논ᄒᆞᆫ 일이라. 독ᄒᆞᆫ 소ᄅᆡ로 어ᄉᆞ 형뎨를 슈죄(數罪)ᄒᆞ여, '한미 죽이랴 져쥬ᄒᆞᄂᆞᆫ 간ᄉᆞ를 급히 ᄉᆞ획(查覈)ᄒᆞ라' 보치니, ᄃᆡᄉᆞᄂᆞᆫ 다만 샤죄ᄒᆞᆯ ᄲᅮᆫ이오, 어ᄉᆞᄂᆞᆫ 이셩낙ᄉᆡᆨ(怡聲樂色)으로 ᄃᆡ왈,

"가듕의 요얼을 창포(脹鋪)ᄒᆞ고 디존을 져쥬ᄒᆞᄂᆞᆫ 변이 진실노 공참(孔慘)[114]ᄒᆞᆫ디라, 왕뫼 ᄉᆞ획지 말과져 ᄒᆞ시나 안연이 물시치 못ᄒᆞ오리니, 엇지 셩녀를 번거롭게 ᄒᆞ리잇고? 셩휘 가복ᄒᆞ신 후 샤획ᄒᆞ리이다."

위흉은 오히려 잠잠ᄒᆞᄃᆡ, 경ᄋᆡ 쇼왈,【21】

"범ᄉᆡ 급격물실(急擊勿失)[115]이라. 왕모 침뎐의 대변을 쳔연ᄒᆞ리오."

발연이 니러나 침소의 도라가, 신묘랑으로 더브러 셕상셔의 변심ᄒᆞᆯ 약뉴를 의논ᄒᆞ고, 뉴시ᄂᆞᆫ 요예지물과 톡ᄉᆞ를 시ᄋᆞ로 들니고 츄밀을 향ᄒᆞ여 ᄀᆞᆯ오ᄃᆡ,

"군ᄌᆡ 유질ᄒᆞ시므로 존당 질셰를 ᄉᆞᆯ피지 못ᄒᆞ시고 가변을 모로시거ᄂᆞᆯ, 광텬 등이 각각 쳐ᄌᆞ의 고혹ᄒᆞ여 존고 환후ᄂᆞᆫ 일분 고렴(顧念)ᄒᆞ미 업고, 쳡이 ᄇᆡᆨᄉᆞ를 친집ᄒᆞ여 질통(疾痛)ᄒᆞ시ᄂᆞᆫ 증셰를 디향치 못ᄒᆞ더니, 귀ᄆᆡ 작난ᄒᆞ여 존고 신상을 침노ᄒᆞ여 셤어를 쥬야 ᄒᆞ시니, 금일이야 쳡이 망긔ᄌᆞ(望氣者)를 어더 살피려 ᄒᆞ니, 딜ᄋᆞ 형뎨 벽틈의 져히 너흔 ᄃᆞ시 ᄯᅳ더 ᄂᆡ【22】고, 톡ᄉᆞ를 소화ᄒᆞ려 ᄒᆞ미 슈상ᄒᆞ여 아ᄉᆞ 오니, 쳡을 믜워ᄒᆞ미 삼키고져 ᄒᆞ리이다마ᄂᆞᆫ, ᄒᆞᆫ갓 져히 안면을 구ᄋᆡᄒᆞ여 존고를 져주ᄒᆞᄂᆞᆫ 악ᄉᆞ를 무더 두리잇가? ᄎᆞᄋᆞ(此兒) 등의 흉패ᄒᆞᆷ과 뎡·진·하·댱의 투악이 쳔고(千古)의 업ᄉᆞᆫ 대악발뷔(大惡潑婦)라. 쳡의 딜녀를 광텬의 가실(家室)의 쳐ᄒᆞ여 ᄎᆞ악ᄒᆞᆫ 박ᄃᆡ 예ᄉᆡ

114)공참(孔慘) : 매우 참혹함.

115)급격물실(急擊勿失) : 급하게 쳐서 때를 놓치지 말아야 함.

고식(姑息)이 임의 의논ᄒᆞᆫ 일이라, 약을 다 마신 후, 흉ᄒᆞᆫ 소ᄅᆡ로 어ᄉᆞ 형뎨을 수죄(數罪)ᄒᆞ며, '수히 날을 죽이려 ᄒᆞᄂᆞᆫ 악인을 ᄉᆞ획(查覈)ᄒᆞ여 ᄂᆡ라' 벼락치듯 보치니, 직ᄉᆞᄂᆞᆫ 다만 ᄉᆞ죄ᄒᆞᆯ ᄲᅮᆫ이오, 어ᄉᆞᄂᆞᆫ 이셩낙ᄉᆡᆨ(怡聲樂色)으로 ᄃᆡ왈,

"가ᄂᆡ의 요얼을 장포(藏鋪)ᄒᆞ고 지존을 져주ᄒᆞᄂᆞᆫ 변이 실노 공참(孔慘)[107]ᄒᆞ온지라, 왕뫼 ᄉᆞ획지 말고져 ᄒᆞ실지라도 마지 못ᄒᆞ오리니, 셩념을 번극ᄒᆞ시게 ᄒᆞ리잇가마ᄂᆞᆫ 셩휘 ᄎᆞ복ᄒᆞ신 이후의 ᄉᆞ획고져 ᄒᆞᄂᆞ이다."

위흉은 오히려 잠잠ᄒᆞᄃᆡ, 경ᄋᆡ ᄂᆡᆼ소 왈,

"왕모 침젼의 져주(詛呪)ᄒᆞᆫ ᄇᆡ을 일ᄌᆞ을 쳔연ᄒᆞ려 ᄒᆞ미 거거의 오활(迂闊)[108]ᄒᆞ미로다."

발연이 이러나 졔 침소로 가 신묘랑으로 더부러 셕ᄉᆡᆼ의 변심ᄒᆞᆯ 약뉴을 의논ᄒᆞ고 나올ᄉᆡ, ○○○[뉴시ᄂᆞᆫ] 요예지물과 츅ᄉᆞ을 가져 윤공을 향ᄒᆞ여 왈,

"군ᄌᆡ 유질ᄒᆞ시니 모로미 《촌고‖존고》의 병셰을 ᄉᆞᆯ피지 못ᄒᆞ고 가듕의 ᄃᆡ변을 몰나 광천 희천이 각각 쳐실의게 혹ᄒᆞ여 《촌당‖존당》 환후ᄂᆞᆫ 일분 우렴(憂念)ᄒᆞ미 업고, 쳡이 ᄇᆡᆨᄉᆞ을 친집ᄒᆞ여 의약 미죽의 ᄒᆞᆫ ᄢᅵ ᄒᆞᆫ가ᄒᆞ믈 엇지 못ᄒᆞ여, 질통(疾痛)ᄒᆞ시ᄂᆞᆫ 증셰을 지향치 못ᄒᆞ더니, 귀ᄆᆡ 작난ᄒᆞ여, 존고의 침상을 병장기 든 귀신이 좌우로 돌입ᄒᆞ믈 놀나ᄉᆞ, 셤어을 ᄒᆞᄉᆞ, 금일이야 쳡이 망긔ᄌᆞ(望氣者)을 어더 침젼을 ᄉᆞᆯ피ᄆᆡ, 요예지물과 츅□□□[ᄉᆞ을 어]더ᄂᆡ니 가변의 ᄎᆞ악ᄒᆞ미 이만 크미 업ᄂᆞᆫ지라. ᄎᆞ아(此兒)【79】 등의 흉ᄑᆡᄒᆞᆷ과 뎡·진·하·장의 □□□[요악ᄒᆞ]미 문호을 진멸(盡滅)ᄒᆞᆯ 거동이로ᄃᆡ, 실노 쳡이 질녀을[ᄂᆞᆫ] 광아의 가실의 일홈만 잇고, 참혹ᄒᆞᆫ 박ᄃᆡᄂᆞᆫ 니르도 말고,

107)공참(孔慘) : 매우 참혹함.

108)오활(迂闊) : 사리에 어둡고 세상 물정을 잘 모름.

오, 뎡・진의 독ᄒᆞᆫ 슈단과 모진 ᄆᆡ의 《훈‖혼(魂)》○[을] 아여[116] 숨만 결녀시니, 더욱 딜ᄋᆞ로 혐의로와 죽은 ᄃᆞ시 지ᄂᆡ더니, 금일 보니 그만ᄒᆞ여 두어ᄂᆞᆫ 졈졈 챵궐(猖獗)ᄒᆞ여 가란이 어나 디경의 밋츨 줄 모로니, 상공은 명ᄇᆡᆨ히 샤획ᄒᆞ여 엄히 쳐치ᄒᆞ여 후환을 더르쇼셔."

츄밀이 도금ᄒᆞ여ᄂᆞᆫ 광명【23】ᄃᆡᆨᄇᆡᆨ(光明直白)ᄒᆞᆫ 결단이 아조 업셔 ᄒᆞᆫ 어림장이 되어시니, 뉴시의 요언을 언언이 신쳥(信聽)ᄒᆞᄂᆞᆫ디라. 쇌니 어ᄉᆞ 형뎨를 명소ᄒᆞ니, 어ᄉᆞ 등이 뎡당으로셔 도라오디 아냐 의약을 의논ᄒᆞ고, 뎡・진・하・댱 ᄉᆞ 쇼져ᄂᆞᆫ 미듁(糜粥)의 온ᄂᆡᆼ(溫冷)을 맛초아 동동쵹쵹(洞洞屬屬)ᄒᆞ미 신기(神祇)를 감동ᄒᆞᆯ ᄇᆡ로ᄃᆡ, 명되(命途) 다험ᄒᆞ니 무가ᄂᆡ하(無可奈何)라.

뎡쇼져ᄂᆞᆫ 건샹(乾象)을 술펴 ᄌᆞ긔 등의 신슈(身數)를 넉넉히 ᄉᆞ못ᄎᆞ니, 탄ᄒᆞᆯ 거시 업ᄉᆞᄃᆡ, 딘쇼져의 약질과 하쇼졔 친개 업고, 싀험ᄒᆞᆫ 고모의 모진 손씨의 조로고 보ᄎᆡ다가 그 은은간간(誾誾侃侃)[117]ᄒᆞ고 뉴졍유일(惟精惟一)[118]ᄒᆞ여 일분 원심이 업셔 지효ᄒᆞ믈 더욱 믜워, 아모 일노나 슈히 맛고져 ᄒᆞ므로, 뎡쇼졔 더욱【24】 잔잉ᄒᆞ믈 니긔지 못ᄒᆞ여 보호ᄒᆞ믈 여린 옥ᄀᆞᆺ치 ᄒᆞ고, 하쇼져의 디극ᄒᆞᆫ 인ᄌᆞ셩심(仁慈誠心)을 댱쇼졔 션복(善服)ᄒᆞ여 의앙ᄒᆞᄂᆞᆫ 졍이 골육ᄀᆞᆺᄐᆞ니 이신일심(二身一心)이라. 뉴시의 싀이ᄂᆞᆫ ᄇᆡ 당치 못ᄒᆞᆯ ᄇᆡ면 ᄒᆞᆫ가지로 하쇼져를 도으ᄃᆡ 가뭇업시ᄒᆞ니[119], ᄉᆞ인은 텬의 유의ᄒᆞ시믈 알디라.

어ᄉᆞ 형뎨 공의 명을 니어 응명ᄒᆞ니, 츄밀이 금구(衾具)를 두로고 니러 안ᄌᆞ 냥인을 냥구찰시(良久察視)라가, 탄왈,

116)아이다 : 빼앗기다.
117)은은간간(誾誾侃侃) : 온화하고 강직함.
118)뉴정유일(惟靜惟一) : 조용하고 한결같음.
119)가뭇업다 : 가뭇없다. ①눈에 띄지 않게 감쪽같이 하다. ②보이던 것이 전혀 보이지 않아 찾을 곳이 감감하다.

뎡・진의 투기 녀무(呂武)[109]의 지나, 졸직(拙直)[110]ᄒᆞᆫ 아ᄒᆡ 그 흉ᄒᆞᆫ ᄆᆡ와 독ᄒᆞᆫ 형벌의 혼(魂)을 아여[111] 숨만 결녀시나, 이 아ᄒᆡ로 더부러 더욱 혐의로와 죽은 드시 참고 잇더니, 금일 여ᄎᆞ ᄃᆡ변을 당ᄒᆞ여시니, 상공(相公)도 약[양]목(兩目)이 잇셔 인ᄌᆞ지심이 잇거든 명쾌히 ᄉᆞ획ᄒᆞ여 엄히 쳐치ᄒᆞ소셔."

츄밀이 광명(光明)ᄒᆞᆫ 긔운이 업셔 ᄒᆞᆫ 어림장이 되엿시니 뉴녀의 말을 ᄒᆞᆫ가지ᄂᆞ 신쳥(信聽)치 아니리오. 언언이 어지리 녁여 쇌니 어ᄉᆞ 형뎨을 브르니, 어ᄉᆞ 등이 ᄐᆡ부인 침젼의셔 약을 의논ᄒᆞ고, 뎡・진・하・장 소져ᄂᆞᆫ 미죽(糜粥)의 온ᄂᆡᆼ(溫冷)을 맛초아 동쵹(洞屬)ᄒᆞᆫ 졍셩이 가ᄌᆞᆨᄒᆞ여 족히 신기(神祇)로[를] 감동ᄒᆞᆯ ᄇᆡ로ᄃᆡ, 명운(命運)이 다험ᄒᆞ여 졈졈 ᄃᆡ익이 다쳡(多疊)ᄒᆞ니 무가ᄂᆡ하(無可奈何)라.

뎡소져ᄂᆞᆫ 발셔 ᄌᆞ가 등의 신수(身數)을 지긔ᄒᆞᄆᆡ, 싀로이 탄ᄒᆞᆯ 거시 업ᄉᆞᄃᆡ, 진시 약질과 하시의 친가 업ᄉᆞᆫ 듕, 포악ᄒᆞᆫ 고모(姑母)의 모진 솜시로 달고 보ᄎᆡ다가, 그 은은간간(誾誾侃侃)[112]ᄒᆞ여 일분 원심 업ᄉᆞ믈 더욱 믜워 아모 일노나 수히 맛고져 ᄒᆞ므로, ○○○[뎡소제] 더욱 잔잉ᄒᆞ여 보호ᄒᆞ믈 여린 옥 갓치 ᄒᆞ고, 장소져 하시이[의] 지극ᄒᆞᆫ 셩심(誠心)을 항복ᄒᆞ여 의앙(依仰)ᄒᆞᄂᆞᆫ 졍이 골육 가트니, 뉴녀 시긔ᄂᆞᆫ 바 당치 못ᄒᆞᆫ[ᄒᆞᆯ] ᄇᆡ로ᄃᆡ, ᄒᆞᆫ가{가}지로 도으니, ᄉᆞ인은 쳔의 유의ᄒᆞ신 줄 알너라.

어ᄉᆞ 형뎨 츄밀의 명을 이어 츄진(趨進)ᄒᆞ니, 츄밀이 양【80】인을 이윽히 찰시(察

109)녀무(呂武) : 중국의 대표적인 여성권력자인 한(漢)나라 고조(高祖)의 황후 여후(呂后) 여치(呂雉?-BC108)와 당(唐)나라 고종의 황후 측천무후(則天武后) 무조(武曌 : 624-705)를 함께 이르는 말.
110)졸직(拙直) : 성격이 고지식하고 주변이 없음.
111)아이다 : 빼앗기다.
112)은은간간(誾誾侃侃) : 온화하고 강직함.

"여등이 풍신직홰(風神才華)[120] 츌인(出人)ᄒᆞ고 션형(先兄)의 ᄌᆞ최를 늣겨 광금(廣衾)이 쳐량ᄒᆞ여 좌우로 품어 슉딜이 부ᄌᆞ의 졍을 아오로니, 뉸긔 ᄌᆞ별어타인(自別於他人)[121]이로ᄃᆡ, 힝ᄉᆡ 졈 【25】 졈 불쵸(不肖)ᄒᆞ믄 니르도 말고, 내 병이 오ᄅᆡ 고통ᄒᆞ고 존당 환휘 위경(危境)의 밋쳐시ᄃᆡ, 증셰 져쥬(詛呪)로 빌미ᄒᆞᆫ 줄 알며 ᄉᆞᆯ피디 아니타가, 부인이 경동ᄒᆞ여 술ᄉᆞ를 브르ᄌᆞ ᄒᆞᄆᆡ, 믄득 스ᄉᆞ로 파 ᄂᆡᄃᆡ, 일이 즁대ᄒᆞ고 악ᄉᆡ 괴이ᄒᆞ믈 ᄉᆞ획(查覈)디 아냐, ᄌᆞ듕(自重)으로 ᄀᆞᆷ초아 비ᄌᆞ도 츄문ᄒᆞᆯ 의ᄉᆡ 업스니, 내 병이 금일은 잠간 나은 ᄃᆞᆺᄒᆞᄃᆡ 졍신이 오히려 혼미ᄒᆞ여 듕죄를 실획(實覈)지 못ᄒᆞ니, 내 압히셔 뎡당 시ᄋᆞ와 각당 시ᄋᆞ를 다 엄형츄문(嚴刑推問)ᄒᆞ라."

어ᄉᆡ 근ᄂᆡ의 계부의 병근이 귀ᄆᆡ(鬼魅)의 홀니임 ᄀᆞᆺᄐᆞ여 츄상ᄀᆞᆺᄐᆞᆫ 긔상이 완연이 어림장이 되 【26】 여 쥬야 뉴시 방즁의 잠겨 거디(擧止) 당황(唐惶)ᄒᆞ믈 깁히 두리고, 그 삼일 대통ᄒᆞᆯ ᄯᅢ는 황황숑구(惶惶悚懼)ᄒᆞᆫ 듕, ᄃᆡᆨᄉᆞ의 초황(焦惶)[122]ᄒᆞ믈[여] 호언 위로ᄒᆞ며, 형뎨 ᄯᅴ를 그르디 아니ᄒᆞ고 ᄒᆡᆼ블이역(行不移易)[123]ᄒᆞ여, ᄃᆡᆨᄉᆞ는 형용이 초고(憔枯)[124]ᄒᆞ더니, 질셰(疾勢) 우연(尤然)[125]ᄒᆞᄆᆡ 믄득 외당 거쳐를 아니ᄒᆞ고 ᄂᆡ실(內室)의셔 와상(臥床)을 ᄯᅥ나디 못ᄒᆞ여, 태부인 환후도 시호(侍護)ᄒᆞ믈 폐ᄒᆞ고 가듕 요얼은 졈졈 챵궐ᄒᆞ니, 가란이 아모 디경(地境)의 밋출 줄 모를디라, 형뎨 위구ᄒᆞ더니, 뉴시 술ᄉᆞ를 불너 망긔ᄒᆞ쟈 ᄒᆞ믄 발셔 안 일이

120)풍신직홰(風神才華) : 풍채와 재주. 사람의 겉으로 드러나 보이는 모습과 타고난 재주.

121)ᄌᆞ별어타인(自別於他人) : 다른 사람보다도 남다르고 특별한 데가 있다.

122)초황(焦惶) : 초조하여 어찌할 바를 모름.

123)ᄒᆡᆼ블이역(行不移易) : 행동을 조금도 달리함이 없음.

124)초고(憔枯) : 몸이 몹시 마르고 야위어 수척함.

125)우연(尤然) : 더욱 더함.

視)ᄒᆞ다가 탄왈,

"여등이 풍신직홰(風神才華)[113] 출범(出凡)ᄒᆞ고 션형(先兄)의 ᄌᆞ최을 늣겨 광금(廣衾)이 쳐량ᄒᆞ여{도} 여등을 좌우의 품어 슉질과 부ᄌᆞ의 졍을 아오란 ᄇᆡ, 윤상(倫常)[114]의 ᄌᆞ별터니, 너의[희] ᄒᆡᆼᄉᆡ 졈졈 불효불초(不孝不肖)ᄒᆞ믈[믄] 니르도 말고, ᄂᆡ 병이 ᄉᆞ오일 고통ᄒᆞ고, ᄌᆞ당 환휘 위경(危境)의 밋쳐셔도, 그 증셰 젼혀 져주의 빌민쥴 알고○[도] 완이ᄒᆞ며[매], 경동ᄒᆞ여 부인이 술ᄉᆞ을 어더 잡으되, 일이 듕ᄃᆡᄒᆞ고 악ᄉᆡ 《이상ᄒᆞ믈 ‖ 이상ᄒᆞᆫ데도》 ᄉᆞ획(查覈)지 아닛는다 ᄒᆞ니, 지존의 무고지ᄉᆞ(巫蠱之事)을 감초아 작악ᄌᆞ(作惡者)을 잡아 다ᄉᆞ릴 ᄯᅳᆺ지 업ᄉᆞ믄, 그 마음을 미루어 어ᄂᆡ 지경의 밋출 줄 모로리니, ᄂᆡ 병이 금일은 져기 덜ᄒᆞ나, 젼[졍]신이 ᄯᅵᆨᄯᅵᆨ 혼미ᄒᆞ여 ᄉᆞ획지 못ᄒᆞ니, ᄂᆡ 알ᄑᆡ셔 뎡당 시아ᄇᆡ(侍兒輩)와 각당 시비을 엄형츄문(嚴刑推問)ᄒᆞ라."

어ᄉᆡ 공의 거동이 근ᄂᆡ의 이ᄆᆡ(異魅)의 틀[들]임 갓트여, 뉴시 침상의 잠젹(潛跡)ᄒᆞ물 크게 우려ᄒᆞ며 형뎨 ᄯᅴ을 그르지 아니코 시호(侍護)ᄒᆞ더니, 질셰(疾勢) ○○[우연(尤然)[115]]ᄒᆞᄆᆡ 의[외]당을 폐ᄒᆞ고 ᄂᆡ헌(內軒)의셔 와상(臥床)을 ᄯᅥ나지 못ᄒᆞ다가, ᄐᆡ부인 소환(所患)으로 가화(家禍)의 망측ᄒᆞ믈 지긔ᄒᆞ여 임의 요예지물(妖穢之物)을 잡아ᄂᆡᄆᆡ, 뉴시의 그만ᄒᆞ여 두지 아닐 바을 혜아리더니, 츄밀이 칙ᄒᆞ물 드르ᄆᆡ 집이 장ᄎᆞᆺ 망ᄒᆞᆯ 박긔 무가ᄂᆡᄒᆞ(無可奈何라. 다만 면관히의(免冠解衣)[116] ᄒᆞ고 불효불초(不孝不肖)을 청죄ᄒᆞ고, 무고(巫蠱)의 □□[ᄃᆡ변]을 무더둘 ᄇᆡ 아니로ᄃᆡ, 존당 위질이 ᄎᆞ복(差復)ᄒᆞ신 후 간졍(奸情)을 ᄒᆡᆨ실ᄒᆞ오려 {□□□} ᄒᆞ므로ᄡᅧ ᄃᆡᄒᆞ니, 효슌(孝順)ᄒᆞᆫ 낫빗과 공근

113)풍신직홰(風神才華) : 풍채와 재주. 사람의 겉으로 드러나 보이는 모습과 타고난 재주.

114)윤상(倫常) : 인륜의 떳떳하고 변하지 아니하는 도리.

115)우연(尤然) : 더욱 더함.

116)면관히의(免冠解衣) : 관(冠)을 벗고 옷을 끄르다.

라, 무고를 파ᄂᆡᄆᆡ 슉뫼 ᄉᆞ긔 그만ᄒᆞ여 두디 아닐 줄 혜아리더니, 츄【27】밀의 칙ᄒᆞ믈 드르ᄆᆡ, 그 변심ᄒᆞ미 집이 장○[차] 망홀 징되라. 입이 쓰니 므슴 말이 나리오. 면관히의ᄃᆡ(免冠解衣帶)126)ᄒᆞ고, 돈슈(頓首)ᄒᆞ여 블초무상(不肖無常)ᄒᆞ믈 청죄ᄒᆞ고, 무고지죄(巫蠱之罪) 존당의 범ᄒᆞ믈 믈시홀 ᄇᆡ 아니로ᄃᆡ, 존당 위질이 가복(可復)ᄒᆞ신127) 후 다ᄉᆞ려 샤ᄒᆡᆨ고져 ᄒᆞ믈 고ᄒᆞ니, 효슌ᄒᆞᆫ 낫빗과 공조(恐操)128)ᄒᆞᆫ 녜모(禮貌){모}며 나즉ᄒᆞᆫ 모양이 므어술 그르다ᄒᆞ며, '오관(五官)129)이 공허ᄒᆞ고 념통의 쉬스러130) 이러틋 어둑ᄒᆞ나'131), 젼일 ᄌᆞ딜을 별뉸(別倫) ᄌᆞᄋᆡ(慈愛)ᄒᆞ던 바ᄂᆞᆫ 업디 아니ᄒᆞᆫ디라. 엄ᄒᆞᆫ 빗출 거두어 관을 주어 승당ᄒᆞ믈 명ᄒᆞ여 왈,

"내 너희를 보기 슬흔 거동으로 ᄃᆡ죄ᄒᆞ라 아니 ᄒᆞᄂᆞ니 ᄲᆞᆯ니 죄인을 샤ᄒᆡᆨ【28】ᄒᆞ라."

어ᄉᆡ 승명ᄒᆞ여 외실의 나와 하리를 모흐고 형위(刑威)를 베퍼 ᄉᆞ당(四堂) 시비며 뎡당 시녀를 잡아 ᄂᆡ여 츄문ᄒᆞ니, 호령이 엄슉ᄒᆞ고 위의 광풍졔월(光風霽月)132)ᄀᆞᆺᄐᆞ나 홍션 등이 튱의 개셰(蓋世)ᄒᆞ여 개ᄌᆞ츄(介子推)의 할고지튱(割股之忠)133)으로 흡ᄉᆞᄒᆞ거놀 ᄇᆡᆨ옥무하(白玉無瑕)ᄒᆞᆫ 쥬인을 ᄒᆡᄒᆞ리오. ᄉᆞ긔(辭氣) 녈녈강개(烈烈慷慨)ᄒᆞ여 죽기를 도라감ᄀᆞᆺ치 ᄒᆞᄃᆡ, ᄋᆞ시ᄋᆞ(兒侍兒) 교란

126)면관히의ᄃᆡ(免冠解衣帶) : 관(冠)을 벗고 옷에 두른 띠를 품.
127)가복(可復)ᄒᆞ다 ; 회복하다.
128)공조(恐操) ; 두려워하는 거동
129)오관(五官) : 다섯 가지 감각 기관. 눈, 귀, 코, 혀, 피부를 이른다.
130)쉬슬다 : 파리가 알을 여기저기에 낳다.
131)오관(五官)이 공허ᄒᆞ고 념통의 쉬스러 이러틋 어둑ᄒᆞ나 : 오관의 지각이 없고 심장이 뛰지 않아 아무런 의식이 없는 모양을 빗대어 이른 말.
132)광풍제월(光風霽月) : ①비가 갠 뒤의 맑게 부는 바람과 밝은 달. ②마음이 넓고 쾌활하여 아무 거리낌이 없는 인품을 비유적으로 이르는 말.
133)개ᄌᆞ츄(介子推)의 할고지튱(割股之忠) : 중국 춘추시대 진나라 문공을 섬겨 19년 동안 함께 망명생활을 했던 개자추가 망명생활 중 문공이 굶주리자 자신의 넓적다리 살을 베어서 바쳤다는 고사를 일컫은 말.

(恭謹)ᄒᆞᆫ 녜【81】뫼(禮貌) 가득ᄒᆞ니, 무어술 가칙ᄒᆞ며, '오장(五臟)117)이 허ᄒᆞ고 염통의 쉬쓰러118)시나'119), 젼일 ᄌᆞ질을 별윤(別倫)ᄌᆞᄋᆡ(慈愛)ᄒᆞ든 바ᄂᆞᆫ 오히려 머무러ᄂᆞᆫ지라. 이의 엄칙(嚴責)을 ᄀᆞᆺ치고 광[관(冠)]을 주어 승당(昇堂)ᄒᆞ물 명ᄒᆞ고 왈,

"ᄂᆡ ᄀᆞᆺᄒᆞ여 여등으로 ᄃᆡ죄ᄒᆞ라 ᄒᆞ미 아니니 ᄲᆞᆯ이 죄인을 ᄉᆞᄒᆡᆨᄒᆞ라."

어ᄉᆡ 수명이퇴(受命而退)120)ᄒᆞ여 외실의 나와 ᄉᆞ예(士隷)을 모호고, 형장긔구을 버리고, 뎡·진·하·장의 시아(侍兒)와 뎡당시비 아오라 잡ᄋᆞᄂᆡ여 ᄎᆞ례로 엄형츄문ᄒᆞ니, 홍션 등 셰 시ᄋᆡ 츙의 ᄀᆡ셰(蓋世)ᄒᆞ여 ᄀᆡᄌᆞ츄(介子推)121)을 ᄯᆞ르니 엇지 ᄇᆡᆨ옥무하(白玉無瑕)ᄒᆞᆫ 주인을 모함ᄒᆞ여 ᄉᆞ지의 너흐리오. 장ᄒᆞ(杖下)의 ᄉᆞ죄을 입을지언졍 알욀 ᄇᆡ 업ᄉᆞ므로 ᄃᆡᄒᆞ여 안ᄉᆡᆨ이 열열강ᄀᆡ(烈烈慷慨)ᄒᆞ여 ᄒᆞ고, 소시아(小侍兒) 교란은 ᄐᆡ부인이 뎡시게 ᄉᆞ급ᄒᆞᆫ 바로, 그 위인이 간

117)오장(五臟) : 간장, 심장, 비장, 폐장, 신장의 다섯 가지 내장을 통틀어 이르는 말.
118)쉬슬다 : 파리가 알을 여기저기에 낳다.
119)오장(五臟)이 허ᄒᆞ고 염통의 쉬쓰러시나 : 오장에 든 것이 없고 심장이 뛰지 않아 아무런 의식이 없는 모양을 빗대어 이른 말.
120)수명이퇴(受命而退) : 명을 받고 물러남.
121)ᄀᆡᄌᆞ츄(介子推) : 중국 춘추 시대의 은자(隱者). 진(晉)나라 문공(文公)을 섬겨 19년 동안 함께 망명 생활을 하였다. 이때 문공의 굶주림을 면케 하기 위해 자신의 넓적다리 살을 베어서 바쳤다는 고사가 전한다. 그러나 문공이 귀국하여 왕이 된 후 자신을 멀리하자 면산(緜山)에 들어가 숨어 살았는데, 문공이 잘못을 뉘우치고 자추가 나오도록 하기 위하여 그 산에 불을 질렀으나, 나오지 않고 타 죽었다고 한다.

은 뎡당이 ᄉᆡᆨ칙(塞責)134)으로 뎡쇼져를 샤급ᄒᆞᆫ ᄇᆡ라. ᄎᆞ시 어ᄉᆞ의 호령이 엄슉ᄒᆞ고 위의 삼엄ᄒᆞ니 교란이 뉴시와 경ᄋᆞ로 심복이라, 동심쳐결(同心處結)ᄒᆞ여 그 틈을 여으ᄃᆡ, 쇼졔 ᄉᆞᄉᆞ의 민쳡ᄒᆞ고 비ᄇᆡ로 언쇼ᄒᆞ미 업ᄉᆞ니 모칙(謀策)【29】지 못ᄒᆞ더니, 묘랑과 뉴시의 모계(謀計)로 뎡·딘 냥쇼져 글시를 도젹ᄒᆞ여, 경ᄋᆡ ᄌᆞ획을 모ᄡᅧᄃᆡ 능치 못ᄒᆞ니, 묘랑의 요슐노 옴기ᄃᆡ 요인이 감히 딘쳬(眞體)를 습(習)지 못ᄒᆞ니, 환슐노 범인을 《어ᄅᆡ오니‖어ᄅᆡ어135)》 ᄐᆞᆨᄉᆞ를 의방(依倣)136)《ᄒᆞ미라‖ᄒᆞ니라》. 블하일장(不下一杖)의 복초 왈,

"비ᄌᆡ 태부인 명으로 ᄎᆡ봉각 비예(婢隷)의 튱슈(充數)ᄒᆞ나 식이시ᄂᆞᆫ 바를 듯ᄌᆞ올 ᄊᆡᆫ이러니, 모일의 딘쇼져로 더브러 여ᄎᆞ여ᄎᆞ ᄒᆞ시고, 이 약봉을 주시며 존당 벽틈의 ᄭᅵ오면 태부인 환휘 가복(可復)ᄒᆞ실 거시오.

교ᄒᆞ여 ᄐᆡ노(太老)122)와 경ᄋᆞ로 동심ᄒᆞᄂᆞᆫ지라. 불하일장(不下一杖)123)의 복초 왈,

"소비ᄂᆞᆫ 명으로 ᄎᆡ봉각 비ᄌᆞ의 츙수(充數)ᄒᆞ오나 소졔 갓가이 신임치 아니ᄒᆞ옵더니, 거일의 주인이 진시로 더부러 여ᄎᆞ여ᄎᆞ 밀어(密語)을 ᄒᆞ시고, 소비을 명ᄒᆞ여, 약봉을 주어 뎡당 벽틈의 두루 ᄭᅵ오면, ᄐᆡ부인 질환이 ᄎᆞ경(差境)ᄒᆞ시리라 ᄒᆞ시더이다."

갑인(1914년) 윤오월 뉵십팔셰수 됴창농 등셔

명쥬보월빙 권지팔 종(終)【82】

134)ᄉᆡᆨ칙(塞責) : 책임을 면하기 위하여 겉으로만 둘러대어 꾸밈.

135)어ᄅᆡ다 : 어르다. ①어떤 일을 하도록 사람을 구슬리다.

136)의방(依倣) : 남의 것을 모방하여 본뜸.

122)ᄐᆡ노(太老) : 위태부인(太夫人)을 달리 이른 말. ☞위태(太), 위노(老), 위흉(凶)

123)불하일장(不下一杖) : 채 일장(一杖)도 치지 아니하여서.

너를 듕상(重賞)ᄒᆞ리라 ᄒᆞ시니, 쇼비 존당의 신임ᄒᆞ던 비ᄌᆡ므로 유익다 ᄒᆞᄆᆡ 두로 ᄆᆡ치(埋置)ᄒᆞ미니 이ᄃᆡ도록 듕ᄃᆡᄒᆞ오미야 몽ᄆᆡ(夢寐)【30】의나 ᄉᆡᆼ각ᄒᆞ여시리잇고? 이 밧긔 알욀 ᄇᆡ 업ᄂᆞ이다.”

어ᄉᆞ와 ᄃᆡᄉᆡ 요비(妖婢)의 혀 놀니미 간ᄉᆞᄒᆞ여, 간인의 ᄒᆡᆼ계 뎡·진을 아오로 죽여 ᄌᆞ가의 우익(羽翼)을 업시 ᄒᆞ고 아조 멸망코져 ᄒᆞ믈 통한ᄒᆞ여, 요인의 머리를 버혀 가란을 딘졍코져 ᄒᆞ나, 시러곰 ᄒᆞᆯ일업셔 다만 되어가믈 볼 ᄲᅳᆫ이라. 블긴(不緊)ᄒᆞᆫ 형벌노 ᄋᆡᄆᆡᄒᆞᆫ 비ᄌᆞ의게 더으미 브졀업셔, 난의 초ᄉᆞ(招辭)를 거두어 츄밀긔 드리니, 츄밀이 젼일 셩졍이 이시면, 요비를 오형(五刑)[137]으로 더어 뎡·딘을 신원코져 ᄒᆞ렷마ᄂᆞᆫ 임의 요약의 병드러 실셩소혼(失性消魂)ᄒᆞ여시니 명상(明爽)ᄒᆞᆫ 쳐치 이시리오. 다만 니로ᄃᆡ,

“내 신질(身疾)이[의] 침폐(沈廢)【31】ᄒᆞ여 가ᄉᆞ를 전연 브디ᄒᆞ므로, ᄌᆞ경 시봉이 불엄ᄒᆞᄆᆡ 이런 변이 밋ᄎᆞ니, 장ᄎᆞᆺ 엇디 ᄒᆞ리오. 냥딜부의 ᄒᆡᆼ악이 ᄌᆞ당을 무고ᄒᆞ미 강상대죄(綱常大罪)를 벗디 못ᄒᆞᆯ 거시로ᄃᆡ 그 부형의 안면을 아니보디 못ᄒᆞ리니 상냥(商量)ᄒᆞ여 ᄒᆞ미 됴토다.”

어ᄉᆞ 형뎨 부슉의 언ᄉᆡ ᄒᆡ연(駭然)ᄒᆞ미 여디업셔, 병입골슈(病入骨髓)ᄒᆞ믈 간담이 최절(摧折)ᄒᆞ니, 어ᄂᆞ 결을의 쳐실을 근심ᄒᆞ리오. 다만 면관 돈슈 왈,

“존당 위질이 유ᄌᆞ(猶子)의 냥쳐의 위악으로 비로셧ᄉᆞᆸᄂᆞᆫ디라 엇디 일시나 용셔ᄒᆞ리잇고마ᄂᆞᆫ, ᄒᆞᆫ 시비의 초ᄉᆞ로ᄂᆞᆫ ᄉᆞ명(死命)을 바야디 못ᄒᆞ오리니, 당당이 니이(離異) 출거(黜去)ᄒᆞ오미 맛당ᄒᆞᆯ가 ᄒᆞᄂᆞ이다.”

137)오형(五刑) : 조선 시대에, 중국 대명률에 의거하여 죄인을 처벌하던 다섯 가지 형벌. 태형(笞刑), 장형(杖刑), 도형(徒刑), 유형(流刑), 사형(死刑)을 이른다.

“즁상(重賞)ᄒᆞ리라 ᄒᆞ시ᄆᆡ, 소비 쥬모의 명을 역지 못ᄒᆞ와 과연 두루 ᄆᆡ치(埋置)ᄒᆞ온 ᄇᆡ오, 일이 듕ᄃᆡᄒᆞ미야 몽니(夢裏)의나 ᄉᆡᆼ각ᄒᆞ여시리잇고? 이 밧근 알외올 ᄇᆡ 업ᄂᆞ이다.”

어ᄉᆡ 형뎨 요비(妖婢) 초ᄉᆞ을 보ᄆᆡ, 간인의 작변이 이 지경의 니ᄅᆞ믈 통한ᄒᆞ여, 쾌히 요인의 머리을 버혀 가란을 진졍코져 ᄒᆞ되, 시러곰 ᄒᆞᆯ 일 업ᄉᆞᆫ지라. ᄉᆞᄉᆞ(事事)의 되어가물 보려 ᄒᆞ여, 이에 교란의 초ᄉᆞ을 거두어 츄밀게 드리고 쳐결(處決)ᄒᆞ시물 알외니, 츄밀이 초ᄉᆞ을 보건ᄃᆡ, 젼일 강ᄆᆡᆼᄒᆞ미 이시면 소비을 오형(五刑)[124]으로 져주어 뎡·진의 ᄃᆡ죄(大罪)을 벗길 거시로ᄃᆡ, 독약이 장부을 녹이니 어이 명상(明爽)ᄒᆞᆫ 쳐치 잇시리오. 다만 일오ᄃᆡ,

“ᄂᆡ 병이 근ᄂᆡ의 즁ᄒᆞ여 가ᄉᆞ을 젼○[연] 부지ᄒᆞ므로 ᄌᆞ경 시봉이 불엄ᄒᆞ여 이런 변이 이시니 이를 장ᄎᆞ 엇지 쳐치ᄒᆞ리오. 양딜부의 ᄒᆡᆼ○[악]이 ᄌᆞ당을 무고ᄒᆞ미 ᄉᆞ죄(死罪)을 면치 못ᄒᆞᆯ ᄇᆡ로ᄃᆡ, 져의 부형의 안면을 아니 보지 못ᄒᆞᆯ지라. 상냥(商量)ᄒᆞ여 ᄒᆞ미 조흐○[도]다.”

어ᄉᆞ 형뎨 공의 안졍(眼睛)이 흐림과 말ᄉᆞᆷ이 ᄒᆡ연(駭然)ᄒᆞ미 여지업ᄉᆞ물 보고, 간담이 최절(摧折)ᄒᆞ니, 어ᄂᆡ 결을의 쳐실의 죄가(罪價)을 념녀ᄒᆞ리오. 다만 면관 청죄 왈,

“존당 위딜이 소질의 양쳐의 죄악으로 비로셧ᄂᆞᆫ지라. 엇지 일시ᄂᆞ 용납ᄒᆞ릿고마ᄂᆞᆫ 시비의 ᄒᆞᆫ 초ᄉᆞ로 ᄉᆞ명(死命)을 《ᄇᆞ라【1】지‖바야지》 못ᄒᆞ오리니, 당당이 이에[이](離異) 출거(黜去)ᄒᆞ미 가ᄒᆞᆯ가 ᄒᆞᄂᆞ이

124)오형(五刑) : 조선 시대에, 중국 대명률에 의거하여 죄인을 처벌하던 다섯 가지 형벌. 태형(笞刑), 장형(杖刑), 도형(徒刑), 유형(流刑), 사형(死刑)을 이른다.

뉴시 믄득 ᄂᆡ다라 【32】 ᄀᆞᆯ오ᄃᆡ,

"네 말이 가ᄉᆈ(可笑)로다. 뎡·딘 냥인이 존당을 ᄉᆡ역지심(弑逆之心)이[을] ○○[픔어], 무고악ᄉᆞ로 ○○○○[져쥬ᄒᆞ여] ○○○[존당이] 위ᄐᆡᄒᆞ실 번 ᄒᆞ거ᄂᆞᆯ, 여등이 요예지물을 너흔 것ᄀᆞᆺ치 파ᄂᆡ고, 실셩ᄒᆞᆫ 아ᄌᆞ비 딜ᄌᆞ와 양ᄌᆞ 듕ᄒᆞᆫ 줄만 알고, 존고 위질(危疾)은 헐우히138) ᄒᆞ여, 명명ᄒᆞᆫ 초ᄉᆞ(招辭)와 튝ᄉᆞ(祝辭)를 보고도 악인을 편ᄒᆞᆯ 도리로 영츌(永黜)ᄒᆞ려 ᄒᆞ미, ᄎᆞ마 인ᄌᆞ(人子)의 도리리오. 너희 져리 포악ᄒᆞ여 ᄉᆡ역지심을 픔은 안ᄒᆡ를 식여 져쥬를 ᄒᆡᆼᄒᆞ고, 일이 난쳐ᄒᆞᄆᆡ 술ᄉᆞ도 식이지 아냐, 스ᄉᆞ로 파ᄂᆡ믄 그 쇼문을 은닉고져 ᄒᆞ미오, 어린 아ᄌᆞ비139)를 업슈히 넉이미라. 교란의 입으로 ᄃᆡᆨ고ᄒᆞ믈 통한ᄒᆞ여 죽도록 형츄(刑推)ᄒᆞ고, 안ᄒᆡ를 ᄂᆡ치ᄌᆞ ᄒᆞ니, ᄎᆞᄂᆞᆫ 동【33】심 교통ᄒᆞ여 우리를 믓지르고져 ᄒᆞ미니, 심의(深矣)라. 말디어다. 죡히 대역도 ᄒᆞ리니 엇디 한심치 아니리오."

어ᄉᆡ 그 뜻을 모로리오마는 일이 이의 니르러 가변이 망측ᄒᆞ고, 공이 어림장이 ᄀᆞᆺᄐᆞ여 위·뉴의 입 놀니ᄂᆞᆫ ᄃᆡ로 ᄒᆞ니, 다만 딜ᄋᆞ의 ᄃᆡ죄ᄒᆞᄂᆞᆫ 양을 졍신 업시 보다가, ᄀᆞᆯ오ᄃᆡ,

"무고 튝ᄉᆞ 필젹이 냥딜부의 소작(所作)이믈 너희 목도ᄒᆞ여시니 ᄉᆞ죄(死罪) 당연ᄒᆞᄃᆡ, 뎡·진 냥공이 날과 교되 골육ᄀᆞᆺᄐᆞ니, 혹 요악ᄒᆞᆫ 비ᄇᆡ 쥬인을 ᄒᆡᄒᆞ여시면 원앙ᄒᆞ미 괴이치 아니ᄃᆡ, 글시 분명ᄒᆞ니 발명이 어려온디라. 그 영츌ᄒᆞ믄 피ᄎᆞ의 요란ᄒᆞ니, 즉금은 오병(吾病)140)이 미류(彌留)ᄒᆞ니, 아ᄃᆡᆨ 슈계(囚繫)ᄒᆞ여 죵용이 샤【34】획ᄒᆞ미 냥편(良便)ᄒᆞᆯ가 ᄒᆞ노라. 딜ᄋᆞᄂᆞᆫ 엄히 가쇄(枷鎖)ᄒᆞ라".

어ᄉᆡ 슈명이퇴(受命而退)ᄒᆞ니, 뉴시 공을

138)헐후(歇后)ᄒᆞ다 ; 대수롭지 아니하다.
139)아ᄌᆞ비 : 아저씨. 작은아버지.
140)오병(吾病) : 나의 병.

다."

뉴시 문득 ᄂᆡᄡᅧ 125)갈오ᄃᆡ,

"네 말이 가지(可知)로다. 뎡·진 양인이 존당을 ᄉᆡ슐(弑殺)코져 무고로 져쥬ᄒᆞ여 존당이 하마 위ᄐᆡᄒᆞ실 번 ᄒᆞ거ᄂᆞᆯ, 죄벌을 헐후(歇后)히126) ᄒᆞ여 편ᄒᆞᆯ 도리로 친가의 영츌(永黜)ᄒᆞ고ᄌᆞ ᄒᆞ미 인ᄌᆞ(人子)의 ᄒᆞᆯ말이냐? 너희 져리 포악무지ᄒᆞ여 존당 시슐코져 ᄒᆞᄂᆞᆫ 안ᄒᆡ로[를] 위ᄒᆞ여 교란을 죽여 멸구(滅口)코져 즁형을 더으니, ᄎᆞ심(此心)이 족히 ᄃᆡ역도 ᄒᆞᆯ지라. 이 젼혀 불초(不肖) 우람(愚濫)ᄒᆞᆫ 것들을 상공이 과ᄋᆡᄒᆞ미니, 난신적ᄌᆞ(亂臣賊子)을 여등 갓흐니○[을] 이ᄅᆞ미라."

어ᄉᆞ 형뎨 그 말이 근리(近理)127)치 아냐, 소져 등을 친당의도 아니 보ᄂᆡ고 졸나쥭이려 ᄒᆞ물 어이 모로리오마ᄂᆞᆫ, 가변의 망측(罔測)ᄒᆞ믈 민민(憫憫)ᄒᆞ고, 공의 거동이 어림장이 되어, 뉴시의 입 놀니ᄂᆞᆫ ᄃᆡ로 니ᄅᆞᄃᆡ,

"무고 츅ᄉᆞᄒᆞᆫ 필젹을 여등이 목도ᄒᆞ고 교비 초ᄉᆡ 명ᄇᆡᆨᄒᆞᆫ 즉, 당당이 ᄉᆞ죄을 당ᄒᆞᆯ 거시로ᄃᆡ, 뎡·진 양공이 날노 더부러 교의(交誼) 골육 갓던 바로, 혹시 요악ᄒᆞᆫ 비ᄇᆡ 딜부 등을 ᄒᆡ코져 ᄒᆞ미 이시면 ᄋᆡᄆᆡᄒᆞ미 고이치 아니ᄂᆞ, ᄎᆞᄉᆡ 분명타 ᄒᆞ여도 ᄂᆡ 병이 미류(彌留)ᄒᆞ여 밝히 ᄉᆞ획지 못ᄒᆞ니, 영츌(永黜)치 말고 아즉 수계(囚繫)ᄒᆞ여 간졍(奸情)이 발각ᄒᆞᆫ 후 결단ᄒᆞ미 냥편(良便)ᄒᆞᆯ가 ᄒᆞᄂᆞ니, 딜ᄋᆞᄂᆞᆫ 엄히 가쇄(枷鎖)ᄒᆞ라."

어ᄉᆞ 형뎨 슈명이퇴(受命而退)ᄒᆞ니, 뉴시

125)ᄂᆡᄡᅧ : 냅다. 몹시 빠르고 세차게.
126)헐후(歇后)ᄒᆞ다 ; 대수롭지 아니하다.
127)근리(近理) : 이치에 맞음.

도도아 왈,

"명공(明公)이 그 족하를 두려 슈계ᄒᆞ라 ᄒᆞ미 가쇼롭지 아니랴? 광텬이 요쳐(妖妻)의게 혹ᄒᆞ여 딜녀로 ᄒᆞ여금 한(恨)이 댱신(長信)141)의 ᄆᆡᆺ게 ᄒᆞ여, 공규잔등(空閨殘燈)142)의 홍슈(紅袖)를 ᄆᆡᄌᆞ 《ᄎᆞ류‖ᄎᆞ루(嗟淚)143)》 호박침(琥珀枕)144)을 ᄂᆞᆺ기고 한이 비샹(飛霜)의 ᄆᆡᆺ쳐시ᄃᆡ 맛ᄎᆞᆷ 딜ᄋᆡ 인셰간 ᄉᆞᆺ쳐진 셩덕(聖德)이라. 져의 명도(命途)를 탄홀지어졍 존당을 ᄃᆡ극 효봉ᄒᆞ니, 져히를 슈계(囚繫)ᄒᆞᄆᆡ 원을 아딜의게 플니니, 내 ᄌᆞ식의 박명도 셜울 일이로ᄃᆡ, 셕낭의 ᄆᆞᄋᆞᆷ을 두로혀지 못ᄒᆞ여 셟거ᄂᆞᆯ 딜녀의 신셰ᄌᆞᄎᆞ 겸ᄒᆞ니, 뎡·진의 학졍(虐情)과 싀【35】포(猜暴)ᄒᆞᄆᆡ 아니 ᄆᆡᆺ촌 ᄃᆡ 업셔, 광텬의게 참소ᄒᆞ여 나의 십ᄃᆡ(十代) 이샹을 다 들추어 흉언패셜(凶言悖說)이 무슈 브ᄃᆡ라. 상공이 쳡을 ᄒᆡᆼ노(行老)ᄀᆞᆺ치 아ᄂᆞᆫ 고로 그러ᄒᆞ미라. 발부(潑婦)를 가도기ᄂᆞᆫ 가도려니와 무죄ᄒᆞᆫ 딜녀를 욕ᄒᆞ게 못ᄒᆞ리니, 쳥츈박명으로 구타를 밧고 광텬의 즐욕을 바다 맛ᄎᆞᆷᄂᆡ 명을 맛ᄎᆞ리로다."

ᄒᆞ고 뎡당으로 가니, 어ᄉᆞᄂᆞᆫ 슉모의 ᄆᆡᆼ낭ᄒᆞᆫ 말노 어림장이 되여 안존 츄밀의게 남은 ᄶᅡ히 업시 참소ᄒᆞ믈 ᄃᆡ원극통ᄒᆞᄃᆡ, 발명홀 터히 업ᄂᆞᆫ디라, 계부의 병이 심상치 아니믈 ᄀᆞᆨ골초젼(刻骨焦煎)ᄒᆞ고, 가란이 아모 ᄃᆡ경의 ᄆᆡᆺ출 줄 모로ᄂᆞᆫ디라. 엇지 쳐ᄌᆞ를 《개【36】렴‖괘렴(掛念)》ᄒᆞ리오.

뉴시 나상을 ᄯᅥᆯ치고 뎡당의 니르니 이날 위뇌 질셰 가복ᄒᆞ엿ᄂᆞᆫ디라. 보미145)를 진음ᄒᆞ고 거동ᄒᆞ더니, 뉴시 왈,

141)댱신(長信) : 장신궁(長信宮). 중국 한(漢)나라 때 장락궁 안에 있던 궁전으로 주로 선황제의 살아 있는 아내인 태후가 살았다.

142)공규잔등(空閨殘燈) : 깊은 밤 오랫동안 남편 없이 아내 혼자서 사는 방의 꺼질락 말락 하는 희미한 등불.

143)ᄎᆞ루(嗟淚) : 어떤 일을 탄식하며 눈물을 흘림.

144)호박침(琥珀枕) : 호박으로 꾸민 베개.

145)보미 ; 미음.

공을 도도아 왈,

"군ᄌᆡ ᄆᆡᄉᆞ의 족ᄒᆞ(足下)을 무셔워 구구히 져다려 슈계ᄒᆞ라 ᄒᆞ미 가소롭지 아니랴? 【2】 광쳔이 양쳐(兩妻) 요ᄉᆡᆨ(妖色)의 고혹(蠱惑)ᄒᆞ여, 질녀로 ᄒᆞ여곰 한이 장신(長信)128)의 ᄆᆡᆺ게 ᄒᆞ여, 공규잔등(空閨殘燈)129)의 홍슈(紅袖)을 ᄆᆡᄌᆞ며, 호박침(琥珀枕)130)을 ᄂᆞᆺ기고, 누어 쌍쳔슈(雙泉水)131)로 원이 ᄆᆡᆺ[맺]쳐시되, 맛ᄎᆞᆷ 아질(我姪)이 셩덕현ᄒᆡᆼ(聖德賢行)으로 뎌의 명도을 탄홀지어졍, 원언이 업시 존당을 지효로 시봉(侍奉)ᄒᆞ니, 뎡·진 등이 아쳠ᄒᆞᆫ다 시비ᄒᆞ고, 궤상육(机上肉)이 되얏거ᄂᆞᆯ, 져희을 수계ᄒᆞᄆᆡ 무궁ᄒᆞᆫ 분을 아질의게 풀녀ᄒᆞ니, ᄂᆡ제 ᄃᆡ악발부(大惡潑婦)을 가도믄 가도려니와, ᄋᆡᆨ구즌132) 질아ᄂᆞᆫ 쳥츈홍안을 무고(無故)이 원슈 업시 박ᄃᆡ와 광쳔의 구타즐욕을 밧다가, 뎡·진의 슈계로 말ᄆᆡ암아 명을 맛치노라."

ᄒᆞ고 뎡당으로 가니, 어ᄉᆡ 슉모의 ᄆᆡᆼ낭지셜을 드르ᄆᆡ 지원극통ᄒᆞ나, 별[변]명(辨明)도 나지 아니코 슉부의 병이 심상치 아니믈 각골초젼(刻骨焦煎)ᄒᆞ며 가변이 어나 곳의 ᄆᆡᆺ출 쥴 모로ᄂᆞᆫ지라. 엇지 목젼의 쳐실을 념(念)ᄒᆞ리오.

뉴시 뎡당의 니ᄅᆞ니 이날은 위흉의 질셰 가복ᄒᆞᆫ지라, 뉴시 야간 문후ᄒᆞ고 왈,

128)댱신(長信) : 장신궁(長信宮). 중국 한(漢)나라 때 장락궁 안에 있던 궁전으로 주로 선황제의 살아 있는 아내인 태후가 살았다.

129)공규잔등(空閨殘燈) : 깊은 밤 오랫동안 남편 없이 아내 혼자서 사는 방의 꺼질락 말락 하는 희미한 등불.

130)호박침(琥珀枕) : 호박으로 꾸민 베개.

131)쌍쳔슈(雙泉水) : 눈물. '쌍천(雙泉)'은 '두 눈'을 비유한 말.

132)ᄋᆡᆨ궂다 : 애꿎다. ①아무런 잘못 없이 억울하다. ②그 일과는 아무런 상관이 없다.

"존당 셩휘(聖候) 만분 위듕ᄒᆞ시ᄃᆡ, 증셰 괴이ᄒᆞ믈 무더 두고 잠잠ᄒᆞ엿ᄂᆞᆫ 흉의(凶意) 졀분(切忿)ᄒᆞ고, 부ᄌᆞ의 환휘 ᄌᆞ리를 ᄯᅥ나지 못ᄒᆞ시니, 이ᄯᅢ를 당ᄒᆞ와 간담이 쳐졀(悽絶)ᄒᆞ여, 광텬의 안면을 보디 못ᄒᆞ여 술ᄉᆞ를 불너 망긔ᄒᆞᄌᆞ ᄒᆞ니, 광텬이 ᄂᆡᆼ연쇼디(冷然笑之)146)러니, 져회 귀 맛츤 일이라, 쳡의 입을 막디 못ᄒᆞ여 벽 ᄉᆞ이의 요예지물과 튝ᄉᆞ를 어든 즉 뎡시의 소작(所作)이라 진시 동참ᄒᆞ여 그 요악지셜을 존젼의 알외리잇고? 시비 교란을 져주니 초【37】ᄉᆡ 여ᄎᆞ 여ᄎᆞ ᄒᆞ거ᄂᆞᆯ, 짐즛 즁형을 더어 죽이고 구셜(口舌)을 막고ᄌᆞ ᄒᆞᄃᆡ, 상공이 몽농(朦朧)이 슈계ᄒᆞ라 ᄒᆞ니, 발악이 무궁ᄒᆞ니 프러진 츄밀이 엇디 죄를 ᄇᆞᆰ히리잇고? 복망 존고ᄂᆞᆫ 명뎡기죄(明正基罪)147)ᄒᆞ샤 후화(後禍)를 더르시믈 바라나이다."

위흉이 갓득 여러 날 알하 어ᄉᆞ 형뎨와 뎡·진·하·댱을 너흘고져148) ᄒᆞ다가, 그 도도믈 보ᄆᆡ 조각을 어덧다 ᄒᆞ고, 벽녁ᄀᆞ치 소ᄅᆡ 지르며 상을 박ᄎᆞ고 ᄇᆞᆰ은 눈을 뒤룩이며 나창(羅窓)을 열치고, 급히 뎡·진을 잡아오라 ᄒᆞ니, ᄯᅢ예 뎡·진 이 쇼졔 대화를 만나나 뎡쇼져ᄂᆞᆫ 발셔 짐작ᄒᆞᆫ 일이라 당하의 셕고ᄃᆡ죄(席藁待罪)ᄒᆞ엿더니, 존당의 흉【38】ᄒᆞᆫ 호령이 산악이 울히니 진쇼져를 닛그러 왈,

"명이 ᄌᆡ텬(在天)ᄒᆞ고 시운을 탄ᄒᆞᆯ ᄯᆞ름이니 ᄉᆡ로이 놀날 ᄇᆡ 업ᄉᆞ니, 현뎨 초젼(焦煎)ᄒᆞ여 약질이 슈뷔(囚俘)149)ᄒᆞ믈 놀나나 금일 아등의 당ᄒᆞᆫ ᄇᆡ 블과 크면 슈계(囚繫)오 젹으면 영출(永黜)이엇마ᄂᆞᆫ ᄯᅩ 영츌ᄒᆞᄂᆞᆫ 즐거오미 쉬오리오. 가도고 형극(荊棘)을 ᄡᆞ리니 현뎨ᄂᆞᆫ 동심(動心)치 말나. 아등의 ᄋᆡᆨ회(厄會)ᄂᆞᆫ 쇼ᄉᆡ(小事)니 탄ᄒᆞᆯ ᄇᆡ 아니로ᄃᆡ, 부ᄌᆞ(夫子)의 쳔금 듕신이 어나 디경의 ᄆᆞᆺ출 바를 모로니 이 마ᄃᆡ의 오ᄂᆡ 촌단ᄒᆞᄃᆡ,

146)ᄂᆡᆼ연쇼디(冷然笑之) : 차게 웃음.

147)명뎡기죄(明正基罪) : 명백하게 죄목을 지적하여 바로잡음.

148)너흘다 : 물다. 물어뜯다. 씹다.

149)슈뷔(囚俘) : (죄를 짓고) 잡혀 (옥에) 간힘.

"존고의 위환(危患)이 만복지도(滿腹之道)의 계시ᄃᆡ 증셰 고이ᄒᆞ며, 부ᄌᆞ의 환후 ᄌᆞ리을 ᄯᅥ나지 못ᄒᆞ시니, 이 ᄯᅢ을 당ᄒᆞ여ᄂᆞᆫ 간담이 최졀(摧折)ᄒᆞ오니, 뎔ᄋᆞ의 안면을 아니 보지 못ᄒᆞ여 존고 침당을 망긔(望氣)ᄒᆞᄌᆞ ᄒᆞᄆᆡ ᄂᆡᆼ소(冷笑)ᄒᆞ더니, 져의 귀 맛춘 일이라. 쳡의 입을 막지 못ᄒᆞ여 벽간의 ᄆᆡ치(埋置)ᄒᆞᆫ 요예지물과 츅ᄉᆞ을 어든 즉, 뎡·진 양아(兩兒)의 글시로ᄃᆡ, ᄉᆞ어야 츔아 존젼의 알외리잇고? 시ᄋᆞ 교란을 죄쥬니 초ᄉᆞ 여ᄎᆞ여ᄎᆞ ᄒᆞ거ᄂᆞᆯ 짐즛 《튱【3】셩을 어더 ‖ 듕형을 더어》 멸구(滅口)코져 ᄒᆞᄃᆡ, 상공이 몽농(朦朧)이 슈계ᄒᆞ라 ᄒᆞ나, 발악이 무궁ᄒᆞᄃᆡ 푸러진 츄밀이 능히 죄을 밝히지 못ᄒᆞ니, 복원 존고ᄂᆞᆫ 명뎡기죄(明正基罪)133)ᄒᆞᄉᆞ 일후지ᄒᆡ(日後之害)을 더르소셔"

위흉○[이] 갓득 여러 날 알아 어ᄉᆞ 형뎨와 뎡·진·하·장 등을 너흘134)고ᄅᆞᆯ[ᄃᆞᆯ] 엇지 못ᄒᆞ믈 병삼아 알흔지라. 뉴시의 독ᄉᆞ(毒蛇) 갓튼 혀 ᄉᆞᆺ틔 ᄇᆡᆨ옥무하(白玉無瑕)ᄒᆞᆫ ᄌᆞ딜부 등을 악명을 시러 도도며 ᄭᅬ오ᄆᆡ, 《어더들럿다‖조각을 어덧다》 ᄒᆞ고 벽녁 갓튼 소ᄅᆡ로 상을 박ᄎᆞ며, 불근 눈망울을 뒤룩이고, 급히 뎡·진 양소져을 잡아오라 ᄒᆞ니, ○○○○[뎡소져ᄂᆞᆫ] 발셔 짐작ᄒᆞᆫ 일이라. 이에 진소져을 잇그러 왈,

"명되(命途) ᄌᆡ쳔(在天)ᄒᆞ고 시운을 탄ᄒᆞᆯ ᄲᅮᆫ이니, 현뎨 약질이 너모 쵸쳔[젼](焦煎)ᄒᆞ여 슈약(瘦弱)ᄒᆞ물 념ᄒᆞ나니, 금일 아등의 당ᄒᆞᆫ ᄇᆡ, 크면 슈계(囚繫)ᄒᆞ고 져그면 니이영츌(離異永黜)ᄒᆞ리니, 엇지 영츌ᄒᆞᄂᆞᆫ 즐거오믈 어드리오. 현뎨ᄂᆞᆫ 일호(一毫) 동심치 말나. 아등 신상 ᄋᆡᆨ회(厄會)ᄂᆞᆫ 소ᄉᆡ니 탄ᄒᆞᆯ ᄇᆡ 아니로ᄃᆡ, 군ᄌᆞ 쳔금 듕신(重身)이 어ᄂᆡ 지경의 니ᄅᆞᆯ 줄 모로니 오ᄂᆡ 여삭(如削)ᄒᆞ나, 윤문이[의] 십년 가화로[를] 하날이 뎡ᄒᆞ신 ᄇᆡ니, 현뎨ᄂᆞᆫ 동심치 말나."

133)명뎡기죄(明正基罪) : 명백하게 죄목을 지적하여 바로잡음.

134)너흘다 : 물다. 물어뜯다. 씹다.

윤문의 십년 가화(家禍)를 하날이 뎡ᄒᆞ신 ᄇᆡ니 또 엇디 ᄒᆞ리오. 다만 존괴 구조모로 더브러 안안이 피화ᄒᆞ샤 ᄎᆞ경을 모로시미 만힝이로다."

언파의 거【39】젹을 닛그러 당하의 복명ᄒᆞ니, 위뇌 냥 쇼져를 보ᄆᆡ 고ᄃᆡ 삼키고져 냥안(兩眼)을 뒤룩이며 팔흘 ᄲᅳᆷᄂᆡ며 왈,

"너 뎡·딘 냥요물(兩妖物)이 내 명을 ᄒᆡᄒᆞ려 대악을 져ᄌᆞ러시니, 내 너희를 인의로 거나리니 므어시 브족ᄒᆞ여 간흉(奸凶)을 쟝포(藏鋪)ᄒᆞ여 져쥬로 죽이고져 ᄒᆞᄂᆞ뇨? ᄲᆞᆯ니 딕고ᄒᆞ라."

뎡쇼졔 복슈 샤죄 왈,

"쳡등의 '죄 블용ᄌᆔ(罪 不容誅)'[150]라. 당하의 ᄉᆞ죄를 쳥ᄒᆞ옵ᄂᆞ니, 튝ᄉᆞ와 초ᄉᆡ 명명ᄒᆞᆫ 바의 구구삼셜이나 발명치 못ᄒᆞ오리니 ᄇᆞᆰ히 쳐치ᄒᆞ시믈 바라ᄂᆞ이다."

뉴시 ᄂᆡᆼ쇼 왈,

"그ᄃᆡ 샤죄ᄒᆞᄂᆞᆫ 언ᄉᆡ 빗나도다. 날ᄀᆞᆺᄐᆞᆫ 아ᄌᆞ미 ᄒᆞᆫ 구셕의 이시믈 써리고 존당이 엇더ᄒᆞ신 몸이오마ᄂᆞᆫ 농판[151]【40】의 츄밀은 범ᄇᆡᆨ(凡百)을 조시긔 다 미러두고 외ᄉᆞᄂᆞᆫ 광텬을 맛지니, 양양 ᄌᆞ득ᄒᆞ여 잇ᄂᆞᆫ 거ᄉᆞᆯ 업시ᄒᆞ려 흉모(凶謀)를 슈챵(首唱)ᄒᆞ나, 하날이 듯지 아냐 패루ᄒᆞ니 어나 면목으로 발명ᄒᆞ리오."

냥쇼졔 환패(環佩)를 그르고 잠이를 ᄲᆡ혀 ᄌᆞ의(自意)로ᄡᅧ ᄃᆡ명ᄒᆞ여 죄 나리믈 기다리더니, 뉴시의 억탁(臆度)과 태부인의 호령이 ᄎᆞ악ᄒᆞᄃᆡ, 블변안ᄉᆡᆨᄒᆞ고 셕고ᄃᆡ죄러니, 츄밀이 냥뎔부를 슈계ᄒᆞ라 ᄒᆞ나, 두로 의심되미 병듕의도 업디 아니ᄒᆞ더니, 태부인의 ᄉᆡᆼ랑 ᄀᆞᆺᄐᆞᆫ 호령을 드르ᄆᆡ, 혹 ᄐᆡ장을 ᄒᆞᄂᆞᆫ가 ᄒᆞ여, ᄌᆞ뎔의게 븟들녀 계오 힝보를 옴겨 뎡당의 니르러, 질셰(疾勢) 가복(可復)ᄒᆞ【41】샤미 다힝ᄒᆞ믈 고ᄒᆞ니, 위뇌 츄밀의 침병ᄒᆞ믈 우려ᄒᆞ다가 홀연 긔동(起動)ᄒᆞ믈 반기고 놀나 창호를 닷고 ᄀᆞᆯ오ᄃᆡ,

150)죄 블용ᄌᆔ(罪 不容誅) : 죄가 너무 커서 목을 베어도 오히려 부족함.

151)농판 : '멍청이'의 전라도 방언.

ᄒᆞ고, ᄒᆞᆫ가지로 거젹을 잇그러 당ᄒᆞ의 복명ᄒᆞ니, ᄐᆡ부인이 양인을 ᄃᆡᄒᆞᄆᆡ, 고ᄃᆡ 삼킬 듯 팔을 ᄲᅳᆷᄂᆡ여 왈,

"너 뎡·진 양요물(兩妖物)이 ᄂᆡ 목숨을 달호려[135] ᄃᆡ악을 져즈러시니, ᄂᆡ ᄉᆞ라시ᄆᆡ 여등을 인의로 거ᄂᆞ리거ᄂᆞᆯ, 무어ᄉᆡ 악심이 ᄆᆡ쳐 ᄂᆡ명을 아ᄉᆞ려 ᄒᆞ여 져주로 죽이고져 ᄒᆞᄂᆞ뇨? ᄲᆞᆯ니 즉고(直告)ᄒᆞ라."

뎡시 부복 ᄉᆞ【4】죄 왈,

"쳡등이[의] '죄 불용쥬(罪不容誅)'[136]라. 다만 ᄉᆞ죄을 쳥ᄒᆞᆯ ᄯᆞ름이로소이다."

위시 ᄃᆡ로 왈,

"너희 날과 무삼 원슈로 흉인이 모혀 이런 변을 지으나 광쳔 등이 고당의 편히 두고 흉ᄉᆞ을 통모ᄒᆞ여 집을 망ᄒᆡ오려 ᄒᆞ미 《분ᄒᆡᄒᆞ여 ‖ 통분토다.》"

135)달호다 : 다루다. 처리하다.

136)죄 블용쥬(罪 不容誅) : 죄가 너무 커서 목을 베어도 오히려 부족함.

"나의 병은 져쥬의 빌ᄆᆡ어니와, 너의 유질은 디리ᄒᆞᄃᆡ ᄎᆞ셩(差成)치 아니니 근심되더니, 긔동ᄒᆞ니 깃브도다."

츄밀이 흠신 ᄃᆡ왈,

"ᄌᆞ위 위질이 쾌소(快蘇)ᄒᆞ시나 오히려 방심치 못ᄒᆞᆯ ᄣᆡ의 셩톄 요동을 과히 ᄒᆞ시니 강질(强疾)ᄒᆞ여 현알(見謁)ᄒᆞᄂᆞ이다."

위뇌 그 ᄋᆞ들의 긔ᄇᆡ(肌膚) 환탈ᄒᆞ믈 놀나 소ᄅᆡ를 낫초아 왈,

"가ᄂᆡ의 요인이 모혀시니 이런 변을 디으나, 광ᄋᆞ 등이 고당의 편히 두고 흉모를 동모ᄒᆞ려 ᄒᆞ여 영츌ᄒᆞᄌᆞ ᄒᆞ니, 이ᄂᆞᆫ 집을 아조 망ᄒᆞ려 ᄒᆞ미라. 분ᄒᆡ(憤駭)ᄒᆞ여 슈죄ᄒᆞ더니 네 【42】 드러와시니 쾌히 결단ᄒᆞ라."

츄밀이 이셩화긔로 ᄃᆡ왈,

"ᄎᆞᄉᆡ 비록 존당을 져쥬ᄒᆞᄂᆞᆫ ᄉᆞ죄오나, 그 부형의 안면으로ᄡᅧ 혹벌(酷罰)은 못ᄒᆞ오리니 아ᄃᆡᆨ 후졍(後庭)의 가도아 젼두(前頭)를 보아 쳐치코져 ᄒᆞᄂᆞ이다."

ᄒᆞ니, ᄎᆞ회라 어ᄉᆞ 형뎨와 뎡·진·하·댱 ᄉᆞ인의 화ᄋᆡᆨ이 어나 곳의 밋ᄎᆞ며, 간인의 악ᄉᆡ 옥누항 윤명쳔공 가ᄐᆡᆨ을 남긴가!

공의 슈계명(囚繫命)이 나리ᄆᆡ 뉴시 모녜 이ᄣᆡᄂᆞᆫ 조부인을 업시ᄒᆞ여 가권을 잡아 노복을 호령ᄒᆞ여 일호나 어ᄉᆞ 형뎨의 쳔역을 ᄃᆡ힝ᄒᆞ믈 안즉 혹형을 ᄒᆞᄂᆞᆫ디라. 여러 장확(臧獲)[152]으로 후원 깁흔 년원졍이란 당ᄉᆡ(堂舍) 이시니 냥 쇼졔를 모라 가도고,【4
3】 흙 바닥이 참혹ᄒᆞᆫᄃᆡ ᄉᆞ벽이 ᄲᅥ러졋고 음참(陰慘)ᄒᆞ여, ᄇᆡᆨ쥬(白晝)를 보디 못ᄒᆞ고, 귀ᄆᆡ(鬼魅)의 ᄌᆞ최 은은ᄒᆞᆫᄃᆡ, 엇디 금옥(金玉) 도장[153]의 쳔금 귀쇼져의 몸을 안졉(安接)ᄒᆞᆯ 곳이리오. 요인의 작ᄉᆡ 디악(至惡)ᄒᆞ미 여ᄎᆞᄒᆞ여, 당듕(堂中)의 모라 너흐며 포진금침(鋪陳衾枕)[154]을 못가져 가게 ᄒᆞ니, 유모 시비 등도 ᄯᆞ로지 못ᄒᆞ니, 진쇼졔 안ᄉᆡᆨ이 여회(如灰)ᄒᆞᄃᆡ, 뎡쇼져ᄂᆞᆫ ᄒᆞᆫ번 탄식ᄒᆞ

152)장확(臧獲) : 종. 장(臧)은 사내종을, 획(獲)은 계집종을 말함.

153)도장 : 규방(閨房). 부녀자가 거처하는 방.

154)포진금침(鋪陳衾枕) : 바닥에 깔아 놓는 방석, 요 따위와 이불, 베개 등을 통틀어 이르는 말.

여ᄎᆞ{여ᄎᆞ} 수죄ᄒᆞ더니, 츄밀이 드러와 뵈거ᄂᆞᆯ 위ᄐᆡ 왈,

"네 드러왓시니 쾌이 결단ᄒᆞ라."

츄밀이 고[이]셩화긔로 ᄃᆡ왈,

"ᄎᆞᄉᆡ 비록 존당을 져주ᄒᆞᆫ ᄉᆞ죄오나 그 부형 안면으로쎠 혹벌(酷罰)은 못ᄒᆞ리니 아직 후졍(後庭)의 가도아 젼후(前後)을 보아 쳐치고져 ᄒᆞᄂᆞ니다."

ᄒᆞ니, ᄎᆞ회라. 어ᄉᆞ 형뎨와 뎡·진·하·장 ᄉᆞ인의 화ᄋᆡᆨ이 어나 곳의 밋ᄎᆞ며 간인의 악ᄉᆡ 옥누항 윤명쳔 가ᄐᆡᆨ을 남○[긴]가!

공의 수계명(囚繫命)이 나ᄃᆡ[리]ᄆᆡ, 뉴시 모녜 이ᄣᆡᄂᆞᆫ 조부인을 업시ᄒᆞ여 가권을 잡아 노복을 호령ᄒᆞ여 일호ᄂᆞ 위령ᄒᆞ면 혹형을 더으는지라. 여러 장확(臧獲)[137]으로 후원 깁흔 연원졍이라ᄒᆞᄂᆞᆫ 누쳐(陋處)의 양소져을 모라 너흐니, ᄉᆞ벽이 다 퇴락(頹落)ᄒᆞ고 ᄇᆡᆨ주(白晝)라도 침침ᄒᆞ여 귀ᄆᆡ(鬼魅)의 ᄌᆞ최 은은ᄒᆞ니, 이 엇지 금옥(金玉) 도장[138] 쳔금 귀소져 발붓칠 곳이리오마ᄂᆞᆫ, 요인의 지악(至惡)ᄒᆞ미 이 고ᄃᆡ 모라 너코, 당즁(堂中) 포진금침(鋪陳衾枕)[139]을 못가져 가게 ᄒᆞ고, 유모시비 등도 못 ᄯᆞ라가게 ᄒᆞ니, 진소져ᄂᆞᆫ 용ᄉᆡᆨ(容色)이 여회(如灰)ᄒᆞ나, 뎡소져ᄂᆞᆫ ᄒᆞᆫ 번 탄식고 기리 미소ᄒᆞ여 시ᄋᆞ와 유모을 물니쳐 각각 침소을 직희라

137)장확(臧獲) : 종. 장(臧)은 사내종을, 획(獲)은 계집종을 말함.

138)도장 : 규방(閨房). 부녀자가 거처하는 방.

139)포진금침(鋪陳衾枕) : 바닥에 깔아 놓는 방석, 요 따위와 이불, 베개 등을 통틀어 이르는 말.

고 기리 미쇼ᄒᆞ여, 모든 시ᄋᆞ와 유모를 물니치고 타연이 갓치이니, 홍낭 등 두어 비ᄌᆡᆨ 죽기를 그음ᄒᆞ여 냥 쇼져를 븟드러 ᄒᆞᆫ가지로 갓치이니, ᄉᆞ변으로 가ᄉᆡᆨ를 덥허 밧그로 통치 못ᄒᆞ게 ᄒᆞᆫ 후, 문을 ᄌᆞᆷ으니, 묵묵(默默) 호텬(昊天)이 감동ᄒᆞ미 죵시 업ᄉᆞ시냐. ᄎᆞ후【44】 쇽쥭(粟粥) ᄒᆞᆫ 그릇도 주디 아니ᄒᆞ고 물도 금ᄒᆞ니, 그 아ᄉᆞ(餓死)ᄒᆞ미 호흡디간(呼吸之間)이러라.

냥 쇼제를 쳐치ᄒᆞᄆᆡ 하·댱 이인이 머리 우희 벽녁(霹靂)이 님ᄒᆞᆫ ᄃᆞᆺ 서로 보호ᄒᆞ더니, 뉴시 궁극 획칙ᄒᆞ여 문틈을 엄히 ᄒᆞ여 각부(各府)155) 사ᄅᆞᆷ을 통치 못○○[ᄒᆞ게] ᄒᆞ니, ᄉᆡᆼ되 망단(望斷)ᄒᆞ고, ᄒᆞ쇼져ᄂᆞᆫ 친당(親堂)을 바라ᄆᆡ 잔되(棧道)156) ᄉᆞᆺ쳐지고 검각(劍閣)157)이 막히니, 효녀의 의망(依望)ᄒᆞᄂᆞᆫ 회푀 가히 업거ᄂᆞᆯ, 양부모의 은혜로 구약을 셩젼(成全)ᄒᆞ니 안즌 방셕이 덥지 아냐 구가 존당과 고모(姑母)의 부ᄌᆞ(夫子)를 보ᄎᆡᄂᆞᆫ 형벌은 그윽ᄒᆞᆫ 밤과 암실 ᄀᆞ은ᄃᆡ 므러ᄯᅳ드며 응지(凝脂)ᄀᆞᆺ튼 셜부(雪膚)를 너흐러, ᄀᆞ마니 죽○○[지 안]으믈 한ᄒᆞ며, 포학ᄒᆞᆫ 형벌이 일시 안헐(安歇)【45】ᄒᆞ믈 엇지 못ᄒᆞ여, 밤으로 낫을 니으나 다 각각 가댱(家長)의 급난(急難)을 프지 못ᄒᆞ니, ᄌᆞ가 등의 괴로오믄 여ᄉᆡᆨ(餘事)라. 됴흔 일 보듯 견ᄃᆡ나 옥ᄐᆡ(玉態) 감ᄒᆞ고 약질이 슈ᄇᆡ(囚俘)ᄒᆞ니 다만 쳥신야우(淸晨夜雨)158)의 혹 슈ᄆᆡ(睡寐)ᄒᆞ여 쑴이[의] 넉술 인ᄒᆞ여 검각관(劍閣關)159)을 너머 친위(親位)를 앙ᄇᆡ(仰拜)홀 ᄊᆞᆫ이니, 다만 "쳑피호혜(陟彼岵兮)여 쳠망부혜(瞻望父兮)로다. 쳑피긔혜(陟彼屺

155)각부(各府) : 각 부중(府中). 각 집안.

156)잔되(棧道) : 험한 벼랑 같은 곳에 낸 길. 선반처럼 달아서 낸다.

157)검각(劍閣) : 중국 사천성에 있는 현(縣) 이름. 특히 검각현의 대검산 소검산 사이에 난 잔도(棧道)는 험하기로 유명하다.

158)청신야우(淸晨夜雨) : 맑은 새벽과 비 내리는 밤.

159)검각관(劍閣關) : 검각(劍閣)의 관문. *검각(劍閣); 중국 사천성에 있는 현(縣) 이름. 이곳에 있는 잔도(棧道)는 길이 험하기로 유명하다.

ᄒᆞ고, ᄐᆡ연이 《갓치니이 ‖ 갓치이니》, 홍낭 등이 죽기을 그음ᄒᆞ여 양 소져을 븟들고 ᄒᆞᆫ가【5】지로 갓치이니, 즉시 건장ᄒᆞᆫ 노복으로 ᄉᆞ면의 가ᄉᆡᆨ로 덥허 밧글 통치 못ᄒᆞ게 ᄒᆞᆫ 후, 슈화(水火)을 금ᄒᆞ니, 묵묵(默默) 호쳔(昊天)이 오인(五人)140) 등의 극악ᄃᆡ죄을 연화부(蓮華部)141)의 긔록ᄒᆞ믈 모로고 슈죽(水鬻) 일긔(一器)을 쥬지 아니니, 양인의 아ᄉᆞ(餓死)ᄒᆞ미 호흡지간(呼吸之間)○[이]러라.

양 소제 임의 슈계ᄒᆞᄆᆡ 하·장이 두상의 벽녁(霹靂)이 임ᄒᆞᆫ 듯, 더욱 하소져ᄂᆞᆫ 뎡소져의 보호ᄒᆞ미 ᄉᆞᄉᆞ의 못밋ᄂᆞᆫ 곳이 업ᄉᆞ믈 힘입어, 위·뉴의 조ᄅᆞ고 보ᄎᆡᄂᆞᆫ 즁 견ᄃᆡ며, 장시ᄂᆞᆫ 친당이 구존(俱存)ᄒᆞ므로 시비 연속ᄒᆞ여 보호ᄒᆞᄂᆞᆫ 도리 잇시ᄆᆡ 견ᄃᆡ더니, 뉴시 모녀 ᄒᆡᆼ계(行計) 궁극ᄒᆞ여 뎡·진 양부와 장부 셔신을 막고 드리지 못ᄒᆞ게 ᄒᆞ니, 장소져ᄂᆞᆫ 그 즁이라도 친졍을 밋고 지ᄂᆡ나, 하시ᄂᆞᆫ 친졍을 ᄇᆞ라ᄆᆡ 검각(劍閣)142)의 비조(飛鳥)도 넘지 못홀지라, 효녀의 친측(親側)을 늣기며 여러 츈츄(春秋) 밧고이ᄆᆡ, ᄒᆞᆫ 번 구가의 이르러, 좌셕이 미란[안](未安)ᄒᆞ여셔 존당과 존고 모녀의 포악히 보ᄎᆡ며, 다시 군ᄌᆞ 보ᄎᆡᄂᆞᆫ 혈별[형벌]은 암실 가온ᄃᆡ 무러 ᄯᅳᆺ고 응지 갓튼 살흘 너흐려143) 그 쥭지 아니믈 한ᄒᆞᄂᆞᆫ 양을 보ᄆᆡ, 혼불부쳬(魂不附體)ᄒᆞ고 골경신ᄒᆡ(骨驚身駭)ᄒᆞ여 스ᄉᆞ로 일신을 허러 군ᄌᆞ의 ᄋᆡᆨ회을 풀고져 ᄒᆞᄂᆞ 엇지 못ᄒᆞ고, ᄌᆞ가 등의 만단(萬端) 고ᄒᆡᆼ(苦行)은 도로혀 죠흔 일 갓ᄐᆞ니, 《옥장을 긋치나 ‖ 오장(五臟)이 긋처지나》 ᄉᆞᄉᆡᆨ지 못ᄒᆞ고, 쳥산[신]야우(淸晨夜雨)144)의 혹 쑴이[의] 넉술

140)오인(五人) : 위태부인, 뉴부인, 윤경아, 뉴교아, 신묘랑 등 5인.

141)연화부(蓮華部) : 불부(佛部), 금강부(金剛部)와 함께 삼부(三部)를 이루며, 중생의 마음 가운데 있는 맑은 보리심을 말한다.

142)검각(劍閣) : 중국 사천성에 있는 현(縣) 이름. 특히 검각현의 대검산 소검산 사이에 난 잔도(棧道)는 험하기로 유명하다.

143)너흘다 : 물다. 물어뜯다. 씹다.

144)청신야우(淸晨夜雨) : 맑은 새벽과 비 내리는 밤.

兮)여 쳠망모혜(瞻望母兮)로다."160) 읊흐ᄆᆡ[며], 댱쇼져로 더브러 쥬야 난간 밧긔 ᄃᆡ후ᄒᆞ여 복ᄉᆞ(服事)161)ᄒᆞ니, 경ᄋᆞ의 모지리 ᄭᅮ짓ᄂᆞᆫ 욕이 아니 밋ᄎᆞ미 업ᄉᆞ나, 일양(一樣) 온공승슌ᄒᆞ여 일호(一毫) 원탄ᄒᆞ미 업스므로, 더욱 써려 이완(弛緩)타 ᄭᅮ짓고, 약질이 당치 못ᄒᆞᆯ 일을 시험ᄒᆞ면 댱시 아모 쳔역 이라도 도으니, 이【46】러틋 츈하(春夏)를 지ᄂᆡ고 초츄(初秋)를 마ᄌᆞᄃᆡ, 냥 쇼져ᄂᆞᆫ 슈계ᄒᆞ고 하·댱은 고역 듕 졸니ᄂᆞᆫ 죄인이 되여, 녕어(囹圄)의 유슈(幽囚)ᄒᆞ미 아니나, 《오약‖오악(五惡)162)》의 밥163)을 구ᄒᆞ던[는] 망(網)을 버셔나지 못ᄒᆞ니, 의용이 날노 초췌ᄒᆞ고, 《효‖롱(籠)》의 잉뮈 아니로ᄃᆡ ᄯᅩ 잉무의 편ᄒᆞ믈 바라지 못ᄒᆞ니, 질풍(疾風)의 쓰러질 바로ᄃᆡ 일단 견고ᄒᆞ믄 쳘옥(鐵玉)ᄀᆞᆺ더라.

뉴시 요약으로 츄밀을 ᄌᆞᆷ으고, 뎡·진을 셔릇고, 하·댱을 조로고 보치믈 ᄆᆞ음으로 ᄒᆞᄃᆡ, 셕공의 구졍(九鼎)164)ᄀᆞᆺ튼 ᄆᆞ음은 도로혀지 못ᄒᆞ니, 녀ᄋᆞ로 ᄒᆡᆼ노(行路)165)ᄀᆞᆺ트여 ᄌᆡ취ᄒᆞ여 오쇼져의 ᄉᆡᆨ광ᄌᆡ덕(色光才德)이 합샤(闔舍)166)의 진동ᄒᆞ고, 상셔의 듕ᄃᆡ

160)『시경(詩經)』<위풍(魏風)> 척호(陟岵)편에 나오는 시구(詩句). 군역(軍役)에 나간 아들이 고향에 계신 어버이를 그리는 정을 노래한 시. 陟彼岵兮(산위에 올라) 瞻望父兮(아버님 계신 곳 바라보네) 父曰嗟予子(떠나올 때 아버님 말씀, 아아 내 아들아) 行役夙夜無已(군역엔 밤낮 쉴 새도 없겠지) 上愼旃哉(무엇보다 몸조심하여) 猶來無止(적군에게 붙잡히지 말고 돌아오너라) / 陟彼屺兮(산 위에 올라 瞻望母兮(어머님 계신 곳 바라보네) 母曰嗟予季(떠나올 때 어머님 말씀, 아아 우리 막내) 行役夙夜無寐(군역엔 밤낮 잠도 제대로 못 자겠지) 上愼旃哉(무엇보다 몸조심하여) 猶來無棄(어미 말 저버리지 말고 돌아오너라)

161)복ᄉᆞ(服事) : 좇아서 섬김

162)오악(五惡) : 위태부인, 뉴씨. 경아, 뉴교아, 묘랑 등 다섯 악인.

163)밥 : 죄인에게 심한 형벌을 가하여 저지른 죄상(罪狀)을 불게 하는 일.

164)구정(九鼎) : 중국 하(夏)나라의 우왕(禹王) 때에, 전국의 아홉 주(州)에서 쇠붙이를 거두어서 만들었다는 아홉 개의 솥.

165)ᄒᆡᆼ노(行路) : ≒행로인.

166)합샤(闔舍) : 온 집안.

인ᄒᆞ야, 《검문관‖검각관(劍閣關))145)을 넘어 친위(親位)을 《암ᄇᆡ‖앙ᄇᆡ(仰拜)》ᄒᆞᆯ ᄯᆞ름이니, 쇽졀업시 셔녁을 바라ᄆᆡ 도로 졀원ᄒᆞ니, 다만 입속의 가득히 오읍(嗚泣)ᄒᆞᆯ ᄯᆞ름이러니, 뎡·진 등이 슈계ᄒᆞᄆᆡ 장소【6】져로 더부러 난간 밧긔 쥬야 ᄃᆡ후ᄒᆞ여 식이ᄂᆞᆫ 바을 진심(盡心)ᄒᆞᄂᆞ, 경ᄋᆞ의 모치[지]리 ᄭᅮ짓ᄂᆞᆫ 욕이 밋ᄎᆞᆯ 곳지 업ᄉᆞ나, 가지록 온공승슌ᄒᆞ여 일호(一毫) 원ᄒᆞᆫᄒᆞ미 업ᄉᆞ므로, 더욱 써리[려] 《미완‖이완(弛緩)》타 ᄭᅮ짓고, 약질이 당치 못ᄒᆞᆯ 일을 시기면 장시와 아모 일이라도 도으니, 이럿틋 츈하(春夏)을 지ᄂᆡ고 초츄(初秋)을 마ᄌᆞᄆᆡ, 양 소져ᄂᆞᆫ 슈계ᄒᆞ고, 하·장은 고역 즁 졸이ᄂᆞᆫ 죄인이 되어, 의용이 날노 쵸췌ᄒᆞ여, 질풍의 쓰러질 ᄇᆡ로ᄃᆡ, 일단 견고ᄒᆞ믄 쳘옥(鐵獄) 갓더라.

뉴시 요약으로 츄밀을 잠으고 뎡·진을 셔릇고, 하·장을 조르고 보치믄 ᄆᆞ음으로 ᄒᆞᄃᆡ, 셕공의 구졍(九鼎)146) 갓튼 마음은 도로혀지 못ᄒᆞ니 ᄋᆞ죠 ᄒᆡᆼ노(行路)147) 갓트여, ᄌᆡ취ᄒᆞᄆᆡ, 오소져의 ᄉᆡᆨ광ᄌᆡ덕(色光才德)이 합ᄉᆞ(闔舍)148)의 진동ᄒᆞ니, 인니(隣里)의 훤ᄌᆞ(喧藉)ᄒᆞ여 칭찬ᄒᆞᄂᆞᆫ 소ᄅᆡ 이변(耳邊)을 놀ᄂᆡ며, 상셔의 여산약ᄒᆡ(如山若海)ᄒᆞᆫ 듕ᄃᆡ와 존당구고의 만심흔희(滿心欣喜)ᄒᆞ여 ᄉᆞ랑이 무비(無比)ᄒᆞᆫ 소식이 다다(多多)ᄒᆞᆫ지라. 흉인 모녀 ᄒᆞᆫ갓 머리을 다히고 니을 가라 원망이 쳘쳔(徹天)ᄒᆞ여, 무산 슈단으로 오소져을 업시ᄒᆞ고 셕공을 회심ᄒᆞ게 ᄒᆞ리오. 궁흉(窮凶)ᄒᆞᆫ 곡계(曲計) 만심ᄒᆞ여, 오직 묘랑을 청ᄒᆞ여 죠ᄒᆞᆫ 모ᄎᆡᆨ을 무르면, 묘랑이 눈섭을 모흐고 입을 움작이ᄂᆞᆫ 바의 요탕흉음(搖蕩凶淫)149)ᄒᆞ미 아니 밋ᄎᆞᆯ 곳지 업셔,

145)검각관(劍閣關) : 검각의 관문. *검각(劍閣); 중국 사천성에 있는 현(縣) 이름. 이곳에 있는 잔도(棧道)는 길이 험하기로 유명하다.

146)구경(九鼎) : 중국 하(夏)나라의 우왕(禹王) 때에, 전국의 아홉 주(州)에서 쇠붙이를 거두어서 만들었다는 아홉 개의 솥.

147)ᄒᆡᆼ노(行路) : ≒행로인.

148)합ᄉᆞ(闔舍) ; 온 집안.

149)요탕흉음(搖蕩凶淫) : 엉큼하고 흉악한 행동들이

와 존당 구고의 ᄉᆞ랑이 무비(無比)ᄒᆞᆫ 소식이 다다(多多)ᄒᆞ【47】여시나, ᄒᆞᆫ갓 모녜 머리를 다히고 니를 가라 원망이 쳘텬(徹天)ᄒᆞᄃᆡ, 므ᄉᆞᆫ 슈단으로 오쇼져를 업시ᄒᆞ고 셕샹셔를 회심케 ᄒᆞ리오. 오ᄃᆡᆨ 묘랑을 ᄃᆡᄒᆞ여 됴흔 모칙을 므르면, 묘랑이 눈셥을 삥긔고 ᄒᆞᆫ 일을 계교ᄒᆞ면 쳔금을 징식ᄒᆞ니, 날마다 나ᄂᆞᆫ 금은이 슈를 모로니, 졈졈 용되 브족ᄒᆞᆫ디라. 슈다 노복을 ᄂᆡ여 노코, 어ᄉᆞ 형뎨로 ᄯᅳᆯ ᄲᅳᆯ니고 플 븨이고 ᄆᆞᆯ 먹이며 삿기 ᄡᅬ여 긔괴ᄒᆞᆫ 쳔역을 식이니, 어ᄉᆡ 우쥬를 밧칠 긔품이라, ᄃᆡᆨᄉᆞᄂᆞᆫ 틔 업시 ᄆᆞᆰ고 됴흐미 옥과 어름 ᄀᆞᆺᄐᆞ니, 어ᄉᆡ ᄌᆞ가의 당ᄒᆞᆫ 바ᄂᆞᆫ 심상(尋常)ᄒᆞᄃᆡ, ᄋᆞ의 거동을 ᄎᆞ마 보디 못ᄒᆞ여 ᄆᆞᄋᆞᆷ이 알프고【48】ᄲᅦ 져리니, 그 슈고를 스ᄉᆞ로 당ᄒᆞ면, ᄃᆡᆨᄉᆡ ᄯᅩᄒᆞᆫ 어ᄉᆞ의 잡ᄂᆞᆫ 바를 ᄯᆞᆯ와 됴역(助役)ᄒᆞ니, ᄎᆞ마 견될 ᄇᆡ리오. 화풍이 소삭ᄒᆞ고 경운(慶雲)이 날노 초고(楚苦)ᄒᆞᄃᆡ, 일일 쇽쥭(粟粥) ᄒᆞᆫ 그릇시 변변치 아니코, 긔아(飢餓)ᄒᆞ미 극ᄒᆞ여 긔진ᄒᆞᆯ ᄢᅵ면, 조부의셔 가마니 보ᄂᆡᄂᆞᆫ 미시[167]로 요긔(療飢)ᄒᆞ고[168] 보명(保命)ᄒᆞ더라.

경ᄋᆡ모친긔 의논ᄒᆞᄃᆡ,

"쇼녜 ᄆᆡ양 믈너 이시ᄆᆡ 셕군이 가ᄉᆞ를 오시롤 맛져 쇼녀의 ᄌᆞ리를 웅거(雄據)ᄒᆞ여시니 묘랑을 다리고 구가의 가 오시를 업시ᄒᆞ여 셜분(雪憤)코져 ᄒᆞᄂᆞ이다."

뉴시 탄왈,

"나ᄂᆞᆫ 이 ᄯᅳᆺ이 이션 지 오릐ᄃᆡ 아ᄃᆡᆨ 뎡·진·하·댱 등을 업시ᄒᆞ고 광텬 형뎨를 졀졔(切除)ᄒᆞ여 분을 풀고,【49】 너의 젼졍을 도모ᄒᆞ여 안듕졍(眼中釘)[169]을 업시 ᄒᆞ리니, 아직 너의 부친 ᄆᆞᄋᆞᆷ을 어든 ᄢᅵ ᄎᆞᄎᆞ 셜계ᄒᆞ리니 조급히 셔도지 말나. 나의 쥬야 불ᄀᆞᆺᄐᆞᆫ 간장이 현ᄋᆞ로 녕히(嶺海)[170] 슈졸

167)미시 : 미숫가루. 찹쌀이나 멥쌀 또는 보리쌀 따위를 찌거나 볶아서 가루로 만든 식품.

168)요긔(療飢)ᄒᆞ다 : 시장기를 겨우 면할 정도로 조금 먹다.

169)안듕졍(眼中釘) ; 눈엣가시. 몹시 밉거나 싫어 늘 눈에 거슬리는 사람.

ᄒᆞᆯ[ᄒᆞᆫ] 일을 계교ᄒᆞᄆᆡ 쳔금을 징식ᄒᆞ니, 날마다 모화 ᄂᆡ는 금은보화을 ○○[슈를] 모로니, 졈졈 용되 군핍(窘乏)ᄒᆞᆫ지라. 슈다(數多) 노복을 ᄂᆡ여노코, 어ᄉᆞ 형뎨로 ᄯᅳᆯ을 ᄲᅳᆯ니며 말먹이고 삿기 ᄡᅬ여 지리ᄒᆞᆫ 쳔역을 다시기나, 어ᄉᆞᄂᆞᆫ 긔운이 산악을 흔들고 우쥬을 굉쥬(宏拄)[150]ᄒᆞᆯ 긔품【7】이나, 직ᄉᆞᄂᆞᆫ ᄐᆡ[틔] 업시 맑고 조흐미 슈졍을 다듬고 어름을 삭인 ᄃᆞᆺᄒᆞ니, 어ᄉᆡ 직ᄉᆞ의 거동을 ᄎᆞᄆᆞ 보지 못ᄒᆞ여 ᄲᅢ져리고 마으ᄂᆞᆫ[151] 듯 몬져 직ᄉᆞ의 ᄒᆞᄂᆞᆫ 바을 ᄒᆞ여 슈고을 스ᄉᆞ로 당ᄒᆞ면, 직ᄉᆡ ᄯᅩᄒᆞᆫ 어ᄉᆞ의 ᄒᆞᆫ[ᄒᆞ]ᄂᆞᆫ 쳔역을 ᄯᆞ라가며 조역(助力)ᄒᆞ니 이 ᄎᆞ마 견딜 ᄇᆡ리오. 화풍경운(和風慶雲)이 날노 초고(楚苦)ᄒᆞᄃᆡ, 속죽일긔(粟粥一器)로 형뎨 긔아(飢餓)을 니긔지 못ᄒᆞ여, 긔진ᄒᆞᆫ ᄢᅵᄂᆞᆫ 조부로쎠 가마니 《간어‖건어(乾魚)》와 미시[152]을 보ᄂᆡ여 형뎨의 급ᄒᆞ믈 구ᄒᆞ더라.

경ᄋᆡ 모친게 밀밀이 의논ᄒᆞ여 왈,

"이에 물너 이시ᄆᆡ 오시 소녀의 ᄌᆞ리을 웅거(雄據)ᄒᆞ여 가ᄉᆞ을 총단(總斷)ᄒᆞᆫ다 ᄒᆞ니, 소네 신묘랑을 다리고 오시을 업시ᄒᆞ여 일분이나 풀고져 ᄒᆞᄂᆞ이다."

뉴시 탄왈,

"ᄂᆡ 이 ᄯᅳᆺ이 잇션지 오릐ᄃᆡ, 아즉 뎡·진·하 등을 다 업시ᄒᆞ고, 광천형뎨을 젼제(剪除)ᄒᆞ여 젼일 나을 업슈히 녁이든 원을 풀고, 너의 젼졍을 도모ᄒᆞ여 안즁졍(眼中釘)을 업시ᄒᆞ리니, 아즉 참고 네 일을 너의 부

요동쳐 일어남.

150)굉쥬(肱拄) : 팔로 떠받치다.

151)마으다 : 갈다. 부수다. 빻다. ①잘게 부수기 위하여 단단한 물건에 대고 문지르거나 단단한 물건 사이에 넣어 으깨다. ②단단한 물체를 여러 조각이 나게 두드려 깨뜨리다. ③짓찧어서 가루로 만들다.

152)미시 : 미숫가루. 찹쌀이나 멥쌀 또는 보리쌀 따위를 찌거나 볶아서 가루로 만든 식품.

(戍卒)의 안히를 삼아 간 후 소식도 모로고, 구딜(姪)의 말을 드르ᄆᆡ 그 가운ᄃᆡ 하랑(郞)의 박ᄃᆡ ᄐᆡ심(太甚)타 ᄒᆞ니, 다리고 잇ᄂᆞᆫ ᄌᆞ식은 비록 냥인(良人)171)의 박ᄃᆡ와 구가(舅家)의 증염을 바드나, 내 안젼(眼前)의 이시니 의식긔한(衣食飢寒)172)는 근심치 아니나, 현ᄋᆞᄂᆞᆫ 쵹디(蜀地) 죄슈(罪囚)의 ᄉᆡᆼ활이 오죽ᄒᆞ랴. 소식ᄎᆡ근(蔬食菜根)173)을 니우지 못ᄒᆞᄂᆞᆫ 지경의 현ᄋᆡ 엇디 남아시리오. 구회촌단(久懷寸斷)174)ᄒᆞ노라."

경ᄋᆡ 탄식 왈,

"쇼네 맛춤 슬하의 잇셔 한셔긔포(寒暑飢飽)를 모로미 아의【50】셔 나올 ᄯᆞ름이나, 쇼텬(所天)의 염박(厭薄)ᄒᆞ며 강뎍(强敵)이 득의ᄒᆞ여, 명예(名譽) ᄯᅴᆨᄯᅴᆨ 귀를 놀닐 적, 흉억(胸臆)이 뛰노ᄂᆞᆫ 듯ᄒᆞ니, 맛치인 신셰 아니니잇가?"

뉴시 요슈(搖首) 왈,

"네 니르디 아니나 내 엇디 모로리오. 광·희 냥인을 다 업시ᄒᆞ고 이 부듕 십만 ᄌᆡ산을 다 ○○[드려] 너의 젼졍 계활(計活)을 쾌히 ᄒᆞ리니 아ᄃᆡᆨ ᄎᆞᆷ을 디어다."

170)녕히(嶺海) : 바다에 접해 있는 산봉우리.

171)냥인(良人) : 부부가 서로 상대를 이르는 말. 여기서는 '남편'을 말함.

172)의식긔한(衣食飢寒) : 입고 먹는 것이 여의치 못하여 배고프고 추움.

173)소식ᄎᆡ근(蔬食菜根) : 나물밥과 나물반찬.

174)구회촌단(久懷寸斷) : 생각할수록 마음이 끊어질 듯 아픔

친 마음 어더실 ᄯᅴ ᄎᆞᄎᆞ 셜계ᄒᆞ리니, 너무 조급히 셔드지 말나. 여모(汝母)의 고구(古仇)야 붓ᄂᆞᆫ 불 갓튼 간장(肝腸)153)이, 상공의 심슐이 만금(萬金) 소교(小嬌)154)을 싯고 검각잔도(劍閣棧道)155)을 너머 령히(嶺海)156)슈졸을 맛기고 도라온 후, 소식을 모로고, 구딜(姪)의 말을 드르니 하랑(郞)이 안히을 박ᄃᆡᄒᆞ더라 ᄒᆞ니, 다리고 잇ᄂᆞᆫ ᄌᆞ식은 비록 양인(良人)157)의 박ᄃᆡ와 구고의 증염을 입으나, 어미 잇셔 의식의 군핍(窘乏)ᄒᆞ미 업고, 현ᄋᆞᄂᆞᆫ 촉지 죄슈의 ᄉᆡᆼ활이 오족ᄒᆞᆫ158) 즁 제 형히(形骸)○[나] 남아시【8】리오. 혀아리ᄆᆡ 구곡(九曲)159)이 촌단(寸斷)ᄒᆞᄂᆞᆫ도다."

경ᄋᆡ 탄식 ᄃᆡ왈,

"소네 마춤 친측(親側)의 잇셔 한셔질고(寒暑疾苦)을 모로니 져기 ᄋᆞ의 거동의 비기ᄆᆡ 나을 ᄯᆞ름이지, 소쳔(所天)의 실의(失意)ᄒᆞ고 강젹(强敵)의 득의ᄒᆞ{ᄒᆞ}여 기리ᄂᆞᆫ 소문이 ᄯᅴᆨᄯᅴᆨ 귀에 들닐 제, 흉억(胸臆)이 뛰노ᄂᆞᆫ ᄌᆞᆫ납160)을 진졍ᄒᆞᆯ ○[길]이 업ᄉᆞ○[니], 신셰 아니 마ᄎᆞ미니잇가?"

뉴시 손을 져어 왈,

"너의 말이 아니라도 ᄎᆞ마 못견ᄃᆡᄂᆞᆫᄃᆡ 네 말을 듯건ᄃᆡ 더욱 엇지 참으리오. 이러므로 광·희 양아(兩兒)을 다 업시ᄒᆞ고 윤부 십만 ᄌᆡ산을 다 드려 너의 평ᄉᆡᆼ 계활(計活)을 쾌이 ᄒᆞ리니, 아즉 참을지어다."

153)간장(肝腸) : '애'나 '마음'을 비유적으로 이르는 말

154)소교(小嬌) : 어린 딸.

155)검각잔도(劍閣棧道) : 중국 사천성 검각현(劍閣縣)에 있는 잔도(棧道). '잔도'는 험한 벼랑 같은 곳에 선반처럼 달아서 낸 길로, 특히 검각현의 대검산 소검산 사이에 난 잔도는 험하기로 유명하다. '검각(劍閣)'은 지명(地名).

156)령히(嶺海) : 바다에 접해 있는 산봉우리.

157)양인(良人) : 부부가 서로 상대를 이르는 말. 여기서는 남편을 말함.

158)오족하다 ; 오죽하다. 오죽하다. 정도가 매우 심하거나 대단하다

159)구곡(九曲) : ≒구곡간장(九曲肝腸). 굽이굽이 서린 창자라는 뜻으로, 깊은 마음속 또는 시름이 쌓인 마음속을 비유적으로 이르는 말.

160)ᄌᆞᆫ납 : 잔나비. 원숭이.

경ᄋᆡ 탄식ᄒᆞ더라,

쇼뉴시 쳔방ᄇᆡᆨ계(千方百計)로 어ᄉᆞ의 삼ᄎᆔ의 니르나, 신혼 초일브터 그 옷깃ᄉᆞᆰ도 다힌 일이 업ᄉᆞ니, ᄯᆡᄯᆡ 존당의 시측ᄒᆞ엿다가 어ᄉᆞ의 문안 ᄯᆡ를 당ᄒᆞ나, 어ᄉᆞ의 신긔ᄒᆞᆫ ᄡᅣᆼ광이 요졍을 ᄉᆞᆯ피ᄆᆡ 시쳠(視瞻)이 ᄯᆡ예 오로지 아니【51】ᄒᆞ고, 즉시 문안을 파ᄒᆞᄆᆡ 구유의 ᄆᆞᆯ을 먹이며 ᄒᆞᆫ가ᄒᆞᆫ ᄯᆡ 업ᄉᆞ니, 어ᄂᆞ 결을의 교ᄋᆞ의 음욕을 맛쳐 금슬(琴瑟) 권ᄒᆞ며, ᄯᅩᄒᆞᆫ 어ᄉᆞ 형뎨 유·뉴의 식이ᄂᆞᆫ 바 긔형괴ᄉᆡ(畸形怪事)라도 다 슌죵ᄒᆞ나, 디어 쇼뉴시 후ᄃᆡ 두 ᄌᆞ의ᄂᆞᆫ 아인(啞人)과 폐ᄆᆡᆼ(廢盲)ᄀᆞᆺᄐᆞ니, 쇼뉴시 어ᄉᆞ의 경운화풍을 얼픗 ᄃᆡᄒᆞ면 망혼상담(亡魂傷膽)[175]ᄒᆞ나 ᄒᆞᆫ번 도라보믈 어드리오. ᄒᆡ옴업시 혹(或) 유몽ᄂᆡ(有夢來)[176] 시를 외오니, 니를 갈고 숙모를 ᄃᆡᄒᆞ면, 누여ᄡᅣᆼ쳔슈(淚如雙泉水)[177]로 아당(阿黨)ᄒᆞᄂᆞᆫ 언ᄉᆡ(言辭) 녹ᄂᆞᆫᄃᆞᆺ ᄒᆞ니, 뉴시 더욱 어ᄉᆞ를 골돌ᄒᆞ여 위흉을 도도아 형벌이 아니 밋ᄎᆞᆫ 곳이 업셔, ᄆᆡᆨ죽 일긔도 주락【52】 말낙 ᄒᆞ니, 사ᄅᆞᆷ의 견ᄃᆡ기 어려울 ᄇᆡ로ᄃᆡ, 어ᄉᆞᄂᆞᆫ 현인이라, 요인(妖人)의 독슈(毒手)의 맛ᄎᆞ리오.

연이나 어ᄉᆞ 형뎨 참혹ᄒᆞᆫ 학졍(虐政)을 갓금 당ᄒᆞ나, 츄밀이 도봉즘의 혼미ᄒᆞ여, ᄃᆡᆨᄉᆞ를 만금 소듕으로 ᄒᆞ던 ᄇᆡ로ᄃᆡ, 뉴시 참소의 혹닉(惑溺)ᄒᆞ여 ᄯᆡᄯᆡ 블효블경ᄒᆞ믈 칙ᄒᆞ고, 텬ᄌᆡ 어ᄉᆞ 형뎨의 츄상지도(秋霜之道)와 경운화풍(慶雲和風)의 놉흔 품딜노, 들고나디 아니믈 ᄉᆡᆼ각ᄒᆞ샤, ᄌᆞ로 ᄒᆡᆼ공ᄒᆞ믈 직촉ᄒᆞ시나, 칭병블ᄉᆞ(稱病不仕)ᄒᆞ니, 됴졍이 의아ᄒᆞ고 친붕이 외헌의 모다 쳥ᄒᆞᄃᆡ, 병이 깁허 ᄃᆡ긱지 못ᄒᆞ믈 샤례ᄒᆞ고, ᄇᆡᆨ화헌이 뷔엿ᄂᆞᆫ디라 모다 낙낙(落落)히 도라가고,【5

175)망혼상담(亡魂傷膽) : 어떤 일에 마음이 팔려 넋을 잃음.
176)유몽래(有夢來) : 꿈속에라도 찾아오기를 바람.
177)누여쌍천수(淚如雙泉水) : 눈물을 두 줄기 샘물처럼 흘림.

경ᄋᆡ 다만 탄식ᄒᆞᆯ ᄲᅮᆫ이더라.

소뉴시 쳔변만화(千變萬化)로 어ᄉᆞ의 삼ᄎᆔ되나, ○○[신혼] 초일부터 어ᄉᆞ의 옷기ᄉᆞᆰ도 ᄃᆞ려[161]보지 못ᄒᆞ고 ᄯᆡᄯᆡ 문안ᄒᆞᆯ 졔 만나ᄂᆞ, 어ᄉᆞ의 ᄉᆞ일쌍광(斜日雙光)[162]이 요ᄉᆞ(妖邪)의 ᄉᆡᆨ을 졍시(正視)치 아냐 시쳠(視瞻)이 ᄃᆡ(帶) 우의 오ᄅᆞ지 아니코, 즉시 문안을 퇴ᄒᆞ여 구유[163]가의 가 물을 먹이고 혹 여물을 써흐러 소임을 틔만치 아니니, 뉴시 보칠 흔목(釁目)[164]을 엇기 어려온지라. 어ᄂᆡ 틈의 딜녀의 음욕을 맛쳐 금슬을 권ᄒᆞ리오. 요음(妖淫)ᄒᆞᆫ 소뉴시 어ᄉᆞ의 화풍경운을 종죵 ᄃᆡᄒᆞᄆᆡ 망혼상담(亡魂傷膽)[165]ᄒᆞ나 ᄒᆞᆫ번 도라보믈 어[엇]지 어드리오. 속졀업시 《혼울몽ᄂᆡ∥혹(或) 유몽래(有夢來)[166]》 시을 을프며, 니을 갈고 숙모을 ᄃᆡᄒᆞ면 누여쌍쳔슈(淚如雙泉水)[167]로 아당(阿黨)ᄒᆞᄂᆞᆫ 셜화 녹ᄂᆞᆫ듯ᄒᆞ여, '소딜(小姪)의 녹발홍안(綠髮紅顔)을 ᄒᆞᆫ갓 윤광쳔의 허명만 직희여 허송세월ᄒᆞ미 원통ᄒᆞ물' 고ᄒᆞ고, 유미(柳眉)을 ᄆᆡᄌᆞ ᄋᆡ걸ᄒᆞᄂᆞᆫ지라. 뉴시 더【9】욱 어ᄉᆞ을 골돌이 미워 위흉을 ᄡᅬ와 아니 시험ᄒᆞᄂᆞᆫ 형벌이 업고, ᄒᆞ로 속죽일긔(粟粥一器)도 쥬락말락ᄒᆞ니, 이 엇지 견딜 ᄇᆡ리오마ᄂᆞᆫ, 어ᄉᆞᄂᆞᆫ 이른 ᄇᆡ 텬인이라, 흉인이 쳔변만화로 보친들 엇지 ᄒᆡᄒᆞ리오.

연이나 어ᄉᆞ와 직ᄉᆞ의 ᄌᆞ심(滋甚)ᄒᆞᆫ 고역과 악착ᄒᆞᆫ ᄆᆡ을 쳔금듕신의 ᄌᆞ로 당ᄒᆞᄃᆡ, 츄밀은 익봉잠의 혼미ᄒᆞ여 뉴시의 참소을 밋고 직ᄉᆞ을 만금 소듕ᄒᆞ던 졍이 변ᄒᆞ여 ᄯᆡᄯᆡ 불효불명ᄒᆞ믈 칙ᄒᆞ고, 병이 침듕ᄒᆞ여 ○

161)다리다 : 잡아당기다. 잡다.
162)사일쌍광(斜日雙光) : 얼굴은 돌리지 않고 눈알만 옆으로 굴려서 보는 두 눈빛.
163)구유 : 소나 말 따위의 가축들에게 먹이를 담아 주는 그릇. 흔히 큰 나무토막이나 큰 돌을 길쭉하게 파내어 만든다.
164)흔목(釁目) : 꼬투리. 남을 헐뜯을 만한 거리.
165)망혼상담(亡魂傷膽) : 어떤 일에 마음이 팔려 넋을 잃음.
166)유몽래(有夢來) : 꿈속에라도 찾아오기를 바람.
167)누여쌍천수(淚如雙泉水) : 눈물을 두 줄기 샘물처럼 흘림.

3】 윤부의 문후ᄒᆞᄂᆞᆫ 시비 년쇽(連續)ᄒᆞ여 시ᄃᆡ 문을 막고 드리디 아냐 셔간도 밧지 아니니, 금휘 윤가 변고를 짐작ᄒᆞ나, 태부인이 아르시면 우환을 삼으실지라 ᄉᆞᄉᆡᆨ지 아니나, 낙양후를 ᄃᆡᄒᆞ면 광미(廣眉)를 ᄈᆡᆼ긔고 왈,

"근간 명강이 병드다 ᄒᆞᄃᆡ 보지 못ᄒᆞ고, 녀ᄋᆞ의 귀령을 쳥코져 ᄒᆞᄃᆡ, 명강을 보아 쳥ᄒᆞ려 ᄒᆞ엿더니, 여러 친붕이 가도 보디 못ᄒᆞ고 셔랑의 형뎨 병드러 ᄃᆡᆨᄉᆞ를 폐ᄒᆞ니, 연고를 모로리로다."

낙양휘 탄왈,

"됴가(朝家)의 가 드르니 ᄉᆞ빈이 므ᄉᆞᆫ 병이 가바압디 아니타 ᄒᆞ더니, ᄉᆞ원도 유질(有疾)타 ᄒᆞ니 ᄉᆞ괴 만하 뭇디 못ᄒᆞ엿다."

ᄒᆞ더라【54】.

어시의 뎡·딘을 녕원뎡의 가돈 후 가ᄉᆡᆨ로 틈업시 ᄡᆞᄒᆞ, 쇽듁(粟粥) ᄆᆡᆨ반(麥飯)도 주ᄂᆞᆫ ᄇᆡ 업고, 텬일을 블견ᄒᆞ고, 문허진 벽은 풍우를 ᄀᆞ리오기 어렵고, 초ᄉᆞ(草舍)의 슈목이 길ᄀᆞᆺ고[178], 더러온 초틍이 가ᄃᆞᆨᄒᆞ며, 흙ᄂᆡ 코흘 거ᄉᆞ리니, 일시를 견ᄃᆡᆯ ᄇᆡ 아니라. 뒤흐로 운산이 막혀 쳔봉만학(千峰萬壑)이 듕슈(中岫)[179]의 등분(等分)ᄒᆞ여, 기와 틈으로 우러러 뵈ᄂᆞᆫ ᄇᆡ 사ᄅᆞᆷ이 의관갑쥬(衣冠甲冑)[180]ᄒᆞ고 셧ᄂᆞᆫ ᄃᆞᆺ, 은은이 무셥고

178)길ᄀᆞᆺ고 : 한 길이나 하고. 길은 길이의 단위로 한 길은 사람의 키 정도의 길이이다.

179)듕슈(中岫) : 가운데 산봉우리.

○[조정]희[의]셔 ᄑᆡ명(牌命)이 나와도 칭병불출(稱病不出)ᄒᆞ며, 쳔ᄌᆡ 어ᄉᆞ의 츄상지졀과 경운지풍이며 직ᄉᆞ의 청쳔ᄇᆡᆨ일(青天白日)갓치 놉고 조흔 품질을 ᄉᆡᆼ각ᄒᆞᄉᆞ 명ᄑᆡ(命牌)ᄒᆞ시ᄂᆞ, 양인이 《층병보진॥칭병부진(稱病不進)》ᄒᆞ니, 조정이 고이히 녁이고 친붕이 의아ᄒᆞ여 외헌의 모다 보기을 쳥ᄒᆞ나, 병이 듕ᄒᆞ여 ᄂᆡ실의셔 조셥ᄒᆞ므로 못나가물 ᄉᆞ례ᄒᆞ고, 윤공의 환휘(患候) 월여을 《침고॥신고(辛苦)》ᄒᆞ여 ᄇᆡᆨ화헌을 비웟ᄂᆞᆫ지라. 졔인이 경녀(驚慮)ᄒᆞ여 낙낙(落落)히 도라가셔로 젼파ᄒᆞ여, 윤부 우환소식이 잇시나, 죵ᄌᆞ(從者) 윤부의 가면 문의 드리지 아니코져 말을 밧지 아니니, 금평휘 윤부가변을 짐작ᄒᆞᄂᆞ ᄐᆡ부인이 아ᄅᆞ시면 큰 우환이 될지라, ᄂᆡ당의ᄂᆞᆫ ᄉᆞᄉᆡᆨ지 아니나, 낙양후을 ᄊᆡ[ᄃᆡ]ᄒᆞ면 광미(廣眉)을 ᄶᅳᆼ긔여 왈,

"슈월ᄌᆡ 명강이 유질(有疾)타 ᄒᆞᄃᆡ 보지 못ᄒᆞ엿거니와, 녀아 등이 귀령을 쳥코져 ᄒᆞ더니 여러 친위 가셔 보지 못ᄒᆞ고, 셔랑의 형뎨 병드러 조참(朝參)을 폐ᄒᆞ니 곡졀을 모로리라."

낙양휘 탄왈,

"ᄂᆡ 《도아॥됴아(朝衙)》의 드르니 ᄉᆞ빈이 무ᄉᆞᆫ 병이【10】 가ᄇᆡ압지 아니타 ᄒᆞ더니, ᄉᆞ원도 유병ᄒᆞᆫ가 시부니 ᄉᆞ긔[괴] 연쳡ᄒᆞ여 뭇지 ○○○○[못ᄒᆞ엿다.]"

ᄒᆞ고, 셔로 우려ᄒᆞ더라.

어시에 뎡·진 양소져 녕원졍의 갓치인 후 가ᄉᆡᆨ을 두로 틈업시 ᄊᆞ고, 속쥭(粟粥) ᄆᆡᆨ반(麥飯)도 쥬지 아니니, 비록 ᄉᆞ인이 쳔일(天日)을 보지 못ᄒᆞᆯ ᄲᅮᆫ 아냐, ᄉᆞ벽과 집말[168]이 다 허러진 ᄃᆡ, ᄌᆞ리도 ᄉᆡ지 못ᄒᆞ고, 방안의 슈목이 길갓고[169] 흙ᄂᆡ 거ᄉᆞ리니 일시을 견ᄃᆡᆯ 곳지 아니오, 또 인젹이 아득ᄒᆞ고, 뒤으로 운산은 가로막혀, 쳔봉만학(千峰萬壑)이 듕국(中局)[170]의 등분(等分)ᄒᆞ

168)집말 : 지붕마루. 용마루. 지붕 가운데 부분에 있는 가장 높은 수평 마루.

169)길갓고 : 한 길이나 하고. 길은 길이의 단위로 한 길은 사람의 키 정도의 길이이다.

170)듕국(中國) 중앙이 되는 한 가운데.

두리온디라. 냥 시비와 진쇼져ᄂᆞᆫ 긔진(氣盡)ᄒᆞ여 두리오믈 니긔지 못ᄒᆞᄃᆡ, 뎡쇼져는 타연ᄌᆞ약(泰然自若)ᄒᆞ여 ᄀᆞᆯ오ᄃᆡ,

"현뎨ᄂᆞᆫ 디란(芝蘭) ᄀᆞᆺ튼 약질이 이의 위ᄐᆡᄒᆞ믈 엇디 견ᄃᆡ리오마ᄂᆞᆫ ᄉᆞ이이【55】의(事而已矣)181)라. 관억(寬抑)ᄒᆞ라, 그러나 부ᄌᆞ의 위란이 종당(終當)182) 호구(虎口)의 써러져시ᄃᆡ 아둥이 이 ᄀᆞ온ᄃᆡ나 보호ᄒᆞ여 근심을 씻치지 말미 가ᄒᆞ니라."

진쇼졔 ᄋᆡ읍 왈,

"져져ᄂᆞᆫ 쳔균대량(千鈞大量)183)이시고 ᄋᆡ락감고(哀樂甘苦)의 블슈셩ᄉᆡᆨ(不垂聲色)184)ᄒᆞ시나, 쇼뎨ᄂᆞᆫ 협냥(狹量)이라 훈아여185) 혼ᄇᆡᆨ이 흣터진ᄃᆡ, 일즉 이곳의 오므로 인뎍(人跡)이 긋쳣고, 쟉슈(勺水)를 통치 못ᄒᆞ니, 심슈(深邃)ᄒᆞᆫ 원듕의 취운산 최고봉이 참치(參差)히 셧ᄂᆞᆫ 거동이 억만 군병이 구갑쥬(具甲冑)186)ᄒᆞ고 셧ᄂᆞᆫ 듯ᄒᆞ여, 희미ᄒᆞᆫ 월하의 두립고 무셔올 적은 휘휘ᄒᆞᆫ187) ᄆᆞ음의 져져긔 의지ᄒᆞ여 딘졍ᄒᆞ니 엇디 보젼ᄒᆞ믈 바○[ᄅᆞ]리오. 쇼뎨 죽ᄂᆞᆫ 날도 부모긔 가업ᄉᆞᆫ 블효【56】를 ᄉᆡᆼ각ᄒᆞᆫ즉 슬프믈 엇디 춤으리오."

언파의 츄패(秋波) 년협(蓮頰)의 니음ᄎᆞ니 뎡쇼뎨 역시 막블시비(莫不是悲)188)ᄒᆞ여 휘

180)의관갑쥬(衣冠甲冑) : 갓쓰고 도포입은 사람의 모습과 갑옷입고 투구를 쓴 사람의 모습.
181)ᄉᆞ이이의(事而已矣) : 어쩔 수 없는 일이다.
182)종당(終當) : 마지막, 끝내.
183)쳔균대량(千鈞大量) : 천균(千鈞)이나 될 만큼 도량이 크다. 1균은 30근
184)블슈셩ᄉᆡᆨ(不垂聲色) : 어떤 감정이나 기운이 말소리와 얼굴빛에 깃들거나 드러나지 않음
185)훈아이다 : 혼(魂)을 빼앗기다. 넋을 잃다.
186)구갑쥬(具甲冑) : 갑옷과 투구를 갖추어 입고 씀.
187)휘휘ᄒᆞ다 : 무서운 느낌이 들 정도로 고요하고 쓸쓸하다.
188)막블시비(莫不是悲) : 슬픔을 이기지 못하다.

여 지와171) 써러진 틈으로 울울히 뵈ᄂᆞᆫ ᄇᆡ, ᄉᆞ름이 군용(軍容)을 엄히ᄒᆞ고 셧ᄂᆞᆫ 듯, 음음(陰陰)ᄒᆞ고 두리온지라. 양 시아와 진소져ᄂᆞᆫ 무셥고 주리믈 이긔지 못ᄒᆞ여 긔진ᄒᆞᆫ 거동이로ᄃᆡ, 뎡소져 ᄐᆡ연ᄒᆞ여 왈,

"현뎨 지란(芝蘭) 갓튼 약골노 ᄌᆞ최 계졍(階庭)을 밥지 아니ᄒᆞᆫ ᄇᆡ라. 이 위ᄐᆡᄒᆞ물 견ᄃᆡ리오마ᄂᆞᆫ 심ᄉᆞ을 널니 ᄒᆞ리[라]. ᄉᆞ이지ᄎᆞ(事已至此)ᄒᆞ니 무가ᄂᆡᄒᆞ(無可奈何)오172). 군ᄌᆞ의 위란이 농담호구(龍潭虎口)173)의 써러져시니, 우리 이 가온ᄃᆡ나 부모유쳬(父母遺體)을 보호ᄒᆞ여 부ᄌᆞ(夫子)와 슉슉(叔叔)으로 ᄒᆞ여곰 우리나 근심치 아니케 ᄒᆞ미 만힝이라."

진소졔 ᄋᆡ읍 ᄃᆡ왈,

"져져ᄂᆞᆫ 쳔근[균]ᄃᆡ량(千鈞大量)174)이시라, ᄋᆡ락감고(哀樂甘苦)의 브동셩ᄉᆡᆨ(不動聲色)ᄒᆞ시나, 소졔ᄂᆞᆫ 협냥(狹量)이라 놀나온 곡셩의 '혼(魂)을 아여'175) ᄉᆞ람의 큰 기춤의도 넉시 나던 ᄇᆡ로, 다시 이곳의 인젹(人跡)도 ᄭᅳᆺ치고, 쟉슈(勺水)을 통치 못ᄒᆞᄂᆞᆫ 심슈(深邃)ᄒᆞᆫ 원즁의, 취운산을 격ᄒᆞ여 참치(參差)ᄒᆞᆫ 고봉이 일만 군졸이 셧ᄂᆞᆫ 듯, 희미ᄒᆞᆫ 월ᄒᆞ의 더욱 비최ᄂᆞᆫ【11】 ᄇᆡ, 하 두렵고 휘휘ᄒᆞᆯ176) 졔ᄂᆞᆫ ᄌᆞ연 몸이 져져의 겻틀 의지ᄒᆞ고 진졍ᄒᆞ니, 이리 ᄒᆞ고 엇지 이곳의셔 보젼ᄒᆞ리오. 소졔 만일 보젼치 못ᄒᆞ면 훤위(萱闈)177)에 가업ᄉᆞᆫ 불효을 끼치와 상명지통을 유명간 춤아 엇지 견ᄃᆡ리오."

말노조ᄎᆞ 홍협(紅頰)의 쳔항쥬뉘(千行珠淚) 연면ᄒᆞ여 의용이 참담ᄒᆞ니, 뎡시 위로

171)지와 : 기와.
172)ᄉᆞ이지ᄎᆞ(事已至此)ᄒᆞ니 무가ᄂᆡᄒᆞ(無可奈何)오 : 일이 이미 이에 이르렀으니 어찌할 수가 없다..
173)농담호구(龍潭虎口) : 용의 못과 범의 아가리라는 뜻으로,, 매우 위태로운 처지나 형편을 이르는 말.
174)쳔균ᄃᆡ량(千鈞大量) : 천균(千鈞)이나 될 만큼 도량이 크다. 1균은 30근
175)혼(魂)'을 아여 : =훈아여. 넋을 빼앗겨.
176)휘휘ᄒᆞ다 : 무서운 느낌이 들 정도로 고요하고 쓸쓸하다.
177)훤위(萱闈) : =훤당(萱堂). 자위(慈闈). 어머니를 달리 이르는 말.

루(揮淚) 왈,

"현뎨○[ᄂᆞᆫ] 츰고 견ᄃᆡ라. 아등의 ᄋᆡᆨ회 머럿고, 구가 가홰 십년의 긋치리니, 오ᄂᆞᆫ ᄋᆡᆨ은 셩인도 면치 못ᄒᆞ시니, 과상ᄒᆞ여 엇디 ᄒᆞ리오. 다만 물길히 ᄭᅳᆺ쳣고 쇽듁일긔(粟粥一器)도 주지 아니니, 존당 뜻이 아냐 기간(其間)[189]의 용ᄉᆡ(用事)니, 아등이 힘힘히[190] 아ᄉᆞᄒᆞ미 하날 뜻이 아니라, 엇디 도리 업ᄉᆞ리오."

ᄒᆞ고 문허진 벽틈으로 보니, 후벽 뒤흔 심슈ᄒᆞ고 고봉만학(高峰萬壑)이 완연이 셩(城)이 되여시므로 가ᄉᆡ를 덥디 아낫ᄂᆞᆫ디라. 뎡쇼뎨 이를 보고 냥시ᄋᆞ를 명ᄒᆞ여 벽 ᄡᅥ러진 거술 쾌히 트고 뫼 뒤【57】ᄒᆡ 프른 바회 층층이 덥혓고 가ᄂᆞᆫ 틈이 잇ᄂᆞᆫᄃᆡ 프른 닛기[191] 듯거웟더라. 시비로 긁어 ᄂᆡ라 ᄒᆞ고 그윽이 믁튝 왈

,

"누쳡(陋妾) 뎡·진 냥인이 심벽험쳐(深僻險處)의 슈계ᄒᆞ여 블식 슈일의 ᄯᅩ 작슈블통이라. '텬작얼(天作孼)이[은] 유가위(猶可違)라'[192] ᄒᆞ신ᄃᆡ, 대죄 ᄌᆞ작(自作)이 아니믈 명명(明明) 샹뎨(上帝) 됴림(照臨)[193] ᄒᆞ시고 물길흘 주샤 샹하 네낫 인명을 구ᄒᆞ쇼셔."

빌기를 맛ᄎᆞᄆᆡ 암셕 ᄉᆞ이로 폭푀 소ᄉᆞ며 은하슈 ᄒᆞᆫ 줄기 소ᄉᆞ 괴이니, 뎡쇼졔 이리 올 젹 옥죵[194]과 야명쥬(夜明珠)[195]를 나군(羅裙) 속의 ᄀᆞᆷ초아 왓던디라. 칠야(漆夜)의도 누실을 ᄇᆞᆰ히고, 옥죵으로 물을 ᄯᅥ 샹ᄒᆡ 먹으니 감미 쳥녈(淸冽)ᄒᆞ고[196], ᄯᅩ 허핍(虛

189)기간(其間) : 어느 때부터 다른 어느 때까지의 사이. 여기서는 '시간' '세월'을 뜻함.

190)힘힘히 : 부질없이.

191)닛기 : 이끼.

192)텬작얼(天作孼)은 유가위(猶可違)라 : '하늘이 내리는 재앙은 가히 피할 수 있다. 『맹자』 <공손추장구상(公孫丑章句上)>의 '天作孼猶可違 自作孼不可活(하늘이 내린 재앙은 피할 수 있지만 자신이 지은 재앙은 피할 수도 없다)'에서 따온 말.

193)됴림(照臨) : 신불(神佛)이 세상을 굽어봄.

194)옥죵 : 옥으로 만든 종지.

195)야명쥬(夜明珠) : ≒야광주(夜光珠). 어두운 데서 빛을 내는 구슬.

왈,

"현뎨ᄂᆞᆫ 참고 견ᄃᆡ라. 아등의 ᄋᆡᆨ회 머럿고 구문(舅門)의 가홰 십년의 ᄭᅳᆺ치리니 오ᄂᆞᆫ ᄋᆡᆨ은 셩인도 면치 못ᄒᆞ신 ᄇᆡ라. 과도이 쵸우(焦憂)ᄒᆞ여 엇지 ᄒᆞ리오. 다만 슈화(水火)을 이을 길이 업ᄉᆞ니, 아등이 힘힘이[178] 아ᄉᆞᄒᆞ면 쳔의(天意) 아니신져. 묘ᄆᆡᆨ이 잇시리라."

ᄒᆞ고 벽 무어[너]진 틈으로 보니, 가ᄉᆞ[ᄉᆡ]을 길길이 ᄉᆞ면으로 덥ᄊᆞ아시나, 벽 뒤ᄂᆞᆫ 깁고 심슈ᄒᆞ여 운산을 등져시므로, 졔뇌 넘너을 아니코, 좌우와 압흘 쳘통갓치 ᄊᆞᆺᄂᆞᆫ지라. 뎡소졔 시ᄋᆞ을 명ᄒᆞ여 벽 ᄡᅥ러진 거술 쾌이 트고 보니, 뫼 뒤이라 암셕이 프른 곳의 ᄉᆞ면이 막히고 층층ᄒᆞ엿ᄂᆞᆫ ᄃᆡ, ○…결락12자…○[프른 닛기[179] 듯거웟더라. 닛기을] 싹고, 그윽이 묵츅 왈,

"누쳡(陋妾) 뎡·진 양인이 ᄃᆡ죄을 무릅쓰고 심벽험쳐(深僻險處)의 슈계ᄒᆞ연지 슈일이로ᄃᆡ, 작슈을 통치 못ᄒᆞ옵ᄂᆞᆫ지라. 쳡 등의 죄 ᄌᆞ작이 아니온 쥴 상쳔이 조림(照臨)[180]ᄒᆞ시거든, ᄒᆞᆫ 쥴기 감쳔(甘泉)을 쥬ᄉᆞ 상하 네낫 인명을 구활ᄒᆞ소셔."

언미필의 암셕 ᄉᆞ이로 셔[셰]파옥슈(細派玉水) 소ᄉᆞ 고이니, 뎡소졔 ᄃᆡ희ᄒᆞ여, 이리 올 ᄊᆡᆨ 옥통(玉桶) 일지[개]와 야명쥬(夜明珠) 두 낫출 가져 왓ᄂᆞᆫ지라, 명쥬로 칠야 갓튼 누실을 밝히고 통을 ᄂᆡ여 물을 ᄡᅥ 진소져와 양 비ᄌᆞ을 먹이니, 물 맛시 청열(淸冽)ᄒᆞ고[181], 후셜(喉舌)을 너무 ᄆᆡ, 듕경이 메이ᄂᆞᆫ 듯ᄒᆞ여 아ᄌᆞ 어득 허비(虛憊)ᄒᆞᆫ 긔운이 젼혀 업고 졍신이 상쾌ᄒᆞ니, 양인이 고상(高翔)ᄒᆞᆯ 듯ᄒᆞᆫ지라. 양 시녜 긔이ᄒᆞ믈 니긔지 못ᄒᆞ거놀,

178)힘힘이 : 부질없이.

179)닛기 : 이끼.

180)조림(照臨) : 신불(神佛)이 세상을 굽어봄.

181)청열(淸冽)ᄒᆞ다 : 청렬(淸冽)하다. 맛이 산뜻하고 시원하다.

乏)ᄒᆞ미 나아 긔운이 상낭(爽凉)【58】 싁싁ᄒᆞ니, 냥시ᄋᆡ 긔이ᄒᆞ믈 브르고 진시의 ᄉᆞ라지던 졍신이 뇨연(瞭然)ᄒᆞ여 긔아(飢餓)ᄒᆞ미 업ᄉᆞ니, 뎡쇼졔 희왈,

○…결락 50자…○["ᄎᆞᄂᆞᆫ 쳔의라."

ᄒᆞ고, 이후ᄂᆞᆫ ᄇᆡ고푸면 물을 먹어 긔갈을 모로나, 셔로 이ᄅᆞᄃᆡ,

"이 가온ᄃᆡ ᄌᆞ리 이시면 결될 ᄇᆡ로ᄃᆡ 이 도리 난득이라.] 션이 암셕 쇽으로 말ᄆᆡ암아 뫼흘 넘으면 진부 별원이니 ᄌᆞ리를 어더오면 됴흐ᄃᆡ 삿출[197] 슈젼(輸轉)[198]ᄒᆞ미 어렵도다."

홍션이 ᄃᆡ왈,

"쇼비 이만 쉬운 일을 봉힝치 아니리잇고? 즉시 암셕 ᄉᆞ이로 말ᄆᆡ암아 셔너닙 ᄌᆞ리를 슈운(輸運)ᄒᆞ리이다."

ᄒᆞ고, 표연이 나셔ᄂᆞᆫ디라. 쇼졔 탄왈,

"아등이 죄여구산(罪如丘山)[199]ᄒᆞ니, 부모 동긔예 존문(存問)도 긋쳐시니, 이런 일을 아르시면 블초 등을 ᄉᆞ렴ᄒᆞ샤 슉식이 블안ᄒᆞ시리니, 비ᄌᆡ 본부의 통ᄒᆞᆯ가 념녀ᄒᆞ노라".

홍션은 응시(應時)ᄒᆞᆫ 녕물(靈物)이라 쇼져【59】의 ᄯᅳᆺ을 디긔ᄒᆞ고 ᄭᅮ러 고왈,

"쇼비 쇼져 장ᄃᆡ하(粧臺下)의셔 셩덕대도를 앙ᄉᆞ(仰事)ᄒᆞ옵는디라. 부듕 어ᄌᆞ러움과 냥부인 ᄋᆡ회를 고ᄒᆞ여 태부인과 노야의 근심을 씻치지 아니ᄒᆞ오리니, 어미를 은근이 ᄎᆞᄌᆞ 보고 ᄌᆞ리를 엇고, 부듕 소식을 듯고 하・댱 냥쇼져 평문(平問)[200]을 아라오리이다."

뎡쇼졔 흔연 위유 왈,

"여언이 뎡합아심(正合我心)이라, 이리 ᄒᆞ미 절당ᄒᆞ도다."

뎡소져 왈,

"ᄎᆞᄂᆞᆫ 쳔의라."

ᄒᆞ고 이후ᄂᆞᆫ ᄇᆡ고푸면 물을 먹어 긔갈을 모로나 셔로 이ᄅᆞᄃᆡ,

"이 가온ᄃᆡ ᄌᆞ리 이시면 결될 ᄇᆡ로ᄃᆡ 이 도리 난득이라. 홍비ᄌᆡ 능히 져 암셕을 너머 압뫼흘 지나면 ○○○○[진부 별원]이니, 게 가 ᄌᆞ리을 어더오미 조흐ᄃᆡ, 잘 오라기 어렵고 ᄌᆞ리을 슈운(輸運)키도 어렵도다."

홍낭이 ᄃᆡ왈,

"소비 이런 쉬운 일을 못ᄒᆞ릿고?"

ᄒᆞ고 표연이 나셔거ᄂᆞᆯ, 뎡시 탄왈,

"우리 죄악이 즁ᄒᆞ여 부모 동ᄉᆡᆼ의게 다 들니지 못ᄒᆞ고, ᄯᅩ 드르시ᄆᆡ 불초 등을 우려ᄒᆞᄉᆞ 슉식이 불평ᄒᆞ실지라. 네 본부와 의[외]가의 이러ᄒᆞ믈 누통(漏通)ᄒᆞᆯ가 념ᄒᆞ노라."

홍낭이 능[응]시(應時)ᄒᆞ엿ᄂᆞᆫ지라. 소져의 분부ᄒᆞᆯ ᄌᆞᆯ 몬져 아ᄂᆞᆫ 고로 이에 고왈

"소져의 셩덕을 아옵거ᄂᆞᆯ 엇지 누통ᄒᆞ리잇고?"

196)청녈(淸冽)ᄒᆞ다 : 청렬(淸冽)하다. 맛이 산뜻하고 시원하다.
197)삿 : 삿자리.
198)슈젼(輸轉) : 물건을 들거나 실어 나름.
199)죄여구산(罪如丘山) : 죄가 구산처럼 많이 쌓였음.
200)평문(平問) : 평부(平否). 안부(安否).

션이 표연이 암셕을 말ᄆᆡ암아 츩 덩굴을 더위잡고 쟝원을 평디ᄀᆞᆺ치 더듬어, 취봉각 후함(後檻) 알플 안안이 나려, 후함의 업ᄃᆡ여 일혼(日昏)201)을 기다리더니 당듕의셔 탄셩이 니음ᄎᆞ ᄀᆞᆯ오ᄃᆡ,

"냥쥬모ᄂᆞᆫ 가ᄉᆡ 쇽의【60】 ᄀᆞᆷ초이신 지 날을 포집고202) 냥위 상공은 쳔역을 쥬야ᄒᆞ고 ᄆᆡᆨ반(麥飯) 쇽륙(粟粥)도 그릇ᄉᆞᆯ ᄎᆞ게 못ᄒᆞ시나, 어ᄉᆞ 노야ᄂᆞᆫ 딘ᄒᆞ시ᄃᆡ ᄃᆡᆨᄉᆞ 상공은 그거ᄉᆞᆯ ᄎᆞ마 딘치 못ᄒᆞ시니, 하날도 야쇽ᄒᆞᆯ샤. 아쟈의 드르니, 셕·뉴 두 부인이 연고업시 하·당 냥 쇼져를 구타ᄒᆞ시다가, 어사 노애 드러오샤 이 경ᄉᆡᆨ을 목도ᄒᆞ시고 여ᄎᆞ여ᄎᆞ 간ᄒᆞ시니, 셕부인은 뒤흐로 닷고 뉴부인은 두로ᄯᅳ러203) ᄃᆡ답ᄒᆞ시고, 냥 쇼져를 프러 노흐며 뎡당으로 드러가시니, ᄯᅩ 므ᄉᆞᆫ 일이 날동204) 알니오. 우리 냥쇼져는 거의 아ᄉᆞᄒᆞ시리니, 츌하리 죽으시면 아등이 쾌히 원슈를 갑고, 황양(黃壤)205) 아ᄅᆡ ᄯᆞᆯ오리로다."

ᄒᆞ고 오열(嗚咽)【61】 비읍(悲泣)ᄒᆞᄂᆞᆫ 소ᄅᆡ 명명ᄒᆞ니, ᄌᆞ최를 ᄀᆞ마니 ᄒᆞ여 문을 열고 드러가 모녜 붓드러 일장을 비읍ᄒᆞ고, 쇼져 긔거를 므르니, 냥이 죵두(終頭)206)를 셜파ᄒᆞ고 오열 블능언(不能言)ᄒᆞ더라. 유모 등이 이 말을 드르ᄆᆡ 원통ᄒᆞᆫ 슬프믈 니긔지 못ᄒᆞᄃᆡ, 간인의 여으미207) 될가, 션을 협실의 숨기고 밥을 먹이고, 밧그로 나가 쇼져 상협(床篋)의 《벽히‖벽옥(碧玉)》 두어뺭을 시샹(市上)의 파라 건어(乾魚) 미시를 만히 ᄉᆞ고, 산과 미곡 ᄉᆞ오두를 환ᄆᆡᄒᆞ여 ᄌᆞ리의 동혀 노코 션다려 왈,

---

201)일혼(日昏) : 저녁. 날이 어두워짐.

202)포집다 : 포개어 놓다. 거듭되다.

203)두로ᄯᅳ리다 : 두루 끌어대다. 둘러대다. 그럴듯한 말로 꾸며 대다.

204)-ㄹ동 : '-ㄹ지'의 뜻을 나타내는 어미로 무지(無知), 미확인의 경우에 흔히 쓰인다.

205)황양(黃壤) : =저승. 사람이 죽은 뒤에 그 혼이 가서 산다고 하는 세상.

206)죵두(終頭) : 처음부터 끝까지. 자초지종(自初至終), 종두지미(從頭至尾)

207)여으다 : 엿보다.

ᄒᆞ고 즉시 암셕을 말ᄆᆡ암어 측덤불을 더워잡고 차아(嵯峨)ᄒᆞᆫ 분장(粉牆)182)을 더듬어 취봉당 후창의 업ᄃᆡ여 인젹(人跡)을 기ᄃᆞ리더니, 당 즁의셔 탄셩○[이] 이음ᄎᆞ 왈,

"쥬모 양위(兩位)ᄂᆞᆫ 가ᄉᆡ 울이의 드런지 날이 포집고183), 쥬군 양위ᄂᆞᆫ 쳔역을 쉴 ᄉᆞ이 업ᄉᆞᄃᆡ, ᄆᆡᆨ반(麥飯) 속죽(粟粥)도 그릇ᄉᆞᆯ ᄎᆞ게 못ᄒᆞ나, 직ᄉᆞ 노야ᄂᆞᆫ 그도 참아 진식(進食)지 못ᄒᆞ시니, 하날도 야속ᄒᆞ실 ᄉᆞ, 아ᄌᆞ의 뉴부인과 셕부인이 하·장 양 소져을 구타ᄒᆞ다가, 어ᄉᆞ 노야 그 광경을 목도 ᄒᆞ시고 여ᄎᆞ 여ᄎᆞ 간ᄒᆞ시니, 두 부인이 양 소져을【13】 노코 졍당으로 가시니, 무ᄉᆞᆫ 흉ᄉᆡ 날동184) 알니요. 우리 양 소져ᄂᆞᆫ ᄒᆞ마 아ᄉᆞᄒᆞ리니, 츨ᄒᆞ리 아ᄉᆞᄒᆞ시면 아등이 쾌히 원슈을 갑고, 황양(黃壤)185) 아ᄅᆡ 소져을 ᄯᆞᆯ와 뫼시미 원이라."

ᄒᆞ고, 오열뉴쳬(嗚咽流涕)ᄒᆞᄂᆞᆫ 소ᄅᆡ 녁녁ᄒᆞ니, ᄌᆞ최을 가마니 ᄒᆞ여 후창으로 드러가 모녀 붓들고 일장 비읍(悲泣)ᄒᆞᆫ 후, 소져의 고ᄉᆡᆼ을 젼ᄒᆞ고, 소져 여ᄎᆞ여ᄎᆞᄒᆞ여 감노슈ᄒᆞᆫ 쥴기을 어더 긔갈을 면ᄒᆞ고, 이졔 ᄡᆞᆯ ᄌᆞ리을 어드러 왓시물 니ᄅᆞᄆᆡ, 목이 머이고 춤이 갈ᄒᆞᆫ지라. 유모 등이 이 말을 드르ᄆᆡ 원통ᄒᆞ고 셜우믈 이긔지 못ᄒᆞ나, 간인의 여어보미186) 될가 ᄒᆞ여, 션을 협실의 슘기고 밥을 먹이며, 밧그로 나가 소져의 상협(床篋) 듕의 《벽히‖벽옥(碧玉)》 두어 쌍을 시상(市上)의 파라 건어와 미시을 만히 ᄉᆞ고, 산(蒜)과 미곡 ᄉᆞ오 두을 환ᄆᆡᄒᆞ여, ᄌᆞ리의 동혀{동혀} 노코, 션다려 왈,

---

182)분장(粉牆) : 갖가지 색깔로 화려하게 꾸민 담.

183)포집다 : 포개어 놓다. 거듭되다.

184)-ㄹ동 : '-ㄹ지'의 뜻을 나타내는 어미로 무지(無知), 미확인의 경우에 흔히 쓰인다.

185)황양(黃壤) : =저승. 사람이 죽은 뒤에 그 혼이 가서 산다고 하는 세상.

186)여어보다 : 엿보다.

"악인의 흭계 궁극ᄒᆞᄃᆡ 여러 사ᄅᆞᆷ을 도모ᄒᆞᄆᆡ, 각당과 원문을 딕희지 아니ᄒᆞ고 맛치 년원졍 신칙만 엄히 ᄒᆞ니, 낫은 슈운ᄒᆞᆯ 길 업ᄉᆞ니, 오날 초혼(初昏)[208]의 가【62】져 드밀니니[209], 너는 급히 건어 미시를 가져가 긔갈ᄒᆞ시믈 구ᄒᆞ라."

션이 하딕고 도라가 폭포를 ᄡᅥ 미시를 화ᄒᆞ여 냥 쇼져긔 나오고, 건어를 드리니, 비록 감쳔슈(甘泉水)로 긔갈을 면ᄒᆞ나, 화식을 슷쳔 지 오ᄅᆡ니, 진원(眞元)[210]이 소진ᄒᆞ더니, 미시를 마시고 건어를 먹으ᄆᆡ 긔운이 씩씩ᄒᆞᆫ디라. 간인들을 만나지 아니며 어ᄉᆞ 형데 평부를 므르니, 션이 분장을 너머 ᄎᆡ봉각의 가 어미를 보고, 어려온 ᄉᆞ연을 알고, 냥노야 만상고경(萬狀苦境)을 ᄒᆞᆫ 입으로 옴길 ᄇᆡ 아니오, 하·댱 냥 쇼져의 위란은 년원졍 슈계의 비ᄒᆞᆯ ᄇᆡ 아니믈 알외고, 누쉬 알플 ᄀᆞ리오고, 일혼(日昏) ᄯᆡ 유랑이【63】'ᄌᆞ리와 ᄡᆞᆯ을 암샹(巖上)의 언즈마' ᄒᆞ더이다 ○○[하니], 냥쇼졔 부듕 소식을 드르ᄆᆡ 악측ᄒᆞᆫ 흉계로 어ᄉᆞ 등과 냥 쇼져를 보ᄎᆡᄃᆡ, 구학(溝壑)의 건져 ᄂᆡᆯ 술(術)이 업ᄉᆞ니, 탄아(嘆啞)[211] 슈셩(數聲)의 옥ᄂᆔ ᄡᅣᆼᄡᅣᆼ이러라.

과연 일혼(日昏) ᄯᆡ 션이 바회 아ᄅᆡ 가 기다리더니, 암셕 ᄉᆞ이로 삿긔 ᄲᆞᆫ 거시 너머오니 가져다가 방 안의 펴니 ᄡᅥ러진 벽을 ᄀᆞ리오고 야명쥬을 빗최니, 쵹광(燭光)을 ᄃᆡᄒᆞ고 아ᄉᆞ를 면ᄒᆞ나, 옹솟[212]츨 엇디 못ᄒᆞ여 밥 디을 도리 업ᄉᆞ니, 쇼졔 탄왈,

"아등의 당ᄒᆞᆫ 바는 오히려 편ᄒᆞ거니와, 하·댱 냥뎨(兩弟)의 경식이 ᄎᆞ악ᄒᆞ니, ᄡᆞᆯ 두고 못 닉이믈 엇디 근심ᄒᆞ리오."

ᄒᆞ더라.

208)초혼(初昏) : 초저녁.
209)드밀다 : 들이밀다. 안쪽으로 밀어 넣거나 들여보내다.
210)진원(眞元) : 사람 몸의 원기(元氣).
211)탄아(嘆啞) : 탄식하는 소리.
212)옹솟 : 옹달솥. 작고 오목한 솥.

"악인의 흿계 궁극ᄒᆞᄃᆡ 여러 ᄉᆞᄅᆞᆷ을 도모ᄒᆞᄆᆡ 각당과 원문을 직희지 아니ᄒᆞ고 다만 영원졍 신칙만 엄히ᄒᆞ니 낫은 슈운ᄒᆞᆯ 길 업ᄉᆞᆫ지가. 오날 초혼의 가져 갈 거시니 너는 급히 건어와 미시을 가져 긔갈ᄒᆞ시물 구ᄒᆞ라."

셩이 하직고 도라가 폭포 ᄡᅥ 미시을 화ᄒᆞ여 양 소져긔 나오고 건어을 드리니, 미록 감쳔슈(甘泉水)로 긔갈을 면ᄒᆞ나, 화식을 슨쳔지 오ᄅᆡᆫ지라. 진원(眞元)[187]이 소진ᄒᆞ더니, 미시을 마시고 건어을 먹으ᄆᆡ 긔운이 씩씩ᄒᆞᆫ지라. 뎡·진 양소져 션ᄃᆞ려 간인을 만ᄂᆞ지 아니ᄒᆞ며, 어ᄉᆞ 형뎨의 평부을 무른ᄃᆡ, 드른 바로ᄡᅧ 고ᄒᆞ고 눈물이 압흘 가리오ᄂᆞᆫ지라. 양소졔 부듕 소식을 드르ᄆᆡ 어ᄉᆞ 형뎨와 장·하 등을 학졍(虐情)으로 보ᄎᆡ미 보ᄂᆞᆫ【14】 듯ᄒᆞ나, 구학(溝壑)을 건질 계괴 업ᄉᆞᆫ지라. 장탄 슈셩(數聲)의 누ᄂᆔ 쌍쌍ᄒᆞ여 홍협(紅頰)을 젹시더라.

과연 일혼(日昏)이 되ᄆᆡ, 홍낭이 바회 밋희셔 기다리더니, 너븐 편암셕(片巖石) ᄉᆞ이로셔 ᄌᆞ리 동인 거시 나려지거ᄂᆞᆯ, 거두어 도라와 두로 ᄡᅡᇂ고 ᄡᅥ러진 벽을 가리오며, 야명쥬을 비최여 쵹을 ᄃᆡᄒᆞ니, 이후는 위ᄐᆡᄒᆞ여 아ᄉᆞᆯ 념녀는 업ᄉᆞᄂᆞ, ᄡᆞᆯ을 노코 양비지 익힐 계교 업ᄉᆞ니 소졔 탄왈,

"아등의 당ᄒᆞᆫ 바는 오히려 편ᄒᆞ믈 어드려니와 ᄒᆞ졔(河弟) 등의 목금 경상 참혹ᄒᆞ며, 신묘랑이 경ᄋᆞ로 더부러 져의 박명신셰(薄命身世)을 풀녀 직물을 모흐므로, 일일 속쥭 일긔도 아니 쥰다ᄒᆞ니 엇지 ᄒᆞᆫ심치 아니리오."

ᄒᆞ더라.

187)진원(眞元) : 사람 몸의 원기(元氣).

어시의 냥흉이【64】 어ᄉᆞ 형뎨○…결락9자…○[을 못견ᄃᆡ도록 보채기]로, 그 괴로오미 아니 밋ᄎᆞᆫ 곳이 업고, ᄆᆡ듁도 주락 말낙○○[ᄒᆞ며], 옷시 술흘 ᄀᆞ리오디 못ᄒᆞ고, ᄐᆡ장이 일일 십이시의 ᄯᅥ나디 아니ᄒᆞ니[나], 증증예블격간(蒸蒸乂不格姦)[213]ᄒᆞ여 그 감화ᄒᆞ기를 바라고 벼술의 ᄯᅳᆺ이 업셔, 안흐고 ᄌᆞ모와 쳐실이 업ᄉᆞ니 'ᄀᆡ포한셔(飢飽寒暑)의 《쥬졔‖쥬쳬[214]》 일신ᄒᆞ여'[215] 어나 낫ᄎᆞ로 ᄃᆡ인(對人)ᄒᆞ리오. 다만 집의 드러 쳔역으로 날을 보ᄂᆡ니, 뉴시 존당의 헌계 왈,

“광텬 등이 블효블초ᄒᆞ여 강상이 듕ᄒᆞᆫ 줄 모로고, 졔 어미○[와] 안ᄒᆡ 업ᄉᆞ니 녹봉이라도 존당이 《ᄎᆡ지‖ᄎᆞ지》ᄒᆞ시ᄂᆞᆫ가, 쳡의 모녜 참예ᄒᆞᄂᆞᆫ가 ᄭᅥ려, 청츈 댱긔로 샤딕ᄒᆞ고, 그 아ᄌᆞ비 병들믈 업슈히 넉여, 놉흔 당의【65】 《언거‖안거(安居)》ᄒᆞ여 아ᄌᆞ미를 초개ᄀᆞᆺ치 넉여 쥬식만 징ᄉᆡᆨᄒᆞ니, 쳡의 신셰 괴롭기 '일일(一日)이 삼츄(三秋) ᄀᆞᆺᄐᆞ나'[216] 《족당‖존당》과 상공 환후로 집의 물너가도 못ᄒᆞᄂᆞ이다.”

위흉이 죵기언(從其言)[217]ᄒᆞ여 더욱 조로고 두다리니, 명쳔공 신죄(神主) 알오미 이시면 늣기디 아니며, 조부인이 목도ᄒᆞᆫ즉 엇

213)증증예불격간(烝烝乂不格姦) : 차츰 어진 길로 나아가게 하여 간악한 데에 빠지지 않게 함. 『동몽선습(童蒙先習)』 '부자유친(父子有親)'조에 나오는 말.

214)쥬쳬 : 주체. 짐스럽거나 귀찮은 것을 능히 처리함.

215)ᄀᆡ포한셔(飢飽寒暑)의 쥬쳬 일신ᄒᆞ여 : '기포한서(飢飽寒暑)에 일신도 주체치 못하며'의 뜻

216)일일(一日)이 삼츄(三秋) ᄀᆞᆺ다 : 하루가 삼 년과 같다는 뜻으로, 짧은 시간이 매우 길게 느껴짐을 비유적으로 이르는 말.

217)죵기언(從其言) : 그 말을 따름.

이ᄯᆡ 위·뉴의 의ᄉᆡ 궁극ᄒᆞ여 어ᄉᆞ형뎨을 못견ᄃᆡ도록 보ᄎᆡ더니, 일일은 위부인이 일오ᄃᆡ,

“근ᄂᆡ 용되 군핍ᄒᆞ여 강도 농장의 미곡이 ᄊᆞ여시ᄃᆡ, 노복 등이 일일 슈운치 못ᄒᆞ니 너희 형뎨 져오라”

ᄒᆞᆫᄃᆡ, 어ᄉᆡ 나작이 고왈,

“다른 일은 슈화(水火)라도 피치 아니ᄒᆞ오려니와 ᄎᆞᄉᆞᄂᆞᆫ 봉승(奉承)치 못○[하]리로 소이다.”

위흉이 ᄃᆡ노ᄒᆞ여 더욱 ᄉᆞ롬의 ᄒᆞ지 못ᄒᆞᆯ 일을 시기며, 일일 ᄆᆡ죽도 쥬락말락ᄒᆞ며 옷시 술을 덥지 못ᄒᆞ고, ᄐᆡ장이 일일 십이시의 ᄯᅥᄂᆞ지 아니 ᄒᆞ니, 어ᄉᆞ 형뎨 '증증예불격간(蒸蒸乂不格姦)[188]ᄒᆞ여 그 감화○○○[하기를] 바라고, 벼술의 ᄯᅳᆺ지 업셔, 다만 집의 드러 쳔역으로 날을 보ᄂᆡ니, 뉴시 존당의 헌계 왈,

“광쳔 등이 불효블초ᄒᆞ여 강상이 듕ᄒᆞᆫ 줄 모로고, 졔 어미와 안ᄒᆡ 업다 ᄒᆞ고 녹봉이라도 존당이 ᄎᆞ지ᄒᆞ【15】시ᄂᆞᆫ가 ᄭᅳ려, 청춘장긔로 ᄉᆞ직ᄒᆞ고 그 슉부 병들믈 업슈히 넉여, 놉흔 당의 어거(御居)ᄒᆞ여 아ᄌᆞ미을 초ᄀᆡ(草芥) 갓치 넉이고 주식(酒食)만 징ᄉᆡᆨᄒᆞ니, 쳡의 신셰 괴롭기 일일(一日)이 여삼츄(如三秋)라[189]. 존당과 상공 환후로 인ᄒᆞ여 집의 물너가도 못ᄒᆞᄂᆞ이다.”

위흉이 그 말을 올히 넉여 더욱 조르고 두다리니, 만일 명쳔공의 혼ᄇᆡᆨ이 아르미 잇시면, 엇지 늣기지 아니며, 조부인이 목도ᄒᆞᆫ작, 엇지 간장이 ᄭᆞᆫ쳐지물 견ᄃᆡ리오.

188)증증예불격간(烝烝乂不格姦) : 차츰 어진 길로 나아가게 하여 간악한 데에 빠지지 않게 함. 『동몽선습(童蒙先習)』 '부자유친(父子有親)'조에 나오는 말.

189)일일(一日)이 여삼츄(如三秋)라 : 하루가 삼 년과 같다는 뜻으로, 짧은 시간이 매우 길게 느껴짐을 비유적으로 이르는 말.

디 간장이 ᄉᆞᆺ쳐지믈 면ᄒᆞ리오.

ᄯᆡ의 묘랑이 삼쳥(三淸)[218] 위ᄒᆞᄂᆞᆫ ᄃᆡ장(大場)을 별노 《치례 ‖ 치레》ᄒᆞ여 뉵복(六幅) 슈(繡)를 노흐려 뉴시 다려 왈,

"셕쇼제 단장박명(斷腸薄命)이 잔잉(孱仍)ᄒᆞ니 이 삼쳥 압ᄒᆡ 슈노흐시기를 공부ᄒᆞ면 감동ᄒᆞ미 이시리이다."

경ᄋᆡ 옥쳥궁(玉淸宮)[219]을 의빙(依憑)ᄒᆞ여 슈노ᄒᆞᆯ 줄 알니오. 쥬쥬야야(晝晝夜夜)의 어ᄉᆞ 형뎨와 뎡·진·하·댱 등을 셔룻고, 【66】 ᄯᅩ 졔 뎍국(敵國)을 업시 ᄒᆞᆫ 후 셕공의 툥(寵)을 오롯ᄒᆞ고져, 그 슈를 못노흐면 핑계로 ᄉᆞ죄를 마련ᄒᆞ려, 모친을 보ᄎᆡ며 조모를 튱동(衝動)ᄒᆞ여, 냥 쇼져로 슈를 노히ᄃᆡ, 날을 뎡ᄒᆞ여 식이라 ᄒᆞ니, 그 요음(妖淫)ᄒᆞ미 신기(神祇)의 공을 드려 감응ᄒᆞ미 잇기를 바라면, 졔 힘을 다ᄒᆞ여 발원ᄒᆞ쟈 의ᄉᆞᄂᆞᆫ 츄호도 업고, 간악이 여ᄎᆞᄒᆞ니, 엇디 앙얼(殃孼)[220]이 업ᄉᆞ리오. 뉴시 존당의 고왈,

"쳡이 근ᄂᆡ의 ᄀᆡ이ᄒᆞᆫ 몽ᄉᆡ 이시니, 불가의 공을 드려 징험을 바라더니, 신법ᄉᆞ의 인진ᄒᆞ미 이를 구ᄒᆞᄃᆡ, 쳡이 안졍(眼睛)이 어두어 못ᄒᆞ고, 하·댱을 식이고져 ᄒᆞᄃᆡ, 그 심슐이 쳡이 ᄉᆞ쇽(嗣續)을 바라 져의를 슈고식인다 원망【67】ᄒᆞ여 뎡일(定日)의 밋지 아니리니, 존괴 면젼의셔 식이시ᄃᆡ, 상공 환후로 공을 드리노라 식이쇼셔."

위흉이 제 며나리 ᄋᆞ돌을 나흘 공부(工夫)ᄒᆞ믈 엇디 듯디 아니리오. 명일 하·댱이 쇼져를 압ᄒᆡ셔 식일ᄉᆡ, 그러나 뉴시 모녀의 간악만은 못ᄒᆞᆫ디라. 졔 ᄋᆞ돌이 ᄋᆞ돌 빌고져 ᄒᆞ니, ᄎᆞ일은 악셜(惡說)을 아니ᄒᆞ

218)삼청(三淸) : 도교에서, 신선이 산다는 옥청(玉淸)·상청(上淸)·태청(太淸)의 세 궁(宮).

219)옥청궁(玉淸宮) : 도교 삼청궁(三淸宮)의 하나로, 원시천존(元始天尊)이 사는 곳이라 한다.

220)앙얼(殃孼) : 앙화(殃禍). 지은 죄의 앙갚음으로 받는 재앙.

ᄎᆞ시 경ᄋᆡ 신묘랑으로 더부러 ᄇᆡᆨ계로 ᄭᅬᄒᆞ여, 뉴시을 도도아 위흉을 보고 왈,

"여ᄎᆞ여ᄎᆞᄒᆞ면 나의 후ᄉᆞ(後嗣) ᄇᆡᆺ나리라."

ᄒᆞ니, 위노 왈,

"광쳔 등 모ᄌᆞ와 고식을 낫낫치 씨을 남기지 아니려 획계ᄒᆞᄆᆡ, 거의 ᄂᆡ 뜻 ᄃᆡ로 되어오ᄃᆡ, 한ᄒᆞᄂᆞᆫ 바ᄂᆞᆫ 현뷔 두 ᄯᆞᆯ을 낫코 단산(斷産)ᄒᆞ여 바랄 거시 업ᄉᆞ미라. 현ᄋᆞᄂᆞᆫ 촉지의 슈졸과 혼인ᄒᆞ여시니 졔 ᄉᆡᆼ젼의 다시 잔도(棧道)을 넘을 ᄀᆡ약이 업ᄉᆞ니, 다만 소망이 경ᄋᆡ라. 부쳐 화동(和同)ᄒᆞ여 아들을 만히 나흐면, ᄒᆞ나흘 어더 외손봉ᄉᆞ(外孫奉祀)을 ᄒᆞ여도 나의 혈속(血屬)○[을] 이으고 가ᄉᆞ(家事)을 이을가 ᄒᆞ더니, 만일 현뷔 명산ᄃᆡ쳔(名山大川)과 신묘랑의 ᄀᆡ특ᄒᆞᆫ 슐법으로 회잉(懷孕)ᄒᆞᄂᆞᆫ 경ᄉᆡ 이시면, 노뫼 금셕수ᄉᆡ(今夕雖死)나 무한이라. 양인을 슈고히만 니ᄅᆞ지 말고, 아조 죽여 공을 드려 현뷔 ᄀᆡᄌᆞ을 두게 ᄒᆞ라."

ᄒᆞ여 고식의 흉악ᄒᆞ미 여ᄎᆞᄒᆞ나, 명명호쳥[천](明明昊天)이 형벌을 나리오미 《악편 ‖ 후편》의 잇ᄂᆞ니 ᄎᆞ하을 열남ᄒᆞ라.

화셜 위흉이 익일부터 하·장 양 소져을 면젼의 안치고, 경ᄋᆡ 신묘랑의 그린 뉵폭ᄇᆡᆨ능(六幅白綾)을 맛겨 그린 ᄃᆡ로 ᄉᆞ오일 ᄂᆡ의 다 노흐ᄃᆡ, 만일 ᄐᆡ만ᄒᆞ면 ᄉᆞ죄을 당ᄒᆞ리라 ᄒᆞ니, 양 소제 견ᄃᆡ지 못ᄒᆞᆯ 고역을 당ᄒᆞ며 ᄆᆡᆨ반(麥飯) 일 즁[죵][190]으로 연명만 ᄒᆞ니, 장시ᄂᆞᆫ 친당이 이시나 셔신을 통치 못ᄒᆞ게 ᄒᆞᄆᆡ, 양인 슈졍갓튼 ᄲᅧ 빗최고 어

190)죵 ; 종지. 간장·고추장 따위를 담아서 상에 놓는, 종발보다 작은 그릇.

고, 다만 니르ᄃᆡ,

“녜 싀아비 병으로 노뫼 불가의 공을 드리고져 ᄒᆞ니, 내 협실이 그ᄋᆞᆨᄒᆞ고 됴흐니 여등이 딘심 갈녁ᄒᆞ여, 날이 급ᄒᆞ니 밋도록 ᄒᆞ라.”

냥인이 ᄇᆡ이슈명(拜而受命)ᄒᆞ고 협실노 퇴ᄒᆞ니, 십디셤슈(十指纖手)의 바ᄂᆞᆯ이 실을 ᄶᅦᄆᆡ, 그 신쇽ᄒᆞ미 신션의 됴홰라. 그 신츌귀몰ᄒᆞᆫ ᄌᆡ죄 뎡쇼져의 하등【68】이 아니라. 쥬야 갈녁ᄒᆞ여 공경 조심ᄒᆞ미 밋지 못ᄒᆞᆯ가 두리니, 진실노 감동ᄒᆞ미 이시련마ᄂᆞᆫ 모질고 악착ᄒᆞᆫ 뉴시 모녀ᄂᆞᆫ 감동ᄒᆞ미 업셔, ᄆᆡᆨ반 일긔도 주지 아니니, 그러나 위흉은 굴머 대ᄉᆞ의 밋디 못ᄒᆞᆯ가 념녀ᄒᆞ고, 감응ᄒᆞ믈 바라ᄂᆞᆫᄃᆡ, 젹션ᄒᆞ노라 됴셕상을 물녀주니[221] 아ᄉᆞ(餓死)를 면ᄒᆞ니라.

임의 필역ᄒᆞ여 밧치니 태뇌(太老) 뉴시 보라 ᄒᆞᆫᄃᆡ, 냥외(兩妖) 과연 슈 노흐미 범쳬(凡體)와 다르니, 능히 밋지 못ᄒᆞᆯ 줄 알고 만일 못ᄒᆞ거든 죽도록 ᄒᆞ려 ᄒᆞᆫ 거시, 뎡일젼(定日前)의 밧치ᄃᆡ, 슈픔(繡品)의 긔이ᄒᆞ미 쳔고(千古)의 업ᄂᆞᆫ디라. ᄇᆡᆨ옥경(白玉京)[222] 못거지[223] 안져(眼底)의 완연ᄒᆞ니, 태을(太乙)[224] 삼태(三台)[225]ᄂᆞᆫ 영소보뎐(靈

221)물니다 : 믈리다. 재물이나 음식, 관리, 지위 따위를 다른 사람에게 내려주다. 여기서는 윗사람이 먹고 남은 음식을 아랫사람에게 내려주는 것을 뜻한다.

222)ᄇᆡᆨ옥경(白玉京) : =옥경(玉京). 옥황상제가 산다고 하는 가상적인 하늘 위의 서울.

223)못거지 : 모꼬지. 놀이나 잔치 또는 그 밖의 일로 여러 사람이 모이는 일.

224)태을(太乙) : =태을성군(太乙星君). 음양가에서, 북쪽 하늘에 있는 별인 태을성(太乙星)의 성군(星君)으로서 병란·재화·생사 따위를 맡아 다스린다고 하는 천상선관(天上仙官).

225)삼태(三台) : =삼태성군(三台星君). 삼태성은 큰곰자리에 있는 자미성을 지키는 별로 각각 두 개의 별로 된 상태성(上台星), 중태성(中台星), 하태성(下台星)으로 이루어져 있다. 이 삼태성을 문창성이라고도 하며, 이 별을 주재하는 삼태성군은 문장과 벼슬을 얻게 하고 재앙을 소멸시키며 옥황상제를 시종한다고 한다.

름이 녹ᄂᆞᆫ 듯ᄒᆞ여, 셰위[외](細腰) 붓치이게[191] 되엿ᄂᆞᆫ지라. 위흉이라도 ᄎᆞᄆᆞ 흉ᄒᆞᆫ 호령을 더으지 못ᄒᆞ여 일오ᄃᆡ,

“협실이 죠용ᄒᆞ니 게셔 {ᄉᆞ} 속히 수을 노흐라.”

ᄒᆞᆫᄃᆡ, 양인이 협실의셔 슈틀을 나오고 그린 바을 보니, 옥쳥(玉淸)[192] 션경이로ᄃᆡ 만일 신션의 ᄌᆡ죄 아니면 엇지 릴우리오마난, 하·장의 신긔ᄒᆞᆫ ᄌᆡ죄 비록 뎡시게 밋지 못ᄒᆞ나, 굿ᄒᆞ여 치지(置之)ᄒᆞ미[193] 업술지라. ,

191)붓치이다 : 불리다. 날리다. 나부끼다.

192)옥쳥(玉淸) : 옥청궁(玉淸宮). 도교 삼청궁(三淸宮)의 하나로, 원시천존(元始天尊)이 사는 곳이라 함.

193)치지(置之)ᄒᆞ다 : 뒤처지다. 내버려두다.

霄寶殿)[226]의 됴회【69】ᄒᆞ며, 노군(老君)[227]은 단ᄉᆞ(丹砂)[228]를 밧들고 왕모(王母)[229]는 반도(蟠桃)[230]를 밧들며, 작교텬손(鵲橋天孫)[231]은 금ᄉᆞ(金絲)를 농(弄)ᄒᆞᄂᆞᆫᄃᆡ, 삼십삼텬(三十三天)[232]을 마조 보는 ᄃᆞᆺ, 셔애(瑞靄) 춍농(總瓏)ᄒᆞ고 오운(五雲)[233]이 어ᄅᆡ여시니, 위흉이 프른 입을 버리고 블냥ᄒᆞᆫ 눈망울을 뒤룩이며, 황홀 칭지 왈,

“노뫼 뉵슌을 다ᄒᆞ여시ᄃᆡ 어런 ᄀᆡᄌᆡ를 못 보괘라. 여등이 간악ᄒᆞᄃᆡ ᄌᆡ조는 이상토다.”

불굿ᄐᆞᆫ 욕심의 협실의 ᄀᆞᆷ초아 노코 조르며, 슈노혀 파라 금은을 모흐믈 계교ᄒᆞᄃᆡ, 뉴시 경ᄋᆞ로 쥬야 모의ᄒᆞ미 쌜니 죽이려 ᄒᆞ니, 협실의 됴히 너허 두고 안졍ᄒᆞᆫ 슈질을 식이리오. 공교ᄒᆞᆫ 혀를 놀녀 쳔만가지 악ᄉᆞ를[로] ᄇᆞᆺᄎᆞ니[234] 쳔고(千古)의 별악(別惡)이라. 그 슈치(繡致)의 ᄀᆡ이ᄒᆞ믈 대경【70】 실ᄉᆡᆨᄒᆞ여 혜오ᄃᆡ,

“광·희 냥ᄋᆡ 각별ᄒᆞᆫ 졍ᄀᆡ를 픔슈ᄒᆞ여 업시ᄒᆞ려 ᄒᆞ미 니리 슈고 되거놀, ᄎᆞ인 등이 ᄉᆡᆨ광 셩덕의 문명 ᄌᆡ예 이상ᄒᆞᆫ 거시 삼겨, 흉ᄒᆞᆫ 것들의 우익이 되니 졀졀이 통한ᄒᆞᆫ디라. 텬뎡(天定)이 승인(勝人)이나 인듕(人衆)이 역승텬(亦勝天)인[235]즉, 조시 쇼ᄉᆡᆼ을 터

---

226)영소보뎐(靈霄寶殿) : 옥황상제가 거처한다고 하는 하늘에 있는 궁전.

227)노군(老君) : =태상노군(太上老君). 도가에서 교조(敎祖)인 노자(老子)를 신격화하여 이르는 말.

228)단ᄉᆞ(丹砂) : =주사(朱砂). 흔히 덩어리 모양으로 점판암, 혈암, 석회암 속에서 나며 수은의 원료, 붉은색 안료(顔料), 약재로 쓴다.

229)왕모(王母) : =서왕모(西王母). 중국 신화에 나오는 신녀(神女). 불사약을 가진 선녀라고 하며, 음양설에서는 일몰(日沒)의 여신이라고도 한다.

230)반도(蟠桃) : 서왕모(西王母)의 요지(瑤池)에서 기른다는 복숭아.

231)작교텬손(鵲橋天孫) : 칠월칠석날 오작교에서 1년에 한 번씩 만난다고 하는 견우와 직녀.

232)삼십삼천(三十三天) : ‘도리천’을 달리 이르는 말. 가운데 제석천과 사방에 여덟 하늘씩이 있다 하여 이렇게 이른다.

233)오운(五雲) : 오색 구름.

234)붓ᄎᆞ다 : 보채다.

235)천정승인(天定勝人) 인중역승천(人衆亦勝天) : 하늘이 사람을 지배하지만, 사람이 힘을 합하면 또한 하늘을 이길 수 있다.

럭도 남기지 아냐 ᄆᆞᄋᆞᆷ을 쾌히 ᄒᆞ리라.

ᄒᆞᄆᆡ, 믄득 입을 비젹이며236) ᄂᆡᆼ쇼 왈,

“존괴 안녁이 어두오시므로 져의 좀 ᄌᆡ조를 기리시니, 교만 방ᄌᆞᄒᆞ미 십ᄇᆡ 승ᄒᆞ리니, 금일브터 청하(廳下)의 ᄃᆡ령ᄒᆞ여 밥 짓고 셰답(洗踏)ᄒᆞ여 태만치 말나.”

냥쇼졔 슈명이퇴(受命而退)ᄒᆞ니 《청ᄉᆞ‖청ᄉᆞᆼ(廳上)》의도 못 잇셔 당하의셔 쳔역을 승슌(承順)ᄒᆞ더라.

뉴시【71】 슈를 가져 ᄉᆞ침의 도라와 경ᄋᆞ로 더브러 협실의셔 보고 탄왈,

“만고의 사름의 손 ᄀᆞ온ᄃᆡ 이런 ᄌᆡ조도 잇ᄂᆞ냐?”

경ᄋᆡ 역시 황홀ᄒᆞ여 ᄃᆡ왈,

“ᄎᆞ인 등이 이러치 아니면 그리 환(患) 되리잇가?”

뉴시 당탄 왈,

“이런 사름이 일인도 흔치 아니ᄃᆡ, 광·희 냥ᄋᆞᄂᆞᆫ 뺭득ᄒᆞ여시니, 조시 어인 팔ᄌᆞ로 져ᄀᆞᆺ튼 냥ᄌᆞ의 네 며나리를 둔들, ᄒᆞᆫ갈ᄀᆞᆺ튼 셩녀슉완(聖女淑婉)을 슬하의 두뇨. 당금○○○○[도 묘랑은] 어ᄃᆡ 츌몰 은복ᄒᆞ여 만복을 도모《ᄒᆞᄂᆞ니‖ᄒᆞᄂᆞᆫ고》, 이러치 아니면 내 심녁을 허비ᄒᆞ여 도모ᄒᆞ며, 여ᄉᆞᆺ 별물이 예ᄉᆞ 것들이면 셔릇기 이리 어려오랴?”

경ᄋᆡ ᄃᆡ왈,

“모친 말솜이 맛당ᄒᆞ셔이다. ᄎᆞ인 등을 당하의 두고ᄂᆞᆫ 조로미 것ᄐᆡ【72】셔 보ᄎᆡᄂᆞ니만 못ᄒᆞ니이다.”

뉴시 악녀의 말이 올타 ᄒᆞ더라.

묘랑을 기다리ᄃᆡ, 묘랑이 구몽쇽으로 더브러 뎡부를 도모ᄒᆞ여, 구부의 가 규규(糾糾)히237) 의논ᄒᆞ고, 또 도문(都門) 밧긔 대찰(大刹)을 일워 뎨ᄌᆞ를 모흐노라 여러 날 소식이 업ᄉᆞ니, 경ᄋᆡ 더욱 기다리믄, 오시

즉시 일우ᄆᆡ 뉴시 보고 ᄂᆡᆼ소ᄒᆞ며, 또 갈오ᄃᆡ

“금일노 븟터 청하(廳下)의 《ᄃᆡ립‖시립》ᄒᆞ여 밥 《지고‖짓고》 셰답(洗踏)ᄒᆞ여 간난ᄒᆞ[ᄒᆞᆫ] 집의셔 귀소졔 쳬을 ᄉᆡᆼ심도 말나.”

양인이 슈명이퇴(受命而退)ᄒᆞ여 감히 《청ᄉᆞ‖청ᄉᆞᆼ(廳上)》의도 못 잇셔 청하의셔 쳔역 시기ᄂᆞᆫ ᄇᆞ을 승슌(承順)ᄒᆞ더라.

뉴시 슈을 가지고 침당의 도라가 녀ᄋᆞ로 더부러 보며 기려 왈,

“만고 쳔지의 ᄉᆞ름의 슈듕의 이런 ᄌᆡ조 잇ᄂᆞᆫ가.”

경ᄋᆡ 역시 황홀ᄒᆞ여 ᄃᆡ왈,

“ᄎᆞ인 등이 이러치 아닐진ᄃᆡ 그리 환이 되릿가?”

뉴시 탄왈,

“이런 ᄉᆞ름이 ᄒᆞ나히라도 희한커ᄂᆞᆯ, 광·희 등이 무솜 복으로 쌍득ᄒᆞ고, 조부인은 어인 팔ᄌᆞ로 져 갓튼 두 아ᄃᆞᆯ의 네 며ᄂᆞ리을 ᄒᆞᆯ갈 갓치 두엇ᄂᆞᆫ가.”

경ᄋᆡ 왈,

“ᄎᆞ인 등을 당【17】하의 두고ᄂᆞᆫ 조ᄅᆞᄂᆞᆫ 도리 편치 아니니, 이 것ᄒᆡ 두고 시시로 보ᄎᆡ미 편당(便當)ᄒᆞ리이다.”

뉴시 악녀의 말을 연연 듯더라.

뉴시 신묘랑을 기ᄃᆞ리ᄃᆡ, 묘랑이 구부의 잇셔 구몽슉으로 더부러 뎡쳔흥을 도모ᄒᆞ려 ᄭᅬᄒᆞ고, 또 묘문(廟門) 박긔 ᄃᆡ찰(大刹)을 일우고 졔ᄌᆞ을 모호노라, 여러 날 소식이 업ᄉᆞ니, 경ᄋᆡ 더욱 기ᄃᆞ리문, 오소져를 후려ᄂᆡ여 구몽슉을 쥬려 ᄒᆞ엿던지라. 소식을 몰나 ᄒᆞ더니, ᄎᆞ일 황혼의 몽[묘]랑이 《어긔‖엇지》 신통ᄒᆞ여 니ᄅᆞ니, 뉴네 황망이 마ᄌᆞ, 《창‖츄밀》의 변심ᄒᆞ믈 ᄒᆞ[ᄉᆞ]례(謝

---

236)비젹이다 : 비죽이다. 비웃거나 언짢거나 울려고 할 때 소리 없이 입을 내밀고 실룩이다.

237)규규(糾糾)하다 : 서로 뒤얽혀 있다. 한통속이 되어 어떤 일을 도모하다.

안ᄉᆡᆨ이 ᄇᆡᆨ승셜(白勝雪)[238]이오 슉녀의 픔이 이셔 효의 츌인ᄒᆞ니, 구괴 ᄉᆞ랑ᄒᆞ고 셕상셔의 듕ᄃᆡ 하히ᄀᆞᆺ고, 금장(襟丈)[239] 쇼괴(小姑) ᄋᆡᄃᆡ(愛待)ᄒᆞ니 경ᄋᆡ 통입골슈(痛入骨髓)ᄒᆞ미 셤분(纖粉)을 ᄆᆡᆫ돌고져 ᄒᆞᄃᆡ, 보호ᄒᆞ미 신듕ᄒᆞ니, 혹 셕부의 가도 감히 발뵈지 못ᄒᆞ고 무류히 도라오면, 식음을 폐ᄒᆞ고 간장의 불이 븟ᄂᆞᆫ디라. 묘랑을 쳔금으로 깃기고 오시를 업시ᄒᆞ믈 【73】 모녜 획칙ᄒᆞ려 기다리더니, ᄎᆞ일 황혼의 요되 니르니 뉴시 황황이 마쟈 츄밀의 변심ᄒᆞ믈 샤례ᄒᆞ고, 오쇼져의 가부(可否)를 므르니, 묘랑이 요두 왈,

"믓디 마르쇼셔. 아조 슈이 넉엿더니, 도로혀 낭원션궁(狼苑仙宮)[240] 셩모낭낭(聖母娘娘) 시녀로 젹묵한을 발원ᄒᆞ고, 쇼져의 홍ᄉᆞ(紅絲)를 아ᄉᆞ 걸고 나시믈 알니오. 구한님은 일시를 밧바ᄒᆞᄃᆡ 젹묵한이 실듕을 눌너시니 셕상공을 츼오고야 햐슈(下手) ᄒᆞ리이다."

뉴시 모녜 착급ᄒᆞ여 브ᄃᆡ 소원 일우믈 빌고, 슌금궤의 슈(繡)노흔 거술 주어 불ᄉᆞ의 공을 드려 발원ᄒᆞ라 ᄒᆞ니, 묘랑이 보ᄆᆡ 긔이ᄒᆞᆫ 됴홰 오ᄎᆡ(五彩) 졍기(精氣)를 앗ᄂᆞᆫ디라. 과연 쳔고의 희한【74】ᄒᆞᆫ 보ᄇᆡ라. 옥경연회 안져의 버러시니, 요졍이 반싱을 ᄌᆡ상 후문의 단니며, 금은을 징ᄉᆡᆨᄒᆞ며 보ᄇᆡ를 물ᄀᆞᆺ치 보아시나, 이 ᄀᆞᆺ튼 보ᄇᆡ야 구경ᄒᆞ여

238)ᄇᆡᆨ승셜(白勝雪) : (피부 따위가) 희기가 눈보다도 더 흼.

239)금장(襟丈) : 동서(同壻). 주로 남편 형제들의 아내들 이르는 말로 쓰인다.

240)낭원션궁(狼苑仙宮) : 낭성(狼星)에 있는 선궁(仙宮)

禮)ᄒᆞ고 소져의 가부(可否)을 므ᄅᆞ니, 묘랑이 눈셥을 모ᄒᆞ고 머리을 흔드러 왈,

"믓지 마르소셔. 이 부듕 소져ᄂᆡᄂᆞᆫ 놉흔 셩신(星辰)을 응ᄒᆞ여 낫시므로 실노 ᄒᆡ키 졸연치 못ᄒᆞ나, 오소져ᄂᆞᆫ 아조 쉬운 줄 아라더니, 뉘 도로혀 졔 《낭월궁∥낭원궁(狼苑宮)[194] 셩모낭낭 시ᄋᆞ로 졍목한을 발원ᄒᆞ고 소져의 홍ᄉᆞ(紅絲)을 아ᄉᆞ 걸고 나시믈 아라시리오. 구한님이 일시 밧바ᄒᆞᄃᆡ, 빈되 셰번을 왕복ᄒᆞ여도 졍목한이 실듕의 눌너시니, 셕노야을 어듸로 띄우고야[195] 하슈(下手)ᄒᆞᆯ너이다."

뉴시ᄂᆞᆫ 탄식 ᄲᆞᆫ이오. 경ᄋᆞᄂᆞᆫ 창ᄌᆡ 끈ᄂᆞᆫ 듯ᄒᆞ여 누쉬 홍협()紅頰을 젹시며, 묘랑의게 쳔만 부탁ᄒᆞ여 슈이 도모ᄒᆞ믈 빌ᄆᆡ, 무릅이 달코 손바닥이 ᄯᅮ러질 듯ᄒᆞ니, 가히 우엄직ᄒᆞ더라.

뉴시 ᄇᆡᆨ능 수노흔 거술 금졔[궤]의 너허 묘랑을 쥬니, 묘랑이 졔[궤]을 열고 보ᄆᆡ, 긔이ᄒᆞᆫ 됴화의 졍긔 쏘이ᄂᆞᆫ【18】지라. 황홀(恍惚) 양구(良久)의 왈,

194)낭원궁(狼苑宮) : 낭성(狼星)에 있는 궁(宮)

195)띄우다 : 띄우다. 간격을 띄워놓다.

시리오. 년망이 칭샤 왈,

"빈되 셰샹의 나 득도ᄒᆞ연 지 오라ᄃᆡ, 이런 슈단(手段)을 못 보아시니, 힘을 다ᄒᆞ여 셕부인 소원을 일우게 ᄒᆞ리이다."

ᄒᆞ더라. 【75】

"과연 쳔고의 히한(稀罕)ᄒᆞᆫ 졀뵈(絶寶)라. 일노 드ᄃᆡ여 오소져 취ᄒᆞ믄 빈도의 슈듕의 이시리다."

뉴시 모녜 ᄃᆡ희쾌락(大喜快樂)ᄒᆞ더라.

명듀보월빙 권디이십삼

어시의 묘랑이 슈픔(繡品)의 긔이ᄒᆞ믈 보고 년망이 칭샤 왈,

빈되 셰샹의 나 득도ᄒᆞ연 디 오ᄅᆡᄃᆡ 이런 슈단은 못보아시니, 힘을 다ᄒᆞ여 셕부인 소원을 일우시게 ᄒᆞ리이다.

이리 니르나, 공 일우미 어려오믈 아ᄃᆡ 그 욕심을 ᄎᆡ오려 텬도를 역ᄒᆞ니, 텬의 엇디 무심ᄒᆞ시리오. 묘랑이 슈일 후 구몽슉을 보아 삼쳥뎐(三淸殿) 일울 금은을 졍ᄉᆡᆨ고져 ᄒᆞ나, 그 미인 구ᄒᆞ는 거술 맛치기 어려오믈 근심ᄒᆞ거놀, 뉴시 쇼왈,

"ᄉᆞ뷔 뎡시의 신긔ᄒᆞᆫ 용광(容光) ᄉᆡᆨ틔를 보디 못ᄒᆞ엿ᄂᆞᆫ 고로, 진짓 절ᄉᆡᆨ을 만나디 못ᄒᆞ믈 한【1】ᄒᆞᄂᆞᆫ도다. 텬강ᄂᆡᆼ우(天降冷雨)의 부게(芙蕖)241) 목욕ᄒᆞ고, 남젼ᄇᆡᆨ벽(藍田白璧)242)의 옥쉬(玉樹) 독닙ᄒᆞᆫ ᄃᆞᆺ, 건곤(乾坤)이 ᄉᆞᄉᆞ(私私) 업숨과 ᄇᆡᆨ태 용광이 녕농ᄒᆞ고, ᄂᆡᆼ담ᄒᆞ믄 ᄆᆡ신(梅信)243)이 나 부쳔(芙川)244)의 도라오고, 한빙(寒氷)이 연디(蓮池)의 니러나니, 규리(閨裏)의 졔셰(濟世)ᄒᆞᆯ 긔틀이 잇고, 가숨의 풍운의 됴화를 거두어시니, ᄉᆞ뷔 이를 득ᄒᆞ면 몽슉의 소원을 일우고 금은을 흙ᄀᆞᆺ치 취ᄒᆞ리라."

묘랑 왈,

"빈되 뎡쇼져의 이러ᄒᆞ믈 닉이 아ᄃᆡ 문창부(文昌府)245) 졍긔를 온젼이 가져시니, ᄇᆡᆨ신(百神)이 호위ᄒᆞ엿ᄂᆞᆫ디라. 빈되 등운가무(騰雲駕霧)246)ᄒᆞ여 쳔만변화(千變萬化)ᄒᆞ나

241)부거(芙蕖) ; 연꽃. 부용(芙蓉).

242)남젼ᄇᆡᆨ벽(藍田白璧) : 남전산(藍田山)에서 난 백옥(白玉). 남전은 중국(中國) 섬서성(陜西省)에 있는 산 이름으로 옥의 명산지.

243)ᄆᆡ신(梅信) : 매화꽃이 전하여 주는 봄소식.

244)부쳔(芙川) : 부용천(芙蓉川). 연꽃이 자라는 내.

245)문창부(文昌府) : 문창성(文昌星) 또는 문창성군(文昌星君)의 집무소(執務所). 문창성은 북두칠성의 여섯째 별인 '개양성(開陽星)'을 달리 이르는 말. 문장과 학문을 맡아 다스린다고 함.

묘랑이 이에 슈일 묵어 삼쳥뎐(三淸殿) 일울 뇌물○[을] 징ᄉᆡᆨᄒᆞ며, 구ᄉᆡᆼ이 미인 구ᄒᆞ미 발분망식(發憤忘食)이믈 타, 금은을 만히 징ᄉᆡᆨᄒᆞ고 아모 곳 미인이나 후려196) 쥬려ᄒᆞᄃᆡ 졸연치 아니믈 근심ᄒᆞᄂᆞᆫ지라. 뉴시 우어 왈,

"ᄉᆞ뷔 하·장의 ᄌᆡ조을 하 긔특이 넉이니 뎡시의 신긔ᄒᆞᆫ 용광ᄌᆡ덕(容光才德)이 ᄌᆞ세 보지 못ᄒᆞ엿○[ᄂᆞᆫ] 고로 진짓 ᄉᆡᆨ을 못 만나ᄒᆞᄂᆞᆫ도다."

묘랑 왈,

"빈되 또ᄒᆞᆫ 뎡소져의 특이ᄒᆞ믈 보아거니와 뎡시ᄂᆞᆫ 문창부(文昌府)197) 큰 졍긔을 가진ᄌᆡ라, ᄇᆡᆨ신(百神)이 호위ᄒᆞ여시니 빈도의 신슐(神術)이 비록 등운가무(騰雲駕霧)198) ᄒᆞ여도 문창부ᄂᆞᆫ 요동치 못ᄒᆞ믈 ᄌᆞ져(趑趄)

196)후리다 : ①남의 것을 갑자기 빼앗거나 슬쩍 가지다. ②휘몰아 잡아채다.

197)문창부(文昌府) : 문창성(文昌星) 또는 문창성군(文昌星君)의 집무처(執務處). 문창성은 북두칠성의 여섯 째 별인 '개양성(開陽星)'을 달리 이르는 말. 문장과 학문을 맡아 다스린다고 함.

198)등운가무(騰雲駕霧) : 구름을 타고 안개를 몰아 하늘을 마음대로 날아다님.

텬샹 문챵부ᄂᆞᆫ 감히 요동치 못ᄒᆞ리니 ᄌᆞ져(趑趄)ᄒᆞ[247]ᄂᆞ이다. '텬강오괘법'이 아니면 ᄎᆞ인을 요【2】동치 못ᄒᆞ리이다.

뉴시 왈,

"여ᄎᆞ여ᄎᆞᄒᆞᆫ 죄를 어더 후원 년원졍의 가도아 졀식(絶食) 오뉵일이니 그 화식을 아냐도 득ᄉᆡᆼ(得生)ᄒᆞ리잇가?"

묘랑이 미소 왈,

"셔가불(釋迦佛)도 ᄒᆞ로 ᄒᆞᆫ번식 공양을 ᄒᆞ시고, 옥황샹뎨도 경ᄋᆡᆨ(瓊液) 반도(蟠桃)를 맛보시니, 오ᄅᆡ면 곤비(困憊)ᄒᆞ나 졸연이 아ᄉᆞᄂᆞᆫ 아니ᄒᆞ려니와, 용이히 착거(捉去)[248]ᄂᆞᆫ 쉽디 아니ᄒᆞ리이다."

시의 어ᄉᆞ 형뎨 위노의 보ᄎᆡ므로 남강의 ᄲᆞᆯ디믈 황혼 ᄣᆡ를 맛초아 날마다 구실삼아 ○○[ᄒᆞ니], 길히 조문(門)을 디나 운산 녑흐로 말ᄆᆡ암ᄂᆞᆫ디라. 어ᄉᆞ 형뎨 삿갓ᄉᆞᆯ ᄉᆞᆨ이고 초리(草履)를 신어 길흘 얼픗 디나, 뎡·딘 냥가 졔인을 만날가 ᄲᆞᆯ니 힝ᄒᆞ니, 본ᄃᆡ 뇽힝호【3】보(龍行虎步)라 ᄀᆞᆺᄐᆞ여 만나리오. 금평후의 삼ᄌᆞ 셰흥이 《왕양‖왕왕(往往)》이 유희ᄒᆞ여, 그 대인 면젼은 안셔 나ᄌᆞᆨᄒᆞ나, 나간 ᄣᅵᄂᆞᆫ 밧긔가 돌흘 구을니고 ᄡᅱ움을 닉이며, 외가 어린 공ᄌᆞ 등으로 더브러 효용(驍勇)[249]이 혜다히는디라[250]. 윤부 ᄋᆞᄉᆞ(衙舍)[251] 압흘 지나더니, 냥인이 므어ᄉᆞᆯ 디고 밧비 가는 거동이 상녜롭디[252] 아냐, 뇽(龍)의 됴화ᄀᆞᆺ고 닌(鱗)[253]의 모양 ᄀᆞᆺᄐᆞ니, ᄌᆞ가(自家)[254] 용신(龍神)이 황금

ᄒᆞ[199]ᄂᆞ이다."

뉴시 왈,

"여ᄎᆞ여ᄎᆞᄒᆞᆫ 죄을 얼거 후원 명월졍의 가두온 지 ᄉᆞ오일 넘어시니, 쥬려 쥭기을 위ᄒᆞ여 식물(食物)을 ᄭᅳᆫ쳐시니 ᄎᆞ인이 화식(火食)을 아니 ᄒᆞ여도 능히 ᄉᆞᆯ니잇가?"

묘랑이 미쇼 왈,

"오ᄅᆡ 굴무면 혹 곤핍ᄒᆞ미 잇스나 아ᄉᆞᄒᆞ믄 업ᄉᆞ리이다."

뉴시 왈,

"져의 곤비(困憊)ᄒᆞᆫ ᄣᆡ을 타 ᄉᆞ뷔 하슈(下手)ᄒᆞ여 보소셔."

묘랑 왈,

"일혼(日昏) 시 가 보ᄉᆞ이다."

---

246)등운가무(騰雲駕霧) : 구름을 타고 안개를 몰아 하늘을 마음대로 날아다님.

247)ᄌᆞ져(趑趄)ᄒᆞ다 ; 주저하다. 머뭇거리며 망설이다.

248)착거(捉去) : 사람을 붙잡아 감.

249)효용(驍勇) : 세차고 날쌤.

250)혜다히다 : 헤고 다니다. 헤집고 다니다. ⇒헤다히다. 헤지르다.

251)ᄋᆞᄉᆞ(衙舍) : 관아(官衙)의 건물.

252)상녜(常禮)롭다 : 예사롭다. 흔히 있을 만하다.

253)닌(鱗) : 비늘, 여기서는 용린(龍鱗)을 말함.

199)ᄌᆞ져(趑趄)ᄒᆞ다 ; 주저하다. 머뭇거리며 망설이다.

기동을 박ᄎᆞ고 ᄂᆡ돗ᄂᆞᆫ 둧, 긔긔히 유쥬를 안고 금쇄(金鎖)255)를 ᄊᆡ인 모양을 평후ᄀᆞᆺ ᄐᆞ면 일안의 ᄊᆡᄃᆞ르련마ᄂᆞᆫ, 셰흥은 소활ᄒᆞᆫ 디라, 이윽이 슉시(熟視)ᄒᆞᄃᆡ 져의 다르미256) ᄲᆞ른디라, 무심히 도라와 존당의 시좌ᄒᆞ엿더니, 금평휘 태부인을【4】 뫼셔 녀ᄋᆞ 등의 소식 모로믈 우려ᄒᆞ니, 태부인이 아쥬를 슬샹의 교무ᄒᆞ여, 긔긔묘려(奇奇妙麗)ᄒᆞ믈 탐혹(耽惑)ᄒᆞ여 만ᄉᆞ를 니졋더니, 홀연 탄왈,

“윤가 가환이 위ᄐᆡᄒᆞᆫ ᄀᆞ온ᄃᆡ 우리 만금 쇼교(小嬌)를 소리히 가(嫁)ᄒᆞ여, 유튱ᄒᆞᆫ 긔질의 독슈를 벗지 못ᄒᆞ여 형히(形骸) 어이 남으리오.”

금평휘 이셩화긔로 위로 왈,

“혜쥬의 작셩 긔질이 안한유양(安閒悠揚)ᄒᆞ여 경운(慶雲)의 ᄀᆞᆷ초인 날ᄀᆞᆺ고, 혜풍(惠風)의 츈양(春陽)이라. 션빙츈광(鮮氷春光)257)은 요디벽되(瑤池碧桃)라. 의의히 셩모(聖母)의 습ᄐᆡ(襲態)를 엇고, 양양(洋洋)ᄒᆞᆫ 문명(文名)이 윤공규양(潤恭閨養)258)ᄒᆞ여 셩인의 톄(體)를 어더시ᄃᆡ, 너모 비무찬난(非無燦爛)259)ᄒᆞ여 홍안(紅顔)의 ᄒᆡ를 만나니, 극(極)ᄒᆞ믜 됴물(造物)의 ᄭᅥ리미라. ᄇᆡᆨ옥은【5】 창승(蒼蠅)은 간ᄃᆡ로260) 안지 못ᄒᆞ고, 송ᄇᆡᆨ(松柏)은 상셜(霜雪)의 빗나니, 맛ᄎᆞᆷ내 오복(五福)이 구젼(俱全)ᄒᆞ오리니, 쇼쇼 지앙을 셩녀의 거리ᄭᅵ지 마르쇼셔. 여ᄋᆡ 윤낭이 아니라도 홍안의 ᄒᆡᄂᆞᆫ 면치 못ᄒᆞ올ᄃᆡ261), ᄒᆞ믈며 윤낭으로 비ᄒᆞ니 니[디]극ᄒᆞ

---

254)ᄌᆞ가(自家) : 자기 자체. 자기 자신.

255)금쇄(金鎖) : 금띠. 금대(金帶). 금으로 만든 줄. 조선 시대에, 정이품의 벼슬아치가 조복(朝服)에 띠던 띠. 가장자리와 띠 등을 금으로 아로새겨서 꾸몄다.

256)다르다 : 닫다. 빨리 뛰어가다. ⇒닷다, 달다.

257)션빙츈광(鮮氷春光) : 맑은 얼음 같은 봄볕.

258)윤공규양(潤恭閨養) : 넉넉하고 겸손하며 규수의 법도를 닦음.

259)비무찬난(非無燦爛) : 훌륭하지 않은 데가 없다.

260)간ᄃᆡ로 : 간대로. 함부로. 마음대로,

261)-ㄹᄃᆡ : -ㄹ진대. 앞 절의 일을 인정하면서, 그 것을 뒤 절 일의 조건이나 이유, 근거로 삼음을 나타내는 연결 어미.

미 심ᄒᆞ오니, 엇지 풍상간익(風霜艱厄)을 면ᄒᆞ리잇고?”

태부인이 아쥬를 쓰다듬아 왈,

“진현뷔 단산(斷産)ᄒᆞ엿다가 의외 이 ᄋᆞᄒᆡ를 어더 긔화(奇花) 명월(明月)노 나의 ᄌᆞ미를 삼아시니, ᄉᆞ회를 골ᄒᆡ여 일ᄉᆡᆼ 나의 슬ᄒᆞ의 두게ᄒᆞ라.”

금휘 ᄃᆡ왈,

“명교ᄃᆡ로 ᄒᆞ리이다.”

셰홍 공ᄌᆡ 쇼왈,

“오날 우연이 강의 거북 쒸는 양을 보라 갓다가, 삿갓슬 쓰고 므엇 디고 가ᄂᆞ니 져부(姐夫) ᄉᆞ원{시} 힝보 ᄀᆞᄐᆞ여【6】 슈샹ᄒᆞ더이다.”

한님 닌흥이 경아(驚訝) 왈,

“ᄋᆞᄒᆡ 실혼(失魂)ᄒᆞ엿ᄂᆞ냐? ᄉᆞ빈 등이 강두(江頭)의 미곡을 나로니[미] 엇디 상ᄉᆡ(常事)리오.”

금평휘 광미(廣眉)를 찡긔고 왈,

“근ᄂᆡ의 명강이 오ᄅᆡ 병드러 됴회를 블츔ᄒᆞ고, ᄉᆞ원 등이 샤딕(辭職)ᄒᆞ고 드러시니 괴이히 넉이더니, 별단 거죄 잇는가 시브니 여등이 가보라.”

윤부인이 공ᄌᆞ의 말을 드르ᄆᆡ 냥뎨 강경의 미곡을 나로는 줄 알더라. 간장이 뎐ᄉᆡᆨ(塡塞)262)ᄒᆞ니, 문안을 퇴ᄒᆞ여 ᄉᆞ침의 도라와 ᄆᆡᆨᄆᆡᆨ히 원텬(遠天)을 바라고 ᄋᆡ를 술오더니, 병뷔 드러오니 됴참 길ᄒᆡ 친우의 집의 가 술을 여러 잔 먹고 취ᄒᆞᄆᆡ, 존당의 못뵈올지라,【7】 부인 침소의 니르니, 부인이 니러 마쟈 관복을 벗겨 걸ᄆᆡ[고], 믈너 좌ᄒᆞ니, 상의 누으며 왈,

내 앗가 윤태ᄉᆞ를 가 본즉 옥누항 윤공의 환휘 듕ᄒᆞ고, ᄉᆞ원 형뎨 시병ᄒᆞ노라 밧 츌입을 아니ᄒᆞ니, 윤부 가변이 어나 디경의 밋쳐시믈 모로노라.“

ᄒᆞ고 잠드니, 부인이 슈셔를 닷가 ᄌᆞ위긔 보ᄂᆡ고, 계부의 우환을 근심ᄒᆞ며, ᄌᆞ긔 ᄌᆡ익(災厄)이 쳡다ᄒᆞᆫ 바와, 냥뎨의 신셰 위란ᄒᆞ미 안져의 머므럿거ᄂᆞᆯ, 쇼고 등이 누란ᄀᆞᄐᆞ

262)뎐ᄉᆡᆨ(塡塞) : 메어서 막힘.

미 뭇지 아냐 알더라. 가변이 져 디경의 밋쳐시나 즈위 써나시미 천만 힝심ᄒᆞᄃᆡ, 가정(家庭)의 ᄎᆞ악ᄒᆞ미 만셩(滿城)의 모로리 업고 ᄉᆞ린(四隣)의 회자(膾炙)ᄒᆞ믈 【8】 싱각ᄒᆞ니, 합연(溘然)[263]ᄒᆞ여 모로미 원이로ᄃᆡ 죽지 못ᄒᆞ고 낫출드러 존당의 날 ᄯᅳᆺ이 ᄉᆞ연ᄒᆞᄃᆡ, 구고의 늉늉ᄒᆞ신 혜튁이 협골흡쳬(浹骨洽體)[264]ᄒᆞ니 ᄉᆞᄉᆞ(私私)를 셰오리오. 다만 즘연(潛然)이 모로ᄂᆞᆫ 둧, 셩효(誠孝)를 갈진(竭盡)ᄒᆞ여 시침(侍寢) 문안(問安)과 됴셕감디(朝夕甘旨)의 동동쵹쵹(洞洞屬屬)ᄒᆞ미 《가득흔 거술 ‖ 가득하여》 밧들며, 뫼아리[265] 그림ᄌᆞ 좃둧, 진효부(陳孝婦)[266]의 지나니, 존당 허ᄃᆡ(許待)와 진부인의 단엄ᄒᆞ므로도 쇼져를 ᄃᆡᄒᆞ면 아험[267]의 화긔 아연ᄒᆞ니[268] 쇼제 이 ᄀᆞᆺᄉᆞ온 늉우(隆遇)[269]를 밧ᄌᆞ오ᄆᆡ, 더욱 쇼고의 만상고초(萬狀苦楚)를 싱각ᄒᆞ여 써써 심혼이 놀나오나, 회포를 향인(向人)ᄒᆞ여 니르지 못ᄒᆞ고 초젼(焦煎)ᄒᆞ니, 금평휘 식부의 심ᄉᆞ를 알ᄆᆡ ᄉᆞᄉᆞ의 긔렴(記念)[270]ᄒᆞ며, 위로 보호ᄒᆞ 【9】 미 디극ᄒᆞ여 ᄉᆞ랑이 아쥬의 지나니, 쇼제 감은골슈(感恩骨髓)ᄒᆞ여 셩덕을 갑숩디 못홀가 슬허ᄒᆞ더라.

시의 묘랑이 뉴시의 흑셕(黑石)져이[271] 기리ᄂᆞᆫ 말을 듯고 싱각ᄒᆞᄃᆡ

---

263)합연(溘然) : 뜻하지 않게 갑자기 죽음.
264)협골흡쳬(浹骨洽體) : 온 몸에 사무침. '골쳬(骨體)'는 온몸을, '협흡(協洽)'은 두루 사무침을 뜻함.
265)뫼아리 : 메아리. 울려 퍼져 가던 소리가 산이나 절벽 같은 데에 부딪쳐 되울려오는 소리.
266)진효부(陳孝婦) : 한(漢)나라 때 진현(陳縣)의 효부. 남편이 변방에 수자리 살러 나가 죽자, 남편과의 약속을 지켜 일생 개가하지 않고 시어머니를 성효로 섬겼다. 『소학』 <제6 선행편>에 나온다.
267)아험 : 아협(娥頰)의 변음인 듯. 고운 뺨, 고운 얼굴. ☞ 화협(花頰)
268)아연ᄒᆞ다 : 애연(靄然)ᄒᆞ다. 구름이나 안개 따위가 짙게 끼다.
269)늉우(隆遇) : 융숭한 대우.
270)긔렴(記念) : 기념. 잊지 않고 생각하다. 유의하다.
271)흑셕(黑石)져이 : 흑석(黑石)처럼, 비석(碑石)처럼. 흑석은 오석(烏石) 곧 비석을 뜻한다. 비석에는 죽은 이의 행적을 기리는 글이 새겨 있다.

"이 부즁의셔 뎡·딘을 아니보는 날이 업ᄉᆞᄃᆡ 잘못 보앗던가 ᄌᆞ시 보리라.

ᄒᆞ고 곤두쳐[272] 아아히 나라, 년원졍의 니르러 늙은 잣남긔 학이 되여 안ᄌᆞᆺ더니, 두로 보ᄆᆡ ᄉᆞ면의 가싀를 얽고 ᄡᅡ하시니 대역죄슈 안치(安置)[273]의셔 더 흉악ᄒᆞ고, 음참ᄒᆞ미 귀문관(鬼門關)[274]니라○[도] ○[더] 요괴로○[오]ᄃᆡ, 그 가온ᄃᆡ 통ᄒᆞᆯ 길 업고 쇽듁도 주지 아녓노라니, '그 엇디 ᄉᆞ라시리오' ᄒᆞ고, 도로 나라 가니라.

어시의 윤어ᄉᆞ 형뎨, 부슉(父叔)[275]이 도봉【10】잠의 졍혼이 ᄉᆞ라지니 두 눈이 멀거ᄒᆞ여 안샹(案上)의 농괴(聾塊)[276] 되엿고, 강두의 미곡을 시러 나로나, 위·뉴의 포악은 낫과 밤을 니어시ᄃᆡ, 일호 원심이 업셔, 다만 망유긔극(望有紀極)[277]ᄒᆞ믈 슬허ᄒᆞᆯ ᄲᅳᆫ이라. 일긔 ᄆᆡᆨ반(麥飯)·쇽륙(粟粥)도 일일일ᄎᆞ(一日一次)가 변변치 아니니, 긔아ᄒᆞ미 싀진ᄒᆞᆯ ᄃᆞᆺᄒᆞᄃᆡ ᄉᆞ싀지 아니나, 어ᄉᆞ는 냥이 너른디라. 죵일 만반진식(滿盤進食) 됴셕식분(朝夕食分)이 의구ᄒᆞ던 바로, 긔식(飢食)이 졈졈 면쳘(綿綴)ᄒᆞ니, ᄃᆡᆨ싀 빅시의 거동을 참연ᄒᆞ여, 각각 유랑이 존당이 모로게 긔갈(飢渴)을 붓쳐시나 오죽ᄒᆞ리오. 뉴시 ᄃᆡᆨᄉᆞ를 간간 즐타(叱打)ᄒᆞ미 살ᄒᆞᆯ 너흘고[278] ᄶᅵᆸ어, 응디셜뷔(凝脂雪膚)[279] 셩ᄒᆞᆫ ᄃᆡ 업ᄉᆞᄃᆡ, 일셩을 브동ᄒᆞ여【11】 완슌(婉順)ᄒᆞᆫ 셩회 아니 감동ᄒᆞᆯ 마ᄃᆡ 업ᄉᆞ나, 조곰도 회심ᄒᆞ미 업셔 ᄉᆞ싱을 그음ᄒᆞ니, 텬디 널너

272)곤두치다 : 곤두박이치다. 높은 곳에서 머리를 아래로 하여 거꾸로 떨어지거나 내려오다.

273)안치(安置) : 조선 시대에 죄인을 먼 곳에 보내 다른 곳으로 옮기지 못하게 주거를 제한하던 일. 또는 그런 형벌.

274)귀문관(鬼門關) : =귀문(鬼門), 귀관(鬼關). 저승으로 들어가는 문

275)부슉(父叔) : 숙부(叔父). 작은 아버지.

276)농괴(聾塊) : 어림쟁이. 일정한 주견이 없는 어리석은 사람을 낮잡아 이르는 말

277)망유긔극(望有紀極) : 바람이 끊어짐.

278)너흘다 : 물다. 물어뜯다.

279)응디셜뷔(凝脂雪膚) : 윤기 있는 하얀 피부.

ᄒᆞ고, 시셕(是夕)의 묘랑이 근두쳐[200] 바로 후원 연졍을[의] 큰 잣남게 학이 되어 안ᄌᆞ시되, ᄉᆞ면의 가싀을 얼거 막어시니, ᄃᆡ역죄슈의 위리안치(圍籬安置)[201]에셔 더욱 흉참ᄒᆞ고 침침ᄒᆞ니 귀문관(鬼門關)[202]이라. 묘랑이 ᄉᆡᆼ각ᄒᆞ되 져 가온ᄃᆡ 밧글 통치 못ᄒᆞ고 슈【19】죽(水鬻)[203] 일긔도 아니 주엇노라 ᄒᆞ니, 그 엇지 ᄉᆞ라시리오. 필연 죽어 시신이 되엿시리라, ᄒᆞ고 두로 슐피다가 나ᄅᆞ가니라.

ᄎᆞ시 어ᄉᆞ 형뎨는, 윤공은 ○[도]봉잠의 졍신이 흐리여 《상셩∥상셕(床席)》의 농궤(聾塊)[204] 되엿고, 강두의 미곡을 날나드리나 일호 원언이 업고, 가변이 망측ᄒᆞ믈 슬허ᄒᆞᆯ ᄯᆞ름이오, 일일의 ᄆᆡᆨ반(麥飯) 일긔(一器)을 변변이 주지 아니ᄒᆞ니, 긔아의 심ᄒᆞ나 ᄉᆞ싀지 아니ᄒᆞ고, 어ᄉᆞ 양이 너른지라, 직싀 더욱 그 주리믈 민박ᄒᆞ여 각각 유모의게 부탁ᄒᆞ여 긔갈(飢渴)을 구ᄒᆞ나, 졈졈 어ᄉᆞ는 힝보을 일우지 못ᄒᆞ고, 직ᄉᆞ는 뉴네 간간 구타 즐욕ᄒᆞ며 살을 너흘고[205] 시버[206] 셩혈(腥血)이 님니(淋漓)ᄒᆞ고, 토혈(吐血)이 무상(無狀)ᄒᆞ니, 어ᄉᆞ 아오을 ᄃᆡᄒᆞ여 호읍 비통ᄒᆞ여 날을 보ᄂᆡ더라.

200)근두치다 : 곤두치다. 곤두박이치다. 높은 곳에서 머리를 아래로 하여 거꾸로 떨어지거나 내려오다.

201)위리안치(圍籬安置) : 유배된 죄인이 거처하는 집 둘레에 가시로 울타리를 치고 그 안에 가두어 두던 일.

202)귀문관(鬼門關) : =귀문(鬼門), 귀관(鬼關). 저승으로 들어가는 문

203)슈죽(水鬻) : 물을 많이 넣고 쑨 멀건 죽.

204)농괴(聾塊) : 어림쟁이. 일정한 주견이 없는 어리석은 사람을 낮잡아 이르는 말

205)너흘다 : 물다. 물어뜯다.

206)십다 : 씹다. 음식 따위를 입에 넣고 윗니와 아랫니를 움직여 잘게 자르거나 부수다

도[280] 용납지 못홀 둧, 혈쳬(血涕) 님니(淋漓)ᄒᆞ고 토혈이 무상(無狀)ᄒᆞ니, 어ᄉᆡ ᄌᆞ가의 보ᄎᆡ이믄 여ᄉᆡ(餘事)오, 딕ᄉᆞ의 거동을 ᄎᆞ마 보디 못ᄒᆞ나, 젼(前)의는 츄밀의 ᄌᆞ상치 아니미 뉴시의 과악을 ᄌᆞ시 모로ᄃᆡ, ᄌᆞ딜(子姪)을 귀듕ᄒᆞ미 텬디간 비유홀 거시 업셔, 그 졸니이미 될가 《츰던 ‖ 슬피던》 ᄇᆡ 만턴 바로, 도금(到今)ᄒᆞ여난 숑장[281]이 되어시니, 슬피믄 ᄉᆡ로이 ᄡᅧᆨᄡᅧᆨ 블효 블경을 미안ᄒᆞ미 업디 아니니, ○○[뉴시] 므어슬 긔탄(忌憚)ᄒᆞ여 형ᄒᆡ(形骸)를 남기리오마는, 텬되 도군(道君)[282]의 무궁훈 복녹을 뎡훈 바의 악인의 손의 맛게 【12】 ᄒᆞ리오. ᄇᆡᆨ신(白身)이 호위ᄒᆞ여 보젼ᄒᆞ미 되니, 형뎨 ᄃᆡᄒᆞ여 오읍(嗚泣)기를 마디 아냐 날을 보ᄂᆡ니, 만일 조부인으로 일ᄐᆡᆨ지샹(一宅之上)의 셔 볼진ᄃᆡ ᄎᆞ마 엇디 견ᄃᆡ리오.

평남휘 ᄡᅧᆨᄡᅧᆨ 악모긔 ᄇᆡ현ᄒᆞ여 존후를 뭇ᄌᆞᆸ고 가듕 ᄒᆡ거(駭擧)를 젼ᄒᆞ여, '괴란(壞亂)이 머러시니 나죵이 아모리 될 줄 모르노라' 홀지언졍, 어ᄉᆞ 형뎨 위급ᄒᆞ믈 ᄉᆞᄉᆡᆨ지 아니니 그 심우(心憂)를 더으지 아니미라. 각각 화풍(華風)이 소삭(消索)ᄒᆞ미 모ᄌᆞ의 졍니 ᄉᆞ렴ᄒᆞ므로 비로셧다 ᄒᆞ더라.

다만 그 녀셔의 호활(豪豁)훈 풍치 헌앙(軒昂)ᄒᆞ여 츈풍을 닛그는 둧 쇄락훈 풍되 광풍제월둧고, 슈앙(秀昂)훈 격죄(格調) 고산(高山)의 창송(蒼松)이 독닙(獨立)홈 ᄀᆞᄐᆞ니, 아룸다오믈 【13】 니긔디 못ᄒᆞ여, 황홀훈 ᄉᆞ랑이 탐탐ᄒᆞ여 죵용이 말ᄉᆞᆷ홀ᄉᆡ, 쇼녀의 산계비질(山鷄卑質)노 셩문(聖門)의 의탁ᄒᆞ여 긔형괴ᄉᆞ(奇形怪事)로 존문을 소요ᄒᆞ고, 훈 일도 보암즉훈 ᄇᆡ 업거놀, 녕당(令堂) 셩덕이 잔잉훈 형셰를 년지휼지(憐之恤之)ᄒᆞ샤 지ᄌᆞ(至慈)ᄒᆞ심과, 군ᄌᆡ 위디(危地)의 건져 오륜을 두터이 ᄒᆞ믈 샤례ᄒᆞ니, 언에(言語) 유법ᄒᆞ고 동디(動止) 단일셩장(端

280)널다 : 넓다.

281)숑장 : 죽은 사람의 몸을 이르는 말. ≒주검. 시체(屍體)

282)도군(道君) : 윤희천을 달리 이르는 말. 희천의 전신(前身)이 영허도군(靈虛道君)임.

壹盛壯)ᄒᆞ여 유시모유시녀(有是母有是女)[283]라. 평휘 흠신경복(欠身敬服)ᄒᆞ여 ᄃᆞᆺᄌᆞᆸ고, 화셩유어(和聲柔語)로 ᄃᆡ왈,

"실인(室人)이 쇼셔(小壻)로 그 엇던 부부니잇가? ᄆᆡ양 쇼셔를 ᄃᆡᄒᆞ시면 칭은을 슌슌(巡巡)이[284] ᄒᆞ시니, 쇼셔의 깁흔 쥬의를 모로시고, 여러 쳐쳡이 이시믄 인연이 긔구ᄒᆞ여 모히믈 《드르시고‖모로시고》 념녀를 두시【14】나, 실인의 경ᄉᆡ 비고(悲苦)ᄒᆞ고, 악모 소회 남다르시믈 쇼셰 일념의 방ᄒᆞ치 못ᄒᆞ올ᄉᆡ, 실인의 신샹을 근심ᄒᆞ여 곡경(曲境) 구차(苟且)를 볼피(不避)ᄒᆞ오미 만ᄉᆞ오므로, 젼후의 노태부인긔 득죄ᄒᆞ미 크온디라. 즉금 ᄉᆞ원 등이 엇디 ᄒᆞ므로 샤ᄃᆡᆨᄒᆞ고 드럿ᄉᆞᆸᄂᆞᆫ지 모로고, 또 윤대인 시병(侍病)ᄒᆞ다 ᄒᆞ오ᄃᆡ 그 집 거동이 위ᄐᆡᆨᄒᆞ고, 어룬이 유질ᄒᆞ여 만ᄉᆞ를 브디ᄒᆞ오니, 이러면 누의와 냥ᄆᆡ 등이 누란(累卵) ᄀᆞᆺᄌᆞᆸ고, ᄉᆞ원 등이 블평ᄒᆞ미 이실진ᄃᆡ, 또 노태부인을 속이고 구ᄒᆞ리로소이다.

언파의 쥬슌옥치(朱脣玉齒)[285] 찬연ᄒᆞ여 조부인을 위안ᄒᆞ미 간측(懇惻)ᄒᆞ고 쳔슈만한(千愁萬恨)을 쳑탕(滌蕩) ᄒᆞ도록 ᄒᆞ니, 부인이 남후의 화ᄒᆞᆫ 거동을 ᄃᆡ【15】ᄒᆞ여 그 ᄌᆞ녀부(子女婦)의 화란을 근심ᄒᆞ던 회푀 ᄉᆞ라진 ᄃᆞᆺ ᄉᆞ랑ᄒᆞ고 귀듕ᄒᆞ더라. ᄉᆞ양(斜陽)이 옥쳠(屋簷)의 나리니 니러 하ᄃᆡᆨ고 도라가니, 훌연ᄒᆞᆷ을 니긔지 못ᄒᆞ더라.

남휘 악모{모}를 하ᄃᆡᆨ고 도라와 부인을 ᄃᆡᄒᆞ여 평부를 젼ᄒᆞ고, 탄왈,

"악모의 셩덕광휘로 악댱 ᄉᆡᆼ시브터 포악(暴惡)ᄒᆞᆫ 존고의게 일ᄉᆡᆼ을 보ᄎᆡ이시다가, 악댱이 학거(鶴車)[286]를 두로혀시ᄆᆡ, ᄉᆞ원 형뎨를 복즁의 픔으샤 간고험난 듕 ᄡᅣᆼ닌(雙麟)을 어드시니 악댱의 튱효대졀을 호텬이 복우(福祐)ᄒᆞ신 ᄇᆡ어ᄂᆞᆯ, 그 명되 졀졀 궁험ᄒᆞ여 ᄉᆞ원의 튱텬댱긔(衝天壯氣)와 ᄉᆞ빈의

---

283) 유시모(有是母有是女) : 이 어머니가 있어 이 딸이 있음. 그 어머니의 그 딸.
284)슌슌(巡巡)이 : 그 때마다. 매번(每番).
285)쥬슌옥치(朱脣玉齒) : 붉은 입술과 흰 이.
286)학거(鶴車) : 학이 끄는 수레. '죽음'을 뜻함.

셩현대질(聖賢大質)을 펴지 못ᄒᆞ여, 도금ᄒᆞ여ᄂᆞᆫ 긔ᄉᆞ(饑死)ᄒᆞ미 머지【16】 아니니 이 엇진 텬되뇨?”

댱태식(長太息) 타루(墮淚)ᄒᆞ니, 부인이 쥬뤼 옥협(玉頰)을 젹시니, 호언(好言) 관위(款慰)ᄒᆞ더라.

명일 됴참(朝參)의 셕부의 가 상셔를 ᄃᆡᄒᆞ여 왈,

“형이 근ᄂᆡ ᄉᆞ원 등의 샤딕ᄒᆞᆫ 쥬의를 아ᄂᆞ냐?”

셕샹셔 왈,

“ᄉᆞ오일 젼 악부 환후를 므른즉, 노ᄅᆡ의 ᄂᆡ당 병이 낫ᄂᆞᆫᄃᆡ, 안히셔 됴호(調護)ᄒᆞ고 ᄉᆞ원 형뎨도 업ᄉᆞ니, 간악ᄒᆞᆫ 부녀들과 슈작ᄒᆞ기 괴로와 그져 도라오롸.”

남휘 쇼왈,

“연즉 날과 ᄒᆞᆫ가지로 가미 엇더ᄒᆞ뇨?”

상셔 낙다 ᄒᆞ고,

“엄졍의 방소(方所)를 고ᄒᆞ고 가리니 몬져 가라.”

남휘 슈히 오믈 니르고 가(駕)를 쵹(促)ᄒᆞ여 옥누항의 니르니, ᄃᆡᄉᆞ도 업고 ᄇᆡᆨ화헌이 뎍연(寂然)ᄒᆞ고, 안흐로셔 흉ᄒᆞᆫ 소ᄅᆡ 딘텬(振天)【17】ᄒᆞ니, 짐작ᄒᆞ고 통치 아니코, 후원 비운누의 오로면[니], ○○○[이곳은] ᄂᆡ당이 마조 뵈ᄃᆡ 안히셔ᄂᆞᆫ 아라 보디 못ᄒᆞᄂᆞᆫ디라. ᄀᆞ마니 ᄉᆞᆯ핀즉 위태 어ᄉᆞ를 쳘편과 쇠마치로 머리브터 만신(滿身)을 두다리니, 피 돌디어287) 흐르ᄃᆡ 일셩을 브동ᄒᆞ고 마즈ᄃᆡ, ᄃᆡᄉᆡ 왕모의 손을 밧드러 만단 ᄋᆡ걸ᄒᆞ여 난화 맛기를 비ᄃᆡ, 흉ᄒᆞᆫ소ᄅᆡ를 디르며 졈졈 더 치다가, 가ᄉᆞᆷ을 돌노 즛울혀288) 치다가, 맛ᄎᆞᆷ 돌히 구을너 맛지 아니니 셩을 니긔지 못ᄒᆞ여, 일회 ᄂᆞᆲ쒸고 승냥이 용ᄡᆞᄂᆞᆫ

287)돌 지다 : ‘돌 + 지다’의 형태. 도랑을 이루다. ‘돌’은 도랑. ‘지다’는 동사로 ‘어떤 현상이나 상태가 이루어지다’의 뜻

288)즛울히다 : ‘즛(접사)+울히다’의 형태. 마구 휘둘러서 때리거나 치다. ‘울히다’는 ‘우리다’ ‘후리다’의 옛말로 ‘휘둘러서 때리거나 치다’의 뜻.

일일은 평휘 죠참(朝參) 후 ᄆᆡᄌᆞ(妹者)을 보고져 ᄒᆞ여 옥누항의 갈ᄉᆡ, 셕부○[의] 가, 셕상셔다려 왈,

“형이 근ᄂᆡ ᄉᆞ원의 두문사ᄀᆡᆨ(杜門謝客)ᄒᆞᄂᆞᆫ 쥬의을 아나냐?”

셕공 왈,

“ᄉᆞ오일 젼의 악장의 병을 무○[르]라 간즉, 노ᄅᆡ의 ᄂᆡ당 병이 낫ᄂᆞᆫ지, ᄂᆡ실의셔 죠병ᄒᆞ노라 ᄒᆞ고, 드러오라 ᄒᆞᄃᆡ, ᄉᆞ원 등도 보지 못ᄒᆞ고 요악ᄒᆞᆫ 녀ᄌᆞ을 보아 말ᄒᆞ기 괴로와 후일을 일ᄏᆞᆺ고 도라왓노라.”

평휘 소왈,

“연즉 날과 ᄒᆞᆫ가지로 가미 엇더ᄒᆞ뇨?”

셕상셔 올타ᄒᆞ고, 양인이 마두(馬頭)을 갈와 윤부의 니ᄅᆞ니, 혼ᄌᆞ(閽者)207)도 업고 ᄇᆡᆨ화헌이 젹연(寂然)ᄒᆞᆫ ᄃᆡ, 안으로셔 흉령(凶獰)ᄒᆞᆫ 호령과 ᄆᆡ질 소ᄅᆡ 골이 울니ᄂᆞᆫ지라. 발셔 흉ᄒᆞᆫ 거죄 잇시물 짐작ᄒᆞ고, 왓시믈 통치【20】 아니코 바로 후원 누(樓)의 올나 안ᄌᆞ니, ○○○[이곳은] ᄂᆡ당이 압○[의] 님ᄒᆞ○○[엿으]나 ᄂᆡ루 ᄉᆞ름은 비운누의 ᄉᆞ름을 보지 못ᄒᆞᄂᆞᆫ지라. 이에 올나 ᄉᆞᆯ핀 즉, 위뇌 어ᄉᆞ을 쳘편과 쇠뭉치로 만신(滿身)을 두다리니, 머리 ᄊᆡ여져 피 줄지어 흐라ᄆᆡ, 어ᄉᆡ 일셩을 부동ᄒᆞ고 치ᄂᆞᆫ ᄃᆡ로 맛ᄂᆞᆫ지라. 직ᄉᆞᄂᆞᆫ 왕모의 손을 잡고 만단(萬端) ᄋᆡ걸ᄒᆞ여 형의 ᄃᆡ신의 맛기을 빌ᄃᆡ, 흉ᄒᆞᆫ 셩이 불갓치 니러, 가ᄉᆞᆷ을 큰 돌뭉이208)로 울히니209), 맛ᄎᆞᆷ 돌이 구을너 맛지 아닌지라. 셩을 익의지 못ᄒᆞ여 날치며 두다

207)혼ᄌᆞ(閽者) : 문지기. 드나드는 문을 지키는 사람.

208)돌뭉이 : 돌멩이. 돌덩이보다 작고 자갈보다 큰 돌.

209)울히다 : 우리다. 후리다. 휘둘러서 때리거나 치다.

모양 ᄀᆞᆺᄐᆞᆫᄃᆡ, 뉴시 ᄂᆡ다라 ᄃᆡᄉᆞ를 ᄡᅥ어 두로며[289] 쑤지ᄌᆞᄃᆡ,

"광텬 젹ᄌᆞ(賊子)를 존괴 약간 ᄐᆡ벌ᄒᆞ시ᄂᆞᆫᄃᆡ, 네 존당을 원망ᄒᆞ고 형의 ᄃᆡ【18】신으로 마ᄌᆞ디라 독을 ᄇᆞ리니, 너도 마ᄌᆞ보라."

ᄒᆞ고 어ᄌᆞ러이 돌노 ᄌᆞᆺ마ᄋᆞ나[290] ᄃᆡᄉᆡ 블변안ᄉᆡᆨᄒᆞ여 그 손을 ᄇᆞᆺ드러 닛브시믈[291] 비러 왈,

"블초 등이 유죄에 다ᄉᆞ리실디라도 시노(侍奴)로 장칙ᄒᆞ실지니 친히 닛브시게 ᄒᆞ시리잇가?".

뉴시 독ᄉᆞ의 셩을 니긔지 못ᄒᆞ여 손으로 ᄯᅳ드며 니로 물고, 위노ᄂᆞᆫ 어ᄉᆞ를 것고로 ᄆᆡ여 ᄃᆞᆯ고, 뉴시 칼흘 드러 ᄃᆡᄉᆞ의 팔흘 디르니 뉴혈이 돌지어 흐르ᄂᆞᆫ디라.

휘 ᄎᆞ경을 보ᄆᆡ 분긔 두우(斗宇)를 ᄢᅦ치ᄂᆞᆫ디라. 큰 돌흘 드러 위시의 ᄉᆞᆨ뒤를 향ᄒᆞ여 ᄒᆞᆫ번 치니 맛친지라. 흉ᄒᆞᆫ 셩을 니긔지 못ᄒᆞ여 뉴시로 더브러 냥인을 아조 맛ᄎᆞ려 어ᄉᆞ를 놉흔 남긔 달고 ᄆᆡ를 드더니, 난ᄃᆡ【19】 업ᄉᆞᆫ 돌히 나라, 노호(老胡)의 머리를 비발치 ᄃᆞᆺ 울히니, 골이 ᄭᆡ여져 ᄒᆞᆫ 소ᄅᆡ를 ᄋᆡ고ᄒᆞ고 것구러지니, 년ᄒᆞ여 ᄃᆡ엿 번을 쳐 거의 만신이 ᄇᆞ아지게 되니 아조 긔식ᄒᆞ고, 셕상셔 니르러 두로 ᄎᆞ쟈 셔로 만난지라.

냥공이 나려 누 아ᄅᆡ 니르러, 어ᄉᆞ 형뎨를 녑히 ᄭᅵ고 ᄇᆡᆨ화헌으로 나와 누이고 보니, 긔졀ᄒᆞ엿고 만신의 피뎡이 엉긔엿ᄂᆞᆫ지라. 냥인이 블각뉴톄ᄒᆞ여 비뤼천항(悲淚千行)이라. 한삼을 ᄠᅥ혀 ᄃᆡᄉᆞ의 팔히 검흔을 쳐ᄆᆡ고, 금창약을 쳐ᄆᆡ며, 냥듕의 회ᄉᆡᆼ단을 ᄂᆡ여 가라 입의 흘니고, 남휘 침으로 혈ᄆᆡᆨ을 통ᄒᆞ니, 반향 후 졍신을 출혀 눈을 ᄯᅥ 보더니, 태태를 브르고 진진이 늣기ᄂᆞᆫ 소ᄅᆡ

289)두로다 : 휘두르다. 흔들다.
290)ᄌᆞᆺ마ᄋᆞ다 : 짓부수다. 짓찧다.
291)닛브다 : 힘들다. 피곤하다.

리고, 뉴녜 ᄂᆡ다러 직ᄉᆞ을 ᄡᅥ러 두루며[210] 쑤○[지]ᄌᆞᄃᆡ,

"관[광]쳔 젹ᄌᆞ(賊子)을 존괴 약간 ᄐᆡ벌ᄒᆞ셔든, 네 감히 원망ᄒᆞ고 형의 ᄃᆡ신 마ᄌᆞ지라 ᄒᆞ니, 네 마ᄌᆞ보라."

ᄒᆞ고, 큰 ᄆᆡ로 어ᄌᆞ라이 ᄌᆞᆺ 두ᄃᆞ리니, 직식 불변 안식○[ᄒᆞ]고, 뉴녀의 손을 밧들고 셩체 잇브시믈[211] 간졀이 비러 왈, 불초의 죄을 다ᄉᆞ리ᄆᆡ 가히 시노(侍奴)로 ᄐᆡ장ᄒᆞ시믈 쳥ᄒᆞᆫᄃᆡ, 독ᄉᆞ의 셩을 츔지 못ᄒᆞ여 니을 갈고 마고 《ᄌᆞᆺ두려 ‖ ᄌᆞᆺ두다리》ᄂᆞᆫ ᄃᆡ, 위흉이 ᄯᅩ 어ᄉᆞ을 것구로 ᄆᆡ여 달나 ᄒᆞ고, 뉴녀 칼을 들고 직ᄉᆞ의 팔을 지르니 셩혈이 돌츌ᄒᆞ고 불셩인ᄉᆞ(不省人事)ᄒᆞᄂᆞᆫ지라.

ᄎᆞ시 뎡·셕 양인이 비운누의 올나 ᄎᆞᆷ혹ᄒᆞᆫ 경상을 목도ᄒᆞ니, 분긔 두우(斗宇)을 ᄢᅬ칠[212] 듯 ᄒᆞᆫ지라. 큰 돌을 드러 위흉의 ᄉᆞᆨ뒤흘 맛치니, 위흉이 뉴녀로 더부러 양인을 아조 쥭이려 ᄒᆞ고, ᄌᆞᆺ두ᄃᆞ리고져 ᄆᆡ을 드다가, 난ᄃᆡ 업ᄂᆞᆫ 돌이 나라와 비발치듯 울이니, 두골이 ᄭᆡ여진【21】지라. ᄋᆡ고 ᄋᆡ고 ᄒᆞ며 것구려지거날, 연ᄒᆞ여 ᄃᆡ여셧 번을 더져 만신이 바아지게 되ᄆᆡ, 아조 긔졀ᄒᆞ고, 뉴가 요물의 칼든 손을 맛치이ᄆᆡ, 손목이 거의 부러지게 되어, 양흉이 다 인ᄉᆞ을 아지 못ᄒᆞ고 긔졀ᄒᆞ여시나, 뉘 감히 구호ᄒᆞ라 들니오.

뎡히 분분흘 졔, 뎡·셕 양인이 몸을 날녀 누의 나려, 어ᄉᆞ 형뎨을 거두쳐[213] ᄭᅵ고 ᄇᆡᆨ화헌의 나와 누이고 보니, 긔운이 엄엄(奄奄)ᄒᆞ고[214] 일신의 피 엉긔엿ᄂᆞᆫ지라. 양인이 《일셩 ‖ 일견》의 불감[각]유쳬(不覺流涕)ᄒᆞ여 한삼을 찌져 칼의 찔인 ᄃᆡ을 ᄊᆞ

210)두루다 : 휘두르다. 흔들다.
211)잇브다 : 힘들다. 피곤하다.
212)ᄢᅬ치다 : 꿰다. 꿰뚫다.
213)거두치다 : 걷어들다. 치켜들다. 거두어서 손에 들다.
214)엄엄(奄奄)ᄒᆞ다 : 숨이 곧 끊어지려 하거나 매우 약한 상태에 있다.

【20】 ᄉᆞᆺ지 아니니, ᄎᆞ경을 삼ᄉᆡᆼ 슈인이라도 슬허ᄒᆞᆯ지라. 뎡·셕 냥인의 의긔현심으로 엇디 견ᄃᆡᆯ ᄇᆡ리오. 그 슈족을 쥐므르며 읍왈,

"셕호(惜乎), ᄉᆞ원아! 대슌(大舜)은 엇던 셩인이시뇨? '우물의 겻 굼글 두고, 집 우ᄒᆡ 불을 피ᄒᆞ신 바ᄂᆞᆫ'292) 부모유톄로 그릇 죽으믈 피ᄒᆞ샤미 아니냐? '쇼장즉당(小杖則當)ᄒᆞ고 대장즉쥬(大杖則走)'293)ᄒᆞ리니, 그 혈육이 뉘게셔 밧ᄌᆞ온고? ᄌᆞ고(自古) 영웅군ᄌᆡ 시운이 블리ᄒᆞᆫ ᄊᆡ, 혹 '진ᄎᆡ(陳蔡)의 ᄡᆞ히시고'294) '위슈(渭水)의 낙시'295)며 '신야(薪野)의 밧갈미'296) 이시나, 군의 소조(所遭)ᄂᆞᆫ 다시 잇디 아니니, 가히 어리미 심치 아니랴. ᄉᆞ빈은 뉸강(倫綱)이 뎡ᄒᆞᆫ 후 쾌 당ᄒᆞ나 ᄒᆞᆯ일 업거니와, ᄉᆞ원은 대종(大宗)을 영(領)ᄒᆞᆯ 쳔금 듕신이라. 션악댱(先岳丈)이 튱효【21】 대졀을 잡으샤 이국의 가 청년 요졀ᄒᆞ신 후, 후ᄉᆡ(後嗣) 군의 몸의 ᄆᆡ엿거ᄂᆞᆯ, 몸을 도라보디 아냐 무익ᄒᆞᆫ 일의 목숨

292)순의 완악한 부모가 그를 우물에 들어가게 한 후 우물을 묻어 죽게 하고, 또 지붕에 올라가게 하고는 지붕에 불을 질러 타 죽게 하였으나, 순이 지혜로 이를 잘 피하여 효(孝)를 완전케 하였던 고사. 『맹자』 <만장장구상(萬章章句上)>에 나온다.

293)쇼장즉당(小杖則當) 대장즉쥬(大杖則走) : 작은 몽둥이로 치면 가만히 맞고 있고, 큰 몽둥이로 치면 도망해야 한다는 말. 효자였던 순(舜) 임금의 고사에 나오는 말.

294)진ᄎᆡ(陳蔡)의 ᄡᆞ히시고 : 공자(孔子)가 초(楚)나라 소왕(昭王)의 초빙을 받고 초나라로 가던 중 진(陳)나라와 채(蔡)나라의 접경지역에서 진·채의 군사들에게 포위된 채, 양식이 떨어져 7일 동안을 굶으며 고난을 겪었던 고사를 이른 것. 이를 진채지액(陳蔡之厄)이라 한다.

295) 위슈(渭水)의 낙시 : 중국 주(周)나라 초기의 정치가 강태공(姜太公)이 위수(渭水)에서 10년 동안이나 낚시를 하며 때를 기다려 주 문왕을 만났다는 고사.

296)신야(薪野)의 밧갈미 : 유신(有莘)이라는 들에서 밭을 갈다 입신하여 은나라 탕왕의 재상이 된 이윤(伊尹)의 고사를 말함.

ᄆᆡ고, 낭 즁의 회ᄉᆡᆼ단을 가라 너흐며, 평휘 침으로 막힌 ᄃᆡ을 도루고215) 구호ᄒᆞᄆᆡ 이윽고 형뎨 정신을 ᄎᆞ려 눈을 ᄯᅥ 보다가, 다만 뎡형을 부르며 진진이 늣기니, ᄎᆞ경(此景)을 ᄉᆞᆷᄉᆡᆼ슈인(三生讎人)이 보아도 슬허ᄒᆞ려든 뎡·셕 양인의 의긔 현심이 어이 견ᄃᆡᆯ ᄇᆡ리오. 흉복(胸腹)을 어로만져 긔운을 나리오며 탄왈,

"ᄎᆞ호(嗟乎), ᄉᆞ원아! ᄃᆡ슌(大舜)은 엇던 성인이시오[뇨]? '우물의 겻 궁글 두어 부모유체로 그른 곳의 죽으믈 피ᄒᆞ신 ᄌᆡ'216) 아닌가? '소장즉슈(小杖則受)ᄒᆞ고 ᄃᆡ장즉쥬(大杖則走)ᄒᆞᄂᆞ니'217), 여등 혈육은 그 뉘게 밧ᄌᆞ온 ᄇᆡᆫ고? ᄉᆞ빈은 윤상이 뎡ᄒᆞᄆᆡ 면치 못ᄒᆞ고 바리지 못ᄒᆞ려니와, ᄉᆞ원은 ᄃᆡ통(大統)218)을 영(領)ᄒᆞ여 션악장(先岳丈) 후ᄉᆡ(後嗣) 네 ᄒᆞᆫ 몸의 이시물 도라보지 아니코, 흉인의 슈듕의 드리미러 죽기을 태연이 ᄒᆞ미 어리지 아니리오.

215)도루다 : 돌리다. 돌게 하다. 기운이나 기능 따위가 원 상태로 돌아오게 하거나 제대로 작동하게 하다.

216)순의 완악한 부모가 그를 우물에 들어가게 한 후 우물을 묻어 죽게 하였으나, 순이 우물에 숨을 구멍을 파, 이를 잘 피하여 효(孝)를 완전케 하였던 고사. 『맹자』 <만장장구상(萬章章句上)>에 나온다.

217)쇼장즉당(小杖則當) 대장즉쥬(大杖則走) : 작은 몽둥이로 치면 가만히 맞고 있고, 큰 몽둥이로 치면 도망해야 한다는 말. 효자였던 순(舜) 임금의 고사에 나오는 말.

218)ᄃᆡ통(大統) : 임금의 계통. 또는 종손의 계통.

을 드러미러 쳔금 듕신을 태연이 맛ᄎᆞ려 ᄒᆞ미 우읍지 아니랴.

구릐공(寇萊公)297)이 회 업ᄉᆞ며 덕이 업ᄉᆞ랴마ᄂᆞᆫ, 그 부공이 형장을 ᄀᆞᆺ초고 죽이려 ᄒᆞᄆᆡ, 아븨 뜻이 아니오, 은모(嚚母)의 요계(妖計)를 ᄡᅵ다르ᄆᆡ, 도쥬ᄒᆞ여 피ᄒᆞ엿다가 그 뷔 대죄의 걸니ᄆᆡ, 태종황뎨 ᄒᆡᆼᄌᆡ(行在)298)의 ᄯᆞ라가, 아비 부월하(斧鉞下)의 일누(一縷)를 구ᄒᆞ고, 부ᄌᆡ 단합(團合)ᄒᆞᄃᆡ 공명(功名)이 쥭빅(竹帛)299)의 드리오고, 오ᄌᆞ삼셔(五子三壻)를 두어 오복(五福)300)이 구젼(俱全)ᄒᆞ니, 시쇽 사ᄅᆞᆷ이 보암즉ᄒᆞᆫ 고로 후인이 계감(戒鑑)을 삼앗ᄂᆞ니, 의약을 힘뼈 됴호ᄒᆞ미 가치 【22】 아니랴."

냥인이 뎡·셕의 디셩을 감오(感悟)ᄒᆞᄃᆡ, ᄌᆞ가 가변이 블가ᄉᆞ문어타인(不可使聞於他人)이라. 그 디셩 구호ᄒᆞ며 ᄂᆡ당 시ᄋᆞ를 호령ᄒᆞ여 보미301) 온ᄎᆞ(溫茶)를 어더 마른 쟝위(腸胃)를 젹시니, 졈졈 나으ᄃᆡ 낫출 들미 븟그려 죽은 ᄃᆞ시 누엇더니, 어ᄉᆡ 남후의 도도ᄒᆞᆫ 언ᄉᆡ 아득ᄒᆞᆫ 흉치(胸次)를 널니게 ᄒᆞᄂᆞᆫ디라. 믄득 몸을 움즉여 도라 누으며 '이슈(二手)로 가비(加鼻)'302)ᄒᆞ여 장태식(長太息) 엄톄(掩涕)303) 왈,

"챵빅형아, 텬하의 쇼뎨 ᄀᆞᆺᄐᆞᆫ 궁민(窮民)304)이 잇ᄂᆞ냐? 몸이 셰상의 나ᄆᆡ 엄안을

297)구릐공(寇萊公) : 송(宋) 태종-인종 때의 정치가 구준(寇準)의 봉호(封號). 구준(? -1023)의 자는 평중(平仲)이고 화주(華州) 출신이다. 진종(眞宗) 때에 동평장사(同平章事)에 올라 거란의 침공을 물리쳤고 무승군절도사(武勝軍節度使)와 평장사(平章事)를 역임했다.

298)힝직(行在) : 행재소(行在所). 임금이 궁을 떠나 멀리 나들이할 때 머무르던 곳.

299)쥭빅(竹帛) : 서적(書籍) 특히, 역사를 기록한 책을 이르는 말. 종이가 발명되기 전에 대쪽이나 헝겊에 글을 써서 기록한 데서 생긴 말이다.

300)오복(五福) : 유교에서 이르는 다섯 가지의 복. 보통 수(壽), 부(富), 강녕(康寧), 유호덕(攸好德), 고종명(考終命)을 이른다.

301)보미 : 미음(米飮).

302)이수(二手) 가비(加鼻) : 코를 풀거나 얼굴을 가리기 위해 두 손을 코에 얹음.

303)엄톄(掩涕) : 얼굴을 가리고 욺.

304)궁민(窮民) : 생활이 어렵거나 딱한 처지에 있는 곤궁한 백성.

구릐공(寇萊公)219)이 효 업ᄉᆞ랴마ᄂᆞᆫ 그 부공이 형장을 갓초고 장ᄒᆞ의 맛ᄎᆞ려 ᄒᆞ믈 지긔ᄒᆞᄆᆡ 아븨 뜻지 죽여 졀ᄉᆞᄒᆞ려 ᄒᆞ미 아○[니] 【22】 오, 은모(嚚母)의 모진 ᄭᅬ을[믈] ᄡᅵ다르ᄆᆡ 쾌히 도주ᄒᆞ여 근쳐의 숨엇다가, 아비 ᄃᆡ죄의 걸여 부월의 ᄆᆡ이ᄆᆡ, ᄐᆡ종황졔 ᄒᆡᆼᄌᆡ(行在)220)의 ᄯᆞ라가 아븨 일명을 ᄉᆞ어 ᄂᆡ여 부ᄌᆡ쳔뉸(父子天倫)을 단합(團合)ᄒᆞ고 공명이 쥭빅(竹帛)221)의 드리워 오ᄌᆞᄉᆞᆷ녀(五子三女)의 오복(五福)222)이 구젼(俱全)ᄒᆞ니, 족히 ᄉᆞᄅᆞᆷ의 보감(寶鑑)이 아니랴."

《영인 ‖ 양인(兩人)》이 뎡·셕의 《지셩 감오을 모로지 ‖ 지성을 감오치 아니미》 아니나, ᄌᆞ가의 가변이 불가ᄉᆞ문어타인(不可使聞於他人)이라. 그 지셩으로 구호ᄒᆞ여 ᄂᆡ당 시아을 호령ᄒᆞ여, 온ᄎᆞ(溫茶)로 마른 장위(腸胃)을 젹시니, 졈졈 나호ᄃᆡ 낫츨 들어[기] 붓그려 죽은 다시 누엇더니, 뎡·셕 양인이 그 주의을 ᄉᆞᆺ치ᄆᆡ 츌쳔ᄃᆡ효(出天大孝)을 감동ᄒᆞ여, 위·뉴의 악ᄉᆞ을 다시 구두(口頭)의 거드지 아니코 조흔 말노 위로ᄒᆞ나, 평휘 그 ᄉᆞ이 누의 목슘이 엇지 된 줄 몰나, 유랑 시아 등을 불너 왓시물 통ᄒᆞ라 ᄒᆞ니, 유랑이 목이 메여 ᄃᆡ왈,

219)구릐공(寇萊公) : 송(宋) 태종-인종 때의 정치가 구준(寇準)의 봉호(封號). 구준(? -1023)의 자는 평중(平仲)이고 화주(華州) 출신이다. 진종(眞宗) 때에 동평장사(同平章事)에 올라 거란의 침공을 물리쳤고 무승군절도사(武勝軍節度使)와 평장사(平章事)를 역임했다.

220)힝직(行在) : 행재소(行在所). 임금이 궁을 떠나 멀리 나들이할 때 머무르던 곳.

221)쥭빅(竹帛) : 서적(書籍) 특히, 역사를 기록한 책을 이르는 말. 종이가 발명되기 전에 대쪽이나 헝겊에 글을 써서 기록한 데서 생긴 말이다.

222)오복(五福) : 유교에서 이르는 다섯 가지의 복. 보통 수(壽), 부(富), 강녕(康寧), 유호덕(攸好德), 고종명(考終命)을 이른다.

모로고, 혈혈(孑孑) 편위를 뫼셔 죵효(終孝)ᄒᆞ미 인ᄌᆞ(人子)의 되(道)어늘, 그를 엇디 못ᄒᆞ고 남의 업슨 변을 당ᄒᆞ미 아등의 블쵸(不肖)ᄒᆞ미라. 존당이 블효를 칙ᄒᆞ시믈 엇디 한ᄒᆞ리오.【23】 다만 셩노(盛怒)를 프지 못ᄒᆞ니 쟝ᄎᆞᆺ 엇디 ᄒᆞ리오."

말노 좃ᄎᆞ 삼솜ᄒᆞᆫ[305] 누쉬(淚水) 빅옥 안화(顔華)[306]를 잠으니, 영웅의 긔운이 져르고 댱부의 웅심이 약ᄒᆞ니, 딕ᄉᆞᄂᆞᆫ 회운(回運)ᄒᆞ여 인ᄉᆞ를 알오ᄃᆡ, 셕상셔의 ᄌᆞ가를 참연ᄒᆞ미 양모의 대악 간흉을 졀분ᄒᆞ미 셤분(纖粉)을 ᄆᆡᆫ들고져 ᄒᆞᄂᆞᆫ 긔식을 슷치ᄆᆡ, 존당과 기모(己母)의 누덕(陋德)이 ᄉᆞ린(四隣)의 회ᄌᆞᄒᆞ고, 져져의 젼졍을 판단ᄒᆞ니 ᄉᆞᄉᆞ 블힝이라, 망극ᄒᆞ미 일신을 ᄉᆞ회(死灰)니, 졉화(接話)ᄒᆞᆯ 뜻이 업고, 눈 쓰미 붓그러워 약음(藥飮)이 니르면 먹을 ᄯᆞ름이오, 일언을 아니 ᄒᆞ니, 셕・뎡 이인이 그 효의를 감동ᄒᆞ여 다시 악인이 말을 아니ᄒᆞ고, 윤공의 병이 아인(啞人) 페밍(廢盲) ᄀᆞᄐᆞ여, 요【24】술(妖術)의 ᄉᆡ져 위망(危亡)의 밋ᄎᆞ믈 돌돌ᄒᆞ고[307], 남후ᄂᆞᆫ 두 쳐남을 술오나 사ᄆᆡ(舍妹)의 ᄉᆞ싱이 엇디 되믈 모로니, 그 유랑 등을 불너 삼쇼져긔 와시믈 통○[케] ᄒᆞ니, 유랑 등이 목이 메여,

"하・댱 냥쇼져ᄂᆞᆫ 존당의 ᄃᆡ령ᄒᆞ시고, 쥬모 냥위ᄂᆞᆫ 존당 무고ᄉᆞ(巫蠱事)로 년원졍의 슈계(收繫) 후로 쇼비 등은 존당 명으로 ᄯᆞ로지 못ᄒᆞ고, 각듕(閣中)을 딕희여 ᄉᆞ싱존망을 모로미 유명(幽明)[308] ᄀᆞᆺ토소이다."

남휘 ᄎᆞ언을 드르ᄆᆡ 봉안(鳳眼)이 두렷ᄒᆞ여 격슈ᄃᆡ탄(擊手大嘆)[309] 왈,

"아ᄆᆡ를 디악(至惡)히 ○○○[ᄉᆞ지(死地)의] 모라너허 죽이랴 ᄒᆞ니, 심의(深矣)라,

305)삼솜ᄒᆞ다 : 산산(潸潸)하다. 눈물 빗물 따위가 줄줄 흐르는 모양.
306)안화(顔華) : 아름다운 얼굴.
307)돌돌ᄒᆞ다 : 애달아하다. 안타까워하다.
308)유명(幽明) : 저승과 이승을 아울러 이르는 말.
309)격슈ᄃᆡ탄(擊手大嘆) : 손바닥을 내리치며 크게 탄식함.

"하・장 양 소져ᄂᆞᆫ 존당의 ᄃᆡ령ᄒᆞ시고, 소주모 양위ᄂᆞᆫ 존당을 무고(巫蠱)ᄒᆞ시다 ᄒᆞ여 후원 영언[원]졍의 갓치신 후 신식(信息)을 근쳔지 오ᄅᆡ고, 소비 등도 존당명으로 ᄯᆞ로지 못ᄒᆞ게 ᄒᆞ시ᄆᆡ 침당을 직희엿나이다."

평휘 청파의 불각ᄃᆡ경(不覺大驚) 왈,

"ᄃᆡ역죄슈도 죽이지 아닌 젼은 먹이거ᄂᆞᆯ 악인(惡人) 찰녀(刹女)[223] 등이 아ᄆᆡ(我妹)을 쥬려 쥭게 ᄒᆞᄂᆞ뇨?"

223)찰녀(刹女) : 나찰(羅刹)과 같은 여자. 나찰; 불교의 팔부귀중(八部鬼衆)의 하나로, 푸른 눈과 검은 몸, 붉은 머리털을 하고서 사람을 잡아먹으며, 지옥에서 죄인을 못살게 군다고 함. 나중에 불교의 수호신이 됨.

위흉이여! 섈니 년원경으로 인도ᄒᆞ라."

ᄒᆞ고 얼픗 ᄉᆞ이 년원경의 니르니, 그 쳐치 엇더ᄒᆞ며 냥인의 ᄉᆞᄉᆡᆼ이 하여오.

ᄎᆞ시【25】 뎡·진 이쇼졔 슈계 후로 몸의 강상대죄를 시러 됴셕을 ᄭᅳᆺᄎᆞ니, 슈양산(首陽山)[310]이 아니로ᄃᆡ ᄎᆡ미가(採薇歌)[311]를 읇고, 친당 소식을 ᄭᅳᆺ쳐시니 엇디 보젼ᄒᆞ리오마ᄂᆞᆫ, 하날이 길인을 도아 감옥쉬(監獄囚) 기갈(飢渴)을 면ᄒᆞ고, 튱비(忠婢)의 보호ᄒᆞ므로 죽기를 면ᄒᆞ나, 북당훤초(北堂萱草)[312]의 신혼모졍(晨昏慕情)[313]을 ᄎᆞᄉᆡᆼ난득(此生難得)[314]이라. '토번(吐藩)의 불뫼'[315] 아니로ᄃᆡ, '남관(南冠)의 갓치미 되니'[316] 쇽졀업시 쳑호(陟岵)[317]를 읇고, 부

---

310)슈양산(首陽山) : 중국 감숙성(甘肅省) 농서(隴西)에 위치한 산 이름. 은말(殷末) 주초(周初)에 고죽국(孤竹國)의 두 왕자 백이(伯夷)와 숙제(叔弟)가 주(周)나라 무왕(武王)에게 은(殷)나라를 치지 말 것을 간하였으나, 받아들여지지 않자, 이 산에 들어와 고사리를 캐먹다 굶어죽었다 한다..

311)ᄎᆡ미가(採薇歌) : 백이(伯夷)와 숙제(叔弟)가 절의를 지켜 수양산(首陽山)에 들어가, 주나라 곡식을 먹지 않고 고사리를 캐 먹다가, 죽으면서 불렀다는 노래

312)북당훤초(北堂萱草) : '어머니'를 이르는 말. '북당'은 집의 북쪽에 있는 건물로 집안의 주부(主婦)가 거처하는 곳이어서 어머니를 이르는 말로 쓰였다. 훤초 또한 『시경』 <위풍(衛風)> '백혜(伯兮)' 편의 "어디에서 훤초를 얻어 북당에 심을꼬.(焉得萱草 言樹之背 *背는 이 시에서 北堂을 뜻함)"라 한 시구에서 유래하여, 주부가 자신의 거처인 북당에 심고자 했던 풀이라는 데서, 어머니를 이르는 말로 쓰였다.

313)신혼모졍(晨昏慕情) ; 부모를 떠나 있는 자식이 아침저녁 또는 신성(晨省)혼정(昏定) 때를 당해 부모의 안부를 생각하며 그리는 마음.

314)ᄎᆞᄉᆡᆼ난득(此生難得) ; 이승에서 이루기 어려움.

315)토번(吐藩) 볼모 : 당나라 태종의 조카딸인 문성공주(文成公主 : 623-680)가 볼모로 토번국에 보내져 토번왕 송첸캄포의 제2왕비로 국혼을 치른 일을 말함.

316)남관(南冠)의 갓치미 되니 : '남관차림으로 옥에 갇혀 있다'는 말로 어려운 처지에 몰려 있음을 뜻하는 말. 초(楚)나라 사람 종의(鍾儀)가 포로로 잡혀 진(晉)나라의 옥에 갇혀서도 초나라 사람이 쓰는 관인 남관(南冠)을 쓰고 의연함을 잃지 않았다는 남관초수(南冠楚囚)의 고사를 말한 것.

317)쳑호(陟岵) ; 『시경(詩經)』 <위풍(魏風)>편에 나오는 시(詩)의 제목. 군역(軍役)에 나간 아들이 고

ᄒᆞ고 셕공을 당부ᄒᆞ여 어ᄉᆞ 형뎨을 즐 보호ᄒᆞ라 ᄒᆞ고, 섈니 시아을 인도ᄒᆞ여 영원경의 이르니 양인의 ᄉᆞᄉᆡᆼ이 엇지 된고.

시시의 뎡·진 양 소져 ᄒᆞᆫ번 슈계ᄒᆞᆫ 후 슈화(水火)을 통치 아니ᄆᆡ, 벅벅이 아ᄉᆞ흘 비로ᄃᆡ, 현인은 ᄇᆡᆨ신이 돕ᄂᆞᆫ 고로, ᄒᆞᆫ 줄기 감【23】쳔(甘泉)을 어더 긔갈을 ○○○[면ᄒᆞ고], ᄯᅩ ᄉᆞ오두(四五斗) 미(米)을 어더 일누(一縷)을 보젼ᄒᆞ엿시나, 북당훤초(北堂萱草)[224]의 신혼모졍(晨昏慕情)[225]을 일우기ᄂᆞᆫ ᄎᆞᄉᆡᆼ난득(此生難得)[226]이오, 부ᄌᆞ의 위름(危懍)ᄒᆞᆫ 신셰을 혜아리건ᄃᆡ, 창ᄌᆡ ᄭᅳᆫ쳐지믈 면치 못ᄒᆞ여 주야의 심혼을 술오더니, 일일은 믄득 인셩이 훤동(喧動)ᄒᆞ며 가ᄉᆡᆨ을 쯧고 평남휘 크게 소ᄅᆡᄒᆞ여, 홍비ᄌᆞ을 불너 양 소져의 ᄉᆡᆼᄉᆞ을 뭇ᄂᆞᆫ지라. 양 소져 가가(哥哥)을 보ᄆᆡ 반가오미 넘쳐 도로혀 여취여몰(如醉如歿)ᄒᆞ여 ᄆᆡᆨᄆᆡᆨ 양구(良久)의 녜ᄒᆞ고 존당부모의 셩쳬(聖體)을 뭇ᄌᆞ오니, 평휘 양인의 무ᄉᆞᄒᆞ믈 ᄃᆡ희(大喜)ᄒᆞ여 존당(尊堂) 훤위(萱闈) 일향(一向)ᄒᆞ시믈 니르고 왈,

---

224)북당훤초(北堂萱草) : '어머니'를 이르는 말. '북당'은 집의 북쪽에 있는 건물로 집안의 주부(主婦)가 거처하는 곳이어서 어머니를 이르는 말로 쓰였다. 훤초 또한 『시경』 <위풍(衛風)> '백혜(伯兮)' 편의 "어디에서 훤초를 얻어 북당에 심을꼬.(焉得萱草 言樹之背 *背는 이 시에서 北堂을 뜻함)"라 한 시구에서 유래하여, 주부가 자신의 거처인 북당에 심고자 했던 풀이라는 데서, 어머니를 이르는 말로 쓰였다.

225)신혼모졍(晨昏慕情) : 부모를 떠나 있는 자식이 아침저녁 또는 신성(晨省)혼정(昏定) 때를 당해 부모의 안부를 생각하며 그리는 마음.

226)ᄎᆞᄉᆡᆼ난득(此生難得) ; 이승에서 이루기 어려움.

ᄌᆞ의 위름(危懍)ᄒᆞ믈 혜아리ᄆᆡ ᄌᆞ신은 여ᄉᆡ라. 연연(戀戀) 옥쟝(玉腸)이 씩씩 놀나오미, 신셰 명도를 슬허ᄒᆞ더니, 홀연 인셩이 훤동(喧動)ᄒᆞ며 가ᄉᆡ를 뜻고 문 봉ᄒᆞᆫ 거ᄉᆞᆯ 박ᄎᆞ 헤치고, 남휘 크게 소ᄅᆡᄒᆞ여 노복으로 두로 얽은 거ᄉᆞᆯ 업시【26】ᄒᆞᆫ 후, 두어 번 깃춤ᄒᆞ고 홍비ᄌᆞ를 불너 냥쇼져 ᄉᆡᆼᄉᆞ를 므르며, 거쳐 위리(圍籬)를 보ᄆᆡ, 분긔 두우를 쎄치니, 밧비 나아가니 냥쇼졔 쳔만 몽ᄆᆡ의 거거를 만나ᄆᆡ 도로혀 여취(如醉)ᄒᆞ여, 녜ᄒᆞ고 말이 업더니, 반향 후 각각 부모의 평문을 므르니, 옥셩(玉聲)이 불능셜(不能說)이라.

휘 부뫼 일향 안강ᄒᆞ시믈 젼ᄒᆞ고 니르ᄃᆡ,

"아디 못게라 므ᄉᆞᆷ 죄예 걸녀 이런 욕을 감심ᄒᆞ며[뇨]? ○○○[연이나] 냥ᄆᆡ(兩妹)ᄂᆞᆫ 오히려 ᄉᆞ원 등의 경상(景狀)으로 의논ᄒᆞᄆᆡ 안소(安所)ᄒᆞ미 극진ᄒᆞ니○[라]."

○○[ᄒᆞ고], 위·뉴 고식이 여ᄎᆞ여ᄎᆞ 어ᄉᆞ 등의[을] 《위화(危禍) 바든‖맛출 번ᄒᆞᆫ》 슈말(首末)을 젼ᄒᆞ고, 부듕 졔노(諸奴)로 형극(荊棘)을 셔릇고[318], 허러진 벽의[을] ○○[막고], 포진을 ᄇᆡ셜ᄒᆞ고, ᄉᆡ초를 ᄡᅡ흐며, 솟과 긔명(器皿)을 제제히 ᄀᆞᆺ초ᄆᆡ, 탄왈,【27】

"우형이 만일 《실구‖실기(失機)》ᄒᆞ더면 쇼ᄆᆡ 부부를 못 구ᄒᆞ○○[엿으]리니, ᄉᆡᆼ각ᄒᆞᄆᆡ 털이 거ᄉᆞ리ᄂᆞᆫ디라. 위·뉴를 내 분풀만치 돌노 더져시니 져도 알픈 줄 아니 알냐?"

향에 계신 어버이를 그리는 정을 노래한 시.

318)셔릇다 : 좋지 않거나 방해가 되는 것을 쓸어 치우다

"아지 못게라, 무슴 죄의 ᄲᅥ러져 이 모진 욕을 당ᄒᆞ뇨? 연이나, 양ᄆᆡ(兩妹)ᄂᆞᆫ ᄉᆞ원 등의 앗가 광경의셔 낫지 아니랴."

ᄒᆞ고, 위·뉴 고식이 어ᄉᆞ 형뎨을 거의 맛출 번 ᄒᆞᆫ 셜화을 젼ᄒᆞ고, 졔노(諸奴)을 명ᄒᆞ여 형극을 츼우고 ᄲᅥ러진 벽을 다 장막으로 막고, 병장포진(屛帳鋪陳)[227]을 가져와 ᄌᆞ옥히 버려 거쳐을 졍졔ᄒᆞᄆᆡ, 좌우의 화식 긔용을 ᄇᆡ판(配判)ᄒᆞ고, 시초(柴草)을 만히 ᄡᅡ흔 일용즙물(日用什物)을 가초고, 《부미‖보미[228]》와 복녕ᄎᆞ(茯苓茶)[229]을 드려 먹기을 권ᄒᆞ고 왈,

"우형이 만일 오기을 더ᄃᆡᄒᆞ던들 너희 부부을 다 구치 못ᄒᆞᆯ낫다. ᄉᆡᆼ각건ᄃᆡ 털이 거ᄉᆞᆯ니거니와, 연이나 흉ᄒᆞᆫ 위노(老)와 뉴요(妖)을 ᄂᆡ 분풀만치 돌노 쳐시니 져도 알푼 줄 아니 알냐?"

---

227)병장포진(屛帳鋪陳) : 병풍 장막 등의 벽에 둘러 치는 것과 방석, 요 등의 앉을 자리.

228)보미 : 미음(米飮). 쌀에 물을 충분히 붓고 푹 끓여 체에 걸러 낸 걸쭉한 음식. 흔히 환자나 어린 아이들이 먹는다

229)복녕ᄎᆞ(茯苓茶) : 복령(茯苓)을 넣어 만든 차. 복령(茯苓); 구멍장이버섯과의 버섯. 공 모양 또는 타원형의 덩어리로 땅속에서 소나무 따위의 뿌리에 기생한다. 껍질은 검은 갈색으로 주름이 많고 속은 엷은 붉은색으로 무르며, 마르면 딱딱해져서 흰색을 나타낸다. 이뇨의 효과가 있어 한방에서 수종(水腫), 임질, 설사 따위에 약재로 쓰인다.

쇼졔 쳥ᄎᆞ(聽此)의 안ᄉᆡᆨ을 곳치고 ᄀᆞᆯ오ᄃᆡ,

“존당이 츈취 놉흐신 바의 거거의 노ᄒᆞᆫ 돌을 《바다‖마ᄌᆞ》 계실진ᄃᆡ, 노ᄅᆡ(老來)의 엇디 위ᄐᆡ롭디 아니시리잇가?”

휘 쇼왈,

“연타. 그리 아니ᄒᆞ고ᄂᆞᆫ ᄉᆞ원 등을 맛ᄎᆞ리니, 물고 읆뜻ᄂᆞᆫ 거ᄉᆞᆯ 노화 바리도록 분두(坌頭)의 두다리니 터진 ᄃᆡ 아니 《아믈냐‖아플냐》? 져희ᄂᆞᆫ 내 슈단을 모로ᄂᆞ니라. 년(然)이나 뉴가 요물이 ᄉᆞ빈을 칼노 지르ᄂᆞᆫ 거ᄉᆞᆯ 보고, 셕형이 힘것 돌노 더져 죽이기를 면ᄒᆞ고, 그 요물들이 윤가를 업치고 ᄉᆞ원 등의 빗난 일흠이 듁빅의 드리워【28】 텬하 계감(戒鑑)이 되도록 ᄒᆞ려니, 아니 죽으리니, 셕형이 그 악모의 팔ᄆᆡ질조ᄎᆞ 내 알냐? 슈듕의 보검이 잇더면 목을 버혀 실너니라. 그러나 이런 일을 부모와 《위양‖존당》긔ᄂᆞᆫ ᄉᆞᄉᆡᆨ지 못ᄒᆞ리니, 아르시면 그 용녀(用慮)ᄒᆞ샤미 엇덜가 시브뇨? 실노 졀박도다.”

냥쇼졔 각각 부모의 심ᄉᆞ와 ᄌᆞ긔 등 니친지회(離親之懷)를 ᄉᆡᆼ각ᄒᆞ여 톄뤼(涕淚) 쳠슈(瀸袖)[319]러라.

휘 좌우로 슈리ᄒᆞ믈 다ᄒᆞ고, 군병을 드려 알프로 굴굼글 ᄒᆞ여, 바로 본부 뒤흐로 통ᄒᆞ여, 한(漢) 고조(高祖)[320]의 진창고도(陳倉古道)[321]의 ᄶᅡ 구무ᄂᆡ던 바 ᄀᆞᆺ치 ᄒᆞ여, 만분 급ᄒᆞ미 이시면 이 길노 ᄂᆡ돗게 ᄒᆞ니, 지혜 원ᄂᆡ 여ᄎᆞ하나, 간인이 엇디 알니오.

이 길흘 간인이 모로므로 ᄉᆡᆨ녈이 《강두‖강도》【29】의 피화ᄒᆞ여 보명ᄒᆞ미 된

소졔 청파(聽罷)의 안ᄉᆡᆨ을 곳치고 왈,

“존당이 츈취 놉흐신ᄃᆡ 형의 돌을 마ᄌᆞ시니 그 엇더ᄒᆞᆯ지 념녀 노히지 아닛ᄂᆞ이다.”

휘 미소 왈

“그리 곳【24】 아니면 ᄉᆞ원 형뎨을 구치 못ᄒᆞ엿시려니와 뉴요(妖) 칼노 ᄉᆞ빈을 질을제 셕형이 짐즛 돌을 더져 죽기을 그음ᄒᆞ여 마쳣시니, 긔야 ᄂᆡ 아랑곳치랴? 그러나 너의 이러ᄒᆞ물 부모와 존당의ᄂᆞᆫ ᄉᆞᄉᆡᆨ지 못ᄒᆞ리로다.”

진소졔 가가(哥哥)의 말을 듯고 아미(蛾眉)의 수운(愁雲)이 함집(咸集)ᄒᆞ여 {ᄒᆞ여} 왈,

“소ᄆᆡ 부모의 일편 ᄌᆞᄋᆡ을 밧잡고 구문(舅門)의 이르러 화ᄋᆡᆨ이 비경ᄒᆞ니, 이 소ᄆᆡ의 팔ᄌᆡ 슌치 못ᄒᆞ믈 ᄒᆞᆫᄒᆞᄂᆞ이다.”

평휘 탄식고, 즉시 군인을 드려 굴 궁글 ᄂᆡ여 운산 뒤흐로 통ᄒᆞ여 길흘 ᄂᆡᄃᆡ, 흉인이 모로게 ᄒᆞ고, 만분 급ᄒᆞᆫ ᄭᆡ의 이 길노 나오게 ᄒᆞ니, 평후의 원녀(遠慮) 여ᄎᆞᄒᆞ믈 뉘 알니오. 후일 뎡시 강도의 피화ᄒᆞ여 보명ᄒᆞ미 된 바을, 본젼(本傳)의 불긴ᄒᆞᆫ 고담을 만히 ᄒᆞ노라 ᄲᅢ져온 고로, 긴요ᄒᆞᆫ 말을 ᄲᅢ히도다.

---

319)쳠슈(瀸袖) : 옷소매를 적심.

320)한(漢) 고조(高祖) : 중국 한(漢)나라를 건국한 유방(劉邦). 재위 기원 전 206-195년.

321)진창고도(陳倉古道) : 한(漢) 고조 유방(劉邦)이 항우의 군대를 속이고 이 협로(狹路)를 통과해 진창(陳倉)을 점령하고 관중(關中)을 함락하여 한(漢) 제국 건국의 초석을 놓았던 ‘암도진창(暗渡陳倉 : 몰래 진창을 건너다) 고사로 유명한 길.

바를 본젼(本傳)의 번셔(繁書)ᄒᆞᄂᆞ니, 블긴 ᄒᆞᆫ 고담(古談)을 만히 ᄒᆞ노라 ᄡᅥ지오미 되ᄂᆞᆫ디라, 우ᄂᆞᆫ ᄲᅧ 긴요ᄒᆞᆫ 말을 ᄇᆞᆰ히노라.

남휘 냥ᄆᆡ의 이곳의 슈계ᄒᆞᆫ ᄡᅵ가지 용도(用度) 범ᄇᆡᆨ(凡百)을 ᄉᆞ량(思量)ᄒᆞ여 맛지고, ᄌᆞ로 오믈 니르고, 심ᄉᆞ를 요동치 말믈 당부ᄒᆞ니, 진쇼제 거거의 금포(錦袍)자락을 븟드러 옥뉘 종횡ᄒᆞᄃᆡ, 뎡쇼져ᄂᆞᆫ ᄉᆞᄀᆡ 태연ᄒᆞ나 목금 어ᄉᆞ의 신상이 위ᄐᆡᄒᆞ믈 근심ᄒᆞᄂᆞᆫ디라, 남휘 위로 왈,

"ᄉᆞ원 ᄀᆞᆺ튼 가부ᄂᆞᆫ 념녀ᄒᆞᆯ ᄇᆡ 업ᄉᆞ니, 흉인의 독싊 극ᄒᆞ나 명이 아닌ᄃᆡ 히치 못ᄒᆞ리니, 냥ᄆᆡᄂᆞᆫ 다만 보신지칙을 ᄉᆡᆼ각ᄒᆞ라. 윤공이 농괴(聾塊) 되엿다 ᄒᆞ니, 보고 여ᄎᆞ여ᄎᆞ 격동ᄒᆞ리라."

ᄒᆞ고【30】 니별ᄒᆞ고 밧그로 나가 츄밀을 보려 ᄒᆞ더라.

ᄡᅵ의 냥흉이 어ᄉᆞ 형뎨를 맛고져 ᄒᆞ다가 무심 즁 하날노셔 나린 ᄃᆞᆺᄒᆞᆫ 돌의 쇄두(碎頭)ᄒᆞ여 업더지니, 경ᄋᆞᄂᆞᆫ 겹결의 안흐로 드러갓고, 하·댱은 협실의 너허 문을 ᄌᆞᆷ으고 져희가지 작용ᄒᆞ려 아득히 모로니, 모든 시ᄋᆞ 등은 ○[돌] 소ᄅᆡ의 ᄂᆡᄃᆞ르니, 어ᄉᆞ 등은 간 ᄃᆡ 업고, 두 낫 시신이 빗겨322) 뉴혈이 만신(滿身)이라. ○…결락16자…○[양당(兩堂) 시ᄋᆞ 등이 일시의 다라드러 양흉을] ᄢᅵ드러323) 침소의 《오니‖도라가니》, 셕·뎡 이인이 ᄌᆡᆼ그라오믈 마지 아냐, 어ᄉᆞ 형뎨를 구ᄒᆞ여 나가나 가듕이 알 니 업ᄉᆞ니, 악인이 하날이 벌 나리믈 알고 앏픈 ᄃᆡ를 우희고324), 어ᄉᆞ 등 종젹도 ᄎᆞᄌᆞᆯ ᄯᅳᆺ이 업셔, 위태ᄂᆞᆫ 신명(神明)의 벌이라 ᄒᆞ여 다만, "져것들을 죽【31】이랴 ᄒᆞ면 돕ᄂᆞᆫ 거시 져러ᄒᆞ니 ᄋᆡ돏도다" 듕쥬어리니325), 대져 경ᄋᆞ의 모녜 아니면 이ᄃᆡ도록 ᄒᆞ리오.

322)빗기다 : 가로놓이다.
323)ᄢᅵ들다 : 껴들다. 팔로 끼어서 들다.
324)우희다 : 움키다. 움켜잡다. 손가락을 우그리어 물건 따위를 놓치지 않도록 힘 있게 잡다.
325)듕쥬어리다 : 중얼거리다.

평휘 양ᄆᆡ의 수계ᄒᆞᆫ ᄡᅵ 용도(用度) 범ᄇᆡᆨ(凡百)을 혜여 《맛치고‖맛지고》 ᄌᆞ로 올바을 이르고, 심ᄉᆞ을 요동치 말믈 당부ᄒᆞ니, 진소졔 가가의 금포(錦袍)ᄌᆞ락을 븟들고 옥뉘 종횡ᄒᆞᄃᆡ, 뎡소져ᄂᆞᆫ ᄉᆞᄀᆡ ᄐᆡ연{ᄒᆞ연}ᄒᆞ여 어ᄉᆞ의 위ᄐᆡᄒᆞ믈 초젼(焦煎)ᄒᆞᄂᆞᆫ지라. 평휘 화히 위로 왈,

"ᄉᆞ원 갓튼 가부을 념녀ᄒᆞᆯ ᄇᆡ 아니라, 양흉이 아모리 보칙나 간ᄃᆡ로 그 명을 히치 못ᄒᆞ리니, 다만 ᄆᆡ져 등이나 보신지칙을 ᄉᆡᆼ각ᄒᆞ라."

ᄒᆞ고 나오니, 이 ᄡᅵ 위·뉴 양악(兩惡)이 어ᄉᆞ 형뎨을 아조 마ᄎᆞ려 ᄒᆞᆯ 제, 무심 듕 하날노셔 큰 돌이 날여와 두상의 마치니, 머리 ᄢᅢ여져 업더지며 ᄋᆡ고ᄋᆡ고 슬거【25】지라 ᄒᆞ되, 연ᄒᆞ여 돌이 날니닷 나려와 위·뉴 양인을 무수히 마치니, 소ᄅᆡ질너, "시아 등○[은] 엇지 구치 아닛ᄂᆞ뇨?" ᄒᆞ나, 경ᄋᆞᄂᆞᆫ 겁ᄂᆡ여 드리 닷고 하·장은 《심장‖심당》의 집ᄉᆞ을 맛쳐 움즉이지 못ᄒᆞ게 ᄒᆞ여시므로 변을 모로고, 양당(兩堂) 시ᄋᆞ 등이 일시의 다라드러 양흉을 업어 각각 침당의 도라가, 창호을 긴긴히 닷고 구호ᄒᆞᆯᄉᆡ, 이의 뎡·셕 양인이 어ᄉᆞ 형뎨을 안아 갓더라.

위·뉴 양인이 돌을 맛고 침당의 도라가 ᄢᅢ여진 ᄃᆡ을 ᄊᆞᄆᆡ고 숨을 도로나230), 가삼이 벌덕이니 혼이 나리[가], 고요히 누어 ᄉᆡᆼ각ᄒᆞᄃᆡ, '광쳔 형뎨 부부을 ᄂᆡ 이심이 보치고, 금일 ᄯᅩ 죽이기을 한ᄒᆞ여 치다가 이런 환을 만나니, 하날이 무심치 아니시도다. 황부인 ᄉᆞ속(嗣續)을 위ᄒᆞ여 젼부터 날을 히롭도록 ᄒᆞ고[니] ○○○○[ᄋᆡ돏도다].' 입속의 중중ᄒᆞ여 231)하날을 ᄭᅮ짓더라.

230)도로다 : 돌리다. 돌게 하다. 기운이나 기능 따위가 원 상태로 돌아오게 하거나 제대로 작동하게 하다. ⇒도루다.

남휘 셕상셔를 ᄃᆡᄒᆞ여 냥ᄆᆡ의 아조 긔ᄉᆞ(饑死)ᄒᆞ여 ᄉᆞᆷ만 걸린 바를 젼ᄒᆞ고 탄왈,

"국가 죄슈도 결사(結辭) 젼은 굼기미 업ᄉᆞᄃᆡ 냥흉은 여ᄎᆞᄒᆞ니 통한치 아니리오."

셕공이 절치(切齒) 왈,

"나의 실인의 간악은 기모의 ᄇᆡᆨ승(百勝)ᄒᆞ니, 이 집 가홰 망유긔극(罔有紀極)[326]다가, ᄉᆞ원 형뎨 남북으로 흐터지게 ᄒᆞ고, 악인이 ᄉᆞ라 멸망지경이 되리니, 이집 가변의 참예치 아니미 녕홰(榮華)니 챵ᄇᆡᆨ은 삼가라."

남휘 그 고명ᄒᆞᆫ 식견을 탄복ᄒᆞ고, 어ᄉᆞ 등이 이ᄯᆡ는 정신이 늠연(凜然)ᄒᆞ나 몸을 요동ᄒᆞ【32】미 어려워, ᄌᆞ는 ᄃᆞ시 누어 냥인의 문답을 드르ᄆᆡ, 젼두(前頭) 가변이 과약기언(果若其言)[327]ᄒᆞ니, 합연(溘然)ᄒᆞ여 모로고져 ᄒᆞᄃᆡ, ᄌᆞ위를 ᄉᆡᆼ각ᄒᆞᆫ즉 ᄌᆞ긔 남ᄆᆡ 귀듕ᄒᆞ미 태악지듕(泰岳之重)이라. 블효를 슬허 약이 니르면 마시고, 쥭음(粥飮)을 당ᄒᆞ면 먹어, 신상을 보호ᄒᆞ니, 뎡·셕 이인이 냥인을 보호ᄒᆞᆯ 도리를 당부ᄒᆞ고, 낭듕의 ᄒᆡ독약 금창약을 여러 가지를 맛지고, 윤공긔 와시믈 알외고 현알ᄒᆞ믈 청ᄒᆞ니, 츄밀이 뉴시 침소의셔 연무듕(煙霧中) ᄀᆞᆺ더니, 평남후와 셕상셔의 통명(通名)ᄒᆞ믈 듯고, 반겨 젼도(顚倒)히 긔거(起居)ᄒᆞ여 나오니, 이인이 하당ᄒᆞ여 븟드러 올니고, 그 거동을 ᄉᆞᆯ피니, 면모【33】의 누른 빗치 황칠(黃漆)ᄒᆞᆫ ᄃᆞᆺᄒᆞ고, 두 눈의 정ᄎᆡ(精彩) 업셔, 젼일 츄상ᄀᆞᆺ튼 긔운이 졸변(猝變)ᄒᆞ여, 다른 사ᄅᆞᆷ이 되어시니, ᄒᆡ연(駭然) ᄎᆞ악(嗟愕)ᄒᆞ여 안ᄉᆡᆨ을 변ᄒᆞ고, ᄀᆞᆯ오ᄃᆡ,

"쇼ᄉᆡᆼ 등이 관ᄉᆞ(官事) 봉친(奉親)의 다ᄉᆞᄒᆞ와 존하의 등ᄇᆡ(登拜)치 못ᄒᆞ오니, 금일 ᄐᆞᆷ을 어더 니르오나, ᄉᆞ원 등이 업고 문졍(門庭)이 뎍뇨(寂寥)ᄒᆞ오니, 근간은 ᄉᆞ원 등

326)망유긔극(罔有紀極) : 기율(紀律)에 어그러짐이 매우 심함.

327)과약기언(果若其言) : 과연 그 말과 같음.

평휘 양ᄆᆡ을 ᄇᆡ치(配置)ᄒᆞ여 편케ᄒᆞ고 나와, 셕공을 ᄃᆡᄒᆞ여 겨유 ○○[ᄉᆞᆷ만]《길녓 바을 ‖ 걸닌 바을》 젼ᄒᆞ고 탄왈,

"ᄃᆡ역죄슈라도 먹이는 도리 잇거날 이심ᄒᆞᆫ 악종드리 부ᄃᆡ 아ᄆᆡ을 죽게 ᄒᆞ는 악심이니 엇지 무심ᄒᆞᆫ 원ᄀᆡ리오."

셕공이 탄왈,

"이 가온ᄃᆡ 나의 실인의 악심은 승어기모(勝於其母)[232]ᄒᆞ고 십ᄇᆡ어위노(十倍於韋老)[233]ᄒᆞ니, 이 집 가화(家禍) 망측(罔測)ᄒᆞ여, ᄉᆞ원 형뎨을 남북으로 흣터지게 ᄒᆞ고, 악인이 ᄑᆡ가망신(敗家亡身)ᄒᆞ게 ᄒᆞ리니, 창ᄇᆡᆨ은 ᄉᆞᆷ가라."

평휘 그 고명ᄒᆞ믈 탄복ᄒᆞ고, 어ᄉᆞ 형뎨는 양인의 문답을 드르ᄆᆡ, 가변의 ᄒᆡ연(駭然)ᄒᆞᆷ과 젼두(前頭)을 지긔ᄒᆞᄆᆡ, 합연(溘然)이 셰ᄉᆞ을 잇고【26】져 ᄒᆞ나, ᄌᆞ위을 ᄉᆡᆼ각건ᄃᆡ ᄉᆞᆷ남ᄆᆡ 몸이 비악지즁(鄙惡之中)○[이]라도, 엇지 일시 괴로오므로 홍모(鴻毛)의 더지리오. 약음이 니르면 먹어 신상을 보호ᄒᆞ니, 양인이 어ᄉᆞ 형뎨 보호ᄒᆞᆯ 도리을 ᄉᆡᆼ각ᄒᆞ고 낭즁의 금창약(金瘡藥)과 ᄒᆡ독단(解毒丹)을 ᄂᆡ여 쥬고, 즉시 윤공의게 왓시물 고ᄒᆞ니, 이 ᄯᆡ 윤공이 ᄃᆡ뉴시 침소의셔 아모란 쥴 모로더니, 평남후와 셕상셔 왓시물 듯고 반겨 ᄂᆞ오니, 이인이 하당영지(下堂迎之)ᄒᆞ여 올니고, 공의 거동을 ᄉᆞᆯ피니 면부(面部)의 누른 긔운이 황칠(黃漆)ᄒᆞᆫ 듯ᄒᆞ고, 안쳥(眼睛)이 흐리여 졍명지긔(正明之氣) 업는지라. 양인이 ᄒᆡ연ᄎᆞ악(駭然嗟愕)ᄒᆞ여 왈,

"소ᄉᆡᆼ 등이 관ᄉᆞ(官事) 봉친(奉親)의 다ᄉᆞ

231)즁즁ᄒᆞ다 : 중중대다. 중중거리다. 몹시 원망하듯 남이 알아들을 수 없는 군소리로 자꾸 중얼거리다.

232)승어기모(勝於其母) : 그 어미보다도 더 (악)하다.

233)십ᄇᆡ어위노(十倍於韋老) : 위(韋)씨 노파보다도 10배나 더 (악)하다.

이 어ᄃᆡ 갓ᄂᆞᆫ가, 샤덕ᄒᆞ고 나디 아니미 존대인 환우를 인ᄒᆞ미니잇가? ᄒᆞ나히 시탕(侍湯)ᄒᆞ고, ᄒᆞ나흔 국ᄉᆞ를 《돌아보지 ‖ 돌아보아도 할 것인데》, 너모 한가코져 ᄒᆞ여 국ᄉᆞ를 경시ᄒᆞᄂᆞᆫ가 ᄒᆞᄂᆞ이다."

츄밀이 ᄉᆞ샤 왈,

"군 등을 오ᄅᆡ 보디 못ᄒᆞ니 창울(悵鬱)ᄒᆞ고, ᄂᆡ 병이 디리ᄒᆞ여 국가ᄉᆞ를 젼연 브디ᄒᆞ니, 돈【34】ᄋᆞ 등이 샤덕ᄒᆞ도다."

남휘 왈,

"가엄이 져독(舐犢)[328]의 유유ᄒᆞᆫ 졍을 금치 못ᄒᆞ샤 쇼ᄆᆡ 귀령을 청ᄒᆞ시더이다".

공이 빈미 왈,

"ᄂᆡ 근ᄂᆡ 유질ᄒᆞ여 뎡당 시봉이 블엄(不嚴)ᄒᆞ고, 돈ᄋᆞ(豚兒) 등이 시봉ᄒᆞ미 업ᄂᆞᆫ ᄶᅴ, 간비 등이 존당의 무고를 힝ᄒᆞ여 환휘 위름ᄒᆞ시니, 요예(妖穢)를 파 ᄂᆡᄆᆡ, 뎔부의 신상의 침노ᄒᆞ니, 간비의 초ᄉᆡ 여ᄎᆞ여ᄎᆞᄒᆞ고 필쳬 의구ᄒᆞ니, 평일 힝ᄉᆞ를 츄이컨ᄃᆡ 진실노 귀ᄆᆡ의 희롱이라. 그러나 간ᄉᆞ를 적발치 못ᄒᆞᆫ 후ᄂᆞᆫ 도리의 안안치 못ᄒᆞ고, 피ᄎᆞ 안면이 졀박ᄒᆞ여 잠간 허물을 ᄌᆞ칙고져 ᄒᆞ고, 내 병이 낫기를 기다려 ᄉᆞ획고져 쇼당의 머므러시니, 결말이【35】나야 귀령을 ᄒᆞᆯ 줄, 냥가 친졍의 고ᄒᆞᆯ디어다."

우왈,

"창ᄇᆡᆨ은 노부의 말을 괴이히 넉이지 말고, 봉우칙션(朋友責善)이 이시니, 냥ᄋᆞ를 ᄃᆡᄒᆞ여 니르라. 젼일 공근효슌ᄒᆞ여 사ᄅᆞᆷ이 바라지 못ᄒᆞᄂᆞᆫ ᄇᆡ러니, 근ᄂᆡᄂᆞᆫ 됴달ᄒᆞ여 그런가, 국은 이슈(異數)[329]를 남달니 밧ᄌᆞ오므로 믄득 방ᄌᆞᄒᆞ여 존당의 블초ᄒᆞ미 ᄌᆞᆺ고, 내 병이 ᄶᅵᄶᅴ 더ᄒᆞ여도 《물약지셩 ‖ 문약지셩(問藥之誠)[330]》이 업고, 금일은 신셩(晨ᄒᆞ와 오ᄅᆡ 등ᄇᆡ(登拜)치 못ᄒᆞ엿다가 금일 맛초아 이르오니 ○…결락13자…○[ᄉᆞ원 등이 업고 문졍(門庭)이 뎍뇨(寂寥)ᄒᆞ오니] 고이 토소이다."

츄밀 왈,

"현계(賢契)을 오ᄅᆡ 보지 못ᄒᆞᄆᆡ 심히 창울(蒼鬱)ᄒᆞ나 ᄂᆡ 병이 지리ᄒᆞ여 국ᄉᆞ와 가ᄉᆞ을 젼○[연]부지(全然不知) ᄒᆞ노라."

평휘 왈,

"가엄이 졔ᄆᆡ(諸妹)의 졍을 금치 못ᄒᆞᄉᆞ소ᄆᆡ 귀령을 쳥ᄒᆞ시더이다."

공이 미우을 ᄶᅵᆼ긔고 왈,

"복(僕)이 근간 유질ᄒᆞ여 졍당 시봉이 불근(不勤)ᄒᆞ므로, 간비 존당의 무고을 힝ᄒᆞ여 환휘 위름(危懍)ᄒᆞ시거날, 요예지물(妖穢之物)을 잡아ᄂᆡᄆᆡ, 질부의 신상의 침노ᄒᆞ고 필쳬 의구ᄒᆞᄆᆡ, 간비 초ᄉᆡ(招辭) 여ᄎᆞᄒᆞ니, 평일 힝ᄉᆞ을 츄이ᄒᆞᆫ 즉, 귀ᄆᆡ의 희롱이라. 그러나 간졍을 젹발치 못ᄒᆞᆫ 후ᄂᆞᆫ, 도리의 안안치 못ᄒᆞ고, 여ᄎᆞᄒᆞ기의 피ᄎᆞ 안면이 졀박ᄒᆞ여, ᄂᆡ병이 낫기을 기ᄃᆞ려 ᄉᆞ획(査覈)고져 아직 후원 연원졍의 가도아 두어시니, 결말이 나야 귀령ᄒᆞᆯ 줄 양가의 친졍의 고ᄒᆞᆯ지어다."

---

328)져독(舐犢) : 지독(舐犢). 지독지애(舐犢之愛). 어미 소가 송아지를 핥는 사랑이란 뜻으로, 자식에 대한 어버이의 지극한 사랑을 비유적으로 이르는 말

329)이슈(異數) : 이수(異數). 특별한 예우. 또는 보통과 구별되는 특별한 것.

330)문약지셩(問藥之誠) : 약을 지어 병을 보살피는 정성.

省)홈도 업ᄉᆞ니 셰샹ᄉᆞ를 밋디 못ᄒᆞᄂᆞ니, 뎡·딘 냥형이 내집 ᄌᆞ딜의 인물이 크게 남달리 되여시믈 모르디라. 내 의괴망측(疑怪罔測)ᄒᆞᄃᆡ, 시러곰 죵용히 뭇고져 ᄒᆞ나, 딜부를 슈계ᄒᆞᄆᆡ 원심이 현현ᄒᆞ니, 내 입을 열고져 ᄒᆞᆫ【36】즉 두 귀 달호이니331), 챵ᄇᆡᆨ은 힐문ᄒᆞ여 볼디어다."

병뷔 공경 ᄃᆡ왈,

"합하의 명쾌ᄒᆞ신 품되 이 ᄀᆞᆺ치 변ᄒᆞ시믈 쇼ᄉᆡᆼ이 그윽이 의아ᄒᆞ옵ᄂᆞ니, 쇼ᄆᆡ 등을 임의 죽이지 아니실진ᄃᆡ 아딕 일명을 보젼케 ᄒᆞ샤 결말을 보시미 맛당ᄒᆞ거ᄂᆞᆯ, 쇼ᄆᆡ 등의 죄상이 대역부도(大逆不道)와 텬하일죄슈(天下一罪囚)332)의 밧ᄂᆞᆫ 형벌의셔 오히려 심ᄒᆞ여, 후정 누옥(陋屋)의 가도시고 형극을 뫼갓치 두르고 돌문을 줌으샤 식음을 주지 아니시믄 괴이치 아니ᄒᆞ거니와, 각각 져의 비ᄌᆡ 이시니 ᄒᆞᆫ 그릇 물도 ᄲᅧ주지 못ᄒᆞ게 막ᄌᆞ르시ᄂᆞ니잇고?"

츄밀이 병부의 말을 듯고 ᄃᆡ답ᄒᆞᆯ 말이 업셔 다만 ᄆᆞᆨ【37】ᄆᆞᆨᄒᆞᆯ ᄯᆞᄅᆞᆷ이라. 병뷔 안ᄉᆡᆨ을 곳쳐 우문 왈,

"합해(閤下) 그ᄂᆞᆫ 그러ᄒᆞ시거니와, 각각 친부(親府)로 못가게 명ᄒᆞ시미 너모 박ᄒᆞ시고, 죄당쥬륙(罪當誅戮)인즉 ᄒᆞᆫ번 죽이미 가ᄒᆞ거ᄂᆞᆯ, 존문 법녕은 죽기도곤 어려이 다ᄉᆞ리시니, 그 거쳐를 보오ᄆᆡ 대리시(大理寺)의 셰번 더은지라. 금일 결단ᄒᆞ여 ᄉᆞᄉᆡᆼ을 듯고져 ᄒᆞᄂᆞᆫ 고로, 븟거러온 낫출 드러 청알ᄒᆞ미오, 합ᄒᆞ의 녕젼(令前)333)의 옥문을 ᄊᆡ치고 형극을 업시ᄒᆞ믄 쇼ᄉᆡᆼ의 당돌ᄒᆞᆫ 죄어니와, 뎡형죄인(正刑罪人)334)이라도 죽이기 젼의 음식 주믄 당연ᄒᆞ고, 존문의 ᄒᆞ시ᄂᆞᆫ 바ᄂᆞᆫ 사ᄅᆞᆷ의 이상히 넉일 ᄇᆡ라, 쇼ᄉᆡᆼ이 외인으로 뭇즙기 괴이커니와, ᄉᆞ【38】원은

331)달호이다 : 닳다. 달구어지다. 빨개지다.

332)텬하일죄슈(天下一罪囚) : 천하에 하나 밖에 없는 죄인이라는 뜻으로, 세상에서 가장 큰 죄를 저지른 죄인이라는 말.

333)녕젼(令前) : 명령이 떨어지기 전.

334)뎡형죄인(正刑罪人) : 사형이 확정된 죄인. 정형(正刑); 예전에, 죄인을 사형에 처하던 형벌.

휘 ᄃᆡ왈,

"합ᄒᆡ의 명【27】쾌ᄒᆞ신 품되 이 갓치 변ᄒᆞ시믈 소ᄉᆡᆼ이 그윽이 의아ᄒᆞᄂᆞ니, 소ᄆᆡ 등을 임이 죽이지 아니실진ᄃᆡ, 아즉 그 일명을 보젼케 ᄒᆞᄉᆞ 결말을 보시미 올커날, 소ᄆᆡ 등의 죄상이 ᄃᆡ역브도(大逆不道)의 밧ᄂᆞᆫ 형벌의셔 더ᄒᆞ여, 후졍 누옥의 가도시고, 형극을 뫼갓치 두루며, 돌문을 잠어 식음을 쥬지 아니시믈[믄] 고이치 아니시거니와, 각각 졔 비ᄌᆞ 잇시니 ᄒᆞᆫ 그릇 물도 ᄲᅧ 주게 막ᄌᆞ르시믄 엇진 일이시닛가?"

츄밀이 병부의 말을 듯고 ᄃᆡ답ᄒᆞᆯ 말이 업셔 다만 묵묵ᄒᆞᆯ ᄯᆞ름이라. 병뷔 안ᄉᆡᆨ을 《수십∥수습》ᄒᆞ고 우문 왈,

"합ᄒᆡ(閤下) 그ᄂᆞᆫ 그리ᄒᆞ여 계시거니와 각각 친부로도 못가게 ᄒᆞ시미 너무 극ᄒᆞ며 희한ᄒᆞᆫ 쳐ᄉᆡ라, 죄당 쥬륙인즉 ᄒᆞᆫ번 죽이미 가커날, 존문 볍녕은 죽이기도곤 더 어렵ᄉᆞ이 다ᄉᆞᆯ니시니, 그 거쳐을 보오ᄆᆡ ᄃᆡ리시(大理寺)의 셰번 더으신지라. 금일 결단ᄒᆞ여 ᄉᆞᄉᆡᆼ을 좃고져 ᄒᆞᄂᆞᆫ 고로 붓그러온 낫출 드러 현알ᄒᆞ미오, 합ᄒᆞ의 영젼(令前)234)의 옥문을 ᄊᆡ치고 형극을 업시ᄒᆞ믈[믄] 소ᄉᆡᆼ의 당돌ᄒᆞᆫ 죄여니와, 정형죄인(正刑罪人)235)이라도 죽이기 젼의 음식주문 당연ᄒᆞ고, 존문의 ᄒᆞ시ᄂᆞᆫ 바ᄂᆞᆫ ᄉᆞᄅᆞᆷ의 이상이 역일 ᄇᆡ라. 소ᄉᆡᆼ이 외인으로 뭇즙기 우읍거니와, ᄉᆞ원은 무숨 죄로 혈육이 상ᄒᆞ고, 큰 남긔 달아 상토을 푸러 무거온 돌노 눌너두어 계시니잇고? 소ᄉᆡᆼ 등은 문견이 고루ᄒᆞ와 그런 형

234)영젼(令前) : 명령이 떨어지기 전.

235)정형죄인(正刑罪人) : 사형이 확정된 죄인. 정형(正刑); 예전에, 죄인을 사형에 처하던 형벌.

므솜 죄로 혈육이 상ᄒᆞ고, 큰 남긔 다라 상토를 프러 무거온 돌노 눌너 두어 계시니잇고? 쇼싱 등은 문견이 고루ᄒᆞ와 그런 형벌은 듯도 보도 못ᄒᆞ여시니, 합하ᄂᆞᆫ 그 변고를 니르쇼셔."

셕상셰 말솜을 니어 ᄀᆞᆯ오ᄃᆡ,

"쇼싱이 튱년(沖年)335)의 동상이 되여 셰ᄌᆡ 칠년이오, 하졍이 범연치 아니ᄒᆞ온지라. 구셜을 무익히 허비치 아니ᄒᆞ오나, ᄉᆞ원 등의 빅힝의 초츌ᄒᆞ믄 ᄇᆰ히 아르실디라. 존문의 변괴 ᄎᆞ악ᄒᆞ며, 뎡·딘 두 부인이 누명을 므릅쓰시믈 듯ᄌᆞ오니 경참(驚慘)ᄒᆞ믈 니긔지 못ᄒᆞ옵고, 존공이 '증모(曾母)의 투져(投杼)'336)ᄒᆞ믈 면치 못ᄒᆞ시미오, ᄉᆞ원의 토혈ᄒᆞ여 참혹ᄒᆞᆫ【39】 거동을 아르시고 줌줌ᄒᆞ시면, '헌공(獻公)의 혼(昏)'337)ᄒᆞ미라. ᄉᆞ원 형뎨 존문을 흥긔홀 ᄲᅮᆫ 아니라 국가동냥이라, 노예 하쳔도 당치 못홀 형벌을 님ᄒᆞ여 명ᄌᆡ슈유(命在須臾)338)ᄒᆞ믈 보니 경심ᄒᆞ믈 니긔디 못ᄒᆞ올 ᄇᆡ라. 존문이 블힝ᄒᆞ여 명쳔 합해 됴셰 ᄒᆞ시나, ᄉᆞ원의 형뎨 악당을 밧들며 후ᄉᆞ를 니으니, 그ᄃᆡ도록 참혹ᄒᆞᆫ 경계를 당ᄒᆞ여시ᄃᆡ 구치 아니시니, ᄉᆞ원이 죽으면 누ᄃᆡ 봉샤를 어나 곳의 의탁ᄒᆞ시며, 악당이 만셰 후 하면목으로 명쳔공 합하긔 뵈오며, 쇼싱이 ᄉᆞ원 형뎨만 위ᄒᆞ미 아니라, 악댱의 변심ᄒᆞ시믈 의괴ᄒᆞ고, 우흐로 듀샹이 고굉디신(股肱之臣)을 일흐실가 놀【40】나ᄂᆞ니, 존공은 쇼싱을 괴이히 녁이지 마르시고, ᄌᆞ딜의 망극ᄒᆞᆫ 졍ᄉᆞ를 솔피

335)튱년(沖年) : 열 살 안팎의 어린 나이.

336)증모(曾母) 투져(投杼) : 증자의 어머니가 증자가 사람을 죽였다는 말을 듣고, 처음에는 이를 믿지 않았으나, 여러 차례 같은 말을 듣자, 마침내 베틀의 북을 내던지고 사건현장으로 달려갔다는 고사. 누구나 여러 번 말을 들으면 곧이듣게 된다는 말.

337)헌공(獻公)의 혼(昏) : 중국 춘추전국시대 진(晉)나라 헌공(獻公)이 애첩(愛妾)인 여희(驪姬)의 음모에 빠져 태자 신생(申生)을 자결케 하고 두 아들까지도 축출한 후, 여희의 아들로 태자를 삼았다가, 그의 사후 나라를 내란에 휩싸이게 했던 일을 말함.

338)명ᄌᆡ슈유(命在須臾) : 목숨이 잠깐 사이에 달려 있다.

벌은 듯도 보도 못ᄒᆞ엿시니, 합ᄒᆞᄂᆞᆫ 그 변고을 ᄌᆞ셰 니르소셔."

셕상셔 이어 왈,

"소싱이 츙년(沖年)236)의 슬ᄒᆞ 동상이 되어 셰ᄌᆡ 칠년이오, 하졍(下情)이 범연ᄒᆞᆫ 곳의 비치 못ᄒᆞ올지【28】라. 구셜을 무익히 허비치 아니 ᄒᆞ옵ᄂᆞᆫ ᄇᆡ오나, ᄉᆞ원 등의 ᄃᆡ효와 빅힝이 초츌ᄒᆞ문 밝히 아르실 ᄇᆡ라. 존문의 변괴 ᄎᆞ악ᄒᆞ며, 뎡·진 두 부인이 누명을 무릅쓰시물 불승경참(不勝驚慘)이라. 존공이 '증모(曾母)의 투져(投杼)'237)ᄒᆞ믈 면치 못ᄒᆞ시오니, ᄉᆞ빈의 토혈(吐血)ᄒᆞ여 춤춤ᄒᆞᆫ 거동을 아르시고 잠잠ᄒᆞ시면, '헌공(獻公)의 혼(昏)'238)ᄒᆞ미라. ᄉᆞ원 형뎨 존문을 흥긔홀 ᄲᅮᆫ 아냐 국가을 보상(輔相)239)홀 츙현(忠賢)이라, 노예하쳔(奴隸下賤)도 당치 못홀 형벌을 님ᄒᆞ여, 명ᄌᆡ슈유(命在須臾)240)ᄒᆞ믈 ○○[보니] ○○○○[경심ᄒᆞ믈] 지금 졍치 못ᄒᆞ올 ᄇᆡ라. 존문이 불힝ᄒᆞ여 명쳔 합히 조셰ᄒᆞ시나, ᄉᆞ원 형뎨 악장을 밧들며 후ᄉᆞ을 니으니, 그ᄃᆡ도록 춤혹ᄒᆞᆫ 경계을 당ᄒᆞ여시ᄃᆡ 구치 아니시니, ᄉᆞ원이 죽으면 존문 누ᄃᆡ 봉ᄉᆞ을 어ᄃᆡ 곳의 의탁ᄒᆞ시며, 악장이 쳔츄만셰 후 ᄒᆞ면목으로 명쳔공을 뵈오며, 소싱이 ᄉᆞ원형뎨만 아니라 악장의 변심ᄒᆞ물 의괴ᄒᆞ고, 우흐로 주상이 고굉

236)츙년(沖年) : 열 살 안팎의 어린 나이.

237)증모(曾母) 투져(投杼) : 증자의 어머니가 증자가 사람을 죽였다는 말을 듣고, 처음에는 이를 믿지 않았으나, 여러 차례 같은 말을 듣자, 마침내 베틀의 북을 내던지고 사건현장으로 달려갔다는 고사. 누구나 여러 번 말을 들으면 곧이듣게 된다는 말.

238)헌공(獻公)의 혼(昏) : 중국 춘추전국시대 진(晉)나라 헌공(獻公)이 애첩(愛妾)인 여희(驪姬)의 음모에 빠져 태자 신생(申生)을 자결케 하고 두 아들까지도 축출한 후, 여희의 아들로 태자를 삼았다가, 그의 사후 나라를 내란에 휩싸이게 했던 일을 말함.

239)보상(輔相) : 대신을 거느리며 임금을 도와 나라를 다스림. 또는 그런 사람.

240)명ᄌᆡ슈유(命在須臾) : 목숨이 잠깐 사이에 달려 있다.

시미 존문 홍복(洪福)이니이다.”

츄밀이 뎡·딘 등의 년원졍의 드ᄂᆞᆫ 바ᄂᆞᆫ 아라시나, 그ᄃᆡ도록 엄슈(嚴囚)ᄒᆞ고 졀곡(絶穀)게 ᄒᆞ믈 어이 ᄉᆡᆼ각ᄒᆞ여시리오. 어ᄉᆞ 형뎨ᄂᆞᆫ 졍신이 혼미ᄒᆞ여 ᄎᆞᆺ디 아녀시나, 젓구로 달니며 죽어가ᄂᆞᆫ 줄이야 엇디 알니오. 냥인의 말을 드르ᄆᆡ 블승ᄎᆞ악ᄒᆞ(不勝嗟愕)여 두눈이 두렷ᄒᆞ고 낫빗치 찬ᄌᆡ ᄀᆞᆺᄐᆞᄃᆡ 젼일 ᄆᆞ음이 업셔, 어린 ᄃᆞ시 말을 못ᄒᆞ다가 날호여 탄왈,

“가변이 이상ᄒᆞ여 청문(聽聞)의 괴이키ᄂᆞᆫ 니르지 말고, 내 병으로 가ᄉᆞ를 ᄉᆞᆯ피지 못ᄒᆞ여 녕ᄆᆡ 등을 비록 ᄌᆞ리를 옴겨시나 무ᄉᆞ히 머므ᄂᆞᆫ 줄【41】노 아라시니, 쇄문졀식(鎖門絶食)ᄒᆞ믄 ᄉᆡᆼ각지 아닌 일이오, 광ᄋᆡ ᄆᆡ여 달렷다 ᄒᆞ믄 금시초문(今時初聞)이라. 내 ᄉᆞ라시미 죽음만 ᄀᆞᆺ지 못ᄒᆞ여 년무중 ᄉᆞᄅᆞᆷ이 되어시니, 졍신을 슈습지 못ᄒᆞ여 노친을 효봉치 못ᄒᆞ고, ᄌᆞ딜을 잘 거ᄂᆞ리지 못ᄒᆞ여 가변이 층츌(層出)ᄒᆞ미 젼후 긔괴ᄒᆞᆫ 일이 무궁ᄒᆞ니, 구쳔 타일의 가형을 뵈올 면목이 업ᄉᆞᆯ디라. 군 등이 졍셩으로 니르믈 엇디 모로리오마ᄂᆞᆫ, 심신이 산비(散飛)ᄒᆞ고 긔운이 혼혼(昏昏)ᄒᆞ여, 괴병(怪病)이 고항(膏肓)의 박혓ᄂᆞᆫ디라. 이졔 녕ᄆᆡ 등의 죄를 급히 ᄇᆞᆰ힐 조각이 업ᄉᆞ니, 창ᄇᆡᆨ이 금일이라도 ○○○[ᄃᆞ리고] 도라가 그 몸을 보젼케 ᄒᆞ라.“

병뷔 심니의 혜오ᄃᆡ,

“사ᄅᆞᆷ이 그룻되미【42】 이럿ᄐᆞᆺ ᄒᆞᆯ 니이시리오 닐너 ᄡᆞᆯ ᄃᆡ 업도다.”

ᄒᆞ고 인ᄒᆞ여 탄식고 왈,

“쇼ᄉᆡᆼ이 동긔지심(同氣之心)으로ᄡᅧ 쇼ᄆᆡ 등의 거쳐를 보ᄆᆡ 블승참연(不勝慘然)ᄒᆞ나, 죄명이 흉참ᄒᆞ기를 면치 못ᄒᆞ니, 진젹홀진ᄃᆡ 쇼ᄉᆡᆼ이라도 죽이고 시브니 어이 다려가리잇고마ᄂᆞᆫ, 상시 그 위인이 쳥졍ᄒᆞ미 이시

지신(股肱之臣)을 일을가 놀나시나니, 존공은 소ᄉᆡᆼ을 고이히 역이지 마르시고, ᄌᆞ질의 망극ᄒᆞᆫ 졍ᄉᆞ을 ᄉᆞᆯ피시미 존문의 홍복(洪福)이니이다.”

츄밀이 뎡·진 등의 영원졍의 드ᄂᆞᆫ 바ᄂᆞᆫ 아라시나, 그ᄃᆡ도록 극악히 가도아 두고 졀곡(絶穀)게 ᄒᆞ믈 어이 ᄉᆡᆼ각ᄒᆞ엿시리오. 어ᄉᆞ 형뎨ᄂᆞᆫ 졍신이 혼미ᄒᆞ여 ᄎᆞᆺ지 아녓시니, 젓구로 달니며 죽이ᄂᆞᆫ 쥴이야 엇지 알니오.. 양인의 말을 드르ᄆᆡ ᄎᆞ악ᄒᆞ믈 이긔지 못○○[ᄒᆞ여] 두눈이 두렷ᄒᆞ고, 낫빗치 찬ᄌᆡ 갓흐여[ᄃᆡ], 젼일 마음이 업셔 어린다시 말을 못ᄒᆞ다가 날호【29】여 탄왈,

“가변이 이상ᄒᆞ여 청문(聽聞)이 고이키ᄂᆞᆫ 니르지 말고, ᄂᆡ병으로 가즁 만ᄉᆞ을 ᄉᆞᆯ피지 못ᄒᆞ여, 영ᄆᆡ 등을 비록 ᄌᆞ리을 ᄉᆞᆯ피지 못ᄒᆞ여 옴겨시나, 무ᄉᆞ이 머무ᄂᆞᆫ 줄노 알아스니, 쇄문졀식(鎖門絶食)ᄒᆞ믄 ᄉᆡᆼ각지 아니[닌] 일이오, 광쳔이 ᄆᆡ여 달○[니]다 ᄒᆞ믄 금시초문(今時初聞)이라. ᄂᆡ ᄉᆞ라시미 죽음만 갓지 못ᄒᆞ여 연무즁 ᄉᆞᄅᆞᆷ이 되엿시니, 졍신을 슈습지 못ᄒᆞ여 노친을 잘 봉양치 못ᄒᆞ고, 수ᄒᆞ ᄌᆞ질을 ᄌᆞᆯ 거느리지 못ᄒᆞ여 가변이 층츌(層出)ᄒᆞ여, 젼후 긔괴ᄒᆞᆫ 일이 무궁ᄒᆞ니, 구쳔 타일의 가형을 뵈올 면목이 업ᄉᆞᆯ지라. 그ᄃᆡ 등이 졍셩으로 이르믈 엇지 모로리오마ᄂᆞᆫ, 심신이 산비(散飛)ᄒᆞ고 긔운이 혼혼(昏昏)ᄒᆞ여 고이ᄒᆞᆫ 병이 고항(膏肓)의 박혓시니 이졔 영ᄆᆡ 등의 죄을 급히 벅길 조각이 업ᄉᆞ니, 창ᄇᆡᆨ이 금일 이라도 ○○○[ᄃᆞ리고] 도라가 그 몸을 보젼케 ᄒᆞ라.”

병뷔 심니의 혜오ᄃᆡ

“ᄉᆞᄅᆞᆷ 그릇되미 이럿ᄐᆞᆺ ᄒᆞᆯ니 잇시리오. 일너 ᄊᆞᆯᄃᆡ 업도다.”

ᄒᆞ고, 인ᄒᆞ여 탄식 고왈,

“소ᄉᆡᆼ이 동긔지심(同氣之心)으로ᄡᅧ 소ᄆᆡ 등의 거쳐을 보ᄆᆡ 참연ᄒᆞ나, 죄명이 흉측(凶測)기을 면치 못ᄒᆞ니, 진실노 올흘진ᄃᆡ, 소ᄉᆡᆼ이라도 죽이고 시브니 어이 다려가려 ᄒᆞ리오마ᄂᆞᆫ, 상시 그 위인이 쳥졍요조(淸淨

니 혹ᄌᆞ ᄋᆡᄆᆡᄒᆞᆫ즉 죽으미 원통ᄒᆞᆯ디라. 이러므로 말ᄉᆞᆷ이 구ᄎᆞᄒᆞ고, ᄉᆞ졍의 거리ᄭᅵ믈 면치 못ᄒᆞ나, 굿ᄐᆞ여 다려 가고져 ᄒᆞᆷ도 아니오, 쇼ᄆᆡ 등이 신셜키 젼은 귀령치 아니리니, 합하는 ᄉᆞ디의 위ᄐᆡᄒᆞ믈 구ᄒᆞ쇼셔."

츄밀이 변심ᄒᆞ여시나, 병부의 안셔(安舒)ᄒᆞ믈 보고, ᄀᆞ장 민박【43】ᄒᆞ여 ᄀᆞᆯ오ᄃᆡ,

"년원졍은 내 ᄒᆞᆫ번도 보미 업ᄉᆞ니, 별쳐를 갈히여 녕ᄆᆡ를 잇게 ᄒᆞ고, 식쳥비ᄌᆞ(食廳婢子)를 엄칙ᄒᆞ여 됴셕 식상을 밧들게 ᄒᆞ리니 과려치 말나."

병뷔 샤례 왈,

"이 갓치 관인ᄒᆞᆫ 덕을 힘쓰신 즉, 은덕을 ᄇᆡᆨ골의 삭이려니와, 년원졍을 굿ᄐᆞ여 옴겨 무엇ᄒᆞ리잇고? 쇼ᄉᆡᆼ이 고인의 나룻 그을니ᄂᆞᆫ 우ᄋᆡ를 효측지 못ᄒᆞ여, 오ᄅᆡ 못본 년고로 ᄉᆞ오일을 졀곡ᄒᆞ여 딘명(盡命)케 되여시ᄃᆡ 아디 못ᄒᆞ고, 금일이야 본 ᄇᆡ 되오니 인비셕목(人非石木)[339]이라, 그 경상을 보ᄆᆡ 심장이 엇디 안안ᄒᆞ리잇고?"

언파의 누쉬 삼삼(潸潸)ᄒᆞ니, 츄밀이 블안ᄒᆞ고 슈괴ᄒᆞ여 ᄌᆞ긔 블찰이믈 모로디 【44】아니ᄃᆡ, ᄆᆡᆼ녈ᄒᆞᆫ 뜻이 업셔 위·뉴 냥인을 ᄋᆡ돌나 아니ᄒᆞ고, ᄒᆞ리눅고 프러져 ᄀᆡᆼ긔(更起)를 못ᄒᆞᄂᆞᆫ디라. 셕상셰 다시 말을 ᄒᆞ고져 ᄒᆞ다가, 츄밀원(樞密院) 공ᄉᆞ잇ᄂᆞᆫ 고로 몬져 하딕고 가고, 병부ᄂᆞᆫ 하쇼져를 보려ᄒᆞ여 쳥ᄒᆞ니, 위·뉴 냥인이 대담대악(大膽大惡)이나 뎡·셕 냥인을 볼 낫치 업셔 보지 아니ᄒᆞ고, 비영으로 인ᄉᆞᄒᆞ여 츄밀의 ᄒᆞᄂᆞᆫ 말을 낫낫치 드러 고ᄒᆞ라 ᄒᆞ더니, 이윽고 뎡병부의 하쇼져 브르믈 드르니, 츄밀노 더부러 문답ᄉᆞ를 낫낫치 고ᄒᆞᄆᆡ, 뉴시 믜오믈 니긔지 못ᄒᆞ여, ᄉᆞ오나오믈 발뵐 길히 업셔 다만 하쇼제만 나가라 ᄒᆞ니, 경ᄋᆡ 더욱 분분 왈,

"뎡텬홍 뎍ᄌᆡ【45】 밋치고 어린 셕ᄉᆡᆼ으

339)인비셕목(人非石木) : 사람이 돌이나 나무와 같은 무정물(無情物)이 아님.

窈窕)ᄒᆞ미 이시니, 혹ᄌᆞ ᄋᆡᄆᆡᄒᆞ미 이신 즉 죽으미 원통ᄒᆞᆫ지라, 이러무로 말ᄉᆞᆷ이 구ᄎᆞᄒᆞ고 ᄉᆞ졍의 거리ᄭᅵ물 면치 못ᄒᆞ나, 굿ᄒᆞ여 다려가고져 ᄒᆞᆷ도 아니오, 소ᄆᆡ 등이 신셜키 젼의ᄂᆞᆫ 귀령치 아니리니, 합하ᄂᆞᆫ ᄉᆞ지의 위ᄐᆡᄒᆞ믈 구ᄒᆞ소셔."

츄밀이 변심ᄒᆞ엿시나 병부【30】의 안셔(安舒)ᄒᆞ믈 보고, 가장 불쾌ᄒᆞ고 민박(憫迫)ᄒᆞ여 왈,

"영원졍은 ᄂᆡ ᄒᆞᆫ번도 보미 업ᄉᆞ니, 별쳐을 갈희여 영ᄆᆡ을 잇게 ᄒᆞ고, 식쳥비ᄌᆞ(食廳婢子)을 엄칙ᄒᆞ여 조셕식상을 밧들게 ᄒᆞ리니 과려치 말나."

휘 ᄉᆞ례 왈,

"이 갓튼 관인ᄒᆞᆫ 덕을 힘쓰신 즉, 은덕을 ᄇᆡᆨ골의 삭이려니와, 연원졍의 굿ᄒᆞ여 옴겨 무엇ᄒᆞ리잇고? 소ᄉᆡᆼ이 고인의 나룻 그을니ᄂᆞᆫ 우ᄋᆡ을 효측지 못ᄒᆞ여, 오ᄅᆡ 못 보민 고로 ᄉᆞ오일을 졀곡(絶穀)ᄒᆞ여 진명(盡命)케 되ᄃᆡ, 아지 못ᄒᆞ고 금일이야 본 ᄇᆡ오니, 인비셕목(人非石木)[241]이라, 그 경상을 보ᄆᆡ 심장이 엇지 안안ᄒᆞ리잇고?"

언파의 누쉬 ᄉᆞᆷᄉᆞᆷ(潸潸)ᄒᆞ니, 츄밀이 불안ᄒᆞ고 슈괴ᄒᆞ여 ᄌᆞ긔 불찰이물 모로지 아니ᄒᆞᄃᆡ, ᄆᆡᆼ녈ᄒᆞᆫ 뜻지 업셔 위·뉴 양인을 ᄋᆡ달나 아니ᄒᆞ고, ᄒᆞ리눅고 풀어져 ᄀᆡᆼ긔(更起)을 못ᄒᆞᄂᆞᆫ지라. 셕상셔 다시 말을 ᄒᆞ고져 ᄒᆞ다가, 추밀원(樞密院) 공ᄉᆞ 잇ᄂᆞᆫ 고로 몬져 ᄒᆞ직ᄒᆞ고 가고, 병부ᄂᆞᆫ 하소져을 보려ᄒᆞ여 쳥ᄒᆞ니, 위·뉴 양인이 ᄃᆡ담ᄃᆡ악(大膽大惡)이나 뎡·셕 양인을 볼 낫치 업셔 보지 아니ᄒᆞ고, 비영으로 인ᄉᆞᄒᆞ여 추밀의 ᄒᆞᄂᆞᆫ 말을 낫낫치 드러 고ᄒᆞ라 ᄒᆞ더니, 이윽고 뎡병부의 하소져 브르믈 드르니, 추밀노 더부러 문답ᄉᆞ을 낫낫치 고ᄒᆞᄆᆡ, 뉴녀 믜오믈 이긔지 못ᄒᆞ여[나] ᄉᆞ오나오믈 발뵐 길{길}이 업셔, 다만 하소져만 나가라 ᄒᆞ니, 경ᄋᆡ 더욱 분분 통히ᄒᆞ여 왈,

"뎡청[천]홍 도적 놈이 미치고 어린 셕ᄉᆡᆼ

241)인비셕목(人非石木) : 사람이 돌이나 나무와 같은 무정물(無情物)이 아님.

로 더부러 이의 니르러, 조모와 모친의 누덕을 쳡쳡히 대인긔 고ᄒᆞ고, 광텬 등의 긔특ᄒᆞ믈 칭찬ᄒᆞ여 야야의 ᄆᆞᄋᆞᆷ을 곳치게 ᄒᆞ니 엇디 분완치 아니리오. 텬흥은 기ᄆᆡ를 위ᄒᆞ여 괴이치 아니커니와 셕ᄌᆞ의 일이 더욱 가쇼롭디 아니리오."

뉴시 왈,

"셕싱의 무정ᄒᆞ미 졈졈 이 ᄀᆞᆺ고, ᄒᆞᆫ낫 외손을 못보니 나의 팔ᄌᆡ 괴이ᄒᆞ믈 슬허ᄒᆞ노라."

위뇌 뎡·셕 냥인을 ᄭᅮ지ᄌᆞ며 블쾌ᄒᆞ믈 니긔지 못ᄒᆞᄃᆡ, ᄆᆞᄋᆞᆷᄃᆡ로 발악지 못ᄒᆞ고 통완ᄒᆞ여 ᄒᆞ더라.

남휘 하쇼졔를 ᄃᆡᄒᆞ여 피ᄎᆡ 참연ᄒᆞ믈 니긔지 못ᄒᆞ나, 엄구 면젼이라 십분 강인ᄒᆞ여 눈물을 ᄀᆞ리오고, 【46】 병부ᄂᆞᆫ 양ᄆᆡ를 보ᄆᆡ 참참ᄒᆞ니 츄밀을 향ᄒᆞ여 왈,

"쇼싱이 ᄉᆞ정의 졀박ᄒᆞ믈 인ᄒᆞ여 픔은 바를 은닉지 못ᄒᆞ옵ᄂᆞ니, ᄉᆞᄆᆡ와 표ᄆᆡ 각각 부모를 뫼셔 경샤의셔 부귀를 누리나, 하ᄆᆡ의 경ᄉᆞᄂᆞᆫ 촉디 슈쳔여리의 부모를 니측ᄒᆞ고 혈혈이 존부의 의탁ᄒᆞ오나, 디란(芝蘭) ᄀᆞᆺ튼 약질이 허물을 잘 면ᄒᆞ리잇고? 원컨ᄃᆡ 슈년을 부모 슬하의 머믈게 ᄒᆞ신즉, 그 나히 ᄎᆞ거든 존문의 보ᄂᆡ고져 ᄒᆞ옵ᄂᆞ니 허ᄒᆞ시리잇가?"

츄밀 왈,

"하현부ᄂᆞᆫ ᄒᆡᆼ신이 만ᄉᆞ의 일무소흠(一無小欠)이니 챵ᄇᆡᆨ이 엇디 겸양ᄒᆞᄂᆞ뇨? 군이 이 ᄀᆞᆺ지 아니나 내 ᄯᅩ 그 니친ᄒᆞᆫ 심ᄉᆞ를 슬피 녁이ᄂᆞ니, 조금이나 그 ᄆᆞᄋᆞᆷ을 블평케 【47】 ᄒᆞ리오. 아ᄃᆡᆨ 존당 좌우의 뫼신 ᄇᆡ 하·댱 ᄲᅳᆫ이라. 오ᄅᆡ ᄯᅥ나디 못ᄒᆞ리니 니 슈삭이나 잇다가 오게 ᄒᆞ리라."

병뷔 ᄉᆞ샤ᄒᆞ고 하쇼져다려 짐즛 츄밀이 듯게,

"ᄉᆞ빈이 존당의 ᄎᆡᆨ벌을 바다 가ᄉᆞᆷ이 듕상ᄒᆞ고 팔히 칼ᄒᆡ 질넛다 ᄒᆞ니, 놀나와 봉심정의 가보니 홀노 이시니, 현ᄆᆡ ᄆᆞᄉᆞᆫ 연고로 가부의 병을 구호치 아니ᄒᆞ고 부도를 폐

ᄋᆞ로 더부러 이의 이르러, 조모와 모친의 누덕을 쳡쳡 【31】 이 ᄃᆡ인긔 고ᄒᆞ고, 광쳥[쳔] 형뎨의 긔특ᄒᆞ믈 칭찬ᄒᆞ여, 야야의 마음을 곳치게 ᄒᆞ니, 분ᄒᆞᆫ치 아니리오."

뉴시 왈,

"일마다 너와 ᄂᆡ게 《ᄉᆞᆷ기지‖ᄉᆞᆷ가지》 아냐, 셕싱의 무졍ᄒᆞ미 졈졈 이갓고, ᄒᆞᆫ낫 외손을 못보니, 나의 팔ᄌᆡ 괴이ᄒᆞ믈 슬허ᄒᆞ노라."

위뇌 뎡·셕 양인을 ᄭᅮ지ᄌᆞ며 불쾌ᄒᆞ믈 이긔지 못ᄒᆞᄃᆡ, 마음ᄃᆡ로 발악지 못ᄒᆞ고 통완ᄒᆞ여 ᄒᆞ더라.

평휘 하소져을 ᄃᆡᄒᆞ여 피차 참연ᄒᆞ믈 이긔지 못ᄒᆞ나, 엄구 면젼이라 십분 강인ᄒᆞ여 눈물울 가리오고, 병부ᄂᆞᆫ 양ᄆᆡ을 보ᄆᆡ ᄎᆞᆷ혹ᄒᆞ니, 츄밀을 향ᄒᆞ여 왈,

"소싱이 ᄉᆞ졍의 졀박ᄒᆞ믈 인ᄒᆞ여 품은 바을 은익지 못ᄒᆞ옵ᄂᆞ니, ᄉᆞᄆᆡ와 표ᄆᆡ 각각 부모을 뫼셔 경ᄉᆞ의셔 부귀을 누리나, 하ᄆᆡ의 경ᄉᆞᄂᆞᆫ 촉지 슈쳔여리의 부모을 이측(離側)ᄒᆞ고 혈혈이 존부의 의탁ᄒᆞ오나, 지란(芝蘭) 갓튼 약질이 허물을 ᄌᆞᆯ 면ᄒᆞ리잇고? 원컨ᄃᆡ 수년을 부모 슬ᄒᆞ의 머물게 ᄒᆞ신 즉, 그 나히 ᄎᆞ거든 존문의 보ᄂᆡ고져 ᄒᆞ옵ᄂᆞ니 허ᄒᆞ시리잇가?"

추밀 왈,

"하련부ᄂᆞᆫ ᄒᆡᆼ실이 만ᄉᆞ의 일무소흠(一無小欠))이니, 창ᄇᆡᆨ이 엇지 겸양ᄒᆞᄂᆞ뇨? 그ᄃᆡ이 갓치 아니나 ᄂᆡ 또ᄒᆞᆫ 니친ᄒᆞᆫ 심ᄉᆞ을 슬피 녁이ᄂᆞ니, 조금이나 그 마음을 불평케 ᄒᆞ리오. 아즉 존당 좌우의 뫼신 ᄇᆡ 하·장ᄲᅳᆫ이라. 오ᄅᆡ ᄯᅥᄂᆞ지 못ᄒᆞ리니 수삭이나 《잇가다‖잇다가》 오게 ᄒᆞ리라."

병뷔 ᄉᆞᄉᆞᄒᆞ고 하소져다려 짐짓 추밀이 듯게 일오ᄃᆡ,

"ᄉᆞ빈이 존당의 ᄎᆡᆨ벌을 바다 가ᄉᆞᆷ이 즁상ᄒᆞ고 팔이 칼의 ᄶᅵᆯ녀다 ᄒᆞ니, 놀나와 봉식[심]경의 가 보ᄆᆡ 【32】 홀노 잇스니, 현ᄆᆡ 문[무]산 연고로 가부의 명[병]을 구호치

ᄒᆞ뇨?"

쇼졔 딕ᄉᆞ의 듕상ᄒᆞ믈 아라시나, 협실의 너고 움죽이지 못ᄒᆞ게 보치거놀, 감히 냥흉의 녕을 거ᄉᆞ려 구호ᄒᆞ리오. ᄒᆞᆫ갓 심장만 술을 ᄲᅢᆯ이러니, 병부의 말을 드르나 ᄃᆡ답ᄒᆞᆯ 말이 업고, 츄밀은 딕ᄉᆞ의 상ᄒᆞ믈 쳐음 듯【48】고 딕ᄉᆞ를 불너 그 상쳐를 보려ᄒᆞ니, 딕ᄉᆡ 실쇡ᄒᆞ여 상ᄒᆞ믈 고ᄒᆞ고 상쳐를 곰초니, 병뷔 왈,

"ᄉᆞ빈이 합하를 긔망ᄒᆞ미 ᄀᆞ장 괴이ᄒᆞᆫ디라. 내 분명이 칼히 질니믈 알거든, 검독(劍毒)이 듕ᄒᆞ믈 아지 못ᄒᆞ고 니러 단니려 ᄒᆞᄂᆞ뇨?".

츄밀이 ᄯᅩ 뎡ᄉᆡᆨ 왈,

"내 그 상쳐를 보미 무휘ᄒᆞ거놀 엇디 곰초고져 ᄒᆞᄂᆞ뇨?

ᄒᆞ고 그 팔과 가슴을 상고ᄒᆞ니, 참혹히 상ᄒᆞ여시믈 보고, 대경ᄒᆞ여 변ᄉᆡᆨ고 ᄀᆞᆯ오ᄃᆡ,

"여ᄎᆞ 듕상ᄒᆞ여시ᄃᆡ 눕디 아니미 도로혀 견고ᄒᆞᆫ 일이라. 바람을 드리지 말고 니러 단니지 말나."

딕ᄉᆡ 대단치 아니믈 ᄃᆡᄒᆞ고 물너나니, 츄밀이 경참ᄒᆞ나 태부인이 그ᄃᆡ도록 ᄒᆞ여시【49】랴 ᄒᆞ고 알녀 아니니, 그 셩픔이 괴이히 되여시믈 보ᄆᆡ, 병뷔 슌셜이 무익ᄒᆞ여 하딕고 도라갈ᄉᆡ, 하쇼져의 귀령을 청ᄒᆞ여 츄밀의 허락을 엇고, 어ᄉᆞ의 병을 보고 됴리ᄒᆞ여 슈히 나으믈 니르고, 참연ᄒᆞ믈 니긔지 못ᄒᆞ니, 어ᄉᆡ 니러안ᄌᆞ 딕ᄉᆞ로 더부러 상쳐를 근심ᄒᆞᄃᆡ, 각각 질양(疾恙)으로ᄲᅧ 낫타ᄂᆡ지 아니ᄒᆞ더라.

뎡병뷔 냥ᄆᆡ의 시녀를 불너 왈,

"여등이 무상ᄒᆞ여 듀인이 ᄉᆞ디의 드러가나 ᄯᅩᆯ오미 업고, 음식을 보ᄂᆡ디 아니ᄒᆞ여 쇼져 등이 긔ᄉᆞ디경(幾死之境)의 니르게 ᄒᆞ니, 노쥬의 졍이 엇디 그러ᄒᆞ리오. 쇼져의 금침과 ᄌᆞ리를 거더다가 년원졍의 ᄡᆞᆯ고 써나지 말나."

졔시네 다힝ᄒᆞ【50】여 회픠 가득ᄒᆞ나, 감히 태부인 혼극(釁隙)을 고치 못ᄒᆞ고, 다만 슈명ᄒᆞ여 침금과 ᄌᆞ리를 셔르져 후졍으

아니코 부도을 폐ᄒᆞ뇨?"

소져 직ᄉᆞ의 즁상을 알ᄋᆞ시나, 엇지 감히 양흉의 녕을 거ᄉᆞ려 구호ᄒᆞ리오. ᄒᆞᆫ갓 심장만 술올 ᄲᅢᆫ이러니, 병부의 말을 드르나 ᄃᆡ답ᄒᆞᆯ 말이 업고, 추밀은 직ᄉᆞ의 상ᄒᆞ믈 쳐음 듯고, 직ᄉᆞ을 불너 그 상쳐을 보려ᄒᆞ니, 직ᄉᆞ 실족ᄒᆞ여 상ᄒᆞ므로 고ᄒᆞ고, 상쳐을 감히 보이지 아니 ᄒᆞ니, 병뷔 왈,

"ᄉᆞ빈이 합하을 은익ᄒᆞ미 가장 고이ᄒᆞᆫ지라. ᄂᆡ 분명이 칼의 찔니믈 알거든, 검독(劍毒)이 즁ᄒᆞ믈 아지 못ᄒᆞ고 이러 단이려 ᄒᆞᄂᆞ뇨?"

츄밀이 ᄯᅩ 뎡ᄉᆡᆨ 왈,

"ᄂᆡ 그 상쳐을 보미 무휘ᄒᆞ거{ᄒᆞ거}날 엇지 감초고져 ᄒᆞᄂᆞ뇨?"

ᄒᆞ고, 그 팔과 가슴을 상고ᄒᆞ니, 참혹히 상ᄒᆞ여시물 보고, ᄃᆡ경ᄒᆞ여 변ᄉᆡᆨ고 갈오ᄃᆡ,

"여ᄎᆞ 듕상ᄒᆞ엿시되 눕지 아니ᄒᆞ미 도로○[혀] 견고ᄒᆞᆫ 일이라. 바람을 드리오지 말고 이러 단이지 말나."

직ᄉᆡ ᄃᆡ단치 아니믈 ᄃᆡᄒᆞ고 물너나니, 츄밀이 경참ᄒᆞ나 ᄐᆡ부인○[이] 그ᄃᆡ도록 상ᄒᆞ엿시랴 ᄒᆞ고, 알녀 아니니, 그 셩품이 고이히 되어시물 보ᄆᆡ, 병뷔 슌셜이 무익ᄒᆞ여 하직고 도라갈ᄉᆡ, 하소져의 귀령을 청ᄒᆞ여 추밀의 허락을 엇고, 어ᄉᆞ의 병을 보고 조리ᄒᆞ여 수히 나으믈 이르고 참연ᄒᆞ믈 이긔지 못ᄒᆞ니, 어ᄉᆡ 이러 안ᄌᆞ 직ᄉᆞ로 더부러 상쳐을 근심ᄒᆞ되, 각각 질양으로써 나ᄐᆡᄂᆡ지 아니터라.

병뷔 뎡·진 양인의 시녀을 불너 왈,

"여등을[이] 무상ᄒᆞ여, 쥬인이 ᄉᆞ지의 드러가나 ᄯᅩᆯ오미 업고, 음식을 보ᄂᆡ지 아냐 소져 등이 긔【33】ᄉᆞ지경(饑死之境)의 이르게 ᄒᆞ니, 노쥬의 졍이 엇지 그러ᄒᆞᆯ 니 잇시리오. 소져의 금침과 ᄌᆞ리을 거더다가 연원졍의 쌀고 써ᄂᆞ지 말나."

모든 시녀 다힝ᄒᆞ여 회포 가득ᄒᆞ나, 감히 ᄐᆡ부인 흔극(釁隙)을 고치 못ᄒᆞ고, 다만 명을 밧드러 침금과 ᄌᆞ리을 셔르져 후졍으로

로 나아가ᄃᆡ, 냥흉이 감히 막지 못ᄒᆞ더라.

뎡・딘 냥쇼졔 모든 시녀를 보니 반갑기 극ᄒᆞ나 슬프미 더ᄒᆞ여 말을 아니니, 졔시비 ᄌᆞ리 ᄭᆞᆯ믈 청ᄒᆞᆫᄃᆡ, 냥쇼졔 거거의 디극ᄒᆞᆫ 졍을 막디 못ᄒᆞ여 침셕을 계오 ᄭᆞᆯ게 ᄒᆞ고, 홍션과 츈잉은 옥문을 여러시니 대희ᄒᆞ여 동산의 긔이ᄒᆞᆫ 물이 나시믈 깃거ᄒᆞ고, 병뷔 노복으로 누옥(陋屋)을 니이게340) ᄒᆞ여 풍우를 ᄀᆞ리오니, 쳐음과ᄂᆞᆫ ᄂᆡ도ᄒᆞ니 냥쇼졔 그윽이 두리온 념녜 깁허, 이곳도 능히 안식치 못ᄒᆞᆯ가 근심ᄒᆞ니 잔【51】잉치 아니리오. 이날 츄밀이 태부인 침뎐의 드러가 믄득 탄식고 ᄀᆞᆯ오ᄃᆡ,

"쇼ᄌᆡ 근간 질양이 괴이ᄒᆞ와 가ᄉᆞ를 술피는 ᄇᆡ 업ᄉᆞᆸ고, ᄂᆡᄉᆡᄂᆞᆫ 뉴시를 미덧ᄉᆞᆸ더니, 금일 뎡・셕 냥인의 말을 듯ᄌᆞ오니 놀나오믈 니긔지 못ᄒᆞᄋᆞᆸ고, 광텬을 것구로 ᄆᆡ여 달고, 희텬을 참혹히 상ᄒᆡ와 계시니, 긔 엇던 일이니잇고? 요ᄉᆞ이 광텬을 못보아시나 희ᄋᆞ를 보오니, 경참ᄒᆞ믈 니긔지 못ᄒᆞᆯ ᄲᆞᆫ 아니라, 셕・뎡 이인이 ᄌᆞ경 실덕을 엇디 ᄎᆞ악히 녁이지 아니리잇고? 뎡・딘 등은 죄면이 흉참ᄒᆞ오나, 아딕 후경의 두어 나죵을 보고져 ᄒᆞᄋᆞᆸ고, 급히 죽이려 ᄒᆞ미 아니어ᄂᆞᆯ 슈계 후 ᄉᆞ오일을 음식【52】을 주지 아니 ᄒᆞ오니, ᄎᆞ마 그런 노릇ᄉᆞᆯ ᄒᆞ리잇가? 진실노 뉴시를 밋던 ᄇᆡ 아니로소이다."

ᄒᆞ니, 츄밀이 젼일 ᄀᆞᆺᄐᆞ면 낫빗출 험악히 ᄒᆞᆯ 거시로ᄃᆡ, 젼ᄌᆞ와 다른 사ᄅᆞᆷ이 되어시니, 조곰도 어려이 녁이미 업셔, 거즛 흉ᄒᆞᆫ 말노 두로 ᄭᅮᆷ여, '어ᄉᆞ의 블초홈과 딕ᄉᆞ의 독ᄒᆞ믈 분발ᄒᆞᆫ ᄉᆞᆺᄐᆡ 상ᄒᆡ왓노라' ᄒᆞ며, 어ᄉᆞᄂᆞᆫ 니괼 길히 업셔 남긔 다랏더니, 셕・뎡 이인이 보고 변으로 아라 니르던 바를 도로혀 웃ᄂᆞᆫ 쳬ᄒᆞ고, 뎡・딘 이인은 음식 아니 준 일이 업셔 ᄀᆡᆼ반과 딘찬을 ᄀᆞᆺ초와 보ᄂᆡ니, '누명을 븟그려 먹지 아녓더니라' ᄒᆞ고, 뉴시의 어질믈 일ᄏᆞᆺᄅᆞ며, 츄밀이 몽농ᄒᆞᆫ 가온

340)니이다 : 이게 하다. 이다; 기와나 볏짚, 이엉 따위로 지붕 위를 덮다.

나아가ᄃᆡ, 양흉이 감히 막지 못ᄒᆞ더라.

뎡・진 양소져 모든 시녀을 보니, 반갑기 극ᄒᆞ나 슬푸미 더ᄒᆞ여 말을 아니니, 제시비 ᄌᆞ리 ᄭᆞᆯ기을 청ᄒᆞ니, 양소져 거거의 지극ᄒᆞᆫ 졍을 막지 못ᄒᆞ여, 침셕을 겨유 ᄭᆞᆯ게 ᄒᆞ고, 홍션과 츈잉은 옥문을 여러시니, ᄃᆡ희ᄒᆞ여 동산의 《고이ᄒᆞᆫ‖괴이ᄒᆞᆫ》 물이 낫시믈 깃거ᄒᆞ고, 병부 노복으로 누옥(陋屋)을 이우게242) ᄒᆞ여 풍우을 가리오니, 쳐음과ᄂᆞᆫ ᄂᆡ도ᄒᆞ여 양소져 그윽이 두리온 념녀 깁허, 이곳도 능히 안신치 못ᄒᆞᆯ가 근심ᄒᆞ니, 엇지 잔잉치 아니ᄒᆞ리오. 이날 추밀이 ᄐᆡ부인 침젼의 드러가, 문득 탄식고 왈,

"소ᄌᆡ 근간 질양이 고이ᄒᆞ여 가ᄉᆞ을 술피ᄂᆞᆫ ᄇᆡ 업ᄉᆞᆸ고, ᄂᆡᄉᆞ을 뉴시을 미더ᄉᆞᆸ더니, 금일 뎡셕 양인의 말을 듯ᄌᆞ오니 놀나오믈 이긔지 못ᄒᆞᄋᆞᆸ고, 광청[천] 등[을] 것구로 ᄆᆡ여달고, 희천을 참혹○[히] 상ᄒᆡ와 계시니 그 엇진 일인잇고? 요ᄉᆞ이 광천을 못 보아시나, 희아을 보오니 경참ᄒᆞ믈 이긔지 못ᄒᆞᆯ ᄲᆞᆫ 아니라, 셕・뎡 양인이 ᄌᆞ경 실덕을 엇지 ᄎᆞ악히 녁이지 아니리잇고? 뎡・진 등은 죄명이 흉참ᄒᆞ오나, 아직 후경의 두어 나종을 보고져 ᄒᆞ옵고, 급히 죽이려 ᄒᆞ미 아니여날, 슈【34】계 후 ᄉᆞ오일을 음식으 주지 아니 ᄒᆞ오니, ᄎᆞ미[마] 그런 노릇슬 ᄒᆞ리잇가? 진실노 뉴시을 밋던 ᄇᆡ 아니로소이다."

ᄒᆞ니, 추밀이 젼일 갓트면 낫빗출 험악히 ᄒᆞᆯ 거시로ᄃᆡ, 젼ᄌᆞ와 다른 ᄉᆞᄅᆞᆷ이 되어시니, 조곰도 어려이 녁이미 업셔, 거즛 흉ᄒᆞᆫ 말노 두로 ᄭᅮ며, 어ᄉᆞ의 불초홈과 직ᄉᆞ의 독ᄒᆞ믈로 분발ᄒᆞᆫ ᄉᆞᆺᄒᆡ 상하왓노라 ᄒᆞ며, 어ᄉᆞᄂᆞᆫ 이괼 길이 업셔 남긔 달아더니, 셕・뎡 이인이 보고 변으로 아라 이르던 바을 도로혀 웃ᄂᆞᆫ 쳬ᄒᆞ고, 뎡・진 이인은 음식 아니 쥰 일이 업셔 ᄀᆡᆼ반과 진찬을 가초 보ᄂᆡ니, 누명을 붓그려 먹지 아니엿ᄂᆞᆫ니라 ᄒᆞ고, 뉴시의 어질물 일카르며, 츄밀이 몽농ᄒᆞᆫ 가온

242)이우다 : 이게 하다. 이다; 기와나 볏짚, 이엉 따위로 지붕 위를 덮다.

【53】 ᄃᆡ 온갓 음식과 ᄆᆡ온 술의 익봉잠으로 장부를 흐리오니, 형용이 환탈ᄒᆞ고 긔뷔 슈쳑ᄒᆞ여 보기의 위틱로오ᄃᆡ, 악악ᄒᆞᆫ 뉴시와 흉험ᄒᆞᆫ 위뇌 그 ᄆᆞᄋᆞᆷ 밧괴인 줄만 깃거ᄒᆞ고, 몸이 상ᄒᆞ믈 념녀치 아녀 요약 쓰기를 갈ᄉᆞ록 브ᄌᆞ러니 ᄒᆞ더라.

ᄎᆞ일 뎡병뷔 도라가기를 님ᄒᆞ여 슌참정부즁의 화교(華轎)를 비러 하쇼져를 다려가려 ᄒᆞᆯᄉᆡ, 위·뉴 면젼의 두고 조로고 보치려 뎡ᄒᆞ엿거ᄂᆞᆯ 엇디 보ᄂᆡ리오. 위뇌 구지 막아 ᄀᆞᆯ오ᄃᆡ.

"내 병이 오히려 낫지 못ᄒᆞ고 녀ᄌᆞ 유힝이 원부모형뎨(遠父母兄弟)어ᄂᆞᆯ, 하시ᄂᆞᆫ 더욱 부모도 아닌 금평후 부부를 ᄆᆡ양 가셔 시봉ᄒᆞᆯ 일이 아니니, 우은 귀령(歸寧)을 청치 【54】 말고 움ᄌᆞᆨ일 ᄯᅳᆺ을 두지 말나."

하쇼져 ᄒᆞᆯ일업셔 거ᄌᆞᆺ 병부긔 젼어(傳語)ᄒᆞᄃᆡ,

"쇼ᄆᆡ 셔증(暑症)이 경ᄀᆞᆨ간(頃刻間)의 발ᄒᆞ여 갈 길히 업ᄉᆞᆯ ᄲᅮᆫ 아니라, 존당의 시봉ᄒᆞᆯ 사름이 업셔 ᄯᅥ나믈 결연이 녁이시니, ᄉᆞ정을 감히 고치 못ᄒᆞ여 이번은 못가나이다."

ᄒᆞ니 위·뉴의 용심을 통한ᄒᆞ나 대쳬와 ᄉᆞ리를 아ᄂᆞᆫ 고로 슈일 후 다려갈 줄 니르고 도라가니라.

어ᄉᆡ 뎡·셕 냥인을 도라 보ᄂᆡ고 어둑ᄒᆞᆫ 경신과 알프믈 강인ᄒᆞ여 계오 거름을 옴겨 존당의 드러와 태부인긔 뵈올ᄉᆡ, 듕계(中階)의셔 죄를 청ᄒᆞ니, 위뇌 흉험ᄒᆞᆫ 말노 니르ᄃᆡ,

"셕균과 뎡텬흥을 부촉ᄒᆞ여 너희 형뎨 노모를 【55】 ᄉᆞ디의 모라 너흐려 ᄒᆞ거니와, 노모도 삼촌 셜이 병드지 아녀시니, 셩텬ᄌᆞ 알패라도 여등의 죄과를 알외여, 죄를 뎡히 ᄒᆞ고 분을 풀 거시니, 이졔ᄂᆞᆫ 조손간의 원쉬 되녓ᄂᆞᆫ디라. 엇디 됴흔 낫ᄎᆞ로 ᄆᆡ온 거ᄉᆞᆯ 함인(含忍)ᄒᆞ리오."

어ᄉᆡ 조모 말ᄉᆞᆷ이 졈졈 한심ᄒᆞ니, 화란을 념녀ᄒᆞ고 실덕을 크게 슬허, 눈물을 흘니고 고두 청죄 왈,

ᄃᆡ, 온갖 음식과 ᄆᆡ온 술의 익봉잠으로 장부을 흐리오니, 형용이 환탈ᄒᆞ고 긔뷔 슈쳑ᄒᆞ여 보기의 위틱로오ᄃᆡ, 악악ᄒᆞᆫ 뉴부인과 흉험ᄒᆞᆫ 틱부인이 그 마음 밧고인 쥴만 깃거ᄒᆞ고, 몸이 상ᄒᆞ믄 념녀치 아냐 요약 쓰기을 가지록 부지러니 ᄒᆞ더라.

ᄎᆞ일 뎡병뷔 도라가기을 임ᄒᆞ여 슌참졍부듕의 화교(華轎)을 비러 하소져을 다려가려 ᄒᆞᆯᄉᆡ, 위·뉴 양흉이 면젼의 두고 조르고 보치려 뎡ᄒᆞ엿거날 엇지 보ᄂᆡ리오. 타[틱]부인이 구지 막아 왈,

"ᄂᆡ 병이 오히려 낫지 못ᄒᆞ고 녀ᄌᆞ 유힝이 원부모형뎨(遠父母兄弟)어날 하시ᄂᆞᆫ 더욱 친부모도 아니오, 금평후 부부을 ᄆᆡ양 가셔 시봉ᄒᆞᆯ 일이 아니니, 우은 귀령을 청치 말고, 움ᄌᆞᆨ일 ᄯᅳᆺ즐 두지 말나."

하소져 ᄒᆞᆯ일 업셔 그ᄌᆞᆺ243) 평후 【35】 게 젼어(傳語)ᄒᆞ되,

"소ᄆᆡ 셔증(暑症)이 경각간(頃刻間)의 발ᄒᆞ여 갈길히 업ᄉᆞᆯ ᄲᅮᆫ 아니라, 존당의 시봉ᄒᆞᆯ ᄉᆞ름이 업셔 ᄯᅥ나믈 결연히 녁이시니, ᄉᆞ정을 감히 고치 못ᄒᆞ여 이번은 못가ᄂᆞ이다"

ᄒᆞ니, 위·뉴의 용심을 통한ᄒᆞ나 ᄃᆡ쳬와 ᄉᆞ리을 아ᄂᆞᆫ 고로 수일 후 다려가믈 니르고 어ᄉᆞ 형뎨을 위로ᄒᆞ고 도라가니라.

어ᄉᆡ 뎡·셕 양인을 도라보ᄂᆡ고 어득ᄒᆞᆫ 졍신과 알푸믈 강인ᄒᆞ여, 겨유 거름을 옴겨 존당의 드러와 틱부인긔 뵈올ᄉᆡ, 즁계(中階)의셔 죄을 쳥ᄒᆞ니, 위뇌 흉험ᄒᆞᆫ 말노 일오ᄃᆡ,

"셕균과 뎡쳔흥을 부촉ᄒᆞ여 너의 형뎨 노모을 ᄉᆞ지의 모라 너흐려 ᄒᆞ거니와, 노모도 슘촌 셜이 병드지 아냐시니, 셩쳔ᄌᆞ 알픠라도 여등의 ᄉᆞ오나온 죄과을 알외여, 죄을 졍히 ᄒᆞ고 분을 풀 거시니, 이졔ᄂᆞᆫ 조손간 원쉬되엿ᄂᆞ니라. 엇지 조흔 낫ᄎᆞ로 ᄆᆡ운 거ᄉᆞᆯ 함인(含忍)ᄒᆞ리오."

어ᄉᆡ 조모 말ᄉᆞᆷ이 졈졈 ᄒᆞᆫ심ᄒᆞ니, 화란을 념녀ᄒᆞ고 실덕을 크게 슬허, 눈물을 흘니고

243)그ᄌᆞᆺ ; 거짓.

"블초손이 유죄ᄒᆞᄆᆡ 왕뫼 녜의로 칙ᄒᆞ시고 ᄉᆞ리로 개유ᄒᆞ시미 올흐시거ᄂᆞᆯ, 엇디 이런 망극ᄒᆞᆫ 말ᄉᆞᆷ으로 조손간 혐극(嫌隙)이 되여시믈 니르시ᄂᆞ니잇가? 쇼손이 팔ᄌᆡ 긔박ᄒᆞ여 엄안을 아디 못ᄒᆞ고, ᄌᆞ모의 거쳐를 모르며, 우러러 바라는 ᄇᆡ 왕모와 슉당【56】이시니, 잔잉(孱仍)ᄒᆞᆫ 경ᄉᆞ를 구버 ᄉᆞᆯ피시면 참연치 아니시리잇가?"

위뇌 대로 왈,

"너희 날을 원슈로 아ᄂᆞᆫ 디경의, 내 홀노 너희를 귀즁ᄒᆞ여 ᄒᆞ던 졍니를 ᄉᆡᆼ각ᄒᆞ면, 너를 ᄒᆞᆫ 칼히 결단ᄒᆞ여 셜분ᄒᆞ리니, 뎡텬흥 도젹놈과 셕쥰 밋친 놈이라도 날을 간ᄃᆡ로 죽이지 못ᄒᆞ리라."

어ᄉᆡ 조모의 거동이 일을 ᄂᆡ고 말디라. 근심이 가득ᄒᆞ나 화안이셩(和顔怡聲)으로 흉완ᄒᆞᆫ 노를 풀고져 ᄒᆞ나, 어ᄉᆞ의 말마다 분을 도도아 팔흘 ᄲᅳᆷᄂᆡ며 눈을 브릅ᄯᅳ고 ᄂᆞᆲ쒸니, ᄎᆞ환 양낭의 무리 그 복심이 아닌즉 머리를 흔드러 흉히 녁이고, 어ᄉᆞ의 견고ᄒᆞ미 범뉴와 다른 고로, 알픈 거ᄉᆞᆯ 강인ᄒᆞ나 졍신【57】이 어득ᄒᆞ믈 면치 못ᄒᆞ여, 조모의 화평ᄒᆞᆫ 말ᄉᆞᆷ을 못 듯고 물너나, 계부긔 뵈옵고 잠간 시좌(侍坐)ᄒᆞ니, 츄밀이 혈ᄆᆡᆨ의 통ᄒᆞᆫ 졍으로 ᄯᅩᄒᆞᆫ ᄎᆞᆷ지 못ᄒᆞ여, 어ᄉᆞ의 것구로 달렷더라 말을 경참ᄒᆞ여 겻ᄐᆡ 나호여[341] 손을 ᄌᆞᆸ고 어로만져 ᄀᆞᆯ오ᄃᆡ,

"내 병이 ᄉᆞ오삭이 되도록 졍신을 슈습지 못ᄒᆞ니 엇지 괴이치 아니며, 너희 형뎨 고경이 만흔가 시브나 ᄉᆞᆯ피지 못ᄒᆞ니 엇디 잔잉치 아니리오. 몸을 조심ᄒᆞ여 가바야이 상히오디 말나."

어ᄉᆡ 슬프믈 니긔지 못ᄒᆞᄃᆡ, 이셩화긔로 계부의 ᄆᆞᄋᆞᆷ을 위로ᄒᆞ고, ᄇᆡᆨ화헌의 나와 벼개를 취ᄒᆞ여 몸을 쉬고져 ᄒᆞ더니, 태부인 명으로 삿기를【58】 ᄭᅩ며 우마를 먹이라 ᄒᆞ니, ᄃᆡᆨ시 졀민ᄒᆞ여 ᄒᆞ거ᄂᆞᆯ, 어ᄉᆡ 탄식고 왈,

341)나호다 : 나아오게 하다.

고두 청죄 왈,

"불초 손이 유죄ᄒᆞᄆᆡ 왕뫼 여[예]의로 칙ᄒᆞ시고 ᄉᆞ리로 ᄀᆡ유ᄒᆞ시미 올흐시거날, 엇지 이런 망극ᄒᆞᆫ 말ᄉᆞᆷ으로 조손간 혐극(嫌隙)이 되엿시물 이르시ᄂᆞᆫ잇고? 소손이 팔ᄌᆞ 긔박ᄒᆞ여 엄안을 아지 못ᄒᆞ고, ᄌᆞ모의 거쳐을 모르며, 우러러 바라ᄂᆞᆫ ᄇᆡ 왕모와 슉당이시니, 잔잉ᄒᆞᆫ 경ᄉᆞ을 구버 ᄉᆞᆯ피시면 참연치 아니시릿가?"

ᄐᆡ부인이 노왈,

"너희 나을 원슈로 아ᄂᆞᆫ 지경의 ᄂᆡ 홀노 너희을 귀듕ᄒᆞ여 ᄒᆞ던 졍【36】니을 ᄉᆡᆼ각ᄒᆞ면, 너을 ᄒᆞᆫ 칼의 결단ᄒᆞ여 셜분ᄒᆞ리니, 뎡쳔흥 도젹놈과 셕쥰 밋친 놈이○[라]도 날을 간ᄃᆡ로 죽이지 못ᄒᆞ리라."

어ᄉᆡ 조모의 거동이 일을 ᄂᆡ고 말지라. 근심이 가득ᄒᆞ나 화안유셩(和顔柔聲)으로 흉완ᄒᆞᆫ 노을 풀고져 ᄒᆞ나, 어ᄉᆞ의 말마다 분을 도도아 팔을 ᄲᅳᆷᄂᆡ며 눈을 부릅ᄯᅳᆺ고 날쒸니, ᄎᆞ환 양인의 ○○[무리] 그 복심이 아니[닌] 즉, 머리을 흔드러 흉히 녁이고, 어ᄉᆡ 견고ᄒᆞ미 범뉴와 다르므로 압푼 거ᄉᆞᆯ 강인ᄒᆞ니, 젼신이 어득ᄒᆞ믈 면치 못ᄒᆞ여, 조모의 화평ᄒᆞᆫ 말ᄉᆞᆷ을 못듯고 물너나, 슉부긔 뵈ᄋᆞᆸ고 잠간 시좌ᄒᆞ니, 추밀이 혈ᄆᆡᆨ의 통ᄒᆞᆫ 졍으로, ᄯᅩᄒᆞᆫ 참지 못ᄒᆞ여, 어ᄉᆞ 것구로 달녀더라 말을 경참ᄒᆞ여, 겻히 《날호여[244] ‖ 나호여[245]》 손을 잡고 어로만져 왈,

"ᄂᆡ 병이 ᄉᆞ오삭이 되도록 졍신을 슈습지 못ᄒᆞ니 엇지 괴이치 아니며, 너희 형뎨 곡경이 만흔가 시부나 ᄉᆞᆯ피지 못ᄒᆞ니 엇지 잔잉치 아니리오. 몸을 조심ᄒᆞ여 가ᄇᆡ야이 상히오지 말나."

어ᄉᆡ 슬푸믈 이긔지 못ᄒᆞᄃᆡ, 이셩화긔로 숙부의 마음을 위로ᄒᆞ고, ᄇᆡᆨ화헌의 나와 계유 베ᄀᆡ을 취ᄒᆞ여 몸을 쉬고져 ᄒᆞ더니, ᄐᆡ부인 명으로 삭기을 ᄭᅩ며 우마을 머[먹]이라 ᄒᆞ니, 직시 결민ᄒᆞ여 ᄒᆞ거날, 어ᄉᆡ 탄식고 왈,

244)날호여 : 천천히.
245)나호다 : 나아오게 하다.

"ᄉᆞ경을 청납홀 길 업고 우형이 아딕 명믹이 슷지 아녀시니, 그만 쳔역을 못견딜 빅 아니라. 다만 너의 질양(疾恙)이 비경ᄒᆞ거늘, 극열을 당ᄒᆞ여 혈육이 상ᄒᆞᄂᆞᆫ 듕장이 슷지 아니니, 인셰를 오릭 누리지 못홀가 근심ᄒᆞ노라."

딕식 형당 손을 붓들고 체루를 금치 못ᄒᆞ여 ᄀᆞᆯ오딕,

"쇼데ᄂᆞᆫ 비록 죽으나 ᄌᆞ위와 양부모긔 블회 비경홀 ᄯᆞᆫ이오, 형당은 누딕(累代) 종통(宗統)을 녕(領)ᄒᆞ실 쳔금듕탁(千金重託)이시어ᄂᆞᆯ, 젼후의 당ᄒᆞ신 경계와 식냥(食量)이 쇼데 ᄀᆞᆺ지 아냐, 만반 진찬을 됴셕으로 딘(進)ᄒᆞ시나 념(厭)치 아니시거ᄂᆞᆯ, 모믹(麰麥)【59】의 것츤 듁이 아니면, 직강342)도 능히 니우지 못ᄒᆞ시니 만히 쵹슈(促壽)ᄒᆞ실 빅라. 깁흔 념녜 노히지 아니ᄒᆞᄂᆞ이다."

어식 탄왈,

"ᄌᆞ고 영웅도 초년의 곤궁ᄒᆞ여, '한신(韓信)이 긔식어표모(寄食於漂母)ᄒᆞ고 슈욕어과하(受欲於跨下)ᄒᆞ니'343), 우형이 음식의 블합ᄒᆞ믈 조곰이나 못견딕여 ᄒᆞ리오. 가변이 졈졈 히이ᄒᆞ니 외인이 다 알믈 슬허ᄒᆞ노라. 타일의 아름답지 아닌 소문이 파다홀지니, 실덕을 간치 못ᄒᆞ믈 슬허ᄒᆞ노라."

딕식 타루ᄒᆞ고 야야의 실혼(失魂)ᄒᆞ시믈 더욱 졀민ᄒᆞ여 ᄒᆞ더라. 어ᄉᆞᄂᆞᆫ 오히려 쳔역을 ᄒᆞ여 조모의 명을 쥰힝ᄒᆞ나, 딕ᄉᆞᄂᆞᆫ 팔흘 움죽여 삿출 겻지344) 못ᄒᆞ니, 어식 모도 ᄒᆞ나 갓바ᄒᆞ【60】미 업고, 딕ᄉᆞᄂᆞᆫ 피를 토ᄒᆞ며 졍신이 어득ᄒᆞ여 신셕(晨夕)의 위위

342)직강 : 술을 거르고 남은 찌끼. =술비지・술재강・술찌끼.

343)한신(韓信) 긔식어표모(寄食於漂母) 슈욕어과하(受欲於跨下) : 중국 한(漢)나라 때의 무장(武將) 한신(韓信; ? -BC196)이 출세 전, 곤궁하여 빨래하는 여인에게 밥을 얻어먹던 일과 무모한 싸움을 피하기 위해 그를 조롱하는 폭력배의 가랑이 사이로 기어나가는 수모를 겪었던 고사를 말함.

344)겻다 : 겯다. 꼬다. ①대, 갈대, 싸리 따위로 씨와 날이 서로 어긋매끼게 엮어 짜다. ②가는 줄 따위의 여러 가닥을 비비면서 엇감아 한 줄로 만들다.

"ᄉᆞ경을 청납홀 길히 업고 우형이 아직 명믹이 슷지 아녀시니, 그만 쳔역을 못견딜 빅 아니라. 다만 너의 질양(疾恙)이 비경커ᄂᆞᆯ, 극열을 당ᄒᆞ여 쳔역이 틈이 업ᄉᆞ니, 소복(蘇復)은 용이치 아니ᄒᆞ고 혈육이 듕상ᄒᆞᄂᆞᆫ 듕장이 슷지 아니니, 인셰을 오릭 누리지【37】못홀가 근심ᄒᆞ노라."

직식 형의 손을 붓들고 쳬루을 금치 못ᄒᆞ여 왈,

"소제ᄂᆞᆫ 비록 죽으나 ᄌᆞ위와 양부모게 불효비경홀 ᄯᆞᆫ이오, 형장은 누딕 종통(宗統)을 봉승(奉承)홀 쳔금듕탁(千金重託)이시여ᄂᆞᆯ, 젼후의 당ᄒᆞ신 경계와 식냥(食量)이 소졔 갓지 아냐, 만반 진찬을 조셕으로 진(進)ᄒᆞ시나 염(厭)치 아니시거ᄂᆞᆯ, 모믹의 거찬 죽이 아니면 흉흔 칙깅(菜羹)246)도 능히 이우지 못ᄒᆞ시니, 만히 촉슈(促壽)ᄒᆞ실 빅라. 깁흔 념녀 노히지 못ᄒᆞᄂᆞ이다."

어식 탄왈,

"ᄌᆞ고 영웅도 초년의 곤궁ᄒᆞ여 '한신(韓信)이 긔식어표모(寄食於漂母)ᄒᆞ고 수욕이과하(受欲於跨下)ᄒᆞ니'247), 우형이 음식의 불합ᄒᆞ믈 조곰이나 못견딕여 ᄒᆞ리오. 가변이 졈졈 더ᄒᆞ니 외인이 다 알물 슬허ᄒᆞ노라. 타일의 아름답지 아닌 소문이 젼파ᄒᆞ리니, 실덕ᄒᆞ시물 간치 못하물 슬허ᄒᆞ노라."

직식 타누ᄒᆞ고 양부(養父)의 실혼(失魂)ᄒᆞ물 더욱 졀민ᄒᆞ여 ᄒᆞ더라. 어ᄉᆞ는 오히려 쳔역을 ᄒᆞ여 조모의 명을 듄힝ᄒᆞ나, 직ᄉᆞᄂᆞᆫ 팔을 움죽여 ᄉᆞᆺ출 겻치248) 못ᄒᆞ니, 어식 모도 ᄒᆞ나 갓바ᄒᆞ미 업고, 직ᄉᆞᄂᆞᆫ 피을 토ᄒᆞ여 졍신이 어득ᄒᆞ여 신명이 위위(危危)ᄒᆞ니, 어식 근심ᄒᆞ여 약으로 곳치기을 니르딕, 직

246)칙깅(菜羹) : 나물 국.

247)한신(韓信) 긔식어표모(寄食於漂母) 슈욕어과하(受欲於跨下) : 중국 한(漢)나라 때의 무장(武將) 한신(韓信; ? -BC196)이 출세 전, 빨래하는 여인에게 밥을 얻어먹던 일과 무모한 싸움을 피하기 위해 폭력배의 가랑이 사이로 기어나가는 수모를 겪었던 고사를 말함.

248)겻다 : 겯다. 꼬다. ①대, 갈대, 싸리 따위로 씨와 날이 서로 어긋매끼게 엮어 짜다. ②가는 줄 따위의 여러 가닥을 비비면서 엇감아 한 줄로 만들다.

(危危)ᄒᆞ니, 어ᄉᆡ 근심ᄒᆞ여 약으로 곳치기를 니르ᄃᆡ, ᄃᆡᆨᄉᆡ ᄒᆞᆫ쳡 약을 시험치 아니니, 범연이 못 곳칠 고질(痼疾)의 약을 시작지 아니ᄒᆞ더라.

뉴시 마디 못ᄒᆞ여 뎡·딘 등의게 ᄆᆡᆨ듁(麥粥)과 ᄌᆡ강을 보ᄂᆡ기를 녕ᄒᆞ고, 쇼뉴시ᄂᆞᆫ 어ᄉᆞ로 더브러 부부지락을 일울 길히 업고, 연고 업시 원슈 ᄀᆞᆺᄐᆞ여 은연이 피ᄒᆞᄂᆞᆫ 모양이니, 쇼뉴시 상ᄉᆞ원졍(相思冤情)이 ○○○○○○○○[질병이 되어시나], 어ᄃᆡ가 감히 ᄉᆞ졍을 발뵈리오. ᄋᆡ듧고 분ᄒᆞ믈 니긔지 못ᄒᆞ니, 슉모를 ᄃᆡᄒᆞ여 눈물을 ᄲᅳ려 홍슈(紅袖)를 놉히 것고 비홍(臂紅)을 ᄂᆡ여 뵈며, ᄀᆞᆯ오ᄃᆡ,

"쇼딜이 쳐음 그【61】릇 ᄉᆡᆼ각ᄒᆞ여 광텬의 뎨삼부실을 혐의치 아녓더니, 이졔 홍안의 ᄌᆞ한(自恨)이 ᄠᅳᆨ이 업ᄉᆞ니, 셩혼 슈삼삭의 쥬표(朱標)를 업시치 못ᄒᆞ고, 규녀(閨女)의 편홈 ᄀᆞᆺ지 못ᄒᆞ니 엇디 슬프지 아니리잇고?"

뉴시 탄왈,

"나ᄂᆞᆫ 아시의 이러홀 줄 아ᄂᆞᆫ 고로 너희 혼ᄉᆞ를 깃거 아니ᄒᆞ더니, 네 ᄇᆞᄃᆡ 욱여 광텬의 ᄇᆡ위(配位) 되니 뉘웃ᄎᆞ나 엇지 밋ᄎᆞ리오. 광텬의 고집이 너를 념박ᄒᆞ미 ᄒᆞᆫ갈ᄀᆞᆺ튼디라, 너를 위ᄒᆞ여 근심되미 친녀와 다르지 아니니, ᄉᆞ셰를 보아가며 너의 신셰를 ᄆᆡ몰치 아니케 ᄒᆞ리라. 뎡·딘 등을 아ᄉᆞᄒᆞᄂᆞᆫ 귓거ᄉᆞᆯ ᄆᆡᆫ들고져 ᄒᆞ엿더니, 텬홍이 날마다【62】 와보고 편토록 ᄒᆞᆫ다 ᄒᆞ니, 통한ᄒᆞ나 그만ᄒᆞ여 두지 아닐 거시니, 딜ᄋᆞᄂᆞᆫ 나의 ᄒᆞᄂᆞᆫ 양만 보라."

하더라.

이ᄯᅢ 뎡부의셔 슉녈과 하시를 윤부의 보ᄂᆡᆫ 후, 그 가ᄉᆡ 요란ᄒᆞ믈 념녀ᄒᆞ여 일시를 닛지 못ᄒᆞ고, 딘부의셔 쳔금 일녀를 구가(舅家)의 보ᄂᆡ미, 결울(結鬱)ᄒᆞᆫ 졍이 비길ᄃᆡ 업고, 진태우 등이 ᄌᆞ로 나아가 보기를 청ᄒᆞ면, ᄆᆡ양 여개(餘暇) 업셔 못나와 본다 ᄒᆞ니, 졔진이 못닛ᄂᆞᆫ 졍이 극ᄒᆞ나, 윤부 가졍이 그ᄃᆡ도록 ᄒᆞ믈 오히려 아디 못ᄒᆞ고,

시 한쳡 약을 시험치 아니니, 범연이 못 곳칠 고로 의약을 시작지 아니터라.

뉴네 마지 못ᄒᆞ여 뎡·진 등의게 ᄆᆡᆨ쥭과 ᄌᆡ강을 보ᄂᆡ기을 졍ᄒᆞ고, 소뉴시ᄂᆞᆫ 어ᄉᆞ로 더부러 부부지낙을 일울 길이 업고, 연고 업시 원슈 갓치 되어 은연이 피ᄒᆞᄂᆞᆫ 모양이니, 소뉴시 상ᄉᆞ원졍(相思冤情)이 질【38】병이 되어시나, 어ᄃᆡ가 감이 ᄉᆞ졍을 발뵈리오. ᄋᆡ답고 분ᄒᆞ물 이긔지 못ᄒᆞ니 숙모을 ᄃᆡᄒᆞ여 눈물을 ᄲᅮ려 홍슈(紅袖)을 놉히 것고 비홍(臂紅)을 ᄂᆡ여 뵈며 왈,

"소질이 쳐음 그릇 ᄉᆡᆼ각ᄒᆞ여 광천의 졔삼부실을 혐의치 아닛더니, 이졔 홍안의 ᄌᆞ환(自患)이 ᄶᅳᆨ이 업ᄉᆞ니 셩혼 슈삼삭의 쥬표(朱標)을 업시치 ○[못]ᄒᆞ고, 규녀(閨女)의 쳐홈만 갓치 못ᄒᆞ니, 엇지 슬푸지 아니리잇고?"

뉴부인이 탄왈,

"나ᄂᆞᆫ 아이의 이러ᄒᆞᆫ 쥴 아ᄂᆞᆫ 고로 너의 혼ᄉᆞ을 깃거 아니터니, 네 부친이 욱여 광쳔의 부위(副位)되니 뉘웃ᄎᆞ나 엇지 밋ᄎᆞ리오. 광쳔이 고집이 너을 염박ᄒᆞᄆᆡ ᄒᆞᆫ갈갓틀지라. 현질을 위ᄒᆞ여 근심되미 친녀와 다르지 아니니, ᄉᆞ셰을 보아가며 너의 신셰을 ᄆᆡ몰치 아니케 ᄒᆞ리라. 뎡·진 등을 아ᄉᆞᄒᆞᄂᆞᆫ 귀신을 ᄆᆡᆫ들고져 ᄒᆞ엿더니, 청[쳔]홍이 날마다 와 보고 편토록 ᄒᆞᆫ다 ᄒᆞ니, 통한ᄒᆞ나 그만ᄒᆞ여 두지 아니홀 거시니, 질아ᄂᆞᆫ 나의 ᄒᆞᄂᆞᆫ 양만 보라."

ᄒᆞ더라.

이ᄯᅢ 뎡부의셔 종형뎨(從兄弟)[249]와 하시을 윤부의 보ᄂᆡᆫ 후, 그 가ᄂᆡ 요란ᄒᆞ믈 념녀ᄒᆞ여 일시을 잇지 못ᄒᆞ고, 진부의셔 쳔금일녀을 구가의 보ᄂᆡ미 결울ᄒᆞᆫ 졍이 비길ᄃᆡ 업고, 진ᄐᆡ우 등이 ᄌᆞ로 나아가 보기을 청ᄒᆞ면, 진시 ᄆᆡ양 여가 업셔 못나와 본다 ᄒᆞ니,

249)종형뎨(從兄弟) : 사촌형제. 여기서는 윤광천의 정·지 두 부인을 가리킴.

대화의 ᄉᆡ져시믈 금후 부부와 낙양후 부뷔 아디 못ᄒᆞ고, 잇다감 시녀를 보ᄂᆡ즉, 윤태부인이 환휘 계시므로 사ᄅᆞᆷ을 드리【63】지 아닛ᄂᆞᆫ다 ᄒᆞ고, 오딕 쇼제 등은 무양타 ᄒᆞ니, 진부인이 의심ᄒᆞ여 평후를 ᄃᆡᄒᆞ여 왈,

"너ᄂᆞᆫ 다른 아회와 달나 윤부의 ᄂᆡ외업시 츌입ᄒᆞ니, 딜녀와 녀ᄋᆞ들을 볼디라, 각각 무양ᄒᆞ더냐?".

남휘 냥ᄆᆡ의 화란을 부모긔도 ᄎᆞ마 고치 못ᄒᆞ고, 다만 ᄎᆞ뎨 시랑과 죵형 진태우다려만 니르고, 비졀(悲絶)ᄒᆞ믈 니긔지 못ᄒᆞ던 바의, 모친이 므르시니 맛ᄎᆞᆷᄂᆡ 은닉지 못ᄒᆞᆯ 디라. 좌를 써나 윤부 화란을 셰셰히 고ᄒᆞ고 왈,

"쇼직 년일 가 보오니 무죄ᄒᆞ미 ᄇᆡᆨ일 ᄀᆞᆺᄌᆞ오니, 그 ᄋᆡᆨ운이 괴이ᄒᆞ믈 탄ᄒᆞᆯ ᄲᅳᆫ이오, 과도히 슬허ᄒᆞ믄 업ᄉᆞ오니, 도로혀 다힝ᄒᆞᆯ ᄲᅳᆫ 아니라, 윤츄밀이 범ᄉᆞ의 긔렴(記念)【64】ᄒᆞ고, ᄉᆞ원의 듕졍이 가지록 더ᄒᆞ여 보젼ᄒᆞᆯ 도리를 다ᄒᆞ니, 쇼직 이 말ᄉᆞᆷ을 즉시 고치 못ᄒᆞ믄, ᄆᆡ양 ᄌᆞ졍이 과려ᄒᆞ시믈 두려ᄒᆞᄋᆞᆸᄂᆞᆫ 듕, 슉당이 드르시면 과상ᄒᆞ실가 민박(憫迫)ᄒᆞ와, 태우형과 의논ᄒᆞ고 아딕 구시(舅氏)[345)]긔ᄂᆞᆫ 고치 말고져 ᄒᆞᄂᆞ이다."

진부인이 청필의 신ᄉᆡᆨ(身色)이 변ᄒᆞ믈 ᄭᆡ닷디 못ᄒᆞ여, 타루 왈,

"녀ᄋᆞ 등과 딜녜 윤부의 입승(入承)ᄒᆞ던 날 이럴 줄 아랏거니와, 간인이 요악ᄒᆞᆫ 의ᄉᆞ로 여ᄋᆞ와 딜녀를 죽이려 ᄒᆞᄂᆞᆫ 마ᄃᆡ니, 엇지 참연치 아니리오. 딜녀의 혼ᄉᆞᄂᆞᆫ 실노 네 타시 아니라 못ᄒᆞᆯ디라. 쥬형(兄)이 아르시면 질(疾)을 닐위실 거시니, 영슈 등과 【65】 의논ᄒᆞ고, 아딕 모르시게 ᄒᆞ라."

언파의 옥뉘(玉淚) 방방ᄒᆞ더니, 금평휘 드러와 부인의 슬허ᄒᆞ믈 보고 연고를 므르니, 남휘 형뎨 비로소 ᄆᆡ뎨의 화란을 고ᄒᆞᄃᆡ, 년원졍 누옥과 형극 ᄡᅡ흐믄 고치 아녀, 계오 머물만 ᄒᆞ던 줄 고ᄒᆞ니, 금휘 엇지 경ᄒᆡ

345)구시(舅氏) : 외숙.

졔진이 못잇ᄂᆞᆫ 졍이 극ᄒᆞ나, 윤부 가졍이 그ᄃᆡ도록 ᄒᆞ믈 ○[몰]호고, ᄃᆡ화의 ᄉᆡ져시믈 금후 부부와 낙양후 아지 못ᄒᆞ고, 잇다금 시녀을 보ᄂᆡᆫ 즉, ᄐᆡ부인 환후 계시므로 ᄉᆞᄅᆞᆷ을 드리지 아닛ᄂᆞᆫ다 ᄒᆞ고, 오직 소져 등은 무양타 ᄒᆞ니, 진부인이【39】 의심ᄒᆞ여 평후을 ᄃᆡᄒᆞ여 왈,

"너ᄂᆞᆫ 다른 아히와 달나 윤부의 ᄂᆡ외 업시 츌입ᄒᆞ니 질녀 등과 녀아을 볼지라. 각각 무양터냐?"

평휘 뎡·진 양인의 화란을 부모긔ᄂᆞᆫ ᄎᆞ마 고치 못ᄒᆞ여, 다만 ᄎᆞ뎨 시랑과 종형 진ᄐᆡ우더러만 이르고, 비졀ᄒᆞ믈 이긔지 못ᄒᆞ든 바의, 모친이 무르시니 마ᄎᆞᆷᄂᆡ 은익지 못ᄒᆞᆯ 지라. 좌을 써나 윤부 화란을 셰셰히 고ᄒᆞ고 왈,

"소직 연일 가 보오니 무죄ᄒᆞ미 ᄇᆡᆨ일 갓ᄉᆞ온지라. 그 ᄋᆡᆨ운이 고이ᄒᆞ믈 탄ᄒᆞᆯ ᄲᅳᆫ이오, 과도히 슬허ᄒᆞ믄 업ᄉᆞ오니, 도로혀 다힝ᄒᆞᆯ ᄲᅳᆫ 아니라, 윤추밀이 범ᄉᆞ의 긔렴(記念)ᄒᆞ고, ᄉᆞ원의 듕졍이 가지록 더ᄒᆞ여 보젼ᄒᆞᆯ 도리을 다ᄒᆞ니, 소직 이 말ᄉᆞᆷ을 즉시 고치 못ᄒᆞ믄, ᄆᆡ양 ᄌᆞ졍이 과려ᄒᆞ시믈 두려ᄒᆞᄋᆞᆸᄂᆞᆫ 듕, 숙당이 드를 작시면, 과상ᄒᆞ실가 민박ᄒᆞ와 ᄐᆡ우 형뎨와 의논ᄒᆞ고, 아직 숙당의ᄂᆞᆫ 고치 말고져 ᄒᆞ나이다."

진부인이 청필의 신ᄉᆡᆨ()身色이 변ᄒᆞ물 ᄭᆡ닷지 못ᄒᆞ여 타루 왈,

"녀ᄋᆞ 등과 질녀 윤부인의 입송[승](入承)ᄒᆞ던 날, 이럴 줄 알아거니와, 간인이 요악ᄒᆞᆫ 의ᄉᆞ로 녀ᄋᆞ와 질녀을 죽이려 ᄒᆞ는 비니, 엇지 참연치 아니리오. 질녀의 혼ᄉᆞᄂᆞᆫ 실노 네 타시 아니라 못ᄒᆞᆯ지라. 주형(兄)이 아르시면 위질을 일윌 거시니, 영슈 등과 의논ᄒᆞ고 아즉 모로시게 ᄒᆞ라."

언파의 옥누(玉淚) 방방터니, 금평후 드러와 부인의 슬허ᄒᆞ믈 보고 연고을 무르니, 평후 형뎨 비로소 ᄆᆡ져의 화란을 고ᄒᆞᄃᆡ, 연원경 누옥과 형극 ᄡᅡ호믄 고치 아냐 겨오 머물만ᄒᆞ던 줄 고ᄒᆞ니, 금휘 경ᄒᆡ(驚駭)치 아니리오마는 업친【40】 물 갓트니, 놀나

(驚駭)치 아니리오마ᄂᆞᆫ, 업친 물 ᄀᆞᆺᄐᆞ니 놀나온 ᄉᆞ식을 아니ᄒᆞ고, 이연(以然)[346]이 ᄀᆞᆯ오ᄃᆡ,

"윤가의 ᄯᆞᆯ을 결혼ᄒᆞᄂᆞᆫ 날 발셔 ᄀᆞᆺ길 줄 안ᄇᆡ라. 녀ᄋᆞ와 진ᄋᆡ 무고ᄉᆞ(巫蠱事)의 범죄ᄒᆞ다 ᄒᆞ니, 증삼(曾參)의 살인(殺人)[347] ᄀᆞᆺ거니와, 져희 용안의 슈발(秀拔)ᄒᆞᆫ ᄒᆡ를 면치 못ᄒᆞᆯ 거시오, 호구낭혈(虎口狼穴)[348]의 이시니, 엇디 괴로온 일이 업ᄉᆞ리오. 텬흥이 날마다 가 보아 편토록 ᄒᆞ리【66】니, 브졀업ᄉᆞᆫ 심녀를 마르쇼셔."

ᄒᆞ고 졔ᄌᆞ를 명ᄒᆞ여 ᄎᆞ언을 존당의 고치 말나 ᄒᆞ고, 낙양후 다려도 니르지 아니려 ᄒᆞ나, 일심의 참연ᄒᆞ미 ᄆᆡᆺ쳣고, 진부인은 큰 우환을 당ᄒᆞᆫ 듯ᄒᆞ여 ᄉᆞ침의 도라오면 상연뉴체(傷然流涕) 아닐 적이 업ᄉᆞ니, 남후와 시랑 등이 그윽이 졀민ᄒᆞ믈 니긔지 못ᄒᆞ여, 졔데 등으로 더브러 쥬야 위로ᄒᆞ더라.

이ᄯᅢ 문양공쥐 뎡병부로 더브러 셩혼 구의(久矣)로ᄃᆡ, 병뷔 협문으로 좃ᄎᆞ 궁듕 왕ᄂᆡ 빈빈ᄒᆞ나, 외친ᄂᆡ소(外親內疏)ᄒᆞ여 ᄆᆡ양 신병(身病)을 일ᄏᆞ라 공쥬로 더브러 부부지락을 ᄆᆞᄋᆞᆷᄃᆡ로 못ᄒᆞ믈{못ᄒᆞ믈} 탄ᄒᆞ여, 은근(慇懃) 위곡(委曲)ᄒᆞᆫ 졍이 산ᄒᆡ듕【67】졍(山海重情)이 이심 ᄀᆞᆺᄐᆞ니, 뉘 그 규량(規量)을 탁냥(度量)ᄒᆞ리오. 부모 존당이 오히려 그 심지를 아지 못ᄒᆞ고, 오딕 윤·양·니 삼인의 신셰를 잔잉코 슬허, 각별ᄒᆞᆫ 졍이 강보 유녀 ᄀᆞᆺ고, 윤부인 ᄋᆞᄌᆞ와 양부인 녀ᄋᆡ 다 나날 슈발 특이ᄒᆞ니, 합문(閤門) 샹하의 긔뵈(奇寶) 되엿고, 시랑의 ᄋᆞᄌᆞ와 《슌태부인이 일시도‖일시도 슌태부인의》 면젼의 ᄯᅥ나디 아냐, 각각 유모를 맛져 태원뎐의셔 머므니, 공쥐 볼 적마다 싀심이

온 ᄉᆞ식을 아니ᄒᆞ고, 이연(以然)[250]이 갈오ᄃᆡ,

"윤가의 ᄯᆞᆯ을 결혼ᄒᆞᄂᆞᆫ 날 발셔 ᄀᆞᆺ길 줄 안 ᄇᆡ라. 녀ᄋᆞ와 진시 무고ᄉᆞ(巫蠱事)의 범ᄒᆞᆫ 죄루라 ᄒᆞ니, 증ᄉᆞᆷ(曾參)의 ᄉᆞᆯ인(殺人)[251]ᄀᆞᆺ거니와, 져의 용안이 슈발(秀拔)ᄒᆞ니 ᄒᆡ을 면치 못ᄒᆞᆯ 거시오, 호구낭혈(虎口狼穴)[252]의 이시니, 엇지 괴로온 일이 업ᄉᆞ리오. 쳔흥이 날마다 가 보아 편토록 ᄒᆞ리니 부졀업ᄉᆞᆫ 심녀을 마르소셔."

ᄒᆞ고 졔ᄌᆞ을 명ᄒᆞ여 ᄎᆞ언을 ᄐᆡ부인긔 고치 말ᄂᆞ ᄒᆞ고, 낙양후 다려도 이르지 아니려 ᄒᆞ나, 일심의 참연ᄒᆞ미 ᄆᆡᆺ쳣고 진부인은 《그‖큰》 우환을 당ᄒᆞᆫ 듯ᄒᆞ여 ᄉᆞ침의 도라오면 산연(潸然)이 유체(流涕) 아닐 적이 업더라.

346)이연(以然) ; 그러하다고 여김.

347)증삼(曾參)의 살인(殺人) : 헛소문, 또는 잘못된 소문. 증자의 어머니가 증자가 사람을 죽였다는 헛된 소문을 듣고 베 짜던 북을 던지고 사건 현장으로 달려갔다는 고사 곧 '증모투저(曾母投杼)에서 유래된 말.

348)호구낭혈(虎口狼穴) : 호랑이 입과 늑대의 굴이란 뜻으로 매우 위험한 처지를 나타낸 말.

250)이연(以然) ; 그러하다고 여김.

251)증ᄉᆞᆷ(曾參) ᄉᆞᆯ인(殺人) : 헛소문, 또는 잘못된 소문. 증자의 어머니가 증자가 사람을 죽였다는 헛된 소문을 듣고 베 짜던 북을 던지고 사건 현장으로 달려갔다는 고사 곧 '증모투저(曾母投杼)에서 유래된 말.

252)호구낭혈(虎口狼穴) : 호랑이 입과 늑대의 굴이란 뜻으로 매우 위험한 처지를 나타낸 말.

만복ᄒᆞ여, 유ᄋᆞ 등을 삼킬 ᄃᆞᆺ 믜오나, 사ᄅᆞᆷ 되오미 영오총민(穎悟聰敏)ᄒᆞ고 은악양션(隱惡佯善)ᄒᆞ여 명예를 도모ᄒᆞᄂᆞᆫ 고로, 남후의 ᄌᆞ녀를 타인소시(他人所視)[349]의ᄂᆞᆫ 긔츌(己出) ᄀᆞᆺ치 ᄉᆞ랑ᄒᆞ여, 그 의복을 다ᄉᆞ리며, 【68】 ᄌᆞ모의 소임을 폐치 아니ᄒᆞ고, 존당 구고를 밧들미 갈ᄉᆞ록 온슌 나즉ᄒᆞ여 교오ᄌᆞ듕(驕傲自重)ᄒᆞ미 업고, 겸손비약(謙遜卑弱)ᄒᆞ여 효셩이 동쵹(洞屬)ᄒᆞᆷ ᄀᆞᆺᄐᆞ니, 범안(凡眼)의 예ᄉᆞ로이 보ᄂᆞᆫ ᄌᆞᄂᆞᆫ 칭션(稱善)ᄒᆞᄃᆡ, 존당 구고ᄂᆞᆫ 외모로 흔연ᄒᆞ나, 맛ᄎᆞᆷᄂᆡ ᄂᆡ외 다르믈 짐작ᄒᆞᄃᆡ 그ᄃᆡ도록 악ᄎᆞᆨᄒᆞᆫ 별물인 줄은 모로더라.

뎡부매 부부 은졍은 숨결의○[도] 업고, 밧그로 작위ᄒᆞ여 타인의 이목을 ᄀᆞ리오나, 증염(憎念)ᄒᆞᄂᆞᆫ 뜻이 본 젹마다 ᄒᆞᆫ 층식 더ᄒᆞ고, 삼부인 ᄉᆡᆼ각이 간졀ᄒᆞᄃᆡ, 심지 남달니 무겁고 금셕 ᄀᆞᆺ치 견고ᄒᆞ므로, 브졀업시 별원의 왕ᄂᆡᄒᆞ여 삼부인긔 급화를 더으지 아니려 ᄒᆞᄂᆞᆫ 고로, 공【69】쥬를 취ᄒᆞᆫ 후 ᄒᆞᆫ번도 족젹이 별원을 님치 아니ᄒᆞ여, 돈연이 니즌 ᄃᆞᆺᄒᆞ나, 텬눈의 디극ᄒᆞᆫ 졍이 ᄌᆞ녀의 교연(嬌然)ᄒᆞ믈 보면 탐혹히 ᄉᆞ랑ᄒᆞ여, 그 ᄌᆞ모를 더욱 ᄉᆡᆼ각ᄒᆞ며, 니시의 산월(産月)이 머디 아녀시니 ᄉᆡᆼ남ᄒᆞ기를 기다리며, 틈을 타 경부의 왕ᄂᆡᄒᆞ여 쇼져로 더브러 산비ᄒᆡ박지졍(山卑海薄之情)[350]이 흔연(欣然)ᄒᆞ니, 경시 ᄯᅩᄒᆞᆫ 잉ᄐᆡ 삼ᄉᆞ삭이 되ᄆᆡ 식음을 거ᄉᆞ리고 표연이 우화(羽化)ᄒᆞᆯ ᄃᆞᆺᄒᆞ니, 참졍 부부ᄂᆞᆫ 근심ᄒᆞ나 부마ᄂᆞᆫ 태휘 이셔 그러ᄒᆞ믈 일ᄀᆞ라 더욱 즐겨ᄒᆞᄃᆡ, 블고이취(不告而娶)를 근심이 되여 대인의 엄의를 혜아리ᄆᆡ, 셰구년심ᄒᆞ므로ᄡᅧ 죄를 물시ᄒᆞᆯ 니 업ᄉᆞ니 념【70】녜 방하치 못ᄒᆞᄂᆞᆫ디라. 경쇼제 남후의 부인 되여시믈 알 니 업ᄉᆞᄃᆡ, 양참졍이 그 부인 화시로 표종지간(表從之間)[351]

349)타인소시(他人所視) : 다른 사람이 보는 곳이나 때.

350)산비ᄒᆡ박지졍(山卑海薄之情) : 산이 낮고 바다가 얕다고 생각될 만큼 높고 깊은 정.

351)표종지간(表從之間) : 내외종간(內外從間). 내종사촌과 외종사촌의 사이.

이ᄯᅢ 니시의 산월(産月)이 머지 아녀시니 평휘 ᄉᆡᆼ남ᄒᆞ기을 기다리며, 틈을 타 경부의 왕ᄂᆡᄒᆞ여 소져로 더부러 산비ᄒᆡ박지졍(山卑海薄之情)[253]이 흡연ᄒᆞ니, 경시 ᄯᅩ 잉ᄐᆡᄒᆞ여 ᄉᆞᆷ삭이 되ᄆᆡ, 식음을 거ᄉᆞ리고 표연히 우화(羽化)ᄒᆞᆯ 듯ᄒᆞ니, 참졍 부부ᄂᆞᆫ 근심ᄒᆞ나 부마ᄂᆞᆫ ᄐᆡ휘 잇셔 그러ᄒᆞ물 일카라 더욱 즐겨ᄒᆞ되, 불고이취(不告而娶)로 근심ᄒᆞ여 ᄃᆡ인의 엄의(嚴意)을 혜아리ᄆᆡ, 셰구연심ᄒᆞ므로ᄡᅧ 죄을 물시ᄒᆞᆯ 니 업ᄉᆞ니, 념녀 방ᄒᆞ치 못ᄒᆞᄂᆞᆫ지라. 경소져 평후의 부인 되어시물 알 니 업ᄉᆞᄃᆡ, 양참졍이 그 부인 화시로 표종지간(表從之間)[254]이라 ᄌᆞ연 알고 ᄆᆡ양 평후을 ᄃᆡᄒᆞ여 웃고 왈,

253)산비ᄒᆡ박지졍(山卑海薄之情) : 산이 낮고 바다가 얕다고 생각될 만큼 높고 깊은 정.

254)표종지간(表從之間) : 내외종간(內外從間). 내종사촌과 외종사촌의 사이.

이라, ᄌᆞ연 아라 ᄆᆡ양 남후를 ᄃᆡᄒᆞ여 웃고 왈,

"챵빅이 경시를 취ᄒᆞ믈 녕존이 모로시게 ᄒᆞ엿다가, 타일의 져를 엇디려 ᄒᆞᄂᆞ뇨.?"

병뷔 ᄃᆡ왈,

"악댱이 니르지 아니시나 이 일노뼈 쥬야 ᄆᆞ음음 놋치 못ᄒᆞ미라. 부마되기로 쳐음 뎡ᄒᆞ엿던 계괴 글너시니, 이졔는 가친긔 ᄒᆞᆫ ᄎᆞ례 죄칙을 면치 못ᄒᆞ게 되어시ᄃᆡ, 아ᄃᆡᆨ 너모 급ᄒᆞ여 고치 못ᄒᆞ엿ᄂᆞ니다."

양공이 그 위인을 ᄉᆞ랑ᄒᆞ여, 금평후긔 됴히 도모ᄒᆞ여 죄칙을 밧지 아니케 ᄒᆞ려 ᄒᆞ더【71】니, 경시 잉틱ᄒᆞ믈 듯고, 쇼왈,

"경시로 챵빅의 뎨오실(第五室)을 도모ᄒᆞ여 샤혼은지(賜婚恩旨)를 어더 신취(新娶)ᄒᆞ믈 출혀 윤보를 긔이려 ᄒᆞ엿더니, 발셔 잉틱ᄒᆞ미 이신즉 ᄒᆞᆯ 일 업다."

ᄒᆞ더라.

화셜. 공쥐 최상궁으로 더브러 부마의 힝지를{를} 술펴 반신반의ᄒᆞ여 능히 탁냥치 못ᄒᆞ고, 윤·양·니 삼인을 단연(斷然)이[352] 가보디 아니믈 더욱 의아ᄒᆞ니, 최녜 머리를 흔들어 왈,

"쇼년 남ᄌᆞ 뎡실노 은정이 이신 후는 질긔 잇셔도 념녀치 아니ᄒᆞ고 합근지녜(合巹之禮)를 일을 거시로ᄃᆡ, 도위 상공은 언언이 신병만 일ᄏᆞ르시고 옥쥬를 먼니ᄒᆞ시며, 삼부인을 ᄎᆞᆺ지 아니시믄 ᄉᆞ긔 슈상ᄒᆞ니, 출ᄒᆞ리 존【72】구긔 여ᄎᆞ여ᄎᆞ 고ᄒᆞ샤 어진 덕을 낫토시고, 윤·양·니 삼부인을 일궁지ᄂᆡ(一宮之內)의 모화, 일즉이 졀졔ᄒᆞ는 거시 올흘가 ᄒᆞᄂᆞ니, 기듀 알 도리 이시리이다."

공쥐 대찬 왈,

"보모의 디혜는 냥평(良平)[353]이라. 비록 뎍인(敵人)이 슈풀 ᄀᆞᆺᄐᆞ나 보모를 두어시니 통일을 엇디 근심ᄒᆞ리오."

최녜 요슈 왈,

352)단연(斷然)이 : 결연히.

353)냥평(良平) : 중국 한(漢)나라 때의 책사(策士) 장량(張良)과 진평(陳平)을 함께 이르는 말.

"창빅이 경시을 취ᄒᆞ문 영존이 모르시게 ᄒᆞ엿다가 타일 져을 엇지 ᄒᆞ려 ᄒᆞᄂᆞ뇨?"

평휘 소이ᄃᆡ왈,

"악장이 이르지 아니시나 이 일노써 쥬야 ᄆᆞ음을 놋치 못ᄒᆞ미라, 부마 되기로 쳐음 정ᄒᆞ엿던 계교 글너시【41】니, 이제는 가친긔 ᄒᆞᆫ ᄎᆞ례 죄칙을 면치 못ᄒᆞ게 되엿시되, 아즉 너모 급ᄒᆞ여 고치 못ᄒᆞ엿ᄂᆞ이다."

양공이 그 위인을 ᄉᆞ랑ᄒᆞ여 금평후긔 조히 도모ᄒᆞ여 죄칙을 밧지 아니케 ᄒᆞ려 ᄒᆞ더니, 경시 잉틱ᄒᆞ물 듯고 소왈,

"경시로 창빅의 졔오실(第五室)을 도모ᄒᆞ여 ᄉᆞ혼은지(賜婚恩旨)을 어더 신취ᄒᆞ물 출혀 윤보을 긔이려 ᄒᆞ엿더니, 발셔 잉틱ᄒᆞ미 잇신 즉 할 일 업다."

ᄒᆞ더라.

화셜 공쥐 최상궁으로 더부러 부마의 ᄌᆞ최 묘연ᄒᆞ물 ᄒᆞᆫ탄ᄒᆞ더니, 복쳡 최녜 머리을{머리을} 흔드러 왈,

"소년 남ᄌᆞ 정실노 은졍이 잇슨 후는 질괴 잇셔됴 념녀치 아니ᄒᆞ고 합근지녜(合巹之禮)을 일울 거시로ᄃᆡ, 도위 상공은 언언이 병만 일커르시고 옥주을 멀니 ᄒᆞ시며, 숨부인을 ᄎᆞᆺ지 아니시믄 ᄉᆞ긔 슈상ᄒᆞ니, 출하히[리] 존구긔 여ᄎᆞ여ᄎᆞ 고ᄒᆞᄉᆞ 어진 덕을 나토시고, 윤·양·니 숨부인을 일궁지ᄂᆡ(一宮之內)의 모화 일즉이 졀졔ᄒᆞ는 거시 올흘가 ᄒᆞᄂᆞ이다. 긔듀 알 묘리 잇시리이다."

공쥐 ᄃᆡ찬 왈,

"보모의 지혜는 양평(良平)[255]이라, 비록 젹인이 수풀 갓트나 보모을 두엇시니 총[통]일ᄒᆞ믈 엇지 근심ᄒᆞ리오."

최녜 요수 왈,

255)양평(良平) : 중국 한(漢)나라 때의 책사(策士) 장량(張良)과 진평(陳平)을 함께 이르는 말.

"옥쥬의 구괴 군ᄌᆞ 슉녀오, 가법이 슉슉(肅肅)ᄒᆞ고, 도위 상공 곤계(昆季) 녕쥰이시니, 힝신을 《근심 ‖ 근신(謹愼)》홀디라. 옥쥬ᄂᆞᆫ 명예를 너비 모화 말직 ᄎᆞ두(叉頭)[354]와 삼셰 ᄋᆞ동의게도 겸공비약ᄒᆞ여 합가의 예셩(譽聲)을 어든 후, 긔모(奇謀)를 운동ᄒᆞ여 통일ᄒᆞᄂᆞᆫ 쾌ᄒᆞ믈 어드리이다".

공쥐 슌슌 응낙고【73】 명일 신셩 후 피셕(避席) 브복(俯伏)ᄒᆞ여 구고긔 고ᄒᆞ딕,

"쳡이 감히 구고 쳐ᄉᆞ를 시비ᄒᆞ미 아니오, 어린 심폐를 존당 구괴 ᄉᆞ못ᄎᆞ실가 바라미니, 녀ᄌᆞ의 투악(妬惡)은 칠거(七去)의 큰 죄라. 쳡(첩) 슈블혜(雖不慧)나 '갈담(葛覃)의 풍(風)'[355]을 빅호고져 ᄒᆞᄋᆞᆸᄂᆞ니, 쵸의 샹명(上命)이 윤·양·니 삼부인을 잠간 쳐과져 ᄒᆞ시미나, 졀혼니이(絶婚離異)ᄒᆞ신 일이 아니오, 쳡이 비록 만승지녜(萬乘之女)나 군ᄌᆞ긔ᄂᆞᆫ 뎨ᄉᆞ부빈(第四副嬪)이니, 엇지 션후(先後)를 도착(倒錯)ᄒᆞ리잇고? 윤·양·니 삼부인을 상견ᄒᆞ믈 엇디 못ᄒᆞ고, 별쳐의 고초를 격그신다 ᄒᆞ오니, 실노뼈 블안ᄒᆞᄋᆞᆸ고, 삼부인과 일궁지닉의 안항(雁行)을 츌혀 즐기게 ᄒᆞ시면, 존당 구고의 셩은일가 ᄒᆞᄂᆞ이【74】다."

존당 구괴 공쥬의 말이 진졍이 아니믈 디긔ᄒᆞ나 흔연 칭샤 왈,

"귀쥐(貴主) 만승디존(萬乘之尊)의 교훈ᄒᆞ신 바로, 투긔를 빅쳑ᄒᆞ여 윤·양·니 삼인을 쳥ᄒᆞ여 '태ᄉᆞ(太姒)의 풍(風)'[356]을 니으려 ○○[ᄒᆞ니], 셰쇽의 희한홀 일이로딕, 텬흥이 문왕(文王)[357]의 덕이 업ᄉᆞ니 여러 쳐실을 잘 거ᄂᆞ리지 못홀가 근심홀디언졍, 삼인이 귀쥬의 셩덕을 져바리고 징툥(爭寵)홀

354)ᄎᆞ두(叉頭) : 차환(叉鬟). 주인을 가까이에서 모시는 젊은 계집종.

355)갈담풍화(葛覃風化) : 갈담의 교화. 갈담은 『시경』 <주남(周南)> 갈담장(葛覃章)에 나오는 말로, 주나라 문왕비인 태사(太姒)의 덕을 기리는 말.

356)태ᄉᆞ(太姒)의 풍(風) : 중국 주(周)나라 현모양처(賢母良妻)인 문왕의 비(妃) 태사(太姒)의 덕을 말함.

357)문왕(文王) : 중국 주나라 무왕의 아버지. 고대의 이상적인 성인군주(聖人君主)의 전형으로 꼽힌다.

"옥주의 구괴 군ᄌᆞ숙녀오 가법이 숙숙(肅肅)ᄒᆞ고 도위 상공 곤계(昆季) 영쥰이시니, 힝신을 《근심 ‖ 근신(謹愼)》홀지라. 옥주ᄂᆞᆫ 명예을 넙이 모화 말직 ᄎᆞ두(叉頭)[256]와 숨셰 ᄋᆞ동의게도 겸공비약ᄒᆞ여 함가의 예셩을 어든 후, 지모(智謀)을 운동ᄒᆞ여야 통일ᄒᆞᄂᆞᆫ 쾌ᄒᆞ믈 어드리이다."

공주 슌슌응낙고 명일 신셩 후 부복 왈,

"쳡이 감히 구고 쳐ᄉᆞ을【42】 시비ᄒᆞ미 아니오, 어린 심폐을 존당구괴 ᄉᆞ모ᄎᆞ실가 바리[라]미니, 여ᄌᆞ의 투악(妬惡)은 칠거(七去)의 웃듬이라. 초의 상명(上命)이 윤·양·니 숨부인을 잠간 쳐과져 ᄒᆞ시미라. 졀혼니이(絶婚離異)ᄒᆞ신 일이 아니오, 쳡이 비록 만승지녀(萬乘之女)나 군ᄌᆞ게ᄂᆞᆫ 졔ᄉᆞ부인(第四夫人)이니, 엇지 션후을 도착(倒錯)ᄒᆞ리잇고? 윤·양·니 숨부인을 쳥ᄒᆞ여 ᄒᆞᆫ가지로 존당을 밧드오며, 군ᄌᆞ의 즁궤(中饋)을 소임케 ᄒᆞ오리니, 쳡이 셩혼 이진(二載)의 숨부인 상면ᄒᆞ물 엇지 못ᄒᆞ고, 별쳐의 고초을 격그신다 ᄒᆞ오니, 실노쎠 불안ᄒᆞᄋᆞᆸ고, 숨부인과 일궁지닉의 안항(雁行)을 ᄎᆞ려 즐기게 ᄒᆞ시면 존당구고의 셩은일가 ᄒᆞᄂᆞ이다."

존당구괴 공주의 말이 진졍이{진졍이} 아니믈 지긔ᄒᆞ나, 흔연 칭ᄉᆞ왈,

"귀주(貴主) 만승지존(萬乘之尊)의 교훈을 바든[드]신 바로, 투긔(妬忌)을 빅쳑ᄒᆞ여 윤·양·니 숨인을 쳥ᄒᆞ여, '틱ᄉᆞ(太姒)의 풍(風)'[257]을 이으려 ᄒᆞ시미, 셰속 희한ᄒᆞᆫ 일이로딕, 쳔흥이 문왕(文王)[258]의 덕이 업ᄉᆞ니, 여러 쳐실을 거ᄂᆞ리지 못홀가 근심홀지언졍, 숨인이 귀주의 셩덕을 져ᄇᆞ리고 징춍(爭寵)홀 니ᄂᆞᆫ 업술지라.

256)ᄎᆞ두(叉頭) : 차환(叉鬟). 주인을 가까이에서 모시는 젊은 계집종.

257)태ᄉᆞ(太姒)의 풍(風) : 중국 주(周)나라 현모양처(賢母良妻)인 문왕의 비(妃) 태사(太姒)의 덕을 말함.

258)문왕(文王) : 중국 주나라 무왕의 아버지. 고대의 이상적인 성인군주(聖人君主)의 전형으로 꼽힌다.

니는 업ᄉᆞ리이다.”
ᄒᆞ더라.【75】

명듀보월빙 권디이십ᄉᆞ

화셜. 금평휘 공쥬의 말을 듯고 칭샤 왈,

"귀쥬 태샤(太姒)의 풍(風)을 니으려 ᄒᆞ시미 셰쇽의 희한ᄒᆞᆫ 일이로ᄃᆡ, 돈ᄋᆡ 문왕(文王)의 덕이 업ᄉᆞ니 여러 쳐실을 잘 거나리지 못ᄒᆞᆯ가 근심ᄒᆞᆯ디언졍, 삼인이 귀쥬의 셩덕을 져바리고 징툥(爭寵)ᄒᆞᆯ 니는 업슬디라. 윤시ᄂᆞᆫ 위국ᄉᆞ졀(爲國死節)ᄒᆞᆫ 윤명쳔의 녜니 유시(幼時)의 뎡혼ᄒᆞ여 ᄆᆡᆼ약을 두엇더니, 명쳔이 업ᄉᆞ나 구약을 셩젼ᄒᆞ니, 텬흥의게 외람ᄒᆞᆫ 안ᄒᆡ오, 양・니ᄂᆞᆫ ᄯᅩᄒᆞᆫ 친우의 녀ᄌᆡ라. 다 명문 거족이니 양시ᄂᆞᆫ ᄉᆡᆨ덕이 겸ᄒᆞ고, 니시는 규합(閨閤)【1】의 ᄉᆞ군ᄌᆡ(士君子)라. 셩샹이 아ᄃᆡᆨ 윤・양・니를 각각 두 과져 ᄒᆞ여 계시니, 인신(人臣)의 도리 거ᄉᆞᆯ미 블가ᄒᆞ고, ᄌᆞ졍이 신셕(晨夕)의 닛지 못ᄒᆞ시니, 황샹ᄭᅴ 고ᄒᆞ고 다려 오ᄌᆞ ᄒᆞ엿더니, 니시 산월이 초춰(初秋)라 ᄒᆞᄂᆞᆫ디라. 고로 분산(分産) 후 다려 오려 ᄒᆞ니 언마ᄒᆞ여 보시리잇가?"

공쥬 존당 구괴 ᄌᆞ긔를 현슉ᄒᆞᆫ 줄노 알믈 깃거ᄒᆞ나, 삼인을 일ᄏᆞ라 셩녀(聖女) 쳘부(哲婦)로 밀위믈 보ᄆᆡ, ᄉᆡᆨ심이 만복ᄒᆞ나 온화ᄒᆞᆫ 말ᄉᆞᆷ으로 덕을 낫토니[358], 합문이 외면으로 칭복ᄒᆞ나, 샹하 노쇼의 안고(眼高)ᄒᆞ미 무산(巫山)[359]과 월궁(月宮)[360]을 보아시니 범연ᄒᆞᆫ ᄉᆡᆨ덕은 긔특이 녁이는 ᄇᆡ 업ᄉᆞ니, 공쥬 이러므로 심연박빙(深淵薄氷)[361]

윤시ᄂᆞᆫ 위국ᄉᆞ졀(爲國死節)ᄒᆞᆫ 윤명쳔의 녀니 ᄉᆞ덕(四德)[259]이 겸비ᄒᆞ고, 양・니ᄂᆞᆫ ᄯᅩᄒᆞᆫ 젼[친]우(親友)의 녀ᄌᆡ라. 양시ᄂᆞᆫ ᄉᆡᆨ덕이 겸비ᄒᆞ고 니시ᄂᆞᆫ 규합(閨閤)의 ᄉᆞ군ᄌᆡ(士君子)라, 셩상이 아즉 윤・양・니을 각각 두 과져 ᄒᆞ여 계시니, 인신(人臣)의 도리 거ᄉᆞᆯ이미 불가ᄒᆞ고, ᄌᆞ졍이 신셕(晨夕)의 잇지 못ᄒᆞ시니, 황상ᄭᅴ 고ᄒᆞ고 다려오ᄌᆞ ᄒᆞ엿더니, 니시ᄂᆞᆫ 산왈[월](産月)이 초쥬[츄](初秋)라 ᄒᆞᄂᆞᆫ 고로, 분산 후 다려오랴 ᄒᆞ니, 언【43】마ᄒᆞ여 보시리잇가?"

공쥐 ᄌᆞ긔을 존당이 현슉ᄒᆞᆫ 줄노 알물 깃거ᄒᆞ나, ᄉᆞᆷ인을 일커러 셩녀(聖女) 쳘부(哲婦)로 밀우믈 보ᄆᆡ, ᄉᆡᆨ심이 만복ᄒᆞ나 온화ᄒᆞᆫ 말ᄉᆞᆷ으로 덕을 낫초[토]니[260], 합문이 외면으로 칭복ᄒᆞ나, 상ᄒᆞ노소의 안고(眼高)ᄒᆞ미 무산(巫山)[261]과 월궁(月宮)[262]을 보아시니 범연ᄒᆞᆫ ᄉᆡᆨ덕은 긔특이 녁이미 업ᄉᆞ니, 공주 이러무로 심연박빙(深淵薄氷)[263]

---

358)낫토다 : 나타내다.

359)무산(巫山) : 중국 중경시(重慶市) 동쪽에 있는 현. 무산십이봉(巫山十二峯)이 솟아 있는데 기암과 절벽으로 이루어진 경치가 아름답기로 유명하다. 소설 등에서 신선이나 선녀가 사는 선계(仙界)로 설정되는 경우가 많다. 여기서는 무산선녀를 뜻한다

360)월궁(月宮) : 전설에서, 달 속에 있다는 궁전. 여기서는 월궁에 살고 있다는 선녀인 상아(嫦娥)를 뜻한다.

361)심연박빙(深淵薄氷) : 조심하기를 깊은 못에 다다른 것처럼 하고 살얼음을 밟듯 한다는 뜻으로, 『시경』 <소아(小雅)>편의 '소민(小旻)'시에 나오는 구절인 '전전긍긍 여림심연 여리박빙(戰戰兢兢

259)ᄉᆞ덕(四德) : 여자로서 갖추어야 할 네 가지 덕. 마음씨[婦德], 말씨[婦言], 맵시[婦容], 솜씨[婦功]를 이른다.

260)낫토다 : 나타내다.

261)무산(巫山) : 중국 중경시(重慶市) 동쪽에 있는 현. 무산십이봉(巫山十二峯)이 솟아 있는데 기암과 절벽으로 이루어진 경치가 아름답기로 유명하다. 소설 등에서 신선이나 선녀가 사는 선계(仙界)로 설정되는 경우가 많다. 여기서는 무산선녀를 뜻한다

262)월궁(月宮) : 전설에서, 달 속에 있다는 궁전. 여기서는 월궁에 살고 있다는 선녀인 상아(嫦娥)를 뜻한다.

263)심연박빙(深淵薄氷) : 조심하기를 깊은 못에 다

ᄒᆞ여 【2】 부귀를 ᄌᆞ랑치 못ᄒᆞ더라.

공쥬 도라와 최상궁을 ᄃᆡᄒᆞ여 구고의 말ᄉᆞᆷ을 젼ᄒᆞ니, 최네 변ᄉᆡᆨ 왈,

“샹명이 옥쥬로 원위(元位)를 누리게 ᄒᆞ여 계시거놀, 금후 노애(老爺) 엇디 윤시로 ᄡᅧ 조강(糟糠)이라 ᄒᆞ시며, 각각 아ᄅᆞᆷ다오믈 과찬ᄒᆞ여 옥쥬 우히 잇ᄂᆞᆫ 줄 아라듯게 ᄒᆞ미라, 분완ᄒᆞ도소이다. 연이나 겸손ᄒᆞᄂᆞᆫ 덕을 나토시고, 도위(都尉) 드러오실 ᄢᅴ 여ᄎᆞ여ᄎᆞ ᄒᆞ샤 셩덕을 알게 ᄒᆞ쇼셔.”

공쥬 부마의 드러오기를 기다리더니, ᄎᆞ야의 도위 취긔(醉氣)를 ᄯᅴ여 궁의 드러와 공쥬를 ᄃᆡᄒᆞ여, 은근ᄒᆞᆫ 말ᄉᆞᆷ으로 심간(心肝)을 어리오ᄂᆞᆫ디라[362]. 공쥬 황홀이 낫빗출 우러러 산ᄒᆡ(山海) ᄀᆞᆺ튼 음졍이 불 【3】 니듯 ᄒᆞᄃᆡ, 스ᄉᆞ로 몸을 안졉디 못ᄒᆞ여 져의 풍신(風神) 용화(容華)를 ᄃᆡᄒᆞᆯ 젹마다 원탄(怨嘆)ᄒᆞ믈 마디 못ᄒᆞ다가, 날호여 ᄀᆞᆯ오ᄃᆡ,

“쳡이 ᄉᆞ갈(蛇蝎)이 아니어늘, 삼부인이 별쳐의 피ᄒᆞ여 얼골을 아지 못ᄒᆞ고 션후를 착난케 ᄒᆞᆯ ᄲᅮᆫ 아니라 고초를 겻그미, 쳡의 연괴라, 엇디 불안치 아니리오. 군ᄌᆞᄂᆞᆫ 졔가의 공졍 관대ᄒᆞ샤, 조강의 듕ᄒᆞᆫ 의를 ᄉᆡᆼ각ᄒᆞ여, 별쳐의 ᄌᆞ로 왕ᄂᆡᄒᆞ여 쳡의 곳의 일편도이 머므지 마르시고, 삼부인을 일궁의 쳐ᄒᆞ여 즐기게 ᄒᆞ시면, 삼부인 셩덕을 비화, 군ᄌᆞ 녀ᄉᆞ를 ᄒᆞᆫ가지로 밧들가 ᄒᆞ나이다.”

부매 공쥬의 공교ᄒᆞᆫ ᄡᅬ로 【4】 삼인을 ᄒᆡ코져 ᄒᆞ믈 거울ᄀᆞᆺ치 빗최ᄃᆡ, 오ᄃᆡᆨ 미미히 우어 왈,

“귀쥬ᄂᆞᆫ 뎍인(敵人)의 ᄒᆡ를 ᄭᆡᄃᆞᆺ지 못ᄒᆞ시니, 이 ᄆᆞ음이 딘졍이실진ᄃᆡ 슉녀의 ᄌᆞ리를 웅거ᄒᆞ실디라. ᄉᆡᆼ이 귀쥬를 취ᄒᆞᆫ 후 별원의 왕ᄂᆡ 업ᄉᆞ나, 져 사ᄅᆞᆷ이 다 현슉ᄒᆞ여 못지 아닛ᄂᆞᆫ 거술 한치 아닐 거시오, 귀쥬 궁의 니르믄 다른 연괴 아니라, 귀쥬 왕희의 존ᄒᆞ믈 가져 ᄉᆡᆼ의 여럿ᄶᅵ 부실이 되샤, 궁듕의 뎍막히 계시믈 위ᄒᆞ여 츌입이 빈빈

如臨深淵 如履薄氷 : 두려하고 조심하기를 깊은 못에 다다른 듯, 살얼음을 밟듯 하네)에서 온 말.

362)어리오다 : 어지럽히다. 미혹(迷惑)시키다.

ᄒᆞ여 부귀을 ᄌᆞ랑치 못ᄒᆞ더라.

공쥐 도라와 최상궁을 ᄃᆡᄒᆞ여 구고의 말ᄉᆞᆷ을 젼ᄒᆞ니, 최네 변ᄉᆡᆨ 왈,

“상명이 옥주로 원위(元位)을 누리게 ᄒᆞ여 계시거날, 금후 노야(老爺) 엇지 윤시로 ᄡᅧ 조강(糟糠)이라 ᄒᆞ시며, 각각 아름다오믈 과찬ᄒᆞ여 옥주 우히 잇ᄂᆞᆫ 줄 아라듯게 ᄒᆞ미라, 분완ᄒᆞ도소이다. 연이나 겸손ᄒᆞᄂᆞᆫ 덕을 낫토시고 도위(都尉) 드러오실 ᄢᅴ 여ᄎᆞ여ᄎᆞ ᄒᆞᄉᆞ 셩덕을 알게 ᄒᆞ소셔.”

공주 부마의 드러오기을 기ᄃᆞ리더니, ᄎᆞ야의 도위 취긔(醉氣)을 ᄯᅴ여 궁의 드러와, 공주을 ᄃᆡᄒᆞ여 은근ᄒᆞᆫ 말ᄉᆞᆷ으로 심간(心肝)을 어리오ᄂᆞᆫ지라. 공주 황홀이 낫빗출 우러러 산ᄒᆡ(山海) 갓튼 은졍이 불니듯 ᄒᆞᄃᆡ, 스ᄉᆞ로 이셩지합(二姓之合)을 쳥치 못ᄒᆞ여, ᄋᆡ답고 슬허ᄒᆞ다가 날호여 갈오ᄃᆡ,

“쳡이 존당구고게도 고ᄒᆞ엿거니와, 쳡이 ᄉᆞ갈(蛇蝎)이 아니여날 숨부인이 별쳐의 피ᄒᆞ여 얼골을 아지 못ᄒᆞ니, 군ᄌᆞᄂᆞᆫ 졔가의 공졍관ᄃᆡᄒᆞᄉᆞ, 조강의 듕의(重義)을 ᄉᆡᆼ각ᄒᆞ시고, 별쳐의 ᄌᆞ로 왕ᄂᆡᄒᆞ여 쳡의 곳의 일편도이 머무지 마르시고, 숨부인을 일궁의 쳐ᄒᆞ여 즐기게 ᄒᆞ시면, 숨부인 셕[셩]덕(聖德)을 비 【44】 화 군ᄌᆞ 녀ᄉᆞ을 ᄒᆞᆫ가지로 밧들가 ᄒᆞ나이다.”

부ᄆᆡ 공주의 공교ᄒᆞᆫ ᄡᅬ로 숨부인을 ᄒᆡ코져 ᄒᆞ물 거울 갓치 빗최ᄃᆡ, 오직 미미히 우어 왈,

“귀주ᄂᆞᆫ 젹인(敵人)의 ᄒᆡ을 ᄭᆡ닷지 못ᄒᆞ시니, 이 마음이 진졍이실진ᄃᆡ 숙녀의 ᄌᆞ리을 웅거ᄒᆞ실지라. ᄉᆡᆼ이 귀주을 취ᄒᆞᆫ 후 별원의 왕ᄂᆡ 업ᄉᆞ나, 져 ᄉᆞᄅᆞᆷ드리 다 현슉ᄒᆞ여 뭇[못]지[264] 아닛○[ᄂᆞᆫ] 거술 ᄒᆞᆫ치 아닐 거시오, 귀주 궁의 틈을 타 이르믄 다른 연

다른 것처럼 하고 살얼음을 밟듯 한다는 뜻으로, 『시경』 <소아(小雅)>편의 ‘소민(小旻)’시에 나오는 구절인 ‘전전긍긍 여림심연 여리박빙(戰戰兢兢 如臨深淵 如履薄氷 : 두려하고 조심하기를 깊은 못에 다다른 듯, 살얼음을 밟듯 하네)에서 온 말.

264)못다 : 모이다.

ᄒᆞ나, ᄀᆞᆺᄐᆞ여 귀쥬를 침혹(沈惑)ᄒᆞᆷ도 아니오, 삼인 등을 니ᄌᆞᆷ도 아니라. 신병이 나은 후 여러 쳐쳡을 거ᄂᆞ려 ᄋᆡ중이 업ᄉᆞᆯ 거시니 옥쥬ᄂᆞᆫ 타일을 보쇼셔.”

공쥬【5】 부마의 말이 쇼원(所願)이 아니나, 다만 온화히 손샤(遜辭)ᄒᆞ고 쳔교만태(千嬌萬態)로 ᄡᅡᆼ협의 우음을 씌여, 온가지로 부마의 뜻을 맛치려 은통을 낫고나[363], 부매 통완ᄒᆞᄃᆡ 흔연 화평ᄒᆞ여, 은근 위곡(委曲)ᄒᆞ여[364] 옥슈를 잡고 므릅흘 년ᄒᆞ여, 질양(疾恙)이 이시므로 여산듕졍(如山重情)을 펴지 못ᄒᆞ믈 한ᄒᆞ고, 상요(床褥)[365]의 나아갈ᄉᆡ, 공쥬의 편히 눕기를 쳥ᄒᆞ고, 웃옷ᄉᆞᆯ 쾌히 벗고 금금을 추혀 덥고 ᄌᆞᆷ을 깁히 드ᄂᆞᆫ 거동이라.

공쥬 불ᄀᆞᆺᄐᆞᆫ 음졍을 ᄎᆞᆷ고져 ᄒᆞ나 어려온지라. 쵹을 임의 믈녀시니 부마의 ᄌᆞᄂᆞᆫ 거동도 ᄌᆞ시 보디 못ᄒᆞ고, 경ᄃᆡ(鏡臺)의 야명쥬(夜明珠)를 ᄂᆡ여 들고 부마의 ᄌᆞᄂᆞᆫ 거동을 ᄉᆞᆯ피니,【6】 ᄇᆡᆨ옥(白玉) ᄀᆞᆺᄐᆞᆫ 용모의 봉안(鳳眼)이 그린 ᄃᆞᆺ ᄒᆞ며, 《반월텬창 ‖ 반월텬졍(半月天庭)[366]》과 녹빈방쳔(綠鬢方天)[367]의 두발(頭髮)이 헛틀며, 깃 거ᄉᆞ린[368] 봉(鳳)이라. ᄉᆞ금(紗衾)을 가ᄉᆞᆷ가지 추혀 덥허시나, 옥 ᄀᆞᆺᄐᆞᆫ 살히 빗최니 공쥬 어린 ᄃᆞ시 드리미러 보다가, 경ᄀᆡᆨ의 ○○○

363)낫고다 : 낚다. (속되게) 이성(異性)을 꾀다.

364)위곡(委曲)ᄒᆞ다 : 자상(仔詳)ᄒᆞ다. 인정이 넘치고 정성이 지극하다.

365)상요(床褥) : 침상에 편 요라는 뜻으로, ‘잠자리’를 말함.

366)반월텬졍(半月天庭) : 반달 모양의 이마. 천정(天庭)은 관상(觀相)에서 양 눈썹의 사이, 또는 이마의 복판을 이른다.

367)녹빈방쳔(綠鬢方天) : 푸른빛이 도는 귀밑머리와 이마의 양 옆 가장자리에 난 머리털을 함께 이르는 말. 녹빈(綠鬢); 푸른 빛이 도는 고운 귀밑머리. 방천(方天); 방천극(方天戟) 중앙 날 양 옆에 붙여 놓은 두 개의 초승달 모양의 날[이것을 월아(月牙)라 함]을 말하는 것으로, 여기서는 이마의 양 옆 가장자리의 머리를 뜻한다.

368)거ᄉᆞ리다 : 곤두서다. 거꾸로 꼿꼿이 서다

괴 아니라, 귀주 만승(萬乘)의 존ᄒᆞ믈 가져, ᄉᆡᆼ의 여러ᄌᆡᆨ 부실이 되ᄉᆞ 궁듕의 젹막히 계시믈 위ᄒᆞ여 츌입이 빈빈ᄒᆞ나, ᄀᆞᆺᄒᆞ여 귀주을 침혹ᄒᆞᆷ도 아니오, ᄉᆞᆷ인 등을 이즘도 아니라. 신병이 나흔 후 여러 쳐쳡을 거ᄂᆞ려 ᄋᆡ중이 업ᄉᆞᆯ 거시니 옥쥬는 타일을 보소셔.”

공주 부마의 말이 소원(所願)이 아니ᄂᆞ, 다만 온화히 손ᄉᆞ(遜辭)ᄒᆞ고 쳔교만ᄐᆡ(千嬌萬態)로 쌍협의 우음을 씌여 온가지로 부마의 뜻을 마치며 은총을 낙고나[265], 부마 통흔ᄒᆞ되 화평ᄒᆞ여 은근 위곡ᄒᆞ며[266], 옥수을 잡고 무릅흘 연ᄒᆞ여, 질양(疾恙)이 이시무로 연[여]산듕졍(如山重情)을 펴지 못ᄒᆞ믈 한ᄒᆞ고, 상요(床褥)[267]의 나아갈ᄉᆡ, 공주의 편히 눕기을 쳥ᄒᆞ고, 웃옷ᄉᆞᆯ 쾌히 벗고 금금을 츄혀 덥고, 잠을 깁히 드ᄂᆞᆫ 거동이라.

공주 불갓튼 음졍을 참고져 ᄒᆞ나 어려온지라. 촉을 임의 물녀시ᄆᆡ 부마의 ᄌᆞᄂᆞᆫ 거동도 ᄌᆞ세 보지 못ᄒᆞ고, 마음이 밋칠 듯ᄒᆞ니, 경ᄃᆡ(鏡臺)의 야명쥬(夜明珠)을 ᄂᆡ여 들고 부마의 ᄌᆞᄂᆞᆫ 얼골을 ᄉᆞᆯ피니, ᄇᆡᆨ년(白蓮) 갓튼 용화의 뇽미(龍眉) 봉목(鳳目)이 그린 듯【45】ᄒᆞ며, 반월쳔졍(半月天庭)[268]과 《녹빈반쳔 ‖ 녹빈방쳔(綠鬢方天)[269]》의 두발(頭髮)이 허틀며, 깃 거ᄉᆞ린[270] 봉(鳳)이라. ᄉᆞ금(紗衾)을 가ᄉᆞᆷ가지 추여시나, 옥 갓튼 ᄉᆞᆯ이 어로쪄 비최여시니, 공주 어린다시

265)낙고다 : 낚다. (속되게) 이성(異性)을 꾀다.

266)위곡(委曲)ᄒᆞ다 : 자상(仔詳)ᄒᆞ다. 인정이 넘치고 정성이 지극하다.

267)상요(床褥) : 침상에 편 요라는 뜻으로, ‘잠자리’를 말함.

268)반월쳔졍(半月天庭) : 반달 모양의 이마. 천정(天庭)은 관상(觀相)에서 양 눈썹의 사이, 또는 이마의 복판을 이른다.

269)녹빈방쳔(綠鬢方天) : 푸른빛이 도는 귀밑머리와 이마의 양 옆 가장자리에 난 머리털을 함께 이르는 말. 녹빈(綠鬢); 푸른 빛이 도는 고운 귀밑머리. 방천(方天); 방천극(方天戟) 중앙 날 양 옆에 붙여 놓은 두 개의 초승달 모양의 날[이것을 월아(月牙)라 함]을 말하는 것으로, 여기서는 이마의 양 옆 가장자리의 머리를 뜻한다.

270)거ᄉᆞ리다 : 곤두서다. 거꾸로 꼿꼿이 서다

○○○○[벼ᄀᆡ 우ᄒᆡ ᄒᆞᆫ가지] ᄭᅮᆷ을 일우고져 ᄒᆞ니[나], 엇디 임의로 ᄒᆞ리오. 온가지로 음욕을 ᄎᆞᆷ지 못ᄒᆞ니, ᄋᆡᄃᆞᆯ은 분이 쳘골(徹骨)ᄒᆞ여, 누쉬 방방(滂滂)ᄒᆞ여 쳔만 시름을 씌여시니, 부매 ᄌᆞᄂᆞᆫ 쳬ᄒᆞ나 ᄇᆞᆰ기만 기다려 공쥬의 음일(淫佚)ᄒᆞᆫ 거동을 보디 말녀 ᄒᆞ니, 분ᄒᆞ미 경ᄀᆞᆨ(頃刻)의 ᄎᆞ 더지고져 ᄒᆞ나 ᄎᆞᆷ고 ᄌᆞᄂᆞᆫ 쳬ᄒᆞ니, 공쥬ᄂᆞᆫ 부마의 ᄭᆡ여시믈 모로고, 그 몸을 ᄌᆞ시 보고져 ᄒᆞ여 졈졈 발치【7】로 나려 ᄉᆞ금(紗衾)을 놉히 드ᄂᆞᆫ디라. 부매 공쥬의 ᄉᆞᆯ이 ᄌᆞ긔 몸을 두로 더듬어 흉참ᄒᆞᆫ 음욕을 ᄎᆞᆷ지 못ᄒᆞ믈 ᄆᆡ이 넉여, ᄌᆞᆷ간 속이고져 ᄒᆞ여 도라 눕ᄂᆞᆫ 쳬ᄒᆞ여, 기지게 혀며 두 발로 모도 굴너 ᄎᆞ 더지니, 공쥐 쳔만 몽ᄆᆡ지외(夢寐之外)[369]의 ᄎᆞ이ᄂᆞᆫ 환을 만나니, 츄풍낙엽(秋風落葉)ᄀᆞᆺ치 졈즉이[370] 먼니 ᄯᅥ러지니, 허리 부러지ᄂᆞᆫ ᄃᆞᆺ, 두 무릅히 버셔졋ᄂᆞᆫ디라. 계오 궁ᄋᆞ를 불러 쵹을 ᄇᆞᆰ히라 ᄒᆞ고, 누쉬여우(淚水如雨)ᄒᆞ여 울기를 마지 아니니, 최상궁이 그 곡졀을 모르고 블승경황(不勝驚惶)ᄒᆞ여, 부매 취침ᄒᆞ여시므로 ᄀᆞ마니 공쥬 겻ᄐᆡ 나아가 연고를 뭇거ᄂᆞᆯ, 공쥐 최상궁다려도 바로 니르기 참괴【8】ᄒᆞ여 다만 니르ᄃᆡ,

“도위 ᄉᆞ금이 버셔졋거ᄂᆞᆯ 츄혀 덥고져 ᄒᆞ여 알패 나아가ᄆᆡ, 무심결의 마이 ᄎᆞ 바리니 하마 죽을 번 ᄒᆞ여시나, 사ᄅᆞᆷ을 이리 상케 ᄒᆞ고 ᄆᆞᄋᆞᆷ이 안안ᄒᆞ여 져러틋 ᄌᆞᄂᆞᆫ 줄 이상ᄒᆞ도다.”

상궁이 더욱 놀나 위로 왈,

“쥬군이 몽듕의 아지 못ᄒᆞ고 ᄎᆞ 바린[릴] 법은 잇거니와, 엇디 짐즛 옥쥬를 ᄎᆞ 바리리잇고? 만만 무졍지ᄉᆡ(無情之事)로소이다.”

공쥐 ᄀᆞ장 분노ᄒᆞ여 그 박ᄒᆞ믈 슬허ᄒᆞ니, 최상궁이 ᄌᆡ삼 위로ᄒᆞ며 븟드러 상요의 누이ᄂᆞᆫ디라. 도위 심듕의 우이 넉이나, 공쥬를 임의 알풀만치 속여시니, ᄌᆞ긔 본심이 아닌

369)몽ᄆᆡ지외(夢寐之外) : 꿈속에서 조차도 생각지 못했을 만큼 갑작스럽게.

370)졈즉이 : 겸연쩍게. 멋쩍게. 어색하게

드리미러 보다가, 경각의 벼ᄀᆡ 우ᄒᆡ ᄒᆞᆫ가지 ᄭᅮᆷ을 일우고져 ᄒᆞ나, 엇지 임의로 ᄒᆞ리오. 음욕을 겨유 ᄎᆞᆷ고 누쉬 방방(滂滂)ᄒᆞ니 부마 거즛 ᄌᆞᄂᆞᆫ 쳬ᄒᆞ고 누엇더니, 공쥐 그 몸○[을] ᄎᆡ 보고져 ᄒᆞ여 졈졈 발치로 나려와, 상금(床衾)을 놉히 들고 두로 더듬어 흉ᄎᆞᆷᄒᆞᆫ 음욕이 측냥 업ᄉᆞ니, 부마 ᄌᆞᆷ간 속이고져 ᄒᆞ여 도라 눕는 쳬ᄒᆞ고, 기지게 혀며 두발노 모도 굴너 ᄎᆞ더지니, 공쥐 쳔만 무심듕 ᄎᆞ이ᄂᆞᆫ 환을 만나니, 츄풍낙엽(秋風落葉) 갓치 소소쳐 올나 멀니 벽의 부듸쳐 나려지니, 허리가 붓고[271] 무릅히 버셔져 피날 ᄲᅮᆫ 아니라, 왼몸이 바아지ᄂᆞᆫ 듯 압프니, 오ᄅᆡ 소ᄅᆡ도 못ᄒᆞ고 날호여 알ᄂᆞᆫ 소ᄅᆡ로 궁아을 불너 촉을 밝히라 ᄒᆞ고, 누쉬여우(淚水如雨)ᄒᆞ여 울기을 마지 아니니, 최녀 그 곡졀을 모르고 불승경ᄒᆡ(不勝驚駭)ᄒᆞ여, 부마 취침ᄒᆞ엿시므로 가마니 공주 겻ᄒᆡ 나아가 연고을 뭇거ᄂᆞᆯ, 공쥐 참괴ᄒᆞ여 다만 닐오ᄃᆡ,

“도위 ᄉᆞ금(紗衾)이 버셔졋거ᄂᆞᆯ 추혀 덥고져 ᄒᆞ여 압ᄒᆡ 나아가ᄆᆡ, 무심결의 마이 ᄎᆞ바리니 ᄒᆞ마 죽을 번 ᄒᆞ엿시나, ᄉᆞᄅᆞᆷ을 이ᄃᆡ도록 상케 ᄒᆞ고 마음이 안안ᄒᆞ여 져러틋 ᄌᆞᄂᆞᆫ 줄이 이상토다.”

최녀 더욱 놀나 위로 왈,

“주군이 몽즁의 아지 못ᄒᆞ고 ᄎᆞ바린[릴] 법은 잇거니와 엇지 짐짓 옥주을 ᄎᆞ바릴 ᄯᅳᆺ이 이시리오. 만만 무졍지ᄉᆡ(無情之事)로소이다.”

공쥐 가장【46】 분노ᄒᆞ여 구박ᄒᆞ물 슬허ᄒᆞ니, 최네 ᄌᆡ숨 위로터라. 부ᄆᆡ 심즁의 우이 녁여 공주을 임의 알픈만치 속여시니 ᄌᆞ긔 본심이 아닌 줄 뵈고져 ᄒᆞ여, 다시 기지게 혀고 두발을 모도 굴너 헛 것ᄉᆞᆯ ᄎᆞᄂᆞᆫ

271)붓다 : 붓다. 살가죽이나 어떤 기관이 부풀어 오르다.

줄 뵈고져 ᄒᆞ여 다시 기지개 혀고 두 발을 【9】 모도 굴너 헷거ᄉᆞᆯ371) ᄎᆞᄂᆞᆫ 체ᄒᆞ다가, 눈을 ᄡᅴ 촉홰 ᄇᆞᆰ아시믈 보고, 공쥬를 향ᄒᆞ여 ᄀᆞᆯ오ᄃᆡ,

"귀쥬ᄂᆞᆫ 임의 상상의 나아가 계시거ᄂᆞᆯ, 여등이 엇지 모다시며, 므ᄉᆞᆷ 연고로 촉을 다시 ᄇᆞᆰ혓ᄂᆞ뇨?"

공쥐 ᄌᆞᄀᆡ를 업슈히 넉여 이러ᄐᆞᆺ ᄎᆞ 바린가, 노홉고 분ᄒᆞ여, 눈물을 흘려 왈,

"쳡이 군ᄌᆞ의 ᄉᆞ금을 덥고져 ᄒᆞ여 나아갓더니, ᄉᆡᆼ각 밧 ᄎᆞ이ᄂᆞᆫ 환을 만나 몸이 상ᄒᆞ니, 알프믄 니르도 말고 놀납기를 니긔지 못ᄒᆞᄂᆞ니, 아디 못거이다 쳡을 므ᄉᆞᆷ 연고로 그ᄃᆡ도록 ᄎᆞ 바리시니잇고?"

부매 거즛 놀나ᄂᆞᆫ ᄉᆞᄉᆡᆨ으로 번연이 벼개를 《빌치고 ‖ 밀치고》 《웅금이와 ‖ 웅금이좌(-衾而坐)372)ᄒᆞ여 ᄀᆞᆯ오ᄃᆡ,

"귀쥐 짐즛 ᄉᆡᆼ을 희롱【10】ᄒᆞ여 허언을 ᄒᆞ시미냐? 진실노 ᄉᆡᆼ이 귀쥬를 ᄎᆞ 바리미니잇가?"

공쥐 변ᄉᆡᆨ 왈,

"쳡이 비록 단정치 못ᄒᆞ나 군ᄌᆞ와 희롱코져 허연을 ᄒᆞ리잇가? 군ᄌᆡ ᄎᆞ지 아냐시면 쳡이 엇디 공연이 몸이 벽샹의 브드져 ᄒᆞ마 죽을 번 ᄒᆞ여시리잇가?"

도위 ᄯᅩ한 뎡ᄉᆡᆨ 왈,

"ᄉᆡᆼ이 본ᄃᆡ 소ᄒᆞᆨ(所學)이 비박(鄙薄)ᄒᆞ고 식견이 쳔단(淺短)ᄒᆞ나, 평ᄉᆡᆼ의 부뷔 존경ᄒᆞ여 시쇽의 탕음탕ᄌᆞ(蕩淫蕩子) 안ᄒᆡ를 슈히라 ᄒᆞ여 무례히 ᄃᆡ졉ᄒᆞ믈 본밧디 말고져 ᄒᆞᄂᆞᆫ 고로, 귀쥬를 니르지 말고 다른 쳐쳡이라도 부박히 희로(喜怒)를 요동ᄒᆞᄂᆞᆫ 일이 업ᄉᆞ니, 엇디 귀쥬를 ᄎᆞ 바릴 니 이시리잇고?【11】 ᄉᆡᆼ이 혹 ᄌᆞᆷ결의 니불이 버셔져시나 귀쥐 발치로셔 치그어373) 덥흐실 니 업ᄉᆞ니 만히 허언을 ᄒᆞ시ᄂᆞᆫ도다."

공쥐 부마의 허무히 넉이는 긔ᄉᆡᆨ을 보고,

---

371)헷거ᄉᆞᆯ : 헛것을.

372)웅금이좌(-衾而坐) : 이불을 끌어안고 앉음. 웅: '웅키다'의 머리글자. 웅키다: 움키다

373)치그으다 : 치-끌다. 위로 끌다. 끌어올리다.

체ᄒᆞ다가, 눈을 ᄲᅥ 촉화 밝아시믈 보고, 공주을 향ᄒᆞ여 왈,

"귀주ᄂᆞᆫ 임의 상상의 나아가 계시거ᄂᆞᆯ, 여등이 엇지 모다시며 무ᄉᆞᆫ 연고로 촉을 다시 밝혀ᄂᆞᆫ뇨?"

공쥐 ᄌᆞᄀᆡ을 업수이 녁여 {이}이러ᄐᆞᆺ ᄎᆞ 바린가 노홉고 분ᄒᆞ여 눈물을 흘녀 왈,

"쳡이 상공의 ᄉᆞ금을 덥고져 ᄒᆞ여 나아갓더니, ᄉᆡᆼ각 밧 ᄎᆞ이ᄂᆞᆫ 환을 만나 몸이 상ᄒᆞ니, 알프믄 이로도 말고 놀납기을 이긔지 못ᄒᆞ나니, 아지 못게라 쳡을 무ᄉᆞᆷ 연고로 그ᄃᆡ도록 ᄎᆞ바리시니잇고?"

부ᄆᆡ 거짓 놀나ᄂᆞᆫ ᄉᆞᄉᆡᆨ으로 이러나 근이좌(近而坐)ᄒᆞ여 왈,

"귀쥐 짐즛 ᄉᆡᆼ을 희롱ᄒᆞ야 허언을 ᄒᆞ시미냐? 진실노 ᄉᆡᆼ이 귀주을 ᄎᆞ바리미니잇가?"

공쥐 변ᄉᆡᆨ 왈,

"쳡이 비록 단정치 못ᄒᆞ나 군ᄌᆞ와 희롱코져 허언을 ᄒᆞ리잇가? 군ᄌᆡ ᄎᆞ바리지 아냐시면 쳡이 엇지 공연이 벽상의 부ᄃᆡ져 ᄒᆞ마 죽을 번 ᄒᆞ엿시리잇가?"

ᄌᆞᆷ결의 모로고 ᄎᆞ 바린가 ᄒᆞ여 도로혀 공교ᄒᆞᆫ 우음을 ᄯᅴ여 ᄀᆞᆯ오ᄃᆡ,

"쳡이 군ᄌᆞᄀᆡ ᄎᆞ이디 아냐시면 상ᄒᆞᆯ 니업ᄉᆞᆯ 거시오, 삼경반야(三更半夜)의 ᄌᆞ던 궁녀를 ᄭᆡ와 촉을 ᄇᆞᆰ히고 요란이 굴 니 업ᄉᆞ니, 군ᄌᆡ 엇디 쳡으로ᄡᅧ 허언을 ᄒᆞ는가 ᄒᆞ시ᄂᆞ니잇고?"

부매 침음(沈吟) 냥구(良久)의 미미(微微) 쇼왈,

"귀쥐 아모리 ᄉᆡᆼ의게 ᄎᆞ이엿노라 ᄒᆞ시나, 귀쥬를 거운[374] 일이 업ᄉᆞ니 몽듕의도 ᄉᆡᆼ각 밧기라. 귀쥐 허언을 아니키로 ᄎᆡ오면 ᄉᆡᆼ【12】이 ᄎᆞ실 ᄃᆞᆺᄒᆞᄃᆡ, 망연이 아디 못ᄒᆞ니 괴이ᄒᆞ거니와, 원간 ᄉᆡᆼ이 ᄌᆞᆷ을 ᄀᆞ마니 ᄌᆞ디 못ᄒᆞ여 ᄇᆞᆯ 노릇ᄉᆞᆯ 심히 ᄒᆞ니, 혹ᄌᆞ 귀쥐 ᄇᆞᆯ치의 니르시면 ᄎᆞ일 법도 이시ᄃᆡ, 잠 쇽의 므ᄉᆞᆷ 힘으로 상ᄒᆞ도록 ᄎᆞ시리오."

공쥐 부마의 만만 무졍지ᄉᆡ(無情之事)믈 알고, 노ᄉᆡᆨ을 낫초아 상ᄒᆞᆫ 곳을 알흘 ᄲᅮᆫ이니, 도위 ᄀᆞ장 우이 넉이나 ᄉᆞᄉᆡᆨ지 아니ᄒᆞ고, 은근ᄒᆞᆫ 말노 듕상ᄒᆞ믈 념녀ᄒᆞ고, 년침집슈(連枕執手)ᄒᆞ여 ᄋᆡ경(愛敬)ᄒᆞᄂᆞᆫ 졍이 디극ᄒᆞᆷ ᄀᆞᆺᄐᆞ니, 공쥐 비록 춍명ᄒᆞ나 그 심천(深淺)을 엿보지 못ᄒᆞ더라.

도위 나올ᄉᆡ, 공쥬를 도라보아 병을 념녀ᄒᆞ며 권권ᄒᆞᆫ 듕졍을 머므리니, 최녜 ᄉᆡ도록 긔ᄉᆡᆨ을 ᄉᆞᆯ【13】펴 공쥬의 ᄎᆞ이믈 의심ᄒᆞ고, 위곡(委曲)ᄒᆞᆫ ᄉᆞᄉᆡᆨ은 쇼년 부부의 디극ᄒᆞᆫ 형상을 다ᄒᆞ나, 공쥬의 비홍(臂紅)이 완연ᄒᆞ니, 그 ᄆᆞ음을 난측이라. 공쥬 상 아ᄅᆡ 나아가, 탄식 왈,

"아모리 ᄉᆡᆼ각ᄒᆞ여도 쥬군의 ᄒᆡᆼ지를 탁냥키 어려오니, 쳡이 옥쥬를 위ᄒᆞ여 졀박ᄒᆞᆫ 근심이 슉식의 블평ᄒᆞ니, 작야의 도위 옥쥬를 그러ᄐᆞᆺ ᄆᆡ이 ᄎᆞ 바리시고 쳔연이 모로ᄂᆞᆫ 쳬ᄒᆞ시니, 진실노 무졍지ᄉᆡ면 모로거니와, 작심이란 거시 오ᄅᆡ지 못ᄒᆞᄃᆡ 쥬군은 셩혼 뉵칠삭의 흔연ᄒᆞᆫ 빗출 닐위시믈 보니, 박(薄)디 아니신 ᄃᆞᆺᄒᆞ오나, 합근지녜(合巹之禮)를 디금 닐위지 아니시니, 엇디 괴이치

374)거우다 : 집적거려 성나게 하다. ⇒ 거으다.

부ᄆᆡ 미미(微微)히 소왈,

"귀쥐 아모리 ᄉᆡᆼ의게 ᄎᆞ이엿노라 ᄒᆞ시나, 귀주을 거은[272] 일이 업ᄉᆞ니 몽듕의도 ᄉᆡᆼ각 밧긔라. 귀주 허언을 아니키로 치오면 ᄉᆡᆼ이 찻슬 듯ᄒᆞᄃᆡ, 망연이 아지 못ᄒᆞ니 고이커니와, 원간 ᄉᆡᆼ이 잠을 가마니 ᄌᆞ지 못ᄒᆞ여 발노릇슬 심히ᄒᆞ니, 혹ᄌᆞ 귀주발치예 이르시면 ᄎᆞ힐 법도 이시ᄃᆡ, 잠 속의 무숨 힘으로 상ᄒᆞ도록 찻시리오."

공쥐 부마의 만만 무졍지ᄉᆡ(無情之事)물 【47】 알고, 노ᄉᆡᆨ을 감초아 상ᄒᆞᆫ 곳을 알흘 ᄲᅮᆫ이니, 도위 가장 우이 역이나 ᄉᆞᄉᆡᆨ지 아니고 은근ᄒᆞᆫ 말노 위로ᄒᆞ고, 연침집수(連枕執手)ᄒᆞ여 ᄋᆡ경(愛敬)ᄒᆞᄂᆞᆫ 졍이 지극함 갓트니, 공주 비록 ○○[총명]ᄒᆞ나, 그 심쳔(深淺)을 엿보지 못ᄒᆞ더라.

도위 나올ᄉᆡ, 공주을 도라보아 병을 념녀ᄒᆞ여 권권ᄒᆞᆫ 듕졍을 머물으니, 최녀 흉인이 ᄉᆡ도록 긔ᄉᆡᆨ을 술피며 공주의 ᄎᆞ이물 의심ᄒᆞ고, 위곡(委曲)ᄒᆞᆫ ᄉᆞᄉᆡᆨ은 소년 부부의 지극ᄒᆞᆫ 형상을 다ᄒᆞᄂᆞ, 공주의 비홍(臂紅)이 완연ᄒᆞ니 그 마음을 측냥치 못ᄒᆞ여 공주의 상 알ᄑᆡ 나아가 탄식 왈,

"아모리 ᄉᆡᆨ[ᄉᆡᆼ]각ᄒᆞ여도 주군의 ᄒᆡᆼ지을 탁냥키 어려오니, 쳡이 옥주을 향ᄒᆞ여 박졀ᄒᆞᆫ 근심이 숙식의 불평ᄒᆞ나, 작야의 도위 옥주을 향ᄒᆞ여 그럿틋 ᄆᆡ이 ᄎᆞ바리시고 쳔연이 모로ᄂᆞᆫ 쳬ᄒᆞ시니, 진실노 무졍지ᄉᆡ면 모로거니와, 작심이란 거시 오ᄅᆡ 잇지 못ᄒᆞᄃᆡ, 주군은 셩혼 뉵칠삭의 흔연ᄒᆞᆫ 빗출 일위시믈 보니, 박(薄)지 아니신 듯ᄒᆞ오나, 합근지녜(合巹之禮)을 지금 일위지 아니시니

272)거으다 : 집적거려 성나게 하다. ⇒ 거우다.

아니리오. 도위와 금【14】평후 부뷔 윤·양·니 삼인을 숙녀 쳘부로 밀위여 언언이 칭찬흠 곳 드르면, 쳡이 분분통ᄒᆡ(忿憤痛駭)ᄒᆞ믈 니긔지 못ᄒᆞᄂᆞ니, 만금을 허비ᄒᆞ나 윤·양·니를 업시ᄒᆞ면 므ᄉᆞᆷ 한이 이시리오."

공쥐 누쉬 방방ᄒᆞ여 왈,

"비록 ᄎᆞᆷ고 견ᄃᆡ기를 위쥬ᄒᆞ나, 뎡군의 박ᄒᆞ미 ᄉᆞ졍을 펼 길히 업고, 존당 구고며 일가 친쳑의 입 ᄀᆞ온ᄃᆡ 가득이 일ᄏᆞᆺᄂᆞᆫ 바ᄂᆞᆫ 윤·양·니 등이오, 그 소ᄉᆡᆼ ᄌᆞ녀의 긔이ᄒᆞ미 나날 더ᄒᆞ여 옥슈경화(玉樹瓊花) ᄀᆞᆺ고, 니시 산월이 불원ᄒᆞ니 남녀 간 골육(骨肉)이 나, 부마의 듕경을 낫고리니, 문양궁 ᄌᆡ산을 다 기우려도 삼인을 죽이면【15】 흉금(胸襟)이 싀훤ᄒᆞᆯ가 ᄒᆞ노라."

최녜 눈섭을 삥긔고 침음 냥구의 고왈,

"쳡의 오라비 군문의 츌입ᄒᆞ여 안면이 너르고, 용ᄉᆞ ᄌᆞᄀᆡᆨ 부치를 ᄉᆞ괴던 거시니, 금일이라도 쳥ᄒᆞ여 윤·양·니를 ᄒᆡᄒᆞᆯ 사ᄅᆞᆷ을 어들가 므러보ᄉᆞ이다."

공쥐 그러ᄒᆞ라. ᄌᆡ삼 당부ᄒᆞ니 최시 즉시 오라비 호문댱(護門將) 최형을 쳥ᄒᆞ여 ᄀᆞ마니 계교를 니르고,

"문양옥쥬를 쇼ᄆᆡ 길너ᄂᆡᆫ 바로 존비 현격ᄒᆞ나, 졍원즉 모녀의 감치 아닌지라. 만승지녀(萬乘之女)의 혁혁ᄒᆞᆫ 부귀로ᄡᅧ, 병부의 여럿ᄌᆡ 부실이 되여 샹명이 비록 부마의 원위를 웅거ᄒᆞ게 ᄒᆞ여 계시나, ᄆᆡ【16】양 후의 드러온 셔의(齟齬)ᄒᆞ미 계시고, 듕경을 윤·양·니긔 도라져시니, 옥쥐 괴롭고 통한ᄒᆞ믈 니긔지 못ᄒᆞ시ᄂᆞᆫ디라, 거거는 안면이 너르고 용ᄉᆞ협ᄀᆡᆨ(勇士俠客)을 만히 ᄉᆞ괴여, 일을 족히 도모ᄒᆞ염즉 ᄒᆞ니, 삼부인을 다 별원(別園)이란 곳의 머므러시나, 밧긔 뎡시랑 형뎨 돌녀 가며 ᄃᆡᆨ힐 ᄲᅮᆫ이오, 안히 시녀ᄇᆡ 뫼셧다 ᄒᆞ니, 햐슈(下手)ᄒᆞ기 어렵디 아닐디라. ᄒᆞᆫ낫 ᄌᆞᄀᆡᆨ을 어더 주면, 만금으로ᄡᅧ 네폐(禮幣)를 삼을 거시니 거거ᄂᆞᆫ 착실히 듯보쇼셔".

엇지 괴이치 아니리오. 도위와 금평후 부부 윤·양·니 ᄉᆞᆷ인을 숙녀쳘부로 미뤄여 언언이 칭찬흠 곳 드르면, 비ᄌᆡ 분분통ᄒᆡᄒᆞ믈 이긔지 못ᄒᆞᄂᆞ니, 만금을 허비ᄒᆞ나 윤·양·니을 업시ᄒᆞ면 무ᄉᆞᆷ ᄒᆞᆫ이 잇시리오."

공주 누수방방ᄒᆞ여 왈,

"비록 ᄎᆞᆷ고 견ᄃᆡ기을 위주ᄒᆞ나, 뎡군의 박ᄒᆞ미 ᄉᆞ졍을 펼 길이 업고, 존당구괴며 일가 친쳑의 입 가온ᄃᆡ 가득이 일캇ᄂᆞᆫ 바ᄂᆞᆫ 윤·양·니 등이오, 그【48】 소ᄉᆡᆼ ᄌᆞ녀의 긔이ᄒᆞ믄 나날이 더ᄒᆞ여, 옥수경지(玉樹瓊枝) 갓트니, 니시 산월이 불원ᄒᆞ니 남녀 간 골육(骨肉)이 나ᄆᆡ 부마의 듕경을 낙고리니, 문양궁 ᄌᆡ산을 다 기우려 업시 ᄒᆞᄂᆞᆫ 지경이라도, ᄉᆞᆷ인을 죽이면 흉금(胸襟)이 싀원ᄒᆞᆯ가 ᄒᆞ노라."

최녜 침음 양구의 왈,

"쳡의 오ᄅᆡ비 군문의 츌입ᄒᆞ여 안면이 너르고 용ᄉᆞ 자ᄀᆡᆨ 부치을 ᄉᆞ괴든 거시니, 금일이라도 쳥ᄒᆞ여 윤·양·니을 ᄒᆡᄒᆞᆯ ᄌᆞ을 어들가 무러보ᄉᆞ이다."

공쥐 '그리ᄒᆞ라' ᄌᆡᄉᆞᆷ 당부ᄒᆞ니, 최녜 즉시 오ᄅᆡ비 호문장(護門將) 최형을 쳥ᄒᆞ여 가마니 계교을 일너 왈,

"문양을 소ᄆᆡ 길너ᄂᆡᆫ 바로 비록 존비 현격ᄒᆞ나, 졍(情)인작 모녀의 감치 아닌지라. 만승지녀(萬乘之女)로 뎡병부의 여러ᄌᆡ 부실이 되어, 상명이 비록 부마의 원비를 누리게 ᄒᆞ여 계시나, 공주 넷ᄌᆞ[273] 부실노 드러온 셔의(齟齬)ᄒᆞ미 계시고, 듕경인 즉 ᄉᆞᆷ부인긔 도라졋스니, 옥쥐 괴롭고 불열ᄒᆞ여 ᄒᆞ시ᄂᆞᆫ지라. 거거의 안면이 너르고 용ᄉᆞ협ᄀᆡᆨ(勇士俠客)을 만히 ᄉᆞ괴여, 《일작‖일을》 족히 도모ᄒᆞ염작 ᄒᆞ니, ᄉᆞᆷ부인을 다 별원이란 곳의 머무러시나, 밧긔 뎡시랑 형뎨 돌녀가며 직힐 ᄲᅮᆫ이오, 안의 시녀ᄇᆡ 뫼셧다 ᄒᆞ니, 하수(下手)ᄒᆞ기 어렵지 아닐지라. ᄒᆞᆫ낫 ᄌᆞᄀᆡᆨ을 어더주면 만금으로ᄡᅧ 네폐(禮幣)을 ᄉᆞᆷ으리니, 셩공ᄒᆞ면 여러 길노ᄡᅧ 쳔거ᄒᆞ여 벼ᄉᆞᆯ을 시기리니, 거거ᄂᆞᆫ 축실이

273)넷ᄌᆞ : 넷째.

최형이 본ᄃᆡ 질독쳠ᄉᆞ(疾毒諂邪)[375]ᄒᆞ여 요악(妖惡)ᄒᆞ미 졔 누의와 ᄀᆞᆺ고, 궁듕의 빈빈 왕ᄂᆡᄒᆞ여 금은을 욕심ᄃᆡ로 어더 쓰ᄂᆞᆫ 【17】 고로, 범ᄉᆞ를 공쥬의 명인즉 위월치 아닛ᄂᆞᆫ지라. 흔연 응낙 왈,

“현ᄆᆡ의 니르미 아니라도, 우형이 힘을 다ᄒᆞ여 옥쥬를 위ᄒᆞᆫ 졍셩《이∥으로》 죵신토록 귀궁의 왕ᄂᆡᄒᆞ여, 옥쥬의 명녕을 쥰힝ᄒᆞ리니, ᄒᆞᆫᄂᆞᆺ ᄌᆞ긱 어드미 므어시 어려오리오. ᄉᆞ오일 후의 용ᄉᆞ를 다리고 올 거시니 이 ᄯᅳᆺ을 옥쥬긔 쥬(奏)ᄒᆞ라.”

상궁이 대열(大悅)ᄒᆞ여, 날이 ᄂᆞᄌᆞᄆᆡ 최형이 도라가니, 최네 흉심이 공쥬의 우히니, 이 ᄯᅩᄒᆞᆫ 삼부인의 ᄋᆡᆨ회(厄會) 괴이ᄒᆞ여 공쥬의 과악을 도을 별물이 삼겻더라.

최형이 ᄌᆞ긱을 광구ᄒᆞ니, 영쳔인 댱후길[걸]이 효용(驍勇)이 졀뉸(絶潤)[376]ᄒᆞ여, 몸을 공【18】듕의 ᄀᆞᆷ초와 칼흘 쓰ᄂᆞᆫ 법이 소향무뎍(所向無敵)[377]이라. 최형이 즉시 다리고 문양궁의 와 최상궁다려 후걸의 ᄌᆡ죄 비상ᄒᆞ믈 니르니, 최네 대희ᄒᆞ여 공쥬긔 고ᄒᆞ고, 몬져 황금 일졍(一錠)을 주어 쥬ᄎᆡ(酒債)[378]를 ᄒᆞ라 ᄒᆞ고, 셩공 후 부귀를 무궁히 누리리라 ᄒᆞ여, 별원의 나아가 삼인을 죽이ᄃᆡ, 일시의 다 맛ᄎᆞ, 시신을 아조 츼워 여ᄎᆞ지ᄉᆞ(如此之事)를 영영 타인이 모로게 십분 조심ᄒᆞ라 당부ᄒᆞ니, 후걸이 크게 깃거, 졔 지조를 밋고 언언(言言)이 응낙ᄒᆞ고 별원 근쳐의 가 드러갈 길흘 일일히 혜아리고, 최상궁과 날을 맛초아 슈일 후, 후걸이 비슈를 씌고 별원으로 나아가니라. 【19】

어시의 윤·양·니 삼부인이 별원의 올만지 칠삭이 거의라. 셔로 그림ᄌᆞ를 조ᄎᆞ 뎍인 두 ᄌᆞ를 닛고 좌와(坐臥)의 ᄯᅥ나디 아니

375)질독쳠ᄉᆞ(疾毒諂邪) : 마음이 몹시 사납고 독하며 아첨을 잘하고 사악함.
376)졀뉸(絶潤) : 이를 데 없이 뛰어남.
377)소향무뎍(所向無敵) : 어디를 가든지 대적할 만한 사람이 없음.
378)쥬ᄎᆡ(酒債) : 주채(酒債). 술값. 술값으로 진 빚.

듯보소셔.”

최형이 본ᄃᆡ 질독협ᄉᆞ(疾毒挾詐)[274]ᄒᆞ여 요악ᄒᆞ미 졔 누의와 갓고, 궁듕의 빈빈 왕ᄂᆡ ᄒᆞ여 금은을 욕심ᄃᆡ로 어더 쓰ᄂᆞᆫ 고로, 범ᄉᆞ을 공주의 명인 즉 【49】 위월ᄒᆞ미 업ᄂᆞᆫ지라. 흔연 응낙 왈,

“현ᄆᆡ의 니르미 아니라도, 우형이 힘을 다ᄒᆞ여 귀주을 《위로 졍셩이∥위ᄒᆞᆫ 졍셩으로》 죵신토록 귀궁의 왕ᄂᆡᄒᆞ여, 옥주의 명녕을 쥰봉《ᄒᆞ니이∥ᄒᆞ리니》, ᄒᆞᆫ낫 ᄌᆞ긱 어드미 무어시 어려우리오. ᄉᆞ오일 후 용ᄉᆞ을 다리고 오리니, 이 ᄯᅳᆺ을 옥주긔 주(奏)ᄒᆞ라.”

최네 ᄃᆡ희(大喜)ᄒᆞ여 날이 느지ᄆᆡ 최형이 도라가니, 최녀 흉심이 공주의 우히니, 이 ᄯᅩᄒᆞᆫ ᄉᆞᆷ인의 ᄋᆡᆨ회(厄會) 고이ᄒᆞ여 공주의 과악을 도을 별물이 ᄉᆞᆷ겻더라.

최형이 ᄌᆞ긱을 광구ᄒᆞ니, 영쳔인 장후길이 효용이 졀뉸(絶潤)[275]ᄒᆞ여, 몸을 공즁의 감초아 칼 쓰ᄂᆞᆫ 법이 소향무젹(所向無敵)[276]이라. 최형이 즉시 다리고 문양궁의 와 최녀다려 후길의 직조 비상ᄒᆞ물 이르니, 최네 ᄃᆡ희ᄒᆞ여 공주긔 고ᄒᆞ고 몬져 황금 일졍(一錠)을 쥬어 주치(酒債)을 ᄒᆞ라 ᄒᆞ고, 셩공 후 부귀을 무궁이 누리리라 ᄒᆞ여, 별원의 나아가 ᄉᆞᆷ인을 죽이ᄃᆡ, 일시의 다 마ᄎᆞ 시신을 아조 츼워 여ᄎᆞ지ᄉᆞ(如此之事)을 영영 타인이 모로게 십분 조심ᄒᆞ라 당부ᄒᆞ니, 후길이 깃거 졔 직조을 밋고 언언(言言) 응낙ᄒᆞ고 별원으로 나아가니라.

어시의 윤·양·니 별원의 올믄지 칠삭 거의라. 셔로 그림지 조ᄎᆞ 젹이[인](敵人) 두ᄌᆞ을 잇고 좌와(坐臥)을 ᄯᅥ나지 아니며, 지극ᄒᆞᆫ 졍으로 피ᄎᆞ의 밋고 바라미 골육뎨

274)질독협ᄉᆞ(疾毒挾詐) : 마음이 몹시 사나운데다 속으로 간사한 생각을 품고 있음.
275)졀뉸(絶潤) : 이를 데 없이 뛰어남.
276)소향무뎍(所向無敵) : 어디를 가든지 대적할 만한 사람이 없음.

ᄒᆞ며, 디극ᄒᆞᆫ 졍으로 피ᄎᆞ의 ᄆᆡᆺ고 ᄇᆞ라미 골육져ᄆᆡ(骨肉姐妹) ᄀᆞᆺᄐᆞ니, 비록 뎍막ᄒᆞᆫ 별원의 고초를 탄ᄒᆞ나, 급ᄒᆞᆫ 근심과 당ᄒᆞᆫ 념녀ᄂᆞᆫ 젹으므로, 양·니 두 부인은 각별ᄒᆞᆫ 시름이 업ᄉᆞᄃᆡ, 오딕 윤부인이 친졍 화란을 븟그리고 슬허, ᄡᅣᆼ아(雙蛾)379)의 시름이 플닐 길히 업ᄂᆞᆫ디라. ᄆᆡ양 쇼고(小姑) 등의 젼졍을 근심ᄒᆞ던 바로, 믄득 상부(上府)380)로 조ᄎᆞ 양낭의 젼어를 드르ᄆᆡ, 뎡슉녈과 진쇼졔 참참ᄒᆞᆫ 죄루를 시러 후당의 슈계(囚繫)ᄒᆞ여시므로, 진부인이 상도(傷悼)ᄒᆞ여【20】 쥬야 침식이 블안타 ᄒᆞ니, 윤부인이 본부 변괴 아니 밋ᄎᆞᆫ 곳이 업술 줄 디긔ᄒᆞ던 바의, 참연(慘然) 통셕(痛惜)ᄒᆞ여 쳔 가지 비한(悲恨)과 만 가지 ᄋᆡᄃᆞᆯ오미 교집(交集)ᄒᆞ니, 촉ᄉᆞ(觸事)381)의 야얘 아니 계시므로 화란이 상ᄉᆡᆼᄒᆞ믈 ᄉᆡ로이 슬허, 화긔(和氣) 소삭(消索)ᄒᆞ고 념녜 무궁ᄒᆞᄆᆡ, 식음이 마시 업셔 옥모화풍(玉貌和風)이 슈경(瘦骾)382)ᄒᆞ니, 양·니 두 부인이 ᄯᅩᄒᆞᆫ 쇼고의 화란을 념녀ᄒᆞ나, 윤부인의 과ᄋᆡᄒᆞ믈 위로 왈,

"슉녈과 진부인의 인효(仁孝) 청혜(淸慧)ᄒᆞᆫ 셩덕이 슈복을 누릴 ᄇᆡ니, 초년 쇼쇼ᄌᆡᄋᆡᆨ(小小災厄)을 과려ᄒᆞᆯ ᄇᆡ 아니오, 각각 운쉬 블니ᄒᆞᆫ ᄯᅢ를 인ᄒᆞ여 굿기미오, 부인의 탓시 아니니, 쇼고 등의【21】 ᄋᆡᆨ화를 스ᄉᆞ로 지은 ᄃᆞ시 븟그리고 슬허ᄒᆞ시ᄂᆞ니잇가?"

윤부인이 쳑연(慽然) 하루(下淚) 왈,

"피ᄎᆞ 심담(心膽)이 상됴(相照)ᄒᆞ니, 쳡의 소회를 부인ᄂᆡ 드러 알 ᄇᆡ 아니어ᄂᆞᆯ, 이러ᄐᆞᆺ 말ᄉᆞᆷᄒᆞ시ᄂᆞ니잇가? 쳡이 블혜누질(不慧陋質)383)노, 셩문(聖門)의 의탁ᄒᆞ여 ᄒᆞᆫ 일도 사ᄅᆞᆷ을 들넘즉 ᄒᆞᆫ ᄇᆡ 업ᄉᆞᄃᆡ, 존당 구고의 혜ᄐᆡᆨ이 일신의 져져, ᄡᅢ를 바ᄋᆞ나 갑습지 못ᄒᆞᆯ ᄇᆡ어ᄂᆞᆯ, 사뎨(舍弟)로ᄡᅧ 쇼고(小姑)의

379)ᄡᅣᆼ아(雙蛾) 미인의 고운 두 눈썹.

380)상부(上府) : 부모나 시부모가 계신 집. 본부(本府). 본댁(本宅).

381)촉ᄉᆞ(觸事) : 일마다. 당하는 일마다.

382)슈경(瘦骾) : 극도로 야위어서 뼈만 앙상함.

383)블혜누질(不慧陋質) : 슬기롭지 못한 비천한 자질.

ᄆᆡ(骨肉姐妹) 갓트니, 비록 젹막ᄒᆞᆫ 별원의 고초을 한ᄒᆞ나, 급ᄒᆞᆫ 근심과 당초 념녀ᄂᆞᆫ 젹으므로, 양·니 이부인【50】은 각별ᄒᆞᆫ 근심이 업ᄉᆞᄃᆡ, 오직 윤부인이 친졍 화란을 븟그리고 슬허, 쌍아(雙蛾)277)의 시름이 풀닐 길이 업ᄂᆞᆫ지라, ᄆᆡ양 소고(小姑) 등의 젼졍을 근심ᄒᆞ던 바로, 문득 상부(上府)278)로 ᄌᆞᆺ[좃]ᄎᆞ 양낭의 젼어을 드르ᄆᆡ, 뎡숙녈과 진소져 ᄎᆞᆷ화죄수[루](慘禍罪累)을 시러 후당 옥즁의 가도여시므로, 진부인이 주야 상도(傷悼)ᄒᆞ여 침식이 불안타 ᄒᆞ니, 윤부인이 본부 변괴 아니 밋출 고지 업ᄉᆞᆫ 줄 지긔ᄒᆞ던 바의, 참연(慘然) 통셕(痛惜)ᄒᆞ여 쳔 가지 비환과 만 가지 ᄋᆡ달오미 교집(交集)ᄒᆞ니 촉시(觸時)279)의 부친이 아니 계시므로 화란이 상ᄉᆡᆼᄒᆞ믈 ᄉᆡ로이 슬허, 화긔(和氣) 소삭(消索)ᄒᆞ고 념녀 무궁ᄒᆞᄆᆡ, 식음이 마시 업셔 옥모화풍(玉貌和風)이 《수셩‖수경(瘦骾)280)》ᄒᆞ니, 양·니 등이 ᄯᅩᄒᆞᆫ 소고의 화란을 념녀ᄒᆞ{ᄒᆞ}나, 윤부인의 과ᄋᆡᄒᆞ믈 위로 왈,

"슉녈과 진부인의 인효(仁孝) 청혜(淸慧)ᄒᆞᆫ 셩덕이 수복을 누릴 ᄇᆡ니, 초년 소소지ᄋᆡᆨ(小小之厄)을 과려ᄒᆞᆯ 일이 아니오, 각각 운쉬 불니ᄒᆞᆫ ᄯᅢ을 인ᄒᆞ여 굿기미오, 부인의 타시 아니니, 소고 등의 ᄋᆡᆨ화을 스ᄉᆞ로 지은 드시 븟그리고 슬허ᄒᆞ시ᄂᆞᆫ잇고?"

부인이 쳑연(慽然) 타루(墮淚)의 ○[왈],

"피ᄎᆞ 심담(心膽)이 상조(相照)ᄒᆞ니, 쳡의 소회을 부인ᄂᆡ 드러 알 ᄇᆡ 아니여날, 이러틋 아지 못ᄒᆞ뇨? 쳡이 불혜누질(不慧陋質)281)노 셩문(聖門)의 의탁ᄒᆞ여 ᄒᆞᆫ 일도 ᄉᆞᄅᆞᆷ을 들넘 즉ᄒᆞᆫ ᄇᆡ 업ᄉᆞᄃᆡ, 존당 구고의 혜ᄐᆡᆨ이 일신의 져져, ᄡᅢ을 바ᄋᆞ나 갑습지 못ᄒᆞᆯ ᄇᆡ여ᄂᆞᆯ, ᄉᆞ뎨(舍弟)로ᄡᅧ 소고(小姑)의

277)쌍아(雙蛾) 미인의 고운 두 눈썹.

278)상부(上府) : 부모나 시부모가 계신 집. 본부(本府). 본댁(本宅).

279) 촉시(觸時) : 때마다. 일을 당할 때마다.

280)슈경(瘦骾) : 극도로 야위어서 뼈만 앙상함.

281)불혜누질(不慧陋質) : 슬기롭지 못한 비천한 자질.

ᄇᆡ우를 삼으니, 요힝 부부의 긔질이 텬뎡ᄇᆡ위(天定配偶)라. 쳡의 집이 예ᄉᆞ로울진ᄃᆡ, 쇼고의 위인을 흠복ᄒᆞ고 일신을 편토록 ᄃᆡ졉ᄒᆞᄂᆞᆫ 거시 은혜를 갑ᄂᆞᆫ 바여늘, 쇼고의 셩혼ᄒᆞᆫ 지 긔년(朞年)이 못ᄒᆞ여셔 원앙(怨怏)ᄒᆞᆫ 죄루(罪累) 【22】를 시러 누옥(陋獄)의 곤ᄒᆞ니, 디란(芝蘭) ᄀᆞᆺ튼 약질이 보젼키 어려올디라. 쇼고의 화란을 쳡이 디은 일이 아니나, 내 집으로좃ᄎᆞ 난 변괴라. 존당이 쳡의 죄를 삼지 아니시나, 하면목(何面目)으로 존하(尊下)의 뵈올 뜻이 이시며, 슉당(叔堂)이 진쇼져를 그 엇디 ᄉᆞ랑ᄒᆞ시관ᄃᆡ, 빙옥(氷玉) 신샹의 누얼(陋-)[384]을 므릅쓰고 옥니의 곤홈 곳 드러 계시면, 상회(傷懷) 과도ᄒᆞ실 ᄲᅮᆫ 아니라, 오가(吾家)를 통완 절치ᄒᆞ시리니, 쳡이 념치 안안ᄒᆞ리잇고? 여러 가지로 심긔 ᄎᆞ악ᄒᆞ니, 촉처(觸處)의 가엄(家嚴)이 아니계시기로 변난이 망극ᄒᆞ기의 밋ᄎᆞ니 더욱 통졀(痛切)ᄒᆞ이다."

양·니 이부인이 탄왈,

"부인의 회푀 엇지 그러치 아니시리잇【23】고마ᄂᆞᆫ, 블힝ᄒᆞ미 그 디경의 밋ᄎᆞᆫ 후ᄂᆞᆫ 념녀ᄒᆞ여 밋출 ᄇᆡ 아니고, 모로미 심ᄉᆞ를 상히오지 마르쇼셔."

윤부인이 홀연 상셕(床席)의 니지 못ᄒᆞ니, 양·니 이부인이 그 만월(滿月)[385]인 고로 각별 보호ᄒᆞ더니, 이날 블평ᄒᆞ믈 보고 좌우의 ᄯᅥ나지 아냐 구호홀ᄉᆡ, 홀연 윤부인이 좌비(左臂) ᄲᅧᆯ녀 오ᄅᆡ 딘뎡치 못ᄒᆞ니, 스ᄉᆞ로 심졍이 녕(靈)ᄒᆞ여 양·니 이부인을 보아 왈,

"쳡이[의] ○○[팔이] 이러ᄐᆞᆺ ᄲᅧᆯ녀 진졍치 못ᄒᆞ니 ᄆᆞᄋᆞᆷ이 놀나온디라, 의혹ᄒᆞ건ᄃᆡ 므ᄉᆞᆷ ᄋᆡᆨ회 당두ᄒᆞᆫ ᄃᆞᆺᄒᆞ이다."

두 부인이 공쥬의 현블초(賢不肖)를 몰나 그윽이 근심ᄒᆞᄂᆞᆫ 바의, 윤부인의 말을 ᄃᆞᆺ고

384)누얼(陋-) : 사실이 아닌 일로 뒤집어쓴 더러운 허물. 얼; 겉에 드러난 흠이나 허물. 탈.

385)만월(滿月) : 만삭(滿朔). 아이 낳을 달이 다 참. 또는 달이 차서 배가 몹시 부름.

ᄇᆡ우을 ᄉᆞᆷ으니, 요힝 부부의 긔질이 쳔정ᄇᆡ위(天定配偶)라. 쳡의 집이 【51】 여ᄉᆞ(例事)로울진ᄃᆡ, 소고의 위인을 흠복ᄒᆞ고 그 일신을 편토록 ᄃᆡ졉ᄒᆞᄂᆞᆫ 거시 은혜을 갑ᄂᆞᆫ ᄇᆡ여늘, 소고의 셩혼ᄒᆞ연지 긔년(朞年)이 못ᄒᆞ여셔 원왕(冤枉)ᄒᆞᆫ 죄루(罪累)을 시러 누옥의 곤ᄒᆞ니, 지란(芝蘭) 갓튼 약질이 보젼ᄒᆞ기 어려온지라. 소고의 환란을 쳡이 지은 일이 아니나, 오가로 좃ᄎᆞ 이러ᄂᆞᆫ 변괴라. 존당이 쳡의 죄을 ᄉᆞᆷ지 아니시나 하면목(何面目)으로 존ᄒᆞ(尊下)의 뵈올 뜻시 이시며, 숙당이 진소져을 그 엇지 ᄉᆞ랑ᄉᆞ시관ᄃᆡ, 빙옥(氷玉) 신상의 누얼을 무릅쓰고 옥니의 곤홈 곳 드러 계시면, 상회(傷懷) 과도ᄒᆞ실 ᄲᅮᆫ 아니라, 윤가을 통ᄒᆞᆫ절치ᄒᆞ시리니 쳡이 념녀 아니 ᄒᆞ리잇고? 여러 가지로 심긔 ᄎᆞ악ᄒᆞ니, 촉쳐(觸處)의 가엄(家嚴)이 아니 계시기로 변란이 망측ᄒᆞ기의 밋ᄎᆞ니, 더욱 통졀(痛切)ᄒᆞᄂᆞ이다."

양·니 등이 탄왈,

"부인의 회포 엇지 그럿치 아니리잇고마ᄂᆞᆫ, 불힝ᄒᆞ여 그 지경의 미ᄎᆞᆫ 후ᄂᆞᆫ 념녀ᄒᆞ여 □[미]출ᄇᆡ 아니니, 모로미 심ᄉᆞ을 상히오지 마르소셔."

윤부인이 신긔 불평ᄒᆞ여 말이 업ᄉᆞ니, 이□□[ᄶᅵ 양]·니부인이 만월(滿月)[282] 듕인 고로 각별 보호ᄒᆞ더니, 이날도 그 불평ᄒᆞ믈 보고 좌우의 ᄯᅥ나지 아냐 구호홀ᄉᆡ, 홀연 윤부인이 좌비(左臂) ᄲᅧᆯ여 오ᄅᆡ 《지경‖진경》치 못ᄒᆞ니, 스ᄉᆞ로 심정이 영(靈)ᄒᆞ여 양·니 이부인을 도라보아 왈,

"쳡의 팔이 이러틋 ᄲᅧᆯ여 능히 진정치 못ᄒᆞ니, 마음이 놀나온 듯 두리온 듯 아모란 상이 업ᄉᆞ니, 의혹건ᄃᆡ 무산 ᄋᆡᆨ회 당ᄒᆞ여오ᄂᆞᆫ가 ᄒᆞᄂᆞ이다."

양·니 이부인이 원ᄂᆡ 공주의 현불초(賢不肖)을 몰나 장ᄂᆡ을 그윽이 근심ᄒᆞᄂᆞᆫ 바의 윤부인의 말을 듯고 가장 놀나, 양부인 왈,

282)만월(滿月) : 만삭(滿朔). 아이 낳을 달이 다 참. 또는 달이 차서 배가 몹시 부름.

ᄀᆞ장 놀나, 양부인 왈,

"쳡 등이 부인을 의디ᄒᆞ여 별원의 안향(安享)ᄒᆞᆯ가 바라【24】나, 혹ᄌᆞ 쳡 등이 이 별원의도 머므디 못ᄒᆞ게 작희ᄒᆞᄂᆞᆫ가 두리오니, 므슴 일을 당ᄒᆞᆯ지 셰ᄉᆡ난측(世事難測)이라. 부인의 셩현지풍으로 쳡 등을 ᄀᆞᄅᆞ치쇼셔"

니쇼제 ᄡᅣᆼ미를 ᄧᅵᆼ기여 이윽이 ᄉᆞ량(思量)ᄒᆞ다가 왈,

"쳡이 역시 알픈 ᄀᆞ온ᄃᆡ 경심(驚心)ᄒᆞ여 딘뎡키 어려오니, 뎡히 괴이ᄒᆞ믈 니긔지 못ᄒᆞᄂᆞ니 부인은 방비ᄒᆞ쇼셔."

부인이 즉시 쥬역(周易)의 묘ᄒᆞᆫ 곳을 인ᄒᆞ여 ᄒᆞᆫ 과(卦)[386]를 어드니, ᄌᆞ긔 등의 ᄋᆡᆨ회 ᄀᆞ장 급ᄒᆞ여 방비ᄒᆞ미 업ᄉᆞᆯ던ᄃᆡ, 참화를 만나기 쉬온디라. 윤부인이 본ᄃᆡ 통치 못ᄒᆞᆯ ᄌᆡ죄 업ᄉᆞ니, 녀공지ᄉᆞ(女工之事)와 문댱ᄌᆡ화(文章才華)ᄂᆞᆫ 니르도 말고, 의슐(醫術) 방셔(方書)[387]와 졈니(占理)[388] 상법(相法) 길흉(吉凶)을 알오미 신명(神明)ᄒᆞᆫ디라. 단엄(端嚴) 침【25】뎡(沈靜)ᄒᆞ여 ᄌᆡ조를 나타ᄂᆡ미 업더니, 이날 의심이 동ᄒᆞ여 졈ᄉᆞ(占辭)로 ᄋᆡᆨ화를 ᄡᆡᄃᆞ르니, 비록 방비ᄒᆞ여 면ᄒᆞ나 ᄌᆞ긔 등의 대ᄋᆡᆨ이 업디 아니니, 심니(心裏)의 《초연∥추연(惆然)》 블낙(不樂)ᄒᆞ여 침ᄉᆞ(沈思) 냥구(良久)의, 쥬영과 현ᄋᆡᆼ 등을 명ᄒᆞ여 ᄌᆞ긔 침뎐(寢殿) 밧 사ᄅᆞᆷ이 왕ᄂᆡᄒᆞᄂᆞᆫ 곳으로 깁히 파일ᄉᆡ, 쥬영 등이 비록 녀ᄌᆡ나 용녁이 유여ᄒᆞ여 잠간 ᄉᆞ이 디게[389] 밧글 두어 길이나 되게 팟ᄂᆞᆫ디라. 부

386)과(卦) : 괘(卦). 중국 고대(古代)의 복희씨(伏羲氏)가 지었다는 글자. ≪주역≫의 골자가 되는 것으로, 한 괘에 각각 삼 효(爻)가 있고, 효를 음양(陰陽)으로 나누어서 팔괘(八卦)가 되고 팔괘가 거듭하여 육십사괘(六十四卦)가 된다.

387)방셔(方書) : ①신선의 술법인 방술(方術)을 적은 글이나 책. ②약방문을 적은 책.

388)졈니(占理) : 점술(占術). 특수한 자연 현상이나 인간 현상을 관찰하여 미래의 일이나 운명을 판단하고 예언하며, 감추어진 초자연적인 세력의 의사를 알려는 방술(方術). 소극적이고 수동적인 점이 주술과 다르다

389)디게 : 지제. 지게문. 옛날식 가옥에서, 마루와 방 사이의 문이나 부엌의 바깥문. 흔히 돌쩌귀를

"쳡 등이 부인【52】을 의지ᄒᆞ여 별원의 일ᄉᆡᆼ을 고요이 지ᄂᆡ기을 바라나, 혹ᄌᆞ 쳡등을 이심이 믜워ᄒᆞᄂᆞᆫ ○[이] 잇셔, 별쳐의도 머무지 못ᄒᆞ게 작희ᄒᆞᄂᆞᆫ가 두리오니, 부인이 좌비 이 갓치 쩔니고 스ᄉᆞ로 의심된 일이 잇거든 방비ᄒᆞ소셔."

니소져 쌍미을 찡긔고 이윽히 ᄉᆞ량(思量)ᄒᆞ다가 왈,

"쳡이 역시 압픈 듕 놀나와 진졍키 어려오니 뎡히 고이ᄒᆞ믈 이긔지 못ᄒᆞ여 ᄒᆞᄂᆞ니 부인은 방비지계을 ᄉᆡᆼ각ᄒᆞ소셔."

윤부인이 즉시 협실의 드러가 주역(周易)의 묘ᄒᆞᆫ 곳을 인ᄒᆞ여 ᄒᆞᆫ 괘(卦)[283]을 어드니, ᄌᆞ긔 등 ᄋᆡᆨ회 가장 급ᄒᆞ여 방비ᄒᆞ미 업ᄉᆞᆯ진ᄃᆡ 참화을 만나기 쉬은지라. 부인이 본ᄃᆡ 통치 못ᄒᆞᆯ ᄌᆡ죄 만ᄒᆞ여, 녀공지ᄉᆞ(女工之事)와 문장ᄌᆡ화(文章才華)는 니르도 말고, 의슐(醫術) 방셔(方書)[284]와 졈슐(占術)[285] 상법(相法) 길흉(吉凶)을 알오미 가장 발근지라. 단엄(端嚴) 침졍(沈靜)ᄒᆞ여 ᄌᆡ조을 나타ᄂᆡ미 업더니, 이날 의심이 동ᄒᆞ여 졈ᄉᆞ(占辭)로 ᄋᆡᆨ화을 ᄡᆡ다르니, 방비ᄒᆞ여 면ᄒᆞ나 ᄌᆞ긔 등의 ᄃᆡᄋᆡᆨ이 업지 아니니, 심니의 츄연(惆然) 불낙(不樂)ᄒᆞ여 침ᄉᆞ(沈思) 냥구(良久)의, 주영과 현ᄋᆡᆼ 등을 불너 ᄌᆞ긔 침젼(寢殿) 밧 ᄉᆞᄅᆞᆷ이 왕ᄂᆡ ᄒᆞ는 곳을 조ᄎᆞ 깁히 팔ᄉᆡ, 주영 등이 비록 녀ᄌᆡ나 용녁이 유여ᄒᆞ여 잠간 ᄉᆞ이 지게[286] 밧글 둘너 길이

283)괘(卦) : 중국 고대(古代)의 복희씨(伏羲氏)가 지었다는 글자. ≪주역≫의 골자가 되는 것으로, 한 괘에 각각 삼 효(爻)가 있고, 효를 음양(陰陽)으로 나누어서 팔괘(八卦)가 되고 팔괘가 거듭하여 육십사괘(六十四卦)가 된다.

284)방셔(方書) : ①신선의 술법인 방술(方術)을 적은 글이나 책. ②약방문을 적은 책.

285)졈슐(占術) : 특수한 자연 현상이나 인간 현상을 관찰하여 미래의 일이나 운명을 판단하고 예언하며, 감추어진 초자연적인 세력의 의사를 알려는 방술(方術). 소극적이고 수동적인 점이 주술과 다르다

286)지게 : 지게문. 옛날식 가옥에서, 마루와 방 사이의 문이나 부엌의 바깥문. 흔히 돌쩌귀를 달아 여닫는 문으로 안팎을 두꺼운 종이로 싸서 바른다.

인이 친히 술펴 깁히 파인 후, 날닌 쇠꼿치와 젹은 칼흘 셰워, 셔리 굿튼 날이 우흐로 가게 ᄒᆞ고 젹은 남글 드려 ᄀᆞ로지르고 약간 흙을 덥혀 두니, 여러 시녀비 부인 침당으로 드러가ᄂᆞᆫ 알플 이굿치 허방[390]을 노하시므로 능【26】히 단니지 못ᄒᆞ여, 후창으로 도라단니며 연고 업시 허방을 노흐믈 괴이히 넉이ᄃᆡ, 감히 뭇지 못ᄒᆞ더라.

윤・양・니 삼부인이 ᄒᆞᆫ 방의 모다 니시의 병을 구호ᄒᆞ며, 쇼고 아쥬의 졀셰ᄒᆞ믈 ᄉᆞ랑ᄒᆞ여 각각 유치(幼稚) 써난 슬프믈 니져, 아쥬쇼져를 가ᄎᆞᄒᆞ여 일월을 보ᄂᆡ며, 밤인즉 심회 뎍뇨(寂寥)ᄒᆞ믈 인ᄒᆞ여, 시ᄉᆞ를 창화ᄒᆞ여 아쥬 쇼져를 ᄀᆞᄅᆞ쳐 울울ᄒᆞ믈 닛더니, ᄎᆞ야의 니쇼져ᄂᆞᆫ 몬져 상요의 나아가고, 윤・양 이부인은 아쥬를 ᄌᆡ온 후 쵹을 도도고 녜긔를 잠심ᄒᆞ더니 밤이 깁ᄂᆞᆫ 줄 ᄭᆡ둣지 못ᄒᆞ고, 시녀 등은 여름 좀이 곤ᄒᆞ여 곳곳이 ᄡᅳ러져 ᄌᆞᄂᆞᆫ디라.

이ᄶᅴ 후걸이 녑히【27】 비슈를 ᄭᅵ고 별원의 돌입ᄒᆞ니, 본ᄃᆡ 용ᄆᆡᆼ이 졀뉸ᄒᆞ여 뉴리(琉璃)를 밀(密)친[391] ᄃᆞᆺᄒᆞᆫ 장원(牆垣)이라도 ᄌᆞ최업시 넘ᄂᆞᆫ디라. 이에 담을 너머 ᄌᆞ시 술피니, 시ᄋᆞ 양낭의 무리ᄂᆞᆫ 다 잠들고, 큰 당의 쵹홰 명멸ᄒᆞ고 잇다감 담화ᄒᆞᄂᆞᆫ 소ᄅᆡ 들니거ᄂᆞᆯ, 문 틈으로 여어보아[392] 삼인이 ᄒᆞᆫᄃᆡ 잇ᄂᆞᆫ가 보려ᄒᆞ여, ᄇᆞᆯ을 움즉여 지게 알플 향ᄒᆞ다가, 믄득 평디로 아라 무심히 드ᄃᆡᆫ ᄇᆡ, 셕은 나무 부러지ᄂᆞᆫ 소ᄅᆡ나며 몸이 함졍의 ᄲᅥ러지니, 비록 공듕의 ᄉᆞᆺᄂᆞᆫ 용이 이시나 쳔만 무심 듕 허방을 드ᄃᆡ여 ᄲᅡ지니, 왼몸이 쇠꼿치와 칼날이 깁히 박히ᄂᆞᆫ디라, 어ᄃᆡ 가 다시 움즉여 보리오. ᄌᆞ【28】연 ᄋᆡ고 소ᄅᆡ 텬디 진동ᄒᆞ니, 삼부인이 함졍의 ᄲᅡ지믈 알고 놀납고 흉이 넉이며, 모든 시녀ᄂᆞᆫ 도뎍의 소ᄅᆡ의 ᄭᆡ여 쵹을

달아 여닫는 문으로 안팎을 두꺼운 종이로 싸서 바른다.

390)허방 : 땅바닥이 움푹 패어 빠지기 쉬운 구덩이.

391)밀(密)치다 : 벽 따위를 빽빽하게 둘러서 세우거나 쌓다.

392)여어보다 : 엿보다.

ᄂᆞ 파ᄂᆞᆫ지라. 부인이 친히 술핀 후, 날닌 쇠꼿치와 젹은 칼을 셰워, 셔리 갓튼 날이 우흐로 가게 ᄒᆞ고, 셕은 남글 도려 가로지러고 약간 흑을 덥허두니, 졔시ᄋᆡ 고이 녁이나 감히 뭇지 못ᄒᆞ더라.

ᄎᆞ야의 니소져ᄂᆞᆫ 몬져 상요의 나가고, 윤・양은 아쥬을 ᄌᆡ은[운] 후, 촉을 도도고 예긔을 잠심(潛心)ᄒᆞ【53】더니, 밤이 깁흔 줄 ᄭᆡ닷지 못ᄒᆞ고, 시녀 등은 여름 잠이 곤ᄒᆞ여 곳곳지 쓰러져 ᄌᆞᄂᆞᆫ지라.

이ᄶᅴ 후길이 비수을 ᄶᅵ고 원듕의 돌입ᄒᆞ니, 본ᄃᆡ 용ᄆᆡᆼ이 졀뉸ᄒᆞ여 유리(琉璃)을 밀(密)칠[287] 듯ᄒᆞᆫ 장원이라도 ᄌᆞ최 업시 넘ᄂᆞᆫ지라. 이의 담을 넘어 ᄌᆞ셰 술피니, 시ᄋᆞ의 무리ᄂᆞᆫ 다 잠들고, 큰 당의 촉화명멸(燭火明滅)ᄒᆞ고 잇다감 담화ᄒᆞᄂᆞᆫ 소ᄅᆡ 들니거ᄂᆞᆯ, 문틈으로 여어보아[288] 숨인이 ᄒᆞᆫ ᄃᆡ 잇는가 보려ᄒᆞᆯ식, 발을 움작여 지게 압흐로 향ᄒᆞ다가, 문득 평지로 ○○[아라] 무심이 드ᄃᆡᆫ ᄇᆡ, 셕은 나무 부러지ᄂᆞᆫ 소ᄅᆡ 나며 몸이 함졍의 ᄲᅥ러지니, 비록 공즁의 ᄉᆞᆺᄂᆞᆫ 용이 이시나 쳔만 무심 듕 허방[289]을 드듸여 ᄲᅡ지니, 왼몸의 쇠꼿치와 칼날이 깁히 박히ᄂᆞᆫ지라, 어ᄃᆡ가 다시 움작여 보리오. ᄌᆞ연 ‘ᄋᆡ고’ 소ᄅᆡ 쳔지진동ᄒᆞ니, 숨부인이 졔 함졍의 ᄲᅡ지물 알고 놀납고 흉히 녁이며, 졔시아ᄂᆞᆫ 도적의 소ᄅᆡ ᄭᆡ여 촉을 들고 나와, 함졍의 젹(賊)이 드러시물 알고, 부인의 지용(智用)

287)밀(密)치다 : 벽 따위를 빽빽하게 둘러서 세우거나 쌓다.

288)여어보다 : 엿보다.

289)허방 : 땅바닥이 움푹 패어 빠지기 쉬운 구덩이.

들고 나와, 함졍의 도젹이 드러시믈 알고 부인의 디모를 탄복ᄒᆞ딕, '부인이 연고 업시 긔함(起陷) 파믈 괴이히 넉엿더니, 원간 이럴 줄 미리 아르시닷다' ᄒᆞ니, 삼부인이 일시의 시ᄋᆞ를 분부ᄒᆞ여 외루(外樓)의 가 도뎍이 함졍의 ᄲᅢ져시믈 고ᄒᆞ라 ᄒᆞ니, 시녀 등이 즉시 나가 시호(侍護)ᄒᆞᄂᆞᆫ 셔동을 불너 소유를 시랑긔 고ᄒᆞ라 ᄒᆞ니, 시랑과 유흥공ᄌᆡ 좀이 깁헛다가, ᄀᆞ장 놀나 밧비 니러 의관을 슈렴(收斂)ᄒᆞ고, 모든 노복을 거ᄂᆞ려 ᄂᆡ루의 드러가, 난간 밧긔셔 몬져 니【29】슈의 병을 뭇고 버거 윤·양 이슈(二嫂)의 놀나시믈 일ᄏᆞ라 왈,

"쇼ᄉᆡᆼ 등이 밧글 딕희여 여ᄎᆞ디경(如此之境)이 업고져 ᄒᆞ미러니, 문득 흉뎍이 ᄂᆡ루의 돌입ᄒᆞ니, 요ᄒᆡᆼ 함졍의 ᄲᅢ지지 아니던들 삼위 존쉬 하마 대화를 보실 번ᄒᆞ니, 엇디 놀납디 아니리잇고? 이 다 쇼ᄉᆡᆼ의 암ᄆᆡ 블찰ᄒᆞᆫ 연고로소이다."

윤·양·이 부인이 ᄃᆡ왈,

"슉슉이 밧긔 계시고 쳡 등이 안ᄒᆡ 잇셔, 다만 시녀 노복 ᄯᆞ름이니, ᄌᆡ보 업ᄉᆞ믈 모로지 아닐 거시로ᄃᆡ, 반야의 이곳의 돌입ᄒᆞᄂᆞᆫ 뜻이 각별ᄒᆞᆫ 흉계라. 슉슉은 엄히 다ᄉᆞ리샤 간졍을 므르시려니와, 혹ᄌᆞ 쳐치 난안(赧顔)ᄒᆞᆫ 마ᄃᆡ 이실진ᄃᆡ, 출하리 뎍을 죽여 말을【30】 아니 님만 ᄀᆞᆺ지 못ᄒᆞᆯ가 ᄒᆞᄂᆞ이다."

시랑 등이 슈슈(嫂嫂)의 원녀(遠慮)를 항복ᄒᆞ고, 함졍을 미리 ᄆᆞᆫᄃᆞ라 도뎍 방비ᄒᆞᆫ 바를 ᄀᆞ장 깃거, 오딕 ᄃᆡ왈,

"도뎍을 져주어 죄상이 죽염즉 ᄒᆞ면, 명일 대인긔 고ᄒᆞ고 죽이려니와, 쇼문업기를 잘 미드리잇가?"

윤부인 왈,

"ᄎᆞ뎍이 ᄌᆡ보를 탐ᄒᆞ여 드러와시면 굿ᄐᆞ여 죽일 죄 아니어니와, 이곳의 ᄌᆡ뵈 업는 줄은 알니니, 임의 금보(金寶)의 욕화(慾火)를 두지 아닌 후ᄂᆞᆫ 인명을 상ᄒᆡ오려 ᄒᆞ미니, 젼후의 사ᄅᆞᆷ을 만히 ᄒᆡᄒᆞᆫ 도뎍이니 ᄒᆞᆫ 번 죽이미 무방ᄒᆞᆯ디라, 이졔 그 말이 괴이

을 탄복ᄒᆞ고, 삼부인이 일시의 시아을 분부ᄒᆞ여 외루(外樓)의 가 고ᄒᆞ라 ᄒᆞ니, 시녀 등이 급히 나가 시호(侍護)ᄒᆞᄂᆞᆫ 셔동을 불너 소유을 시랑긔 고ᄒᆞ니, 시랑과 유흥 공ᄌᆡ 좀이 깁허다가, 가장 놀나 밧비 이러 의관을 슈렴(收斂)ᄒᆞ고, 모든 노복을 거나려 ᄂᆡ루의 드러가, 난간 밧긔셔 니수(嫂)의 병을 뭇고, 윤·양 이수(二嫂)의 놀나시물 일카라 왈,

"소ᄉᆡᆼ 등이 밧글 직희여 여ᄎᆞ지경(如此之境)이 업고져 ᄒᆞ미러니, 문득 흉젹이 ᄂᆡ루의 돌입ᄒᆞ여, 요ᄒᆡᆼ 함졍【54】의 ᄲᅢ지지 아니턴들, 삼위 존수 하마 ᄃᆡ화을 보실 번ᄒᆞ니, 엇지 놀납지 아니릿고? 이 다 소ᄉᆡᆼ의 암ᄆᆡ 불찰ᄒᆞᆫ 연괴로소이다."

윤·양·이 부인이 ᄃᆡ 왈,

"슉슉이 밧긔 계시고 쳡 등이 안ᄒᆡ 잇셔 다만 시녀 ᄲᅮᆫ이여날, 반야(半夜)의 이곳의 돌입ᄒᆞ미 각별ᄒᆞᆫ 흉계라, 슉슉은 엄치ᄒᆞᄉᆞ 간졍을 무러소셔. 혹ᄌᆞ 쳐치 난난(難難)ᄒᆞ실진ᄃᆡ, 젹을 아조 죽여 말을 ᄂᆡ지 아염즉 ᄒᆞ니이다."

사랑 등이 수수(嫂嫂)의 원녀(遠慮)을 항복ᄒᆞ고, 함졍을 미리 ᄆᆡᆫ다라 도젹 잡으믈 깃거, 오직 ᄃᆡ왈,

"도젹을 졔[져]주어 죽염즉 ᄒᆞ거든 명일 ᄃᆡ인긔 고ᄒᆞ고 쥭이려니와, 소문 업기을 즐 미드리잇가?"

윤부인 왈,

"ᄎᆞ젹이 ᄌᆡ보을 탐ᄒᆞ여 드러왓시면 굿ᄒᆞ여 죽일 죄 아니려니와, 이곳의 ᄌᆡ보 업ᄉᆞ믈 아되 드러오믄 인명을 ᄒᆡᄒᆞ○○[려 ᄒᆞ]미니, ᄒᆞᆫ 번 죽이미 무방ᄒᆞᆫ지라. 슉슉은 술피소셔."

ᄒᆞᆫ ᄃᆡ를 범ᄒᆞ여 다ᄉᆞ림도 어렵고, 일이 요란ᄒᆞᆯ ᄃᆞᆺᄒᆞ거든, 비록 쳐ᄉᆡ 몽농ᄒᆞ나【31】 브졀업시 여러 사ᄅᆞᆷ을 잡혀 ᄃᆡ면(對面)ᄒᆞᄂᆞᆫ 거죄(擧措) 업게과져[393], 다만 죽여 소문 업게 ᄒᆞ시믈 바라ᄂᆞ이다."

시랑이 샤례 왈,

존슈(尊嫂)의 명ᄃᆡ로 ᄒᆞ리이다.

ᄒᆞ고 노ᄌᆞ를 명ᄒᆞ여 함정을 헤치고 쳘삭으로 후걸을 동혀ᄆᆡ니, 쳐음은 소ᄅᆡ나 지르더니 졈졈 만신의 쇠ᄭᅩᆺ치와 칼이 박혀 고ᄃᆡ 죽을 ᄃᆞᆺ 간간ᄒᆞ니[394], ᄂᆞᆼ히 소ᄅᆡ도 못ᄒᆞ고 다라날 ᄆᆞᄋᆞᆷ도 업셔, 쳘삭의 ᄆᆡ인 ᄇᆡ 되여 외루의 나오니, 시랑이 당상의 놉히 안ᄌᆞ 소ᄅᆡ를 가다듬아 므러 왈,

"네 ᄌᆡ보를 도뎍ᄒᆞ라 드러온 도뎍이 아닌 줄 므러 알 ᄇᆡ 아니라. 아지 못게라, 상부(相府) 후문의 ᄂᆡ당을 혼야(昏夜)의 돌입ᄒᆞ미 엇진 ᄯᅳᆺ이뇨? 브졀업【32】ᄉᆞᆫ 형벌을 밧지 말고 간졍(奸情)을 ᄃᆡᆨ초(直招)ᄒᆞ라."

후걸이 만인브당지용(萬人不當之勇)[395]이 이시나, 만신(滿身)의 쇠ᄭᅩᆺ치 ᄭᅩᆺ쳐 셩혈(腥血)이 낭ᄌᆞ(狼藉)ᄒᆞ고, 져의 품은 바 비검(匕劍)의 가ᄉᆞᆷ이 듕상ᄒᆞ여 경각의 죽을 ᄃᆞᆺ ᄒᆞᆫ디라. 앙텬 탄왈,

"내 젼후의 비슈를 ᄡᅵ고 혼야 왕ᄂᆡ를 무슈히 ᄒᆞᄃᆡ, ᄒᆞᆫ번 패ᄒᆞᆫ 젹이 업더니, 금야의 이곳의셔 죽게 되니 막비텬명(莫非天命)[396]이라 슈원슈한(誰怨誰恨)이리오. 대댱뷔 일을 일우지 못ᄒᆞ나 엇지 말을 허비ᄒᆞ여 여러 곳의 밀위리오. 스ᄉᆞ로 죽기를 바랄 ᄲᅮᆫ이라."

뎡시랑이 후걸의 상뫼 흉댱(凶壯)ᄒᆞ고 언에 공슌치 아니ᄒᆞ여, 포악이 무궁ᄒᆞ믈 보ᄆᆡ 평ᄉᆡᆼ의 인현화홍(仁賢和弘)ᄒᆞᆫ 덕이 사ᄅᆞᆷ을 형벌을 더으며 혈륙이 상【33】ᄒᆞ믈 보고

393)-과져 : -기를, -고자. 어떤 행동을 할 의도나 욕망을 가지고 있음을 나타내는 연결 어미.
394)간간ᄒᆞ다 : 아슬아슬하게 위태롭다.
395)만인브당지용(萬人不當之勇) : 만 사람이 덤벼도 당하지 못할 용맹.
396)막비텬명(莫非天命) : 천명(天命)일 따름임. 막비(莫非)는 '아니 것이 아니다'라는 뜻의 이중부정어.

시랑이 즉시 시노로 ᄒᆞ여곰 함정의 잇ᄂᆞᆫ 도적을 ᄆᆡᄅᆡ[ᄅᆞ]ᄒᆞ니, 졔뇌 쳘삭을 가져 후길을 잡아 ᄆᆡ니, 쳐음은 소ᄅᆡ나 지르더니 졈졈 쇠ᄭᅩᆺ치의 ○○[박혀] 알프믈 이긔지 못ᄒᆞ여 외당의 나오니, 시랑이 당상의 놉히 안져 녀셩(厲聲) 문왈,

"너ᄂᆞᆫ 엇더ᄒᆞᆫ 도적이관ᄃᆡ 감히 상부(相府)의 돌입ᄒᆞᄂᆞᆫ다?"

후길이 비록 만인○○[브당]지용(萬人不當之勇)[290]이 잇스나, 만신(滿身)이 다 쇠ᄭᅩᆺ치의 상ᄒᆞ고 져의 품은 비검(匕劍)이 가ᄉᆞᆷ을 빗기 질녀ᄂᆞᆫ지라, 안[앙]쳔(仰天) 탄왈,

"ᄂᆡ 젼후의 비수을 ᄡᅵ고 혼야 왕ᄂᆡ 무수ᄒᆞᄃᆡ, ᄒᆞᆫ 번 ᄑᆡᄒᆞᆫ 젹이 업더니, 금야의 이곳의셔 죽게 되니 비인녁소치(非人力所致)[291]니 수원수구(誰怨誰咎)리오. ᄃᆡ장부 일을 일【55】우지 못ᄒᆞ나, 엇지 여러 곳의 밀위리오. 스ᄉᆞ로 죽기을 바ᄅᆞᆯ ᄲᅮᆫ이로다."

시랑이 후길의 상뫼 흉영(凶獰)ᄒᆞ고 언어 포악ᄒᆞ믈 보ᄆᆡ, 평ᄉᆡᆼ 인현지심(仁賢之心)이 ᄉᆞᄅᆞᆷ으로ᄡᅥ 형벌을 더으미 업ᄉᆞᄃᆡ, 브득이 시노(侍奴)을 명ᄒᆞ여 형벌긔구을 갓초아 간경(奸情)을 엄문ᄒᆞᆯᄉᆡ, 홰불이 낫 갓고 졔뇌 젼후좌우의 나열ᄒᆞ여 '간경을 바로 고ᄒᆞ라'

290)만인브당지용(萬人不當之勇) : 만 사람이 덤벼도 당하지 못할 용맹.
291)비인녁소치(非人力所致) : 사람의 힘으로 할 수 있는 것이 아님.

져 아니ᄒᆞᄃᆡ, 마지 못ᄒᆞ여 시노를 명ᄒᆞ여 형벌 긔구를 ᄀᆞᆺ초아 간졍(奸情)을 엄문(嚴問)ᄒᆞᆯᄉᆡ, 좌우의 횃불이 낫 ᄀᆞᆺ고, 벌 ᄀᆞᆺᄐᆞᆫ ᄉᆞ예(私隷)397) 젼후의 나렬ᄒᆞ여, 후걸을 ᄉᆡ어 간졍을 ᄃᆡ고ᄒᆞ라 ᄌᆡ촉ᄒᆞ니, 후걸이 혜오ᄃᆡ, '죽으믈 면치 못ᄒᆞ리라' ᄒᆞ여 출하리 형벌이나 밧지 말고 죽기를 슈히 구ᄒᆞ여 이에 ᄉᆞ러 고ᄒᆞᄃᆡ,

"스ᄉᆞ로 윤·양·니 삼부인을 ᄒᆡᄒᆞ려 일시의 셰 목숨을 ᄉᆞᆺ고져 드러온 ᄇᆡ니, 굿ᄐᆞ여 ᄌᆡ보를 노략고져 ᄒᆞᆫ ᄇᆡ 아니로소이다."

시랑이 더욱 흉히 넉여 뎡셩엄문(正聲嚴問) 왈,

"네 본ᄃᆡ 상한쳔뉴(常漢賤流)로 공후(公侯)의 부인이 셩시가 아뫼 줄 모를 거시어늘, ᄒᆡᄒᆞ려 드러왓다 ᄒᆞ믄 엇진 말고? 그 가온ᄃᆡ 반ᄃᆞ시 곡졀이 이시니 모로미 【34】 은닉(隱匿)지 말나. 감히 일일(一一) ᄃᆡ고치 아니ᄒᆞᆯ다?"

시랑이 언ᄉᆡᆨ이 동일지ᄋᆡ(冬日之愛)398)와 츈양지홰(春陽之和)399) 이시나 블쾌지ᄉᆞ(不快之事) 이시면 미우의 셜풍(雪風)이 늠늠ᄒᆞᆷ ᄀᆞᆺ고, 엄슉ᄒᆞᆫ 위의 츄텬(秋天)이 뇌졍(雷霆)을 동(動)ᄒᆞᆷ ᄀᆞᆺᄐᆞ니, 후걸이 우러러 보ᄆᆡ 심신이 경황ᄒᆞ여 간졍을 ᄆᆞ르믈 당ᄒᆞ니, 쳐음 댱긔 쥬려져 이에 브복 고왈,

"쇼인은 본ᄃᆡ 영쳔 ᄇᆡᆨ셩이라. 나히 십여셰브터 칼 ᄡᅳ기를 ᄇᆡ화 ᄌᆞᄀᆡᆨ(刺客)으로 ᄉᆡᆼ업(生業)ᄒᆞᄂᆞᆫ ᄇᆡ러니, 호문댱 최형을 ᄉᆞ괴여 문양궁의 니르니, 옥쥐 황금 일졍을 ᄂᆡ여 보ᄂᆡ시고, 궁비로 분부ᄒᆞ시ᄃᆡ, '여ᄎᆞ여ᄎᆞᄒᆞ여 윤·양·니 삼부인을 ᄒᆞᆫ 칼의 죽여 시신도 업시 ᄒᆞ면, 여러 길노 도모ᄒᆞ여 벼슬을 ᄒᆞ이고, 금은옥【35】ᄇᆡᆨ(金銀玉帛)을 일ᄉᆡᆼ 호거(好居)400)토록 주마' ᄒᆞᄂᆞᆫ 고로, 욕심의 ᄠᅳ이미401) 되여 귀부의 돌입ᄒᆞ여 비슈를 품

397)ᄉᆞ예(私隷) : 사노(私奴). 권문세가에서 사적(私的)으로 부리던 노비.

398)동일지ᄋᆡ(冬日之愛) : 겨울 햇살의 다사로움.

399)츈양지홰(春陽之和) : 봄볕의 온화함.

400)호거(好居) : 살림이 넉넉하여 잘 살아감.

401)ᄠᅳ이다 : 뜨이다. '뜨다'의 피동형. 위쪽으로 솟아

ᄌᆡ촉ᄒᆞ니, 후길이 혜오ᄃᆡ, '죽으믄 면치 못ᄒᆞ려니와, 출ᄒᆞ리 형벌이나 밧지 말니라' ᄒᆞ여, 이의 고ᄒᆞᄃᆡ,

"굿ᄒᆞ여 ᄌᆡ보을 노략고져 ᄒᆞ미 아니오, 윤·양·니 ᄉᆞᆷ부인을 ᄒᆡ코져 하미니이다."

시랑이 더욱 흉히 넉여 왈,

"네 불과 상한쳔뉴(常漢賤流)로 공후부인 셩시도 모를 거시여늘, ᄉᆞᆷ부인을 ᄒᆡᄒᆞ려 ᄒᆞ면 필유묘ᄆᆡᆨ(必有妙脈)292)이니 바로 고ᄒᆞ라."

후길이 고왈,

"소인은 본ᄃᆡ 연쳔인이라. 나히 십세 후로 붓터 칼쓰기을 ᄇᆡ화, ᄌᆞᄀᆡᆨ(刺客)으로 ᄉᆡᆼ업(生業)ᄒᆞ더니, 호문장 최형을 ᄉᆞ괴여 문양궁의 가니, 옥쥐 황금 일졍(一錠)을 주고 궁비로 분부ᄒᆞ시ᄃᆡ, '여ᄎᆞ여ᄎᆞᄒᆞᆫ 별원의 가 ᄉᆞᆷ부인을 ᄒᆞᆫ 칼의 죽여 시신도 업시ᄒᆞ면, 여러 길노 벼슬을 시기마' ᄒᆞ고, '금은필ᄇᆡᆨ(金銀疋帛)293)으로 일ᄉᆡᆼ 호거(好居)294)토록 주마' ᄒᆞᄋᆸ기로, 욕심이 ᄉᆡᆯ니미 되어 귀부의 돌입ᄒᆞ엿다가, ᄉᆡᆼ각 밧 함졍의 ᄲᆡ지니, ᄒᆞ날이 악ᄉᆞ을 돕지 아니신가 ᄒᆞᄂᆞ이다."

292)필유묘ᄆᆡᆨ(必有妙脈) : 반드시 까닭이 있음. 묘맥(妙脈); 일이 나타날 단서. 실마리. 까닭.

293)금은필ᄇᆡᆨ(金銀疋帛) : 금은과 명주(明紬).

294)호거(好居) : 살림이 넉넉하여 잘 살아감.

고 삼부인을 히ᄒᆞ려 ᄒᆞ엿습더니, ᄉᆡᆼ각 밧 허방을 드ᄃᆡ여 함졍의 ᄲᅡ지미 되니, 하날이 악ᄉᆞ를 돕지 아니신가 ᄒᆞᄋᆞᆸᄂᆞ니 이 밧긔 고ᄒᆞᆯ 말이 업ᄂᆞ이다."

시랑이 뎍(賊)의 초ᄉᆞ를 듯지 아냐셔 의심이 문양궁의 도라가더니, 밋 뎍의 말을 드르ᄆᆡ ᄎᆞ악ᄒᆞ여, 빅시의 가ᄉᆡ 허틀고 슉녀쳘뷔 무ᄉᆞ치 못ᄒᆞᆯ 줄 크게 블힝코 근심ᄒᆞ여, 미우를 ᄶᅵᆼ긔고 졔노를 명ᄒᆞ여, 도젹을 엄히 ᄃᆡ희여 일시도 ᄯᅥ나지 말고 명일 ᄎᆞ즐 ᄯᅢ를 기다리게 ᄒᆞ고, 날이 ᄉᆡ기를 기다려 상부의 신셩(晨省)ᄒᆞ고 부공을 뫼셔 외헌의 나오니【36】, 작일 남휘 관(官)의 드러가믈 고ᄒᆞ고, 경부의 가 지ᄂᆡ므로 밋쳐 오지 못ᄒᆞ고, 금평휘 좌우의 졔공ᄌᆞ ᄲᅳᆫ이라. 시랑이 좌위 고요ᄒᆞ믈 타 피셕 브복 왈,

"희ᄋᆡ 졔노(諸奴)로 더브러 별원의 누월(累月)을 ᄃᆡ희오나 별노 일이 업습더니, 작야(昨夜)의 윤・양・니 삼슈의 침당의 여ᄎᆞ여ᄎᆞᄒᆞᆫ 뎍변(賊變)이 이셔, 소언(所言)이 여ᄎᆞ여ᄎᆞᄒᆞ오니, ᄉᆞ극히연(事極駭然)[402]ᄒᆞ온디라. 희ᄋᆡ(孩兒) ᄌᆞ단ᄒᆞ올 길이 업ᄉᆞ와 고ᄒᆞᄂᆞ이다."

금평휘 청필의 화우(和宇)를 ᄶᅵᆼ긔고 오ᄅᆡ도록 말이 업더니 날호여 기리 탄식 왈,

"텬흥이 져믄 나히 만ᄉᆡ 과람(過濫)ᄒᆞ여 조달영귀(早達榮貴)ᄒᆞ미 바란 밧기라. 삼쳐를 취ᄒᆞ여 각각 그 위인이 현슉ᄒᆞ여, 가되 화평ᄒᆞ여[며] ᄌᆞ손이 챵셩ᄒᆞᆯ가 미드ᄆᆡ【37】 듕ᄒᆞ더니, 블힝ᄒᆞ여 문양공쥐 하가ᄒᆞᄆᆡ, 삼부의 일ᄉᆡᆼ이 괴롭고 위ᄐᆡᄒᆞ믈 념녀ᄒᆞᄆᆡ 근심이 깁흐나, ᄌᆞ긱의 환이 이ᄃᆡ도록 급ᄒᆞᆫ 줄은 오히려 ᄉᆡᆼ각지 못ᄒᆞᆫ 빈라, 이졔 ᄎᆞᄉᆞ를 들쳐ᄂᆡ나, 간계 졈졈 더ᄒᆞ여 악심이 방ᄌᆞᄒᆞ여 두릴 거시 업ᄉᆞᆫ 후ᄂᆞᆫ, 변괴 더ᄒᆞ고 악ᄉᆡ 무궁ᄒᆞ리니, 아딕 이런 일을 물시ᄒᆞ고 ᄌᆞ긱을 이졔 죽여 업시ᄒᆞ면, 소문이 나지 아니며 도쳐의 힝악ᄒᆞ던 바 화근을 더

오르다. 여기서는 (욕심이) '솟아나다'의 뜻.

402)ᄉᆞ극히연(事極駭然) : 일이 극히 이상스러워 놀라움.

시랑이 젹(賊)의 초ᄉᆞ을 듯지 아야셔[295] 의심이 문양궁의 도라가더니, 밋 젹의 말을 드르ᄆᆡ ᄎᆞ악ᄒᆞ여 형의 가ᄉᆡ 헛틀고, 슉녀쳘뷔 무ᄉᆞ치 못ᄒᆞᆯ 줄 크게 불힝코 근심ᄒᆞ여, 미우을 ᄶᅵᆼ긔고 졔노(諸奴)을 명【56】ᄒᆞ여, '도젹을 엄수(嚴守)ᄒᆞ여 명일 ᄎᆞ즐 ᄯᅢ을 기ᄃᆞ리라' ᄒᆞ고, 날이 ᄉᆡ기을 기ᄃᆞ려 상부의 신셩ᄒᆞ고, 부공긔 고왈,

"희ᄋᆡ 졔노로 더부러 별원의 누월(累月) 직희오나 별노 일이 업습더니, 작야(昨夜)의 윤・양・니 슘수의 침당의 여ᄎᆞ여ᄎᆞᄒᆞᆫ 젹변(賊變)이 잇셔, 소언(所言)이 여ᄎᆞᄒᆞ오니, ᄉᆞ득[특](邪慝)ᄒᆞ온지지[라]. 희ᄋᆡ ᄌᆞ단치 못ᄒᆞ와 고ᄒᆞᄂᆞ이다."

공이 탄왈,

"ᄎᆞᄉᆞ을 들쳐ᄂᆡ나, 간계 졈졈 더ᄒᆞ여 악심이 방ᄌᆞᄒᆞ여 두릴 거시 업ᄉᆞᆫ 후ᄂᆞᆫ 변괴 더ᄒᆞ고 악ᄉᆡ 무궁ᄒᆞ리니, 악[아]직 이런 일을 물시ᄒᆞ고, ᄌᆞ긱을 이졔 죽여 업시ᄒᆞ면 소문이 나지 아니며 도젹의 힝흉ᄒᆞ든 바 화근을 더ᄂᆞᆫ 빈라. 쳔흥의 셩되 과격ᄒᆞ니 ᄌᆞ긱의 곡졀을 드른 즉 ᄉᆞ긔 요란ᄒᆞ리니, 여등은 불츌구외(不出口外)ᄒᆞ라. 윤・양・니 슘부ᄂᆞᆫ ᄒᆞᆫ ᄎᆞ례 피화(被禍)을 면치 못ᄒᆞ리니, 각각 팔ᄌᆞ을 밋거니와 엇지 근심되지 아니리오."

295)아야셔 : 않아서.

는 ᄇᆡ라. 텬흥의 셩되 과격ᄒᆞ니 ᄌᆞ긱의 곡졀을 드른즉, ᄉᆞ긔 요란ᄒᆞ고 공쥬와 화락지 아니리니, 여등은 이런 말을 블츌구외(不出口外)ᄒᆞ라. 견혀 부귀 남다르므로 조물이 싀긔ᄒᆞ여 가변의 히이【38】ᄒᆞ믈 딧ᄂᆞᆫ더라. 윤·양·니 삼부ᄂᆞᆫ ᄒᆞᆫ 차례 대화를 면치 못ᄒᆞᆯ 거시니, 각각 팔ᄌᆞ를 밋거니와 엇디 근심되지 아니리오."

시랑이 셩괴 맛당ᄒᆞ시믈 일ᄏᆞᆺ고, 물너와 노ᄌᆞ 경필 등을 불너, 여ᄎᆞ여ᄎᆞᄒᆞ여 ᄌᆞ긱을 죽여 시신을 업시 ᄒᆞ라 ᄒᆞ고, 또 분부ᄒᆞᄃᆡ 거야지ᄉᆞ(去夜之事)를 누셜ᄒᆞ리 이시면, ᄉᆞ죄를 면치 못ᄒᆞ리라 ᄒᆞ니, 졔뇌 청녕(聽令)ᄒᆞ고 죵연(從然) 슈명(受命)ᄒᆞ더라.

어시의 경필이 거ᄌᆞᆺ 흔연 왈,

"그ᄃᆡ 혼야(昏夜)의 비슈를 ᄣᅵ고 ᄂᆡ졍의 돌입ᄒᆞ미 ᄉᆞ죄를 디어시나, 아딕 대노야 쳐결이 죽이지 말믈 니르시니 그ᄃᆡ 음식을 힘ᄡᅧ 먹고 댱ᄂᆡ를 보라."

후걸이 경필의 ᄠᅳᆺ을 아지 못ᄒᆞ고, 죵야 ᄋᆡ쓰고 알하, 음식의 샤【39】미(奢味)ᄒᆞ믈 깃거 일분 타의업시 셔르져 먹기를 못미ᄎᆞᆯ ᄃᆞ시 ᄒᆞ니, 후걸의 ᄉᆞ싱이 하여오.

어시의 경필이 독으로ᄡᅧ 후걸을 먹이며, 소힝을 알고져 ᄒᆞ여 흔연 문지 왈,

"그ᄃᆡ 젼후 칼노ᄡᅧ 사ᄅᆞᆷ을 히ᄒᆞ미 몃치나 되ᄂᆞ뇨? 용밍을 듯고져 ᄒᆞ노라."

답왈,

져머셔브터 칼ᄡᅳ기를 슝상ᄒᆞ여 사ᄅᆞᆷ의 디극히 쳥ᄒᆞᆫ 바를 ᄌᆞ연 ᄯᅦ치지 못ᄒᆞ므로, 내 손의 맛츤 지 ᄉᆞ십여인이라. 향ᄒᆞᄂᆞᆫ 바의 패ᄒᆞ미 업더니, 귀궁의 니르러 허방의 ᄲᅢ져 잡혓노라.

필이 극히 흉히 넉여 왈,

"ᄎᆞ뎍의 죄상이 쳔살무셕(千殺無惜)403)이어ᄂᆞᆯ, 노얘 어이 그 머리를 버히지 아니시고 약으로 맛게 ᄒᆞ시ᄂᆞᆫ고, 아지 못ᄒᆞ리로다."

ᄒᆞ더【40】니, 이윽고 후걸이 칠규(七竅)

403)쳔살무셕(千殺無惜) : 천 번을 죽여도 아깝지 않음.

시랑이 망[맛]당ᄒᆞ시믈 일캇고 도라와 노ᄌᆞ 경필 등을 불너 여ᄎᆞ여ᄎᆞ ᄌᆞ긱을 죽여 시신을 업시ᄒᆞ라 ᄒᆞ고, 또 분부ᄒᆞᄃᆡ '기야지ᄉᆞ(其夜之事)을 혹자 누셜ᄒᆞ리 잇시면 ᄉᆞ죄을 면치 못ᄒᆞ리라' ᄒᆞ니, 졔뇌 청녕(聽令)ᄒᆞ고, 경필이 후길을 ᄯᅳ어 도라와 거즛 흔연 왈,

"그ᄃᆡ 혼야(昏夜)의 비수을 ᄣᅵ고 ᄂᆡ졍의 돌입ᄒᆞ미 ᄉᆞ죄을 지어시나, 아즉 ᄃᆡ노야(大老爺) 쳐결이 죽이지 말물 이르시니, 그ᄃᆡ 음식을 힘ᄡᅧ 먹고 장ᄂᆡ을 보라."

후길이 경필의 ᄠᅳᆺ을 모로고, 죵야 ᄋᆡ쓰고 음식의 시[사]미(奢美)ᄒᆞ믈 것[깃]거 일분 타의 업시 셔르져 먹기을 다 못ᄒᆞ여셔, 칠규로 피을 토ᄒᆞ고 것구러져 죽거ᄂᆞᆯ, 경필이 그 《요ᄃᆡ ∥ 요픠》을 ᄲᅥ혀 시랑긔 드리고 죽으믈 고【57】ᄒᆞ니, 시랑 왈,

의 피를 토ᄒᆞ고 것구러져 즉시 죽거ᄂᆞᆯ, 필이 그 요패를 ᄲᅢ혀 시랑긔 드리고 죽으믈 고ᄒᆞ니, 시랑 왈,

"그 놈의 죄악이 당당이 머리를 버힐 거시로ᄃᆡ, 죵용키를 위ᄒᆞ여 약으로 죽여시니, 혹ᄌᆞ 후일 시신을 ᄎᆞᆺᄂᆞ니 잇셔도 죽엄을 삿404)게 ᄡᆞ 갓가온ᄃᆡ 무더 두라."

경필이 슈명ᄒᆞ여 동뉴로 더브러 시신을 삿긔 마라 십니경의 무드ᄃᆡ, 시랑의 분부 엄ᄒᆞ므로 ᄎᆞᄉᆞ를 블츌구외ᄒᆞ라 ᄒᆞ니, 뎡부 법녕이 슉연ᄒᆞ므로 감히 언두(言頭)의 올니지 못ᄒᆞ여, 졔 부모 쳐ᄌᆞ도 아디 못ᄒᆞᄂᆞ디라. 고로 후걸 죽이믈 젼연 ᄇᆞ디ᄒᆞ고, 윤·양·니 삼부인은 안연 무ᄉᆞᄒᆞ며, 밧【41】그로 엄히 딕희여 블의지변(不意之變)을 방비ᄒᆞᄃᆡ, 침단(沈端)405)ᄒᆞ미 남다른 고로 ᄌᆞ긱지ᄉᆞ(刺客之事)를 죵시 부마긔 고치 아니니, 병부도 아득히 아디 못ᄒᆞ나, 공쥬의 블냥(不良)ᄒᆞ믈 명지(明知)ᄒᆞ여 증분이 날노 더으ᄃᆡ, 외면의 흔연ᄒᆞ믈 곳치지 아니니, 합문(閤門)이 젼연 ᄇᆞ디러라.

문양공쥐 후걸을 별원으로 보ᄂᆡ고 최상궁으로 더브러 즐겁고 깃브믈 니긔디 못ᄒᆞ여, 윤·양·니 삼부인을 일검(一劍)의 버혀 시신도 업시코 도라오기를 양양이 죄와, 희보를 죵야 기다리ᄃᆡ, 걸의 그림ᄌᆞ도 오ᄂᆞᆫ 일 업ᄉᆞ니 의괴막측(疑怪莫測)ᄒᆞᆫ 바의, 최형이 밧긔 이셔 후걸[길]의 아니오믈 초조ᄒᆞ여 별원 근쳐의 가 탐문ᄒᆞᄃᆡ, 긔【42】쳑이 업ᄉᆞ니 크게 경아(驚訝)ᄒᆞ여 상궁을 보아 괴이ᄒᆞ믈 일ᄏᆞᄅᆞ니, 상궁 왈,

"후걸이 황금만 가지고 도망치나 아닐 위인이런가, 밋지 못ᄒᆞ노라."

최형 왈,

"기인을 갓 ᄉᆞ괴엿거니와 ᄂᆡ실(內實)ᄒᆞ미 남다르고 지죄 비상ᄒᆞ니, 옥쥬 쇼원을 일워 뎍인을 소멸ᄒᆞᆯ가 졍셩으로 후길을 쳔거 ᄒᆞ미러니, 무소식ᄒᆞ니[나] 결단코 도망ᄒᆞᆯ 념녀ᄂᆞᆫ 업고, 근본이 영쳔 사ᄅᆞᆷ이니 졔 ᄋᆞ들

404)삿 : 삿자리. 갈대를 엮어서 만든 자리.
405)침단(沈端) : 침중(沈重)하고 단엄(端嚴)함.

"그놈의 죄악이 가장 쥬륙(誅戮)이로ᄃᆡ, 오직 조용키을 주ᄒᆞ미니, 혹ᄌᆞ 후길 시신을 ᄎᆞᆺᄂᆞ니 잇셔도 죽엄을 갓가온ᄃᆡ 무더두라."

경필이 수명ᄒᆞ고 동뉴로 더부러 시신을 싯[삿296)]긔 마라 십니경의 무드ᄃᆡ, 시랑의 분뷔 엄ᄒᆞ므로 ᄎᆞᄉᆞ을 불츌구외ᄒᆞ니, 뎡부 법녕이 숙연ᄒᆞ므로 주인의 금ᄒᆞ믈 감히 졔 부모 쳐ᄌᆞ다려도 《이러지∥이르지》 못ᄒᆞ더라. 연고로 후길 죽이물 젼연부지ᄒᆞ고, 윤·양·니 ᄉᆞᆷ부인은 안연 무ᄉᆞᄒᆞ며 박긔로 엄히 직희여 불의지변(不意之變)을 방비ᄒᆞ되, 침단(沈端)297)ᄒᆞ미 남다른 고로 ᄌᆞ긱지ᄉᆞ(刺客之事)을 종시 부마긔도 고치 아니니, 부마도 아득히 모르나 공주의 불냥ᄒᆞ믈 밍[명]지(明知)ᄒᆞ여 증분이 날노 더ᄒᆞ되, 외면의 흔연ᄒᆞᆫ 곳치지 아니니, 합문(閤門)이 젼연부지러라.

공쥐 후길을 보ᄂᆡ고 최녀로 더부러 깃부믈 이긔지 못ᄒᆞ여, ᄉᆞᆷ부인을 일검(一劍)의 버혀 시신도 업시코 도라오기을 양양이 죄와, 희보을 종야 기ᄃᆞ리ᄃᆡ, 후길의 그림ᄌᆞ도 오ᄂᆞᆫ 일이 업시니, 의괴망측(疑怪罔測)ᄒᆞᆫ 바의, 최형이 밧긔 잇셔 후길의 아니오믈 초조ᄒᆞ여, 별원근쳐의 가 탐문ᄒᆞ되 긔쳑이 업ᄉᆞ니, 크게 경아(驚訝)ᄒᆞ여 최녀을 보아 고이ᄒᆞ믈 일카르니, 최녀 왈,

"후길이 황금만 가지고 도망이나 아니 ᄒᆞᆯ 위인일넌가, 밋지 못ᄒᆞ노라."

최형 왈,

"기인을 갓 ᄉᆞ괴엿거니와 ᄂᆡ실(內實)ᄒᆞ미 남다르고 지죄 비상ᄒᆞ니, 옥주 소원을 일월 ○[가] 쳔거ᄒᆞ미러니, 지금 무소식ᄒᆞ니[나] 결단코 도망 념녀ᄂᆞᆫ 업고, 근본이 영쳔ᄉᆞᄅᆞᆷ이니 졔 아들 둘이 지죄 초【58】셰(超世)

296)삿 : 삿자리. 갈대를 엮어서 만든 자리.
297)침단(沈端) : 침중(沈重)하고 단엄(端嚴)함.

둘히 ᄌᆡ조를 계(繼)ᄒᆞ므로, 즉금 다리고 상경ᄒᆞ여 댱ᄌᆞᄂᆞᆫ 태혹ᄉᆞ 구몽슉의 셔긔(書記)를 삼고, ᄎᆞᄌᆞᄂᆞᆫ 대도록 소환의 군관이 되엿ᄂᆞ니, 엇지 다라나리오.”

최시 역경 왈,

“연즉 다라나든 아닐 거【43】시오, ᄉᆞ긔 패루ᄒᆞ여 잡히지 아냐신즉, 엇디 긔쳑이 업ᄉᆞ리오”.

최형 왈,

“후당의 삼부인이 잇다 ᄒᆞ니, 녀ᄌᆡ 므ᄉᆞᆫ 디략으로 후길의 용ᄆᆡᆼ을 당ᄒᆞ여 잡으리오. 현ᄆᆡ 의심이 괴이토다.”

상궁 왈,

“ᄎᆞᄉᆡ 난측이니 져의 냥ᄌᆞ를 ᄎᆞᄌᆞ 거쳐를 알게 ᄒᆞ쇼셔.”

최형이 연기언(然其言)[406]ᄒᆞ여, 두로 도라 길의 상시 단니던 곳을 아니 ᄎᆞᄌᆞ미 업고, 냥ᄌᆞ를 보아 기부의 거쳐를 므른ᄃᆡ 다 모로므로 ᄃᆡᄒᆞ니, 최형이 어두온 후 문양궁의 와 죵시 만나디 못ᄒᆞ믈 니른ᄃᆡ, 최상궁이 낙담 상ᄒᆞᆫ 왈,

“연즉 후길이 작셕(昨夕)의 ᄉᆞ긔 패루ᄒᆞ여 발셔 우리 일이 낫타나도다.”

최【44】형 왈,

“후길이 일을 그릇ᄒᆞ여 힘힘히 죽을 뉴(類)ᄂᆞᆫ 아니로ᄃᆡ, 아모리 후길의 쳐ᄌᆞ를 ᄎᆞᄌᆞ나 다시 얼골을 보디 못ᄒᆞ니, 그런 괴이ᄒᆞᆫ 일이 업도다.”

상궁이 혹ᄌᆞ ᄉᆞ긔 패루ᄒᆞᆫ가 근심ᄒᆞ나, 오히려 후길이 별원 ᄂᆡ졍의 계오 들며 함졍의 ᄲᆞ지ᄂᆞᆫ 화를 만나, 몸이 칼과 쇠꼿치의 질니이고 독약의 맛ᄎᆞ믈 아디 못ᄒᆞ여, 분분초조ᄒᆞ믈 마디 아니니, 최형이 역(亦) 심회블평ᄒᆞ여 두로 듯보ᄃᆡ, 별원의 도적 든 줄 아ᄂᆞ니도 업ᄉᆞ니, 죵시 ᄉᆞᄉᆡᆼ 거쳐를 몰나 울울 블낙ᄒᆞ니, 공쥬와 최시의 초젼(焦煎)ᄒᆞ믄 일필난긔(一筆難記)라. 슉식이 무미(無味)ᄒᆞ나 부마의 은근ᄒᆞ믄 일양(一樣)이니, 【45】 공쥐 최시다려 왈,

“만일 후길이 패루ᄒᆞ여신즉 간졍을 엄문

406)연기언(然其言) : 그 말과 같이 하겠다고 함.

ᄒᆞ므로 즉금 다리고 상경ᄒᆞ여, 장ᄌᆞᄂᆞᆫ ᄐᆡ혹ᄉᆞ 구몽슉의 셔기을 ᄉᆞᆷ고, ᄎᆞᄌᆞᄂᆞᆫ ᄃᆡ도독 소환의 군관이 되엿ᄂᆞ니, 엇지 다라니[나]리오.”

최녀 역경 왈,

“연즉 ᄉᆞ긔 ᄑᆡ루ᄒᆞ여 잡히지 아냣ᄉᆞᆫ즉 엇지 긔쳑이 업ᄉᆞ리오.”

최형 왈,

“후당의 ᄉᆞᆷ부인이 잇다 ᄒᆞ니, 녀ᄌᆡ 무ᄉᆞᆫ 지식으로 후길의 용ᄆᆡᆼ을 당ᄒᆞ여 잡으리오. 현ᄆᆡ 의심이 고이ᄒᆞ다.”

최녀 왈,

“ᄎᆞᄉᆡ 측냥업ᄉᆞ니 후길의 장ᄌᆞ나 ᄎᆞᄌᆞ보고 거쳐을 알게 ᄒᆞ소셔.”

최형이 연기언(然其言)[298] ᄒᆞ여, 종일 두로 도라 상시 단이ᄂᆞᆫ 곳을 아니 ᄎᆞᄌᆞ미 업고, 양ᄌᆞ을 보아 후길의 거쳐을 무르ᄃᆡ 다 모로므로 ᄃᆡᄒᆞ니, 최형이 어두온 후 문양궁의 와 종시 만나지 못ᄒᆞ믈 니른ᄃᆡ, 최네 낙담 왈,

“연즉 후길이 작셕(昨夕)의 ᄉᆞ긔 ᄑᆡ루ᄒᆞ여 발셔 우리 일이 낫토낫도다.”

최형 왈,

“졔 일을 그릇ᄒᆞ여 힘힘이 죽을 수[뉴(類)]ᄂᆞᆫ 아니로ᄃᆡ, 아모리 거쳐을 ᄎᆞᄌᆞ나 다시 얼골을 보지 못ᄒᆞ니 심히 고이ᄒᆞ도다.”

최녀 흔희지심이 푸러져 ᄉᆞ긔 ᄑᆡ루ᄒᆞᆫ가 근심ᄒᆞᄃᆡ, 오히려 후길이 별원 ᄂᆡ졍의 겨유 들며 함졍의 ᄲᆡ져 목슘이 독약의 마ᄎᆞ믈 아지 못ᄒᆞ여, 분분초조(紛紛焦燥)ᄒᆞ믈 마지 아니니, 최형이 ᄯᅩᄒᆞᆫ 심회불낙(心懷不樂)ᄒᆞ니, 공주와 최네 초젼(焦煎)ᄒᆞ믄 일필난긔(一筆難記)라. 숙식이 무미(無味)ᄒᆞ미 일을 거시 업ᄉᆞ나, 부마의 은근ᄒᆞ믄 일양(一樣)이니, 공주 최녀다려 왈,

“만일 후길이 ᄑᆡ루ᄒᆞ엿신즉, 간졍을 엄문

298)연기언(然其言) : 그 말과 같이 하겠다고 함.

(嚴問)ᄒᆞ여 우리 허물이 발각ᄒᆞ여실 거시오, 복초로좃ᄎᆞ 궁듕 비ᄌᆞ를 져주어 므를 거시나, 더욱 최형은 뎡군 슈하 댱졸의 이시니, 최형을 삭딕ᄒᆞ여 엄치ᄒᆞᆯ 거시로ᄃᆡ, 부매 ᄎᆞᄉᆞ를 젼연 ᄇᆞ디ᄒᆞᆯ ᄲᆞᆫ 아니라, 존당 구고 언단의 별원의 ᄌᆞᄀᆡᆨ이 든 바를 일ᄏᆞᆺ디 아니니, 아마 후길이 무ᄌᆡᄒᆞ여, 거즛 별원의 드러가 윤·양 등 ᄒᆡ(害)키를 긔약ᄒᆞ고, 황금의 탐ᄒᆞ여 도망ᄒᆞᆫ가 ᄒᆞ노라."

최시 빈미(嚬眉) 왈,

"황금 일졍이 비록 앗가오나 도쥬ᄒᆞ여시면 작ᄒᆞ리잇가마ᄂᆞᆫ[407], 혹ᄌᆞ ᄉᆞ긔 패루ᄒᆞᆫ가 날노 근심되나, 상공의 흔연【46】ᄒᆞᆫ ᄉᆞᄉᆡᆨ과 뎡당 긔ᄉᆡᆨ이 여젼ᄒᆞ니, 혹ᄌᆞ 후길이 옥쥬의 니르심과 ᄀᆞᆺᄐᆞ여 도쥬ᄒᆞᆫ가 ᄒᆞ나, 쳔장슈심(千丈水深)은 아라도 인심(人心)은 블가탁(不可度)이오니 뎡당과 도위 노야의 긔ᄉᆡᆨ인들 어이 미드리잇가?"

공쥐 왈,

"보모의 말도 올커니와, 작심삼일(作心三日)이라. 내 뎡문의 입승(入承)ᄒᆞᆫ 지 돌포 되나, 구고 존당의 ᄌᆞᄋᆡ ᄒᆞᆫ갈ᄀᆞᆺ치 공경ᄒᆞ고, ○○[도위] 은근 유열ᄒᆞ여 일호 블평지ᄉᆡᆨ이 업ᄉᆞ니, 이셩 합친지녜(合親之禮)를 폐ᄒᆞ미 괴이ᄒᆞ나 작위ᄒᆞ믄 아니라. ᄒᆞ물며 뎡군의 긔운이 튱텬ᄒᆞ고, 위인이 쥰녈ᄒᆞ여, 만셰 면젼의셔도 언논의 격앙ᄒᆞ미 텬위를 두려 아니니, 기의(其意)로뼈 홀노 날을 두【47】려 업ᄂᆞᆫ 졍을 가식(假飾)ᄒᆞ리오."

최시 역 쇼왈,

"맛당ᄒᆞ신 명괴(明敎)시나, 쳡은 실노 쥬군의 힝ᄉᆞ를 슈상히 넉이ᄂᆞ니, ᄆᆡ양 신병을 일ᄏᆞ라 셰월이 오라믈 니르시니 본ᄃᆡ 실졍이 아니시고, 윤·양·니 삼부인긔ᄂᆞᆫ ᄉᆡᆼ산ᄒᆞ니 엇디 옥쥬 취ᄒᆞ신 후야 신환이 계샤 비홍이 그져 이시니, 비록 조심ᄒᆞᄂᆞᆫ 뜻이나 삼부인긔ᄂᆞᆫ 조심ᄒᆞ미 업고, 옥쥬를 원거ᄒᆞ시니 죵시 후졍(厚情)이 잇다 못ᄒᆞᆯ디라, ᄒᆞ믈며 쥬군의 용뫼 홍년(紅蓮) ᄀᆞᆺᄐᆞ시고 침

407)작ᄒᆞ다 : 오죽하다. 작ᄒᆞ리잇가마ᄂᆞᆫ; (그렇게 되었으면) 오죽이나 좋겠습니까마는.

(嚴問)【59】ᄒᆞ여 우리 허물을 발각ᄒᆞ여실 거시오, 복초로조ᄎᆞ 궁즁 비ᄌᆞ을 져주어실 거시로ᄃᆡ, 부ᄆᆡ ᄎᆞᄉᆞ을 젼연브지ᄒᆞᆯ ᄲᆞᆫ 아니라, 존당구괴 별원의 ᄌᆞᄀᆡᆨ 든 바을 언단의 일캇지 아니니, 아마 후길이 무ᄌᆡᄒᆞ여 거즛 별원의 드러가 윤·양 등 ᄒᆡ키을 긔약ᄒᆞ고 금을 탐ᄒᆞ여 도망ᄒᆞᆫ가 ᄒᆞ노라."

최네 비[빈]츅(嚬蹙) 왈,

"도쥬ᄒᆞ엿시면 족ᄒᆞ리잇가마ᄂᆞᆫ[299] 혹ᄌᆞ ᄉᆞ긔 ᄑᆡ루ᄒᆞᆫ가 날노 근심ᄒᆞ나, 상공의 흔연ᄒᆞᆫ ᄉᆞᄉᆡᆨ과 뎡당 긔ᄉᆡᆨ이 여젼ᄒᆞ니, 후길이 옥주 이르심과 갓ᄒᆞ여 도주ᄒᆞᆫ가 ᄒᆞ나, 쳔장수심(千丈水深)은 아라도 ᄉᆞ름의 속은 모른다 ᄒᆞ오니, 뎡당과 상공의 긔ᄉᆡᆨ인들 어이 미드리잇가?"

공주 왈,

"보모의 말도 올커니와 작심ᄉᆞᆷ일(作心三日)이라. ᄂᆡ 뎡문의 입승(入承)ᄒᆞᆫ지 달포 되나, 구고 존당의 ᄌᆞᄋᆡ ᄒᆞᆫ갈 갓치 공경ᄒᆞ고, ○○[도위] 황녀의 존경ᄒᆞ믈 ᄭᆡ다르ᄆᆡ 은근 유열ᄒᆞ여 일호불편지ᄉᆡᆨ이 업ᄉᆞ니, 이셩화친지녜을 폐ᄒᆞ미 고이ᄒᆞ나 작위ᄒᆞ믄 아니라. ᄒᆞ물며 뎡군의 긔운이 츙쳔ᄒᆞ고 위인이 쥰열ᄒᆞ여, 만셰 젼의셔○[도] 언논이 격앙ᄒᆞ여 쳔위을 두려 아니니, 기의(其意)로쎠 홀노 날을 두려 업ᄂᆞᆫ 졍을 각[가]식ᄒᆞ리오."

최녀 역 소왈,

"맛당ᄒᆞ신 셩교(聖敎)시나, 쳡은 실노 주군의 힝ᄉᆞ을 수상이 역이ᄂᆞ니, ᄆᆡᆼ[ᄆᆡ]양 신병을 일카라 세월이 오ᄅᆡ물 이르시니, 본ᄃᆡ 환ᄌᆡ 아니시고, 윤·양·니 ᄉᆞᆷ부인긔ᄂᆞᆫ ᄉᆡᆼ산ᄒᆞ시니, 엇지 옥주 ○[취]ᄒᆞ신 후야 신환이 계셔 비홍이 그져 이시리잇고? 비록 조심ᄒᆞᄂᆞᆫ 뜻시나 ᄉᆞᆷ부인긔ᄂᆞᆫ 조심○○[ᄒᆞ미] 업고 옥주을 원거ᄒᆞ시니, 종시【60】 후졍이 잇다 못ᄒᆞᆯ지라. 허물며 주군 요[용]뫼

299)족ᄒᆞ다 : 오죽하다. 족ᄒᆞ리잇가마ᄂᆞᆫ; (그렇게 되었으면) 오죽이나 좋겠습니까마는.

식이 여일(如一)ᄒᆞ시니 질환이 핑계시오. 혹 녀식의 상(傷)타ᄒᆞ나, 젼일은 여러 회쳡긔 줄기시고, 당ᄎᆞ시ᄒᆞ여 녀관(女關)의 괴로와 ᄒᆞ시미 옥쥬를【48】 증염○[ᄒᆞᆷ] ᄀᆞᆺᄐᆞ니, 삼부인을 청ᄒᆞ여 일궁(一宮)의 두고 보면 알니이다. 옥쥬 존귀로뼈 뎍인(敵人)을 보시며, 구가 일문이 삽부인을 몬져 일ᄏᆞᆺ고 버거 옥쥬를 칭션ᄒᆞ믈 드르면, 쳡의 심간(心肝)이 쒸노ᄂᆞ니, 윤・양 등이 식덕이 엇더관ᄃᆡ, 텬샹을 통ᄒᆞ여 다시 업ᄉᆞ므로 일ᄏᆞᄅᆞ니, 쳡이 옥쥬를 위ᄒᆞ여 통일텬하(統一天下) ᄒᆞ고, 평뎡 구쥬(九州)[408]ᄒᆞᄂᆞᆫ 쾌ᄒᆞ믈 도모ᄒᆞ여 쥬쥬야야의 ᄆᆞ음이 편ᄒᆞ믈 엇디 못ᄒᆞᄂᆞ이다."

공쥐 그 튱의를 감샤ᄒᆞ여 본ᄃᆡ 귀비 버금으로 졍이 깁고, 샤부 한상궁은 본이 ᄉᆞ족이오 위인이 뎡졍ᄒᆞᆫ디라. ᄆᆡ양 최녀의 블미지ᄉᆞ로 공쥬를 그릇 도음과, 공교ᄒᆞᆫ 쇠로 가부【49】의 은졍을 낫고려 ᄒᆞ믈 아니ᄭᅩ아, ᄌᆞ로 어린 말ᄉᆞᆷ으로 숙녀의 브덕을 니르고, 최녀의 간험ᄒᆞ믈 빈쳑ᄒᆞᄃᆡ, 공쥐 최녀의 간교를 ᄋᆡ지(愛之)ᄒᆞ고, 한시의 간언을 오지(惡之)ᄒᆞ여 궁듕 범ᄉᆞ를 상의ᄒᆞ미 업셔, 다만 셔칙만 가음알게 ᄒᆞ고, 최시ᄂᆞᆫ 금은(金銀) 필빅(疋帛) 보화(寶貨)를 ᄎᆞ지ᄒᆞ며 공쥬 좌우를 ᄯᅥ나미 업셔, 부매 드러오면 잠간 피ᄒᆞᆯ ᄯᆞ름이오, 블연즉 흉모를 힝하노라 일시 물너 나지 아니니, 한시 심ᄂᆡ의 개탄ᄒᆞ여 공쥬를 블의에 너흘가 슬허ᄒᆞᄃᆡ, 간언이 무익ᄒᆞ여 도로혀 함구(緘口)ᄒᆞ믈 일삼더라.

녀름이 딘ᄒᆞ고 초츄를 만나, 니시 일쳑(一尺) 빅옥(白玉)을 산(産)ᄒᆞ니, 산실의 긔이ᄒᆞᆫ【50】 샹셰(祥瑞) 이서, 경운(慶雲)이 만실ᄒᆞ고 이향(異香)이 암암(暗暗)ᄒᆞ여 싱이

---

408)구쥬(九州) : 중국 고대에 전국을 나눈 9개의 주. 요순시대(堯舜時代)와 하(夏)나라 때에는 기(冀)・연(兗)・청(靑)・서(徐)・형(荊)・양(揚)・예(豫)・양(梁)・옹(雍)이며, 은(殷)나라 때에는 기・예・옹・양・형・연・서・유(幽)・영(營)이고, 주(周)나라 때에는 양・형・예・청・연・옹・유・기・병(幷)이다

홍년(紅蓮) 갓트시고 침식이 열[여]일ᄒᆞ시니 질환이 핑계시고, 당ᄎᆞ시ᄒᆞ여 녀관(女關)이[을] 괴로워 ᄒᆞ시며 젼혀 옥주을 증염ᄒᆞᆷ 갓트니, ᄉᆞᆷ부인을 청ᄒᆞ여 일궁(一宮)의 두고 보면 알녀니와, 옥쥐 존귀로써 젹인(敵人)을 보시며, 구가 일문이 ᄉᆞᆷ부인을 몬져 일캇고 버거 옥주을 칭션ᄒᆞ시믈 드르면, 쳡의 심간이 쒸노ᄂᆞ니, 윤・양 등의 식덕이 엇더ᄒᆞ관ᄃᆡ, 쳔상을 통ᄒᆞ여 다시 업ᄉᆞ므로 일카르니, 쳡이 옥주을 위ᄒᆞ여 통일쳔하(統一天下)ᄒᆞᄂᆞᆫ 쾌ᄒᆞ믈 도모ᄒᆞ여, 주야의 ᄆᆞ옴이 편ᄒᆞ믈 엇지 못ᄒᆞᄂᆞ이다."

공쥐 그 츙의을 감ᄉᆞᄒᆞ야 부ᄃᆡ 귀비 버금으로 《칭∥친(親)》이 깁고, ᄉᆞ부 ᄒᆞᆫ상궁은 본이 ᄉᆞ족이오 위인이 졍졍ᄒᆞᆫ지라, ᄆᆡ양 최녀의 불미지ᄉᆞ(不美之事)로 공주을 그릇 도음과, 공교ᄒᆞᆫ 쇠로 가부의 은졍을 낙고려 ᄒᆞ믈 아니ᄭᅩ와, ᄌᆞ로 어진 말ᄉᆞᆷ으로 숙녀의 부덕을 이르니, 최녀의 간험ᄒᆞ믈 빈쳑ᄒᆞ되, 공쥐 최녀의 간교을 ᄋᆡ지(愛之)ᄒᆞ며, 한시의 간언을 오지(惡之)ᄒᆞ여, 궁즁 범ᄉᆞ을 상의ᄒᆞ미 업셔 다만 셔칙만 가음알게 ᄒᆞ고, 최녀ᄂᆞᆫ 금은(金銀) 필빅(疋帛) 보화(寶貨)을 ᄎᆞ지ᄒᆞ며, 공주 좌우을 ᄯᅥᄂᆞ미 업셔, 부ᄆᆡ 드러오면 잠간 피ᄒᆞᆯ ᄯᆞ름이오, 불연즉(不然則) 흉모을 힝ᄒᆞ노라 일시도 ᄯᅥᄂᆞ지 아니니, 한시 심ᄂᆡ의 기탄ᄒᆞ여 공주을 불의에 너흘가 져허ᄒᆞᄃᆡ, 간언이 무익ᄒᆞ여 도로혀 ᄒᆞᆷ구(緘口)ᄒᆞ믈 일ᄉᆞᆷ더라.

여름이 진ᄒᆞ고 초츄을 만나, 니시 일쳑(一尺) 빅옥(白玉)을 ᄉᆡᆼᄒᆞ니, 산실의 긔이ᄒᆞᆫ 상셔(祥瑞) 잇셔, 이향(異香)이 만실(滿室)ᄒᆞ여 ᄉᆡᆼ【61】ᄋᆡ(生兒) 초셰(超世)ᄒᆞᆫ 귀인이믈 알지라.

윤・양 이부인이 좌우로 븟드러 무ᄉᆞ 분산(分産)ᄒᆞᄆᆡ, 신아의 소ᄅᆡ 쳥고 웅건ᄒᆞ여 집이 울니ᄂᆞᆫ지라. 겸ᄒᆞ여 일쳑 빅옥이 일월졍긔(日月精氣)와 셩신지졍(星辰之精)을 오로지 가져, 산쳔의 말근 광치을 실듕의 통

(生兒) 초셰(超世)ᄒᆞᆫ 귀인(貴人)이믈 알디라.

윤・양 이부인이 좌우로 븟드러 무ᄉᆞ 분산ᄒᆞ미, 신ᄋᆞ의 소ᄅᆡ 쳥고 웅건ᄒᆞ여 집이 울히ᄂᆞᆫ디라. 겸ᄒᆞ여 일쳑 ᄇᆡᆨ옥이 일월졍긔(日月精氣)와 셩신지경(星辰之精)을 오로디 가져 산쳔의 ᄆᆞᆰ은 광ᄎᆡ를 실듕의 토ᄒᆞ니, 윤양 이부인이 희츌망외(喜出望外)[409]ᄒᆞ여 신ᄋᆞ를 귀경ᄒᆞ며[410] 산모(産母)를 븟드러 ᄀᆡᆼ반(羹飯)을 권ᄒᆞᆯᄉᆡ, 시랑과 공ᄌᆞ 등이 쇼져의 블의 슌산 ᄉᆡᆼᄌᆞᄒᆞ믈 만심 환희ᄒᆞ여 구호ᄒᆞ믈 {극진히 ᄒᆞ믈} 극진히 ᄒᆞ더라.

금평휘 ᄌᆞᄀᆡᆨ의 변이 날포[411] 될ᄉᆞ록 ᄎᆞ악ᄒᆞ믈 니긔디 못ᄒᆞ고, ᄎᆞ후 삼식부의 위틱ᄒᆞ믈 깁【51】히 념녀ᄒᆞ여, 공쥬의 흉독을 분히ᄒᆞ나 ᄉᆞ식을 흔연ᄒᆞ여, ᄌᆞ졍긔ᄂᆞᆫ 미리 념녀ᄒᆞ실 고로 고치 못ᄒᆞ나, 부인을 ᄃᆡᄒᆞ여 됴흔 말솜으로 녀ᄋᆞ의 화란을 거리ᄭᅵ지 아니 ᄒᆞᄂᆞᆫ ᄃᆞᆺᄒᆞ나, 텬뉸 져독(舐犢)[412]의 디극ᄒᆞᆫ ᄌᆞᄋᆡ로ᄡᅧ, 빙옥신샹(氷玉身上)의 망측ᄒᆞᆫ 죄루를 시러, 누옥간최(陋獄艱楚)[413] 비샹ᄒᆞ믈 참연 통셕ᄒᆞ여 탄식(歎息) 단우(慱憂)[414]러니, 일일은 남휘 옥누항의 나아가 누의를 보고 와, 대단ᄒᆞᆫ 질양이 업ᄉᆞ믈 부젼의 고ᄒᆞ니, 공이 탄왈,

“녀ᄋᆡ ᄉᆡᆼ어부귀(生於富貴)ᄒᆞ고 댱어호치(長於豪侈)ᄒᆞ니 누지ᄂᆡᆼ옥(陋地冷獄)의 일시나 견ᄃᆡ리오마ᄂᆞᆫ, 명되 완(頑)ᄒᆞ미라. 임의 삼히(三夏) 진ᄒᆞ고 졈졈 츄ᄅᆡᆼ(秋冷)ᄒᆞ니, 필연 긔한(飢寒)을 면치 못ᄒᆞ리로다.”

남휘 복슈 왈,

“옥듕이【52】 비록 누츄(陋醜)ᄒᆞ오나 히

409)희츌망외(喜出望外) : 기대하지 아니하던 기쁜 일이 뜻밖에 생김.
410)귀경ᄒᆞ다 : 구경하다. 흥미나 관심을 가지고 보다.
411)날포 : 하루가 조금 넘는 동안
412)져독(舐犢) : '소가 제 새끼를 핥는다.'는 뜻으로, 자식에 대한 어버이의 지극한 사랑을 비유로 나타낸 말. 지독지애(舐犢之愛).
413)누옥간최(陋獄艱楚) : 좁고 더러운 감옥에서 괴롭고 힘든 옥살이를 함.
414)단우(慱憂) : 매우 깊이 근심함.

ᄒᆞ니 찬난ᄒᆞᆫ지라. 윤・양 이부인이 희츌망외(喜出望外)[300]ᄒᆞ여 신아을 귀경ᄒᆞ며[301], 산모(産母)을 븟드러 ᄀᆡᆼ반(羹飯)을 권ᄒᆞᆯᄉᆡ, 시랑과 공ᄌᆞ 등이 니수(嫂)의 순산 ᄉᆡᆼ남ᄒᆞ믈 만심 환희ᄒᆞ여 구호ᄒᆞ믈 극진이 ᄒᆞ더라.

금평휘 ᄌᆞᄀᆡᆨ의 변이 날포[302] 될ᄉᆞ록 ᄎᆞ악ᄒᆞ물 이긔지 못ᄒᆞ여 마음의 방ᄒᆞ치 못ᄒᆞ고, ᄎᆞ후 ᄉᆞᆷ식부의 위틱ᄒᆞ물 깁히 념녀ᄒᆞ야 공주의 흉독을 분히ᄒᆞ나, ᄉᆞ식을 흔연이 ᄒᆞ여 틱틱긔ᄂᆞᆫ 미리 념녀ᄒᆞ시ᄂᆞᆫ 고로 고치 못ᄒᆞ나, 부인을 ᄃᆡᄒᆞ여 조흔 말솜으로 녀ᄋᆞ의 화란을 거리ᄭᅵ지 아니ᄒᆞᄂᆞᆫ 듯ᄒᆞ나, 텬뉸《져족‖지독(舐犢)[303]》의 지극ᄒᆞᆫ 자ᄋᆡ로ᄡᅧ, 빙옥신상(氷玉身上)의 망측ᄒᆞᆫ 죄루을 무릅ᄡᅧ 누옥간최(陋獄艱楚)[304] 비상ᄒᆞ믈 참연 통셕ᄒᆞ여 탄식(歎息) 단위(慱憂)[305]러니, 일일은 남휘 옥누항의 나아가 누의을 보고 와, ᄃᆡ단ᄒᆞᆫ 질양이 업ᄉᆞ믈 부젼의 고ᄒᆞ니, 공이 탄 왈,

“녀ᄋᆡ ᄉᆡᆼ어부귀(生於富貴)ᄒᆞ고 장어호치(長於豪侈)ᄒᆞ니 누지ᄂᆡᆼ옥(陋地冷獄)이 일시나 견ᄃᆡ리오마ᄂᆞᆫ, 명되 긔험(崎險)ᄒᆞ미라. 임의 ᄉᆞᆷ하(三夏)지ᄂᆡ고 졈졈 츄ᄅᆡᆼ(秋冷)ᄒᆞ니 필연 긔ᄒᆞᆫ(飢寒)을 면치 못ᄒᆞ리로다.”

남휘 복 주왈,

“옥즁이 비록 누추(陋醜)ᄒᆞ오나 ᄒᆡᄋᆡ 일

300)희츌망외(喜出望外) : 기대하지 아니하던 기쁜 일이 뜻밖에 생김.
301)귀경ᄒᆞ다 : 구경하다. 흥미나 관심을 가지고 보다.
302)날포 : 하루가 조금 넘는 동안.
303)져독(舐犢) : '소가 제 새끼를 핥는다.'는 뜻으로, 자식에 대한 어버이의 지극한 사랑을 비유로 나타낸 말. 지독지애(舐犢之愛).
304)누옥간최(陋獄艱楚) : 좁고 더러운 감옥에서 괴롭고 힘든 옥살이를 함.
305)단우(慱憂) : 매우 깊이 근심함.

ᄋᆡ 일일(日日) 왕ᄂᆡ(往來)ᄒᆞ여 보오니, 부지(扶持)ᄒᆞᆯ 도리 잇ᄉᆞ온디라. 현마 엄한(嚴寒)을 만난들 긔한을 못니긔여 죽ᄂᆞᆫ 디경의 니르리잇가?”

공이 추연 블낙이오, 병부ᄂᆞᆫ 부공의 ᄉᆡᆨ우(色憂)를 민박(憫迫)ᄒᆞ여 츈양화긔(春陽和氣)로 념슬시좌(斂膝侍坐)러니, 문득 오공ᄌᆞ 필홍이 니슈의 순산 ᄉᆡᆼᄌᆞᄒᆞ믈 고ᄒᆞ니, 공이 희동안ᄉᆡᆨ(喜動顔色)ᄒᆞ여 밧비 산모의 긔운을 아라오라 ᄒᆞ며, ᄂᆡ당의 가 태부인긔 고ᄒᆞ니 부인이 만심환열ᄒᆞ여 ○[왈].

“노모의 디리 명완(命頑)ᄒᆞ므로 증손을보니 ᄉᆞ라시미 영ᄒᆡᆼᄒᆞᆫ디라. 삼부를 별쳐의 두고 노모의 못니ᄌᆞ미 극ᄒᆞ던디라, 신ᄋᆞ를【53】 밧비 가 보고져 ᄒᆞᄂᆞ니, 노뫼 친히 가 보리라.”.

금평휘 쇼이ᄃᆡ왈(笑而對曰),

“ᄌᆞ위 가 보신즉 쇼ᄌᆡ 막으리잇고마ᄂᆞᆫ, 니시 분산을 기다려 ○○[ᄃᆞ려]오려 ᄒᆞ더니, 남ᄋᆞ를 나하시니 영ᄒᆡᆼᄒᆞ온디라. 삼칠 후 넷 침소의 옴겨오리니, 별원 왕ᄂᆡ 극난(極難)ᄒᆞ와 셩톄 닛브시리니 기다리쇼셔.”

병뷔 역간(亦諫)ᄒᆞ니, 부인이 ᄌᆞ손의 말은[을] 욱여 가디 못ᄒᆞ고 심히 굼거워, 윤부인 ᄋᆞᄌᆞ와 양시 녀ᄋᆡ 버러시니 어로만져 ᄀᆞᆯ오ᄃᆡ,

“니시 비록 용뫼 현미치 못ᄒᆞ나, 셩ᄒᆡᆼ ᄉᆞ덕은 슉녀 뎨일좌(第一座)를 압두ᄒᆞ니, 텬홍의 풍치를 품슈ᄒᆞ면 가히 비속(非俗)ᄒᆞᆯ디라.【54】 ᄎᆞᄋᆞ 등과 ᄀᆞᆺ튼가 즉시 못보니 굼겁도다.”

진부인 쇼이 ᄃᆡ왈,

“남녀간 외모○[ᄂᆞᆫ] 신치○[을] 《빗날∥빗닐》 ᄯᅳ름이오, ᄒᆡᆼᄉᆞ의 유익ᄒᆞ미 업ᄉᆞ온디라. 셰 손ᄋᆡ 각각 모습(母襲)ᄒᆞ여 용치 찬난ᄒᆞ니, 남ᄌᆞᄂᆞᆫ 풍신(風神)의 ᄒᆡ 업ᄉᆞ오ᄃᆡ, 녀ᄌᆞ 즉 ᄉᆡᆨ용(色容)의 황홀ᄒᆞ믈 인ᄒᆞ여 홍안(紅顔)의 ᄒᆡ를 ᄯᅴᄂᆞᆫ[415] 뉘 이시니, 쳡은

415)ᄯᅴ다 : 때다. 당하다. 남에게 따돌림이나 배척을 당하다.

일(日日) 왕ᄂᆡ(往來)ᄒᆞ여 보오니, 부지ᄒᆞᆯ 도리 잇ᄉᆞ올지라, 현마 엄ᄒᆞᆫ(嚴寒)을 당ᄒᆞᆫ들 못 이긔여 죽ᄂᆞᆫ 지경의 이르리잇가?”

공이 츄연 불낙이오, 병부ᄂᆞᆫ 부공의 ᄉᆡᆨ우(色憂)을 민박(民泊)ᄒᆞ여 츈양화긔(春陽和氣)로 염슬시좌(斂膝侍坐)러【62】니, 오공ᄌᆞ 필홍이 니시의 순산 ᄉᆡᆼ남ᄒᆞ물 고ᄒᆞᄂᆞᆫ지라. 공이 희동안ᄉᆡᆨ(喜動顔色)ᄒᆞ여 밧비 산모의 긔운을 아라오라 ᄒᆞ며, ᄂᆡ당의 가 ᄐᆡ부인긔 고ᄒᆞ니 부인이 만심환열ᄒᆞ여 왈,

“노모의 명이 지리ᄒᆞ므로 증손을 ᄯᅩ 보니 ᄉᆞ랏시미 영ᄒᆡᆼᄒᆞᆫ지라. 숌부을 별쳐의 두고 노뫼 못이져 ᄒᆞ든 ᄇᆡ라. 신아을 ᄇᆞᆺ비 보고져 ᄒᆞᄂᆞ니 노뫼 친히 가 보리라.”

금휘 소이ᄃᆡ왈(笑而對曰),

“ᄌᆞ위 보고져 ᄒᆞ시니 ᄒᆡᄋᆡ 막으리잇고 마ᄂᆞᆫ, 니시 분산을 기다려 ᄃᆞ려오려 ᄒᆞ드니, 남아을 나ᄒᆞ시니 영ᄒᆡᆼ이 극희(極矣)라. 삼칠일 후 옛 침소로 옴겨오리니, 별원 왕ᄂᆡ 극난ᄒᆞ와 셩쳬 잇부시리니 기ᄃᆞ리소셔.”

부믜 ᄯᅩ 역간(力諫)ᄒᆞ니 ᄐᆡ부인이 ᄌᆞ손의 말을 우기지 못ᄒᆞ고, 심히 궁거워 윤부인 아ᄌᆞ와 양시 녀ᄋᆡ 버러시니, 어로만져 왈,

“니시 비록 용뫼 《험미∥현미》○○[치 못]ᄒᆞ나, 셩ᄒᆡᆼ(性行) ᄉᆞ덕(四德)은 셩녀(聖女) 졔일좌(第一座)을 압두ᄒᆞ리니, 쳥[천]홍의 풍치을 품수ᄒᆞ면 가히 비속(非俗)ᄒᆞᆯ지라. ○[이] 아히 등과 갓튼가 즉시 보지 못ᄒᆞ니 궁겁도다.”

진부인이 소이ᄃᆡ왈,

“남녀간 외모○[ᄂᆞᆫ] 신치○[을] 《빗날∥빗닐》 ᄯᅳ름이오, ᄒᆡᆼᄉᆞ의 유익ᄒᆞ미 업ᄉᆞ온지라. 셰 손ᄋᆡ 각각 모습(母襲)ᄒᆞ여 용치 찬난ᄒᆞ니, 남ᄌᆞᄂᆞᆫ 풍신(風神)의 ᄒᆡ(害) 업ᄉᆞ오ᄃᆡ, 녀ᄌᆞᄂᆞᆫ ᄉᆡᆨ용(色容)이 황홀ᄒᆞ믈 인ᄒᆞ여 홍안의 ᄒᆡ을 ᄯᅴ이ᄂᆞ[306] 니 이시니 쳡은 외

306)ᄯᅴ다 : 띠다. 지니다. 용무나, 직책, 사명 따위를 지니다.

외모를 블긴히 녁이ᄂᆞ이다."

태부인이 쇼왈,

"현부의 말도 올흐나, 텬흥의 ᄌᆞ녀와 닌흥의 ᄋᆞ들이 진짓 닌ᄋᆞ봉취(麟兒鳳雛)416)라 노모ᄂᆞᆫ 니시의 ᄉᆡᆼ이 ᄎᆞᄋᆞ ᄀᆞᆺ기를 보라노라."

인하여 병부다려 왈,

"녜 공쥬를 《취ᄒᆞᆫ후 ‖ 취ᄒᆞ고》 삼부 등이 별원의 올문 후, ᄒᆞᆫ 번 가 보미 업ᄉᆞ니, 인졍의 가ᄒᆞ리오.【55】 모로미 이졔 별원의 가 삼부의 고초를 위로ᄒᆞ고, 신ᄋᆞ를 보아 부ᄌᆡ 반기라".

부매 삼부인을 ᄉᆞ상ᄒᆞ미 극ᄒᆞ나, 경부ᄂᆞᆫ 공쥐 모르ᄂᆞᆫ 고로 임의로 왕ᄂᆡᄒᆞ나, 별원은 가라 ᄒᆞ시미 업ᄉᆞ니 왕ᄂᆡᄒᆞ면 득죄ᄒᆞᆯ가 두리고, 공쥬의 의심을 업시고져 졀젹(絶迹)ᄒᆞ더니, 금일 조모 말ᄉᆞᆷ을 듯ᄌᆞᆸ고 유유브ᄃᆡ(儒儒不對)ᄒᆞ니 금휘 왈,

"샹명이 계신 고로 내 ᄯᅩ 너를 별원의 보ᄂᆡ지 못ᄒᆞ더니, ᄌᆞ괴 계시고 신ᄋᆡ 나시니 가 보라."

병뷔 ᄇᆡ샤 슈명ᄒᆞ고 별원의 니르니, 외당의 시랑과 공ᄌᆡ 모다 슈슈의 ᄉᆡᆼ남ᄒᆞ믈 깃거ᄒᆞ더니, 병부를 보고 일시의 마ᄌᆞ 희긔 미우를 둘너시니, 휘 흔연 문【56】왈,

"산뫼 산후 별증이나 업ᄉᆞ냐?"

시랑 왈,

"존슈 긔운을 뭇ᄌᆞ오니, 반깅을 ᄡᅥ로 나오시고 긔운이 여상(如常)○[타] ᄒᆞ시니, 약은 아니ᄡᅳᆯ소이다."

부매 깃거 날호여 입실ᄒᆞ니, 신ᄋᆞ의 우름소ᄅᆡ 청건(淸健)ᄒᆞ여, 단혈(丹穴)417)의 봉이 울고, 《구오 ‖ 구고(九皐)418)》의 학녀셩(鶴厲聲)419)이라. 비상ᄒᆞ믈 ᄭᅵ쳐 다시 ᄉᆞᆯ피ᄆᆡ,

416)닌ᄋᆞ봉취(麟兒鳳雛) : 기린의 새끼와 봉황의 새끼라는 뜻으로, 아직 세상에 드러나지 아니한 영웅을 비유적으로 이르는 말

417)단혈(丹穴) : 예전에, 중국에서 남쪽의 태양 바로 밑이라고 여기던 곳.

418)구고(九皐) : 깊고 넓은 못의 수심이 깊은 곳. 『시경』 <소아(小雅)> '鶴鳴'시의 "학명구고(鶴鳴九皐 : 깊은 못에서 학이 울어) 성문우야(聲聞于野 : 그 울음소리 들에 퍼지네)"에 나온다.

모 특츌ᄒᆞ믈 블긴이 역이ᄂᆞ이다."

ᄐᆡ부인이 소왈,

"현부의 말도 올흐나 청[천]흥의 ᄌᆞ녀와 인흥의 아들이 진짓 인아봉취(麟兒鳳雛)307)라 노모ᄂᆞᆫ 니시의 ᄉᆡᆼ이 ᄎᆞ아 등 갓기을 바라노라."

인ᄒᆞ여 부마다려 왈【63】,

"네 공주을 취ᄒᆞᆫ 후 ᄉᆞᆷ부 등이 별원의 올무ᄃᆡ ᄒᆞᆫ 번 보미 업ᄉᆞ니, 인졍의 가ᄒᆞ리오. 모로미 이졔 별원의 가 ᄉᆞᆷ부의 고초을 위로ᄒᆞ고, 신아을 보아 부ᄌᆡ 반기라."

부ᄆᆡ ᄉᆞᆷ부인을 ᄉᆞ상ᄒᆞ미 극ᄒᆞ나, 경부ᄂᆞᆫ 공주 모로ᄂᆞᆫ 고로 임의로 왕ᄂᆡᄒᆞ나, 별원은 가라 ᄒᆞ시미 업ᄉᆞ니, 임의로 왕ᄂᆡᄒᆞ면 득죄ᄒᆞᆯ 가 두리고, 공주의 의심을 업시코져 졀젹(絶迹)ᄒᆞ더니, 금일 조모 말ᄉᆞᆷ을 듯고 유유브ᄃᆡ(儒儒不對)○○[ᄒᆞ니], 금휘 왈

"상명이 계신 고로 ᄂᆡ ᄯᅩ 너을 별원의 보ᄂᆡ지 못ᄒᆞ더니, ᄌᆞ교 계시고 신ᄋᆡ 낫시니 가 보라."

부ᄆᆡ ᄇᆡᄉᆞᄒᆞ고 별원의 이르니, 외당의 시랑과 공ᄌᆡ 모다 수수의 ᄉᆡᆼ남ᄒᆞ믈 깃거 ᄒᆞ더니, 부마을 보고 일시의 마ᄌᆞ 희긔 미우을 둘너시니, 부ᄆᆡ 흔연 문왈,

"산뫼 산후 별증이나 업ᄂᆞ냐?"

시랑 왈,

"존수 긔운을 뭇ᄌᆞ오니, 반깅을 ᄡᅥ로 나오시고 긔운이 여상(如常)○[타] ᄒᆞ시니다."

부ᄆᆡ 깃거 날호여 입실ᄒᆞ니, 신ᄋᆞ의 우름소ᄅᆡ 청근[건](淸健)ᄒᆞ여, 단혈(丹穴)308)의 봉(鳳)이 울고, 구천(九天)309)의 학녀셩(鶴厲聲)310)이라. 비상ᄒᆞ믈 ᄭᅵ쳐 다시 ᄉᆞᆯ피ᄆᆡ, 산실의 향취 옹비(邕飛)ᄒᆞ고 셔광이 찬난ᄒᆞᆫ

307)인아봉취(麟兒鳳雛) : 기린의 새끼와 봉황의 새끼라는 뜻으로, 아직 세상에 드러나지 아니한 영웅을 비유적으로 이르는 말

308)단혈(丹穴) : 예전에, 중국에서 남쪽의 태양 바로 밑이라고 여기던 곳.

309)구천(九天) : 가장 높은 하늘.

310)학녀셩(鶴厲聲) : 학의 큰 울음소리.

산실의 향취 옹비(邕飛)ᄒᆞ고 셔광이 찬난ᄒᆞᆫ 지라. 부ᄌᆞ(父子)의 유년(留連)ᄒᆞᆫ 경을 니르리오.

윤・양 이부인이 니러 마ᄌᆞ 좌뎡ᄒᆞᄆᆡ, 두 부인을 보니, 찬난ᄒᆞᆫ 광치 더욱 ᄉᆡ로와, 윤시의 션풍옥안(仙風玉顔)과 양시의 긔려교용(奇麗巧容)이 엇게를 년ᄒᆞᄆᆡ, 츄텬양일(秋天陽日) ᄀᆞᆺ고 벽공신월(碧空新月) ᄀᆞᆺᄐᆞ여, 구목(瞿目)[420]이 황난(恍爛)[421]ᄒᆞᆫ디라. 부매 냥부인을 【57】 ᄃᆡ○○[ᄒᆞᄆᆡ] 더욱 공쥬를 증염(憎念)ᄒᆞ여 왈,

"요인(妖人)이 아니런들 삼부인으로 더브러 화락이 온젼ᄒᆞ고, 경시를 ᄉᆞ취(四娶)하여 대인긔 죄칙을 면ᄒᆞ고 쾌락ᄒᆞᆯ 거시어ᄂᆞᆯ, ᄉᆡᆼ각 밧 공쥬 하가(下嫁)로 금슬이 헛되니, 나의 몸이 팔쳑댱부로 군젼(君前)의도 ᄆᆞ옴을 두 가지로 못ᄒᆞ거ᄂᆞᆯ, 홀노 요악ᄒᆞᆫ 공쥬를 두려, 아니 나는 희쇼(喜笑)를 디어 거ᄌᆞᆺ 경을 낫토니 엇디 분히치 아니리오. 화복길흉이 공쥬긔 이실 니(理) 업ᄉᆞ니, 쾌히 박ᄃᆡᄒᆞ고 뇨됴현쳐(窈窕賢妻)로 화락ᄒᆞ리라"

ᄒᆞ고 밧비 신ᄋᆞ를 보니, 이 문득 강산의 졍긔와 일월졍화를 타시니, 미목(眉目)이 슈려ᄒᆞ고, 귀복(貴福)이 현츌ᄒᆞ여, 긔골이 셕대(碩大)ᄒᆞ고 비범ᄒᆞ여, 슈삼셰(數三歲)【58】 히ᄋᆞ(孩兒)로 ᄀᆞᆺ고, 말을 능히 옴길 ᄃᆞᆺ○○[ᄒᆞ니], 긔이ᄒᆞ믈 니긔지 못ᄒᆞ여 만안화긔(滿顔和氣) 미우(眉宇)의 넘ᄶᅵ니, 산모를 ᄀᆡᆼ반을 권ᄒᆞ고, 윤・양 이부인긔 니르ᄃᆡ,

"거년의 부인 니별시의 존명을 밧ᄌᆞ오미 이시나, 엇디 ᄉᆡᆼ의게 알뇌지 아니시뇨?"

이부인이 존당구고 셩후를 뭇잡고 나ᄌᆞᆨ이 ᄃᆡ왈,

"쳡등이 이의 오올젹 맛춤 군지 나가시고, 존괴 가기를 ᄌᆡ촉ᄒᆞ시니, 존명을 지류치 못ᄒᆞ미로소이다."

부매 흔연 쇼왈,

419)학녀셩(鶴厲聲) : 학의 큰 울음소리.
420)구목(瞿目) : (무엇인가를) 바라보는 눈.
421) 황난(恍爛) : 황홀하여 눈이 부심.

지라. 부ᄌᆞ(父子)의 유련(留連)ᄒᆞᆫ 경을 니르리오.

윤・양 이부인이 이러마ᄌᆞ 좌졍ᄒᆞᄆᆡ, 두 부인을 보니, 찬난ᄒᆞᆫ 광치 더욱 ᄉᆡ로와 윤시의 션풍옥안(仙風玉顔)과 양시의 긔려묘용(奇麗妙容)이 엇기을 연ᄒᆞ여 츄천《냥니도‖냥일》(秋天陽日)갓고 벽공신월(碧空新月) 갓트여, 구목(瞿目)[311]이 황난(恍爛)[312]ᄒᆞᆫ지라. 부ᄆᆡ 양부인을 ᄃᆡᄒᆞᄆᆡ, 더욱 공주을 증염ᄒᆞ여 왈,

"요인(妖人)이 아니런들 ᄉᆞᆷ부인으로 더부러 화락○[이] 온젼ᄒᆞ고, 경시을 ᄉᆞ취(四娶)ᄒᆞ여 ᄃᆡ인긔 죄칙을 면ᄒᆞ고 쾌【64】락ᄒᆞᆯ 거시여ᄂᆞᆯ, ᄉᆡᆼ각 밧 공주 ᄒᆞ가(下嫁)ᄒᆞ므로 금실이 헛트니, 나의 몸이 팔쳑장부로 군젼(君前)의도 마음을 두가지로 못ᄒᆞ거ᄂᆞᆯ, 홀노 요악ᄒᆞᆫ 공주을 두려, 아니 나뇨[는] 희소(喜笑)을 지어 거ᄌᆞᆺ 경을 나토나[니], 엇지 분히치 아니리오. 화복길흉이 공주긔 이실 니(理) 업ᄉᆞ니 쾌히 박ᄃᆡᄒᆞ고 요조현쳐(窈窕賢妻)로 화락ᄒᆞ리라."

ᄒᆞ고 밧비 신아을 보니 이 믄득 강산졍긔와 일월졍화○[를] 타 나시니, 미목이 수려ᄒᆞ고 귀복이 현츌ᄒᆞ여 긔골이 셕ᄃᆡ(碩大) 비범(非凡)ᄒᆞ여, 수숨세(數三歲) 아히로 갓고, 말을 능히 옴길 듯 긔이ᄒᆞ믈 이긔지 못ᄒᆞ여 만안화긔(滿顔和氣) 미우(眉宇)의 넘ᄶᅧ니, 산모을 ᄀᆡᆼ반을 권ᄒᆞ고, 윤・양 이부인긔 일오ᄃᆡ,

"거년의 부인이 니별시의 존명을 밧ᄌᆞ오미 잇시나, 엇지 ᄉᆡᆼ의게 알니지 아니시뇨?"

부인이 존당구고 셩후을 뭇ᄌᆞᆸ고 나ᄌᆞᆨ이 ᄃᆡ왈,

"쳡등이 이곳의 오는 날 마춤 군지 나가시고, 존괴 가기을 ᄌᆡ촉ᄒᆞ시니, 존명을 지류치 못ᄒᆞ미로소이다."

부ᄆᆡ 흔연 소왈,

311)구목(瞿目) : (무엇인가를) 바라보는 눈.
312) 황난(恍爛) : 황홀하여 눈이 부심.

"부인 등이 고초를 격그니 필연 의용이 슈쳑ᄒᆞᆯ가 ᄒᆞ더니, 금일 보ᄆᆡ 풍염윤ᄐᆡᆨ(豊艶潤澤)ᄒᆞ여 ᄇᆡᆨ만 근심을 몽외(夢外)의 더져시니, 시름이 업ᄉᆞ려니와, 일분 인졍이 이실진ᄃᆡ, 우흐로 존당을 념녀ᄒᆞ며 아【59】ᄅᆡ로 유치를 ᄉᆡᆼ각ᄒᆞ미 업셔, ᄌᆞ녀를 다려다가 보도 아니터뇨?"

이부인이 염임(斂衽) ᄃᆡ왈,

"쳡슈블민(妾雖不敏)[422]이나 구고 존당 우로혜택(雨露惠澤)[423]을 닛ᄌᆞ오며, 유치(幼稚) ᄉᆡᆼ각이 업ᄉᆞ오리오마ᄂᆞᆫ, 일이 이에 밋쳐 별원 거쳐도 존구의 명이라, 디어(至於) 유ᄋᆞ를 못 다려오믄 존당이 일시 ᄯᅥ나디 못ᄒᆞ시ᄂᆞᆫ 고로, 됴셕의 평부를 아오니 각별ᄒᆞᆫ 념녀 업더이다."

부매 삼부인 위ᄒᆞᆫ 졍이 금셕 ᄀᆞᆺᄐᆞ므로 반년 이정(離情)이 침좌(寢坐)의 경경(耿耿)ᄒᆞ나, 공쥬의 간험ᄒᆞ미 심홰(心火) 된디라, 유ᄋᆞ를 무마ᄒᆞ여 윤부인을 향ᄒᆞ여 왈,

"우리 나ᄆᆡ 부모 ᄌᆞᄋᆡ를 밧ᄌᆞ와 ᄉᆡᆼ어호치(生於豪侈)[424]ᄒᆞ여 일즉 괴로오믈 아디 못ᄒᆞ더니, 근간 쇼ᄆᆡ 등 누명과 화ᄋᆡᆨ이【60】ᄎᆞ악ᄒᆞ니, ᄉᆡᆼ의 동긔를 위ᄒᆞᆫ 졍이 고인을 밋디 못ᄒᆞ나, 져의 누명 신셜ᄒᆞ미 위·뉴 두 부인 시비를 져주면, 간졍이[을] 거울ᄀᆞᆺ치 발각ᄒᆞᆯ 거시로ᄃᆡ, ᄉᆞ원 등이 ᄉᆡᆼ의(生意)치 못ᄒᆞ므로, 외인이 누의를 위ᄒᆞ여 사가(查家)[425]의 만홀치 못ᄒᆞ고, 간인이 독을 발하ᄆᆡ 쳔흉만계 아ᄆᆡ 등을 ᄒᆡ(害)코 말니니, 엇디 하리오. 됴흔 ᄃᆞ시 왕ᄂᆡᄒᆞ나 녕슉(令叔)이 흐리고 용녈ᄒᆞ미 연무듕(煙霧中) ᄀᆞᆺᄐᆞ니, 아모리 아라 듯게 니르나 ᄭᆡ돗디 못ᄒᆞ고, 가ᄉᆞ를 영영(永永)이 슬피디 못ᄒᆞ고, ᄌᆞ딜의 졍ᄉᆞ를 모로미 되어, 윤가를 업

422)쳡슈블민(妾雖不敏) : 첩이 민첩하지 못하지만,

423)우로혜택(雨露惠澤) : 비와 이슬과 같은 한없는 은혜와 보살핌.

424)ᄉᆡᆼ어호치(生於豪侈) : 호화롭고 사치스러운 가운데 자라남.

425)사가(查家) : 사돈(查頓)의 집.

"부인 등이 고초을 격그니 필연 의용이 수쳑ᄒᆞᆫ가 ᄒᆞ더니, 금일 보ᄆᆡ 풍영윤ᄐᆡᆨ(豊盈潤澤)ᄒᆞ미 ᄇᆡ승(倍勝)《이나‖ᄒᆞ여》, ᄇᆡᆨ만《금심‖근심》을 물외의 《더지고‖더져》 시름이 업ᄉᆞ려니와, 일분 인졍이 이실지[진]ᄃᆡ, 우흐로 존당을 념녀ᄒᆞ며, 아ᄅᆡ로 유치을 ᄉᆡᆼ각ᄒᆞ미 업셔, ᄌᆞ여을 다려다가 보도 아니시더뇨?"

양인 뎡금(整襟) ᄃᆡ왈,

"쳡슈불민(妾雖不敏)[313]이나 우흐로 구고 존당 혜ᄐᆡᆨ을 잇ᄌᆞ오며, 유치(幼稚)을 ᄉᆡᆼ각지 아니리잇고마ᄂᆞᆫ, 일이 이의 밋쳐 별원 거쳐도 존구의 명이라, 지어(至於) 유ᄋᆞ을 못 다려오믄 존당의 일시 ᄯᅥ나지 못ᄒᆞᄂᆞᆫ 고로, 조셕의 평부을 아오니 각별ᄒᆞᆫ【65】념녀 업더이다."

부ᄆᆡ ᄉᆞᆷ부인 위ᄒᆞᆫ 졍이 금셕 갓튼 《므로‖고로》 반년 니졍(離情)이 침좌(寢坐)의 경경(耿耿)ᄒᆞ나, 공주의 간험ᄒᆞ미 심화(心火)된지라. 유아을 무마ᄒᆞ며 윤부인을 향ᄒᆞ여 왈,

"우리 남ᄆᆡ 부모의 ᄌᆞᄋᆡ을 밧ᄌᆞ와 ᄉᆡᆼ어호치호화(生於豪侈豪華)[314]ᄒᆞ여 일즉 괴로오믈 아지 못ᄒᆞ더니, 근간 소ᄆᆡ 등이 누명과 화ᄋᆡᆨ이 ᄎᆞ악ᄒᆞ니, ᄉᆡᆼ이 동긔을 위ᄒᆞᆫ 졍이 고인을 밋지 못ᄒᆞ나, 져의 누명 신셜ᄒᆞ미 위·뉴 두부인 시녀을 졔[져]주면, 간졍이 거울 갓치 발각ᄒᆞᆯ 거시로ᄃᆡ, ᄉᆞ원 등이 ᄉᆡᆼ의치 못ᄒᆞ므로, 외인이 누의을 위ᄒᆞ여 ᄉᆞ가(查家)[315]의 만홀치 못ᄒᆞ고, 간인이 독을 발ᄒᆞᄆᆡ 쳔방ᄇᆡᆨ계로 아ᄆᆡ 등을 ᄒᆡ코 말니니 엇지 ᄒᆞ리오? 조흔 드시 왕ᄂᆡᄒᆞ나 영숙(令叔)이 흐리고 {표믜} 푸러져 용녈ᄒᆞ미 운무듕 갓트니, 아모리 아라듯게 이르나 가ᄉᆞ을 영영(永永)이 슬피지 못ᄒᆞ고, ᄌᆞ질의 졍ᄉᆞ을 모로미 되어, 윤가을 업쳐 두낫 ᄌᆞ질을 보젼치 못ᄒᆞ게 되엿시니, 셰간의 그런 못슬

313)쳡슈불민(妾雖不敏) : 첩이 민첩하지 못하지만,

314)ᄉᆡᆼ어호치호화(生於豪侈豪華) : 호화롭고 사치스러운 가운데 자라남.

315)사가(查家) : 사돈(查頓)의 집.

쳐 두낫 ᄌᆞ딜을 보젼치 못ᄒᆞ게 되어시니, 셰간의 그런 몹쁠 사ᄅᆞᆷ이 이시리오. 악모ᄂᆞᆫ 옥화산의 안과ᄒᆞ신【61】다 하나, ᄉᆞ원 등의 효위(孝友) 츌텬(出天)ᄒᆞ니, 싀랑 ᄀᆞᆺ튼 위태부인을 혹 감화ᄒᆞ여 ᄌᆞ손의 졍이 온젼ᄒᆞ믈 바라거니와, 부인 남ᄆᆡ 위부인으로 명위조손(名爲祖孫)이나 실위구뎍(實爲仇敵)[426]이라.”

언필의 위・뉴 통완(痛惋)ᄒᆞ미 ᄀᆞᆨ골(刻骨)키의 ᄆᆡᆺ고, 슉녈과 진시 참화를 잔잉ᄒᆞ미 극ᄒᆞᆫ디라. 윤시 부마의 말을 듯디 아니나, 져를 ᄃᆡᄒᆞᄆᆡ 조모의 허물을 븟그려 쳐연(悽然) 왈,

“쳡의 집 변고ᄂᆞᆫ 블가ᄉᆞ문어타인(不可使聞於他人)이라. 쇼고 등의 셩덕으로ᄡᅧ 몸이 죄루의 ᄡᅥ러지믄 ᄋᆡᆨ회 ᄎᆞ악ᄒᆞ미라. 군ᄌᆞ 말ᄉᆞᆷ을 엇디 한ᄒᆞ리오마ᄂᆞᆫ, 조손을 구뎍(仇敵)으로 니르시믄 그릇ᄒᆞᄂᆞᆫ 말ᄉᆞᆷ이로소이다. 소고의 ᄋᆡᆨ경을 드르므로브터 황황(惶惶) ᄎᆞ악(嗟愕)ᄒᆞ고 무안(無顔)ᄒᆞ【62】미 거두(擧頭)ᄒᆞᆯ 안면(顔面)이 업ᄂᆞ이다.”

언파의 셩안(星眼)의 츄패(秋波) 동ᄒᆞ니 슈려ᄒᆞᆫ 용광과 쇄락ᄒᆞᆫ 풍치 실듕의 됴요(照耀)ᄒᆞ여, 시름ᄒᆞᄂᆞᆫ 아미(蛾眉)와 쳑쳑(慽慽)한 안뫼(顔貌) 더욱 금셕(金石)을 농쥰(濃蠢)ᄒᆞᄂᆞᆫ디라. 병부의 듕산지듕(重山之重)도 잠쇼(潛笑) 왈,

“부인이 위부인 친손이오, 뉴부인 친녀ᄀᆞᆺ틀진ᄃᆡ, 옥누항으로 보닐 거시로ᄃᆡ, 흉인이 역시 부인을 ᄒᆡ코져 ᄒᆞ니 부인을 츌(黜)ᄒᆞ미 흉의(凶意)를 맛치미라. 이런 고로 윤부허다 악사를 부인긔 년좌(連坐)치 아니ᄒᆞᄂᆞ니, 일호 노호은 ᄯᅳᆺ을 두지 말나.”

부인이 ᄉᆞ긔(辭氣) 안셔(安舒)ᄒᆞ여 오ᄃᆡᆨ 슬프믈 ᄡᅴ여 친졍 화란을 근심ᄒᆞ고, 남후ᄂᆞᆫ 니시 산후 여상ᄒᆞ믈 깃거, 신ᄋᆞ의 긔이ᄒᆞ미

426)명위조손(名爲祖孫)이나 실위구뎍(實爲仇敵) : 이름은 조모와 손자 사이이지만, 실제로는 원수사이나 같음.

ᄉᆞᄅᆞᆷ이 잇스리오. 악모ᄂᆞᆫ 옥화산의 한거(閑居)ᄒᆞ신다 ᄒᆞ나, ᄉᆞ원 등의 효의츌쳔ᄒᆞ나[니], 싀랑 갓튼 위부인을 감화ᄒᆞ여 ᄌᆞ손의 졍이 온젼ᄒᆞ믈 바라거니와, 부인 남ᄆᆡ 위부인으로 ‘명위조손(名爲祖孫)이나 실위구젹(實爲仇敵)’[316]이라, 불승통완(不勝痛惋)토소이다.”

윤시 부마의 말을 듯지 아니나, 져을 ᄃᆡᄒᆞ여 조모의 허물을 붓그려 츄연(惆然) 왈,

“쳡의 집 변고ᄂᆞᆫ 불가ᄉᆞ문어타인(不可使聞於他人)이라. 숙녈과 진부인의 셩덕으로 ᄡᅧ 몸이 죄루의 ᄡᅥ러지믄 ᄋᆡᆨ회 ᄎᆞ악ᄒᆞ미라. 엇지 군ᄌᆞ 말ᄉᆞᆷ을 한ᄒᆞ리잇고마ᄂᆞᆫ 조손을 구젹(仇敵)으로 이르시【66】믄 그릇ᄒᆞᆫ 말ᄉᆞᆷ이로소이다. 소고의 ᄋᆡᆨ화을 드르므로부터 황황(惶惶) ᄎᆞ악(嗟愕)ᄒᆞ고 무안(無顔)ᄒᆞ미 거두ᄃᆡ면(擧頭對面)ᄒᆞᆯ 안면(顔面)이 업ᄉᆞ이다.”

언파의 셩안(星眼)의 추ᄑᆡ(秋波) 몽농(朦朧)ᄒᆞ니, 수려 쇄락ᄒᆞᆫ 용화 풍치 실듕의 조요(照耀)ᄒᆞ여, 시름ᄒᆞᄂᆞᆫ 아미(蛾眉)와 쳑쳑(慽慽)ᄒᆞᆫ 안뫼(顔貌) 더욱 셕목간장(石木肝腸)을 농쥰(濃蠢)ᄒᆞᆯ지라. 부마의 즁산지즁(重山之重)도 잠간 웃고 왈,

“부인이 위부인 친손이오, 뉴부인 친녀갓틀진ᄃᆡ 옥누항으로 보닐 거시로ᄃᆡ, 흉인이 녁시 부인을 ᄒᆡ코져 ᄒᆞ니, 부인을 츌(黜)ᄒᆞ미 흉의(凶意)을 맛ᄎᆞ미라. 이러므로 윤부허다 악ᄉᆞ을 부인긔 연좌(連坐)치 아니 ᄒᆞᄂᆞ니, 일호 노(怒)오은 ᄯᅳᆺ즐 두지 마르소셔.”

윤시 싀[ᄉᆞ]긔(辭氣) 안셔(安舒)ᄒᆞ여 오직 슬푸믈 《믜여∥ᄡᅴ여》 친졍화란을 근심ᄒᆞ고, 부마ᄂᆞᆫ 니시 산후 여상ᄒᆞ믈 깃거, 신아

316)명위조손(名爲祖孫)이나 실위구뎍(實爲仇敵) : 이름은 조모와 손자 사이이지만, 실제로는 원수사이나 같음.

윤시 ᄉᆡᆼᄌᆞ의 나리지 아【63】니믈 ᄒᆡᆼ희(幸喜)ᄒᆞ여 귀듕ᄒᆞ믈 니긔디 못ᄒᆞ더니, 일모(日暮)의 상부(上府)로 도라올ᄉᆡ, 윤・양 등다려 왈,

"상시(常時)ᄂᆞᆫ 일당(一堂)의 이시미 됴흐나, 도금(到今)은 산실의 동쳐(同處)키 어려오리니, 각각 머므다가 삼칠 후 뎡당으로 와 태모와 부모긔 뵈ᄋᆞᆸ고, 녯 침쇼의 머물지라, 그 ᄉᆞ이 ᄉᆡᆼ이 다시 오리라."

부인ᄂᆡ 부마의 졀뎍(絶迹)을 됴히 녁이다가, 고요히 별원의 머믈기를 원ᄒᆞᄂᆞᆫ ᄇᆡ오, ᄌᆞ긱의 변을 안 후ᄂᆞᆫ 더욱 공쥬의 ᄉᆞ오나오믈 아라, 동녈(同列)의 졍으로 군ᄌᆞ 건즐(巾櫛)을 ᄀᆞᆺ치 밧드지 못ᄒᆞᆯ 줄 아라, 댱ᄂᆡ 화란을 념녀ᄒᆞ더라. 남휘 드라와 존당 부모긔 뵈오ᄆᆡ, 태부인과 부뫼 시비의 젼어로 니시 산후 무【64】ᄉᆞᄒᆞ믈 아나, 신ᄋᆞ의 작셩(作成)을 몰나 남후다려 므르니, 휘 복슈 ᄃᆡ왈,

"비록 유익나 윤・양의 ᄉᆡᆼᄋᆞ의 나리지 아니터이다."

남후의 흔연ᄒᆞ미 신ᄋᆞ의 긔이ᄒᆞ믈 알디라. 즉시 보디 못ᄒᆞ믈 한ᄒᆞ나 슈히 다려올 고로 태부인이 가지 아니코 윤・양의 구호ᄒᆞ믈 미더 소셩(蘇醒)427)ᄒᆞ믈 원ᄒᆞ더라.

공쥐 니시 슌산 ᄉᆡᆼ남ᄒᆞ믈 듯고 분한(憤恨)ᄒᆞ여, 일쳔 진납이 흉듕을 요란ᄒᆞ나, 최녀의 소언을 드러 됴흔 낫ᄎᆞ로 구고긔 나아가, 니부인 ᄉᆡᆼᄌᆞ를 치하ᄒᆞ나, 구괴 ᄌᆞ긱의 변고 후 더욱 증염ᄒᆞᄃᆡ, ᄉᆞᄉᆡᆨ디 아니코 흔연 왈,

"삼부인 ᄌᆞ네 곳 귀쥬의 ᄌᆞ식이라 어이 깃브디 아니리오."

공쥐 ᄉᆞ샤(謝辭)ᄒᆞ고 퇴ᄒᆞᄆᆡ,【65】 금휘 그 위인을 깁히 념녀ᄒᆞ여 ᄋᆞᄌᆞ를 ᄉᆡ로이 경계ᄒᆞ니, 부매 슈명ᄒᆞ고 밧긔 나와 ᄉᆡᆼ각ᄒᆞᄃᆡ,

"임의 신병을 일ㅋ라 공쥬 원거ᄒᆞ믄, 암샤(暗邪)ᄒᆞᆫ 졍ᄐᆡ를 ᄎᆞ마 ᄃᆡ면치 못ᄒᆞ미라.

427)소셩(蘇醒) : 병을 치르고 난 뒤 다시 회복함.

의 긔이ᄒᆞ미 윤시 ᄉᆡᆼᄌᆞ의 나리지 아니믈 ᄒᆡᆼ희(幸喜)ᄒᆞ여 귀듕ᄒᆞ믈 이긔지 못ᄒᆞ더니, 일모(日暮)의 상부(上府)로 도라올ᄉᆡ, 윤・양 등다려 왈,

"상시(常時)ᄂᆞᆫ 일당(一堂)의 이시미 조흐나, 도금(到今)은 산실의 동쳐(同處)키 어려오리니, 각각 머무다가 ᄉᆞᆷ칠일 후 뎡당의 와 ᄃᆡ모(大母)와 부모긔 뵈ᄋᆞᆸ고, 녯 침소의 머물지라. 그 ᄉᆞ이 ᄉᆡᆼ이 다시 오리니, 부인ᄂᆡ ᄉᆡᆼ의 졀적(絶迹)을 조히 녁이다가, 이졔ᄂᆞᆫ 심히 괴로오리이다."

ᄉᆞᆷ인이 고요히 별원의 머물기을 원ᄒᆞᄂᆞᆫ ᄇᆡ오, ᄌᆞ긱의 변을 안 후ᄂᆞᆫ 더욱 공주의 ᄉᆞ오나오믈 아라, 동녈(同列)의 졍으로 군ᄌᆞ 건질(巾櫛)을 갓치 밧드지 못ᄒᆞᆯ 줄 알아, 장ᄂᆡ 화란을 념녀ᄒᆞ더니, 부마 도라와 존당부모긔 뵈온 ᄃᆡ, ᄐᆡ○○○[부인과] 부뫼 시아의 젼어로 니시 산후 무ᄉᆞᄒᆞ믄 아나,【67】 작인(作人)을 몰나 부마다려 무르니, 부ᄆᆡ ᄃᆡ왈,

"비록 유익나 윤・양의 ᄉᆡᆼ아의 나리지 아니 터이이다."

《금휘∥남후의》 흔열ᄒᆞ미 신아의 긔이ᄒᆞ믈 알지라, 즉시 보지 못ᄒᆞ믈 한ᄒᆞ나 수히 《다려오ᄂᆞᆫ∥다려 올》 고로, ᄐᆡ부인이 가지 아니코 윤・양의 구호ᄒᆞ믈 미더 소셩(蘇醒)317)ᄒᆞᆷ을 원ᄒᆞ더라.

문양이 니시 슌산ᄉᆡᆼ남ᄒᆞᆷ을 듯고 분한(憤恨)ᄒᆞ여, 흉히(胸海)318)의 일쳔 잔나비 뛰노라, 최녀의 《소원∥소언(所言)》을 드러 조흔 낫ᄎᆞ로 구고긔 나아가, 니부인 ᄉᆡᆼᄌᆞᄒᆞ믈 치하ᄒᆞ니, 부모 ᄌᆞ긱의 변고 후 더욱 증염ᄒᆞ나 ᄉᆞᄉᆡᆨ지 아니코 흔연 왈,

"ᄉᆞᆷ부 ᄌᆞ네 곳 귀주의 ᄌᆞ식이라, 어이 깃부지 아니리오."

공쥐 ᄉᆞᄉᆞ(謝辭)ᄒᆞ고 퇴ᄒᆞᄆᆡ, 금휘 그 위인을 깁히 념녀ᄒᆞ여 아ᄌᆞ을 ᄉᆡ로이 경계ᄒᆞ니, 부ᄆᆡ 수명ᄒᆞ고 밧긔 나와 ᄉᆡᆼ각ᄒᆞ되,

"임의 신병으로 일커러 공주 원거ᄒᆞᆷ은 암

317)소셩(蘇醒) : 병을 치르고 난 뒤 다시 회복함.
318)흉히(胸海) : 가슴 속.

삼쳐를 별원의 두어시니 오(吾) 역(亦) ᄆᆞᄋᆞᆷ을 뎡ᄒᆞ여 힝혀도 그림ᄌᆞ 별쳐(別處)의 밋디 아녓더니, 이졔 대인이 삼인을 다려오랴 ᄒᆞ시며, 날을 계칙(戒飭)ᄒᆞ샤 어ᄌᆞ러온 일이 업게 ᄒᆞ라 ᄒᆞ시니, 인ᄌᆞ지되(人子之道) 친의를 어그릇지 아니미 가ᄒᆞ나, 나의 당ᄒᆞᆫ ᄇᆡ ᄌᆞ못 난쳐ᄒᆞ니, 공쥬의 위인이 가부(家夫)의 후박(厚薄) ᄀᆞ온ᄃᆡ 뎍국(敵國)을 싀애(猜礙)[428]ᄒᆞ여 필경 윤・양 등이 ᄒᆞᆫ 번 화를 면치 못ᄒᆞᆯ 거시니, 대인은 나의 뜻을 모로시고 ᄋᆡ【66】증(愛憎)만 고로ᄒᆞ라 ᄒᆞ시니, 공쥐 나의 후ᄃᆡ를 밧는 날이면, 교오방ᄌᆞ(驕傲放恣)ᄒᆞ여 윤・양 등을 졀졔(切除)ᄒᆞ며 나의 만금 ᄌᆞ녀를 ᄒᆡᄒᆞ고 집을 업치리니, 우환이라. 공쥬 보기 슬흐미 일일(一日) 삼츄(三秋) ᄀᆞᄐᆞ니, 이 뜻을 강작(强作)ᄒᆞ여 화긔를 낫토니 상셩(喪性)ᄒᆞᆯ ᄃᆞᆺᄒᆞ고, 댱뷔 실우(室憂)[429]로 근심 삼으니, 엇디면 공쥬를 업시코 윤・양・니・경 ᄉᆞ인으로 죵고지락(鐘鼓之樂)을 일울고?"

천ᄉᆞ만념(千思萬念)이 ᄇᆡᆨ츌ᄒᆞ더니, 우어 왈,

"고인이 유운(有云) 왈(曰), 오날 술을 취ᄒᆞ고 ᄂᆡ일 일이 이시면 당ᄒᆞ라 ᄒᆞ니, 공쥐 간교ᄒᆞ나 사ᄅᆞᆷ을 간ᄃᆡ로 죽일 거시 아니라, 미리 심녀ᄒᆞᆯ ᄇᆡ 아니오, 경시 취ᄒᆞ믄 대인{인}이 아딕 모로시니, 공쥐 더욱 모를디라. 명년은 ᄉᆡᆼ산ᄒᆞ【67】리니, 골육 ᄭᅵ친 졍듕ᄒᆞᆫ 쳐ᄌᆞ를 공쥐 아다[430] 엇디 ᄒᆞ리오."

ᄒᆞ여, 화연(譁然)[431]이 만녀(萬慮)를 니져, 혼졍 후 별원의 나아가 니부인과 신ᄋᆞ를 보고 윤부인 침소의셔 즐식, 구경을 니으니 팔구삭 ᄉᆞ상(思想)턴 뜻을 펴 산비히박지졍(山卑海薄之情)이 무궁ᄒᆞ여, 공쥬 아녀 월궁 항ᄋᆡ(月宮姮娥) 강님ᄒᆞ나 윤시 향ᄒᆞᆫ 은ᄋᆡ는 변치 아니ᄒᆞᆯ디라. 윤부인은 그 졍을 치랍(採納)디 아녀 공쥬의 한독(旱毒)

428)싀애(猜礙) : 시기하고 방해함.
429)실우(室憂) : 배우자로 인한 걱정.
430)아다 : 알다.
431)화연(譁然) : 떠들썩함. 호탕(豪宕)함.

ᄉᆞ(暗邪)ᄒᆞᆫ 졍ᄐᆡ을 ᄎᆞ마 군지 ᄃᆡ면치 못ᄒᆞ미라. ᄉᆞᆷ쳐을 별원의 두어시나, 힝혀 그림ᄌᆞ도 밋지 아냣더니, 이졔 ᄃᆡ인이 ᄉᆞᆷ인을 다려오랴 ᄒᆞ시며, 날을 계칙(戒責)ᄒᆞ사 어즈러온 일이 업게 ○○[ᄒᆞ라] ᄒᆞ시니, 인ᄌᆞ지되(人子之道) 친의을 어긔오지 아니미 가ᄒᆞ나, 나의 당ᄒᆞᆫ ᄇᆡ ᄌᆞ못 난쳐ᄒᆞ니, 공주의 위인이 가부(家夫)의 후박(厚薄) 가온ᄃᆡ 젹국(敵國)을 싀ᄋᆡ(猜礙)[319]ᄒᆞ니, 필경 윤・양 등이 ᄒᆞᆫ 번 화을 면치 못ᄒᆞ리니, ᄃᆡ인은 나의 뜻즐 모로시고 ᄋᆡ증(愛憎)만 고로ᄒᆞ라 ᄒᆞ시나, 공주 나의 후ᄃᆡ을 밧는 날이면 교우방ᄌᆞ(驕傲放恣)ᄒᆞ여 윤・양 등을 졀졔(切除)ᄒᆞ며, 나의 만금 ᄌᆞ녀을 ᄒᆡᄒᆞ고, 집을 업치리니 우환이라. 공주 보기 실키 일일여ᄉᆞᆷ츄(一日如三秋)라. 이 뜻을 강작(强作)ᄒᆞ여 화긔을 낫토미 상셩(喪性)ᄒᆞᆯ 뜻[듯] ᄒᆞ【68】고, 장뷔 실우(室憂)[320]로 근심 ᄉᆞᆷ으니, 엇지면 공주을 업시코 윤・양・니・경 ᄉᆞ인으로 종고지낙을 일울고?"

천ᄉᆞ만념(千思萬念)이러니, 우 왈,

"고인이 운(云)ᄒᆞ되, '오날 술을 취ᄒᆞ고 ᄂᆡ일 일이 이시면 당ᄒᆞ라' ᄒᆞ니, 공쥐 간교ᄒᆞ나 ᄉᆞᄅᆞᆷ을 간ᄃᆡ로 죽일 거시 아니라, 미리 심녀ᄒᆞᆯ ᄇᆡ 아니오, 경시 취ᄒᆞ믈 ᄃᆡ인이 아즉 모로시니, 골육 ᄭᅵ친 뎡듕ᄒᆞᆫ 쳐ᄌᆞ을 공주 아다[321] 엇지ᄒᆞ리오."

ᄒᆞ여, 화연(譁然)[322]이 만ᄉᆞ을 이져, 혼졍 후 별원의 나아가 니시와 신아을 보고 윤시 침소의셔 즐식, 구경을 니으니 팔구삭 ᄉᆞ상(思想)ᄒᆞ든 뜻즐 펴 산비히박지졍(山卑海薄之情)이 무궁ᄒᆞ여, 공주 아냐 월궁항ᄋᆡ(月宮姮娥) 강님ᄒᆞ나 윤시 향ᄒᆞᆫ 은ᄋᆡ는 변치 아니코, 산천뉴수(山川流水)을[로] 언약ᄒᆞ나, 윤시는 그ᄋᆞᆨ이 블열(不悅)ᄒᆞ여 공주의 한독

319)싀애(猜礙) : 시기하고 방해함.
320)실우(室憂) : 배우자로 인한 걱정.
321)아다 : 알다.
322)화연(譁然) : 떠들썩함. 호탕(豪宕)함.

을 그윽이 두리ᄃᆡ, 병뷔 녀ᄌᆞ의 ᄉᆞ졍을 ᄉᆞᆯ피디 아니ᄒᆞ고, 삼부인이 ᄃᆡᄒᆞ면 송연(悚然)ᄒᆞ여 상ᄃᆡ여빈(相對如賓)ᄒᆞ니, 병뷔 공쥬ᄂᆞᆫ 외친ᄂᆡ쇼(外親內疏)ᄒᆞ여 ᄌᆞ로 공쥬긔 왕ᄂᆡᄒᆞ고, 틈을 타 별쳐의 와 삼부인과 구졍을 니어 흔연ᄒᆞᆫ 듕, 일념의【68】 경경ᄒᆞ믄 쇼ᄆᆡ와 진시라. 됴회 길히 옥누항의 아니 가ᄂᆞᆫ 날이 업고, 년원졍 누쳐를 ᄉᆞᆯ펴 쇼져 등 보젼ᄒᆞᆯ 도리를 극진히 ᄒᆞ나, 흉악ᄒᆞᆫ 것들이 못견ᄃᆡ도록 보ᄎᆡ믈 분완(憤惋)ᄒᆞ여 ᄒᆞ더라.

금휘 신ᄋᆞ 《삼칠일(三七日)432) ‖ 삼일(三日)433)》 434)의 졔ᄌᆞ를 거ᄂᆞ려 가 볼 ᄉᆡ, 일월광ᄎᆡ(日月光彩)와 뇽봉ᄌᆞ딜(龍鳳資質)이 녕형쇄락(英形灑落)ᄒᆞ여 구각(軀殼)이 셕대(碩大)ᄒᆞ고, 풍뫼 당당ᄒᆞ여 완연이 남후의 초ᄉᆡᆼ지시(初生之時)와 다르지 아니니, 부ᄌᆞ의 ᄀᆞᆺᄐᆞ미 ᄒᆞᆫ 판의 박은 ᄃᆞᆺᄒᆞ여 츌범(出凡)특이(特異)ᄒᆞ미 윤시의 ᄉᆡᆼᄋᆞ의 나리미 업ᄂᆞᆫ디라. 금평휘 일견의 아름답고 비상ᄒᆞ믈 니긔지 못ᄒᆞ여, 웃ᄂᆞᆫ 입이 열니이고 즐거온 미위(眉宇) 츈풍이 화ᄒᆞ여, 시랑을 도라보아 ᄀᆞᆯ오【69】ᄃᆡ,

"ᄌᆞ식이 나니마다 승어뷔(勝於父)라. 오문이 일노좃ᄎᆞ 흥긔ᄒᆞ믈 알니로다."

시랑과 공ᄌᆞ 등이 ᄋᆞ덜의 츌범ᄒᆞ믈 일ᄏᆞ라 깃브믈 니긔디 못ᄒᆞ고, 금평휘 니시 산후 병이 업ᄉᆞ믈 깃거, 친히 시녀를 명ᄒᆞ여 ᄀᆡᆼ반을 가져오라 ᄒᆞ여, 니시를 젼ᄒᆞ여 먹이고, 삼칠(三七) 후 녯 침소의 도라오믈 명ᄒᆞᄆᆡ, 엄구의 ᄌᆞᄋᆡᄒᆞ미 친부의 감치 아냐, 윤・양・니 삼식부를 면면이 무ᄋᆡᄒᆞ여 귀즁ᄒᆞ미 극진ᄒᆞ니, 삼부인이 각골 감은ᄒᆞ나 윤부인은 친졍 변고를 참슈(慙羞)ᄒᆞ여 ᄂᆞᆺ촐 드

---

432)삼칠일(三七日) : 세이레. 아이가 태어난 후 스무하루 동안. 또는 스무하루가 되는 날. 대개는 이날 금줄을 거둔다.

433)삼일(三日) : 해산하거나 혼인한 지 사흘째 되는 날.

434)원문의 '삼칠일'은, 작중에서 금평후가 아들들을 거느리고 이부인의 산실(産室)을 찾아간 것이 삼칠일(21일) 이전이기 때문에, '삼일'로 정정되어야 한다.

(旱毒)을 극히 두리ᄃᆡ, 부ᄆᆡ 녀ᄌᆞ의 ᄉᆞ졍을 ᄉᆞᆯ피지 아냐 더욱 진듕ᄒᆞ니, ᄉᆞᆷ부인○[이] 송연경구(悚然驚懼)ᄒᆞ고 상경여빈(相敬如賓)ᄒᆞ니, 부ᄆᆡ 공주ᄂᆞᆫ 외친ᄂᆡ소(外親內疏)ᄒᆞ여 ᄌᆞ로 공주긔 왕ᄂᆡᄒᆞ고, 틈을 타 별원의 와 ᄉᆞᆷ부인과 구졍을 니어 흔연한 듕, 일념의 경경ᄒᆞ믄 ᄉᆞᆨ녈과 진시라. 조회 길의 옥누항의 아니 가ᄂᆞᆫ 일이 업고, 연원졍 누쳐을 ᄉᆞᆯ펴 소져 등 보젼ᄒᆞᆯ 도리을 극진이 ᄒᆞ나, 흉악ᄒᆞᆫ 것들이 못견ᄃᆡ도록 보ᄎᆡ믈 분완ᄒᆞ여 ᄒᆞ더라.

금휘 신아 ᄉᆞᆷ일(三日)323) 후 졔ᄌᆞ을 거ᄂᆞ려 나○[가] 볼ᄉᆡ, 일월광ᄎᆡ(日月光彩)와 용봉ᄌᆞ질(龍鳳資質)이 영형쇄락(英形灑落)ᄒᆞ여 구각(軀殼)이 셕ᄃᆡ(碩大)ᄒᆞ고, 풍뫼 당당ᄒᆞ여 완연이 부마로 일양이라. 탐혹(耽惑) 과ᄋᆡ(過愛)ᄒᆞ여 만면 소안(笑顔)으로【69】 도라 시랑다려 왈,

"ᄌᆞ식마다 승어뷔(勝於父)니 오문이 부흥ᄒᆞ리로다."

시랑과 공ᄌᆞ 등이 신ᄋᆞ의 긔이ᄒᆞ물 일카라 깃거ᄒᆞ고, 금휘 ᄉᆞᆷ칠일(三七日)324) 후 오기을 일너, 엄구의 지ᄋᆡᄒᆞ미 친부와 갓트니 니시 불승감격(不勝感激)ᄒᆞ고, 윤・양 등을 면면 무ᄋᆡᄒᆞ여 ᄉᆡ로온 ᄉᆞ랑이 비구(非苟)325)ᄒᆞ니, ᄉᆞᆷ인이 각골 감은ᄒᆞ나 윤시ᄂᆞᆫ 친정 변고을 ᄎᆞᆷ수(慙羞)ᄒᆞ니, 금휘 심의(心意)을 ᄉᆞᆺ치고 더욱 연ᄋᆡᄒᆞ더라.

---

323)삼일(三日) : 해산하거나 혼인한 지 사흘째 되는 날.

324)ᄉᆞᆷ칠일(三七日) : 세이레. 아이가 태어난 후 스무하루 동안. 또는 스무하루가 되는 날. 대개는 이날 금줄을 거둔다.

325) 구차(苟且)하지 않음

지 못ᄒᆞ니, 금평휘 그 뜻을 알고 더욱 년ᄋᆡ(憐愛)ᄒᆞ여 각별 무ᄋᆡᄒᆞ고, 녀ᄋᆞ의 화란을 굿ᄐᆞ여 언두의 니르지 아니ᄒᆞ더라.

금평휘【70】 도라와 태부인긔 뵈옵고 신손의 긔이ᄒᆞ믈 고ᄒᆞ고, 두긋거오믈 니긔지 못ᄒᆞ니, 태부인이 드름마다 화열ᄒᆞ여 삼칠일이 디나면 삼부를 다려오려 ᄒᆞ더라.

문양공쥐 부마의 별원 왕ᄂᆡ ᄌᆞᄌᆞ믈 알고, 가슴을 두다려 눈물이 비 ᄀᆞᆺᄐᆞ여, 최시다려 왈,

"뎡군이 날을 취ᄒᆞᆫ 후 별원 왕ᄂᆡ를 영영 아니ᄒᆞ니, 혹ᄌᆞ 그 졍이 박ᄒᆞ민가 일분 바라ᄂᆞᆫ ᄇᆡ 잇고, 날을 볼 젹마 다 흔연ᄒᆞᆫ 빗치 이시니 그 신병이 나으면 됴히 화락ᄒᆞᆯ가 듀야 원ᄒᆞ며, 뎡군의 병이 쾌ᄎᆞᄒᆞ믈 기다리더니, 이졔 니시 흉물이 옥동을 ᄉᆡᆼᄒᆞ여 구고 존당의 한업ᄉᆞᆫ 깃그시믈 돕고, 가부의 은통을 낫【71】고아 모ᄋᆡᄌᆞ포(慕愛自飽)435)라. 뎡군이 본ᄃᆡ 윤・양・니 등의 아름다오믈 칭찬ᄒᆞ던 바로, 그 ᄌᆞ식이 나ᄆᆡ ᄉᆞ랑ᄒᆞᄂᆞᆫ 졍을 므러 알 ᄇᆡ 아니라. 졈졈 그 졍이 윤・양・니 삼인의게 온젼ᄒᆞ고 나의게 박ᄒᆞ미 심ᄒᆞ면, 이 ᄋᆡ듧고 분ᄒᆞᆫ 거술 엇디 견ᄃᆡ리오. 일검(一劍)의 삼인을 죽이고 내 ᄯᅩ 죽어 셜분ᄒᆞ리라.

최네 요슈(搖首) 왈,

"쇼블인즉난대모(小不忍卽難大謀)436)라, 옥쥐 어이 과급(過急)히 구시ᄂᆞ뇨? 쳡은 후길의 거쳐 모로믈, 옥쥬 허물이 혹 낫타날가, 두리ᄂᆞ니 옥쥬ᄂᆞᆫ 삼가고 조심ᄒᆞ여, 상공 은졍을 일치 마르쇼셔."

공쥐 읍하(泣下) 왈,

"내 만승지녀로 왕희의 귀ᄒᆞ믈 가져시ᄃᆡ, 삼ᄉᆡᆼ 원가를 상ᄉᆞᄒᆞ미 도로혀 ᄒᆡ 되어, 황얘 위력으로 뎡가의 하【72】가ᄒᆞ나, 셩의(聖意) 블열(不悅) 미안(未安)ᄒᆞ시미 됴현지시(朝見之時)의 엄녈(嚴烈)ᄒᆞ시니, ᄉᆞ졍을

435)모ᄋᆡᄌᆞ포(慕愛自飽) : 서로 사모하고 사랑함이 절로 넘침.

436)쇼블인즉난대모(小不忍卽難大謀) : 작은 일을 참지 못하면 큰일을 꾀할 수 없음.

공이 도라와 ᄐᆡ부인긔 뵈와 신아의 긔이ᄒᆞ물 고ᄒᆞ고 두긋기물 마지 아니니, ᄐᆡ부인이 만심환열ᄒᆞ여 어셔 다려오믈 이러더라.

공쥐 부마의 별원왕ᄂᆡ ᄌᆞᄌᆞ믈 알고 최녀다려 왈,

"상공이 별원왕ᄂᆡ을 끈치니 은졍이 범연ᄒᆞᆫ가 ᄒᆞ엿더니마ᄂᆞᆫ, 《본∥볼》 젹마다 흔연ᄒᆞ여 신병 곳 나흐면 동낙기을 고ᄃᆡᄒᆞ더니, 뎡군이 본ᄃᆡ ᄉᆞᆷ인을 총ᄋᆡᄐᆞᆫ 고로, 나의게 박ᄒᆞ면 어이 견ᄃᆡ리오. 일검(一劍)의 ᄉᆞᆷ인을 죽이고 ᄂᆡ ᄯᅩ 죽어 셜분ᄒᆞ리라."

최녀 요두(搖頭) 왈,

"소블인즉난ᄃᆡ모(小不忍卽難大謀)326)라. 옥주 어이 급히 구시ᄂᆞ뇨? 쳡은 후길의 거쳐 모르므로 옥주 허물이 혹 나타날가 두리ᄂᆞ니, 옥주ᄂᆞᆫ ᄉᆞᆷ가고 조심ᄒᆞ여 상공 은졍을 일치 마르소셔."

공주 읍ᄒᆞ(泣下) 왈,

"ᄂᆡ 만승의 귀주로 왕희예 귀을 가져시ᄃᆡ ᄉᆞᆷᄉᆡᆼ원가(三生怨家)을 상ᄉᆞᄒᆞ미 도로혀 ○○○[ᄒᆡ 되어] ○○[황야] 쳔윤ᄌᆞᄋᆡ을[로] 위력으로 뎡가의 ᄒᆞ가ᄒᆞ시나, 셩의(聖意) 블열(不悅) 미안(未安)하미 《근연지시∥됴현지시(朝見之時)》의 엄녈ᄒᆞ시니, ᄉᆞ졍을 고치 못ᄒᆞ고, 모비(母妃) 범ᄉᆞ을 《임어치∥임의

326)소블인즉난ᄃᆡ모(小不忍卽難大謀) : 작은 일을 참지 못하면 큰일을 꾀할 수 없음.

고치 못ᄒᆞ고, 모비(母妃) 범ᄉᆞ를 임의치 못ᄒᆞ시니, 부마를 엄치ᄒᆞ지 못ᄒᆞ시므로, 뎡군의 만모(慢侮)ᄒᆞ미 극ᄒᆞᆫ디라. ᄉᆞ셰를 보아 삼녀를 듕ᄃᆡᄒᆞ고 날을 능멸ᄒᆞ거든, 큰 결단을 ᄒᆞ리니, 인분(忍憤)ᄒᆞ미 일월이 과의(過矣)라. 장ᄎᆞᆺ 엇디 ᄒᆞ리오."

최시 빅단 위로ᄒᆞ여 왈, 금평휘긔 고ᄒᆞ여 삼부인을 다려와 궁의 머믈워, 황영(皇英)의 고ᄉᆞ(故事)437)를 효측ᄒᆞ여 셔로 화우ᄒᆞᄂᆞᆫ 덕을 원근이 알게 ᄒᆞ라 권ᄒᆞ니, 흉휼(凶譎)ᄒᆞᆫ 말이 은악양션(隱惡佯善)을 누누히 ᄀᆞᄅᆞ치니, 공쥬 눈물을 거두고 왈,

"보모의 디뫼(智謀) 가쟉ᄒᆞᆫ 말을 드르니 잠간 흉금이 ᄉᆡ훤ᄒᆞ나, 뎡군이 삼【73】녀긔 왕ᄂᆡᄒᆞ믈 드르면 오관(五官)438)의 불이 니러 ᄎᆞᆷ기 어렵도다."

최시 지삼 개유ᄒᆞ니, 공쥬 언언이 탄복이러라.

부매 이의 니르러 지게를 의디ᄒᆞ여 공쥬의 우ᄂᆞᆫ 소ᄅᆡ를 듯고, 의아ᄒᆞ여 족용을 듕지ᄒᆞ여 드르ᄆᆡ 더욱 증분ᄒᆞᆫ디라. 본ᄃᆡ 공쥬의 음비를 아던 바의, 황애 위력으로 하가ᄒᆞ시니, 허다 블미지ᄉᆞ(不美之事)를 ᄎᆞ악ᄒᆞ고, 당후길은 엇던 거ᄉᆞᆯ 두고 므ᄉᆞᆫ 작ᄉᆞ를 ᄒᆞᄂᆞᆫ고? 의괴ᄒᆞ나 입실ᄒᆞ니, 최시 퇴ᄒᆞ고 공쥬 마ᄌᆞᄃᆡ, 강인(强忍)○○[ᄒᆞ여] 언쇼도 아녀, 옷ᄉᆞᆯ 버셔 걸고 ᄌᆞ리의 쓰러져 ᄌᆞᄂᆞᆫ 쳬ᄒᆞ고 누어시니, 공쥬 이셩지합(二姓之合)을 날노 바라나 무가ᄂᆡ하(無可奈何)라. 일일(日日) 골돌 분개ᄒᆞ더라.

니시 삼칠이 디나니 삼부인【74】이 도라올ᄉᆡ, 공쥬 승간(乘間)ᄒᆞ여 구고긔 고ᄒᆞ여, 셰 부인을 궁의 상의(相依)ᄒᆞ여 디ᄂᆡ기를 간걸(懇乞)ᄒᆞ니, 부인은 줌줌ᄒᆞ고 금휘 최녀의 디휘(指揮)믈 알고, 더욱 통완ᄒᆞᄃᆡ 강인 왈,

437)황영(皇英)의 고ᄉᆞ(故事) : 중국 요(堯)임금의 두 딸인 아황(娥皇)과 여영(女英)이 함께 순(舜)에게 시집 가, 서로 화목하며 순임금을 섬겼던 일.

438)오관(五官) : 다섯 가지 감각 기관. 눈, 귀, 코, 혀, 피부를 이른다.

치》 못ᄒᆞ시니, 부마을 엄치ᄒᆞ지 못ᄒᆞ시무로 뎡군의 《만무‖만모(慢侮)》ᄒᆞ미 지극ᄒᆞᆫ지【70】라. ᄉᆞ셰을 보아 ᄉᆞᆷ녀을 듕ᄃᆡᄒᆞ고 날을 능멸ᄒᆞ거든 결단을 ᄒᆞ리니, 인분(忍憤)ᄒᆞ미 일월이 과의(過矣)라, 장ᄎᆞᆺ 엇지리오."

최녀 빅단 위로 왈, 금후노야긔 고ᄒᆞ여 ᄉᆞᆷ부인을 다려와 궁의 머무러 황영(皇英)의 고ᄉᆞ(故事)327)을 효측ᄒᆞ여 셔로 화우ᄒᆞᆫ[ᄒᆞ]ᄂᆞᆫ 덕을 원근이 알게 ᄒᆞ라 권ᄒᆞ니, 흉휼(凶譎)ᄒᆞᆫ 말이 은악양션(隱惡佯善)을 누누이 가르쳐 공주 누수(淚水)을 거두고 왈,

"보모의 지혜 가작ᄒᆞᆫ 말을 드르니 잠간 흉금이 ᄉᆡ원ᄒᆞ나, 뎡군이 ᄉᆞᆷ녀의게 왕ᄂᆡᄒᆞ물 드르면 오관(五官)328)이 불이 이러 참기 어렵도다."

최녀 지ᄉᆞᆷ ᄀᆡ유ᄒᆞ니 공주 언언이 탄복이러라

마ᄎᆞᆷ 부ᄆᆡ 이의 이르러 지게을 의지ᄒᆞ여 공주의 우ᄂᆞᆫ 소ᄅᆡ을 듯고, 의아ᄒᆞ여 족용을 듕지ᄒᆞ여 드르ᄆᆡ 더욱 증분ᄒᆞᆫ지라. 본ᄃᆡ 공주의 《음비‖음비를》《ᄒᆞ던‖아던》 바의 황야 위력으로 ○○[하가]ᄒᆞ시니 증ᄒᆞᆫ(憎恨)ᄒᆞ고 허다 불미지ᄉᆞ(不美之事)을 ᄎᆞ악ᄒᆞ고, 후길은 엇던 거ᄉᆞᆯ 두고 무산 작ᄉᆞ을 ᄒᆞᄂᆞᆫ고? 의괴ᄒᆞ나 입실ᄒᆞ니, 최녀 퇴ᄒᆞ고 공주 마ᄌᆞᄃᆡ, 강○[인] 언소도 아냐, 옷ᄉᆞᆯ 버셔 걸고 ᄌᆞ리의 쓰러져 ᄌᆞᄂᆞᆫ 쳬ᄒᆞ고 누엇시니, 공주 이셩지친(二姓之親)을 날노 바라나 무가ᄂᆡ히(無可奈何)라. 일일(日日) 골돌분ᄀᆡ러라.

니시 ᄉᆞᆷ칠일이 지ᄂᆡ니 ᄉᆞᆷ부인이 도라올ᄉᆡ, 공주 승간(乘間)ᄒᆞ여 구고긔 고ᄒᆞ여, ᄉᆞᆷ부인으로 동쳐(同處) 상의(相依)ᄒᆞ여 지ᄂᆡ기을 간걸(懇乞)ᄒᆞ니, 부인은 잠잠ᄒᆞ고 금휘 최녀의 지휘물 알고 더욱 통완ᄒᆞᄃᆡ, 강잉 왈,

327)황영(皇英)의 고ᄉᆞ(故事) : 중국 요(堯)임금의 두 딸인 아황(娥皇)과 여영(女英)이 함께 순(舜)에게 시집 가, 서로 화목하며 순임금을 섬겼던 일.

328)오관(五官) : 다섯 가지 감각 기관. 눈, 귀, 코, 혀, 피부를 이른다.

"식부 등을 옥쥐 일궁의 모다 화우(和友)코져 ᄒᆞ시미 미ᄉᆡ(美事)나, 유치 등을 써나 팔구삭의 계오 옛 침누(寢樓)의 도라와, 각각 ᄌᆞ녀를 보고져 ᄒᆞ리니, 엇디 졸연이 각거(各居)ᄒᆞ리오."

ᄒᆞ더라.【75】

"식부 등을 옥주 일궁의 모다 화우(和友)코져 ᄒᆞ미 미ᄉᆡ(美事)나, 유치 등을 써나 팔구삭의 계유 옛【71】 ○[처]소의 도라와 각각 ᄌᆞ여을 보고져 ᄒᆞᆯ 거시오,

명듀보월빙 권디이십오

어시의 평휘 공쥬의 말을 듯고 분완ᄒᆞ나 강인 왈,

"식부등을 옥쥐 일궁의 모다 화우코져 ᄒᆞ시미 미ᄉᆡ나, 유치등을 ᄯᅥ나 팔구삭의 계오 넷 침누의 도라와 각각 ᄌᆞ녀를 보고져 ᄒᆞᆯ 거시오, 니시 ᄯᅩ 신ᄋᆞ를 다려439) 존당의 윤양의 긔츌(己出)과 ᄀᆞᆺ치 보호ᄒᆞ실디라. 비록 격장(隔墻)이나 삼칠 안 ᄋᆞ히를 이곳의 두고 산뫼 엇디 ᄯᅥ나리오."

남휘 왈,

"쇼손이 궁의 가 《츄일‖츅일(逐日)440)》 잇지 못ᄒᆞ고, 시봉(侍奉) 여가(餘暇)의 ᄃᆡᄀᆡᆨ(對客) 쥬찬(酒饌)을 ᄆᆡ양 ᄌᆞ경의 근심을 ᄭᅵ치ᄋᆞᆸ고, 옷시 한셔(寒暑)의 밋디 못ᄒᆞ여, 잇다감【1】 아의 여벌 옷슬 닙ᄉᆞ오니, 엇디 집을 ᄯᅥ나리잇고? 더욱 ᄌᆞ경의 봉친(奉親) 봉ᄉᆞ(奉祀)와 ᄃᆡᄀᆡᆨ(對客) 슈응(酬應)의 번ᄉᆞ(繁事)ᄒᆞ시미 극ᄒᆞ시니, 니시 좌우의 ᄃᆡᄒᆡᆼᄒᆞ고, 윤시 암용(暗庸)ᄒᆞ나 툥부(冢婦)로 맛ᄎᆞᆷᄂᆡ 믈너 잇디 못ᄒᆞᆯ디라, 엇디 궁의 가 일 업시 머믈니잇고?"

태부인이 ᄀᆞ장 쾌ᄒᆞ여 공쥬의 덕을 일ᄏᆞᆺ고, 이곳의 됴셕 왕ᄂᆡᄒᆞ여 화우ᄒᆞᄂᆞᆫ 덕을 일우면 경ᄉᆡ라 ᄒᆞ니, 공이 공쥬를 향ᄒᆞ여 니르ᄃᆡ,

"옥쥬의 소청을 듯고져 ᄒᆞ더니, ᄉᆞ셰 가ᄋᆞ의 말과 ᄀᆞᆺᄐᆞᆫ디라, 이곳의 이시려니와, 귀쥐 상두(上頭)의 거ᄒᆞ여 태ᄉᆞ(太姒)441)의 덕을 힘ᄡᅳ신즉, 윤·양 등 삼뷔 감은ᄒᆞ여 젹ᄌᆞ(赤子) ᄌᆞ모 바람【2】 ᄀᆞᆺᄐᆞᆯ디라."

공쥐 소원을 일워 삼부인을 도탄(塗炭)치 못ᄒᆞ믈 한ᄒᆞ나 오딕 나즉이 ᄃᆡ왈,

"궁이 뎡당의셔 블원ᄒᆞ고 삼부인으로 동

439)다리다 : 데리다. 거느리다.
440)츅일(逐日) : 하루도 거르지 않고 날마다.
441)태ᄉᆞ(太姒) : 중국 주(周)나라 문왕의 비. 현모양처(賢母良妻)로 추앙되는 인물.

니시 ᄯᅩ 신ᄋᆞ을 ᄃᆡ려329) ᄃᆡ모긔 윤·양의 긔츌(己出)과 갓치 보호ᄒᆞ실지라. 비록 격장(隔墻)이나 ᄉᆞᆷ칠일 겨유 지난 아ᄒᆡ을 이곳의 두고 산뫼 일시 ᄯᅥ나지 못ᄒᆞᆯ 거시오, 더욱 봉친(奉親) 봉ᄉᆞ(奉祀)와 ᄃᆡᄀᆡᆨ슈응(對客酬應)의 ᄉᆞ번(事煩)하미 극ᄒᆞ니, 니시 좌우의 ᄃᆡᄒᆡᆼ(代行)ᄒᆞ고, 윤시 암용(暗庸)ᄒᆞ나 총부(冢婦)로 맛ᄎᆞᆷᄂᆡ 물너 잇지 못ᄒᆞᆯ지라, 엇지 궁의 가 일 업시 머물니오."

ᄐᆡ부인이 금후 말을 듯고 가장 쾌히 녁여 거즛 공주의 덕을 일캇고, 이곳의 조셕왕ᄂᆡᄒᆞ여 화우ᄒᆞᄂᆞᆫ 덕을 일우면 경ᄉᆡ라 ᄒᆞ고, ᄯᅩ 갈오ᄃᆡ,

"옥주의 소청을 듯고져 ᄒᆞ더니, ᄉᆞ셰 가아(家兒)의 말과 갓튼지라. 이곳의 잇시려니와 옥주 상두(上頭)의 거ᄒᆞ여 ᄐᆡᄉᆞ(太姒)330)의 덕을 힘쁜즉, 윤·양 등 ᄉᆞᆷ뷔 감은ᄒᆞ여 젹ᄌᆞ(赤子) ᄌᆞ모을 바ᄅᆞᆷ 갓트리로다."

공쥐 소원을 일워 ᄉᆞᆷ인을 도탄(塗炭)치 못ᄒᆞ물 한ᄒᆞ나 오직 나작이 ᄃᆡ왈,

"궁이 뎡당의셔 불원ᄒᆞ고 ᄉᆞᆷ부인으로 동녈지의(同列之義)와 황영(皇英)의 미ᄉᆞ(美

329)ᄃᆡ리다 ; 데리다. 거느리다.
330)ᄐᆡᄉᆞ(太姒) : 중국 주(周)나라 문왕의 비. 현모양처(賢母良妻)로 추앙되는 인물.

열의 의와 황영(皇英)의 미ᄉᆞ(美事)를 감히 효측고져 ᄒᆞ더니, 쳡의 위인을 념녀ᄒᆞ샤 블허ᄒᆞ시니 참황블승(慘況不勝)ᄒᆞ이다."

금휘 그 블공ᄒᆞᆫ 말을 블열ᄒᆞ여, 미쇼 왈,

"므ᄉᆞ 일 옥쥬를 미심ᄒᆞ여 아니 보ᄂᆡ리오. ᄌᆞ의(慈意)를 어긔오지 못ᄒᆞ고, 가ᄋᆞ(家兒)의 ᄃᆡᄀᆡᆨ디졀(對客之節)노 허치 못ᄒᆞ나, 귀쥬 뎍뇨(寂寥)ᄒᆞ시면, 삼뷔 됴왕모ᄅᆡ(朝往暮來)ᄒᆞ여 ᄌᆞ로 즐기미 무방ᄒᆞ리이다."

공쥬 다시 청치 못ᄒᆞ고 윤·양 등이 슈명ᄒᆞ여 도라오ᄂᆞᆫ 뜻이 됴치 아니나, 아쥬쇼져와 신ᄋᆞ를 다려 시【3】비로 더브러 동산 길을 말ᄆᆡ암아 뎡당의 현알ᄒᆞ니, 태부인이 공쥬 이시므로 반기ᄂᆞᆫ ᄉᆡᆨ을 못ᄒᆞ나, 가득이 반겨보니 삼인이 년보(蓮步)를 ᄌᆞ약히 옴겨 ᄇᆡ례홀ᄉᆡ, 태부인이 ᄎᆞᆷ디 못ᄒᆞ여 윤시의 손을 잡고 양·니의 머리를 어로만져, 웃ᄂᆞᆫ 입을 주리디 못ᄒᆞ니, 금휘 간인의 싀오(猜惡)를 두려 ᄉᆞ랑ᄒᆞᄂᆞᆫ 뜻을 낫토디 못ᄒᆞ고, 다만 모친의 좌를 청ᄒᆞ고 삼인이 ᄇᆡ례를 파ᄒᆞᄆᆡ, 금휘 공쥬를 ᄀᆞᄅᆞ쳐, 왈,

"옥쥬 현부 등을 샹슈(相隨)ᄒᆞ여 태ᄉᆞ(太姒)의 덕을 빗ᄂᆡ니, 쳐음으로 뵈ᄂᆞᆫ 녜를 힝ᄒᆞ고, 녀염(閭閻) 녀ᄌᆞ 귀쥬와 동녈ᄒᆞ미 블안ᄒᆞ나, 텬은으로 귀쥬와 여등이 엇게를 ᄀᆞᆯ와 오ᄋᆞ【4】의 ᄂᆡ샤를 빗ᄂᆡ게 ᄒᆞ여 계시니, 모로미 화우를 힘쓰라."

삼인이 ᄇᆡ샤ᄒᆞ고 일시의 공쥬긔 ᄌᆡᄇᆡᄒᆞ니, 어시의 공쥬 삼인을 보ᄆᆡ 니시의 박ᄉᆡᆨ흉면(薄色凶面)은 니르지 말고, 윤·양의 ᄇᆡᆨ미쳔ᄐᆡ(百美千態) 션연작약(嬋姸綽約)[442]ᄒᆞ여 금고(今古)의 무빵(無雙)ᄒᆞᆫ 명염(名艶)이라. 팔ᄌᆞ청산(八字靑山)[443]의 산쳔슈긔(山川秀氣)[444]를 거두어시며, 츄파빵안(秋波雙眼)[445]의 일월졍ᄎᆡ(日月精彩)를 ᄀᆞᆷ초아시며,

442)션연작약(嬋姸綽約) : 몸맵시가 매우 날씬하고 아름다움.

443)팔ᄌᆞ청산(八字靑山) : '두 눈 위의 화장한 눈썹'을 비유적으로 나타낸 말. '팔(八)'자는 '두 눈두덩 위에 나 있는 눈썹'의 모양을 나타낸 말.

444)산쳔슈긔(山川秀氣) : 산천의 맑고 빼어난 기운.

445)츄파빵안(秋波雙眼) : 가을 물결처럼 맑고 아름

事)을 감히 효측고져 ᄒᆞᄋᆞᆸ더니, 쳡의 위인을 념녀ᄒᆞᄉᆞ 불허ᄒᆞ시니 불승참황(慘況不勝)ᄒᆞ여이다."

금휘 그 불공ᄒᆞᆫ 말을 불열ᄒᆞ여, 미소 왈,

"옥주을 미심ᄒᆞ여 아니 보ᄂᆡ미리오. ᄌᆞ의(慈意)을 이긔오지 못ᄒᆞ고, 가아(家兒)의 ᄃᆡᄀᆡᆨ지절(對客之節)노 허치 못ᄒᆞ나, 옥주 요적(寥寂)ᄒᆞ면 ᄉᆞᆷ뷔 조왕모ᄅᆡ(朝往暮來)ᄒᆞ여 ᄌᆞ로 즐기미 무방ᄒᆞ도다."

공주 다시 청치 못ᄒᆞ고 윤·양 등이 수명ᄒᆞ여 도라오ᄂᆞᆫ 뜻지 조치 아니나, 아주소져와 신아을 다려 시아로 더부러 동산 길을 말ᄆᆡ암아 정당의【72】 현알ᄒᆞ니, ᄐᆡ부인이 공주의 이시므로 반기ᄂᆞᆫ ᄉᆡᆨ을 못ᄒᆞ나, 가득이 반겨 보니 ᄉᆞᆷ인이 연보(蓮步)을 자약히 옴겨 ᄇᆡ례홀ᄉᆡ, 부인이 ᄎᆞᆷ지 못ᄒᆞ여 윤시의 손을 잡고, 양·니의 머리을 어로만져 웃ᄂᆞᆫ 입을 주리지 못ᄒᆞ니, 금휘 간인의 싀오(猜惡)을 두려 ᄉᆞ랑ᄒᆞᄂᆞᆫ 뜻즐 낫토지 못ᄒᆞ고, 다만 모친의 좌을 청ᄒᆞ고 ᄉᆞᆷ인이 ᄇᆡ례을 파ᄒᆞᄆᆡ, 공주을 가르쳐 왈,

"옥주 현부 등을 상수(相隨)ᄒᆞ여 ᄐᆡᄉᆞ(太姒)의 덕을 빗ᄂᆡ니, 쳐음 보난 녜을 힝ᄒᆞ고 여염(閭閻) 녀ᄌᆞ 귀주와 동열ᄒᆞ미 불안ᄒᆞ나, 쳔은으로 귀주와 여등이 엇기을 갈와 오아의 ᄂᆡᄉᆞ을 빗ᄂᆡ게 ᄒᆞ시니, 모로미 화우을 힘쓰라"

ᄉᆞᆷ인{인}이 ᄇᆡᄉᆞᄒᆞ고 일시의 공주긔 ᄌᆡᄇᆡᄒᆞ니, 공주 ᄉᆞᆷ인을 보ᄆᆡ 니시의 박ᄉᆡᆨ흉면(薄色凶面)은 일으도 말고, 윤·양의 ᄇᆡᆨ미쳔ᄐᆡ(百美千態) 션연요라(嬋姸姚娜)[331]ᄒᆞ여 《금금‖고금(古今)》 무쌍(無雙)ᄒᆞᆫ 명염(名艶)이라.

331)션연요라(嬋姸姚娜) : 몸맵시가 매우 날씬하고 아름다움.

셩덕문질(聖德文質)이 츌어외모(出於外貌)446)ᄒᆞ여 텬화(天華)447) 두 송이 옥호(玉壺)의 ᄭᅩᆺ쳐시며, ᄆᆞᆰ은 골격은 ᄇᆡᆨ옥을 교탁(巧琢)448)ᄒᆞ고 슈졍(水晶)이 다ᄉᆞᄒᆞᆫ 듯, 윤시의 찬난ᄒᆞᆫ 광념(光艶)과 양시의 아릿다온 ᄐᆡ되(態度) 눈이 황난(恍爛)449)커ᄂᆞᆯ, 봉관(鳳冠)은 셜ᄋᆡᆨ(雪額)450)의 한가ᄒᆞ고, 패옥(佩玉)은 의슈(衣袖)의 ᄌᆡᆼ연(錚然)ᄒᆞ니, 검소ᄒᆞᆫ 단장이 금슈(錦繡)의【5】 더으고, 텬연(天然)ᄒᆞᆫ 동작이 셩ᄒᆡᆼ(性行)을 젼ᄒᆞᄂᆞᆫ디라. 지분(脂粉)451)을 물리쳐 아미를 ᄆᆞᆰ혀시니, 텬ᄉᆡᆼ특용(天生特容)452)에 진ᄋᆡ(塵埃)453)를 ᄡᅳ리쳣고454), 쇄락ᄒᆞᆫ 풍ᄎᆡ 듕츄소월(中秋素月)455)이 옥누(玉樓)의 바ᄋᆡ며, 윤시ᄂᆞᆫ 셩ᄌᆞ긔ᄆᆡᆨ(聖者奇脈)이 녀듕군ᄌᆞ(女中君子)오, 양시ᄂᆞᆫ 슉녀○[의] 덕과 녈부(烈婦)의 교결(皎潔)456)ᄒᆞ믈 겸(兼)ᄒᆞ여 만고진ᄉᆡᆨ(萬古眞色)457)이라.

공쥐 ᄌᆞ긔 교용염ᄐᆡ(巧容艶態)를 ᄌᆞ긍(自矜)ᄒᆞ여 만고(萬古)의 독보(獨步)ᄒᆞᆫ가 ᄒᆞ더니, 구가의 입승(入承)ᄒᆞ여 존고 진부인의 텬향이질(天香異質)과 쇼고(小姑) 등의 만고무ᄡᆢᆼ(萬古無雙)ᄒᆞᆫ 용의(容儀), 디어(至於) 슉녈은 궁듕 삼쳔분ᄃᆡ(三千粉黛)458)의 특츌(特出)턴 바의, 뎡군의 너모 안고(眼高)ᄒᆞ믈 블열ᄒᆞ여, 쇼니시의 옥ᄐᆡ화용(玉態花容)이

다운 두 눈.

446)츌어외모(出於外貌) : 외모에 나타남.

447)텬화(天華) : 천상계에 핀다는 영묘한 꽃. 또는 천상계의 꽃에 비길 만한 영묘한 꽃.

448)교탁(巧琢) : 공교하게 쪼아 만듦.

449)황난(恍爛) : 황홀하고 찬란하여 눈이 부심.

450)셜ᄋᆡᆨ(雪額) : 눈처럼 하얀 미인의 이마.

451)지분(脂粉) : 연지(臙脂)와 백분(白粉)을 아울러 이르는 말.

452)텬ᄉᆡᆼ특용(天生特容) : 타고난 특출한 용모.

453)진ᄋᆡ(塵埃) : ①티끌과 먼지를 통틀어 이르는 말. ②세상의 속된 것을 비유적으로 이르는 말.

454)ᄡᅳ리치다 : 쓸어버리다. 뿌리치다.

455)듕츄소월(中秋素月) : 가을 하늘에 뜬 밝고 흰 달.

456)교결(皎潔) : 마음씨가 맑고 깨끗함.

457)만고진ᄉᆡᆨ(萬古眞色) : 세상에 비길 데가 없는 진정한 미인.

458)삼쳔분ᄃᆡ(三千粉黛) : 삼천 명이나 되는 화장한 미인들.

공주 ᄌᆞ긔 교용염ᄐᆡ(巧容艶態)을 ᄌᆞ긍(自矜)ᄒᆞ던 바로, 구가의 입승ᄒᆞ야 존고의 천향이질(天香異質)과 소고(小姑) 등의 만고무쌍(萬古無雙)ᄒᆞᆫ 용화(容華)로, 지어(至於) 숙녈은 궁듕 ᄉᆞᆷ쳔분ᄃᆡ(三千粉黛)332)의 특츌ᄒᆞᆫ 바의, 뎡군의 너무 안고(眼高)ᄒᆞ물 불열ᄒᆞ고, 소(小) 니시의 옥ᄐᆡ화용(玉態花容)이 긔려수이(奇麗秀異)ᄒᆞ믈 믜워ᄒᆞ던지라. 금일 젹국(敵國) 등을 ᄃᆡᄒᆞᄆᆡ 오ᄂᆡ분붕(五內分崩)333)ᄒᆞ고 흉장(胸臟)이 촌단(寸斷)ᄒᆞ여 ᄌᆞ긔 감히 우러러 보지 못ᄒᆞᆯ ᄉᆡᆨᄐᆡ(色態)니, 분긔ᄒᆞ날의 ᄭᅬ칠334) 듯ᄒᆞᄃᆡ, 듕목소시(衆目所視)의 강잉(强仍) 답녜ᄒᆞ고, 구고긔 시좌(侍坐)ᄒᆞᆯᄉᆡ, ᄉᆞᆷ부인이 공주와 ᄀᆞᆯ와시ᄃᆡ335) 동좌(同坐)ᄒᆞ물 불안ᄒᆞ여 은연이 방셕을 피ᄒᆞ여 존경ᄒᆞ미 젹쳡(嫡妾)336) 갓트니, 남휘 분연ᄒᆞ되 상명【73】으로 공주을 원위(元

332)ᄉᆞᆷ쳔분ᄃᆡ(三千粉黛) : 삼천 명이나 되는 화장한 미인들.

333)오ᄂᆡ분붕(五內分崩) : 오장(五臟)이 무너져 흩어짐.

334)ᄭᅬ치다 : 꿰뚫다. ⇒ᄢᅦ치다.

335)ᄀᆞᆯ오다 : 가루다. 자리 따위를 함께 나란히 하다

336)젹쳡(嫡妾) : 본처와 첩을 아울러 이르는 말.

긔려슈이(奇麗秀異)ᄒᆞ믈 믜워ᄒᆞ던디라. 금일 뎍국(敵國) 등을 ᄃᆡᄒᆞᄆᆡ, 오ᄂᆡ분붕(五內分崩)459)【6】ᄒᆞ고, 흉장(胸臟)이 촌촌(寸寸)ᄒᆞ여 ᄌᆞ긔 감히 우러러 보디 못ᄒᆞᆯ ᄉᆡᆨᄐᆡ(色態)니, 분(忿)이 하날의 쎄치ᄃᆡ 듕목소시(衆目所視)의 강인(强忍) 답녜ᄒᆞ고, 구고긔 시좌(侍坐)ᄒᆞᆯᄉᆡ, 삼부인이 공쥬와 ᄀᆞᆯ와시ᄃᆡ460) 동좌(同坐)ᄒᆞ믈 블안ᄒᆞ여, 은연이 방셕을 피ᄒᆞ여 존경ᄒᆞ미 뎍쳡(嫡妾)ᄀᆞᄐᆞ니, 남휘보고 분연ᄒᆞᄃᆡ, 샹명(上命)이 공쥬를 원위(元位)를 주라 ᄒᆞ여 계시니, 삼인을 몬져 취ᄒᆞᆫ 바로 하위예 굴ᄒᆞ고, 원치 아닌 음부(淫婦)를 취ᄒᆞ여 가ᄂᆡ 온젼치 못ᄒᆞᆯ 바를 념(念)컨ᄃᆡ, 분뇌(忿怒) 극ᄒᆞ여 졔뎨로 더브러 츌외ᄒᆞ니, 금평휘ᄂᆞᆫ 긔ᄉᆡᆨ을 ᄉᆞᆺ치고 역(亦) 공쥬를 블긴히 넉이나 ᄉᆞᄉᆡᆨ(辭色)지 아니터라.

태부인이 니시 신ᄉᆡᆼᄌᆞ를 나호여 볼ᄉᆡ, 골격이 비상ᄒᆞ니 뇽봉(龍鳳)【7】의 미목(眉目)이오, 강산녕긔(江山靈氣)라. 놉흔 코와 옥 ᄀᆞᄐᆞᆫ 니ᄆᆡ 반월(半月) ᄀᆞᆺ고, 구각(軀殼)이 셕대ᄒᆞ고 긔상이 당당ᄒᆞ여 부풍(父風)을 젼슈(傳受)ᄒᆞ니, 부인이 희츌망외(喜出望外)하여 평후 부부를 도라보아 왈,

“ᄌᆞ식이 아비를 아니 달므리오마ᄂᆞᆫ 젼탁(全-)461)ᄒᆞ기 쉬오리오. ᄎᆞ이 졔 아비 어려실 졔와 ᄀᆞᆺᄐᆞᆫ디라. 내 므ᄉᆞᆫ 복으로 여ᄎᆞ 긔린이 년ᄒᆞ여 노모의 슬하의 ᄌᆞ미를 돕고, 문호를 흥긔ᄒᆞᄂᆞᆫ고. 니쇼뷔 ᄉᆡᆨ용(色容)이 업ᄉᆞ나, 셩ᄒᆡᆼ슉덕(性行淑德)이 현미(賢美)ᄒᆞ므로 ᄉᆡᆼ휵(生慉)462)이 비상ᄒᆞ미니, ᄋᆞ히 아비 외모를 탁ᄒᆞ고463) 어믜 어질믈 픔슈(禀受)464)ᄒᆞᆫ즉, 셰(世)의 튝츌ᄒᆞ리로라.”

금휘 우음을 씌여 윤시 소ᄉᆡᆼ 현긔와 시랑

459)오ᄂᆡ분붕(五內分崩) : 오장(五臟)이 무너져 흩어짐.

460)ᄀᆞᆯ오다 : 가루다. 자리 따위를 함께 나란히 하다

461)젼탁(全-)ᄒᆞ다 : 온전히 닮다. 탁하다; 닮다.

462)ᄉᆡᆼ휵(生慉) : 생육(生育). 낳아서 기름.

463)탁ᄒᆞ다 : 닮다.

464)픔슈(禀受) : 품부(禀賦). 선천적으로 타고남.

位)을 주라 ᄒᆞ엿시니, 숨인을 몬져 취ᄒᆞᆫ 바로 하위의 굴ᄒᆞ고, 원치 아닌 음부(淫婦)을 취ᄒᆞ여, 가ᄂᆡ 온젼치 못ᄒᆞᆯ 바을 념여(念慮)컨ᄃᆡ, 분노(忿怒) 극ᄒᆞ여 졔뎨로 더부러 츌외(出外)ᄒᆞ니, 공이 긔ᄉᆡᆨ을 ᄉᆡ치고 역시 공주을 불긴이 역이나 ᄉᆞᄉᆡᆨ(辭色)지 아니터라.

ᄐᆡ부인이 니시 신아을 볼ᄉᆡ, 골격이 비범ᄒᆞ고 긔상이 당당ᄒᆞ여 부풍을 《젼주 ‖ 젼수(傳受)》ᄒᆞ엿시니, ᄐᆡ부인이 희츌망외(喜出望外)ᄒᆞ여 공의 부부다려 왈,

“ᄌᆞ식이 아비을 아니 달므리오 마ᄂᆞᆫ 《쳔탁 ‖ 젼탁(全-)337)》ᄒᆞ미 쉬으랴. ᄎᆞᄋᆡ 기부(其父) 아시(兒時)와 일호 다르미 업ᄉᆞ니, 무ᄉᆞᆷ 복으로 여ᄎᆞ 긔린이 연ᄒᆞ여 노모의 슬ᄒᆞ ᄌᆞ미을 돕고 문호을 흥긔ᄒᆞᄂᆞᆫ고? 니손뷔 ᄉᆡᆨ용(色容)이 업ᄉᆞ나, 셩ᄒᆡᆼ슉덕(性行淑德)이 현미(賢美)ᄒᆞ므로 ᄉᆡᆼ휵(生慉)338)이 비상ᄒᆞ리니 아회 아비 외모을 탁ᄒᆞ고339) 어미 어질물 품수(禀受)340)ᄒᆞᆫ즉 셰상의 특츌ᄒᆞ리로다.”

공이 우음을 씌여 윤시 소ᄉᆡᆼ 현긔와 시랑의 ᄌᆞ 셕긔와 양시 소교 ᄌᆡ염으로 ᄐᆡ부인 알픠 두어, 신ᄉᆡᆼ 아손의 긔상이 현긔귀[긔]

337)젼탁(全-)ᄒᆞ다 : 온전히 닮다. 탁하다; 닮다.

338)ᄉᆡᆼ휵(生慉) : 생육(生育). 낳아서 기름.

339)탁ᄒᆞ다 : 닮다.

340)픔슈(禀受) : 품부(禀賦). 선천적으로 타고남.

의 ᄌᆞ 셕긔와 양시 쇼교 ᄌᆡ염으로 태부인 알패 두어 신【8】ᄉᆡᆼ ᄋᆞ손의 긔상이 현긔게 승ᄒᆞ믈 깃거ᄒᆞ니, 합문 화긔 츈풍을 닛그러 낙극듕(樂極中)이나, 진부인 참연ᄒᆞ믄 녀ᄋᆞ의 화란이오, 태부인이 슉녈의 긋기믈 브디 ᄒᆞ고 다만 귀령치 못ᄒᆞ믈 결연(缺然)ᄒᆞ고, 윤・양 등을 면젼의 두ᄆᆡ 든든ᄒᆞ미 듕보(重寶)를 어든 ᄃᆞᆺᄒᆞᆫ디라. 누월(累月) 니회(離懷)를 니르며, 공쥬 셩덕으로 모ᄃᆞ믈 ᄀᆞᆺ초 베퍼 공쥬의 ᄆᆞᄋᆞᆷ을 편케 ᄒᆞ니, 원ᄂᆡ 뎡부 가되(家道) 태부인으로ᄡᅧ 혼샤(婚事)의 의앙(依仰)ᄒᆞ미 엄부를 겸ᄒᆞ미라. 태부인이 공쥬긔 부탁ᄒᆞ여 왈,

"노인의 ᄌᆞ손 위ᄒᆞᆫ ᄠᅳᆺ이 구구ᄒᆞᆫ디라. 귀쥬 디존(至尊)의 ᄉᆡᆼ긔(生氣)[465]로 텬가(賤家) 녜의를 법측ᄒᆞ시니, 텬홍이 문왕(文王) ᄀᆞᆺ지 못ᄒᆞ나, 옥쥬(玉主) 태ᄉᆞ(太姒)의 덕을【9】ᄯᆞ와 동녈(同列)을 동긔(同氣)ᄀᆞᆺ치 ᄒᆞ시면 오문(吾門)이 창셩ᄒᆞ리이다."

공쥬 ᄌᆡ비 복슈 왈,

"쳡이 비록 황녀나 군ᄌᆞ의 쳐실 ᄎᆞ례 넷ᄌᆡ라. 조강을 하위예 굴ᄒᆞᄂᆞᆫ 거죄 이시니, 쳡이 므ᄉᆞᆫ 덕으로 듕궤(中饋)[466]를 소임ᄒᆞ며, 삼부인을 화우ᄒᆞᆯ 덕이 이시리잇고? 샹명이 계시나 인신의 가ᄉᆞ를 구듕(九重)의 아르실 ᄇᆡ리잇고? 오딕 쳡은 바라오미 삼부인이 동긔 ᄀᆞᆺ치 화우키를 원ᄒᆞᄂᆞ이다."

태부인이 흔연 왈,

"현ᄌᆡ라! 귀쥬의 겸손ᄒᆞ시ᄂᆞᆫ 덕이 여ᄎᆞᄒᆞ시니 손ᄋᆞ의 가ᄉᆡ(家事) 화(和)ᄒᆞ믈 가히 알디라. 경ᄉᆡ 이 밧긔 업도다".

진부인이 공쥬를 역찬(力贊)ᄒᆞ여 동녈의 화우ᄒᆞ믈 당부ᄒᆞ니, 공쥬 ᄉᆞ샤ᄒᆞ고 삼인이【10】온유히 후의를 샤례ᄒᆞᄃᆡ, 존젼의 셜만(褻慢) 다언(多言)치 못ᄒᆞ나, 온유ᄒᆞᆫ 셩덕이 긔이ᄒᆞ니, 공쥬 싀오(猜惡)ᄒᆞᄃᆡ 작긔(作氣)ᄒᆞ미 낫치 졀노 븕은디라. 진부인이 그

465)ᄉᆡᆼ긔(生氣) : 생신(生身). 부모가 낳아준 몸.

466)듕궤(中饋) : 안살림 가운데 음식에 관한 일을 책임 맡은 여자. ≒주궤(主饋).

승(勝)ᄒᆞ믈 《것거 ‖ 깃거》ᄒᆞ니, 합문화긔(闔門和氣) 츈양(春陽)을 익그러 낙극듕(樂極中)이나, 진부인의 참연ᄒᆞ믄 녀ᄋᆞ의 화란이오, ᄐᆡ부인은 숙녈의 화익을 모로고 다만 귀령치 못ᄒᆞ물 결연(缺然)ᄒᆞ고, 윤・양 등을 면젼의 두ᄆᆡ 든든ᄒᆞ미 듕보을 어든 ᄃᆞᆺᄒᆞᆫ지라. 누월(累月) 그리든 회포(懷抱)을 이르며, 공주의 셩덕으로 모드물 갓초 베퍼 공주의 마음이 편케ᄒᆞ니, 원ᄂᆡ 뎡부 가되 ᄐᆡ부인으로써 합가(闔家)의【74】 의앙(依仰)ᄒᆞ미 엄부(嚴父)을 겸ᄒᆞ미라. ᄐᆡ부인이 공주긔 부탁 왈,

"노인의 ᄌᆞ손 위ᄒᆞᆫ ᄯᅳᆺ지 구구ᄒᆞᆫ지라. 귀주 지존(至尊)의 ○○○[ᄉᆡᆼ긔(生氣)[341]로] 쳔가(賤家) 《녀의 ‖ 녜의(禮義)》을 법측 《ᄒᆞ리니 ‖ ᄒᆞ시니》, 쳔홍이 문왕(文王) 갓지 못ᄒᆞᄂᆞ, 귀주 ᄐᆡᄉᆞ(太姒)의 덕을 ᄯᆞ와 동녈(同列)을 동긔(同氣) 갓치 ᄒᆞ면 오문(吾門)이 창셩ᄒᆞ리로다."

공주 ᄇᆡ이계수(拜而稽首)[342] 왈,

"쳡이 비록 황녀나 군ᄌᆞ의 쳐실 ᄎᆞ례 넷ᄌᆡ라. 엇지 조강을 ᄒᆞ위의 굴ᄒᆞᄂᆞᆫ 거죄 잇시며, 쳡이 무산 덕으로 듕궤(中饋)[343]을 소임ᄒᆞ며, ᄉᆞᆷ부인을 화우ᄒᆞᆯ 덕이 잇시리잇고? 상명이 계시나 인신 가ᄉᆞ을 구듕(九重)의 아르실 ᄇᆡ리잇고? 오직 쳡은 바라오미 ᄉᆞᆷ부인이 동긔 갓치 화우키을 바라ᄂᆞ이다."

ᄐᆡ부인이 흔연 왈,

"현ᄌᆡ라! 귀주의 겸손ᄒᆞ시ᄂᆞᆫ 덕이 여ᄎᆞᄒᆞ시니 손아의 가ᄂᆡ(家內) 화(和)ᄒᆞ믈 가히 알지라. 경ᄉᆡ 이 밧 업도다."

진부인이 공주을 역찬(力贊)ᄒᆞ여 동녈의 화우을 당부ᄒᆞ니, 공주 ᄉᆞᄉᆞᄒᆞ고 ᄉᆞᆷ인이 온유이 후의을 ᄉᆞ례ᄒᆞᆫᄃᆡ, 존젼의 셜만(褻慢) 다언(多言)치 못ᄒᆞ나, 온유ᄒᆞᆫ 셩덕이 긔이ᄒᆞ니, 공쥐 싀오(猜惡)ᄒᆞ되[여] 작긔(作氣)ᄒᆞ

341)ᄉᆡᆼ긔(生氣) : 생신(生身). 부모가 낳아준 몸.

342)ᄇᆡ이계수(拜而稽首) : 절을 하고 머리가 땅에 닿도록 몸을 굽힘.

343)듕궤(中饋) : 안살림 가운데 음식에 관한 일을 책임 맡은 여자. ≒주궤(主饋).

읏이 아쳐ᄒᆞ더라467).

날이 느즈믹 니시 몬져 퇴ᄒᆞ고, 공쥐 궁으로 도라가니, 태부인 고뷔(姑婦) 윤・양 이소져○[을] 알패 두어 식로이 년익ᄒᆞ딕, 공쥬를 념녀ᄒᆞ여 근심ᄒᆞ딕, 부인 등이 ᄌᆞ긱지언(刺客之言)을 고치 아녀 무ᄉᆞ무려(無思無慮)ᄒᆞ니, 부인이 젼연 브디터라. 진부인이 냥식부로 ᄎᆞ야를 동침ᄒᆞᆯᄉᆡ, 윤시 피셕 복슈의 함쳑 공슈(拱手)468) 왈,

"ᄋᆞ히 등이 쇼고(小姑) 등 화익을 듯ᄌᆞ오니 골경신히(骨驚身駭)ᄒᆞᆯ 쓘 아니라, 쇼고 등의 빅옥무하(白玉無瑕)ᄒᆞ므로 【11】 뼈, 누명이 젼혀 쳡의 집 허물이라. 쳡이 존젼의 뵈오미 황공 블승ᄒᆞ와 다ᄉᆞ리시믈 바라ᄂᆞ이다."

부인이 쳐연 왈,

"녀ᄋᆞ와 딜녀의 굿기미 팔ᄌᆞ소관(八字所關)469)이라. 사름을 원치 아닛ᄂᆞ니 현부의 청죄ᄒᆞᆯ 빅리오. 다만 ᄌᆞ모디심(慈母之心)의 유죄 무죄 간 누옥 험난을 당ᄒᆞ니, 심장이 촌촌ᄒᆞ나 능히 버슬 길 업ᄂᆞᆫ디라, 댱닉를 볼 쓘이나, 거거 닉외ᄂᆞᆫ ᄎᆞ언을 드르면, 과상ᄒᆞ여 딜ᄋᆞ를 죽음ᄀᆞᆺ치 알 거시므로, 텬홍이 영슈 등과 상의ᄒᆞ고, 딜ᄋᆞ의 화란을 긔(欺)엿ᄂᆞ니, 텬홍이 셩염의 혼인을 거간(居間)470)ᄒᆞ여 셩네ᄒᆞᆫ 긔년의 참혹히 굿긔니, 거거와 쥬형긔 뵈【12】올 낫치 업도다."

윤시 감은 함누(含淚)ᄒᆞ여 말을 못하더라.

문양공쥐 궁의 와 침셕의 머리를 더져 긔운이 막힐 ᄃᆞᆺᄒᆞ니, 최네 공쥬를 ᄯᆞᆯ와 삼부인 셩ᄌᆞ광휘(聖姿光輝)를 보고, 공쥐 능히 치471)를 못잡을 위인이믈 앙앙ᄒᆞ여, 공쥬의

467)아쳐ᄒᆞ다 : 싫어하다. 안타깝게 여기다.

468)공슈(拱手) : 절을 하거나 웃어른을 모실 때, 두 손을 앞으로 모아 포개어 잡음. 또는 그런 자세. 남자는 왼손을 오른손 위에 놓고, 여자는 오른손을 왼손 위에 놓는다. 흉사(凶事)가 있을 때에는 반대로 한다.

469)팔ᄌᆞ소관(八字所關) : 타고난 운수로 인하여 어쩔 수 없이 당하는 일.

470)거간(居間) :① 사고파는 사람 사이에 들어 흥정을 붙임. ②거간꾼.

나 낫치 졀노 불근지라. 진부인이 그읏이 아쳐ᄒᆞ더라344).

날이 느즈믹 니시 몬져 퇴ᄒᆞ고, 공주 궁으로 도라가니, 틱부인 고뷔(姑婦) 윤・양 이소져을 압히 두어 식로이 연익ᄒᆞ딕, 공주을 념녀ᄒᆞ여 근심ᄒᆞ니, 부인 등이 ᄌᆞ긱지변(刺客之變)을 고치 아냐 무ᄉᆞ무려(無思無慮)ᄒᆞ니, 부인이 젼연 브지러라. 진부인이 양식부로 ᄎᆞ야을 동침ᄒᆞᆯᄉᆡ, 윤시 피셕(避席) 부수(俯首)의 함쳑 공수(拱手)345) 왈,

"아히 등이 소고(小姑) 등의 화익을 듯ᄌᆞ오니 골경신히(骨驚身駭) ᄒᆞᆯ 쓘 아니라 소고 등의 빅옥무하(白玉無瑕)ᄒᆞ므로쎠, 누명이 젼혀【75】 쳡의 집 허물이라. 존젼의 뵈오미 황공ᄒᆞ와 욕ᄉᆞ무지(欲死無地)346)로소이다."

부인이 쳐연 왈,

"녀ᄋᆞ와 질녀의 익회 팔ᄌᆞ소관(八字所關)347)이라. ᄉᆞ름을 원치 아닛ᄂᆞ니 현부의 청죄ᄒᆞᆯ 빅리오. 다만 ᄌᆞ모지심(慈母之心)의 유죄 무죄 간 험난을 당ᄒᆞ니, 심장이 촌촌ᄒᆞᄂᆞ 능히 버슬 길 업ᄂᆞᆫ지라, 장닉을 불분이나, 거거 닉외ᄂᆞᆫ ᄎᆞ언을 드르면 과상ᄒᆞ여 질녀을 죽음 갓치 알 거시기로, 쳔홍이 영수 등과 상의ᄒᆞ고 질녀의 화란을 긔(欺)엿ᄂᆞ니, 쳔홍이 셩염의 혼인을 거간(居間)348)ᄒᆞ여 셩네ᄒᆞᆫ 긔년의 참혹히 되니, 듀형과 거거긔 뵈올 낫치 업도다."

윤시 감은 하누(下淚)ᄒᆞ여 말을 못ᄒᆞ더라.

공주 궁의 와 침셕의 머리을 더져 긔운이 막힐 듯ᄒᆞ니, 최녀 공주을 ᄯᆞ르 숩인의 광

344)아쳐ᄒᆞ다 : 싫어하다. 안타깝게 여기다.

345)공수(拱手) : 절을 하거나 웃어른을 모실 때, 두 손을 앞으로 모아 포개어 잡음. 또는 그런 자세. 남자는 왼손을 오른손 위에 놓고, 여자는 오른손을 왼손 위에 놓는다. 흉사(凶事)가 있을 때에는 반대로 한다.

346)욕ᄉᆞ무지(欲死無地) : 죽으려고 하여도 죽을 만한 곳이 없다는 뜻으로, 매우 억울하고 원통함을 이르는 말

347)팔ᄌᆞ소관(八字所關) : 타고난 운수로 인하여 어쩔 수 없이 당하는 일.

348)거간(居間) :① 사고파는 사람 사이에 들어 흥정을 붙임. ②거간꾼.

손을 ᄌᆞᆸ고 우러 왈,

"하날이 옥쥬를 ᄂᆡ샤 옥ᄐᆡ월광(玉態月光)이 금고의 무빵거ᄂᆞᆯ, 만승(萬乘) 농쥬(弄珠)[472]로 왕희의 존귀를 씌여 하가ᄒᆞᄆᆡ, 구고 존경과 쇼텬의 듕ᄃᆡ를 므러 알 ᄇᆡ 아니라. 상부 쇼니부인을 보ᄆᆡ 앙망블급(仰望不及)이러니, 금일 윤·양 이부인긔 셧기ᄆᆡ 쳔만층이 ᄯᅥ러지니, 더욱 ○○[윤시] 옥 ᄀᆞᆺ 튼 긔린을 쎠 부마의 조강의 위를【13】씌고, 양·니 등으로 화우ᄒᆞᄂᆞᆫ 덕이 임샤(姙似)의 어질믈 가져, 구가일문의 갈치칭도(喝采稱道)와 부마의 하히듕정(河海重情)을 보디 아녀 알디라. 도위 어려오미 명염 슉완을 별쳐의 옴겨두고, 반년을 ᄉᆞᆺ쳐 니ᄌᆞᆫ ᄃᆞᆺᄒᆞ다가, 니시 분산 후 비로○[소] 일ᄐᆡᆨ의 모드ᄆᆡ 깃븐 긔ᄉᆡᆨ도 업고,

휘을 귀경ᄒᆞ고, 공주 능히 치[349]을 못잡을 위인이물 앙앙ᄒᆞ여 공주의 손을 잡고 우러 왈,

"ᄒᆞ날이 옥주을 ᄂᆡᄉᆞ 옥ᄐᆡ월광(玉態月光)이 고금의 무쌍커ᄂᆞᆯ 만승(萬乘) 농주(弄珠)[350]로 《왕후‖왕희(王姬)》의 존귀을 씌여 하가ᄒᆞᄆᆡ, 구고 존경과 소쳔의 ○○○[듕ᄃᆡ를] 무러 알ᄇᆡ 아니라. 상부 소(小)니부인을 보ᄆᆡ 앙망불급(仰望不及)이러니, 윤·양 이부인긔 셧기ᄆᆡ 쳔만층이 ᄯᅥ러지니, 더욱 ○○[윤시] 옥 갓튼 긔린을 쎠 상공의 조강 위을 씌고, 양·니 등을 화우ᄒᆞᆯ 덕이 잇ᄉᆞ니, 임ᄉᆞ(姙似)의 어질믈 가져, 구가 일문의 갈치칭도(喝采稱道)와 상공의 하히즁경(河海重情)을 보지 아냐 알지라. 부마 어려오미 명염 숙완을 별쳐의 옴겨 두고, 반년을 ᄉᆞᆫ쳐 니ᄌᆞᆫ 듯ᄒᆞ다가, 지금이야 비로소 일ᄐᆡᆨ의 모드ᄆᆡ 깃분 긔ᄉᆡᆨ도 업셔 뵈더이다."

ᄒᆞ회을 분셕ᄒᆞ라.【76】

---

471)치 : 채. 가마, 들것, 목도 따위의 앞뒤로 양옆에 대서 메거나 들게 되어 있는 긴 나무 막대기. *채를 잡다; 주도적인 역할을 하거나 주도권을 잡고 조종하다

472)농쥬(弄珠) : '손 안에 놓고 놀리는 구슬'이라는 뜻으로 '귀염둥이 딸'을 달리 이르는 말.

349)치 : 채. 가마, 들것, 목도 따위의 앞뒤로 양옆에 대서 메거나 들게 되어 있는 긴 나무 막대기. *채를 잡다; 주도적인 역할을 하거나 주도권을 잡고 조종하다

350)농쥬(弄珠) : '손 안에 놓고 놀리는 구슬'이라는 뜻으로 '귀염둥이 딸'을 달리 이르는 말.

옥쥬로 흔연호신 식과 늬도호니, 쳡은 의심이 깁허 두리나니, 쳡이 일념의 삼인을 업시호고 삼개 즈녀를 멸호여 삐를 업시흔 후, 옥쥐 도위로 더브러 유즈싱녀(有子生女)호여 빅슈히로(白首偕老)호는 즐거오믈 닐위여, 것칠 거시 업기를 도모호리니, 옥쥬는 가지록 덕화를 빗늬시고 삼인을【14】 화우호시면, 부매 옥쥬 심폐를 엇디 알니잇고? 젹은 분을 못 춤아 큰 일을 그릇 마로쇼셔."

공쥐 눈물을 흘니고 가슴을 어로만져 골오딕,

"구가의 입승 후 쥬야의 여좌침상(如坐針上)[473]이라. 혹즈 뎡군의 그릇 보미 이실가 존젼의 시립흠 곳트딕, 뎡군이 츄호(秋毫) 가익(加愛)호미 업고, 언단(言端)의 윤·양 등을 칭도(稱道)호니, 내 기인 등이 엇던고 호더니, 금일 보니 니녀는 흑살텬신(黑煞天神)[474]과 우두나찰(牛頭羅刹)[475]곳트나, 윤·양은 졀셰명염(絶世名艶)이라. 나도 눈을 옴기기 앗가오니 뎡군을 니르랴. 보뫼 틍심이 간졀호나 므순 디략으로 삼인을 업시홀 술이 이시며 현긔 등을 죽이리오."

473)여좌침상(如坐針上) : 바늘 위에 앉은 것처럼 불안함.

474)흑살텬신(黑煞天神) : 검은 살기를 띤 흉한 모습의 귀신.

475)우두나찰(牛頭羅刹) : 쇠머리 모양을 한 악한 귀신.

추셜 최녀 왈,

"부믹 반년을 근쳣다가 지금이야 비로소 일틱의 모드니 깃분 기식도 업셔 옥쥬의 흔연호신 식과 늬도호이[니], 쳡은 의심니[351][이] 깁어 두리누니, 쳡의 《일역‖일염(一念)》의 숨인을 업시호고 숨기 자녀을 멸호여 씨을 업시흔 후, 옥쥐 부마로 더부러 유즈싱녀(有子生女)호여 빅수히로(白首偕老)호는 즐거오물 일위여, 것칠 것시 업기을 도모호리니, 옥주는 가지록 덕화을 빗늬시고 삼인을 화우호시면, 부믹 엇지 옥쥬 심펴[폐]을 알니잇고? 젹근[은] 분을 못 참아 큰 일을 그릇 마르소셔.".

공쥬 누슈(淚水)을 흘니고 가숨을 어로만져 왈,

"구가의 입승 후 쥬야의 여좌침상(如坐針上)[352]이라. 혹즈 뎡군의 그릇 보미 이실가 존젼의 시립흠 곳트여도, 뎡군이 츄호(秋毫) 가익(加愛)호미 업고, 언단(言端)의 윤·양 등을 칭도(稱道)호니, 내 미인 등을[이] 엇던고 호드니, 금일 보니 니시는 흑술텬신(黑煞天神)[353]과 우두나찰(牛頭羅刹)[354]【1】 곳트나, 윤·양은 졀셔[셰][355] 명염(絶世名艶)이라. 나도 눈을 옴기긔 앗가오니 뎡군을 니르랴. 보뫼 틍심니 간졀호나 므숨 《질악‖디략》으로 삼인을 업시호는 술(術)니[이] 잇시며 현긔 등을 쥭이리요."

351) '권10-11'은 다른 '권'들에 비해 난필인데다 오자·탈자·결락이 많아서 판독이 어려울 뿐 아니라, 문장의 조사나 어미로 흔히 쓰이는 '이'와 '니'를 표기함에 있어, 앞말의 '받침 유/무', '주격조사/연결어미' 등의 문법적 성격의 차이에 구별 없이 '이/니'를 혼동하여 쓰고 있다.

352)여좌침상(如坐針上) : 바늘 위에 앉은 것처럼 불안함.

353)흑술텬신(黑煞天神) : 검은 살기를 띤 흉한 모습의 귀신.

354)우두나찰(牛頭羅刹) : 쇠머리 모양을 한 악한 귀신.

355) '권10-11'의 필사자는 'ㅖ'나 'ㅔ'로 표기해야 할 곳을 'ㅕ'로 표기하는 경우가 많다.

최시 흉계로 공쥬 ᄆᆞ【15】음을 위로ᄒᆞ고, 윤·양 등을 화우ᄒᆞ라 ᄒᆞ니, 공쥐 일마다 올히 넉여, ᄎᆞ후 더욱 어진 거ᄉᆞᆯ 낫토며 인심을 취합ᄒᆞ노라, 산ᄌᆡ필ᄇᆡᆨ보화(散財疋帛寶貨)476)를 앗기지 아녀, 구가(舅家) 하쳔의도 흔연 후ᄃᆡᄒᆞ여, 무고히 상주고, 친쳑의 널니 통ᄒᆞ여, 긔이ᄒᆞᆫ 찬픔과 빗난 능나를 보ᄂᆡ며, 태후(太后)와 뎨후(帝侯)의 샤숑(賜送)ᄒᆞ시ᄂᆞᆫ 거ᄉᆞᆯ 다 헷쳐 ᄒᆞ나 머므르ᄂᆞᆫ 거시 업ᄉᆞ니, 인인이 ᄉᆞ랑치 아니리 업고, 형셰를 븟좃ᄎᆞ 뎡가 일문이 져마다 공쥬의 어질믈 칭찬ᄒᆞ고, 보ᄂᆡᄂᆞᆫ 거ᄉᆞᆯ 감샤ᄒᆞ며, ᄎᆞ환의 무리ᄂᆞᆫ 노쥬(奴主) 존비(尊卑)를 텬디ᄀᆞᆺ치 ᄒᆞᄂᆞᆫ 고로, 슌태부인과 진부인이 인ᄌᆞ화슌ᄒᆞ나 비복의게 위엄을 일치 아냐, 상벌이 분【16】명ᄒᆞ고 은혜로 거ᄂᆞ리며, 한유치 못ᄒᆞ게 각각 쇼임을 맛져 《방심‖진심(盡心)》케 ᄒᆞ여, 각각 쥬모를 두리며 조심ᄒᆞ여 여림심연(如臨深淵)ᄒᆞᄂᆞᆫ디라. 공쥐 어진 말ᄉᆞᆷ과 감언니에(甘言利語) '무른 ᄯᅥᆨ'477)이오, '쇼음478)의 바ᄂᆞᆯ'479)이라. 일호(一毫) 위엄이 업고, 보니480)마다 흔연ᄒᆞ여 ᄉᆡᆼ각지 아닌 보물을 흡족히 주ᄂᆞᆫ디라. 쳔견무식(賤見無識)으로 간교(奸巧)를 모로고 어질므로 아라, 대소비복(大小婢僕)이 승간(乘間)ᄒᆞ여 문양궁의 와 ᄆᆡ양(每樣) 셩덕(盛德)을 칭하(稱賀)ᄒᆞ니, 공쥐 낭낭(朗朗)이481) 청아(青蛾)482)를 드리워 그 간고역ᄉᆞ(艱苦役事)를 불상이 넉이ᄂᆞᆫ 듯, 진미를 포복ᄒᆞ이고, 의ᄌᆞ(衣資)를 주며 낭미를 주어 니워 ᄡᅳ게 ᄒᆞ니,

476)산ᄌᆡ필ᄇᆡᆨ보화(散財疋帛寶貨) : 명주비단과 보배로운 재물들을 흩어 두루 나누어 줌.

477)무른 ᄯᅥᆨ : '너무 물러서 쫄깃한 맛이 없는 떡'이란 뜻으로, 말이나 행동이 원칙이나 강단이 없어 야무지지 못하거나 위엄이 없음을 나타낸 말.

478)쇼음 : 솜.

479)'쇼음에 바늘' : '솜에다 바느질하기'란 뜻으로 '모래 위에 집짓기'처럼 아무런 보람이 없는 헛일을 함을 이르는 말.

480)보니 : 보는 이.

481)낭낭(朗朗)이 : 낭랑(朗朗)하게. 소리가 맑고 또랑또랑하게.

482)청아(青蛾) : 푸르고 아름다운 눈썹. 미인을 비유적으로 이르는 말.

최시 흉겨[계]로 공쥬 마음을 위로ᄒᆞ고 윤·양 등을 화우ᄒᆞ라 ᄒᆞ니, 공쥬 일마다 올히 역겨 ᄎᆞ후 더옥 어진 거ᄉᆞᆯ 낫토며 인심을 취합ᄒᆞ노라, 금은필ᄇᆡᆨ(金銀疋帛)을 악기지 안야, 구가(舅家) ᄒᆞ쳔의도 흔연 후ᄃᆡᄒᆞ여, 무고히 상주고, 친쳑의겨[게] 널니 통ᄒᆞ여, 기이ᄒᆞᆫ 찬품과 빗ᄂᆞᆫ 능나을 보ᄂᆡ며, 태후(太后)와 제후(帝侯)의 ᄉᆞ송(賜送)ᄒᆞ시ᄂᆞᆫ 거ᄉᆞᆯ 다 흣터 ᄒᆞ나도 머무르ᄂᆞᆫ 거시 업ᄉᆞ니, 인인이 ᄉᆞ랑치 아니리 업고, 형셔[셰]을 븟좃ᄎᆞ 뎡가 일분[문]니[이], 저마다 공쥬의 어지믈 일캇고, 보ᄂᆡᄂᆞᆫ 거ᄉᆞᆯ 감사ᄒᆞ여,

○…**결락 97자**…○

[ᄎᆞ환의 무리ᄂᆞᆫ 노쥬(奴主) 존비(尊卑)를 텬디ᄀᆞᆺ치 ᄒᆞᄂᆞᆫ 고로, 슌태부인과 진부인이 인ᄌᆞ화슌ᄒᆞ나 비복의게 위엄을 일치 아냐, 상벌이 분【16】명ᄒᆞ고 은혜로 거ᄂᆞ리며, 한유치 못ᄒᆞ게 각각 쇼임을 맛져 진심(盡心)케 ᄒᆞ여, 각각 쥬모를 두리며 조심ᄒᆞ여 여림심연(如臨深淵)ᄒᆞᄂᆞᆫ디라.]

공쥬 어진 말ᄉᆞᆷ과 감언(甘言)이 일호(一毫) 위엄이 업고, 보니356) 마다 흔연【2】ᄒᆞ여 ᄉᆡᆼ각○[지] 아닌 보물을 {흡속니} 《흡속니‖흡족이》 쥬ᄂᆞᆫ지라. 《천석수식‖쳔견무식(淺見無識)》으로 간교(奸巧)을 모로고 어지무로 아라, 대소비복(大小婢僕)이 승간(乘間)ᄒᆞ여 문양궁의 와 ᄆᆡ양(每樣) 셩덕(盛德)을 칭하(稱賀)ᄒᆞ니, 공쥐 낭낭(朗朗)이357) 청아(青蛾)358)을 드리워 그 간고역ᄉᆞ(艱苦役事)을 불상이 역기ᄂᆞᆫ 듯, 진미을 포복ᄒᆞ이고, 의ᄌᆞ(衣資)와 양미을 주어 이워 쓰겨[게]ᄒᆞ니, 복뷔 감은각골ᄒᆞ여 공쥬을 웃듬으로 븟좃ᄎᆞ 물이 동으로 흐름ᄀᆞᆺᄐᆞ니, 여[예]셩(譽聲)니[이] 인이(隣里)을 풍동(風動)ᄒᆞ여 부마의 쳐궁니[이] 유복다 ᄒᆞ더라.

356)보니 : 보는 이.

357)낭낭(朗朗)이 : 낭랑(朗朗)하게. 소리가 맑고 또랑또랑하게.

358)청아(青蛾) : 푸르고 아름다운 눈썹. 미인을 비유적으로 이르는 말.

복뷔 감은각골ᄒᆞ여 공쥬를 웃듬으로 븟좃ᄎᆞ 물이 동으로 흐름 ᄀᆞᆺᄐᆞ니 【17】 예셩(譽聲)이 닌니(隣里)를 풍동(風動)ᄒᆞ여 부마의 쳐궁이 유복다 ᄒᆞ더라.

어시의 운남공쥬 운영이 뎡병부의 풍모를 탐ᄋᆡᄒᆞ여, 부모를 긔(欺)이고 만니(萬里)를 겻보듯483) 뎡후를 위ᄒᆞ여 망부셕(望夫石)이 되고져, 시녀 경향을 다리고 경보(輕寶)를 슈습ᄒᆞ여 여화위남(女化爲男)484)ᄒᆞ여 쳔신만고(千辛萬苦)ᄒᆞ여 젼당(錢塘)485)을 건너ᄆᆡ, 듕도의 두역(痘疫)을 어더 ᄉᆞ오삭 ᄉᆞᄉᆡᆼ듕(死生中)이러니 향의 위쥬튱심(爲主忠心)이 과인ᄒᆞ여 디셩 구호ᄒᆞᄆᆡ, 향ᄎᆞ(向差)ᄒᆞ여 황셩으로 오다가, 대국 슈퇴(水土) 남방과 다르고, 남복으로 오ᄆᆡ, 만니의 구치ᄒᆞᄆᆡ 두역 디ᄂᆡᆫ 여증(餘症)《으로∥이》 겸ᄒᆞ여, 소쥐(蘇州)486) 니르러ᄂᆞᆫ 운영이 물 ᄒᆞᆫ술 못마시고 병셰 위악ᄒᆞ니, 향이 망극ᄒᆞ여 일간 초옥을 어더 【18】 빅방 구호ᄒᆞᆯᄉᆡ, 보ᄇᆡ 비록 만흐나 달포 구병의 다 쓰고 능히 죽음(粥飮)을 니우지 못ᄒᆞ니, 향이 두로 단니며 비러 먹일ᄉᆡ 긔ᄉᆞ(饑死)를 면ᄒᆞ고, 슈월 후 노쥐 걸식ᄒᆞ여 경사로 오다가, ᄒᆞᆫ 무리 강도를 만나 쳔니마(千里馬)를 아이고 노쥬의 옷술 마ᄌᆞ 벗기려 ᄒᆞ거ᄂᆞᆯ, 운영의 과의(袴衣)487)를 벗기ᄂᆞᆫ 디경의 본ᄉᆡᆨ이 탈누ᄒᆞᆯ가 두려, 본ᄃᆡ 곱기ᄂᆞᆫ 쳔ᄐᆡ만ᄉᆡᆨ(千態萬色)488)이라. 강되 겁탈ᄒᆞᆯ가 두려, 뎡ᄉᆡᆼ을 바라미 비쳡항(婢妾行)의도 용납지 아니면 죽어 넉시 쏠오고져 ᄒᆞ므로, 타인은 반악(潘岳)489)

483)겻보다 : '견다+보다'의 합성어. (몸에 익은 일처럼) 쉽게 여기다. 대수롭지 않게 여기다. 견다; 일이나 기술 따위가 익어서 몸에 배다. 보다; 여기다.
484)여화위남(女化爲男) : 여자가 남자로 변장함.
485)젼당(錢塘) : 전당강(錢塘江). 중국 절강성(浙江省) 동부를 흐르는 강. 절강(浙江)이라고도 한다.
486)소쥐(蘇州) : 중국 강소성(江蘇省)에 있는 도시.
487)과의(袴衣) : 고의(袴衣). 남자의 여름 홑바지. 한자를 빌려 '袴衣'로 적기도 한다. ≒중의(中衣).
488)쳔ᄐᆡ만ᄉᆡᆨ(千態萬色) : '천 가지 아름다운 자태와 만 가지 고운 빛'이란 뜻으로, 온갖 아름다움을 다 갖춘 미인이란 말.
489)반악(潘岳) : 중국 서진(西晉)의 미남자.

어시의 운낙[남]공쥬 운영니[이] 뎡병부의 풍용(風容)을 탐ᄋᆡᄒᆞ여, 부노[모]의[을] 기(欺)이고, 만○[니](萬里)을 겻보듯359) 뎡부[후]을 위ᄒᆞ여 망부석(望夫石)이 되고져, ○○[시녀] 경ᄒᆡᆼ을 다리고 경보(輕寶)을 슈습ᄒᆞ여 여화위남(女化爲男)360)ᄒᆞ여 쳔신만고(千辛萬苦)ᄒᆞ여 《젼강∥젼당(錢塘)361)》을 근너ᄆᆡ, 즁도의 두역(痘疫)을 어더 ᄉᆞ오ᄉᆡᆨ[삭](四五朔) ᄉᆞᄉᆡᆼ즁(死生中)이러니, 경ᄒᆡᆼ의 의기츙심(義氣忠心)이 과인ᄒᆞ여 지셩 구호ᄒᆞᄆᆡ, 향ᄎᆞ(向差)ᄒᆞ여 황셩(皇城)으로 오다가, 대국 슈뢰(水土) 남방과 다르고, 남【3】복으로 오ᄆᆡ, ᄀᆡᆨ니구치(客裏驅馳)362)ᄒᆞᄆᆡ 두역(痘疫) 지ᄂᆡᆫ 여증(餘症)을 겸ᄒᆞ여, 소쥐(蘇州)363) 이르러ᄂᆞᆫ 운영니[이] ᄒᆞᆫ술 물도 마시지 못○○[ᄒᆞ고] 병셔[셰] 위악ᄒᆞ니, 경향이 망극ᄒᆞ여 일간 초옥을 어더 빅방 구호ᄒᆞᆯᄉᆡ, 보ᄇᆡ 비록 만흐나 달포 구병의 다 쓰고 능히 쥭금(鬻飮)을 이우지 못ᄒᆞ여, 경ᄒᆡᆼ이 두로 단니며 비러 먹일ᄉᆡ, 기ᄉᆞ(饑死)을 면ᄒᆞ고, 슈월 후 노쥐 걸식ᄒᆞ여 경ᄉᆞ로 오다가, ᄒᆞᆫ 무리 강도을 만나 쳔니마(千里馬)을 아이고, 노쥐의 옷술 마ᄌᆞ 벽[벗]기려 ᄒᆞ거ᄂᆞᆯ, 운영의 고의364)을 벽[벗]기ᄂᆞᆫ 지경의 본ᄉᆡᆨ이 탈노(綻露)ᄒᆞᆯ가 두려워, 졍후을 바라미 비쳡항(婢妾行)의도 용납지 안니면, 쥭거 넉시 ᄡᅡ로고져 ᄒᆞ무로, 타인은

359)겻보다 : '견다+보다'의 합성어. (몸에 익은 일처럼) 쉽게 여기다. 대수롭지 않게 여기다. 견다; 일이나 기술 따위가 익어서 몸에 배다. 보다; 여기다.
360)여화위남(女化爲男) : 여자가 남자로 변장함.
361)젼당(錢塘) : 전당강(錢塘江). 중국 절강성(浙江省) 동부를 흐르는 강. 절강(浙江)이라고도 한다.
362)ᄀᆡᆨ니구치(客裏驅馳) : 여행 중 몹시 바삐 길을 가거나 힘들게 이곳저곳을 다님.
363)소쥐(蘇州) : 중국 강소성(江蘇省)에 있는 도시.
364)고의 : 남자의 여름 홑바지. 한자를 빌려 '고의(袴衣)'로 적기도 한다. ≒중의(中衣)

의 풍치라도 결ᄒᆞ여 불원(不願)ᄒᆞᄂᆞᆫ디라. 죽기로 ᄋᆡ걸ᄒᆞ여 면ᄒᆞ여 ᄒᆞᆫ 졀의 가니, 도ᄉᆡ 그 미ᄉᆡᆨ을 고련(顧憐)[490]ᄒᆞ고 인ᄉᆡᆼ을 가ᄋᆡ(可愛)ᄒᆞ여 【19】 관ᄃᆡ(款待)ᄒᆞ니, 노ᄌᆔ 각골감은(刻骨感恩)《ᄒᆞ여‖ᄒᆞ고》, ○[ᄯᅩ] ᄒᆞᆫ가지로 경샤로 다려가믈 언약ᄒᆞ니, 경ᄉᆡ 몃 날 길히나 나믄고 므ᄅᆞ니, 도ᄉᆡ 왈,

"경ᄉᆡ 십여일 격(隔)ᄒᆞ여시니 여쥬(汝主)를 됴호(調護)ᄒᆞ여 가게 ᄒᆞ라."

언파의 동ᄌᆞ를 다리고 몸을 두로혀 송쥭간(松竹間)으로 가니 다시 보디 못ᄒᆞ리러라.

원ᄂᆡ 화도ᄉᆞᄂᆞᆫ 윤니부 명쳔공 친위라. 도ᄒᆡᆼ이 놉고 술법이 신긔ᄒᆞ여 ᄌᆞ최 아니 밋ᄂᆞᆫ 곳이 업고, 사ᄅᆞᆷ의 급ᄒᆞ믈 구졔ᄒᆞ여 젹션을 일삼더라.

향이 도ᄉᆞ의 준 은ᄌᆞ를 가져 노ᄌᆔ 남의를 ᄉᆞ 닙고, 인가를 ᄎᆞᄌᆞ 일슌(一旬)을 됴리ᄒᆞ고, 상쳬 나은 후 촌촌(寸寸) 젼진ᄒᆞ여 걸식 샹경ᄒᆞ니, 대국 인물의 셩ᄒᆞᆷ과 번화ᄒᆞ미 【20】 번국과 ᄂᆡ도ᄒᆞᆫ디라[491]. 노ᄌᆔ 두로 경물을 완상ᄒᆞ니 인인이 향암(鄕闇)[492]되믈 웃더라. 운영이 거년 츄(秋)의 운남 국토를 ᄯᅥ나 금년 칠월의 황셩의 니르니, 십ᄉᆡᆼ구ᄉᆞ(十生九死)[493]ᄒᆞ여 녀ᄌᆞ의 만니ᄒᆡᆼ역(萬里行役)이 극난ᄒᆞ믈 알너라. 운영이 뎡병부 ᄐᆡᆨ상으로 가고져 ᄒᆞ니, 향 왈,

"옥ᄌᆔ 비록 뎡원슈를 위하여 도ᄎᆞ디경(造次之境)[494]이나 뎡원슈ᄂᆞᆫ 옥쥬 졍니를 개렴(掛念)[495]치 아니리니, ᄎᆞᄌᆞ가나 본 쳬 아니면 무류ᄒᆞ리니, 아딕 죵용ᄒᆞᆫ 곳을 어더 ᄉᆞ셰를 보미 가ᄒᆞ니이다."

영이 올히 넉여 셔화문 밧 쳥벽산 보슈암의 니르러 신묘랑과 ᄉᆞ괴니, 묘랑이 남지

490)고련(顧憐) : 마음에 안쓰럽게 여겨 돌보아 줌.
491)ᄂᆡ도ᄒᆞ다 : 다르다. 판이(判異)하다.
492)향암(鄕闇) : 시골에서 지내 온갖 사리에 어둡고 어리석음. 또는 그런 사람.
493)십ᄉᆡᆼ구ᄉᆞ(十生九死) : 아홉 번 죽을 고비를 넘기고 열 번 살아남.
494) 도ᄎᆞ디경(造次之境) : 매우 절박한 상황.
495)개렴(掛念) : 괘념(掛念). 마음에 두고 걱정하거나 잊지 않음.

반악(潘岳)[365]의 풍치라도 결단코 불원(不願)ᄒᆞᄂᆞᆫ지라. 죽기로 ᄋᆡ걸ᄒᆞ여 면ᄒᆞ여 ᄒᆞᆫ 졀의 가니, ᄒᆞᆫ 도ᄉᆡ 그 미ᄉᆡᆨ을 고련(顧憐)[366]ᄒᆞ고 인ᄉᆡᆼ을 가ᄋᆡ(可愛)ᄒᆞ여 관ᄃᆡ(款待)ᄒᆞ니, 노쥐 감은(感恩)《ᄒᆞ여‖ᄒᆞ고》, ○[ᄯᅩ] ᄒᆞᆫ가지로 경ᄉᆞ로 다려가믈 언약ᄒᆞ니, 경ᄉᆡ 몃 날니[이]ᄂᆞ 나믄고 무른대, 도ᄉᆡ 왈,

"십여일 격(隔)ᄒᆞ엿시니 여쥬(汝主)를 조호(調護)ᄒᆞ여 가겨[게] ᄒᆞ라."

원ᄂᆡ 화도ᄉᆞᄂᆞᆫ 윤니부 명쳔공 친위라. 도ᄒᆡᆼ이 놉ᄒᆞ 술법이 신이【4】ᄒᆞ여 ᄌᆞ최 아니 밋츤 고지 업고, ᄉᆞ람의 급ᄒᆞ물 구져[졔]ᄒᆞ여 젹션을 일삼더라.

노쥐 신기히 역겨 젼젼(前前) 걸식(乞食) ○○[ᄒᆞ여] 상경(上京)ᄒᆞ니, 대국 인물의 셩함과 번화ᄒᆞ미 번국과 ᄂᆡ도ᄒᆞᆫ지라[367]. 노쥐 두루 경물을 완상ᄒᆞ니, 인인(人人)이 향암(鄕闇)[368]되믈 웃더라. 운영이 뎡원수 ᄐᆡᆨ상으로 가고져 ᄒᆞ니 경ᄒᆡᆼ 왈,

"옥ᄌᆔ 비록 뎡원슈를 위하여 도ᄎᆞ디경(造次之境)[369]이나 뎡원슈ᄂᆞᆫ 옥쥬 뎡니을 ᄀᆡ렴(掛念)[370]치 아니리이[니], ᄎᆞ져가나 본 쳐[쳬] 아니면 무류ᄒᆞ리니, 아직 조용ᄒᆞᆫ 곳을 어더 ᄉᆞ셔[셰]을 보미 가ᄒᆞ니다."

운영이 올히 역겨 셔화문 밧 쳥벽산 보유[슈]암의 이르러 신묘랑과

365)반악(潘岳) : 중국 서진(西晉)의 미남자.
366)고련(顧憐) : 마음에 안쓰럽게 여겨 돌보아 줌.
367)ᄂᆡ도ᄒᆞ다 : 다르다. 판이(判異)하다.
368)향암(鄕闇) : 시골에서 지내 온갖 사리에 어둡고 어리석음. 또는 그런 사람.
369) 도ᄎᆞ디경(造次之境) : 매우 절박한 상황.
370)ᄀᆡ렴(掛念) : 괘념(掛念). 마음에 두고 걱정하거나 잊지 않음.

아니믈 아라 연고를 므르니, 영의 노쥐 긔이고【21】져 ᄒᆞ다가, 묘랑의 신긔ᄒᆞ믈 항복ᄒᆞ여 실고(實告)ᄒᆞ니, 낭이 금슈나릉(錦繡羅綾)을 ᄂᆡ여 노쥬의 녀복을 곳치게 ᄒᆞ고, 니르ᄃᆡ,

"공쥬를 위ᄒᆞ여 일싱을 도모ᄒᆞᆯ 거시니 번뇌치 말녀니와, 다만 뎡원쉬 운남을 평뎡ᄒᆞ고 봉후ᄒᆞ여 금뎐녀셔(禁殿女壻) 되연 지오라디 아니니, 공쥐 뎡낭을 취ᄒᆞ미 도로혀 타쳐 풍뉴랑을 ᄀᆞᆯ힘만 못ᄒᆞ리이다."

공쥐 앙텬 탄왈,

"만니를 겻보ᄃᆞᆺ496) ○[와] 뎡원쉬 위ᄒᆞᆫ 졍이 비쳡(婢妾)《으로‖이라도》 원ᄒᆞᄂᆞ니 함호결초(銜環結草)497)ᄒᆞ리이다."

묘랑이 냥구(良久) 침ᄉᆞ(沈思)의 쇼왈,

"빈되 공쥬 원을 일우고 몸이 영화롭게 ᄒᆞ리이다."

영이 대열(大悅) 쟉ᄇᆡ(作拜)498)ᄒᆞ고 뎡원슈로 인연 일우믈 비니, 묘랑이 상부 후문과 【22】뎨실지친(帝室之親)의 허랑ᄒᆞᆫ 부인과 간악ᄒᆞᆫ 녀ᄌᆞ의 뉴를 ᄉᆞ괴미 무슈ᄒᆞ니, 일일 고요ᄒᆞ미 업셔 동셔로 분쥬ᄒᆞ여 악ᄉᆞ를 힝ᄒᆞ며, 길흉을 아ᄂᆞᆫ 고로 명예 ᄌᆞᄌᆞᄒᆞ

496)겻보다 : 곁보다. 대수롭지 않게 보다. *겻-; 곁-. 본줄기가 아니거나 대수롭지 않다는 뜻을 더하는 접두사.

497)함호결쵸(銜環結草) : '남에게 입은 은혜를 꼭 갚는다' 의미를 가진 '함환이보(銜環以報)'와 '결초보은(結草報恩)'이라는 두 개의 보은담(報恩譚)을 아울러 이르는 말로, '남에게 받은 은혜를 살아서는 물론 죽어서까지도 꼭 갚겠다'는 보다 강조된 의미가 담긴 뜻으로 쓰인다. 두 보은담의 유래를 보면, '함환이보'는 중국 후한 때 양보(楊寶)라는 소년이 다친 꾀꼬리 한 마리를 잘 치료하여 살려 보낸 일이 있었는데, 후에 이 꾀꼬리가 양보에게 백옥환(白玉環)을 물어다 주어 보은했다는 남북조시기 양(梁)나라 사람 오균(吳均)이 지은『續齊諧記』의 고사에서 유래하였다. 또 '결초보은'은 중국 춘추 시대에, 진나라의 위과(魏顆)가 아버지가 세상을 떠난 후에 서모를 개가시켜 순사(殉死)하지 않게 하였더니, 그 뒤 싸움터에서 그 서모 아버지의 혼이 적군의 앞길에 풀을 묶어 적을 넘어뜨려 위과가 공을 세울 수 있도록 하였다는『춘추좌전』<선공(宣公)>15년 조(條))의 고사에서 유래한 말이다.

498)쟉ᄇᆡ(作拜) : 예(禮)를 갖추어 절함.

○…**결락 33자**…○[ᄉᆞ괴니, 묘랑이 남ᄌᆡ 아니믈 아라 연고를 므르니, 영의 노쥐 긔이고져 ᄒᆞ다가, 묘랑의]

신긔을 항복ᄒᆞ여 실고(實告)ᄒᆞ니, 묘랑이 금슈능나(錦繡綾羅)을 ᄂᆡ여 노쥬의 여복을 곳쳐, 니르ᄃᆡ,

"공쥬를 위ᄒᆞ여 일싱을 도모ᄒᆞ리이[니] 번뇌치 말여니와, 다만 졍원쉬 운남을 평졍ᄒᆞ고 봉후ᄒᆞ여 금젼녀셔(禁殿女壻) 되연 지오ᄅᆡ지 안이이[니] 공쥐 뎡원슈을 취ᄒᆞ미 도로혀 타쳐 풍유랑을 가리미 가ᄒᆞ리이다."

운영니[이] 앙천 탄왈,

"만니을 겻보ᄃᆞᆺ 졍원슈 위ᄒᆞᆫ 졍이 비쳡《으로‖이라도》원ᄒᆞᄂᆞ니, 함호결치[초](銜環結草)371)ᄒᆞ리이다."

묘랑이 양구(良久) 침ᄉᆡ(沈思)라가 쇼왈,

"빈되 공쥬 원을 일우만[고]【5】 몸이 영화롭겨[게] ᄒᆞ리이다."

운영이 대왈[열](大悅) ᄇᆡᄉᆞ(拜謝)ᄒᆞ고 입의 가득이 졍원슈○[로] 인연 일우믈 비니 묘랑이 상부 후문과 져[졔]실지친(帝室之親)의 허랑ᄒᆞᆫ 부인과 간악ᄒᆞᆫ 여ᄌᆞ을 ᄉᆞ괴니, 쉬(數) ᄒᆞᄂᆞ 두리 아니오, 호을 도암ᄌᆡ라 ᄒᆞ고, 고요할 젹니[이] 업셔, 괴(交)ᄒᆞᄂᆞᆫ ᄉᆞ람들니 만금을 악기디 안니ᄒᆞ고 ᄎᆞᄌᆞ므로, 묘랑이 아지 못ᄒᆞ리 업ᄉᆞ니, 어ᄆᆡ(御妹)372) 경션공쥬ᄂᆞᆫ 일즉 부마 위슉의겨[게]

371)함호결쵸(銜環結草) : '남에게 입은 은혜를 꼭 갚는다' 의미를 가진 '함환이보(銜環以報)'와 '결초보은(結草報恩)'이라는 두 개의 보은담(報恩譚)을 아울러 이르는 말로, '남에게 받은 은혜를 살아서는 물론 죽어서까지도 꼭 갚겠다'는 보다 강조된 의미가 담긴 뜻으로 쓰인다. 두 보은담의 유래를 보면, '함환이보'는 중국 후한 때 양보(楊寶)라는 소년이 다친 꾀꼬리 한 마리를 잘 치료하여 살려 보낸 일이 있었는데, 후에 이 꾀꼬리가 양보에게 백옥환(白玉環)을 물어다 주어 보은했다는 남북조시기 양(梁)나라 사람 오균(吳均)이 지은『續齊諧記』의 고사에서 유래하였다. 또 '결초보은'은 중국 춘추 시대에, 진나라의 위과(魏顆)가 아버지가 세상을 떠난 후에 서모를 개가시켜 순사(殉死)하지 않게 하였더니, 그 뒤 싸움터에서 그 서모 아버지의 혼이 적군의 앞길에 풀을 묶어 적을 넘어뜨려 위과가 공을 세울 수 있도록 하였다는『춘추좌전』<선공(宣公)>15년 조(條))의 고사에서 유래한 말이다.

여, ᄎᆞᆺᄂᆞᆫ ᄌᆡ 문이 몌여시ᄃᆡ, 녜단이 젹은즉 빗ᄉᆡ오고[499] 가지 아니니, 금은옥보(金銀玉寶)와 필ᄇᆡᆨ(疋帛)이 뫼ᄀᆞᆺ치 ᄡᆞ혀시니, 고로 묘랑을 모로리 업셔, 어ᄆᆡ(御妹)[500] 경션공쥬는 부마 위슉의게 하가ᄒᆞ여 셩혼 칠팔ᄌᆡ(七八載)의 일남을 ᄉᆡᆼᄒᆞ나, 부매 기셰ᄒᆞᄆᆡ 공쥐 과거(寡居)ᄒᆞ여 삼죵(三從)[501]의 ᄋᆞ돌 ᄒᆞ나히라. 슈복을 긔도ᄒᆞ여 불공을 후히 ᄒᆞ니 시의 공쥬지ᄌᆞ(公主之子) 위쳠이 이십 젼 명ᄉᆞ로 간의태우러니, 강쥬 슌무ᄉᆞ로 나가고 위어ᄉᆞ 부인 됴시 친상(親喪)의 분곡(奔哭)[502] 【23】 ᄒᆞᄆᆡ, 공쥐 어린 숀ᄌᆞ 등만 다리고 광뎐(廣殿)의 쳐ᄒᆞ여 ᄉᆡ로이 비회를 뎡치 못ᄒᆞ더니, 묘랑이 와 뵈고 죵용이 말숨ᄒᆞ더니 쇼왈,

"옥쥐 뎍막ᄒᆞ신ᄃᆡ 위회(慰懷)ᄒᆞᆯ 군쥐 업ᄉᆞ시니, 엇디 일가의 구슬 ᄀᆞᆺ튼 쇼져를 양녀치 아니시ᄂᆞ니잇가?"

공쥐 탄왈,

"뎡합오심(正合吾心)이로ᄃᆡ, ᄋᆞ직 ᄆᆡ양 양녀ᄒᆞ미 블긴ᄒᆞᄆᆞᆯ 니르ᄆᆡ, 졔 뜻을 욱이지 못ᄒᆞ나 이런 ᄢᆡᄂᆞᆫ 뜻이 잇노라."

묘랑 왈,

"긔이ᄒᆞᆫ 녀ᄌᆞ를 암듕의 길너 두어시니, 본이 ᄉᆞ족이라. 남쥐 션ᄇᆡ 목ᄉᆡᆼ의 ᄯᆞᆯ이니, 부뫼 구몰ᄒᆞ고 친쳑이 희소ᄒᆞ여 ᄉᆞ고무친ᄒᆞ

499)빗ᄉᆡ오다 : 핑계하다. 구실을 삼다. 토라지다.

500)어ᄆᆡ(御妹) : 황제의 누이동생.

501)삼죵(三從) : 삼종지도(三從之道). 예전에, 여자가 따라야 할 세 가지 도리를 이르던 말. 어려서는 아버지를, 결혼해서는 남편을, 남편이 죽은 후에는 자식을 따라야 하였다.

502)분곡(奔哭) : 먼 곳에서 부모나 친지의 죽음 소식을 듣고 달려가 곡함.

하가ᄒᆞ여 셩혼 칠팔ᄌᆡ(七八載)의 일남을 ᄉᆡᆼᄒᆞ고 부마 기셔[셰]ᄒᆞ니, 공쥬 쳥츈의 과거(寡居)ᄒᆞ여 밋고 ᄇᆞ란 ᄇᆡ 한낫 아들이라. 공쥬의 아달 위쳠니[이] 이십 젼 명ᄉᆞ로 강쥐 슌무ᄉᆞ로 나가고, 위어ᄉᆞ 부인이 친상(親喪)을 만나 본향 영쳔으로 나아가ᄆᆡ, 공쥬 손아을 다리고 ○○○○○○[광뎐(廣殿)의 쳐ᄒᆞ여] ᄉᆡ로이 비회을 졍치 못ᄒᆞ던지라. 일일은 묘랑이 니르러 ᄇᆡ견ᄒᆞ고, 웃고 왈,

"옥쥐 핫[한]낫 군쥐 안니 겨시니 졍[젹]막 궁즁의 외로이 쳐ᄒᆞ시되 좌우의 위로할 ᄌᆞ녀 갖지 못ᄒᆞ시니, 어ᄉᆞ 상공니 슈족의 졍을 《펼실니∥펴실 길이》 업고, 옥쥐 종요로온 ᄌᆞ미을 모로시니, 엇지 일가의 듯보ᄉᆞ 한낫 구슬 갓튼 양녀(養女)을 안니 ᄒᆞ시ᄂᆞ닛가?"

공쥬 탄왈,

"사부의 말니[이] 오르ᄃᆡ ᄂᆡ 【6】 마음의 맛ᄂᆞᆫ 곳은 아ᄒᆡ 업ᄉᆞᆯ 분 안니라, 아ᄌᆡ 또ᄒᆞᆫ 부졀업ᄉᆞ믈 이르니, 져 뜻즐 아지 못ᄒᆞ야 양여(養女)할 뜻즐 두지 못ᄒᆞ되, 근간 ᄌᆞ부(子婦)[373]을 다 ᄂᆡ여 보ᄂᆡ고 비감(悲感) 쳐황(悽惶)ᄒᆞ미 날노 드[더]으니, 이런 ᄢᆡ을 당ᄒᆞ야 양녀 못 할[한] 쥴 ᄋᆡ달와 ᄒᆞ노라."

묘랑이 웃고 왈,

"빈되 기특ᄒᆞᆫ 여ᄌᆞ을 어더 암즁의 길너 두어시니, 본니[이] ᄉᆞ족이라. 남쥐 션ᄇᆡ 목ᄉᆡᆨ[ᄉᆡᆼ]의 ᄯᆞᆯ니[이]니 부뫼 구몰ᄒᆞ고 친쳑이 희소○○[ᄒᆞ여] ᄉᆞ고모[무]친(四顧無親)ᄒᆞ니, 빈되 참연ᄒᆞ야 부ᄃᆡ 아름다이 길너 졍[셩]혼코져 ᄒᆞ되, 소져 슌문의 잇스믈 슬허ᄒᆞ오니, 옥쥐 그 외[위]인을 다려다가 보시

372)어ᄆᆡ(御妹) : 황제의 누이동생.

373)ᄌᆞ부(子婦) : 자(子)와 부(婦) 곧 아들과 며느리를 함께 이르는 말.

니, 빈되 참연ᄒᆞ여 브ᄃᆡ 아름다이 길너 셩혼코져 ᄒᆞ오ᄃᆡ, 쇼졔 산문의 이시믈 슬허ᄒᆞ오니 옥쥐 【24】 다려다가 그 위인을 보시고, 고의(高意)예 가ᄒᆞ시거든 양녀를 뎡ᄒᆞ쇼셔.”

공쥐 ᄀᆞ장 깃거 왈,

“ᄉᆞ뷔 나의 고뎍ᄒᆞ믈 념녀ᄒᆞ여 아름다운 녀ᄌᆞ를 쳔거ᄒᆞ니 은혜 깁도다.”

인ᄒᆞ여 궁비와 교ᄌᆞ를 주어 쇼져를 다려오라 ᄒᆞ니, 영이 슌슌 샤례ᄒᆞ고 경향으로 더브러 궁의 니르러 공쥬긔 현알ᄒᆞ니, 공쥐 눈으로 보ᄆᆡ, {묵시} 흰 낫치 교결(皎潔)ᄒᆞ고, 냥안(兩眼)이 별 ᄀᆞᄐᆞ며, 눈셥은 초월ᄀᆞᆺ고, 단ᄉᆞ쥬슌(丹砂朱脣)의 옥치(玉齒) 긔묘ᄒᆞ여, 민쳡 영오ᄒᆞ며 아릿다온디라.

공쥐 크게 ᄉᆞ랑ᄒᆞ여 가향(家鄕)을 뭇고 모녀의 의를 결ᄒᆞ여, 경의 간간쳬쳬(懇懇--)[503]ᄒᆞ니, 금은 필빅을 앗기지 아냐 묘랑의 욕심이 ᄎᆞ도록 상샤ᄒᆞ니, 묘랑이 흥낙(興樂)ᄒᆞ여 도라가고,【25】 경션공쥬 운영의 근본을 모로고 무탁무의(無託無依)ᄒᆞ믈 가긍ᄒᆞ여 친녀ᄀᆞᆺ치 ᄒᆞ니, 궁듕이 츄앙ᄒᆞ여 ᄌᆡ산이 누거만(累巨萬)이오, 보홰 고듕(庫中)의 ᄡᅧᆨ으니, 영의 노쥐 운남 이실 적과 다르지 아냐, 금쉬 무거오믈 ᄌᆞ랑ᄒᆞ고 진미를 념어ᄒᆞ나, 오ᄃᆡᆨ 뎡낭을 ᄉᆞ상ᄒᆞ미 간졀ᄒᆞᆫ디라. 묘랑으로 ᄀᆞ마니 의논ᄒᆞ니, 묘랑 왈,

“빈되 변신ᄒᆞ여 뎡부 ᄉᆞ긔를 ᄉᆞᆯ펴 부마의 패식지뉴(佩飾之類)를 어더 오리니, 쇼져ᄂᆞᆫ 옥쥬를 공동(恐動)ᄒᆞ여 샤혼(賜婚)ᄒᆞ시ᄂᆞᆫ 젼지(傳旨)를 어더 셩혼ᄒᆞ쇼셔.”

영이 슌슌(順順) 샤례ᄒᆞ고 뎡군의 슈듕지물(手中之物)을 어더 오라 ᄒᆞ니, 묘랑이 몸을 흔드러 젹은 ᄉᆡ 되여 취운산의 가니, 남후ᄂᆞᆫ 경부의 가고 시랑은 ᄂᆡ침(內寢)ᄒᆞ니,

503)간간쳬쳬(懇懇--) : 간간(懇懇)하고 체체하다. 마음이 정성스럽고, 행동이나 몸가짐이 너절하지 아니하고 깨끗하며 트인 맛이 있다.

고 가ᄒᆞ거든 양녀를 졍ᄒᆞ쇼셔.”

공쥬 가쟝 깃거 왈,

“ᄉᆞ뷔 나히[의] 고젹ᄒᆞ믈 념여ᄒᆞ여 아름다운 여ᄌᆞ을 쳔거ᄒᆞ니 은혀[혜] 깁도다.”

인ᄒᆞ야 궁비와 교ᄌᆞ을 쥬어 쇼져을 다려오라 ᄒᆞ니, 묘랑니[이] 암ᄌᆞ로 와 운영을 지휘ᄒᆞ여, 공주 ᄉᆞ랑을 엇겨[게] ᄒᆞ라 ᄒᆞ니, 운영니[이] 슌슌(順順) ᄉᆞ려[례]ᄒᆞ고, 경힝을 다리고 궁의 이르러 공쥬긔 현알ᄒᆞ니, 공쥬 보건ᄃᆡ, 흰 낫치 교결(皎潔)ᄒᆞ고 양안니[이] 별 ᄀᆞᄐᆞ며, 눈셥니[이] 초월(初月)[374]ᄀᆞᆺ고 단ᄉᆞ쥬슌(丹砂朱脣)의 옥취(玉齒) 기묘ᄒᆞ여 민쳡 【7】 영오ᄒᆞ며 아리ᄯᅡ온디라.

공쥬 크겨[게] ᄉᆞ랑ᄒᆞ야 가향(家鄕)을 뭇고 모녀의 윤(倫)을 결ᄒᆞ여 ᄉᆞ랑ᄒᆞ고, 금은 필빅을 ᄋᆡᆨ기지 아냐, 묘랑의 욕심니[이] ᄎᆞ도록 샹ᄉᆞᄒᆞ니, 묘랑이 흥낙(興樂)ᄒᆞ야 도라가고, 경셩[션]공쥐 운영○[의] 근본을 모르고 무탁모[무]의(無託無依)ᄒᆞ믈 가긍ᄒᆞ여 친녀 갓{ᄀᆞᆺ}치 ᄒᆞ니, 궁즁이 츄앙ᄒᆞ여 ᄌᆡᄉᆞᆫ니[이] 누거만(累巨萬)니[이]요, 보홰 고즁(庫中)의 쎡그[으]니, 운영의 노쥐 운남 닛실 적과 다르지 안ᄒᆞ니, 금쉬 무거오믈 ᄌᆞ랑ᄒᆞ고 진미을 념어ᄒᆞ나, 오직 졍낭을 ᄉᆞ랑ᄒᆞ미 간졀ᄒᆞᆫ지라. 묘랑으로 가만니[이] 의논ᄒᆞ니, 묘랑 왈,

“빈되 변신ᄒᆞ야 뎡부 ᄉᆞ긔을 ᄉᆞᆯ펴 부마의 ᄑᆡ식지뉴(佩飾之類)을 어더 오리니, 소져ᄂᆞᆫ 옥쥬을 공동(恐動)ᄒᆞ여 ᄉᆞ혼(死婚)ᄒᆞ시ᄂᆞᆫ 《경이‖젼지》을 어더 성혼ᄒᆞ셔[소]셔.”

운영니[이] 슌슌(順順) ᄉᆞᄉᆞ(謝辭)ᄒᆞ고 뎡낭의 슈즁요물(手中要物)을 어더 오라 ᄒᆞ니, 묘랑이 변신ᄒᆞ야 젹근[은] ᄉᆡ 되여 취운산의 가니, 부마ᄂᆞᆫ 경부의 가고, 시랑은 ᄂᆡ침(內寢)ᄒᆞ니, 공교히 삼공ᄌᆞ 셔[셰]홍이 측ᄒᆞ의셔 독셔ᄒᆞᆯᄉᆡ, 야명쥬(夜明珠)를 녹코 ○○

374)초월(初月) : 초승달.

공교【26】ᄒᆞ여 삼공ᄌᆞ 셰홍이 촉하의 독셔ᄒᆞᆯᄉᆡ 야명쥬(夜明珠)를 어더 노코 글 닑으니, 궤를 보니 어샤(御賜)ᄒᆞ신 금션(錦扇)과 옥션쵸(玉扇貂)[504] 잇셔 금광이 찬난ᄒᆞ니 뎡휘 심장(深藏)ᄒᆞ엿더니, 공ᄌᆞ 형뎨 니르ᄃᆡ,

"셩샹이 형댱긔 샤ᄒᆞ시며 왈, 'ᄇᆡᆨ옥의 ᄐᆡ 업ᄉᆞ믄 경의 청념ᄒᆞ미오, 녀슈(麗水)[505]의 정금(精金)은 단련ᄒᆞᄆᆡ 경의 견확(堅確)ᄒᆞᆫ 심디(心志)라, 고로 샤(賜)ᄒᆞ노라.' ᄒᆞ시니, 심쟝(深藏)《ᄒᆞ미러니 ‖ ᄒᆞ미러라》."

묘랑이 몸을 ᄀᆞᆷ초아 낫낫치 듯고 금션(錦扇)과 션초(扇貂)를 도뎍(盜賊)ᄒᆞ여 운영을 주니, 영이 대희ᄒᆞ여 ᄒᆞ니, 공쥬 공동ᄒᆞᆯ 일을 ᄀᆞᄅᆞ치ᄆᆡ, 영이 명일 날이 낫되도록 낫촐 ᄡᆞ고 니지 아니니, 공쥐 와 보고 왈,

"어ᄃᆡ 앏파 누으미냐?"

영이 오열 브답ᄒᆞ니, 공쥐 더욱【27】의아ᄒᆞ여 답언을 ᄌᆡ촉ᄒᆞ니, 영이 눈물을 흘녀 왈,

"소녀의 고혈무의(孤孑無依)ᄒᆞᆫ 인ᄉᆡᆼ이 텬우신됴(天佑神助)ᄒᆞ와 옥쥬의 모녀지의(母女之義)를 밧ᄌᆞ오니, 각골 감은ᄒᆞ와 손복ᄒᆞᆯ가 ᄒᆞ옵더니, 작야의 괴이ᄒᆞᆫ 변이 신상의 이시니, 박명(薄命)을 원(怨)ᄒᆞ올 밧, 남ᄌᆡ 쇼녀를 욕ᄒᆞᆯ 줄 뜻ᄒᆞ여시리잇고? 두 가지를 주고 가며 셩명은 뎡텬홍이라 ᄒᆞ오니, 옥쥬 ᄌᆞ위 일즉 ᄎᆞ인을 아르시ᄂᆞ니잇가? 쇼녜 결항(結項)ᄒᆞ여 욕을 플고져 ᄒᆞ옵더니, ᄉᆡᆼ각ᄒᆞ니 블가ᄒᆞ여 ᄉᆞ고를 다 알외고 일을 ᄒᆡ셕ᄒᆞ온 후, 죵시(終是)히 죽으려 ᄒᆞᄂᆞ이다."

504)옥션쵀(玉扇貂) : 옥으로 만들어 부채고리에 단 장식품. 선초(扇貂); 부채고리에 매어 다는 장식품.

505)여슈(麗水) : 중국의 지명. <천자문> '금생여수(金生麗水)'에서 말한 금(金)의 산지(産地)로 유명.

○○[글 닑으니], 가마니 드러가 궤을 보니,【8】어ᄉᆞ(御賜)한 금션(錦扇)과 옥션쵀(玉扇貂)[375] 잇셔 금광니[이] 찬난ᄒᆞ니, 부ᄆᆡ 심장(深藏)ᄒᆞ엿더라. 공ᄌᆞ 형져[졔] 일오ᄃᆡ,

"셩샹니[이] 형장긔 ᄉᆞᄒᆞ시며 왈, 'ᄇᆡᆨ옥의 ᄐᆡ 업ᄉᆞ믄 경의 청념ᄒᆞ미라.' ᄒᆞ시고 ᄉᆞ급(賜給)ᄒᆞ시니, 심쟝ᄒᆞ신 ᄇᆡ로다."

묘랑니[이] 이 말을 듯고 ᄃᆡ희ᄒᆞ여 금션(錦扇)○○[과 선]초(扇貂)을 도젹(盜賊)ᄒᆞ여 운영의겨[게] 젼ᄒᆞ고, 공쥬을《혼동ᄒᆞ여 ‖ 혼동ᄒᆞᆯ 일을》낫낫치 가르치니, 영이《올히역겨 ‖ 대희ᄒᆞ여》명일의 운발(雲髮)을 허틀고 금금(錦衾)으로 낫츨 ᄊᆞ 움작이지 안니니, 공쥬 친님(親臨)ᄒᆞ여 옥슈을 잡고 왈,

"녀ᄋᆡ 어ᄃᆡ 불평ᄒᆞ냐? 궁인 등니[이] 방ᄌᆞᄒᆞ여 너을 욕ᄒᆞ미 잇ᄂᆞ야? 엇지 기ᄉᆡᆨ니[이] 불호ᄒᆞ요[뇨]?"

운영니[이] 옹[옥]뉘(玉淚) 방방(滂滂)ᄒᆞ여 왈,

"소녀의 고혈무의(孤孑無依)로 금션법ᄉᆞ의 은혀[혜]을 입을 ᄲᅮᆫ이요, 감히 이의 일을 쥴 ᄉᆡᆼ각지 안니 ᄒᆞ엿드니, 망부(亡父)의 도으물 입버 ᄌᆞ졍의 지극ᄒᆞ신 은ᄋᆡ로 의식의 근심을 아지 못ᄒᆞ나, ᄌᆞ위을 뫼셔 ᄒᆞ졍(下情)을 다코져【9】ᄒᆞ엿더니, ᄌᆞᆨ야의 외간 남ᄌᆞ의 ᄌᆞ최 소여의 침소의 드러와, ᄇᆡᆨ단(百端) 슈옥[욕](數辱)니[이] 무궁ᄒᆞ고, 금션과 옥션초을 신물을 삼노아[라] ᄒᆞ고, 셩명은 졍쳔홍이라 ᄒᆞ이[니], ᄌᆞ위 졍쳔홍을 아시ᄂᆞ닛가? 소녀 ᄒᆞᆫ번 쥭거 설혹[욕]고져 ᄒᆞᆫᄃᆡ, 다시 ᄉᆡᆼ각ᄒᆞᄆᆡ 암ᄉᆡ(暗事) 무익ᄒᆞᆫ 고로, 소유(所由)을 알외고 일누(一縷)을 맛고져 ᄒᆞᄂᆞ이다."

375)옥션쵀(玉扇貂) : 옥으로 만들어 부채고리에 단 장식품. 선초(扇貂); 부채고리에 매어 다는 장식품.

공쥐 쳥파의, 본ᄃᆡ 허랑ᄒᆞᆫ 위인이라, 눈이 두렷ᄒᆞ여 창황히 영의 팔흘 보니 쥬표ᄂᆞᆫ 의구커ᄂᆞᆯ, 잠간 딘정{ᄒᆞ}【28】ᄒᆞ여 왈,

“정텬흥은 병부상셔 농두각 태ᄒᆞᆨᄉᆞ 평남후 문양도위 대당군 방어ᄉᆞ 듁쳥션ᄉᆡᆼ이라. 년쇼ᄒᆞ나, 위엄이 ᄒᆡᄂᆡ(海內)를 기우리고, 덕망이 산두(山斗)[506]○[의] 의의○[히] 놉흐믈 가져, 금뎐녀셔(禁殿女壻)로 통권(總權)이 ᄇᆡᆨ뇨의 뎨일이니, 엇디 ᄒᆡᆼ실의 음비ᄒᆞ미 여ᄎᆞᄒᆞᆯ 줄 아라시리오. 궁듕이 뎍막ᄒᆞᆫ 줄 알고, 야반의 돌입ᄒᆞ여 욕이 너의게 밋ᄎᆞ믈 어이 아라시리오. 텬흥이 문양도위 되기 젼 삼쳐와 쳡잉이 무슈ᄒᆞ여 호ᄉᆡᆨᄒᆞᄂᆞᆫ 거ᄉᆞᆯ, 샹이 부마를 삼으시니, 문양이 문후ᄒᆞᄂᆞᆫ 궁비를 브렷거ᄂᆞᆯ, 내 져ᄒᆡ 금슬을 므르니, 뎡부매 신병이 이셔 아ᄃᆡᆨ 합친을 아녓다 ᄒᆞ니, 괴이히 녁이더니 네 침소의 돌입ᄒᆞ믄【29】 음패불측(淫悖不測)ᄒᆞᆫ 의ᄉᆡᆨ오, 날을 업슈히 녁이미 녀염과모(閭閻寡母)로 알미라. 내 너를 양녀ᄒᆞ여시니 즉시 다려가 뎨후긔 됴현ᄒᆞ고, 군쥬의 위호를 어더 주려 ᄒᆞ엿더니, 궁듕 ᄉᆞ괴(事故) 만하 못ᄒᆞᆫ디라. 황샹긔 알외고 쳐치ᄒᆞ리니 브졀업시 심ᄉᆞ를 상ᄒᆡ오디 말나.”

인ᄒᆞ여 금션과 션초를 ᄎᆞᄌᆞ니, 셔안 우ᄒᆡ 이시믈 고ᄒᆞ고, 공쥬를 놀ᄂᆡ고져 ᄒᆞ여 ᄌᆞ문코져 ᄒᆞ니, 공쥐 급히 붓드러 말니고, 쳔만 위로ᄒᆞ고, 즉시 입궐ᄒᆞ여 뎨후긔 됴현ᄒᆞ니, 샹이 디극ᄒᆞ신 우ᄋᆡ로ᄡᅧ 경션의 일ᄌᆞᆨ 과거ᄒᆞ믈 잔잉히 녁이시고, 슬ᄒᆡ 뎍막ᄒᆞ여 위쳠 일인 쌘이믈 더욱 ᄂᆡᆺ지 못ᄒᆞ시ᄂᆞᆫ디라. 공쥬로 말ᄉᆞᆷᄒᆞ시다가, 우으시고 왈,

“딤이【30】 위쳠의 위인을 ᄉᆞ랑ᄒᆞ여 강

506)산두(山斗) : ‘태산북두(泰山北斗)’의 줄임말로 태산과 북두칠성을 아울러 일컫는 말. 세상 사람들로부터 존경받는 사람을 비유적으로 이르는 말

공쥐 쳥파의 ᄃᆡ경실ᄉᆡᆨ(大驚失色)ᄒᆞ고 본ᄃᆡ 허랑ᄒᆞᆫ 품되(品度)나 냥안(兩眼)니[이] 두렷ᄒᆞ야 급히 운영의 팔을 보니, 쥬표(朱標) 의구ᄒᆞᄆᆡ, 잠간 진정ᄒᆞ여 왈,

“뎡쳔흥은 지금 병부상셔 용두각 ᄐᆡ학ᄉᆞ 평남후 문양도위 주[죽]쳥션ᄉᆡᆼ이라. 위염[엄]○[이] ᄒᆡᄂᆡ(海內)의 진동ᄒᆞ고 금젼여셔(禁殿女壻)로 총권(總權)니[이] ᄇᆡᆨ요(百寮)의 졔일이라. 엇지 ᄒᆡᆼ실니[이] 음비ᄒᆞ미 ○○○○[여ᄎᆞᄒᆞᆯ 줄] 아라시리요. 쳔흥이 문양도위 되기 젼 ᄉᆞᆷ쳐와 쳡잉(妾媵)니[이] 무수ᄒᆞ여 호ᄉᆡᆨᄒᆞᄂᆞᆫ 거ᄉᆞᆯ 상이 부마을 삼으시니, 문양이 문【10】후ᄒᆞᄂᆞᆫ 궁비을 부렷거날, ᄂᆡ 저희 금슬을 무르니 뎡부ᄆᆡ 신병니[이] 잇셔 아직 합궁(合宮)을 아냣다 ᄒᆞ거날, 고히 역기드니, 네 침소의 도립(突入)ᄒᆞ믄 음ᄑᆡ불칙(淫悖不則)ᄒᆞᆫ 의ᄉᆞ오, 날을 업수히 역기미 여염과모(閭閻寡母)로 알미라. ᄂᆡ 너로 양녀ᄒᆞ엿시니 져[제]후긔 소[조]현(朝見)ᄒᆞ고 군쥬(郡主) 《시호‖위호(位號)》을 어더 주려 수일 후 입궐ᄒᆞ려 ᄒᆞ엿더니, 뎡쳔흥의 작용니[이] 이의 밋ᄎᆞ니, 이 말ᄉᆞᆷ을 마지 못ᄒᆞ여 황상겨[긔] 알외고 쳐치ᄒᆞ실 도리을 뭇ᄌᆞ오리니, 너ᄂᆞᆫ 허물지은 일니[이] 업ᄉᆞ{오}니 심ᄉᆞ을 상ᄒᆡ오지 말나. 일니[이] 되어가믈 보라”

인ᄒᆞ여 금션과 션초을 ᄎᆞᄌᆞ니 운영니[이] 셔안 우ᄒᆡ 이시믈 가르치니, 짐즛 공쥬을 놀나여 죽고져 ᄒᆞᄂᆞᆫ 거동을 뵈{고져 ᄒᆞ}니, 공쥐 ᄃᆡ경ᄒᆞ여 쳔만 위로ᄒᆞ며 궁인을 맛져 운영○[을] 극진이 보호ᄒᆞ라 이르고, 즉시 입궐ᄒᆞ여 져[제]후겨[긔] 나아가 조현ᄒᆞ니, 상이 지극ᄒᆞ신 우ᄋᆡ로써 경셩[션]의 일직【11】 과거ᄒᆞ믈 잔잉니[이] 역[여]기시고 슬ᄒᆡ 졍[적]막ᄒᆞ여 위첨 일인 ○○[쌘임]을 더욱 잇지 못ᄒᆞ시ᄂᆞᆫ지라, 공주로 말ᄉᆞᆷᄒᆞ시다가 우으시고 왈,

“짐니[이] 위첨의 위인을 ᄉᆞ랑ᄒᆞ여, 강쥐 어지러오물 위쳠 곳 안니면 안무ᄒᆞ기 어려오무로 멀니 보ᄂᆡ여시나, 어ᄆᆡ 슬ᄒᆞ 졍[적]막ᄒᆞ니 궐졍의 이시라.”

쥐 어ᄌᆞ러오믈 위쳠 곳 아니면, 안무(按撫)ᄒᆞ기 어려오므로 먼니 보ᄂᆡ여시나, 어ᄆᆡ 슬히 뎍막ᄒᆞ니 궐정의 이시라.”

공쥐 눈물을 ᄯᅳ려 쥬왈,

“쳠을 먼니 보ᄂᆡ고 너른 궁듕의 ᄒᆞᆫ낫 ᄌᆞ딜이 업ᄉᆞᆸ기, 우연이 부뫼 구몰(俱沒)ᄒᆞ고 혈혈무의(孑孑無依)ᄒᆞᆫ 녀ᄌᆞ를 어더 모네 되연 지 일망(一望)이러니, 거야의 괴이ᄒᆞᆫ 변을 만나 어린 녀ᄌᆡ 놀나고, 분ᄒᆞ여 죽고져 ᄒᆞ오니 이런 우민(憂悶)ᄒᆞᆫ 일이 어ᄃᆡ 이시리잇고?”

샹이 놀나 연고를 므르시니, 공쥐 뎡부마의 힝ᄉᆞ를 ᄀᆞᆺ초 알외고, 금션과 옥션초를 드리니, 샹이 쳐음은 곳이듯디 아니시다가, 금션과 옥초를 보시ᄆᆡ 만심경ᄒᆡ(滿心驚駭)ᄒᆞ샤, 변ᄉᆡᆨ 왈,

“셰ᄉᆡ난【31】측(世事難測)이라. 딤이 텬흥을 ᄉᆞ랑ᄒᆞ여 ᄎᆞ물을 주엇더니, 월장규벽(越牆竅壁)[507]ᄒᆞᄆᆡ 미녀의 신물(信物)이 될 줄 아라시리오. 다만 텬흥이 호신(豪身)ᄒᆞ나 위인이 비의블법디ᄉᆞ(非義不法之事)ᄂᆞᆫ 아닐 품(品)이러니, 엇디 어ᄆᆡ의 궁듕의 작변ᄒᆞ리오. 기간 곡졀을 아디 못ᄒᆞ리로다.”

경션이 쥬왈,

“일마다 신의 명되 긔구ᄒᆞ와 양녀가지 괴이ᄒᆞᆫ 변을 만나오니, 일편되이 텬흥을 원(怨)치 아니ᄒᆞᄋᆞᆸ거니와, 다만 신을 업슈히 넉이미 여디(餘地)업서, 핍박ᄒᆞ여 져의 가인을 삼으려 ᄒᆞ믈 ᄉᆡᆼ각ᄒᆞ오ᄆᆡ, 통분토소이다.”

샹 왈,

“딤은 ᄎᆞ마 텬흥으로ᄡᅧ 그런 일을 ᄒᆞ다 못ᄒᆞ리니, 딤이 그 일ᄉᆡᆼ을 ᄆᆡ몰케 아니리라.”

ᄒᆞ시고 명일 됴회의【32】 금평후를 인견ᄒᆞ샤,

“《텬흥의게‖텬흥이 짐이》 샤급《ᄒᆞ신‖ᄒᆞᆫ》 바 금션과 옥초를 가지고 경션궁의 돌입ᄒᆞ여 녀ᄌᆞ의 신물을 삼다 ᄒᆞ니, 딤이

507)월장규벽(越牆竅壁) ; 담장을 넘고 벽에 구멍을 내어 침범함.

공쥐 합[함]누 쥬왈,

“첨을 멀니 보ᄂᆡ고 너른 궁즁의 ᄒᆞᆫ낫 ᄌᆞ질니[이] 업ᄉᆞᆸ기로 우연니[이] 부뫼 구몰(俱沒)ᄒᆞᆫ 혈혈무의(孑孑無依)ᄒᆞᆫ 여ᄌᆞ을 어더 모녀 되연지 일망(一望)이러니, 거야의 고이ᄒᆞᆫ 변니[이] 잇셔 어린 여ᄌᆡ 놀ᄂᆡ고 분ᄒᆞ여 쥭고져 ᄒᆞ오니, 이런 우민(憂悶)ᄒᆞ온 일이 어ᄃᆡ 잇시릿고?”

상니[이] 놀나ᄉᆞ 연고을 무르시니, 공쥐 뎡부마의 힝ᄉᆞ을 고ᄒᆞ고, 금션과 션쵸을 드리오니 상니[이] 처음은 밋지 안니시드니 금선○[과] 선초을 보시고 만심경ᄒᆡ(滿心驚駭)ᄒᆞᄉᆞ 변ᄉᆡᆨ 왈,

“셔[셰]ᄉᆡ(世事) ᄂᆞᆫ측(難測)이라. 짐이 쳔흥을 ᄉᆞ랑ᄒᆞ야 ᄎᆞ물을 주엇더니, 월장규벽(越牆竅壁)[376]ᄒᆞ【12】{ᄒᆞ}ᄆᆡ 미녀의 신물니[이] 될 쥴 아라시리요마ᄂᆞᆫ, 다만 쳔흥이 호신(豪身)ᄒᆞ나 위인이 비려[례]불법지ᄉᆞᄂᆞᆫ 아일[닐] 품(品)이러니, 엇지 어ᄆᆡ의 궁중의 작변ᄒᆞ리요. 기간 곡절을 아지 못ᄒᆞ리이로다.”

경셩[션]니[이] 쥬왈,

“일마다 신에 명되ᄋᆞᆸ거니와 다만 신을 업슈히 녁[여]기미 여지(餘地)업서, 핍박ᄒᆞ여 저의 가인을 삼으려 ᄒᆞ믈 ᄉᆡᆼ각ᄒᆞᄆᆡ 통분토소이다.”

상니[이] 왈,

“짐을[은] ᄎᆞᆷ아 천흥으로ᄡᅧ 그런 일○[을] ᄒᆞᆫ다 못ᄒᆞ리니, 짐니[이] 그 일ᄉᆡᆼ을 ᄆᆡ몰케 안니이[리]라.”

ᄒᆞ시고 명일 조회의 금후을 인견ᄒᆞᄉᆞ,

○○[짐이] 홍의게 ᄉᆞ급《ᄒᆞ신‖ᄒᆞᆫ》 바 금션○○[과 옥]초을 가지고 ○○○[천홍이] 경션궁의 돌입ᄒᆞ여 규녀의 신물을 삼다

376)월장규벽(越牆竅壁) ; 담장을 넘고 벽에 구멍을 내어 침범함.

텬흉 알오믈 비록 년쇼ᄒᆞ나 비의블법디ᄉᆞ(非義不法之事)ᄂᆞᆫ 원슈ᄀᆞᆺ치 ᄒᆞᄂᆞᆫ 줄 아랏더니, ᄉᆞ이디ᄎᆞ(事已至此)508)ᄒᆞ여 귀신의 희롱 ᄀᆞᆺᄐᆞ여 아모란 줄 모로니, 경이 ᄎᆞ물(此物)을 가지고 도라가 져다려 죵용이 므러, 일호 ᄋᆡᄆᆡ커든 ᄊᆡᆯ니 샤획(査覈)ᄒᆞ여 신셜(伸雪)ᄒᆞ라. 혹ᄌᆞ 범ᄒᆞ미 잇셔도, 경이 경계ᄒᆞ여 딤이 듕샤로 뭇○[ᄂᆞᆫ] 날 회보ᄒᆞ라."

ᄒᆞ시고 션초를 주시니 평휘 브복 청교의 뺭슈로 밧ᄌᆞ와 어히업셔 ᄒᆞ니, ᄋᆞᄌᆞ를 못미드미 아니라 일이 황홀 난측ᄒᆞ믈 한심ᄒᆞ여 면관 청죄 왈,

"신의 교ᄌᆞ치 못ᄒᆞ므로 블초【33】 패ᄌᆞ를 두와 경셩궁의 ᄉᆞ죄를 지엇ᄉᆞ오니, 흉패ᄒᆞ미 여러 가지라. 진실노 ᄌᆞ식이 듕죄(重罪)를 디어실진ᄃᆡ 죽여 샤죄ᄒᆞ오리니, 신의 교ᄌᆞ(教子) 못ᄒᆞᆫ 죄를 다ᄉᆞ리쇼셔."

샹이 쳐치 난안(難安)ᄒᆞ샤 왈,

"허실을 모로니 청죄를 긋치고 허실을 명획(明覈)ᄒᆞ라."

ᄒᆞ샤, 환시(宦侍)로 관을 주시니, 금휘 샹의 남후 아로시미 ᄇᆞᆰ으시믈 감은이샤왈(感恩而謝曰)509),

"신ᄌᆞ(臣子)의 인물을 ᄇᆞᆰ히 아르시니 신의 부ᄌᆡ 간뇌도지(肝腦塗地)510)ᄒᆞ오나 다 갑ᄉᆞᆸ디 못ᄒᆞᆯ소이다."

샹이 ᄌᆡ삼 위유(慰諭)ᄒᆞ시고 명획(明覈) 회쥬(回奏)ᄒᆞ라 ᄒᆞ시니, 금휘 슈명이퇴(受命而退)ᄒᆞ여 본부로 오니라.

시의 병뮈 경부의 가 밤을 디ᄂᆡ고 맛촘 신긔 블평ᄒᆞ여 집의 와 윤부인 침소의셔 ᄋᆞᄌᆞ【34】를 유희ᄒᆞ더니, 거울을 빗최고 대경 왈,

508)ᄉᆞ이디ᄎᆞ(事已至此) : 일이 이미 이 지경에까지 이름.

509)감은이샤왈(感恩而謝曰) : 감은하고 사은하여 아뢰기를.

510)간뇌도지(肝腦塗地) : 참혹한 죽임을 당하여 간장(肝臟)과 뇌수(腦髓)가 땅에 널려 있다는 뜻으로, 나라를 위하여 목숨을 돌보지 않고 애를 씀을 이르는 말.

ᄒᆞ니, 짐니[이] 쳔흉 알로물 비록 년소ᄒᆞ나 비의불법지ᄉᆞ(非義不法之事)ᄂᆞᆫ 원슈 갓치 ᄒᆞᄂᆞᆫ 유로 아라써니, ᄉᆞ이지ᄎᆞ(事已至此)377)ᄒᆞ니, 귀신의 희롱 갓트여 아무란 쥴 모로니, 경이 ᄎᆞ물을 가지고 도라가 저다려 무러 일호(一毫)【13】 ᄋᆡᄆᆡ커든 ᄲᆡᆯ니 ᄉᆞ획(査覈)ᄒᆞ여 신셜(伸雪)ᄒᆞ라. 혹ᄌᆞ 범ᄒᆞ미 이셔도 경이 경겨[계]ᄒᆞ여 짐의 즁ᄉᆞ(中使)로 뭇ᄂᆞᆫ ᄯᆡ 회보ᄒᆞ라."

ᄒᆞ시고, 션초을 쥬시니 금휘 부복 청교의 쌍슈로 밧ᄌᆞ와 어히업셔 ᄒᆞ니, 아ᄌᆞ을 못미드미 아니라, 일니[이] 황홀 난측ᄒᆞ물 ᄒᆞᆫ심ᄒᆞ여 면관 청죄 왈,

"신의 교ᄌᆞ치 못ᄒᆞ므로 불초 ᄑᆡᄌᆞ을 두어 경션궁의 ᄉᆞ죄을 엇ᄉᆞ오니 흉ᄑᆡᄒᆞ미 여러 가지라, 실노 ᄌᆞ식이 중죄(重罪)을 지어실진ᄃᆡ 쥭여 ᄉᆞ죄을 당ᄒᆞ오리니, 신의 교ᄌᆞ(教子) 못ᄒᆞ온 죄을 다ᄉᆞ리소셔."

상이 쳐치 《낫낫‖난안(難安)》ᄒᆞᄉᆞ 왈,

"허실을 모로니 청죄을 긋치고 허실을 명획(明覈)ᄒᆞ라."

ᄒᆞᄉᆞ, 환시(宦侍)로 관을 쥬시며 ᄌᆡ삼 《우유‖위유(慰諭)》ᄒᆞ시고 명획(明覈) 회주(回奏)ᄒᆞ라 ᄒᆞ시니, 금휘 슈명이퇴(受命而退)ᄒᆞ니라.

시의 부ᄆᆡ 경부의 가 지ᄂᆡ고 마촘 신긔 불평ᄒᆞ여 집의 와 윤시 침소의셔 아ᄌᆞ을 유희ᄒᆞ드니, 거울을 빗최고 ᄃᆡ경 왈,

377)ᄉᆞ이지ᄎᆞ(事已至此) : 일이 이미 이 지경에까지 이름.

"미간의 ᄑᆞ른 긔운이 어ᄅᆡ고, ᄋᆡᆨ셩(厄星)[511]이 어ᄅᆡ시니 대ᄋᆡᆨ이 당젼토다."

윤시 가군(家君)의 신명ᄒᆞ믈 아ᄂᆞᆫ디라 경아 왈,

"ᄋᆡᆨ이 오면 방비치 아니시고 놀나시ᄂᆞ니잇가?"

휘 미쇼 왈,

"셩인도 오ᄂᆞᆫ ᄋᆡᆨ을 면치 못ᄒᆞ시니, 셔ᄇᆡᆨ(西伯)[512]이 유리(羑里)[513]의 갓치시고, 공ᄌᆞ(孔子) 진ᄎᆡ(陳蔡)[514]의 ᄡᆞ히샤 곤ᄒᆞ시니, 내 ᄆᆞᄉᆞᆫ 사ᄅᆞᆷ이라 면ᄋᆡᆨ(免厄)ᄒᆞ리오, 다만 죽을 ᄋᆡᆨ은 아닌가 ᄒᆞ노라."

언미(言未)의 부명으로 부마를 부르시니 급히 나온ᄃᆡ, 금휘 궐졍으로 나와 태부인긔 뵈ᄋᆸ고 셔헌의 좌ᄒᆞ여시니, 병뷔 츄딘 승명ᄒᆞᄆᆡ, 금휘 블승블열ᄒᆞ여 냥구 슉시라. 부매 황공 젼뉼ᄒᆞ여【35】 쳥말(聽末)의 ᄇᆞ복ᄒᆞ여 블감앙시(不敢仰視)ᄒᆞ고, 졔ᄌᆞ 막디기고(莫知其故)[515]ᄒᆞ여 한츌쳠비(汗出沾背)ᄒᆞ니, 금휘 ᄀᆞ장 오란 후 ᄉᆞ매로좃ᄎᆞ 금션과 옥션초를 ᄂᆡ여 왈,

"ᄎᆞ물이 어샤(御賜)ᄒᆞ신 거시어ᄂᆞᆯ, 의외 경션궁 궁녀의 손의 도라갓다 ᄒᆞ니, 너다려 니르랴 ᄒᆞᄆᆡ 입이 더러온디라. 황친 국쳑(皇親國戚)의 집의 돌입ᄒᆞ여 득죄ᄒᆞ믄 ᄉᆡᆼ각지 못ᄒᆞᆯ ᄇᆡ라, 셩샹이 여ᄎᆞ여ᄎᆞ ᄆᆞ르시니 내 한심 극의(極矣)라. 너다려 ᄆᆞ러 기간 ᄉᆞ고를 알외고, 딘가를 ᄒᆡᆨ실(覈實)ᄒᆞ여 ᄋᆡᄆᆡᄒᆞ

---

511)ᄋᆡᆨ셩(厄星) : 사람의 재앙을 주재한다고 하는 흉한 별.

512)셔ᄇᆡᆨ(西伯)이 유리(羑里)의 갓치시고 : 서백(西伯)은 BC 12세기 중국 주(周 : BC 1111~256/255)의 창건자인 무왕(武王)의 아버지 문왕(文王). BC1144년 은의 마지막 왕인 주왕(紂王)에게 포로로 잡혀 유리(羑里)에 갇혀 3년간 갇혀 있으면서 유교의 고전인 주역의 괘사(卦辭)를 지었다.

513)유리(羑里); 은나라의 주왕(紂王)이 주나라의 문왕(文王)을 가두었던 곳, 전(轉)하여 감옥의 뜻으로 쓰인다

514)진ᄎᆡ(陳蔡) : 공자(孔子)가 초(楚)나라 소왕(昭王)의 초빙을 받고 초나라로 가던 중, 진・채의 군사들에게 포위된 채, 양식이 떨어져 7일 동안을 굶으며 고난을 겪었던, 진(陳)나라와 채(蔡)나라의 접경지역.

515)막디기고(莫知其故) : 그 까닭을 알지 못함.

"미간의 쳥긔(青氣) 어ᄅᆡ여시【14】니 ᄃᆡᄋᆡᆨ(大厄)이 당젼토다."

윤시 가군(家君)의 신명ᄒᆞ물 아ᄂᆞᆫ지라. 경아 왈,

"ᄋᆡᆨ니[이] 오면 방비치 아니신닛가?"

부ᄆᆡ 미소 왈,

"오ᄂᆞᆫ ᄋᆡᆨ은 셩인도 면치 못ᄒᆞ시ᄂᆞ니, ᄉᆡᆼ니[이] 무ᄉᆞᆷ ᄉᆞ람이라 면ᄋᆡᆨ(免厄)ᄒᆞ리요. 다만 죽을 ᄋᆡᆨ은 아닌가 ᄒᆞ노라."

언미(言未)의 부명으로 부마을 부르니, 나오ᄃᆡ, 금휘 궐점[졍]으로셔 나와 ᄐᆡ부인겨[긔] 뵈ᄋᆸ고 셔헌의 좌ᄒᆞ엿ᄂᆞᆫ지라. 병뷔 츄진 승명ᄒᆞᄆᆡ, 금휘 불승불녈(不勝不悅)ᄒᆞ여 양구슉시(良久熟視)라. 부ᄆᆡ 황공젼율ᄒᆞ여 쳥말(聽末)의 부복ᄒᆞ여 불감앙시(不敢仰視)ᄒᆞ고, 져[졔]ᄌᆞ 막지기고(莫知其故)[378]ᄒᆞ여 ᄒᆞᆫ츌쳠비(汗出沾背)ᄒᆞ니, 금휘 가장 오린 후 ᄉᆞᄆᆡ로 좃ᄎᆞ 금션과 옥션초을 ᄂᆡ여 왈,

"ᄎᆞ물니[이] 어ᄉᆞ(御賜)ᄒᆞ신 거시여날, 의외 경션궁 규녀의 손의 도라갓다 ᄒᆞ니, 너다려 이르려 ᄒᆞᄆᆡ 입니[이] 더러온지라, 황친국쳑(皇親國戚)의 ○○[집의] 츌입ᄒᆞ야 득죄ᄒᆞ믄 ᄉᆡᆼ각지 못ᄒᆞᆫ ᄇᆡ라. 셩상니[이] 여ᄎᆞ여ᄎᆞ 무르시니 ᄂᆡ 한심 극의(極矣)라. 너다려 기간 ᄉᆞ고을 무러 ᄌᆞ셔이 알외고, 진가을【15】 ᄒᆡᆨ실(覈實)ᄒᆞ여 ᄋᆡᄆᆡᄒᆞ미 잇실진ᄃᆡ, 경션궁 규녀의 무상ᄒᆞ미요, 범죄ᄒᆞ미 잇시면 음황무도ᄒᆞᆫ ᄌᆞ식을 ᄭᅳᆫ어 부ᄌᆞ의 일홈을 업시ᄒᆞ리{이}라."

---

378)막지기고(莫知其故) : 그 까닭을 알지 못함.

미 이실진ᄃᆡ 경션궁 궁녀의 무상(無常)ᄒᆞ미오, 범죄ᄒᆞ미 이시면 음황무도ᄒᆞᆫ ᄌᆞ식을 텬눈을 ᄯᅳ허 부ᄌᆞ의 일홈을 입시 ᄒᆞ리라.”

부매 복슈 청교의 대경【36】ᄒᆞ여 션초를 본즉 ᄌᆞ긔 거시라. 의괴 망측ᄒᆞ여 ‘샤광(師曠)의 총(聰)’[516]이나 요물(妖物)의 작ᄉᆞ를 어이 알니오 브복 쥬왈,

“쇼ᄌᆡ ᄒᆡᆼ실이 비박(鄙薄)ᄒᆞ오나 여ᄎᆞ 비례를 몸소 ᄒᆡᆼᄒᆞ리잇고? 결연이 비례 블의를 ᄒᆡᆼ치 아니 ᄒᆞ오리니, 황친 국쳑을 너비 ᄉᆞ괴미 업고, 위쳠이 외됴로 쳐신ᄒᆞ와 쇼ᄌᆞ로 면목이 셔의[517]치 아니ᄒᆞ오ᄃᆡ, 경션공쥬의 ᄌᆡ(子)물 깃거 아냐 ᄒᆞᆫ번도 경션궁이 어ᄃᆡ믈아디 못ᄒᆞᄋᆞᆸ거ᄂᆞᆯ, 이런 망측지ᄉᆡ 이시믈 몽니의나 ᄉᆡᆼ각ᄒᆞ여시리잇가? 다만 흉괴ᄒᆞ온 바ᄂᆞᆫ 금션과 옥초를 궤듕의 깁히 두온 거시, 져 곳의 가시믄 심상치 아니ᄒᆞ온 변괴라. 쇼ᄌᆡ【37】 명됴의 파됴 후 텬졍의 주달ᄒᆞ와 경션공 좌우 시녀를 잡아 명ᄇᆡᆨ히 다ᄉᆞ려 일을 확실ᄒᆞ게 ᄒᆞ리이다.”

ᄉᆞ긔 타연ᄒᆞ여 조곰도 구겁(懼怯)ᄒᆞ미 업고 삼공ᄌᆞ 셰흥이 대경 왈,

“쇼ᄌᆡ 작일 독셔시의 야명쥬를 어드랴 궤를 뒤젹이더니, 금션과 옥초를 냥뎨(兩弟)로 돌녀보고 공경ᄒᆞ여 너헛더니, ᄎᆞ물이 경션궁의 갓더라 ᄒᆞ믄 ᄌᆡ작일(再昨日)이오, ᄇᆡᆨ형이 경시랑과 야화(夜話)ᄒᆞ라 간 후 ᄎᆞ물을 보앗ᄉᆞ오니, 일노 보아도 형의 ᄋᆡᄆᆡᄒᆞ믈 아르시리이다.”

ᄉᆞ공ᄌᆞ 유흥과 오공ᄌᆞ 필흥이 역경ᄒᆞ여 셰흥과 ᄀᆞᆺ치 알외고, 금션과 션최 분명 작야의 보믈 고ᄒᆞ니, 금【38】휘 눈으로 병부의 긔ᄉᆡᆨ을 보고 귀로 졔ᄌᆞ의 말을 드르ᄆᆡ ᄉᆞ셰(事勢) 기연(期然)이라. ‘디ᄌᆞ(知子)ᄂᆞᆫ

516)샤광(師曠)의 총(聰) : 사광(師曠)은 춘추시대 진나라 음악가로, 소리를 들으면 이를 잘 분별하여 길흉을 점쳤다 한다. 따라서 사리(事理)를 잘 분별하는 것을 ‘사광의 총명’이라 한다.

517)셔의ᄒᆞ다 : 서먹하다. 낯이 설거나 친하지 아니하여 어색하다.

부ᄆᆡ 부복 청교의 ᄃᆡ경ᄒᆞ여 션초을{션초을} 본즉 ᄌᆞ긔 거시라. 의괴 망측ᄒᆞ여 ‘ᄉᆞ광(師曠)의 총(聰)’[379]이나 요물(妖物)의 ᄌᆞᆨᄉᆞ을 어이 알니요. 이의 부복 쥬 왈,

“ᄒᆡᄋᆡ ᄒᆡᆼ실니[이] 비박(鄙薄)ᄒᆞ오나 비려[례]불법(非禮不法)을 ᄒᆡᆼ치 안니ᄒᆞ오리니, 황친국쳑을 너비 ᄉᆞ괴미 업숩고, 위쳠니[이] 외조로 쳐신ᄒᆞ와 ᄒᆡ아로 더부러 면목니[이] 겨[셔]의치[380] 아니ᄃᆡ, 경션공쥬의 아들이믈 깃거아냐, ᄒᆞᆫ 번도 경션궁을 ᄎᆞ저 가온 일니[이] 업ᄉᆞ오니, ᄒᆡᄋᆡ 지금 경션궁니[이] 어ᄃᆡ 잇시물 아지 못ᄒᆞᄋᆞᆸ거ᄂᆞᆯ 이런 망측지ᄉᆡ(罔測之事) 잇시물 몽즁의나 ᄉᆡᆼ각ᄒᆞ엿시릿고? 다만 흉겨[괴](凶怪)ᄒᆞᆫ 밧ᄌᆞ○[ᄂᆞᆫ] 금션·션초을 깁히 두온 거시 저곳의 갓시믄 심상치 안니ᄒᆞᆫ 변괴라. ᄒᆡᄋᆡ 명조(明朝)의 쳔졍의 주달ᄒᆞ여 경션궁 좌우 시녀을 브[븟]ᄌᆞᆸ아 명ᄇᆡᆨ히 다ᄉᆞ려 일을 확실ᄒᆞ겨[게] ᄒᆞ리이다.”

ᄉᆞ긔 타연ᄒᆞ여 조곰도 구【16】겁(懼怯)ᄒᆞᆫ ᄇᆡ 업고, 삼공ᄌᆞ 셔[셰]흥이 ᄃᆡ경 왈,

“ᄒᆡᄋᆡ ᄌᆞᆨ일 독셔시의 야명쥬을 어드ᄅᆡ[려] 궤을 뒤저기드니, 금션 션초을 양져[졔](兩弟)○로 흔드러 보고 공경ᄒᆞ여 너허드니, ᄎᆞ물니[이] 경션궁의 갓드라 ᄒᆞ믄 ᄌᆡ작일(再昨日)이요, ᄇᆡᆨ형니[이] 경시랑과 야화(夜話)ᄒᆞ러 간 후 ᄎᆞ물을 보와ᄉᆞ오니, 일노보와도 형의 ᄋᆡᄆᆡᄒᆞ물 아르시리이다.”

삼[ᄉᆞ]공ᄌᆞ 유흥과 오공ᄌᆞ 필흥니[이] 역경ᄒᆞ여 셔[셰]흥과 갓치 알외고, ᄎᆞ물을 분명 ᄌᆞᆨ야의 보물 고ᄒᆞ니, 금휘 눈으로 부마의 긔ᄉᆡᆨ을 보고 귀로 져[졔]ᄌᆞ의 말을 드르ᄆᆡ ᄉᆞ셔[셰](事勢) 기연(期然)이라. 지ᄌᆞ(知

379)ᄉᆞ광(師曠)의 총(聰) : 사광(師曠)은 춘추시대 진나라 음악가로, 소리를 들으면 이를 잘 분별하여 길흉을 점쳤다 한다. 따라서 사리(事理)를 잘 분별하는 것을 ‘사광의 총명’이라 한다.

380)셔의ᄒᆞ다 : 서먹하다. 낯이 설거나 친하지 아니하여 어색하다.

막여뷔(莫如父)518)니 금휘 엇디 ᄌᆞ식의 현우를 모로리오마ᄂᆞᆫ, 다만 션ᄌᆞ와 션최 져곳의 가믈 ᄀᆞ장 의아ᄒᆞ니, ᄉᆞ광(師曠)의 춍(聰)이나 실노 난측이라. 져두침ᄉᆞ(低頭沈思)러니, 문득 좌우로 병부를 미러 옥의 가도라 ᄒᆞ고, ○[왈]

"명됴(明朝)의 뎐졍의 알외여 셩명 쳐치를 《보라‖보아》, 패ᄌᆞ의 작악이 분명ᄒᆞ면 쾌히 다ᄉᆞ리고 용샤(容赦)치 못ᄒᆞ리라."

병뷔 엄교를 듯ᄌᆞ오ᄆᆡ 각별 작죄 업ᄉᆞ나, ᄌᆞ연 송황ᄒᆞ여 방심치 못ᄒᆞ고, 옥듕의 드러 죵야불ᄆᆡ(終夜不寐)ᄒᆞ여 경션궁 작변을 탁냥(度量)치 못ᄒᆞ더라.

시의 텬ᄌᆡ 파됴【39】ᄒᆞ여 ᄂᆡ뎐의 드르샤, 경션공쥬를 ᄃᆡᄒᆞ샤 ᄎᆞᄉᆞ를 니르시니, 공쥐 왈,

"텬홍의 년쇼디ᄉᆡ(年少之事) 괴이치 아니ᄒᆞᄋᆞᆸ고, 신의 양녀(養女) 타문을 ᄉᆡᆼ각디 못ᄒᆞ오리니, ᄌᆞ고로 부마의 냥쳬(兩妻) 업ᄉᆞ오ᄃᆡ, 지어(至於) 텬홍은 여러 쳐쳡이 잇ᄉᆞ오니 엇디 일녀ᄌᆞ의 평ᄉᆡᆼ을 그르게 ᄒᆞ리잇고? 복원(伏願) 셩샹은 호ᄉᆡᆼ지덕(好生之德)을 드리오샤 신의 쇼녀로 텬홍의게 샤혼ᄒᆞ시믈 바라ᄂᆞ이다."

샹이 그러히 넉이샤 쇼왈,

"남ᄌᆞ의 쳐쳡 여러흔 ᄌᆞ고상ᄉᆡ(自古常事)라. 딤이 엇디 문양을 구애ᄒᆞ여 경녀를 무심ᄒᆞ리오마ᄂᆞᆫ, 텬홍이 어린 나히 위고금다(位高金多)ᄒᆞ고 화옥(花玉) ᄀᆞᆺ튼 쳐쳡을 가득이【40】 두고 농촉(籠燭)519)의 무염(無厭)ᄒᆞ미 이셔, 셩ᄉᆡᆨ(聲色)을 지ᄂᆡ보지 아니니 엇디 뮙지 아니리오. 슈연(雖然)이나 어ᄆᆡ(御妹) 말이 유리ᄒᆞ니, 딤이 만민의 부뫼되여 일녀ᄌᆞ의 평ᄉᆡᆼ이[을] 심규(深閨)의 함원(含怨)케 ᄒᆞ리오."

518)디ᄌᆞ(知子)ᄂᆞᆫ 막여뷔(莫如父) : 아들을 알기는 아버지만한 사람이 없다.

519) 농촉(籠燭) : 느등촉(燈燭). 대오리(댓조각) 등으로 살을 만들고 종이를 씌워 원형 또는 정방형의 등을 만들어 그 속에 촛불을 켜는 기구.

子)ᄂᆞᆫ 막여뷔(莫如父)381)니 엇지 ᄌᆞ식의 현우을 모로리요마ᄂᆞᆫ 다만{다만} ᄎᆞ물니[이] 저 고ᄃᆡ 가믈 가장 의안[아]ᄒᆞ니, ᄎᆞ광지총이나 실노 난측이라. 저두 침ᄉᆡ러니, 문득 좌우로 부마을 미러 옥의 가도라 ᄒᆞ고 왈,

"명조의 천경의 알외여 셩명 쳐치을 보와 픠ᄌᆞ의 ᄌᆞᆨ악니[이] 분명ᄒᆞ면 쾌히 다ᄉᆞ리고, 용셔치 안니리라."

부ᄆᆡ 엄교을 드르ᄆᆡ 각별 죽죄 업ᄉᆞ{오}나, ᄌᆞ연 송황ᄒᆞ여 방심치 못ᄒᆞ고 옥즁【17】의 종야불ᄆᆡ(終夜不寐) ᄒᆞ야 경션궁 즉변을 탁양(度量)치 못ᄒᆞ더라.

시의 천ᄌᆡ ᄂᆡ젼의 드르ᄉᆞ 경션을 ᄃᆡᄒᆞ여 ᄎᆞᄉᆞ을 일으시니, 공주 주왈,

"텬홍의 연소지ᄉᆡ(年少之事) 고이치 안니ᄒᆞᄋᆞᆸ고 신녀(臣女) 타문을 ᄉᆡᆼ각지 못ᄒᆞ오리니, ᄌᆞ고로 부마의 양쳐(兩妻) 업ᄉᆞ오나, 지여(至於) 천홍은 여러 처쳡니[이] 잇ᄉᆞ오니, 엇지 일여ᄌᆞ을 진압지 못ᄒᆞ오릿고? 복원(伏願) 셩상은 신의 양녀(養女)을 텬홍의겨[게] ᄒᆞ가(下嫁)ᄒᆞ시믈 ᄇᆞ라ᄂᆞ니다."

샹니[이] 소왈,

"남ᄌᆞ의 처쳡 여러흔 ᄌᆞ고상ᄉᆡ(自古常事)라. 짐니[이] 엇지 문양을 구ᄋᆡᄒᆞ여 경녀을 무심ᄒᆞ리요마는, 쳔홍니[이] 어린 아히 위고금달(位高禁闥)382)ᄒᆞ고 화옥(花玉) 갓튼 처쳡을 가득니[이] 두고, 농촉(籠燭)383)의 무염(無厭)ᄒᆞ미 이셔, 셩ᄉᆡᆨ(聲色)을 지ᄂᆡ보미 업ᄉᆞ{오}니 엇지 뮙지 안니리요. 년(然)이나 어ᄆᆡ(御妹)의 말니[이] 유리ᄒᆞ{오}니, 짐니[이] 만민의 부모되여 열[일]여ᄌᆞ의 평

381)지ᄌᆞ(知子)ᄂᆞᆫ 막여뷔(莫如父) : 아들을 알기는 아버지만한 사람이 없다.

382)위고금달(位高禁闥) : 궁중에서 지위가 높음. 금달(禁闥); 궐내에서 임금이 평소에 거처하는 궁전의 앞문

383) 농촉(籠燭) : 느등촉(燈燭). 대오리(댓조각) 등으로 살을 만들고 종이를 씌워 원형 또는 정방형의 등(燈)을 만들어 그 속에 촛불을 켜는 기구.

공쥐 직ᄇᆡ 샤은이러라.

명일 됴회를 파ᄒᆞ신 후, 금후를 인견ᄒᆞ샤 곡졀을 무르시니, 휘 제ᄌᆞ의 말을 ᄀᆞ초 쥬ᄒᆞ고 왈,

"신이 우암(愚暗)ᄒᆞ와 ᄌᆞ식의 소ᄒᆡᆼ을 모로오니, 다만 셩명 쳐치를 바라ᄂᆞ이다."

샹이 쇼왈,

"디ᄌᆞ(知子)ᄂᆞᆫ 막여뷔(莫如父)니 기뷔(其父) 모로거ᄂᆞᆯ 딤이 엇디 알니오. 연(然)이나 ᄉᆞ이이의(事而已矣)520)니 경션궁 녀ᄌᆡ 타문을 ᄉᆡᆼ각디 못ᄒᆞᆯ디라. 텬홍의 죄를 물시(勿視)ᄒᆞ고, ᄎᆞ녀로 【41】 텬홍의 데오부인을 삼아 문양의 교화를 빗ᄂᆡ고, 경의 ᄌᆞ손이 창셩케 ᄒᆞ노라."

금휘 브복 청교(聽敎)의 블ᄒᆡᆼ니 넉여 고샤(固辭)ᄒᆞᄃᆡ, 샹이 죵블윤(終不允)ᄒᆞ시고 파됴ᄒᆞ시니, 금휘 앙앙(怏怏)이 퇴ᄒᆞ여 도라오다.

샹이 즉시 뎡·오 냥왕(兩王)으로 듕ᄆᆡ를 삼아 취운산의 가 금후를 보고 개유케 ᄒᆞ고, 듕샤(中使)를 보ᄂᆡ실ᄉᆡ, 경션공쥐 냥왕을 촉ᄒᆞ여 혼ᄉᆡ 셩젼(成全)토록 ᄒᆞᆷ을 니르더라.

냥왕이 듕샤로 더브러 뎡부의 니르니, ᄎᆞ일 금휘 태부인긔 문안ᄒᆞ고 나오니, 샤관이 됴디를 밧ᄌᆞ와 오고 냥왕이 드러오니, 금휘 ᄂᆞ려 마ᄌᆞ 빈쥐(賓主) 좌뎡ᄒᆞᄆᆡ 냥왕 왈,

"황샹과 옥쥐 과인으로ᄡᅧ 【42】 셩ᄉᆡᆼ을 보아 월노(月老)를 ᄌᆞ임ᄒᆞ라 ᄒᆞ시ᄆᆡ, ᄂᆡ시와 ᄀᆞᆺ치 와시니 셩ᄉᆡᆼ이 샤양ᄒᆞ여 밋디 못ᄒᆞᆯ 바를 너모 고집지 말고, 허ᄒᆞ여 셩의를 역지 마르쇼셔."

금휘 뎡ᄉᆡᆨ 왈,

"이 엇진 말ᄉᆞᆷ이뇨? 법은 왕ᄌᆞ의 셰온 ᄇᆡ라. ᄌᆞ고로 부마의 냥톄 업거ᄂᆞᆯ, 셩샹 은덕으로 허다 쳐쳡을 용납ᄒᆞ시니, 돈ᄋᆡ 일분 인심이면 황은을 감격지 아니리잇고마ᄂᆞᆫ,

520)ᄉᆞ이이의(事而已矣) : 이미 벌어진 일임.

ᄉᆡᆼ을 심규(深閨)의 함원(含怨)겨[게] ᄒᆞ리오."

공쥐 직비ᄉᆞ은일니[너]라.

명일 파조 후, 금후을 ○[인]견ᄒᆞᄉᆞ 곡졀을 무로시니, 금휘 져[제]ᄌᆞ의 말을 갓초 쥬ᄒᆞ고 왈,

"신니[이] 우암(愚暗)ᄒᆞ와 ᄌᆞ식의 소ᄒᆡᆼ을 모로오니, 다만 셩명 쳐치을 ᄇᆞ라ᄂᆞᆫ니다."

상니[이] 소왈, 【18】

"지ᄌᆞ(知子)ᄂᆞᆫ 막여뷔(莫如父)니 기뷔(其父) 모로거ᄂᆞᆯ 짐니[이] 엇지 알니요. 연(然)이나 ᄉᆞ니[이]이의(事而已矣)384)니 경션궁 여ᄌᆡ 타문을 상[ᄉᆡᆼ]각지 못할지라. 쳔홍의 죄을 물시(勿視)ᄒᆞ고 ᄎᆞ녀로 텬홍의 져[제]오 부닌[인]을 삼아 문양의 교화을 빗ᄂᆡ고, 경의 ᄌᆞ손니 창셩케 ᄒᆞ노라."

금휘 부복 셩[청]교(聽敎)의 불ᄒᆡᆼ니[이] 역여 고ᄉᆞ(固辭)ᄒᆞᄃᆡ, 상니[이] 종불윤(終不允)ᄒᆞ시고 파조ᄒᆞ시니, 금휘 앙앙(怏怏)이 퇴조ᄒᆞ니라.

상이[이] 즉○[시] 뎡·오 냥왕(兩王)으로 즁ᄆᆡ을 삼아 취운산의 가 금후을 기유켜[케] ᄒᆞ시고, 즁ᄉᆞ(中使)을 보ᄂᆡ실ᄉᆡ, 경션공쥬 양왕을 촉ᄒᆞ여 혼ᄉᆡ 영[셩]젼(成全)토록 ᄒᆞᆷ을 이르더라.

양왕니[이] 즁ᄉᆞ로 더부러 뎡부의 이르니, ᄎᆞ일 금휘 ᄐᆡ부인겨[긔] 문안ᄒᆞ고 나오니, ᄉᆞ관니 죠지을 밧ᄌᆞ와 오고 양왕니[이] 드러오니, 금휘 이러 마ᄌᆞ 빈쥐(賓主) 좌졍ᄒᆞᄆᆡ 양왕 왈,

"황상과 옥쥬 과인으로ᄡᅧ 셩ᄉᆡᆼ으로 보와 월노(月老)을 ᄌᆞ임ᄒᆞ라 ᄒᆞ시ᄆᆡ, ᄂᆡ시와 갓치 왓시니 셩ᄉᆡᆼ은 ᄉᆞ양ᄒᆞ야 밋지 못헐 ᄇᆞ을 너무 고집ᄒᆞ여 셩의을 역지 마르소셔."

금휘 졍ᄉᆡᆨ 왈,

"이 엇진 말ᄉᆞᆷ이요[뇨]? 법은 왕ᄌᆞ【19】의 셰운 ᄇᆡ라. ᄌᆞ고로 부마의 양쳐 업거날, 셩상은덕으로 허다 쳐쳡을 용납ᄒᆞ시니 돈ᄋᆡ 일분 인심이면 황은을 감격지 안니리

384)ᄉᆞ이이의(事而已矣) : 이미 벌어진 일임.

블초ᄋᆡ 무상ᄒᆞᄆᆡ 갈ᄉᆞ록 탐ᄉᆡᆨ(貪色)이 무염(無厭)ᄒᆞ여 도쳐의 미녀 가인을 지ᄂᆡ보디 아니믄 니르지 말고, 경션옥쥬ᄂᆞᆫ 당당ᄒᆞᆫ 뎨실지친(帝室之親)으로 일즉 과거(寡居)ᄒᆞ샤 다른 궁으로 다르거ᄂᆞᆯ, 텬흥이 심야의 방ᄌᆞ 돌입ᄒᆞ여 규녀를 희롱【43】ᄒᆞ니, 음황패악지죄(淫凶悖惡之罪) 만ᄉᆞ유경(萬死猶輕)이어ᄂᆞᆯ, 법뉼노 다ᄉᆞ리지 아니시고, 도로혀 패ᄌᆞ(悖子)의 음욕을 ᄎᆡ오리잇고?"

셜파의 시노(侍奴)로 병부를 착ᄂᆡ(捉來)ᄒᆞ여 보건ᄃᆡ, 부매 관영을 ᄒᆡ탈ᄒᆞ고 완연이 죄슈의 형상이여ᄂᆞᆯ, 완슌(婉順)ᄒᆞᆫ 낫빗과 튝쳑ᄒᆞᆫ 거동이 더욱 슈려(秀麗) 동탕(動蕩)ᄒᆞ니, 금휘 ᄋᆞᄌᆞ를 보ᄆᆡ 분뇌 더욱 발ᄒᆞ여 ᄉᆞ졸을 호령ᄒᆞ여 병부를 결장(決杖)ᄒᆞᆯᄉᆡ, 휘 진목녀셩(瞋目厲聲) 왈(曰),

"이제 셩명(聖明)[521]이 블초의 음욕을 ᄎᆡ와 샤혼 은지를 나리오시고, 뎡·오 냥왕 뎐히 옥쥬 명으로 월노를 소임ᄒᆞ여 니르시니, 너희 즐겨 도모ᄒᆞ믈 내 어이 간예ᄒᆞ리오. ᄆᆡᄉᆞ를 임의로 ᄒᆞ고 경션궁 규녀를【44】 취ᄒᆞ나 내 눈의 뵈디 못ᄒᆞ리니, 약간 태장ᄒᆞ믄 내 위인부(爲人父)ᄒᆞ여 훈ᄌᆞ 블엄이 블가샤문어타인(不可使聞於他人)이라. 고로 다ᄉᆞ려 패ᄌᆞ(悖子)로ᄡᅧ 아비 이시믈 알게 ᄒᆞ노라."

ᄒᆞ여 답언이 나기를 기다리지 아니코 ᄆᆡ를 ᄌᆡ촉ᄒᆞ니, 엄녈ᄒᆞ미 셜텬(雪天)의 상뇌(霜露) 나리고, 음운(陰雲)이 폐ᄉᆡᆨ(閉塞)이라. 좌위 한츌쳠ᄇᆡ(汗出沾背)러니 냥왕이 ᄉᆞ셰 블호(不好)ᄒᆞ믈 보고 급히 말녀 왈,

"이 곳 풍뉴 남ᄌᆞ의 년소 호신지ᄉᆡ(豪身之事)라. 황샹과 옥쥐 ᄎᆡᆨ(責)지 아니시고, 다만 혼ᄉᆞ를 셩젼ᄒᆞ여 화긔를 상치 말믈 명ᄒᆞ시거ᄂᆞᆯ, 션ᄉᆡᆼ이 엇디 견집(堅執)ᄒᆞ시ᄂᆞ뇨?"

금휘 화(和)히 ᄃᆡ왈,

"ᄒᆞᆨᄉᆡᆼ이 훈ᄌᆞᄒᆞ미 블엄ᄒᆞ여 허물이 만커

521)셩명(聖明) : 황제. 임금.

넛고 마는, 불초의 무쌍ᄒᆞ미 갈ᄉᆞ록 ᄉᆡᆼ[ᄉᆡᆨ]탐(色貪)이 무염(無厭)ᄒᆞ여 도쳐 미녀가인을 지ᄂᆡ보지 안니믄 이르지 말고, 경션옥쥬ᄂᆞᆫ 당당ᄒᆞᆫ 져[졔]실지친(帝室之親)으로 일즉 과거(寡居)ᄒᆞᄉᆞ 다른 궁으로 다르거날, 돈ᄋᆡ 심야의 방ᄌᆞ○[이] 도립(突入)ᄒᆞ여 규녀을 희롱ᄒᆞ니, 음황ᄑᆡ악지죄(淫凶悖惡之罪) 만ᄉᆞ유경(萬死猶輕)이여날, 법률노 다ᄉᆞ리시지 안니시고, 도로혀 ᄑᆡᄌᆞ의 《읍욜‖음욕(淫慾)》을 ᄎᆡ오리낫고?"

설파의 《신으‖시노(侍奴)》로 부마을 축ᄂᆡ(捉來)ᄒᆞ여 보건ᄃᆡ, 부ᄆᆡ 관영을 ᄒᆡ탈ᄒᆞ고 죄슈형상(罪囚形狀)이여날, 완슌(婉順)ᄒᆞᆫ 낫빗과 츅쳑ᄒᆞᆫ 거동니[이] 더욱 슈려(秀麗) 《동탁‖동탕(動蕩)》ᄒᆞ니 금휘 아ᄌᆞ을 보ᄆᆡ 분뇌 더옥 복발○○[ᄒᆞ여], 아ᄌᆞ을 호령할ᄉᆡ, 금회[휘] 진목여성(瞋目厲聲) ○[왈],

"○○○○[양왕 젼하] 특명으로 월노을 소님[임]ᄒᆞ녀[여] 이르시니, 너희 즐겨 도모ᄒᆞ믈 ᄂᆡ 어이 간여【20】ᄒᆞ리요, ᄆᆡᄉᆞ을 임의로 ᄒᆞ고 경션궁 규녀을 취ᄒᆞ나 ᄂᆡ눈의 뵈지 못ᄒᆞ리니, 약간 ᄐᆡ장ᄒᆞ믄 ᄂᆡ 위인부(爲人父)ᄒᆞ여 훈ᄌᆞ 불엄니[이] ○○[불가]ᄉᆞ문어타인(不可使聞於他人)니라. 고로 다ᄉᆞ려 ᄑᆡᄌᆞ(悖子)로ᄡᅧ 아비 잇시물 알겨[게]ᄒᆞ노라."

ᄒᆞ고, 그 답언을 기다리지 아니코 ᄆᆡ을 ᄌᆡ촉ᄒᆞ니, 엄녈ᄒᆞ미 셜쳔(雪天)의 샹뇌(霜露) ᄂᆡ리고, 음운(陰雲)니 펴[폐]ᄉᆡᆨ(閉塞)이라. 좌위 한츌쳠ᄇᆡ(汗出沾背)러니 양왕니[이] ᄉᆞ셔[셰](事勢) 불호(不好)ᄒᆞ물 보고 급히 말녀 왈,

"이곳 풍유 남ᄌᆞ의 호신지ᄌᆡ[ᄉᆡ](豪身之事)라, 황상과 옥쥬 ᄎᆡᆨ지 안니시고 다만 혼ᄉᆞ을 셩젼ᄒᆞ야 화기을 샹치 말믈 허ᄒᆞ시거날, 션ᄉᆡᆼ니[이] 엇지 여ᄎᆞ 견집(堅執)ᄒᆞ느뇨?"

금휘 화(和)히 ᄃᆡ 왈,

"학ᄉᆡᆼ의 훈ᄌᆞ하미 불엄ᄒᆞ여 허물니[이] 만커날, 이져[졔] 불초을 다ᄉᆞ리지 안니ᄒᆞ

늘, 이제 블【45】초를 다ᄉᆞ리지 아니면 이후 여러 ᄌᆞ식을 징계치 못ᄒᆞ리니, 원컨ᄃᆡ 냥위 대왕은 소려(消慮)ᄒᆞ쇼셔.”

ᄒᆞ고, 치기를 ᄌᆡ촉ᄒᆞ니, ᄉᆞ예(私隸) 황황젼뉼ᄒᆞ여 ᄆᆡ를 더으니, 일장의 옥뷔(玉膚) 읏쳐져 뉴혈이 돌지ᄒᆞᄃᆡ, 병뷔 일셩을 브동ᄒᆞ고 고요히 댱칙을 밧더니, 믄득 벽제(辟除) 훤괄(喧聒)522)ᄒᆞ며 낙양후 삼 곤계(昆季)와 경시랑이 드리오니, 뎡시랑이 마쟈 승당의 냥왕과 금휘 한훤(寒暄) 파(罷)의 낙양후 삼 곤계 대경 문왈,

“챵빅은 도ᄒᆞᆨ군ᄌᆞ(道學君子)로 반ᄉᆡᆼ 힝신의 미진ᄒᆞ미 업ᄉᆞ니, 여ᄎᆞ 음패지ᄉᆡ 이시리오. 부ᄌᆞ의 친으로 죵용이 힐문(詰問)ᄒᆞ여 슌편(順便)키를 ᄉᆡᆼ각지 아니코, 이러틋 분난(紛亂)ᄒᆞ여 ᄉᆞ긔 요란ᄒᆞ뇨?”

금휘 탄ᄒᆞ여【46】 소유를 실고(實告)ᄒᆞ니, 경시랑이 역경 왈,

“이 필연 요ᄆᆡ(妖魅)의 희롱(戲弄)이라. ᄌᆡ작야(再昨夜)의 챵빅이 관부로 나와 년딜(緣姪)523)과 동숙ᄒᆞ니, ᄌᆞ최 문을 나미 업고, 년딜과 챵빅이 디긔로 허ᄒᆞ여 익우(益友)의 셩ᄉᆞ(盛事)를 밋디 못ᄒᆞ나, ᄯᅩᄒᆞᆫ 관포(管鮑)의 ᄉᆞ괴믈524) 효측ᄒᆞ여 폐부의 친ᄒᆞ미 잇ᄂᆞᆫ디라. 비록 년소 호신(豪身)으로 호ᄉᆡᆨ지심이 이시나, 비례를 원슈 ᄀᆞᆺ치 ᄒᆞ고 권귀(權貴)를 아쳐ᄒᆞ며, 예의를 심ᄉᆞ(尋思)ᄒᆞ던 바로, 음ᄉᆞ(淫邪)의 밋디 아닐 거시오, 더욱 경션옥쥬의 ᄌᆞ네 업ᄉᆞ믈 모로리 업ᄉᆞᆫ지라. 챵빅이 엇디 궁의 규녀(閨女) 이셔 아름다오믈 알고 반야의 비례를 힝ᄒᆞ리오. 챵빅【47】의 근실(勤實) 쥬밀(周密)ᄒᆞ므로ᄡᅧ, 신물을 굿ᄐᆞ여 샤급지물(賜給之物)노 블미지ᄉᆞ(不美之事)의 ᄡᅵ치리잇고? 만만 ᄆᆡᆼ낭ᄒᆞ

522)훤괄(喧聒) : 떠들썩하다. 요란하다.
523)년딜(緣姪) : 조카뻘 되는 친척.
524)관포(管鮑)의 ᄉᆞ괴믐 : 관포지교(管鮑之交). 관중(管仲)과 포숙(鮑叔)의 사귐이란 뜻으로, 우정이 아주 돈독한 친구 관계를 이르는 말.

면 일후 여러 ᄌᆞ식을 징겨[계]치 못ᄒᆞ리이[니], 원 양(兩) 젼ᄒᆞ(殿下)ᄂᆞᆫ 소릐[려](掃慮)ᄒᆞ소셔.”

ᄒᆞ고 치기을 ᄌᆡ촉ᄒᆞ니, ᄉᆞ여[예](私隸) 황황젼뉼ᄒᆞ여 ᄆᆡ을 더으니, 일장【21】의 옥뷔(玉膚) 읏쳐져 유혈니[이] 돌지ᄒᆞ야도, 부ᄆᆡ 일셩을 부동ᄒᆞ고 고요이[니] 장칙을 밧더니, 믄득 벽져[졔](辟除) 훤갈(喧聒)385)ᄒᆞ여 낙양후 ᄉᆞᆷ 곤겨[계](昆季)와 경시랑니[이] 드러오니, 마ᄌᆞ 승당의 양왕과 금휘 ᄒᆞᆫ훤(寒暄) 파(罷)의 낙양후 ᄉᆞᆷ 곤겨[계](昆季) ᄃᆡ셩(大聲) 문왈,

“경션궁 변고을 드르니 ᄌᆞ못 ᄒᆡ연ᄒᆞᆫ지라. 쳔흥니[이] 도학군ᄌᆞ(道學君子)로 반ᄉᆡᆼ 힝신의 미진ᄒᆞ미 업사{오}니 여ᄎᆞ 음픠지ᄉᆡ 잇시리요. 부ᄌᆞ의 친으로 조용니[이] 힐문(詰問)ᄒᆞ여 슌편(順便)키을 ᄉᆡᆼ각지 안니코 이러틋 분ᄂᆞᆫ(紛亂)ᄒᆞ여 ᄉᆞ긔 요란ᄒᆞ요[뇨]?”

금휘 탄ᄒᆞ여 소유을 실고(實告)ᄒᆞ니 경시랑니[이] 역경 왈,

“니[이] 필연 요ᄆᆡ(妖魅)의 희롱(戲弄)이라, ᄌᆡ작야(再昨夜)의 창빅니[이] 관부로 ᄇᆞ로 ᄂᆞ와 소ᄉᆡᆼ과 동슉ᄒᆞ니, ᄌᆞ최 문을 남이 업고, 소ᄉᆡᆼ니[이] 창빅과 지긔(知己)을 허ᄒᆞ여 이구(益友)의 셩ᄌᆞ[ᄉᆞ](盛事)을 밋지 못ᄒᆞ나, 관포(管鮑)의 ᄉᆞ괴믈386) 회측(效則)ᄒᆞ여 폐부의 친ᄒᆞ미 잇ᄂᆞᆫ지라. 비록 년쇼호신(年少豪身)으로 호ᄉᆡᆨ지심(好色之心)니[이] 잇시나, 비려[례]【22】을 원수 갓치 ᄒᆞ고 권귀(權貴)을 아쳐ᄒᆞ여, 녀[녜]의을 심슈(深修)ᄒᆞ던 ᄇᆞ로, 음ᄉᆞ(淫邪)의 밋지 아일[닐] 거시오, 더욱 경션옥쥬의 여ᄋᆡ 업ᄉᆞ물 모로리 업거날, 창빅니[이] 엇지 궁의 규여(閨女) 이셔 아름다오믈 알고 반야의 비려[례]을 힝ᄒᆞ며, 창빅의 근신(謹愼) 쥬밀(周密)노ᄡᅧ, 신물을 굿ᄒᆞ녀[여] ᄉᆞ급지물(賜給之物)

385)훤괄(喧聒) : 떠들썩하다. 요란하다.
386)관포(管鮑)의 ᄉᆞ괴믐 : 관포지교(管鮑之交). 관중(管仲)과 포숙(鮑叔)의 사귐이란 뜻으로, 우정이 아주 돈독한 친구 관계를 이르는 말.

미오, ᄌᆡ작야의 녕낭 삼 형뎨 분명 금션과 옥초를 보앗다 ᄒᆞ고, 거야의 챵ᄇᆡᆨ이 년딜노 폐샤의 머므러시니, 측냥치 못ᄒᆞᆯ ᄇᆡ니, 챵ᄇᆡᆨ의 ᄇᆡᆨ옥무하(白玉無瑕)ᄒᆞ믈 명찰ᄒᆞ샤 원통ᄒᆞ미 업게 ᄒᆞ쇼셔."

금휘 침음 위좌(危坐)ᄒᆞ여 그 말을 드르미 유리ᄒᆞ여 ᄋᆞᄌᆞ의 무죄ᄒᆞ믈 아나, 황명이 딘가를 아라 고ᄒᆞ라 ᄒᆞ시고, 뎡·오 냥왕이 공쥬의 양녀 혼ᄉᆞ를 ᄌᆞ임(自任) 월노(月老)ᄒᆞᄆᆡ, 분완(憤惋)이 깁허, 짐ᄌᆞᆺ ᄋᆞᄌᆞ를 듕치ᄒᆞ여 원통ᄒᆞ믈 셜코져 ᄒᆞ미라.

경시랑다려 왈,

"블초【48】의 경션궁 작난ᄒᆞ던 날이 현계(賢契)로 야화ᄒᆞᆫ 날일시 올흐나, 금션지싀 귀신의 됴홰니, 현계 돈ᄋᆞ를 신ᄇᆡᆨ(伸白)고져 ᄒᆞ나 밋디 못ᄒᆞ리로다."

경시랑이 슌슌(恂恂) 왈,

"합ᄒᆡ ᄉᆡᆼ의 말을 밋디 아니시나, 녕윤의 혈육지신(血肉之身)이 견ᄃᆡ지 못ᄒᆞᆯ ᄇᆡ라. 존공의 관인ᄒᆞ시므로 홀노 챵ᄇᆡᆨ의게 쥰급(峻急)ᄒᆞ시니 명찰ᄒᆞ쇼셔."

뎡·오 냥왕과 낙양휘 일시의 그 말이 올흐믈 일ᄏᆞ라 샤ᄒᆞ믈 쳥ᄒᆞ니, 이십여장의 니른지라. 옥골 셜부의 뉴혈이 님니(淋漓)ᄒᆞ니, 뎡시랑 닌홍이 죄를 난화 닙기를 ᄋᆡ걸ᄒᆞᄃᆡ, 휘 안연브동(晏然不動)ᄒᆞ니, 낙양휘 뎡식고 친히 ᄉᆞ예(私隷)를 즐퇴ᄒᆞ고 ᄆᆡᆫ 거술 그르니, 냥왕이【49】 금후긔 병부를 샤ᄒᆞ여 됴리ᄒᆞ믈 간쳥ᄒᆞᄂᆞᆫ디라. 휘 칭샤 왈,

"져의 죄 버히ᄆᆡ 당연ᄒᆞ니, 음식 분명ᄒᆞ면 쾌히 죽여 풍화를 가다듬으리니, 냥 뎐하ᄂᆞᆫ 과도히 녁이디 마르쇼셔"

진태상 왈,

"윤보의 모질미 고슈(瞽瞍)[525]의 더으도다. 아등이 윤보로 더브러 졍의 골육ᄀᆞᆺᄐᆞ여

---

525)고슈(瞽瞍) : 중국 순임금의 아버지의 별명. 어리석고 사리에 어두웠기 때문에 붙여진 이름이라 한다.

노 불미지ᄉᆞ(不美之事)의 ᄭᅵ치리잇고? 만만 ᄆᆡᆼ낭ᄒᆞ미요, ᄌᆡ죽야(再昨夜)의 뎡낭 삼 형져[졔] 분명 금션과 션쵸을 보왓다 ᄒᆞ고, 거야의 창ᄇᆡᆨ니 소ᄉᆡᆼ과 펴[폐]ᄉᆞ(弊舍)의 머무러쓰니, 측냥치 못할 ᄇᆡ요, 창ᄇᆡᆨ의 ᄇᆡᆨ옥무ᄒᆞ(白玉無瑕)○[ᄒᆞ]물 명찰ᄒᆞᄉᆞ, 원통ᄒᆞ미 업겨[게]ᄒᆞ소셔."

금휘 침음 위좌(危坐)ᄒᆞ여 그 말을 드르ᄆᆡ 유리ᄒᆞ야 아ᄌᆞ의 무죄ᄒᆞ믈 아나, 황명니[이] 진가을 아라 고ᄒᆞ라 ᄒᆞ시고, 졍·오 양왕니[이] 공쥬의 양녀 혼ᄉᆞ을 ᄌᆞ님[임](自任) 월노(月老)ᄒᆞᄆᆡ, 분완(憤惋)니[이] 깁허, 짐짓 아ᄌᆞ을 듕치ᄒᆞ여 분통ᄒᆞ믈 셜코져 ᄒᆞ미라.

경시랑 다려 왈,

"불쵸의 경션궁 장난ᄒᆞ던 날 현겨[계](賢契)로 야화ᄒᆞᆫ 날일시 올【23】흔가? 금션지싀 귀신의 조홰니 현겨[계] 돈아을 신ᄇᆡᆨ(伸白)고져 ᄒᆞ나 밋지 못ᄒᆞ리로다."

경시랑니[이] 슌슌(恂恂) 왈,

"합ᄒᆞ 소ᄉᆡᆼ의 말을 밋지 안니시나 창ᄇᆡᆨ의 혈육지신(血肉之身)니 견댈 슈 업ᄉᆞ리이다. 합ᄒᆞ의 관인ᄒᆞ시므로 홀노 창ᄇᆡᆨ의겨[게] 쥰급(峻急)ᄒᆞ시니 명찰ᄒᆞ소셔."

양왕과 낙양후 등니[이] 일시의 그 말니 올흐믈 일카라 ᄉᆞᄒᆞ물 쳥ᄒᆞ니, 이십여 장의 이른지라. 옥골 셜부의 뉴혈니[이] 임니(淋漓)ᄒᆞ니, 뎡시랑 인홍니[이] 죄을 난화 입기을 ᄋᆡ걸ᄒᆞᆫ ᄃᆡ, 금휘 안연부동(晏然不動)ᄒᆞ니, 낙향[양]후 정싀고 친히 ᄉᆞ여[예](私隷)을 즐퇴ᄒᆞ고 ᄆᆡᆫ 거술 그르며, 부마을 ᄉᆞᄒᆞ여 조리ᄒᆞ물 간쳥ᄒᆞᄂᆞᆫ지라. 금휘 칭ᄉᆞ 왈,

"저희 죄 버히ᄆᆡ 당연ᄒᆞ니 음식 분명ᄒᆞ면 쾌히 죽여 풍화을 《ᄇᆞ리이니 ‖ 밝히리니》 양 젼ᄒᆞᄂᆞᆫ 과도히 역니[이]지 마르쇼셔."

진ᄐᆡ상 왈,

"윤부[보]의 모질미 고슈(瞽瞍)[387]의 더으도다. 아등니[이] 윤보로 더브러 졍의 골

---

387)고슈(瞽瞍) : 중국 순임금의 아버지의 별명. 어리석고 사리에 어두웠기 때문에 붙여진 이름이라 한다.

됴모상죵(朝暮相從)의 일즉 하쳔비ᄇᆡ(下賤婢輩)도 즐타(叱打)ᄒᆞ믈 못 보앗더니, 금일 거죄 의외로다."

낙양휘 혀ᄎᆞ 왈,

"윤보의 금일 과급ᄒᆞ미 평일노 다르뇨?"

ᄒᆞ고, 병부로 됴리ᄒᆞ믈 니른ᄃᆡ, 병뷔 엄ᄒᆞ(嚴下)의 샤명을 엇디 못ᄒᆞ므로 감히 퇴치 못ᄒᆞ여, 안셔히 ᄃᆡ왈,

"쇼뎔이 비록 년쇼ᄒᆞ오나, 냑간(若干) 슈쟝이 대단치 아【50】니하오니 믈녀ᄒᆞ쇼셔."

언파의 ᄉᆞᄀᆡ 유열(愉悅)ᄒᆞ니, 관ᄌᆡ(觀子) 그 효슌(孝順)ᄒᆞ믈 탄복ᄒᆞ더라.

휘 명ᄒᆞ여 ᄋᆞᄌᆞ를 하옥ᄒᆞ여 셩명 쳐분을 기다리라 ᄒᆞ니, 냥왕 왈,

"녕윤을 듕장 후 하옥ᄒᆞ여 됴호치 못ᄒᆞᆫ즉 듕병을 닐월디라. 과인이 텬졍의 쥬달ᄒᆞ여 경션궁 규녀 시비를 져쥬어 뉵쳥의 허실을 아라ᄂᆡ리니, 쳥컨ᄃᆡ 샤ᄒᆞ여 됴호케 ᄒᆞ쇼셔."

금휘 미급답(未及答)의 진각뇌 뎡식 왈,

"윤보의 금일ᄉᆡ 비인졍(非人情)이라. 분명치 아닌 일노 타장(打杖)ᄒᆞ고, 그도 브죡ᄒᆞ여 하옥 죄슈를 ᄒᆞ리오. 샤ᄒᆞ여 셩명 쳐치를 기다리라."

금휘 각노의 말을 좃ᄎᆞ 냥왕을 향ᄒᆞ여 왈,

"뎐히 여ᄎᆞ 권유【51】ᄒᆞ시니 샤ᄒᆞ거니와, 음ᄉᆡ(淫事) 젹실ᄒᆞᆫ즉 셩샹이 죽이지 아니시나 당당이 패ᄌᆞ를 죽이려 ᄒᆞ노라."

ᄒᆞ고, 명ᄒᆞ여 샤ᄒᆞ니, 병뷔 의ᄃᆡ를 ᄀᆞ초아 엄젼의 다시 ᄌᆡᄇᆡ 샤죄ᄒᆞ고 퇴ᄒᆞ나, 긔게(起居) 평상ᄒᆞ니 좌위 그 긔상을 쟝히 넉이더라.

휘 듕샤(中使)다려 왈,

"욕ᄌᆞ(辱子)를 쟝칙 힐문ᄒᆞ믄 듕샤의 친견ᄒᆞᆫ 바로ᄃᆡ 죵시 블복ᄒᆞ니, 텬문의 회달홀 말이 업ᄂᆞ디라. 다만 셩샹이 엄형 츄문 복초를 바드시리니 이ᄃᆡ로 회쥬ᄒᆞ라."

욕 갓트여 조모상종(朝暮相從)의 일즉 ᄒᆞ쳔비ᄇᆡ(下賤婢輩)도 즐타ᄒᆞ물 못 보미러니, 금일【24】 거죄 의외로다."

낙양휘 혀ᄎᆞ 왈,

"금일 윤보의 과급ᄒᆞ미 평일노 다르도다."

ᄒᆞ고, 부마다려 조리ᄒᆞ믈 이르ᄃᆡ 부매 엄ᄒᆞ(嚴下)의 ᄉᆞ명을 엇지 못하므로 감히 퇴치 못ᄒᆞ여 안셔히 ᄃᆡ왈,

"소질니 비록 연쇼ᄒᆞ오나 약간(若干) 슈장이 ᄃᆡ단치 아니ᄒᆞ오니 물녀ᄒᆞ소셔."

언파의 ᄉᆞᄀᆡ 유열(愉悅)ᄒᆞ니, 관ᄌᆡ(觀子) 그 효슌ᄒᆞ물 탄복ᄒᆞ더라.

금휘 명ᄒᆞ여 아ᄌᆞ을 ᄒᆞ옥ᄒᆞ여 셩명(聖明)388) 처치을 긔다리라 ᄒᆞ니, 양왕 왈,

"부마 즁장 후 ᄒᆞ옥ᄒᆞ여 조호치 못ᄒᆞᆫ즉 즁병을 일울지라. 광인니 천졍의 쥬달ᄒᆞ여 경션궁 규녀 시비을 져주어 녕윤의 허실을 아라ᄂᆡ리니 청컨ᄃᆡ ᄉᆞᄒᆞ여 조호케 ᄒᆞ소셔."

금휘 미급답(未及答)의 진각뇌 정식 왈,

"윤보의 금일ᄉᆡ 비인졍(非人情)이라. 분명치 아닌 일노 과쟝(過杖)ᄒᆞ고, 유위(有爲) 부족ᄒᆞ여 ᄒᆞ옥죄슈 되리요. ᄉᆞᄒᆞ여 셩명처치을 기다리라."

금휘 각노의 말을 좃ᄎᆞ 양왕을 향ᄒᆞ여 왈,

"양 젼ᄒᆞ와 져[제]형【25】이 여ᄎᆞ 권유ᄒᆞ시니 ᄉᆞᄒᆞ거니와 음ᄉᆡ(淫事) 젹실ᄒᆞᆫ 즉 셩상니[이] 쥭이지 안니시나 당당니[이] ᄑᆡᄌᆞ을 쥭이리라."

ᄒᆞ고, 명ᄒᆞ여 ᄉᆞᄒᆞ니, 부ᄆᆡ 의ᄃᆡ을 갓초와 ᄌᆡᄇᆡ ᄉᆞ죄ᄒᆞ고 퇴ᄒᆞ나, ᄀᆡ거 평ᄉᆞᆼᄒᆞ니, 좌위 그 기상을 장히 넉기더라.

금휘 즁ᄉᆞ(中使)다려 왈,

"욕ᄌᆞ(辱子)을 장칙 힐문ᄒᆞ믄 즁ᄉᆞ의 친견ᄒᆞᆫ ᄇᆞ로ᄃᆡ, 종시 불복ᄒᆞ니 천졍의 회달할 말솜니[이] 업ᄂᆞᆫ지라. 다만 셩상니[이] 엄형추문(嚴刑推問)ᄒᆞ여 복초을 ᄇᆞ드시리니

388)셩명(聖明) : 황제. 임금.

듕ᄉᆡᆨ 응낙고, 궐경의 복명ᄒᆞ여 병부의 슈장(受杖)의 듕상ᄒᆞ믈 알외고, 냥왕이 또 부마의 ᄋᆡᄆᆡᄒᆞ믈 고ᄒᆞ고, 금후의 과도ᄒᆞ믈 쥬ᄒᆞ여 그날【52】 경츈긔로 야화ᄒᆞ고 움즉이지 아냐시믈 계쥬(啓奏)ᄒᆞ니, 샹이 냥왕의 쥬ᄉᆞ를 드르시고 병부의 ᄋᆡᄆᆡᄒᆞ믈 ᄭᆡ다르샤, 츈긔를 인견ᄒᆞ샤 므르신 후, 경션궁 시녀를 다 잡혀 샤획ᄒᆞ라 ᄒᆞ시니, 냥왕이 우쥬 왈,

"ᄎᆞᄉᆡᆨ 국가의 간셥ᄒᆞ미 아니오나 궐경의셔 신 등이 다ᄉᆞ려디이다."

샹이 허ᄒᆞ샤 금의관(禁衛官)으로 경션궁 양녀의 시ᄋᆞ를 다 잡혀, 오형(五刑) 긔구를 베풀고 국문 왈,

"브졀업시 학형(虐刑)을 밧지 말고 일일(一一) 복초ᄒᆞ라."

원ᄂᆡ 공쥐 시ᄋᆞ 열흘 ᄲᆡ 운영을 주엇더니, 다 잡혓고 경향이 또 잡힌지라. 일시의 쥬왈,

"모야의 쇼져긔 시침(侍寢)ᄒᆞ여시ᄃᆡ 외간 남ᄌᆡ 드러오믄 모로고, 셔화문 밧 보옥암【53】 금션법ᄉᆡᆨ 와 쥬모로 밀밀(密密) 세어(細語)ᄒᆞ오ᄃᆡ, 금션(錦扇)·옥초(玉貂) 말만 듯고 ᄌᆞ셔ᄒᆞᆫ 소유ᄂᆞᆫ 모로ᄂᆞ이다. 날이 ᄇᆞᆰ으ᄆᆡ 쥬뫼 니지 아니니, 옥쥐 친님 문지(問之)ᄒᆞ신ᄃᆡ, 쇼졔 울며 외간 남ᄌᆡ 돌입ᄒᆞ다 ᄒᆞ오ᄃᆡ, 쇼비 등은 남ᄌᆞ를 못 보아시니 그 밧 죽어도 알외올 ᄇᆡ 업ᄉᆞ나, 쥬인이 부모ᄒᆞ여 보옥암의 의탁ᄒᆞ엿던 ᄇᆡ니, 금션법ᄉᆞ를 ᄎᆞᄌᆞ 므르신즉 근본을 아르실 거시오, 쥬인의 골경지신(骨骾之臣)526) 경향을 엄문ᄒᆞ쇼셔."

위관이 경향을 엄문 왈,

"일호 은닉ᄒᆞᆫ작 참형(斬刑)으로 져쥬리라."

경향이 본ᄃᆡ 간ᄉᆞ치 못ᄒᆞ여 실고(實告)ᄒᆞᆯᄉᆡᆨ, 운영이 운남왕의 ᄋᆡ녀로, 부뫼 구몰(俱

526)골경지신(骨骾之臣) : 말 듣는 이를 두려워하지 아니하고 입바른 말을 잘하는 사람을 비유적으로 이르는 말.

이ᄃᆡ로 회쥬ᄒᆞ라."

즁ᄉᆡᆨ 응낙고 궐경의 복명ᄒᆞ여 부마의 슈장(受杖) 《즁장‖즁상(重傷)》ᄒᆞ물 알외고, 양왕니[이] 또 부마의 ᄋᆡᄆᆡᄒᆞ믈 고ᄒᆞ고, 금휘 과도ᄒᆞ물 쥬ᄒᆞ며 그날 경츈긔로 야화ᄒᆞ고 움작이지 안냐시물 겨[계]쥬(啓奏)ᄒᆞ니, 양왕의 주ᄉᆞ(奏辭)로 조ᄎᆞ 부마의 ᄋᆡᄆᆡᄒᆞ물 ᄭᆡ다르ᄉᆞ, 경츈긔을 인견ᄒᆞ여 무르신 후, 경션궁 시아을 다 잡혀 ᄉᆞ획ᄒᆞ라 ᄒᆞ시니, 양왕이 우주 왈,

"ᄎᆞᄉᆡᆨ 국가의 간셥ᄒᆞ미【26】 안니오나 궐경의셔 신 등니[이] 다ᄉᆞ려진[지]이다."

상니[이] 허ᄒᆞᄉᆞ 금위관(禁衛官)으로 경션궁 양녀의 시아을 다 즙혀 오형기구을 벼풀고 국문 왈,

"부졀업시 참형을 밧기 젼 일일(一一) 복초ᄒᆞ라."

원ᄂᆡ 공쥬 시아 열을 《바‖ᄲᅡ》 운영을 쥬어더니 다 잡혓고 경힝니[이] 또 잡혓[힌]지라. 일시의 쥬왈,

"모야의 소져긔 신님(信任)ᄒᆞ여시ᄃᆡ, 외간 남ᄌᆡ 드러오믄 모로고, 셔화문 밧 보슈암 금션볍ᄉᆡᆨ와 주모로 밀밀(密密) 셔어(細語)ᄒᆞ오ᄃᆡ, 금션(錦扇)·션초(扇貂) 말만 듯고 ᄌᆞ셔ᄒᆞᆫ 소유ᄂᆞᆫ 모로ᄂᆞ니다. 날니[이] 발그ᄆᆡ 주뫼 니지 안니이[니] 옥쥐 친님 문지(問之) ᄒᆞ신ᄃᆡ, 주모 우르시며 외간 남ᄌᆡ 도립(突入)ᄒᆞ다 ᄒᆞ오ᄃᆡ, 소비 등은 남ᄌᆡ을 못 보왓시니, 그 밧 쥭긔로 알윌 ᄇᆡ 업ᄉᆞ오나, 쥬인이 무부모(無父母)ᄒᆞ여 보유암의 의ᄐᆡᆨ(依託)ᄒᆞ던 ᄇᆡ니, 금션법ᄉᆞ을 ᄎᆞ자 무르시면 근본을 알으실 거시오, 쥬인의 골경지신(骨骾之臣)389) 경힝을 엄문 ᄒᆞ소셔."

○…결락946자…○

위관이 경향을 엄문 왈,

"일호 은닉ᄒᆞᆫ작 참형(斬刑)으로 져쥬리라."

경향이 본ᄃᆡ 간ᄉᆞ치 못ᄒᆞ여 실고(實告)ᄒᆞᆯᄉᆡᆨ, 운영이 운남왕의 ᄋᆡ녀로, 부뫼 구몰(俱沒)타 ᄒᆞ믄 쥬인의 일을 그릇 넉이고, 근본을 긔이미

389)골경지신(骨骾之臣) : 말 듣는 이를 두려워하지 아니하고 입바른 말을 잘하는 사람을 비유적으로 이르는 말.

沒)타 ᄒᆞ믄 쥬인의 일을 그릇 넉이고, 근본을 긔이미 【54】 블가ᄒᆞ여, 노쥐 니고의 후딕를 밧고 뎡가의 가도록 ᄒᆞᆫ 일이 뎡딕ᄒᆞ미 아니어늘, 쳐음 나오던 곡졀을 텬졍의 고ᄒᆞ여, 혹ᄌᆞ 쥬인의 졍니(情理)를 가긍(可矜)이 넉여 뎡원슈의 비쳡의나 튱슈(充數)ᄒᆞᆫ 즉 다힝홀가, 의식 이의 밋ᄎᆞ미 믄득 함누(含淚) 고왈,

"쇼비 경향은 운남 궁비러니, 시운이 블니ᄒᆞ와 텬됴의 번신지녜(藩臣之禮)를 폐ᄒᆞᆫ 고로 뎡원쉬 운남을 뎡벌ᄒᆞ시니, 샤딕이 망ᄒᆞ고 셩명을 멸홀가 ᄒᆞ엿더니, 뎡원쉬 셩덕이 남왕의 명을 ᄉᆞ이시고, 보종묘(保宗廟) 안빅셩(安百姓)ᄒᆞ시니, 남왕이 원슈의 대덕을 흠탄ᄒᆞ샤 대연을 개장ᄒᆞ여 삼군 댱졸을 딕졉ᄒᆞ시니, 뎡원슈의 옥골 영풍이 동탕 쇄【55】락ᄒᆞ믈 황홀ᄒᆞ와, 번국 예의 듕국과 달나 녀ᄌᆞ ᄌᆞ원(自願)ᄒᆞ여 셤기고져 ᄒᆞᄂᆞᆫ 고로, 아쥐 운남왕의 뎨 삼녀 운영공쥐라. ᄌᆡ졍(才情)이 춍민ᄒᆞ고 용뫼 졀세ᄒᆞ니, 남왕이 ᄉᆞ랑ᄒᆞ여 보쥬(寶珠)의 비기더니, 연ᄎᆞ(宴遮)의 원슈를 여어보고 흠양ᄒᆞ여 ᄌᆞ원(自願) 비쳡ᄒᆞ오니, 원쉬 ᄉᆞ매로 ᄎᆞ용(遮容)ᄒᆞ고 믈니치미, 셰ᄌᆞ 즉시 아쥬를 잡아 가도시고 남왕이 원슈긔 샤죄ᄒᆞ여 회군ᄒᆞ신 후, 비로소 셰ᄌᆞ 공쥬를 샤ᄒᆞ시니, 공쥐 원슈를 ᄉᆞ랑ᄒᆞ여 부모를 바리고 원슈의 뒤흘 좃ᄎᆞ, 쳔신만고ᄒᆞ여 남의를 개착ᄒᆞ고 쇼비로 더브러 도쥬ᄒᆞ여 강을 건너, 쥬인이 두역으로 ᄉᆞ오삭 위듕타가 요힝 회ᄉᆡᆼᄒᆞ고, 촌촌 젼진ᄒᆞ【56】여 소쥐 니르러 또 듕병으로 월여를 신고ᄒᆞ고, 요힝 ᄎᆞ셩(差成)ᄒᆞ여 경샤로 오더니, 뎍화(賊禍)를 만나 노쥐 옷술 아이고 몰을 일흐니, 그 간고 비무(比無)[527]ᄒᆞᆫ디라. ᄒᆡᆼ인이 쥬인의 ᄉᆡᆨ모를 지넉보디 아니니, 쥬인이 뎡원슈 위ᄒᆞᆫ 뎡심(貞心)이 쇠와 돌이 되여 도뎍(盜賊)의 욕을 면코져 ᄌᆞ문(自刎)ᄒᆞ다가, 빗질너 명이 ᄭᅳᆺ지 아녀시므로, 도ᄉᆡᆨ 쥬인을 보호ᄒᆞ여 술와ᄂᆡ고 《은졍∥은젼(銀錢)》을 주어 옷술 ᄉᆞ

527)비무(比無) : ᄂᆞ무비(無比). 비할 데 없음.

블가ᄒᆞ여, 노쥐 니고의 후딕를 밧고 뎡가의 가도록 ᄒᆞᆫ 일이 뎡딕ᄒᆞ미 아니어늘, 쳐음 나오던 곡졀을 텬졍의 고ᄒᆞ여, 혹ᄌᆞ 쥬인의 졍니(情理)를 가긍(可矜)이 넉여 뎡원슈의 비쳡의나 튱슈(充數)ᄒᆞᆫ 즉 다힝홀가, 의식 이의 밋ᄎᆞ미 믄득 함누(含淚) 고왈,

"쇼비 경향은 운남 궁비러니, 시운이 블니ᄒᆞ와 텬됴의 번신지녜(藩臣之禮)를 폐ᄒᆞᆫ 고로 뎡원쉬 운남을 뎡벌ᄒᆞ시니, 샤딕이 망ᄒᆞ고 셩명을 멸홀가 ᄒᆞ엿더니, 뎡원쉬 셩덕이 남왕의 명을 ᄉᆞ이시고, 보종묘(保宗廟) 안빅셩(安百姓)ᄒᆞ시니, 남왕이 원슈의 대덕을 흠탄ᄒᆞ샤 대연을 개장ᄒᆞ여 삼군 댱졸을 딕졉ᄒᆞ시니, 뎡원슈의 옥골 영풍이 동탕 쇄락ᄒᆞ믈 황홀ᄒᆞ와, 번국 예의 듕국과 달나 녀ᄌᆞ ᄌᆞ원(自願)ᄒᆞ여 셤기고져 ᄒᆞᄂᆞᆫ 고로, 아쥐 운남왕의 뎨 삼녀 운영공쥐라. ᄌᆡ졍(才情)이 춍민ᄒᆞ고 용뫼 졀세ᄒᆞ니, 남왕이 ᄉᆞ랑ᄒᆞ여 보쥬(寶珠)의 비기더니, 연ᄎᆞ(宴遮)의 원슈를 여어보고 흠양ᄒᆞ여 ᄌᆞ원(自願) 비쳡ᄒᆞ오니, 원쉬 ᄉᆞ매로 ᄎᆞ용(遮容)ᄒᆞ고 믈니치미, 셰ᄌᆞ 즉시 아쥬를 잡아 가도시고 남왕이 원슈긔 샤죄ᄒᆞ여 회군ᄒᆞ신 후, 비로소 셰ᄌᆞ 공쥬를 샤ᄒᆞ시니, 공쥐 원슈를 ᄉᆞ랑ᄒᆞ여 부모를 바리고 원슈의 뒤흘 좃ᄎᆞ, 쳔신만고ᄒᆞ여 남의를 개착ᄒᆞ고 쇼비로 더브러 도쥬ᄒᆞ여 강을 건너, 쥬인이 두역으로 ᄉᆞ오삭 위듕타가 요힝 회ᄉᆡᆼᄒᆞ고, 촌촌 젼진ᄒᆞ여 소쥐 니르러 또 듕병으로 월여를 신고ᄒᆞ고, 요힝 ᄎᆞ셩(差成)ᄒᆞ여 경샤로 오더니, 뎍화(賊禍)를 만나 노쥐 옷술 아이고 몰을 일흐니, 그 간고 비무(比無)[390]ᄒᆞᆫ디라. ᄒᆡᆼ인이 쥬인의 ᄉᆡᆨ모를 지넉보디 아니니, 쥬인이 뎡원슈 위ᄒᆞᆫ 뎡심(貞心)이 쇠와 돌이 되여 도뎍(盜賊)의 욕을 면코져 ᄌᆞ문(自刎)ᄒᆞ다가, 빗질너 명이 ᄭᅳᆺ지 아녀시므로, 도ᄉᆡᆨ 쥬인을 보호ᄒᆞ여 술와ᄂᆡ고 은젼(銀錢)을 주어 옷술 ᄉᆞ 몸을 ᄀᆞ리오고, 촌촌 걸식ᄒᆞ여 만고 풍상을 경녁ᄒᆞ여 거년(去年)의 경사(京師)의 오니, ᄉᆞ고무친(四顧無親)[391]ᄒᆞ여 뎡원슈 부듕으로 가고져 ᄒᆞ거늘, 쇼비 간ᄒᆞ여 쳥벽산 보옥암 금션법ᄉᆞ를 만나, 법ᄉᆞ 노쥬를 은혜로 무휼ᄒᆞ고 경션옥쥬를 뵈옵고 양녀로 쳔거ᄒᆞ여, 거ᄌᆞᆺ 남쥐 유ᄉᆡᆼ 목가(家)의 녜(女)라 칭ᄒᆞ여 속이고, 위궁의 녀(女)로 부귀호홰 극ᄒᆞ오나, 뎡원슈 ᄉᆞ상은 날노 더어 금션을 촉ᄒᆞ여 인연을 갈구ᄒᆞ오니, 법ᄉᆞ 모야의 화ᄒᆞ여 ᄉᆡ 되여 취운산 뎡부로 가셔 금션과 옥션초를 도뎍ᄒᆞ니, 뎡병부 등이 맛춤 야명쥬를 엇노라 궤듕을 뒤디다가 금션과 션초를 ᄂᆡ여노코 병부의 거시라 하믈 듯고 훔쳐다가, 아쥬(我主)를 지휘ᄒᆞ여 경션옥쥬를 여ᄎᆞ여

390)비무(比無) : ᄂᆞ무비(無比). 비할 데 없음.
391)ᄉᆞ고무친(四顧無親) : 사방을 둘러 보아도 의지할 만한 사람이 아무도 없음.

몸을 ᄀᆞ리오고, 촌촌 걸식ᄒᆞ여 만고 풍상을 경녁ᄒᆞ여 거년(去年)의 경샤(京師)의 오니, ᄉᆞ고무친(四顧無親)528)ᄒᆞ여 뎡원슈 부듕으로 가고져 ᄒᆞ거ᄂᆞᆯ, 쇼비 간ᄒᆞ여 청벽산 보옥암 금션법ᄉᆞ를 만나, ○○[법ᄉᆡ] 노쥬를 은혜로 무휼ᄒᆞ고 경션 옥쥬를 뵈ᄋᆞᆸ고 양녀【57】로 쳔거ᄒᆞ여, 거ᄌᆞᆺ 남쥐 유ᄉᆡᆼ 목가(家)의 녜(女)라 칭ᄒᆞ여 속이고, 위궁의 녀(女)로 부귀호홰 극ᄒᆞ오나, 뎡원슈 ᄉᆞ상은 날노 더어 금션을 촉ᄒᆞ여 인연을 갈구ᄒᆞ오니, 법ᄉᆡ 모야의 화ᄒᆞ여 ᄉᆡ 되여 취운산 뎡부로 가셔 금션과 옥션초를 도뎍《ᄒᆞ여‖ᄒᆞ니》, 뎡병부 등이 맛춤 야명쥬를 엇노라 궤듕을 뒤디다가 금션과 션초를 ᄂᆡ여노코 병부의 《거신 줄 알고‖거시라 하믈 듯고》 훔쳐다가, 아쥬(我主)를 지휘ᄒᆞ여 경션 옥쥬를 여ᄎᆞ여ᄎᆞ 혼동ᄒᆞ여 병부와 인연을 일우라 ᄒᆞ니, 쥬인은 일동을 금션의 니른ᄃᆡ로 ᄒᆞ미라. 쇼비ᄂᆞᆫ 젼후 원졍이 이러ᄒᆞ오니, 옥쥬를 뎡병뷔 취치 아니실디라도 비쳡지녈(婢妾之列)이나 용납ᄒᆞ쇼셔."

형부 졍【58】관과 금의(禁義)529) 관원이 경향의 말을 드러 텬정의 고ᄒᆞ니,

뇽안이 미미(微微)히 함쇼(含笑)ᄒᆞ시고, 인ᄒᆞ여 위ᄉᆞ(衛士)를 명ᄒᆞ샤 청벽산 보옥암 슈승(首僧) 금션니고(尼姑)를 잡아 드리라 ᄒᆞ시니, 위ᄉᆡ 나ᄂᆞᆫ ᄃᆞ시 보옥암의 가 금션

528)ᄉᆞ고무친(四顧無親) : 사방을 둘러 보아도 의지할 만한 사람이 아무도 없음.

529)금의(禁義) : =의금부(義禁府).

ᄎᆞ 혼동ᄒᆞ여 병부와 인연을 일우라 ᄒᆞ니, 쥬인은 일동을 금션의 니른ᄃᆡ로 ᄒᆞ미라. 쇼비ᄂᆞᆫ 젼후 원졍이 이러ᄒᆞ오니, 옥쥬를 뎡병뷔 취치 아니실디라도 비쳡지녈(婢妾之列)이나 용납ᄒᆞ쇼셔."

위관니[이] 경ᄒᆡᆼ의 말노 좃ᄎᆞ ᄒᆞᆫ심ᄒᆞ믈 이기지 못ᄒᆞ여, 이의 경향[ᄒᆡᆼ]의 복초와【27】여러 시녀의 쵸ᄉᆞ을 갓초 거두어 천졍의 주달ᄒᆞ고[니], ᄃᆡ강 갈와시ᄃᆡ,

"신니 젼교을 밧ᄌᆞ와 모든 죄인을 엄문ᄒᆞ오니 ᄉᆞ긔 여ᄎᆞ여ᄎᆞᄒᆞ와 셩ᄃᆡ(聖代)의 용납지 못할 분 안니ᄋᆞᆸ고, 공쥬의 양녀 비록 간악ᄒᆞ오나, 금션요리 곳 안니오면 텬흥의 금션과 션초을 도젹ᄒᆞ여 오리 업ᄉᆡ오ᄆᆡ, 엇지 이러틋 즉변ᄒᆞ미 잇시리잇고. 웃듬은 당니(當尼) 금션○○[이니], 요리(妖尼)392)을 잡아 그 간ᄉᆞᄒᆞᆫ 죄상을 ᄒᆡᆨ실ᄒᆞ여, 명ᄇᆡᆨ히 ᄉᆞ리시믈 ᄇᆞ라ᄂᆞ이다."

상니[이] 남파의 의윤(依允)ᄒᆞ라 ᄒᆞ시니, 위ᄉᆡ(衛士) ᄂᆞᄂᆞᆫ 드시 보유암의 ᄎᆞᄌᆞ 금션이고(尼姑)을 잡으려 ᄒᆞ니, 묘랑은 본대 요슐(妖術) 신ᄒᆡᆼ(神行)으로 엇지 잡힐니 잇시리요. 법당의셔 송경(誦經)ᄒᆞ다가 위ᄉᆡ(衛士) 잡으러 오믈 ᄭᆡ닷고, 몸을 흔드러 변ᄒᆞ

392)요리(妖尼) : 요사스러운 비구니(比丘尼 : 여승).

니고를 잡으려 ᄒᆞ니, 묘랑의 요술(妖術) 신힝(神行)으로 어이 다시 잡힐 니 이시리오. 법당의셔 숑경(誦經)ᄒᆞ다가 몸을 흔드러 변ᄒᆞ여 나ᄂᆞᆫ 즘ᄉᆡᆼ이 되여 슈목 ᄉᆞ이의 ᄀᆞᆷ쵸이니, 위ᄉᆡ 므어ᄉᆞᆯ 묘랑이라 ᄒᆞ여 잡아 가리오. 암ᄌᆞ를 ᄡᆞ고 잡으려 ᄒᆞ다가 그림ᄌᆞ도 보디 못ᄒᆞ고, 통완ᄒᆞ믈 니긔지 못ᄒᆞ여 그 뎨ᄌᆞ ᄉᆞ오인을 다 잡아 텬문의 보왈,

"금션 요리(妖尼)530)를 죵일 잡으려 ᄒᆞᄃᆡ 밋지 못ᄒᆞ고, 뎨ᄌᆞ ᄉᆞ오인을 잡아 와【59】 텬졍의 연유를 고ᄒᆞᄂᆞ이다."

샹이 통히ᄒᆞ샤, 요리를 두어는 상문(相門)의 변이 무슈ᄒᆞ리니, 그 ᄌᆞ최를 심방(尋訪)ᄒᆞ고 소혈(巢穴)을 불지르라 ᄒᆞ시고, 금후의게 하됴(下詔)ᄒᆞ샤 의약을 샤급ᄒᆞ시고, 파됴ᄒᆞ여 ᄂᆡ뎐의 드르시니, 공쥐 운영의 근본과 황샹 쳐치를 드르ᄆᆡ 놀납고 한심ᄒᆞ여 샤죄 왈,

"신이 심궁(深宮)의 뇨뎍(寥寂)ᄒᆞ믈 ᄎᆞᆷ지 못ᄒᆞ와, 그 춍오(聰悟) 낭졍(朗情)ᄒᆞ믈 ᄉᆞ랑ᄒᆞ여 모녀의 의를 ᄆᆡᄌᆞ 외로오믈 위로ᄒᆞ옵고, 근본을 모로더니, 이졔 알ᄆᆡ 뎡ᄌᆞ의 디원(至願)ᄒᆞ믈 가지(可知)오, 도시 신쳡의 블명ᄒᆞ오미라. 블미지ᄉᆞ의 셩심이[을] 번거롭게 ᄒᆞᆫ 죄를 쳥ᄒᆞᄂᆞ이다."

샹이 대쇼 왈,

"운남녀의 간음지힝(姦淫之行)이 무상ᄒᆞ나, 어ᄆᆡ(御妹)ᄌᆞ 무졍지ᄉᆡ(無情之事)【60】라. 번국지녜(藩國之女) 녜의를 모로고 뎡텬흥의 쇼년 풍치를 ᄉᆞ모ᄒᆞ미 괴이치 아닌 고로, 텬흥의 쇼셩(小星)으로 뎡ᄒᆞ여 쇼원을 일우게 ᄒᆞ엿ᄂᆞ니, 뎡가의 간 후나 요란ᄒᆞ미 업게 목녀를 경계ᄒᆞ라."

공쥐 ᄇᆡ샤○○[ᄒᆞ고] 즉일 궁으로 오다.

경향과 궁비ᄂᆞᆫ 무죄ᄒᆞ여 노혀 도라와 운영다려 일이 발각ᄒᆞ믈 니르니, 영이 면여토ᄉᆡᆨ(面如土色) 왈,

"노쥐 상의ᄒᆞ여 만니발섭(萬里跋涉)531)의

530)요리(妖尼) : 요사스러운 비구니(比丘尼 : 여승).
531)만니발섭(萬里發涉) : 만리(萬里)나 되는 아주 먼

여 나ᄂᆞᆫ 즘ᄉᆡᆼ니[이] 되어 슈목 ᄉᆞ이 감초이니, 위ᄉᆡ 무어ᄉᆞᆯ 묘랑니[이]라 ᄒᆞ여 잡아가리요. 날니 맛도록 당황ᄒᆞ여 암ᄌᆞ을 예워ᄊᆞ고 아모조록393) 잡으려 ᄒᆞ다가, 금션의 그림ᄌᆞ도 보지 못ᄒᆞᆫ지라. 일변 ᄋᆡ달와 ᄒᆞ고【28】 통완ᄒᆞ물 이기지 못ᄒᆞ여, 그 져[제]ᄌᆞ ᄉᆞ오닌[인]을 잡아 쳔문의 ᄃᆡ령ᄒᆞ고 ○○[보왈],

"금션 요녀(妖女)을 죵일 ᄌᆞᆸ으려 ᄒᆞᄃᆡ ᄌᆞᆸ지 못ᄒᆞ고 그 져[제]ᄌᆞ ᄉᆞ오인을 잡아와 ○○○[쳔졍의] 연유을 주(奏)ᄒᆞᄂᆞ이다."

샹니[이] 통히ᄒᆞᄉᆞ ᄎᆞᄉᆞ을 물시ᄒᆞ면 상문(相門)의 변니[이] 무슈ᄒᆞ리니, 종젹(蹤迹)을 심방(尋訪)ᄒᆞ고 소혈(巢穴)을 불지르라 ᄒᆞ시고, 금후의겨[게] ᄒᆞ교(下敎)ᄒᆞᄉᆞ 의약을 ᄉᆞ급ᄒᆞ시니, 파조ᄒᆞ여 ᄂᆡ젼의 드르시니, 공쥬 운영의 근본과 황상처치을 드르ᄆᆡ 놀납고 ᄒᆞᆫ심ᄒᆞ여 ᄉᆞ죄 왈,

"심궁(深宮) 고젹(孤寂)ᄒᆞ믈 참지 못ᄒᆞ와 운영의 낭졍(朗情)ᄒᆞ믈 ᄉᆞ랑ᄒᆞ와 모녀 의을 ᄆᆡᄌᆞ 외로오물 위로ᄒᆞ옵고, 근본을 모로더니, 이져[제] 알ᄆᆡ 뎡ᄌᆞ의 지원(至願)ᄒᆞ믄 가지(可知)오, 도시 신쳡의 불명ᄒᆞ오미라. 불미지ᄉᆞ의 셩심니[을] 번기[거]롭겨[게] ᄒᆞᆫ 죄을 쳥《ᄒᆞ노라∥ᄒᆞᄂᆞ이다》.

샹니[이] ᄃᆡ소 왈,

"운남 여ᄋᆡ 간음지샹(姦淫之狀)니[이] 무상ᄒᆞ나, 어ᄆᆡ(御妹)ᄂᆞᆫ 무졍지ᄉᆡ(無情之事)라. 무ᄉᆞ 일 쳥죄ᄒᆞ리요. 번국지녀(藩國之女) 여[예]의을 모로고 텬흥의 풍치을 고[조]ᄎᆞ미 고이치 아닌 고로, 텬흥의 소첩(小妾)을【29】 정ᄒᆞ여 소원을 일우겨[게] ᄒᆞ엿ᄂᆞ니, 뎡가의 간 후ᄂᆞᆫ 요란ᄒᆞ미 업겨[게] 경겨[계]ᄒᆞ라."

공쥬 ᄇᆡᄉᆞᄒᆞ고 즉시 궁으로 오다. 경향과 궁비ᄂᆞᆫ 무죄ᄒᆞ여 노혀 도라와, 운영다려 이리 발각ᄒᆞ믈 이르니, 운영니[이] 면여토ᄉᆡᆨ 왈,

"노쥐 상의(相依)ᄒᆞ여 만니발셥(萬里跋涉)394)의 쳔신만고(千辛萬苦)을 ᄒᆞ녀[여]

393)아모조록 : 아무쪼록. 될 수 있는 대로.

쳔신만고(千辛萬苦)ᄒᆞ여, 법ᄉᆞ의 지휘로 뎡가의 도라갈 계교를 궁극히 ᄒᆞ엿거ᄂᆞᆯ, 네 어이 나의 젼경을 파탈(擺脫)ᄒᆞ여 일이 것츨게 ᄒᆞ엿ᄂᆞ뇨?”

향이 츄연 왈,

“쇼비 비록 튱심이 업ᄉᆞ오나, 엇지 옥쥬 허물을 거셰(擧世) 알오미 되고져 ᄒᆞ리오마ᄂᆞᆫ, 일이 뎡대(正大)치 못ᄒᆞᄆᆡ 【61】 발각기 쉽고, 교샤(狡邪)ᄒᆞᄆᆡ 죄 더으ᄂᆞᆫ 근본이라. 뎡원쉬 엇던 사ᄅᆞᆷ이라 누명을 싯고, 벙어리 아니니 어이 잠잠ᄒᆞ리잇고? 쇼져ᄂᆞᆫ 괴이ᄒᆞ믈 모로시나, 쇼비ᄂᆞᆫ ᄌᆞ초로 니고의 암밀(暗密)을 ᄋᆡ둘와 ᄒᆞᄂᆞ니, 금일 형위지하(刑威之下)의 참형을 당ᄒᆞᄆᆡ, 마디 못ᄒᆞ여 실고(實告)ᄒᆞ미○[니], 일층(一層) 간계를 덜 쁜 아니라, 뎡원쉬 엄졍(嚴庭)긔 듕장을 바다 피육이 후란(朽爛)타 ᄒᆞ니, 옥쥐 만니의 바라고 오신 바ᄂᆞᆫ 원슈를 바라시미라. 허무지ᄉᆞ(虛無之事)로 병부를 상히오며, 누얼(陋-)을 씻치미 도로혀 져를 히ᄒᆞ미니, 연즉 져 곳의 입승(入承)ᄒᆞ시나 엇디 은ᄋᆡ를 득ᄒᆞ리오. 원컨ᄃᆡ 옥쥬ᄂᆞᆫ 개○[과]칙션(改過責善)ᄒᆞ여 젼ᄉᆞ(前事)를 뉘웃ᄎᆞ쇼셔.”

운영이 대참슈괴(大慙羞愧)ᄒᆞ여 누엇더니 【62】 경션공줘 와 ᄎᆞ경을 보고, 그 암밀브졍(暗密不貞)ᄒᆞ믈 한심ᄒᆞ나, 본ᄃᆡ 굿셰지 못ᄒᆞᆫ 듕 기졍(其情)이 쳐의(悽矣)라. 오딕 ᄉᆞ리로 개유ᄒᆞ고 샹교(上敎)를 젼ᄒᆞ여 쇼셩(小星)으로 도라가믈 니르니, 만분 힝열ᄒᆞ여 스ᄉᆞ로 식음을 나오고, 희식을 곰초지 못ᄒᆞ니, 공쥐 ᄋᆡ둘와 디셩으로 단아(端雅) 뎡슌(貞順)ᄒᆞ기를 니르고, 병부의 ᄎᆞ복(差復)기를 기다려 도라 보ᄂᆡ려 ᄒᆞ더라.

어시의 금휘 ᄋᆞᄌᆞ를 듕장ᄒᆞ고 츌퇴(黜退)ᄒᆞ나, 것ᄎᆞ로 엄녈(嚴烈)ᄒᆞ믈 디으나, 스ᄉᆞ로 일신이 알픈 듯 좋야 블ᄆᆡᄒᆞ고, 엄연 위좌러니, 문득 듕식 니르러 운남공쥬의 작변을 일일히 니르고, 의약이 낙역(絡繹)ᄒᆞᄂᆞᆫ디라. 금휘 심ᄂᆡ(心內)의 히악(駭愕)ᄒᆞ나, ᄋᆞᄌᆞ

길을 떠나 산을 넘고 물을 건너고 하며 길을 감.

법ᄉᆞ로[의] 지휘로 뎡가의 도라갈 ○○○[계교를] 궁극히 ᄒᆞ엿거날, 네 어의 ᄂᆞ의 젼졍○[을] 파탈(擺脫)ᄒᆞ여 일니[이] 거찰겨[게] ᄒᆞ엿나요[뇨]?”

졍힝니[이] 츄연 왈,

“소비 비록 츙심니[이] 업ᄉᆞ오나, 엇지 옥쥬 허물을 거셔[셰](擧世) 다 알겨[게] ᄒᆞ리요마ᄂᆞᆫ, 일니[이] 다 졍ᄃᆡ치 못ᄒᆞᄆᆡ 발각기 쉽고, 교ᄉᆞᄒᆞᄆᆡ 져[죄] 디으ᄂᆞᆫ 근본이라. 뎡원슈 엇던 ᄉᆞ람이라 누명을 무릅써, 벙으리 안니리니 어니[이]잠잠ᄒᆞ리잇고? 옥쥬ᄂᆞᆫ 고이ᄒᆞ물 ○○[모로]시나 소비ᄂᆞᆫ 자초로 이고(尼姑)의 암밀(暗密)을 ᄋᆡ달와 ᄒᆞᄂᆞ니, 금일 쳔위지ᄒᆞ(天威之下)의 참형을 당ᄒᆞᄆᆡ, 마지 못ᄒᆞ여 실고(實告)ᄒᆞ미○[니], 일층 간겨[계]을 덜 분 안니라, 뎡원쉬 엄졍기[긔] 즁댱을 ᄇᆞ다 피육이 후란타 ᄒᆞ니, 옥쥐 만니의 밋고 오신 ᄇᆞᄂᆞᆫ 뎡원슈을 바라미여날, 허무지ᄉᆞ(虛無之事)로 부마을 상히오며 누일[얼]을 씨치미 도로혀 저 【30】을 히ᄒᆞ미이[니], 연즉 저곳의 입승ᄒᆞ시나 엇지 은ᄋᆡ을 득ᄒᆞ리요. 옥주ᄂᆞᆫ ᄀᆡ과쳔션(改過遷善)ᄒᆞ여 젼ᄉᆞ(前事)을 뉘웃ᄎᆞ소셔.”

운영니[이] ᄃᆡ참슈괴(大慙羞愧)ᄒᆞ여 누엇더니, 경션공쥐 와 ᄎᆞ경을 보시고, 그 음일부졍(淫佚不貞)ᄒᆞ믈 한심니[이] 역기나, 본ᄃᆡ 굿셔[셰]지 못ᄒᆞᆫ 즁, 긔(其) 졍(情)이 쳐의(悽矣)라. 오직 ᄉᆞ리로 ᄀᆡ유(開諭)ᄒᆞ고 상교을 젼ᄒᆞ여 소셩으로 도라갈 바을 이르니, 만분 힝열(幸悅)ᄒᆞ여 스ᄉᆞ로 식음을 ᄂᆞ오고 희식을 감초지 못ᄒᆞ니, 공쥐 ᄋᆡ달와 지셩으로 단아(端雅) 졍슌(貞順)키을 이르고, 부마의 ᄎᆞ복(差復)기을 긔다려 도라보ᄂᆡ려 ᄒᆞ더라.

어시의 금휘 아ᄌᆞ을 즁장 즐퇴(叱退)ᄒᆞ고 것ᄎᆞ로 엄열(嚴烈)ᄒᆞ믈 지으ᄂᆞ, 스ᄉᆞ로 일신니[이] ○○○[알픈 듯] 조[좋]야 불ᄆᆡᄒᆞ고, 엄연 위좌러니, 문득 즁식 이르러 운남공쥬의 작변을 일일이 이르고, 의악[약]이

394)만니발섭(萬里發涉) : 만리(萬里)나 되는 아주 먼 길을 떠나 산을 넘고 물을 건너고 하며 길을 감.

의 장쳐를 근심ᄒᆞ여, 시랑다려 왈,

"여형【63】이 작죄(作罪) 분명홀진ᄃᆡ 부지 대면치 말녀 ᄒᆞ더니, 드르니 음녀의 작싀 여ᄎᆞᄒᆞ니 져의 무죄(無罪)ᄒᆞᆷ을 빅탈(白脫)홀디라. 셩명(聖明)이 장쳐를 념녀ᄒᆞ샤 의약을 주시니 각별 조셥게 젼ᄒᆞ라."

시랑이 슈명ᄒᆞ여 죽셔당의 니르니, 병뷔 평싱 쳐음으로 듕장을 당ᄒᆞ여 침셕(寢席)의 위돈(委頓)ᄒᆞ니[532], 시랑이 부명을 젼ᄒᆞ고, 듕샤와 의지(醫者) 와시믈 고ᄒᆞᆫᄃᆡ, 병뷔 몸을 동ᄒᆞ여 부명을 듯ᄌᆞ오나 근심이 만복ᄒᆞ여, 누명 신빅(伸白)ᄒᆞᆫ 깃분 줄도 모로니, 이ᄂᆞᆫ 경시를 블고이취(不告而娶)ᄒᆞᆫ 연괴라. 부훈의 엄ᄒᆞ미 ᄌᆞ긔 방일ᄒᆞᆫ 죄를 물시치 아니실 바를 예탁ᄒᆞ미, 원치 아닛ᄂᆞᆫ 문양을 취ᄒᆞ미 ᄌᆞ긔 뜻과 다르믈 싀로이 이ᄃᆞᆯ와 한【64】ᄒᆞ고, 운남공쥬의 음일(淫佚)ᄒᆞ믈 졀치 왈,

"음녀의 간음지힝이 여ᄎᆞ(如此) 궁극ᄒᆞ리오. 내 본ᄃᆡ 음악(淫惡)을 가랍(加納)지 못ᄒᆞᄂᆞᆫ 빅니, ᄒᆞᆫ 칼홀 들게 ᄀᆞ라 머리를 버혀 후셰 음부를 징계ᄒᆞ리라."

시랑이 웃고, 어의로 간병ᄒᆞ믈 쳥ᄒᆞ니 병뷔 쇼왈,

"일시 슈쟝ᄒᆞ나 당뷔 엇디 의ᄌᆞ를 보리오."

즉시 도라보ᄂᆡ고, 알프믈 ᄎᆞᆷ아 의ᄃᆡ를 슈렴ᄒᆞ고 힝보ᄒᆞ여, 졔뎨로 더브러 셔헌의 니르러 감히 오로지 못ᄒᆞ고, 듕계의 브복 쳥죄ᄒᆞ니, 공이 그 긔운을 장히 넉여 왈,

"너희 흰 낫ᄎᆞ로 누열(陋-)을 므릅뼈 음녀의 소작(所作)이 히연(駭然)ᄒᆞ나, 임의 신빅ᄒᆞ니 힝이어니와, 져○[의] 쥬체[533] 난감(難堪)ᄒᆞᆫ디라. 다만 너의 졔가의 공번[534]되

532)위돈(委頓)ᄒᆞ다 : 힘이 빠지다. 기진(氣盡)하다. 자리에 쓰러져 있다.

533)주체 : 주체. 짐스럽거나 귀찮은 것을 능히 처리함.

534)공번되다 : 공변되다. 행동이나 일 처리가 사사롭거나 한쪽으로 치우치지 않고 공평하다.

낙역ᄒᆞᄂᆞᆫ지라. 금휘 심ᄂᆡ의 히악(駭愕)ᄒᆞ나, 아ᄌᆞ의 장쳐을 근심ᄒᆞ여 시랑다려 왈,

"여형이[이] 작죄 분명홀진ᄃᆡ 부ᄌᆞ ᄃᆡ면치 말여ᄒᆞ더니, 드르니 음여(淫女)의 작싀 여ᄎᆞᄒᆞ니 져의 무죄ᄒᆞᆷ 빅탈(白脫)ᄒᆞᆫ지라. 셩상니[이] 장쳐을 념여ᄒᆞᄉᆞ 의약을 쥬시니 각별 조셥【31】게 젼ᄒᆞ라."

시랑니[이] 슈명ᄒᆞ여 독셔당의 이르니, 부ᄆᆡ 평싱 쳐음 즁장ᄒᆞ여 침셕의 위돈(委頓)ᄒᆞ니[395], 시랑니[이] 부명을 젼ᄒᆞ고 즁ᄉᆞ와 의지 왓시믈 고ᄒᆞᆫᄃᆡ, 부ᄆᆡ 몸을 동ᄒᆞ여 부명을 드르나 근심니[이] 만복ᄒᆞ여 누명 신빅(伸白)ᄒᆞᆷ 깃분 쥴도 모로니, 이ᄂᆞᆫ 경시을 불고이취(不告而娶)ᄒᆞᆫ 연괴라. 부공의 엄ᄒᆞ미 ᄌᆞ긔 방일ᄒᆞᆫ 죄을 물시치 아일[닐] ᄇᆞ을 여[예]탁ᄒᆞ미, 원치 안닛ᄂᆞᆫ 문양을 취ᄒᆞ미 ᄌᆞ긔 뜻과 다르믈 싀로니[이] 이달와 ᄒᆞᆫᄒᆞ고, 운남공쥬의 음일(淫佚)ᄒᆞ믈 졀치 왈,

"음녀의 간음지힝니[이] 여ᄎᆞ(如此) 궁극ᄒᆞ리요, ᄂᆡ 본대 음악을 가랍지 못ᄒᆞ는 빈니, 칼을 들겨[게] 가라 머리을 벼혀 후셔[셰] 음부을 징겨[계]ᄒᆞ리라."

시랑니[이] 웃고 어의로 간병ᄒᆞ물 쳥ᄒᆞ니 부ᄆᆡ 소왈,

"일시 《소장이나‖수쟝(受杖)ᄒᆞ나》 장뷔 엇지 의ᄌᆞ을 보리요."

즉시 도라 보ᄂᆡ고 압품을 참아 의ᄃᆡ을 슈렴ᄒᆞ고 힝보ᄒᆞ여, 져져[졔졔(諸弟)]로 더부러 셔헌의 이르러 감히 오르지 못ᄒᆞ고 즁겨[계]의 부복쳥죄ᄒᆞ니, 공니[이] 긔운을 장니[이] 《염여‖역여》 왈,

"너희[의] 흰 낫ᄎᆞ로 누일[얼]을 무릅써 음녀의 소ᄌᆞᆨ(所作)니[이] 히연(駭然)【32】ᄒᆞ나 임의 신빅(伸白)ᄒᆞ니 힝(幸)니[이]여니와, 져[제] 쥬쳐[체][396] 눈감(難堪)ᄒᆞᆫ지라. 다만 너의 셔[졔]가(齊家) {고} 공평니화

395)위돈(委頓)ᄒᆞ다 : 힘이 빠지다. 기진(氣盡)하다. 자리에 쓰러져 있다.

396)주체 : 주체. 짐스럽거나 귀찮은 것을 능히 처리함.

【65】 이 화ᄒᆞ믈 보리로다."

드ᄃᆡ여 병부의 오로기를 명ᄒᆞ니 병뷔 슈명 승당의 죵일 시쇄러니, 셕양의 공이 졔ᄌᆞ를 거ᄂᆞ려 태부인긔 혼뎡홀ᄉᆡ, 부인은 ᄎᆞᄉᆞ를 모로ᄂᆞᆫ디라. 공이 죵시히 은휘치 못홀 고로, 운남녀의 작변ᄉᆞ를 고ᄒᆞ고, 텬흥의 쇼셩으로 마지 못ᄒᆞ여 마ᄌᆞ믈 쥬(奏)ᄒᆞ니, 태부인이 공쥬의 음황ᄒᆞ믈 놀나며, 텬흥의 고은 얼골노 운남녀의 황홀ᄒᆞ여 좃ᄎᆞ오미 괴이치 아니타 ᄒᆞ니, 진부인은 일언을 간예치 아니ᄒᆞ나 ᄋᆞᄌᆞ의 쟝쳐를 근심ᄒᆞ고, 윤・양・니 삼부인과 문양이 ᄉᆞ긔 안졍ᄒᆞ여 못드른 듯ᄒᆞ더라.

명일 병뷔 신셩(晨省)ᄒᆞ고 인하여 엄젼의 고왈,

"여러 날 공ᄉᆞ를 폐ᄒᆞ엿ᄉᆞ오니 금일은 【66】 죵야토록 결ᄒᆞ고 명일오리이다."

공이 쟝쳐를 념녀ᄒᆞ여 왈,

"마지 못ᄒᆞ려니와 달야(達夜)ᄂᆞᆫ 마라, 우명일(又明日) 도라오라."

병뷔 감히 쳥치 못ᄒᆞ나, 이 곳 원이라. 슈명 빅샤ᄒᆞ고 즉시 됴회ᄒᆞ니, 샹이 그 거지(擧止) 평상ᄒᆞ믈 괴이히 넉이샤 왈,

"ᄌᆞ고로 홍안(紅顔)이 박명(薄命)타 ᄒᆞ나, 경은 남ᄌᆞ로ᄃᆡ 용화(容華)의 빗나미 도로혀 ᄋᆡᆨ경(厄境)을 당ᄒᆞ니 가쇠(可笑)로다. 운남녀의 ᄒᆡᆼᄉᆡ 음일 무상ᄒᆞ나, 경을 위ᄒᆞᆫ 졍이 족히 금셕을 녹일지라, ᄎᆞ고로 샤죄(赦罪)ᄒᆞ여 경의 쇼셩으로 도라 보ᄂᆡᄂᆞ니 샤양치 말나. 듕장 후 됴호(調護)치 아냐 념녀 업ᄉᆞ랴?"

병뷔 돈슈 왈,

"신의 ᄒᆡᆼᄉᆡ 밋브디 아니므로 블미ᄒᆞᆫ 누얼을 므릅뼈, 금션 션최 져 【67】 곳의 이시니 신이 구구삼셜(九口三舌)이나 발명무디(發明無地)[535]ᄒᆞ온 고로, 작죄 업ᄉᆞ옴만 밋ᄉᆞᆸ더니, 됴히 신빅ᄒᆞ오나, 왕법은 명뎡ᄒᆞ미 웃듬이라. 엇디 쇼쇼(小小) ᄉᆞ졍(私情)으로 음

535)발명무디(發明無地) : 죄나 잘못이 없음을 밝힐 길이 없음.

(公平而和)ᄒᆞ믈 보리로다."

드ᄃᆡ여 오르기을 명ᄒᆞ니, 부마 슈명(受命) 승당의 종일 시쇄러니, 셕양의 금휘 져[졔]ᄌᆞ을 기다려 ᄐᆡ부인겨[긔] 혼졍할ᄉᆡ, 부인은 ᄎᆞᄉᆞ을 모로ᄂᆞᆫ 지라. 금휘 종시 은회[휘]치 못ᄒᆞᄂᆞᆫ 고로 운남녀의 ᄌᆞᆨ변지ᄉᆞ(作變之事)을 고ᄒᆞ고, 쳔흥의 소셩으로 마지 못ᄒᆞ여 마지물 쥬ᄒᆞ니, ᄐᆡ부인이 운영의 음황ᄒᆞ물 놀나며 쳔흥의 고흔 얼골노 운남여의 황홀ᄒᆞ여 좃ᄎᆞ오미 고이치 안타 ᄒᆞ니, 진부인은 일언을 간에치 《안니ᄂᆞ‖아니ᄒᆞ나》 아ᄌᆞ의 상쳐을 근심ᄒᆞ고, 윤・양・니 삼부인과 문양이 ᄉᆞ긔 안졍ᄒᆞ여 못 듯ᄂᆞᆫ 듯ᄒᆞ더라.

명일 부마 신셩ᄒᆞ고 엄젼의 고왈,

"여러날 공ᄉᆞ을 펴[폐]ᄒᆞ엿시니 금일은 종야토록 결ᄒᆞ고 명일 오리이다."

공이 그 장쳐을 념녀ᄒᆞ여 왈,

"마지 못ᄒᆞ려니와 달야(達夜)ᄂᆞᆫ 말고 우명일 도라오라."

부마 감히 청치 못할지언졍 이 곳 원이라. 빅ᄉᆞ 슈명ᄒᆞ고 즉시 조회ᄒᆞ니, 상이 그 평상ᄒᆞ물 고이히 역이ᄉᆞ 왈,

"ᄌᆞ고로 홍안(紅顔)니[이] 박명(薄命)타 ᄒᆞ나, 경은 【33】 남지로ᄃᆡ 용화(容華)의 빗ᄂᆞ미 도로혀 ᄋᆡᆨ경을 당ᄒᆞ니 가쇠(可笑)로다. 운남녀의 ᄒᆡᆼᄉᆡ 음일ᄒᆞ나 경을 위ᄒᆞᆫ 경니[이] 족히 금셕을 녹일지라. ᄎᆞ고로 ᄉᆞ죄(赦罪)ᄒᆞ여 경의 소셩으로 도라보ᄂᆡᄂᆞ니, ᄉᆞ양치 말나. 즁장 후 조호(調護)치 아냐 념여 업ᄉᆞ랴?"

부마 돈슈 왈,

"신의 ᄒᆡᆼᄉᆡ 밋브지 안니므로 불미ᄒᆞᆫ 누일[얼]을 무릅써, 금션・션최 저곳의 잇시니 신니 구구삼셜(九口三舌)이나 발명무로(發明無路)[397]ᄒᆞ온 고로, 작죄 업슴만 밋습더니, 조히 신빅ᄒᆞ오나, 왕법은 명졍ᄒᆞ미 웃듬이라. 엇지 소소(小小) ᄉᆞ졍(私情)으로 음녀

397)발명무로(發明無路) : 나 잘못이 없음을 밝힐 길이 없음.

녀의 죄를 믈시ᄒᆞ샤 도로혀 소원을 맛ᄎᆞ시미 가ᄒᆞ리잇고?"

샹이 쇼왈,

"슈연(雖然)이나 군뷔 되여 '일부함원(一婦含怨)이 오월비상(五月飛霜)'[536]이믈 념(念)ᄒᆞ미오, 운남녜 경을 위ᄒᆞᆫ 졍이 금셕 ᄀᆞᆺᄐᆞ니, 딤이 은혜로 경의 잉희(媵嬉)[537]를 허ᄒᆞ엿ᄂᆞ니 경은 그 긍측지졍(矜惻之情)[538]을 슬펴 졔가(齊家)를 공평이 ᄒᆞ라."

병뷔 돈슈(頓首) 무언(無言)이러니, 샹이 념녀ᄒᆞ샤 믈너가 됴리ᄒᆞ라 ᄒᆞ시니, 병뷔 황공 감은ᄒᆞ여 샹쳬 무방ᄒᆞ믈 쥬ᄒᆞ고 퇴ᄒᆞ니, 모다 그 모질믈 일ᄏᆞᆺ더라.

병뷔 관부의 와 삼【68】ᄉᆞ일 밀닌 공ᄉᆞ를 쳐결ᄒᆞ고 경부의 니르니, 시의 경공 부뷔 녀셔의 쟝칙(杖責)을 듯고 크게 우려ᄒᆞ더니, 와시믈 듯고 밧비 쳥ᄒᆞ여 볼ᄉᆡ, 병뷔 녜필 좌뎡의 존후를 뭇ᄌᆞ오니, 경공이 집슈 왈,

"챵빅이 큰 ᄋᆡᆨ경을 지ᄂᆡ니 놀나온디라. 돈ᄋᆞ의 쇼젼(所傳)을 드르ᄆᆡ, 결단코 슈히 니지 못ᄒᆞᆯ가 ᄒᆞ더니, 므ᄉᆞ일 됴리치 아니코 니르럿ᄂᆞ뇨?"

병뷔 미쇼 왈,

"인ᄌᆡ(人子) 엄하(嚴下)의 슈쟝(受杖)이 상ᄉᆡ라. 누엇도록 ᄒᆞ리잇가?"

경참졍이 그 긔상을 두굿겨 왈,

"댱ᄌᆡ(將材)라. 그 ᄉᆞ오십 댱칙을 심상(尋常)히 녁이니, 우리는 그 혈육이 상ᄒᆞ믈 ᄎᆞ마 듯도 못하엿ᄂᆞ니, 녕존의 훈ᄌᆞ의 엄ᄒᆞ시믈 두려 ᄒᆞᆫ 녀ᄋᆞ의 블고이취지ᄉᆡ(不告而娶之事)라. 타일 난쳐ᄒᆞ믈【69】 엇디 ᄒᆞ리오. 더욱 ᄎᆞ쳐(此處)의 머믈고져 ᄒᆞ믈 겹ᄒᆞ노라."

536)일부함원(一婦含怨) 오월비상(五月飛霜) : 한 여자가 원한을 품으면 한여름(5월)에도 서리가 내린다.

537)잉희(媵嬉) : 잉첩(媵妾). 예전에, 귀인에게 시집가는 여인이 데리고 가던 시첩(侍妾). 주로 신부의 질녀와 여동생으로 충당하였다.

538)긍측지정(矜惻之情) : 불쌍하고 가엾은 사정.

의 펴[폐]을 물시ᄒᆞᄉᆞ, 도로혀 소원을 맛치시미 《갓∥가》ᄒᆞ리잇고?"

상니[이] 소왈,

"연(然)ᄒᆞ나 군뷔되야 '일뷔함원(一婦含怨)의 시방(猜謗)'[398]을 념ᄒᆞ미요, 운남여 경을 위ᄒᆞᆫ 졍니[이] 금셕 갓트니, 짐니[이] 은혀[혜]로 경의 잉희(媵嬉)[399]을 허ᄒᆞ엿ᄂᆞ니, 경은 그 긍측지졍(矜惻之情)[400]을 살펴 져[졔]가(齊家)을 공평니[이] ᄒᆞ라."

부ᄆᆡ 돈슈무언(頓首無言)이러니, 상니[이] 념녀ᄒᆞᄉᆞ 물너가 쉬라 ᄒᆞ시니, 부ᄆᆡ 황공감은ᄒᆞ여 장쳐 무방ᄒᆞ물 쥬ᄒᆞ고 퇴ᄒᆞ니, 모다 모질믈 일캇더라.

부ᄆᆡ 관부의 와 숨ᄉᆞ일 밀인 공ᄉᆞ을 쳐결ᄒᆞ고 경부의 이르니, 시의 경공부뷔 여셔의 장칙(杖責)을 듯고【34】 크게 우려ᄒᆞ더니, 와시물 듯고 밧비 청견(請見)할ᄉᆡ, 부ᄆᆡ 여[예]필(禮畢) 좌경(坐定)의 존후을 뭇ᄉᆞ[ᄌᆞ]오니, 경공니[이] 집슈 왈,

"창빅이 큰 ᄋᆡᆨ경을 지ᄂᆡ니 놀나온지라. ᄎᆞ아의 소젼(所傳)을 드르니 결단코 슈이 니지 못할가 ᄒᆞ더니, 무ᄉᆞ 일 조리치 안니코 이르러나요[뇨]?"

부ᄆᆡ 미소 ᄃᆡ왈,

"인ᄌᆡ(人子) 엄ᄒᆞ(嚴下)의 슈장(受杖)니[이] 여[예]ᄉᆡ(例事)라. 누엇도록 ᄒᆞ리잇고?"

공이 그 기ᄉᆼ을 두굿겨 왈,

"장ᄌᆡ(將材)라, 그 ᄉᆞ오십 즁장을 심샹(尋常)니[이] 역이니, 우리는 그 혈육니[이] 상ᄒᆞ물 ᄎᆞ마 듯도 못ᄒᆞ엿ᄂᆞ니, 영존의 훈ᄌᆞ의 엄ᄒᆞ시물 두려 ᄒᆞᆫ 녀아의 불고이취지ᄉᆡ(不告而娶之事)라. 타일 ᄂᆞᆫ쳐ᄒᆞ믈 엇지 ᄒᆞ리요. 더욱 ᄎᆞ처(此處)의 머물고져 ᄒᆞ물 겁ᄒᆞ노라."

398)일뷔함원(一婦含怨)의 시방(猜謗) : 한 여자가 원한을 품고 시기와 비방을 행함.

399)잉희(媵嬉) : 잉첩(媵妾). 예전에, 귀인에게 시집가는 여인이 데리고 가던 시첩(侍妾). 주로 신부의 질녀와 여동생으로 충당하였다.

400)긍측지정(矜惻之情) : 불쌍하고 가엾은 사정.

부매 함쇼(含笑) 왈,

"존괴 맛당ᄒᆞ시나 녕녀를 블고이취ᄒᆞᆫ 죄로 엄하의 일ᄇᆡᆨ쟝칙(一百杖責) 밧ᄌᆞ올 줄 모로미 아니오나, 가엄의 엄노를 두리지 아니미 아니라, 쥬야 방심치 못ᄒᆞ니 엇디 ᄌᆞ조 왕ᄂᆡᄒᆞ리잇고? 맛ᄎᆞᆷ 됴회 길히 드러오미오, 녕윤과 쇼셔의 교되 각별하믄 가친의 아르시ᄂᆞᆫ ᄇᆡ니, 구ᄐᆞ여 의심치 아니실지라, 모로미 잔 념녀를 마르쇼셔."

공이 흔연 쇼왈,

"말은 쾌ᄒᆞ나 나ᄂᆞᆫ 여ᄋᆞ의 댱ᄂᆡ를 은우(隱憂) 삼ᄂᆞ니, 챵ᄇᆡᆨ은 구구(區區)타 웃디 말나."

시랑 왈,

"네 댱긔를 ᄌᆞ랑ᄒᆞ나 내 ᄎᆞ언을 녕존긔 고ᄒᆞ리라."

병위 쇼왈,

"형의 언변이 유여ᄒᆞ거【70】든 가엄긔 ᄎᆞᄉᆞ를 고ᄒᆞ려니와, 가엄이 블쵸를 죽이든 아니시리니 우이 구지 말나."

공이 쇼왈,

"군언이 녕존을 오히려 슈히 넉이거니와, 만금 듕신의 혈육이 상ᄒᆞ믈 념녀치 아니니, ᄂᆡ두(來頭)를 념녀ᄒᆞᄆᆡ 블평ᄒᆞᆫ디라, 모로미 됴리ᄒᆞ여 댱쳐를 덧ᄂᆡ지 말나."

뎡병뷔 념슬(斂膝) 왈,

"쇼ᄉᆡᆼ이 슈블쵸(雖不肖)나 엇디 엄부를 슈히 넉이ᄂᆞᆫ 무식ᄒᆞ미 이시리잇고? 녕녀를 취ᄒᆞ고 공교히 문양이 하가하ᄆᆡ, 쳐음 계교와 ᄀᆞᆺ지 못ᄒᆞ여, 디금 고치 못ᄒᆞ미 엄하의 큰 작죄라. 스ᄉᆞ로 발셜치 못ᄒᆞ미나, 실인(室人)이 분산 후, 엄젼의 고ᄒᆞ고 죄를 청ᄒᆞ려 ᄒᆞᄂᆞ이다."

경공 부ᄌᆡ 웃고 쥬찬을 권【71】ᄒᆞ니, 부매 타연(泰然)이 먹더라.

일모의 경공이 침소의 가 쉬믈 니르니, 병뷔 슈명이퇴(受命而退)ᄒᆞᄆᆡ, 쇼졔 셔연이 니러 마ᄌᆞ 부뷔 좌뎡ᄒᆞ니, 부매 벼개를 취ᄒᆞ여 눕ᄂᆞᆫ디라. 쇼졔 부마의 왕ᄂᆡ를 실노 깃거 아니터니, 금일 더욱 근심ᄒᆞ여 홍슈

부ᄆᆡ 함소 왈,

"존교 맛당ᄒᆞ시나 녕녀 불고이취ᄒᆞᆫ 죄로 엄ᄒᆞ의 일ᄇᆡᆨ장칙(一百杖責) 맛ᄌᆞ올 쥴 모로미 안니요, 가엄의 엄노을 안니 두리미 안니○[라]. 쥬야 방심치 못ᄒᆞ니 엇지 ᄌᆞ로 왕ᄂᆡᄒᆞ리요. 마ᄎᆞᆷ 조회 길의 드러오미오 영윤과 소셔의 교되 각별ᄒᆞ믈 가친의 아르시ᄂᆞᆫ ᄇᆡ니, 굿ᄒᆞ여 의심치 아니시ᄂᆞᆫ지라, 물우소려(勿憂消慮)401) ᄒᆞ소셔."

공니[이] 흔연 왈,

"말은 쾌ᄒᆞ나 녀아의 《장녀‖장ᄂᆡ(將來)》을 은우(隱憂) 삼ᄂᆞ니, 창ᄇᆡᆨ【35】은 구구(區區)타 웃지 말나."

시랑 왈,

"네 장긔을 ᄌᆞ랑ᄒᆞ나 여ᄎᆞ 언을 영존긔 고ᄒᆞ리라."

부ᄆᆡ 소왈,

"형의 언변니 유여ᄒᆞ거든 가엄긔 ᄎᆞᄉᆞ을 고ᄒᆞ려이[니]와 가엄니[이] 날을 쥭이든 안니시리이[니] 우니[이] 구지 말나."

공니[이] 소왈,

"창ᄇᆡᆨ니[이] 오히려 영존을 슈히 넉기거니와 만금 즁신의 혈육니[이] 샹ᄒᆞ물 념치 아니니, 녀[ᄂᆡ]두(來頭)을 념ᄒᆞᄆᆡ 불평ᄒᆞᆫ지라. 모로미 조리ᄒᆞ여 장쳐을 덧ᄂᆡ지 말나."

ᄒᆞ더라.

부ᄆᆡ 염슬 왈,

"소ᄉᆡᆼ니[이] 슈불쵸(雖不肖)나 엇지 엄부을 슈니[이] 역이ᄂᆞᆫ 무식ᄒᆞ미 잇시리잇고? 녕녀을 취ᄒᆞ고 공교히 문양니[이] ᄒᆞ가ᄒᆞᄆᆡ, 처음 겨[계]교와 갓지 못ᄒᆞ여 지금 고치 못ᄒᆞ미나, 실인(室人)니[이] 분ᄉᆞᆫ 후 엄젼의 고ᄒᆞ고 청죄코져 ᄒᆞᄂᆞ니다."

경공 부ᄌᆡ 웃고 쥬찬을 권ᄒᆞ니 부ᄆᆡ 흔연(欣然)니[이] 먹더라.

일모의 경공니[이] 침소의 가 쉬물 이르니, 병뷔 '불감○[청](不敢請)니[이]연경 고소원야(固所願也)라'402). 이의 슈명이퇴(受

401)물우소려(勿憂消慮) : 근심하거나 걱정하지 말라.

402)불감청(不敢請) 고소원야(固所願也) : 어떤 일을

(紅袖)를 뎡히 꼿고, 단슌(丹脣)이 믹믹ᄒᆞ여 말이 업ᄉᆞ니, ᄂᆡᆼ담ᄒᆞ미 한월(寒月)이 빙셜(氷雪)의 바ᄋᆡ는 둧, 청슈ᄒᆞ미 일호 진ᄋᆡ(塵埃)의 무드지 아닌디라. 부매 쳠시 냥구의 왈,

"ᄌᆞ의 거동이 ᄉᆡᆼ을 보ᄆᆡ ᄉᆡ호(豺虎)를 ᄃᆡᄒᆞᆫ 둧 증염ᄒᆞ니, 므ᄉᆞᆫ 쥬의뇨? 외람ᄒᆞ나 듯고져 ᄒᆞᄂᆞ니 숩기지 말나."

쇼제 봉관을 숙이고 말이 업ᄉᆞ니, 부매 니러 안ᄌᆞ 뎡ᄉᆡᆨ 왈,

"내【72】 그ᄃᆡ 슈하인(手下人)이 아니오, 쇼텬(所天)[539]의 뭇는 말을 ᄃᆡ치 아니믄 엇지뇨?"

쇼제 심ᄂᆡ의 괴로오ᄃᆡ 몸의 듕상 후 됴리 아니미 깁히 두려, 나죽이 ᄃᆡ왈,

"쳡이 본ᄃᆡ 암약(暗弱) 쇼졸(小拙)ᄒᆞ여 넘나지 못ᄒᆞ믄 군ᄌᆡ 아르실지라. ᄆᆞ음의 업는 담쇼를 짓지 못ᄒᆞ고, 화긔를 가작(假作)지 못ᄒᆞ니, 이 또 쳡의 허물이로소이다."

부매 눈을 쏘아 날회여 왈,

"ᄌᆞ의 복 업ᄉᆞᆫ 거동이 단졍(斷定)[540] 길(吉)치 못ᄒᆞ리니, 하고(何故)로 미우(眉宇)를 펴지 못ᄒᆞ여, 쳔슈만한(千愁萬恨)을 품어 ᄆᆡ양 울고져ᄒᆞ는 거동이 심상치 아니코, 나 뎡창빅이 비록 슈복이 댱원ᄒᆞ나, 그ᄃᆡ 살긔(殺氣)를 맛칠진ᄃᆡ 급히 죽을디라. 모로【73】미 공교롭고 단박(短薄)ᄒᆞᆫ 졍틔를 다시 말나."

부마의 여ᄎᆞᄒᆞ믄 그 심폐(心肺)를 ᄉᆞ못ᄎᆞ ᄌᆞ긔를 괴로와 ᄒᆞ는 줄 알고, 경공 부녜 ᄌᆞ긔 힝도(行道)를 막지 못ᄒᆞ게 ᄒᆞ미라. 쇼제 공연ᄒᆞᆫ 쥰칙으로 보치믈 괴로와 다시 말을 아니ᄒᆞ니, 부매 원비(猿臂)[541]를 느리혀, 쇼

539)쇼텬(所天) : 아내가 남편을 이르는 말.
540)단졍(斷定) : 딱 잘라 말하여.
541)원비(猿臂) : 원숭이의 팔이라는 뜻으로, 길고 힘이 있어 활쏘기에 좋은 팔을 이르는 말.

命而退)ᄒᆞᄆᆡ, 소져 셔연니[이] 몸을 이러 마ᄌᆞ 좌정ᄒᆞ니, 부ᄆᆡ 벼긔을 취ᄒᆞ여 눕는지라. 소져 부ᄆᆡ 이르믈 실노 깃거 안니터니, 금일 더욱 슬이 역여 옥슈(玉手)을 졍히 꼿고, 단슌(丹脣)니[이] 믹믹ᄒᆞ니, ᄂᆡᆼ담ᄒᆞ미 ᄒᆞᆫ월(寒月)니 빙【36】셜(氷雪)의 ᄇᆡ이는 듯, 쳥슌ᄒᆞ여 일호 진ᄋᆡ(塵埃)의 무드지 아닌지라. 부마 쳠시 양구 왈,

"ᄌᆞ의 거동니[이] ᄉᆡᆼ을 보ᄆᆡ 시호(豺虎)을 ᄃᆡᄒᆞᆫ 듯 증념ᄒᆞ니, 무ᄉᆞᆫ 쥬의요[뇨]? 외람ᄒᆞ나 듯고져 ᄒᆞ느니 숨기지 《마르소셔‖말나》."

소져 봉안을 슉이고 말니 업ᄉᆞ{오}니, 부ᄆᆡ 이러{이러] 안ᄌᆞ 졍ᄉᆡᆨ 왈,

"ᄉᆡᆼ니[이] ᄌᆞ의 슈ᄒᆞ닌[인](手下人)이 안이라, 뭇는 말을 ᄃᆡ치 안니믄 엇지요[뇨]?"

소져 심녀의 괴로오ᄃᆡ 몸의 즁장후 조리 안니미 깁히 두려 나족니[이] ᄃᆡ왈,

"쳡니[이] 본ᄃᆡ 암약(暗弱) 소졸(小拙)ᄒᆞ야 넘나지 못ᄒᆞ믄 군ᄌᆞ 짐족ᄒᆞ실지라. 마음의 업는 담소을 짓지 못ᄒᆞ고 화기을 가족(假作)지 못ᄒᆞ니, 쏘 쳡의 허물니로소이다."

부ᄆᆡ 눈을 쏘와 날호여 왈,

"ᄌᆞ의 복 업ᄉᆞᆫ 거동니[이] 단졍(斷定)[403] 길(吉)치 못ᄒᆞ리이[니], ᄒᆞ고(何故)로 미우(眉宇)을 펴지 못ᄒᆞ여, 쳔슈만한(千愁萬恨)을 품어 ᄆᆡ냥[양] 울고져 ᄒᆞ는 거동니[이] 심샹치 안니코, 나 뎡창빅니[이] 비록 슈복이 장원ᄒᆞ나, 그ᄃᆡ 살긔(殺氣)을 맛칠진ᄃᆡ 급히 죽글지라. 이후는 모로미 공교롭고 단박(短薄)한 뎡틔을 다시 말나."

부마 여ᄎᆞᄒᆞ믄 그 심펴[폐](心肺)을 ᄉᆞ뭇쳐 ᄌᆞ긔을 괴로워ᄒᆞ는 쥴 알고 경공 부녀 ᄌᆞ긔 힝도(行道)을 막지 못ᄒᆞ겨[게] ᄒᆞ미라. 소져 공연ᄒᆞᆫ 질칙으로 보치믈 괴로와 다시 말을 안니니, 부ᄆᆡ【37】 원비(猿臂)[404]을

감히 청하지는 못하지만, 마음속으로는 진실로 바라는 바임.
403)단졍(斷定) : 딱 잘라 말하여.
404)원비(猿臂) : 원숭이의 팔이라는 뜻으로, 길고 힘이 있어 활쏘기에 좋은 팔을 이르는 말.

져를 닛그러 갓가이 안치고, 쟝쳐를 뵈여 왈,

"싱이 유죄 무죄 간 익경(厄境)으로 엄하(嚴下)의 슈쟝(受杖)ᄒᆞ믜 혈육이 상ᄒᆞ니, 지 일분 인심이면 싱의 익경을 놀랄 거시오, 내 임의 와시면 상셕(床席)을 바로ᄒᆞ여 편히 됴리케 ᄒᆞ미 올커늘, 모진 거동이 무셔오니 실노 측냥치 못ᄒᆞ리로다."

쇼졔 비록 눈을 드지 아니나, 잠간 보니 피육이 후【74】란(朽爛)하여, 피 엉긔고 청화(靑華)[542] ᄀᆞᄐᆞ니, ᄎᆞ악(嗟愕) 경심(驚心)ᄒᆞ여 낫출 두로혀고, 팔ᄌᆞ아황(八字蛾黃)의 슈식(愁色)이 쳠가(添加)ᄒᆞ니, 부매 미쇼 왈,

"그ᄃᆡ 나의 쟝쳐를 보아 경녀(驚慮)ᄒᆞ니, 아디 못게라 내 ᄉᆞ라신즉 그ᄃᆡ 므어시 유헤(有害)ᄒᆞ뇨?"

언필의 옷슬 버셔 더지고 침금(枕衾)을 포셜ᄒᆞ라 ᄒᆞ더라.【75】

542)청화(靑華) : 중국에서 나는 푸른 물감의 하나.

늘희여 소져을 잇ᄭᅳ러 갓가이 안치고 장쳐을 뵈며 왈,

"싱니[이] 유죄무죄간 익경(厄境)으로 엄ᄒᆞ(嚴下)의 슈장(受杖)ᄒᆞ믜 혈육이 상ᄒᆞ니, 지 일분 인심니[이]면 싱의 익경을 놀나고, 싱니[이] 임의 왓시면 샹셕(床席)을 ᄇᆞ로ᄒᆞ여 편니 조리켜[케] ᄒᆞ미 올커날, 모진 거동이[이] 무셔오니 실노 층냥(測量)치 못ᄒᆞ리로다."

소져 비록 눈 드지 안니나, 부ᄃᆡ[405] 각가니[이] 안ᄌᆞ, 괘니[406] 뷔녀[여][407] 눈을 감지 못ᄒᆞ녀[여] 잠간 보니, 눈빗 갓튼 살니[이] 변ᄒᆞ여 청화(靑華)[408]을 가라 부은 듯ᄒᆞ니, 경시 ᄎᆞ악(嗟愕) 상심(傷心)ᄒᆞ물 이기지 못ᄒᆞ여 슈식(愁色)이 《쳠ᄉᆞ‖쳠ᄀᆞ(添加)》ᄒᆞ니, 뎡휘 미소 왈,

"장쳐을 보ᄃᆡ 경녀(驚慮)ᄒᆞ믄 싀로니[이], 쥭지 안냐시물 근심ᄒᆞ는 형상이니, 아지 못겨[게]라. ○○○○○[내 ᄉᆞ라신 즉] 귀ᄃᆡ 무어시 유히(有害)ᄒᆞ요[뇨]?"

언필의 소져로 금침(衾枕)을 포셜ᄒᆞ라 ᄒᆞ니,

405)부ᄃᆡ : 일부러. 어떤 의도를 가지고. 굳이.
406)괘니 : 괜히. 공연히. 아무 까닭이나 실속 없게.
407)뷔다 : 뵈다. 보이다.
408)청화(靑華) : 중국에서 나는 푸른 물감의 하나.

명듀보월빙 권디이십육

익셜. 뎡부매 옷슬 버셔 더디고 쇼져로 침금을 포셜ᄒᆞ라 ᄒᆞ니, 쇼제 욕되고 분ᄒᆞ나 마디 못ᄒᆞ여 포셜ᄒᆞ니, 부매 손을 잡아 안치고 즉시 상요의 나아○[가], 팔ᄒᆞᆯ 쥐므르라 ᄒᆞ니, 쇼제 강인ᄒᆞ여 팔ᄒᆞᆯ 쥐므르ᄆᆡ, ᄆᆡ이엿던543) ᄌᆞ리 버셔져시니, 쇼제 더욱 경아ᄒᆞ여 혈육지신이 이리코 단니ᄂᆞᆫ고 ᄒᆞ나, 말을 아니니 부매 화긔 업다 온가지로 칙ᄒᆞ여 야심ᄒᆞᄆᆡ, 쇼제 신긔 블안ᄒᆞᆯ가 ᄒᆞ여 편히 누으믈 청ᄒᆞᆫᄃᆡ, 쇼제 ᄌᆞ리의 나아가디 아니니 ᄎᆞᆨ영지하(燭影之下)의 슈려ᄒᆞᆫ 용광과 절승ᄒᆞᆫ ᄐᆡ되 금분(金盆)의 화【1】왕(花王)544)이 됴로(朝露)를 ᄲᅥᆯ친 ᄃᆞᆺ, 쇄락ᄒᆞᆫ 골격은 신월이 광휘를 만방의 흘니ᄂᆞᆫ ᄃᆞᆺᄒᆞ니, 어리온 거동이 볼ᄉᆞ록 긔이ᄒᆞᆫ디라. 풍뉴 남ᄌᆞ의 환흡지정(歡洽之情)이 닛글닐 ᄲᅮᆫ 아니라, 경시 쉬ᄒᆞᆫ 후 여산지정(如山之情)으로 화락이 뜻 ᄀᆞᆺ지 못ᄒᆞ미 한이오, 부모의 모로시미 ᄉᆞᆨ야(夙夜)545) 은우(隱憂)여ᄂᆞᆯ, 경공부뷔 ᄌᆞ긔 왕ᄂᆡ를 절박히 넉이믈 모로지 아니ᄃᆡ, 짐즛 모로ᄂᆞᆫ ᄃᆞᆺ, 혹 쇼져 침소의셔 밤을 지ᄂᆡ나 부공을 두려 경부의 ᄌᆞ로 머므지 못ᄒᆞ여, ᄆᆡ양 졔부인 듕 경시를 각별 ᄋᆡ듕ᄒᆞ나 무궁ᄒᆞᆫ 졍은 윤시긔 오로리 업ᄉᆞ니, 경시의 ᄌᆞ긔 괴로와 ᄒᆞ믈 가(可)히 넉이ᄃᆡ, ᄆᆡᆼ녈ᄒᆞ믈 썻거 ᄌᆞ긔 피ᄒᆞᆯ 의ᄉᆞ를 ᄂᆡ지 못【2】ᄒᆞ게 ᄒᆞ여, 즉시 눕지 아니믈 칙ᄒᆞ고 ᄒᆞᆫ가지로 금니(衾裏)의 나아가려 ᄒᆞ니, 쇼제 념임(斂衽) 탄식고 왈,

543)ᄆᆡ다 : 매다. 끈이나 줄 따위로 풀어지지 않도록 묶다.

544)화왕(花王) : 화중왕(花中王). 모란꽃을 달리 이르는 말.

545)ᄉᆞᆨ야(夙夜) : 이른 아침과 깊은 밤

경시 욕되고 분ᄒᆞ나 침금을 포셜ᄒᆞ니, 병뷔 그 손을 잡아 겻ᄐᆡ 안치고, 즉시 샹요의 나아가셔 또 팔을 쥬무르라 ᄒᆞ니, 경시 괴롭기을 이기지 못ᄒᆞ여 강잉ᄒᆞ여 팔을 쥬무르ᄆᆡ, 결박ᄒᆞ엿든 《지라‖ᄌᆞ리》 다시 ○○○○[버셔지니] 심니의【38】 ᄎᆞ악ᄒᆞ여, 혈육지신니 이러틋 상ᄒᆞ고 능히 강작ᄒᆞ여 단니ᄂᆞᆫ 쥴을 기이히 ○○[여겨] 말을 안이나, 부마ᄂᆞᆫ 그 화기 젹으믈 크겨[게] 칙ᄒᆞ여 온가지로 즐칙니[이] 긋지 안니 ᄒᆞ더니, 야심ᄒᆞᄆᆡ 소져의 심긔 불안할가 편니 눕기을 청ᄒᆞᄃᆡ, 경시 ᄌᆞ리의 나아가지 안이이[니], 촉영지ᄒᆞ(燭影之下)의 슈려한 용광과 절승ᄒᆞᆫ ᄐᆡ도 더옥 긔특ᄒᆞ여, 슈슈(颼颼)409) 횡[홍]련(紅蓮)이 힝기(香氣)을 토(吐)ᄒᆞ며, 금분모란(金盆牡丹)니 조로(朝露)을 ᄲᅥᆯ친 듯, 쇄락ᄒᆞᆫ 용ᄎᆡ(容彩) 신월니[이] ○○○[광휘를] 만방의 흘님 갓트여, 어리러온 거동니[이] 볼ᄉᆞ록 긔이ᄒᆞ니, 풍유장부(風流丈夫)의 환흡ᄒᆞᆫ 졍을 모양ᄒᆞ여 견줄 곳 업술 분 아니라, 경시을 취ᄒᆞᆫ 후 여산즁졍(如山重情)《이‖으로》 화란[락](和樂)이 뜻 갓지 못ᄒᆞ여, 부모겨[긔] 고치 못ᄒᆞ미 ᄒᆞᆫ이요, 부모의 모로시미 ᄉᆞᆨ야우구(夙夜憂懼)410)여날, 경공부뷔 ᄌᆞ긔 왕ᄂᆡ을 절박히 역기물 모로지 안니나, 짐짓 모로ᄂᆞᆫ 듯, 혹 소져 침소의셔 밤을 지ᄂᆡ나, 부공을 두려 경부의 ᄌᆞ로 머무지 못ᄒᆞ고, 신졍(新情)을 펴지 못ᄒᆞ여, ᄆᆡ양 져[졔] 부인 즁 경시을 각별 ᄋᆡ즁ᄒᆞ나, 무궁ᄒᆞᆫ 졍은 윤시긔 오로리 업ᄉᆞ니, 경시의 ᄌᆞ긔을 괴로와 ᄒᆞᄂᆞᆫ 쥴 올히【39】 역이ᄃᆡ, ᄆᆡᆼ열(猛烈)ᄒᆞ물 썩거 ᄌᆞ긔 피하ᄂᆞᆫ 의ᄉᆞ을 ᄂᆡ지 못ᄒᆞ겨[게]ᄒᆞ여, 즉시 눕지 아니믈 칙ᄒᆞ고, 한가지로 금이(衾裏)의 나아가려 ᄒᆞ

409)슈슈(颼颼) ; 바람소리. 바람결.

410)ᄉᆞᆨ야우구(夙夜憂懼) : 밤이나 낮이나 근심하고 두려워 함.

"쳡이 브능(不能) 누질(陋質)노 군ᄌ 빈실(嬪室)의 모쳠(冒添)ᄒ나, 감히 구고의 ᄌ부 항의 드지 못ᄒ여 지우금(至于今) 존당의 현알치 못ᄒ고, 존귀 ᄌ로 오시나 가친이 붕우지정(朋友之情)으로 ᄒ실 ᄲᅳᆫ이오, 인친지도(姻親之道)로 못ᄒ시고, 군지 ᄆᆡ양 민우(憫憂) ᄃᆞᆼ이시니, 쳡이 므슨 ᄆᆞ음으로 줄거오미 이시리오. 군지 ᄋᆡ경으로 엄하의 슈쟝ᄒ시ᄆᆡ 장쳬 대단ᄒ신지라, 맛당이 됴호(調護) ᄒ시미 올커놀, 이에 님ᄒ샤 인심의 ᄎ마 못드를 말숨을 ᄒ시니, 가지록 가치 아 【3】 니토소이다."

셜파의 퇴좌(退坐)ᄒ니 병뷔 그 옥셩낭음(玉聲朗吟)의 쇄연흠과 긔이○[ᄒᆞᆫ] ᄐᆡ도를 ᄋᆡᄃᆞᆼᄒᄃᆡ, 것ᄎ로 뎡식 왈,

"블고이춰ᄒᆞᆫ 죄 내게 잇고 그ᄃᆡ게 잇지 아니니, 그ᄃᆡ 슈우(愁憂)ᄒ미 블가ᄒ고, 악댱이 ᄋ여(兒女)의 셜셜(屑屑)ᄒ므로[546] 문양을 두려 인ᄉ 모로ᄂᆞᆫ 그ᄃᆡ를 격동ᄒ고, 악뫼 ᄌᄋᆡ 구구ᄒ샤 당치 아닌 일을 과렴(過念)ᄒ시며, 합문 긔식이 내 왕ᄂᆡ를 말고져 ᄒ나, ᄉᆡᆼ이 팔쳑 댱부로 군부(君父) 외(外)의ᄂᆞᆫ 긔탄(忌憚)이 업ᄂ니, 므어술 두려 그ᄃᆡ 슉소 츌입을 져허ᄒ리오. 녕존이 훈ᄌ지도(訓子之道)를 모르시고, 그ᄃᆡ다려 날을 피ᄒ라 ᄒ여도, 녀ᄌᄂᆞᆫ 쇼텬(所天)이 웃듬이니 그ᄃᆡ 날을 만일 외 【4】 ᄃᆡ(外待)ᄒᆞᆫ즉 됴치 아닌 거죄 이시리라."

인ᄒ여 상요의 나아가 흔흡지경이 유츌ᄒ니, 쇼졔 슌셜(脣舌)니 무익ᄒ여 잠잠ᄒ나 은ᄋᆡᄂᆞᆫ 능히 막디 못ᄒ더라.

경시랑이 ᄆᆡ양 부마 부부의 문답을 부모긔 고ᄒ여 우으시게 ᄒ고, 병부의 긔롱으로 표문(表文)[547]을 삼ᄂᆞᆫ디라. ᄎ일 그 ᄉ어(私語)를 듯고 우음을 ᄶᅵ여 도라왔더니, 쇼졔 명일 모친 침쇼의 오고, 병부ᄂᆞᆫ 늣도록 니

546)셜셜(屑屑)ᄒ다 : 자잘하게 굴다, 구구(區區)하다.
547)표문(表文) : ①마음에 품은 생각을 적어서 임금에게 올리는 글. ②상대편을 공격하는 발언.

니, 소져 염임(斂衽) 탄신[식]고 왈,

"쳡니[이] 불능(不能) 누질(陋質)노 군ᄌ 빈실(嬪室)의 모첨(冒添)ᄒ나, 감히 존구의 ᄌ부 항의 즈[드]지 못ᄒ여 우금(于今) 존당의 현알치 못ᄒ고, 존귀 ᄌ로 오시나 가친니 붕우지정(朋友之情)으로 ᄒ실 분이요, 인친지도(姻親之道)을 못ᄒ시고, 군지 ᄆᆡ냥[양] 민우(憫憂) ᄌᆞᆼ 겨시니, 첩언[이] 무숨 마음으로 질거오미 잇시리요. 군ᄌ ᄋᆡ경으로 엄ᄒ의 슈장ᄒ시ᄆᆡ 장쳐 ᄃᆡ단ᄒ신지라, 맛당니[이] 조리ᄒ미 올커날, 이의 림ᄒᄉ 언[인]심의 ᄎ마 못들을 말숨을 ᄉ시니, 가지록 가치 안니토소이다."

셜파의 퇴좌(退坐)ᄒ니 부ᄆᆡ 그 옥셩낭음(玉聲朗吟)의 쇄연함과 기이ᄒᆞᆫ ᄐᆡ도을 ᄋᆡᄌᆞᆼᄒᄃᆡ 것ᄎ로 정식 왈,

"불고이춰ᄒᆞᆫ 죄 내겨[게] 잇고 그ᄃᆡ겨[긔] 잇지 안니리이[니], 그ᄃᆡ 슈우(愁憂)ᄒ미 불가ᄒ고, 악장니[이] 아녀(兒女)의 셜셜(屑屑)ᄒ므로[411] 문양을 두려 인ᄉ모로ᄂᆞᆫ 그ᄃᆡ을 격동ᄒ고, 악뫼 ᄌᄋᆡ 극ᄒᄉ 당치 아닌 일을 과렴(過念)ᄒ시며, 합문 긔식니[이] ᄂᆡ 왕여[ᄂᆡ]을 말고져 ᄒ나, ᄉᆡᆼ이 팔척장부로 군부(君父) 의[외(外)]의ᄂᆞᆫ 【40】 긔탄(忌憚) 업ᄉ니 무어술 두려 그ᄃᆡ 슉소 츄립(出入)을 져허ᄒ리요. 영존(令尊)니[이] 훈ᄌ지도(訓子之道)을 모로시고, 그ᄃᆡ다려 날을 피ᄒ라 ᄒ셔도, 여ᄌᄂᆞᆫ 소쳔(所天)이 웃듭[듬]이니, 그ᄃᆡ 만일 나을 외ᄃᆡᄒᆞᆫ즉 조치 안닌 거죄 잇시리라."

인ᄒ여 상요의 나아가 흔흡지졍니[이] 유츌ᄒ니 소져 슌셜(脣舌)니 무익ᄒ여 잠잠ᄒ나, 은ᄋᆡᄂᆞᆫ 능히 막지 못ᄒ더라.

경시랑니[이] ᄆᆡ양 부마 부부문답을 부모겨[긔] 고ᄒ여 우으시겨[게] ᄒ고, 부마의 긔롱으로 표문(表文)[412]을 삼는지라. ᄎ일 그 ᄉ어(私語)을 듯고 우음을 ᄶᅵ여 도라왓더니, 소져 명조의 모친 침소로 오고, 부마

411)셜셜(屑屑)ᄒ다 : 자잘하게 굴다, 구구(區區)하다.
412)표문(表文) : ①마음에 품은 생각을 적어서 임금에게 올리는 글. ②상대편을 공격하는 발언.

지 아니니, 강인ᄒᆞ나 상쳬 알프미라. 시랑이 드러와 우어 왈,

“네 아모리 댱긔(將器)나 목셕이 아니라, 누으ᄆᆡ 엇디 이러날 길히 이시리오. 녕존이 브졀업시 듕타ᄒᆞ니 녕존의 허물이오, 쇼ᄆᆡ 탓【5】시 아니라, 말 못ᄒᆞᄂᆞᆫ 쇼ᄆᆡ를 보ᄎᆡ니 므ᄉᆞᆫ 도리뇨? 네 엄쟝을 밧ᄌᆞ오ᄃᆡ 오히려 삼갈 줄 모로니, 모로미 나의 변슈를 바다 먹어 ᄇᆡᆨ힝이 온젼ᄒᆞ라.”

병뷔 화답희언(和答戲言)이 낭ᄌᆞᄒᆞ니, 경공 부뷔 두굿겨 진찬을 출혀 보ᄂᆡ고, 녀ᄋᆞ의 평ᄉᆡᆼ을 근심ᄒᆞ여 민민ᄒᆞ더라. 병뷔 슈일을 머므러 금슬우지(琴瑟友之)548)와 종고낙지(鐘鼓樂之)549)ᄒᆞ여 취운산의 가 요악ᄒᆞᆫ 공쥬를 ᄃᆡᄒᆞ여ᄂᆞᆫ 점점 념증이 층가ᄒᆞ니, 집의 들 ᄯᅳᆺ이 업ᄂᆞᆫ디라. 경공 부뷔 도로혀 년측(憐惻)ᄒᆞ여 가기를 니르지 아니나, 엄교를 봉승ᄒᆞ여 본부로 올ᄉᆡ, 스ᄉᆞ로 경홀(輕忽)ᄒᆞ여 년년(戀戀)ᄒᆞ니, 경공이 ᄋᆡ련ᄒᆞ여 집슈 왈,

“녀ᄋᆞ 취【6】ᄒᆞ믈 녕존과 문양공쥐 모로시미 맛당ᄒᆞ니 됴회 길히 왕ᄂᆡᄒᆞ라.”

병뷔 쇼이 ᄃᆡ왈,

“아모리 ᄌᆞ로 오라 ᄒᆞ셔도 츌입을 금ᄒᆞ시니 ᄌᆞ로 오지 못ᄒᆞ려니와, 문양이야 두려ᄒᆞ리잇가?”

뎡언간의 금휘 니르니 부매 본부로 가려 ᄒᆞᄂᆞᆫ 하리 문외의 ᄃᆡ령ᄒᆞ엿ᄂᆞᆫ디라, 부마의 숑뉼(悚慄)ᄒᆞ미 ᄌᆡ기듕(在其中)550)이라. 연망이 나아가니, 금휘 임의 듕계의 니르러시니 부매 ᄌᆡ비ᄒᆞ고, 엄정의 승당을 기다리고 셧더니, 경공이 마ᄌᆞ 녜필 좌뎡의 금휘 눈을 드니, ᄋᆞ직 말셕의 시립 궤좌ᄒᆞ여 완슌ᄒᆞᆫ 용화와 경근ᄒᆞᄂᆞᆫ 법되 가득ᄒᆞ거늘, 그 쟝쳐를 념녀ᄒᆞᆫ 바ᄂᆞᆫ[로], 우연이 경공을 보

548)금슬우지(琴瑟友之) : ‘거문고와 비파를 타며 서로 사귄다’는 뜻으로 『시경』 <국풍> ‘관저(關雎)’편에 나오는 시구.

549)종고낙지(鐘鼓樂之) : 종과 북을 치며 서로 즐긴다는 뜻으로 『시경』 <국풍> ‘관저(關雎)’편에 나오는 시구.

550)ᄌᆡ기듕(在其中) : 그 가운데 있음.

ᄂᆞᆫ ᄂᆞᆺ도록 이지 안이이[니], 강잉ᄒᆞ나 창쳐 알픔이라. 시랑이 드러와 우어 왈,

“네 아모리 장긔(將器)나 목셕 아니라. 누으ᄆᆡ 엇지 이러날 길이 잇시리요. 영존니 부졀 업시 즁타ᄒᆞ니 녕존의 허물니요 소ᄆᆡ 타시 안니라, 말 못ᄒᆞᄂᆞᆫ 소ᄆᆡ을 보ᄎᆡ니 무ᄉᆞᆫ 도리요[뇨]? 네 엄장을 밧ᄌᆞ오ᄃᆡ 오히려 삼갈 쥴 모로니, 나의 변슈을 ᄇᆞ다 먹어 ᄇᆡᆨ힝니 온젼ᄒᆞ라.”

부ᄆᆡ 화답희언(和答戲言)이 낭ᄌᆞᄒᆞ니 경공 부뷔 두굿겨 진찬을 ᄎᆞ려 보ᄂᆡ고, 녀ᄋᆞ의【41】 평ᄉᆡᆼ을 근심ᄒᆞ여 민민ᄒᆞ더라. 부ᄆᆡ 슈일 머무러 금슬우지(琴瑟友之)413)와 종고낙지(鐘鼓樂之)414)ᄒᆞ여, 취운산의 가 요악ᄒᆞᆫ 공쥬을 ᄃᆡᄒᆞ여 점점 념듕[증]니[이] 층가ᄒᆞ니, 집의 들 ᄯᅳ지 업ᄂᆞᆫ지라. 경공부뷔 도로혀 연측(憐惻)ᄒᆞ야 가기을 이르지 안니나 엄교을 봉승ᄒᆞ여 본부로 올ᄉᆡ, 스ᄉᆞ로 경홀(輕忽)ᄒᆞ여 연연(戀戀)ᄒᆞ니, 경공니[이] ᄋᆡ련ᄒᆞ여 집슈 소왈,

“녀ᄋᆞ 취ᄒᆞ믈 영존과 문냥공쥐 모로시미 맛당ᄒᆞ니 조회 길의 왕ᄂᆡᄒᆞ라.”

부ᄆᆡ 소니[이] ᄃᆡ왈,

“아모리 ᄌᆞ로 오라 ᄒᆞ셔도 츄립(出入)을 금ᄒᆞ시니 ᄌᆞ로 오지 못ᄒᆞ려니와, 문냥니야 두려 ᄒᆞ리잇가?”

정언간의 금휘 이르니, 부마 본부로 가려 ᄒᆞᄂᆞᆫ 하리 문외의 ᄃᆡ령ᄒᆞ녓[엿]ᄂᆞᆫ지라. 부마의 송율(悚慄)ᄒᆞ미 ᄌᆡ기즁(在其中)415)이라. 연망니[이] 나아가○[니] 금휘 임의 즁겨[계]의 이르러스니, 부ᄆᆡ ᄌᆡ비ᄒᆞ고, 엄정의 승당을 기다리고 셧더니, 경공니 마ᄌᆞ 여[예]필 좌정의 금휘 눈을 드니, 아직 말셕의 념슬 궤좌ᄒᆞ여 완슌ᄒᆞᆫ 용화와 경근ᄒᆞᄂᆞᆫ 법되 가즉ᄒᆞ거날, 그 장처을 념녀ᄒᆞᆫ 바

413)금슬우지(琴瑟友之) : ‘거문고와 비파를 타며 서로 사귄다’는 뜻으로 『시경』 <국풍> ‘관저(關雎)’편에 나오는 시구.

414)종고낙지(鐘鼓樂之) : 종과 북을 치며 서로 즐긴다는 뜻으로 『시경』 <국풍> ‘관저(關雎)’편에 나오는 시구.

415)ᄌᆡ기듕(在其中) : 그 가운데 있음.

고져【7】 오미러니, 이에 머므ᄂᆞᆫ 곡졀을 므르니 하리 등이 관부로셔 이리 작일 와 뉴ᄒᆞ시믈 고ᄒᆞᄂᆞᆫ디라. 공이 ᄋᆞᄌᆞ의 힝지(行止)를 괴이히 녁여 ᄆᆡ양 관부의 가믈 칭ᄒᆞ고 경부의 머므ᄂᆞᆫ 줄 의아ᄒᆞ나, 경공의 녀셔로 잇ᄂᆞᆫ 줄이야 뜻ᄒᆞ여시리오. 다만 즉시 집의 아니오믈 미온(未穩)ᄒᆞ여 왈,

“네 관부로 간다 ᄒᆞ더니, 하고(何故)로 이에 와 잇ᄂᆞ뇨?”

언필의 ᄉᆞ긔 업[엄]슉ᄒᆞ니 병뷔 블승황공ᄒᆞ여 브복 왈,

“공ᄉᆞ를 결(結)ᄒᆞ고 가ᄂᆞᆫ 길히, 경형을 만나 위력으로 청뉴(請留)ᄒᆞ오니 마지못ᄒᆞ여 슈일 머므이다.”

경시랑이 니어 고왈,

“ᄌᆡ작일(再昨日) 길히셔 챵빅을 만나와 ᄀᆞ장 블평ᄒᆞ와 허한(虛汗)이【8】 나옵거늘, 쇼ᄉᆡᆼ이 쟝쳐를 념녀ᄒᆞ와 간권ᄒᆞ여 다려와 슈일 됴리ᄒᆞ과이다.”

금휘 미쇼 왈,

“현계 돈ᄋᆞ 위ᄒᆞᆫ 정온 다감ᄒᆞ나, ᄒᆡᄋᆞ의 이곳 왕ᄂᆡᄒᆞ미 무상ᄒᆞ니, 인ᄌᆞ디도를 일흐니 통히치 아니리오.”

드ᄃᆡ여 ᄋᆞᄌᆞ 보ᄂᆞᆫ 눈이 엄ᄒᆞ니 병뷔 브복 숑황ᄒᆞ여 ᄒᆞᄂᆞᆫ 거동이 보암즉 ᄒᆞᆫ디라. 경공이 쇼왈,

“챵빅이 비록 묵으믄 잘 못ᄒᆞ여시나, 지위 ᄌᆡ샹의 ᄋᆞᄃᆞᆯ을 무죄히 쟝칙ᄒᆞ미 과격지 아니리오.”

금휘 미쇼 왈,

“형언이 무식ᄒᆞ도다. 돈ᄋᆡ 년소미ᄌᆡ(年少微才)로 외람이 작위 ᄉᆞᆼ고ᄒᆞ나, 미셰ᄒᆞᆫ 쳑동(尺童)과 다를 ᄉᆞ록 ᄎᆡ망은 쥰결ᄒᆞ리니, 유죄 무죄 간 드러난 죄 이신즉 치죄(治罪)치 못ᄒᆞ【9】리오.”

경공이 일후 블고이취를 안 후 듕칙ᄒᆞᆯ 고로 짐ᄌᆞᆺ ᄀᆞᆯ오ᄃᆡ,

“형과 다못 쇼뎨 듁마붕우(竹馬朋友)[551]

551)듁마붕우(竹馬朋友) : ≒죽마고우(竹馬故友). 대말을 타고 놀던 벗이라는 뜻으로, 어릴 때부터 같

로, 우연니 경공을 보러 오미더니, 이의 머무ᄂᆞᆫ 곡졀을 무르니 ᄒᆞ리 등니[이] 관부로셔 즉일 와【42】 이의 슈일 유ᄒᆞ시믈 고ᄒᆞᆫ지라. 금휘 아ᄌᆞ의 힝지을 고이히 역겨 ᄆᆡ냥 관부의 가믈 청ᄒᆞ고 경부의 머무ᄂᆞᆫ 듈 의아ᄒᆞ나, 경공의 녀셔로 잇ᄂᆞᆫ 쥴이야 뜻ᄒᆞ엿시리요. 다만 즉시 안니오믈 가[미]온ᄒᆞ여 왈,

“네 관부로 간다 ᄒᆞ더니 ᄒᆞ고(何故)로 이의 왓ᄂᆞ요[뇨]?”

언필의 ᄉᆞ긔 엄슉ᄒᆞ니 부ᄆᆡ 불승황공 ᄃᆡ왈,

“공ᄉᆞ을 보고 가ᄂᆞᆫ 길의 경형을 만나 위력으로 청유ᄒᆞ오니 마지 못ᄒᆞ여 슈일 머무이[니]이다.”

경시랑니 이의 고왈,

“ᄌᆡ즉일(再昨日) 길히셔 창빅을 만나ᄆᆡ 가쟝 불평ᄒᆞ와 허한(虛汗)니 나옵거날, 소ᄉᆡᆼ니 장쳐을 염녀ᄒᆞ와 간권ᄒᆞ여 다려와 슈일 조리ᄒᆞ왓이다.”

금휘 미소 왈,

“현겨[계] 돈아 위ᄒᆞᆫ 정은 감격ᄒᆞ나, ᄎᆞ아의 이곳 왕ᄂᆡᄒᆞ미 《무ᄉᆞᆷ‖무ᄉᆞᆼ(無常)》ᄒᆞ여 인ᄌᆞ지도을 일흐니, 통히치 안이리요.”

드ᄃᆡ여 아ᄌᆞ 보ᄂᆞᆫ 눈니[이] 엄ᄒᆞ니 부ᄆᆡ 부복ᄒᆞ여 송황ᄒᆞᄂᆞᆫ 거동니[이] 보암작 ᄒᆞᆫ지라. 경공니[이] 소왈,

“창빅니[이] 비록 이의 머물기ᄂᆞᆫ 잘못ᄒᆞ엿시나, 지위 ᄌᆡ샹의 아들【43】을 무죄히 장칙ᄒᆞ미 과격지 안니리요.”

금휘 미소 왈,

“형언니 무식ᄒᆞ도다. ᄎᆞᄋᆡ 년소미ᄌᆡ(年少微才)로 외람이 작위슝고ᄒᆞ나, 미셔[셰]ᄒᆞᆫ 쳥[쳑]동(尺童)과 다를 ᄉᆞ록 ᄎᆡ망은 쥰결ᄒᆞ리이 유죄무죄간 드러ᄂᆞᆫ 죄닌[인]인 즉[즉] 치죄(治罪) 못ᄒᆞ리요.”

경공이 일후 불고이취을 안 후 듕칙ᄒᆞᆯ 고로 짐짓 가로ᄃᆡ,

“형과 소져[졔] 즁[쥭]마고의[우](竹馬故友)[416]로 관포(管鮑)의 지긔(知己)을 허ᄒᆞ

416) 쥭마고우(竹馬故友) : 대말을 타고 놀던 벗이라

로 관포(管鮑)의 디긔(知己)를 허ᄒᆞ여, 평일 알오미 ᄆᆡᄉᆡ(每事) 관홍후덕ᄒᆞᆯ 줄 아랏더니, 교ᄌᆞ어하(敎子御下)[552]의 쥰급(峻急)ᄒᆞ고 비인졍(非人情)이니 의려ᄒᆞ노라. 챵ᄇᆡᆨ의 풍치로 운남녀의 변으로브터 ᄋᆡᆨ회 ᄌᆞᄌᆞ니, 혹ᄌᆞ 쇼년 방탕으로 월장규벽(越牆竅壁)의 방일지ᄉᆡ(放逸之事) 이신들 ᄌᆞ식을 다 죽이이랴? 형의 졔ᄌᆞᄂᆞᆫ 블초ᄒᆞ리 업ᄉᆞᄆᆡ 쇼뎨 우회(憂懷)를 펴노라."

금후의 총명이 과인ᄒᆞᆫ디라, 경공의 말을 크게 의혹ᄒᆞᄃᆡ, 녀셔를 삼고 ᄌᆞ긔를 시험ᄒᆞ믄 모로니, 잠간 웃고 왈,

"형은 무타ᄌᆞ녀(無他子女)[553] 고로 텬유를 계후ᄒᆞ여, 아름다오미 경문을【10】 홍긔ᄒᆞ리니 형의 복경을 하례ᄒᆞ노라."

이에 ᄉᆡᆨ을 거두어 말ᄉᆞᆷᄒᆞᆯᄉᆡ 좌위 블감앙시오, 경공 부ᄌᆡ 심히 블평ᄒᆞ미 이시니, 금휘 우왈,

"ᄌᆞ식의 음패(淫悖)ᄒᆞ믄 화급문호(禍及門戶)[554] 필망ᄌᆞ신(必亡自身)[555]이라, 오ᄌᆞᆨ ᄒᆞᆫ 즘ᄉᆡᆼ의 부형ᄌᆡ(父兄者)[556] 용셔ᄒᆞ리오. 형은 쇼뎨지언(小弟之言)을 과(過)히 듯지 말나."

원ᄂᆡ 금휘 단엄(端嚴) 침위(沈威)[557]ᄒᆞ여 언실(言實)[558]이 ᄀᆞᆺ고 뎡대ᄒᆞᆫ 고로, 경공 부ᄌᆡ 블고이취를 ᄀᆞ장 근심ᄒᆞ고, 부마ᄂᆞᆫ 궤좌(跪坐)ᄒᆞ여 한츌쳠의(汗出沾衣)라. 이ᄂᆞᆫ 쟝칙의 과ᄒᆞ믈 두리미 아니라, ᄆᆞᄉᆞᆫ 별거죄

여, 평일 형 알오미 관흥[홍]후덕ᄒᆞᆫ 쥴 아러더니, 교ᄌᆞ어ᄒᆞ(敎子御下)[417]의 쥰급(峻急)ᄒᆞ고 비인졍(非人情)니이[이니] 의려ᄒᆞ노라. 창ᄇᆡᆨ의 둥[풍]치는 운남녀 변으로븟터 악[ᄋᆡᆨ]회 ᄌᆞ즈니, 혹ᄌᆞ 소년 방탕으로 월쟝규벽(越牆竅壁)의 방일지ᄉᆡ(放逸之事) 잇신즉 ᄌᆞ식을 다 죽이랴? 영윤○[은] 불초ᄒᆞ미 업ᄉᆞ{오}니 소져[졔] 우회을 펴 ᄒᆞ노라."

금후의 총명니[이] 과닌ᄒᆞᆫ지라. 경공의 말을 크겨[계] 의혹ᄒᆞᄆᆡ[ᄃᆡ], 여셔을 삼고 ᄌᆞ긔을 시험ᄒᆞ믄 모로니, 잠간 웃고 왈,

"형은 무타ᄌᆞ녀(無他子女)[418]ᄒᆞᆫ 고로 텬유을 겨[계]후ᄒᆞ여 아롬다오미 경문을 흥기ᄒᆞ리이[니] 형의 복녹을 하려[례]ᄒᆞ노라."

경공니[이] 불감당이믈 일카르니, 금휘 왈,

"만일 ᄌᆞ식이 음ᄑᆡ(淫悖) 무샹(無常)ᄒᆞ여 찬혈(鑽穴)[419]의 겁탈(劫奪) 무【44】힝니[이] 이신 즉 이ᄂᆞᆫ 화급문화[호](禍及門戶)[420]요, 필상ᄒᆞ[ᄌᆞ]신(必傷自身)[421]이라. 오ᄌᆞᆨ ᄒᆞᆫ 즘ᄉᆡᆼ의 부형ᄌᆡ(父兄者) 용셔ᄒᆞ여 엇지 부ᄌᆞ쳔윤(父子天倫)니[이] 남과 갓치 온젼키을 의논ᄒᆞ리요. 형은 소져[졔]의 말을 과히 듯지 말나."

원ᄂᆡ 금휘 단엄 침위(沈威)[422]ᄒᆞ여 언실(言實)[423]니[이] 갓고 정ᄃᆡᄒᆞᆫ 고로, 경공부뷔 불고이취을 가쟝 근심ᄒᆞ고, 부마ᄂᆞᆫ 궤좌(跪坐)ᄒᆞ여 ᄒᆞᆫ츌쳠의(汗出沾衣)라. 이ᄂᆞᆫ 장

이 놀며 자란 벗.

552)교ᄌᆞ어하(敎子御下) : 자식을 가르치고 아랫사람을 통솔하고 지도함.

553)무타ᄌᆞ녀(無他子女) : 다른 자녀가 없음.

554)화급문호(禍及門戶) : 화(禍)가 그 가문에까지 미침.

555)필망ᄌᆞ신(必亡自身) : 그 자신을 반드시 망하게 만듦.

556)부형ᄌᆡ(父兄者) : 누군가의 아버지나 형이 된 사람.

557)침위(沈威) : 침중(沈重)하고 위엄이 있음.

558)언실(言實) : 말과 행실.

는 뜻으로, 어릴 때부터 같이 놀며 자란 벗.

417)교ᄌᆞ어ᄒᆞ(敎子御下) : 자식을 가르치고 아랫사람을 통솔하고 지도함.

418)무타ᄌᆞ녀(無他子女) : 다른 자녀가 없음.

419)찬혈(鑽穴) : '구멍을 뚫어 그 구멍으로 서로 훔쳐본다.'는 말로 남녀가 몰래 정을 통하는 것을 말함. 『맹자』<滕文公下篇> 鑽穴隙相窺(찬혈극상규)에서 온 말.

420)화급문호(禍及門戶) : 화(禍)가 그 가문에까지 미침.

421)필상ᄌᆞ신(必傷自身) : 그 자신을 반드시 상(傷)하게 만듦.

422)침위(沈威) : 침중(沈重)하고 위엄이 있음.

423)언실(言實) : 말과 행실.

(別擧措)559) 이실가 경겁(驚怯)ᄒᆞ미라 경시랑은 ᄀᆞ마니 징그라이 넉이미 이시니, 그 댱긔(壯氣) 췌찰560)ᄒᆞ므로뻬라. 우음을 씌여 병부를 찰시ᄒᆞᄃᆡ, 부마는 시쳠이 나ᄌᆞᆨᄒᆞ【11】여 흡흡(洽洽)히 셩현군ᄌᆞ의 틀이 잇고, 호긔(豪氣)로오미 일호도 업ᄉᆞ니, 경공부ᄌᆡ 그 능녀(凌厲)561)ᄒᆞ믈 웃더라.

이윽고 금평휘 도라올ᄉᆡ, 병뷔 엄졍을 뫼셔 도라오니, 공이 대셔헌(大書軒)의 안ᄌᆞ 계젼(階前)의 ᄋᆞᄌᆞ를 쑬니고 엄칙ᄒᆞ여 공ᄉᆞ 쳐결을 칭탁ᄒᆞ고, 무고히 경부의 가 임의로 묵기를 아비 업숨ᄀᆞᆺ치 ᄒᆞ믈 슈죄(數罪)ᄒᆞ고, 추후는 됴회 밧 공ᄉᆞ 쳐결도 집의셔 ᄒᆞᆯ 줄노 닐너, 다시 츌입지 말나 ᄒᆞ니, 부매 낙담상혼(落膽喪魂)ᄒᆞ나, 감히 ᄉᆞ경을 펼 길 업셔 울울히 퇴ᄒᆞ여, 존당과 모부인긔 뵈옵고 윤부인 침소의 가, ᄋᆞᄌᆞ를 유희ᄒᆞ다가, 홀연 탄왈,

"명년이면 경시도 ᄌᆞ식을 나흘 거시나 존당 부뫼【12】 아지 못ᄒᆞ시니 니를 장ᄎᆞ 엇지 ᄒᆞ리오."

원ᄂᆡ 삼부인이 경시 취ᄒᆞ믈 알오ᄃᆡ 부ᄌᆞ를 ᄃᆡᄒᆞ여 뭇지 아니터니, 금일이야 윤시 경시의 잉ᄐᆡ 삭슈(朔數)를 므르니, 부매 오뉵삭(五六朔)이믈 니르고, 우어 왈,

"됴회 길히 혹시 만나더니 이후는 츌입을 엄금ᄒᆞ시니 무가ᄂᆡ하(無可奈何)라. 경시 그리는 졍이 닛글녀 엇지 참을고."

ᄒᆞ더라. 윤시 비록 말을 아니나 쟝쳐를 극념(極念)ᄒᆞ더라.

금평휘 ᄎᆞ후 ᄋᆞᄌᆞ의 동졍을 일시도 무심히 보지 아냐 츌입지 못ᄒᆞ게 ᄒᆞ니, 부매 삼부인과 화락ᄒᆞ고 공쥬궁의 왕ᄂᆡᄒᆞ나, 기여는 부젼의 일시도 써나지 못ᄒᆞ고, 알프믈 강인ᄒᆞ나 쟝쳬 날노 더ᄒᆞ여 ᄎᆞᆷ지【13】 못ᄒᆞᆯ 거시로ᄃᆡ, 부젼 신임562)이 동동쵹쵹(洞

559)별거죄(別擧措) : 별난 조치.

560)췌찰 : 최좌(摧挫). 마음이나 기운이 꺾임. ⇒최촬. 최찰.

561)능녀(凌厲)ᄒᆞ다 : 아주 뛰어나게 훌륭하다. 어떤 일에 아주 재빠르게 대처하다.

562)신임 : 섬김. 윗사람을 잘 모시어 받듦.

칙니[이] 과ᄒᆞ믈 두리미 안이라, 무ᄉᆞᆫ 별거좌[죄](別擧措)424)○○○[이실가] 경겁(驚怯)ᄒᆞ미라. 경시랑은 가마니 징그러오미 ○○○○[이시니 그] 장기(壯氣) 최찰425)ᄒᆞ므로써라. 우음을 씌여 흡흡(洽洽)히 셩현군ᄌᆞ의 틀니 잇고 호기로오미 일호 업ᄉᆞ니, 경공부ᄌᆡ 능여(凌厲)426)ᄒᆞ믈 웃더라.

이윽고 금휘 ○…**결락 17자**…○[도라올ᄉᆡ, 병뷔 엄졍을 뫼셔 도라오니, 공이]ᄃᆡ셔헌(大書軒)의 안ᄌᆞ 겨[계]젼(階前)의 아ᄌᆞ을 쑬이고 엄칙ᄒᆞ여 공ᄉᆞ 쳐결을 칭탁ᄒᆞ고, 무고히 경부의 가 임의로 묵기을 아비 업습갓치 ᄒᆞ믈 슈죄ᄒᆞ고, ᄎᆞ후는 공ᄉᆞ 처결도 집의셔 할 쥴노 일너, 다시 츄립(出入)지 말나 ᄒᆞ니, 부ᄆᆡ 낙담상혼(落膽喪魂)ᄒᆞ나, 감히 ᄉᆞ졍을 펼 길 업셔 울울히 《쳐‖퇴》ᄒᆞ여 조모와 모친겨[긔] 뵈옵고 윤부닌[인] 침소의 가, 아ᄌᆞ을 유희ᄒᆞ다가, 홀연 탄 왈,

"명년이면 경시도 ᄌᆞ식을 나흘 거시나【45】존당 부뫼 아지 못ᄒᆞ시니, 이을 장ᄎᆞ 엇지 ᄒᆞ리요."

원ᄂᆡ 삼부인이 경시 취ᄒᆞ물 알오ᄃᆡ, 부마을 ᄃᆡᄒᆞ여 뭇지 안니터니, 금일니야 윤시 경시의 잉ᄐᆡ ᄉᆞᆨ슈(朔數)을 무르니, 부ᄆᆡ 오육ᄉᆞᆨ(五六朔)이믈 이르고 소왈,

"조회 길의 혹시 만나드니 이후는 츄립을 엄금ᄒᆞ시니 무가ᄂᆡ히(無可奈何)라. 경시 그리는 졍니[이] 잇글녀 엇지 참을고?"

ᄒᆞ니, 윤시 비록 말을 안이나 장쳐을 극념(極念)ᄒᆞ더라.

금휘 ᄎᆞ후 아ᄌᆞ의 동졍을 일시도 무심니 보지 안냐 츄립지 못ᄒᆞ겨[게] ᄒᆞ이[니], 부ᄆᆡ 삼부인과 화락ᄒᆞ고 공쥬궁의 왕ᄂᆡᄒᆞ나, 기녀[여]는 일시도 부젼의 써ᄂᆞ지 못ᄒᆞ고 압프믈 강잉ᄒᆞ나, 장쳐 날노 더ᄒᆞ여 참지 못할가 ᄒᆞ되, 부젼 신님427)의 동동쵹쵹(洞

424)별거죄(別擧措) : 별난 조치.

425)최찰 : 최좌(摧挫). 마음이나 기운이 꺾임. ⇒최촬. 췌찰.

426)능녀(凌厲)ᄒᆞ다 : 아주 뛰어나게 훌륭하다. 어떤 일에 아주 재빠르게 대처하다.

427)신님 : 섬김. 윗사람을 잘 모시어 받듦. ⇒신임

洞屬屬)ᄒᆞ미 못밋출 ᄃᆞᆺᄒᆞ니, 금휘 심ᄂᆡ의 두굿기고 ᄋᆡ듕ᄒᆞ나 ᄀᆞᆺᄐᆞ여 쟝쳐를 아른 체 아니 터니, 일일은 진태상 탄일 연ᄎᆞ(宴遮)의 나아가 부공을 뫼셔 죵일 즐기다가, 야심 후 쥬쥰(酒樽)을 노코 낙양후 곤계 남후의 먹기를 권ᄒᆞᄃᆡ, 부매 엄젼이믈 샤양ᄒᆞᆫᄃᆡ, 진태상이 위력으로 쥬호(酒壺)를 부마의 입의 나리 브으니, 비왓지 못ᄒᆞ여 거후로니, 진태우 등이 닛그러 난함(欄檻)의 나와 슈쥰(數樽)을 다시 먹으니 대취ᄒᆞᆫᄃᆡ, 야심ᄒᆞᄆᆡ 금휘 협문으로 제ᄌᆞ를 거나려 집의 와 취침ᄒᆞᆯᄉᆡ, 시랑은 쳐병(妻病)으로 ᄂᆡ당의셔 밤을 지ᄂᆡ고, 부마와 셰흥 공ᄌᆡ 시침【14】ᄒᆞ니, 병뷔 장창(杖瘡)이 극듕ᄒᆞᆫᄃᆡ 술이 취ᄒᆞ여 은은이 알ᄂᆞᆫ 거동이라. 금휘 촉을 물니고 거즛 ᄌᆞᄂᆞᆫ 체ᄒᆞ고, ᄋᆞᄌᆞ의 쟝체 대단ᄒᆞ믈 근심ᄒᆞ고 잔잉ᄒᆞ여 ᄌᆞᆷ들기를 기다려, 병뷔 비로소 잠드ᄃᆡ 통셩이 ᄌᆞ즈니, 금휘 금구(衾具)로 몸을 두로고, 야명쥬를 ᄂᆡ여 ᄋᆞᄌᆞ의 쟝쳐를 상고ᄒᆞ니, 살이 프르고 검어 능히 보지 못ᄒᆞᆯ지라. 고이 덥허 누이고 고요히 누어 념네 측냥치 못ᄒᆞ여 그 손을 어로만지ᄃᆡ 잠을 깁히 드러 모로더라.

명일 신셩 후 금휘 병부를 명ᄒᆞ여 독셔당의셔 제ᄋᆞ의 글을 디이라 ᄒᆞ니, 부공의 ᄌᆞᄀᆡ 쟝쳐 상고ᄒᆞ시믄 모로고 쟝쳐 됴리치 못ᄒᆞ믈 졀박ᄒᆞ더니, 삼공ᄌᆞ로 글을 디으라【15】 ᄒᆞ고 ᄌᆞᄀᆡᄂᆞᆫ 고요히 누어 글을 보며 약을 븟치고 됴호ᄒᆞ나, 신혼셩뎡(晨昏省定)을 블폐ᄒᆞ니, 진부인 왈,

"너의 쟝창이 대단ᄒᆞᆫᄃᆡ 됴호치 아니니, 악졍ᄌᆞ(樂正子)563)ᄂᆞᆫ 하인(何人)이오, 너ᄂᆞᆫ 엇던 사ᄅᆞᆷ이완ᄃᆡ, 네 몸이 네 ᄉᆞᄉᆞ로 둔 ᄇᆡ

563)악졍ᄌᆞ(樂正子) : 악정자춘(樂正子春). 중국 노나라의 효자. 성(姓)은 악정(樂正), 이름은 자춘(子春). 증자(曾子)의 제자. 마루를 내려오다 발을 다치자, 부모로부터 온전하게 받은 몸을 순간의 방심으로 상하게 하여 효(孝)를 잃은 것을 반성하며, 여러 달 동안을 문밖을 나오지 않고 근신(謹愼)하였다. 『소학』 <계고(稽古)>편에 나온다.

洞屬屬)ᄒᆞ미 못밋출 듯ᄒᆞ이[니], 금휘 심니의 두굿기고 ᄋᆡ즁ᄒᆞ나 ᄀᆞᆺ타여 장쳐을 《알ᄂᆞᆫ 쳐‖아른 체》 안니 터니, 일일은 진ᄐᆡ상 탄일 연ᄎᆞ(宴遮)의 나아가 부공을 뫼셔 종일 즐기다가, 야심 후 쥬쥰(酒樽)을 녹코 낙양후 곤겨[계] 부마의 먹기을 권ᄒᆞᄃᆡ, 부마 엄젼이물 ᄉᆞ양ᄒᆞᆫᄃᆡ, 진ᄐᆡ상니[이] 위력으로 부마의 입의 나리 부으니, 비앗지 못ᄒᆞ여 거후르ᄆᆡ, 잔[진]ᄐᆡ우【46】 져[제]종니[이] 잇그러 ᄂᆞᆫ함(欄檻)의 나와 술을 ○○○○[다시 먹어] ᄃᆡ취ᄒᆞ고, 야심ᄒᆞᄆᆡ 금후 협문으로 져[제]ᄌᆞ을 거ᄂᆞ려 집에 와 취침할 시, 시랑은 쳐환(妻患)으로 ᄂᆡ당의셔 밤을 지ᄂᆡ고, 부마와 셔[셰]흥 공ᄌᆡ 시침ᄒᆞ니, 부마 장창(杖瘡)니[이] 극즁ᄒᆞᆫᄃᆡ, 숣니[이] 취ᄒᆞ여 은은니[이] 알는 거동이라. 금휘 등촉을 물니고 거즛 ᄌᆞ는 쳐[체]ᄒᆞ고, 아ᄌᆞ의 장쳐 ᄃᆡ단ᄒᆞ믈 근심ᄒᆞ며 잔잉ᄒᆞ여 잠들기을 기다려, 보니, 부ᄆᆡ 잠들며 통셩니[이] 잣거날, 금휘 금구(衾具)로 몸을 두로고, 야명듀을 ᄂᆡ여 장쳐을 상고ᄒᆞ니, 살니 프르고 검어 농혈(膿血)니[이] ᄎᆞ악ᄒᆞᆫ지라. 공니[이] 덥허 누이고 고요히 누어 념여 층냥(測量)치 못ᄒᆞ여 그 손을 어루만지ᄃᆡ 잠니[이] 깁허 모로더라.

명일 신셩 후 금휘 부마을 명ᄒᆞ여 독셔당셔 져[졔]아의 글을 지이라 ᄒᆞ니, 부친이 ᄌᆞᄀᆡ 장쳐 상고ᄒᆞ믄 모로고 장쳐 조리치 못ᄒᆞ믈 졀박ᄒᆞ더니, 부명을 이어 삼공ᄌᆞ로 글을 지으라 ᄒᆞ고 ᄌᆞᄀᆡᄂᆞᆫ 누어 글을 브[보]며, 약을 붓치고 조호ᄒᆞ나, 신혼셩졍(晨昏省定)을 불펴[폐]ᄒᆞ니, 진부인 왈,

"너의【47】 장쳐 ᄃᆡ단ᄒᆞᆫᄃᆡ 조호치 안이이[니], 악졍ᄌᆞ츈(樂正子春)428)은 하여인(何如人)니[이]며, 너ᄂᆞᆫ 하여인(何如人)니관ᄃᆡ

428)악졍ᄌᆞ춘(樂正子春) : 중국 노나라의 효자. 성(姓)은 악정(樂正), 이름은 자춘(子春). 증자(曾子)의 제자. 마루를 내려오다 발을 다치자, 부모로부터 온전하게 받은 몸을 순간의 방심으로 상하게 하여 효(孝)를 잃은 것을 반성하며, 여러 달 동안을 문밖을 나오지 않고 근신(謹愼)하였다. 『소학』 <계고(稽古)>편에 나온다.

아니믈 ᄉᆡᆼ각지 못ᄒᆞᄂᆞᆫ뇨? 모로미 부모유톄(父母遺體)564)를 도라 보아 됴리ᄒᆞ여 슈히 완합(完合)게 ᄒᆞ라."

병뷔 쇼이ᄃᆡ왈(笑而對曰),

"쇼지 비록 블초ᄒᆞ오나 부모유톄를 블관이 알니잇고? 쟝쳐ᄂᆞᆫ 거의 완합디경이오니 과려치 마르쇼셔."

진부인이 츄연 왈,

"네 비록 긔골이 댱대ᄒᆞ나 ᄌᆞ유(自幼)로 달초도 당ᄒᆞ미 업더니, 음녀의 요계로 쟝칙의 듕ᄒᆞ믈 당ᄒᆞ니, 너의 알프믄 니르지 말고 ᄌᆞ모지심(慈母之心)이 ᄉᆞᆺᄂᆞᆫ ᄃᆞᆺᄒᆞ지 아니랴? 너의【16】 오인(五人)을 두어 닌·유 냥ᄋᆞᄂᆞᆫ 힝신이 념네 업ᄉᆞ나, 너ᄂᆞᆫ 이십이 거의로ᄃᆡ 경박ᄒᆞ미 업지 아냐, 삼가ᄂᆞᆫ 일이 업ᄉᆞ니 민울(悶鬱)ᄒᆞ고, 너의 대인의 관홍대도(寬弘大道)ᄒᆞ시므로 사ᄅᆞᆷ 칙망이 과엄(過嚴)ᄒᆞ시니, 내 ᄆᆡ양 블복(不服)ᄒᆞ노라. 내 여러 ᄌᆞ녀를 혼취(婚娶)ᄒᆞ여시ᄃᆡ 쥬야 방심치 못ᄒᆞ믄, 너의 대인긔 허물을 뵐가 ᄒᆞ미니, 너의 조심이야 니르랴. 방ᄌᆞ호일(放恣豪逸)ᄒᆞᆫ 풍(風)을 바리고, 셥힝슈신(攝行修身)ᄒᆞ여 도ᄒᆞᆨ(道學)을 일우라."

ᄒᆞ니 부매 모교(母敎)를 듯ᄌᆞ오ᄆᆡ 근심이 더욱 만흐니, 오딕 돈슈 ᄇᆡ샤 왈,

"쇼ᄌᆞ 등이 블초 무상ᄒᆞ오나 거의 부모긔 블효ᄂᆞᆫ 아닐가 ᄒᆞᄋᆞᆸ나니, ᄌᆞ위ᄂᆞᆫ 물우소려(勿憂消慮)ᄒᆞ쇼셔."

부인이 탄식 무언이러라.【17】 병뷔 쇼ᄆᆡ 아쥬를 어로만져 모부인긔 고왈,

"쇼ᄌᆞ의 ᄌᆞ네 부모의 댱쳐(長處)를 습(襲)ᄒᆞ니 우리 집이 흥긔ᄒᆞᆯ 줄 아올디라. 명년의 ᄯᅩ ᄒᆡᄋᆞ의 골육이 나리이다."

부인이 의아ᄒᆞ여 뭇고져 ᄒᆞ더니, 금휘 드리오니 병뷔 하당ᄒᆞ여 마ᄌᆞ 시좌(侍坐)ᄒᆞ니, 부인이 뭇지 못ᄒᆞ고 말을 긋치다.

어시의 경션공쥐 퇴일ᄒᆞ여 운영을 뎡부로 보ᄂᆡᆯᄉᆡ, 금은보패(金銀寶貝) ᄒᆞᆰ ᄀᆞᆺᄐᆞ나 쇼셩

564)부모유톄(父母遺體) : 부모로부터 받은 몸.

네몸니[이] 스ᄉᆞ로 둔 ᄇᆡ 안이물 ᄉᆡᆼ각지 못ᄒᆞᄂᆞᆫ요? 모로미 부모유쳐[체](父母遺體)429)을○…**결락 35자**…○

[도라 보아 됴리ᄒᆞ여 슈히 완합게 ᄒᆞ라."
병뷔 쇼이 ᄃᆡ왈,
"쇼지 비록 블초ᄒᆞ오나 부모 유톄를] 불관니 알니잇고? 장쳐ᄂᆞᆫ 거의 완합지경이니 과려치 마르소셔."

진분닌[부인]이 츄연 왈,

"네 비록 긔골니[이] 장ᄃᆡᄒᆞ나 ᄌᆞ유(自幼)로 달초도 당ᄒᆞ미 업더니, 음녀의 교거(巧擧)로 장칙의 즁ᄒᆞ믈 당ᄒᆞ니 너의 알프믄 이르지 말고 나의 마음의 ᄉᆞᆺᄂᆞᆫ 듯ᄒᆞᆫ지라. 여등 오닌[인](五人)을 두어 인·유 양ᄋᆡᄂᆞᆫ 힝실의 념녀 업ᄉᆞ{오}나, 너ᄂᆞᆫ 이십니[이] 거의로ᄃᆡ 경박ᄒᆞ미 업지 안냐, ᄉᆞᆷ가ᄂᆞᆫ 일니[이] 업ᄉᆞ{오}니, 《이민우오‖민울(悶鬱)ᄒᆞ고》 너의 부친니[이] 관흥[홍]ᄃᆡ도(寬弘大道)로 ᄉᆞ람 칙망니[이] 과엄(過嚴)ᄒᆞ시니 ᄂᆡ 불복(不服)ᄒᆞ노라. 여러 ᄌᆞ녀을 혼취(婚娶)ᄒᆞ여시ᄃᆡ 쥬야 방심치 못ᄒᆞ믄, 너의 부친겨[긔] 허물을 뵐가 ᄒᆞ미니, 너의 조심이냐[야] 이르랴. 방ᄌᆞ호일(放恣豪逸)ᄒᆞᆫ 풍(風)을 ᄇᆞ리고 슈신셥힝(修身攝行)ᄒᆞ여 도학(道學)을 일우라."

부ᄆᆡ ᄌᆞ교(慈教)을 듯ᄌᆞ오ᄆᆡ 근심니[이] 더옥 만흐나, 오직 돈슈 ᄇᆡᄉᆞ 왈,

"ᄒᆡᄋᆡ 등니 불초무샹ᄒᆞ오나 거의 부모겨[긔] 불효ᄂᆞᆫ 안일가 ᄒᆞᄋᆞᆸᄂᆞ니, ᄐᆡᄐᆡ(太太)430)ᄂᆞᆫ 물우【48】셩녀(勿憂聖慮)ᄒᆞ소셔."

부인이 탄식 무언일러라. 부ᄆᆡ 소ᄆᆡ 아주을 어로만져 모부인겨[긔] 고왈,

"ᄒᆡ아의 ᄌᆞ녀 부모의 장처(長處)을 습(襲)ᄒᆞ니 우리 집이 흥기할 쥴 아올지라. 명년의 ᄒᆡᄋᆞ의 고륙(骨肉)니[이] ᄯᅩ ᄂᆞ리이다."

부닌[인]이 의아ᄒᆞ여 뭇고져 ᄒᆞ더니, 금휘 드러오니 부ᄆᆡ ᄒᆞ당영지ᄒᆞ여 승당시좌ᄒᆞᄆᆡ, 부인이 뭇지 못ᄒᆞ고 말을 긋치다.

어시의 경션공쥬 퇴일ᄒᆞ여 운영을 졍부로

429)부모유톄(父母遺體) : 부모로부터 받은 몸.
430)ᄐᆡᄐᆡ(太太) : 예전에 '어머니'를 이르는 말.

(小星)의 위의를 엇지 시러곰 셩비(盛備)ᄒᆞ리오. 다만 두어쌍 시ᄋᆞ와 ᄉᆞ오개 비ᄌᆞ 호위ᄒᆞ여 뎡부로 보ᄂᆡ니, 슌태부인이며 공의 부뷔 비록 깃거 아니나, 샹명을 쥰봉(遵奉)ᄒᆞ고 졍니를 가긍(可矜)ᄒᆞ여, 뎡도로 경계ᄒᆞ여 거나리려 ᄒᆞᆯᄉᆡ, 【18】 합개(闔家) 태운뎐의 교위(交椅)를 놉혀 삼부인과 공쥬로 더브러 볼ᄉᆡ, 텬승국군(千乘國君)의 녀ᄌᆡ(女子)565)나 뎍셔존비(嫡庶尊卑)를 엄히 ᄒᆞ여, 감히 듕쳥(中廳)의 좌를 뎡치 못ᄒᆞ게 ᄒᆞ니, 운영이 뎡부 시녀의 인도ᄒᆞ믈 좃ᄎᆞ 쳥ᄒᆞ(廳下)의 니르니, 태부인이 니르ᄃᆡ,

"쇼셩이 쳐음으로 뵈ᄆᆡ, 반ᄃᆞ시 당샹의 올나 녜ᄇᆡ를 못ᄒᆞᆯ 거시로ᄃᆡ, ᄎᆞ인(此人)은 다른 쳡잉(妾媵)과 다르니, 쳥말(廳末)의셔 ᄒᆡᆼ녜(行禮)케 ᄒᆞ라."

시녀 등이 운영을 쳥말의셔 모든 ᄃᆡ ᄇᆡ례ᄒᆞ고, 공쥬와 윤·양·니 삼부인긔 희쳡(姬妾)이 뎡실긔 뵈ᄂᆞᆫ 녜를 파ᄒᆞ니, 윤·양·니 삼부인은 그 근본이 귀ᄒᆞ믈 ᄉᆡᆼ각ᄒᆞ여, ᄒᆡᆼ실을 비록 더러이 넉이나 ᄃᆡ졉ᄒᆞ믈 쳔쳡(賤妾)과 달니 ᄒᆞ려, 그 녜ᄇᆡ【19】를 밧고 날호여 답읍ᄒᆞ니, 금휘 우어 왈,

"현부 등이 운영의 근본이 쳔누(賤陋)치 아니므로ᄡᅧ 그 녜ᄇᆡ를 밧고 답읍ᄒᆞ미 이시니, 뎍쳡존비(嫡妾尊卑) 합격(合格)ᄒᆞ나 운영은 쳔인과 달나, 당당ᄒᆞᆫ 쳔승지녜(千乘之女)어니와, 임의 돈ᄋᆞ의 쇼셩이라, 편히 거나려 은혜로 무휼(撫恤)ᄒᆞᆯ지언졍, 존비지녜(尊卑之禮)를 엄히ᄒᆞ라."

윤·양·니 삼부인이 일시의 니러 절ᄒᆞ여 명을 밧잡고, 태부인으로브터 졔부인이 ᄒᆞᆫ가지로 운영을 보ᄆᆡ, 용뫼 졀셰ᄒᆞ여 화월(花月)의 ᄉᆡᆨ광이 잇고, 미목이 그린 ᄃᆞᆺᄒᆞ여 녜모(禮貌) ᄒᆡᆼ동이 총오민슉(聰悟敏熟)ᄒᆞ며 뇨라작약(姚娜綽約)ᄒᆞ여 아름답고 향긔로온지라. 태부인이 쇼왈,

"운영【20】이 뎡문의 드러오문 이 또 적은 연분이라 니르지 못ᄒᆞᆯ디라. 모로미 개

565)녀ᄌᆡ(女子) : 딸.

보닐ᄉᆡ, 금은보픠(金銀寶貝) 흑 갓트나 소셩의 위의을 시러곰 엇지 셩비(盛備)ᄒᆞ리요. 다만 두어 쌍 시여(侍女)와 ᄉᆞ오기 비ᄌᆞ 호위ᄒᆞ여 졍부로 보ᄂᆡ니, 슌ᄐᆡ부닌[인]이며 금후 부부와 모다 비록 깃거 안니ᄂᆞ, 상명을 쥰봉(遵奉)ᄒᆞ고 졍니을 가긍(可矜)ᄒᆞ여 졍도로 경겨[계]ᄒᆞ여 거ᄂᆞ리려 할ᄉᆡ, 합기ᄐᆡ운젼의 교위(交椅)을 놉혀 삼부닌[인]과 공쥬로 더브러 보건ᄃᆡ, 져[제] 쳔승국군(千乘國君)의 녀(女)나 감히 청즁(廳中)의 좌을 주지 안니니, 운영니[이] 졍부 시녀 인도을 ᄯᆞ라 겨[계]ᄒᆞ(階下)의 이르니 ᄐᆡ부인 {ᄃᆡ} 왈,

"희쳡의 처음 뵈ᄂᆞᆫ 녀[녜] 감히 당샹의 올나 ᄒᆡᆼ녀[녜]치 못ᄒᆞᆯ 거시로ᄃᆡ, 이ᄂᆞᆫ 다른 소셩과 다르니 쳥말(廳末)의셔 녀[녜(禮)]ᄒᆞ라."

운영니[이] 쳥말의셔 여[예]ᄇᆡ(禮拜)ᄒᆞ고 공쥬 등 《숨ᄉᆞ인∥숨부인》니 졀【49】을 ᄇᆞ드니, 금휘 소왈,

"젹쳡존비(嫡妾尊卑) 현격(懸隔)ᄒᆞ{오}나, 신닌[인]은 쳔인과 다르니 은혀[혜]ᄂᆞᆫ 드리올지언졍 부[분]의(分義)431)ᄂᆞᆫ 엄히 ᄒᆞ라."

숨부닌[인]이 일시의 ᄌᆡᄇᆡ 슈명ᄒᆞ고 안ᄌᆞ니, 일시의 운녕[영]의 신상의 ○○○[눈길이] 모드니, 용뫼 졀셔[셰]ᄒᆞ고 미목니[이] 그린닷 요라ᄌᆞ약(姚娜自若)ᄒᆞ고 총민ᄒᆡᆼ념(聰敏香艷)ᄒᆞ여 ᄉᆞ랑홉고 아름다워 요ᄉᆞ치 아니며, 양션무려(良善無慮)ᄒᆞᆫ지라. 금휘 그 양션ᄒᆞ물 깃거 면젼의 불너 왈,

"번국여ᄌᆡ(藩國女子) ᄂᆡ집의 이르믄 이 ᄯᅩᄒᆞᆫ 젹근[은] 연분니[이] 안니라. 모로미

431)분의(分義) : 자기의 분수에 알맞은 정당한 도리.

과쳔선ᄒᆞ여 원군(元君)을 시봉(侍奉)ᄒᆞ고, 외월(猥越) 참남(僭濫)ᄒᆞ미 업ᄉᆞᆫ ᄃᆡ, 가히 네 몸의 영죵디경(令終之慶)이 이시리라.”

영이 업ᄃᆡ여 엄교(嚴敎)를 듯ᄌᆞ오ᄆᆡ ᄇᆡ한(背汗)이 쳠의라. 말ᄉᆞᆷ이 화ᄒᆞ나 심히 엄녀(嚴厲)ᄒᆞ더라. 영이 져의 작죄여산(作罪如山)ᄒᆞ니 튝쳑숑뉼(踧踖悚慄)566)ᄒᆞ여, ᄀᆞ마니 ᄉᆞᆯ피건ᄃᆡ 졔위 부인이 녈좌ᄒᆞ여시니 태부인과 진부인 이하로 ᄉᆡᆨ염월ᄎᆡ(色艶月彩)567) 됴요(照耀)ᄒᆞᆫ디라. 스ᄉᆞ로 져의 용뫼 절ᄉᆡᆨ으로 ᄌᆞ긍턴 ᄇᆡ, 일됴(一朝)의 ᄒᆞᆺ터져 낙담상혼(落膽喪魂)ᄒᆞ여, 병부의 풍광(風光)을 일셰긔남(一世奇男)으로 ○○○○[아던 ᄇᆡ로] 시랑과 졔공ᄌᆞ의 ᄇᆡᆨ년용화(白蓮容華)와 셰류풍ᄎᆡ(細柳風彩) 일【21】양(一樣)이니, 너른 뎐상(殿上)의 남좌여우(男左女右)를 분(分)ᄒᆞ여, 남ᄌᆞ는 신션 ᄀᆞᆺ고 녀ᄌᆞ는 션ᄋᆞ(仙娥) ᄀᆞᆺᄐᆞ니, 완연이 옥경션관(玉京仙官)과 요지선녀(瑤池仙女) ᄀᆞᆺ더라. 몸이 텬궁(天宮)의 님ᄒᆞᆫ 듯, 스ᄉᆞ로 참황뉵니(慙惶陸離)568)ᄒᆞ여 치신무디(置身無地)여늘, 금후의 엄교를 듯ᄌᆞ오니 면여홍광(面如紅光)569)이라. 태부인이 우어 ᄀᆞᆯ오ᄃᆡ,

“속담의 ᄋᆞᄃᆞᆯ의 쳐쳡은 다 귀타 ᄒᆞ니, 손ᄋᆞ의 쳐궁이 됴화 옥쥬와 삼부(三婦)의 쵸츌ᄒᆞᆷ과 쏘 쇼셩이 하등이 아니니, 비록 뎡되 아니나 곳치미 귀타 ᄒᆞ니, 이 곳 셩현의 경계라. 신인은 모로미 원군부인(元君夫人)의 교화를 법측ᄒᆞ여 뎡도의 나아가라. 젼과(前過)는 ‘업친 물’570)이니 조금도 블평(不平)치 말나.”

영이 협ᄇᆡ(俠拜)571) 슈【22】명ᄒᆞᄆᆡ 금휘

566)튝쳑숑뉼(踧踖悚慄) : 매우 조심하고 두려워함.
567)ᄉᆡᆨ염월ᄎᆡ(色艶月彩) : 고운 얼굴이 달빛처럼 아름답게 빛남.
568)참황뉵니(慙惶陸離) : 부끄럽고 두렵고 황홀함.
569)면여홍광(面如紅光) : 부끄러움으로 얼굴이 빨갛게 변함.
570)업친 물 : ‘엎질러진 물’이란 뜻으로 어떤 일이 이미 벌어졌거나 이루어져 돌이킬 수 없는 상태에 있음을 나타낸 말.
571)협ᄇᆡ(俠拜) : 두 번 절함. 혼인례 등의 의식에서

긔과쳔션ᄒᆞ여 원군을 시봉(侍奉)ᄒᆞ고 남월(濫越)ᄒᆞ미 업ᄉᆞᆫ 즉, 가히 네 몸의 영승[죵]지경(令終之慶)니[이] 잇시리라.”

운영니 부복쳥교(仆伏聽敎)의 ᄇᆡᄒᆞᆫ(背汗)니 쳠의(沾衣)라, 말ᄉᆞᆷ니 화ᄒᆞ나 심히 념[엄]녀(嚴厲)ᄒᆞ더라. 운영니[이] 저의 즉죄여ᄉᆞᆫ(作罪如山)ᄒᆞ니 츅쳑송율(踧踖悚慄)432) 《의∥ᄒᆞ여》 가마니 살피건ᄃᆡ, 져[제]위부닌[인](諸位婦人)이 열좌(列坐)ᄒᆞ여시니, ᄐᆡ부인과 진부인 이ᄒᆞ로 ᄌᆞᄉᆡᆨ(姿色)니[이] ᄉᆡᆼ혀는지라. 스ᄉᆞ로 져[졔] 용모을 ᄌᆞ긍(自矜)턴 ᄇᆡ, 일조(一朝)의 ᄒᆞᆺ터져 낙담상혼(落膽喪魂)ᄒᆞ야, 병부의 풍광을 일셔[셰]긔남(一世奇男)으로 아신[던]ᄇᆡ로 시랑과 져[졔]공ᄌᆞ의 ᄇᆡᆨ년용화(白蓮容華)와 셔[셰]류풍ᄎᆡ(細柳風流) 일냥[양](一樣)이니, 너른 쳔[청]샹(廳上)의 남좌여우(男左女右)을 분(分)ᄒᆞ여, 남ᄌᆞ는 신션 갓고 여ᄌᆞ는 션아(仙娥) 갓트니, 완연니[이] 옥경션관(玉京仙官)과 요지션녀(瑤池仙女) 갓더라. 몸니[이] 쳔【50】궁(天宮)의 님ᄒᆞᆫ듯, 스ᄉᆞ로 참황육니(慙惶陸離)433)ᄒᆞ여 치신무지(置身無地)여날, 금후의 엄교을 듯ᄌᆞ오니 면여홍광(面如紅光)434)ᄒᆞᄆᆡ ᄐᆡ부닌[인]이 우어 왈,

“속담의 아들의 처쳡은 다 귀타 ᄒᆞ니, 아ᄌᆞ의 쳐궁니 조화, 옥쥬와 삼부(三婦)의 초출함과 쏘 소셩니[이] ᄒᆞ등니 안니니, 비록 졍되 아니나 곳치미 귀타 ᄒᆞ니, 이곳 셩닌[인]의 경겨[계]라. 신인은 모로미 원군부닌[인](元君夫人)의 교ᄒᆞ[화]을 법측ᄒᆞ야 졍도의 나아가라. 젼과(前過)는 ‘업친 물’435)이니 조곰도 줄[불]평(不平)치 말나.”

영니[이] 협ᄇᆡ(俠拜)436) 슈명ᄒᆞᄆᆡ, 금휘

432)츅쳑숑율(踧踖悚慄) : 매우 조심하고 두려워함.
433)참황육니(慙惶陸離) : 부끄럽고 두렵고 황홀함.
434)면여홍광(面如紅光) : 부끄러움으로 얼굴이 빨갛게 변함.
435)업친 물 : ‘엎질러진 물’이란 뜻으로 어떤 일이 이미 벌어졌거나 이루어져 돌이킬 수 없는 상태에 있음을 나타낸 말.
436)협ᄇᆡ(俠拜) : 두 번 절함. 혼인례 등의 의식에서 남자가 한 번 절하는데 대해 여자가 두 번 절하는 것.

쇼당(小堂)을 명(名)ᄒᆞ여 주고,

"오가 법이 뎡실(正室)도 쇼년비ᄂᆞᆫ 두어 쌍 시녜(侍女)오 의복이 검소ᄒᆞ니, 범ᄉᆞ의 근신공검(謹愼恭儉)ᄒᆞ고 시ᄋᆞ 슈인만 머므르라."

영이 샤치지심(奢侈之心)을 어ᄃᆡ가 발뵈리오. 즉일 비ᄌᆞ를 다 도라보ᄂᆡ고, 경향과 두어 시ᄋᆞ를[로] 쇼당의 믈녀오ᄃᆡ, 진부인은 일언블개(一言不開)572)ᄒᆞ니, 원ᄂᆡ 텬셩이 단묵ᄒᆞᆫ 밧 영의 브졍ᄒᆞ믈 미온ᄒᆞ미로ᄃᆡ, 태부인은 미셰지ᄉᆞ(微細之事)도 덕화(德化)를 닐니니, 영의 허물을 쓰리쳐 가ᄂᆡ 비비 목낭ᄌᆞ라 브르게 ᄒᆞ고, 손ᄋᆞ를 다리어 침셕지경(寢席之精)을 씻치라 ᄒᆞᄃᆡ, 병뷔 그 음황ᄒᆞ믈 더러이 넉여 죽일 ᄯᅳᆺ이 잇고, 조모명을 봉승치 아니【23】코, 영의 입문 날 얼골을 아니보고, 쇼당의 두어 회과후 보려 ᄒᆞ니, 어이 아른 체○[나] ᄒᆞ리오. 영이 비록 뎡부의 오나 병부를 못 보믄 일양이니, 상ᄉᆞ(相思)ᄒᆞ미 극ᄒᆞ여 시시로 옥장(玉腸)을 ᄉᆞᆯ와 신혼셩뎡시도 얼골을 어더보지 못ᄒᆞ니, 날노 음심()淫心을 ᄉᆞᆯ오더라. 문안시의 영의 무리ᄂᆞᆫ 쳥말의셔 힝녜ᄒᆞ고, 즉시 퇴ᄒᆞ니 어ᄃᆡ 가 졍인의 그림ᄌᆡ나 어더 보리오. 상ᄉᆞᄒᆞᄂᆞᆫ 누싀 마를 적이 업더라.

어시의 운영이 병부 위ᄒᆞᆫ ᄯᅳᆺ이 죽기를 도라감ᄀᆞᆺ치 ᄒᆞ여, 쳔신만고를 경녁ᄒᆞ여 왕희의 존귀로 쇼셩의 나ᄌᆞ믈 감심ᄒᆞ여 뎡문의 입현(入見)ᄒᆞᆫ 지 날이 오라ᄃᆡ, 화락은 ᄉᆡ로이【24】 가부의 얼골을 보디 못ᄒᆞ고 슈미(愁眉)를 펴지 못ᄒᆞ니, 경향이 위로ᄒᆞ고 윤부인이 가ᄋᆡᄒᆞᄂᆞᆫ디라. 비록 투긔 아니믈 나토지 아니나 인ᄌᆞᄒᆞ고 은위(恩威)를 겸ᄒᆞ여, 영의 만니 니친ᄒᆞ여 좃ᄎᆞ믈 궁측(矜惻)ᄒᆞ여573) 의식지졀의[을] 극진히 고렴ᄒᆞ고, ᄆᆞ

남자가 한 번 절하는데 대해 여자가 두 번 절하는 것.

572)일언블개(一言不開) : 한마디 말도 하지 않음.

573)궁측(矜惻)ᄒᆞ다 : 불쌍하고 가엾다.

소당(小堂)을 명(名)ᄒᆞ여 쥬고 왈,

"오가 법니[이] 졍실(正室)도 소년비ᄂᆞᆫ 두어 쌍 시녀요 의복니 검소ᄒᆞ니, 너는 모로미 범ᄉᆞ의 근신공검(謹愼恭儉)ᄒᆞ고 시아 슈닌[인]만 머무르라."

영니[이] ᄉᆞ치지심(奢侈之心)을 어ᄃᆡ가 일호나 발뵈리오. 즉일 비ᄌᆞ을 다 도라보내고 경향과 슈긔 시아로 소당의 물녀오ᄆᆡ, 진부닌[인]은 일언불긔(一言不開)437)ᄒᆞ니, 원간 쳔셩니[이] 단묵ᄒᆞᆫ 밧 운영의 부졍을 미안ᄒᆞ미로ᄃᆡ, ᄐᆡ부닌[인]은 미셔[셰]지ᄉᆞ(微細之事)도 덕화(德化)을 닐니니, 운영의 허물을 쓰리쳐 가ᄂᆡ 비비 목낭ᄌᆡ라 부르겨[게] ᄒᆞ고, 손아을 다리여 침셕지졍(寢席之情)을 씨치라 ᄒᆞᆫᄃᆡ, 부ᄆᆡ 그 음황을 안니ᄯᅩ니[이] 역여 쥭일 ᄯᅳᆺ지【51】 잇고, 조모명을 봉승치 아니코, 운영의 입문ᄒᆞ는 ○[날] 얼골을 아니 보고 소당의 두어 회과후 보려 ᄒᆞ니, 어니[이] 아른 쳐[체]나 ᄒᆞ리요. 운영니 비록 뎡부의 오나 졍닌[인] 못보믄 일냥[양]이이[니], 상ᄉᆞᄒᆞ미 극ᄒᆞ여 실로 옥장(玉腸)을 살와 신혼셩졍지시도 그 얼골을 어더 보지 못ᄒᆞ니, 날노 음심(淫心)을 살오더라. 문안 시의 운영의 무리는 쳥말의셔 힝녀[녜]ᄒᆞ고 즉시 퇴ᄒᆞ니, 어ᄃᆡ 가 그림진들 보리요. 상ᄉᆞᄒᆞᄂᆞᆫ 누싀 마을[를] 젹니[이] 업더라.

어시의 운냥[영]니[이] 부마 위ᄒᆞᆫ ᄯᅳᆺ지 듁기을 도라감 갓치 ᄒᆞ여, 쳔신만고을 경역ᄒᆞ여, 왕희에 존귀로 소셩의 나즈믈 감심ᄒᆞ여, 졍문의 입현(入見)ᄒᆞᆫ지 날니[이] 오라ᄃᆡ, 화락은 ᄉᆡ로니[이] 가부의 얼골을 보지 못ᄒᆞ고 슈미(愁眉)을 펴지 못ᄒᆞ니, 경향이 위로ᄒᆞ고 윤부닌이 가ᄋᆡ(可愛)ᄒᆞ는지라. 비록 투긔 아니물 《나초지‖나토지》 아니나 인ᄌᆞᄒᆞ므로ᄡᅥ 은위(恩威)을 겸ᄒᆞ여, 운녕의 니치[친](離親) 만니의 좃ᄎᆞ믈 궁측(矜惻)ᄒᆞ여438) 의식지졀의[을] 극진 고렴ᄒᆞ고, 마음니[이] 편토록 ○○[ᄒᆞ고] 긔ᄒᆞᆫ(飢寒)을 념

437)일언블긔(一言不開) : 한마디 말도 하지 않음.

438)궁측(矜惻)ᄒᆞ다 : 불쌍하고 가엾다.

옴을 편토록 ᄒᆞ고 긔한(飢寒)을 극념(極念) ᄒᆞ니, 영이 감골(感骨)ᄒᆞ고, 문양은 은악양션(隱惡佯善)ᄒᆞ여 영을 ᄃᆡ졉ᄒᆞ미 ᄌᆞ못 과도ᄒᆞᄆᆡ 밋쳐, ᄌᆞ로 불너 진찬을 포식ᄒᆞ이고, 본 적마다 청아(青蛾)를 드리워 덕을 낫토며, 가군의 박정을 일ᄏᆞ라 불상이 넉이니, 영이 공쥬의 ᄂᆡ외 다르믄 모로고, 감은골슈(感恩骨髓)ᄒᆞ여 ᄌᆞ로 져의 정회를 고ᄒᆞ고 눈물을 ᄲᅳ리니, 공쥐 혀【25】 ᄎᆞ 왈,

"남{ᄃᆡ}도 희쳡이 이시나 쳔승지녀로 쇼셩을 삼으리오. 뎡군이 뉴달나 만승교아(萬乘嬌兒)로[를] 뎨ᄉᆞ부인으로 ᄒᆞ고, 번국 쳔승교녀로 쇼셩을 삼으ᄃᆡ 과흔 줄 모로니, 엇디 분치 아니리오. ᄆᆞ옴을 널리ᄒᆞ여 박명을 한(恨)치 말고, 필경 뎡군의 감동ᄒᆞ믈 기다리라."

영이 쳬루(涕淚) ㅂᆡ샤ᄒᆞ고 ᄆᆡ양 궁의 왕ᄂᆡᄒᆞ여 회포를 펴다가, 두어 슌(巡)574) 부마의 츌입의 쟝(帳) ᄉᆞ이의 ᄀᆞ초여 얼골을 구경ᄒᆞ고 눈물을 먹음거놀, 최상궁은 남의 단쳐(短處)를 잘 ᄇᆞᆰ히ᄂᆞᆫ디라. 영다려 널너 ᄀᆞᆯ오ᄃᆡ,

"낭ᄌᆞ의 거동을 보니 쥬군을 상ᄉᆞ(相思)ᄒᆞ여 슬허ᄒᆞ니, ᄎᆞ후ᄂᆞᆫ 삼부인 침소의 가 상공을 눈이 싀도록 보고, 삼【26】부인과 ᄒᆞ시ᄂᆞᆫ 슈작을 드러 날다려 니르라."

영 왈,

"가ᄅᆞ치지 아니나 내 평ᄉᆡᆼ 소원이니, 삼부인 침소와 뎡당을 ᄉᆞᆯ펴 보나, 이목이 번거ᄒᆞ니 혹 알가 저허ᄒᆞ노라."

최상궁이 쇼왈,

"ᄒᆞᆫ 몸 피ᄒᆞ여 보기 므어시 어려오리오. 윤・양・니 삼부인 침소ᄂᆞᆫ 샤후(伺候)ᄒᆞᄂᆞᆫ 시ᄋᆡ 만치 아니ᄒᆞ고, 야심 후 고요ᄒᆞ리니, ᄉᆞ어를 엿드러, 노야 신치를 보아, 회포를 위로치 아니리오."

영이 비록 ᄎᆞᆼ민ᄒᆞ나, 최녀의 가르치믈 듯

574)슌(巡) : 번. 차례.

여(念慮)ᄒᆞ니, 운영니[이] 감골(感骨)ᄒᆞ여 문냥[양]은 ᄋᆞ[은]악양션(隱惡佯善)ᄒᆞ여 운영을 ᄃᆡ졉ᄒᆞ미 너모 과ᄒᆞᄆᆡ【52】 밋쳐, ᄌᆞ로 불너 진찬을 포식ᄒᆞ니[이]고, 본 젹마다 청아(青蛾)을 드리워 덕을 나토며, 가문[군](家君)의 박졍을 일카라 불샹니[이] 역이니, 운영니[이] 공쥬의 ᄂᆡ외 다르믄 모로고 감은골슈(感恩骨髓)ᄒᆞ여 ᄌᆞ로 져의 졍회을 고ᄒᆞ고 누슈을 ᄲᅮ리이[니], 공쥬 혀ᄎᆞ 왈,

"남도 희쳡니[이] 잇시나 쳔승지녀로 소셩을 삼으리요. 졍문의 유달나 만승(萬乘)의 교아(嬌兒)로 져[졔]ᄉᆞ부실ᄒᆞ고 번국 쳔승교녀로 소셩을 삼으ᄃᆡ 과흔 쥴 모로니, 엇지 분치 안니리요. 마음을 널니ᄒᆞ여 박명을 한(恨)치 말고, 필경 뎡군의 감동키을 기다리라."

운영니[이] 쳐[체]루(涕淚) ㅂᆡᄉᆞᄒᆞ고 ᄆᆡ냥 궁의 왕ᄂᆡᄒᆞ여 회포을 펴다가, 두어 슌(巡)439) 부마의 츄립(出入)의 장(帳) ᄉᆞ이의 숨어 얼골을 구경ᄒᆞ고 누슈를 먹금거날, 최상궁은 남의 단쳐을 ○[잘] 발히ᄂᆞᆫ지라. 운녕다려 왈,

"낭ᄌᆞ의 거동을 보니 주군을 상ᄉᆞ(相思)ᄒᆞ여 슬허ᄒᆞᄂᆞᆫ가 시브니, ᄎᆞ후ᄂᆞᆫ 삼부닌[인] 침소의 가 상공을 눈니[이] 시도록 보고, 삼부닌[인]과 슈즉을 드러 날다려 이르라."

운영 왈,

"가르치지 안니나 ᄂᆡ 평ᄉᆡᆼ소원이라.【53】 삼부닌[인] 침소와 졍당을 살펴 보나 《이몸니∥이목이》 《번기∥번거》ᄒᆞ니 혹 알가 저허ᄒᆞ노라."

최상궁 왈,

"한 몸 피ᄒᆞ여 보기 무어시 어려오리요. 윤・냥・니 숨부닌[인] 침소ᄂᆞᆫ ᄉᆞ후(伺候)ᄒᆞᄂᆞᆫ 시ᄋᆡ 간[만]치 안니코, 야심 후 고요ᄒᆞ리니, ᄉᆞ어을 엿드러 샹공 신취을 보아, 회포을 위로치 아닛ᄂᆞᆫ요?"

운영니 비록 ᄎᆞᆼ민ᄒᆞ나 최녀의 가르치물

439)슌(巡) : 번. 차례

고, 정인을 보고져 ᄒᆞ여, 윤부인 침소의 가ᄂᆞᆫ ᄯᆡ를 타 ᄀᆞ마니 몸을 ᄀᆞᆷ초아 여어보니, 시의 윤·양 이부인이 다 잉틱 삼ᄉᆞ삭이로ᄃᆡ, 가듕이 알 니 업고 병【27】부도 모로더니, ᄎᆞ야의 윤시 신긔 블평ᄒᆞ여 신음ᄒᆞᄂᆞᆫ 거동이니, 병뷔 이의 좌우슈(左右手) ᄆᆡᆨ도(脈度)575)를 보고 우어 왈,

"태휘(胎候) 분명ᄒᆞ고 양ᄆᆡᆨ(陽脈)이 동ᄒᆞ니 ᄉᆡᆼ남ᄒᆞ려니와, 극히 쵹상(觸傷)576)ᄒᆞ미라, 됴호ᄒᆞ쇼셔."

윤부인이 오ᄃᆡᆨ 봉관을 숙여 말을 아니니, 긔려(奇麗)ᄒᆞᆫ 용광이 보암즉 ᄒᆞ고, 오ᄎᆡ상광(五彩祥光)이 바ᄋᆡ니, 아릿다온 거동이 쳘셕간장이라도 농쥰(濃蠢)ᄒᆞᆯ디라. 병뷔 흔연이 웃고 부인 손을 잡아 ᄀᆞᆯ오ᄃᆡ,

"ᄉᆡᆼ이 부인을 위ᄒᆞ여 안ᄌᆞ시미 우은디라. 침금이 이시나 오히려 부인 므릅만 못ᄒᆞ다."

ᄒᆞ고 ᄉᆞᆫ을 잡고 은졍이 비무(比無)ᄒᆞ니, 냥인의 신광(身光)이 일월이 ᄡᅣᆼ으로 볽으며, ᄒᆞᆫ ᄡᅣᆼ【28】보벽이 빗최ᄂᆞᆫ ᄃᆞᆺ, 영이 여어보ᄆᆡ 괴이코 블워ᄒᆞ믄 니르지 말고, 윤부인 용화를 탄상ᄒᆞ여 일ᄃᆡ가우(一代佳偶)믈 일ᄏᆞ라 눈이 ᄯᅮ러질 ᄃᆞᆺ, 한업ᄉᆞᆫ 은졍이 실셩(失性)ᄒᆞ기의 밋쳐, ᄌᆞ연 가ᄉᆞᆷ의 젹은 진납이 쒸노니 숨소ᄅᆡ 나ᄂᆞᆫ디라, 병부의 신명ᄒᆞ므로 여어보ᄂᆞᆫ 줄 모로리오. 혹ᄌᆞ 문양의 시ᄋᆡᆫ(侍兒)가, 문을 열치고 규시ᄌᆞ(窺視者)의 머리를 ᄡᅳ어 쵹하의 본즉, 이 운영이라. 면여토ᄉᆡᆨ(面如土色)ᄒᆞ고 일신을 ᄯᅥ러 즉ᄀᆡᆨ의 죽고져 ᄒᆞᄂᆞᆫ디라. 이ᄂᆞᆫ 져의 비쳔ᄒᆞᆫ 힝ᄉᆞ를 ᄯᅩ 발각ᄒᆞᆯ 붓그려 ᄯᅡ흘 파고 들고져 ᄒᆞ미라.

부매 영의 얼골을 몰낫다가 오날 보ᄆᆡ, 미녀셩ᄉᆡᆨ(美女盛色)이오, 극히 길(吉)ᄒᆞᆫ 상【29】뫼(相貌)라. 그 궁측(窮惻)ᄒᆞᆫ 졍니를 가긍(可矜)ᄒᆞ고 년측(憐惻)ᄒᆞ여, ᄌᆞ시 ᄉᆞᆯ피

575)ᄆᆡᆨ도(脈度) : 맥박이 뛰는 정도. 보통 어른은 1분에 70회쯤 뛴다.

576)쵹상(觸傷) : 찬 기운이 몸에 닿아서 병이 일어남. ≒촉감(觸感). 감기(感氣).

듯고 정인을 보고져 할ᄉᆡ, 윤시 침소의 가ᄂᆞᆫ ᄯᆡ을 타 가마니 몸을 감초아 여어보니, 시의 윤·냥 니[이(二)]부닌[인]이 다 잉틱 삼ᄉᆞᄉᆡᆨ이로ᄃᆡ 가즁니[이] 알니 업고 부마도 모로더니, ᄎᆞ야의 윤시 신긔 불평ᄒᆞ여 신음ᄒᆞᄂᆞᆫ 거동이이[니] 부ᄆᆡ 나아가 좌우슈(左右手) ᄆᆡᆨ도(脈度)440)을 보고 우어 왈,

"ᄐᆡ휘(胎候) 분명ᄒᆞ고 냥ᄆᆡᆨ(陽脈)니[이] 동ᄒᆞ니 ᄉᆡᆼ남ᄒᆞ려이와, 극히 쵹샹(觸傷)441)ᄒᆞ미라, 조호ᄒᆞ소셔."

윤시 봉관을 숙여 말을 안이이[니] 긔려(奇麗)ᄒᆞᆫ 용광니[이] 보암즉 ᄒᆞ고, 오ᄎᆡ상광(五彩祥光)니[이] ᄇᆞᄋᆡ니, 아리ᄯᅡ온 거동니[이] 쳘셕 간쟝을 농쥰(濃蠢)할지라. 부ᄆᆡ 흔년[연]소지(欣然笑之)ᄒᆞ고 집슈 왈,

"ᄉᆡᆼ니[이] 부닌[인]을 위ᄒᆞ여 안ᄌᆞ시미 우은지라. 침금니[이] 이시나 오히려 부닌[인] 무릅만 못ᄒᆞ다."【54】

ᄒᆞ고 은졍니[이] 비무(比無)ᄒᆞ니, 양닌[인]의 신광(身光)니[이] 일월니[이] 쌍명(雙明)ᄒᆞ며, 일ᄡᅡᆼ 보벽니[이] 빗최ᄂᆞᆫ 듯, 운녕니[이] 여어보ᄆᆡ 괴이코 불워ᄒᆞ믄 이르지 말고, 윤시 용화을 탄샹ᄒᆞ녀[여] 일ᄃᆡ가위(一代佳偶)믈 일카라 눈니[이] ᄯᅮ러지고, ᄒᆞᆫ업ᄉᆞᆫ 은졍니[이] 미치기의 이르러, ᄌᆞ연 가ᄉᆞᆷ의 젹근 진납비 쒸노니, ᄉᆞᆷ소ᄅᆡ 나ᄂᆞᆫ지라. 부마의 신명ᄒᆞ므로쎠 엇지 여어보ᄂᆞᆫ ᄌᆞᆯ 모로리요. 혹ᄌᆞ 문냥의 시ᄋᆡᆫ(侍兒)가, 문을 열치고 규시ᄌᆞ(窺視者)의 머리을 ᄡᅳ어 쵹ᄒᆞ의 본즉, 운녕이라. 면여토ᄉᆡᆨ(面如土色)ᄒᆞ고 일신을 ᄯᅥᆯ어 즉ᄀᆡᆨ의 쥭{이}고ᄌᆞ ᄒᆞᄂᆞᆫ지라. 이ᄂᆞᆫ 져의 비쳔○[ᄒᆞᆫ] 힝ᄉᆞ을 ᄯᅩ 발각ᄒᆞᆯ 붓그려 ᄯᅡ흘 파고 들고져 ᄒᆞᄂᆞᆫ지라.

부ᄆᆡ 운영의 얼골을 몰낫다가 오날 보ᄆᆡ, 미녀셩ᄉᆡᆨ(美女盛色)이요, 극히 길상(吉相)이라. 그 궁측(窮惻)ᄒᆞᆫ ○[졍]이(情理)을 가긍(可矜)ᄒᆞ고 연측(憐惻)ᄒᆞ여, 살피건ᄃᆡ, ᄉᆞ광

440)ᄆᆡᆨ도(脈度) : 맥박이 뛰는 정도. 보통 어른은 1분에 70회쯤 뛴다.

441)쵹상(觸傷) : 찬 기운이 몸에 닿아서 병이 일어남. ≒촉감(觸感). 감기(感氣).

건ᄃᆡ 샤광지총(師曠之聰)으로 그 심쳔(心泉)[577]을 쎄[578] 보니, 엇지 짐작지 못ᄒᆞ미 이시리오. 음일(淫佚)ᄒᆞᆫ 힝ᄉᆡ, 져의 근본으로 쇼셩의 쳔ᄒᆞ믈 감심ᄒᆞ고, 가지록 비루히 규시ᄒᆞ여 ᄌᆞ긔를 탐쳥(探聽)ᄒᆞ믈 썩고져 ᄒᆞ여, 시녀로 운영을 계하(階下)여 ᄉᆞᆯ니고 슈죄(數罪)ᄒᆞ여 ᄒᆞᆫ 일도 사ᄅᆞᆷ ᄀᆞᆺ지 아니믈 니를ᄉᆡ, 만면 화긔 변ᄒᆞ여 잠미(蠶眉)를 거ᄉᆞ리고 봉안(鳳眼)을 놉히 써 ᄊᆞ지ᄌᆞᄆᆡ, 동텬녈일(冬天烈日)의 셜풍(雪風)이 소소(瀟瀟)ᄒᆞ고[579] 구츄쳥야(九秋淸夜)[580]의 ᄇᆡᆨ월(白月)이 놉핫ᄂᆞᆫ ᄃᆞᆺ, 공산(空山)의 ᄆᆡᆼ회(猛虎) 파ᄅᆞᆷ[581]ᄒᆞ고, 창ᄒᆡ(蒼海)의 교룡(蛟龍)이 노(怒)를 발ᄒᆞ미라. 좌우 견시ᄌᆡ(見視者) 블【30】승젼뉼(不勝戰慄)이라. 슈죄(數罪)ᄒᆞ기를 맛고, 댱검을 ᄲᆡ혀 왈,

“운남셔 음녀를 버히고 왓던들 져런 흉패지ᄉᆡ(凶悖之事) 이시리오.”

언필의 칼노 바로 영의 머리를 취ᄒᆞ니, 윤부인이 급히 니러나 병부의 칼흘 《머추어 ‖ 멈추어》 ᄀᆞᆯ오ᄃᆡ,

“쳡이 감히 군후 위엄을 범ᄒᆞ미 아니라, 셩인도 광부(狂夫)의 말을 취신ᄒᆞᆫ다 ᄒᆞ니, 디ᄌᆡ(知者) 쳔번 ᄉᆡᆼ각ᄒᆞᄆᆡ ᄒᆞᆫ번 그릇ᄒᆞ미 잇고, 우ᄌᆡ(愚者) 쳔번 ᄉᆡᆼ각의 반ᄃᆞ시 어드미 이시니, 목녀의 힝ᄉᆡ 비록 한심ᄒᆞ나 이 ᄯᅩ 인연이 업디 아니미라. ᄉᆞᄌᆞ(死者)ᄂᆞᆫ 블가브ᄉᆡᆼ(不可復生)이니, 인명이 디극히 듕ᄒᆞ거ᄂᆞᆯ, 살인을 경히 ᄒᆞ리잇고? 쳥컨ᄃᆡ 일명을 ᄊᆞ이샤[582] 호【31】ᄉᆡᆼ디덕(好生之德)을 드리오쇼셔. 쳥츈 원혼이 ᄎᆞ셕(嗟惜)지 아니

577)심쳔(心泉) : 마음 됨됨이의 바탕이나 근본.

578)쎄다 : 꿰다. ①실이나 끈 따위를 구멍이나 틈의 한쪽에 넣어 다른 쪽으로 내다. ②어떤 일의 내용이나 사정을 자세하게 다 알다.

579)소소(瀟瀟)ᄒᆞ다 : 비바람 따위가 세차다.

580)구츄쳥야(九秋淸夜) : 음력 9월 가을의 맑은 밤. 구추(九秋); 음력 9월을 ‘가을’이란 뜻으로 이르는 말.

581)파ᄅᆞᆷ : ①짐승의 울음소리나 울부짖는 소리. ②센 바람을 맞아 나뭇가지 따위가 흔들리면서 내는 소리. ③휘파람.

582)ᄊᆞ이다 : 꾸이다. 남에게 다음에 받기로 하고 돈이나 물건 따위를 빌려 주다.

지총(師曠之聰)으로 심쳔(心泉)[442]을 쪄치니[443] 짐죽지 못ᄒᆞ미 닛시리요. 음일(淫佚)ᄒᆞᆫ 힝ᄉᆡ 져의 근본으로 소셩의 쳔ᄒᆞ믈 감심ᄒᆞ고, 가지록 비루니[이] 규시ᄒᆞ여 ᄉᆞ어을 쳥탐(聽探)ᄒᆞ믈 썩고져, 시여로 운녕을 겨[계]ᄒᆞ(階下)의 ᄉᆞᆯ녀 셔[세] 가지 죄와 다셧 가지 허물을 슈죄(數罪)ᄒᆞ여 ᄒᆞᆫ 일도 ᄉᆞ람 갓지 아니믈 이르ᄆᆡ 만면화기 변ᄒᆞ여 【55】 ᄌᆞ[즘]미(蠶眉)을 거ᄉᆞ리고 봉안(鳳眼)을 놉혀 ᄊᆞ지잘ᄉᆡ, 동천열일(冬天烈日)의 셜풍(雪風)니 소소(瀟瀟)ᄒᆞ고[444] 구츄쳥냥(九秋淸凉)[445]의 ᄇᆡᆨ일(白日)니 놉흔 듯, ᄆᆡᆼ회(猛虎) 파람[446]ᄒᆞ고 ᄒᆡ즁교룡(海中蛟龍)니 발노(發露)ᄒᆞ미라. 좌우 견시ᄌᆡ(見視者) 불승젼율(不勝戰慄)니러니 ○…결락 16자…○[슈죄ᄒᆞ기를 맛고 댱검을 ᄲᆡ혀 왈, “운남셔] 음녀을 버히고 왓던들 저런 흉ᄑᆡ지ᄉᆡ(凶悖之事) 잇시리요.”

언필의 ᄇᆞ로 운녕의 머리을 취ᄒᆞ니 윤시 급히 이러 칼을 멈츄어 왈,

“쳡이 감히 군후 위엄을 범ᄒᆞ미 안니라 셩인도 광부지언(狂夫之言)을 ᄐᆡᆨᄒᆞ시니, ‘지ᄌᆡ쳔언(智者千言)의 필유일실(必有一失)니요, 우ᄌᆡ쳔녀(愚者千慮)의 필유일득(必有一得)’[447]이니, 목녀의 힝ᄉᆡ 비록 ᄒᆞᆫ심ᄒᆞ나 이 ᄯᅩᄒᆞᆫ 인연니 업지 안니이다. ᄉᆞᄌᆞ(死者)ᄂᆞᆫ 불가부ᄉᆡᆼ(不可復生)이니, 인명(人名)니 《지즁의 ‖ 지즁(至重)ᄒᆞ거ᄂᆞᆯ》 ᄉᆞᆯ인을 경히 ᄒᆞ

442)심쳔(心泉) : 마음 됨됨이의 바탕이나 근본.

443)쪄치다 : 꿰뚫다. ①이쪽에서 저쪽까지 꿰어서 뚫다. ②어떤 일의 내용이나 본질을 잘 알다. ⇒쎄치다.

444)소소(瀟瀟)ᄒᆞ다 : 비바람 따위가 세차다.

445)구츄쳥냥(九秋淸凉) : 음력 9월 가을의 맑고 서늘한 날씨. 구추(九秋); 음력 9월을 ‘가을’이란 뜻으로 이르는 말.

446)파람 : ①짐승의 울음소리나 울부짖는 소리. ②센 바람을 맞아 나뭇가지 따위가 흔들리면서 내는 소리. ③휘파람.

447)지지쳔언(智者千言) 필유일실(必有一失), 우지쳔녀(愚者千慮) 필유일득(必有一得) : 지혜로운 사람의 천 마디 말 속에도 반드시 한 마디의 잘 못된 말이 있고, 어리석은 사람의 천 가지 생각 속에도 반드시 한 가지 쓸 말이 있다.

리잇가?"

옥셩이 화열ᄒᆞ여 화긔를 두로혀고, 광염(光艶)이 찬난ᄒᆞ여 좌우의 ᄡᅩ이니, 병뷔 부인의 말을 듯고, 본ᄃᆡ 죽일 뜻은 아니므로 칼흘 노코, 미쇼 왈,

"튱간(忠諫)이 귀예 괴로오나 힝실의 니(利)ᄒᆞ고 독약이 입의ᄂᆞᆫ ᄡᅳ나 병이 낫다 ᄒᆞ니, 내 음녀를 죽이려 ᄒᆞ거ᄂᆞᆯ 부인이 엇디 말니시ᄂᆞ뇨? 부인의 덕으로 일명을 빌니ᄂᆞ니, ᄎᆞ후 다시 음일(淫佚)ᄒᆞᆫ 힝ᄉᆡ 이시면 샤치 아닐 쁜 아녀, 금일 부인의 구ᄒᆞ시미 무안(無顔)치 아니랴?"

부인이 염용(斂容) 왈,

"졔 비록 토목(土木)이나 이런 경계를 보고 두번【32】 그르미 이시리잇고? 다시 그릇ᄒᆞ미 잇거든 쳡이 샤죄(謝罪)ᄒᆞ리이다."

병뷔 부인을 방의 들기를 권ᄒᆞ고 영을 후경 옥듕의 가도라 ᄒᆞ니, 부인 왈,

"쳡이 어질믈 ᄌᆞ랑ᄒᆞ미 아니라, 영이 ᄉᆡᆼ당ᄒᆞ기를 호화히 ᄒᆞ여시므로, ᄂᆡᆼ옥의 갓친즉 죽기 쉬오리니, 연즉 검하경혼(劍下驚魂)만 ᄀᆞᆺ지 못ᄒᆞ리니, 셰번 ᄉᆡᆼ각ᄒᆞ쇼셔."

병뷔 미우를 ᄶᅵᆼ긔여 ᄀᆞᆯ오ᄃᆡ,

"부인은 인의만 쥬ᄒᆞ나, 음녀의 간음이 가도지 아녓다가 므ᄉᆞᆫ 변을 지을 줄 알니오. 연(然)이나, 부인의 딘졍(陳情)을 쾌허ᄒᆞᆯ 거시로ᄃᆡ, 젼일 요도를 식여 션초(扇貂)·금션(錦扇)을 도뎍ᄒᆞ여 내 몸의 슈장(受杖)ᄒᆞᆷ과, 금일 엿본 죄【33】를 샤ᄒᆞ여 방셕(放釋)ᄒᆞᄂᆞ니, 모로미 부인은 젹쳡(嫡妾)의 분을 엄히 하여 ᄀᆞᄅᆞ치실지어다."

부인이 온유히 손샤(遜辭)ᄒᆞ고 운영을 침소로 가라 ᄒᆞ니, 영이 긔약지 아닌 부마의 엄노를 당ᄒᆞ여, 슈괴(羞愧)ᄒᆞ미 만번 죽고져 ᄒᆞ던 ᄎᆞ, 머리를 버히려 ᄒᆞ니 졍혼이 비월(飛越)터니, 의외 부인이 극녁 신구(伸救)583)ᄒᆞ여 뇌졍(雷霆)의 급화를 면ᄒᆞ나, 엇

583)신구(伸救) : 죄가 없음을 사실대로 밝혀 사람을 구원함.

리잇고? 쳥컨ᄃᆡ 일명을 ᄯᅮ이ᄉᆞ448) 호ᄉᆡᆼ지덕(好生之德)을 드리오소셔. 쳥츈 원혼니 ᄎᆞ악(嗟愕)지 아니리잇가?"

유셩(柔聲)니 화열ᄒᆞ여 화긔을 두로혀고, 굉녕[광염(光艶)]니 ᄎᆞᆫ난ᄒᆞ여 좌(坐)의 쏘이이[니], 부ᄆᆡ 본ᄃᆡ 쥭일 드[뜻]즌 안닌 고로 칼을 녹고 미소왈,

"츙간(忠諫)니 귀의 괴로오나 힝실의 이ᄒᆞ고, 약이 《닛스나‖입의ᄂᆞᆫ ᄡᅳ나》 병니[이] 낫다 ᄒᆞ니, ᄂᆡ 음녀을 쥭이려 ᄒᆞ거날 엇지 가리시ᄂᆞ요[뇨]? 부인의 덕으로 일명을 빌니ᄂᆞ니, ᄎᆞ후 다시 음일(淫佚)ᄒᆞᆫ 힝【56】ᄉᆡ 잇시면 ᄉᆞ치 못ᄒᆞᆯ 분 안냐 금일 부인의 구ᄒᆞ미 무안치 안니랴?"

부닌[인]이 념용 왈,

"비록 토목이나 이런 경겨[계]을 보고 두번 그르리잇고? 다시 그릇ᄒᆞ거든 쳡니 ᄉᆞ죄(謝罪)ᄒᆞ리니[이]다."

부ᄆᆡ 부닌[인]을 방의 들믈 권ᄒᆞ고 운영을 후경 옥의 가도라 ᄒᆞ니, 부닌[인] 왈,

"쳡이 어지믈 ᄌᆞ랑ᄒᆞ미 ○○[아니]라, 운영의 ᄉᆡᆼ장을 호화히 ᄒᆞ므로 ᄂᆡᆼ옥의 갓쳐ᄂᆞᆫ 쥭그리이니449) 연즉 검ᄒᆞ경혼(劍下驚魂)만 갓지 못ᄒᆞᆯ지라. 셔[셰]번 ᄉᆡᆼ각ᄒᆞ소셔."

부ᄆᆡ 빈미 왈,

"부닌[인]은 인의만 쥬ᄒᆞ나, 음녀의 간음니 가도지 안니면 무ᄉᆞᆫ 변을 지을 쥴 알니요. 년(然)이나 부닌[인]의 진졍(陳情)을 쾌허ᄒᆞ나○[니], 젼일 요도을 식여 션쵸(扇貂)·금션(金扇)을 도젹ᄒᆞ야 ᄂᆡ 몸의 슈장(受杖)ᄒᆞᆷ과 금일 엿본 죄을 ᄉᆞᄒᆞ여 놋ᄂᆞ이[니], 부닌[인]은 젹쳡(嫡妾)의 분의(分義)을 엄히 ᄒᆞ여 가르칠지어다."

부닌[인]이 온유히 손ᄉᆞ(遜辭)ᄒᆞ고 운녕을 침소로 가라 ᄒᆞ니, 운녕니 긔약 밧 부마의 엄노을 당ᄒᆞ여, 슈괴(羞愧)ᄒᆞ미 만번 쥭고져 ᄒᆞ든 ᄎᆞ, 빅잉니 머리을 가르치ᄆᆡ 경혼니 비월(飛越)터니,【57】 의외의 부닌

448)ᄯᅮ이다 : 꾸이다. 남에게 다음에 받기로 하고 돈이나 물건 따위를 빌려 주다.
449)쥭기다 : 죽이다.

디 무ᄉᆞᄒᆞᆯ 줄 알니오마ᄂᆞᆫ, 부인 덕화로 쇼당의 잇게 ᄒᆞ니, 감은골슈(感恩骨髓)ᄒᆞ나 오히려 쎨니기를 마디 아니니, ᄒᆞᆫ낫 죽엄이 시녀 등의게 븟들녀 니르니, 시비 맛츰 유질(有疾)ᄒᆞ여 누엇더니, 쥬모의 형상을 보고【34】 대경ᄒᆞ여 연고를 므르나, 영이 말을 못ᄒᆞ고 시녀 등이 그 광경을 젼ᄒᆞ니, 경향이 ᄎᆞ악ᄒᆞ여 븟들고 허물을 간(諫)ᄒᆞ니, 영이 역시 울고 죽고져 ᄒᆞᄂᆞᆫ디라. 경향이 위로ᄒᆞ며 개심슈힝(改心修行)ᄒᆞ믈 청ᄒᆞ고, 누어 취침ᄒᆞ라 권ᄒᆞ니, 영이 ᄀᆞᆯ오ᄃᆡ,

"내 뎡군을 ᄉᆞ상(思想)ᄒᆞ나 여어보기ᄂᆞᆫ 내 ᄒᆞ고져 ᄒᆞ미 아니라, 문양궁 최상궁의 디휘니, 그ᄃᆡ도록 ᄉᆞ죄될 거시 아니나 뎡군의 ᄉᆞ오나오미라. 윤부인의 구활ᄒᆞ미 아니런들 엇지 살기를 어더시리오."

경향이 ᄀᆞᆯ오ᄃᆡ,

"ᄆᆡ양 공쥬궁의 왕ᄂᆡᄒᆞ시믈 쇼비 상(常)히[584] 깃거 아니턴지라. 공쥬의 후ᄃᆡ【35】ᄒᆞ믄 감격ᄒᆞ나, 최상궁은 곳 간힐(奸黠)ᄒᆞᆫ 사ᄅᆞᆷ이라. 다시 져의 참언을 듯지 마르쇼셔."

운영이 경괴(驚愧) 브답(不答)이러라.

[인]의 힘써 구ᄒᆞ여 뇌졍급화(雷霆急禍)을 면ᄒᆞ나, 엇지 무ᄉᆞ할 쥴 알니요마ᄂᆞᆫ, 부닌[인] 덕화로 소당의 잇겨[게] ᄒᆞ니, 감은각골(感恩刻骨)ᄒᆞ나 오히려 쎨니물 마지 안니니, 한낫 쥭엄니[이] 시녀 등의 붓들녀 소당의 이르ᄆᆡ, 시비 맛츰 유질(有疾)ᄒᆞ여 누엇더니, 쥬모의 쏠을 보고 연고을 무르나 운녕이 말을 못ᄒᆞ고, 시아 등니[이] 그 광경을 젼ᄒᆞ니, 경향니[이] ᄎᆞ악ᄒᆞ여 붓들고 허물을 간ᄒᆞᆫᄃᆡ, 운녕니[이] 역시 울고 쥭고져 ᄒᆞ니, 경힝니[이] 위로ᄒᆞ며 ᄀᆡ심슈힝(改心修行)을 청ᄒᆞ고 안심ᄒᆞ라 ᄒᆞ니, 운영 왈,

"ᄂᆡ 졍ᄌᆞ을 ᄉᆞ상(思想)ᄒᆞ나 여어보기ᄂᆞᆫ 최상궁 지휘니 그ᄃᆡ도록 ᄉᆞ죄 안니ᄂᆞ, 졍군의 ᄉᆞ오나오미 윤시 구활치 아니턴들 엇지 ᄉᆞ라시리요."

경힝 왈,

"ᄆᆡ냥[양] 공쥬의 후ᄃᆡᄒᆞ믈[믄] 고마오나, 최상궁은 곳 간힐(奸黠)ᄒᆞᆫ지라, 다시 참헌[언]을 듯지 《말나‖마르쇼셔》."

ᄒᆞ니, 운영니 경괴(驚愧) 부답(不答)일너라

션ᄌᆡ(善哉)며, ᄀᆡ특다! 경향이 ᄒᆡ외(海外) 번국(藩國)의 쳔뉴(賤流)의 인물이로ᄃᆡ, 위쥬튱심(爲主忠心)이 지극ᄒᆞᆯ 쁜 아니라, 능히 부덕(婦德)으로ᄡᅧ 규간(規諫)[585]ᄒᆞ고 쥬인을 보과(補過)[586]ᄒᆞ여 허물을 곳치게 ᄒᆞ니, 최녀의 공쥬를 간교(奸巧) 패악(悖惡)으로 인도ᄒᆞ므로 비컨ᄃᆡ '쇼양(霄壤)이 블모(不侔)'[587]러라.

시의 병뷔 영을 박툑ᄒᆞ고 쇼왈,

"운영의 작인이 흉ᄉᆞ(凶死)ᄒᆞᆯ 것도 되지

---

584)상(常)히 : 늘. 항상.

585)규간(規諫) : 옳은 도리나 이치로써 웃어른이나 왕의 잘못을 고치도록 말함.

586)보과(補過) : 잘못을 고쳐 바로잡음. ≒보과습유(補過拾遺).

587) 쇼양불모(霄壤不侔) : 하늘과 땅처럼 큰 차이가 있음.

못ᄒᆞ나, 부인이 극구(極求)ᄒᆞ므로 내 버히지 못ᄒᆞ여, 후일 작폐ᄒᆞ미 업지 아닐가 ᄒᆞ노라.”

부인이 탄왈,

“목녀의 위인을 보니 험【36】요ᄒᆞᆫ 인물은 아니나 무례ᄒᆞ미 심ᄒᆞ니, 임의 구ᄎᆞ히 군후의 쇼셩의 닐위여시니, ‘기졍즉가위쳐의(其情卽可謂悽矣)’[588]라. 관후지덕(寬厚之德)을 드리오시미 올커놀, 굿ᄐᆞ여 죽여든 됴흐리잇가?”

병뷔 흔연 왈,

“야심ᄒᆞ니 한담을 ᄀᆞᆺ치고 ᄌᆞᄉᆞ이다.”

ᄒᆞ고 금니의 나아가니 여산듕졍(如山重情)이 ᄉᆡ롭더라.

어시의 문양공쥐 뎡부의 하가ᄒᆞᆫ 지 일월이 오ᄅᆡᄃᆡ 부마의 외친ᄂᆡ쇼ᄒᆞ미 여일ᄒᆞ나, 궁듕 왕ᄂᆡᄂᆞᆫ 빈번ᄒᆞ여 언쇼(言笑) 화평ᄒᆞ여 화락ᄒᆞᄂᆞᆫ 부부 ᄀᆞᆺᄐᆞ나, 이셩지친(二姓之親)은 약쉬(弱水)[589] 가려시니, 공쥐 블승번민(不勝煩悶)ᄒᆞ여 화용이 슈쳑ᄒᆞᆫ디라. 최상궁이 공쥬를 볼 젹마다 심간(心肝)이 초【37】갈(焦渴)ᄒᆞ고 오장(五臟)이 ᄉᆞᆯᄂᆞᆫ ᄃᆞᆺᄒᆞᆫ디라. 윤·양·니 등을 ᄒᆡ치 못ᄒᆞ고, ᄆᆡ양 궐듕의 드러가 귀비긔 공쥬의 비홍이 완연ᄒᆞ고 삼부인은 구고 ᄌᆞᄋᆡ와 부마의 통셰를 겸ᄒᆞ여 화옥ᄀᆞᆺᄐᆞᆫ ᄌᆞ녀를 빵빵이 두어, 합가의 츄앙ᄒᆞ미 공쥬의 바라지 못ᄒᆞᆯ ᄇᆡ믈 ᄀᆞᆺ초 고ᄒᆞ니, 귀비 청필의 졀치통한(切齒痛恨)ᄒᆞ믈 니긔디 못ᄒᆞᄃᆡ, 황샹이 그 금슬후박(琴瑟厚薄)을 믈시(勿視)ᄒᆞ시고, 공쥬의 상ᄉᆞ지질(相思之疾)노 뎡문의 하가ᄒᆞ믈 통히ᄒᆞ샤, 공쥬를 ᄆᆡ양 계칙(戒飭)ᄒᆞ시더니, 공쥐 입궐ᄒᆞᄆᆡ 샹이 미온(未穩)ᄒᆞ시던 바로, 흔연이 뎡부 풍쇽과 부마의 후박을 문지(問之)ᄒᆞ시고 ᄀᆞᆯ오샤ᄃᆡ,

588)‘기졍즉가위쳐의(其情卽可謂悽矣) : ’그 정상은 가히 슬프다‘고 할 수 있음.

589)약수(弱水) : 신선이 살았다는 중국 서쪽의 전설 속의 강. 길이가 3,000리나 되며 부력이 매우 약하여 기러기의 털도 가라앉는다고 한다.

부ᄆᆡ 운영을 박툭ᄒᆞ고【58】 소왈,

“ᄌᆞᆨ인니 흉ᄉᆞ(凶死)ᄒᆞᆯ 거ᄉᆞᆫ 되지 못ᄒᆞ나, ○…**결락 15자**…○[부인이 극구(極求)ᄒᆞ므로 내 버히지 못ᄒᆞ여] 일 후 ○○○○[작폐ᄒᆞ미] 업지 아닐가 ᄒᆞ노라.”

윤시 탄 왈,

“목녀의 위닌[인]을 보니 험요(險妖)튼 아니나 무려[례]ᄒᆞ미 심ᄒᆞ니, 임의 ○○[구차]니[이] 군ᄌᆞ의 소셩의 일위여시니, ‘기졍(其情)인 즉(卽) 쳐의(悽矣)’[450]라. 관ᄌᆞ(寬慈)을 드리오미 올키[커]날 쥭여든 조흐리 잇고?”

부ᄆᆡ 소왈,

“야심ᄒᆞ니 한담을 ᄀᆞᆺ치고 ᄌᆞᄉᆞ이다.”

ᄒᆞ고 금이(衾裏)의 나아가니, 은ᄋᆡ ᄉᆡ롭더라.

문냥니 뎡부의 ○○[하가]ᄒᆞᆫ지 일월니 오ᄅᆡᄃᆡ, 부마의 외친ᄂᆡ소 여일ᄒᆞ고 궁듕 왕ᄂᆡᄂᆞᆫ 빈빈ᄒᆞ나, 이셩지친(二姓之親)은 약쉬(弱水)[451] 가려시니, 공쥐 번민ᄒᆞ여 화용니[이] 슈쳑ᄒᆞᆫ지라. 최녀 공즁[쥬]을 볼젹마다 심간(心肝)니 마르니 윤·양 등을 ᄒᆡ치 못ᄒᆞᄂᆞ, ᄆᆡ양 궐듕의 가 귀비의겨[게], 비홍니[이] 완연ᄒᆞ고 삼부닌[인]은 구고 ᄌᆞᄋᆡ와 부마의 총셔[셰]을 겸ᄒᆞ여 화옥 갓튼 ᄌᆞ녀을 두어, 합ᄀᆡ 추양ᄒᆞ미 공듀의 ᄇᆞ라지 못ᄒᆞ물 고ᄒᆞ니, 귀비 졀치ᄒᆞᄃᆡ, 황상니[이] 그 후박(厚薄)을【59】 물시(勿視)ᄒᆞ시고, 공쥬의 상ᄉᆞ(相思)로 졍문 ᄒᆞ가을 통(痛)히[452] ᄒᆞᄉᆞ 공쥬의겨[게] 겨[계]칙(戒責)ᄒᆞ시더니, 공쥬 입궐ᄒᆞᄆᆡ 상니[이] 미온(未穩)ᄒᆞ시던 ᄇᆞ로, 흔연니 졍부 풍속과 부마 후박을 무르시고 왈,

450)기졍즉쳐의(其情卽悽矣) : 그 정상은 슬픈 처지에 있다.

451)약수(弱水) : 신선이 살았다는 중국 서쪽의 전설 속의 강. 길이가 3,000리나 되며 부력이 매우 약하여 기러기의 털도 가라앉는다고 한다.

452)통(痛)히ᄒᆞ다: 원통해하다. 분(憤)해하다. 마음아파하다.

"네 거의 잉【38】ᄐᆡ지경(孕胎之慶)이 이시리니 옥동을 나하 여모(汝母)의 ᄆᆞ음을 위로ᄒᆞ라."

공쥬 함누(含淚)ᄒᆞ여 블감ᄃᆡ쥬(不敢對奏)ᄒᆞ니, 샹이 의아ᄒᆞ여 ᄀᆞᆯ오샤ᄃᆡ,

"내 너를 뎡텬흥의 원위(元位)를 주라 ᄒᆞ엿더니, 뎡연 부ᄌᆞᄂᆞᆫ 튱현지신(忠賢之臣)이라. 딤의 ᄯᆞᆯ을 경ᄃᆡ(敬待)ᄒᆞ리니 네 하고(何故)로 비쳑(悲慽)ᄒᆞᄂᆞ뇨?."

공쥬ᄂᆞᆫ 말이 업ᄉᆞ나, 귀비 쥬표(朱標)로뻐 뵈오며 쳑연 탄왈,

"감히 미셰지ᄉᆞ(微細之事)로뻐 텬안의 번극(煩劇)[590]ᄒᆞ오미 황공ᄒᆞ오나, 신쳡의 명되 괴(怪)ᄒᆞ와 문양 일 골육을 두온디라. 블힝이 뎡가의 하가ᄒᆞ여 몬져 취ᄒᆞᆫ 바 윤·양·니 삼녀로 화락ᄒᆞ고, 뎡ᄌᆡ 부부의 도를 ᄒᆞ나, 실은 약쉬 격【39】ᄒᆞ니, 일호(一毫) 만승지녀(萬乘之女)로 ᄃᆡ졉지 아니ᄒᆞᄂᆞᆫ디라. 문양이 삼오청춘(三五靑春)[591]의 홍안박명(紅顔薄命)을 ᄌᆞ한(自恨)ᄒᆞ오니, ᄎᆞᆯ하리 신이 져와 ᄒᆞᆫ가지로 궐듕의셔 늙고, 닷궁[592]의 외로이 잇셔, 허다 궁비의 박쇼(薄笑)[593]ᄒᆞᆷ과 무정가부(無情家夫)의 쳔ᄃᆡ를 밧지 말과져 ᄒᆞᄂᆞ이다."

샹이 문양의 쥬표를 보시고 귀비의 비사고어(悲辭苦語)[594]를 드르시ᄆᆡ 비록 힝ᄉᆞᄂᆞᆫ 브족히 넉이시나 텬뉸(天倫)의 유유(幽幽)ᄒᆞᆫ 졍으로 부마를 통히(痛駭)[595]ᄒᆞ샤 왈,

"부매 져적 운남녀의 말노 분완ᄒᆞ여 ᄒᆞᆯ 졔, 문양을 거드러 상ᄉᆞ(相思)로 졔게 하가ᄒᆞ므로 아랏ᄂᆞ니, 비록 만승의 위엄이나 참괴ᄒᆞ여 ᄒᆞᆯ 말이 업셔 무안ᄒᆞ【40】더니, 이졔 문양을 보니 염박(厭薄)ᄒᆞ미 심ᄒᆞ믈 뭇지 아냐 알디라. 뎡ᄌᆡ 범인이 아니니 셰쇄

590)번극(煩劇) : 몹시 번거롭고 바쁨.
591)삼오청춘(三五靑春) : 15세의 젊은 나이 또는 그런 시절.
592)닷궁 : 따로 떨어져 있는 궁. 별궁(別宮). 닷; 다른, 달리, 따로.
593)박쇼(薄笑) : 푸대접하며 비웃음.
594)비사고어(悲辭苦語) : 슬프고 괴로운 말.
595)통히(痛駭) : 뜻밖의 일이나 행위에 대해 몹시 놀라 원통하여 하거나 분하게 여김.

"네 거의 잉ᄐᆡ지경(孕胎之慶)니[이] 잇시리니 옥동을 나ᄒᆞ 여모(汝母)의 마음을 위로ᄒᆞ라."

공쥬 함누부ᄃᆡ(含淚不對)ᄒᆞ니 상니[이] 의아 왈,

"ᄂᆡ 너을 쳔흥의 원위(元位)을 쥬라 ᄒᆞ엿고, 졍현 부ᄌᆞᄂᆞᆫ 츙현(忠賢)이라, 짐의 ᄯᆞᆯ을 경ᄃᆡ(敬待)ᄒᆞ리니, 네 ᄒᆞ고(何故)로 비쳑(悲慽)ᄒᆞᄂᆞᆫ요?"

공쥬ᄂᆞᆫ 말니 업ᄉᆞ나, 귀비 주표(朱標)을 뵈오며 쳑연 왈,

"감히 미셔[셰]ᄉᆞ(微細事)을 쳔안의 번득ᄒᆞ오니[453] 황공ᄒᆞ오나, 신의 명되 고니[이]ᄒᆞ여 문양니[이] 일 고륙(骨肉)이나, 블힝니[이] 뎡부의 ᄒᆞ가ᄒᆞ여, 몬져 마ᄌᆞᆫ 윤·양·니 삼녀로 화락ᄒᆞ고, 뎡ᄌᆡ 부부의 도을 ᄒᆞ나 실은 약쉬 격ᄒᆞ니, 일호(一毫) 만승지녀(萬乘之女)로 ᄃᆡ졉지 아니ᄒᆞᄂᆞᆫ지라. 문양니[이] ᄉᆞᆷ오청춘(三五靑春)[454]의 홍안박명(紅顔薄命)을 ᄌᆞᄒᆞᆫ(自恨)ᄒᆞ오니, 찰하리 신니[이] 져와 궐즁의셔 늘[늙]고, 무정가부(無情家夫)의 쳔ᄃᆡ을 밧지 말고져 ᄒᆞᄂᆞ니다."

상니 문양【60】의 쥬표을 보시고, 귀비의 슬픈 말을 드르ᄆᆡ, 비록 힝ᄉᆞᄂᆞᆫ 부족히 역이나 쳔윤지졍(天倫之情)의 부마을 통(痛)히ᄒᆞᄉᆞ 왈,

"졍ᄌᆡ 져적 운남여의 말노 분완할 져[제], 문양을 거드러 상ᄉᆞ(相思)로 져겨[제게] ᄒᆞ가ᄒᆞ믈 아랏ᄂᆞ니, 비록 만승지위나 할 말니 ○…결락13자…○[업셔 무안더니, 이제 문양을 보니] 염박은 뭇지 아냐 알지라. 졍ᄌᆡ 범인이 아니니 셔셔[세세]지ᄉᆞ(細細之事)의 아른 쳐[체]ᄒᆞ미 불가ᄒᆞ고, 글슬지낙은 위셔[셰]로 핍박지 못할지라. 스ᄉᆞ로 주의 이시니, 너ᄂᆞᆫ 모로미 ᄀᆡ심슈힝(改心修行)ᄒᆞ여 ᄒᆞᆫ치 말나. 황녀의 존ᄒᆞ믈 ᄌᆞ랑ᄒᆞ여

453)번득ᄒᆞ다 : 번거롭게 하다.
454)ᄉᆞᆷ오청춘(三五靑春) : 15세의 젊은 나이 또는 그런 시절.

지ᄉᆞ의 아른 쳬ᄒᆞ미 블가ᄒᆞ고 금슬 후박은 위셰로쎠 핍박지 못ᄒᆞᆯ디라. ᄉᆞᄉᆞ로 쥬의(主意) 이시리니, 너ᄂᆞᆫ 모로미 개과슈힝(改過修行)ᄒᆞ여, 가부의 염박ᄒᆞ믈 한치 말고, 황녀 존ᄒᆞ믈 ᄌᆞ랑ᄒᆞ여 죄 우희 죄를 더으지 말나.”

공쥬ᄂᆞᆫ 슈괴만면(羞愧滿面)[596]ᄒᆞ여 능히 머리를 드디 못ᄒᆞ고, 귀비ᄂᆞᆫ 뎡연 부ᄌᆞ를 한입골슈(恨入骨髓)ᄒᆞ니, 샹이 김귀비 모녀를 통ᄋᆡ ᄒᆞ시ᄂᆞᆫ 고로, 그 졍니를 잔잉히 넉이시나, ᄌᆡ삼 부덕을 경계ᄒᆞ시고 궐듕의 이시믈 허치 아니샤, 슈히 나가【41】믈 니르시니, 공쥐 감히 회포를 펴지 못ᄒᆞ고 모비긔 윤·양 등 히ᄒᆞᆯ 모계를 고ᄒᆞ고 뎨후긔 하딕ᄒᆞ니, 샹이 ᄌᆡ삼 경계ᄒᆞ샤, 부도만 쳘혀 다시 허물을 뵈지 아니면 뎡ᄌᆞᄂᆞᆫ 관인군ᄌᆡ(寬仁君子)니 화락ᄒᆞ미 이시리라 ᄒᆞ시니, 공쥐 브복 쥬왈,

“근슈교의(謹守教義)[597]리이다.”

ᄒᆞ더라.

공쥐 이의 궁의 나와 뎡부로 오니, 존당구괴 흔연이 반겨ᄒᆞ여 ᄋᆡᄃᆡ(愛待)ᄒᆞ미 윤·양·니 삼부인긔 츄호 다르미 업더라. 공쥐 셰월이 갈ᄉᆞ록 홍안박명(紅顔薄命)을 늣겨 삼부인을 히ᄒᆞᆯ 쯧이 시시로 급ᄒᆞ나, 은악양션ᄒᆞ여 운영을 브르니, ᄢᆡ의 운영이 병부의 위엄을 당【42】ᄒᆞᆫ 후로, 뇌졍(雷霆)의 ᄡᅥ러진 ᄌᆞᆷ듕(蠶蟲)[598]ᄀᆞᆺ치 머리를 방문 밧긔 ᄂᆡ왓지 못ᄒᆞ고, 신혼셩뎡도 참예치 못ᄒᆞ니, 존당이 부마다려 그 연고를 므른ᄃᆡ, 부매 실노ᄡᅧ 고ᄒᆞ니 존당 구괴 더욱 히연(駭然)이 넉이더라.

공쥐 경향을 불너 므른ᄃᆡ, 향이 실노ᄡᅧ 고ᄒᆞ니 공쥐 ᄀᆞ장 징그라이 넉이나, 양경(佯驚)ᄒᆞ여 쥬과(酒果)로ᄡᅧ 먹이니, 영이 감샤ᄒᆞ나 병부의 샤명 젼이라 감히 나단니지 못ᄒᆞ고, 윤부인 교화로 졈졈 회과ᄌᆞᄎᆡᆨ(悔過

596)슈괴만면(羞愧滿面) : 부끄러운 빛이 얼굴에 가득함.

597)근슈교의(謹守教義) : ‘가르침을 삼가 받들겠다’는 말.

598)ᄌᆞᆷ듕(蠶蟲) : 누에.

죄(罪)우희 죄을 더으지 말나”

공쥬 《수고만암 ‖ 수괴만안(羞愧滿顔)[455]》니[이]요, 귀비{졔}ᄂᆞᆫ 뎡현부ᄌᆞ을 ᄒᆞᆫ(恨)ᄒᆞ니, ○○[상이] 김귀비 모녀을 총ᄋᆡ ᄒᆞ심으로 졍니을 잔잉니[이] 녁이시나, ᄌᆡ숌 부덕으로 경계ᄒᆞ시고 궐즁의 이시물 허치 아니ᄉᆞ 슈히 가기을 이르시니, 공쥬 회포을 펴지 못ᄒᆞ고 모비겨[긔] 윤·양 등 히할 묘겨[계]을 고ᄒᆞ고, 져[졔]후(帝侯)겨[긔] ᄒᆞ직ᄒᆞ니, 샹니[이] 경겨[계]ᄒᆞᄉᆞ 부도만 츌혀 다시 허물을 뵈지 안니면, 뎡ᄌᆞᄂᆞᆫ 관닌군ᄌᆡ(寬仁君子)니 화락ᄒᆞ리라 ○○○[하시니], 공쥬 왈,

“ᄌᆞ[근]슈교의(謹守教義)[456]리이다.”

ᄒᆞ더라.

뎡부로 오ᄆᆡ, 존당구고 흔연이 반기미 삼부닌[인]겨[긔] 츄호도 다르미【61】 업ᄉᆞ나, 공쥬ᄂᆞᆫ 갈ᄉᆞ록 홍안박명(紅顔薄命)을 늣겨 삼인 히할 쯧지 급ᄒᆞ나, 은악양션ᄒᆞ여 운녕을 부르니, 영니[이] 뇌졍(雷霆)의 ᄡᅥ러진 잠츙(蠶蟲)[457] 갓치 머리을 ᄂᆡ왓지 못ᄒᆞ고, 신혼셩졍도 못ᄒᆞ니, 존당니[이] 부마다려 무른ᄃᆡ, 부ᄆᆡ 실노ᄡᅧ 고ᄒᆞ니 더옥 히연(駭然)니[이] 역이더라.

공쥐 부르니, 운녕니[이] 가지 아니니, 공쥬 경힝을 불너 무른ᄃᆡ, 경힝니 실고(實告)ᄒᆞ니, 공쥬 가장 징그러니[이] 역이나, 양경ᄒᆞ여 쥬과로ᄡᅧ 먹이이[니], 운녕니[이] 감ᄉᆞᄒᆞ되 부마의 ᄉᆞ명 젼이라 감히 나 단이지

455)수괴만안(羞愧滿顔) : 부끄러운 빛이 얼굴에 가득함.

456)근슈교의(謹守教義) : ‘가르침을 삼가 받들겠다’는 말.

457)즘듕(蠶蟲) : 누에.

自責)ᄒᆞ여, 녜의를 슝상ᄒᆞ여 상ᄉᆞ지심이 ᄉᆞᆺ쳐 쇼당의 잠겨시니, 태부인 후덕으로 남후다려 닐너 신혼의 참예케 ᄒᆞ나, 영이 슈괴ᄒᆞ여【43】 욕ᄉᆞ무디(欲死無地)ᄒᆞ여 ᄒᆞᄂᆞᆫ디라. 경션궁의셔 브르믈 고ᄒᆞ고 나아가기를 고ᄒᆞ니 태부인이 가ᄋᆡ(可愛)ᄒᆞ여 허ᄒᆞ더라.

공쥐 ᄆᆡ양 부매 신질(身疾)을 칭ᄒᆞ여 원거ᄒᆞ니, 공쥐 반신반의(半信半疑)ᄒᆞ여 ᄀᆞ마니 삼인의 시녀를 ᄉᆞ괴여 ᄉᆞ긔를 탐디코져, 금은을 주고 부부 ᄉᆞ졍을 므르니, 시녜 일일히 고ᄒᆞᄆᆡ, 최상궁이 분완(憤惋)ᄒᆞ여 귀비긔 통ᄒᆞ니 귀비 샹긔 일일히 고ᄒᆞ온ᄃᆡ, 샹이 금후 부ᄌᆞ를 통(痛)히ᄒᆞ샤, 일일은 뎡병부를 명초ᄒᆞ샤 고금ᄉᆞ를 므르시고, 옥ᄇᆡ의 향온(香醞)을 주시니, 금휘 황감블승(惶感不勝)ᄒᆞ여 여러 잔을 거훌너시니, 공이 취ᄒᆞ므로 고샤(固辭)ᄒᆞ온ᄃᆡ, 샹【44】이 ᄀᆞᆯ오샤ᄃᆡ,

“경은 위국튱졀이 고금의 무ᄡᅣᆼᄒᆞ므로 딤이 한 고조의 소하(蕭何)[599]와 당 ᄐᆡ종의 위징(魏徵)[600]ᄀᆞᆺ치 알고, 다시 인친의 졍을 겸ᄒᆞ며, 텬홍 ᄀᆞᆺᄐᆞᆫ 긔ᄌᆞ로 문양의 ᄇᆡ우를 삼아 화락ᄒᆞ여 유ᄌᆞᄉᆡᆼ녀ᄒᆞ기를 바라며, 텬홍을 통ᄋᆡᄒᆞ미 부마 듕 뎨일이어ᄂᆞᆯ, 문양을 쇽탁(屬託)[601]ᄒᆞ여 원위(元位)를 주라 하교ᄒᆞ엿거ᄂᆞᆯ, 부부 후박이 엇디 ᄒᆞ관ᄃᆡ 문양이 ᄆᆡ양 셜우미 이시니, 딤이 심히 의심ᄒᆞ노라.”

금휘 셩교(聖敎)를 듯ᄌᆞ오ᄆᆡ 므ᄉᆞᆫ 묘ᄆᆡᆨ이 이시믈 짐작고, 브복 계슈ᄒᆞ여 쥬왈,

“셩괴 이의 밋ᄎᆞ시니, 신이 블승황공 젼뉼ᄒᆞ와 알욀 바를 아디 못【45】ᄒᆞ리로소

599)소하(蕭何) : 중국 전한의 정치가(?~B.C.193). 유방을 도와 한(漢)나라의 기틀을 세웠으며, 율구장(律九章)이라는 법률을 만들었다

600)위징(魏徵) : 중국 당나라 초기의 공신·학자(580~643). 자는 현성(玄成). 현무문의 변(變) 이후, 태종을 모시고 간의대부가 되었다. ≪양서≫, ≪진서≫, ≪북제서≫, ≪주서≫, ≪수서≫의 편찬에 관여하였다.

601)쇽탁(屬託) : 남에게 사람이나 물건 따위를 맡기고 잘 보살피도록 부탁함.

못ᄒᆞ고, 윤부닌 교화을[로] 점점 회과ᄌᆞ칙(悔過自責)ᄒᆞ여 녀[녜]의을 슝샹ᄒᆞ여 상ᄉᆞ지심니 ᄉᆞᆺ쳐 소당의 ᄌᆞᆷ겨시니, ᄐᆡ부닌[인] 후덕으로 금후다려 신혼의 ᄂᆞ겨[게] ᄒᆞ나, 운녕니[이] 슈괴ᄒᆞ여 욕ᄉᆞ무지(欲死無地)라. 경션궁의셔 부○[르]믈 보고 나아가기을 고ᄒᆞᆫᄃᆡ, 부닌[인]이 가ᄋᆡ(可愛)ᄒᆞ여 허ᄒᆞ더라.

공쥐 ᄆᆡ냥[양] ○○[부ᄆᆡ] 신병을 칭ᄒᆞ여 원거(遠居)ᄒᆞ니, 공쥬 반신반의(半信半疑)ᄒᆞ여 가마니 삼닌[인]의 시녀을 ᄉᆞ괴여 ᄉᆞ긔을 탐지코져, 금은을 쥬고 부부ᄉᆞ졍을 무르니 일일니[히] 고ᄒᆞᆫᄃᆡ, 최녀 분완ᄒᆞ여 귀비긔 통ᄒᆞ니, 귀비 샹니[긔] 일일니[히] 고ᄒᆞᆫᄃᆡ, 상니[이] 금후 부ᄌᆞ을 통(痛)히ᄒᆞᄉᆞ, 일일【62】은 금후을 명ᄒᆞᄉᆞ 고금ᄉᆞ을 무르시고, 옥ᄇᆡ의 《힝은∥향온(香醞)》을 쥬시니, 금휘 황감불승(惶感不勝)의 여러 잔을 거후루ᄆᆡ, 공니[이] 취ᄒᆞ므로 고ᄉᆞᄒᆞᆫᄃᆡ, 상왈,

“경은 위국츙졀니{요} 고금의 무젹(無敵)ᄒᆞ므로, 짐이 경(卿) 알오믈, 당조(唐朝) 위징(魏徵)[458] 갓트니, 다시 인친의 의을 겸ᄒᆞ고, 텬홍 갓튼 긔ᄌᆞ로 문냥의 ᄇᆡ우을 삼아 화락ᄒᆞ여, 유ᄌᆞᄉᆡᆼ녀키을 ᄇᆞ라며, 텬홍을 총ᄋᆡᄒᆞ미 부마 듕 져[졔]일니여날, 문양을 속탁(屬託)[459]ᄒᆞ여 원위(元位)로 ᄒᆞ교ᄒᆞ엿거날, 부부후박니[이] 엇더ᄒᆞ관ᄃᆡ 문양니 ᄆᆡ냥 셜우미 잇시니 의심ᄒᆞ노라.”

금휘 문교(聞敎)의 무ᄉᆞᆫ 묘ᄆᆡᆨ니[이] 이시물 짐족ᄒᆞ고, 부복 겨[계]슈 왈,

“셩교 이의 밋ᄎᆞ시니, 불승황공의 쥬할ᄇᆡ 업셔이다. 신이 박덕부ᄌᆡ로 셩은이 여쳔(如天)ᄒᆞ와 부ᄌᆞ의 몸의 우로혀[혜]ᄐᆡᆨ(雨露惠澤)이 져져ᄉᆞ오니, 쥭기로 대은(大恩) 보

458)위징(魏徵) : 중국 당나라 초기의 공신·학자(580~643). 자는 현성(玄成). 현무문의 변(變) 이후, 태종을 모시고 간의대부가 되었다. ≪양서≫, ≪진서≫, ≪북제서≫, ≪주서≫, ≪수서≫의 편찬에 관여하였다.

459)쇽탁(屬託) : 남에게 사람이나 물건 따위를 맡기고 잘 보살피도록 부탁함.

이다. 신이 박덕 브지로 셩은이 여텬(如天)ᄒᆞ오샤, 부ᄌᆞ의 몸의 우로혜튁(雨露惠澤)이 져젓ᄉᆞ오니, 죽기로ᄡᅧ 텬은을 보답ᄒᆞ믈 ᄉᆡᆼ각ᄒᆞᇰ옵ᄂᆞᆫ디라, 다시 미문(微門)의 옥쥬의 하가ᄒᆞ시ᄂᆞᆫ 외람ᄒᆞ믈 밧ᄌᆞ와, 쳔ᄒᆞᆫ ᄌᆞ식이 역시 숑황(悚惶)ᄒᆞ오믈 모로지 아니ᄒᆞ오니, 엇디 옥쥬긔 박졍ᄒᆞ미 이시리잇고? 금슬 후박은 아지 못ᄒᆞ오나, 제 므ᄉᆞᆫ 사ᄅᆞᆷ이라 감히 소ᄃᆡ(疏待)ᄒᆞ미 이시리잇고?”

샹이 공의 쥬ᄉᆞ를 드르시고 다만 우으샤, 아른 쳬ᄒᆞ미 님군의 톄면의 블가ᄒᆞ신디라, 또 ᄀᆞᆯ오샤ᄃᆡ,

“경이 공쥬 부부의 금슬 후박을 모로노라 ᄒᆞ니, 딤은 더욱 알 길 업ᄉᆞ나, 【46】 경이 범ᄉᆞ의 살펴 문양으로ᄡᅧ 셜우미 업게 ᄒᆞ라. 문양을 별녜(別禮)로 뎍인춍듕(敵人叢中)의 보ᄂᆡ고 못닛ᄂᆞᆫ ᄇᆡ라. 경은 딤의 구구ᄒᆞ믈 웃지 말나, ᄋᆡᄌᆞ지심(愛子之心)은 인개유디(人皆有之)602)니라.”

ᄒᆞ시니 금휘 ᄇᆡ슈(拜受) 계슈(稽首)ᄒᆞ나, 샹명이 졸연이 여ᄎᆞᄒᆞ시믈 의괴ᄒᆞ더니, 퇴됴홀ᄉᆡ, 샹이 공쥬의 신셰(身世)603) 부탁을 ᄌᆡ삼ᄒᆞ시고 ᄂᆡ시로 븟드러 보ᄂᆡ시니, 은영이 날노 더으시더라. 샹이 ᄂᆡ뎐의 드르샤 김귀비다려 금후의 문답을 니르시니, 귀비 블승분앙ᄒᆞ여 황상 긔망ᄒᆞ믈 고ᄒᆞ고, 심복 궁인 관시로 진부인긔 보ᄂᆡ여 여ᄎᆞ여ᄎᆞ ᄒᆞ라 ᄒᆞ니, 궁인이 뎡부의 니르ᄆᆡ, 금 【47】 휘 바야흐로 퇴됴 환가ᄒᆞ여 태부인긔 뵈오니, 다시 니르러 바로 ᄂᆡ쳥의 드러와 진부인긔 귀비 말ᄉᆞᆷ으로 고왈,

“문양이 비록 뎡궁낭낭 탄ᄉᆡᆼ이 아니나, 이 곳 만승지녜라. 구가 ᄃᆡ졉이 ᄌᆞ못 다를 거시어늘, 모다 외ᄃᆡᄒᆞ미 심ᄒᆞ고 입현됴알디시(入見朝謁之時)604)의 보ᄆᆡ, 비홍이 완연ᄒᆞ니, 디금 규녜라. 모녀지졍(母女之情)의

602)ᄋᆡᄌᆞ지심(愛子之心) 인개유디(人皆有之) 자식을 사랑하는 마음은 사람이면 누구나 가지고 있음.

603)신셰(身勢) : 주로 불행한 일과 관련된 일신상의 처지와 형편.

604)입현됴알디시(入見朝謁之時) : 입궐하여 알현할 때.

답ᄒᆞ오믈 ᄉᆡᆼ각ᄒᆞ옵난 ᄇᆡ라. 다시 옥쥬의 ᄒᆞ가ᄒᆞ시ᄂᆞᆫ 외남(猥濫)ᄒᆞ믈 밧ᄌᆞ와 쳔ᄒᆞᆫ ᄌᆞ식니[이] 황송ᄒᆞ오믈 모로지 아니 ᄒᆞ오니, 엇지 옥쥬겨[긔] 무졍(無情)ᄒᆞ미 잇시리잇고?”

상니[이] 다만 우으시고 아른 쳐[쳬]ᄒᆞ미 쳐[쳬]면의 불가라 ᄒᆞᄉᆞ 왈,

“경니[이] 【63】 공쥬 부부후박을 모로노라 ᄒᆞ니, 짐은 더욱 알길 업ᄉᆞ나, 경이 범ᄉᆞ의 살펴 문양으로쎠 서루미 업겨[게] ᄒᆞ라.”

금휘 ᄇᆡᄉᆞ(拜辭) 겨[계]슈(稽首)ᄒᆞ나, 상명니 졸연(猝然)ᄒᆞ시물 의괴러니, 퇴조할ᄉᆡ, 상니[이] ᄌᆡ숨 부탁ᄒᆞ시고, ᄂᆡ시로 븟드러 보ᄂᆡ시니, 귀비 분앙ᄒᆞ여 황샹 긔망ᄒᆞ물 고ᄒᆞ고, 심복 궁닌[인] 단시로 진부닌[인]겨[긔] 고 왈,

“문양니 비록 황후 탄ᄉᆡᆼ은 안니나 이곳 만승지여(萬乘之女)라, 구가 ᄃᆡ졉이 다르려든 모다 외ᄃᆡᄒᆞ미 심ᄒᆞ고, 조왈[알]지시(朝謁之時)460)의 보ᄆᆡ ᄋᆡᆼ되461) 완연ᄒᆞ니, 지금 규녀로 모녀지졍(母女之情)의 신셔[셰]을 늣기ᄂᆞ니, 문양니[이] ᄒᆞ가 후로 드러ᄂᆞᆫ 허물니[이] 잇셔 부마의 박졍니[이] 여ᄎᆞᄒᆞ뇨? 부닌[인](夫人)이 부마의 연고 업ᄂᆞᆫ 박

460)됴알디시(朝謁之時) : 입궐하여 알현할 때.

461)ᄋᆡᆼ되 : ‘앵혈(鸎血)’을 달리 이르는 말.

신셰를 늣기ᄂᆞ니, 아지 못게라 문양이 하가 후로 므ᄉᆞᆫ 드러난 큰 허물이 잇셔 부마의 박졍이 여ᄎᆞᄒᆞ미냐? 부인이 부마의 연고업ᄂᆞᆫ 박ᄃᆡ를 ᄉᆞᆯ펴, 부마를 칙ᄒᆞ염즉 ᄒᆞ니, 이곳 나의 쳔금농쥐(千金弄珠)라, 빈실노 ᄃᆡ졉ᄒᆞ여 뎡가 일문이 ᄒᆡᆼ노(行路)ᄀᆞᆺ치 ᄒᆞᆫ【48】 다 ᄒᆞ니, 내 비록 용잔ᄒᆞ나 셜분(雪憤)치 아니랴? ᄒᆞ시더이다."

금휘 황샹의 여러 번 부탁ᄒᆞ신 바의 ᄎᆞ언을 드르니, ᄒᆡ연ᄒᆞ여 분긔 니러나ᄃᆡ, 잠잠코 태부인을 뫼셔 손ᄋᆞ를 가ᄎᆞ(假借)ᄒᆞ니[605], ᄋᆞᄌᆞ의 ᄆᆞᄋᆞᆷ을 탁냥(度量)치 못ᄒᆞ고, 태부인의 유화(柔和)ᄒᆞ므로도 젼어(傳語)를 듯고 뎡식(正色) 냥구(良久)의 상궁을 ᄃᆡᄒᆞ여 글오ᄃᆡ,

"내 집이 본ᄃᆡ 도의지개(道義之家)라. 블초 손ᄋᆞ 등이 ᄒᆡᆼ혀 얼골이 더럽기를 면ᄒᆞᄃᆡ, 초방승퇵(椒房承擇)[606]을 바라지 못ᄒᆞ던 바로, 댱손의 니르러 여러 쳐직 잇고 작위 후빅의 밋ᄎᆞ니 다시 바랄 거시 업거ᄂᆞᆯ, 뜻 밧 부마간션(駙馬揀選)의 참예ᄒᆞ여 옥쥬의 ᄒᆞ가ᄒᆞ실【49】 줄은 쳔만의외라. 블감황공(不敢惶恐)ᄒᆞ미 극ᄒᆞ니, 셩만(盛滿)ᄒᆞᆫ 환(患)이 이실가 두릴디언졍, 옥쥬의 긔질이 고왕금ᄂᆡ(古往今來)의 희한ᄒᆞ시고 셩덕이 초츌ᄒᆞ시므로, 금지옥엽(金枝玉葉)의 존귀를 쪄 ᄋᆡ경(愛敬)ᄒᆞ미 극ᄒᆞ거ᄂᆞᆯ, 심회 블평ᄒᆞ실 ᄇᆡ 업ᄉᆞᆫ지라. 낭낭 ᄒᆞ괴 의외오, 비홍이 완연타 ᄒᆞ믄 ᄉᆞᆯ피지 못ᄒᆞ미니, 오날이라도 손ᄋᆞ를 계칙ᄒᆞ려니와, 부부 후박은 명운(命運)의 이시니 인녁으로 못ᄒᆞᆯ ᄇᆡ라, 위엄의 잇지 아니니 궁인은 ᄎᆞ언을 귀비낭낭긔 알외라."

605)가ᄎᆞ(假借)ᄒᆞ다 : ①정하지 않고 잠시만 빌리다 ②편하고 너그럽게 대하다. ③가까이 하여 어루만지다.

606)초방승퇵(椒房承擇) : 왕실의 부마(駙馬)나 비빈(妃嬪)으로 간택됨.

대을 살펴 칙ᄒᆞ염즉 ᄒᆞ니, 이곳 나의 쳔금농쥐(千金弄珠)니, 빈실노 ᄃᆡ졉ᄒᆞ여 졍가으 일문니[이] ᄒᆡᆼ노(行路) 갓치 한다 ᄒᆞ니, ᄂᆡ 비록 용잔ᄒᆞ나 셜분(雪憤)치 못ᄒᆞ랴?"

ᄒᆞᄂᆞᆫ지라.

금휘 황상의 여러번 부탁ᄒᆞ시던 ᄇᆡ의 ᄎᆞ언을 드르ᄆᆡ, ᄒᆡ연ᄒᆞ여 분기 이러나대, 좀좀코 ᄐᆡᄐᆡ(太太)을 뫼셔 손아을 가ᄎᆞ(假借)ᄒᆞ니[462], 아ᄌᆞ의 마음을【64】 탁양(度量)치 못ᄒᆞ고 ᄐᆡ부닌[인] 유화(柔和)ᄒᆞ므로도 젼어(傳語)을 듯고 졍식(正色) 양구(良久)의 샹궁다려 왈,

"오ᄀᆡ 본(本)니[이] 포의지ᄀᆡ(布衣之家)라, 불초 손아 등니[이] ᄒᆡᆼ혀 얼골니[이] 더럽기을 면ᄒᆞᄃᆡ, 초방승탁(椒房昇擢)[463]으로 ᄇᆞ라지 못ᄒᆞ던 ᄇᆞ로쎠, 장손의 이르러 여러 쳐쳡이 잇고 ᄌᆞᆨ위 후ᄇᆡᆨ의 이르니, 여른 복니[이] 손할가 쥬야 우구(憂懼)ᄒᆞ여 도로혀 깃브물 이져 박빙(薄氷)을 드딘 듯ᄒᆞ더니, 천만 뜻밧겨[긔] 부마 간션의 참여ᄒᆞ여 옥쥬의 ᄒᆞ가ᄒᆞ실 쥴은 의외라, 불감광[황]공(不敢惶恐)ᄒᆞ미 극ᄒᆞ니, 셩만(盛滿)ᄒᆞᆫ 환(患)니 잇실가 두릴지언졍, 무ᄉᆞᆫ 불평지식 잇시며, 겸ᄒᆞ여 옥쥬의 긔질니 고왕금ᄂᆡ(古往今來)의 희한(稀罕)ᄒᆞ시고, 셩덕니[이] 초츌ᄒᆞ미[시]므로 금지옥엽의 존ᄃᆡ[귀]을 쪄 ᄋᆡ경(愛敬)ᄒᆞ미 어ᄃᆡ 비할 쥴 모로와, 항상 마음의 과분ᄒᆞ믈 일컷거날, 이져 심회 불평ᄒᆞ실 ᄇᆡ 업ᄂᆞᆫ지라. 낭낭 ᄒᆞ교(下敎) 의외요, 비홍니 완젼타 ᄒᆞ믄 살피지 못ᄒᆞ미니, 오날이라도 손아을 겨[계]칙(戒責)ᄒᆞ려니와, 부부후박(夫婦厚薄)은 명운(命運)의 잇시니, 《일역 ‖ 인력(人力)》으로 못할 ᄇᆡ요, 위엄으로 져히지 못할 거ᄉᆞᆫ 부부금슬이라. 귀인

462)가ᄎᆞ(假借)ᄒᆞ다 : ①정하지 않고 잠시만 빌리다 ②편하고 너그럽게 대하다. ③가까이 하여 어루만지다.

463)초방승퇵(椒房昇擢) : 왕실의 부마(駙馬)나 비빈(妃嬪)으로 간택됨.

진부인이 ᄀᆞᆯ오ᄃᆡ,

"공쥐 하가ᄒᆞ신○[지] 긔년(朞年)이 거의로ᄃᆡ, 하ᄌᆞ(瑕疵)ᄒᆞᆯ 일이 업ᄉᆞ니 힝열ᄒᆞ믄 니르지 말고, 《쳔손‖쳔가(賤家)》의 복【50】이 손(損)ᄒᆞᆯ가 ᄒᆞ더니, 낭낭 젼교를 드르니 놀나오믈 니긔지 못ᄒᆞᄋᆞᆸᄂᆞ니, 돈ᄋᆞ의 박졍을 ᄭᅵᄃᆞ라 계칙(戒責)ᄒᆞ려니와, 다만 옥쥬를 힝노(行路)ᄀᆞᆺ치 ᄒᆞᆫ다 ᄒᆞ시믄 의외니, 이ᄂᆞᆫ 궁듕의셔 와젼을 드르시고 깁히 분노ᄒᆞ시미나, 본ᄃᆡ 가법이 공근(恭謹) 겸퇴(謙退)ᄒᆞ오니, ᄒᆞᆯ노 옥쥬긔 블경(不敬)ᄒᆞ리잇고? 이ᄂᆞᆫ 낭낭이 공쥬 말ᄉᆞᆷ을 못드르시미로소이다."

언필의 긔위(氣威) 단엄ᄒᆞ여 츄상녈일(秋霜烈日) ᄀᆞᄐᆞ니, 상궁이 비록 담대ᄒᆞ나 감히 다시 말을 못ᄒᆞ더니, 평남휘 부젼의 시좌라가 공경ᄒᆞ미 가득ᄒᆞᆫ 거ᄉᆞᆯ 밧든 ᄃᆞᆺ 녜(禮) 답고, 시랑 등 졔공ᄌᆡ 엇게를 ᄀᆞᆯ와607) 시측이러【51】니, 상궁의 블손ᄒᆞᆫ 젼어의 밋쳐, 분긔 ᄐᆞᆼ돌ᄒᆞ여, 긔ᄉᆡᆨ이 삼엄ᄒᆞ여 상궁을 ᄂᆡᆼ안으로 장시(長視)ᄒᆞ더니, 남휘 ᄆᆞᆫ득 ᄒᆡ탈의ᄃᆡ(解脫衣帶)ᄒᆞ고 계하의 나려 청죄 왈,

"ᄒᆡᄋᆡ 여러 쳐실을 잘 거나리지 못ᄒᆞ와, 공쥬의 무단(無斷)ᄒᆞᆫ 원망이 대ᄂᆡ(大內)608) 의 ᄉᆞ못ᄎᆞ, 귀비의 벼르ᄂᆞᆫ 말ᄉᆞᆷ이 ᄒᆡ악(駭

607)ᄀᆞᆯ오다 : 나란히 하다.

608)대ᄂᆡ(大內) : 대전(大殿). 임금이 거처하는 궁전.

은 ᄎᆞ언(此言)을 귀비낭낭긔 알외믈 바라노라."【65】

진부닌이 갈오ᄃᆡ,

"옥쥐 ᄒᆞ가ᄒᆞ신지 긔년(朞年)이 《기니‖거의》로ᄃᆡ ᄒᆞᄌᆞ(瑕疵)할 거시 업ᄉᆞ니, 일가의 힝열ᄒᆞ믈 이르지 말고, 친쳑의 뉘 안니 칭찬ᄒᆞ리요. ᄆᆡ냥[양](每樣) 돈아의 쳐궁니 외람코 과분ᄒᆞ믈 그윽니[이] 두리ᄂᆞ니, 금일 낭낭의 젼교(傳敎)을 듯ᄉᆞ오니 도로혀 놀나오물 이기지 못ᄒᆞᄂᆞ니, ᄒᆞᆫ갓 낭낭의 노ᄒᆞ시믈 두릴 거시 아니라, 돈아의 박힝무상(薄行無狀)464)ᄒᆞ믈 비로소 ᄭᅵ다라 ᄎᆞ후 엄히 겨[계]칙ᄒᆞ련이와, 다만 공쥬을 힝노(行路) 갓치 역인단 말은 업ᄉᆞᆫ 일이니, 이ᄂᆞᆫ 귀비 궁즁의셔 와젼(訛傳)을 드르시고 깁히 분노ᄒᆞ시미연이와, 졍문 풍속니[이] 남달이 공근(恭謹) 겸손(謙遜)○○[ᄒᆞ오]니, ᄒᆞᆯ노 공쥬긔 다ᄃᆞ라 본졍(本情)을 ᄇᆞ리고 불경할 바ᄂᆞᆫ 업ᄉᆞ니, 낭낭이 오히려 공쥬의 말ᄉᆞᆷ을 듯지 아녀 겨신가 ᄒᆞ노라."

언파의 안뫼(顏貌) ᄎᆞᆫ 달 갓고 위의 졍엄(整嚴)ᄒᆞ녀[여] 일ᄀᆡ 부닌[인]이 열일군ᄌᆞ(烈日君子)의 풍니[이] 이시니 단상궁니[이] 비록 담ᄃᆡᄒᆞ나, 여러 말을 못ᄒᆞ고 오직 구[귀]비의 이르든 말만 옴길 분이러라. 좌간의 평남휘 부친을 뫼셔 관을 슉이고 ᄊᆡᆨ을 도도와 경근(敬謹)ᄒᆞᄂᆞᆫ 여[예]을 잡으며 승안(承顏)ᄒᆞᄂᆞᆫ 화긔을 지어 시랑 등 져져[제제]로 더브러 엇ᄀᆡ을 가ᄅᆡ더니465), 구[귀]비의 젼어(傳語)【66】을 ○○○[가지고] 상궁니(이) 방ᄌᆞ히 드러와, 공쥬 박명을 일컷기의 당ᄒᆞ여, 노기 일시의 ᄇᆡᆨ장(百丈)이나 ○○[ᄒᆞ여] 비록 강잉코져 ᄒᆞ나, 미위 ᄊᆡᆨᄊᆡᆨᄒᆞ여 상궁을 ᄂᆡᆼ안으로 보더니, ᄆᆞᆫ득 ᄒᆡ탈의ᄃᆡ(解脫衣帶)ᄒᆞ고 겨[계]ᄒᆞ의 나려 청죄 왈,

"ᄒᆡᄋᆡ 여러 쳐실을 거ᄂᆞ리지 못ᄒᆞ와 공쥬의 무단ᄒᆞᆫ 원망니[이] ᄃᆡᄂᆡ(大內)466)의 ᄉᆞ

464)박힝무상(薄行無狀) : 행동이 경박하고 버릇이 없음.

465)가ᄅᆡ다 : 나란히 하다. ⇒ᄀᆞᆯ오다. 갈오다.

愕)ᄒᆞ오니, 쇼ᄌᆡ 공쥬 박ᄃᆡᄒᆞ미 업습고 셜혹 금슬의 블합ᄒᆞ오미 이시나, ᄒᆡᄋᆞ의 득죄ᄒᆞ미 국가의 범치 아닌 젼 공쥬 박ᄃᆡ로 ᄉᆞ죄의 나아가지 아니ᄒᆞ오리니, 귀비의 방ᄌᆞᄒᆞ미 외됴 ᄌᆡ상의 부인을 능경모욕(凌輕侮辱)ᄒᆞ고, 쇼ᄌᆞ의 ᄉᆞ싱을 임의로 쳐단ᄒᆞ기로 뼈 져히니, 이【52】ᄂᆞᆫ 블가ᄉᆞ문어닌국(不可使聞於隣國)이라. 쇼ᄌᆡ 졔가(齊家)를 잘못ᄒᆞ와, 공쥬의 어지지 못ᄒᆞᆫ 연고로 블평ᄒᆞᆫ ᄉᆞ단(事端)이 디존(至尊)의 니르오니 몬져 쇼ᄌᆞ를 다ᄉᆞ리시고, 명일 됴회의 동반(同伴)으로 더브러 후궁의 방ᄌᆞᄒᆞ믈 쥬달ᄒᆞ와, ᄎᆞ일 여ᄎᆞ 거조를 막ᄋᆞ리이다.”

금휘 황샹의 부탁ᄒᆞ시므로좃ᄎᆞ ᄋᆞᄌᆞ를 계칙(戒責)고져 ᄒᆞ더니, 귀비 젼어로 분긔 충츌ᄒᆞ고, 가ᄂᆡ 졈졈 산난ᄒᆞᆯ 밍되(萌兆)를 ᄒᆞᆫᄒᆞ더니, 믄득 ᄋᆞᄌᆞ의 쳥죄ᄒᆞ믈 보ᄆᆡ 더욱 분뇌 발ᄒᆞ여 딘목대즐(瞋目大叱) 왈,

“남ᄋᆞ의 졔가지도(齊家之道)ᄂᆞᆫ 치국평텬하지본(治國平天下之本)이라. 이졔 탄ᄌᆞ(彈子)만ᄒᆞᆫ 집을 다ᄉᆞ리지 못ᄒᆞ여, 녀ᄌᆞ의 작난이 쳐쳡(妻妾)【53】으로 년(緣)ᄒᆞ여 가ᄂᆡ 소요ᄒᆞ니, 필망오가(必亡吾家)ᄒᆞ리니 어이 통ᄒᆞᆫ치 아니리오. 내 젼일 경계 이런 ○[일]의 니르미어늘, 블초ᄌᆡ 아뷔 말을 홍모(鴻毛)ᄀᆞᆺ치 드러 옥쥬를 무고히 박ᄃᆡᄒᆞ여, 귀비 위엄이 ᄆᆡ양 여ᄎᆞᄒᆞ실진ᄃᆡ, 결단코 블초ᄌᆞ를 죽여 대의멸친(大義滅親)609)ᄒᆞ여 가ᄂᆡ를 딘졍(鎭定)ᄒᆞ고 편친긔 블효를 덜니니, 아비를 원치 말나.”

셜파의 병부를 미러 ᄂᆡ치라 ᄒᆞ니 태부인이 뎡식 왈,

“손ᄋᆞ와 옥쥬의 금슬은 모로거니와 츄호(秋毫)610) 박ᄃᆡᄒᆞ미 업고, 셤호(纖毫)611)도

609)대의멸친(大義滅親) : 큰 도리를 지키기 위하여 부모나 형제도 돌아보지 않음.

610)추호(秋毫) : ①가을철에 털갈이하여 새로 돋아난 짐승의 가는 털. ②매우 적거나 조금인 것을 비유적으로 이르는 말

611)섬호(纖毫) : ①매우 가느다란 털. ②썩 작은 사물을 비유적으로 이르는 말.

못ᄎᆞ 귀비의 벼르ᄂᆞᆫ 말ᄉᆞᆷ니 ᄒᆡ악(駭愕)ᄒᆞ오니, 소ᄌᆡ 공주 박ᄃᆡᄒᆞ미 업습고, 셜혹 금슬니 불합ᄒᆞ미 잇시나 ᄒᆡ아의 득죄 국가의 범치 아닌 젼, 공쥬 박ᄃᆡ로 ᄉᆞ죄의 나아○[가]지 안니 ᄒᆞ올지라. 소ᄌᆡ 져[제]가을 불엄니[이] ᄒᆞ온 연고로 불평ᄒᆞᆫ ᄉᆞ단(事端)니[이] 지존(至尊)의 이르오니, 몬져 소ᄌᆞ을 다ᄉᆞ리시고, 명일 조회의 후궁의 방ᄌᆞᄒᆞ물 쥬달(奏達)ᄒᆞ와 ᄎᆞ일 여ᄎᆞ 거조을 막그리이다.”

금휘 황샹의 부탁ᄒᆞ시므로 조ᄎᆞ 아ᄌᆞ을 겨[계]칙(戒責)고져 ᄒᆞ더니, 귀비 젼어을[로] 분기 충츌ᄒᆞ고 가ᄂᆡ 졈졈 살[산]난(散亂)ᄒᆞ믈 ᄒᆞᆫᄒᆞ여, 이의 지[진]목ᄃᆡ질(瞋目大叱) 왈,

“남ᄌᆞ의 져[제]가지도(齊家之道)ᄂᆞᆫ 치국평쳔ᄒᆞ지본(治國平天下之本)니라. 이져[제] 집을 다ᄉᆞ리지 못ᄒᆞ여 녀ᄌᆞ의 ᄌᆞᆨ난니 처쳡으로 년(緣)ᄒᆞ여 가ᄂᆡ 소요ᄒᆞ니, 이 반드시【67】집을 망할지라. 엇지 통ᄒᆞᆫ치 안니리요. ᄂᆡ 젼일 너 다려 경겨[계]ᄒᆞ미 이런 일니 잇실가 ᄒᆞ미녀[여]날, 불쵸ᄌᆡ 아비 말을 홍모(鴻毛)467) 갓치 녁여 ᄆᆡᄉᆞ을 긔탄 업시 ᄒᆞ고, 이의 공쥬을 무고히 박ᄃᆡᄒᆞ고, 귀비의 교명(敎命)니 이 갓트니 무어시 조흐요[뇨]? ᄎᆞ후 만일 니[이] 갓틀진ᄃᆡ 너와 부ᄌᆞ(父子) 정(情)을 아조 ᄭᅳᆫ처 셔로 보지 안니리라.”

언파의 남후을 미러 ᄂᆡ치라 ᄒᆞ니, ᄐᆡ부닌[인]이 정ᄉᆡᆨ 왈,

“쳔흥니[이] 공쥬와 은의ᄂᆞᆫ 아지 못ᄒᆞ나 외면은 박졀ᄒᆞ미 업고 우리도 ᄌᆞ익ᄒᆞ니, 귀비 위엄니[이] 장ᄃᆡ(壯大)ᄒᆞ나, 와젼(訛傳)을 듯고 이러틋 노ᄒᆞ시미○[니], 무어시 놀나와 익구즌 텬아을 즐칙ᄒᆞᄂᆞ요[뇨]?”

466)ᄃᆡᄂᆡ(大內) : 대전(大殿). 임금이 거처하는 궁전.

467)홍모(鴻毛) : 기러기의 털이라는 뜻으로, 매우 가벼운 사물을 이르는 말.

블경ᄒᆞ미 업거ᄂᆞᆯ, 귀비낭낭이 그릇 듯고 이리 벼르시나, 무죄ᄒᆞᆫ ᄌᆞ식을 즐ᄎᆡᆨᄒᆞᄂᆞᆫ다?"

손ᄋᆞ를 명ᄒᆞ여 좌의 오로【54】라 ᄒᆞ니, 금휘 날호여 모젼의 고왈,

"쇼ᄌᆡ ᄋᆞᄌᆞ를 ᄃᆡᄒᆞ와 졔가 잘 ᄒᆞ기를 경계ᄒᆞ오미 ᄒᆞᆫ 두 번이 아니오ᄃᆡ, 블초ᄌᆡ(不肖子) 아비 알오믈 홍모(鴻毛)[612]ᄀᆞᆺ치 ᄒᆞ와, 공쥬를 박ᄃᆡᄒᆞ여, 필경 집을 업치고, 문호를 필망ᄒᆞ올디라. 가국(家國)의 어ᄌᆞ러온 ᄌᆞ식은 대의멸친(大義滅親)이 응당ᄒᆞ오니, 원컨ᄃᆡ ᄌᆞ위ᄂᆞᆫ 물우셩녀(勿憂聖慮)ᄒᆞ쇼셔. 이런 일의 소려(消慮)ᄒᆞ시믈 원ᄒᆞᄂᆞ이다."

태부인이 덩ᄉᆡᆨ 왈,

"듯기 즈즐ᄒᆞᆯ[613] ᄉᆞᆫ(事)[614] 텬ᄋᆞ의 쳐쳡난(妻妾亂)이라. 부부 금슬 후박은 텬위(天威)도 임의치 못ᄒᆞᄂᆞ니, 금슬 후박으로 문회(門戶) 망ᄒᆞ여 ᄌᆞ식을 쳔살(擅殺)[615]ᄒᆞᄂᆞᆫ 블근인정(不近人情)은 내 일즉 듯디 못ᄒᆞᆫ ᄇᆡ라. 죵용ᄒᆞᆫ 가ᄂᆡ 텬ᄋᆞ【55】의 쳐쳡으로 ᄒᆞ여금 날노 소요 산난ᄒᆞ니, 노뫼 년급팔슌의 고금ᄉᆞ젹을 박남(博覽)ᄒᆞ여시나, 이런 가란이 어ᄃᆡ 이시리요. 네 일즉 텬ᄋᆞ의 부명봉승치 아니믈 ᄎᆡᆨᄒᆞ며 네 어미 샤(赦)ᄒᆞ라 ᄒᆞᄂᆞᆫ 손ᄋᆞ를 죵시 샤치 아니니, 우히 몬져 그른 후 ᄌᆞ식을 교회(敎誨)ᄒᆞ랴?"

언미(言未)의 덩ᄉᆡᆨ(正色) 쟝엄(莊嚴)ᄒᆞ미 댱부 위풍의 미진치 아니니, 금휘 돈슈 샤죄ᄒᆞ여 ᄋᆞᄌᆞ의 샤명(赦命)을 나리올 바를 고ᄒᆞ고, ᄋᆞᄌᆞ를 도라보아 ᄀᆞᆯ오ᄃᆡ,

"네 나의 셩픔을 알니니, ᄌᆞ교로 좃ᄎᆞ 샤(赦)ᄒᆞᄂᆞ니, ᄎᆞ후 공쥬로 화락ᄒᆞ여 어ᄌᆞ러온 일이 업ᄉᆞ면 용납ᄒᆞ믈 어드려니와, 블연즉 문양궁 협문을 막고 그곳의 엄【56】슈(嚴

612)홍모(鴻毛) : 기러기의 털이라는 뜻으로, 매우 가벼운 사물을 이르는 말.

613)즈즐ᄒᆞ다 : 지질하다. 싫증이 날 만큼 지루하다. ⇒즈즐ᄒᆞ다.

614)ᄉᆞᆫ(事) : 'ᄉᆞ(事)ᄂᆞᆫ'이 줄어든 말.

615)쳔살(擅殺) : 사람을 거리낌 없이 함부로 죽임.

닌ᄒᆞ여 남후을 겻ᄒᆡ 잇시라 ᄒᆞ니, 병뷔 진퇴양난(進退兩難)ᄒᆞ여 아모리 할 쥴 몰나, 괴로온 공쥬을 취ᄒᆞ여 신셔[셰](身勢)의 ᄆᆞ장(魔障)[468]되믈 통분ᄒᆞ니, 평[금]휘 날호여 모친겨[긔] 고왈,

"소ᄌᆡ 쳔아다려 져[제]가(齊家)을 공평니[이] ᄒᆞ라 ᄒᆞ미 이[비]일비ᄌᆡ(非一非再)여날, 아비 말을 홍모(鴻毛)[469] 갓치 역여 현부간(賢否間) 공주을 무고히 박ᄃᆡᄒᆞ다가, 귀비의 알오미 되녀[여] 노(怒)허미 장ᄎᆞᆺ 깁허쓰니 일【68】마다 쳔아의 죄로소니다."

ᄐᆡ부닌 왈,

"부부후박은 쳔위(天威)라도 능히 님의치 못ᄒᆞᄂᆞᆫ니 엇지 위력으로 구속하ᄂᆞᆫ요? 쳔ᄋᆡ 공쥬을 박ᄃᆡᄒᆞ미 업ᄂᆞ니 고이ᄒᆞᆫ 말 말나."

평휘 부마을 도라보아 왈,

"네 나의 성졍을 알 거시니, ᄎᆞ후ᄂᆞᆫ 문냥을 후니[이] ᄃᆡ졉ᄒᆞ여 요란ᄒᆞ미 업겨[게] ᄒᆞᆫ작, 너을 안젼의 용납ᄒᆞ려니와, 불년즉 문냥궁의 가도고 협문(夾門)을 막아 안젼의 ○○[용납]지 안니리라. ○…**결락 21자**…○

468)ᄆᆞ장(魔障) : =마희(魔戲). 귀신의 장난이라는 뜻으로, 일의 진행에 나타나는 뜻밖의 방해나 헤살을 이르는 말.

469)홍모(鴻毛) : 기러기의 털이라는 뜻으로, 매우 가벼운 사물을 이르는 말.

四)ᄒᆞ여 면젼의 용납지 못ᄒᆞ리니, 부ᄌᆞ의 ᄉᆞ라셔 얼골 보미 금일 ᄲᅳᆫ이리니, 장ᄎᆞᆺ 엇질다?"

부매 황황젼뉼ᄒᆞ여 브디쇼향(不知所向)이라. 이에 고두 빅비 왈,

"엄괴 디ᄎᆞ(至此)ᄒᆞ시니 블감역명(不敢逆命)ᄒᆞ오리니 두번 그르미 업ᄉᆞ리이다."

언필의 감뉘(感淚) 죵횡(縱橫)ᄒᆞ여 엄읍뉴쳬(掩泣流涕)616)ᄒᆞ니, 완슌ᄒᆞᆫ 거동과 두리ᄂᆞᆫ 녜뫼 부모의 ᄆᆞᄋᆞᆷ《으로‖을》 녹이ᄂᆞᆫ디라. 금휘 ᄀᆞ마니 탄복ᄒᆞ여 심니의 ᄌᆞ식 잘 두어시믈 스ᄉᆞ로 치하ᄒᆞ고, ᄌᆞ긔 말ᄉᆞᆷ이 과도ᄒᆞ여 ᄋᆞᄌᆞ의 ᄆᆞᄋᆞᆷ이 상케 ᄒᆞ믈, 만심 ᄋᆡ련ᄒᆞ여 다시 닐오ᄃᆡ,

"귀비 쥬ᄉᆞ를 텬졍의 고치 못ᄒᆞ리라."

병뷔 복슈(伏受) 유유(唯唯)ᄒᆞ여617) 엄교ᄃᆡ로 ᄒᆞ오믈 고ᄒᆞ더라. 원ᄂᆡ【57】 부매 부공의 엄녀ᄒᆞ신 듕 ᄌᆞᄋᆡ 타별(他別)ᄒᆞ신 줄 아ᄂᆞᆫ 고로, 부지 산 얼골 보미 금일 ᄲᅳᆫ이라 ᄒᆞ시ᄂᆞᆫ 말ᄉᆞᆷ의, 효ᄌᆞ의 간담이 ᄲᅧ여지니, 폭뉘(暴淚)618) 나리믈 면치 못ᄒᆞ여, 광슈(廣袖)의 방타(滂沱)ᄒᆞ니, 의의(依依)히619) 유ᄋᆞ ᄀᆞᆺᄐᆞ믈 보ᄆᆡ, 부ᄌᆞ의 친으로ᄡᅧ 엇지 ᄋᆡ련지심(愛憐之心)이 업ᄉᆞ리오. 좌위 감읍(感泣)ᄒᆞ믈 마지 아니ᄒᆞ더라.

시시의 진부인이 쥬찬을 셩비ᄒᆞ여 상궁을 관ᄃᆡᄒᆞ여 도라 보ᄂᆡ고, 태부인이 혀ᄎᆞ ᄀᆞᆯ오ᄃᆡ,

"셩혼의 녀ᄌᆞ 념치로ᄡᅧ 금슬 후박을 일ᄏᆞ라 위셰로ᄡᅧ 구가를 ᄶᅥᆨ지르려 ᄒᆞ니, 감히 결우든 못ᄒᆞ려니와 신ᄌᆞ의 원민(冤悶)ᄒᆞ미 가통(可痛)치 아니랴."

ᄒᆞ더라.

금휘 쇼이【58】 쥬왈(笑而奏曰),

"공쥐 하가ᄒᆞ던 날노브터 이런 일이 이실

616)엄읍뉴쳬(掩泣流涕) : 얼굴을 가리고 욺.
617)유유(唯唯)ᄒᆞ다 : 시키는 대로 순종하다.
618)폭뉘(暴淚) : 갑자기 폭포수처럼 쏟아지는 눈물.
619)의의(依依)ᄒᆞ다 : 부드럽고 약하다.

[부ᄌᆞ의 ᄉᆞ라셔 얼골 보미 금일 ᄲᅳᆫ이리니, 장ᄎᆞᆺ 엇질다?"

말노 좃ᄎᆞ 미우의 찬셔리 소소(昭昭)470)ᄒᆞ니,○…**결락 49자**…○[부매 황황 젼뉼ᄒᆞ여 브디쇼향(不知所向)이라 이에 고두 빅비 왈,

"엄괴 디ᄎᆞ(至此)ᄒᆞ시니 블감역명(不敢逆命)ᄒᆞ오리니 두번 그르미 업ᄉᆞ리이다."

언필의] 감뉘(感淚) 종횡(縱橫)의 엄읍유쳐[체](掩泣流涕)471)ᄒᆞ니 완슌ᄒᆞᆫ 거동과 두리ᄂᆞᆫ 《녀뫼‖네뫼(禮貌)》 부모지심(父母之心)을 녹이ᄂᆞᆫ지라. 금휘 가마니 탄복ᄒᆞ여 ᄌᆞ식 잘 두어시물 스ᄉᆞ로 칭하ᄒᆞ고, ᄌᆞ긔 언과(言過)ᄒᆞ여 아ᄌᆞ의 마음니[이] 샹ᄒᆞ물 간[만]심 ᄋᆡ련ᄒᆞ여 다시 이로ᄃᆡ,

"귀비 쥬ᄉᆞ을 쳔졍의 고치 못ᄒᆞ리라."

부ᄆᆡ 복슈(伏受) 유유(唯唯)ᄒᆞ여472) 엄교ᄃᆡ로 ᄒᆞ믈 고ᄒᆞ더라. 원ᄂᆡ 부ᄆᆡ 부공의 엄녀ᄒᆞ신 듕 ᄌᆞᄋᆡ 남다르물 아ᄂᆞᆫ 고로, 부ᄌᆡ 산 얼골노 보미 금일 ᄲᅳᆫ이라 말의 다다라, 문득 효ᄌᆞ의 간담니 ᄶᅧ여지니, 폭뉘(暴淚)473) 나리믈 면치 못ᄒᆞ여, 광슈로 《강즉‖엄적》ᄒᆞ니 의의(依依)○[이] 유ᄌᆞ 갓트믈 보ᄆᆡ, 부ᄌᆞ의 친으로 엇지 ᄋᆡ련(愛戀)치 아니리요. 좌위 감읍(感泣)이【69】 러라.

이날 진부닌[인]이 쥬츤을 셩비(盛備)ᄒᆞ여 상궁을 관ᄃᆡᄒᆞ여 도라 보ᄂᆡ고 ᄐᆡ부인이 혀ᄎᆞ 왈,

"셩혼 ᄀᆡ년의 여ᄌᆞ의 염치 금슬후박을 일카라 위셔[셰]로 구가을 ᄶᅥᆨ지ᄅᆞ니 감히 결우든 못ᄒᆞ려이와 신ᄌᆞ의 원민(冤悶)ᄒᆞ미 가통(可痛)이라."

ᄒᆞ더라.

금휘 소이쥬왈(笑而奏曰),

"옥쥬 ᄒᆞ가ᄒᆞ던 날부터 이런 일의 ᄒᆡᄋᆡ 방심치 못ᄒᆞ더니이다. 아ᄌᆞᄂᆞᆫ 오히려 남ᄌᆞ

470)소소(昭昭)ᄒᆞ다 : 밝고 또렷하다.
471)엄읍유체(掩泣流涕) : 얼굴을 가리고 욺.
472)유유(唯唯)ᄒᆞ다 : 시키는 대로 순종하다.
473)폭뉘(暴淚) : 갑자기 폭포수처럼 쏟아지는 눈물.

가 쇼지 ᄆᆞ음을 노치 못ᄒᆞ더니이다. ᄋᆞᄌᆞᄂᆞᆫ 오히려 귀비 ᄋᆡ셔(愛壻)로 두호(斗護)ᄒᆞ려니와, 삼부(三婦)의 이후 근심이 젹지 아니니 은우ᄒᆞ믈 니긔지 못ᄒᆞᆯ소이다."

태부인은 분개ᄒᆞ믈 니긔지 못ᄒᆞ나, 진부인은 오직 존젼(尊前)의 시좌ᄒᆞ여 홍슈(紅袖)를 단뎡히 ᄭᅩ쟈, 노호옴도 업고 근심홈도 업셔 ᄉᆞ긔 안안ᄒᆞᄃᆡ, 귀비 블현홈과 공쥬의 션치 못ᄒᆞ믈 개탄ᄒᆞ여, 블평ᄒᆞ믈 마지 아니ᄒᆞ더라.

이ᄯᆡ 병뷔 부젼의 엄칙을 듯ᄌᆞᆸ고, 외헌의 나와 그윽이 ᄉᆡᆼ각ᄒᆞᄃᆡ,

"내 문양으로 더브러 부부지락을 일우지 아니려 결【59】단ᄒᆞ엿더니, 비홍(臂紅)이 그져 잇기로 핑계 됴화 박명(薄命)을 ᄌᆞ랑ᄒᆞ니, 내 ᄯᅩ 엄젼의 용납지 못ᄒᆞᆯ ᄌᆞ식이 되어시니, 인ᄌᆡ(人子) ᄉᆞ디(死地)라도 블감역명(不敢逆命)이라. 시쇽(時俗) 경박ᄌᆡ 창누쥬샤(娼樓酒肆)의 왕ᄂᆡᄒᆞ여 창기도 유졍ᄒᆞᄂᆞ니 잇시니, 문양이 비록 음비(淫鄙)ᄒᆞ나 만승의 씻치신 골육이라. 쳔창(賤娼)보다 나을 ᄇᆡ 이시나, 김귀비의 십삭 ᄐᆡ교ᄒᆞ미 그 오죽 블인(不仁)ᄒᆞ리오. 내 ᄆᆞ음을 임의 뎡ᄒᆞ여 공쥬로 부부 뉸의(倫義)를 출히ᄂᆞᆫ ᄀᆞ온ᄃᆡ나, 요악ᄒᆞᆫ 곳의 과혹지 아니미 맛당ᄒᆞ니, 이만 쉬운 일의 부ᄌᆞ의 텬뉸을 ᄭᅳᆫ흐려 ᄒᆞ시ᄂᆞᆫ 망극ᄒᆞᆫ 칙교를 드르리오."

이【60】쳐로 쥬의를 뎡ᄒᆞ고, 통쾌ᄒᆞᆫ 의ᄉᆡ 이의 밋쳐ᄂᆞᆫ 괴롭고 분ᄒᆞᆫ 거ᄉᆞᆯ ᄎᆞᆷ고 이날 혼뎡 후 문양궁의 니르니, 이ᄯᆡ 공쥐 부매 니를 줄은 쳔만 의외라. 최녀로 더브러 심회 울울ᄒᆞ여 산호판(珊瑚版)의 구ᄉᆞᆯ 바둑을 버리고 승부를 닷토더니, 부마의 니르믈 보고 제궁이 놀나 물너나고, 공쥐 니러 맛거ᄂᆞᆯ 부매 눈을 기우려 좌우를 이시히 보다가, 공쥬와 최상궁 증염ᄒᆞᄂᆞᆫ 분노를 풀고져 ᄒᆞ여, 짐즛 핑계를 어더 최녀를 먼니 ᄂᆡ치고져 ᄒᆞ여, 침연뎡좌(沈然靜坐)의 공쥬다려 니르ᄃᆡ,

"귀쥐 비록 년쇼ᄒᆞ시나 톄위 존듕ᄒᆞ거ᄂᆞᆯ 엇지【61】궁녀로 바둑을 두어 노쥬지분

오, 귀비의 ᄋᆡ셔(愛壻)로 용셔ᄒᆞ려이[니]와, 삼부(三婦)의 일후 근심니[이] 젹지 안니이[니] 은위(隱憂)되[로]《ᄉᆞ니다‖소이다》."

ᄐᆡ부닌[인]이 분하믈 이기지 못ᄒᆞ나, 진부닌[인]은 오직 존젼(尊前)○[의] 시좌(侍坐)ᄒᆞ여 홍슈(紅袖)을 단졍니[이] ᄭᅩᄌᆞ, 노함도 업고 근심홈도 업셔 ᄉᆞ긔 안안ᄒᆞ더라.

부ᄆᆡ 부교을 승슌ᄒᆞ여 서현[헌](書軒)의 와 혀오ᄃᆡ,

"○[ᄂᆡ] 결단코 문냥[양]으로 부부지낙을 허치 안니려 ᄒᆞ엿더니, 엄교 인ᄌᆞ(人子)의 ᄎᆞ마 듯ᄌᆞᆸ지 못ᄒᆞ기의 미ᄎᆞ시니, 불감역명(不敢逆命)이요, 장부의 뇌락(磊落)ᄒᆞ미 엇지 일 여ᄌᆞ을 칙망ᄒᆞ여 갈오리요474). 공쥐 비록 간음ᄒᆞ나 셩상 고륙(骨肉)《니이‖이니》, 황야지우(皇爺知遇)을 간펴[폐](肝肺)의 ᄉᆞᆨ여시니, 엇지 그 소ᄋᆡᄌᆞ(所愛子)의 박졀ᄒᆞ미 신ᄌᆞ의 츙(忠)이라 ᄒᆞ리요. 부부 이셩지친(二姓之親)을 일워 부모 근심을 덜고 셩상(聖上) 지위(知遇)을 보답ᄒᆞ리라."

ᄒᆞ고,【70】혼졍 후 궁의 이르니, 공쥬 부마 오기ᄂᆞᆫ 의외라. 최녀로 더브러 심회 울울ᄒᆞ녀 산호판(珊瑚版)의 구살 ᄇᆞ독을 버리고, 승부을 닷토와 놀기을 잠심ᄒᆞ더니, 부마의 이르믈 보고 모든 궁ᄋᆡ 피ᄒᆞ고 공쥐 이러 맛거날, 부ᄆᆡ 눈을 기우려 좌우을 이심히 보다가 공쥬와 최녀을 증념ᄒᆞᆫ 분을 풀고지 업셔, 최녀을 멀니 박츅고져 ᄒᆞ여 공쥬다려 왈,

"귀쥬 비록 년소ᄒᆞ시나 왕희에 존으로 쳐

474)갈오다 : 가래다. 맞서서 옳고 그름을 따지다.

(奴主之分)을 업시ᄒᆞ리오.”

언파의 ᄉᆞ창을 열치고 최상궁 이하로 졔 궁녀를 다 잡아 나리와 계하의 꿀니고 최상궁을 슈죄(數罪) 왈,

“네 궁듕의 머리 지어 어른 상궁으로 이셔, 반ᄃᆞ시 공쥬의 덕화를 빗ᄂᆡ고 드른 거ᄉᆞᆯ 주어 허물을 간ᄒᆞ미 올커ᄂᆞᆯ, 샹하 존비를 모로고 희쇼달난(喜笑團欒)ᄒᆞ여 박혁(博奕) 음쥬(飮酒)로 쇼일(消日)ᄒᆞ며, ᄇᆞ졀업슨 혀를 놀녀 허무ᄒᆞᆫ 말을 대ᄂᆡ(大內)의 고ᄒᆞ여, 셩샹이 우(憂)를 증(增)ᄒᆞ며, 귀비낭낭 실덕을 도아, 외됴 대신가의 궁비를 ᄇᆞ려 아름답지 아닌 부부간 후박을 공치(攻治)ᄒᆞ여[620] 셰엄(勢焰)[621]을 ᄌᆞ셰(藉勢)ᄒᆞ니[622] 너의 죄당ᄉᆞ【62】죄(罪當死罪)라. 내 셩상의 ᄇᆞ리시던 바를 도라보디 아닐진ᄃᆡ, 쾌히 ᄒᆞᆫ번 다ᄉᆞ릴 거시로ᄃᆡ, 오히려 공쥬의 보모(保姆)므로 결칙(決責)을 아닛ᄂᆞ니, 금야로브터 궁듕을 ᄯᅥ나 네 임의로 ᄃᆞᆫ니고 이곳의 잇지 말나.”

셩음이 밍녈ᄒᆞ고 위엄이 츄상ᄀᆞᆺᄐᆞ니, 궁녀들이 한츌쳠븨(汗出沾背)ᄒᆞ고 좌위 믈감앙시(勿敢仰視)러라. 공쥐 대담(大膽)이나 송연(悚然) 슈괴(羞愧)ᄒᆞ여 능히 말을 못ᄒᆞ니, 부매 궁노를 명ᄒᆞ여,

“최상궁을 ᄂᆡ치ᄃᆡ 다시 궁ᄂᆡ의 븟치지 말나. 만일 븟친즉 ᄉᆞ죄를 면치 못ᄒᆞ리라.”

공쥬다려 니르ᄃᆡ,

“ᄉᆡᆼ이 귀쥬로 더브러 부부지의로 이곳의 왕ᄂᆡᄒᆞᄃᆡ, 원간 궁녀의 슈를【63】 아지 못ᄒᆞᄂᆞ니 쉬(數) 언마나 ᄒᆞ뇨? 대ᄂᆡ(大內)로셔 나온 즙물(什物)의 샤치ᄒᆞᆯ 거시 언마나 잇ᄂᆞ니잇고?”

공쥐 최상궁을 계칙(戒飭)ᄒᆞ여 ᄂᆡ치를 보

620)공치(攻治)ᄒᆞ다 : 비난하다. 헐뜯다.
621)셰엄(勢焰) : 기세(氣勢). 기운차게 뻗치는 형세.
622)ᄌᆞ셰(藉勢)ᄒᆞ다 : 어떤 권력이나 세력 또는 특수한 조건을 믿고 세도를 부리다.

[체]위(體位) 존듕ᄒᆞ시거날, 엇지 궁녀로 잡기(雜技)ᄒᆞ여 승부을 결우시미 올흐니[리]잇고? 노쥬의 분의 소냥[양](宵壤) 갓트믈 모르고 혼잡ᄒᆞ리요.”

언파의 최녀을 겨[계]ᄒᆞ(階下)의 꿀니고 슈죄 왈,

“네 궁즁 슈비(首婢)로 반다시 공쥬의 덕힝을 빗ᄂᆡ고, 그른 거ᄉᆞᆯ 규간(規諫)ᄒᆞ여 션도의 나아가겨[게] ᄒᆞ미 올커날, 존비을 모로고 희소달난(喜笑團欒)ᄒᆞ여 영ᄋᆞ(嬰兒) ᄃᆡ졉ᄒᆞ듯 ᄒᆞ고, 셔[세]치 혀을 놀녀 허무지언(虛無之言)을 ᄃᆡᄂᆡ(大內)의 고ᄒᆞ니 죄 여러 가지라. 버히미 맛당ᄒᆞᄃᆡ, 슈죄(數罪)ᄒᆞ고 즁치할 거시로ᄃᆡ, 오히려 옥쥐 보뫼(保姆)무로 ᄉᆞ(赦)ᄒᆞᄂᆞ니, 금일노부터 궁즁의 잇시면 쥭고 남지 못ᄒᆞ리라. 임의로 멀니【71】 가라.”

엄호(嚴呼)[475]ᄒᆞ니, 좌위 ᄒᆞᆫ츌쳠비(汗出沾背)오 불감앙시(不敢仰視)라. 공쥬의 대담(大膽)이나 송연(悚然) 슈괴(羞愧)ᄒᆞ니, 부미 궁노로 최녀을 ᄂᆡ치미, 다시 {다시} 부치ᄂᆞ니 잇시면 ᄉᆞ죄을 면ᄒᆞ지 못ᄒᆞ리라 ○○[ᄒᆞ고], 공쥬다려 왈,

“ᄉᆡᆼ니[이] 지금의 궁녀의 슈을 모로니 몃치나 ᄒᆞ요[뇨]? ᄃᆡᄂᆡ(對內)의셔 ᄂᆞ온 잡물(雜物)니[이] 시[사]치(奢侈)ᄒᆞ미 업ᄂᆞ니잇가?”

공쥬 최시 ᄂᆡ치므로 마음니 ᄯᅥ러지는 듯 분긔 층즁(層重)ᄒᆞ나, 십분 강잉 ᄃᆡ왈,

475)엄호(嚴呼) : 큰 소리로 엄히 꾸짖음.

고, ᄆᆞ음이 써러지ᄂᆞᆫ ᄃᆞᆺ 분노ᄒᆞ믈 견ᄃᆡ지 못ᄒᆞᄃᆡ, 최상궁이 ᄆᆡ양 ᄎᆞᆷ고 견ᄃᆡ라 ᄒᆞᄂᆞᆫ 고로 악심(惡心)을 쁘리쳐, 온슌ᄒᆞᆫ 빗ᄎᆞᆯ 디어 ᄃᆡ왈,

"국쳬의 졔왕 공쥬 궁녀 슈ᄇᆡᆨ을 거ᄂᆞ리게 ᄒᆞ여시나, 쳡의게ᄂᆞᆫ 황애 공검졀ᄎᆞ(恭儉節次)[623]ᄒᆞ라 하샤, 임의 궁실을 졔(諸) 공쥬궁의 반감(半減)ᄒᆞ고 궁녜 ᄇᆡᆨ이 넘지 못ᄒᆞ니이다. 대ᄂᆡ로셔 나온 긔물(器物)이 이시나 샤치ᄒᆞ믄 업ᄂᆞ이다."

부매 ᄇᆡᆨ여인 궁녀를 다 면젼의 불너 그 진졍을 므러, 부모 동긔를 ᄯᆞ라 녀가(閭家)의【64】 ᄉᆞᆯ고져 ᄒᆞᄂᆞ니 이시면, 쇼원을 좃ᄎᆞ렷노라 ᄒᆞ니, 궁녀들이 부모를 그리ᄂᆞ니도 이시며, 청츈 쇼년의 폐륜을 슬허 궁듕 호화를 원치 아닛ᄂᆞ니 만하, 공쥬를 좃ᄎᆞ미 되여시나 실노 원망ᄒᆞᄂᆞᆫ니 만턴지라, 부마의 녕을 듯고 환열ᄒᆞ여, 각각 부모 동ᄉᆡᆼ을 ᄯᆞᆯ와 ᄉᆞᆯ고져 ᄒᆞᄂᆞᆫ ᄌᆡ 오십여 인이오, 문양궁 호샤를 ᄯᆞᆯ오ᄂᆞ니 뉵십여 인이라. 부매 그 소원을 좃ᄎᆞ 패산지물(貝珊之物)과 ᄌᆡᄇᆡᆨ(財帛)을 주어 편히 ᄉᆞᆯ나 ᄒᆞ고, ᄯᅩ 공쥬 침뎐의 진쥬발(珍珠-) 슈졍(水晶) 패산지뉴(貝珊之類)를 다 써혀 샤치를 업시ᄒᆞᆫ 후, 무ᄉᆡᆨ(無色)ᄒᆞᆫ 쥬렴(珠簾) 긔용(器用) 등물(等物)을 【65】두고, 주방의 분부ᄒᆞ여 찬픔(饌品)을 간략히 ᄒᆞ라 녕을 나리오니, 궁비 등은 그윽이 영ᄒᆡᆼᄒᆞ여 ᄒᆞ나, 공쥬ᄂᆞᆫ ᄉᆞᄉᆞ의 블열ᄒᆞᄃᆡ 거즛 온화ᄒᆞ여 ᄉᆡᆨ지 아니니, 부매 긔ᄉᆡᆨ을 어이 모로리오. 날호여 ᄀᆞᆯ오ᄃᆡ,

"ᄉᆡᆼ이 신병이 잇셔 귀쥬 하가(下嫁)ᄒᆞ션지 냥ᄌᆡ(兩載)[624]로ᄃᆡ, 봉지(鳳池)[625]의 노름이 업ᄉᆞ니 민민ᄒᆞ더니, 근간은 잠간 ᄎᆞ셩ᄒᆞᄆᆡ 비로소 이셩(二姓)의 친(親)을 일우고져 ᄒᆞᄂᆞ니, 그윽이 ᄉᆡᆼ각ᄒᆞᆫ즉 음공(陰功)이 두터온 후 경ᄉᆡ 잇기를 바랄 거시오, 궁듕 여러 시녜 폐륜ᄒᆞ미 청츈쇼년의 비상디원

623)공검졀ᄎᆞ(恭儉節次) : 공손하고 검소하며 절약하여 남보다 씀씀이를 줄임.
624)냥ᄌᆡ(兩載) : 2년. 두 해.
625)봉지(鳳池) : '봉황이 노는 연못'이란 뜻으로 여기서는 '부부의 침실'을 뜻하는 말.

"국쳐[체](國體) 져[제]왕과 공쥐 궁녀 슈ᄇᆡᆨ니[이] 조ᄎᆞᄃᆡ, 쳡의겨[게]ᄂᆞᆫ 황야 공검졀ᄎᆞ(恭儉節次)[476]ᄒᆞ라 ᄒᆞᄉᆞ 님의 궁실을 공쥬○[궁]셔 반감ᄒᆞ고, 궁녀 ᄇᆡᆨ의 넘지 못ᄒᆞ니이다. ᄉᆞ급지물(賜給之物)니[이] 잇시나 ᄉᆞ치ᄒᆞ믄 업ᄂᆞ니다."

부ᄆᆡ ᄇᆡᆨ녀닌[여인] 궁녀을 면젼의 불너 부모동긔을 싸라나가 살고져 ᄒᆞᄂᆞ니 잇시면, 소원 조ᄎᆞ믈 무르니, 부모 긔리ᄂᆞ니도 잇고, 청츈의 윤기(倫紀) ᄎᆞ리믈 ᄌᆞ원ᄒᆞᄂᆞ니도 잇셔, 공쥬을 좃ᄎᆞ나 원망ᄒᆞᄂᆞ니 만흔지라. 부마의 녕을 환열ᄒᆞ여 각각 가고져 ᄒᆞᄂᆞ니 오십 닌니[인이]요, 문냥궁 호【72】ᄉᆞ을 다로ᄂᆞ니[477] 뉵십여 닌[인]이라. 소원을 조ᄎᆞ 각각 ᄌᆡᄇᆡᆨ(財帛)을 주어 호과(好過)ᄒᆞ라[478] ᄒᆞ고, 공쥬 침젼의 진쥬발(珍珠-)과 슈졍념(水晶簾)을 써히고 ᄉᆞ화(奢華)을 금ᄒᆞᆫ 후, 무ᄉᆡᆨᄒᆞᆫ 쥬렴을 달겨[게]ᄒᆞ고 주방의 명ᄒᆞ여 찬품(饌品)을 간약히 ᄒᆞ라 ᄒᆞ니, 궁비 등은 깃거ᄒᆞ나, 공쥬ᄂᆞᆫ 사사(事事) 불열(不悅)ᄒᆞ되 거즛 온화키로 ᄉᆡᆨ이[지] 안니니, 부ᄆᆡ 그 기ᄉᆡᆨ을 어니[이] 모로리요. 날호여 갈오ᄃᆡ,

"ᄉᆡᆼ니[이] 신병으로 귀쥬 ᄒᆞ가(下嫁)ᄒᆞᆫ 긔년(朞年)의 뇽지(龍池)[479]의 노름니[이] 업ᄉᆞ나 근간 나으미 잇시니, 비로소 니셩(二姓)의 친(親)을 일우고져 ᄒᆞᄆᆡ, 그윽니[이] ᄉᆡᆼ각던ᄃᆡ 젹덕여음(積德餘蔭)니[이] 잇셔냐[야] 경ᄉᆞ을 ᄇᆞ랄 거시오, 궁녀 여럿

476)공검졀ᄎᆞ(恭儉節次) : 공손하고 검소하며 절약하여 남보다 씀씀이를 줄임.
477)다로다 : 따르다.
478)호과(好過)ᄒᆞ다 : 편히 살다. 잘 지내다.
479)뇽지(龍池) : '용이 노는 연못'이란 뜻으로 여기서는 '임금이나 그 자손의 침실'을 뜻하는 말.

(飛霜之怨)[626]이 밋츨디라. 젹블션(積不善)일시 ᄎᆞ고(此故)로 졍원(情願)을 드러【66】 녀염ᄉᆞ리(閭閻--)[627]로 ᄂᆡ여 보ᄂᆡ엿ᄂᆞ니, 귀쥬ᄂᆞᆫ 복경(福慶)이 호호(浩浩)ᄒᆞ기를 위ᄒᆞ여 싱의 쳐ᄉᆞ를 괴이히 녁이지 마르실디어다."

공쥐 드르ᄆᆡ 여러 일월의 초ᄉᆞ(焦思)ᄒᆞ던 심장의 깃븐 졍신이 황홀ᄒᆞ여, 스ᄉᆞ로 것잡기 어려오니 최상궁 ᄂᆡ침도 ᄋᆡ돌오미 넛치여, ᄌᆞ연 아혐[628]이 열니고 미위(眉宇) 펴이ᄆᆡ, 쳔교함ᄐᆡ(千嬌含態)[629]ᄒᆞ며 ᄃᆡ왈,

"군ᄌᆞ의 젹션음덕(積善陰德)이 이 ᄀᆞᆺᄐᆞ샤 미쳔ᄒᆞᆫ 궁녀의 원(願)을 좃ᄎᆞ 즐겁게 ᄒᆞ시니, 쳡슈블혜박덕(妾雖不慧薄德)[630]이나 군ᄌᆞ의 후덕을 무릅ᄡᅧ 기리 안락(安樂)을 누리리니 엇디 궁녀 등 보ᄂᆡ믈 막으리잇고? 다만 쳡이 금야의 뇨뎍(寥寂)흐므로 보모와 박【67】혁ᄒᆞ미어ᄂᆞᆯ, 군ᄌᆡ 최상궁을 구튝(驅逐)ᄒᆞ시믈 ᄒᆞᆫ 조각 인졍업시 ᄒᆞ시니, 이ᄂᆞᆫ 도로혀 과도ᄒᆞ신가 ᄒᆞᄂᆞ이다."

부매 빈미(嚬眉) 왈,

"귀쥐 최시 향ᄒᆞᆫ 졍이 디극ᄒᆞ시니, 내 블명ᄒᆞ나 최시를 아ᄂᆞ니, 그 상뫼 반ᄃᆞ시 션죵(善終)치 못ᄒᆞᆯ 거시오, ᄆᆞ옴이 간특ᄒᆞ여 공쥬 겻ᄐᆡ 잇셔ᄂᆞᆫ 유헤ᄒᆞ미 만흐며, 존비를 모로기로 내 머므르지 말고져 ᄒᆞᄂᆞ니, 귀쥬ᄂᆞᆫ 싱의 말을 그릇 아디 마르쇼셔."

공쥐 최상궁 ᄯᅥ나미 ᄌᆞ모(慈母)를 ᄯᅥ남

626)비상디원(飛霜之怨) : '오월비상지원(五月飛霜之苑)을 줄인 말' 곧 여자가 원한을 품으면 5월(여름)에도 서리가 내린다는 말. 한 여인이 왕에게 깊은 원한을 품었더니 오월인데도 서리가 내렸다는 데에서 유래한다.

627)녀염ᄉᆞ리(閭閻--) : 여염살이(閭閻--). 백성의 살림집이 많이 모여 있는 도회지나 촌락에서 살아감. -살이; '어떤 일에 종사하거나 어디에 기거하여 사는 생활'의 뜻을 더하는 접미사

628)아혐 : 아협(娥頰)의 변음인 듯. 아름다운 뺨, 고운 얼굴. ☞ 화협(華頰).

629)쳔교함ᄐᆡ(千嬌含態) : 온갖 아양을 떨며 아리따운 태도를 지음.

630)쳡슈블혜박덕(妾雖不慧薄德) : '첩(妾)이 비록 총명하지 못하고 덕이 엷으나'의 뜻으로 겸손의 뜻을 나타낸 말.

즁 ᄒᆞ샹지원(下霜之怨)[480]니[이] 만을 고로 각각 종원(從願)ᄒᆞ엿시나, 귀듀ᄂᆞᆫ 복경(福慶)이시믈 위ᄒᆞ여, 싱의 쳐ᄉᆞ을 고이 역이지 말고, 귀쥬ᄂᆞᆫ 음덕(蔭德)을 힘쓰소셔."

공쥐 부마의 말을 드르ᄆᆡ, 여러 일월의 초ᄉᆞ(焦思)ᄒᆞ여 ᄋᆡ을 술오든 심장으로 깃분 졍신니[이] 황홀ᄒᆞ여 스ᄉᆞ로 것잡기 어려오니, ᄌᆞ연 화협(華頰)[481]니[이] 열니고 미위 펴니[이]ᄆᆡ, 쳔교만ᄐᆡ(千嬌萬態)[482]을 먹금고 ᄃᆡ왈,

"명공의 젹션흠덕(積善欽德)니[이] 이 갓트ᄉᆞ 미쳔ᄒᆞᆫ 궁여의겨[게] 밋ᄎᆞ시니, 쳡슈불혜박덕(妾雖不慧薄德)[483]이나 군ᄌᆞ의【73】 후덕을 모로리잇고. 요젹(寥寂)ᄒᆞ믈 닌ᄒᆞ여 보모와 박혁ᄒᆞ오믄 그릇ᄒᆞ엿ᄉᆞ오나, 최녀을 내치믄 과도ᄒᆞ신가 ᄒᆞᄂᆞ니다."

부ᄆᆡ 미우을 ᄶᅵᆼ긔여 왈,

"귀쥐 최씨 향졍(向情)니[이] 지극ᄒᆞ시나, 그 상뫼 반다시 션종(善終)치 못할 거시오, 마음니[이] 간특ᄒᆞ여 공쥬 겻ᄐᆡ 잇셔ᄂᆞᆫ 유히(有害)ᄒᆞ미 만흐며, 존비을 모로기로 ᄂᆡ 머무르지 말고져 ᄒᆞᄂᆞᆫ니, 귀쥬ᄂᆞᆫ 싱의 말을 그릇 아지 마르소셔."

공쥐 최상궁 ᄯᅥᄂᆞ니[미] ᄌᆞ모을 ᄯᅥ남 갓트여 가마니 불너오려 ᄒᆞᄂᆞᆫ 고로, 다시 져[제]기치 아니 ᄒᆞ더라. 부ᄆᆡ ᄯᅩ 갈오ᄃᆡ,

480)ᄒᆞ샹지원(下霜之怨) : ≒비상지원(飛霜之怨) : '오월하상지원(五月下霜之苑)을 줄인 말' 곧 여자가 원한을 품으면 5월(여름)에도 서리가 내린다는 말. 한 여인이 왕에게 깊은 원한을 품었더니 오월인데도 서리가 내렸다는 데에서 유래한다.

481)화협(華頰) : 아름다운 뺨.

482)쳔교만ᄐᆡ(千嬌萬態) : 천 가지의 아양과 만 가지의 교태라는 뜻으로, 온갖 아리따운 태도와 아양을 떠는 모양을 이르는 말.

483)쳡슈블혜박덕(妾雖不慧薄德) : '첩(妾)이 비록 총명하지 못하고 덕이 엷으나'의 뜻으로 겸손의 뜻을 나타낸 말.

ᄀᆞᆺᄐᆞ나 ᄀᆞ마니 블너 오려 ᄒᆞᄂᆞᆫ 고로 다시 졔긔치 아니니, 부매 ᄯᅩ ᄀᆞᆯ오ᄃᆡ,

"귀쥬 금일 ᄌᆞ졍(慈庭)의 긔별(寄別)ᄒᆞ던 말을 아라 계시니잇가?"

공쥬 단상궁 왓던 줄을 아ᄃᆡ【68】 짐즛 모로ᄂᆞᆫ 쳬ᄒᆞ고 ᄃᆡ왈,

"금일 대ᄂᆡ 궁비 온 일 업ᄉᆞ니 모로ᄂᆞ이다."

부매 ᄎᆞ게 웃고 ᄀᆞᆯ오ᄃᆡ,

"ᄉᆡᆼ이 귀비 위셰로 협졔(脅制)ᄒᆞᄂᆞᆫ 욕을 드르니 블승한심ᄎᆞ악(不勝寒心嗟愕)[631]ᄒᆞᄂᆞ니, 귀비 슈듕의 드러 죽을가 겁ᄒᆞ미 아니라, 셩샹의 일월지명으로 귀비의 방ᄌᆞᄒᆞ믈 모로시니, 귀비 악ᄉᆡ 졈졈 더ᄒᆞ여 ᄒᆞᆫ갓 오가(吾家)를 업슈히 넉일 ᄲᅮᆫ 아녀, 외됴의 작히홀가 크게 근심ᄒᆞᄂᆞ니, 공쥬ᄂᆞᆫ ᄉᆞ졍의 가리와 허물을 모로려니와, ᄉᆡᆼ이 엇디 부부간 긔(欺)이리오. ᄉᆡᆼ이 신병으로 ᄂᆡ당 유졍(有情)이 박(薄)ᄒᆞᆫ 연괴오, 박ᄃᆡᄒᆞ미 업거ᄂᆞᆯ, 귀비 궁인을 보ᄂᆡ여 공쥬의 비홍【69】 이시믈 일ᄏᆞ라 위셰로 져히니[632], ᄉᆡᆼ이 비록 용녈(庸劣)ᄒᆞ나 귀비 슈듕의 드지 아닐 지상이라. 반ᄃᆞ시 방ᄌᆞᄒᆞ믈 텬졍의 쥬달ᄒᆞ려 더니, 대인이 여ᄎᆞ여ᄎᆞ ᄒᆞ시니 긋치거니와, 부부 후박은 귀비아녀 텬위라도 임의로 못ᄒᆞᄂᆞ니, 귀비 나의 위풍을 모로고 공쥬의 비홍을 보고 놀나, ᄌᆞ졍(慈庭)의 위엄으로 져히믈 어린 ᄋᆞ히ᄀᆞᆺ치 ᄒᆞ거니와, 일졍 나 뎡텬홍의 목숨이 하날의 달녓고 김귀비긔 잇디 아니리니, 공쥬ᄂᆞᆫ 후일 입궐ᄒᆞ여 귀비긔 오날 말을 젼ᄒᆞ고 방ᄌᆞ치 말나 ᄒᆞᆯ디어다. ᄉᆡᆼ이 금야의 니르믄 공【70】 쥬긔 졍이 이시미오, 귀비 명을 쥰봉ᄒᆞ미 아니니, 모로미 모비를 어지리 간ᄒᆞ여, 셔어(齟齬)ᄒᆞᆫ 말노 침노치 말게 ᄒᆞ라."

631)블승한심ᄎᆞ악(不勝寒心嗟愕) : 한심하고 놀라움을 이기지 못해 함.

632)져히다 : 겁주다. 위협하다.

"귀쥬 금일 ᄌᆞ젼(慈殿)의 기별(寄別)ᄒᆞ던 말을 아라 겨시닛가?"

공쥬 단○[상]궁 왓던 줄 알ᄃᆡ 짐짓 모로ᄂᆞᆫ 쳐[체] ᄒᆞ고 ᄃᆡ왈,

"금일 ᄃᆡᄂᆡ 궁닌[인] 온 일 업ᄉᆞ니 모로ᄂᆞ니다."

부ᄆᆡ ᄂᆡᆼ소 왈,

"ᄉᆡᆼ니[이] 귀비 위셔[셰]을 벼퍼[484] 협져(脅制)ᄒᆞᄂᆞᆫ 욕을 드르니 ᄒᆞᆫ심ᄎᆞ악(寒心嗟愕)[485]ᄒᆞᆫ지라. ᄉᆡᆼ니[이] 귀비 슈즁의 드러 쥭글가 ᄒᆞ미 아니라, 셩상의 일월지명으로 귀비 방ᄌᆞᄒᆞ믈 모로시니, 귀비 악ᄉᆡ 점점 더ᄒᆞ여 ᄒᆞᆫ갓 오가(吾家)을 업슈히 넉일 분【74】 아니라, 외조의 ᄌᆞᆨ히할가 크겨[게] 근심ᄒᆞᄂᆞ니, 공쥬ᄂᆞᆫ ᄉᆞ졍의 가리여 허물을 모로려니와 ᄉᆡᆼ니[이] 엇지 부부간 긔이리요. ᄉᆡᆼ의 신병으로 ᄂᆡ당 유졍니 박(薄)ᄒᆞᆫ 년괴(緣故)요 박ᄃᆡᄒᆞ미 업거날, 귀비 궁닌[인]을 보ᄂᆡ여 공쥬의 비홍 잇시믈 일커러 위셔[셰]로 져히니[486] ᄉᆡᆼ니[이] 비록 용녈ᄒᆞ나 귀비 슈즁의 드지 아일 지ᄉᆞᆼ이라. 반다시 방ᄌᆞᄒᆞ믈 쳔졍의 쥬달ᄒᆞ려 ᄒᆞ더니, ᄃᆡ닌(大人)이 여ᄎᆞ여ᄎᆞ ᄒᆞ시니 긋치거니와, 부부후박은 귀비 아녀 쳔위(天威)라도 님의로 못ᄒᆞᄂᆞ니, 귀비 ᄂᆞ의 위풍을 모로고 공쥬의 비홍을 보고 놀나, ᄌᆞ젼(慈殿)의 위엄으로 저히믈 어린 아히 갓치 ᄒᆞ거니와, 일졍(一定)[487] 니[이] 쳔홍의 목숨니[이] ᄒᆞ날의 달녓고 김귀비겨[긔] 잇지 아니리니, 공쥬ᄂᆞᆫ 후일 입궐ᄒᆞ여 귀비지[긔] 오날 말을 젼ᄒᆞ고 방ᄌᆞ히 말지어다. ᄉᆡᆼ니[이] 금야의 이르믄 공쥬긔 졍니[이] 잇시미요, 귀비 명을 쥰봉(遵奉)ᄒᆞ미 안니이[니] 모로미 모녀[비]을 어지리 간ᄒᆞ여, 셔어(齟齬)ᄒᆞᆫ 말을[노] 침노치 말겨[게] ᄒᆞ라."

484)벼프다 : 베풀다.

485)ᄒᆞᆫ심ᄎᆞ악(不勝寒心嗟愕) : 한심하고 놀라움.

486)져히다 : 겁주다. 위협하다.

487)일졍(一定) : 절대. 결단코.

언파의 노긔 등등ᄒᆞ니, 공쥐 심듕의 분긔 가득ᄒᆞ나 능히 발악지 못ᄒᆞ고 쳑연 탄식 왈,

“낭낭이 쳡을 위ᄒᆞ여 ᄉᆞᄉᆞ(事事)의 비구(悲苟)ᄒᆞ시니, 궁비 와젼으로 존고긔 젼ᄒᆞ미나 굿ᄐᆞ여 구가를 업슈히 넉이미 아니오, 공근겸손(恭謹謙遜)ᄒᆞᄂᆞᆫ ᄇᆡ니 외됴(外朝)의 유히 업술 ᄇᆡ오니, 군ᄌᆞ의 말숨이 너모 과ᄒᆞ샤 쳡이 유감토소이다. 반ᄌᆞ(半子)[633]의 의(義) 조곰도 업셔이다.”

부매 뎡식 왈,

“공쥐 싱(生)으로 귀비의 ᄉᆞ회라 ᄒᆞ고 반ᄌᆞ의 의를 일ᄏᆞ로나, 싱이 본ᄃᆡ 녀염가(閭閻家)로 【71】 반ᄌᆞ의 의를 두나, 금뎐녀셔(禁殿女壻)로ᄂᆞᆫ 아니 ᄒᆞᄂᆞ니, 엇지 귀비긔 반ᄌᆞ지의(半子之義)를 두리오. 오날은 당당이 ᄎᆞᆷ앗거니와, ᄎᆞ후 다시 귀비 말숨이 히연ᄒᆞᆫ즉 죽기로ᄡᅧ 부부지의를 ᄭᅳᆫᄎᆞ리라.”

말노 좃ᄎᆞ ᄉᆞ긔(辭氣) 엄녈(嚴烈)ᄒᆞ니, 공쥐 힝혀 부마의 은졍을 엇디 못홀가 두려, 온슌 뎡좌러니, 부매 야심ᄒᆞ믈 일ᄏᆞ라 촉을 물니고, 상요의 나아가 공쥬로 은ᄋᆡ를 씻치니, 일호 ᄉᆞ족 부녀의 틔 업셔, 남후의 증분이 경긱의 박ᄎᆞ 바리고 시브ᄃᆡ 계오[634] 강인이러니, 계셩(鷄聲)의 나가려 ᄒᆞ니, 공쥐 부마의 뜻을 모로고 ᄉᆞ상ᄒᆞ던 졍니로 합근ᄒᆞ미 귀듕ᄒᆞ미 비【72】홀 ᄃᆡ 업ᄂᆞᆫ디라, 금슬의 졍을 알ᄉᆞ록[635] 타인을 더욱 싀기ᄒᆞ여 윤·양·니와 운영○[을] 아오로 업시코져 ᄒᆞᄂᆞᆫ지라. 공교ᄒᆞᆫ 악ᄉᆡ 아니 미촌 곳이 업셔 도로혀 번민ᄒᆞ고, 부마ᄂᆞᆫ 히연ᄒᆞ미 측냥업더니, 계셩이 ᄌᆞ즈ᄆᆡ 니러 관소(盥梳)ᄒᆞ고 나가ᄃᆡ, 싁싁ᄒᆞ여 젼일 흔연 ᄒᆞ미 업ᄉᆞ니, 공쥐 져허ᄒᆞ고 모비의 젼도(顚倒)ᄒᆞ믈 ᄋᆡ돌나 ᄒᆞ더라. ᄎᆞ시 최상궁이 【73】

633)반ᄌᆞ(半子) : 느반자지명(半子之名). ‘아들이나 다름없이 여긴다’는 뜻으로 ‘사위’를 달리 이르는 말.

634)계오 : 겨우. ⇒겨유.

635)-ㄹᄉᆞ록 : -ㄹ수록. 앞 절 일의 어떤 정도가 그렇게 더하여 가는 것이, 뒤 절 일의 어떤 정도가 더하거나 덜하게 되는 조건이 됨을 나타내는 연결어미.

언파의 노긔 등등ᄒᆞ니 공쥬 심듕의 분기 가득ᄒᆞ나 능히 발악지 못ᄒᆞ고, 【75】 쳑연 탄식 왈,

“낭낭의[이] 쳡을 위ᄒᆞ여 ᄉᆞᄉᆞ(事事)의 비구(悲苟)ᄒᆞ시니, 궁비 와젼으로 존고겨[긔] 젼ᄒᆞ미나, 굿하여 구가을 업슈히 역니[이]미 안니요, 공근겸손(恭謹謙遜)할 ᄇᆡ니 외조(外朝)의 유히 업술지라, 군ᄌᆞ 말숨니[이] 너모 과ᄒᆞᄉᆞ, 반ᄌᆞ지되(半子之道)[488] 조곰도 업ᄉᆞ시니 쳡니[이] 유감토소이다.”

부ᄆᆡ 졍식 왈,

“공쥐 싱(生)으로 귀비의 ᄉᆞ회라 ᄒᆞ고 반ᄌᆞ지의을 ○…결락 17자…○[일ᄏᆞ로나, 싱이 본ᄃᆡ 녀염가(閭閻家)로 반ᄌᆞ의 의를]두엇시ᄆᆡ 금젼여셔(禁殿女壻)로ᄂᆞᆫ 안니 ᄒᆞᄂᆞ니, 엇지 귀비로 반ᄌᆞ지의을 두리요. 오날은 당당니[이] 참아거니와, ᄎᆞ후 다시 귀비 말숨니 히연ᄒᆞᆫ즉 쥭기로ᄡᅧ 부부지의을 ᄭᅳᆫᄎᆞ리라.”

말노조ᄎᆞ ᄉᆞ긔(辭氣) 엄녈ᄒᆞ니, 공쥬 힝혀 부마의 은졍을 잇지 못할가 두려 온슌 졍죄[좌]어니, 부ᄆᆡ 야심ᄒᆞ믈 일커러 촉을 물니고, 상요의 나아가 공쥬로 은ᄋᆡ을 ᄊᆡ치니, 일호 ᄉᆞ족 부녀의 틔 업고[셔], 남후의 증분니 경긱의 ᄎᆞᄇᆞ리고 시브ᄃᆡ, 겨유[489] 강인ᄒᆞ여 겨[계]셩(鷄聲)의 나아가려 ᄒᆞ니, 공쥬 부마의 뜻슨 모로고 ᄉᆞ상ᄒᆞ던 졍니로 합ᄒᆞᄆᆡ 귀듕ᄒᆞ미 비길 ᄃᆡ 업ᄂᆞᆫ지라. 금슬의 졍을 알ᄉᆞ록[490] 타닌(他人)을 더옥 싀기ᄒᆞ니, 윤·양·니와 《윤영∥운영》○[을] 아오로 업시코져 ᄒᆞᄂᆞᆫ지라, 공교ᄒᆞᆫ 악ᄉᆡ 아니 밋【76】찬 고지 업셔 도로혀 번민ᄒᆞ고, 부마ᄂᆞᆫ 히연ᄒᆞ미 충냥 업더니, 겨[계]셩니 ᄌᆞ즈ᄆᆡ 이러 관셔[세](盥洗)ᄒᆞ고 나가되, 씍씍ᄒᆞ여 젼일 흔연ᄒᆞ미 업ᄉᆞ니, 공쥬 져허ᄒᆞ고 모비의 젼도(顚倒)ᄒᆞ믈 ᄋᆡ달나 ᄒᆞ더라.

488)반ᄌᆞ지되(半子之道) : 사위의 도리. 반ᄌᆞ(半子); ‘아들이나 다름없다’는 뜻으로 사위를 이르는 말.

489)겨유 : 겨우. ⇒계오.

490)-ㄹᄉᆞ록 : -ㄹ수록. 앞 절 일의 어떤 정도가 그렇게 더하여 가는 것이, 뒤 절 일의 어떤 정도가 더하거나 덜하게 되는 조건이 됨을 나타내는 연결어미.

명듀보월빙 권디이십칠

ᄎᆞ시 최상궁이 부마의 구툑ᄒᆞ믈 만나 쥬방의셔 밤을 디ᄂᆡ고, 명됴의 후원 문으로 가마니 궁의 오니, 공쥐 깃거 좌우를 당부ᄒᆞ고, 최녀를 겻틔 두어 부마의 은ᄋᆡ를 독당ᄒᆞ기를 도모ᄒᆞ고, 비홍 업ᄉᆞ믈 흔희ᄒᆞ여 농댱지ᄉᆡ(弄璋之事)636) 이시믈 죄오더라.

ᄎᆞ셜 옥누항 윤부의셔 위태부인과 뉴시 모녜 뎡·딘 이쇼졔 옥니의 ᄌᆞ딘(自盡)ᄒᆞ여 죽기를 죄오고, 어ᄉᆞ와 ᄃᆡᆨᄉᆞ를 향ᄒᆞ여 포악이 아니 밋촌 곳이 업셔, 혈육지신(血肉之身)인즉 능히 견ᄃᆡ지 못ᄒᆞᆯ 거시로ᄃᆡ, 어ᄉᆞ 곤【1】계 가지록 효슌ᄒᆞ여 츄호도 원망을 아니나, 위·뉘 쥬야 니를 갈고 팔흘 쏨ᄂᆡ여 뎡·딘을 아올나 조부인 ᄡᅵ를 업시코져 ᄒᆞᄂᆞᆫ 바의, 쇼뉴시 어ᄉᆞ를 상ᄉᆞᄒᆞ던 졍이 밧괴여, 졀노 더브러 인연을 ᄆᆡ졸 길히 업ᄉᆞᄆᆡ, 믜오미 구쉬(仇讐) 된디라. 태부인의 강포(强暴) 싀험(猜險)으로도, 어ᄉᆞ의 고집을 도로혀지 못ᄒᆞ여 뉴시의 금슬을 권치 못ᄒᆞ고, 믜워ᄒᆞ미 일일층가(日日層加)의 혈육이 상ᄒᆞᄂᆞᆫ 듕쟝을 더으니, 어ᄉᆞᄂᆞᆫ 튱텬당긔(衝天壯氣)로 산악을 넘쮤 ᄃᆞᆺᄒᆞᆫ 긔샹이니 그리 상치 아니ᄃᆡ, ᄃᆡᆨᄉᆞᄂᆞᆫ 젹상ᄒᆞᆫ 병이 나 식음을 나리오지 못ᄒᆞ여, 벼개의 잠겨 옥골이 슈약(瘦弱)ᄒᆞᄃᆡ,【2】 츄밀이 일분 긔렴(記念)ᄒᆞ미 업고, 갈ᄉᆞ록 인ᄉᆞ블셩(人事不省)이 되여 희츈뉴의 머리를 박아시니, 츄밀원 공ᄉᆞᄂᆞᆫ 셕츄밀 등 동뉘 쳐결ᄒᆞ더라.

신묘랑이 운영의 일노 평남후의 금션(錦扇) 옥초(玉貂)를 도뎍ᄒᆞᆫ 죄로, 위ᄉᆡ(衛士) 잡든 못ᄒᆞ나, 보옥암을 헐고 뎨ᄌᆞ 등을 쫓ᄎᆞ ᄂᆡ치고 ᄌᆡ믈이 다 훗터지니, 운영을 삼키고져 ᄒᆞ나 아ᄃᆡᆨ 져의 ᄌᆞ최를 ᄀᆞᆷ초려, ᄆᆡ양 윤부의 와 경ᄋᆞ의 침실의 잠겨 위시와 뉴시 모녀 슉딜노 흉ᄉᆞ를 ᄡᅬᄒᆞ고, 어ᄉᆞ 곤

636)농댱지ᄉᆡ(弄璋之事) : ≒농장지경(弄璋之慶). 아들을 낳는 경사. 예전에, 중국에서 아들을 낳으면 구슬을 장난감으로 주었다는 데서 유래한다.

ᄎᆞ시 최상궁니 부마의 구츅ᄒᆞ므로 쥬방의셔 밤을 지ᄂᆡ고 명조의 후원문으로 가마니 궁의 오니 공쥐 깃거 좌위을 당부ᄒᆞ고 최녀을 겻희 두어 부마의 은ᄋᆡ을 독당ᄒᆞ기을 도모ᄒᆞ고 비홍 업ᄉᆞ물 흔희ᄒᆞ여 농장지ᄉᆡ(弄璋之事)491) 잇스믈 죄오더라.

ᄎᆞ셜 윤부의셔 위부닌[인] 유시 모녀 졍·진 니소져의 옥니(獄裏)의 ᄌᆞ진(自盡)ᄒᆞ여 쥭기을 죄오고, 어ᄉᆞ와 직ᄉᆞ을 힝[향]ᄒᆞ여 포악니[이] 안니 미찰 고시 업셔, 혈육지신(血肉之身)인즉 능히 견ᄃᆡ지 못할 거시로ᄃᆡ, 어ᄉᆞ 곤겨[계] 가지록 효슌ᄒᆞ여 츄호도 원망을 안니나, 위·유 쥬야 이을 갈고 팔을 쏨ᄂᆡ여, 졍·진을 아올나 조부닌 씨을 업시코져 ᄒᆞᄂᆞᆫ ᄇᆡ, 소유시 어ᄉᆞ을 샹ᄉᆞᄒᆞ던 졍니 밧고여 졀노 닌년(因緣) ᄆᆡ잘 길니 업ᄉᆞᄆᆡ, 믜오미 구쉬(仇讐)된지라.【77】 ᄐᆡ부닌[인] 《간포‖강포(强暴)》 시험(猜險)ᄒᆞ므로도 뉴시의 금슬을 권치 못ᄒᆞ고, 미워ᄒᆞ미 일일층가(日日層加)의 혈육니[이] 상ᄒᆞᄂᆞᆫ 즁장을 더으니, 어ᄉᆞᄂᆞᆫ 츙쳔장기(衝天壯氣)로 산악을 넘쒸ᄂᆞᆫ 긔상의 그리 상치 안니ᄂᆞ, 직ᄉᆞᄂᆞᆫ 적숭한 병니[이] 나 식음을 나리지 못ᄒᆞ여 벼ᄀᆡ의 잠겨 옥골니[이] 슈약(瘦弱)ᄒᆞ되, 츄밀니[이] 일분 긔렴(記念)ᄒᆞ미 업고, 갈ᄉᆞ록 닌ᄉᆞ블셩(人事不省)니[이] 되어 희츈누의 머리을 박아시니, 츄밀원 공ᄉᆞᄂᆞᆫ 셕츄밀 ○[등] 동유(同類) 쳐결ᄒᆞ더라.

신묘랑니[이] 운녕의 일노 평남후 금션초(錦扇貂) 도젹ᄒᆞᆫ 죄로, 위ᄉᆡ(衛士) 잡든 못ᄒᆞ나, 봉수암을 헐고 져[제]ᄌᆞ을 쫓ᄎᆞ ᄂᆡ치고, ᄌᆡ물니[이] 다 훗터지니, 운녕을 ᄉᆞᆷ키고져 ᄒᆞ나 아직 저의 ᄌᆞ최을 감초려, ᄆᆡ냥[양](每樣) 윤부의 가 경아 침실의 {와} ᄌᆞᆷ겨 위시와 뉴시 슉딜노 흉ᄉᆞ을 ᄡᅬᄒᆞ고, 어

491)농장지ᄉᆡ(弄璋之事) : ≒농장지경(弄璋之慶). 아들을 낳는 경사. 예전에, 중국에서 아들을 낳으면 구슬을 장난감으로 주었다는 데서 유래한다.

계와 뎡·진·하·댱 등을 가바야이[637] 죽이지 못ᄒᆞᆯ 줄 알고, 뉴시ᄂᆞᆫ 범ᄉᆡ 암합(暗合)지 못ᄒᆞ믈 ᄎᆞ탄ᄒᆞ고, ᄌᆞ긔 금은을 슈업【3】시 허비ᄒᆞ여 냥녀의 복녹을 빌고, ᄃᆡᆨᄉᆞ 죽기를 원ᄒᆞ거ᄂᆞᆯ, 댱녀ᄂᆞᆫ 홍안박명(紅顔薄命)이 극진ᄒᆞ여 셕상셰 ᄒᆡᆼ노(行路)ᄀᆞᆺ치 녁이미 졈졈 더ᄒᆞ고, ᄎᆞ녀ᄂᆞᆫ ᄎᆞᆨ디의 간 지ᄉᆞ오 츈츄의 소식을 모로니, 모녀의 디극ᄒᆞᆫ 졍니(情理)로ᄡᅧ 셔신도 통치 못ᄒᆞ니, 심홰 셩ᄒᆞ여 독ᄒᆞᆫ 분긔 ᄃᆡᆨᄉᆞ긔 몰니여, 악착 포려(暴戾)ᄒᆞᆫ 일이 만흔디라. 텬신이 윤ᄃᆡᆨᄉᆞ의 대효지셩(大孝之誠)을 가만ᄒᆞᆫ ᄀᆞ온ᄃᆡ 보호ᄒᆞ여 명(命)을 ᄉᆞᆺᄎᆞ믄 업ᄉᆞ나, 쳥상(淸爽)ᄒᆞᆫ 위풍이 위위(危危)ᄒᆞᄃᆡ 뉘 구ᄒᆞ리오. 어ᄉᆞ도 긔괴ᄒᆞᆫ 쳔역을 감당ᄒᆞ고, 가듕 형셰 망극ᄒᆞᆫ 바의 츄밀의 샹셩(喪性)ᄒᆞᆷ과 구파의 헷 우음 밋친 형상이 망【4】측ᄒᆞ니, 어ᄉᆡ ᄃᆡᆨᄉᆞ다려 왈,

"계부의 환휘 누월(累月)의 조곰도 나으시미 업고, 구조모 실셩(失性)이 날노 심ᄒᆞ니, 약셕(藥石)으로 곳치고져 ᄒᆞ나, 계부(季父) 젼(前)의 약셕 두 ᄌᆞ를 드노치 못ᄒᆞ고, 구조모ᄂᆞᆫ 효험이 업ᄉᆞ니, 계부와 구조뫼 집을 ᄡᅥ나시○[게] ○○[ᄒᆞ고] ○○[구ᄒᆞ]고져 ᄒᆞᄂᆞ니 현뎨 ᄯᅳᆺ이 엇더ᄒᆞ뇨?"

ᄃᆡᆨᄉᆡ ᄃᆡ왈,

"대인과 구조뫼 환휘 심상치 아니시니, 아등이 쥬야 시호(侍護)코져 ᄒᆞᄃᆡ 능히 됴흔 계괴 업ᄂᆞᆫ디라. 가듕을 ᄡᅥ나 ᄎᆞ셩(差成)ᄒᆞ실 줄 모로거니와, 원간 올므실 계괴 업ᄉᆞ니 초황ᄒᆞ이다."

어ᄉᆡ 왈,

"우리 ᄌᆞ딜의 ᄆᆞ옴으로ᄡᅧ 니측(離側)ᄒᆞ미 결울ᄒᆞ나, 우형(愚兄)이【5】 뎡형과 의논ᄒᆞ고 평안ᄒᆞᆫ 곳으로 올므시게 ᄒᆞ리라."

ᄃᆡᆨᄉᆡ 창연(愴然)ᄒᆞ나, 몬져 구파를 옴기고져, 태부인긔 고ᄒᆞᄃᆡ,

"구조뫼 당황ᄒᆞᆫ 거동이 층가(層加)ᄒᆞ니,

637)가바야이 : 가벼이. 가볍게.

ᄉᆞ 곤겨[계] 졍·진·하·쟝 등을 가바야니[492] 쥭니[이]지 못할 쥴 알고, 유시ᄂᆞᆫ 범ᄉᆡ 암합(暗合)지 못ᄒᆞ믈 ᄐᆞᆫᄒᆞ고, ᄌᆞ긔 금은을 슈업시 허비ᄒᆞ고[여] 냥녀(兩女)의 봉[복]녹(福祿)을 빌고,【78】 직ᄉᆞ 쥭기을 원ᄒᆞ거날, 장녀ᄂᆞᆫ 홍안박명(紅顔薄命)니[이] 극진ᄒᆞ여 석상셔 ᄒᆡᆼ노(行路) 갓치 역이미 점점 ○[더]ᄒᆞ고, ᄎᆞ녀ᄂᆞᆫ 촉지의 간지 ᄉᆞ오 츈츄의 소식을 모로니, 모여(母女)의 지극ᄒᆞᆫ 졍니(情理)로쎠 신(信)도 불통ᄒᆞᄆᆡ, 심홰 셩ᄒᆞ여 독ᄒᆞᆫ 분긔 직ᄉᆞ겨[긔] 몰니여, 악측 포려(暴戾)ᄒᆞᆫ 일니[이] ᄃᆞ단(多端)ᄒᆞᆫ지라. 쳔신니[이] 윤직ᄉᆞ의 ᄃᆡ효지셩을 가만ᄒᆞᆫ 가온ᄃᆡ 보호ᄒᆞ여 명을 ᄉᆞᆫᄎᆞ믄 업ᄉᆞ나, 《쳥ᄉᆞᆫ ‖ 쳥ᄉᆞᆼ(淸爽)》ᄒᆞᆫ 위풍니[이] 위위(危危)ᄒᆞᄃᆡ 뉘 구ᄒᆞ리요. 어ᄉᆡ 직ᄉᆞ더려 왈,

"겨[계]부(季父)의 환휘 누월(累月)의 조곰도 나으미 업고, 구조모 실셩니[이] 날노 심ᄒᆞ니, 약셕(藥石)으로 고치고져 ᄒᆞ나, 겨[계]뷔 젼혀 약○[셕] 두ᄌᆞ을 드노치 못ᄒᆞ고, 구조모도 효험니 업ᄉᆞ니, 겨[계]부와 구조뫼 집을 ᄡᅥᄂᆞ시겨[게] ᄒᆞ고 구○○○[ᄒᆞ고자] ᄒᆞ나니 현져[제]의 ᄯᅳᆺ의 엇더ᄒᆞ요[뇨]?"

직ᄉᆡ 왈,

"ᄃᆡ닌[인]과 구조모 환후 심상치 안니니 아등니[이] 쥬야 시호(侍護)코져 ᄒᆞ나 능히 조흔 겨[계]교 업ᄂᆞᆫ지라. 가즁을 더[ᄡᅥ]나 ᄎᆞ셩(差成)ᄒᆞ실 쥴 모로거니와, 원간 올모실 겨[계]교 업ᄉᆞ니【79】 초황ᄒᆞᄂᆞ니다."

어ᄉᆞ 왈,

"우리 ᄌᆞ질노 더[ᄡᅥ]ᄂᆞ미 결훌(結鬱)ᄒᆞ나 우형(愚兄)니[이] 뎡형과 의논ᄒᆞ고 평안ᄒᆞᆫ 곳으로 올무시겨[게] ᄒᆞ리라."

직ᄉᆡ 창연(蒼然)ᄒᆞ나, 구파을 몬져 옴기겨[게] ᄒᆞ리라 ᄒᆞ고, ᄐᆡ부닌[인]겨[긔] 고ᄒᆞᄃᆡ,

"구조뫼 당황ᄒᆞᆫ 거동니 층가(層加)ᄒᆞ니,

492)가바야니 : 가벼이. 가볍게.

쇼손 등이 약셕으로 곳치고져 ᄒᆞ나 효험이 업ᄉᆞ니, 출하리 졀강으로 보ᄂᆡ여 그 딜ᄌᆞ 등이 되시게 ᄒᆞ려 ᄒᆞᄂᆞ이다."

위·ᄂᆔ 구파ᄂᆞᆫ 업ᄉᆞᆯᄉᆞ록 됴화ᄒᆞᄂᆞᆫ디라. 슈히 보ᄂᆡ믈 허ᄒᆞ거ᄂᆞᆯ, 어ᄉᆡ ᄇᆡ샤(拜辭) 슈명(受命)ᄒᆞ고 위의를 출힐ᄉᆡ, 어ᄉᆡ 탄식 왈
,

"구조뫼 ᄌᆞ손이 업고 우리 형뎨만 미더 잇더니, 엇디 졀강으로 가시게 ᄒᆞ리오. 옥화산의 가 별당을 어더 머므르고, 거ᄌᆞᆺ 졀강으로 가다 칭ᄒᆞ고,【6】 오가 변고ᄂᆞᆫ 표문이 모로디 아니니 ᄉᆡ로이 긔일 것 업고, 우리 왕ᄂᆡᄒᆞ여 의약을 극진히 ᄒᆞᆫ즉 ᄎᆞ도(差度)를 바랄가 ᄒᆞ노라."

딕ᄉᆡ 그러히 녁이나 ᄌᆞ긔 집 허물을 표슉(表叔)과 군죵(群從)이 아ᄂᆞᆫ 거ᄉᆞᆯ 슬히 녁이더라.

구파를 졀강으로 보ᄂᆡᄂᆞᆫ 쳬ᄒᆞ고 ᄀᆞ마니 심복 노ᄌᆞ로 약쇽ᄒᆞ고, 구파를 교ᄌᆞ의 올녀 졀강으로 힝ᄒᆞ믈 니르니, 구패 실업ᄉᆞᆫ 우음이 년쇽ᄒᆞ여 태부인긔 하딕 ᄒᆞᆯ 줄도 모로고 ᄒᆞᆫ갓 어림장이라. 츄밀이 역시 구파나 다르지 아냐 니별ᄒᆞᆫᄃᆡ 쥬견(主見)이 업더라. 딕ᄉᆞᄂᆞᆫ 부공(父公)의 거동을 초조ᄒᆞ고, 위·ᄂᆔᄂᆞᆫ 츄밀의 샹셩ᄒᆞ【7】믈 츄호도 ᄉᆡᆼ각지 아니코, 구파의 먼니 가ᄂᆞᆫ 것만 다힝ᄒᆞᄃᆡ, 거ᄌᆞᆺ 위문ᄒᆞ고, 'ᄎᆞ병(差病)ᄒᆞ여 오기를 기다리노라' ᄒᆞ더라.

어ᄉᆞ 곤계 구파를 교ᄌᆞ의 올니고, 조모와 츄밀긔 고왈,

"쇼ᄌᆞ 등이 딕ᄉᆞ(職事)의 ᄆᆡ이여 임의로 쳔니(千里) 발셥(發涉)을 못ᄒᆞ오니, 강외(江外)의 송별이나 ᄒᆞ고 오리이다."

태부인이 허ᄒᆞ니, 어ᄉᆞ 곤계 구파의 교ᄌᆞ를 압셰워 옥화산으로 가, 몬져 외헌(外軒)의 니르러 표슉을 보고 별당을 빌니라 ᄒᆞ니, 조공 등이 허ᄒᆞ거ᄂᆞᆯ, 쳐소의 편히 머므르고 모친긔 소유를 ᄌᆞ시 고ᄒᆞ니, 조부인이 듯ᄂᆞᆫ 말마다 아ᄅᆞᆷ답지 아니코 구파의 병을【8】 념녀ᄒᆞ여 마ᄌᆞ나, 병셰 ᄀᆞ장 괴이ᄒᆞᆫ디라. 만ᄉᆞ의 슬혀 옥뉘 방방ᄒᆞ니, 어ᄉᆞ 곤

소손 등니 약셕으로 곤치고져[493] ᄒᆞ나 효험니 업ᄉᆞ오니, 찰하리 졀강으로 보ᄂᆡ여 그 ᄌᆞ질 등니[이] 뫼시겨[게] ᄒᆞ려 ᄒᆞᄂᆞ니다."

위·유 구파ᄂᆞᆫ 업슬ᄉᆞ록 조화ᄒᆞᄂᆞᆫ지라, 슈히 보ᄂᆡ믈 허ᄒᆞᄂᆞᆫ지라. 어ᄉᆡ ᄇᆡᄉᆞ(拜辭) 슈명(受命)ᄒᆞ고 위의을 출힐ᄉᆡ, 어ᄉᆡ 탄식 왈,

"구조뫼 ᄌᆞ질니 업고 우리 형져[제]만 미더 잇ᄂᆞ니, 엇지 졀강으로 가시겨[게] ᄒᆞ리요. 옥화산의 가 별당을 어더 머무루고, 거짓 졀강으로 가다 칭ᄒᆞ고, 오가 변고ᄂᆞᆫ 표문니 모로지 안니리니 ᄉᆡ로니[이] 기일 것 업고, 우리 왕ᄂᆡᄒᆞ여 의약을 극진니 ᄒᆞᆫ 즉 ᄎᆞ도(差度)을 ᄇᆞ랄가 ᄒᆞ노라."

직ᄉᆡ 그러히 역이나 ᄌᆞ긔 ○[집] 허물을 표슉(表叔) 군종(群從)니[이] 아ᄂᆞᆫ 거슬 슬히 녁니더라.

구파을 졀강으로 보ᄂᆡᄂᆞᆫ 쳐[체]ᄒᆞ고 가만니 심복 노자로 약속ᄒᆞ고, 구파을 교ᄌᆞ의 올녀 졀강으로 힝ᄒᆞ믈 이르니, 구ᄑᆡ 실업ᄉᆞᆫ【80】 우음니[이] 년속ᄒᆞ여 ᄐᆡ부닌겨[긔] ᄒᆞ직할 쥴도 모로고, 한갓 어림장니[이]라. 츄밀니[이] 역시 구파나 다르지 아냐 니별ᄒᆞᄃᆡ 주견(主見)니[이] 업더라. 직ᄉᆞᄂᆞᆫ 야야의 거동을 초조ᄒᆞ고, 위·뉴ᄂᆞᆫ 츄밀의 상셩ᄒᆞ믈 츄호도 ᄉᆡᆼ각지 안니코, 구파의 먼니 감만 다힝ᄒᆞᄃᆡ 거즛 위문ᄒᆞ고, ᄎᆞ병(差病)ᄒᆞ여 오기을 기ᄃᆞ리노라 ᄒᆞ더라.

어ᄉᆞ 형져[제] 구파을 교ᄌᆞ의 올니고 조모와 츄밀겨[긔] 고왈,

"소ᄌᆞ 등니[이] 직ᄉᆞ(職事)의 ᄆᆡ니[이]여 님의로 쳘니(千里) 발셥(發涉)을 못ᄒᆞ오니, 장[강]외(江外)의 송별이나 ᄒᆞ고 오리이다."

ᄐᆡ부닌이 허ᄒᆞ니, 어ᄉᆞ 고[곤]계 구파의 교ᄌᆞ을 압셔[셰]워 옥화산으로 가, 몬져 외헌의 이르러 표슉을 보고 별당을 빌니라 ᄒᆞ니, 조공 등니 허ᄒᆞ거날, 처소의 편니 머무르고 모친겨[긔] 소유을 ᄌᆞ셔○[이] 고ᄒᆞ니, 조부닌니[인이] 듯ᄂᆞᆫ 말마다 아름답지 안니코, 구파의 병을 념여ᄒᆞ여 《나ᄌᆞ마‖

493)곤치다 : 고치다.

계 민망ᄒᆞ여 호언으로 위로ᄒᆞ고, 어ᄉᆡ 구파의 ᄆᆡᆨ후(脈候)를 ᄉᆞᆯ펴 당졔(當劑)638) 슈십쳡(貼)을 디어 모친ᄀᆡ 드려 구호ᄒᆞ시믈 고ᄒᆞ니, 조부인이 탄식 왈,

“여등이 셔모를 이곳의 두고 가니 내 구호ᄂᆞᆫ 당부 아녀 ᄒᆞ려니와, 너희 위ᄐᆡᆨᄒᆞᆫ 곳의 ᄉᆞᄉᆡᆼ을 모로니 념녀를 어ᄃᆡ 비ᄒᆞ리오.”

어ᄉᆞ 형뎨 호언 위로ᄒᆞ여 믈녀(勿慮)ᄒᆞ시믈 고ᄒᆞ니, 부인이 ᄃᆡᆨᄉᆞ의 손을 잡고 어로만져 왈,

“광ᄋᆞᄂᆞᆫ ᄀᆡ운이 태산 ᄀᆞᆺ거니와, 너ᄂᆞᆫ 셤약(纖弱)ᄒᆞ니, 의형이 환탈ᄒᆞ여 간장이 ᄆᆡᄂᆞᆫ639) 듯, 어ᄂᆞ ᄣᆡ의 【9】 평안ᄒᆞ리오.”

어ᄉᆞ 형뎨 ᄌᆡ삼 관위ᄒᆞ고 뎡·진 양인의 ᄀᆞᆺ치이믄 고치 아니니 부인이 모로더라. 이의 하직고 옥누항의 와 구파 ᄉᆞᆼ별ᄒᆞ믈 고ᄒᆞ엿더니, 슈삼일 후 구파 다려 갓던 노ᄌᆞ 등이 와 고ᄒᆞᄃᆡ,

“구랑(娘)이 밤인ᄌᆞᆨ 인가의 머믈고 낫인ᄌᆞᆨ 슈로로 가더니, ᄒᆞᆫ ᄣᆡ 강도를 만나 ᄒᆡᆼ냥(行糧)을 아이고 구파의 죵적을 모로오니 ᄉᆞ죄를 쳥ᄒᆞᄂᆞ이다.”

위·뉴 냥인이 쳥파의 영희(榮喜)ᄒᆞ여 일호 경동ᄒᆞ미 업ᄉᆞ니, 츄밀은 오ᄃᆡᆨ 혼(魂) 업ᄉᆞᆫ 사ᄅᆞᆷᄀᆞᆺ더라.

원ᄂᆡ 구파의 딜ᄌᆞᄂᆞᆫ 조승상 녀셔(女壻)오 ᄀᆡ픔이 아ᄅᆞᆷ다오니 어ᄉᆞ 곤계 ᄀᆞ장 친졀ᄒᆞ더라.

이ᄣᆡ 말을 이러틋 ᄂᆡ고【10】 옥화산의 ᄌᆞ로 츌입ᄒᆞ여 의약으로 구호ᄒᆞ니, 구패 옥누항의 이실 졔ᄂᆞᆫ 현혼단(眩昏丹)640)을 아

638)당졔(當劑) : 어떤 병에 딱 들어맞는 약.

639)ᄆᆡ다 : 미어지다. ①팽팽한 가죽이나 종이 따위가 해어져서 구멍이 나다. ②가득 차서 터질 듯하다. ③(비유적으로) 가슴이 찢어질 듯이 심한 고통이나 슬픔을 느끼다.

640)현혼단(眩昏丹) : 정신을 흐리게 하는 요약(妖藥). 도봉잠의 일종.

마ᄌᆞ나》, 병셔[세] 가장 고이ᄒᆞᆫ지라. 만ᄉᆞ의 슬허 옥뉘 방방ᄒᆞ거날, 어ᄉᆞ 곤겨[계] 민망ᄒᆞ여 흔연[호언]으로 위로ᄒᆞ고, 어ᄉᆡ 구파의 ᄆᆡᆨ후(脈候)을 살펴 당져[제](當劑)494) 슈십쳡을 지어 모친겨[ᄀᆡ] 드려 구호ᄒᆞ시믈 고ᄒᆞ니, 조부닌[인]이 탄식 왈,

“여등니 서모을 이곳의 두고 가니 구호ᄂᆞᆫ ᄂᆡ 당부아냐도 ᄒᆞ려이와, 너희 위ᄐᆡᆨᄒᆞᆫ 곳의 【81】 ᄉᆞᄉᆡᆼ을 모로니 념녀을 어ᄃᆡ 비ᄒᆞ리요.”

어ᄉᆞ 형져[제] 호언으로 위로ᄒᆞ여 물녀ᄒᆞ시물 고ᄒᆞ니, 부닌니[인이] ᄌᆡᆨᄉᆞ의 손을 잡고 어로만져 왈,

“광아ᄂᆞᆫ 기운니[이] ᄐᆡᄉᆞᆫ 갓거니와 너ᄂᆞᆫ 섬약(纖弱)ᄒᆞ니, 의형니[이] 환탈ᄒᆞ여 간장니[이] ᄆᆡ여지ᄂᆞᆫ495) 듯, 어ᄂᆞ ᄣᆡ의 편안ᄒᆞ리요.”

어ᄉᆞ 형져[제] ᄌᆡᄉᆞᆷ 관위ᄒᆞ고 정·진 양닌(兩人)의 가치이믄 고치 안니니 부닌[인]이 모로더라. 니의 ᄒᆞ직ᄒᆞ고 옥누항의 와 구파을 송별ᄒᆞ물 고ᄒᆞ엿더니, 슈일 후 구파 다려 ○○[갓던] 노ᄌᆞ 등니 와 고ᄒᆞᄃᆡ,

“구랑(娘)니 밤니[이]면 닌가의 머물고 낫진 즉 수로로 가더니, ᄒᆞᆫ ᄣᆡ 강도을 만나 힝니(行李)을 아니[이]고, 구파의 종적을 모로오니 ᄉᆞ죄을 청ᄒᆞᄂᆞ니다.”

○○[위·뉴] 양닌니[인이] 청파의 영희(榮喜)ᄒᆞ여 일호 동ᄒᆞ미 업ᄉᆞ니, 츄밀은 오즉 혼 업ᄉᆞᆫ ᄉᆞ람 갓더라.

원ᄂᆡ 구파 질ᄌᆞᄂᆞᆫ 조승상 여서(女壻)오, 기품니[이] 아름다오니, 어ᄉᆞ 곤겨[계] 가장 친절《ᄒᆞ더이∥ᄒᆞ더라》.

이ᄣᆡ 말을 이러틋 ᄂᆡ고 옥화산의 ᄌᆞ로 츄립(出入)ᄒᆞ여 의약으로 구호ᄒᆞ니, 구픽 옥누항의 잇슬 져[제]ᄂᆞᆫ 현혼단(眩昏丹)496)을 아니 먹ᄂᆞᆫ 날니 업ᄉᆞ니, 약을 쓰나 무효ᄒᆞ다가, 이곳의 오ᄆᆡ 효험니[이] ᄀᆡ특ᄒᆞ여 실

494)당제(當劑) : 어떤 병에 딱 들어맞는 약.

495)ᄆᆡ다 : 찢다. 물체를 잡아당기어 가르다.

496)현혼단(眩昏丹) : 정신을 흐리게 하는 요약(妖藥). 도봉잠의 일종.

니 먹는 날이 업ᄉᆞ니 약을 쓰나 무효ᄒᆞ더니, 이곳의 오ᄆᆡ 졈졈 효험이 긔특ᄒᆞ며 실업ᄉᆞᆫ 우음이 업고, 진졍ᄒᆞᆫ 사ᄅᆞᆷ이 되어, 어ᄉᆞ 곤계 귀즁ᄒᆞᆫ ᄆᆞ음이 니러나고, 옥누항의셔 ᄒᆞ던 일을 치 ᄭᆡᄃᆞᆺ지 못ᄒᆞ고, 이곳의 공연이 온 줄 괴이ᄒᆞ여 ᄒᆞ나, 조부인이 굿ᄐᆞ여 니르지 아니ᄒᆞ고 극진히 구호만 ᄒᆞ니, 졈졈 완인(完人)이 되고, ᄃᆡᆨᄉᆞ의 병은 졈졈 깁허 진미셩찬(珍味盛饌)이 비위 거ᄉᆞ려 나리지 못ᄒᆞ고 위위ᄒᆞ니, 부인이 만ᄉᆞ의 슬허 눈물을 흘니고, 참연(慘然) 비열(悲咽)【11】 왈,

“하일 하시의 존고의 감동ᄒᆞ시믈 어더 모ᄌᆞ고식(母子姑息)이 화락ᄒᆞ며, 나는 호화히 반셕 ᄀᆞᆺ거니와, 현부 등은 위험ᄒᆞᆫ 가듕의 옥보방신(玉步芳身)[641]을 엇디 지팅ᄒᆞᄂᆞᆫ고.”

말노 좃ᄎᆞ 비읍(悲泣)ᄒᆞ니, 조공 등이 간간이 위로ᄒᆞ고, 뎡·진 등의 잔잉[642]ᄒᆞᆫ 경ᄉᆞ를 알것마는 모로는 듯, 됴토록 ᄒᆞ더라.

ᄎᆞ셜 쇼뉴시 음일간험(淫佚姦險)[643]ᄒᆞ미 뉴다른 바로, 윤어사 풍치를 황혹(恍惑)[644]ᄒᆞ여 뎨삼 부실이 되엿다가, 어ᄉᆞ의 신명으로 그 상뫼 션죵치 아닐지라, 모로는 쳬ᄒᆞ더니, 쇼뉴시 어ᄉᆞ의 박ᄃᆡ를 감심ᄒᆞ여 헛도이 윤부의 명호(名號)로 청츈을 공숑(空送)ᄒᆞᆯ 뜻이 업셔, 졈졈 ᄆᆡ오미 원슈【12】 ᄀᆞᆺᄐᆞ여, 즉시 죽이고 개가(改嫁)ᄒᆞᆯ 뜻이 이시니, 신묘랑으로 더브러 의논ᄒᆞ여, 묘랑도 길인이 아니믈 알고 음욕을 ᄎᆞᆷ아 죵용이 이실 줄은 ᄉᆡᆼ각 밧기니, 거즛 닐오ᄃᆡ,

“빈되 쇼져를 츄졈(推占)ᄒᆞᆫ즉 팔ᄌᆡ 대길ᄒᆞ나 윤가로는 연분이 브족ᄒᆞ니, 남녀 ᄒᆡᆼ신

641)옥보방신(玉步芳身) : 귀한 분의 걸음걸이와 몸이란 뜻으로, 남의 건강을 비유적으로 이르는 말.
642)잔잉ᄒᆞ다 : 자닝하다. 애처롭고 불쌍하여 차마 보기 어렵다.
643)음일간험(淫佚姦險) : 몹시 음란하고 방탕하며 간악하고 음험함.
644)황혹(惶惑) : 황홀하여 정신을 차리지 못함.

업ᄉᆞᆫ 우음니[이] 업고 진졍ᄒᆞᆫ ᄉᆞ람니[이] 되녀[여] 어ᄉᆞ 곤겨[계] 귀ᄒᆞᆫ 마음니[이] 이러나고,【82】 옥누항의셔 ᄒᆞ든 일을 치 ᄭᆡ닷지 못ᄒᆞ고, 이곳의 공연니[이] 온 쥴 고니[이] 역니[이]ᄂᆞ, 조부닌[인]이 굿ᄒᆞ여 이르지 아니코 극진니 구호만 ᄒᆞ니, 졈졈 ○…결락 12자…○[완인(完人)이 되고, ᄃᆡᆨᄉᆞ의 병은 졈졈]깁허 진미셩찬(珍味盛饌)니[이] 비위 거ᄉᆞ려 ᄂᆞ리지 못ᄒᆞ고 위위ᄒᆞ니, 부닌[인]이 만ᄉᆞ의 슬허 눈물을 흘니고, 참연(慘然) 비열(悲咽) 왈,

“ᄒᆞ일 ᄒᆞ시의 존고의 감동을 어더 모ᄌᆞ고식(母子姑息)니[이] 화동ᄒᆞ며, 나는 호화히 반셕 갓거니와, 현부 등은 위험ᄒᆞᆫ 가즁의 옥보방신(玉步芳身)[497]을 엇지 지팅ᄒᆞᄂᆞᆫ고.”

말노좃ᄎᆞ 비읍(悲泣)ᄒᆞ니 조공 등니[이] 간간니[이] 위로ᄒᆞ고, 졍·진 등의 《즌인‖잔잉[498]》ᄒᆞᆫ 졍ᄉᆞ을 알것마는 모로는 듯 조토록 ᄒᆞ더라.

ᄎᆞ셜 소뉴시 음일간험(淫佚姦險)[499]ᄒᆞ미 유다른 ᄇᆡ로, 윤어ᄉᆞ 풍치을 황혹(恍惑)[500]ᄒᆞ여 져[졔]삼 부실니[이] 되엿다가, 어ᄉᆞ의 신명으로 그 상뫼 선종치 아닐지라, 모로는 쳐[쳬] ᄒᆞ더니, 소뉴시 어ᄉᆞ의 박ᄃᆡ을 감심ᄒᆞ녀[여] 헛도히 윤부의 명호(名號)로 청츈의 몽[공]송(空送)할 뜻시 업서, 졈졈 의[ᄆᆡ]오미 원슈 갓트여 즉시 쥭니[이]고 기가(改嫁)할 뜻지 잇시니, 신묘랑으로 의논ᄒᆞᆫ ᄃᆡ, 묘랑도 기린[길인(吉人)]니[이] 아니믈 알고, 음육[욕]을 참아【83】 조용니[이] 잇실 줄은 ᄉᆡᆼ각 밧기니, 거즛 이로ᄃᆡ,

“빈되 소져을 츄졈(推占)ᄒᆞᆫ 즉 팔ᄌᆡ ᄃᆡ길ᄒᆞ나 윤가로는 연분니[이] 부족ᄒᆞ니, 남녀

497)옥보방신(玉步芳身) : 귀한 분의 걸음걸이와 몸이란 뜻으로, 남의 건강을 비유적으로 이르는 말.
498)잔잉ᄒᆞ다 : 자닝하다. 애처롭고 불쌍하여 차마 보기 어렵다.
499)음일간험(淫佚姦險) : 몹시 음란하고 방탕하며 간악하고 음험함.
500)황혹(惶惑) : 황홀하여 정신을 차리지 못함.

(行身)이 다르나, 쇼져의 ᄌᆡ용 긔질노 엇지 화락을 근심ᄒᆞ고 윤어ᄉᆞ의 박ᄃᆡ를 감심ᄒᆞ리오. 부부지간의 은ᄋᆡ(恩愛) 업ᄉᆞ면 구쉬(仇讐) 되ᄂᆞ니 므ᄉᆞ 일 홍안을 늙히리오. 셕(昔)의 진상국부인(陳相國夫人)645)이 다ᄉᆞᆺ 번 개가(改嫁)ᄒᆞ엿ᄂᆞ니, 쇼져ᄂᆞᆫ 상냥(商量)ᄒᆞ여 달니 젼졍을 빗ᄂᆡ고 어엿븐 낭군을 어더 유졍(有情)ᄒᆞ쇼셔."【13】

쇼뉴시 쳥파의 누쉬여우(淚水如雨)ᄒᆞ여 왈,

"내 ᄎᆞ마 못ᄒᆞ믄 오문이 ᄃᆡᄃᆡ명문(代代名門)으로 ᄇᆡᆨ형(伯兄) 등이 일호 비례를 아니ᄒᆞ니, 셔어ᄒᆞᆫ 말노 ᄒᆞ엿다가 도로혀 블평ᄒᆞᆯ가 ᄒᆞ노라."

묘량이 이 말을 듯고 ᄀᆞ마니 귀예 다혀 닐오ᄃᆡ,

"쇼져의 말ᄉᆞᆷ은 쳥한(淸閑)ᄒᆞ거니와, 윤어ᄉᆡ 브ᄃᆡ 쇼져를 ᄒᆡᄒᆞ고 뎡·진 이부인으로 화락고져 ᄒᆞᄂᆞ니, 엇디 모로ᄂᆞ뇨? 인ᄉᆡᆼ이 ᄇᆡᆨ셰(百歲) 아니라, 쳥츈 셰월 긴긴 날의 쳥등야우(靑燈夜雨) 한숨으로 지ᄂᆡ리오. 빈되 쇼져를 위ᄒᆞ여 여러 가지 ᄉᆞ량(思量)ᄒᆞᄂᆞ니 결단ᄒᆞ쇼셔. 일ᄃᆡ 풍뉴랑을 ᄀᆞᆯ희리이다. 쇼제 비록 화촉지녜(華燭之禮)를【14】 일우나 몸이 규슈(閨秀)로 그져 잇고, 구ᄋᆡᄒᆞᆯ 빈 업ᄉᆞ니, 부모 동긔를 긔망(欺罔)코져 ᄒᆞ면, 빈되 쥬션ᄒᆞ여 쇼져 일신이 영귀ᄒᆞ게 ᄒᆞ리이다."

뉴시 머리를 숙여 탄식 왈,

"내 십ᄉᆞ 쳥츈의 윤가의 온 지 긔년(朞年)이니 너모 급ᄒᆞᆫ가 ᄒᆞ노라. ᄉᆞ부의 졍을 감샤ᄒᆞ거니와 잠간 ᄉᆞ셰(事勢)를 보아 결단코져 ᄒᆞ노라."

645)진상국부인(陳相國夫人) : 중국 전한(前漢) 혜제(惠帝) 때의 좌승상(左丞相) 진평(陳平)의 아내 장씨(張氏). 그녀는 부잣집 딸이었으나 박복하여 다섯 번이나 시집을 갔지만, 그때마다 남편이 갑자기 죽어 아무도 그녀에게 장가들려 하지 않았다. 당시 가난한 총각이었던 진평이 그녀를 아내로 맞아, 부(富)를 얻고 출세하여 벼슬이 상국(相國)에 이르렀다.

ᄒᆡᆼ신(行身)니 다르니, 소져의 ᄌᆡ용 긔질노 엇지 화락을 근심ᄒᆞ고, 윤어ᄉᆞ의 박ᄃᆡ을 감심ᄒᆞ리요. 부부지간의 은ᄋᆡ(恩愛) 업ᄉᆞ면 구쉬(仇讐) 되ᄂᆞ니 무ᄉᆞ 일 혼안을 늘키리요. 석의 진상국부인(陳相國夫人)501)이 다삿번 기가(改嫁)ᄒᆞ엿ᄂᆞ니, 소져ᄂᆞᆫ 상양(商量)ᄒᆞ여 달니 전경을 빗ᄂᆡ고 어엿분 낭군을 어더 유경(有情)ᄒᆞ소셔."

뉴시 청파의 누쉬여우(淚水如雨)ᄒᆞ여 왈,

"ᄂᆡ ᄎᆞ마 못ᄒᆞ믄 오문니 《ᄯᆡᄯᆡ‖대대》로 명문으로 ᄇᆡᆨ형 등니[이] 일호 《빌녀‖비례(非禮)》을 아니 ᄒᆞ니, 서어ᄒᆞᆫ 말노 ᄒᆞ엿다가 도로혀 불평할가 ᄒᆞ노라."

묘랑니 ᄎᆞ언을 듯고 가마니 우어 갈오ᄃᆡ,

"소져의 말슴은 청ᄒᆞᆫ(淸閑)ᄒᆞ거니와, 윤어ᄉᆡ 부대 소져을 ᄒᆡᄒᆞ고 정·진 니[이]부인을 화락고저 ᄒᆞᄂᆞ니, 엇지 모로ᄂᆞ요[뇨]? 《닌ᄉᆡᆼ니‖인생이》 ᄇᆡᆨ셔[셰](百歲) 안니라. 청츈 셔[셰]월(歲月) 긴긴 날의 청등야우(靑燈夜雨) 한숨으로 지ᄂᆡ리요. 빈되 소져을 위ᄒᆞ여 여러 가지 ᄉᆞ랑[량](思量)ᄒᆞᄂᆞ니 결단ᄒᆞ소셔. 일ᄃᆡ 풍유랑을 갈희리이다. 소져 비록 화촉지녀[녜](華燭之禮)을【84】 일우나 몸니[이] 규수로 그저 잇고, 《우ᄋᆡ‖구ᄋᆡ》ᄒᆞᆯ 빅 업ᄉᆞ니, 부모동긔을 기망(欺罔)코저 ᄒᆞ면, 빈되 쥬션ᄒᆞ여 소져 일신니 영귀켜[케] ᄒᆞ리이다."

뉴시 머리을 슉여 탄식 왈,

"ᄂᆡ 십ᄉᆞ 청츈의 윤가의 온 지 긔년의 너모 급ᄒᆞᆫ가 ᄒᆞᄂᆞ니, ᄉᆞ부늬 정을 감ᄉᆞᄒᆞ거이와, 잠간 ᄉᆞ셔[셰](事勢)을 보와 결단코져 ᄒᆞ노라."

501)진상국부인(陳相國夫人) : 중국 전한(前漢) 혜제(惠帝) 때의 좌승상(左丞相) 진평(陳平)의 아내 장씨(張氏). 그녀는 부잣집 딸이었으나 박복하여 다섯 번이나 시집을 갔지만, 그때마다 남편이 갑자기 죽어 아무도 그녀에게 장가들려 하지 않았다. 당시 가난한 총각이었던 진평이 그녀를 아내로 맞아, 부(富)를 얻고 출세하여 벼슬이 상국(相國)에 이르렀다.

묘랑이 우어 왈,

"쇼졔 쳥츈이 늣지 아니믈 미드나, 윤어ᄉᆞ의 ᄆᆞᄋᆞᆷ이 금셕 ᄀᆞᆺᄐᆞ니 쇽졀업시 거리ᄭᅵ지 마르쇼셔."

뉴시 능히 ᄃᆡ답지 못ᄒᆞ여서, 뉴부인이 다ᄃᆞ라 묘랑의 말을 듯고 기리 탄왈,

"ᄉᆞ부의 지휘 딜녀를 위ᄒᆞ미나, 딜ᄋᆡ 【15】 윤문의 쇽현(續絃)ᄒᆞᆫ 지 칠팔삭의 비록 박ᄃᆡᄒᆞ나 일신이 안여평셕(晏如平席)ᄒᆞ거ᄂᆞᆯ, 가부의 ᄉᆞᄉᆞ 은ᄋᆡ 브족ᄒᆞ믈 슬허 실졀ᄒᆞ믄 청한(淸閑)의 버셔난지라. 아딕 후ᄉᆡ(後事) 되여가믈 보아 힝ᄒᆞ미 올흘가 ᄒᆞ노라."

묘랑이 쇼왈,

"부인 말솜이 쳥결ᄒᆞ시나 윤어ᄉᆞᄂᆞᆫ 고집이 타류와 다르고, 훌훌ᄒᆞᆫ 일월이 ᄇᆡᆨ구과극(白駒過隙)[646]ᄒᆞ여, 헛되이 윤어ᄉᆞ를 딕희리오. 그윽ᄒᆞᆫ 가온ᄃᆡ 묘ᄒᆞᆫ 계교와 신긔ᄒᆞᆫ ᄭᅬ로 젼졍(前程)을 빗나게 ᄒᆞ쇼셔."

뉴부인이 비록 극악ᄒᆞ나 ᄌᆞ못 총명ᄒᆞᆫ디라. 딜녀의 위인이 맛ᄎᆞᆷᄂᆡ 음욕을 ᄎᆞᆷ아 잇지 아닐 줄 알고, 범ᄉᆡ 혜아리미 암험(暗險)ᄒᆞ여, 타【16】문의 출하리 개젹ᄒᆞ여 보ᄂᆡ고 동심모의(同心謀議)ᄒᆞ여 어ᄉᆞ를 셔릇고져 뜻이 이시므로, 웃고 왈,

"ᄉᆞ부ᄂᆞᆫ 진실노 텬신(天神)이라 댱ᄂᆡᄉᆞ(將來事)를 모를 거시 업ᄉᆞ니, 발셔 딜ᄋᆡ 팔ᄌᆡ 윤가의 연분이 업ᄉᆞ미니, 신셰를 측은이 녁여 됴토록 ᄒᆞ라."

묘랑이 ᄇᆡ샤 슈명ᄒᆞ고 음흉ᄒᆞᆫ 의논이 밀밀ᄒᆞ니, 뉴시 모녜 브뎡(不貞)ᄒᆞ믈 알것마ᄂᆞᆫ, 타문 셰가(勢家)의 개젹(改籍)ᄒᆞ여 브ᄃᆡ 어ᄉᆞ를 히코져 ᄒᆞ미오, 묘랑은 암ᄌᆞ를 허럿기로 금은을 다 일허시니, 다시 은금을 징ᄉᆡᆨᄒᆞ나 윤부 형셰 졈졈 감(減)ᄒᆞ여 간핍(艱乏)ᄒᆞ니, 뉴부인이 묘랑의 말인즉 신쳥(信聽)치 아니미 업셔 가ᄉᆡ 탕진키의 【17】 밋ᄎᆞ니, ᄆᆡ양 은이 날 ᄃᆡ 업셔 묘랑이 쇼뉴시 교용염ᄐᆡ(巧容艶態) 홀난(惚爛)ᄒᆞ믄 풍뉴 남

646)ᄇᆡᆨ구과극(白駒過隙) : 흰 망아지가 빨리 달리는 것을 문틈으로 본다는 뜻으로, 인생이나 세월이 덧없이 짧음을 이르는 말.

묘랑니[이] 우어 왈,

"소져 청츈의 멀물 미드나, 윤어ᄉᆞ의 마음니[이] 금석 갓트니 속절 업시 거리ᄭᅵ지 마르소셔."

뉴시 능히 ᄃᆡ답지 못ᄒᆞ여서, 뉴부닌이 다ᄃᆞ라 묘랑의 말을 듯고 기리 탄 왈,

"ᄉᆞ부의 지휘 딜녀을 위ᄒᆞ미나, 딜ᄋᆡ 윤문의 속ᄒᆞᆫ지 칠팔ᄉᆞᆨ의 비록 박ᄃᆡᄒᆞ나 일신니 안여반석(安如磐石) 갓거날, 가부의 ᄉᆞᄉᆞ 은ᄋᆡ 부족ᄒᆞ믈 슬허 실졀ᄒᆞ믄, 청ᄒᆞᆫ(淸閑)의 버셔ᄂᆞᆫ지라. 아직 후ᄉᆡ(後事) 되어가믈 보와 힝ᄒᆞ미 올흘가 ᄒᆞ노라."

묘랑니 소왈,

"부닌[인] 말솜니[이] 경결ᄒᆞ나 윤어ᄉᆞᄂᆞᆫ 고집니[이] 타류와 다르고, 훌훌ᄒᆞᆫ 일월니[이] ᄇᆡᆨ구와[과]극(白駒過隙)[502]ᄒᆞ여 헛도히 윤어ᄉᆞ을 직히리요. 그윽ᄒᆞᆫ 가온ᄃᆡ 묘ᄒᆞᆫ 겨[계]교로 전정을 빗ᄂᆞ겨[게] ᄒᆞ소셔."

뉴부닌이 【85】 극악ᄒᆞ나 총명니[이] 잇ᄂᆞᆫ지라. 딜녀의 위인니[이] 맛ᄎᆞᆷᄂᆡ 음욕을 참아 잇지 아일[닐] 쥴 알고, 범ᄉᆡ 혀아리미 암합(暗合)ᄒᆞ여, 타문의 찰하리 ᄀᆡ적ᄒᆞ여 보ᄂᆡ고 동심모의(同心謀議)ᄒᆞ여 어ᄉᆞ을 서릇고저 뜻지《잇무로‖이스무로》, 웃고 왈,

"ᄉᆞ부ᄂᆞᆫ 진실노 천신(天神)이라. 장ᄂᆡ을 모를 거시 업ᄉᆞ니, ᄉᆞ부ᄂᆞᆫ 조토록 ᄒᆞ라."

묘랑니[이] ᄇᆡᄉᆞ 슈명ᄒᆞ고 음흉ᄒᆞᆫ 의논니 밀밀ᄒᆞ니, 뉴시 모여(母女) 부졍(不貞)ᄒᆞ믈 알 것마ᄂᆞᆫ, 타문 셔[셰]가(勢家)의 ᄀᆡ적(改籍)ᄒᆞ야 부ᄃᆡ 어ᄉᆞ을 히코져 ᄒᆞ미요, 묘랑은 암ᄌᆞ을 헐○[엇]기로 금은을 다 일허시니 다시 은금(銀金)을 징ᄉᆡᆨᄒᆞ나, 윤부 형셔[셰] 점점 감(減)ᄒᆞ여 간핍(艱乏)ᄒᆞ니, 뉴부닌[인]은 묘랑 말닌[인]즉 신청(信聽)치 아니미 업서, 가ᄉᆡ 탕진키의 밋ᄎᆞ니, ᄆᆡ냥[양] 은이 날 ᄂᆡ[ᄃᆡ] 업서 묘랑니[이] 소뉴시 교

502)ᄇᆡᆨ구과극(白駒過隙) : 흰 망아지가 빨리 달리는 것을 문틈으로 본다는 뜻으로, 인생이나 세월이 덧없이 짧음을 이르는 말.

ᄌᆞ의 호ᄉᆡᆨᄒᆞᄂᆞᆫ(好色漢-) 대혹(大惑)ᄒᆞᆯ지라. 금은을 어더 즁ᄆᆡ코져 ᄒᆞ니, 맛당ᄒᆞᆫ 곳을 ᄀᆞᆯ히더니, 일이 공교ᄒᆞ여 댱ᄉᆞ왕 간은 뎨실지친(帝室至親)이오 초왕의 아이라. 금년 삼십의 왕비 쥬시 죽은ᄃᆡ 일졈 골육이 업셔, 바야흐로 ᄌᆡ취코져 명문 벌열의 구ᄒᆞᄃᆡ, 왕의 위인이 포려싀험(暴戾猜險)ᄒᆞ고 용녁이 과인ᄒᆞ여, 댱안 ᄉᆞ셔인이 부귀ᄂᆞᆫ 불워ᄒᆞ나 위인을 져허 허혼ᄒᆞ리 업더니, 초왕이 귀국ᄒᆞ고 댱ᄉᆞ왕이 본국의 가지 못ᄒᆞ여, 왕이 졀ᄉᆡᆨ 미ᄋᆞ를 구ᄒᆞ므로, 궁녀 듕의도 암합ᄒᆞ니 업ᄉᆞ【18】니, 왕의 보모 연상궁이 ᄂᆡᄉᆞ(內事)를 춍단(總斷)ᄒᆞᄂᆞᆫ디라. 신묘랑이 댱ᄉᆞ왕을 만나 팔ᄌᆞ를 ᄆᆞ르ᄆᆡ 츄졈ᄒᆞ고, 블길ᄒᆞᆫ 줄 아ᄃᆡ 거ᄌᆞᆺ 만복(萬福)을 니르고, 인ᄒᆞ여 셔화문 밧 쥬졈의 ᄒᆞᆫ 규슈를 구경ᄒᆞ니 진짓[647] 침어낙안지용(沈魚落雁之容)[648]이오 폐월 슈화지ᄐᆡ(閉月羞花之態)[649]라. 겸ᄒᆞ여 안모의 귀복이 어ᄅᆡ다 ᄒᆞ고, 만고의 ᄀᆡ특ᄒᆞᆫ 인물이믈 ᄌᆞ랑ᄒᆞ니, 왕이 대희ᄒᆞ여 근본을 ᄆᆞ르니 ᄃᆡ왈,

"쳥쥬 뉴쳐ᄉᆞ의 녀ᄌᆞ로 일즉 부모를 여희고 친쳑이 업셔 의뢰무탁(依賴無託)[650]ᄒᆞ므로, 《슉모 ‖ 쥬모》의 어더 기르미 되엿시나 ᄇᆡᆨᄒᆡᆼ(百行) ᄉᆞ덕(四德)이 ᄀᆡ특다 ᄒᆞ니, 뎐히 뎡궁(正宮)으로 마쟈샤 침뎐의 깃드리쇼셔."

연상궁이【19】 깃거 댱ᄉᆞ왕을 보아 뉴쇼져를 닐위믈 당부ᄒᆞ고, ○○○[묘랑을] 후ᄃᆡᄒᆞ니, ᄃᆡ왈,

"쥬뫼 뉴쇼져를 ᄉᆞ랑ᄒᆞ나 뎐하 위엄으로 어드려 ᄒᆞᆫ즉 어렵지 아닐 거시오, 쥬모의

647)진짓 : 짐짓. 과연.

648)침어낙안지용(沈魚落雁之容) : 미인을 보고 물 위에서 놀던 물고기가 부끄러워서 물속 깊이 숨고 하늘 높이 날던 기러기가 부끄러워서 땅으로 떨어질 만큼, 아름다운 여인의 용모를 비유적으로 이르는 말. ≪장자≫ <제물론(齊物論)>에 나온다.

649)폐월슈화지ᄐᆡ(閉月羞花之態) : 꽃도 부끄러워하고 달도 숨을 만큼 여인의 얼굴과 맵시가 매우 아름답다는 것을 비유적으로 이르는 말.

650)의뢰무탁(依賴無託) : 의지할 데가 없음.

용화ᄐᆡ(巧容花態) ᄒᆞᆯ난(惚爛)ᄒᆞ믄 풍유남ᄌᆞ의 호ᄉᆡᆨ(好色)으로ᄂᆞᆫ ᄃᆡ혹(大惑)할지라. 금은을 어더 즁ᄆᆡ코저 ᄒᆞ니, 맛당○[한] 곳을 갈히다가, 일니[이] 공교ᄒᆞ여 장ᄉᆞ왕은 져[제]실지친(帝室至親)이요, 초왕의 아니[이]라. 금년 삼십의 왕비 주시 쥭으ᄆᆡ ᄇᆞ야흐로 ᄌᆡ취코저 명문벌열의 구ᄒᆞᄃᆡ, 왕의 위닌[인]니 표려시험(剽戾猜險)ᄒᆞ고 용녁니[이] 과인ᄒᆞ니, 장안 ᄉᆞ셔닌[인]이 부귀ᄂᆞᆫ 불워ᄒᆞ나 위닌[인]을 저허 허혼ᄒᆞ니 업더니, 【86】 초왕니[이] 귀국ᄒᆞ고 장ᄉᆞ왕니[이] 본국의 가지 못ᄒᆞ여, 왕니[이] 절ᄉᆡᆨ미아을 구ᄒᆞ므로, 궁여(宮女) 즁의도 암합ᄒᆞ니 업ᄉᆞ{오}니, 왕의 보모 년상궁니[이] ᄂᆡᄉᆞ(內事)을 총단(總斷)ᄒᆞᄂᆞᆫ지라. 신묘랑니[이] 장ᄉᆞ왕을 만나 팔ᄌᆞ을 무르ᄆᆡ, 추점ᄒᆞ고 불길ᄒᆞᆯ 쥴 아ᄃᆡ, 만복(萬福)을 《일우 ‖ 이르》고, 닌[인]ᄒᆞ여 셔화문 밧 쥬점의 ᄒᆞᆫ 규슈을 보니 짐짓[503] 침어낙안지용(沈魚落雁之容)[504]이라. 겸ᄒᆞ여 안모의 귀복니[이] 어ᄅᆡ다 ᄒᆞ고, 만고의 기특ᄒᆞᆫ 인물노 ᄌᆞ랑ᄒᆞ니, 왕니[이] ᄃᆡ희ᄒᆞ여 근본을 무른ᄃᆡ, ᄃᆡ왈,

"쳥쥐 유처ᄉᆞ의 여ᄌᆞ로 일쥭 부모을 여희고 친척니[이] 업셔 의지 업ᄉᆞ므로 쥬모의 어더 기르미 ○○○[되여시]나 ᄇᆡᆨᄒᆡᆼ(百行) ᄉᆞ덕(四德)니[이] ᄀᆡ특다 ᄒᆞ니, 전히 정궁(正宮)으로 마즈ᄉᆞ 침젼의 깃드리소셔."

년상궁니[이] 깃거 장ᄉᆞ왕을 보고 뉴소져 일위물 당부ᄒᆞ고, 묘랑을 후ᄃᆡᄒᆞ니, 묘랑 왈,

"쥬뫼 뉴소져을 ᄉᆞ랑ᄒᆞ나 젼ᄒᆞ 위덕으로 ○…결낙 25자…○[어드려 ᄒᆞᆫ즉 어렵지 아닐 거시오, 쥬모의 싱되 빈한ᄒᆞ니 뎐히 후덕을] 듸리오소셔."

503) 짐짓 : 과연.

504)침어낙안지용(沈魚落雁之容) : 미인을 보고 물 위에서 놀던 물고기가 부끄러워서 물속 깊이 숨고 하늘 높이 날던 기러기가 부끄러워서 땅으로 떨어질 만큼, 아름다운 여인의 용모를 비유적으로 이르는 말. ≪장자≫ <제물론(齊物論)>에 나온다.

ᄉᆡᆼ되 빈한ᄒᆞ니 뎐ᄒᆡ 후덕을 드리오쇼셔."

ᄒᆞᆫᄃᆡ 연상궁이 깃거, 묘랑을 궁듕의 머므르고 이 말노뼈 ᄀᆞᆺ초 고ᄒᆞ니, 왕이 ○○[다시] 묘랑을 불너 면젼의 니르니, 묘랑이 합장ᄇᆡ무(合掌拜舞)의 만복을 《쳥 ‖ 칭(稱)》ᄒᆞ고, 만구응슌(萬口應順)ᄒᆞ여 기리ᄂᆞᆫ 말이 뉴슈(流水) ᄀᆞᆺᄐᆞ니, 왕이 ᄉᆡᆨ용(色容)이 졀셰ᄒᆞ믈 듯고 흠모ᄒᆞ여, 보지 아니ᄒᆞ여셔 혈혈약녀(孑孑弱女)로 잔잉ᄒᆞᆷ과 긔묘ᄒᆞ믈 황혹(恍惑)하고, 황금 일쳔냥을 주어 묘랑다려 ᄀᆞᆯ오ᄃᆡ,

"법ᄉᆡ 금을 쥬【20】모를 주고 길일을 ᄀᆞᆯᄒᆡ여 규녀를 보ᄂᆡ면, 졔 영화ᄒᆞᆯ ᄲᅮᆫ 아니라 듕ᄆᆡᄒᆞᆫ 공을 만금으로 표ᄒᆞ리라."

묘랑이 ᄒᆞᆫ열ᄒᆞ여 슈명ᄒᆞ니, 왕이 ᄌᆡ삼 부탁고 쥬모의 허락을 ᄌᆡ촉ᄒᆞ니, 묘랑이 감언니어(甘言利語)로 대혹(大惑)게 ᄒᆞ고, 궁녀로 더브러 셔화문 밧긔 오니, 쥬모라 ᄒᆞᄂᆞᆫ ᄌᆞᄂᆞᆫ 비영이니, 셔화문 밧 뷘 집의셔 미리 맛초아 요악ᄒᆞᆫ ᄭᅬ를 뎡ᄒᆞ여시니, 엇디 의심되게 ᄒᆞ리오. 묘랑이 궁녀와 ᄒᆞᆫ가지로 이르러 쥬모를 보고 왕의 덕화를 칭숑ᄒᆞ니, 쥬뫼 허(許)ᄒᆞ고 길일을 ᄀᆞᆯᄒᆡᆯᄉᆡ, 묘랑이 거ᄌᆞᆺ 추졈(推占) 일경(一更)651) 후 즈음652) 길일을 뎡ᄒᆞ고, 비영이 호쥬셩찬(壺酒盛饌)으로 궁녀를 졉【21】ᄃᆡᄒᆞ니, 왕이 일ᄇᆡᆨ금(一百金)으로 그 공을 상(賞)ᄒᆞ고, ᄯᅩ 후히 샹사(賞賜)ᄒᆞ리라 ᄒᆞ니, 비영이 밧비 옥누항으로 오니라. 묘랑이 급히 옥누항의 와 뉴시 슉딜을 보고 댱ᄉᆞ왕의 말을 젼ᄒᆞ고, 왕의 신치 풍용이 졀뉸(絶倫)ᄒᆞ믈 일ᄏᆞ라, ᄒᆞᆫ낫 빈희도 업ᄉᆞ믈 니르니, 쇼져의 평ᄉᆡᆼ이 유광(有光)ᄒᆞ리러이다. 쇼뉴시 교ᄋᆡ 음흉 간교ᄒᆞ므로 어ᄉᆞ의 닌봉(麟鳳) ᄀᆞᆺᄐᆞᆫ 긔질노 화락지 못ᄒᆞ믈 골돌ᄒᆞ더니, 댱ᄉᆞ왕의 부귀 풍뉴를 흠앙ᄒᆞ여 영희(榮喜)ᄒᆞ고, 뉴부인은 딜녀

년상궁니 깃거ᄒᆞ여 왕을 권ᄒᆞ니 왕니 ᄯᅩ ᄒᆞᆫ 그 ᄉᆡᆨ모을 듯고 흠모ᄒᆞ여 즉시 황금 일쳔양을 ᄂᆡ여 묘랑을 쥬어 왈,

"법ᄉᆡ 니[이] 금을 쥬모을 쥬고 길일을 갈ᄒᆡ여 규녀을 보ᄂᆡ면, 져[제] 영화할 분 안니라 즁ᄆᆡᄒᆞᆫ 공을 만금으로 표ᄒᆞ리라."

묘랑이 ᄒᆞᆫ연 슈명ᄒᆞ니, 왕니[이] ᄌᆡᄉᆞᆷ 부탁ᄒᆞ고 쥬모의겨[게] 허락《ᄒᆞ라 ‖ 을 얻으라》 ᄌᆡ쵹ᄒᆞ니, 묘랑니[이] 감언미어(甘言美語)로 ᄃᆡ혹겨[게] ᄒᆞ고, 궁녀와 한○[가]지로【87】 셔문 밧긔 오니, 쥬모라 ᄒᆞᄂᆞᆫ 자ᄂᆞᆫ 비영니[이]니, 셔화문 뷘 집의서 미리 맛초와 요악ᄒᆞᆫ ᄭᅬ을 정ᄒᆞ엿ᄂᆞᆫ지라. 엇지 의심되겨[게]ᄒᆞ리요. 궁녀와 ○○○○[ᄒᆞᆫ가지로] 이르러 쥬모을 보고 왕을 송덕ᄒᆞ니, 쥬뫼 허(許)ᄒᆞ고 길일을 갈힐ᄉᆡ, 낭니[이] 거ᄌᆞᆺ 추점(推占) 일경(一更)505) 후 저[즈]음506) 길일을 정ᄒᆞ고, 비영니[이] 호쥬성찬(壺酒盛饌)을 ᄂᆡ여 궁여을 졉ᄃᆡᄒᆞ며, 묘랑니[이] 급히 옥누항의 와 뉴시 슉딜을 보고 장ᄉᆞ왕의 말을 전ᄒᆞ며, 왕의 신치 풍용니 절인(絶人)ᄒᆞ믈 일카라 ᄒᆞᆫ낫 빈희도 업ᄉᆞ물 니르니, 소유시 음황 간교ᄒᆞ므로 어ᄉᆞ의 닌봉(麟鳳) 갓튼 기질의 화락지 못ᄒᆞ물 골돌ᄒᆞ더니, 장ᄉᆞ왕의 부귀을 흠앙ᄒᆞ여 영희(榮喜)ᄒᆞ고, 뉴부닌[인]은 딜여의 음악(淫惡)을 상ᄉᆡ(常事)507)라 ᄒᆞ여, 왕궁으로 보ᄂᆡ고 조

651)일경(一更) : 2시간 쯤 되는 시간. 경(更)은 일몰부터 일출까지 하룻밤을 다섯으로 나누어 부르는 시간의 이름으로, 밤 7시부터 시작하여 두 시간씩 나누어 각각 초경, 이경, 삼경, 사경, 오경이라고 이른다.

652)즈음 : 쯤.

505)일경(一更) : 2시간 쯤 되는 시간. 경(更)은 일몰부터 일출까지 하룻밤을 다섯으로 나누어 부르는 시간의 이름으로, 밤 7시부터 시작하여 두 시간씩 나누어 각각 초경, 이경, 삼경, 사경, 오경이라고 이른다.

506)즈음 : 쯤.

507)상ᄉᆡ(常事) : 대수롭지 않게 흔히 있는 일.

의 음악(淫惡)을 상시(常事)[653]라 ᄒᆞ여 왕궁으로 보ᄂᆡ고, 조각을 타 작변ᄒᆞ려 ᄒᆞ므로, 모녀슉딜이 묘랑으로 므릅흘 년ᄒᆞ여 흉모비계(凶謀秘計)【22】 무한ᄒᆞ여, 쇼뉴 개적ᄒᆞ믄 태부인도 모로고, 뉴시 모녀 세월·비영·묘랑 등이 도모ᄒᆞ더라.

묘랑이 일일(日日) 댱ᄉᆞ왕긔 현알ᄒᆞ고, 길일이 갓가오니, 왕이 흔희ᄒᆞ여 왈,

"뉴시를 취ᄒᆞ여 암합(暗合)ᄒᆞᆯ진ᄃᆡ 맛당이 법ᄉᆞ의 공을 갑흐리라."

묘랑이 깃거 ᄀᆞᆯ오ᄃᆡ,

"빈되 구혼ᄒᆞ여 주미 만흐니, 뉴쇼져ᄂᆞᆫ 만고를 기우려도 희한ᄒᆞᆫ 길상이니, 뎐히 뉴쇼져를 취ᄒᆞ시ᄆᆡ, ᄌᆞ손이 챵셩ᄒᆞ고 부귀 늉흡(隆洽)ᄒᆞ리니, 엇디 ᄒᆞᆫ갓 천승국모(千乘國母)의 상격(相格)이리잇고?"

왕이 또 블궤지심(不軌之心)[654]을 픔은 거시라, 묘랑의 요언의 깃거 슈염을 어르만져 ᄀᆞᆯ오ᄃᆡ,

"법ᄉᆞ의 뉴시 칭양ᄒᆞ믄 너모 과도ᄒᆞ거니【23】와, 복녹지상(福祿之相)이 실노 그ᄀᆞᆺ틀진ᄃᆡ 엇지 영힝치 아니리오."

묘랑이 뉴시를 못ᄂᆡ 일ᄏᆞᆺ고, 믄득 상급을 징ᄉᆡᆨ(徵色)ᄒᆞ니, 왕이 보화를 앗기지 아냐 묘랑의 욕심을 치오고, 길일이 갓가오ᄃᆡ 뉴시 근본을 모로고, 입장긔구(入丈器具)를 출혀 빈희로 취ᄒᆞᄆᆡ, ᄌᆡ용(才容)이 현슉ᄒᆞᆫ즉 뎡궁을 뎡ᄒᆞ려 ᄒᆞ더라.

길일이 다ᄃᆞ르니, 신묘랑이 뉴부인과 상의ᄒᆞ여 쇼뉴시 시녀 금계로 여의개용단(如意改容丹)을 먹이고 튝원ᄒᆞ니, 금계 변ᄒᆞ여 쇼뉴시 교염졀ᄉᆡᆨ(嬌艷絶色)이 되ᄂᆞᆫ지라. 뉴부인이 금계를 당부ᄒᆞ여,

"네 주인이 광텬의 박ᄃᆡ를 슬허 인뉸을 폐ᄒᆞ고, 산슈간(山水間)의 은신【24】ᄒᆞ려 ᄒᆞ니, 거거와 뎔ᄌᆞ 등이 드르면 가도아 ᄂᆡ여 보ᄂᆡ지 아닐 거시오, 여ᄎᆞ즉 뎔네 죽을

653)상시(常事) : 대수롭지 않게 흔히 있는 일.
654)블궤지심(不軌之心) : 반역을 꾀하는 마음.

각을 타 작변ᄒᆞ려 ᄒᆞ므로, 모녀슉딜니[이] 묘랑으로 무릅흘 년ᄒᆞ여 《기묘비겨‖기모비계(奇謀秘計)》무흔ᄒᆞ여, 소뉴시 기적ᄒᆞ믄 ᄐᆡ부닌도 모로고 뉴시 모녀 셔[세]월·비영·묘랑 등니[이] 도모 ᄒᆞ더라.

낭니[이] 일일(日日) 장ᄉᆞ왕긔 현알ᄒᆞ고, 길일니[이] 갓가오니 왕니[이] 흔희ᄒᆞ여 왈,

"뉴시을 취ᄒᆞ여 암합(暗合)할진ᄃᆡ 맛당니[이] 법ᄉᆞ의 공을 크겨[게] 갑흐리라."

낭 왈,

"빈되 구혼ᄒᆞ여 주미 만흐나, 만고을 기우려도 희흔ᄒᆞᆫ 길상니[이]니 전히 뉴소져을 취ᄒᆞᄆᆡ ᄌᆞ손니 창성ᄒᆞ고 부귀 융흡(隆洽)ᄒᆞ리니 엇지 ᄒᆞᆫ갓 천승국모(千乘國母)의 상격(相格)이리닛[잇]고?"

왕니 또 불궤(不軌)[508]을【88】《붐은‖품은》 거시라, 묘랑의 요언의 깃거 슈명[염]을 어로만저 갈오ᄃᆡ,

"법ᄉᆞ의 유시 과찬은 너모 과도 ᄒᆞ거이와 복녹지상(福祿之相)니[이] 실노 그 갓틀진ᄃᆡ 엇지 영힝치 아니리요."

낭니[이] 유시을 못ᄂᆡ 일컷고 문득 상급을 징ᄉᆡᆨᄒᆞ니, 왕니 보화을 악기지[509] 아냐 낭의 욕심을 치오고, 길일니[이] 갓가오ᄆᆡ 뉴시 근본을 모로고, 입장기구(入丈器具)을 ᄎᆞ려 빈희로 취ᄒᆞᄆᆡ, ᄌᆡ용니 현슉ᄒᆞᆫ즉 정궁을 정ᄒᆞ려 ᄒᆞ더라.

길일니[이] 다다르니, 신묘랑니[이] 뉴부닌[인]과 상의ᄒᆞ여 소뉴시 시녀 금겨[계]을 여의기용단(如意改容丹)을 먹니[이]고 츅원ᄒᆞ니, 금겨[계] 변ᄒᆞ여 소뉴시 겨[교]염절ᄉᆡᆨ(嬌艷絶色)니[이] 되ᄂᆞᆫ지라. 뉴부닌[인]이 금겨[계]을 당부ᄒᆞᄆᆡ,

"네 쥬닌[인]이 광텬의 박ᄃᆡ을 슬허 인윤(人倫)을 펴[폐]ᄒᆞ고 산슈간(山水間)의 은신ᄒᆞ려ᄒᆞ니, 거거와 뎔ᄌᆞ 등니[이] 드르면 질녀 쥭글[510]시라. 슉딜의 의로 ᄎᆞ마 청츈 요

508)블궤(不軌) : 반역을 꾀함.
509)악기다 ; 아끼다. ⇒앗기다.

디라. 슉덜의 의로 청츈 요ᄉᆞ(夭死)ᄒᆞ믈 보지 못ᄒᆞ여, 널노 개용단을 먹여 덜녀의 ᄃᆡ신을 삼고, 범ᄉᆞ를 맛져 산ᄉᆞ로 보ᄂᆡ려 ᄒᆞᄂᆞ니, 네 불과 하류(下流) ᄎᆞ환(叉鬟)[655]이어놀, 팔ᄌᆡ 됴화 존귀ᄒᆞᆫ 명뷔(命婦) 되리니, 내 지휘ᄃᆡ로 ᄒᆞ고 조곰도 어긔오지 말나. 네 몸의 크게 유익ᄒᆞ고 부귀 복녹이 댱구ᄒᆞ리라. 오날브터 덜ᄋᆞ의 옷술 닙고 광텬을 밧드러 건즐(巾櫛)을 쇼임ᄒᆞ고, 존고를 셤기라."

금계 본ᄃᆡ 간샤 요악ᄒᆞ나 무식 쳔녜(賤女)라. 쑬ᄀᆞᆺ치 달ᄂᆡᄂᆞᆫ 말을 과망(過望)히 【25】 알고 흔흔 샤례ᄒᆞ고, 쇼뉴시의 봉관(鳳冠) 옥패(玉佩) 슈의(繡衣)를 ᄀᆞᆺ초아, ᄃᆡ신 쇼임(所任)을 ᄒᆞ더라.

ᄎᆞ시 묘랑이 쇼뉴시를 다리고 셔화문 밧그로 나올ᄉᆡ, 뉴시 쳐연 비챵ᄒᆞ여 상니(相離)ᄒᆞᄂᆞᆫ 눈물이 방방ᄒᆞ여 ᄀᆞᆯ오ᄃᆡ,

"너를 닐위여 광텬의 박ᄃᆡ 틱심ᄒᆞ여, 홍안박명의 슬프믈 쥬야 보다가, 이졔 법ᄉᆞ의 듕ᄆᆡ(仲媒)로 취가(娶嫁)ᄒᆞ니, 너의 젼졍이 영귀ᄒᆞ기를 쥬(主)ᄒᆞ미나, 슉덜의 니졍(離情)이 유유ᄒᆞ고, 금계로 너의 몸을 ᄃᆡ신ᄒᆞ나니 혹 널노 알고 가듕이 ᄋᆡ지(愛之)ᄒᆞ리니, 부녀 텬눈은 단(斷)ᄒᆞᆯ지라. 일이 뎡되아니나, 금계 비록 일시 약을 먹어 네 모양이 되나, 엇디 댱구ᄒᆞ리 【26】 오. 온갓 일을 묘랑과 의논ᄒᆞᆯ 거시니, 텬디 귀신 밧긔 알 니 업거니와, 영형(令兄)[656]은 너의 힝ᄉᆞ를 아라도 칙지 아닐 거시니, 타일 셔신 왕ᄂᆡ의 졍ᄉᆞ를 고ᄒᆞ고, 모녀의 지ᄌᆞ디ᄋᆡ(至慈至愛)를 펴게 ᄒᆞ라."

쇼뉴시 나아가믈 깃거ᄒᆞᄂᆞᆫ 듕 윤어ᄉᆞ의 텬일지풍(天日之風)을 닛지 못ᄒᆞ며, 영웅군ᄌᆞ를 바리고 졸연이 개뎍ᄒᆞ믈 슬허 쳬읍 왈,

---

655)ᄎᆞ환(叉鬟) : 주인을 가까이에서 모시는 젊은 계집종

656)영형(令兄) : 형님. 여기서는 유교아의 모친을 이름. 유부인과 유교아의 아버지 유금오가 친 남매간이기 때문에 유교아의 모는 유부인의 올케 곧 형님이 된다.

ᄉᆞ(夭死)ᄒᆞ믈 보지 못ᄒᆞ여, 널노 ᄀᆡ용단을 먹여 덜녀의 ᄃᆡ신을 삼고, 법ᄉᆞ을 맛져 산ᄉᆞ로 보ᄂᆡ려 ᄒᆞ니, 네 본ᄃᆡ ᄒᆞ류(下流) ᄎᆞ환(叉鬟)[511]이여날, 팔ᄌᆡ 조하 존귀ᄒᆞᆫ 명뷔(命婦)되리니, ᄂᆡ 지휘ᄃᆡ로 ᄒᆞ고 조곰도 어기오지 말나. 네 몸니[이] 크겨[게] 유옥[익]ᄒᆞ고 부귀 봉[복]녹이 장귀[구]ᄒᆞ리라. 오날붓터 덜아 【89】 의 옷슬 입고, 광천을 밧드러 건즐(巾櫛)을 소님[임](所任)ᄒᆞ고 존고을 셤기라."

금겨[계] 본ᄃᆡ 간ᄉᆞ 요악ᄒᆞ나 무식 소치(所致)[512]로 쑬갓치 달ᄂᆡᄂᆞᆫ 말을 가망니[과망(過望)이] 알고, 흔흔 ᄉᆞ려[례]ᄒᆞ고, 소뉴시 봉관(鳳冠) 옥픽(玉佩) 슈의(繡衣)을 갓초아, ᄃᆡ신 소님[임]을 ᄒᆞ더라.

ᄎᆞ시 묘랑니[이] 소뉴시을 다리고 문박글 ᄂᆞ올ᄉᆡ, 뉴시 처연 상니(相離)ᄒᆞᄂᆞᆫ 눈물니 방방ᄒᆞ여 왈,

"널노 박ᄃᆡ 심ᄒᆞ여 홍안박명의 슬푸믈 쥬야 보다가, 니져[제] 법사의 즁ᄆᆡ(仲媒)로 취가(娶嫁)ᄒᆞ니, 너의 전정니[이] 영귀키을 쥬(主)ᄒᆞ미나, 슉덜의 이정(離情)니[이] 유유ᄒᆞ고, 금겨[계]로 너의 몸을 ᄃᆡ신ᄒᆞ나, 금겨[계] 비록 일시 약(藥)그로 네 모냥니[이] 되나 엇지 장구ᄒᆞ리요. 온갓 일을 묘랑과 의논할 거시니 천지 귀신 박겨[긔] 알니 업거니와, 영형(令兄)[513]을[은] 너의 힝ᄉᆞ을 ᄇᆞ[아]라도 칙지 아닐 거시니, 타일 셔신 왕ᄂᆡ의 경ᄉᆞ을 고ᄒᆞ고, 모녀 ᄌᆞᄋᆡ(慈愛)을 펴겨[게] ᄒᆞ라."

뉴시 나아가믈 깃거ᄒᆞᄂᆞᆫ 즁 윤어ᄉᆞ의 쳔일지풍(天日之風)을 잇지 못ᄒᆞ야, 영웅군ᄌᆞ

---

510)쥭그다 : 죽이다.

511)ᄎᆞ환(叉鬟) : 주인을 가까이에서 모시는 젊은 계집종

512)소치(所致) : 어떤 까닭으로 생긴 일.

513)영형(令兄) : 형님. 여기서는 유교아의 모친을 이름. 유부인과 유교아의 아버지 유금오가 친 남매간이기 때문에 유교아의 모는 유부인의 올케 곧 형님이 된다.

"쇼뎔이 형셰 마디 못ᄒᆞ여 법ᄉᆞ의 지휘로 개뎍ᄒᆞ고, 슉모의 지교(指敎)ᄒᆞ시믈 좃ᄎᆞ나, ᄉᆞᄉᆞ로 붓그러오미 젹으리잇고? 윤광텬의 풍ᄎᆡ를 혹ᄒᆞ여 셋ᄌᆡ 부실을 혐의치 아니코, 슉모를 뫼셔 일ᄐᆡᆨ지상(一宅之上)의셔 평ᄉᆡᆼ【27】을 즐길가 ᄒᆞ더니, 윤ᄉᆡᆼ의 잔인박ᄒᆡᆼ(殘忍薄行)이 심어오긔(甚於吳起)657)라. 부부지락을 일울 길 업셔, ᄇᆡᆨ형(伯兄) ᄉᆞ형(四兄)의게 고치 못ᄒᆞ고, 실졀(失節)ᄒᆞᆫ 몸이 되니, ᄆᆞ음이 버히ᄂᆞᆫ ᄃᆞᆺ, 젼혀 원슈 광텬 뎍ᄌᆞ(賊者)로 말ᄆᆡ암아 이의 밋ᄎᆞ니, 당ᄎᆞ지시(當此之時)ᄒᆞ여ᄂᆞᆫ 윤광텬을 칼노 지르고 돌노 바아 쇄신분골(碎身粉骨)658)ᄒᆞ고 시브온지라. 댱ᄉᆞ왕궁의 가 쳔방ᄇᆡᆨ계(千方百計)로 광텬 젹츄(賊酋)를 죽이고 말니이다."

뉴시 어로만져 위로ᄒᆞ여 ᄀᆞᆯ오ᄃᆡ,

"ᄉᆞ셰(事勢)를 보아 광텬의 원슈 갑기를 계교ᄒᆞ리라."

ᄒᆞ고, 셰월은 보뫼(保姆)라 ᄒᆞ고 비영은 유뫼(乳母)라 ᄒᆞ여, ᄒᆡᆼ녜시(行禮時) 실녜치 말나 ᄒᆞ고, 시비 양난 등을 변용단(變容丹)을 먹【28】여 안연(晏然)이 문을 나니, ᄒᆡᆼᄉᆡᆨ(行勢) 음비 쳔누ᄒᆞ믈 오히려 ᄭᆡᄃᆞᆺ지 못ᄒᆞ고 양양 ᄌᆞ득ᄒᆞ니, 쳔살무셕(千殺無惜)이오, 만ᄉᆞ유경(萬死猶輕)의 음부찰녜(淫婦刹女)러라. 묘랑은 공듕으로 셔화문을 나 빈 집의 니르러 뉴시를 방듕의 드리고, 회면단(回面丹)을 먹여 본형을 ᄂᆡ고 단장을 황홀히 ᄒᆞ니, 왕이 ᄒᆡᆼ녜시의 쟝읍블ᄇᆡ(長揖不拜)

657)심어오긔(甚於吳起) : 오기(吳起)보다도 심하다. 오기(吳起); 중국 전국 시대(戰國時代)의 병법가(B.C.440~B.C.381). '오기살처(吳起殺妻)'의 고사로 유명하다. 즉, 오기가 노(魯)나라에서 관직생활을 하던 때, 제(齊)나라가 침공해오자, 노나라가 그를 장수로 임명하여 제를 막게 하려다가, 그의 처(妻)가 제나라 사람인 것을 알고 임명을 주저하자, 처를 죽이고 노나라 장수가 되어 제를 무찌른 일이 있다. 저서에 병법서 ≪오자(吳子)≫가 있다

658)쇄신분골(碎身粉骨) : =분골쇄신. 몸을 부수고 뼈를 가루로 만듦. 참혹하게 죽음을 맞거나, 어떤 일을 위해 온몸을 바쳐 노력함을 이르는 말.

을 ᄇᆞ리고 졸연니 ᄀᆡ적ᄒᆞ물 슬허, 쳐[체]읍왈,

"소질니 형셔[셰] 마지 못ᄒᆞ여 법ᄉᆞ의 지휘로 ᄀᆡ적ᄒᆞ고, 숙모의 가르치믈 조ᄎᆞ나, 스ᄉᆞ로 붓그러【90】오미 젹으리닛[잇]고? 윤광천의 풍ᄎᆡ을 혹ᄒᆞ여 셋ᄌᆡ 부실을 혐의치 아니코, 숙모을 뫼서[셔] 즐길가 ᄒᆞ더니, 윤ᄉᆡᆼ의 박졍이 《요기 ‖ 오기(吳起)514)》 갓튼지라, 부부지락을 일울 길 업서, ᄇᆡᆨ형(伯兄) ᄉᆞ형(四兄)의겨[게] 고치 못ᄒᆞ고, 졀(節)을 허ᄒᆞ니, 마음니[이] 버히ᄂᆞᆫ 듯, 젼혀 원슈의 놈으로 아[인]ᄒᆞ여 이의 밋ᄎᆞ니, 당ᄎᆞ지시(當此之時)ᄒᆞ여ᄂᆞᆫ 윤광천을 칼노 지르고 돌노 마으고 시분지라. 장ᄉᆞ왕궁의 가 천방ᄇᆡᆨ겨[계](千方百計)로 광천을 쥭니[이]고 말니다."

뉴시 어로만져 ᄌᆡᄉᆞᆷ 위로ᄒᆞ며 윤광천 쥭긔믈 당부ᄒᆞ더라.

소뉴시 이의 ᄒᆞ직ᄒᆞ고 신묘랑으로 조ᄎᆞ 왕궁의 이르니, 왕니 위의을 출혀 뉴시을 마즐ᄉᆡ, 급히 눈을 드러 보니, ᄉᆡᆨ혀ᄂᆞᆫ ᄉᆡᆨᄐᆡ(色態) 본 ᄇᆞ 처음이라. 크겨[게] 깃거 묘랑의겨[게] 치ᄒᆞᄒᆞ믈 마지 아니며, 금은보ᄒᆞ

514)오기(吳起) : 중국 전국 시대(戰國時代)의 병법가(B.C.440~B.C.381). '오기살처(吳起殺妻)로 유명하다. 즉, 오기가 노(魯)나라에서 관직생활을 하던 때, 제(齊)나라가 침공해오자, 노나라가 그를 장수로 임명하여 막게 하려다가, 그의 처(妻)가 제나라 사람인 것을 알고 임명을 주저하자, 처를 죽이고 노나라 장수가 되어 제를 무찌른 일이 있다. 저서에 병법서 ≪오자(吳子)≫가 있다

ᄒᆞ여 녜필의 뉴시를 닉이 보ᄆᆡ, 과연 쳔고졀ᄉᆡᆨ(千古絶色)이라. 셰월 비영은 하딕고{하직고} 도라갈ᄉᆡ, 왕이 뉴시와 야심 후 상요의 나아가니, 비홍이 단ᄉᆞ 직은 ᄃᆞᆺᄒᆞ믈 보고, 운우지락을 ᄒᆞ무시 프러 한을 펴ᄆᆡ, 음난ᄒᆞᆫ 힝ᄉᆡ 쳔ᄐᆡ만상이라. 뉴시 다만 ᄆᆡᆺ친 한【29】이 잇셔, 가ᄉᆞᆷ 가온ᄃᆡ 돌ᄀᆞᆺ치 뭉친 바ᄂᆞᆫ 왕이 비록 화류(花柳)의 풍치 이시나, 윤어ᄉᆞ의 만고무ᄡᅡᆼᄒᆞᆫ 쳑탕ᄒᆞᆫ 풍뉴(風流) 신광(身光)의 비ᄒᆞᆯ진ᄃᆡ, 우쥬(宇宙) ᄉᆞ이ᄂᆞᆫ 앙망(仰望)이나 ᄒᆞ려니와, 소양(霄壤)[659]이 블모(不侔)[660]ᄒᆞ니, 쳔블급만브당(千不及萬不當)[661]이라.

윤어ᄉᆞ와 화락지 못ᄒᆞᆫ 한이 미사지젼(未死之前)[662]의 플니기 어려온지라. ᄌᆞ연 비창(悲愴)ᄒᆞ믈 ᄎᆞᆷ지 못ᄒᆞ니, 왕은 그 망친(亡親)을 ᄉᆡᆼ각ᄒᆞ여 슬허ᄒᆞᄆᆡᆫ가 ᄒᆞ여, 됴흔 말노 위로ᄒᆞ고, 크게 침혹ᄒᆞ여 슈유블니(須臾不離)ᄒᆞ니, 교ᄋᆡ 인ᄒᆞ여 왕궁의 머므러 간악ᄒᆞᆫ 졍ᄐᆡ(情態)를 ᄀᆞᆷ초고 인심을 춰합고져 ᄒᆞ므로, 온유낭졍(溫柔朗情)ᄒᆞᆫ 빗촐 디어 궁듕의 덕을 아니 베프ᄂᆞᆫ【30】 곳이 업셔, 왕을 셤기ᄆᆡ 승슌ᄒᆞ믈 극진히 ᄒᆞ여 쳔교만ᄐᆡ(千嬌萬態)를 지어 호탕방일(豪宕放逸)ᄒᆞᆫ 탕ᄌᆞ를 장니(掌裏)의 잠으니, 왕이 탐혹과ᄋᆡ(耽惑過愛)ᄒᆞ고, 현슉ᄒᆞ므로 아라 결(決)ᄒᆞ여 뎡비(正妃)를 칙봉ᄒᆞ고 슈히 귀국ᄒᆞ려 ᄒᆞ더라.

ᄎᆞ셜 요비 셰월 비영이 왕궁의 엄뉴(掩留)ᄒᆞᆫ 지 슌여(旬餘)의 왕의 교ᄋᆡ를 후ᄃᆡ홈과 부귀ᄒᆞ미 극ᄒᆞ니, 뉴시긔 하례ᄒᆞ고 부인의 기다릴 바를 니르고 도라가려 ᄒᆞ여 하딕ᄒᆞ니, 왕이 업슨 ᄶᅵ 교ᄋᆡ 만편졍셔(滿篇情書)를 붓치고, 궁듕 물 ᄀᆞᆺ튼 보ᄇᆡ를 슉모긔

659)소양(霄壤) : '천지(天地)'를 달리 이르는 말. 높은 하늘과 넓은 땅이라는 뜻.

660)블모(不侔) : 형상이나 생각 따위가 서로 같지 않고 차이가 있음.

661)쳔블급만브당(千不及萬不當) : 전혀 수준에 미치지 못하고 사리에 맞지 않음.

662)미사지젼(未死之前) : 살아생전(--生前). 이 세상에 살아 있는 동안. 죽기 전.

[화](金銀寶貨)을 무슈히 상ᄉᆞᄒᆞ{시}니, 묘랑니 깃거 ᄒᆞ더라.

ᄎᆞ야의 왕니 뉴시로 더부러 원낭[앙]금침의 나가 질길ᄉᆡ, 견권지졍(繾綣之情)니[이] 비할 ᄃᆡ 업고, 뉴시의 음픠(淫悖)ᄒᆞᆫ 모냥니[이] 비할 ᄶᅵ[ᄃᆡ] 업ᄉᆞ나, 다만 가ᄉᆞᆷ 가온ᄃᆡ 돌 갓치 뭉친 ᄇᆞᄂᆞᆫ, 왕니[이] 비록 화류(花柳)의 풍치 잇시나, 윤어ᄉᆞ의 쳥광(淸光)ᄒᆞᆫ 풍유(風流) 신광(身光)니[에] 비할진ᄃᆡ, 유주[우주] ᄉᆞ이ᄂᆞᆫ【91】 앙망(仰望)니[이]ᄂᆞ ᄒᆞ려니와 만만(萬萬) 당치 못할지라.

윤어ᄉᆞ와 화락지 못ᄒᆞᆫ ᄒᆞᆫ니[이] 미ᄉᆞ지젼(未死之前)[515]의 잇기 어려온지라. ᄌᆞ연 비창(悲愴)ᄒᆞ믈 ᄎᆞᆷ지 못ᄒᆞ니, 왕은 그 망친(亡親)을 ᄉᆡᆼ각ᄒᆞ야 슬허ᄒᆞᄆᆡᆫ가 ᄒᆞ여, 조은 말노 위로ᄒᆞ고, 크겨[게] 침혹ᄒᆞ여 슈유불니(須臾不離) ᄒᆞ니, 교ᄋᆡ 인ᄒᆞ여 왕궁의 머므러 간악ᄒᆞᆫ 졍ᄐᆡ(情態)을 감초고 닌심(人心)을 춰합고져 ᄒᆞ무로, 온유낭졍(溫柔朗情)을[ᄒᆞᆫ] 빗촐 지니[어], 궁즁의 덕을 안니 벼픈고지 업서, 왕을 셤기ᄆᆡ 승슌ᄒᆞ믈 극진니 ᄒᆞ여 쳔교만ᄐᆡ(千嬌萬態)을 지어, 호일(豪逸)ᄒᆞᆫ 탕ᄌᆞ을 장니(掌裏)의 잠으니, 왕니[이] 과ᄋᆡ(過愛)ᄒᆞ고, 현슉ᄒᆞ므로 아라 결(決)ᄒᆞ여 졍비(正妃)을 칙봉ᄒᆞ고 슈히 귀국ᄒᆞ려 ᄒᆞ더라.

ᄎᆞ설 요비 겨[계]월 비영니[이] 왕궁의 엄유(掩留)ᄒᆞᆫ 지 슌녀(旬餘)의 왕니[이] 교아 후ᄃᆡ함과 부귀ᄒᆞ미 극ᄒᆞ니, 부닌[인]의 기다리실 ᄇᆞ을 일너 ᄒᆞ직을 고ᄒᆞ니, 왕니[이] 업슨 ᄶᅵ 교ᄋᆡ 만편셩[졍]서(滿篇情書)을 붓치고, 궁즁 물갓튼 보ᄇᆡ을 슉모겨[긔] 보ᄂᆡ니, 겨[계]월니 도라와 겨아[교아]의 일ᄉᆡᆼ니 영귀ᄒᆞ물 ○[고]ᄒᆞ고, 서간과 보화을 드리니, 뉴시 모여 금은 ᄉᆞ랑니[이] 유다른지라,【92】 교ᄋᆡ 음흉ᄒᆞ믈 ᄎᆞ탄ᄒᆞ며 냥비을 당부ᄒᆞ여 불츌구외(不出口外)ᄒᆞ라

515)미사지젼(未死之前) : 살아생전(--生前). 이 세상에 살아 있는 동안. 죽기 전.

보ᄂᆡ니, 셰월 등이 도라와 교ᄋᆞ의 일ᄉᆡᆼ이 영귀ᄒᆞ믈 고하고, 셔간과 보화를 드【31】리니, 뉴시 모녜 금은 ᄉᆞ랑이 뉴(類)다른디라. 교ᄋᆡ 음흉ᄒᆞ믈 ᄎᆞ탄(嗟歎) 흠션(欽羨)ᄒᆞ여 냥비(兩婢)를 당부 왈, '블츌구외(不出口外)ᄒᆞ라' ᄒᆞ고, 셔간을 본 후 즉시 소화ᄒᆞ고, 위ᄐᆡ부인긔 교ᄋᆡ 개뎍ᄒᆞ믈 녕녕 ᄉᆞᄉᆡᆨ지 아녀, 금계로ᄡᅧ ᄃᆡ신을 삼으니, 위흉이 비록 궁흉 극악이나 뉴시 ᄭᅬ를 모로고, 금계로ᄡᅧ 쇼뉴시로 아라 ᄉᆞ랑ᄒᆞ고, 금계는 봉관화리(鳳冠花履)의 명부딕쳡(命婦職牒)을 가져 금누화당(金樓華堂)의 부귀 극ᄒᆞ니, 텬디긔 샤례ᄒᆞ고 쥬인의 개뎍ᄒᆞ믈 몰나, 산슈간의 오유(遨遊)ᄒᆞ는 신셰를 우이 녁여, 혜오ᄃᆡ,

"우리 쇼셰 쥬군의 박ᄃᆡ를 슬허ᄒᆞ나, 규문의 ᄌᆞ최 블가(佛家)의 무륜(無倫)을 달게【32】 녁이니, 측냥치 못ᄒᆞᆯ 일이로다. 하날이 날노ᄡᅧ 복을 주시미라. 쥬군이 날을 쇼져로 알고 죵시 박ᄃᆡᄒᆞ나, 나는 병되지 아니리라."

의ᄉᆡ 이의 밋쳐는 젼일 쇼뉴시쳐로 울젹ᄒᆞ미 업셔 ᄉᆞ긔 ᄐᆡ연ᄒᆞ니, 태부인은 곡졀도 모로고 뉴시다려 므르ᄃᆡ,

"혹ᄌᆞ 광텬이 쇼부의 어질믈 알고 ᄃᆡ졉이 젼과 다른가."

ᄒᆞ니, 뉴시 탄식 ᄃᆡ왈,

"광텬의 딜ᄋᆞ 박ᄃᆡ는 가지록 ᄐᆡ심ᄒᆞ니, 근간의 엇지 화(和)ᄒᆞ리잇고마는, 딜ᄋᆡ 관대히 ᄉᆡᆼ각ᄒᆞ여 효봉ᄒᆞ미니이다."

태부인이 더옥 잔잉히 녁여 어ᄉᆞ의 박졍을 통완ᄒᆞᄃᆡ, ○○[뉴시] ᄒᆞᆯ일업셔,

"뎡·진 등을 년원졍의 가도【33】ᄆᆡ ᄌᆞ진키를 바라미어늘, 텬흥이 보호ᄒᆞ기를 여린 옥ᄀᆞᆺ치 ᄒᆞ여, 뎡·진 이녜 우리 믜워ᄒᆞᄆᆡ 므ᄉᆞ 일을 못ᄒᆞ리오. 출하리 뎡·진 이녀를 뎡당 누쳐(陋處)의 옴겨 흉ᄒᆞᆫ 의ᄉᆞ를 못ᄒᆞ게 ᄒᆞ리라."

ᄒᆞ고, 셰월·비영으로 뎡·진 이쇼져를 벽화졍의 옴겨 가도라 ᄒᆞ니, 비영 등이 년원졍의 니르ᄆᆡ 뎡·진 이쇼졔 누옥(陋屋)의

ᄒᆞ며, 서간을 본 후 즉시 소화ᄒᆞ고, 위ᄐᆡ부닌[인]겨[긔] 교ᄋᆡ ᄀᆡ젹ᄒᆞ믈 영영 ᄉᆞᄉᆡᆨ니[디] 아냐, 금겨[계]로ᄡᅧ ᄃᆡ신을 삼으니, 위흉니[이] 비록 궁흉극악(窮凶極惡)니[이]나 뉴시 쇠[ᄭᅬ]을 몰나, 금겨[계]을 소뉴시○[로] 아라 사랑ᄒᆞ고, 금겨[계]는 봉관화리(鳳冠花履)○[의] 명부직첩(命婦職牒)을 가져 금누화당(金樓華堂)의 부귀 극ᄒᆞ니, 천지겨[긔] ᄉᆞ려[례]ᄒᆞ고, 쥬닌(主人)의 ᄀᆡ젹을 모로나, 산슈간 오유(遨遊)ᄒᆞ는 신셔[셰]을 우어[이] 역여 혀오ᄃᆡ,

"우리 소져 주군의 박ᄃᆡ을 슬허ᄒᆞ나, 규문의 ᄌᆞ최 불가(佛家)의 무륜(無倫)을 달겨[게] 역《니이‖이니》, 층냥(測量)치 못할 일니[이]로다. ᄒᆞ날니[이] 날노 복을 쥬시미라, 주군니[이] 나을 소져로 알고 죵시 박ᄃᆡᄒᆞ나, ᄂᆞ난 병니[이] 되지 아니리라.

의ᄉᆡ 이의 밋처는 전일 소뉴시의 울적ᄒᆞ미 업셔 ᄉᆞ긔 타연ᄒᆞ니, ᄐᆡ부닌은 곡절을 모로고 뉴시다려 무르ᄃᆡ,

"혹ᄌᆞ 광천니[이] 손부의 어질믈 알고 ᄃᆡ접니[이] 전과 다른가."

ᄒᆞ니, 뉴시 탄 왈,

"광천의 질아 박ᄃᆡ는 가지록 ᄐᆡ심ᄒᆞ거날, 근간 엇지 화ᄒᆞ리잇고마는, 딜ᄋᆡ 관ᄃᆡᄒᆞ니 ᄉᆡᆼ각ᄒᆞ여 효봉ᄒᆞ미이다."

ᄐᆡ부닌이 더옥 잔잉니 녁여 어ᄉᆞ의 박경을 통완ᄒᆞᄃᆡ,【93】○○[뉴시]《ᄒᆞᆯ닐업셔‖ᄒᆞᆯ릴업셔》,

"경·진 등을 년원정의 가도ᄆᆡ ᄌᆞ진키을 바라미여늘 쳔흥니 보호ᄒᆞ여 여린 옥갓치 ᄒᆞᄆᆡ[니], 경·진 니녀(二女) 우리 뮈워ᄒᆞ미 무어슬 못ᄒᆞ리요, 출하리 뎡·진 니[이]녀을 뎡당 누쳐의{을} 옴겨 흉ᄒᆞᆫ 의ᄉᆞ을 못ᄒᆞ겨[게] ᄒᆞ리라."

ᄒᆞ고, 겨[계]월 비녕 등으로 정·진 니소져을 벽화졍의 옴겨 가도라 ᄒᆞ니, 비녕 등니[이] 년원정의 이르ᄆᆡ, 정·진 니[이]소

갓치인 지 팔삭이라. 비록 두로 도라보ᄂᆞ니 잇셔 위회(慰懷)ᄒᆞ나, 위·뉘 오히려 어ᄉᆞ의 년원정 왕ᄂᆡᄂᆞᆫ 전연(全然)이 모로더라.

뎡·진 이쇼졔 비록 남후 등의 우ᄋᆡ로 옥듕 아ᄉᆞ지환(餓死之患)은 면ᄒᆞ나, 일긔(日氣) 셜한(雪寒)의 쳔금약질이 ᄂᆡᆼ옥 한긔의 견ᄃᆡ기 【34】 어려오ᄃᆡ, 슉녈의 쳘옥심장(鐵玉心腸)과 하히지량(河海之量)으로 참누(慘陋)[663]를 물외(物外)의 더지고 ᄉᆞᆯ기를 위쥬ᄒᆞᄃᆡ, 진쇼져ᄂᆞᆫ 쳠약ᄒᆞᆫ[664] 옥부방신(玉膚芳身)으로 ᄌᆞ긔 신누(身陋)[665]와 블초(不肖)를 슬허 실노 유○[사]지심(有死之心)[666]ᄒᆞ고 무ᄉᆡᆼ지긔(無生之氣)[667]라. ᄯᅩᄒᆞᆫ 만삭(滿朔)ᄒᆞᆫ ᄀᆞ온ᄃᆡ 심지(心志) 여러 가지로, ᄇᆡᆨ병(百病)이 교침(交侵)ᄒᆞ니 작슈(勺水)를 나리오지 못ᄒᆞ고 죵일 신음의 명ᄌᆡ됴셕(命在朝夕)이니, 뎡슉녈의 관홍비졀(寬弘悲絶)[668]노 위로(慰勞) 구호(救護)ᄒᆞ여 피ᄎᆞ 의지ᄒᆞ여 일월을 보ᄂᆡ더니, 홀연 태부인 명으로 벽화졍의 옴기를 ᄌᆡ촉ᄒᆞ니 엇지 거역ᄒᆞ리오. 즉시 홍션 등을 거ᄂᆞ려 옴고져 ᄒᆞ나 진쇼졔 촌보를 옴길 긔운이 업ᄂᆞᆫ디라. 뎡슉녈【35】이 참졀(慘絶)ᄒᆞ믈 니긔지 못ᄒᆞ여 친히 진쇼져를 붓드러 후원 것촌[669] 길노 인ᄒᆞ여 나올ᄉᆡ, 그 ᄉᆞ이 지지(遲遲)ᄒᆞᄆᆡ 태부인 ᄌᆡ촉이 셩화 ᄀᆞᆺᄐᆞ여, 셰월 비영이 구박ᄒᆞ여 가라ᄒᆞ니, 거름마다 ᄌᆡ쵹ᄒᆞ여 진쇼졔 엄엄(奄奄)ᄒᆞ믈[670] 보ᄃᆡ 조곰도 측

663)참누(慘陋) : 이루 말할 수 없을 정도로 비참하고 더러운 죄명.
664)쳠약ᄒᆞ다 : 첨약하다. 사람의 기품이 여리고 약하다.
665)신누(身陋) : 억울하게 자기 몸에 씌워진 더러운 죄명.
666)유○[사]지심(有死之心) : 오직 죽겠다는 생각뿐임.
667)무ᄉᆡᆼ지긔(無生之氣) : 살겠다는 생각이 전혀 없음.
668)관홍비졀(寬弘悲絶) : 더할 나위 없이 큰 슬픔
669)것촐다 : 거칠다. 길이나 땅이 잘 손질되어 있지 않아 울퉁불퉁하거나 풀이 무성하여 험하다.
670)엄엄(奄奄)ᄒᆞ다 : 숨이 곧 끊어지려 하거나 매우 약한 상태에 있다.

져 누옥(陋獄)의 갓친지 팔ᄉᆞᆨ이라. 비록 구호ᄒᆞᄂᆞ니 잇셔 위회(慰懷)ᄒᆞ나, 위·뉴 오히려 어ᄉᆞ의 연원정 왕ᄂᆡᄂᆞᆫ 적연(寂然)니 모로더라.

뎡·진 니소져 비록 남후 등 우ᄋᆡ로 옥쥬[즁] 아ᄉᆞ지환(餓死之患)○[은] 면ᄒᆞ나, 일긔 설ᄒᆞᆫ(雪寒)의 천금약질니[이] ᄂᆡᆼ옥ᄒᆞ(冷獄下)의 견ᄃᆡ기 어려오대, 슉녈의 철옥심장(鐵玉心臟)과 ᄒᆞ히시량[지량](河海之量)으로 ᄎᆞᆷ누(慘陋)[516]을 물외(物外)의 더지고 살기을 위쥬ᄒᆞᄃᆡ, 진소져ᄂᆞᆫ 첨약ᄒᆞᆫ[517] 옥보[부]방신(玉膚芳身)니[이] ᄌᆞ긔 신누(身陋)[518]와 불초(不肖)을 슬허, 실노 살 마음니[이] 업ᄂᆞᆫ지라. 만ᄉᆞᆨ(滿朔)ᄒᆞᆫ 가온ᄃᆡ 심긔 상ᄒᆞ여 ᄇᆡᆨ병(百病)니[이] 교침(交侵)ᄒᆞ니, ᄌᆞᆨ슈(勺水)을 ᄂᆞ리오시[지] 못ᄒᆞ고, 종일 신음의 명ᄌᆡ조셕(命在朝夕)ᄒᆞ니, 정슉열의 관홍비졀(寬弘悲絶)[519]노 【94】 ❙[520] ③❰ 위로(慰勞) 구호(救護)ᄒᆞ여 피ᄎᆞ 의지ᄒᆞ여 일월을 보ᄂᆡ드니, 호련[홀연] 태부닌[인] 명으로 벽화졍의 옴기믈 ᄌᆡ촉ᄒᆞ니 엇지 거역ᄒᆞ리오. 즉시 홍션등을 거ᄂᆞ려 옴고져 ᄒᆞ나, 진소져 촌보을 옴길 긔운니 업ᄂᆞᆫ지라. 정슉녈니 참졀(慘絶)ᄒᆞ믈 이기지 못ᄒᆞ여 친히 진쇼져을 붓드러 후원 것찰[찬][521] 길노 닌[인]ᄒᆞ여 나올ᄉᆡ, 그 ᄉᆞ이지지(遲遲)ᄒᆞᄆᆡ 태부닌[인] ᄌᆡ촉니[이] 셩화 ᄀᆞᆺᄐᆞ여, 겨[계]월 비영 등니[이] 거름마다 ᄌᆡ쵹ᄒᆞ며, 진소져[졔] 엄엄(奄奄)ᄒᆞ믈[522] 보ᄃᆡ 조곰도 측

516)ᄎᆞᆷ누(慘陋) : 이루 말할 수 없을 정도로 비참하고 더러운 죄명.
517)쳠약ᄒᆞ다 : 첨약하다. 사람의 기품이 여리고 약하다.
518)신누(身陋) : 억울하게 자기 몸에 씌워진 더러운 죄명.
519)관홍비졀(寬弘悲絶) : 더할 나위 없이 큰 슬픔
520)원문의 95쪽 이후 100쪽까지 각 쪽 편차(編次)에 차착(差錯)이 있다. 즉 원문의 편차는 ❙①❰95쪽❱－②❰96쪽❱－③❰97쪽❱－④❰98쪽❱－⑤❰99쪽❱－⑥❰100쪽❱❙의 순서로 필사되어 있는데, 이를 서사문맥에 따라 ❙③❰97쪽❱－④❰98쪽❱－⑤❰99쪽❱－⑥❰100쪽❱－①❰95쪽❱－②❰96쪽❱❙의 순서로 바로잡았다.
521)것찰다 : 거칠다. 길이나 땅이 잘 손질되어 있지 않아 울퉁불퉁하거나 풀이 무성하여 험하다.

은ᄒᆞ미 업셔, 이 ᄯᅩ 위·뉴의 포악을 응시ᄒᆞ여 난 간흉(姦凶)한 비(婢)러라.

뎡·진 이쇼졔 계오 벽화경의 니르ᄆᆡ, 삼간초옥(三間草屋)○[이] 황냥(荒凉) 누츄(陋醜)ᄒᆞ여 측ᄒᆞ미 년원경의 셰번 더은지라. 홍션 등 비직 각각 쥬인을 붓들고 실셩톄읍 왈,

"이곳은 년원경의셔 더욱 누츄ᄒᆞᄃᆡ 엄한을 당ᄒᆞ여 디팅ᄒᆞᆯ 길히 업ᄉᆞᆫ디라. 쇼비 등은 ᄉᆞ싱【36】이 블관ᄒᆞ거니와, 냥위 쇼져의 쳔○[금]귀톄(千金貴體)로 엇지 보젼ᄒᆞ시리잇고."

슉널은 시비의 말을 금지ᄒᆞ고 진쇼져ᄂᆞᆫ 긔운이 엄식(奄塞)ᄒᆞ니 명직경긱(命在頃刻)이라.

이ᄯᅢ 뉴시 누샹의셔 뎡·진 등의 벽화경의 오믈 보니, 셤외(纖腰) 젼과 달나 슈틱(受胎)ᄒᆞ여시믈 알지라. 누옥간고(陋獄艱苦)의 오히려 윤가 골육을 ᄭᅵ쳐시믈 헤아리ᄆᆡ, 더욱 통한ᄒᆞ여 ᄲᅡᆯ니 태부인긔 고ᄒᆞᄃᆡ,

"쳡은 바히 몰낫더니 뎡·진의 긔식이 만삭ᄒᆞ미 현져ᄒᆞ니, 악죵(惡種)이 점점 퍼지워 간당의 셰(勢) 태산 ᄀᆞᆺᄉᆞ오리니, 뎡녀ᄂᆞᆫ ᄉᆞ광(師曠)의 춍명으로 ᄇᆡᆨ계 모칙의 셔어히 하슈(下手)키 어렵【37】거니와, 진녀ᄂᆞᆫ ○…결락 30자…○[년약ᄒᆞ여 위틱ᄒᆞ니 이 ᄯᅢ의 쥭이미 쉬울지라. 존고ᄂᆞᆫ 여ᄎᆞ여ᄎᆞᄒᆞ여 진녀을]졔 침소로 가게 ᄒᆞ쇼셔. ○[ᄯᅩ] 뎡·진 이녀의 죄상이 만ᄉᆞ무셕(萬死無惜)이로ᄃᆡ 관젼(寬典)을 드리웟더니, 진녀의 병이 위급다 ᄒᆞ니 특별이 침소로 가 조셥(調攝)ᄒᆞ고 회과ᄌᆞ칙(悔過自責)ᄒᆞ라 ᄒᆞ쇼셔."

위뇌 그ᄃᆡ로 ᄒᆞ니, 이쇼졔 명을 듯고 흉모를 짐작ᄒᆞ여, 뎡슉널이 손을 ᄌᆞᆸ고 ᄀᆞᆯ오ᄃᆡ,

"존당이 은혜로 현뎨로 침소로 가게 ᄒᆞ시니 유죄무죄 간 누얼이 한심ᄒᆞ거ᄂᆞᆯ, 죄명(罪名)을 신셜(伸雪)[671]치 못ᄒᆞ고, 도리의

671)신셜(伸雪) : =신원설치(伸寃雪恥). 가슴에 맺힌

은ᄒᆞ미 업서, 이 ᄯᅩ 위·뉴의 포악을 응시ᄒᆞᆫ 비ᄌᆞ(婢子)러라.

뎡·진 양닌(人)이 겨우 벽화경의 이르ᄆᆡ, 삼간초옥(三間草屋)니[이] 황냥(荒凉) 누츄(陋醜)ᄒᆞ여 측ᄒᆞ미 연원경의 셔[셰]번 드[더]은지라. 홍션 등 비직 각각 쥬닌[인]을 붓들고 실셩톄읍 왈,

"이곳은 연원경의셔 더욱 누츄ᄒᆞᆫᄃᆡ 엄ᄒᆞᆫ을 당ᄒᆞ여 지팅ᄒᆞᆯ 길히 업ᄉᆞᆫ디라. 소비 등은 ᄉᆞ싱니[이] 불관ᄒᆞ거니와, 소져ᄂᆡ 천금지신(千金之身)으로 엇지 ᄒᆞ리이요."

슉녈은 시비○○[의 말]을 금지ᄒᆞ고 진시ᄂᆞᆫ 긔운니 엄식(奄塞)ᄒᆞ니 명직경각(命在頃刻)【97】》 ④《이라.

이ᄯᅢ 뉴시 누샹의셔 정·진 등의 벽화경으로 오믈 보니, 섬위[외](纖腰) 젼과 달나 슈틱(受胎)ᄒᆞ여시믈 알지라. 누옥간고(陋獄艱苦)의 오히려 욕[윤]가 고륙[골육]니 ᄊᆡ쳐시믈 혀[혜]아리ᄆᆡ, 더옥 통한ᄒᆞ여 ᄲᅡᆯ니 태부닌겨[긔] 고ᄒᆞᆫ ᄃᆡ,

"쳡은 몰나쎠니 정·진의 기식니[이] 만속ᄒᆞ미 현져ᄒᆞᆫ지라, 악종(惡種)니[이] 점점 퍼지워 간당의 셔[셰](勢) 틱손 갓트오리니, 뎡녀ᄂᆞᆫ ᄉᆞ광(師曠)의 총명(聰明)으로 빅겨[계] 묘칙의 셔어니[이] 히키 어려오련이와, 진녀ᄂᆞᆫ 년악[약]ᄒᆞ여 위틱ᄒᆞ니, 이 ᄯᅢ의 쥭이미 쉬울지라. 존고ᄂᆞᆫ 여ᄎᆞ여ᄎᆞᄒᆞ여 지[진]녀을 져[졔] 침소로 가겨[게] ᄒᆞ쇼셔. ○[ᄯᅩ] 뎡·진 이녀의 죄상이 만ᄉᆞ무셕(萬死無惜)이로ᄃᆡ, 관젼(寬典)을 드리웟더니, 진녀의 병이 위급다 ᄒᆞ니, 특별이 침소로 가 조셥(調攝)ᄒᆞ고 회과ᄌᆞ칙(悔過自責)ᄒᆞ라 ᄒᆞ쇼셔."

위뇌 그ᄃᆡ로 ᄒᆞ니, 니소져 명을 듯고 흉모를 짐작ᄒᆞ여, 정소져 진소져 손을 잡고 왈,

"존당니[이] 은혀[혜]로 현져[졔]을 침소로 가겨[게] ᄒᆞ시니, 유죄무죄 간 누월[얼]

522)엄엄(奄奄)ᄒᆞ다 : 숨이 곧 끊어지려 하거나 매우 약한 상태에 있다.

블가ᄒᆞ니 현뎨 ᄆᆞ옴이 황구(惶懼)ᄒᆞ리로다."【38】

진시 답지 못ᄒᆞ여셔, 위태 친히 와 참엄(斬嚴)672)ᄒᆞᆫ 노긔 사ᄅᆞᆷ을 즉살(卽殺)673)ᄒᆞᆯ 듯ᄒᆞᆫ디라. 진쇼제 놀나믄 니르도 말고 홍션 등이 ᄉᆞ갈(蛇蝎)을 만난 듯, 아모리 ᄒᆞᆯ 줄 모로더니, 셰월 비영 등이 니르러 슉녈을 시비 일인만 주어 벽화졍의 가도고, 진시ᄂᆞᆫ 취영각으로 니이(離異)ᄒᆞ니, 슉녈이 진시의 손을 노코 홍션으로 더브러 옥의 둘ᄉᆡ, 태부인이 침금도 주지 아니니 여러 시ᄋᆡ 동거ᄒᆞ믈 ᄋᆡ걸ᄒᆞᄃᆡ, 위흉이 다 모라 ᄂᆡ치고 문을 잠으고 뎡당으로 가니, 슉녈은 ᄌᆞ긔 고초를 슬허 아냐 진쇼져를 크게 우려ᄒᆞ고,【39】 구ᄒᆞᆯ 계괴 업셔 텬도의 술피시믈 바랄 ᄲᅮᆫ이러라. ○○○[옥듕의] 찬 바ᄅᆞᆷ이 골졀(骨節)을 ᄉᆞ못고, 셰셜(細雪)이 ᄌᆞ옥히 ᄡᅡ히니 ᄒᆞᆫ뎡이 어름이라. 홍션이 ᄯᅥᆯ기를 견ᄃᆡ지 못ᄒᆞ여 죽을 거동이라. 슉녈이 참연ᄒᆞ여 홍션의 손을 잡고 탄왈

,

"네 비록 쳥의하류(靑衣下類)나 ᄋᆞ시로 호치ᄉᆡᆼ댱(豪侈生長)ᄒᆞ여, 이런 참난(慘難)의 날을 좃ᄎᆞ 죽을 거동이니, 'ᄇᆡᆨ인(伯仁)이 유아이ᄉᆡ(由我而死)라'674). 네 날노 말ᄆᆡ암아 환난 듕 좃ᄎᆞ다가 죽으면 내 너를 죽이나 다르랴. 원간 ᄆᆞ음을 뎡ᄒᆞᆫ즉 것치 뎡ᄒᆞᄂᆞ니, 이곳치 딘뎡치 못ᄒᆞ미 ᄆᆞ음을 잡지 못ᄒᆞᆫ 연괴라."

니[이] 한신[심]ᄒᆞ거ᄂᆞᆯ, 죄명을 신셜(伸雪)523)치 못ᄒᆞ고, 도리의 블가ᄒᆞ니 현져[제] 마음이 황구ᄒᆞ리로다."

진시 밋쳐 답지 못ᄒᆞ여셔 위태 친히【98】》⑤《와 참언[엄](斬嚴)524)ᄒᆞᆫ 노긔 사ᄅᆞᆷ을 즉살(卽殺)525)ᄒᆞᆯ 듯ᄒᆞᆫ지라. 진소져의 놀나믈[믄] 이르도 말고, 홍션 등니[이] ᄉᆞ가[갈](蛇蝎)을 만난 듯, 아모리 알[ᄒᆞᆯ] 쥴 모로더니, 겨[계]월 비영 등니[이] 이르러, 슉열을 시비 일닌[인]만 주어 벽화졍의 가도고, 진시ᄂᆞᆫ 취영각으로 《이니‖니이(離異)》ᄒᆞ니, 슉열이 진시 손을 노코 홍선으로 옥의 들ᄉᆡ, ᄐᆡ부닌이 침금도 쥬지 안니니, 여러 시녀 동거ᄒᆞ믈 ᄋᆡ걸ᄒᆞᄃᆡ, 위뇌 다 모라 ᄂᆡ치고, 문을 잠그고 정당으로 가니, 슉열은 ᄌᆞ긔 고초을 슬허 《ᄒᆞ야‖아냐》 진소져을 크겨[게] 우려ᄒᆞᄂᆞ, 구할 겨[계]교 업셔 천도의 술피믈 ᄇᆞ라더라. 옥듕의 찬 ᄇᆞᄅᆞᆷ니 골졀(骨節)을 ᄉᆞ못고, 셔[셰]셜(細雪)이 ᄌᆞ옥히 ᄡᅡ히니 ᄒᆞᆫ뎡니[이] 어름이라. 홍션니[이] ᄯᅥᆯ기을 마지 안니ᄒᆞ여 쥭글 거동이녀[여]날, 슉열니 ᄎᆞᆷ연ᄒᆞ여 홍션의 손을 잡고 탄 왈,

"네 비록 쳥의(靑衣)나 아시로 호치(豪侈)의 ᄉᆡᆼ장(生長)ᄒᆞ여, 이런 ᄎᆞᆷ난(慘難)의 날을 좃ᄎᆞ 쥭글 거동이니, 'ᄇᆡᆨ인(伯仁)니[이] 유아이ᄉᆡ(由我而死)라'526). 네 날노 닌[인]ᄒᆞ여 환난 즁 쥭그면, ᄂᆡ 너을 쥭니[이]ᄂᆞ 다르랴. 원간 ○[ᄆᆞ]음을 정ᄒᆞᆫ즉 《갓치‖것치》 정ᄒᆞᄂᆞ니 니갓치 ○[진]졍【99】》⑥《치 못ᄒᆞ미 마음을 잡지 못ᄒᆞᆫ 연괴라."

원한을 풀어 버리고 창피스러운 일을 씻어 버림.

672)참엄(斬嚴) : 말, 태도, 규칙, 따위가 무서울 정도로 매우 엄하고 철저함.

673)즉살(卽殺) : 그 자리에서 바로 죽임.

674)빅인(伯仁)이 유아이식(由我而死)라 : 백인(伯仁; 중국 동진東晋 사람 주의周顗)은 나로 인해 죽었다'는 뜻으로, 직접적으로 사람을 죽이지는 않았지만 죽은 사람에 대해 자신이 적극적으로 구하지 않은 책임이 있음을 안타까워하거나, 어떤 사건에 간접적으로 연관되어 있는 것을 비유적으로 나타낸 말. 《진서(晉書)》 열전(列傳), 주의(周顗) 조(條)에 나오는 말.

523)신셜(伸雪) : =신원설치(伸寃雪恥). 가슴에 맺힌 원한을 풀어 버리고 창피스러운 일을 씻어 버림.

524)참엄(斬嚴) : 말, 태도, 규칙, 따위가 무서울 정도로 매우 엄하고 철저함.

525)즉살(卽殺) : 그 자리에서 바로 죽임.

526)빅인(伯仁)이 유아이식(由我而死)라 : 백인(伯仁; 중국 동진東晋 사람 주의周顗)은 나로 인해 죽었다'는 뜻으로, 직접적으로 사람을 죽이지는 않았지만 죽은 사람에 대해 자신이 적극적으로 구하지 않은 책임이 있음을 안타까워하거나, 어떤 사건에 간접적으로 연관되어 있는 것을 비유적으로 나타낸 말. 《진서(晉書)》 열전(列傳), 주의(周顗) 조(條)에 나오는 말.

홍션이 쇼져의 념【40】녀ᄒᆞ믈 민망ᄒᆞ여 ᄆᆞ음을 단단이 뎡ᄒᆞ고 ᄯᅥᆯ기를 딘뎡ᄒᆞ나, 츈바ᄅᆞᆷ이 ᄲᅧ의 ᄉᆞ못ᄎᆞ니 노쥐 셔로 븟드러 의상으로 ᄀᆞ리오고, ᄶᅡ던 거젹으로 굼글 막아 잠간 딘뎡ᄒᆞ나, 오딕 진쇼져의 ᄉᆞᄉᆡᆼ을 념녀ᄒᆞ더라.

어시의 진쇼졔 셰월 비영 등의 구박으로 어득ᄒᆞᆫ 긔운을 계오 슈습ᄒᆞ여, 침소의 와 ᄒᆞᆫ번 누으ᄆᆡ 반ᄉᆡᆼ반ᄉᆞ(半生半死)ᄒᆞ여 눈을 쓰지 못ᄒᆞ고, 허한(虛汗)이 무슈히 흐르니, 시녀 등이 좌우로 구호ᄒᆞ며, 태부인 흉계ᄂᆞᆫ 모로고 실노 됴병(調病)ᄒᆞ라 ᄒᆞ민가 깃거ᄒᆞᄃᆡ, 슉녈의 옥니(獄裏) 고초와 한긔를 더욱 념녀ᄒᆞ더라.

슉녈의 모든 비ᄌᆞ 홍【41】션으로 ○○○○○○[옥즁의 ᄒᆞᆫ가지로] 못들므로 댱신(藏身)ᄒᆞᆯ ᄃᆡ 업셔, 쇼져의 곳의셔 ᄉᆡᆼ계를 근심ᄒᆞ니, 진쇼졔 혼혼 듕이나 슉녈을 ᄯᅥ나니 의지를 일홈 ᄀᆞᆺ트여, ᄉᆞ셰를 혜아리니 ᄉᆞᆯ 길히 업ᄂᆞᆫ디라. 촌장(寸腸)[675]이 ᄉᆞ라지더니[676], 하·댱 이쇼졔 계오 틈을 어더 ᄎᆡ영각의 와 진쇼졔 거동을 보고 탄셩(歎聲) 쳬읍오열(涕泣嗚咽)ᄒᆞ믈 마지 아니니, 하쇼졔 기리 탄왈,

“쇼뎨 져져(姐姐) 등을 상견코져 ᄒᆞ미 헐치 아니ᄒᆞᄃᆡ ᄆᆞ음ᄃᆡ로 못ᄒᆞᄂᆞ니 져졔 허물치 아니시려니와, 누월 옥듕의 부디(扶持)ᄒᆞ시믄 남후 거거 등의 우ᄋᆡ지덕(友愛之德)이라. 더욱 슉녈 져져의 무상히 넉일 비 만흐니, 어나 낫ᄎᆞ로【42】 져져 등을 보리오.”

언파의 상연슈루(傷然垂淚)ᄒᆞ니, 진쇼졔 만단졍회(萬端情懷)를 펴고져 ᄒᆞ나, 긔ᄉᆡᆨ이 엄엄ᄒᆞ여 슈작을 일우지 못ᄒᆞᄂᆞᆫ디라. 슬프믈 금억지 못ᄒᆞ고, 슉녈의 고초를 늣기나 일호 원망ᄒᆞ미 업셔, 동촉(洞屬)ᄒᆞᆫ 셩회 텬디를 감동ᄒᆞᆯ 거시로ᄃᆡ, 위·뉴의 포악은 갈ᄉᆞ록 더ᄒᆞ고, 어ᄉᆞ 곤계와 하·댱·뎡·진

675)촌장(寸腸) : 마디마디의 창자.
676)ᄉᆞ라지다 : 스러지다. 불기운이 약해져서 꺼지다. 불에 타 사라지다.

홍션니[이] 소져 념녀을 민망ᄒᆞ여 ᄆᆞ음을 단단니 졍ᄒᆞ고 ᄯᅥᆯ기을 진졍ᄒᆞ나, ᄒᆞᆫ긔 ᄲᅧ의 ᄉᆞ못ᄎᆞ니 누[노]쥐 붓드러 《의상을‖의상으로》 가리오고, ᄶᅡ던 《거적을‖거젹으로》 문을 막아, 잠간 진졍ᄒᆞ나, 오직 진소져의 ᄉᆞᄉᆡᆼ을 념녀ᄒᆞ더라.

어시의 진소져 겨[계]월 비녕의 구박으로 아득ᄒᆞᆫ 긔운을 겨우 슈습ᄒᆞ여, 침소의 와 ᄒᆞᆫ번 누으ᄆᆡ 반ᄉᆡᆼ반ᄉᆞ(半生半死)ᄒᆞ여 눈을 쓰ᄃᆡ[지] 못ᄒᆞ고, 허한(虛汗)이 무슈히 흐르니, 시녀 등니[이] 좌우로 구ᄒᆞ며, 태부닌[인] 흉겨[계]{ᄒᆞ}ᄂᆞᆫ 모로고 실노 병의[을] 위ᄒᆞ민가 깃거ᄒᆞᄃᆡ, 슉녈의 옥니 고초을 더옥 념녀ᄒᆞ더라.

슉녈의 모든 비ᄌᆞ 홍션으로 옥즁의 ᄒᆞᆫ가지로 드지 못ᄒᆞ고, 장신할 ᄯᅴ[ᄃᆡ] 업셔, 쇼져의 곳의셔 ᄉᆡᆼ겨[계]을 근심ᄒᆞ니, 진소져 혼혼 즁이나 슉녈을 ᄯᅥ나ᄂᆞ니 의지을 《이름‖일홈》 갓트여, ᄉᆞ셔[셰]을 혀[혜]아리니 ᄉᆞᆯ 길니 업ᄂᆞᆫ지라. 촌장(寸腸)[527]니[이] ᄉᆞ라지더니[528], 하·장 니[이]소져 겨유【100】》 ①《 틈을 어더, ᄎᆡ영각의 와 진소져의 거동을 보고 탄셩(歎聲) 쳐[체]읍오열(涕泣嗚咽)ᄒᆞ니, ᄒᆞ소져 기리 탄 왈,

“소져[제] 져져(姐姐) 등을 상견코져 ᄒᆞ미 헐치 아니ᄒᆞᄃᆡ, 마음ᄃᆡ로 못ᄒᆞᄂᆞ니, 져져 허물치 안니시려니와, 누월 옥듕의 보지(保持) {못}ᄒᆞ시믄 남후 거거 등○[의] 우ᄋᆞ[ᄋᆡ]지덕(友愛之德)이라. 더욱 슉녈 져져긔셔 무상이 녁니실 비 만ᄒᆞ니, 어ᄂᆡ 낫ᄎᆞ로 져져 등을 보리요.”

언파의 상연슈루(傷然垂淚)ᄒᆞ니, 진소져 만단졍회(萬端情懷)을 펴고져 ᄒᆞ나, 기ᄉᆡᆨ이 엄엄ᄒᆞ여 슈족을 일우지 못ᄒᆞᄂᆞᆫ지라. 슬푸믈 금억지 못ᄒᆞ고, 슉녈의 고초을 늣기나 일호 원망ᄒᆞ미 업셔, 동촉(洞屬)ᄒᆞᆫ 셩효 쳔지을 감동ᄒᆞᆯ 거시로ᄃᆡ, 위·뉴의 포악은 갈ᄉᆞ록 더ᄒᆞ고, 어ᄉᆞ 곤겨[계]와 하·장·경

527)촌장(寸腸) : 마디마디의 창자.
528)ᄉᆞ라지다 : 스러지다. 불기운이 약해져서 꺼지다. 불에 타 사라지다.

을 아오로 멸코져 ᄒᆞᄂᆞᆫ디라. 뎡·진 이쇼져ᄂᆞᆫ 오히려 옥듕 고초를 겻그나, 하·당은 일일 슈죄 층가ᄒᆞ니, 당쇼져ᄂᆞᆫ 쳘옥의 견고ᄒᆞ므로 능히 견ᄃᆡ나, 하쇼져ᄂᆞᆫ 화란여ᄉᆡᆼ(禍亂餘生)으로 긔질의 연약ᄒᆞ미 버들의 힘 업숨 ᄀᆞᆺ튼지라. 이인이 보【43】ᄎᆡ기의 만신이 ᄉᆡ진ᄒᆞ고, ᄎᆞᆫ장이 ᄌᆡ 되며, 누쳔니 ᄋᆡ각(涯角)의 ᄉᆞ친지회(思親之懷)를 니긔지 못ᄒᆞ니, 졈졈 화용이 《촉뇌‖촉뉘(髑髏)[677]》 되여 우화등션(羽化登仙)ᄒᆞᆯ 돗ᄒᆞᄃᆡ, 위·뉴ᄂᆞᆫ 일분 구ᄋᆡᄒᆞ미 이시리오. ᄃᆡᄉᆞ의 은졍을 엄젹(掩迹)ᄒᆞ여 일시도 ᄉᆞ침의 가지 못ᄒᆞ게 ᄒᆞ고, 날마다 비홍을 상고ᄒᆞ니, ᄃᆡᄉᆡ 조모와 양모의 심디 이러ᄒᆞ믈 보고, 신혼셩뎡지시(晨昏省定之時)의 만나나, 남의 부녀를 ᄃᆡ홈 ᄀᆞᆺ치 눈들미 업고, 참혹히 보ᄎᆡ믈 츄연ᄒᆞ나 ᄉᆞᄉᆡᆨ이 단졍ᄒᆞ니, 뉴시 도로혀 그 박졍을 의아ᄒᆞ더라.

뉴시 공교ᄒᆞᆫ ᄭᅬ를 일우고 하·당 이인을 불너 니르ᄃᆡ,

"진시 유죄무죄간【44】 너의 금장(襟丈)[678]이니 졍니로 ᄒᆞᆫ번 나아가 위문ᄒᆞ고 오라."

하·당 이쇼졔 존고의 말숨을 의아ᄒᆞ나 진쇼져를 보고져 ᄆᆞ음이 급ᄒᆞᆫ 고로, 슈명ᄒᆞ여 ᄎᆡ영각의 가 반기고, 슬픈 회픠 무궁ᄒᆞ나 긴 셜화를 펴지 못ᄒᆞ고, 셔로 눈물이 흐를 ᄲᅮᆫ이라. 경ᄋᆞ와 셰월 비영이 합쟝 뒤ᄒᆞ셔 여어 드르나 ᄒᆞᆫ 말을 잡을 모칙이 업셔, 도로혀 무미히 도라와 하·당·진 삼인의 비ᄋᆡ(悲哀)만 젼ᄒᆞ니, 뉴시 쇼왈,

요녀 등이 너의 여으믈 알고 한담이 업ᄉᆞ미라. 이 됴각을 타 존고와 네 부친을 혼동ᄒᆞ여 진녀를 죽이고, 하·당 이녀로 뎡·진 냥가의 원슈 되게 ᄒᆞ리라.【45】

677)촉뉘(髑髏) : 촉루(髑髏). 죽은 사람의 살이 썩고 남은 앙상한 뼈. 몹시 여위어 살이 빠진 사람을 비유적으로 이르는 말. =해골(骸骨).

678)금장(襟丈) : 동서(同壻). 주로 혼인한 여성이 시아주버니나 시동생 등 남편 형제들의 아내들 이르는 말로 쓰인다.

·진을 아오로 멸코ᄌᆞ ᄒᆞᄂᆞᆫ지라. 졍·진은 오히려 옥즁고초ᄒᆞ나, 하·장은 일일 슈○[죄](數罪) 층가ᄒᆞ니, 장소져ᄂᆞᆫ 철옥의 견고ᄒᆞ므로 능히 견ᄃᆡᄂᆞ, ᄒᆞ소져ᄂᆞᆫ 화란여ᄉᆡᆼ(禍亂餘生)으로 긔질의 약ᄒᆞ미 버들의 힘업숨 갓튼지라. 니[이]인니 보ᄎᆡ기의 만신니[이] ᄉᆡ진ᄒᆞ고, ᄎᆞᆫ장니[이] ᄌᆡ 되어, 누쳔니 ᄋᆡᄀᆡᆨ(涯角)의 ᄉᆞ친지회(思親之懷)을 이기지 못ᄒᆞ니, 점점 화용이 초췌(憔悴)ᄒᆞ여【95】❯

②❮우화등션(羽化登仙)할 듯ᄒᆞᄃᆡ, 위·뉴ᄂᆞᆫ 일분 구ᄋᆡᄒᆞ미 업셔, 직ᄉᆞ의 은졍을 엄젹(掩迹)ᄒᆞ여 일시도 ᄉᆞ침의 가지 못하겨[게] ᄒᆞ고, 날마다 비홍을 상고ᄒᆞ니, 직ᄉᆞ 조모와 양모의 심지 이러ᄒᆞ믈 보고, 신혼셩졍지시(晨昏省定之時)의 만나나, 남의 부녀 ᄃᆡ홈 갓치 눈들미 업고, 참혹히 봇ᄎᆡ믈 츄연ᄒᆞ나 ᄉᆞᄉᆡᆨ니[이] 단졍ᄒᆞ니, 뉴시 도로혀 그 박졍을 의아ᄒᆞ더라.

뉴시 공교ᄒᆞᆫ ᄭᅬ을 일우고 ᄒᆞ·장 이닌(인)을 불너 일오ᄃᆡ,

"진시 유죄무죄간 너의 금장(襟丈)[529]이니 ᄒᆞᆫ번 나아가 위문ᄒᆞ고 ○○[오라]."

하·장 니[이]소져 존고의 말숨을 의아ᄒᆞ나 진소져 볼 마음니[이] 급ᄒᆞᆫ 고로, 슈명ᄒᆞ여 ᄎᆡ영각의 가 반기고, 슬푼회포 무궁ᄒᆞ나 긴 설화을 펴지 못ᄒᆞ고, 서로 눈물니 흐를 ᄲᅮᆫ니라. 경아 셔[셰]월 비영으로 합창(閤窓) 뒤의셔 여어 드르나, ᄒᆞᆫ 말 ○○[잡을] 묘칙이 업셔, 도로혀 무미히 도라와 ᄒᆞ·장·○[진] 숨닌[인]의 비ᄋᆡ(悲哀)만 젼ᄒᆞ니, 뉴시 소 왈,

"요녀 등이 너의 여으물 알고 ᄒᆞᆫ담니[이] 업ᄉᆞ미라. 이 조각을 타 존고와 네 부친을 혼동ᄒᆞ여 진녀을 쥭니[이]고, ᄒᆞ·장 《니여‖이녀》을 졍·진 양가의【96】❯❙ 원슈 되겨[게] ᄒᆞ리라."

529)금장(襟丈) : 동서(同壻). 주로 혼인한 여성이 시아주버니나 시동생 등 남편 형제들의 아내들 이르는 말로 쓰인다.

경의 우어 ᄀᆞᆯ오ᄃᆡ,

"모친 디혜(智慧) 진유ᄌᆞ(陳孺子)679)의 우히니, 조모 등이 어이 속지 아니리잇고."

뉴시 웃고 비영 등으로 두어 가지 옷슬 말나[아] 하·댱 이쇼져긔 보ᄂᆡ여, 진쇼져와 경회나 펴며 이옷 지엇다가, ᄎᆞᆺᄂᆞᆫ 쎠의 밧치라 ᄒᆞ니, 하·댱 이쇼졔 의려(疑慮) 빅츌(百出)ᄒᆞᄃᆡ, 임의치 못ᄒᆞ여, 치영각의 머므러 별단 묘ᄆᆡᆨ을 그윽이 두리나, 심ᄉᆡ 안안치 못ᄒᆞ더라.

뉴시 셰월 비영을 개용단을 먹여 하·댱 냥쇼져의 얼골을 비러 독약 ᄒᆞᆫ 복680)식 주어 태부인과 츄밀긔 이리이리 ᄒᆞ라 ᄒᆞ니, 위태 취침치 아녀시ᄆᆡ 뉴시 경ᄋᆞ로 츄밀을 청ᄒᆞ여 '태【46】부인 뇨뎍(寥寂)ᄒᆞ시믈 위로ᄒᆞ고 가쇼셔' ᄒᆞᆫᄃᆡ, 위흉은 츄밀의 슈고를 말닌즉, 경의 옥여 츄밀을 청ᄂᆡ(請來)ᄒᆞ더니, 문득 하·댱 이쇼졔 홍군취삼(紅裙翠衫)으로 니르ᄆᆡ, 안연(晏然) 뎡좌(正坐)의 믄득 츄연이 탄식 낙누ᄒᆞ니, 위흉은 진짓 하·댱으로 알고 눈을 독히 ᄲᅧ 뎡셩(正聲) 왈,

"오날 므ᄉᆞᆫ 슬프미 져ᄃᆡ도록 ᄒᆞ여 내 면젼의셔 여ᄎᆞ ᄒᆞᄂᆞ뇨?"

하·댱이 ᄋᆡ읍 뉴쳬ᄒᆞ니 뉴시 왈,

"그ᄃᆡ 비록 쳑비(慽悲)ᄒᆞ미 이신들 존젼의 여ᄎᆞᄒᆞ미 경근지녜(敬謹之禮) 아니라, 아지 뭇게라 므ᄉᆞᆷ ᄉᆞ괴 잇ᄂᆞ뇨?"

하·댱이 쥬루(珠淚)를 드리워 ᄀᆞᆯ오ᄃᆡ,

"쇼쳡 등이 입문 긔년의 존당 구고 양츈 혜틱을 닙【47】ᄉᆞ와 쳔만셰(千萬歲)를 갈진셩효(竭盡誠孝)ᄒᆞ와 뫼실가ᄒᆞ엿ᄉᆞᆸ더니, 오날 흉인의 광패지셜(狂悖之說)이 산비(山卑)681)ᄒᆞ와 아모리 ᄒᆞᆯ 줄 모로ᄋᆞᆸᄂᆞ니, 쇼쳡

679)진유자(陳孺子) : 진평(陳平). ? - BC178. 중국 한(漢)나라 때 정치가. 한 고조 유방(劉邦)를 도와 여섯 번이나 기발한 꾀를 내, 천하를 평정케 하였다.

680)복 : 약의 분량을 나타내는 단위. 한 번 먹을 분량을 이른다.

681)산비(山卑) : '태산이 오히려 낮다.'는 말로, 어떤

경의[이] 우어 왈,

"모친 지혀[혜](智慧) 진유ᄌᆞ(陳孺子)530)의 우히니 조모 어니[이] 속지 안니리요."

뉴시 웃고 비영 등으로 두어 가지 옷슬 말나[아] ᄒᆞ·장 니소져겨[긔] 보ᄂᆡ고, 진소져와 경회나 펴며 이 옷 지어ᄯᅡ, 찻는 ᄶᅥ 밧치라 ᄒᆞ니, ᄒᆞ·장 니소져 의려(疑慮) 빅츌(百出)ᄒᆞᄃᆡ, 님[임]의치 못ᄒᆞ여, 치영각○[의] 머무러 별단 묘ᄆᆡᆨ을 그윽니[이] 두려, 심ᄉᆡ 안안치 못ᄒᆞ더라.

뉴시 겨[계]월 비녕을 ᄀᆡ용단을 먹여 ᄒᆞ·장 소져의 얼골을 비러 독약 ᄒᆞᆫ 봉식 쥬어 틱부닌[인]과 츄밀겨[긔] 이리이리 ᄒᆞ라 ᄒᆞ고, 위틱 취침 아니ᄆᆡ, 뉴시 경아로 츄밀을 청ᄒᆞ여 '틱부닌[인] 요젹(寥寂)을 위로ᄒᆞ고 가쇼셔' ᄒᆞᆫᄃᆡ, 위흉은 츄밀의 슈고을 말닌즉, 경의 옥여 츄밀을 쳥녀[ᄂᆡ](請來) ᄒᆞ더니, 믄득 ᄒᆞ·장 니[이]소져 홍군○○[취삼](紅裙翠衫)○…결락 30자…○[으로 니르ᄆᆡ, 안연(晏然) 뎡좌(正坐)의 믄득 츄연이 탄식 낙누ᄒᆞ니, 위흉은 진짓 ᄒᆞ·장으로] 아라 눈을 독히 ᄲᅧ 정셩 왈,

"오날 무슴 슬푸미 저ᄃᆡ도록ᄒᆞ여 ᄂᆡ 면젼의 여ᄎᆞᄒᆞ요[뇨]?"

ᄒᆞ·장니 ᄋᆡ읍 뉴쳐[체]ᄒᆞ니, 뉴시 왈,

"그ᄃᆡ 비록 쳑비(慽悲)ᄒᆞᆫ들 존젼의 여ᄎᆞᄒᆞ미 공근지녀[녜](恭謹之禮) 안니라. 아지 못겨[게]라, 무슴 ᄉᆞ교[괴]요[뇨]?"

ᄒᆞ·장니[이] 쥬루(珠淚)을 드리와 ○○○[ᄀᆞᆯ오ᄃᆡ],

"소쳡 등이 입문 긔년의 존당구고의 양츈혀[혜]틱을 입ᄉᆞ와 천만셔[셰](千萬歲)을 셩효로 뫼실가 ᄒᆞ옵더니, 흉닌[인]의 광픽지셜(狂悖之說)니[이] 산비(山卑)531)ᄒᆞ와 아모리 할 쥴 아지 못【101】ᄒᆞ니, 소쳡의

530)진유자(陳孺子) : 진평(陳平). ? - BC178. 중국 한(漢)나라 때 정치가. 한 고조 유방(劉邦)를 도와 여섯 번이나 기발한 꾀를 내, 천하를 평정케 하였다.

531)산비(山卑) : '태산이 오히려 낮다.'는 말로, 어떤 것이 태산보다도 높고 큰 것을 비유적으로 표현한 말. ≒산비해박(山卑海薄).

의 화란지졔(禍亂之際)의 죽으미 반ᄃᆞᆺᄒᆞ거ᄂᆞᆯ, 평남후의 구활지덕(救活之德)으로 일명이 보젼ᄒᆞ고, 양부모 은양지졍(恩養之情)으로 동포골육(同胞骨肉) ᄀᆞᆺᄉᆞ오니, 쇼쳡 등이 ᄎᆞ마 뎡・진의 말을 ᄂᆡ여 죄 우히 죄를 더으리잇고마ᄂᆞᆫ, 일이 듕대코 흉참ᄒᆞ와 시러곰682) 알외ᄂᆞ이다. 쇼쳡이 진형을 보오니 누월 옥니의 고초로 위악ᄒᆞᆫ 거동을 보고, 비챵(悲愴)ᄒᆞᄋᆞᆸ더니, 진형이 믄득 독약 두 봉을 주며 당부ᄒᆞᄃᆡ, 이 약을 사ᄅᆞᆷ을 먹인죽, 즉ᄉᆞ치 아냐【48】 여러 일월의 쟝뷔 스러지고 일신의 창괴(瘡塊)683) 셩ᄒᆞ여 필경의 칠규(七竅)로 피를 흘니고 죽ᄂᆞ니, 비밀이 ᄒᆞ여 존당 ᄉᆞᆨ당의 ᄡᅳ면 옥니(獄裏) 곤욕을 셜한(雪寒)ᄒᆞ고 대ᄉᆞ를 계교ᄒᆞ리라 ᄒᆞᄋᆞᆸ거ᄂᆞᆯ, 쇼쳡 등이 숑구ᄒᆞ와 급히 오니이다.”

댱시 니어 ᄀᆞᆯ오ᄃᆡ,

“이런 무근지셜(無根之說)을 허무ᄒᆞ기의 니르도록 ○○○[ᄒᆞ리요].”

ᄒᆞ여[며], ᄑᆞᆷ ᄉᆞ이로 좃ᄎᆞ 약봉을 ᄂᆡ여 노흐니, 츄밀이 젼 ᄀᆞᆺᄐᆞ면 엇디 의심ᄒᆞ리오마ᄂᆞᆫ, 요약의 잠겨 위・뉴의 디휘ᄃᆡ로만 ᄒᆞ니, 태부인이 블냥ᄒᆞᆫ 눈을 홀난(惚亂)이 ᄡᅧ 혼동 왈,

“뎡・진 이녜 ᄇᆡᆨ악이 구비ᄒᆞ여, ᄉᆡᆼ각 밧 모계로 윤가를 멸ᄒᆞ고 음분(淫奔)ᄒᆞ려 ᄒᆞ미라. 광텬을 불【49】너 약을 뵈고 믈시(勿施)치 말나.”

뉴시 손벽치며 발악 왈,

“두 요괴 년이 간부로 우리를 히코져 ᄒᆞ다가 발각ᄒᆞ여 가도미 관젼을 ᄡᅳ미어ᄂᆞᆯ, 도로혀 독약으로 사ᄅᆞᆷ을 가ᄅᆞ쳐 우리 존고 모ᄌᆞ를 멸코져 ᄒᆞ니, 요악ᄒᆞ미 ᄆᆡ달(妹妲)684)

것이 태산보다도 높고 큰 것을 비유적으로 표현한 말. ≒산비해박(山卑海薄).

682)시러곰 : 능히. 하여금. 이에.

683)창괴(瘡塊) : 종기 따위로 생긴 고름 덩어리. ≒농괴(膿塊).

684)ᄆᆡ달(妹妲) : 중국 하(夏)의 마지막 황제 걸(桀)의 비(妃)인 매희(妹喜)와 주(周)의 마지막 황제

화란지져[졔](禍亂之際)의 쥭그미 밧[반]듯ᄒᆞ거날, 평남후 구활지덕으로 일명을 보젼ᄒᆞ고 양부모 은냥지졍(恩養之情)으로, 동포골육(同胞骨肉) 갓ᄉᆞ오니, 소쳡니[이] ᄎᆞ마 졍・진의 말을 ᄂᆡ여 죄우히 죄을 더으리잇고마ᄂᆞᆫ, 일니[이] 즁ᄃᆡ코 흉참ᄒᆞ와 실어곰532) 알외ᄂᆞ니다. 소쳡니[이] 진형을 보오니 누월 옥니의 고초로 위악ᄒᆞᆫ 거동을 보ᄆᆡ 비창(悲愴)ᄒᆞ옵더니, 진형니[이] 문득 독약 두 《병‖봉》을 쥬며 당부ᄒᆞ여, 이 약을 ᄉᆞ람을 《면닌‖먹인》즉, 즉ᄉᆞ(卽死)치 아냐 《이러‖여러》 일월의 장뷔 슬어지고 일신의 창괴(瘡塊)533) 셩ᄒᆞ여 필경은 칠규(七竅)로 피을 흘녀 쥭ᄂᆞ니, 비밀니[이] ᄒᆞ여 존당 ᄉᆞᆨ당의 쓰면, 옥니(獄裏) 곤욕을 면ᄒᆞ고 ᄃᆡᄉᆞ을 겨[계]교 ᄒᆞ리라 ᄒᆞ옵거날, 소쳡 등니[이] 송구ᄒᆞ와 급히 오니이다.”

장시 이어

“○○[이런] 무근지셜(無根之說)을 허무ᄒᆞ기의 이르도록 ○○○[ᄒᆞ리요]”

ᄒᆞ여[며], 품 ᄉᆞ니[이]로 조ᄎᆞ 약봉○[을] ᄂᆡ여 노흐니, 츄밀니 젼 갓트면 엇지 의심ᄒᆞ리요마ᄂᆞᆫ 요약의 ᄌᆞᆷ겨 위・뉴의 지휘대로만 ᄒᆞ니, ᄐᆡ부닌니[인이] 불냥ᄒᆞᆫ 눈을 홀난(惚亂)니[이] ᄡᅧ 혼동 왈,

“정・진 니[이]녀(二女) ᄇᆡᆨ약[악](百惡)니[이] 구【102】비ᄒᆞ여, ᄉᆡᆼ각 밧 모겨[계](謀計)로 윤가을 멸ᄒᆞ고 음분(淫奔)ᄒᆞ려 ᄒᆞ미라. 광쳔을 불너 약을 뵈고 물시(勿施)치 말나.”

뉴시 손벽치며 발악 왈,

“두 요교[괴] 년이 간부로 우리을 히코져 ᄒᆞ다가 발각○○[ᄒᆞ여] 가도미 관젼을 쓰미여날, 도로혀 독약을 ᄉᆞ람을 가르쳐 우리 존고 모ᄌᆞ을 멸코져 ᄒᆞ니, ○○○○[요악ᄒᆞ미] ᄆᆡ달(妹妲)534)의 지ᄂᆞᆫ지라. 비록 금평

532)실어곰 : 능히. 하여금. 이에.

533)창괴(瘡塊) : 종기 따위로 생긴 고름 덩어리. ≒농괴(膿塊).

534)ᄆᆡ달(妹妲) : 중국 하(夏)의 마지막 황제 걸(桀)의 비(妃)인 매희(妹喜)와 주(周)의 마지막 황제 주(紂)의 비(妃) 달기(妲己)를 함께 이르는 말. 둘

의 디난디라. 비록 금평후와 낙양후의 안면을 구ᄋᆡ(拘碍)ᄒᆞ나, 금일 ᄉᆞᄂᆞᆫ 샤치 못ᄒᆞ리라."

이인이 니러셔 ᄀᆞᆯ오ᄃᆡ,

"슉슉이 ᄎᆞᄉᆞ를 드르ᄆᆡ 뎡·진은 무죄코 우리로 무근지셜(無根之說)을 ᄒᆞᆫ다 ᄒᆞ리니, 굿ᄐᆞ여 우리 니르더라 마르쇼셔."

언파의 물너가니, 츄밀의 효슌ᄒᆞ므로 하·댱의 형상을 목도ᄒᆞᄆᆡ, 경탄(驚歎) 왈,

"쇼ᄌᆡ 사친지되(事親之道) 블경블엄(不敬不嚴)ᄒᆞ와, 뎡·진【50】을 다ᄉᆞ리지 못ᄒᆞᆫ 연고로, ᄉᆡ로이 강상(綱常)을 범ᄒᆞ미 한심ᄒᆞ나, 뎡·진의 소위(所爲) 뎍실(的實)ᄒᆞᆫ즉 죄당쥬륙(罪當誅戮)이니, 블가ᄉᆞ문어타인(不可使聞於他人)이로소이다."

태부인이 분분 대로 왈,

"뎡·진 이녀를 발셔 죽여 업시 ᄒᆞᆯ 거ᄉᆞᆯ, 그 부형의 안면을 보아 샤ᄒᆞ여 요녀의 작변이 죵죵(種種)ᄒᆞᆫ지라. 네 뎡·진을 그져 둔즉 노뫼 다ᄉᆞ리리라."

츄밀이 울울불낙 왈,

"져의 악ᄉᆡ 젼후 ᄉᆞ죄(死罪)오나, 실노 뎡윤보의 안면을 아니 보디 못ᄒᆞᆯ 거시오, ᄉᆞ셔(士庶)의 젼파ᄒᆞᆯᄉᆞ록 가ᄉᆡ 슈치ᄒᆞ온디라, 의논ᄒᆞ여 다ᄉᆞ릴소이다."

위흉이 우레 ᄀᆞᆺ튼 소ᄅᆡ로 어ᄉᆞ를 브르니, 어ᄉᆞ 곤계 혼뎡 후 ᄇᆡᆨ화헌의셔【51】 ᄉᆞᆺ출 쇠아 태모의 ᄎᆞᆺ기를 등ᄃᆡᄒᆞ나, 늉동(隆冬)의 소공(所供)685)이 브실(不實)ᄒᆞ여 것츤 ᄌᆡ강686)과 속듁(粟粥)687)을 우마(牛馬)나 먹을 거ᄉᆞᆯ 주고, 일호(一毫) 긔(欺)인즉, 식상을 졈고ᄒᆞ여 비ᄌᆞ를 듕치ᄒᆞ고, 식반인즉 반ᄃᆞ시 어름 되기를 기다려 올니고, ᄇᆡᆨ화헌의 ᄒᆞᆫ 가지 불을 너치 아니니, 방이 빙산(氷山) ᄀᆞᆺᄐᆞ여 ᄃᆡᄉᆞ의 병이 졈졈 더ᄒᆞ니, 어ᄉᆡ 우려ᄒᆞ여 환약(丸藥)으로 구호ᄒᆞ나, 토혈증(吐

후 안면을 우[구]ᄋᆡ(拘碍)ᄒᆞ나 금일ᄉᆞᄂᆞᆫ ᄉᆞ치 못ᄒᆞ리라."

이닌[인]이 이러셔며 왈,

"슉슉니[이] ᄎᆞᄉᆞ을 드르ᄆᆡ 정·진은 무죄코 우리로 무근지셜(無根之說)을 ᄒᆞ다 ᄒᆞ리니, 굿ᄒᆞ여 우리 이르더라 마르소셔."

언파의 물너가니, 츄밀의 효슌ᄒᆞ므로 ᄒᆞ·장의 형상을 목도ᄒᆞᄆᆡ, 경탄(驚歎) 왈,

"소ᄌᆡ 불엄(不嚴)ᄒᆞ와 뎡·진 등을 ᄃᆞᄉᆞ리지 못ᄒᆞᆫ 년고로, ᄉᆡ로니 강상(綱常)을 벗[범]ᄒᆞ미 ᄒᆞᆫ심ᄒᆞ나, 정·진의 소위(所爲) 적실(的實)ᄒᆞᆫ즉 죄당쥬륙(罪當誅戮)이니, 《불가ᄉᆞ문니타닌 ‖ 불가사문어타인(不可使聞於他人)》 이로소이다."

《ᄐᆡ부닌니 ‖ ᄐᆡ부인이》 분분 ᄃᆡ로 왈,

"정·진을 발셔 쥭여 업시 할 거ᄉᆞᆯ 부형을[의] 안면을 보아 ᄉᆞᄒᆞ야 요녀의 ᄌᆞᆨ변니[이] 점점 ○[더]ᄒᆞᆫ지라. 네 정·진을 그져 둔즉 노뫼 다ᄉᆞ리랴 ᄒᆞ노라."

츄밀니[이] 울울불낙 왈,

"저의 악ᄉᆡ 전후 ᄉᆞ죄나 실노 뎡윤보의 안면○[을] 안니 보지 못할가 《ᄒᆞ노라 ‖ ᄒᆞ오니》, 의논ᄒᆞ여 다ᄉᆞ리미 맛당【103】할가 ᄒᆞᄂᆞ니다."

ᄐᆡ뇌 우려[뢰] 갓튼 소ᄅᆡ로 어ᄉᆞ을 부르니, ᄎᆞ시 어ᄉᆞ 곤겨[계] 혼정 후 ᄇᆡᆨ화원[헌]의셔 ᄉᆞᆺ찰 쇠와 ᄐᆡ모의 찻기을 등ᄃᆡᄒᆞ나, 늉동(隆冬)의 소공(所供)535)니[이] 부실ᄒᆞ여 것츤 ᄌᆡ강536)과 속쥭(粟粥)537)을 우마(牛馬)나 먹글 거ᄉᆞᆯ 쥬고, 일호(一毫)나 긔(欺)인즉, 식상을 점고ᄒᆞ여 비ᄌᆞ을 즁치ᄒᆞ고, 식반닌[인]즉 어름 되기을 기다려 올니니, ᄇᆡᆨ화원[헌]의 한 ○[가]지 불을 너치 안니니, 방니[이] 빙산(氷山) 갓트여, ᄌᆡᆨᄉᆞ의 병이 점점 더ᄒᆞ니, 어ᄉᆡ 우려ᄒᆞ여 환약으로 구호ᄒᆞ나 토혈{니}징(吐血症)니[이]

주(紂)의 비(妃) 달기(妲己)를 함께 이르는 말. 둘 다 포악한 여성의 대표적 인물로 꼽힌다.

685)소공(所供) : 물건이나 음식 따위를 줌.

686)ᄌᆡ강 : 재강. 술을 거르고 남은 찌끼. 늣술비지·술재강·술찌끼.

687)속듁(粟粥) : 조를 넣어 쑨 죽.

다 포악한 여성의 대표적 인물로 꼽힌다.

535)소공(所供) : 물건이나 음식 따위를 줌.

536)ᄌᆡ강 : 재강. 술을 거르고 남은 찌끼. 늣술비지·술재강·술찌끼.

537)속듁(粟粥) : 조를 넣어 쑨 죽.

血症)이 더ᄒᆞ고 ᄉᆡ진(澌盡)ᄒᆞᆯ688) 듯ᄒᆞ니, 이 날도 회픠 간고ᄒᆞ여 ᄊᆞ던 샷출 노코, 어ᄉᆡ 딕ᄉᆞ의 손을 쥐믈너 ᄌᆞ긔 일신○○○[압푼 것]도곤 더ᄒᆞ게 슬허 탄식ᄒᆞ더니, 시녀의 명으로 브르니, 므ᄉᆞᆫ ᄉᆞ괴 이시믈 짐작ᄒᆞ고, 의관을 뎡히 ᄒᆞ여 경희뎐의 드【52】러가니, 위흉이 ᄉᆞ창을 열치고 손벽을 두다려 고셩 분노 왈,

"광텬 블초ᄂᆞᆫ 요괴로온 뎡·진 이녀를 ᄉᆞᆨ녀로 아라, 년원졍의 가도믈 원망ᄒᆞ고 노모를 구슈(仇讐)ᄀᆞᆺ치 ᄒᆞ니, ᄒᆡᆼ악이 졈졈 더ᄒᆞ여 독약을 가져 우리 모ᄌᆞ를 죽이고, 뉴현부를 죽이려 동심 모의ᄒᆞ니, ᄎᆞᄉᆡ 조곰도 희미ᄒᆞᆫ ᄇᆡ 아니오, 강악(强惡)이 기려져시니689) 분명이 다ᄉᆞ리지 못ᄒᆞᆯ다?"

인ᄒᆞ여 두 봉 약ᄡᆞᆯ을 뵈며 뎡·진을 죽이고져 ᄒᆞᄂᆞᆫ 거동이 독ᄉᆞ ᄀᆞᆺᄐᆞᆫ디라. 어ᄉᆡ 조모의 말을 듯기를 치 못ᄒᆞ여셔 만심이 ᄎᆞ악ᄒᆞ여, 뎡·진 이쇼져 위ᄒᆞᆫ 졍이 비상ᄒᆞ고 하·댱 등이 약변(藥變)을 주(奏)ᄒᆞᆯ ᄌᆡ 아닌 줄【53】 알고, 가변을 ᄎᆞ탄ᄒᆞ며, 뎡·진의 팔ᄌᆞ를 탄ᄒᆞ고, 분산(分産)이 무ᄉᆞ치 못ᄒᆞᆯ가, 여러 가지 회픠 심ᄉᆡ 요요(擾擾)ᄒᆞᆫ디라. 면관 청죄ᄒᆞ여, 뎡·진의 죄 쥬륙이 당연ᄒᆞ오나, 공후의 녀ᄋᆞ오, 명ᄉᆞ(命士)690)의 뎡실이니, 일을 죵용이 ᄉᆞ실(査實)ᄒᆞ고, 젹실히 ᄉᆞᆯ핀 후 죽여 타인의 비쇼(非笑)와 윤·뎡·진·하·댱 《ᄉᆞ가‖오가(五家)》의 요란ᄒᆞᆫ 시비 업게 ᄒᆞ믈 고《ᄒᆞᆫᄃᆡ‖ᄒᆞ고》, 어나 곳의셔 진시 독약을 주며, 흉계를 모의ᄒᆞᆫ고 므르니, 위흉이 분뇌 막힐 듯ᄒᆞ며, 뉴시 혀ᄎᆞ고 니르ᄃᆡ,

"뎡·진 등의 ᄒᆡᆼᄉᆞᄂᆞᆫ 졀졀(節節)이691) 분ᄒᆞ믄 니르도 말고, 명가 녀ᄌᆡ 그ᄃᆡ도록 흉참ᄒᆞᆯ 줄 알니오. 년원졍 비ᄌᆞ의 말을 드르니 만삭듕(滿朔中)【54】○[이]라. 존괴 진

688)ᄉᆡ진(澌盡)ᄒᆞ다 : 기운이 빠져 죽을 듯하다.
689)기려지다 : 길어지다. 길게 드러나다.
690)명사(命士) : 관작(官爵)을 받은 선비.
691)절절(節節)이 : 마디마디마다.

더ᄒᆞ고 ᄉᆡ진(澌盡)할538) 듯ᄒᆞᆫ지라. ᄊᆞ든 샷출 녹코 어ᄉᆡ 직ᄉᆞ의 손을 쥐물너 ᄌᆞ겨[긔] 일신 《압푸어‖압푼 것》도곤 더ᄒᆞ여 탄식ᄒᆞ더니, 문득 시녀 이르러 ᄐᆡ부닌[인] 명을 젼ᄒᆞ니, 어ᄉᆡ 무ᄉᆞᆫ ᄉᆞ괴 잇시물 짐작ᄒᆞ고 의관을 졍히ᄒᆞ여 경회젼의 드러가니, 위흉니[이] ᄉᆞ창을 녈고 손벽을 두다려 고셩 분노 왈,

"광텬 불효ᄂᆞᆫ 《요리온‖요괴로온》 졍·진을 ᄉᆞᆨ여로 알아, 연원○[졍]의 가도믈 원망ᄒᆞ고 노모을 구수(仇讐) 갓치 ᄒᆞ니, 악ᄉᆡ【104】 점점 더ᄒᆞ여 {더ᄒᆞ여} 독약을 가져 우리 모ᄌᆞ을 ᄌᆞᆨ이고, 뉴현부을 죽이려 동심모의ᄒᆞ니, ᄎᆞ시[ᄉᆡ](此事) 조곰도 희미ᄒᆞᆫ ᄇᆡ 안니요, 《각악니‖강악(强惡)이》 기려졋시니539) 분명니[이] 다ᄉᆞ리지 못ᄒᆞᆯ다?"

닌[인]ᄒᆞ여 두 봉 약ᄊᆞᆷ을 뵈며 졍·진을 ᄌᆞᆨ이고져 ᄒᆞᄂᆞᆫ 거동니[이] 독ᄉᆞ 갓ᄐᆞᆫ지라. 어ᄉᆡ 조모의 말을 듯지 아냐셔 만심 ᄎᆞ악ᄒᆞ니, 졍·진 니[이]소져 위ᄒᆞᆫ 졍니[이] 비상ᄒᆞ고, ᄒᆞ·장 등○[이] ᄌᆞᆨ변을 쥬(奏)할 ᄌᆡ 아닌 줄 알ᄆᆡ, 가변을 차탄ᄒᆞ고, 분ᄉᆞᆫ(分産)의 무ᄉᆞ치 안닐가 여러 가지 회포 잇시니, 이의 면관 청죄ᄒᆞ여 졍·진의 죄 쥬륙의 당년[연]ᄒᆞ나, 공후의 여아오 《명부‖명ᄉᆞ(命士)540)》의 졍실니이[이니], 일응 조용히 ᄉᆞ슬[실](査實)ᄒᆞ고 젹실니 살핀 후 ᄌᆞᆨ여도 타문의 비소(非笑)와 윤·졍·진·ᄒᆞ·○[쟝]가 《ᄉᆞ가‖오가(五家)》의 요란ᄒᆞᆫ 시비 업술 ᄇᆞ을 고ᄒᆞ여, 이의 어ᄂᆡ 곳으셔 진시 독약을 쥬며 흉겨[계]을 ᄒᆞ[ᄒᆞᆫ]고 무르니, 위뇌 분기 막힐 듯ᄒᆞ며, 뉴시 혀ᄎᆞ고 이로ᄃᆡ,

"졍·진 ᄒᆡᆼᄉᆞ(行事) 《정절니‖졀졀(節節)이541)》 분ᄒᆞ믄 이르도 말고, 명가 여ᄌᆡ 그ᄃᆡ도록 흉【105】츰할 쥴을 알니오. 년원졍 비ᄌᆞ의 말을 드로니 만ᄉᆞᆨ지즁(滿朔之中)니

538)ᄉᆡ진(澌盡)하다 : 기운이 빠져 죽을 듯하다.
539)기려지다 : 길어지다. 길게 드러나다.
540)명사(命士) : 관작(官爵)을 받은 선비.
541)절절(節節)이 : 마디마디마다.

시의 병셰 비경(非輕)ᄒᆞ믈 드르시고, 존당이 취영각의 옴기시니, 진시 괴이ᄒᆞᆫ 약을 가져 여ᄎᆞ여ᄎᆞ ᄒᆞ더라 ᄒᆞ니, 존고의 진노ᄒᆞ시미니라."

[이]라. 진시 병셔[셰] 비경ᄒᆞ물 드르시고, 존당니[이] 취영각의 옴기시니, 진시 괴이ᄒᆞᆫ 약을 가져 여ᄎᆞ여ᄎᆞ ᄒᆞ더라 ᄒᆞ니, 존고의 진노ᄒᆞ시미라."

차쳥ᄒᆞ회 ᄒᆞ라.【106】

어싀 슉모의 말노좃ᄎᆞ 년원정 옴기미 계괴믈 디긔ᄒᆞ고, ᄉᆞ긔 구ᄒᆞᆯ 계괴 업ᄉᆞ믈 ᄎᆞ셕ᄒᆞ여, 슉녀 쳘부를 앗가이 맛ᄎᆞ믈 ᄎᆞ셕(嗟惜)ᄒᆞ더니, 츄밀 왈,

"젼일 뎡·진이 무고지ᄉᆞ(誣告之事)로 존당을 히코져 ᄒᆞᆫ 죄 만ᄉᆞ무셕(萬死無惜)이로ᄃᆡ, 오히려 귀신의 됴화 ᄀᆞᆺᄐᆞ여 혹ᄌᆞ ᄋᆡᄆᆡᄒᆞᆫ가 ᄒᆞ더니, 오날 독약을 가져 흉계를 ᄡᅳ니, 하·댱도 인심이라 크게 놀나이 넉여 이러ᄐᆞᆺ ᄒᆞ니, 죄악이 관영(貫盈)ᄒᆞᆫ디라. 진시 만일【55】 독약을 주지 아냐시면, 하·댱이 엇지 일분이나 허언으로 뎡·진을 히ᄒᆞ고, 골육동긔(骨肉同氣) ᄀᆞᆺ던 의를 상ᄒᆞ리오. 금번ᄉᆞ(今番事)ᄂᆞᆫ 믈시(勿施)치 못ᄒᆞᆯ 거시오, 그져 무더 두지 못ᄒᆞᆯ 거시니, 비록 법부의 고장은 아니나, 뎡·진 냥공을 청ᄒᆞ여 각각 그 죄를 니르고, 하·댱의 독약 말을 닐너 죵용이 사상(死喪)ᄒᆞ미 올흘가 ᄒᆞ노라."

어싀 계부의 논을 드르니 더욱 한심 경히ᄒᆞ여, 다만 ᄎᆞ악ᄒᆞᆯ ᄲᆞᆫ이오, 계부의 블명을 크게 슬허 츄연ᄒᆞ니, 위흉이 안ᄌᆞ락 누으락 ᄒᆞ며 눈을 브릅ᄯᅳ고 통흉(痛胸)ᄒᆞ여, 좌우 시ᄋᆞ로 ᄎᆡ영각의 가 진쇼져를 잡아 오라 ᄒᆞ니, 츄밀【56】 왈,

"ᄆᆡ양 ᄎᆞ녀의 죄를 무더 둘 길 업ᄉᆞ니 이공을 청ᄒᆞ여 쳐결ᄒᆞᆯ디라 모친은 과도히 노치 마르쇼셔."

태부인이 대로 왈,

"네 비록 진광과 뎡연을 청ᄒᆞ나, 뎡텬흥 념치 업순 놈이 ᄉᆞ졍의 인ᄒᆞ여 졔 누의를 칭원(稱寃)ᄒᆞ니, 반ᄃᆞ시 너를 한ᄒᆞ고 져를 ᄋᆡᄆᆡᄒᆞ므로 밀위여 일명을 용샤ᄒᆞ리니, 네 강단 업ᄉᆞ미 그놈들의 말을 고지드를디라. 노뫼 스ᄉᆞ로 쳐치ᄒᆞ리니 너ᄂᆞᆫ 구ᄐᆞ여 아른 쳬 말나"

츄밀이 요약을 먹은 후 심졍이 어득 무식

시시의 어싀 슉모의 말을 드르니 연원경의 옴기미 겨[계]교믈 지기ᄒᆞ고, ᄉᆞ괴 구할 겨[계]교 업ᄉᆞ물 ᄎᆞ셕ᄒᆞ여, 슉여 쳘부을 앗가니[이] 맛ᄎᆞ물 탄셕(歎惜)ᄒᆞ더니, 츄밀니 갈오ᄃᆡ,

"젼일 졍·진니[이] 무고(誣告)로 존당을 히코져 ᄒᆞ미 만사무석(萬死無惜)이로ᄃᆡ, 오히려 귀신의 조화 갓트여 혹ᄌᆞ ᄋᆡᄆᆡ할[ᄒᆞᆫ]가 ᄒᆞ더니, 오날 독약을가져 흉겨[계]을 쓰니, ᄒᆞ·장도 인심이라, 크겨[게] 놀나니[이] 역여 이러틋 ᄒᆞ니, 정·진의 죄악니[이] 관영(貫盈)ᄒᆞᆫ지라. 진시 만일 독약을 쥬지 아냐시면, 엇지 일분이나 허언을 ᄒᆞ여 동긔골육(同氣骨肉) 갓튼 졍(情)을 상히오리요. 금번ᄉᆞ(今番事)ᄂᆞᆫ 물시(勿施)치 못할 거시오, 그저 무더 두지 못할 거시니, 비록 법부의 고장은 안니나 양공(兩公)을 청ᄒᆞ여 각각 그 죄을 이르고 하·장의 독약 말을 일너 조용니 사상(死喪)ᄒᆞ미 올흘가 ᄒᆞ노라."

어ᄉᆞ 겨[계]부 의논을 드르니 더욱 한심경히ᄒᆞ여, 다만 ᄎᆞ악할 분니[이]요, 겨[계]부의 블명을 크게 슬허 츄연ᄒᆞ니, 위뇌이 안자낙[락] 누으락 눈을 브릅ᄯᅳ고 통흉(痛胸)ᄒᆞ여, 좌우 시아을[로] ᄎᆡ영각의 가 소져을 잡아오라 ᄒᆞ니, 츄밀니 갈오ᄃᆡ,

"ᄆᆡ냥[양](每樣) ᄎᆞ녀의 죄을 무더 둘 길 업ᄉᆞ니 《이후‖이공(二公)》을 청ᄒᆞ여 쳐결할지라. 모친은 과도히 노치 마르소셔."

ᄐᆡ뇌이 대로 왈,

"너 비록 진관과 뎡연【1】을 청ᄒᆞ나, 뎡쳔홍 념치 업순 놈니[이] 도로혀 너을 ᄒᆞᆫᄒᆞ고, 저을 ᄋᆡᄆᆡ타 ᄒᆞ면, 네 강단 업ᄂᆞᆫ 놈니[이] 그놈들의 말을 고지드를지라. 노뫼 스ᄉᆞ로 처치ᄒᆞ리니, 너ᄂᆞᆫ 굿ᄒᆞ여 아른 쳐[쳬] 말나"

츄밀니[이] 요약을 먹근 후 심졍니[이]

ᄒᆞ고, 발셔 두 눈이 ᄀᆞᆷ겨 안ᄌᆞ시니, 뉴시 딕ᄉᆞ를 불너,

"츄밀을 뫼셔 희츈누의 가 쉬게 ᄒᆞ라." 【57】

ᄒᆞ니 딕ᄉᆡ ᄂᆡ루의 온즉, 형의 ᄃᆡ죄홈과 조모의 거동이 괴이ᄒᆞᄃᆡ 감히 뭇지 못ᄒᆞ고, 밧비 야야를 붓드러 희츈누로 올ᄉᆡ, 츄밀이 희미히 모친긔 고왈,

"날이 ᄇᆞᆰ은 후 뎡·진의 죄를 그 부형과 의논ᄒᆞᆯ 거시니 밤은 그만 두쇼셔."

ᄒᆞ고, 인ᄒᆞ여 어ᄉᆞ다려 'ᄇᆞ졀업시 ᄃᆡ죄치 말나' ᄒᆞ고, 침뎐의 도라가니, 딕ᄉᆞ 요셕(-席)[692]을 바로ᄒᆞ고, 병장(屛帳)을 두룬 후 경희뎐으로 나오니, 바야흐로 뉴시 위흉을 도도아 진시를 죽이려 결단ᄒᆞ엿ᄂᆞᆫ지라. 위흉의 싀험ᄒᆞ미 엄동 극한을 도라보지 아니코, 친히 쳥샤의 나안ᄌᆞ 난간을 두다리며 진【58】시를 잡아 드리라 직촉ᄒᆞ니, 어ᄉᆡ ᄉᆞ러 ᄋᆡ걸ᄒᆞ고 긔운이 손상ᄒᆞ믈 고ᄒᆞᆫᄃᆡ, 태흉이 즐왈,

"너 ᄀᆞᆺ튼 블초ᄌᆞᄂᆞᆫ 한미 싀살ᄒᆞᄂᆞᆫ 진녀를 두호ᄒᆞᄂᆞᆫ다? 동모ᄒᆞ여 날을 죽이라 부촉ᄒᆞ미라."

ᄒᆞ니, 딕ᄉᆞ 조모의 말을 드ᄅᆞᄆᆡ 더욱 한심ᄒᆞ여, 하·댱으로 진시의 죄 층가(層加)ᄒᆞ믈 더욱 ᄎᆞ악ᄒᆞ나, 하·댱 이인의 위인이 결단코 허언으로 진시를 모히치 아닐 거시오, 진시 강상대죄를 범ᄒᆞᆯ 니ᄂᆞᆫ 만무ᄒᆞᆫ디라. 발셔 개용단으로 하·댱의 얼골을 비러 진시 희ᄒᆞ믈 명명이 디긔ᄒᆞᄃᆡ, 조모의 형ᄉᆡᆨ이 진시를 죽이고져 말녀 ᄒᆞᄂᆞᆫ디라. 가【59】변을 망극ᄒᆞ여 읍간(泣諫)코져 ᄒᆞ더니, 믄득 진쇼졔 모든 시녀의게 붓들녀 엄엄(奄奄)ᄒᆞᆫ 형ᄉᆡᆨ으로 계하의 다ᄃᆞ르니, 딕ᄉᆡ 몸을 니러 마ᄌᆞ 먼니 셧ᄂᆞᆫ디라. 태흉이 계젼의 불을 난만(爛漫)이 혀고, 흉목으로 진시를 보건ᄃᆡ, ᄇᆡᆨ년(白蓮) 용안(容顏)의 헛튼 머리 긔려ᄒᆞᆫ ᄐᆡ도와 묘묘ᄒᆞᆫ 긔질이 승졀(勝絶)ᄒᆞ여, 혈긔 감ᄒᆞ여시니, 슈경으로 삭인 ᄃᆞᆺ, 시름ᄒᆞ

692)요셕(-席) : 궁중에서 '요'를 이르던 말. 요; 침구의 하나. 사람이 앉거나 누울 때 바닥에 깐다.

아득ᄒᆞ여, 발셔 두 눈니[이] 감겨 조흘고 안ᄌᆞᆺ난지라. 뉴시 직ᄉᆞ을 불너,

"츄밀을 뫼셔 희츈누의 가 편니[이] 쉬겨[게] ᄒᆞ라."

ᄒᆞ니, 직ᄉᆡ ᄂᆡ루의 이르ᄆᆡ, 형의 ᄃᆡ죄홈과 조모의 거동니[이] 괴니[이]ᄒᆞᄃᆡ, 뭇지도 못ᄒᆞ고 밧비 야야을 붓드러 희츈누로 올ᄉᆡ, 츄밀니[이] 희미히 모친겨[긔] 고왈,

"날니[이] 발근 후, 정·진의 죄을 그 부형과 의논할 거시니, 밤은 그만 두소셔."

인ᄒᆞ여 어ᄉᆞ다려 '부졀업시 ᄃᆡ죄치 말나' ᄒᆞ고, 침젼의 도라가니, 직ᄉᆞ 요셕(-席)[542]을 두르고 병장을 살핀 후, 경희젼으로 ᄂᆞ오니, ᄇᆞ야흐로 유시 위흉을 도도아 진시을 죽니여[이려] 결단ᄒᆞ엿ᄂᆞᆫ지라. 위흉의 시험ᄒᆞ미 엄동 극ᄒᆞᆫ을 도라보지 아니코, 친히 청샤의 안ᄌᆞ ᄂᆞᆫ간을 두다리며, 진시을 잡아 드리라 직촉ᄒᆞ니, 어ᄉᆡ ᄉᆞᆯ어 ᄋᆡ걸ᄒᆞ고 긔운니[이] 손상ᄒᆞ믈 고ᄒᆞᆫᄃᆡ, ᄐᆡ흉이 즐왈,

"너 갓튼 블초ᄌᆞᄂᆞᆫ 한미을 싀살ᄒᆞᄂᆞᆫ 진녀을 두호ᄒᆞᄂᆞᆫ다? 동모ᄒᆞ여 날을 쥭이려 부촉ᄒᆞ미라."

ᄒᆞ니, 직ᄉᆡ 조모의 말을 드르ᄆᆡ 더욱 ᄒᆞᆫ심ᄒᆞ여, 발셔 진시을 희ᄒᆞ여 기용단으로 얼골을 밧고며, 진시을 쥭【2】이려 ᄒᆞ민 쥴 명명니[이] 지기ᄒᆞᄆᆡ, 가변을 망극ᄒᆞ녀[여] 읍간(泣諫)코져 ᄒᆞ더니, 믄득 진소져 모든 시녀의겨 붓들녀 엄엄(奄奄)ᄒᆞᆫ 형식으로 겨[계]ᄒᆞ의 다다르니, 직ᄉᆡ 몸을 이러 ᄆᆞᄌᆞ 먼니 섯ᄂᆞᆫ지라. 태흉이 겨[계]젼의 불을 난만(爛漫)이 혀고, 흉목으로 진시을 보건ᄃᆡ, ᄇᆡᆨ년(白蓮) 용안(容顏)의 헛튼 머리 더옥 승졀(勝絶)ᄒᆞ여 혈긔 감ᄒᆞ엿시니, 슈졍으로 삭인 ᄃᆞᆺ, 시름ᄒᆞᄂᆞᆫ 아미(蛾眉) 일만슈미[긔](一萬愁氣)[543]을 ᄯᅴ엿시니, 효셩썅안(曉星雙眼)의 어르기ᄂᆞᆫ[544] ᄉᆡᆨᄐᆡ(色態), ᄒᆞᆫ 조각 비

542)요셕(-席) : 궁중에서 '요'를 이르던 말. 요; 침구의 하나. 사람이 앉거나 누울 때 바닥에 깐다.
543)일만슈긔(一萬愁氣) : 일만 가지나 되는 근심.
544)어르기다 : 어른어른하다. 눈부시다.

ᄂᆞᆫ 아미(蛾眉) 일만슈긔(一萬愁氣)693)를 ᄡᅵ여시니, 효셩쌍안(曉星雙眼)의 어른기ᄂᆞᆫ694) ᄉᆡᆨ틔, ᄒᆞᆫ 조각 비박(鄙薄)ᄒᆞ미 업셔시니, 음일흉ᄉᆞ(淫佚凶邪)ᄂᆞᆫ 니르도 말고, 츄호(秋毫) ᄇᆞ졍지ᄉᆡ(不貞之事) 잇다 ᄒᆞᆫ믄, 쳔인(千人)이 보아도 만만(萬萬) 몽외(夢外)라. 누월 옥듕 고초의 만삭【60】ᄒᆞ여시니, 여러가지 증휘(症候) 위황(危慌)ᄒᆞ미 즉긱의 죽을 ᄃᆞᆺᄒᆞ니, 셕목간장(石木肝腸)이라도 진쇼져 거동을 볼진ᄃᆡ 잔잉ᄒᆞᆯ 거시로ᄃᆡ, 위・뉴의 간흉은 무한 ᄉᆞ오나오므로, 셔르져 업시키만 죄오니 슈죄 왈,

"요인이 초의 뎡녀로 우리 모ᄌᆞ를 무고히 힉코져 ᄒᆞ믄 쥬륙을 당ᄒᆞ미 올커ᄂᆞᆯ, 관젼을 드리워 일명을 ᄊᆞ엿더니695), 만삭ᄒᆞ믈 듯고 옥니의 분산을 감동ᄒᆞ여 갓가이 옴겨 분산코져 ᄒᆞ엿더니, 난망지은(難忘之恩)을 ᄉᆡᆼ각지 아니코, 도로혀 블측ᄒᆞᆫ 흉ᄉᆞ로 독약을 가져 우리를 죽이려 '여ᄎᆞ여ᄎᆞ ᄒᆞ더라' ᄒᆞ니, 아지 못게라, 우리 모ᄌᆡ 요괴 년【61】으로 므ᄉᆞᆷ 원쉬완ᄃᆡ 이리 힉코져 ᄒᆞᄂᆞ뇨?"

ᄒᆞ고, 약ᄇᆞᆷ을 노코, 보라 ᄒᆞ니, 쇼졔 아이의696) ᄎᆡ영각의 옴길 졔 변괴 날 줄은 ᄯᅳᆺᄒᆞ여시나, ᄒᆞ로밤을 지ᄂᆡ지 아냐 하・당 냥인을 만나 반기ᄂᆞᆫ 졍을 펴디 못ᄒᆞ여셔, 이런 변고를 만나니, ᄌᆞ긔 실 ᄀᆞᆺ튼 일명이 일긱의 맛출 줄은 모로지 아니나, 참연 비졀ᄒᆞᆫ 바ᄂᆞᆫ, 분산치 못ᄒᆞ고, 죄명을 신셜치 못ᄒᆞ여 죽으미, 쳔ᄌᆡ(千載)의 《민(泯)‖불(不)》멸지ᄋᆡ(滅之哀)라. ᄌᆞ긔 팔ᄌᆡ ᄀᆞᆺ초 험난ᄒᆞ여 쳔고누덕(千古陋德)을 당ᄒᆞ니, 명도(命途)를 탄ᄒᆞ나 흣터진 졍신을 뎡ᄒᆞ여, 쳥죄 왈,

"쇼쳡이 윤문의 입승ᄒᆞ와 존당 졔인의 ᄒᆞᆫ 일【62】도 미드시믈 엇지 못ᄒᆞ다가, 쳔고 변난으로 텬일지하(天日之下)의 셔지 못ᄒᆞᆯ 죄인이 되어, 구구히 투ᄉᆡᆼᄒᆞᄋᆞᆸ더니, 쳔만 ᄉᆡᆼ

693)일만슈긔(一萬愁氣) : 일만 가지나 되는 근심.
694)어른기다 : 어른어른하다. 눈부시다.
695)ᄊᆞ이다 : 꾸이다. 남에게 다음에 받기로 하고 돈이나 물건 따위를 빌려 주다.
696)아이의 : 아예. 일시적이거나 부분적이 아니라 전적으로. 또는 순전하게.

박(鄙薄)ᄒᆞ미 업셔, 음일흉ᄉᆞ(淫佚凶邪)ᄂᆞᆫ 이르도 말고, 츄호(秋毫) ᄇᆞ졍지ᄉᆡ(不貞之事) 잇다 ᄒᆞ믄, 쳔인(千人)이 보와도 만만(萬萬) 몽외(夢外)라. 누월 옥듕 고초의 만삭ᄒᆞ녓[엿]시니, 여러가지 증휘(症候) 위황(危慌)ᄒᆞ미 즉긱의 죽을 ᄃᆞᆺᄒᆞᆫ지라. 셩[셕]목간장(石木肝腸)이라도 진소져 거동을 보건ᄃᆡ 잔잉할 거시로ᄃᆡ 위・뉴의 간악은 무한 ᄉᆞ오나오므로, 셔르져 업시키만 죄오니 엇지 요ᄃᆡᄒᆞ리요. 이의 슈죄 왈,

"요닌[인]이 초의 뎡녀로 우리 모ᄌᆞ을 무고히 힉코져 ᄒᆞ미 죄당쥬륙(罪當誅戮)니[이]여ᄂᆞᆯ, 관젼을 드리워 일명을 ᄭᅱ엿더니545), 난망지은(難忘之恩)을 ᄉᆡᆼ각지 안니코, 도로혀 블측ᄒᆞᆫ 흉ᄉᆞ로 독약을 가져 우리을 죽니[이]려 '여ᄎᆞ여ᄎᆞ ᄒᆞ더라' ᄒᆞ니, 아지 못겨[게]라, 우리 모ᄌᆡ 요괴년으로 무ᄉᆞᆷ 원쉬 잇관ᄃᆡ 이리 힉코져 ᄒᆞᄂᆞ뇨?"

이의 약ᄉᆞᆷ[쌈]을 내여 놋코 보라 ᄒᆞ니, 소져 아시의546) ᄎᆡ영각으로 옴길 졔 변괴 잇실 쥴은 지긔ᄒᆞ[흠]이나, 이런 변괴ᄂᆞᆫ 쳔만 의외의 맛ᄂᆞ니, ᄌᆞ긔 실낫 갓튼 일명이 일긱의 맛찰 줄 모로지 아니ᄃᆡ, 참연 비졀ᄒᆞ믄 복아(腹兒)을 분산치 못ᄒᆞ고, 죄명을 신셜치 못ᄒᆞ고 죽그미 유한(遺恨)이라. 이의 흣터진 정신을 진정ᄒᆞ여 청죄 왈,

"소쳡니[이] 셩문의 입승ᄒᆞ와 존당 져[졔]인의 ᄒᆞᆫ【3】일도 미드시믈 엇지 못ᄒᆞ다가, 쳔고 벽[변]난을 ○○[만나] 천일지ᄒᆞ(天日之下)의 셧지 못할 죄인니[이] 되어, 구구히 투ᄉᆡᆼᄒᆞ더니, 쳔만 ᄉᆡᆼ각 밧 죄명을 당ᄒᆞ오니, 쳡의 블초ᄒᆞᆫ 죄라, 누을 ᄒᆞᆫᄒᆞ니

545)ᄭᅱ다 : 뀌다. '꾸이다'의 준말. 남에게 다음에 받기로 하고 돈이나 물건 따위를 빌려 주다.
546)아시의 : 애시에. 애초에. 맨 처음에

각 밧 죄명을 당ᄒᆞ오니이다. 쳡의 블초ᄒᆞᆫ 죄라 눌을 한ᄒᆞ리잇고마ᄂᆞᆫ, 하·댱 이인이 쳡의 곳의 니르와 일야를 지ᄂᆡ지 못ᄒᆞ고, 경회를 펴지 못ᄒᆞᄂᆞᆫ 듕, ᄒᆞᆫ ᄊᆡᆨ ᄡᅥ나미 업ᄉᆞ와 옷술 그져 짓던 ᄇᆡ니, 쳡이 비록 독약으로 궁흉ᄒᆞᆫ 계교를 지휘ᄒᆞᆫ들 분신(分身)ᄒᆞᄂᆞᆫ 술이 업ᄉᆞᆫ 후ᄂᆞᆫ, 밋쳐 뎡당의 니르지 못ᄒᆞ리니, 하·댱을 불너 ᄃᆡ면ᄒᆞ샤, 쳡이 당당이 범죄ᄒᆞ미 이신즉 엇디 술기를 바라리잇고?"

옥셩낭음(玉聲朗音)이 경열(哽咽)ᄒᆞ여 【63】 극ᄒᆞᆫ빙셜(極寒氷雪)의 쵹풍(觸風)이 ᄌᆞ옥ᄒᆞ니, 어ᄉᆞᄂᆞᆫ 진쇼져 거동을 보ᄆᆡ 비록 댱부웅심(丈夫雄心)이나 ᄋᆡ상참연(哀傷慘然)ᄒᆞ미 ᄌᆞ긔 몸으로 ᄃᆡᄒᆞ고져 ᄒᆞ고, ᄃᆡᆨᄉᆞᄂᆞᆫ 십분과려(十分過慮)697)ᄒᆞ여 조모긔 ᄋᆡ걸 왈,

"진슈(嫂)의 말노 보건ᄃᆡ, 하·댱 이인이 ᄎᆡ영각의 ᄡᅥ나미 업ᄉᆞ오니, 일노 보건ᄃᆡ ᄋᆡᄆᆡᄒᆞᆫ가 ᄒᆞᄂᆞ이다. 더욱 진슈의 현효ᄒᆞ미 이런 흉계ᄂᆞᆫ 아닐 ᄃᆞᆺᄒᆞ오니, 반ᄃᆞ시 하·댱 등이 슈슈를 잡으민가, 하·댱을 엄치(嚴治)ᄒᆞ고 슈슈를 다ᄉᆞ리쇼셔. ᄒᆞ믈며 환휘 위듕ᄒᆞᆫᄃᆡ 슈ᄐᆡ 만삭이니, 십악대죄(十惡大罪)698)라도 분산 젼은 관젼을 드리오ᄂᆞ이다."

태괴(太姑)699) 더욱 대로 왈,

"광텬이 모의ᄒᆞ고 우리 모ᄌᆞ를 ᄒᆡ코【64】져 ᄒᆞ거ᄂᆞᆯ, 너좃ᄎᆞ 하·댱을 의심ᄒᆞ고, 동심ᄒᆞ여 우리를 ᄒᆡᄒᆞ고 진녀를 구코져 ᄒᆞ나, ᄆᆡᆼ셰ᄒᆞ여 듯지 아니리로다."

언파의 노긔 등등ᄒᆞ니, 어ᄉᆞᄂᆞᆫ 말이 나지 아냐 머리를 숙이고, ᄃᆡᆨᄉᆞᄂᆞᆫ 츄연댱탄(惆然長歎)의 누쉬여우(淚水如雨)ᄒᆞ여 왈,

"쇼손이 비록 셩회 쳔박ᄒᆞᆫ들 이리 흉참ᄒᆞᆫ

697)십분과려(十分過慮) : 매우 과도하게 염려함.

698)십악대죄(十惡大罪) : 조선 시대에, 대명률(大明律)에 정한 열 가지 큰 죄. 모반죄(謀反罪), 모대역죄(謀大逆罪), 모반죄(謀叛罪), 악역죄(惡逆罪), 부도죄(不道罪), 대불경죄(大不敬罪), 불효죄(不孝罪), 불목죄(不睦罪), 불의죄(不義罪), 내란죄(內亂罪)를 이른다.

699)태괴(太姑) : 태부인(太夫人)을 달리 이른 말.

[리]잇고마ᄂᆞᆫ, ᄒᆞ·장 《이닌니 ‖ 이인이》 쳡의 곳의 《이른 바 ‖ 이르와》 일야을 지ᄂᆡ지 못ᄒᆞ고 경회을 펴지 못ᄒᆞᆫ 즁, ᄒᆞᆫᄊᆡᆨ ᄡᅥ나미 업ᄉᆞ와 옷슬 그져 짓던 ᄇᆡ니, 쳡이 비록 독약을 궁흉ᄒᆞᆫ 겨[계]교로 지휘ᄒᆞᆫ들, 《둔신니 ‖ 두 신(身)이》 업ᄉᆞᆫ 후ᄂᆞᆫ 밋쳐 뎡당의 이르지 못할지라. ᄒᆞ·장을 ᄃᆡ면ᄒᆞ ᄉᆞ 쳡이 당당니[이] 범ᄒᆞ미 잇ᄉᆞᆫ즉 엇지 술기을 바라리닛[잇]고?"

옥성낭음(玉聲朗音)니[이] ᄆᆡᆼ열(猛烈)ᄒᆞ여 극ᄒᆞᆫ빙셜(極寒氷雪)의 쵹풍(觸風)니[이] ᄌᆞ옥ᄒᆞ니, 어ᄉᆞᄂᆞᆫ 진소져 거동을 보ᄆᆡ, 비록 장부지심(丈夫之心)이나 ᄋᆡ상참연(哀喪慘然)ᄒᆞ미 ᄌᆞ긔 몸을 ᄃᆡᄒᆞ고져 ᄒᆞ고, 직ᄉᆞᄂᆞᆫ 십분과려(十分過慮)547)ᄒᆞ여 조모긔 ᄋᆡ걸 왈,

"진슈(嫂)의 말노 보건ᄃᆡ, ᄒᆞ·장 니인니[이인이] ᄎᆡ영각의 ᄡᅥ나미 업ᄉᆞ오니, 일노 허[혜]건ᄃᆡ ᄋᆡᄆᆡᄒᆞᆫ가 ᄒᆞᄂᆞ니[이]다."

태뇌(太老) ᄋᆡᆨᄋᆡᆨ ᄃᆡ로 왈,

"광천이 모의ᄒᆞ고 우리 모ᄌᆞ을 ᄒᆡ코져 ᄒᆞ거날, 너조ᄎᆞ ᄒᆞ·장을 의심ᄒᆞ고 동심ᄒᆞ여 진녀을 구코져 ᄒᆞ나, ᄆᆡᆼ셔(盟誓)코 듯지 아니리라."

언파의 노기 등등ᄒᆞ니, 어ᄉᆞᄂᆞᆫ 말니[이] 나지 아냐 머리을 숙니[이]고, 직ᄉᆞᄂᆞᆫ 츄연장탄의 누쉬여우 왈,

"소손니 비록 셩효 쳔박ᄒᆞᆫ들 이리 흉참ᄒᆞᆫ 의ᄉᆞ을[로] 천지간 죄인이 되리잇고? ᄐᆡ모 의심니 너모 심ᄒᆞ시니 가변을 슬허ᄒᆞᄂᆞ니다."

547)십분과려(十分過慮) : 매우 과도하게 염려함.

의ᄉᆞ로 텬디간 죄인이 되리잇고? 태모 의심이 너모 심ᄒᆞ시니 가변을 슬허ᄒᆞᄂᆞ이다.”

태흉이 대로ᄒᆞ여 친히 철편을 들고 나리다라 ᄃᆡᆨᄉᆞ를 즛두다리니, ᄃᆡᆨ식 ᄋᆡ걸 왈,

“태뫼 쇼손을 죽이실지라도 반ᄃᆞ시 법ᄃᆡ로 치실지니, 몸소 넛비 마르시고, 진슈의 ᄋᆡᄆᆡᄒᆞ【65】믈 ᄇᆞᆰ혀 요인을 다ᄉᆞ리쇼셔.”

태흉이 ᄃᆡᆨᄉᆞ의 운고(雲-)[700]를 풀쳐 손의 ᄭᆞᆷ고, 셜상의 구을니며 머리브터 나리 두다리니, 흉패ᄒᆞᆫ 거동이 고ᄃᆡ 사ᄅᆞᆷ을 죽일 거동이니, 어식 ᄎᆞᆷ지 못ᄒᆞ여 비러 왈,

“뎡·진의 죄 분산 후 죽여도 맛당ᄒᆞ거놀, 희뎨ᄂᆞᆫ 무죄ᄒᆞ니 심ᄒᆞᆫ 셜샹의 몸소 넛비 ᄒᆞ시리잇고? 원컨ᄃᆡ 식노(息怒)ᄒᆞ쇼셔.”

ᄃᆡᆨ식 토혈ᄒᆞ며 엄ᄉᆡᆨ(奄塞)ᄒᆞ니, 어식 븟드러 셔직의 가려더니, 태흉이 ᄃᆡᆨᄉᆞᄂᆞᆫ 나가고 어ᄉᆞᄂᆞᆫ 이시라 ᄒᆞ니, 어식 마지 못하여 당하의 셧더니, ᄎᆞ시 하·댱 이쇼졔 진시의 잡혀가믈 보고 망측ᄒᆞᆫ 변괴 이시믈 짐작ᄒᆞ고 놀납고 ᄎᆞ악【66】ᄒᆞ여, 진쇼져 뒤흘 좃ᄎᆞ 오더니, 태흉의 거동이 흉측히 날치ᄂᆞᆫ디라. 졍신이 어득ᄒᆞ여 눈물을 흘니고 가마니 탄식 왈,

“뎡·진으로 골육 동긔 ᄀᆞᆺ거놀 다시 그 위인이 족히 군ᄌᆞ 슉녀의 스싱이라. 이런 변고를 당ᄒᆞᄂᆞᆫ고?”

ᄒᆞ고, 태흉이 쳥샹의 오른 후, 잠이를 ᄊᆡ히고 쳥죄ᄒᆞ니, 위태 하·댱을 ᄆᆡ워ᄒᆞ미 구슈 ᄀᆞᆺ던지라 믄득 즐문(叱問)ᄒᆞ니,

하·댱이 쳥죄 왈,

“쇼쳡 등이 흔뎡 후 존당의 그림지 아니오믄 진형의 아ᄂᆞᆫ 바로, 여ᄎᆞ 괴변이 나오니, 텬하의 밧고지 못ᄒᆞᄆᆞᆫ 인형(人形)이어

700)운고(雲-) : 고. 상투를 틀 때 머리털을 고리처럼 되도록 감아 넘긴 것. ≒상투.

태흉니[이] 대로ᄒᆞ여 친히 철편을 들고 나리다라 직ᄉᆞ을 즛두다리이[니], 직식 ᄋᆡ걸 왈,

“ᄐᆡ뫼 소손을 쥭이실지라도 반다시 법대로 치실지이[니] 몸소 잇비 마르시고, 진슈의 ᄋᆡᄆᆡᄒᆞ믈 볼히고 요인을 다ᄉᆞ리소셔.”

태흉니[이] 직ᄉᆞ의 상토을 풀처 손의 감고 머리붓터 두다리이[니], 흉픽ᄒᆞᆫ 거동이 고ᄃᆡ 쥭일 거동니[이]라. 어식 ᄎᆞᆷ지 못ᄒᆞ여 비러 왈,

“뎡·진의 죄 분산【4】 후 ○○○[죽여도] 맛당ᄒᆞ거날, 희져[졔]ᄂᆞᆫ 무죄ᄒᆞ니 심ᄒᆞᆫ 셜샹의 몸소 잇비 ᄒᆞ시리잇고? 원컨ᄃᆡ 식노(息怒)ᄒᆞ소셔.”

잇ᄯᆡ 직식 토혈엄ᄉᆡᆨᄒᆞ니, 어식 붓드러 셔직로 나아가려 ᄒᆞᄆᆡ, ᄐᆡ흉니[이] 직ᄉᆞᄂᆞᆫ 《가도고‖나가고》 어ᄉᆞᄂᆞᆫ 섯시라 ᄒᆞ니, ᄎᆞ시 ᄒᆞ·장 냥소져 진소져의 잡혀가믈 보고 쳐[쳬]읍불니(이)(涕泣不已)러니, 직식 엄홀ᄒᆞ고,

태뇌 쳥샹의 오른 후, 니소져(二小姐) 당ᄒᆞ의 이르러 잠이을 ᄲᆡ히고 쳥죄ᄒᆞ니, ᄐᆡ뇌 본ᄃᆡ ᄒᆞ·장을 뮈워ᄒᆞ미 골돌ᄒᆞᆫ지라, ᄎᆞ경을 보고 가장 통ᄒᆞᆫᄒᆞ여 문 왈,

“여등이 진여의 죄상을 ᄇᆞ른 대로 고ᄒᆞᄆᆡ 쳥죄할 ᄇᆡ 업거날 무슨 일 어즈러니[이] 구ᄂᆞ요[뇨]?”

이닌(二人)이 일시의 뵈니[고] 고왈,

“소첩 등니[이] 존고의 명으로 진형의 침소의 가와 다시 존당의 드러오지 아녀ᄉᆞ오니, 일노 좃ᄎᆞ 진형의 ᄋᆡᄆᆡᄒᆞ믈 슬피시려이[니]와, 첩 등의 힝신니 바르지 못ᄒᆞ니[나], 천ᄒᆞ의 밧고지 못할 거슨 ᄉᆞ람의 외모형용

늘, 쇼쳡 등을 죽이시나 샤양치 아니리이다."

태흉이 디흉(至凶)흘지언졍, 뉴시 【67】의 영오ᄒᆞ기ᄂᆞᆫ 밋지 못ᄒᆞ니, 하・댱의 침듕단일ᄒᆞ므로 크게 의혹ᄒᆞ여, 셰월 비영 등이 개용단을 먹고 져즌 줄은 몰나, 양비(揚臂)[701] 대믹(大罵) 왈,

"너의 요괴로오믄 진녀의 더ᄒᆞ도다. 반드시 광텬을 믜일가 두리ᄂᆞ냐? 진녀를 다ᄉᆞ린 후 여등의 죄를 더으리라."

뉴시 냥안을 독히 ᄡᅥ 하・댱 이인을 슉시(熟視)라가 뎡식 노왈,

"네 쳐음과 나죵을 각각ᄒᆞ여 ᄭᅮ미미 여ᄎᆞᄒᆞ뇨? 그ᄃᆡ 취영각의셔 움즉이미 업순즉, 앗가 독약을 가지고 존젼의 여ᄎᆞ여ᄎᆞ 흔 ᄌᆞᄂᆞᆫ 그 뉘란 말고? 광텬을 두려 요악히 발명ᄒᆞ나, 쳐치ᄂᆞᆫ 그져 아니 이시리라."

ᄒᆞ니, 하・댱이 어히 업셔 쳑연 슈루(垂淚)ᄒᆞ고, 【68】 다만 쳥죄 ᄲᅮᆫ이라.

니[이]라. 쳡 등의 그림ᄌᆞ도 존당의 임흔 일니[이] 업거날, 존당구고ᄂᆞᆫ 소쳡 등의 흔 ㅂ이라 ᄒᆞ시니, 쳡 등니[이] 불민(不敏) 암믹(暗買)ᄒᆞ여 일을 살피지 못흔[흘] ㅂ이라. 《장∥당》ᄒᆞ의 ᄉᆞ죄을 쳥ᄒᆞ고, 익믹흔 사람을 ᄉᆞ죄의 ᄲᆡ지오니 말겨[게] ᄒᆞ소셔."

태뇌 흉참할지언졍, 뉴시의 공교롭기ᄂᆞᆫ 밋지 못ᄒᆞ니, ᄒᆞ・장 등니[이] 처음 진시의 주던 약을 가져 몬져 면젼의 죄을 낫토믄[548] 실노 층냥(測量)치 못ᄒᆞ여, 다만 ᄒᆞ・장니[이] ᄌᆞ긔을 업슈니[이] 역여, 경긱의 말을 곳쳐 진시을 구ᄒᆞᄂᆞᆫ가 더옥 분노ᄒᆞ여, 팔을 ᄲᅩᆸ니여 눈을 부릅더 왈,

"ᄒᆞ・장 니[이]녀의 요괴롭기ᄂᆞᆫ 진여의 더으도다. 너희 악가 우리 모ᄌᆞ고식(母子姑息)이 닛ᄂᆞᆫ ᄃᆡ 와, 약봉을 니여 여ᄎᆞ여ᄎᆞ 이르고, 경긱의 말을 두 가지로 ᄒᆞᄂᆞ뇨? 진여의 죄을 다ᄉᆞ린 후 너희을 ᄯᅩ 즁치ᄒᆞ여 다시 변ᄉᆡ(變辭)치 못ᄒᆞ겨[게] ᄒᆞ리라."

뉴녀 말을 니어 냥안을 독히 ᄡᅥ 이닌[인]을 보고 졍ᄉᆡᆨ 노왈,

"ᄉᆞ람의 선악니[이] 쳔 【5】 지의 나타ᄂᆞ고 허실니 품질의 달여거니와, 여등니[이] 엇지 시긱 ᄉᆞ이의 말을 변ᄒᆞ여, 존젼의 어즈러니[이] ᄭᅮ미여 상공과 날노ᄡᅧ 눈니[이] 업순가 역기ᄂᆞ요[뇨]? 아지못겨[게]라. 여등니[이] 취영각의셔 움즉이미 업ᄉᆞ면 악가 존젼의셔 약봉을 드리고 회포을 고ᄒᆞ든지 뉘요[뇨]? 광쳔의 안면을 두려 소아(小兒)의 말 밧곰 갓치 ᄒᆞ니 너모 망녕도니[이] 구지 말나."

니[이]소져 입이 닛시나 발명할 조각니[이] 업고 틱노 고식니(이) 진시을 쥭니[이]고 말여 ᄒᆞ믈 알고, 쳑년[연]타루 왈,

"쳡 등니[이] 비록 천만원억(千萬冤抑)ᄒᆞ나 존당구괴 쳡 등의 얼골 갓트니을 보ᄉᆞ 분명니[이] 아라 겨시니, 쳡등니[이] 구구삼설(九口三舌)이나 발명무론(發明毋論)[549]

701)양비(揚臂) : 소매를 걷어 올림.

548)낫토다 : 나타내다. 드러내다.

549)발명무론(發明毋論) : 죄나 잘못이 없음을 밝히기 위해 논변하지 못함

○…결락24자…○[태흉이 ᄒᆞ·장을 즐퇴ᄒᆞᄃᆡ, ᄒᆞ·장 이소졔 진시의 원억을 폭ᄇᆡᆨᄒᆞ고], 진시와 ᄀᆞᆺ치 죄를 당코져 ᄋᆡ걸ᄒᆞ고[니], 능히 계괴 업셔 착급ᄒᆞ더니, 태흉이 건장ᄒᆞᆫ 시노를 ᄀᆞᆯ희어 진쇼져를 붓드러 듕계의 셰오고, 머리를 플쳐 손의 쥐고 난두의 달나 ᄒᆞ니, 진쇼졔 발셔 만신이 져히고 졍신이 혼미ᄒᆞᆫ디라. 하·댱 이쇼졔 ᄋᆡ걸ᄒᆞ여 만삭 듕 《ᄉᆞ죄(死罪)‖치죄(治罪)》 아니키를 고ᄒᆞᆫᄌᆞᆨ, 태흉이 분노ᄒᆞ여 뉴시를 도라보아,

“요녀들이 이리 셩당(成黨)ᄒᆞ여 구ᄒᆞ니, 하·댱 이녀를 협실의 가도고, 진녀를 쳐치ᄒᆞᆫ 후 쏘 다ᄉᆞ리리라.”

뉴시 승명ᄒᆞ여 하·댱을 협실의 가도고, 태흉이 진【69】시의 운발을 난두의 ᄆᆡ여 달고, 쳘편을 어ᄉᆞ를 주어 집장(執杖)ᄒᆞ여 죽이라 ᄒᆞ니, 어ᄉᆡ 이 경상을 목도ᄒᆞ여 조모의 흉패지셜을 드르니, 어히 업셔 쇼져의 참혹ᄒᆞᆫ 거동을 ᄃᆡᄒᆞ여 쳘셕 간장이라도 녹을디라. 엇디 집장ᄒᆞᆯ 뜻이 이시리오. 낫빗출 곳치고 졀ᄒᆞ여 고ᄒᆞᄃᆡ,

ᄒᆞ옵거니와, 오직 진형니[이] 첩 등의[을] 더[써]ᄂᆞ지 아냐시믈 ○○[아옵]거니, ᄋᆡᄆᆡᄒᆞ믈 알지라, 전후 언ᄉᆞ을 변(變)코져 ᄒᆞᄂᆞᆫ ᄇᆡ 아니러니, 존고 말ᄉᆞᆷ니[이] 여ᄎᆞᄒᆞ시니 첩등의 불초ᄒᆞ믈 청죄ᄒᆞᄂᆞ니다.”

ᄐᆡ뇌 ᄒᆞ·장을 즐퇴ᄒᆞᄃᆡ, ᄒᆞ·장니[이] 진시의 원억을 폭ᄇᆡᆨᄒᆞ고 죄을 한가지로 밧기을 원ᄒᆞᄂᆞᆫ지라. ᄐᆡ뇌 불청ᄒᆞ고 죄을 가지록 더ᄒᆞ고, 진시을 겨[계]상의 올녀 셔[셰]우고 그 머리을 푸러 난두의 ᄆᆡ려ᄒᆞ니, 잇ᄊᆡ 진시 겨[계]ᄒᆞ의 오ᄅᆡ 섯시ᄆᆡ 만신니[이] ᄒᆞᆫ츅(寒縮)ᄒᆞ고[550] ᄉᆞ지 져릴 ᄲᅳᆫ 아니라, 긔운니 혼혼ᄒᆞ여 진할 듯ᄒᆞ니, ᄒᆞ·장니[이] ᄎᆞ경을 보고 만심 경악ᄒᆞ녀[여] 쳐[체]읍ᄋᆡ걸(涕泣哀乞) 왈,

“첩 등니[이] 진형을 믜여ᄒᆞᄂᆞᆫ 마음니[이] 이셔 ᄀᆡᆼ츰의 밀치미 잇다 ᄒᆞ오나 도금 만ᄉᆞᆨ 즁이라, 분ᄉᆞᆫ(分産) 젼의 치죄할 ᄇᆡ 아니이[니], 첩 등의 허언을 주ᄎᆞᆨ(做錯)[551]ᄒᆞ온 죄을 즁치(重治) ᄒᆞ시고 진형을 ᄉᆞ(赦)ᄒᆞ소셔.”

ᄐᆡ뇌이 블슬[승]통ᄒᆡᄒᆞ여 뉴여다려 왈,

“ᄒᆞ·장 양여의 간흉ᄒᆞ미 여ᄎᆞᄒᆞ여 진시을 구ᄒᆞ니 엇지 분치 아니리요. 모로니[미], ᄒᆞ·장을 협실의 가도아 진녀을 쳐치ᄒᆞᆫ 후 요악ᄒᆞᆫ 죄을 다ᄉᆞ리겨[게] ᄒᆞ라.”

뉴녀 슈명ᄒᆞ여 ᄒᆞ·장을 협실의 모라넛코 문을 잠근 후 가마니 ᄐᆡ노을 도도와 진시을 어ᄉᆞ로 집장(執杖)ᄒᆞ여 맛츠라 ᄒᆞ니, ᄐᆡ뇌 응낙고, 좌우 시녀을 호령ᄒᆞ여 진시의 청운녹발(靑雲綠髮)을 난두의 달고, 쳘편을 어ᄉᆞ【6】을 주어 왈,

“진녀의 죄상니[이] 만ᄉᆞ유경(萬死猶輕)니[이]나, 엄형으로 져줄 거시로ᄃᆡ 그 부형의 안면과 후문(侯門) 녀ᄌᆞ믈 가의(加意)[552]ᄒᆞ여 조고만 ᄐᆡ장의 혀륙(血肉)니[이] 상ᄒᆞ믈 보려 ᄒᆞᄂᆞ니, 네 ᄆᆡ달(妹

550)ᄒᆞᆫ츅(寒縮)ᄒᆞ다 : 추워서 기운을 내지 못하고 움츠려 떨다.

551)주ᄎᆞᆨ(做錯) : 잘못인 줄 알면서 저지른 과실.

552)가의(加意) : 특별히 마음을 씀.

"진시의 죄ᄂᆞᆫ 만ᄉᆞ무셕이오나, 복듕의 윤가의 골육을 씻쳐 만월ᄒᆞ여시니, 잉부ᄂᆞᆫ ᄉᆞ죄라도 그 분산 젼 다ᄉᆞ리지 아니믄, 국가 듕슈(重囚)라도 그 나키를 기다려 다ᄉᆞ리ᄋᆞᆸᄂᆞ니, 조모ᄂᆞᆫ 셩노를 늣추샤, 그 분산 후 죽이시미 가ᄒᆞᆯ가 ᄒᆞᄂᆞ이다. 쇼【70】손이 츄호도 뎡·진 등을 앗기미 아니오니, 분산 후 져의 죄상이 뎍실ᄒᆞᆯ진ᄃᆡ, ᄒᆞᆫ 그릇 짐슈(鴆水)702)로 죽이시미 올ᄉᆞ오니, 엇디 쟝하(杖下)의 맛ᄎᆞ며, 굿ᄐᆞ여 쇼손으로ᄡᅧ 집장ᄒᆞ라 ᄒᆞ시ᄂᆞ니잇가?"

위태 어ᄉᆞ의 말을 듯고 대로대분(大怒大憤)ᄒᆞ여 칼흘 드러 난간을 두다리며 통곡 왈,

"흉ᄒᆞᆫ 놈이 뎡·진 이녀와 동심합녁ᄒᆞ여 날을 죽이려 ᄒᆞᄂᆞᆫ 심용(心用)이라."

ᄒᆞ며 방셩통곡ᄒᆞ니, 어ᄉᆡ ᄎᆞ경을 목도ᄒᆞ니, 한심 ᄎᆞ악ᄒᆞ여 츌하리 ᄃᆡ치 말 거시라 ᄒᆞ여 묵묵무언이러니, 위흉이 ᄯᅩ 니르ᄃᆡ,

"뎡·진 이녜 날을 죽이려 도모ᄒᆞ나, 아딕 져희 ᄒᆡ를 닙【71】지 아녀시ᄃᆡ, 슈의 부부와 노뫼 어나 ᄊᆡ 독슈(毒手)를 만날 줄 알니오. 다ᄉᆞ리ᄂᆞᆫ 도리 업ᄉᆞᆫ즉 요녀들이 윤가를 아조 멸망ᄒᆞ리라."

ᄒᆞ더라.【72】

702)짐슈(鴆水) : 짐독(鴆毒)을 섞은 물. 짐독(鴆毒); 짐새의 깃에 있는 맹렬한 독. 짐새(鴆-); 중국 남방 광둥(廣東)에서 사는, 독이 있는 새로 몸의 길이는 21~25cm이며, 뱀을 잡아먹는데, 온몸에 독이 있어 배설물이나 깃이 잠긴 음식물을 먹으면 즉사한다고 한다.

姐)553) 갓튼 요녀을 앗기지 말고 힘을 다ᄒᆞ여 치라."

어ᄉᆡ 문파(聞罷)의 진시의 ᄎᆞᆷᄎᆞᆷ(慘慘)ᄒᆞᆫ 거동을 ᄃᆡᄒᆞ여, 장부지심이나 참지 못할 ᄇᆡ라. 집장(執杖)할 의ᄉᆡ ᄂᆞ리오.

니의 안ᄉᆡᆨ을 곤치고 졀ᄒᆞ여 왈,

"진시의 죄 호ᄃᆡ(浩大)ᄒᆞ오나, 복즁의 윤시 고륙(骨肉)니[이] 잇셔, 아직 붕[분]산(分産)치 못ᄒᆞ엿시니, 수월 후 남녀간 ᄉᆡᆼ손ᄒᆞᆫ 후 죽이미 늣지 아니니, 소손니 추호도 뎡·진 등을 악기미 아니요, 고륙을 위ᄒᆞ여 진정을 고ᄒᆞᄂᆞ니다."

ᄐᆡ뇌 어ᄉᆞ의 집장 아니려 ᄒᆞ믈 보고 ᄃᆡ분(大憤)ᄒᆞ여 칼을 ᄲᆡ혀 들고 청ᄉᆞ(廳舍)을 두다리며 통곡 왈,

553)ᄆᆡ달(妹妲) : 중국 하(夏)의 마지막 황제 걸(桀)의 비(妃)인 매희(妹喜)와 주(周)의 마지막 황제 주(紂)의 비(妃) 달기(妲己)를 함께 이르는 말. 둘 다 포악한 여성의 대표적 인물로 꼽힌다.

명듀보월빙 권디이십팔

어시의 위태부인이 어ᄉᆞ의 집장 아니려 ᄒᆞ믈 보고, 대로 대분ᄒᆞ여 칼흘 ᄲᆡ혀 손의 들고 청ᄉᆞ를 두다리며, 통곡 왈,

"흉ᄒᆞᆫ 놈이 뎡·진 요녀와 동심ᄒᆞ여 날을 죽이려 ᄒᆞ니, 내 엇디 져희 손의 죽으리오. 쾌히 ᄒᆞᆫ 칼히 목숨을 맛ᄎᆞ, 광텬 부부의 ᄆᆞ옴을 즐겁게 ᄒᆞ리라."

ᄒᆞ고, 언파의 짐즛 가슴을 디르려 ᄒᆞ니, 어시 황황망극(遑遑罔極)703)ᄒᆞ여 청상(廳上)의 치다라 칼흘 아ᄉᆞ려 ᄒᆞ니, 부인이 칼잘을 잡고 거즛 죽으려 ᄒᆞᄂᆞᆫ 형상을 ᄒᆞ고, 어ᄉᆞᄂᆞᆫ 날을 잡아 쳬읍힝뉴(涕泣行流)704) 왈,

"쇼손이 비록 블【1】초 무상ᄒᆞ오나, 엇디 뎡·진 등과 동심ᄒᆞ와 태모를 히ᄒᆞᆯ 의ᄉᆡ 이시리잇고? 쇼손이 진시를 앗기ᄂᆞᆫ 일이 아니라, 골육을 싱산치 못ᄒᆞ고 죽이미 이신즉, 윤시의 골육이 블인(不仁)ᄒᆞᆫ 어미로 말ᄆᆡ암아 셰샹의 나디 못ᄒᆞ고 맛ᄎᆞ미 참연ᄒᆞ고, 법뎐이 간부(姦夫) 음통(陰通)ᄒᆞ여 유틱(有胎)ᄒᆞᆫ ᄌᆞ식이라도, 십삭(十朔)이 ᄎᆞ기를 기다려, 분산 후 뉼(律)을 힝ᄒᆞᄋᆸᄂᆞ니, 대뫼 싱각지 아니시고, 쇼손을 증분(憎憤)ᄒᆞ샤 이런 망극ᄒᆞᆫ 거조를 힝ᄒᆞ시ᄂᆞ니잇고?"

위태 진력ᄒᆞ여 칼흘 아ᄉᆞ 가슴을 지르려 분분이 셔도ᄂᆞᆫ 쳬ᄒᆞ니, 어ᄉᆡ 칼흘 두 손으로 븟드러 막으려 ᄒᆞᆯ 제, 날ᄂᆡᆫ 칼히 어ᄉᆞ의 십지(十指)【2】옥슈를 상히와 븕은 피 돌져 흐르ᄃᆡ, 위태 심듕의 징그라이705) 녁이고 조곰도 놀나지 아니니, 뉴시 비로소 태부인 쥔 칼흘 ᄲᆡ히고 어ᄉᆞ를 ᄃᆡᄒᆞ여, 뎡ᄉᆡᆨ 칙왈,

703)황황망극(遑遑罔極) : 급박한 일을 만나 당황하여 어찌할 바를 모름.

704)체읍힝뉴(涕泣行流) : 울며 눈물을 흘림.

705)징그랍다 : 쟁그랍다. 남의 실패를 시원하게 여기며 고소해하다.

"흉ᄒᆞᆫ 놈니[이] 뎡·진 양요(兩妖)와 동심ᄒᆞ여 날을 쥭이려 ᄒᆞ니, ᄂᆡ 엇지 네 손의 쥭그리요, 쾌히 ᄒᆞᆫ 칼의 목숨을 맛ᄎᆞ 광쳔 부부의 마음을 즐겁겨[게] ᄒᆞ리라."

ᄒᆞ고 ,언파의 짐짓 가슴을 지르려 ᄒᆞ니 어ᄉᆡ 창황망극(惝怳罔極)554)ᄒᆞ여, 청상의 치다라 칼흘 아ᄉᆞ려 ᄒᆞ니, 틱뇌 칼을 잡고 거즛 쥭그려 ᄒᆞᄂᆞᆫ 경상(景象)을 ᄒᆞ고, 어ᄉᆞᄂᆞᆫ 날을 잡고 쳐[쳬]읍(涕泣) 공송유쳐[쳬](恐悚流涕)555) 왈,

"소손니[이] 비록 블초 무상ᄒᆞ오나 엇지 뎡·진 등과 동심ᄒᆞ와 조모을 히ᄒᆞᆯ 의ᄉᆡ 잇시리잇고? 쇼손니 진시을 악기미 아니라, 골육을 낫치 못ᄒᆞ고 쥭그미 잇신즉, 윤시의 골육니[이] 블닌[인]ᄒᆞᆫ 어미로 말ᄆᆡ암아 셔[셰]샹의 나지 못ᄒᆞ고 맛ᄎᆞ미 참년[연]할 분 아녀, 법젼의 간부 음증(淫蒸)556)ᄒᆞ여 유틱ᄒᆞᆫ ᄌᆞ식{니}이라도 분순(分産)ᄒᆞ기을 긔다려 《죄‖뉼(律)》을 힝ᄒᆞᄂᆞ니, ᄃᆡ뫼 싱각지 아니시고 소손을 통부[분](痛忿)ᄒᆞᄉᆞ 이런 망극ᄒᆞᆫ 거조을 힝ᄒᆞ시ᄂᆞ니잇고?"

틱뇌 진녁ᄒᆞ여 칼을 아ᄉᆞ 가슴을 지르ᄂᆞᆫ 쳐[쳬] 분분이 셔도니, 어ᄉᆡ 칼을 붓드러【7】지르ᄂᆞᆫ 환을 막으려 할ᄉᆡ, 날ᄂᆡᆫ 칼니[이] 어ᄉᆞ의 십지(十指) 옥슈을 상히와 불근 피 돌출ᄒᆞᄃᆡ, 틱뇌 심즁의 징그라니[이]557) 녁니[이]고 조곰도 놀나지 아니니, 뉴녀 비로소 틱노을 붓드러 칼을 앗고 어ᄉᆡ을 ᄃᆡ칙 왈,

554)창황망극(惝怳罔極) : 당황하여 어찌할 바를 모름.

555)공송유체(恐悚流涕) : 두려웁고 죄송스러워 눈물을 흘림.

556)음증(淫蒸) : 손위의 여자와 정을 통함.

557)징그랍다 : 쟁그랍다. 남의 실패를 시원하게 여기며 고소해하다.

"인ᄌᆞ 존당 명을 슈화(水火)라도 거ᄉᆞ리지 아니미 올커ᄂᆞᆯ, 진시 분산 젼의 쳐치ᄒᆞ미 블가ᄒᆞ나, 존괴 ᄒᆞᆫ번 ᄠᅳᆺ을 뎡ᄒᆞ시면 곳치지 아닛ᄂᆞᆫ 줄 네 ᄯᅩ 모로지 아니리니, 엇지 존명을 밧드지 아니ᄒᆞ여, 이런 망극ᄒᆞᆫ 거조를 ᄒᆞ시게 ᄒᆞ리오."

어시 슉모의 요악ᄒᆞᆫ 거동을 보면 아니쏩기를 니긔지 못ᄒᆞ니, ᄌᆞ긔 입을 연즉 과격ᄒᆞᆫ 셩도를 ᄎᆞᆷ지 못ᄒᆞ니, 출하리 ᄃᆡ답지 아니려 묵묵 무언【3】이라. 태부인이 익익대곡(益益大哭)706) 왈,

"이졔 만일 진녀를 죽이지 아냐 죄를 물시ᄒᆞ고 다ᄉᆞ리지 아니면, 윤가를 아조 멸망ᄒᆞ리니, 나의 쳐치 너모 쥰급ᄒᆞ나, 기실은 쟝ᄂᆡ를 깁히 념녀ᄒᆞ미라. 광텬이 진실노 내 말을 듯지 아냐 집장을 어려이 넉이면, 내 스ᄉᆞ로 죽어 참화를 보지 아니리라."

어시 조모의 ᄆᆞᄋᆞᆷ이 ᄌᆞ긔 집장ᄒᆞ여 진시를 죽이지 아닌즉, 태부인이 죽기를 그음ᄒᆞ여 망극ᄒᆞᆫ 거조를 곳칠 니 업ᄉᆞ니, 출하리 뎡·진 등을 죽여 져바린 사ᄅᆞᆷ이 될지언졍, 조모의 ᄌᆞ문(自刎)ᄒᆞᄂᆞᆫ 변괴 업게 ᄒᆞ려 ᄒᆞ여, 츄연 탄식고, 태부인긔 고왈,

"쇼손이 집장ᄒᆞ여 진시를 죽이려니와, 【4】 골육이 셰샹의 나지 못ᄒᆞ고 ᄉᆞ오나온 어믜 죄로 인ᄒᆞ여 복듕의셔 스러지게 되오니, 참연ᄒᆞ오나 태모의 거죄 인ᄌᆞ의 ᄎᆞ마 보지 못ᄒᆞᆯ ᄇᆡ라, 이만 쉬온 일을 엇지 만홀ᄒᆞ리잇고?"

태괴 ᄀᆞ장 깃거, 즉시 시녀로 진시의 얼골을 ᄀᆞ리오고, 금의(錦衣)와 나상(羅裳)을 추그어707) 옥각(玉脚)을 드러ᄂᆡ믜, 어시 임의 ᄆᆞᄋᆞᆷ을 구지 잡아, 스ᄉᆞ로 오긔(吳起)708) ᄀᆞᆺᄐᆞᆫ 사ᄅᆞᆷ 되기를 긔약ᄒᆞ고, 쳘편을

706)익익대곡(益益大哭) : 더욱 더 크게 욺.
707)추그다 : 추어올리다. 위로 끌어올리다.
708)오긔(吳起) : B.C.440~B.C.381. 중국 전국 시대(戰國時代)의 병법가(兵法家). '오기살처(吳起殺妻)'의 고사로 유명하다.즉, 오기가 노(魯)나라에서 관직생활을 하던 때, 제(齊)나라가 침공해오자, 노나라가 그를 장수로 임명하여 제를 막게 하려다가, 그의 처(妻)가 제나라 사람인 것을 알고 임명을 주저하자, 처를 죽이고 노나라 장수가 되어 제를

"인ᄌᆞ 존명을 슈화(水火)나 거ᄉᆞ○[리]지 아니미 올커날, 진시 분손 젼의 치죄ᄒᆞ미 불가ᄒᆞ나, 존괴 ᄠᅳᆺ즐 ᄒᆞᆫ 번 정ᄒᆞ시며 곳치지 안니ᄒᆞᄂᆞᆫ 쥴 네 모로지 아니리니, 엇지 노친의 ᄠᅳᆺ즐 밧○[드]지 아니ᄒᆞ여 여ᄎᆞ 망극ᄒᆞᆫ 거조을 ᄒᆞ시겨[게] ᄒᆞᄂᆞ요[뇨]?"

어시 숙모의 요악ᄒᆞᆫ 거동을 ○○[보면] 아니쏩기을 이기지 못ᄒᆞ나, ᄌᆞ긔 입을 년즉 과셕[격]ᄒᆞᆫ 거조을 참지 못ᄒᆞ니, ᄎᆞ라리 ᄃᆡ답지 아니려 묵묵무언니러라. ᄐᆡ부닌이 익익ᄃᆡ로(益益大怒)558) 왈,

"니졔[이제] 만일 진시의 죄을 물시ᄒᆞ고 다ᄉᆞ리지 아니ᄒᆞ면 윤가을 멸망ᄒᆞ리니, 나의 처치 {못ᄒᆞ면} 장ᄂᆡ을 깁히 념녀ᄒᆞ미라. 광쳔니[이] 진실노 ᄂᆡ 말을 듯지 아냐 집장을 어려니[이] 역니[이]면, ᄂᆡ 스ᄉᆞ로 《쥭여‖죽어》 츰화을 보지 아니리라."

어시 조모의 마음니[이] ᄌᆞ긔 집장ᄒᆞ여 쥭이지 아닌 즉, 친히 쥭기을 그음ᄒᆞᆯ지라. 뎡·진을 져ᄇᆞ릴지언정 조모의 ᄌᆞ문지변(自刎之變)을 업시ᄒᆞ려 ᄒᆞ어[여] 츄연 왈,

"소손니[이] 집장ᄒᆞ오려니와 고륙(骨肉)이 《셔상이‖셰상의》 나지 못ᄒᆞ오며, ᄉᆞ오ᄂᆞ온 어미로 복즁의셔 쥭겨[게] 되오니, 츰년(慘然)ᄒᆞ오나 조모의 명을 거ᄉᆞ려 이만 쉬온 일을 엇지 《거ᄉᆞ리잇고‖만홀ᄒᆞ리잇고》?"

ᄐᆡ뫼 가장 깃거, 즉시 시여로 진시 얼골을 가리고 금의(錦衣){ᄂᆞ}와 나상(羅裳)을 추그어559) 옥각(玉脚)을 드러ᄂᆞ[ᄂᆡ]미, 어시 님의 마음을 구지 잡아, 스ᄉᆞ로 오기(吳起)560) 갓튼 ᄉᆞ람되기을 기약고, 쳘편을 드

558)익익대로(益益大怒) : 더욱 더 성을 냄.
559)추그다 : 추어올리다. 위로 끌어올리다.
560)오긔(吳起) : B.C.440~B.C.381. 중국 전국 시대(戰國時代)의 병법가(兵法家). '오기살처(吳起殺妻)'의 고사로 유명하다. 즉, 오기가 노(魯)나라에서 관직생활을 하던 때, 제(齊)나라가 침공해오자, 노나라가 그를 장수로 임명하여 제를 막게 하려다가, 그의 처(妻)가 제나라 사람인 것을 알고 임명을 주저하자, 처를 죽이고 노나라 장수가 되어 제

드러 조모의 호령을 쥰봉ᄒᆞ니. ᄆᆡᄭᅳᆺ치 닷는 곳마다 븕은 피 낭ᄌᆞ히 흐르ᄃᆡ, 진쇼져 반ᄉᆡᆼ 반ᄉᆞ 듕이나, ᄯᅳᆺ즙기를 ᄉᆡᆼ쳘ᄀᆞᆺ치 ᄒᆞ여 일셩을 브동ᄒᆞ니, 태괴(太姑) ᄆᆡᄆᆡ 고찰ᄒᆞᆯ ᄲᅮᆫ 아니라, 어ᄉᆡ 본ᄃᆡ 구뎡을 가바야이 넉【5】이ᄂᆞᆫ 용녁이 이시므로, 무심히 ᄆᆡ를 드ᄂᆞᆫ 바의 타인의 진력ᄒᆞ여 치ᄆᆡ 지난지라. 슈십장의 밋쳐ᄂᆞᆫ 쇼져의 옥각이 칼노 뼈ᄒᆞᆯ며 창으로 뿌신 ᄃᆞᆺ, ᄒᆞᆫ 조각 셩ᄒᆞᆫ 곳이 업ᄉᆞ나, 쇼졔 몸을 움ᄌᆞᆨ이미 업시 ᄆᆡ여 달녓더니, 믄득 두어번 늣기ᄂᆞᆫ 소ᄅᆡ의 인ᄒᆞ여 엄홀(奄忽)ᄒᆞ니, 좌우 시녀 양낭의 무리 위·뉴의 심복이 아닌 후ᄂᆞᆫ 쇼져를 위ᄒᆞ여 참연ᄒᆞ믈 형상치 못ᄒᆞ여 눈물을 나리오ᄃᆡ, 위흉과 뉴시 모녜 조곰도 측은ᄒᆞ미 업셔, 경ᄋᆞᄂᆞᆫ 년ᄒᆞ여 웃고, 왈,

"사ᄅᆞᆷ이 텬일지하(天日之下)의 ᄎᆞ마 못ᄒᆞᆯ 노르ᄉᆞᆯ ᄒᆞ고 부귀 누리믈 긔약ᄒᆞ니, 하날이 놉흐시나 ᄉᆞᆯ피시믄 쇼쇼(昭昭)ᄒᆞᆫ디라, 임의 독【6】약을 뎡시 어더 ᄂᆡ다 ᄒᆞ니, 젼후 간상을 ᄃᆡ고ᄒᆞ미 올커ᄂᆞᆯ, 스ᄉᆞ로 독당ᄒᆞ여 쟝칙을 바들지언졍 동뉴(同類)의게 밀위미 업ᄉᆞ니, 과연 모질고 이상ᄒᆞᆫ 별죵(別種)이로다."

태괴 ᄆᆡ를 더을 젹마다 젼후 말을 바로 니르라 ᄒᆞᄃᆡ, 진시 일언을 브답ᄒᆞ니, 뉴시 셰월노 ᄒᆞ여금 죽엇ᄂᆞᆫ가 보라 ᄒᆞ니, 셰월이 나아가 ᄀᆞ리온 보ᄒᆞᆯ 들고 ᄉᆞᆯ핀즉, 임의 인ᄉᆞ를 바리고 만신이 어름 ᄀᆞᆺᄐᆞ여시니, ᄉᆡᆼ되 업ᄂᆞᆫ지라. 이의 죽어시믈 고ᄒᆞᆫᄃᆡ, 태괴 그 슈히 맛ᄎᆞ믈 싀훤ᄒᆞ여, 뉴시로 쵹을 잡히고 난두의 나와 그 죽을시 젹실ᄒᆞᆫ가 보니, 진쇼졔 옥면이 찬 ᄌᆡ ᄀᆞᆺ고, 만신이 어름 ᄀᆞᆺᄐᆞ여【7】 희미ᄒᆞᆫ 소ᄅᆡ도 업시 완연ᄒᆞᆫ 죽엄이라.

무찌른 일이 있다. 저서에 병법서 ≪오자(吳子)≫가 있다

러 조모의 호령을 쥰봉ᄒᆞ니, 쇠ᄭᅳᆺ치 닷는 곳마다 불근 피 낭ᄌᆞ히 흐르ᄃᆡ, 진시 반ᄉᆡᆼ 반ᄉᆞ 즁이나, 듯[ᄯᅳᆺ]즙기을 ᄉᆡᆼ쳘 갓치 ᄒᆞ녀[여] 일셩을 부동【8】ᄒᆞ니, ᄐᆡ뇌 ᄆᆡᄆᆡ 고찰할 분 아냐, 어ᄉᆡ 본ᄃᆡ 구졍을 가바냐[야]이 역니[이]ᄂᆞᆫ 용(勇)니[이] 이스므로, 무심니 ᄆᆡ을 드ᄂᆞᆫ ᄇᆡ의 타닌[인]의 지[진]역(盡力)ᄒᆞ여 치ᄆᆡ ○○○○[지난지라]. 슈십장의 밋쳐ᄂᆞᆫ 소져의 옥각니[이] 칼노써 익닌[인]561)듯, 창으로쎠 쓔신 듯 ᄒᆞᆫ 곳 셩ᄒᆞᆫ 곳시 업ᄉᆞᄃᆡ, 소져 몸을 움ᄌᆞᆨ이미 업시 ᄆᆡ여 달녓드니, 문득 두어 번 늣기ᄂᆞᆫ 소ᄅᆡ ○[의] ○○[인ᄒᆞ]야 엄홀(奄忽)ᄒᆞ니, 좌우 양난[낭] 시녀비 위·유의 심복니[이] 아닌 후ᄂᆞᆫ 소져을 위ᄒᆞ여 ᄎᆞᆷ연ᄒᆞ믈 형상치 못ᄒᆞ여 엄연휘루(奄然揮淚)562)ᄒᆞᄃᆡ, ᄐᆡ노(太老) 고식(姑媳)은 조곰도 측은ᄒᆞ미 업고, 경ᄋᆞᄂᆞᆫ 년ᄒᆞ녀[여] 웃고 왈,

"ᄉᆞ람니 천일지ᄒᆞ(天日之下)의 ᄎᆞ마 못할 노릇슬 ᄒᆞ고 부긔[귀]을 누리믈 기약ᄒᆞ니, ᄒᆞ날니[이] 놉흐나 살피시문 소소(昭昭)ᄒᆞᆫ지라, 임의 독약을 뎡시 어더ᄂᆡ다 ᄒᆞ니, 젼후 간상을 직고ᄒᆞ미 올커날, 스ᄉᆞ로 독당ᄒᆞ녀[여] 장칙을 ᄇᆞ들지언졍 동뉴의겨[게] 밀위이[지] 안년[녀], 《노질고‖모질고》 이상ᄒᆞᆫ 별종이로다."

ᄐᆡ뇌 ᄆᆡ을 더을 젹 마다 젼후 말을 다 이르라 ᄒᆞᄃᆡ, 소져 일언부답(一言不答)ᄒᆞ니, 뉴녀 셔[셰]월노 ᄒᆞ여곰 쥭것[죽었]ᄂᆞᆫ가 보라 ᄒᆞ니, 셔[셰]월니[이] 살핀 즉, 님의 인ᄉᆞ을 바리고 만신니[이] 어름 갓트여, ᄉᆡᆼ되 업ᄂᆞᆫ지라. 이의 쥭어시믈 고ᄒᆞ니, ᄐᆡ뇌 그 속히 맛ᄎᆞ시믈 시훤ᄒᆞ여, 뉴녀로 쵹을 잡히고 ᄂᆞᆫ두의 ᄂᆞ와 그 쥭글시 젹실ᄒᆞᆫ 가 보니, 소져 옥면니[이] ᄎᆞᆫ ᄌᆡ 갓고 만신니[이] 어름 갓트니, 호미ᄒᆞᆫ 소ᄅᆡ도 업시 와년(完然)

를 무찌른 일이 있다. 저서에 병법서 ≪오자(吳子)≫가 있다

561)익이다 : 이기다. 칼 따위로 잘게 썰어서 짓찧어 다지다.

562)엄연휘루(奄然揮淚) : 얼굴을 가리고 눈물을 흘림.

태괴(怪) 쇼왈,

"이만ᄒᆞ면 죽을 년이 그ᄃᆡ도록 요악ᄒᆞ여, 간계를 도모ᄒᆞ미 궁극기의 밋ᄎᆞ니, ᄉᆡᆼ각홀ᄉᆞ록 분히흔디라. 이졔는 진녀를 죽여시니 뎡녀를 마ᄌᆞ 죽여 결닌 한이 업게 ᄒᆞ리라."

뉴네 뎡쇼졔는 각별 다른 계교로 죽이려 ᄒᆞ므로, 이의 프러 왈,

"뎡시의 죄괜즉, 쳔살무셕(千殺無惜)이어니와, 진시 입을 여지 아냐시니, 아딕 그만ᄒᆞ여 두쇼셔."

위흉이 뉴녀의 말인즉 아니 듯는 말이 업는 고로 그러히 넉이고, 진시의 시신을 ᄊᆞ어 ᄂᆡ치려 ᄒᆞ니, 뉴네 진시 치 죽지 아냣는가 의심ᄒᆞ여 니르ᄃᆡ,

"진시의 시신을 아딕 취영각의 두 【8】 엇다가, 다시 ᄉᆡᆼ환ᄒᆞ미 잇는가 보아, 명일 진가로 보ᄂᆡ쇼셔."

위태 올히 넉여 셰월 비영으로 진시의 시신을 ᄊᆞ어 취영각의 가 딕히엿다가, 다시 ᄉᆡᆼ환ᄒᆞ미 잇는가 보라.

어시 비로소 쳘편을 더지고 눈을 드러 진시를 보니, 완연흔 시신이라. 통쳘[절]비창(痛切悲愴)[709]ᄒᆞ미 일만 창검이 일신을 지르는 ᄃᆞᆺᄒᆞ니, ᄌᆞ긔 손으로 옥인을 맛ᄎᆞ미 미ᄉᆞ지젼(未死之前)의 닛기 어려울 ᄇᆡ로ᄃᆡ, 진시의 상뫼 결단코 이칠청년(二七靑年)[710]의 누셜(縲絏)[711] 둥 참ᄉᆞ(慘死)홀 박복상(薄福相)이 아니오, 향복다남ᄌᆞ(享福多男子)[712]홀 귀격(貴格)이라. 일시 엄홀ᄒᆞ여시나, 아조 죽든 아냣는가 일분 미드미 잇셔, 쇼져의 유랑 시녀를 불너 왈, 【9】

"네 쥬인이 ᄉᆡ도록 ᄭᆡ지 못ᄒᆞ여 아조 죽거든, 효신의 진부로 도라가라."

유랑 시녀 등이 먼니셔 어ᄉᆡ 집장ᄒᆞ여 쇼져의 혈육이 상ᄒᆞ믈 보ᄆᆡ, 심신이 ᄆᆡ는 ᄃᆞᆺ

709)통졀비창(痛切悲愴) : 뼈에 사무치도록 슬픔.
710)이칠청년(二七靑年) : 열네 살의 젊은 나이.
711)누셜(縲絏) : 포승줄로 묶음. 감옥살이를 함.
712)향복다남ᄌᆞ(享福多男子) : 여러 아들을 두고 복을 누림.

ᄒᆞᆫ 쥭엄이라.

ᄐᆡ뇌 소 왈,

"이만ᄒᆞ면 쥭글 년니[이] 그ᄃᆡ도록 요악ᄒᆞ녀[여] 간겨[계]을 도모ᄒᆞ미 궁극기의 밋ᄎᆞ니 ᄉᆡᆼ각ᄉᆞ록 분히 ᄒᆞᆫ지라. 이져는 진녀을 쥭여시니 뎡녀을 마ᄌᆞ 쥭여 결닌 ᄒᆞᆫ니 업겨[게] ᄒᆞ니[리]라."

뉴녀 뎡소져는 각별 다른 겨[계]교로 쥭니려 ᄒᆞ므로 이의, 《므러∥프러》 왈,

"뎡시의 죈즉 쳔ᄉᆞ무셕(千死無惜)이나 진시 입을 여지 아니[녓]시니 아직 그만ᄒᆞ여 두소셔."

ᄐᆡ뇌 뉴녀의 말인 즉 안니 듯는 ᄇᆡ 업는 고로 그러히 녁니[이]고, 시신을 ᄊᆞ어 ᄂᆡ치려 ᄒᆞ니, 뉴시 힝혀 진시 쥭지 아냣는가 의심ᄒᆞ여 일오ᄃᆡ,

"진시의 신쳐[체]을 아직 취영각의 두엇다가 ᄉᆡᆼ환ᄒᆞ미 잇는가 ○○[보아] 명일 진가로 보ᄂᆡ소셔."

ᄐᆡ부닌이 올히 역여 셔[셰]월 비영으로 취영각의 가 직희엿다가 다시 ᄉᆡᆼ환ᄒᆞ미 【9】 잇는가 ᄌᆞ셔히 보라.

어ᄉᆡ 비로소 쳘편을 더지고 진시을 보니 아엿ᄒᆞᆫ[563] 시신이라, 통절비상(痛切悲傷)[564]ᄒᆞ여 일만 창검으로써 《긔∥ᄌᆞ긔》을 지르는 듯ᄒᆞ니, ᄌᆞᆫ닌춤졀(殘忍慘切)ᄒᆞ미 ᄉᆞᄉᆞ로 님의치 못ᄒᆞ여, 죄업순 쳐ᄌᆞ(妻子)을 긴 명을 맛치니, 미ᄉᆞ지전(未死之前)의 익기 어려올 ᄇᆡ로ᄃᆡ, 진시의 상뫼 결단코 향슈다복(享壽多福)[565]할 긔상(氣相)이라. 일시 엄홀ᄒᆞ여시나 아조 쥭든 아냣는가 미드미 잇셔, 소져의 유랑 시녀을 불너 왈,

"네 쥬인니 ᄉᆡ로 ᄭᆡ지 못ᄒᆞ여 아조 쥭어거든 회[효]신의 진부로 도라가라."

유랑 시아 등니[이] 먼이[멀리]셔 어ᄉᆞ의 집장ᄒᆞ여 소져의 혈육니[이] 상ᄒᆞ믈 보ᄆᆡ,

563)아엿ᄒᆞ다 : 어엿하다. ①행동이 거리낌 없이 아주 당당하고 떳떳하다. ②분명하다.
564)통졀비상(痛切悲傷) : 뼈에 사무치도록 슬픔.
565)향슈다복(享壽多福) : 오래 살아 많은 복을 누림.

ᄒᆞ더니, 쇼졔 아조 운명ᄒᆞ믈 닐너 진부로 도라가라 ᄒᆞ믈 듯고, 망극 통원(痛寃)ᄒᆞ여 쳬읍 슈명ᄒᆞ고, 일시의 쇼져를 붓드러 ᄎᆡ영각의 도라가니, 어ᄉᆡ 참졀비통ᄒᆞ나 안ᄉᆡᆨ을 강인ᄒᆞ여 태부인 취침ᄒᆞ시믈 쳥ᄒᆞ고, 밧그로 나가니, 뉴녜 경ᄋᆞ를 도라보고, 쇼왈,

"광텬의 셰ᄎᆞ고 구드미 쳔금미쳐(千金美妻)를 졔 손으로 두다려 졀명ᄒᆞ믈 보ᄃᆡ, 존고를 원망치 아니므로ᄡᅧ, ᄉᆞᄉᆡᆨ이 태연ᄌᆞ약(泰然自若)ᄒᆞ여 비【10】쳑ᄒᆞᄂᆞᆫ ᄇᆡ 업ᄉᆞ니, 이런ᄒᆞ믈 볼 젹마다 나의 근심이 더욱 깁흐믄, 가바야이 ᄒᆡ키 어려오미라. 그 녁냥(力量)이 창ᄒᆡ(蒼海) ᄀᆞᆺ고, ᄇᆡᆨᄉᆡ(百事) 신능ᄒᆞ여 사름의 밋출 ᄇᆡ 아니니, 조시와 슉슉의 ᄉᆡᆼᄒᆞᆫ ᄇᆡ ᄒᆞ나토 용상(庸常)치 아니니, 가히 통한치 아니랴."

경ᄋᆡ ᄯᅩᄒᆞᆫ 어ᄉᆞ의 어려오믈 일ᄏᆞᆺ고, 태흉이 뉴녀다려, 왈,

"하·댱 이녜 쳐음 진녀의 죄를 뭇지 아냐 일일히 니르고, 앗가는 그리 ᄢᅦ치믄 엇지오? 가히 요악지 아니랴?"

뉴녜 웃고, 셰월 비영으로 하·댱의 얼골이 되여 혼동ᄒᆞ믈 고ᄒᆞ니, 위뇌 칭찬 왈,

"현부의 신긔묘ᄎᆡᆨ이 진유ᄌᆞ(陳孺子)713)의 우히라. 엇디 광텬의 형뎨와 뎡·하·댱【11】 삼녀를 업시치 못ᄒᆞᆯ가 근심ᄒᆞ리오."

ᄒᆞ더라.

뉴녜 야심ᄒᆞ므로ᄡᅧ 경ᄋᆞ로 더브러 각각 침소로 도라가고, 태흉도 취침ᄒᆞ니라.

어ᄉᆡ ᄇᆡᆨ화헌의 나오니, ᄃᆡᆨ시 바야흐로 막힌 거시 ᄊᆡ엿거늘, 어ᄉᆡ 집슈 왈,

"젹상(積傷)ᄒᆞᆫ 병이 깁거늘, ᄇᆞ졀업시 촉범ᄒᆞ여 ᄎᆡᆨ벌(責罰)을 밧ᄌᆞ오니, 엇디 혈육이 상ᄒᆞ믈 ᄉᆡᆼ각지 아닛ᄂᆞ뇨?"

ᄃᆡᆨ시 밧비 니러 안ᄌᆞ 므러 왈,

"진쉬 아딕 보젼ᄒᆞ시니잇가?"

713)진유ᄌᆞ(陳孺子) : 진평(陳平). 중국 한(漢)나라 때 정치가. 한 고조 유방(劉邦)를 도와 여섯 번이나 기발한 꾀를 내, 천하를 평정케 하였다.

심신니[이] ᄆᆡᄂᆞᆫ 듯 ᄒᆞ더니, 소져 아조 운명ᄒᆞ믈 일너 진부로 도라가라 ᄒᆞ믈 보고, 망극 원통(寃痛)ᄒᆞ미 각골ᄒᆞ여, 쳐[쳬]읍 슈명ᄒᆞ고 밧비 다라드러 소져을 붓드러 ᄎᆡ영각으로 도라가니, 어ᄉᆡ 안ᄉᆡᆨ을 강잉ᄒᆞ여 ᄐᆡ뇌 취침ᄒᆞ시믈 청ᄒᆞ고 밧그로 ᄂᆞ가니, 뉴녀 경ᄋᆞ을 도라보ᄋᆞ 소왈,

"광쳔의 셰차고 구드미 쳔금가인(千金佳人)을 져[졔] 손으로 두다려 졀명ᄒᆞ믈 보ᄃᆡ, 존고을 원망치 아니므로ᄡᅧ, ᄉᆞᄉᆡᆨ니 타연ᄌᆞ약(泰然自若)ᄒᆞ여 비쳑ᄒᆞᄂᆞᆫ ᄇᆡ 업ᄉᆞ니, ᄎᆞ고로 볼 젹ᄆᆞ다 ᄂᆞ의 근심니[이] 더옥 풀니기 어려온지라. 그 역냥(力量)이 창ᄒᆡ(蒼海) 갓고, ᄇᆡᆨᄉᆡ(百事) 신능ᄒᆞ여 ᄉᆞ람의 밋칠 ᄇᆡ 아니요, 조시와 슉슉의 ᄉᆡᆼᄒᆞᆫ ᄇᆡ ᄒᆞᄂᆞ토 용샹(庸常)치 아니니, 가히 통ᄒᆞᆫ치 아니랴."

경ᄋᆡ ᄯᅩᄒᆞᆫ 어ᄉᆞ의 어려오믈 일컷고, ᄐᆡ뇌 뉴녀다려 왈

"ᄒᆞ·장 니녀(二女) 처음 진녀의 죄을 뭇지 아냐 일일이 이르고, 앗가는 그리 ᄢᅦ치믄 엇지요[뇨]? 가히 요악지 아니라[랴]?"

뉴녀 웃고, 셔[셰]월 비영으로 ᄒᆞ·장의 얼골니[이] 되어 혼동ᄒᆞ믈 고ᄒᆞ니, ᄐᆡ뇌 칭찬 왈,

"현부의 신긔묘산(神技妙算)은 냥평(良平)566)의 우히라. 엇지 광쳔 곤겨[계](昆季)와 뎡·ᄒᆞ·장 ᄉᆞᆷ녀을 업시치 못할가 근심ᄒᆞ리요."

어ᄉᆡ ᄇᆡᆨ화원의 ᄂᆞ오니, 직시 ᄇᆞ야흐로 막힌 거시 ᄊᆡ여거날, 어ᄉᆡ 집수【10】 왈,

"네 적상(積傷)ᄒᆞᆫ 병니[이] 깁흔 ᄃᆡ, 부졀업시 촉범ᄒᆞ여 ᄎᆡᆨ벌(責罰)을 밧ᄌᆞ오니, 엇지 혈육이 ○[상]ᄒᆞ물 ᄭᆡ닷지 아닛ᄂᆞ요[뇨]?"

직시 밧비 이러 안ᄌᆞ 문 왈,

"진쉬 아직 보젼ᄒᆞ시닛가?"

566)냥평(良平) : 중국 한(漢)나라 때의 책사(策士) 장량(張良)과 진평(陳平)을 함께 이르는 말.

어식 탄왈,

“우형이 진시를 분산(分産)가지나 술오고져 ᄒᆞ여 말솜을 알외엿더니, 뜻을 일우든 못ᄒᆞ고 일장 분노를 도도아, 발검(拔劍) ᄌᆞ문(自刎)코져 ᄒᆞ시니, 가변이 이의 밋춘 후는 쳐ᄌᆞ를 어【12】이 앗기리오. 명녕을 슌슈(順受)ᄒᆞ여 진시를 앗가 쳘편으로 쳐 죽이고 나왓ᄂᆞ니, 그 죄명이 ᄋᆡᄆᆡᄒᆞ믄 빅옥무하(白玉無瑕)ᄒᆞ믈 모로지 아니ᄒᆞ나, 대뫼 ᄆᆡ양 뎡·진으로뼈 심녀를 만히 허비ᄒᆞ시니, 이졔 진시는 맛춧거니와, 뎡시를 마ᄌᆞ 죽이라 ᄒᆞ시면, 샤양치 아니코 박살ᄒᆞ여 대모의 뜻을 영합ᄒᆞ고, 내 또 셰샹을 하딕ᄒᆞ여 가변의 흉참ᄒᆞ믈 보지 말고져 ᄒᆞᄃᆡ, ᄎᆞ마 못ᄒᆞ믄 ᄌᆞ위를 져바리옵지 못ᄒᆞ미라. ᄌᆞ졍이 쳔만 비회를 관억ᄒᆞ샤, 여러 셰월의 한업ᄉᆞᆫ 곡경을 견ᄃᆡ시믄 우리 형뎨를 위ᄒᆞ시미어놀, 아등은 ᄌᆞ졍의 참졀ᄒᆞ신 졍ᄉᆞ를 도라보디 아니【13】코, 즈레 죽기를 구ᄒᆞ니, 블효 죄인이 될 쑨 아니라, 죠션 향화를 녕(領)ᄒᆞ리714) 업ᄉᆞ니, 일노뼈 목숨을 슷지 못ᄒᆞ나, 너와 내 ᄒᆞᆫ ᄎᆞ례 대변을 당ᄒᆞ여, 블효듕죄(不孝重罪)의 걸니믈 면치 못ᄒᆞ리라.”

딕식 문파의 면싁이 여토(如土)ᄒᆞ고 봉안의 쳥뉘(淸淚) 삼삼ᄒᆞ여 왈,

“아지 못게이다, 슈쉬(嫂嫂) 진실노 운명ᄒᆞ신가. 쇼뎨 슈슈의 ᄆᆡᆨ후를 술피미 비록 미안ᄒᆞ오나, 급화지시(急禍之時)의 권되(權道) 업지 못ᄒᆞ리니, ᄒᆞᆫ번 보미 엇더ᄒᆞ니잇고?”

어식 왈,

“진시의 ᄉᆡᆼᄉᆞ를 다시 의논치 말고, 일향(一向) 시신이라 칭ᄒᆞ여, 밧비 진가로 보ᄂᆡ라.”

딕식 형댱의 뜻을 알고, 취영각의 니르니, 여러 시녜 좌【14】우의셔 쳬읍ᄒᆞ고, 쇼져의 시신을 나금(羅衾)으로 덥허 상샹(床上)의 바려시니, 딕식 시ᄋᆞ로 촉을 젼후의 잡히고 상하의 ᄉᆞ러 슈슈의 ᄆᆡᆨ후를 술피니, 비록 엄홀ᄒᆞ여 인ᄉᆞ를 모르고 만신이 어름

714)녕(領)ᄒᆞ다 : 제사 따위를 이어 받아 모시다.

어식 탄왈,

“우형니[이] 진시을 분ᄉᆞᆫ(分産) 가지나 살오고져 ᄒᆞ여 말솜을 알외엿더니, 뜻즐 일우든 못ᄒᆞ고 여ᄎᆞ여ᄎᆞ ᄒᆞ엿ᄂᆞ니, 그 죄명니[이] 빅옥무ᄒᆞ(白玉無瑕)ᄒᆞ믈 모로지 아니나, ᄃᆡ뫼 ᄆᆡ냥[양](每樣) 졍·진 등으로셔 심녀을 허비ᄒᆞ시니, 이져[제] 진시는 맛ᄎᆞ거니와, 뎡시을 ᄆᆞᄌᆞ 쥭이라 ᄒᆞ시면 ᄉᆞ양치 안니코 박쌀ᄒᆞ여, ᄃᆡ모의 뜻즐 영합ᄒᆞ고, ᄂᆡ 또 셔[세]상을 ᄒᆞ직ᄒᆞ여 가변의 흉참ᄒᆞ믈 보지 말고져 ᄒᆞᄃᆡ, ᄎᆞ마 못ᄒᆞ믄 ᄌᆞ위을 져ᄇᆞ리지 못ᄒᆞ미라. ᄌᆞ위 쳔만 비회을 관억ᄒᆞᄉᆞ, 여러 셔[세]월의 ᄒᆞᆫ 업ᄉᆞᆫ 곡경을 견ᄃᆡ시믄 우리 형뎌[데]을 위ᄒᆞ시미여날, 아등은 ᄌᆞ졍의 참졀ᄒᆞ신 졍ᄉᆞ을 도라보지 아니코 즈려[레] 쥭기을 구ᄒᆞ니, 불효 죄인이 될 분 아냐, 조션향황[화](祖先香花)을 《영ᄒᆞ니‖영(領)ᄒᆞᆯ567) 이》 업ᄉᆞ니, 일노써 목슘을 끈치 못ᄒᆞ나, 우리 ᄒᆞᆫ ᄎᆞ려[례] ᄃᆡ변을 당ᄒᆞ여 불효즁죄(不孝重罪)의 걸니믈 면치 못ᄒᆞ리라.”

직식 문파의 면싁니[이] 여토(如土)ᄒᆞ고 봉안의 청뉘(淸淚) 삼삼ᄒᆞ여 왈,

“아지 못겨[게]라. 존쉬(尊嫂) 진실노 운명ᄒᆞ신가, 소져[제] 슈슈(嫂嫂)의 ᄆᆡᆨ후 살피미 미안ᄒᆞ나, 급화지시(急禍之時)의 권되(權道) 업지 못ᄒᆞ리이[니], ᄒᆞᆫ번 보미 엇더ᄒᆞ리잇고?”

어식 왈,

“진시의 ᄉᆡᆼᄉᆞ는 다시 의논치 말고, 일냥[양](一樣) 시신으로 칭ᄒᆞ여 밧비 진가로 보ᄂᆡ라.”

직식 형의 《쓰질‖뜻을》 스치고 ᄎᆔ영각의 이르니, 여러 시녀 좌우의 버려[러]568) 쳐[체]읍ᄒᆞ고, 소져의 시신을 나숨(羅衫)으로 가려 상상(床上)의 ᄇᆞ려시니, 직식 시아로 쵹을 젼후의 잡히고 상ᄒᆞ의 ᄉᆞ러 슈슈의

567)녕(領)ᄒᆞ다 : 제사 따위를 이어 받아 모시다.
568)벌다 : 벌여 있다. 늘어서다.

ᄀᆞᆺᄐᆞ나, 아조 졀명치 아닌 줄 알오ᄃᆡ, 셰월 비영이 겻틔 이시므로, 짐즛 즉시 나와 니르ᄃᆡ,

"슈슈의 ᄆᆡᆨ후를 보니 운명ᄒᆞ션 지 오란지라, 여등이 엇디 슈족(手足)을 거두지 아닛ᄂᆞ뇨?"

진쇼져의 유랑 시ᄋᆡ 이 말을 듯고 아조 바랄 거시 업ᄉᆞ믈 망극ᄒᆞ여, 가슴을 두다리며 일시의 통곡ᄒᆞᆫᄃᆡ, ᄃᆡᆨᄉᆡ 울기를 엄금ᄒᆞ고 외헌의 나와 어ᄉᆞ를 보고 왈,

"슈슈의 ᄆᆡᆨ후【15】를 ᄉᆞᆯ피니 아조 운명ᄒᆞ신 ᄇᆡ 업고, ᄒᆞ믈며 복녹(福祿))완젼지상(完全之相)이 쳥년 원ᄉᆞ치 아니실디라. 이제 져 모양을 진부로 보ᄂᆡ면, 그 부형의 참연ᄒᆞ미 엇더ᄒᆞ리잇고? 출하리 진부로 보ᄂᆡ믈 고ᄒᆞ고, ᄀᆞ마니 강졍으로 뫼셔 가, 극진히 구호ᄒᆞ여 잠간 소셩ᄒᆞ신 후, 화산의 나아가 ᄌᆞ졍을 뫼시미 맛당ᄒᆞᆯ가 ᄒᆞᄂᆞ니다."

어ᄉᆞ 빈미 왈,

"현뎨의 말이 비록 뉴리(有利)ᄒᆞ나, 진시를 강졍의 두고 구구(區區)히 왕ᄂᆡᄒᆞ여 태모를 긔망(欺罔)ᄒᆞ리오."

ᄃᆡᆨᄉᆡ 왈,

"만ᄉᆡ 텬애니, 인력으로 면ᄒᆞᆯ ᄇᆡ 아니라. 현마 엇디 ᄒᆞ리잇고? 셩인도 권도를 ᄡᅳ신 ᄇᆡ이시니, 형댱은 물우ᄒᆞ쇼셔."

어ᄉᆡ 왈,

"현뎨의 말이 그르【16】지 아니나, 대모와 슉모의 긔찰이 심상치 아니시니, 강졍의 가믈 어이 모로시리오."

ᄃᆡᆨᄉᆡ 왈,

"진쉬 의심업ᄉᆞᆫ 시신으로 아라 계시니, 다시 ᄉᆞᆯ필 니 업ᄉᆞ리니, ᄇᆞ졀업ᄉᆞᆫ 념녀를 마르시고 밧비 강졍으로 옴기쇼셔."

어ᄉᆡ 마지 못ᄒᆞ여 심복 노ᄌᆞ ᄉᆞ오인으로 츼여(輜輿)[715]를 ᄆᆡᆫᄃᆞ라, 진쇼져의 시신을 시러 강졍으로 옴길ᄉᆡ, 발셔 효괴(曉鼓) 동

715)츼여(輜輿) : 치여(輜輿). 상여(喪輿).

○…결락 60자…○

[ᄆᆡᆨ후를 ᄉᆞᆯ피니 비록 엄홀ᄒᆞ여 인ᄉᆞ를 모르고 만신이 어름 ᄀᆞᆺᄐᆞ나, 아조 졀명치 아닌 줄 알오ᄃᆡ, 셰월 비영이 겻틔 이시므로, 짐즛 즉시 나와 니르ᄃᆡ,

"슈슈의] ᄆᆡᆨ후을 보니 운명ᄒᆞ신지 오ᄅᆡᆫ지라. 여등은 엇지 수족을 가두지 아냐ᄂᆞ요[뇨]?"

소져의 시아 유랑니 ○[이] 말을 듯고 아조 ᄇᆞ랄 거시 업ᄉᆞ믈 망극ᄒᆞ녀[여] 가슴을 두다리며 일시의 통곡ᄒᆞᆫᄃᆡ 직ᄉᆡ【11】○○○[울기를] 엄금ᄒᆞ고 외헌의 ᄂᆞ와 어ᄉᆞ다려 왈,

"수수의 ᄆᆡᆨ후을 보니 아조 운명ᄒᆞ신 ᄇᆡ 업고, 복녹니[이] 완젼지상(完全之相)의 요ᄉᆞ(夭死)치 아니실지라. 이져[졔] 져 모냥(模樣)으로 진부로 가면, 그 부형의 참년ᄒᆞ미 엇더ᄒᆞ리잇고? 찰ᄒᆞ리 진부로 보ᄂᆡ믈 고ᄒᆞ고, 가마니 강졍으로 뫼셔 가, 극진 구호ᄒᆞ여 잠간 소셩ᄒᆞ신 후, 화산의 ᄂᆞ아가 ᄌᆞ졍을 뫼시미 맛당할가 ᄒᆞᄂᆞ니다."

어ᄉᆡ 빈미 왈,

"현져[졔]의 말니[이] 유리ᄒᆞ나, 진시을 강졍의 두고 구구(區區)히 왕ᄂᆡᄒᆞ여 ᄃᆡ모(大母)을 긔망ᄒᆞ리요."

직ᄉᆡ 왈,

"만ᄉᆡ 쳔야니, 셩닌[인]도 권도을 쓰신 ᄇᆡ니 형쟝은 물우ᄒᆞ소셔."

어ᄉᆡ 왈,

"연ᄒᆞ거니와 ᄃᆡ모와 슉모의 긔찰니[이] 심상치 아니시이[니] 강졍의 가물 어니[이] 모로리요."

직ᄉᆡ 왈

"수수 쥭음이 의심 업ᄉᆞᆫ 시신으로 아라 겨{계]시니, 다시 살피실 니 업살지라. 부졀업ᄉᆞᆫ 념녀을 마르시고 밧비 강졍으로 옴기소셔."

어ᄉᆡ ᄆᆞ지 못ᄒᆞ여 심복 노ᄌᆞ ᄉᆞᆷ인으로 츼여(輜輿)[569]을 ᄆᆡᆫ드러, 진시의 시신을 시러

569)츼여(輜輿) : 치여(輜輿). 상여(喪輿).

ᄒᆞ거늘, 형뎨 관소(盥梳)ᄒᆞ고 ᄂᆡ헌의 드러가 태부인과 츄밀 부부긔 문안ᄒᆞ고, 진시의 시신을 진부로 도라보ᄂᆡ믈 고ᄒᆞ니, 츄밀이 대경 왈,

"진시 비록 죄괘 호대ᄒᆞ나, 그 부형을 청ᄒᆞ여 ᄇᆞᆰ○[히] 니르고 치죄ᄒᆞ려 ᄒᆞ더니, 엇디 발셔 《죽인신고‖죽이닛고》?. 일이 임【17】의 이에 밋쳐시니, 져 집이 반ᄃᆞ시 기녀의 죄악을 모르고 오가(吾家)를 원망ᄒᆞ미 젹지 아니리로다."

뉴녜 혀 ᄎᆞ고 니르ᄃᆡ,

"작야의 존괴 노긔 엄녈ᄒᆞ샤, 진시의 죄를 다ᄉᆞ리지 못ᄒᆞ시면 스ᄉᆞ로 셰샹은 니져 가변을 모로고쟈 ᄒᆞ시니, 쳡이 ᄯᅩᄒᆞᆫ 간ᄒᆞᆯ 말이 업셔 진시의 맛ᄎᆞ믈 목도ᄒᆞᄃᆡ, 능히 구치 못ᄒᆞ이다."

츄밀이 만심 블쾌ᄒᆞ나 ᄉᆞ이지ᄎᆞ(事已至此)ᄒᆞ니, 그 시신이나 ᄌᆞ긔 집의셔 념장코져 ᄒᆞ니, ᄃᆡᆨᄉᆡ 고왈,

"진슈의 죄괘 호대ᄒᆞ니, 진공이 비록 ᄉᆞ졍이 참연ᄒᆞ나 굿ᄐᆞ여 원망ᄒᆞᆯ ᄇᆡ 업ᄉᆞ리이다."

하니, 츄밀이 쥬견이 업ᄉᆞᆫ 사ᄅᆞᆷ이 되어, 몽농이 니르ᄃᆡ,

"나ᄂᆞᆫ ᄎᆞ마 진후를 ᄃᆡᄒᆞᆯ 낫치 업【18】ᄉᆞ니, 네 스ᄉᆞ로 진시의 죄를 니르고, 그 시신을 도라 보ᄂᆡ라."

어ᄉᆡ 슈명이퇴(受命而退)ᄒᆞ나 츄밀의 그릇되미 나날 더ᄒᆞ믈 블승ᄎᆞ악(不勝嗟愕)ᄒᆞ더라.

진쇼졔 엄홀ᄒᆞ여 계명이 되도록 ᄭᆡ지 못ᄒᆞ니, 셰월 비영이 분명 죽으므로 아라 위·뉴의게 고ᄒᆞ니, 어ᄉᆡ 다힝ᄒᆞ여 유랑 시녀로 ᄒᆞ여금 쇼져의 시신을 최여의 올니고, 노ᄌᆞ 등으로 메여 집 문을 나니, 시녀 양낭 등이 뒤흘 ᄯᆞᆯ와 일시의 방셩대곡(放聲大哭)ᄒᆞ여 비뤼쳔항(悲淚千行)이라. 노ᄌᆞ 등이 ○…결락17자…○[곡셩을 금ᄒᆞ고 강졍으로 향ᄒᆞ니, 시ᄋᆞ 등이] ᄀᆞᆯ오ᄃᆡ,

"어ᄉᆞ 상공이 쇼져의 시신을 취운산 본부로 뫼시라 ᄒᆞ여 계시거늘, 그ᄃᆡ 등이 엇디

강졍으로 옴길ᄉᆡ, 발셔 효괴(曉鼓) 동ᄒᆞ거날, 형져[졔] 관소(盥梳)ᄒᆞ고 ᄂᆡ헌의 드러가 ᄐᆡ모와 츄밀 부부겨[긔] 문안ᄒᆞ고, 진시의 시신을 진부로 도라보ᄂᆡ물 고ᄒᆞ니, 추밀니[이] ᄃᆡ경 왈,

"진시 비록 죄과 호ᄃᆡᄒᆞ나 그 부형을 청ᄒᆞ여 발[밝]히 이르고 치죄ᄒᆞ려 ᄒᆞ더니, 발셔 쥭이신가[고]? ᄉᆞ이지ᄎᆞ(事已至此)ᄒᆞ니 져집이 반다시 기녀의 죄악은 모로고 오가을 원망ᄒᆞ미 젹지 아니리로다."

뉴녀 혀ᄎᆞ 왈,

"ᄌᆞᆨ야의 존괴 노기 엄열ᄒᆞᄉᆞ 직시의 죄을 다ᄉᆞ리지 못ᄒᆞ시면 스ᄉᆞ로 셔[셰]상을 이셔[져] 가변을 모로고져 ᄒᆞ시니, 첩니[이] ᄯᅩ 고간(固諫)ᄒᆞᆯ 말이 업고, 진시 맛ᄎᆞ믈 목도ᄒᆞᄃᆡ 능히 구치 못ᄒᆞ니이다."

공니 만심 불쾌ᄒᆞᄂᆞ ᄉᆞ이지ᄎᆞᄒᆞ니, 그 시신이나 ᄌᆞ긔 집이셔 염장코져 ᄒᆞᆫᄃᆡ, 직ᄉᆡ 고왈,

"진시의 죄 호ᄃᆡᄒᆞ니 진공니[이] 비록 ᄉᆞ졍니[이] ᄎᆞᆷ년ᄒᆞ나 굿ᄒᆞ여 원망할 ᄇᆡ 업ᄉᆞ리이다."

츄밀니 쥬견 업ᄉᆞᆫ ᄉᆞ람니[이] 되어 몽농니[이] 이로ᄃᆡ,

"나ᄂᆞᆫ ᄎᆞ마 진후 ᄃᆡ할 낫치 업ᄉᆞ니 네 진시의 죄을 《일우고‖이르고》 그 시신을 도라【12】보ᄂᆡ라."

어ᄉᆡ 슈명이퇴(受命而退)ᄒᆞ나, 추밀니[이] 그릇 되미 나날 더ᄒᆞ믈 불승ᄎᆞ악(不勝嗟愕)ᄒᆞ더라.

진소져 엄홀ᄒᆞ여 겨[계]명(鷄鳴)니[이] 되도록 ᄭᆡ지 못ᄒᆞ니, 겨[셰]월 비영니[이] 분명 쥭그므로 아라 위·뉴의 고ᄒᆞ니, 어ᄉᆡ 다힝ᄒᆞ여 유랑 시아로 ᄒᆞ여금 소져의 시신을 최여의 올녀 노ᄌᆞ 등으로 며[메]워 집 문을 ᄂᆞ니, 시ᄋᆞ 등니[이] 뒤흘 ᄯᅡ라 일시의 방셩ᄃᆡ곡(放聲大哭)ᄒᆞ여 비뤼쳔항(悲淚千行)이라. 노ᄌᆞ 등니[이] 곡셩을 금ᄒᆞ고 강졍으로 향ᄒᆞ니, 시ᄋᆞ 등니[이] 이로ᄃᆡ,

"어ᄉᆞ 상공니[이] 소져 시신을 취운산 본부로 뫼시라 ᄒᆞ시거날, 엇지 ᄒᆞ여 ᄃᆞ른 ᄃᆡ

다른 ᄃᆡ로 가ᄂᆞ뇨?"

시뇌(侍奴) 왈,

"어ᄉᆞ 상공이 강졍(江亭)으【19】로 뫼시라 ᄒᆞ실 ᄲᅮᆫ 아니라, 그ᄃᆡ 등의 요란ᄒᆞ믈 금ᄒᆞ고 필경을 보라 ᄒᆞ시니, 아등의 소견인즉, 부인이 아딕 운명치 아니신가 ᄒᆞ노라."

유랑 시녀 등이 쳬읍 왈,

"쇼졔 발셔 운명ᄒᆞ신 지 오란디라, 이졔 바랄 거시 업거ᄂᆞᆯ, 쥬군이 엇지 강졍으로 옴기라 ᄒᆞ신고, 아지 못ᄒᆞᆯ 일이로다."

이리 니르며 강졍으로 나오니, 어ᄉᆡ 발셔 강졍의 나와 방샤를 슈리ᄒᆞ고, 노복과 비ᄌᆞ를 당부ᄒᆞ여 진시의 나오믈 블츌구외(不出口外)ᄒᆞ라 ᄒᆞ고, 쇼져의 시신을 친히 붓드러 방듕의 누이고 약을 년ᄒᆞ여 입의 드리오니, 이윽ᄒᆞᆫ 후, 쇼졔 숨을 두로고 일신의【20】 온긔 풍화(豊和)ᄒᆞᆫ지라.

어ᄉᆡ 혹ᄌᆞ ᄉᆞᆯ오지 못ᄒᆞᆯ가 참연ᄒᆞᆫ 회푀 심두(心頭)의 밍얼(萌蘖)ᄒᆞ더니[716], 믄득 ᄉᆡᆼ도(生道)의 니르믈 블승희열ᄒᆞ여, 유랑으로 ᄒᆞ여금 손으로 부인 복부를 어로만져 ᄐᆡ휘(胎候) 안온ᄒᆞᆫ가 보라 ᄒᆞ니, 유랑이 오라도록 쇼져의 복부를 어로만지다가, ᄐᆡ휘 평안ᄒᆞ믈 고ᄒᆞ니 어ᄉᆡ 힝심ᄒᆞ고, 시녀 등의 환희ᄒᆞ미 하ᄂᆞᆯ의 오를 ᄃᆞᆺᄒᆞᄃᆡ, 쇼졔 다만 혼혼(昏昏)ᄒᆞ여 인ᄉᆞ를 출히지 못ᄒᆞ고, 좌우의 사ᄅᆞᆷ이 잇ᄉᆞ며 업ᄉᆞ믈 모로ᄂᆞᆫ디라. 어ᄉᆡ 반일을 겻ᄐᆡ셔 구호ᄒᆞ여 정셩이 아니 밋촌 곳이 업ᄉᆞ며, 의슐이 신긔ᄒᆞ여 고황(膏肓)의 깁히 든 질양【21】이라도 곳칠 빅어ᄂᆞᆯ, 텬신이 다 ᄒᆞᆫ가지로 진쇼져의 셩심슉덕(聖心淑德)을 ᄉᆞᆯ펴, 복녹을 댱원케 ᄒᆞ시니, 위·뉘 엇디 감히 죽게 ᄒᆞ리오.

어ᄉᆡ 날이 져모도록 잇지 못ᄒᆞ여 옥누항으로 도라올ᄉᆡ, 유랑 시녀를 당부ᄒᆞ여 일시도 ᄯᅥ나지 말고 지삼 구호ᄒᆞ믈 니르고, 본부의 도라오ᄆᆡ, ᄎᆞ일 맛초아 뎡병부와 진태우 등이 윤부의 니르러 바로 별원 문을 지

716)밍얼(萌蘖)ᄒᆞ다 : 맹얼(萌蘖)하다. 싹트다. 어떤 생각이나 일이 일어나기 시작하다.

로 가ᄂᆞᆫ요?

시뇌(侍奴) 왈,

"어ᄉᆞ 상공이 강졍(江亭)으로 뫼시라 할 분 아냐, 그ᄃᆡ니 요란ᄒᆞ믈 금ᄒᆞ고 필경을 보라 ᄒᆞ시니, 아등의 소견인 즉 부닌[인]의[이] 아직 운명치 아니신가 ᄒᆞ노라."

유랑 시녀 등니[이] ○[왈],

"소져 발셔 운명ᄒᆞ신지 오ᄅᆡᆫ지라. 이져[제] ᄇᆞ랄 거시 업거날 《죽그 이‖죽은 이》을 엇지 {엇지} 강졍으로 옴기라 ᄒᆞ신고, 아지 못ᄒᆞ리로다."

이리 니르며 강졍으로 ᄂᆞ오니, 어ᄉᆡ 발셔 강졍의 ᄂᆞ아와 방ᄉᆞ을 슈리ᄒᆞ고, 비복을 당부ᄒᆞ여 진시의 나오믈 불츌구외(不出口外)ᄒᆞ라 ᄒᆞ고, 소져의 시신을 친히 붓드러 방즁의 누이고, 약을 년ᄒᆞ여 입의 드리오니 이윽ᄒᆞᆫ 후, 소져 숨을 두루고 일신의 온긔 훈화(薰化)ᄒᆞᆫ지라.

어ᄉᆡ 혹ᄌᆞ 살오지 못할가 참연ᄒᆞᆫ 회포 심두의 《밍열‖맹얼(萌蘖)[570]》ᄒᆞ더니, 문득 ᄉᆡᆼ도(生道)의 이르믈 불승희열ᄒᆞ여, 유랑으로 부닌[인] 복부을 만져 ᄐᆡ휘(胎候) 안온ᄒᆞᆫ가 보라 ᄒᆞ니, 유랑니[이] 오ᄅᆡ도록 소져의 복부을 만지다가, ᄐᆡ휘 평안ᄒᆞ물 고ᄒᆞ니, 어ᄉᆞ 힝심ᄒᆞ고, 시ᄋᆞ 등의 향[환]희 ᄒᆞ미 등쳔(登天)ᄒᆞᆯ 듯ᄒᆞᄃᆡ, 소져 다만 혼혼(昏昏)ᄒᆞ여 인ᄉᆞ을 ᄎᆞ리지 못ᄒᆞ고, 좌우의 ᄉᆞ람 유무을 모로{니}ᄂᆞᆫ지라. 어ᄉᆡ 반일을 겻ᄐᆡ셔 구호ᄒᆞ여 정셩니[이] 아니 밋츤 고시 업ᄉᆞ{오}며, ○○○○○○○[의슐이 신긔ᄒᆞ여] 고황(膏肓)의 깁히 든 질양이라도 곳칠 빅여날, 천신니[이] 《함‖ᄒᆞᆫ》가지로【13】 진시의 셩심슉덕을 살펴 복녹을 장원켜[케]ᄒᆞ니, 위·뉴 엇지 ᄌᆞᆼ구(長久)ᄒᆞ리요.

어ᄉᆡ 종일 잇지 못ᄒᆞ여 유랑 시아을 분부ᄒᆞ여 일시도 ᄯᅥᄂᆞ지 말고 조심 보호ᄒᆞ믈 직숨 이르고, 본부의 도라오니, 잇ᄯᅴ 마참 뎡부마와 진ᄐᆡ우 등니[이] 윤부의 이르러 ᄇᆞ로 별원 문을 지나 년원졍의 나아간 즉, 옥

570)밍얼(萌蘖) : 맹얼(萌蘖). 싹이 틈. 어떤 생각이나 일이 일어나기 시작함.

나 년원경의 나아간즉, 옥듕이 황연이 븨여 뎡·진 이쇼져와 시녀 등의 그림ᄌᆞ도 업ᄉᆞ니, 뎡부매 대경ᄒᆞ여 진태우를 도라보아 왈,

"작일 쇼뎨 신긔 블안【22】ᄒᆞ여 이곳의 오지 못ᄒᆞ엿더니, 그 ᄉᆞ이 냥ᄆᆡ 옥듕을 븨오고 다른 곳으로 올마시니, 이 반ᄃᆞ시 됴흔 일이 아니오, 블측흔 화를 만나미니, 엇디 념녀롭지 아니리오."

진태우 등이 병부ᄀᆞᆺ치 윤부의 ᄌᆞ로 왕ᄂᆡ치 못ᄒᆞ믄, 위·뉴를 괴로이 넉여 스ᄉᆞ로 ᄉᆞ경을 존절(撙節)ᄒᆞ엿더니[717], 이제 년원경을 마ᄌᆞ 올마 간 바를 아디 못ᄒᆞ니, 그 ᄉᆞ싱을 미가복(未可卜)[718]이라, 놀납고 ᄎᆞ악ᄒᆞ믈 니긔지 못ᄒᆞ여, 눈물을 먹음어 왈,

"챵빅은 죵ᄆᆡ를 ᄌᆞ로 와 보거니와, 아등은 비편ᄒᆞ여 쇼ᄆᆡ를 ᄌᆞ로 와 보지 못ᄒᆞ고, 금일은 쳔만 구ᄎᆞ를 참【23】고 와 보고져 ᄒᆞ엿더니, 옥듕이 황연이 븨여시니, 죄루(罪累)를 신셜ᄒᆞ고 각각 침소로 도라가미 아니오, 큰 곡졀이 이시미라. 아모커나 ᄉᆞ원 형뎨를 보고, 쇼ᄆᆡ 등의 거쳐를 므르리라."

언파의 병부와 졔진이 일시의 빅화헌의 니르니, 어ᄉᆡ 바야흐로 강경의셔 갓도라와 ᄂᆡ당의 드러가지 못ᄒᆞ엿는디라. 병부와 졔진이 당의 올나 한훤파의 병뷔 문왈,

"금일 년원경의 가 쇼ᄆᆡ 등을 보고져 ᄒᆞ엿더니, ᄉᆡᆼ각지 아닌 냥ᄆᆡ 그림ᄌᆞ도 업ᄉᆞ니, 그 엇진 일고?"

어ᄉᆡ 비록 언변이 유여ᄒᆞ나, ᄌᆞ가 집 변고를 참괴ᄒᆞ여【24】 유유 답왈,

"실인 등이 다 만삭지듕(滿朔之中)이라 누옥닝디(陋獄冷地)의 오ᄅᆡ 두어 분산치 못홀 거시므로, 존당이 허ᄒᆞ샤 각각 ᄉᆞ실의 잇고져 ᄒᆞ시ᄃᆡ, 실인 등이 죄명을 신빅지 못ᄒᆞ여시므로, 념의(廉義)[719]예 안안치 못ᄒᆞ여, 녕ᄆᆡ는 벽화당의 옴기고, 진시는 피우

---

717)존절(撙節)ᄒᆞ다 : 존절(撙節)하다. 알맞게 절제하다.

718)미가복(未可卜) : '점칠 수도 없다' 는 말로, 어떤 일을 알 수 없거나, 짐작할 수조차도 없음을 나타낸 말.

719)념의(廉義) : 염치와 의리를 아울러 이르는 말.

중니[이] 황연니[이] 비여, 뎡·진 니소져(二小姐)와 시녀 등의 그림ᄌᆞ도 업ᄉᆞ니, 부ᄆᆡ ᄃᆡ경ᄒᆞ여 진ᄐᆡ우다려 왈,

"즉일 소져[제] 신긔 불안ᄒᆞ여 이곳의 오지 못ᄒᆞ엿드니, ᄎᆞ일니[의] 양ᄆᆡ{을} 옥즁을 븨우고 다른 곳으로 올마시니, 이 필연 조흔 일니 아니요, 불측흔 환을 만ᄂᆞ시니 엇지 념녀롭지 아니리요."

진ᄐᆡ우 등니[이] 부마 갓치 윤부의 ᄌᆞ로 왕ᄂᆡ치 못ᄒᆞ믄, 위·뉴을 괴로니[이] 역여 스ᄉᆞ로 졍을 존졀(撙節)ᄒᆞ엿더니[571], 니져[이제] 이곳을 올마 간 바을 아지 못ᄒᆞ니, 그 ᄉᆞ싱을 미가분(未可分)[572]니[이]라. 불승 경아ᄒᆞ여 누수(淚水)을 먹금어 왈

"창빅은 뎡ᄆᆡ을 ᄌᆞ로 와 보거니와, 아등은 비편ᄒᆞ녀[여] 소ᄆᆡ을 ᄌᆞ로 찻지 못ᄒᆞ고, 금일은 천만 구ᄎᆞ을 춤고 왓드니, 옥즁니[이] 비여시니 죄루을 신셜ᄒᆞ고 각각 침소로 도라가미 아니요, 곡졀이 이시미라. ᄋᆞ모커ᄂᆞ ᄉᆞ원 형뎌[제]을 보고 소ᄆᆡ 등의 거쳐을 무르리라."

언파의 일시의 빅화원의 이르니, 어ᄉᆞ 비로소 강경의셔 갓 도라와 ᄂᆡ당의 드러가지 못ᄒᆞ엿는지라. 져[제]인니[이] 승당 흔훤파의 부ᄆᆡ 문왈,

"금일 연원경 중의 가 소ᄆᆡ 등을 보고져 ᄒᆞ엿더니, ᄉᆡᆼ각 아닌 양ᄋᆡ[ᄆᆡ](兩妹) 그림ᄌᆞ○[도] 업ᄉᆞ니, 그 엇진 일고?"

어ᄉᆡ 비록 언변니 유여ᄒᆞ나, ᄌᆞ긔 집 변괴을 참괴ᄒᆞ여 유유 답왈,

"《시닌‖실인(室人)》 등니[이] 다 만삭지즁(滿朔之中)이라. 누옥닝지(陋獄冷地)의 오ᄅᆡ 두어 분순치 못할 거시므로, 염우(廉隅)[573]의 안안치 못ᄒᆞ여 졍ᄆᆡ는 벽화당이란 곳으로 오[옴]고, ○…결락 16자…○[진시

---

571)존졀(撙節)ᄒᆞ다 : 존절(撙節)하다. 알맞게 절제하다.

572)미가분(未可分) : '나눌 수 없다' 는 말로, 어떤 일을 알 수 없거나, 짐작할 수도 없음을 나타낸 말.

573)염우(廉隅) : ≒염치(廉恥). 체면을 차릴 줄 알며 부끄러움을 아는 마음.

로 금됴의 강졍으로 가니라."

병뷔 윤부의 ᄌᆞ로 왕ᄂᆡᄒᆞ나 벽화졍이란 곳을 모로고, 어ᄉᆞ의 긔ᄉᆡᆨ이 ᄌᆞ못 블쾌ᄒᆞ믈 보고, 됴심경안광(照心鏡眼光)720)의 엇디 모로리오. 반ᄃᆞ시 큰 ᄉᆞ괴 이시믈 짐작고 거ᄌᆞᆺ 미쇼 왈,

"녕존당이 관인후덕을 드리오샤 쇼ᄆᆡ 등의 죄를 신○[셜](伸雪)【25】키 젼의 각각 침쳐의 잇기를 허ᄒᆞ시니, 져히 감은 각골ᄒᆞᆯ ᄇᆡ어니와, 임의 죽기를 허치 아닐진ᄃᆡ 아조 친경의 도라 보ᄂᆡ샤 더러온 ᄌᆞ최 쳥틱(淸宅)의 머므르지 아니시미 맛당ᄒᆞ니, ᄉᆞ원이 엇지 이런 말ᄉᆞᆷ을 고치 아닛ᄂᆞ뇨?"

어ᄉᆡ 미급답의 졔진이 몬져 니러나며 왈,

"아등은 급히 가 쇼ᄆᆡ를 보고져 ᄒᆞᄂᆞ니, ᄉᆞ원과 죵용히 담화치 못ᄒᆞ니, 후일 다시 오리라."

어ᄉᆡ 문득 빈미(嚬眉) 왈,

"녕ᄆᆡ 질양이 ᄉᆞᄉᆡᆼ을 뎡치 못ᄒᆞᆫ 거시로ᄃᆡ, 쇼뎨 밋ᄂᆞᆫ ᄇᆡ 그 상뫼 박복지 아니미라. 의치(醫治)를 힘뼈 ᄒᆞ여 회두(回頭)ᄒᆞ믈【26】 바라ᄂᆞ니, 형등은 아딕 녕ᄆᆡ를 운산으로 다려 가지 말나."

병뷔 왈,

"운산이 ᄉᆞ디(死地) 아니오, 강졍이 낙퇴(樂土) 아니라. 슉당 ᄂᆡ외 쇼ᄆᆡ를 닛지 못ᄒᆞ시미 신상의 질환을 닐위실지라. 이ᄯᅴ의 다려가 그 병을 구호ᄒᆞ고, 인ᄒᆞ여 운산의셔 골육을 분산ᄒᆞ미 올흐니, 엇지 다려가지 말나 ᄒᆞᄂᆞ뇨?"

어ᄉᆡ 미쇼 왈,

"형의 말이 비록 올흐나, 녕ᄆᆡ 등의 거취ᄂᆞᆫ 쇼뎨의 손의 이시니, ᄉᆞᄉᆞ로 임의치 못ᄒᆞᆯ디라, 아딕 강졍의 머므르ᄂᆞᆫ 거시 ᄒᆡ롭지 아니니, 급히 다려가지 말나."

진태위 답왈,

720)됴심경안광(照心鏡眼光) : 상대방의 마음을 비추는 거울과 같은 눈빛.

ᄂᆞᆫ 피우로 금됴의 강졍으로 가니라.]"

어ᄉᆡ의 기ᄉᆡᆨ니[이] ᄌᆞ못 불쾌ᄒᆞ믈 보고 부마의 조심경안광(照心鏡眼光)574)의 엇지 모로리요. 피련(必然) 큰 ᄉᆞ괴 이시믈 짐작고 거짓 미소 왈,

"{너의 희한}【14】 녕존당니[이] 관닌후덕(寬仁厚德)을 드리오ᄉᆞ, 소ᄆᆡ 등의 죄을 신셜(伸雪) 젼의 각각 침소의 잇시물 허ᄒᆞ시이[니], 져히 감은각골할 ᄇᆡ여이[니]와, 림의 쥭긔을 허치 아일[닐]진ᄃᆡ 아조 친경의 도라보ᄂᆡᄉᆞ 더러온 ᄌᆞ최○[을] 쳥틱○[의] 머무르○○○[지 아니]시미 맛당ᄒᆞ니, ᄉᆞ원니[이] 엇지 그런 말ᄉᆞᆷ○[을] 고치 아닛ᄂᆞ요[뇨]?"

어ᄉᆞ 미급답《왈‖의》 져[졔]진니[이] 몬져 이러ᄂᆞ며 왈,

"ᄋᆞ등은 급히 가 소ᄆᆡ을 보고져 ᄒᆞᄂᆞ니 ᄉᆞ원과 조용니 담화치 못ᄒᆞ니 후일 다시 오리라."

어ᄉᆡ 빈미(嚬眉) 왈,

"영ᄆᆡ 질양이 ᄉᆞᄉᆡᆼ을 미가분(未可分)이로ᄃᆡ, 다만 밋ᄂᆞᆫ ᄇᆡ 그 상뫼 박복(薄福)지 아니미라. 의치(醫治)을 힘ᄲᅧ ᄒᆞ여 회ᄎᆞ(回差)을 ᄇᆞ라ᄂᆞ니, 형등은 아직 영ᄆᆡ을 운산으로 다려ᄀᆞ지 말나."

병뷔 왈,

"운ᄉᆞᆫ니 ᄉᆞ지(死地) 아니요, 강졍니[이] 낙퇴(樂土) 아니라. 슉당의 소ᄆᆡ을 잇지 못ᄒᆞ시미 신상 질환을 일위실지라. 잇ᄯᅴ의 ᄃᆞ려가 그 병을 구호ᄒᆞ고 인ᄒᆞ여 운ᄉᆞᆫ의셔 분ᄉᆞᆫᄒᆞ미 올흐니, 엇지 다려가지 말나 ᄒᆞᄂᆞᆫ요?

어ᄉᆡ 소왈,

"형언니[이] 올흐나 영ᄆᆡ 등의 거취ᄂᆞᆫ 소져[졔] 손의 이시니, ᄉᆞᄉᆞ로 임의치 못할지라. 아직 강졍의 머무르는 거시 ᄒᆡ롭지 아니니 급히 ᄃᆞ려가지 말나."

진ᄐᆡ위 답왈,

574)조심경안광(照心鏡眼光) : 상대방의 마음을 비추는 거울과 같은 눈빛.

"녀ᄌᆞ의 거취ᄂᆞᆫ 가부의게【27】 잇거니와, 강졍의 외로이 잇셔 병이 위듕ᄒᆞ니, 동긔지졍으로ᄡᅧ 다려다가 구호ᄒᆞ미 괴이치 아니니, ᄉᆞ원은 고집지 말나."

언파의 졔진이 다 강졍으로 가고, 병뷔 고요히 어ᄉᆞ를 ᄃᆡ하여 쇼ᄆᆡ 보기를 청ᄒᆞ니, 어ᄉᆡ 이윽이 잠잠ᄒᆞ여 말이 업다가, 냥구(良久) 후 탄왈,

"쇼뎨 집 변고ᄂᆞᆫ 가지록 이상ᄒᆞ여, 존당과 슉당이 실인(室人) 등의 누옥 간고(陋獄艱苦)를 측은ᄒᆞ샤, 각각 옛 당샤의 편히 머물기를 허ᄒᆞ여 계시거놀, 그 ᄉᆞ이 괴이ᄒᆞᆫ 일이 잇셔, 하・댱 이슈의 얼골을 비러 존당과 계부 면젼의 여ᄎᆞ여ᄎᆞ 녕ᄆᆡ 등의 죄악을 고ᄒᆞ니, 조뫼 진시【28】를 몬져 다ᄉᆞ려 젹실ᄒᆞᆫ 진가(眞假)를 힉실코져 ᄒᆞ시더니, 진시 문득 엄홀ᄒᆞ니 존당이 죽으므로 아르샤 진부로 보ᄂᆡ라 ᄒᆞ시니, 사뎨 의논이 여ᄎᆞ여ᄎᆞᄒᆞ여 진시를 강졍의 머므러, 병이 ᄎᆞ셩ᄒᆞᆫ 후 화산의 나이가 ᄌᆞ졍을 시봉케 ᄒᆞ믈 니르니, 그 말이 ᄯᅩᄒᆞᆫ ᄉᆞ리 온당ᄒᆞᆫ디라, 진시를 아직 구완치 못하고, 녕ᄆᆡᄂᆞᆫ 쳐쇠 존당 침젼 뒤히니, 드러 가미 비편ᄒᆞ여 금일은 못 보고 가리니, 타일 침소로 올믄 후 다시 와 보쇼셔."

병뷔 청파의 만심 ᄎᆞ악ᄒᆞ나, 진쇼졔 이곳을 버셔나믈 다힝ᄒᆞᄃᆡ, 슉녈 ᄆᆡ뎨의 ᄉᆞ싱이 아모리 될 줄 몰나【29】 츄연이 냥항뉘(兩行淚) ᄲᅥ러지믈 면치 못ᄒᆞ여, 어ᄉᆞ의 손을 ᄌᆞᆸ고, 댱탄 왈,

"ᄉᆞ원의 회푀ᄂᆞᆫ 듯지 아냐 알 ᄇᆡ오, 젼후 변ᄂᆞᆫ○[을] 드를 젹마다 한심ᄒᆞ여 ᄒᆞᄂᆞ니, 쇼ᄆᆡ 등의 명되 궁험ᄒᆞ여 사ᄅᆞᆷ의 견ᄃᆡ지 못ᄒᆞᆯ 경계를 만히 당ᄒᆞ나, 혹ᄌᆞ 하날이 ᄆᆡᄌᆞ 등의 셩힝 ᄉᆞ덕을 ᄉᆞᆯ피샤 누명을 신셜케 ᄒᆞ시면, 오히려 텬일을 보려니와, 블연즉 누셜 듕 죄인으로 맛출 ᄯᅡᄅᆞᆷ이라. 만ᄉᆡ 인력의 밋출 ᄇᆡ 아니니 현마 엇지 ᄒᆞ리오마ᄂᆞᆫ, 나의 견ᄃᆡ여 ᄎᆞᆷ지 못ᄒᆞᄂᆞᆫ 바ᄂᆞᆫ, 쇼ᄆᆡ 등의 옥이 ᄆᆞᆰ고 어름이 틔 업ᄉᆞᆫ 힝실노 ᄋᆡᄆᆡ히 환

"녀ᄌᆞ의 거취ᄂᆞᆫ 가부의겨[게] 잇거니와, 강졍의 외로니[이] 잇셔 병니[이] 위즁ᄒᆞ니, 동긔지졍으로ᄡᅧ ᄃᆞ려ᄃᆞ가 구호ᄒᆞ미 고이치 안니니, ᄉᆞ원은 고집지 말나."

언파의 져{졔}진이 강졍으로 가고, 뎡병뷔 고요히 어ᄉᆞ을 ᄃᆡᄒᆞ여 소ᄆᆡ 보믈 청ᄒᆞ니, 어ᄉᆡ 이윽히 잠잠ᄒᆞ여 말니[이] 업ᄃᆞ가, 양구(良久) 후 탄 왈,

"소져[졔] 집 변고ᄂᆞᆫ 가지록 이상ᄒᆞ여, 존당과 슉당이 졍 등의 누옥간고(陋獄艱苦)을 측은ᄒᆞᄉᆞ, 각각 옛 당의 편니[이] 머물기을 허ᄒᆞ여 겨시거날, ᄉᆞ이의 괴니[이]ᄒᆞᆫ 일니[이] 잇셔 ᄒᆞ・장{니} 이슈(二嫂)의 얼골을 비러 존당과 겨[계]부 조[존]젼의 여ᄎᆞ여ᄎᆞ 영ᄆᆡ 등의 죄악을 고ᄒᆞ니, 조뫼 진시을 몬져 ᄃᆞᄉᆞ려 적실ᄒᆞᆫ 진가(眞假)을 힉실코져 ᄒᆞ시더니,【15】진시 믄득 엄홀ᄒᆞᄆᆡ 존당니[이] 쥭그므로 아르ᄉᆞ 진부로 보ᄂᆡ라 ᄒᆞ시ᄆᆡ, ᄉᆞ져[졔] 의논니[이] 고니[이]ᄒᆞ여 진시을 강졍의 머무러, 병니[이] ᄎᆞ셩 후 화ᄉᆞᆫ의 ᄂᆞ아가 ᄌᆞ위을 시봉켜[케] ᄒᆞ믈 이르니, 그 말니[이] ᄯᅩᄒᆞᆫ ᄉᆞ리 온당ᄒᆞᆫ지라. 진시을 아직 구완치 못ᄒᆞ고, 영ᄆᆡᄂᆞᆫ 처쇠 존당 뒤 침젼히니 드러ᄀᆞ지[기] 비편ᄒᆞ여 금일은 못보고 가리니, 엿[옛] 침소로 올문 후 다시 와 보소셔."

부ᄆᆡ 청파의 만심 ᄎᆞ악ᄒᆞ나 진소져 이곳을 버셔ᄂᆞ물 다힝ᄒᆞᄃᆡ, 슉열의 ᄉᆞ싱니[이] 아모리 될 쥴 몰나 츄연슈루(惆然愁淚)ᄒᆞ여 어ᄉᆞ의 손을 잡고 장탄 왈,

"ᄉᆞ원의 회포 듯지 아냐 ○[아]는 ᄇᆡ요, 젼후 변고ᄂᆞᆫ 드를 젹ᄆᆞ다 ᄒᆞᆫ심ᄒᆞ여 ᄒᆞᄂᆞ니, 소ᄆᆡ 등의 명되 긔험ᄒᆞ여 ᄉᆞ람의 견ᄃᆡ지 못할 경겨[계]을 만니 당ᄒᆞ나, 혹ᄌᆞ ᄒᆞ날니[이] 소ᄆᆡ 등의 셩힝ᄉᆞ덕을 살피ᄉᆞ 누명을 신셜겨[긔] 하시면, 오히려 쳔일을 보려이[니]와, 불연즉 누셜 즁 죄인으로 맛찰 다[ᄯᅡ]름이나, 만ᄉᆡ(萬事) 비인력소되(非人力所到)[575]니 현마 엇지 ᄒᆞ리요마는, ᄂᆞ의 견

---

575)비인력소되(非人力所到) : 사람의 힘이 미칠 바

난을 만나믈 슬허ᄒᆞᄂᆞ니, 인지 범ᄉᆞ의 존【30】당 명을 슌슈ᄒᆞᄂᆞᆫ 거[게] 올커니와, 이려ᄒᆞᆫ ᄯᅢ 또ᄒᆞᆫ 권도(權道)[721]와 곡녜(曲禮)[722] 업지 아니리오. ᄉᆞ원이 남의 당부를 기다리지 아냐 족히 신능ᄒᆞᆫ 쳐변이 이시려니와, 쳐ᄌᆞ를 블관(不關)이 넉여 그 ᄉᆞ싱을 녀렴치 아닌 후ᄂᆞᆫ, 쇼ᄆᆡ 등이 슬길히 아득ᄒᆞᆫ디라. ᄉᆞ원은 모로미 직삼 ᄉᆡᆼ각ᄒᆞ여 인명의 듕대홈과 복듕의 골육이 온젼이 셰샹의 나게 ᄒᆞ라."

어시 츄연 샤례 왈,

"쇼데 굿ᄐᆞ여 한셜(閑說)을 아니커니와 엇디 무심ᄒᆞ리잇고?"

딕시 나갓다가 드러와 병부를 보고 슈삼일 보지 못ᄒᆞ믈 니르ᄆᆡ, 병뷔 ᄉᆡ로이 냥ᄆᆡ의 화란을 ᄎᆞ셕ᄒᆞᆫᄃᆡ, 딕시 탄식 왈,【31】

"인심이 블가측(不可測)이라 하·당이 엇지 냥슈를 힘ᄒᆞ미 이에 밋촌고? 쇼톄 한심ᄒᆞ믈 니긔지 못ᄒᆞᄂᆞ이다."

병뷔 줌쇼 왈,

"ᄉᆞ빈의 명달ᄒᆞ므로 엇지 하ᄆᆡ와 당부인을 모로ᄂᆞ뇨? 이ᄂᆞᆫ 간인이 흉계를 힝ᄒᆞ여 하ᄆᆡ로 ᄒᆞ여금 우리 집과 원슈를 ᄆᆡ쟈 결의지졍(結義之情)을 버히려 ᄒᆞ미나, 이 또ᄒᆞᆫ 하ᄆᆡ를 업시ᄒᆞ려 ᄒᆞᄂᆞᆫ 《밀미 ‖ 밀뫼(密謀)》라. ᄉᆞ빈이 엇지 모로ᄂᆞᆫ 쳬ᄒᆞ고 말이 여ᄎᆞᄒᆞ뇨?"

딕시 하·당의 ᄋᆡᄆᆡᄒᆞ믈 모로디 아니나, 짐즛 하·당의게 밀위여 조모와 양모의 허물을 ᄀᆞ리오고져 ᄒᆞ미러니, 병뷔의 말이 ᄌᆞ긔 집 변고를 보ᄂᆞᆫ ᄃᆞ시 니르니, 다시 홀 말이【32】 업셔 다만 탄왈,

"하·당의 블인무상(不仁無常)ᄒᆞ믄 슈시(嫂氏)의 ᄋᆡᆨ화(厄禍)를 응ᄒᆞ여 모히홀 당뉘라. 텬하의 밧고기 어려온 거ᄉᆞᆫ 사ᄅᆞᆷ의 외모 셩음이라. 하·당이 존당 면젼(面前)의셔 독약을 드리고 여ᄎᆞ여ᄎᆞ ᄒᆞ여시니, 일노좃

721)권도(權道) : 목적 달성을 위하여 그때그때의 형편에 따라 임기응변으로 일을 처리하는 방도.

722)곡네(曲禮) : 예식이나 행사의 몸가짐 따위에 대한 자세한 예절.

대녀[여] 춥지 못ᄒᆞᄂᆞᆫ ᄇᆡᄂᆞᆫ, 소ᄆᆡ 등의 빅옥무흔[ᄒᆞ](白玉無瑕)ᄒᆞᆫ 힝실노 ᄋᆡᄆᆡ니[이] 화란을 당ᄒᆞ물 슬히[허]ᄒᆞᄂᆞ니, 인지 범ᄉᆞ의 존당명을 슌슈ᄒᆞᄂᆞᆫ 기[거]시 올커니와, 또ᄒᆞᆫ 권되(權道)[576] 업지 아니리요. ᄉᆞ원니[이] 능여ᄒᆞᆫ 쳐변이 닛시려{려}이[니]와, 쳐ᄌᆞ을 불관니[이] 역여 그 ᄉᆞ싱을 념녀치 아닌 후ᄂᆞᆫ, 현ᄆᆡ 등니[이] 살길히 아득ᄒᆞᆫ지라. ᄉᆞ원은 모로미 직삼 ᄉᆡᆼ각ᄒᆞ여 《일명 ‖ 인명》의 즁ᄃᆡ함과 복

○… **결락(낙장) 419자** …○[듕의 골육이 온젼이 셰샹의 나게 ᄒᆞ라."

어시 츄연 샤례 왈,

"쇼데 굿ᄐᆞ여 한셜(閑說)을 아니커니와 엇디 무심ᄒᆞ리잇고?"

딕시 나갓다가 드러와 병부를 보고 슈삼일 보지 못ᄒᆞ믈 니르ᄆᆡ 병뷔 ᄉᆡ로이 냥ᄆᆡ의 화란을 ᄎᆞ셕ᄒᆞᆫᄃᆡ, 딕시 탄식 왈,

"인심이 블가측(不可測)이라 하·당이 엇지 냥슈를 힘ᄒᆞ미 이에 밋촌고? 쇼톄 한심ᄒᆞ믈 니긔지 못ᄒᆞᄂᆞ이다."

병뷔 줌쇼 왈,

"ᄉᆞ빈의 명달ᄒᆞ므로 엇지 하ᄆᆡ와 당부인을 모로ᄂᆞ뇨? 이ᄂᆞᆫ 간인이 흉계를 힝ᄒᆞ여 하ᄆᆡ로 ᄒᆞ여금 우리 집과 원슈를 ᄆᆡ쟈 결의지졍(結義之情)을 버히려 ᄒᆞ미나, 이 또ᄒᆞᆫ 하ᄆᆡ를 업시ᄒᆞ려 ᄒᆞᄂᆞᆫ 밀뫼(密謀)라. ᄉᆞ빈이 엇지 모로ᄂᆞᆫ 쳬ᄒᆞ고 말이 여ᄎᆞᄒᆞ뇨?"

딕시 하·당의 ᄋᆡᄆᆡᄒᆞ믈 모로디 아니나, 짐즛 하·당의게 밀위여 조모와 양모의 허물을 ᄀᆞ리오고져 ᄒᆞ미러니, 병뷔의 말이 ᄌᆞ긔 집 변고를 보ᄂᆞᆫ ᄃᆞ시 니르니, 다시 홀 말이 업셔 다만 탄왈,

"ᄒᆞ 당의 블인무상(不仁無常)ᄒᆞ믄 슈시(嫂氏)의 ᄋᆡᆨ화(厄禍)를 응ᄒᆞ여 모히홀 당뉘라. 텬하의 밧고기 어려온 거ᄉᆞᆫ 사ᄅᆞᆷ의 외모 셩음이라. 하·당이 존당 면젼의셔 독약을 드리고 여ᄎᆞ여ᄎᆞ ᄒᆞ여시니, 일노좃ᄎᆞ 냥슈(兩嫂)의 죄뤼 졈졈 더ᄒᆞ니, 쇼데 블힝이 괴이ᄒᆞᆫ 사ᄅᆞᆷ을 모화 동긔를 히ᄒᆞ니, 이 도시 쇼뎨의 블엄ᄒᆞ미라. ᄃᆡ인홀 낫치 업도소이다."

병뷔]

가 아님.

576)권도(權道) : 목적 달성을 위하여 그때그때의 형편에 따라 임기응변으로 일을 처리하는 방도.

ᄎᆞ 냥슈(兩嫂)의 죄뤼(罪累) 졈졈 더ᄒᆞ니, 쇼뎨 블힝이 괴이ᄒᆞᆫ 사ᄅᆞᆷ을 모화 동긔를 히ᄒᆞ니, 이 도시 쇼뎨의 블엄ᄒᆞ미라. ᄃᆡ인ᄒᆞᆯ 낫치 업도소이다.”

병뷔 ᄃᆡᆨᄉᆞ의 딘졍이 아니믈 디긔ᄒᆞ고 미쇼 왈,

“ᄉᆞ빈은 텬하의 밧고기 어려온 거ᄉᆞᆫ 사ᄅᆞᆷ의 젼형(典型)이라 ᄒᆞ거니와, 나ᄂᆞᆫ 발셔 괴이ᄒᆞᆫ 일과 요괴로온 거동을 만히 보아시니, 간졍을 모로리오. 당【33】부인의 픔졍(品定)[723]은 외인이 모로거니와, 하ᄆᆡᄂᆞᆫ 녀듕군ᄌᆞ(女中君子)오, 인듕셩현(人中聖賢)이라. ᄒᆞᆫ갓 금장(襟丈)으로 니르지 말고, 하류쳔비(下類賤婢)라도 허무ᄒᆞᆫ 일노 죄루를 지어 주지 아니리니, ᄉᆞ빈은 타일을 두고 보라. 간인이 ‘곳비 길면 드ᄃᆡ이ᄂᆞᆫ’[724] 환(患)이 쉬[725] 오리라.”

언파의 슉녈을 볼 길히 업고 하쇼져도 보기 어려워 ᄉᆞ매를 ᄯᅥᆯ쳐 도라가나, 참연ᄒᆞᆫ ᄉᆞᄉᆡᆨ을 ᄀᆞᆷ초지 못ᄒᆞ니, 어ᄉᆞ 형뎨 회픠 ᄌᆞ못 어ᄌᆞ럽고, 화변이 아모지경의 밋출 줄 몰나, 공구지심(恐懼之心)이 일시 방하치 못ᄒᆞ여, 오딕 셩효를 다ᄒᆞ여 태부인과 츄밀부부의 명녕을 슌슈ᄒᆞᆯ ᄯᆞᄅᆞᆷ이오, 진쇼져를 강졍의 두【34】어시믈 아조 숨기니, 가듕 샹히 알 니 업ᄂᆞᆫ지라.

태흥과 뉴녜 진시를 아조 ᄌᆞᆺ두다려 맛ᄎᆞᆫ 줄노 아라 대희ᄒᆞᄂᆞᆫ 듕, 하·당을 쳐음은 바른ᄃᆡ로 고ᄒᆞ고 나죵은 안면을 구애ᄒᆞ여 발명(發明)[726]ᄒᆞ므로ᄡᅧ 핑계ᄒᆞ여, 슈죄ᄒᆞ믈

723)픔졍(品定) : 품질이나 우열을 가려서 판정함.

724)곳비 길면 드ᄃᆡ인다 : 고삐가 길면 밟힌다. 나쁜 일을 아무리 남모르게 한다고 해도 오래 두고 여러 번 계속하면 결국에는 들키고 만다는 것을 비유적으로 이르는 말. ≒꼬리가 길면 밟힌다.

725)쉬 : ‘쉬이’의 준말. ①멀지 아니한 가까운 장래에. ②어렵거나 힘들지 아니하게.

726)발명(發明) : 죄나 잘못이 없음을 말하여 밝힘. 또는 그런 말.

직ᄉᆞ의 진졍이 아니물 지긔ᄒᆞ고 소왈,

“ᄉᆞ빈은 쳔ᄒᆞ의 밧고긔 어려온 거ᄉᆞᆫ ᄉᆞ람의 젼형(典型)이라 ᄒᆞ거날, ᄂᆞᄂᆞᆫ 발셔 고이ᄒᆞᆫ 일과 요괴로온 거동을 만히 보ᄋᆞ시니, 간졍을 모로리요. 장부닌 셩품은 외닌이 모로거니와 ○… 결락 47자 …○[하ᄆᆡᄂᆞᆫ 녀듕군ᄌᆞ(女中君子)오 인듕셩현(人中聖賢)이라. ᄒᆞᆫ갓 금장(襟丈)으로 니르지 말고, 하류쳔비(下類賤婢)라도 허무ᄒᆞᆫ 일노 죄루를 지어 주지 아니리니] ᄉᆞ빈○[은] 타일 두고 ○○[보라]. 필연 간당니[이] ‘곳비 길면 드ᄃᆡ니[이]ᄂᆞᆫ’[577] 펴[폐] 이시리니【16】, 장구히 무죄ᄒᆞᆫ ᄉᆞ람니[이] ᄆᆡ냥(每樣) 죄루 즁 이시리요.”

언파의 슉열을 볼 길니[이] 업고 ᄒᆞ소져도 보지 못ᄒᆞ니, ᄉᆞᄆᆡ을 ᄯᅥᆯ처 도라가ᄂᆞ, 참연ᄒᆞᆫ ᄉᆞᄉᆡᆨ니[을] 감초미 어려오니, 어ᄉᆞ 곤겨[계]의 무류ᄒᆞ믈 ᄉᆡᆼ각ᄒᆞ여 구지 ᄎᆞᆷ고 도라가니라. 어ᄉᆞ 형져[제] 회포 어즈럽고 화변니[이] 아모지경의 밋찰 즁 몰나, 공구지심(恐懼之心)니[이] 일시도 노치 못ᄒᆞ여, 오직 셩효을 다ᄒᆞ여 ᄐᆡ분닌[부인]과 츄밀부부의 명녕을 슌수할 ᄯᆞ름니[이]요, 진소져 강경의 두어시믈 아조 숨기어 가즁 상히 알니 업ᄂᆞᆫ지라.

위ᄐᆡ와 뉴녀 진소져을 장ᄒᆞ의 맛ᄎᆞ믈 환희 쾌락ᄒᆞᄂᆞᆫ 즁, ᄒᆞ·장을 슈죄ᄒᆞ여 못견ᄃᆡ도록 보치니, ᄒᆞ시ᄂᆞᆫ 어히 업셔 무언니요, 장시ᄂᆞᆫ 쥭기을 그음ᄒᆞ여 발명(發明)[578]ᄒᆞ니, 뉴녀 더옥 뮈니[이] 역여 밧비 서릇고져 쥬의을 졍ᄒᆞ고, 조르기와 보치기○[을]

577)곳비 길면 드ᄃᆡ인다 : 고삐가 길면 밟힌다. 나쁜 일을 아무리 남모르게 한다고 해도 오래 두고 여러 번 계속하면 결국에는 들키고 만다는 것을 비유적으로 이르는 말. ≒꼬리가 길면 밟힌다.

578)발명(發明) : 죄나 잘못이 없음을 말하여 밝힘. 또는 그런 말.

못견ᄃᆡ도록 ᄒᆞ니, 하시ᄂᆞᆫ 입이 ᄲᅧ ᄃᆡ답지 아니나, 댱시ᄂᆞᆫ 죽기를 그음ᄒᆞ여 발명ᄒᆞ니, 뉴네 더욱 ᄆᆡ이 넉여 밧비 셔릇고져 ᄒᆞ더라.

이ᄯᅢ 진태우 등이 강경의 나와 ᄆᆡᄌᆞ(妹者)를 보ᄆᆡ 일명이 ᄭᅳᆺ지 아녀시나, 형ᄉᆡᆨ이 위위(危危)ᄒᆞ고, 인ᄉᆞ를 출히지 못ᄒᆞ여 거거 등을 보나 반가온 줄 모로니, 진태우 등이 경악(驚愕) 비도(悲悼)ᄒᆞ믈 마지 아냐, 그 손을【35】 잡고 시녀다려 쇼져의 이ᄃᆡ도록 ᄒᆞᆫ 연고를 므르니, 시녀 등이 젼후 원상(寃傷)727)을 다 알외고져 ᄒᆞ나, 어ᄉᆞ와 쇼져를 두려 감히 바른ᄃᆡ로 고치 못ᄒᆞ고, 몽농이 ᄃᆡ답ᄒᆞᄃᆡ, 부인이 쳔금 약질노 누월 옥니의 간고를 니긔지 못ᄒᆞ여 병셰 위악ᄒᆞᆫ 듕, 작야 풍한의 촉상(觸傷)ᄒᆞ여 므득 엄홀ᄒᆞ시ᄆᆡ, 아조 별셰ᄒᆞ신 줄노 아라, 본부로 보ᄂᆡ라 ᄒᆞ던 줄 ᄃᆡ강 고ᄒᆞ니, 졔진이 다 쇼ᄆᆡ의 누월 옥니 고초를 참연ᄒᆞ여 슈루(垂淚)ᄒᆞ믈 면치 못ᄒᆞ고, 위태의 극악을 분완ᄒᆞ여, 한님 진경이 셔안을 쳐 왈,

“윤슈 밋친 거시 위태 흉인을 간치 못ᄒᆞ고 허다【36】 변괴를 닐위며, 슉녀 쳘부를 참화의 모라 너허 밧비 업시코져 ᄒᆞ니, 셰샹의 엇지 이런 궁흉ᄒᆞᆫ 직 이시리오. 아등이 ᄆᆡ뎨를 구호ᄒᆞ여 ᄉᆞ라나면 오히려 함구ᄒᆞ려니와, 만일 아ᄆᆡ를 구치 못ᄒᆞ면 츄밀노브터 위태728)란 것가지, ᄒᆞᆫ ᄎᆞ례 한을 프러 원슈를 갑고 말니라.”

진태위 ᄆᆡ뎨의 위악ᄒᆞ믈 보ᄆᆡ 참졀(慘切)ᄒᆞ믈 형상치 못ᄒᆞ나, 한님의 과격ᄒᆞᆫ 말을 듯고 뎡ᄉᆡᆨ 칙왈,

“윤츄밀은 대인의 친위시고, 태부인은 츄밀의 모부인이라, 우리 가바야이 즐욕지 못ᄒᆞ리니, 엇지 ᄉᆞ경이 참연홈과 일시 분을【37】 ᄎᆞᆷ지 못ᄒᆞ여 말을 삼가지 아닛ᄂᆞ

727)원상(寃傷) : 억울하게 죄를 씌워 사람을 해침.
728)위태 : '위태부인'을 달리 이른 말.

날노 더으더라.

어시의 진ᄐᆡ우 곤겨[계] 강경의 ᄂᆞ아와 ᄆᆡ져(妹弟)579)을 보니, 일명니[이] ᄭᅳᆫ지 아냐시나, 형ᄉᆡᆨ니[이] 위위(危危)ᄒᆞ고 인ᄉᆞ을 ᄎᆞ리지 못ᄒᆞ여 거거(哥哥) 등을 보나 반가온 쥴 모로니, ᄐᆡ우 등니[이] 경악(驚愕) 비도(悲悼)ᄒᆞ물 아[마]지 아냐, 손을 잡고 시여ᄃᆞ려 소져의 이ᄃᆡ도록ᄒᆞᆫ 년고을 무르니, 시녀 등니[이] 젼후 원상(寃傷)580)을 다 알외고져 ᄒᆞ나, 어ᄉᆞ와 소져로[를] ○○[두려] 감히 바른ᄃᆡ로 고치 못ᄒᆞ고, 몽농니[이] ᄃᆡ답ᄒᆞᄃᆡ, 부닌[인]이 쳔금약질노 누월 옥의 간고을 이기지 못ᄒᆞ여 병셔[셰] 위악ᄒᆞᆫ 즁, ᄌᆞᆨ야 풍ᄒᆞᆫ의 촉상(觸傷)ᄒᆞ여 므득 엄홀ᄒᆞ시니, 아조 별셔[셰]ᄒᆞ신 쥴노 아라 본부로 보ᄂᆡ라 ᄒᆞ던 즁[줄] ᄃᆡ강 고ᄒᆞ니, 져[졔]진니[이] 다 소ᄆᆡ의 누월 옥니고쵸을 ᄎᆞᆷ연(慘然) 수루(垂淚)ᄒᆞ믈 면치 못ᄒᆞ고, 위ᄐᆡ의 극악을 분완ᄒᆞ여, 한림 진경이 서안을 쳐 왈,

“윤슈 밋친 거시 위ᄐᆡ 흉닌[인]을 간치 못ᄒᆞ고【17】 허다 변괴을 일위여, 슉녀 쳘부을 참화의 모라너어 밧비 업시코져 ᄒᆞ니, 셔[셰]상의 엇지 이런 궁흉ᄒᆞᆫ 직 잇스리요. 아등니[이] ᄆᆡ져[졔]을 구호ᄒᆞ여 요힝 ᄉᆞ라ᄂᆞ면 오히려 함구ᄒᆞ려니와, 만일 아ᄆᆡ을 구치 못ᄒᆞ면 결단코 추밀노 붓터 위ᄐᆡ581)란 것ᄀᆞ지, ᄒᆞᆫ ᄎᆞ려[례] ᄒᆞᆫ을 푸러 원슈을 갑고 말니라.”

진ᄐᆡ위 ᄆᆡ져[졔]의 유[위]악ᄒᆞ믈 보ᄆᆡ 참졀(慘切)ᄒᆞ믈 형상치 못ᄒᆞ나, 한님의 과격ᄒᆞᆫ 말을 듯고 졍ᄉᆡᆨ 칙왈,

“윤츄밀은 ᄃᆡ닌[인]과 친위시고 ᄐᆡ부닌은 츄밀의 모부닌[인]이시라. 우리 가ᄇᆡ야이 즐욕치 못ᄒᆞ리니, 엇지 ᄉᆞ졍의 참연함과 일

579)ᄆᆡ져(妹弟) : ①누이동생. ②손아래 누이의 남편.
580)원상(寃傷) : 억울하게 죄를 씌워 사람을 해침.
581)위태 : '위태부인'을 달리 이른 말.

뇨? 다만 ᄆᆡᄌᆞ의 병셰 ᄉᆞᆯ기를 긔필치 못ᄒᆞ니, 동긔지졍의 통박(痛迫)ᄒᆞ믈 ᄎᆞᆷ지 못ᄒᆞ리로다."

졔진이 태우의 말을 올히 넉이고, 쇼져의 병셰 위ᄐᆡᆨᄒᆞ믈 념녀ᄒᆞ여 오라도록 겻ᄐᆡ 이시ᄃᆡ, 쇼졔 아모란 줄 모로니, 졔진이 소ᄅᆡ를 니어 쇼져를 브르며 약음(藥飮)을 년ᄒᆞ여 드리오더니, 이윽고 쇼졔 냥안을 ᄡᅥ 좌우를 ᄉᆞᆯ피다가 도로 ᄀᆞᆷ으며 기리 탄식ᄒᆞ니, 진태위 니르ᄃᆡ,

"현ᄆᆡᄂᆞᆫ 우형 등의 와시믈 아ᄂᆞᆫ다? ᄒᆞᆫ 소ᄅᆡ 반기믈 니르지 아니ᄒᆞ고 부모 존후를 뭇지 아닛ᄂᆞ뇨?"

쇼졔 졍신이 혼미【38】ᄒᆞᆫ ᄃᆞᆼ이나, 쳘편의 마ᄌᆞᆫ 곳이 앏프기를 모양치 못ᄒᆞ여, 위태의 모지리 낣쒸ᄂᆞᆫ729) 거동이 오히려 안져(眼底)의 버러, ᄌᆞ긔의 면ᄉᆞᄒᆞ믈 괴이히 넉이며, 강졍의 와시믈 아지 못ᄒᆞ여, 졔거거(諸哥哥)의 소ᄅᆡ를 드르나 ᄭᅮᆷ인가 의심ᄒᆞ여 눈을 드러보고, ᄆᆞᆫ득 눈물을 나리오니, 유랑이 ᄀᆞᆯ오ᄃᆡ,

"부인이 졍신을 슈습ᄒᆞ실진ᄃᆡ, 졔상공(諸相公)을 보고 반기시ᄂᆞᆫ 빗치 업ᄉᆞ시니잇고?"

쇼졔 목 안ᄒᆡ 소ᄅᆡ로 니르ᄃᆡ,

"내 졍신이 엇지ᄒᆞᆫ지 나의 누은 곳이 아모 ᄃᆡᆫ 줄 모로며, 졔거거의 소ᄅᆡ를 드르나 상신(常時) 줄 ᄭᆡ돗지 못ᄒᆞ니, 아니 ᄭᅮᆷ이 넉술 인ᄒᆞ여 졔거거를 보민【39】가, 어미ᄂᆞᆫ 엇지 졔거거 오시믈 니르ᄂᆞ뇨?"

진태위 왈,

"현ᄆᆡ 졍신이 어득ᄒᆞ나, 우형의 와시믈 모로고 ᄭᅮᆷ인가 의심ᄒᆞᄂᆞ뇨? ᄉᆞ원이 현ᄆᆡ 피우로 강○[졍]의 이시믈 니르거ᄂᆞᆯ, 우형 등이 나왓노라."

쇼졔 비로소 거거 등의 소ᄅᆡ 분명ᄒᆞ믈 알고 눈물을 ᄲᅳ리며 말을 못ᄒᆞ니, 졔진이 더욱 비졀ᄒᆞ여 눈물을 ᄒᆞᆯ니며 운산으로 도라

729)낣쒸다 : 날뛰다. 함부로 덤비거나 거칠게 행동하다.

시 분을 ᄎᆞᆷ지 못ᄒᆞ여 말을 ᄉᆞᆷ가지 아닛ᄂᆞᆫ요? 다만 ᄆᆡ져의 병셔[셰] 살기을 기약지 못ᄒᆞ니, 동기지졍의 통박(痛迫)ᄒᆞ믈 참지 못ᄒᆞ리로다."

져[졔]진이 ᄐᆡ후[우]의 말을 올히 역니[이]고 소져의 병셔[셰] 위ᄐᆡᆨᄒᆞ물 념녀ᄒᆞ여 오ᄅᆡ 겻ᄐᆡ 이시ᄃᆡ, 소져 아모란 줄 모로니, 져[졔]진니[이] 소ᄅᆡ을 니어 소져을 부르며, 약음을 년ᄒᆞ여 드리오더니, 이윽고 소제 양안을 ᄡᅥ 좌우을 살피다가 도로 감으며 기리 탄식ᄒᆞ니, ᄐᆡ우 왈,

"현ᄆᆡᄂᆞᆫ 우형 등니[이] 왓스믈 아ᄂᆞᆫ다? ᄒᆞᆫ 소ᄅᆡ 반기믈 이르지 아니ᄒᆞ고 부모 존후을 뭇지 아니ᄒᆞ는뇨?"

소제 졍신니 혼미ᄒᆞᆫ ᄌᆞᆼ이나 쳘편의 ᄆᆞ즌 곳시 압프기을 모양치 못ᄒᆞ여, ᄐᆡ모의 모지리 납쒸던582) 거동이 오히려 안젼(眼前)의 버러, ᄌᆞ긔 면ᄉᆞᄒᆞ믈 고히 녁니[이]며, 강졍의 왓시믈 아지 못ᄒᆞ여, 져[졔]거거(諸哥哥)의 소리을 드르나 ᄭᅮᆷ인가 의심ᄒᆞ여 눈을 드러 보고, 문득 누루(漏淚)을 ᄂᆞ리오니, 유랑 왈,

"부닌[인]이 졍신을 슈습ᄒᆞ실진ᄃᆡ, 져[졔]상공(諸相公)을 보고 엇지 반기시ᄂᆞᆫ 빗치 업ᄂᆞ니잇고?"

소져 목안의 소ᄅᆡ로 이로ᄃᆡ,

"내 눈이 엇더ᄒᆞᆫ지 ᄂᆡ의 눈[누]은 니[이] 곳지 ᄋᆞ모ᄃᆡᆫ 쥴 모로오며, 져[졔]거거의 소ᄅᆡ을 드르나 ᄉᆡᆼ신 쥴 ᄭᆡ닷지 못ᄒᆞ니, 아니 ᄭᅮᆷ의 넛살 인ᄒᆞ여 져[졔]거거을 보민가. 어미ᄂᆞᆫ 엇지 져[졔]거거 오시믈 이르ᄂᆞᆫ요?"

ᄐᆡ우 왈,

"현ᄆᆡ 졍신니[이] 아득ᄒᆞᄂᆞ, 우형의 왓시믈 모로고 ᄭᅮᆷ인가 의심ᄒᆞ나요[뇨]?. ᄉᆞ원니[이]【18】 현ᄆᆡ 피우로 강졍의 잇시물 이르거날, 우형 등니[이] ᄂᆞ왓노라."

소져 비로소 거거 등의 소ᄅᆡ 분명ᄒᆞ믈 알고 휘루(揮淚) 불능어(不能語)ᄒᆞ니, 져[졔]진니[이] 더옥 비졀ᄒᆞ여 눈물을 ᄒᆞᆯ니며 운

582)납쒸다 : 날뛰다. 함부로 덤비거나 거칠게 행동하다.

가믈 니르니, 쇼졔 쳑연 왈,

"쇼ᄆᆡ 블초ᄒᆞ여 문호를 텸욕(添辱)ᄒᆞ미 만코, 부모긔 블회 비경(非輕)ᄒᆞᆫ디라. 일신이 괴롭고 슬프미 극ᄒᆞ여 ᄉᆞ라시미 죽음만 ᄀᆞᆺ지 못ᄒᆞᆫ디라, 윤군이 니리 옴겨실진ᄃᆡ 윤군다려 니르지 아니코【40】 운산으로 가지 못ᄒᆞ리니, 원(願) 거거ᄂᆞᆫ 쇼ᄆᆡ를 바리니로 아르샤 념녀치 마르시고, 부모긔 셩녀의 거릿기지 마르시믈 고ᄒᆞ쇼셔."

태위 슈루(垂淚) 왈,

"너의 셩심ᄉᆞ덕(聖心四德)으로ᄡᅥ 남의 업순 화익의 ᄉᆡᆼ질 줄 알니오. 대인과 ᄌᆞ졍이 너의 익화를 아르시면 크게 우려ᄒᆞ실 거시므로 바로 고치 못ᄒᆞ나, 오ᄅᆡ 보지 못ᄒᆞ시믈 크게 슬허ᄒᆞ시니 우형 등의 민박ᄒᆞᄂᆞᆫ 비라. 너ᄂᆞᆫ 모로미 ᄆᆞ옴을 상히오지 말고 병을 됴호(調護)ᄒᆞ라."

쇼졔 쥬루(珠淚)를 금치 못ᄒᆞ여 말을 못ᄒᆞ더니, 날이 져믈ᄆᆡ 태위 졔뎨ᄂᆞᆫ 도라보ᄂᆡ고, ᄌᆞ긔ᄂᆞᆫ 머므러 쇼【41】ᄆᆡ의 병을 극진히 구호ᄒᆞ며, 고인의 '나롯 그을니ᄂᆞᆫ 우ᄋᆡ'[730]를 ᄯᆞ로더라.

이후 졔진이 날마다 강졍의 니르러 쇼져를 보ᄆᆡ, 어ᄉᆡ 틈을 타면 ᄌᆞ로 와 진시의 병을 ᄉᆞᆯ펴 약음를 극진히 ᄒᆞ니, 쇼져의 위질이 졈졈 ᄎᆞ셩ᄒᆞ여 월여의 니르러ᄂᆞᆫ 완연평상ᄒᆞ니, 누월 신고ᄒᆞ던 질양이 일시의 ᄉᆞ러져, 셜부옥골(雪膚玉骨)의 윤염(潤艶)ᄒᆞᆫ 광치 나날 더으ᄃᆡ, 신누를 븟그리며 죽으믈 일ᄏᆞᆺ고 강졍의 머므러 존당을 긔망ᄒᆞ니, 필경이 엇더ᄒᆞᆯ고 근심이 일심의 ᄆᆡᆼ열ᄒᆞ니, 어ᄉᆡ 긔식을 ᄉᆞᆺ치고 더욱 ᄋᆡ셕(哀惜)ᄒᆞ여, ᄆᆡ양 됴흔 말노【42】 위로ᄒᆞ며 분산(分産) 후 화산으로 옴기를 니르더라.

730)고인의 나롯 그을니ᄂᆞᆫ 우ᄋᆡ : 唐의 이적(李勣)이 누이의 병구완으로 손수 미음을 쑤다가 수염을 태운 고사, 곧 자죽분수(煮粥焚鬚)를 이르는 말. '형제 특히 남매간의 우애가 두터움'을 비유하여 이르는 말.

ᄉᆞᆫ으로 도라가믈 니르니, 소져[졔] 쳑연 왈,

"소ᄆᆡ 불초ᄒᆞ여 문호을 쳠욕(添辱)ᄒᆞ미 만고, 부모겨[긔] 불효 비상(非常)ᄒᆞᆫ지라. 일신니 괴롭고 슬프미 극ᄒᆞ여 ᄉᆡᆼ불여ᄉᆞ(生不如死)[583]라. 윤군니[이] 이곳의 옴겻실진ᄃᆡ 윤군다려 이르지 아니코 가지 못하리니, 원(願) 거거ᄂᆞᆫ 소ᄆᆡ을 ᄇᆞ리이[니]로 츼오ᄉᆞ 념녀치 마르시고 부모겨 물우셩녀(勿憂聖慮)[584]ᄒᆞ시믈 고ᄒᆞ소셔."

ᄐᆡ우 수루 왈,

"너의 셩심슉덕(聖心淑德)으로ᄡᅧ 남의 업순 화익의 ᄉᆡᆼ질 쥴 알니요. ᄃᆡ닌(大人)과 ᄌᆞ졍니[이] 너의 화익을 아르시면 크겨[게] 우려ᄒᆞ실 고로 직고치 못ᄒᆞ나, 오ᄅᆡ 보지 못ᄒᆞ시믈 크겨[게] 슬허ᄒᆞ시니 우형 등의 민박ᄒᆞᆫ 비라. 너ᄂᆞᆫ 모로미 ᄆᆞ음을 상히오지 말고 병을 조호(調護)ᄒᆞ라."

소져 쥬루(珠淚)을 금치 못ᄒᆞ여 말을 못ᄒᆞ더니, 날니[이] 져믈ᄆᆡ ᄐᆡ우 져져[졔졔](諸弟)ᄂᆞᆫ 다 도라보ᄂᆡ고, ᄌᆞ긔 머무러 소져의 병을 극진 구호ᄒᆞᄆᆡ, 고닌[인](古人)의 '나롯 ○[그]흘니ᄂᆞᆫ 우ᄋᆡ'[585]로[를] ᄶᆞ로더라.

인[이]후 져[졔]진니[이] 날마다 강졍의 이르러 소져을 보며, 어ᄉᆡ 틈을 타 ᄌᆞ로 와 진시의 병을 살펴 약음을 극진니 ᄒᆞ니, 소져의 위질니[이] 졈졈 ᄎᆞ경ᄒᆞ여 월녀(月餘)의 완연평상ᄒᆞ니, 누월 신고ᄒᆞ든 질냥니[이] 일시의 스러저, 셜부옥골(雪膚玉骨)니[이] 윤염(潤艶)ᄒᆞᆫ 광치 ᄂᆞ날 더으ᄃᆡ, 신누을 붓그리며 쥭그믈 일캇고, 장[강]경의 머무러 존당을 긔망ᄒᆞ니, 필경니 엇더할고 근심니[이] 일념의 《ᄆᆡᆼ열∥맹얼》ᄒᆞ니, 어ᄉᆞ 긔식을 ᄉᆞᆺ치고 더옥 ᄋᆡ셕ᄒᆞ여, ᄆᆡ냥[양] 조

583)ᄉᆡᆼ불여ᄉᆞ(生不如死) : 살아있는 것이 죽음만 같지 못하다.

584)물우셩녀(勿憂聖慮) : 마음에 근심하는 일을 그만 둠.

585)고인의 나롯 그흘니ᄂᆞᆫ 우ᄋᆡ : 唐의 이적(李勣)이 누이의 병구완으로 손수 미음을 쑤다가 수염을 태운 고사, 곧 자죽분수(煮粥焚鬚)를 이르는 말. '형제 특히 남매간의 우애가 두터움'을 비유하여 이르는 말.

ᄎᆞ시 뉴교ᄋᆡ 댱ᄉᆞ왕의 은툥을 닙어 금슬지락이 흡연ᄒᆞ니, 음부의 욕심의 미진ᄒᆞ미 업ᄉᆞᄃᆡ, 윤어ᄉᆞ와 화락지 못ᄒᆞ고 왕이 ᄯᅩ 연곡(輦轂)731)의 잇지 못ᄒᆞ여 귀국ᄒᆞᄆᆡ, 교ᄋᆡ 슉모긔 하딕ᄒᆞᄂᆞᆫ 글을 븟쳐 년년ᄒᆞ고, 금오 부부긔ᄂᆞᆫ 고치 못ᄒᆞ니, 이ᄂᆞᆫ 부모를 두리ᄆᆡ 아니라 그 거거를 괴로이 넉이미라. 뉴시 만단 회포를 베펴 니별ᄒᆞᄂᆞᆫ 답간(答簡)을 신묘랑으로 보ᄂᆡ고, 교ᄋᆡ 댱ᄉᆞ로 나려간 후 묘랑이 왕ᄂᆡᄒᆞ여 셔신을 븟치려 ᄒᆞ더라. 댱ᄉᆞ왕이 귀국ᄒᆞ여 교ᄋᆡ로 국모를 삼고 은툥이【43】 나날 더ᄒᆞ니, 교ᄋᆡ 만심이 프러져 부모를 ᄉᆡᆼ각지 아니코 즐기믈 다ᄒᆞ나, ᄆᆡ양 윤어ᄉᆞ의 션풍옥골을 ᄉᆞ상(思想)ᄒᆞ나, 일이 임의 이에 밋춘 후ᄂᆞᆫ ᄒᆞᆯ일 업셔 가마니 ᄒᆡ코져 ᄒᆞ더라.

어시의 뎡부의셔 윤·양 두 부인이 잉ᄐᆡ ᄉᆞ오삭이로ᄃᆡ, 태부인과 금후 부뷔 오히려 아지 못ᄒᆞᄃᆡ, 문양은 금은을 헷쳐 인심을 취합ᄒᆞᄆᆡ, 윤·양의 ᄒᆡᆼ지를 낫낫치 알므로 이인의 잉ᄐᆡᄒᆞ믈 듯고, ᄌᆞ긔 부마의 강작(强作)ᄒᆞᄂᆞᆫ 바를 인ᄒᆞ여 이셩지친을 일우나, ᄆᆞᄋᆞᆷ과 ᄀᆞᆺ치 화락ᄒᆞ믈 엇디 못ᄒᆞ니, 분앙ᄒᆞ미 비ᄒᆞᆯ 곳이 업더니, 윤·양 등이 ᄯᅩ 잉ᄐᆡ【44】ᄒᆞ여 졈졈 셰엄(勢嚴)이 태산 ᄀᆞᆺ틀 바를 ᄉᆡᆼ각ᄒᆞᄆᆡ, ᄋᆡ돏고 ᄆᆡ오미 고ᄃᆡ 죽이지 못ᄒᆞ믈 ᄒᆞᆫᄒᆞ나, 십분 강작ᄒᆞ여 온슌ᄒᆞᆫ 빗ᄎᆞ로 사ᄅᆞᆷ을 우ᄃᆡᄒᆞ고, 안흐로 싀호지심(豺虎之心)을 품어, 최상궁으로 더브러 쥬ᄉᆞ모탁(晝思暮度)732)ᄒᆞ여 윤·양 등을 ᄒᆡᄒᆞ려 ᄒᆞ며, 현긔 등을 보면 삼킬 ᄃᆞ시 ᄆᆡ오나 거ᄌᆞᆺ 혈숨으로 ᄉᆞ랑ᄒᆞᄂᆞᆫ 긔식을 듕회(衆會)의 나토니, 모다 현쳘ᄒᆞ믈 칭찬ᄒᆞᄃᆡ, 병뷔 그 요악ᄒᆞ믈 ᄉᆞ못ᄂᆞᆫ디라, 졈졈 증염ᄒᆞ나, 부훈의

731)연곡(輦轂) : '임금이 타는 수레'라는 뜻으로 임금이 거주하며 통치행위를 하고 있는 왕도(王都) 또는 황도(皇都)를 달리 이르는 말.

732)쥬ᄉᆞ모탁(晝思暮度) : 밤낮으로 깊이 생각하고 헤아림. ≒ 주사야탁(晝思夜度).

ᄒᆞᆫ 말노 위로ᄒᆞ며 분ᄉᆞᆫ(分産) 후 화산으로 올무믈 이르더라.

잇ᄃᆡ 뉴시 교ᄋᆡ 장【19】ᄉᆞ왕의 은총을 입어 금슬지낙이 흡연ᄒᆞ니, 음부의 욕심니[의] 미진ᄒᆞ○○○[미 업ᄉᆞ]ᄃᆡ, 윤어ᄉᆞ와 화락지 못ᄒᆞ고, 왕니 ᄯᅩ 연곡(輦轂)586)의 잇지 못ᄒᆞ여 귀국ᄒᆞᄆᆡ, 교ᄋᆡ 슉모겨[긔] ᄒᆞ직ᄒᆞᄂᆞᆫ 글을 붓치고, 금오 부부겨[긔]ᄂᆞᆫ 고치 못ᄒᆞ니, 이ᄂᆞᆫ 부모을 두리미 아니라 그 거거을 괴로이 역니[이]미라. 뉴시 만단 회포을 벼펴 이별ᄒᆞᄂᆞᆫ 답간을 신묘랑으로 보ᄂᆡ고, 교ᄋᆡ 장ᄉᆞ로 ᄂᆡ려간 후, 묘랑니[이] 왕내ᄒᆞ여 셔신을 붓치려 ᄒᆞ더라. 장ᄉᆞ왕니 귀국ᄒᆞ여 교ᄋᆞ로 국모을 삼고 은총니[이] 날노 더ᄒᆞ니, 교ᄋᆡ 만염(萬念)니[이] 푸러져 부모을 ᄉᆡᆼ각지 안니코 즐기믈 다ᄒᆞ나, ᄆᆡ냥[양] 윤어ᄉᆞ의 선풍옥골을 ᄉᆞ상ᄒᆞ나, 일니[이] 이의 밋춘 후ᄂᆞᆫ 할 일 업셔 가ᄆᆞ니 ᄒᆡ코져 ᄒᆞ더라.

어시의 뎡부의셔 윤·냥 두 부닌[인]이 잉ᄐᆡ ᄉᆞ오ᄉᆞᆨ이로ᄃᆡ, ᄐᆡ부닌[인]과 금후 부부 오히려 아지 못ᄒᆞ나, 문냥은 금은을 헤쳐 인심을 취합ᄒᆞᄆᆡ, 윤·냥의 향[행]지(行止)을 낫낫치 알무로, 이인의 잉ᄐᆡᄒᆞ믈 듯고 ᄌᆞ긔 부마의 강족(强作)ᄒᆞᄂᆞᆫ ᄇᆡ를 인ᄒᆞ여 이셩지친(二姓之親)을 일우나, 마음과 갓치 화락ᄒᆞ믈 엇지 못ᄒᆞ니, 분앙ᄒᆞ미 비할 고지 업다가, 이져[제] 윤·양 등니[이] ᄯᅩ 잉ᄐᆡᄒᆞ여 점점 셔[셰]엄(勢嚴)이 ᄐᆡᄉᆞᆫ 갓틀 ᄇᆡ을 ᄉᆡᆼ각ᄒᆞᄆᆡ, ᄋᆡ답고 미오미 고ᄃᆡ 쥭니[이]지 못ᄒᆞ믈 ᄒᆞᆫᄒᆞ여, 십분 강족ᄒᆞ여 온슌ᄒᆞᆫ 빗ᄎᆞ로 ᄉᆞ람을 위[우]ᄃᆡ(優待)ᄒᆞ고, 안흐로 싀오지심(豺虎之心)을 품어, 최녀로 더부러 쥬ᄉᆞ야탁(晝思夜度)ᄒᆞ여 윤·냥 등을 ᄒᆡᄒᆞ려 ᄒᆞ며, 현긔 등 곳 보면 삼킬 다시 ᄆᆡ오나, 거짓 혈식[심]으로 ᄉᆞ랑ᄒᆞᄂᆞᆫ 긔식을 즁회 즁의 다ᄒᆞ니, 모다 현쳘ᄒᆞ믈 칭츤ᄒᆞᄃᆡ, 부마 그 요악ᄒᆞ믈 ᄉᆞ못ᄂᆞᆫ지라. 점점 증염ᄒᆞ

586)연곡(輦轂) : '임금이 타는 수레'라는 뜻으로 임금이 거주하며 통치행위를 하고 있는 왕도(王都) 또는 황도(皇都)를 달리 이르는 말.

엄ᄒᆞ시믈 두려 부부 졍의 완젼ᄒᆞ니, 믄득 태휘 잇셔 슈월이 되어시니, 공쥐 만심 환열ᄒᆞ고 궁듕이 딘동ᄒᆞ며, 귀비 여ᄋᆞ의 잉ᄐᆡᄒᆞᆫ 소식【45】을 듯고 대희ᄒᆞ여, 슈륙진찬(水陸珍饌)이 죵일브졀(終日不絶)ᄒᆞ여 궐문으로브터 문양궁의 니어시니, 금후 부부와 태부인이 역시 힝열ᄒᆞ여 부마의 ᄌᆞ녜 챵셩ᄒᆞᆯ 바를 깃거ᄒᆞᄃᆡ, 부마ᄂᆞᆫ 조곰도 깃거ᄒᆞ미 업고 ᄀᆞ장 블힝이 넉이더라.

ᄎᆞ시 태ᄌᆞ비 쳐음으로 황손을 탄ᄉᆡᆼᄒᆞ시니, 샹이 대희ᄒᆞ시고 만됴ᄇᆡᆨ뇌(滿朝百寮) 다 경ᄉᆞ를 하례ᄒᆞ여 미말낭관(微末郎官)733)과 션됴구신(先朝舊臣)이 다 딘하(進賀)의 참예ᄒᆞ니, 샹이 텬ᄒᆞ의 대샤(大赦)ᄒᆞ실ᄉᆡ, 병뷔 김후의 손가락을 버혀 ᄀᆞᆷ초안 지 셰월이 오라고, 하공을 구ᄒᆞ여 환쇄(還刷)734)ᄒᆞ고져 ᄒᆞᄃᆡ 길운을 만나지 못ᄒᆞᆫ 후ᄂᆞᆫ, ᄌᆞ긔 힘으로 텬의를【46】 두로혀지 못ᄒᆞᆯ디라. ᄎᆞᆷ기를 오ᄅᆡᄒᆞ더니, ᄎᆞ시를 당ᄒᆞ여 국개 텬하의 은샤(恩赦)를 힝ᄒᆞ시니, 조각을 타 하가를 신셜ᄒᆞ고 김국구와 초왕 등을 쾌히 다ᄉᆞ리고져 ᄒᆞ여, 일일은 텬졍의 죵용이 근시ᄒᆞ믈 타 브복 쥬왈,

"태손이 탄ᄉᆡᆼᄒᆞ시ᄆᆡ 국가의 대경이 이밧긔 ᄯᅩ 업ᄉᆞ올디라. 이제 텬하의 대샤(大赦)ᄒᆞ시니 찬뎍죄쉬(竄謫罪囚) 다 환쇄ᄒᆞᆯ 시졀이라, 츅디 죄뎍인(罪謫人) 하진도 은샤를 닙어 고토의 도라오리잇가?"

샹이 변ᄉᆡᆨᄒᆞ샤 왈,

"경은 식니ᄌᆡ상(識理宰相)으로 ᄉᆞ리 개명ᄒᆞ고 녜의 통쳘ᄒᆞ거놀, 하진은 당당ᄒᆞᆫ 역신의 아비오, 제 ᄯᅩ 범역(犯逆)ᄒᆞ미 업지 아니

733)미말낭관(微末郎官) : 정오품 통덕랑 이하의 당하관에 속하는 하급관리들. 낭관(郎官); 조선 시대에, 정오품 통덕랑 이하의 당하관을 통틀어 이르던 말.

734)환쇄(還刷) : ≒쇄환(刷還). ①조선 시대에, 외국에서 유랑하는 동포를 데리고 돌아오던 일 ②먼 곳에 유배 보냈던 죄인을 죄를 사(赦)하여 불러들임.

나 《후분‖부훈》의 엄ᄒᆞ시믈 두려 부부지 졍니[이] 완연【20】ᄒᆞ여, 문득 ᄐᆡ휘 이셔 슈월니[이] 되엿시니, 공쥬 만심 환열ᄒᆞ고 궁즁니[이] 진동ᄒᆞ며, 귀비 여ᄋᆞ의 잉ᄐᆡᄒᆞᆫ 소식을 듯고 ᄃᆡ희ᄒᆞ여, 슈륙진미(水陸珍味) 종일부졀(終日不絶)ᄒᆞ여 궐문으로붓터 문양궁의 다하시니, 슌ᄐᆡ부닌[인]과 금후부부 역시 힝열ᄒᆞ여 부마의 ᄌᆞ져[녀] 창성할 ᄇᆡ을 깃거ᄒᆞᄃᆡ, 부마ᄂᆞᆫ 조곰도 깃거 ᄒᆞ미 업고 가장 불힝니[이] 역이더라.

ᄎᆞ시 ᄐᆡᄌᆞ비 처음으로 황손을 탄ᄉᆡᆼᄒᆞ니 샹니[이] ᄃᆡ희ᄒᆞ시고 만죄(滿朝) 경ᄉᆞ을 ᄒᆞ려[례]ᄒᆞ며 미말낭관(微末郎官)587)과 젼조구신(前朝舊臣)니[이] 다 진ᄒᆞ(進賀)의 참녀(參詣)ᄒᆞ니, 상니[이] 쳔ᄒᆞ의 ᄃᆡᄉᆞ(大赦)ᄒᆞ실ᄉᆡ, 부ᄆᆡ 김후의 손ᄭᅡ락을 버혀 감초안지 셔[셰]월니 오라고, ᄒᆞ공을 구ᄒᆞ여 환ᄉᆡ(還刷)588) ᄒᆞ고져 ᄒᆞᄃᆡ, 길운을 만ᄂᆞ지 못ᄒᆞᆫ 후ᄂᆞᆫ, ᄌᆞ긔 힘으로 쳔의 두로혀지 못ᄒᆞ니, ᄎᆞ시을 당ᄒᆞ여 ᄒᆞ가을 신ᄇᆡᆨᄒᆞ고 김국구와 초왕 등을 쾌히 ᄃᆞᄉᆞ리고져 ᄒᆞ여, 일일은 천경의 조용니[이] 근시ᄒᆞ믈 타, 부복 쥬왈,

"ᄐᆡ손니 탄ᄉᆡᆼᄒᆞ시ᄆᆡ 국가의 ᄃᆡ경니[이] 이밧겨[긔] 업ᄉᆞ올지라. 이져[제] ᄃᆡᄉᆞ쳔ᄒᆞ(大赦天下) ○[ᄒᆞ]시니 찬적죄쉬(竄謫罪囚) 다 환섀[쇄]하ᄂᆞᆫ 시졀이라. 츅지 죄적닌(罪謫人) ᄒᆞ진도 은ᄉᆞ을 입어 고토의 도○○[라오]릿가?"

상니[이] 변ᄉᆡᆨ 왈,

"《진‖경》은 식녹ᄌᆡᄉᆞᆼ(食祿宰相)으로 ᄉᆞ리 ᄀᆡ명ᄒᆞ고 녀[녜]의 통철ᄒᆞ거날, ᄒᆞ진은 당당ᄒᆞᆫ 역신의 아비요, 져 ᄯᅩᄒᆞᆫ 범역(犯

587)미말낭관(微末郎官) : 정오품 통덕랑 이하의 당하관에 속하는 하급관리들. 낭관(郎官); 조선 시대에, 정오품 통덕랑 이하의 당하관을 통틀어 이르던 말.

588)환ᄉᆡ(還刷) : ≒쇄환(刷還). ①조선 시대에, 외국에서 유랑하는 동포를 데리고 돌아오던 일 ②먼 곳에 유배 보냈던 죄인을 죄를 사(赦)하여 불러들임.

니,【47】 진실노 목숨을 지금 ᄉᆞᆯ와 둘 ᄇᆡ 아니어ᄂᆞᆯ, 딤이 특은(特恩)으로 쵹디(蜀地)의 찬뎍ᄒᆞ엿더니, 엇디 환쇄(還刷)키를 다시 니ᄅᆞ리오."

병뷔 ᄇᆞ복 문파의 니러 ᄇᆡ슈(拜手) 왈,

"신이 블혹무식ᄒᆞ오나 법규를 잠간 아ᄋᆞᆸᄂᆞ니, 엇디 역뎍으로ᄡᅧ 은샤를 닙으라 ᄒᆞ리잇고마ᄂᆞᆫ, 하진은 실노 튱냥지신이오, 하원경 등은 ᄒᆞᆨ니군ᄌᆞ(學理君子)라. 폐히 신하의 현부를 ᄉᆞᆯ피지 못ᄒᆞ샤 원억ᄒᆞᆫ 죄로 ᄋᆡᄆᆡᄒᆞ온 여러 인명을 맛ᄎᆞ시니, 신이 원경 등의 원ᄉᆞ(冤死)를 참연ᄒᆞ오며, 폐하의 실덕을 ᄋᆡ돌와 ᄒᆞᄋᆞᆸᄂᆞ니, 신이 하가의 원굴(冤屈)ᄒᆞ옴과 김탁와 초왕 등의 간악ᄒᆞ오믈 아란 지오라【48】ᄃᆡ, 일ᄌᆞᆨ 쥬달치 아니ᄒᆞ오믄 간당의 ᄒᆡᆼ지(行止)를 ᄎᆡ 보고져 ᄒᆞ미로소이다."

샹이 경왈,

"김국구ᄂᆞᆫ 일ᄌᆞᆨ 국ᄉᆞ의 간예ᄒᆞ미 업고, 초왕은 딤의 디친(至親)이라. 발셔 귀국ᄒᆞ여시니 므ᄉᆞᆷ 궁흉(窮凶)ᄒᆞ미 이시며, 지어(至於) 원경 등은 혼야의 칼흘 드러 딤을 ᄒᆡ코져 ᄒᆞ믈 딤이 친히 보앗ᄂᆞ니, 엇지 ᄋᆡᄆᆡ타 ᄒᆞᄂᆞ뇨?"

병뷔 우쥬(又奏) 왈,

"셩샹 일월지명(日月之明)으로 하가의 궁원(窮冤)을 빗최지 못ᄒᆞ시니, 이 ᄯᅩ 하진의 명되 궁험ᄒᆞ오미라, 엇지 국가를 원ᄒᆞ리잇고? 신이 동치(童穉)로 년긔 이뉵이 계오 지나시ᄃᆡ, 신뷔(臣父) 하진으로 디심친위(知心親友)라. 신뷔 원경 등의 원ᄉᆞᄒᆞ오믈 참통ᄒᆞ오며, 하진이 그【49】ᄊᆡ 하람을 슌무ᄒᆞ여 도라오지 못ᄒᆞ여 나명(拿命)이 급ᄒᆞ시니 죽으미 반ᄃᆞᆺᄒᆞ온 고로, 신부와 윤쉬 공언(公言)으로 텬경의 쥬달ᄒᆞ와 하진을 구ᄒᆞ오ᄆᆡ 폐히 블허ᄒᆞ시고, 초왕과 김후의 당(黨)이 하진을 극뉼(極律)노 죽일 의논이 급ᄒᆞ오니, 신이 잠간 아뷔 말을 듯ᄌᆞ오ᄆᆡ 하진이 '질악(嫉惡)을 여슈(如讐)ᄒᆞ고'[735], ᄃᆡᆨ

735)질악여수(嫉惡如讐) : 악(惡)을 미워하기를 원수 같이 함.

逆)ᄒᆞ미 업지 아니니, 진실노 묵숨을 지금 살와 둘 ᄇᆡ 아니여날, 짐니[이] 특은(特恩)으로 촉지(蜀地)의 찬적ᄒᆞ엿거니와, 엇지 다시 환ᄉᆡ(還刷)키을 이르리요."

부ᄆᆡ 부복 문파의 이러 ᄇᆡ쥬(拜奏) 왈,

"신니 무식ᄒᆞ오나 법규을 아옵는니, 엇지 역적으로써 은ᄉᆞ을 입겨[게] ᄒᆞ리요마는, ᄒᆞ진은 실노 츙냥지신(忠良之臣)니[이]요, ᄒᆞ원경 등은 학니군ᄌᆞ(學理君子)라. 펴[폐]ᄒᆞ 신ᄌᆞ의 현부을 살피지 못ᄒᆞᄉᆞ, 원억ᄒᆞᆫ【21】 죄로 ᄋᆡᄆᆡᄒᆞᆫ 여러 인명을 맛ᄎᆞ시니, 신니[이] 원경 등의 원ᄉᆞ을 ᄎᆞᆷ연ᄒᆞ오며, 펴[폐]ᄒᆞ의 실덕을 ᄋᆡ달와 ᄒᆞᄋᆞᆸ는니, 신니[이] ᄒᆞ가의 원굴(冤屈)ᄒᆞ옴과 김탁과 초왕 등의 간악ᄒᆞ오믈 아란지 오래ᄃᆡ, 일ᄌᆞᆨ 쥬달치 못ᄒᆞ오믄 간당의 ᄒᆡᆼ실을 ᄎᆡ○[보]고져 ᄒᆞ미로소니[이]다."

상니[이] 경왈,

"김국구ᄂᆞᆫ 일ᄌᆞᆨ 국ᄉᆞ의 간여ᄒᆞ미 업고, 초왕은 짐의 지친(至親)이라. 발셔 귀국ᄒᆞ엿시니 무ᄉᆞᆷ 궁흉(窮凶)ᄒᆞ미 이시며, 지어(至於) 원경 등은 혼야의 칼을 드러 짐을 ᄒᆡ코져 ᄒᆞ믈 짐니[이] 친히 보앗는니, 엇지 ᄋᆡᄆᆡ타 ᄒᆞ는요?"

부ᄆᆡ 우쥬(又奏) 왈,

"셩상이 ○[일]월지명(日月之明)으로 ᄒᆞ가의 궁원(窮冤)《으로∥을》 빗최지 못ᄒᆞ시니, 이 로[ᄯᅩ] ᄒᆞ진의 명되 궁험ᄒᆞ오미라, 엇지 국가을 원ᄒᆞ리잇고? 신니[이] 동치(童穉)로 년긔 이육의 겨유 지ᄂᆞᄃᆡ, 신뷔(臣父) ᄒᆞ진으로 《지금∥지심(知心)》 친위(親友)라. 신뷔 원경 등의 원ᄉᆞᄒᆞ오믈 참통ᄒᆞ오며, ᄒᆞ진니[이] 그 ᄊᆡ ᄒᆞ남을 슌무ᄒᆞ고 도라오지 못ᄒᆞ여, 나명니[이] 급ᄒᆞ시니 쥭그미 반닷ᄒᆞ오무로 신부와 윤공니[이] 심(甚)니[이] 공언(公言)으로 쳔경의 쥬달ᄒᆞ와 ᄒᆞ진을 구호ᄒᆞ오ᄆᆡ, 펴[폐]히 불허ᄒᆞ시고 초왕과 김후의 당니[이] ᄒᆞ진을 극뉼노 쥭일 의논니[이] 급ᄒᆞ오니, 신니[이] ᄌᆞᆷ간 아비 말을 드르ᄆᆡ ᄒᆞ진니[이] '질악(嫉惡)을 여슈(如讐)ᄒᆞ고''[589] 직졀니[이] 융융(融融)ᄒᆞ와

졀(直節)이 늉늉(融融)ᄒᆞ여, 권문셰가의 방ᄌᆞ교우[오](放恣驕傲)ᄒᆞᄂᆞᆫ 뉴를 과도히 ᄇᆡ쳑ᄒᆞ오므로, 김탁과 초왕의 블법지ᄉᆞ를 논ᄒᆡᆨ(論劾)ᄒᆞ오니, 현인군ᄌᆞᄂᆞᆫ 하진의 직졀을 칭찬ᄒᆞ오나, 간당 쇼인은 져마다 눈을 흘긔여 업시코져 ᄒᆞ므로, 초왕과 김탁이 간당을 모화 하진을 함졍의 모라 너흐니, 【50】 폐히 신ᄌᆞ의 션악을 모로시고 안흐로 귀비의 참소를 미드시ᄆᆡ, 튱신녈ᄉᆡ 쇽졀업시 참화의 ᄲᅡ진디라. 신이 년쇼ᄒᆞ오나 폐하의 실덕ᄒᆞ시믈 탄ᄒᆞ고 김후 등의 심용(心用)을 통완ᄒᆞ와 모년 모일 야의 김후의 집의 드러가오니, 만뇌구뎍(萬籟俱寂)ᄒᆞᄋᆞᆸ고, 김휘 두어 셔동으로 쳣ᄌᆞᆷ736)이 깁헛거ᄂᆞᆯ, 블문곡딕(不問曲直)ᄒᆞᄋᆞᆸ고 방듕의 드러가 벽상의 걸닌 쳘편을 나리와 김후를 결둔(決臀)ᄒᆞ오니, 김휘 놀나 ᄭᆡ여 만신을 ᄯᅥᆯ고 인ᄉᆞ를 출히지 못ᄒᆞᄋᆞᆸᄂᆞᆫ디라. 신이 거ᄌᆞᆺ 김후를 속여 여ᄎᆞ여ᄎᆞ 니르고 죽이므로 벼르니, 김후의 허박(虛薄)ᄒᆞ미 인귀(人鬼)를 분변치 못ᄒᆞ고, 신(臣)을 진짓737) 텬신으로 아라 젼후 【51】 악ᄉᆞ를 일일히 복쵸ᄒᆞ오ᄃᆡ, 초왕과 김탁이 하진 부ᄌᆞ를 부ᄃᆡ 죽이려 ᄒᆞ와, 원경 등 삼형뎨 입직ᄒᆞᆫ ᄣᆡ를 타, 혼야의 초왕이 여의개용단을 먹어 원경의 얼골이 되고, 환관 오환과 두션으로ᄲᅧ 다 개용단을 먹어 원상 원뵈 되어, 각각 비슈를 픔어 뇽상하(龍床下)의 돌입ᄒᆞ여 텬안이 친찰(親察)ᄒᆞ시게 ᄒᆞᆫ 후, 도망ᄒᆞ여 ᄌᆞ최를 ᄀᆞᆷ초니, 폐히 간당의 흉모를 모로시고 원경 등을 엄형 츄문ᄒᆞ시니, 원상은 년긔 유튱ᄒᆞ고 픔질이 쳠약(-弱)ᄒᆞ여738) 몬져 죽으ᄃᆡ, 원경 원보ᄂᆞᆫ 오히려 죽지 아냐 대리시(大理寺)의 나리오시ᄃᆡ, 흉인이 힝혀 죽이지 못ᄒᆞᆯ가 두려, 독약【52】을 ᄎᆞ의 화ᄒᆞ여 옥니로 냥인을 먹여, 시ᄀᆡᆨ(時刻)의 닙ᄉᆞ(立死)739)ᄒᆞ온디라.

이 말ᄉᆞᆷ을 김후의 입으로 다 니ᄅᆞᄋᆞᆸ거ᄂᆞᆯ,

736)쳣ᄌᆞᆷ : 막 곤하게 든 잠.
737)진짓 : 진짜로
738)쳠약(-弱)ᄒᆞ다 : 사람의 기품이 여리고 약하다.
739)닙ᄉᆞ(立死) : 그 자리에서 바로 죽음. ≒즉사(卽死).

권문셔[셰]가의 방ᄌᆞ교우[오](放恣驕傲)ᄒᆞᆫ 유(類)을 과도히 ᄇᆡ쳑ᄒᆞ오《니‖므로》, 김탁과 쵸왕의 불법지ᄉᆞ을 논ᄒᆡᆨ(論劾)ᄒᆞ니, 현신군ᄌᆞᄂᆞᆫ ᄒᆞ진의 직졀을 칭찬ᄒᆞ오나, 간악 소인은 져ᄆᆞ다 눈을 흘기여 업시코져 ᄒᆞ므로, 초왕과 김탁니[이] 간당을 모화 ᄒᆞ진을 함졍의 너흐니, 펴[폐]히 신ᄌᆞ의 선악을 모로시고 안흐로 귀비의 참소【22】을 드르시ᄆᆡ, 츙신열ᄉᆡ 속졀업시 참화의 ᄲᆡ진지라. 신이 년소ᄒᆞ오나, 펴[폐]ᄒᆞ의 실덕을 탄ᄒᆞ고 김후 등의 심용(心用)을 통환[완]ᄒᆞ와 모년 모일 야의 김후의 집의 드러가오니, 만뇌구젹(萬籟俱寂)ᄒᆞ옵고, 김휘 두어 셔동으로 쳣ᄌᆞᆷ590)이 깁허거날, 불문곡직(不問曲直)ᄒᆞ고 방즁의 드러가 벽상의 걸인 쳘편을 ᄂᆞ리와 김후을 결둔(決臀)ᄒᆞ오니, 김휘 놀나 ᄭᆡ여 ᄯᅥᆯ고 인ᄉᆞ을 ᄎᆞ리지 못ᄒᆞ옵ᄂᆞᆫ지라. 신니[이] 거ᄌᆞᆺ 김후을 속여 여ᄎᆞ여ᄎᆞ 이르고 쥭이므로셔 벼르니, 저의 허박(虛薄)ᄒᆞ미 인귀(人鬼)을 분변치 못ᄒᆞ고, 신(臣)을 진짓591) 쳔신으로 아라 젼후 악ᄉᆞ을 일일이 복초ᄒᆞ오ᄃᆡ, 초왕과 김탁니[이] ᄒᆞ진 부ᄌᆞ을 쥭이려 ᄒᆞ와, 원경 등 삼형져[제] 입번ᄒᆞᆫ ᄣᆡ을 타, 혼야의 초왕니[이] 여의ᄀᆡ용단을 먹어 원경의 얼골니[이] 되고, 환관 오확과 두션으로ᄡᅧ ᄃᆞ ᄀᆡ용단을 먹어 원삼 원뵈 되어, 각각 비수을 품어 용상ᄒᆞ(龍床下)의 돌입ᄒᆞ여 쳔안니[이] 친찰ᄒᆞ시겨[게] ᄒᆞᆫ 후 도망ᄒᆞ여 ᄌᆞ최을 감초니, 펴[폐]히 간당의 흉모을 모로시고 원경 등은[을] 엄형츄문ᄒᆞ시니, 원숨은 연긔 유츙ᄒᆞ고 품질니[이] 첨약(-弱)ᄒᆞ여592) 몬져 쥭은ᄃᆡ, 원경 원보ᄂᆞᆫ 오히려 쥭지 아냐 ᄃᆡ리시(大理寺)의 ᄂᆞ리오시니, 흉인니[이] 힝혀 쥭이지 못할가 두려 독약을 ᄎᆞ의 화ᄒᆞ여 옥니로 양인을 먹여 시ᄀᆡᆨ의 쥭이온지라.

이 말ᄉᆞᆷ을 김후의 입으로 다 이르옵거날,

589)질악여수(嫉惡如讐) : 악(惡)을 미워하기를 원수 같이 함.
590)쳣ᄌᆞᆷ : 막 곤하게 든 잠.
591)진짓 : 진짜로
592)쳠약(-弱)ᄒᆞ다 : 사람의 기품이 여리고 약하다.

신이 년쇼 과격ᄒᆞ오므로 분ᄒᆡ ᄒᆞ오미 고ᄃᆡ 김후를 죽이고져 ᄒᆞ다가, 곳쳐 혜아리오ᄆᆡ 김후를 ᄉᆞᆯ와 두어야 하가 신원이 되올디라. 그러므로 신이 그 ᄶᅥᆨ 증험을 두고져 ᄒᆞ와 김후의 좌슈 모디(-指)740)를 버혀 낭듕의 너코, 져다려 하진을 ᄉᆞᆯ오라 니르ᄋᆞᆸ고 도라오오ᄃᆡ, 신부(臣父)의 업ᄒᆞ오믈 두려 감히 ᄎᆞᄉᆞ를 니르지 못ᄒᆞᄋᆞᆸ고, 신이 경악의 츌입ᄒᆞ완 지 셰ᄌᆡ 오년이라, 셩은의 늉듕ᄒᆞ샤미 일신의 넘ᄡᅵ고 초방부귀(椒房富貴)741)를 겸ᄒᆞ오니, 슉야(夙夜) 우구ᄒᆞ와 갑ᄉᆞ【53】올 바를 아지 못ᄒᆞ와, 다만 견마(犬馬)의 힘을 다ᄒᆞ려 ᄒᆞ오니, 폐ᄒᆡ 김탁과 초왕을 일쳬의 잡히샤 간정을 획실ᄒᆞ쇼셔."

상이 병부의 허다 쥬ᄉᆞ를 드르시ᄆᆡ 텬안이 경동ᄒᆞ샤 오ᄅᆡ 묵연ᄒᆞ시더니, 어슈로 농샹을 쳐, ᄀᆞᆯ오샤ᄃᆡ,

"딤이 대위예 모림(冒臨)ᄒᆞ연 디 오ᄅᆡᄃᆡ, 일즉 사ᄅᆞᆷ의 얼골 변ᄒᆞᄂᆞᆫ 약이 이시믈 듯지 못ᄒᆞ엿더니, 초왕과 김탁의 간흉이 이ᄃᆡ도록 ᄒᆞ믄 ᄉᆡᆼ각지 아닌 ᄇᆡ라. 경이 하가의 디원을 신ᄇᆡᆨ(伸白)고져 간상(奸狀)을 명찰ᄒᆞ미 이시니, 사ᄅᆞᆷ의 ᄉᆡᆼ각지 못ᄒᆞᆯ 의ᄉᆡ라. 명일 됴회의 김후의 손가락 업ᄉᆞ믈 ᄆᆞ르리니, 그 ᄶᅥᆨ의 탁이 반ᄃᆞ시 칭탁(稱託)ᄒᆞ리니, 경이 조【54】각을 타 만됴 ᄀᆞ온ᄃᆡ 김탁의 소위를 일일히 쥬ᄒᆞ라. 딤이 위션 김탁을 츄문ᄒᆞ고 초의 샤를 보ᄂᆡ여 초왕을 잡아 면질(面質)케 ᄒᆞ리라."

병뷔 샤은 왈,

"폐하의 일월지명으로 부운(浮雲)이 옹폐(壅蔽)ᄒᆞ믈 버ᄉᆞ시고, 튱냥(忠良)이 원ᄉᆞᄒᆞ믈 면ᄒᆞ오니, 국가의 홍복이오며, 신이 블힝이 김귀비의 ᄉᆡᆼᄒᆞᆫ 바 문양을 위쳐(爲妻)ᄒᆞ오니 엇디 블힝치 아니리잇고? 하원경 등이 모역(謀逆)ᄒᆞᆫ가 의심ᄒᆞ심도 귀비의 참언을 신청ᄒᆞ시미니, 귀비의 방ᄌᆞᄒᆞ미 외됴 국ᄉᆞ의 간예ᄒᆞ미 크게 블길ᄒᆞᆫ 증뇌라. 복원 폐

740)모디(-指) : 무지(拇指). 엄지손가락.

741)초방부귀(椒房富貴) : 임금의 부마(駙馬)로서의 부귀. 초방(椒房)은 왕비가 거처하는 궁전을 뜻함.

신이 연소과격ᄒᆞ므로 분ᄒᆡᄒᆞ오미 고ᄃᆡ 쥭니[이]고져 ᄒᆞ다가, 고쳐 혀오기을 ○○○[김후를] 살와두어야 ᄒᆞ진의 신셜이 되올지라. 그러므로 신이 긋ᄶᅥᆨ 간증(干證)593)ᄒᆞ믈 두고져 ᄒᆞ여 김후의 좌슈 장가락594)을 버혀 낭즁의 넉코, 져ᄃᆞ려 ᄒᆞ진을【23】을 살오라 이르ᄋᆞᆸ고 도라오ᄃᆡ, 신부(臣父)의 엄ᄒᆞ므로 감히 ᄎᆞᄉᆞ을 이르지 못ᄒᆞᄋᆞᆸ고, 신니 경악의 츄립(出入)ᄒᆞ온지 오년니[이]라. 셩은의 융즁ᄒᆞ시미 일신의 넘지고, 초방부귀(椒房富貴)595)을 겸ᄒᆞ오니, 슉야(夙夜) 우구ᄒᆞ와 갑흘 ᄇᆞ을 아지 못ᄒᆞ와, ᄃᆞ만 견ᄆᆞ(犬馬)의 힘을 ᄃᆞᄒᆞ려 ᄒᆞ오니, 김탁과 초왕을 일쳐의 즙히ᄉᆞ 간졍을 획실ᄒᆞ소셔."

상니 부마의 허다 쥬ᄉᆞ을 드르시ᄆᆡ 텬안니 경동ᄒᆞᄉᆞ 믁연양구의 왈,

593)간증(干證) : 남의 범죄에 관련된 증거.

594)장가락 : 가운뎃손가락.

595)초방부귀(椒房富貴) : 임금의 부마(駙馬)로서의 부귀. 초방(椒房)은 왕비가 거처하는 궁전을 뜻함.

하ᄂᆞᆫ ᄎᆞ후 후궁의 방ᄌᆞᄒᆞ미 업게 ᄒᆞ쇼셔.”

샹이 병부의 위인을 깁히 미드시니, 김국구와 【55】 초왕의 작변을 통히ᄒᆞ샤, 초왕을 ᄉᆞ샤(賜死)ᄒᆞ려 ᄒᆞ시니 일월지광을 다시 보리러라. 병뷔 ᄋᆞ시로브터 능녀(凌厲)ᄒᆞ여 김후를 속여 손가락을 버혀 깁히 치부(置簿)[742]ᄒᆞ여시믈 드르시고, 신긔히 넉이샤 왈,

“경이 초왕과 김탁을 간당이라 ᄒᆞ믄 올커니와, 귀비로뻐 국ᄉᆞ의 참예ᄒᆞᆫ다 ᄒᆞ나, 딤이 ᄒᆞᆫ갓 후궁을 니르지 말고 뎡궁이라도 외됴의 간예ᄒᆞᆫ ᄇᆡ 업고, 디어(至於) 김귀비ᄂᆞᆫ 텬셩이 온슌ᄒᆞ여 국구의 블인을 담지 아냐시니 엇디 문양의 ᄉᆞ오나오믈 의심ᄒᆞ리오. 경이 문양이 하가 젼 ᄇᆡᆨ미인과 열부인을 두어셔도 감히 만승지녜라 ᄒᆞ여 결울 ᄇᆡ 업ᄉᆞ나, 경은 문양을 듕ᄃᆡᄒᆞ【56】여 딤의를 져바리지 말나.”

병뷔 ᄇᆡ샤이퇴(拜謝而退)ᄒᆞᄆᆡ 날이 져므러 운산으로 가지 못ᄒᆞ여, 경부의셔 밤을 지ᄂᆡ고 명일 됴회의 참예ᄒᆞᆯᄉᆡ, 명일 만셰황야 문화뎐의 옥좌를 여르시고 만됴 문무의 됴하를 바드실ᄉᆡ, ᄇᆡᆨ관이 아홀(牙笏)과 오ᄉᆞ(烏紗)로 반항(班行)이 졍졍졔졔ᄒᆞ니, 샹운(祥雲) 셔애(瑞靄) 농누(龍樓)의 어릐고 홍광(紅光) ᄌᆞ뮈(紫霧) 옥좌를 둘너시니, 요텬슌일(堯天舜日)[743]의 태평긔상(太平氣像)을 볼지라. 샹이 옥음을 나리와 ᄀᆞᆯ오샤ᄃᆡ,

“원손(元孫)이 쳐음으로 나ᄆᆡ 국가대경이 이밧긔 업ᄉᆞ니, 텬하의 대샤ᄒᆞ고 갑과(甲科)[744]를 명ᄒᆞ여 인ᄌᆡ를 초탁(超擢)ᄒᆞ리니

742)치부(置簿) : ①금전이나 물건 따위가 들어오고 나감을 기록함. 또는 그런 장부. ②마음속으로 그러하다고 보거나 여김. ③물건 따위를 잘 간직하여 둠.

743)요텬슌일(堯天舜日) : 유가에서 이상적인 왕도정치가 이루어졌던 시대라고 하는 중국의 요(堯)·순(舜) 임금의 시절이란 듯으로, '태평한 시절'을 말한다.

744)갑과(甲科) : 조선 시대에, 과거 합격자를 성적에 따라 나누던 세 등급 가운데 첫째 등급. 정원은 세 명으로, 일등인 장원랑(壯元郞)은 종6품, 이등인 방안(榜眼)과 삼등인 탐화랑(探花郞)은 각각 정7품의 품계를 받았다.

“경니[이] 귀비로써 국ᄉᆞ의 간여ᄒᆞ다 ᄒᆞ나, 짐니 ᄒᆞᆫ갓 후궁으로 이르지 말고 정궁이라도 국ᄉᆞ의 간여ᄒᆞᆫ ᄇᆡ 업고, 지어(至於) 김귀비ᄂᆞᆫ 천셩니[이] 온슌ᄒᆞ여 국구의 불인을 담지 아냐시니, 엇지 문냥의 ᄉᆞ오나오믈 의심ᄒᆞ리요. 경니[이] 문양니[이] ○[하]가 젼 ᄇᆡᆨ미인과 열부닌[인]을 두엇셔도 감히 만승지녀라 ᄒᆞ여 결울 ᄇᆡ 업ᄉᆞ나, 경은 문냥을 즁ᄃᆡᄒᆞ여 짐을 져ᄇᆞ리지 말나.”

부ᄆᆡ ᄇᆡᄉᆞ이퇴(拜謝而退) ᄒᆞᄆᆡ 날이 져무러 운순으로 가지 못ᄒᆞ여, 경부의셔 밤을 지ᄂᆡ고 명일 조회의 ᄎᆞᆷ여할ᄉᆡ, 상니[이] 문화젼의 졍좌ᄒᆞ시고 만조의 조하(朝賀)을 ᄇᆞ드실ᄉᆡ, 상니[이] 유으[음](兪音)[596]을 ᄂᆞ리와 가로ᄉᆞᄃᆡ,

“원손(元孫)니[이] 쳐음으로 ᄂᆞᄆᆡ 국ᄀᆡ ᄃᆡ경이라. ᄃᆡᄉᆞ쳔ᄒᆞ(大赦天下)ᄒᆞ고 갑과(甲科)[597]을 정ᄒᆞ여 인ᄌᆡ을 ᄲᆡ리니, 즁외(中外)의 포고ᄒᆞ라.”

596)유음(兪音) : 신하의 말에 대하여 임금이 내리는 대답.

597)갑과(甲科) : 조선 시대에, 과거 합격자를 성적에 따라 나누던 세 등급 가운데 첫째 등급. 정원은 세 명으로, 일등인 장원랑(壯元郞)은 종6품, 이등인 방안(榜眼)과 삼등인 탐화랑(探花郞)은 각각 정7품의 품계를 받았다.

듕외(中外)의 포고ᄒᆞ라.”

졔신이 졔셩(齊聲) 치하ᄒᆞ고 만셰를 【57】 브르더라.

샹이 니부통지 김후를 탑젼(榻前)의 브르샤 니르샤ᄃᆡ,

“경이 니부텬관(吏部天官)의 듕임으로 용인치졍(用人治政)의 공평ᄒᆞ믈 취ᄒᆞ리니, 현인이 향니의 곤둔(困遁)ᄒᆞ미 업게ᄒᆞ라.”

김휘 ᄇᆡ복 슈명ᄒᆞᄆᆡ, 긴 의복과 너른 ᄉᆞ매 손을 덥혀시ᄆᆡ ᄌᆞ시 뵈지 아닛ᄂᆞ더라. 샹이 필연과 됴희를 주어 ᄀᆞᆯ오샤ᄃᆡ,

“비록 문미한쳔(門微寒賤)[745]ᄒᆞᆫ 뉘나 직덕이 가즐진ᄃᆡ 가히 쓰리니, 경이 그 맛당ᄒᆞᆫ ᄌᆞ의 셩명을 벼 드리라.”

김휘 셩의를 ᄭᆡ닷지 못ᄒᆞ고 즉시 필연을 나와 져의 연인지가(連姻之家)[746]와 원족뉴(遠族類)의 ᄒᆞᆨᄒᆡᆼ(學行)잇ᄂᆞᆫ ᄌᆞ 십여인을 벼 올니니, 샹이 유의ᄒᆞ여 ᄉᆞᆯ피시ᄆᆡ 과연 김후의 좌슈 《댱가【58】락[747] ‖ 엄지가락[748]》이 업ᄂᆞ더라. 이에 문왈,

“경의 부뫼 구존(俱存)ᄒᆞ니 슈지(手指)를 단ᄒᆞᆯ 니 업ᄉᆞᄃᆡ, 엇지 좌슈 《댱가락 ‖ 엄지가락》이 업ᄂᆞ뇨?”

김휘 황망이 ᄃᆡ왈,

“신이 우연이 칼흘 쓰다가 실슈ᄒᆞ여 《댱가락 ‖ 엄지가락》을 버힌 ᄇᆡ 되니이다.”

언미파의 셔녁 반항(班行)의 일위 직상이 금포를 ᄯᅥᆯ치고 옥ᄃᆡ를 도도아 단지(段地)[749]의 ᄇᆡ복 왈,

“신이 텬위지쳑(天威咫尺)의 사ᄅᆞᆷ으로 더브러 ᄌᆡᆼ단(爭端)ᄒᆞ오미 경슌ᄒᆞᆫ 되 아니오나, 김후의 칼 쓰다가 손이 상ᄒᆞ다 ᄒᆞ오믄 만히 긔군(欺君)ᄒᆞ옵ᄂᆞᆫ디라, 신이 그 곡졀을

745)문미한쳔(門微寒賤) : 문벌이 미약하거나, 가난하거나 신분이 천하거나 함.

746)연인지가(連姻之家) : 인척(姻戚). 혼인에 의해 맺어진 친척.

747)댱가락 : 장지(長指). 가운뎃손가락.

748)엄지가락 : 엄지손가락. 앞에서 정천흥이 김후의 손가락을 벤 것은 '모지' 곧 '엄지손가락'임.

749)단지(段地) : ①층이진 땅. ②계단 아래.

져[졔]신니[이] 져[졔]셩 칭ᄒᆞᄒᆞ고 만셔[셰]을 브르더라.

상니[이] 이부총지 김후을 탑젼(榻前)의 부르ᄉᆞ 왈,

“경이 니부쳔관(吏部天官)의 듕임으로 용인치졍(用人治政)의 공졍ᄒᆞ물 취ᄒᆞ리이[니], 현인이 향니의 곤둔(困遁)ᄒᆞ미 업겨[게] ᄒᆞ라.”

김후 ᄇᆡ복 슈명ᄒᆞᄆᆡ 긴 의복과 너른 ᄉᆞᄆᆡ 손을 덥허시니 ᄌᆞ시 뵈지 아닛ᄂᆞᆫ지라. 상니[이] 이의 지필을 쥬ᄉᆞ 왈,

“비록 문미ᄒᆞᆫ쳔(門微寒賤)[598]ᄒᆞᆫ 뉘ᄂᆞ【24】직덕니[이] 가즐진ᄃᆡ ᄀᆞ히 쓰리니, 경니[이] 그 맛당ᄒᆞᆫ ᄌᆞ을 셩명을 써 드리라.”

김후 셩의을 ᄭᆡ닷지 못ᄒᆞ고, 즉시 필년을 ᄂᆞ와 저의 연지가(連枝家)[599]의 원족유(遠族類)의 ᄒᆞᆨᄒᆡᆼ(學行) 잇ᄂᆞᆫ ᄌᆞ 십여인을 써 올니이[니] 상니[이] 유의ᄒᆞ여 살피시ᄆᆡ 과연 김후의 ○…결락 33자…○[좌슈 장가락이 업ᄂᆞᆫ디라 이에 문왈,

“경의 부뫼 구존(俱存)ᄒᆞ니 슈지(手指)를 단ᄒᆞᆯ 니 업ᄉᆞᄃᆡ 엇지] 좌슈 즁지 업ᄂᆞ뇨[뇨]?

김후 황망니 ᄃᆡ 왈,

“신니 우연니 칼○[흘] 쓰다가 실슈ᄒᆞ여 버힌 ᄇᆡ 되니이다.”

언미필의 셔반즁(西班中)으로셔 일위 소년직상니[이] 금포을 ᄯᅥᆯ치고 옥ᄃᆡ을 도도와 츌반 쥬왈,

“신이 쳔위지쳑(天威咫尺)의 ᄉᆞ람으로 더브러 ᄌᆡᆼ단(爭端)[600]ᄒᆞ오미 징[경]슌ᄒᆞ온 되 아니오ᄂᆞ, 김휘 칼을 쓰다가 소니 상ᄒᆞ다 ᄒᆞ믄 만히 긔군(欺君)ᄒᆞ옵ᄂᆞᆫ지라. {신니 곡졀} 신이 곡졀을 명졍ᄒᆞ와 셩쥬 긔망ᄒᆞᆫ 죄을 아르시겨[게] ᄒᆞ리이다.”

598)문미ᄒᆞᆫ쳔(門微寒賤) : 문벌이 미약하거나, 가난하거나 신분이 천하거나 함.

599)연지가(連枝家) : 형제자매의 가족. 연지(連枝)는 한 뿌리에서 나 이어진 가지라는 뜻으로, 형제자매를 비유적으로 이르는 말이다.

600)정단(爭端) : 서로 말끝을 잡아 다툼.

명경ᄒᆞ와 간당의 셩쥬 긔망ᄒᆞᄂᆞᆫ 죄를 아르시게 ᄒᆞ리이다."

언쥬파의 김후를 향ᄒᆞ여 문왈,

"공이 긔군ᄒᆞ믈 능ᄉᆞ(能事)로 알거니와 공의 손가락 버힌 곡【59】졀이 심상치 아니니, 아지 못게라, 공이 진실노 칼 쓰다가 어나 곳의셔 손가락을 버히며, 또 공의 신샹의 블평ᄒᆞᆫ 곳이 업더냐?"

김휘 쳔만 의외의 손가락 버힌 일이 낫타나게 되여시믈 경악ᄒᆞ여, ᄌᆞ시 술피니, 이 곳 평남후 뎡병뷔라. 뎡식 답왈,

"그ᄃᆡ 므ᄉᆞᆫ 일노 나의 손가락 업ᄉᆞᆫ 곡졀을 문ᄂᆞ뇨? ᄉᆡᆼ이 셕연(昔年)의 가친 슈셕(壽席)을 당ᄒᆞ여 미녀를 모화 검무를 시작ᄒᆞᆯ 졔, ᄉᆡᆼ이 우연이 창기로 검무ᄒᆞ다가 날닌 칼날이 그릇 ᄉᆡᆼ의 좌슈 모지를 버히니, 기시 술이 취ᄒᆞ여 손이 상ᄒᆞ믈 모로고, 술이 ᄭᆡᆫ 후 비로소 알프믈 니긔지 못ᄒᆞ여 여러 ᄂᆞᆯ 신고하엿ᄂᆞ니, 엇디 긔군ᄒᆞᆫ다 지목ᄒᆞ【60】나뇨?"

병뷔 ᄇᆡᆨ안슉시(白眼熟視)750) 왈,

"공의 말 ᄀᆞᆺ틀진ᄃᆡ 손 버힌 거ᄉᆞᆯ 간ᄉᆞᄒᆞ엿ᄂᆞᆫ가?"

김휘 왈,

"졍신이 당황ᄒᆞᆫ ᄀᆞ온ᄃᆡ 일허시니, 그ᄃᆡ 말이 엇디코져 ᄒᆞᄂᆞ뇨?"

병뷔 녀셩 칙왈,

"텬일이 ᄌᆡ샹ᄒᆞ고 신명이 ᄌᆡ방(在傍)ᄒᆞ니, 사ᄅᆞᆷ의 ᄎᆞ마 못ᄒᆞᆯ 악ᄉᆞ를 힝ᄒᆞ여, 현인을 함졍의 모라 너코 안연이 일ᄉᆡᆼ 즐기믈 구ᄒᆞ나, 나 뎡텽홍의 삼촌셜(三寸舌)이 병드지 아녓고, 공의 버힌 손가락이 요하(腰下) 낭듕(囊中)의 ᄀᆞᆷ촌연 지 하마 뉵칠ᄌᆡ(六七載)라. 공이 비록 구변(口辯)이 능ᄒᆞ여 공교로이 ᄭᅮ미기를 잘 ᄒᆞ나, ᄎᆞᄉᆞᄂᆞᆫ 발명치 못ᄒᆞ리라. 모년 월일의 하개 참화를 만나믜 기시 ᄉᆡᆼ이 십이셰 동치(童穉)로ᄃᆡ, 공(公) 등

750)ᄇᆡᆨ안슉시(白眼熟視) : 업신여기거나 냉대하여 흘겨보는 눈으로 오랫동안 바라봄.

언쥬파의 김후을 힝[향]ᄒᆞ여 문왈,

"공니[이] 긔군ᄒᆞ믈 승ᄉᆞ(勝事)로 알거니와 공의 손가락 비힌 곡졀니[이] 심상치 아니니 아지 못겨[게]라, 공니[이] 진실노 칼을 쓰다가 어ᄂᆡ 곳의셔 손ᄭᅡ락을 버히며 또 공의 신상니[이] 불평○[ᄒᆞᆫ] 곳시 업더야[냐]?"

김후 쳔만 의외의 손ᄭᅡ락을 ○○○○[버힌 일이] 《나라ᄂᆞ겨‖나타ᄂᆞ게》 되녀[여]시니, 경악ᄒᆞ여 ᄌᆞ시 살피니, 니[이] 곳 평남후 졍병부라, 졍식 ᄃᆡ왈,

"그ᄃᆡ 무ᄉᆞᆷ 일오 ᄂᆞ의 손ᄭᅡ락 버힌 곡졀을 뭇ᄂᆞ요[뇨]? ᄉᆡᆼ니[이] 셕년(昔年)의 가친 슈셕(壽席)을 딩[당]ᄒᆞ여 기여을 모화 검무을 시ᄌᆞᆨ할 져[졔], 우연니 창긔로 검○[무]ᄒᆞ다가 날닌 칼날니[이] ᄉᆡᆼ의 좌슈 장가락을 버히니, 기시의 술니[이] 취ᄒᆞ여 손이 상ᄒᆞ물 모로고, 슐니[이] ᄭᆡᆫ 후 비로소 압푸믈 견ᄃᆡ지 못ᄒᆞ여 여러 날 신고ᄒᆞ엿ᄂᆞ니, 엇지 긔군ᄒᆞᆫ다 ᄒᆞᄂᆞ요[뇨]?"

병부 ᄇᆡᆨ안슉시(白眼熟視)601) 왈,

"공의 말 갓틀진ᄃᆡ 버힌 거ᄉᆞᆯ 간슈ᄒᆞ엿ᄂᆞᆫ다?

김휘【25】 왈,

"긋ᄶᅥᆨ 분은(紛紜)ᄒᆞᆫ 가온ᄃᆡ 일헛ᄂᆞ니 그ᄃᆡ 엇지 이심니 알고져 ᄒᆞᄂᆞ요[뇨]?"

병뷔 여셩 칙[칙]왈,

"쳔일니[이] ᄌᆡᄉᆡᆼ[상](在上)ᄒᆞ고 신명니[이] ᄌᆡ방(在傍)ᄒᆞ니 ᄉᆞ람의 ᄎᆞ마 못할 악ᄉᆞ을 힝ᄒᆞ여, 완[안]연(晏然)이 일ᄉᆡᆼ을 {ᄉᆡᆼ을} 즐기고져 ᄒᆞ거이와, 이 뎡쳔홍니[이] 삼촌셜(三寸舌)니[이] 병드지 아냣고, 공의 버힌 손ᄭᅡ락니[이] 요ᄒᆞ(腰下) 낭즁(囊中)의 감초연지 ᄒᆞ마 뉵칠ᄌᆡ(六七載)라. 공니[이] 비록 구변(口辯)니[이] 능ᄒᆞ여 공교히 ᄭᅮ미기을 잘 ᄒᆞ나, ᄎᆞᄉᆞᄂᆞᆫ 발명치 못ᄒᆞ리라. 모년월일의 ᄒᆞ기 참화을 만나믜 기시 ᄉᆡᆼ니

601)ᄇᆡᆨ안슉시(白眼熟視) : 업신여기거나 냉대하여 흘겨보는 눈으로 오랫동안 바라봄.

의 힝ᄉᆞ를 분완 통히ᄒᆞ여, 월【61】야의 공의 ᄌᆞᄂᆞᆫ 셔헌(書軒)의 드러가 쳘편으로 공을 결둔ᄒᆞ니, 공이 즘결의 놀나 인귀를 분변치 못ᄒᆞ고 살기를 빌거늘, ᄉᆡᆼ이 여ᄎᆞ여ᄎᆞ 슈죄ᄒᆞ니 공의 악ᄉᆞ를 호발도 은닉지 아냐, 하공이 녕엄(令嚴)과 초왕을 논획ᄒᆞ므로 크게 혐원을 픔어, 초왕과 환관 오환이 변용ᄒᆞᄂᆞᆫ 약을 먹어 하원경 등의 모양이 되어, 각각 비슈를 씨고 셩샹을 격동ᄒᆞᄆᆡ, 텬뇌 일시의 진쳡ᄒᆞ샤 ᄋᆡᄆᆡᄒᆞᆫ 원경 등을 엄형ᄒᆞ시니, 원삼[상]은 나히 어린 고로 독형을 니긔지 못ᄒᆞ여 죽고, 원경 원보ᄂᆞᆫ 죽지 아니ᄆᆡ, 초왕과 녕엄이 의논ᄒᆞ여 약으로ᄡᅧ 옥니를 속여 원경 등을 먹여 일긱의【62】참ᄉᆞᄒᆞ며, 원광의 비상ᄒᆞ믈 믜이 넉여 거즛 인신지상(人臣之相)이 아니라 ᄒᆞ여 십일셰 동치를 하옥홈과, 하공을 브ᄃᆡ 죽이려 ᄒᆞ던 일을 일일히 복초ᄒᆞ고, 공이 날다려 언필칭(言畢稱) '텬신'이라 ᄒᆞ여, '디난 일은 그릇ᄒᆞ여시나 하진이나 술올 거시니 일명을 빌니라 두 손을 브븨며 쳬읍ᄋᆡ걸ᄒᆞ거늘' ᄉᆡᆼ이 ᄎᆞ마 죽이지 못ᄒᆞ여 나올 졔, 개과쳔션ᄒᆞ믈 니르고, 좌슈 모디를 버혀 증혐을 삼으며, 공의 입의 분즙(糞汁)을 난만이 ᄲᅳ리고 도라왓더니, 이졔 셩샹의 하문ᄒᆞ시믈 인ᄒᆞ여 ᄂᆡ도히 ᄉᆞ미려 ᄒᆞᄆᆡ, ᄉᆡᆼ이 분연ᄒᆞ여 곡졀을 셜파ᄒᆞᄂᆞ니, 그ᄃᆡ 소당(蘇張)[751]의 구변이 이시나 이 뎡텬【63】흥의 입을 막디 못ᄒᆞ리니, ᄇᆞ졀업시 텬위지하의 긔군지죄(欺君之罪)를 더으지 말고, 젼후 악ᄉᆞ를 ᄉᆡᆼ다려 니를 젹ᄀᆞᆺ치 셰셰히 알외라. 내 공의 손가락을 도라보ᄂᆡᄂᆞ니, ᄉᆞ라셔ᄂᆞᆫ 다시 니을 도리 업거니와 ᄉᆞ후의 관의 너케 ᄌᆞ손을 맛디라."

언파의 낭듕의 손가락 너흔 거ᄉᆞᆯ ᄂᆡ여 김후의 알ᄑᆡ 더지니, 김휘 병부의 말을 드르ᄆᆡ 간담이 ᄯᅥ러지고 심장이 ᄯᅱ노라 능히 발명ᄒᆞᆯ 말을 못ᄒᆞ고 면여토ᄉᆡᆨ(面如土色)ᄒᆞ니, 만됴 문뮈 병부의 말을 듯고 김후의【64】

751)소당(蘇張) : 중국 전국 시대의 세객(說客)인 소진(蘇秦)과 장의(張儀)를 아울러 이르는 말.

[이] 십여셔[셰] 동치(童穉)로ᄃᆡ, 공 등의 힝ᄉᆞ을 분연 통히ᄒᆞ여 월야의 공의 ᄌᆞᄂᆞᆫ 셔헌의 드러가 쳘편으로 공을 결둔ᄒᆞ니, 공니[이] 잠결의 놀나 인귀(人鬼)을 분별치 못ᄒᆞ고 살기을 빌거날, ᄉᆡᆼ니[이] 여ᄎᆞ여ᄎᆞ 슈죄ᄒᆞ니, 공니[이] 악ᄉᆞ을 호발도 은익지 아냐, 하공니[이] 녕엄과 초왕을 논박ᄒᆞ믈 혐의ᄒᆞ여, 초왕과 환관 오학니[이] 기용단을 먹어 화[하]원경 등의 모냥○[이] 되어, 각각 비수을 씨고 셩상을 격동ᄒᆞᄆᆡ, 쳔뇌 진쳡ᄒᆞᄉᆞ ᄋᆡᄆᆡᄒᆞᆫ 원경 등을 엄형ᄒᆞ시나[니], 원슴은 ᄂᆞ히 어린 고로 즁ᄒᆞ의 쥭고, 원경 원보ᄂᆞᆫ 아조 쥭지 아니ᄆᆡ, 초왕과 영엄이 의논ᄒᆞ여 독약을 먹여 일긱의 츰ᄉᆞᄒᆞᄆᆡ, 원광을 ᄆᆞᄌᆞ 쥭니[이]려 ᄒᆞ여 십일셔[셰] 동치을 나옥함과, ᄒᆞ가 일문을 쥭이려 ᄒᆞ든 일을 복쵸ᄒᆞ고, 공니[이] 날ᄃᆞ려 쳔신이라 ᄒᆞ여, ᄒᆞ진을 살오리이[니] 명을 빌이라 두 손을 부비며 쳐[쳬]읍ᄋᆡ걸 《왈∥ᄒᆞ거늘》, ᄉᆡᆼ니[이] ᄎᆞ마 쥭이지 못ᄒᆞ여 나올 져[졔] 기과천선ᄒᆞ믈 이르고, 좌수 ○○○[장가락]을 버혀 증츰을 삼으며, 공의 입의 분집(糞汁)을 ᄲᅮ리고 도라왓더니, 이져[졔] 셩상니[이] ᄒᆞ문ᄒᆞ시ᄂᆞᆫ 셩교(聖敎)을 당ᄒᆞ여, 믄득 ᄂᆡ도이 ᄉᆞ미려 ᄒᆞᄆᆡ,【26】 ᄉᆡᆼ니[이] 분연ᄒᆞ여 곡졀을 셜파○[하]ᄂᆞ니, 공니[이] 소장(蘇張)[602]의 구변니[이] 잇시나 뎡청[천]흥의 입을 막지 못ᄒᆞ리니, 부졀 업시 엄[천]위지ᄒᆞ(天威之下)의 긔망지죄(欺罔之罪)을 더으지 말나. 모로미 젼후 악ᄉᆞ을 ᄉᆡᆼᄃᆞ려 일을 적 갓치 셔셔[셰셰]히 알외라. ᄂᆡ 공의 슈지(手指)을 도라보ᄂᆡᄂᆞ니, ᄉᆡᆼ젼의ᄂᆞᆫ 니을 길 업ᄉᆞ이[니] ᄌᆞ손을 맛져 관의 넉켜[케]ᄒᆞ라"

언필의 낭즁으로 좃ᄎᆞ 손가락을 ᄂᆡ여 김후의겨[게] 더지니, 김휘 병부의 말을 드르ᄆᆡ 간담이 ᄯᅥ러지고 심담니[이] ᄯᅱ노라 능히 발명할 말을 ᄂᆡ지 못ᄒᆞ여, 면여토ᄉᆡᆨ(面如土色)ᄒᆞ여 오직 쥭고○○○[ᄌᆞ 하고] 양

602)소당(蘇張) : 중국 전국 시대의 세객(說客)인 소진(蘇秦)과 장의(張儀)를 아울러 이르는 말.

긔식을 보ᄆᆡ, 김후의 당이 아닌 후는 하가의 신셜이 두렷ᄒᆞ고 병부의 힝ᄉᆞ를 신긔히 넉이고, 김후의 당은 다 놀나 한한(寒汗)752)이 쳠의(沾衣)ᄒᆞ고, 쇼년 명ᄉᆞ는 김후의 참욕(慘辱) 봄과 병부의 능활ᄒᆞᆷ을 징그라753) 미미ᄒᆞᆫ 우음을 ᄯᅴ엿더라.

텬안이 대쇼ᄒᆞ시고 작용을 긔괴히 넉이시나, 초왕과 국구의 블인흉패(不仁凶悖)ᄒᆞᆷ을 통히ᄒᆞ시며, 금후는 ᄋᆞᄌᆞ의 작용을 어히업셔 튱천호일(衝天豪逸)ᄒᆞᆫ 긔운을 댱튝(藏縮)디 못ᄒᆞᆷ을 근심ᄒᆞ며, 낙양후 삼곤계 쾌히 넉여 셔로 도라보고 우음을 먹음엇더라.

ᄎᆞ시 김국귀 본셩이 흉험싀포(凶險猜暴)ᄒᆞ고 대담대악(大膽大惡)이라, 대로분분ᄒᆞ여 츌반 쥬왈,

“노신이 폐하의 툥우ᄒᆞ시는 은권을 닙ᄉᆞ와 부귀 일신의 과의(過矣)라.【65】 ᄆᆡ양 화를 두리옵더니, 금일 뎡텬흥의 ᄆᆡᆼ낭지셜노 모함ᄒᆞᆷ을 만나오니, 이 타괴(他故) 아니라 텬흥이 문양공쥬로 금슬이 블합ᄒᆞ여, 명위 부부나 실위 구뎍(仇敵)이라. 신의 부ᄌᆞ와 귀비를 업시ᄒᆞ고, 공쥬를 죽여 제 ᄆᆞ음의 거릿긴 거시 업게 ᄒᆞ고, 쳐쳡으로 화락ᄒᆞᆯ 의ᄉᆡ라. 복원(伏願) 폐하는 명찰ᄒᆞ샤 신ᄌᆞ(臣子)의 원굴(冤屈)ᄒᆞ미 업게 ᄒᆞ시며, 텬하의 변용ᄒᆞ는 약이 잇다 ᄒᆞ오믄 일즉 듯ᄌᆞᆸ지 못ᄒᆞᆫ ᄇᆡ오니, 텬흥의 변용지셜(變容之說)은 다 허무(虛無) 슈작(酬酌)이라. 폐히 텬흥 ᄀᆞᆺ튼 흉휼지인(凶譎之人)으로 병권을 맛지시면, 국개 졈졈 병들니이다.”

병뷔 국【66】구의 쥬ᄉᆞ를 듯고 비록 통완ᄒᆞ나 군젼의 간ᄃᆡ로 징단(爭端)754)을 못ᄒᆞ여, 다만 셩명 쳐치를 기다리고 다시 말을 아니며, 김후는 발명치 못ᄒᆞ니, 샹이 귀

752)한한(寒汗) : 찬 땀. 식은땀. 몹시 긴장하거나 놀랐을 때 흐르는 땀.
753)징그라 : 쟁그라워. 속이 시원하고 고소하여.
754)징단(爭端) : 서로 말끝을 잡아 다툼.

안니 불그믈 면치 못ᄒᆞ니, 만조 문뮈 뎡도위 말을 듯고 김후의 긔식을 보ᄆᆡ, 김후의 당니[이] 아닌[닌] 후는 ᄒᆞ가의 신셜이 두렷ᄒᆞ고, 병부의 힝ᄉᆡ 신긔히 역니[이]고, 김후의 당은 ᄃᆞ 놀나 한한(寒汗)603)이 쳠의(沾衣)ᄒᆞ고, 명ᄉᆞ 즁 소연들은 김후의 ᄎᆞᆷ욕 봄과 병부의 능활ᄒᆞᆷ을 징그라와604) 미미ᄒᆞᆫ 우음을 ᄯᅴ엿더라.

상니[이] ᄃᆡ소ᄒᆞ시고 ᄌᆞᆨ용을 긔괴히 역이시ᄂᆞ, 초왕과 국구의 불인흉ᄑᆡ(不仁凶悖)ᄒᆞᆷ을 통히ᄒᆞ시며, 금후는 아ᄌᆞ의 작용을 어히업셔 츙천ᄒᆞᆫ 긔운을 장츅(藏縮)지 못ᄒᆞᆷ을 근심ᄒᆞ며, 낙양후 삼곤겨[계]는 쾌히 역여 셔로 도라보고 우음을 먹음어ᄯᅥ라.

ᄎᆞ시 김국귀 본셩니[이] 흉험싀포(凶險猜暴)ᄒᆞ고 ᄃᆡ담ᄃᆡ악(大膽大惡)이라. ᄃᆡ로분노ᄒᆞ여 츌반 쥬왈,

“노신이 펴[폐]ᄒᆞ의 춍우ᄒᆞ시는 은권을 입ᄉᆞ와 부귀 일신의 과의(過矣)라. ᄆᆡ냥 화을 두리옵더니, 금일 졍천흥의 ᄆᆡᆼ낭지셜노 모흠ᄒᆞᆷ을 만ᄂᆞ오니, 이 타괴(他故) 아니라 쳔흥니 문양 공쥬로 금슬니 블합ᄒᆞ여, 명위 부부나 실위 구젹(仇敵)이라, 신의 부ᄌᆞ와 귀비을 업시ᄒᆞ고, 공쥬을 《쥬니여‖죽이여》셔 마【27】음의 거리ᄭᅵᆫ 거시 업겨[게] ᄒᆞ고, 《천첩‖처첩》으로 화락할 의ᄉᆡ라. 복원(伏願) 펴[폐]ᄒᆞ는 명찰ᄒᆞᄉᆞ 신ᄌᆞ(臣子)의 원굴(冤屈)ᄒᆞ미 업겨[게] ᄒᆞ시며, 천ᄒᆞ의 변용ᄒᆞ는 약니[이] 잇ᄡᅡ ᄒᆞ오믄 일작 듯ᄌᆞᆸ지 못ᄒᆞ온 ᄇᆡ오니, 쳔흥의 변용지셜은 ᄃᆞ 허무주ᄌᆞᆨ虛無做作)이라. 펴[폐]히 쳔흥 갓튼 흉휼지{은}인(凶譎之人)으로 병권을 막이시면 국ᄀᆡ 졈졈 병들니이다.”

병뷔 국구의 주ᄉᆞ을 듯고 비록 통완ᄒᆞ나 군젼의 간ᄃᆡ로 징단(爭端)을 못ᄒᆞ여 ᄃᆞ만 셩샹 처치을 긔ᄃᆞ리고, ᄃᆞ시 말을 아니며, 김후는 발명치 못ᄒᆞ니 상니[이] 귀비을 총익ᄒᆞ시는 ᄇᆡ나, 일월지명이 요[도]라오신지

603)한한(寒汗) : 찬 땀. 식은땀. 몹시 긴장하거나 놀랐을 때 흐르는 땀.
604)징그라와 : 쟁그라워. 속이 시원하고 고소하여.

비를 통ᄋᆡᄒᆞ시ᄂᆞᆫ ᄇᆡ나 일월디명이 도라오신디라. 국구의 무상ᄒᆞ믈 통히ᄒᆞ샤 옥식이 엄녈ᄒᆞ여 ᄀᆞᆯ오샤ᄃᆡ,

"텬홍의 말이 명뎡ᄒᆞ여 일분 그르미 업고, 김후의 슈지 버힌 거시 텬홍의 낭ᄃᆡ(囊袋) 듕의 이시니, 발명ᄒᆞᆯ 말이 업ᄉᆞᆫ디라. 모로미 바로 알외여 하원경 등의 원억○[ᄒᆞᆫ] 참ᄉᆞ(慘死)를 신빅(伸白)게 ᄒᆞ라."

김휘 면여토ᄉᆡᆨ(面如土色)ᄒᆞ여 브릉쥬답(不能奏答)ᄒᆞ니, 김탁이 셩의를 슷치ᄆᆡ 분완ᄒᆞ믈 니긔지 【67】 못ᄒᆞ여, 녀셩 쥬왈,

"노신이 삼됴(三朝)의 슈은(受恩)ᄒᆞ와 우튱(愚忠)이 몸을 죽여 나라흘 갑ᄉᆞ올 ᄆᆞᄋᆞᆷ이 잇고, 폐하 셩덕이 일월노 징휘(爭輝)ᄒᆞ믈 바라ᄋᆞᆸ거ᄂᆞᆯ, 엇디 튱냥(忠良)을 살히ᄒᆞ여 셩쥬의 실덕을 도으리잇고? 이졔 폐해 뎡텬홍 역ᄌᆞ의 흉휼지언을 미드샤 신을 의심ᄒᆞ시니, 신이 죽어 뭇칠 ᄯᅡ히 업도소이다."

샹이 국구를 냥구 찰시의 졍셩 왈,

"딤이 경을 골경지신(骨鯁之臣)으로 ᄒᆞ여, 혹 무례ᄒᆞ나 삼됴의 구신이믈 가ᄋᆡ(可愛)ᄒᆞ여 허물치 아니ᄒᆞ더니, 엇디 ᄎᆞ마 블의악ᄉᆞ(不義惡事)를 ᄒᆞ며, 져 텬홍이 년쇼ᄒᆞ나 쥬셕(柱石) 고굉지신(股肱之臣)이라. 하고로 국가를 병드리 【68】 리오. ᄒᆞᆫ갓 경의 믜오므로ᄡᅧ 간ᄃᆡ로 사ᄅᆞᆷ을 히치 못ᄒᆞ리니, 괴이ᄒᆞᆫ 말 말고 믈너가라."

인ᄒᆞ여, 핍박ᄒᆞ여 궐외의 ᄂᆡ치시고, 김후를 지촉ᄒᆞ샤 젼젼악ᄉᆞ(前前惡事)를 ᄃᆡ고ᄒᆞ라 ᄒᆞ시니, 김휘 황망이 면관쳥죄(免冠請罪) 왈,

"신이 본ᄃᆡ 졍신이 모황(暮荒)[755]ᄒᆞ와 앗춤의 ᄒᆞᆫ 바를 나조히[756] 긔억지 못ᄒᆞ오니, 뎡텬홍이 신을 함히(陷害)ᄒᆞ오나, 신이 실노 그런 ᄋᆡ경을 지닌 ᄇᆡ 업ᄉᆞ오니, 셩샹이 정확(鼎鑊)과 부월(斧鉞)노 져히시나 능히 쥬ᄒᆞᆯ ᄇᆡ 업도소이다."

뎡병뷔 브복 쥬왈,

755)모황(暮荒) : 어둡고 거칠어 정신을 차리지 못함.
756)나조히 : 저녁에. 나조ㅎ; 저녁.

라, 국구의 무상ᄒᆞ믈 통히ᄒᆞᄉᆞ 옥식니[이] 엄녈ᄒᆞ여 갈오ᄉᆞᄃᆡ,

"쳔홍의 말니[이] 엄졍ᄒᆞ여 일분 그르미 업고, 김후의 수지 버힌 거시 쳔홍의 낭ᄃᆡ 즁의 이시니 발명할 말니[이] 업ᄂᆞᆫ지라. 모로미 ᄇᆞ로 알외여 원경의 원억○[ᄒᆞᆫ] 춤ᄉᆞ(慘死)을 신빅(伸白)겨[게] ᄒᆞ라."

김휘 면여토ᄉᆡᆨ(面如土色)ᄒᆞ여 불응(不應) 쥬답(奏答)이니, 기[김]탁이 셩의을 슷치ᄆᆡ, 분완ᄒᆞ믈 이긔지 못ᄒᆞ여 고셩 쥬왈,

"노신이 삼조(三朝)의 슈은(受恩)ᄒᆞ와 우즁(愚忠)니[이] 몸을 쥭여 ᄂᆞ라흘 갑흘 마음이 잇고, 펴[폐]ᄒᆞ 셩덕이 일월노 징휘(爭輝)ᄒᆞ믈 바라ᄋᆞᆸ거날, 즁냥(忠良)을 살히ᄒᆞ여 셩즁[쥬]의 실덕을 도으리잇고? 이져[졔] 펴[폐]히 뎡쳔홍 역ᄌᆞ의 흉휼지언을 미드ᄉᆞ 신을 의심ᄒᆞ시니, 신이 뭇칠 ᄯᅡ히 업습ᄂᆞ이다."

상니 국구을 양구 찰시의 졍셩 왈,

"짐이 경을 ○○[골경]지신(骨鯁之臣)으로 ᄒᆞ여 혹 무려[례]ᄒᆞ나 삼조 구신으로 아라 가ᄋᆡ(可愛)ᄒᆞ여 허물치 아니ᄒᆞ더니, 참아 불의악ᄉᆞ(不義惡事)을 ᄒᆞ며, 뎡청[쳔]홍이 【28】 연소ᄒᆞ나 주셕(柱石) 괴공[고굉]지신(股肱之臣)이라, ᄒᆞ고로 국가을 병드리리요. ᄒᆞᆫ갓 경의 뮈오므로ᄡᅧ 간ᄃᆡ로 ᄉᆞ람을 히치 못ᄒᆞ리이[니], 고이ᄒᆞᆫ 말 말고 물너가라."

인ᄒᆞ여 핍박ᄒᆞ여 궐외의 ᄂᆡ치고 김후을 지촉ᄒᆞᄉᆞ 젼젼악ᄉᆞ(前前惡事)을 직고ᄒᆞ라 ᄒᆞ시이[니] 김휘 황망이 면관쳥죄(免冠請罪) 왈,

"신이 본ᄃᆡ 졍신이 모황(暮荒)[605]ᄒᆞ와 아춤의 ᄒᆞᆫ ᄇᆞ을 나조[606]의 긔역지 못ᄒᆞ오니, 뎡쳔홍이 신을 함히(陷害)ᄒᆞ오나 신이 실노 그러[런] ᄋᆡ경을 지닌 ᄇᆡ 업ᄉᆞ오니, 셩상이 졍확(鼎鑊)과 부월(斧鉞)노 져히시나 능히 쥬할 ᄇᆡ 업습ᄂᆞᆫ이다."

뎡병뷔 부복 쥬왈,

605)모황(暮荒) : 어둡고 거칠어 정신을 차리지 못함.
606)나조 : 저녁.

"김휘 간흉ᄒᆞ와 져의 젼젼 악ᄉᆞ를 은닉ᄒᆞ오니, 몬져 두션과 오확을 형ᄎᆞ(刑次) 쥰문(峻問)ᄒᆞ시고, 버거 김후를【69】 츄문(推問)ᄒᆞ쇼셔."

샹이 즉시 형위를 베프시고 두션 오확을 졍하(庭下)의 꿀니시니, 김휘 금포오ᄉᆞ(錦袍烏紗)를 벗고 쇽졀업시 졍하의 죄쉬 되니, 독형을 밧디 아냐셔 아조 죽을 ᄃᆞᆺ 일신을 ᄡᅥ러 아모리 ᄒᆞᆯ 줄 모로니, 제신이 쥬왈,

"김후의 거동이 작죄 분명ᄒᆞ오나, 이 다 초왕과 김탁의 흉험ᄒᆞ온 연괴오니, 신 등은 바로 김탁을 져쥬미 맛당ᄒᆞᆯ가 ᄒᆞᄂᆞ이다."

샹왈,

"오확 두션을 엄문ᄒᆞ여 복초를 바든 후 김후와 ᄃᆡ면 질졍케 ᄒᆞ리니, 김탁은 아ᄃᆡᆨ 날회라."

ᄒᆞ시니 제신이 블감ᄌᆡ쳥(不敢再請)이러라.

이의 오확과 두션을 몬져 올녀 엄문ᄒᆞ시니,【70】 냥인이 쳔만 의외의 뎡병뷔의 쥬ᄉᆞ로 ᄌᆞᆾᄎᆞ 초왕과 김국구의 과악(過惡)이 드러나고, 져히 몬져 형벌을 바다 ᄉᆡᆼ을 뎡치 못ᄒᆞ니, 심신이 경월(驚越)ᄒᆞᄂᆞᆫ 듕, 만됴 문무 졍졍제제(整整齊齊)ᄒᆞ고 흉쟝ᄒᆞᆫ 나졸은 븕은 ᄆᆡ와 너븐 곤장을 가져 젼후 좌우의 버러, 독ᄒᆞᆫ 형장을 더으니, 블과슈ᄎᆞ(不過數次)의 젹혈이 ᄡᅡᄒᆡ 괴이고 피육(皮肉)이 미란(靡爛)ᄒᆞᆫ디라. 냥환(兩宦)이 능히 견ᄃᆡ디 못ᄒᆞ여 개개히 초ᄉᆞ를 올니니, 대개 왈,

"하진이 텬셩이 강녈ᄒᆞ여 환관의 무리와 훈쳑(勳戚) ᄌᆡ렬(宰列)의 블의ᄌᆡ 이신즉, 셰셰히 슬펴 텬졍의 ᄒᆡᆨ쥬(劾奏)ᄒᆞ니, 외됴의 블인지뉴와 환관의 무리 다 하진을 ᄆᆡ【71】워 눈을 기우려 ᄒᆡ코져 ᄒᆞ더니, 맛초아 초왕 뎐하와 국구 김탁의 가ᄅᆞ치믈 바다, 모년 모야의 여의개용단이란 약을 먹어, 초왕은 혹ᄉᆞ 하원경이 되고, 쇼신 등은 하한님 하ᄃᆡᆨᄉᆡ 되어, 비슈를 번득여 텬심을 격

"김휘 간흉ᄒᆞ와 젼젼 악ᄉᆞ을 은익ᄒᆞ오니, 몬져 두션과 오학을 형ᄎᆞ(刑次) 쥰문(峻問)ᄒᆞ시고, 버거 김후을 츄문(推問)ᄒᆞ소셔."

상이 즉시 형위을 ᄇᆡ셜ᄒᆞ시고 두션괴[과] 오학을 졍ᄒᆞ(庭下)의 꿀이시니, 김휘 금포오ᄉᆞ(錦袍烏紗)을 벗고 속졀 업시 졍ᄒᆞ의 죄수 되ᄆᆡ, 독형을 밧지 아냐셔 아조 쥭글 듯 일신을 ᄡᅥ러 아모리 할 쥴 모로오니, ᄃᆡ신이 쥬왈,

"김후의 거동니[이] 즉죄 분명ᄒᆞ오○[나], 이 ○[다] 초왕과 김탁의 흉험ᄒᆞ온 연고오니, 신 등은 ᄇᆞ로 김탁을 져주미 맛당할가 ᄒᆞᄂᆞ이다."

상 왈,

"오학 두션을 엄문ᄒᆞ여 복초을 ᄇᆞ든 후 김후와 ᄃᆡ면 질졍케 ᄒᆞ리이[니], 김탁은 아직 날회라."

ᄒᆞ시니 져[졔]신이 불감○○[ᄌᆡ쳥]일러라.

이의 오학과 두션을 몬져 올녀 엄문ᄒᆞ시니, 양인니[이] 쳔만 의외의 뎡병부의 쥬ᄉᆞ로 ᄌᆞᆾᄎᆞ 초왕과 김국구의 과악(過惡)이 드러ᄂᆞ고, 져히 몬져 형벌을 ᄇᆞ다 ᄉᆡᆼ을 졍치 못ᄒᆞ니, 심신니[이] 경월ᄒᆞᄂᆞᆫ 즁, 만조문뮈 졍졍져져[졔졔](整整齊齊)ᄒᆞ고 흉장ᄒᆞᆫ 나졸은 불근 ᄆᆡ와 널부[분] 곤장을 가져 젼후【29】좌우의 버러 독형을 더으니, 불하슈ᄎᆞ(不下數次)의 젹혈니[이] ᄡᅣᆼ의 고이고 피육니[이] 미란(靡爛)한지라. 양인이 능히 견ᄃᆡ지 못ᄒᆞ여 개개이 초ᄉᆞ을 올니이[니] ᄃᆡᄀᆡ 왈,

"하진이 천셩니[이] 강열ᄒᆞ여 환관의 무리와 훈쳑(勳戚) ᄌᆡ열(宰列)의 불의ᄌᆡ 잇시면, 셔셔[셰셰]이 살펴 쳔졍의 ᄒᆡᆨ쥬(劾奏)ᄒᆞ니 외조의 불인지뉴와 환관의 무리 다 ᄒᆞ진을 미워 눈을 기우려 ᄒᆡ코져 ᄒᆞ드니, 맛초와 초왕 젼하와 국구 김탁의 가르치{치}믈 ᄇᆞ다, 모년 모야의 여의ᄀᆡ용단이란 약을 먹거 초왕은 학ᄉᆞ ᄒᆞ원경니[이] 되고, 소신 등은 ᄒᆞ한님 하직ᄉᆡ 되여 비슈을 번득여 환

동ᄒᆞ고, 급급히 ᄌᆞ최를 ᄀᆞᆷ초아 외면회단(外面回丹)이란 약을 먹어 본형을 ᄂᆡ고, 죄를 하한님 삼인의게 밀위여, 텬뇌 일시의 딘쳡ᄒᆞ시니, 하원경은 유년을 넘어시나 ᄃᆡᄉᆞ 원삼은 독형을 니긔지 못ᄒᆞ여 죽고, 하ᄒᆞᆨᄉᆞ와 한님은 죽지 아냣거ᄂᆞᆯ, 초왕과 김국귀 독약으로 옥니를 주어, 냥인을 먹여 급히 셔르ᄌᆞ니, 쇼신 등은【72】 초왕과 국구의 힝계를 볼 ᄲᅮᆫ이오, 식이ᄂᆞᆫ 일은 거ᄉᆞ리지 못ᄒᆞ나, 괴이ᄒᆞᆫ 동요를 디어 하상셰 역모를 ᄡᅬᄒᆞᆫ다 퍼지워, 텬심을 격동ᄒᆞ오믄 국귀 귀비 낭낭을 쵹(囑)ᄒᆞ미니이다."

ᄒᆞ엿더라. 샹이 어람(御覽) 미급(未及)의 뇽미의 텬뇌 딘쳡ᄒᆞ샤, 어슈로 뇽상을 쳐, ᄀᆞᆯ오샤ᄃᆡ,

"쳔ᄉᆞ무셕(千死無惜)이오 만ᄉᆞ유경(萬死猶輕)이라. 초왕과 김탁의 블인궁흉(不仁窮凶)ᄒᆞ므로 하원경 등이 참ᄉᆞᄒᆞᄃᆡ, 딤이 블명ᄒᆞ여 ᄉᆞᆯ피지 못ᄒᆞ여시니, 하진을 보ᄆᆡ 엇디 붓그럽지 아니리오."

졔신이 오확 등의 초ᄉᆞ를 드르ᄆᆡ 원경 등의 신원이 명ᄇᆡᆨᄒᆞ믈 깃거ᄒᆞ며, ᄯᅩ 텬어(天語)의 슌슌(恂恂)ᄒᆞ샤믈 듯ᄌᆞᆸ【73】고, 일시의 쥬왈,

"하원경 등이 본ᄃᆡ 개셰군ᄌᆡ(蓋世君子)라. ᄃᆡ역부도의 흉참지ᄉᆞᄂᆞᆫ 만만 블가ᄒᆞ오ᄃᆡ, 셩샹이 기시 원경 등의 발검(拔劍) 돌입ᄒᆞ믈 텬안(天眼)이 친찰(親察)ᄒᆞ샤, 일야지ᄂᆡ(一夜之內)의 셜국(設鞫) 엄문(嚴問)ᄒᆞ시니, 원삼이 몬져 죽고, 원경 형뎨 ᄯᅩ 옥듕의셔 급급히 죽ᄉᆞ오니, 신등이 밋쳐 구ᄒᆡ치 못ᄒᆞ엿ᄉᆞᆸ더니, 금일 오·두 냥인(兩人)의 초ᄉᆞ를 보오ᄆᆡ, 원경 등의 ᄋᆡᄆᆡ히 비명참ᄉᆞ(非命慘死)ᄒᆞ믄 인심의 비졀(悲絶)ᄒᆞ올 ᄇᆡ라, 간당의 흉험ᄒᆞᆫ 죄과를 의논ᄒᆞ오ᄆᆡ 살인ᄌᆞᄉᆞ(殺人者死)[757]ᄂᆞᆫ 한고조(漢高祖)[758]의 약법삼

757)살인ᄌᆞᄉᆞ(殺人者死) : 사람을 죽인 자는 사형에 처한다.

758)한고조(漢高祖) : 중국 한(漢)나라의 제1대 황제(B.C.247~B.C.195). 성은 유(劉). 이름은 방(邦). 자는 계(季). 시호는 고황제(高皇帝). 고조는 묘호. 진시황이 죽은 다음해 항우와 합세하여 진(秦)나

[황]심(皇心)을 격동ᄒᆞ고, 급급히 ᄌᆞ최을 감초와 외면회단이란 약을 먹어 본형을 내고, 죄을 ᄒᆞ한님 ᄉᆞᆷ인겨[긔] 밀위여, 쳔뇌 일시의 진쳡ᄒᆞ시니, ᄒᆞ원경은 유년을 너머시나 원ᄉᆞᆷ은 독형을 이긔지 못ᄒᆞ여 쥭고, ᄒᆞ학ᄉᆞ○[와] 한님은 쥭지 아냣거날, 초왕과 김국귀 독약을 옥니을 쥬어 양인을 먹여 급히 서르즈니, 소신 등은 초왕과 국구의 힝겨[계]을 볼 ᄲᅳᆫ이요, 시기ᄂᆞᆫ 일은 거ᄉᆞ치[607] 못ᄒᆞ엿ᄂᆞ이다. 괴이ᄒᆞᆫ 동요을 지어 ᄒᆞ상셔 역모로[를] ᄡᅬᄒᆞᆫ다 퍼지워 쳔심을 격동ᄒᆞ믄 귀비 낭낭을 촉ᄒᆞ미니이다."

ᄒᆞ녓[엿]더라. 상니[이] 어람(御覽) 미급(未及)의 용미의 쳔뇌 진쳡ᄒᆞᄉᆞ 어슈로 용상을 처 왈,

"쳔ᄉᆞ무셕(千死無惜)이요 만ᄉᆞ유경(萬死猶輕)이라. 초왕과 김탁의 불인궁흉(不仁窮凶)ᄒᆞ므로 ᄒᆞ원○[경] 등니[이] 참ᄉᆞᄒᆞᄃᆡ, 짐이 불명ᄒᆞ녀[여] 살피지 못ᄒᆞ엿시니, ᄒᆞ진을 보ᄆᆡ 엇지 붓그럽지 아니리요."

져[제]신이 오학의 초ᄉᆞ을 드르ᄆᆡ 원경 등의 신원이 명ᄇᆡᆨᄒᆞ믈 깃거ᄒᆞ며, ᄯᅩ 쳔의(天意)에 슌슌(恂恂)ᄒᆞ시물 듯ᄌᆞ오니, 일시의 쥬왈,

"ᄒᆞ원경 등이 본ᄃᆡ ᄀᆡ셔[셰]군ᄌᆞ(蓋世君子)라, ᄃᆡ역부도의 흉참지ᄉᆞᄂᆞᆫ 만만불가ᄒᆞ오되, 셩상이 기시의 원경 등의 발검(拔劍) 돌입을 친잘[찰]ᄒᆞᄉᆞ 일야{의}지ᄂᆡ(一夜之內)의 설국(設鞫) 엄문(嚴問)ᄒᆞ시니, 원ᄉᆞᆷ이 몬져 쥭고, 원경 형져[제] ᄯᅩ 옥이(獄裏)의셔 쥭ᄉᆞ오니, 신 등니[이] 밋쳐 구치 못ᄒᆞ엿ᄉᆞᆸ더니, 금일 양인의 초ᄉᆞ을 보ᄆᆡ, 원경 등의 참ᄉᆞᄂᆞᆫ 인심의 비졀(悲絶)ᄒᆞ올 ᄇᆡ라. 간당의 흉험ᄒᆞᆫ【30】 죄과을 의논ᄒᆞ오ᄆᆡ, 살인ᄌᆞᄉᆞ(殺人者死)[608]ᄂᆞᆫ 한고조(漢高祖)[609]의 악[약]법삼ᄌᆞᆼ(約法三章)[610]의 면

607)거ᄉᆞᆯ다 : 거스르다.

608)살인ᄌᆞᄉᆞ(殺人者死) : 사람을 죽인 자는 사형에 처한다.

609)한고조(漢高祖) : 중국 한(漢)나라의 제1대 황제(B.C.247~B.C.195). 성은 유(劉). 이름은 방(邦). 자는 계(季). 시호는 고황제(高皇帝). 고조는 묘호.

장(約法三章)759)의도 면치 못ᄒᆞ여시니, 초왕과 김탁을 일쳐의 ᄃᆡ면ᄒᆞ【74】온 후, 죽여 후셰 난신역ᄌᆞ(亂臣逆子)를 증계(懲戒)ᄒᆞ쇼셔."

샹이 윤죵(允從)ᄒᆞ시고 김후를 형위예 올녀 엄문ᄒᆞ시더라.【75】

라를 멸망시켰다. 그 뒤 해하(垓下)의 싸움에서 항우를 대파하여 중국을 통일하고 제위에 올랐다. 재위 기간은 기원전 206~기원전 195년이다.

759)약법삼장(約法三章) : 중국 한(漢)나라 고조가 진(秦)나라 군사를 격파하고 함양(咸陽)에 들어가서 지방의 유력자들과 약속한 세 조항의 법. 곧 ①사람을 살해한 자는 사형에 처하고, ②사람을 상해하거나 남의 물건을 훔친 자는 처벌하며, ③그 밖의 모든 진나라의 법은 폐지한다는 내용이다.

치 못ᄒᆞ엿ᄂᆞᆫ지라. 김탁과 초왕을 일쳐의 ᄃᆡ면ᄒᆞ온 후, 쥭여 후셔[셰] 난신젹ᄌᆞ(亂臣賊子)을 증겨[계](徵戒)ᄒᆞ소셔."

상이 윤종(允從)ᄒᆞ시고 김후을 형위의 올녀 엄문ᄒᆞ시니,

진시황이 죽은 다음해 항우와 합세하여 진(秦)나라를 멸망시켰다. 그 뒤 해하(垓下)의 싸움에서 항우를 대파하여 중국을 통일하고 제위에 올랐다. 재위 기간은 기원전 206~기원전 195년이다.

610)약법삼ᄌᆞᆼ(約法三章) : 중국 한(漢)나라 고조가 진(秦)나라 군사를 격파하고 함양(咸陽)에 들어가서 지방의 유력자들과 약속한 세 조항의 법. 곧 ①사람을 살해한 자는 사형에 처하고, ②사람을 상해하거나 남의 물건을 훔친 자는 처벌하며, ③그 밖의 모든 진나라의 법은 폐지한다는 내용이다.

명듀보월빙 권디이십구

화셜 만셰황애 김후를 형위의 올녀 엄문ᄒᆞ시니, 김휘 ᄒᆞᆫ ᄆᆡ를 밧디 아냐셔 개개 복초ᄒᆞᄆᆡ, 병부의 쥬ᄉᆞ로 어긋나디 아니코, 디금가디 병부의 슈죄 즐타ᄒᆞ믈 모로고, 분명 귀신으로 아던 바의 다ᄃᆞ라ᄂᆞᆫ 뎐샹 뎐하 졔인이 그윽이 함쇼ᄒᆞ고, 샹이 ᄯᅩᄒᆞᆫ 긔괴히 넉이시며 병부의 신능ᄒᆞ믈 칭찬ᄒᆞ샤, 제신다려 ᄀᆞᆯ오샤ᄃᆡ,

"뎡텬흥이 십삼 동치(童穉)로 하가를 위ᄒᆞ여 쳔문만호(千門萬戶)를 넘어 김후를 즐타ᄒᆞ고, 기악의 근본을 알ᄆᆡ【1】 그 슈디(手指)를 버혀 간ᄉᆞᄒᆞ[760]엿다가, 이졔 하가를 신ᄇᆡᆨᄒᆞ고 간당이 죄과의 나아가게 ᄒᆞ니, ᄉᆞᄉᆞ의 신능ᄒᆞᆫ디라. 만일 딤이 텬흥의 일ᄭᆡ오미 아니런들 하원경 등의 원혼을 위로치 못ᄒᆞ고, 하진으로 ᄒᆞ여금 맛ᄎᆞᆷᄂᆡ 쵹디의 ᄂᆡ쳐 후셰 참덕(慙德)이 되리랏다."

졔신이 셩교의 맛당ᄒᆞ샤믈 하례ᄒᆞ여 병부의 신능을 칭복ᄒᆞᄃᆡ, 금휘 각모(角帽)를 숙여 그윽이 블안ᄒᆞᆫ ᄉᆡᆨ이 잇더라. 샹이 이의 위사(衛士)를 발ᄒᆞ여 초왕을 나ᄅᆡ(拿來)ᄒᆞ라 ᄒᆞ시고, 오확과 두션을 초왕으로 ᄃᆡ면 후 죽이려 대리시의 나리오시고,【2】 김탁 부ᄌᆞ도 일체로 가도아 초왕의 오기를 기다려 ᄒᆞᆫ가지로 죄의 복ᄒᆞ라 ᄒᆞ시고, 하원경 등은 ᄋᆡᄆᆡᄒᆞ미 일월ᄀᆞᆺᄐᆞ니 삼인을 다 경상작ᄎᆞ(卿相爵次)[761]로 츄증(追贈)ᄒᆞ시고, 녜관을 보ᄂᆡ샤 치졔(致祭)ᄒᆞ여 쳔양하(泉壤下)의 원ᄇᆡᆨ을 위로ᄒᆞ라 하시고, 젼임 녜부상셔 하진은 쵹디의 여러 ᄒᆡ를 찬뎍ᄒᆞᄆᆡ, 국개(國家) 튱냥을 만히 져바리미 이시니, 특별이 참지경ᄉᆞ 뎡국공을 봉ᄒᆞ여 촉의 샤를 보니샤 급히 샹경ᄒᆞ라 ᄒᆞ샤 뉘웃ᄂᆞᆫ 뜻을 뵈시며, 각

김휘 ᄒᆞᆫ ᄆᆡ을 밧지 아냐셔 ᄀᆡᄀᆡ 복초ᄒᆞᄆᆡ, 병부의 쥬ᄉᆞ로 다르미 업고, 지금것 병부의 슈죄 즐타ᄒᆞ믈 모르고, 분명 귀신인가 아른ᄃᆡ 다ᄃᆞ라ᄂᆞᆫ 젼장[상]젼ᄒᆞ(殿上殿下) 져[졔]인니 그윽니[이] 함소ᄒᆞ고, 상이 ᄯᅩᄒᆞᆫ 기괴히 역니[이]시며, 병부의 신능ᄒᆞ믈 칭춘ᄒᆞᄉᆞ 져[졔]신다려 ᄀᆞ로ᄉᆞᄃᆡ,

"쳔흥이 십ᄉᆞᆷ 동치(童穉)로 하가을 위ᄒᆞ여 쳔문만호(千門萬戶)을 넘어 김후을 즐타ᄒᆞ고, 기악의 근본을 알 ᄯᆡ[ᄆᆡ] 그 슈지을 버혀 간ᄉᆞᄒᆞ[611]엿ᄶᅡ가, 이져[졔] ᄒᆞ가을 신원ᄒᆞ고 간당니[이] 좌[죄]과의 나아가겨[게] ᄒᆞ니, ᄉᆞᄉᆞ의 신능ᄒᆞᆫ지라. 만닐 짐이 쳔흥의 일ᄭᆡ오미 아니런들 하원경 등의 원혼을 위로치 못ᄒᆞ고, ᄒᆞ진으로 ᄒᆞ여금 마ᄎᆞᆷ내 촉지의 ᄂᆡ쳐 후셔[셰] ᄎᆞᆷ덕(慙德)니[이] 되리랏다."

져[졔]인이 셩교의 맛당ᄒᆞ시믈 ᄒᆞ려[례]ᄒᆞ여 병부의 신능을 칭복ᄒᆞ되, 금휘 각모(角帽)을 ᄉᆞᆨ여 그윽니[이] 불안ᄒᆞᆫ 빗치 잇더라. 상니[이] 이의 위ᄉᆞ(衛士)을 발ᄒᆞ여 초왕을 ᄂᆞᄅᆡ(拿來)ᄒᆞ라 ᄒᆞ시고, 오학과 두션을 초왕으로 ᄃᆡ면 후 쥭이려 ᄃᆡ니[리]시(大理寺)의 나리시고, 김탁 부ᄌᆞᄂᆞᆫ 《일쳐‖일체》로 가도와 초왕 오기을 긔다려 한가지로 죄의 복ᄒᆞ라 ᄒᆞ시고, ᄒᆞ원경 등은 ᄋᆡᄆᆡᄒᆞ미 일월 갓트니 ᄉᆞᆷ인을 다 경상작ᄎᆞ(卿相爵次)[612]{으}로 다 츄증(追贈)ᄒᆞ시고 녀[녜]관을 보ᄂᆡᄉᆞ 치져[졔]ᄒᆞᄉᆞ 청냥[쳔양]ᄒᆞ(泉壤下)의 혼ᄇᆡᆨ을 위로ᄒᆞ라 ᄒᆞ시고, 젼임 녜부상서 ᄒᆞ진은 촉지의 여러 ᄒᆡ을 찬젹ᄒᆞᄆᆡ, 국가 츙냥을 만히 저ᄇᆞ리미 잇시니, 특별니[이] 참지졍ᄉᆞ 정국공을 봉ᄒᆞ여 촉의

760)간ᄉᆞᄒᆞ다 ; 간수하다. 건사하다. 물건 따위를 잘 보호하거나 보관하다.

761)경상작ᄎᆞ(卿相爵次) : 육경(六卿)과 삼상(三相)의 작위(爵位). 육경(六卿); 육조판서. 삼상(三相); 영의정, 좌의정, 우의정.

611)간ᄉᆞᄒᆞ다 ; 간수하다. 건사하다. 물건 따위를 잘 보호하거나 보관하다.

612)경상작ᄎᆞ(卿相爵次) : 육경(六卿)과 삼상(三相)의 작위(爵位). 육경(六卿); 육조판서. 삼상(三相); 영의정, 좌의정, 우의정.

읍 쥬현의 하됴ᄒᆞ샤 하공의 힝거를 호송ᄒᆞ라 ᄒᆞ시니, 만되 셩덕【3】을 칭하ᄒᆞ더라.

죄인이[을] 하옥ᄒᆞ고 텬문의 결ᄉᆞ를 맛ᄎᆞᄆᆡ, 샤관이 봉명ᄒᆞ여 촉으로 향ᄒᆞ고, 만되 퇴궐ᄒᆞᄆᆡ, 샹이 금평후 부ᄌᆞ를 머믈워 날이 어둡도록 초왕과 김탁 다ᄉᆞ릴 일을 의논ᄒᆞ시며, 공쥬의 일싱이 온젼케 ᄒᆞ라 ᄒᆞ샤, 왈,

“문양이 김탁의 외손이나 딤의 녀ᄋᆞ라. 그 외됴의 블인을 담지 아냐시니, 경이 ᄃᆡ졉을 등한이 말디어다.”

병뷔 계슈ᄌᆡᄇᆡ 샤은의 쥬왈,

“초왕이 면모의 반역이 낫타나고 위인이 흉험ᄒᆞ여, 그 심디를 다 니르기 어려온디라. 금번 위관이 샤명(詞命)[762]을 젼ᄒᆞ오나, 결단ᄒᆞ여 오디【4】 아니리니, 임의 위샤를 ᄯᅡ라오지 아니면 반역이 급ᄒᆞ리이다.”

샹이 경왈,

“초왕이 위샤를 ᄯᅡ라오디 아니면 엇디 ᄒᆞ리오.”

병뷔 ᄃᆡ쥬 왈,

“ᄎᆞᄉᆡ 어렵지 아니와 ᄒᆞᆫ ᄎᆞ례 병혁으로 문죄ᄒᆞ리이다.”

샹왈,

“딤이 경을 두어시니 초왕이 비록 반ᄒᆞ나 므ᄉᆞᆫ 근심이 이시리오. 경은 딤의 밋ᄂᆞᆫ 바를 져바리지 말나.”

부매 돈슈ᄒᆞ고 일모(日暮)의 파ᄒᆞ여 궐문을 나니, 샹이 김귀비를 툥힝(寵幸)ᄒᆞ시나 국구와 동심ᄒᆞ여 하가를 참간(讒干)ᄒᆞ믈 미안ᄒᆞ샤 북궁의 옴기시니, 귀비 일마다 뎡부마를 원(怨)ᄒᆞ더라.

금휘 병부로 더브러 집의 도라오니, 태부인이 밤드【5】도록 취침치 아니코, 진부인이 낙양후의 젼어로 좃ᄎᆞ, 하공의 신셜이 쾌ᄒᆞ며 병부의 신능ᄒᆞ믈 듯고, 영쥬 쇼져의 신셰를 위ᄒᆞ여 하문이 슈히 샹경ᄒᆞᆯ 바를 더

762)샤명(詞命) : 임금의 명령.

ᄉᆞ을 보ᄂᆡᄉᆞ 급히 상경ᄒᆞ라 ᄒᆞ여 뉘웃ᄂᆞᆫ ᄯᅳᆺ을 뵈시며, 각읍 쥬현의 ᄒᆞ교ᄒᆞᄉᆞ ᄒᆞ공의 힝기의 [힝거를] 호송ᄒᆞ라 ᄒᆞ시니, 만죄 성덕을 칭하 ᄒᆞ더라.

죄인을 ᄒᆞ옥ᄒᆞ고 쳔문의 결ᄉᆞ을【31】 맛츠ᄆᆡ, ᄉᆞ관이 봉명ᄒᆞ여 촉으로 힝ᄒᆞ고, 만죄 퇴궐ᄒᆞᄆᆡ, 상이 금평후 부ᄌᆞ을 머무러 날이 어둡도록 초왕과 김탁 다ᄉᆞ릴 일을 의논ᄒᆞ시며, 공쥬의 일싱이 온젼켜 ᄒᆞ라 ᄒᆞ샤, 왈,

“문냥이 김탁의 외손이나 짐의 여ᄋᆞ라. 그 외조의 불인을 담지 안아스이[니], 경이 ᄃᆡ접을 등한이 말지어다.”

병뷔 겨[계]슈ᄌᆡᄇᆡ ᄉᆞ은의 쥬 왈,

“쵸왕의 면모의 반역이 ᄂᆞ타ᄂᆞ고 위인이 횡[흉]험ᄒᆞ여, 그 심지을 다 이르기 어려온지라, 금번 위관이 ᄉᆞ명(詞命)[613]을 젼ᄒᆞ오나 결단ᄒᆞ여 오지 아니리이[니], 만일 위ᄉᆞ을 ᄯᅡ라오지 아이[니]면 반역이 급ᄒᆞ리이다.”

상이 경왈

“초왕이 위ᄉᆞ을 ᄯᅡ라오지 아이[니]면 엇지 ᄒᆞ리요”

병뷔 ᄃᆡ쥬 왈,

“ᄎᆞᄉᆞ 어렵지 안이 ᄒᆞ이니다. 만일 오지 안이ᄒᆞ거든 병혁으로 문죄ᄒᆞ리다.”

상이 왈,

“짐이 경을 두엇시이[니] 초왕이 비록 반ᄒᆞ나 무ᄉᆞᆷ 근심이 잇시리요. 경은 짐의 밋ᄂᆞᆫ ᄇᆞ을 저ᄇᆞ리지 말나.”

부ᄆᆡ 돈슈《ᄒᆞ교의∥ᄒᆞ고》 일모(日暮)의 파ᄒᆞ고[여] 궐문을 나이[니], 상이 김귀비을 총ᄋᆡᄒᆞ시나 국구와 동심ᄒᆞ여 ᄒᆞ가을 참간(讒干)ᄒᆞ믈 미안ᄒᆞᄉᆞ 북궁의 옴기시이[니], 귀비 일마다 정부마을 원망ᄒᆞ더라.

금휘 병부로 더브러 집의 도라오니, ᄐᆡ부인이 야심토록 취침치 안이코, 진부닌[인]이 낙양후 전어로 좃ᄎᆞ, ᄒᆞ공의 신설이 쾌ᄒᆞ며 병부의 신능ᄒᆞ믈 듯고, 영쥬의 신셔[셰]을 위ᄒᆞ여 깃거 ᄒᆞ더이[니], 금휘 ᄐᆡ원

613)ᄉᆞ명(詞命) : 임금의 명령.

욱 힝희ᄒᆞ여, 태부인긔 연유를 고ᄒᆞ여 깃브믈 니긔디 못ᄒᆞ더니, 금휘 태원뎐의 드러와 모부인긔 뵈ᄋᆞᆸ고 일일지ᄂᆡ 존후를 뭇ᄌᆞ오며, 병뷔 졔뎨로 시좌ᄒᆞ니, 태부인이 급히 문왈,

"하가의 신원을 텬흥이 ᄇᆞᆰ히다 ᄒᆞ니 이졔ᄂᆞᆫ 하공이 슈히 환경ᄒᆞᆯ지라. 엇디 깃브지 아니ᄒᆞ리오."

금휘 ᄃᆡ왈,

"하시의 원억을 신명이 거의 ᄉᆞᆯ피실디라. 금일 쾌히 신ᄇᆡᆨᄒᆞ오니,【6】 텬도의 무심치 아닌 바를 아오ᄃᆡ, ᄉᆞᄌᆡ(死者) 브ᄉᆡᆼ(復生)치 못ᄒᆞ오리니, 원경 등의 참ᄉᆞᄒᆞ미 엇디 비졀치 아니리잇고? 텬흥이 하문을 신셜하믄 그르미 업ᄉᆞ나, 젼ᄌᆞ(前者) 동치쇼ᄋᆞ(童穉小兒)로 ᄌᆡ상을 즐욕 난타ᄒᆞ고, 그 슈디를 버히믄 ᄉᆡᆼ각지 못ᄒᆞᆫ ᄇᆡ오, 군젼의셔 김후를 ᄉᆞ지져 어린 긔운을 댱튝(藏縮)지 못ᄒᆞ오니, 쇼ᄌᆡ 도로혀 깃거 아닛ᄂᆞ이다."

태부인이 쇼왈,

"텬흥의 ᄌᆡ모ᄂᆞᆫ 고금의 무뎍(無敵)이라. 하문의 디원 극통을 텬되 무심치 아니시려니와, 원간 텬흥의 능녀홈 곳 아니면, 오날날 신셜ᄒᆞ기 쉽지 아니ᄒᆞ리라."

ᄒᆞ더라

야심ᄒᆞᄆᆡ 태부인이 취침ᄒᆞ니, 금휘 병부와 시랑을【7】거ᄂᆞ려 외헌의 나와, ᄀᆞᆯ오ᄃᆡ,

"하형이 샤(使)를 좃ᄎᆞ 슈히 샹경ᄒᆞ리니, 비록 옥누항 고ᄐᆡᆨ이 이시나, 원경 등의 슈젹(手迹)이 만흐니, 화란의 상ᄒᆞᆫ 사ᄅᆞᆷ이 ᄉᆡ로이 과상(過傷)ᄒᆞᆯ디라. ᄎᆞᆯ하리 진부와 오가(吾家) ᄉᆞ이의 일좌 가ᄉᆞ(家舍)를 셰워 하공의 복거지지(伏居之地)를 뎡케 ᄒᆞ리니, 여등은 딘심ᄒᆞ여 하부의셔 샹경 젼 가ᄉᆞ를 일우게 ᄒᆞ라."

병뷔 ᄃᆡ왈,

"하괴 맛당ᄒᆞ시나, 일긔 엄한ᄒᆞ여 가역(家役)이 쉽디 아니ᄒᆞ오리니, 별원이 광활ᄒᆞ

젼의 드러와 모부인겨[긔] 뵈ᄋᆞᆸ고 일일지ᄂᆡ 존후을 뭇줍고, 병뷔 져져[졔졔]로 시화[좌]ᄒᆞ이[니], ᄐᆡ부닌니 급문 왈,

"ᄒᆞ가의 신원을 쳔홍이 발키라[다] ᄒᆞ이[니] 인져는 ᄒᆞ공니[이] 슈히 상경할지라. 엇지 깃부【32】지 아이[니]리요."

금휘 ᄃᆡ왈,

"ᄒᆞ시의 원억을 신명이 거의 살필지라. 금일 쾌히 신ᄇᆡᆨᄒᆞ오니, 쳔도의 무심치 아인[닌] ᄇᆞ을 아오ᄃᆡ, ᄉᆞᄌᆡ(死者) 부ᄉᆡᆼ(復生)치 못ᄒᆞ리이[니], 원경 등의 참ᄉᆞᄒᆞ미 엇지 비졀치 아니리잇고? 쳔홍이 ᄒᆞ문을 신셜ᄒᆞ믄 그르지 안ᄉᆞ오나, 젼ᄌᆞ(前者) 동치소아(童穉小兒)로 ᄌᆡᆼ[상]을 즐욕 ᄂᆞᆫ타ᄒᆞ고, 슈지을 버히문 ᄉᆡᆼ각지 못ᄒᆞᆫ ᄇᆡ요, 군젼의{의}셔 김후을 ᄉᆞ지져 어린 긔운을 장츅(藏縮)지 못ᄒᆞ오니, 소ᄌᆡ 도로혀 깃거 아잇[닛]ᄂᆞᆫ이다."

ᄐᆡ부닌이 소왈,

"쳔홍의 ᄌᆡ모는 고금의 무젹(無敵)이라. ᄒᆞ문의 지원극통을 쳔되 무심치 아이[니]《ᄒᆞ겨이와‖ᄒᆞ거니와》원간 쳔홍의 능여함 곳 아니면 오날날 신셜ᄒᆞ미 집[쉽]지 안이ᄒᆞ리라."

ᄒᆞ더라.

야심ᄒᆞᄆᆡ ᄐᆡ부닌[인]이 취침ᄒᆞ시이[니] 금휘 병부와 시랑을 거다[ᄂᆞ]려 외헌의 ᄂᆞ와 갈오ᄃᆡ,

"하형이 ᄉᆞ을 좃ᄎᆞ 슈히 상경ᄒᆞ리이[니] 비록 옥누항 소ᄐᆡᆨ이 잇시나, 원경 등의 슈젹이 만흐이[니] 화락[란]의 상ᄒᆞᆫ ᄉᆞ람이 ᄉᆡ로이 과샹(過傷)할지라. 차라이 진부와 오가(吾家) ᄉᆞ이의 일좌 가ᄉᆞ(家舍)을 셔[셰]워 ᄒᆞ공의 복거지지(伏居之地)을 졍켜[케]《ᄒᆞ라‖ᄒᆞ리니》, 여등은 진심 갈역(竭力)ᄒᆞ여 ᄒᆞ부의셔 상경 젼 가ᄉᆞ을 일우겨[게] ᄒᆞ라."

부ᄆᆡ ᄃᆡ 왈,

"ᄒᆞ교 맛당ᄒᆞ시나 일긔 엄한ᄒᆞ여 가역(家役)이 쉽지 안ᄉᆞ오리이[니], 별원이 광활ᄒᆞ

여 하연슉 가솔이 족히 머믈 거시오, 뷘 터히 무궁ᄒᆞ니 타일 가ᄉᆞ를 디으려 ᄒᆞ여도 어렵지 아닌디라. 브졀업시 가ᄐᆡᆨ(家宅)을 일우지 말고, 바로 별원 【8】 의 머므르시미 맛당ᄒᆞ이다."

금휘 졈두(點頭)763)ᄒᆞ고, 명일 노복을 급히 촉의 보ᄂᆡ여 하공 부ᄌᆞ의게 셔간을 븟치고, 바로 오가(吾家) 별원으로 오믈 쳥ᄒᆞ더라.

이러구러 명년 신졍(新正)이 되ᄆᆡ, 뎡부의 셰알(歲謁)764)ᄒᆞᄂᆞᆫ 빈ᄀᆡᆨ이 브졀여류(不絶如流)ᄒᆞᄃᆡ, 슉녈과 하쇼져ᄂᆞᆫ 태부인긔 문후ᄒᆞᄂᆞᆫ 셔간도 븟치미 업ᄉᆞ니, 슉녈은 벽화졍 누옥의 만단 곡경으로 디ᄂᆡ므로 본부를 통치 못ᄒᆞ고, 하쇼져ᄂᆞᆫ 위태와 뉴시의 보ᄎᆡ미 ᄌᆞᆷ시 여개(餘暇) 업ᄉᆞ므로, 양부모와 슌태부인긔 문후ᄒᆞᄂᆞᆫ 비ᄌᆞ를 브리지 못ᄒᆞ니, 슌태부인이 신셕(晨夕)의 잇지 못ᄒᆞ여, 신셰 아모리 될 줄 몰나 타루비상(墮淚悲傷)ᄒᆞ믈 【9】 마디 아니니, 금후 부ᄌᆡ 호언(好言) 관위(款慰)ᄒᆞ여 슉녈의 화익은 고치 아니ᄒᆞ더라.

ᄎᆞ시 운남공쥬 운영이 경션궁의 도라와 두문블츌ᄒᆞ여, 다시 뎡부의 갈 의ᄉᆞ를 못ᄒᆞ고 신셰를 슬허ᄒᆞ며, 져희 젼후 힝ᄉᆞ를 븟그려 참황슈괴(慙惶羞愧)ᄒᆞ미 ᄃᆡ인ᄒᆞᆯ 낫치 업셔 ᄒᆞ니, 경션공쥐 그 개과칙션ᄒᆞ믈 깃거, 무ᄋᆡᄒᆞ믈 친ᄉᆡᆼᄀᆞᆺ치 ᄒᆞ여, 운영을 뎡가의 보ᄂᆡ고져 아니ᄒᆞ더니, 슌태부인의 관인후덕이 미셰ᄒᆞᆫ ᄃᆡ라도 능히 ᄎᆞᆷ지 못ᄒᆞᄂᆞᆫ디라. 운영이 비록 음일무상(淫佚無常)ᄒᆞ나 개과쳔션ᄒᆞ여 션도의 가시믈 깃거, 이의 즉시 다려오고, 병부를 권ᄒᆞ여 임의 어든 바를 【10】 바리디 말나 ᄒᆞ니, 병뷔 조곰도 ᄯᅳᆺ이 업ᄉᆞ나 부훈과 태모의 권유ᄒᆞ시믈 좃ᄎᆞ, 일삭의 두어슌(-順)765) 고문(叩門)ᄒᆞ미766) 이시니,

763)졈두(點頭) : 승낙하거나 옳다는 뜻으로 머리를 약간 끄덕임.

764)셰알(歲謁) : 세배(歲拜)

765)두어슌(-順) : 두어 차례. -순(順); '차례'의 듯을 더하는 접미사.

766)고문(叩門)ᄒᆞ다 : 남을 찾아가서 문을 두드리다.

여 ᄒᆞ연슉 가솔이 족히 머물 거시오, 빈 터히 무슈ᄒᆞ오니 타일 가ᄉᆞ을 지으려 ᄒᆞ여도 어렵지 안인지라, 부졀업시 가ᄐᆡᆨ(家宅)을 더으지 말고 ᄇᆞ로 별원의 머무르시미 맛당ᄒᆞ이니다."

금휘 졈두(點頭)614)ᄒᆞ고 명일 노복을 급히 촉으로 보ᄂᆡ여 ᄒᆞ공 부ᄌᆞ의겨[게] 셔간을 븟치고, ᄇᆞ로 뎡부 별원으로 오믈 쳥ᄒᆞ더라.

이러구러 명년 신졍(新正)이 되ᄆᆡ, 졍부의 셔[셰]알(歲謁)615) ᄒᆞᄂᆞᆫ 빈ᄀᆡᆨ이 부졀 【33】 여류(不絶如流)ᄒᆞᄃᆡ, 슉녈과 ᄒᆞ소져ᄂᆞᆫ ᄐᆡ부닌[인]겨[긔] 문후ᄒᆞᄂᆞᆫ 셔간도 업ᄉᆞ이[니], 슉열은 벽ᄒᆞ졍 누옥의 만단곡경으로 지ᄂᆡ무로 본부을 통치 못ᄒᆞ고, ᄒᆞ소져ᄂᆞᆫ 위ᄐᆡ와 뉴시의 브[보]ᄎᆡ미 잠시 여ᄀᆡ 업ᄉᆞ무로 양부모와 슌ᄐᆡ부인겨[긔] 문후ᄒᆞᄂᆞᆫ 비ᄌᆞ을 부리지 못ᄒᆞ니, 슌ᄐᆡ부닌[인]이 신셕(晨夕)의 잇지 못ᄒᆞ여, 신셔[셰] 아모리 된 쥴 몰나 타류[루] 비상ᄒᆞ믈 마지 안니니, 금휘 부ᄌᆡ 화어(和語)로 위로(慰勞)ᄒᆞ야 슉녈의 화익을 고치 아이[니] ᄒᆞ더라.

ᄎᆞ시의 운남 공쥬 운녕이 경션궁의 도라와 두문불츌ᄒᆞ여, 다시 뎡부의 갈 의ᄉᆞ을 못ᄒᆞ고 신셔[셰]을 슬허ᄒᆞ고, 져의 젼후힝ᄉᆞ을 북그려 참황슈괴(慙惶羞愧)ᄒᆞ미 ᄃᆡ인ᄒᆞᆯ 낫치 업셔 ᄒᆞ니, 경선공쥬 ᄀᆡ과ᄒᆞ믈 깃거 무ᄋᆡᄒᆞ믈 친ᄉᆡᆼ 갓치 ᄒᆞ여, 운영을 뎡가의 보ᄂᆡ고져 ᄒᆞ더니, 슌ᄐᆡ부닌[인]의 관인후덕이 《기셔할 셕‖미셰한 ᄃᆡ》라도 능히 참지 못ᄒᆞᄂᆞᆫ지라. 운녕이 비록 음일무상(淫佚無常)ᄒᆞ나 ᄀᆡ과칙셜[션]ᄒᆞ여 션도의 ᄂᆞ가시믈 깃거, 이의 즉시 ᄃᆞ려오고, 병부을 권ᄒᆞ야 임의 어든 ᄇᆞ을 ᄇᆞ리지 말나 ᄒᆞ니, 병뷔 조금도 ᄯᅳ시 업시[스]나 부훈과 ᄃᆡ모(大母)의 권유을 좃ᄎᆞ, 일ᄉᆞᆨ의 두어슌(-順)616) 고문(叩門)ᄒᆞ미617) 잇스니, 운영니[이] 병

614)졈두(點頭) : 승낙하거나 옳다는 뜻으로 머리를 약간 끄덕임.

615)셰알(歲謁) : 세배(歲拜)

616)두어슌(-順) : 두어 차례. -순(順); '차례'의 듯을 더하는 접미사.

운영이 병부의 은경을 닙으미 대희ᄒᆞ여, 쇼셩의 나ᄌᆞ믈 한치 아냐, 윤·양·니 삼부인 셩덕 혜화를 감은ᄒᆞ며, 태부인이 져의 젼경의 졔도ᄒᆞ믈 블승감덕ᄒᆞ여 ᄒᆞ니, 원간 텬셩이 디독 간흉은 아니라. 인연이 긔괴ᄒᆞ여 뎡병부를 만니의 ᄯᆞᆯ오미 ᄯᅩᄒᆞᆫ 운영의 작용 ᄲᅳᆫ 아니라, 귀신의 식이미나, 본국을 ᄉᆡᆼ각지 아니며 부모를 ᄉᆞ렴치 아니니, 진짓 이젹(夷狄)의 무리로 다르미 업더라.

어시의 문양공쥐 잉틱 삼삭의 팔진경장(八珍瓊漿)767)이 무미(無味)ᄒᆞ여, 【11】 종일달야(終日達夜)토록 궁듕이 딘동ᄒᆞ여 출히ᄂᆞᆫ 거시 다 공쥬의 찬션이라. ᄒᆞᆫ번 움즉이미 무슈 궁익 그 몸을 븟들고, 누으미 침금을 편히 ᄒᆞ여 일분도 공쥬의 슈고를 허비치 아니니, 이 반ᄃᆞ시 태휘 안온ᄒᆞ여 슌삭(旬朔) 후 분산ᄒᆞᆯ 거시로ᄃᆡ, 조물이 희를 디어 공쥬의 너모 교오ᄌᆞ존(交惡自尊)을 오지(惡之)ᄒᆞ거니, 엇지 복듕골육을 무ᄉᆞ히 ᄉᆡᆼ산ᄒᆞ리오. 졍월 샹원일(上元日)의 공쥐 입궐ᄒᆞ여 뎨후긔 비알ᄒᆞ고, 북궁의 니르러 모비를 반기고 도라왓더니, 풍한의 촉상ᄒᆞ여 슈일 신음ᄒᆞ더니, 믄득 복통이 듕(重)ᄒᆞ미 궁듕이 진경ᄒᆞ여 밧비 텬궐의 쥬달ᄒᆞ며, 부마긔 고ᄒᆞ니, 샹이 경녀ᄒᆞ샤 【12】 뎡·오 이왕으로 의녀를 거ᄂᆞ려 공쥬의 병을 보라 ᄒᆞ시니, 이왕이 봉교(奉敎)ᄒᆞ여, 의녀를 거ᄂᆞ려 문양궁의 니르러 딘ᄆᆡᆨᄒᆞ미, 병셰 ᄀᆞ장 위듕ᄒᆞᆫ디라. 초조(焦燥) 황황(遑遑)ᄒᆞ더니, 맛춤닉 안틱(安胎)치 못ᄒᆞ고 ᄉᆞ산(死産)ᄒᆞ미, 병셰 위악ᄒᆞ여 ᄌᆞ로 혼졀ᄒᆞ여, 사ᄅᆞᆷ의 츌입을 모로고, 졍신이 혼혼ᄒᆞ여 ᄉᆞᄉᆡᆼ이 가례(可慮)

767)팔진경장(八珍瓊漿) : 팔진지미(八珍之味)와 옥액경장(玉液瓊漿)을 함께 이르는 말로, 아주 잘 차린 음식상에나 갖춘다고 하는 여덟 가지 진귀한 음식과, 맑고 고운 빛깔과 좋은 향을 갖추어 신선들이 마신다고 하는 술을 뜻한다. *팔진지미는 순모(淳母), 순오(淳熬), 포장(炮牂), 포돈(炮豚), 도진(擣珍), 오(熬), 지(漬), 간료(肝膋)를 이르기도 하고 용간(龍肝), 봉수(鳳髓), 토태(兎胎), 이미(鯉尾), 악적(鶚炙), 웅장(熊掌), 성순(猩脣), 수락(酥酪)을 이르기도 한다.

부의 은경을 이버[브]미 ᄃᆡ희ᄒᆞ야, 소셩의 ᄂᆞ즈믈 한치 아냐, 윤·양·이 삼부인 성덕 혀[혜]화을 감은ᄒᆞ여, ᄐᆡ부닌[인]이 져의 젼경을 져[졔]도ᄒᆞ믈 불승감덕ᄒᆞ야 ᄒᆞ이[니], 원간 쳔셩이 지독 간흉은 안이ᄂᆞ, 인연니[이] 기괴ᄒᆞ여 뎡병부을 만이(萬里)의 ᄯᅡ라오미 ᄯᅩ한 운영의 작용 분 아니라, 귀신의 시기미라. 본국을 ᄉᆡᆼ각지 아니며 부모을 ᄉᆞ렴치 아이이[니니], 【34】 진짓 이젹(夷狄)의 무리로 다르미 업더라.

어시의 문냥공쥐 잉틱 삼숙의 팔진미찬(八珍味饌)618)이 무미(無味)ᄒᆞ여, 종일달야(終日達夜)토록 궁듕이 진동ᄒᆞ여 찰히ᄂᆞᆫ 거시 다 공쥬의 찬션이라. 한번 움즉니[이]미 무슈 궁의[익] 그 몸을 붓들고, 누으미 침금을 편이ᄒᆞ야 일분도 공쥬의 슈고을 허비치 아니니, 반드시 ᄐᆡ회[휘] 안혼[온]ᄒᆞ여 십속만의 슌ᄉᆞᆫᄒᆞᆯ 그[거]시로ᄃᆡ, 조물니[이] 시긔ᄒᆞ여 공쥬의 너무 교오ᄌᆞ존(驕傲自尊)을 오지ᄒᆞ거니, 엇지 복즁으로 고륙(骨肉)이 무ᄉᆞ이 ᄉᆡᆼ산ᄒᆞ리요. 졍월 상원일(上元日)의 공쥐 입궐ᄒᆞ야 져[제]후긔 비알ᄒᆞ고, 북궁의 이르러 모비을 반기고 도라왓더니, 풍한의 촉ᄉᆞ(觸邪)ᄒᆞ야 슈일 신음ᄒᆞ드이[니], 문득 복통이 즁ᄒᆞ미 궁즁니[이] 진경ᄒᆞ고 밧비 천졍의 쥬달ᄒᆞ며 부마겨[긔] 고ᄒᆞ니, 상이 경녀ᄒᆞᄉᆞ 뎡·오 이왕(二王)으로 녀의을 거ᄂᆞ려 공쥬의 병후을 보라 ᄒᆞ시이[니], 이왕니[이] 봉교ᄒᆞ여 녀의(女醫)을 거ᄂᆞ려 문낭[양]궁의 이르러 진ᄆᆡᆨᄒᆞ니, 가장 위악ᄒᆞᆫ지라. 초조(焦燥) 황황(遑遑)ᄒᆞ드니, 맛참 안틱치 못ᄒᆞ여 ᄉᆞ산(死産)ᄒᆞ고, 병셔[셰] 위악ᄒᆞ여 ᄌᆞ로 혼졀ᄒᆞ여, ᄉᆞ람이 ᄂᆞ며 드르물 모로고 졍신이 혼혼ᄒᆞ야 ᄉᆞᄉᆡᆼ이 가리[려]

617)고문(叩門)ᄒᆞ다 : 남을 찾아가서 문을 두드리다.
618)팔진미찬(八珍味饌) : 팔진지미(八珍之味)를 이르는 말로, 아주 잘 차린 음식상에나 갖춘다고 하는 여덟 가지 진귀한 음식을 뜻한다. *팔진지미는 순모(淳母), 순오(淳熬), 포장(炮牂), 포돈(炮豚), 도진(擣珍), 오(熬), 지(漬), 간료(肝膋)를 이르기도 하고 용간(龍肝), 봉수(鳳髓), 토태(兎胎), 이미(鯉尾), 악적(鶚炙), 웅장(熊掌), 성순(猩脣), 수락(酥酪)을 이르기도 한다.

라. 궁듕(宮中) 부듕(府中)이 딘경ᄒᆞ여 쥬야 ᄃᆡ변(對變)ᄒᆞᄂᆞᆫ 듕이나, 뎡·오 이왕이 여러 의녀로 병셰를 논증ᄒᆞ여 약음을 극진히 ᄒᆞᄃᆡ, 조곰도 ᄎᆞ되 업ᄉᆞ니, 최상궁이 흉계를 ᄉᆡᆼ각고, ᄀᆞ마니 최형을 불너 젼일 댱후길의 거쳐 업숨과, 이졔 윤·양·니 삼인이 안여반셕(安如磐石)이믈 니르고, '이졔 공쥬의 질【13】환을 인ᄒᆞ여 ᄒᆡᆼ계ᄒᆞ려 ᄒᆞᄂᆞ니, 거거ᄂᆞᆫ 목인과 ᄆᆡ골(埋骨)을 ᄀᆞᆺ초아 오라' ᄒᆞ니, 최현[형]이 슌슌 응낙ᄒᆞ고 도라가 즉시 광구(廣求)ᄒᆞ여, 요예지물(妖穢之物)을 어더 ᄀᆞ마니 보ᄂᆡ니, ᄉᆞ긔 비밀ᄒᆞ여 알 니 업ᄂᆞᆫ디라.

최녜 허다 요예지물을 가져 공쥬의 침뎐 젼후 좌우의 무드며 튝ᄉᆞ를 ᄆᆡᆫᄃᆞ라 너흐니, 원ᄂᆡ 윤·양·니 삼인의 필젹을 공쥐 어더 두어시므로, 최녜 윤부인 ᄌᆞ톄를 모써 튝샤를 윤부인이 쥬장ᄒᆞᆫ ᄃᆞ시 ᄒᆞ고, 공쥐 졍신이 나은 ᄊᆡ ᄎᆞ계(此計)를 닐너, 뎡·오 이왕을 공동(恐動)ᄒᆞ라 ᄒᆞ니, 공쥐 안ᄐᆡ(安胎)ᄒᆞ믈 엇지 못ᄒᆞᄆᆡ, ᄋᆡ돏고 앗가오믈 니긔지 못ᄒᆞ여 식음을 믈니치고 상요의 몸을 바렷더니, 최녀의【14】 헌계ᄒᆞ믈 듯고 깃거, 즉시 괴이ᄒᆞᆫ 셤어(譫語)와 놀나ᄂᆞᆫ 거동이 ᄀᆞ장 긔괴ᄒᆞ여, 목인이 창검을 들고 ᄌᆞ긔를 지른다 ᄒᆞ여 뿌어리며, 혹 모비를 불너 ᄌᆞ긔 위ᄐᆡᄒᆞ믈 구ᄒᆞ라 ᄒᆞ여, ᄒᆞᆫ 술 물을 목의 나리오지 못ᄒᆞ고 병셰 위듕ᄒᆞ여 인ᄉᆞ를 모로ᄂᆞᆫ 쳬ᄒᆞ니, 샹이 경녀(驚慮)ᄒᆞ시고 뎡·오 이왕이 문양궁을 써나디 못ᄒᆞ여 구호ᄒᆞ믈 디셩으로 ᄒᆞᄃᆡ, 조곰도 낫디 못ᄒᆞ니, 궁듕과 궐졍이 진동ᄒᆞ며, 금휘 ᄆᆡ양 병부를 명ᄒᆞ여 공쥬의 병을 구호ᄒᆞ라 ᄒᆞ고, 금휘 친히 졔ᄌᆞ로 더브러 공쥬를 문병ᄒᆞ고, 뎡·오 냥왕을 ᄃᆡᄒᆞ여 공쥬의 병을 념녀ᄒᆞ나, 병부ᄂᆞᆫ【15】 공쥬의 ᄉᆞᄉᆡᆼ을 블관이 넉여 후ᄒᆞᆫ 뜻이 업ᄉᆞ나, 부훈을 두려 문병ᄒᆞ믈 은근이 ᄒᆞ더니, 공쥐 싀로이 괴이ᄒᆞᆫ 병이 쳠가ᄒᆞ여, 셤어의 요악ᄒᆞᆷ과 거동의 공교ᄒᆞ미 군ᄌᆞ의 뎡시(正視)ᄒᆞᆯ ᄇᆡ 아니라. 그 심폐를 ᄉᆞᆯ피고 ᄇᆞᆰ은 안광이 침실을 쟝목시지(長目視之)ᄒᆞ

(可慮)라. 궁즁(宮中) 부즁(府中)니[이] 진경ᄒᆞ여 ᄃᆡ병(對病)ᄒᆞᄂᆞᆫ 즁이나, 증[뎡]·오 이왕○[이] 여러 ᄂᆡ의(內醫)로 병셔을 논증ᄒᆞ야 약음을 극진이 ᄒᆞ되, 조곰도 ᄎᆞ도 업ᄉᆞ이[니], 최상궁이 흉겨[계]을 ᄉᆡᆼ각고, 가만이 최현[형]을 불너 젼일 장○[후]길의 거쳐 업숨과, 윤·양·○[니] 숨인니[이] 안여반셕(安如磐石)이믈 니르고, '이져[졔] 공쥬 질환니[이] 이러ᄒᆞ니 {이져} ᄒᆡᆼ겨[계]ᄒᆞ려 ᄒᆞ니, 거거ᄂᆞᆫ 목인과 ᄆᆡ골을 가져오라 ᄒᆞ이[니], 최형이 슌슌응낙고 도라가 즉시 광구ᄒᆞ니, 요여[예]지물을 어더 가마이[니] 보ᄂᆡ이[니], ᄉᆞ긔 비밀ᄒᆞ여 알 이 업난지라.

최여 허다요여[예]지물을 가져 공쥬침젼 젼후 좌우의【35】 무드이[며] 축ᄉᆞ을 만드러 느[너]흐니, 원ᄂᆡ 윤·양·이 삼인의 슈젹(手迹)[619]을 공쥐 어더 주어시무로, 최녀 윤부닌[인] ᄌᆞ쳐[쳬]을 모써 축ᄉᆞ을 윤부닌[인] 쥬장ᄒᆞ신 다○[시] ᄒᆞ고, 공쥬 졍신이 ᄂᆞ는 ᄊᆡ 《그 ᄉᆞ겨‖ᄎᆞ계(此計)》을 일너, 뎡·오 양왕을 공동ᄒᆞ라 ᄒᆞ니, 공쥬 안ᄐᆡ(安胎)ᄒᆞ믈 읏지 못ᄒᆞᄆᆡ, ᄋᆡ담[돏]고 악가오믈 이긔지 못ᄒᆞ야 식음을 물니치고 상요의 몸을 ᄇᆞ려드니, 최녀의 헌겨[계]을 듯고 깃거, 즉시 고이ᄒᆞᆫ 섬어(譫語)와 놀나는 거동니[이] 가장 긔괴ᄒᆞ여, 목인니[이] 창검을 들고 ᄌᆞ긔을 지른다 ᄒᆞ여 슈어리며, 홍[혹] 모비을 불너 ᄌᆞ긔 위ᄐᆡᄒᆞ믈 구ᄒᆞ라 ᄒᆞ며, 《ᄒᆞᆫ숨‖ᄒᆞᆫ 술 물》을 목의 ᄂᆞ리오지 못ᄒᆞ고, 병셔[셰] 위즁ᄒᆞ야 인ᄉᆞ을 모르ᄂᆞᆫ 쳐[쳬]ᄒᆞ니, 상니[이] 경녀ᄒᆞ시고, 뎡·오 이왕이 문냥궁을 써ᄂᆞ지 못ᄒᆞ여 구호ᄒᆞ믈 지셩으로 ᄒᆞᄃᆡ, 맛참ᄂᆡ ᄎᆞ도 업ᄉᆞ{오}니 궁듕과 궐졍이 진동ᄒᆞ며, 금휘 ᄆᆡ냥 병부을 명ᄒᆞ여 공쥬의 병을 구호ᄒᆞ라 ᄒᆞ고, 금후 친히 져[졔]ᄌᆞ로 더부러 공쥬을 문병ᄒᆞ고, 뎡·오 니[이]왕을 ᄃᆡᄒᆞ여 공쥬의 병을 념여ᄒᆞ나, 병부ᄂᆞᆫ 공쥬의 ᄉᆞᄉᆡᆼ을 불과[관]히 역여 ᄀᆡ렴치 안{인}니ᄃᆡ, 부훈을 두려 문병

619)슈젹(手迹) : 손수 쓴 글씨나 그린 그림. 또는 손수 만든 물건에 남은 자취나 흔적.

ᄆᆡ, 요긔(妖氣) 가득ᄒᆞ여시니, 반ᄃᆞ시 무고ᄉᆞ를 시험ᄒᆞ민줄 알ᄆᆡ, 분완통히ᄒᆞ나 굿ᄐᆞ여 말을 아니ᄒᆞ더니, 뎡·오 이왕이 공쥬의 셤어를 듯고 경아ᄒᆞ여 부마다려 왈,

"문양의 병이 ᄀᆞ장 괴이ᄒᆞ니 과인의 뜻은 침셕을 옴기고 슐ᄉᆞ(術士)를 드려 망긔(望氣)768)ᄒᆞ미 가ᄒᆞᆯ가 ᄒᆞ노라."

부매【16】 빈미(嚬眉) 냥구(良久)의 날호여 왈,

"허약ᄒᆞᆫ 긔운의 셤어를 긋디 못ᄒᆞ거니와, 냥위 뎐히 굿ᄐᆞ여 술ᄉᆞ를 드려 망긔코져 ᄒᆞ실진ᄃᆡ, 쇼ᄉᆡᆼ이 슈블명(雖不明)이나 이만 괴ᄉᆞ(怪事)를[ᄂᆞᆫ] 짐작ᄒᆞᄂᆞ니, 쇼ᄉᆡᆼ이 ᄎᆞ쳐의 년일 이시ᄃᆡ 굿ᄐᆞ여 블길ᄒᆞᆫ 긔운이 업더니, 근일 요샤지긔(妖邪之氣) 침뎐을 둘넛고, 공쥬의 병이 요괴롭기를 면치 못ᄒᆞ고, 궁듕의 변괴 업디 아니니 블ᄒᆡᆼ이 젹지 아니토소이다."

뎡·오 이왕이 부마의 말을 듯고 경동 왈,

"챵빅의 됴심경 안광으로 침뎐의 반ᄃᆞ시 요악ᄒᆞᆫ 긔운이 이시믈 ᄉᆞᆯ필디라. 원ᄂᆡ 문양이 낙ᄐᆡ 후 별증을 어더 이 ᄀᆞᆺ트니【17】 엇지 흉참ᄒᆞᆫ 곳의 ᄒᆞᆫ ᄶᅵ나 이시리오."

ᄒᆞ고 궁ᄋᆞ를 명ᄒᆞ여 소양각이란 집을 슈리ᄒᆞ여 병쟝(屛帳)을 겹겹이 두른 후, 공쥬 침상을 옴겨 소양각의 안둔ᄒᆞ고, 궁ᄋᆞ 들노 공쥬를 잠간 ᄃᆡ희라 ᄒᆞ고, 부마의 ᄉᆞ매를 닛그러 공쥬 침뎐의 망긔ᄒᆞ라 ᄒᆞ니, 부매 잠쇼ᄒᆞ고 궁비로 좌우 벽틈을 파 보니, 문득 괴이ᄒᆞᆫ ᄆᆡ골과 무슈ᄒᆞᆫ 목인이 다 창검을 드러시며, 또 튝ᄉᆡ 드럿ᄂᆞᆫ디라. 뎡·오 이왕

768)망긔(望氣) : 무속(巫俗)에서 술사(術士)가 어떤 곳에 서려있는 기운을 살펴 사악(邪惡)한 물건 따위를 찾아 없애는 것.

ᄒᆞ믈 은근니[이] ᄒᆞ니, 공듀 ᄉᆡ로니[이] 고이ᄒᆞᆫ 병이 쳠가ᄒᆞ여 섬어의 요악함과 거동니[의] 공교ᄒᆞ미 군ᄌᆞ의 뎡시할 ᄇᆡ 아{이}니라. 그 심펴[폐]을 살피고 발근 안광이 침실을 장목지시(長目之視)ᄒᆞᄆᆡ, 요긔의 긔운니[이] 가득ᄒᆞ여ᄂᆞᆫ지라. 반다시 무고ᄉᆞ을 시험할 쥴 알ᄆᆡ, 분완통히ᄒᆞ나 굿ᄒᆞ여 말을 안니 하드이[니],【36】 뎡오 이왕니[이] 공쥬의 섬어을 듯고 경아ᄒᆞ여 부마다려 왈,

"문냥[양]의 병니 가장 고이ᄒᆞ니 과인의 뜻은 침셕을 옴기고 술ᄉᆞ(術士)을 드려 강[망]긔(望氣)620)ᄒᆞ미 가할가 ᄒᆞ노라."

부ᄆᆡ 빈미(嚬眉) 양구(良久)의 날호여 왈,

"허약ᄒᆞᆫ 긔운의 섬어을 ᄊᆞᆫ지 못ᄒᆞ거이야[니와], 양위 젼히 굿ᄒᆞ여 슐ᄉᆞ을 드려 망긔코져 ᄒᆞ실진ᄃᆡ, 소ᄉᆡᆼ이 슈불민(雖不敏)이나 이만 괴ᄉᆞ(怪事)ᄂᆞᆫ 짐작ᄒᆞᄂᆞ니, 소ᄉᆡᆼ니[이] ᄎᆞ처의 년일 잇시ᄃᆡ 굿ᄒᆞ여 불길ᄒᆞᆫ 긔운이 업더니, 금일 요ᄉᆞ지긔(妖邪之氣) 침젼을 둘엇고, 공쥬의 병니[이] 요교[괴]로와 궁즁의 변이 업지 안니니, 불ᄒᆡᆼ니[이] 뎍지 아니토소니[이]다."

뎡·오 니[이]왕니[이] 부마의 말을 듯고 경동 왈,

"창빅의 됴심경 안광으로 침젼의 반다시 요악ᄒᆞᆫ 긔운니[이] 잇시믈 살필지라. 원ᄂᆡ 문냥이 낙ᄐᆡ 후 병증을 어드[더] 니[이] 가트니, 엇지 흉참ᄒᆞᆫ 거[고]ᄉᆡ 일시나 잇시○○[리오]."

ᄒᆞ고 궁아을 명ᄒᆞ여 소양각이란 집을 슈리ᄒᆞ고 병장(屛帳)을 《겸경니 ‖ 겹겹이》 두른 후, 공쥬 침상을 ○○[옴겨] 뫼시라 ᄒᆞ고, 부마의 ᄉᆞᄆᆡ을 잇ᄭᅳ러 공쥬 침젼의 망긔ᄒᆞ라 ᄒᆞᄆᆡ, 부ᄆᆡ 웃고 궁비로 좌우 {시}벽틈을 파보니, 문득 고히ᄒᆞᆫ ᄆᆡ골과 무슈ᄒᆞᆫ 목인니[이] 다 창검을 들고, 또 츅ᄉᆞ 잇ᄂᆞᆫ지라. 뎡·오 니왕니[이] 무슈 요여[예]지

620)망긔(望氣) : 무속(巫俗)에서 술사(術士)가 어떤 곳에 서려있는 기운을 살펴 사악(邪惡)한 물건 따위를 찾아 없애는 것.

이 무슈ᄒᆞᆫ 요예지물을 보고 만심 ᄎᆞ악ᄒᆞ며, ᄯᅩ 튝ᄉᆞ를 보니 ᄌᆞ획이 비상ᄒᆞ고 ᄉᆞ의 흉참ᄒᆞ여, 텬디신명긔 비러 명 ᄭᅳᆺ기를 청ᄒᆞ고, 그 복듕 골육을 낙ᄐᆡᄒᆞ【18】여 ᄒᆞᆫ낫 골육이 업ᄉᆞ믈 비럿ᄂᆞᆫ디라.

이왕이 대경 대로ᄒᆞ여 셩시를 쓰디 아냐 다만 삼인이 디셩 튝원ᄒᆞ여 공쥬 죽이믈 일ᄏᆞ라시니, 의심된 셜홰 반ᄃᆞ시 윤·양·니 ᄀᆞᆺ트여, 뎍인 ᄉᆞ이 믜오믈 닐너시니, 오왕이 더욱 분분ᄒᆞ여 신ᄉᆡᆨ이 찬 ᄌᆡ ᄀᆞᆺ고, 노목(怒目)이 딘녈(震裂)ᄒᆞ여 튝ᄉᆞ를 부마 압히 더져 왈,

"궁듕의 여ᄎᆞ 변괴 이시ᄃᆡ 챵ᄇᆡᆨ이 아디 못ᄒᆞ고, 문양은 졔 ᄆᆞᄋᆞᆷ이 현슉ᄒᆞ므로 사ᄅᆞᆷ을 의심ᄒᆞ미 업다가, 하마 무고ᄉᆞ(巫蠱事)의 맛출 번 ᄒᆞ니 엇디 놀납지 아니리오."

병뷔 뎡ᄉᆡᆨ 답왈,

"쇼ᄉᆡᆼ이 블명ᄒᆞ여 궁듕의 요예지ᄉᆡ 니러나니【19】 블승경히ᄒᆞ거니와, 근본을 니를진ᄃᆡ 죄명이 아모 곳의 밋출 줄 모로니, 냥왕 뎐히 공쥬의 딜환을 념녀ᄒᆞ실진ᄃᆡ, 궁ᄂᆡ 변고ᄂᆞᆫ 쇼ᄉᆡᆼ이 ᄌᆞ연 쳐치ᄒᆞ오리니, 과도히 놀나디 마르쇼셔. 튝ᄉᆞ의 공교ᄒᆞ미 공쥬의 ᄉᆞᄐᆡ(死胎)를 쳥ᄒᆞ여 딘명(盡命)ᄒᆞ믈 빈튝(頻祝)ᄒᆞ여시나, 요예지물을 무던 디 오ᄅᆡ디 아니믈 쇼ᄉᆡᆼ이 디긔(知機)ᄒᆞᄂᆞ니, 공쥬의 낙ᄐᆡ 젼의ᄂᆞᆫ 요샤지긔(妖邪之氣) 업더니, 근일 블길ᄒᆞᆫ 긔운이 둘너시니, 엇디 의심이 업ᄉᆞ리잇고?"

냥왕이 부마의 경동치 아니믈 보고, 필연 공쥬의 ᄉᆞᄉᆡᆼ을 블관이 알믈 디긔ᄒᆞᄆᆡ, 심니(心裏)의 블쾌ᄒᆞ나, 부마의 위인이 가바압디【20】 아닌 고로, 다만 튝ᄉᆞ를 거두어 궁녀를 맛디고, 부마다려 뎡ᄉᆡᆨ 고왈,

"챵ᄇᆡᆨ이 여ᄎᆞ 변괴지ᄉᆞ를 보나 안연 믈시ᄒᆞ니, 이ᄂᆞᆫ 간인의 뜻을 길우미라. 문양이 슈블인(雖不仁)이나 만셰야야(萬歲爺爺)의 ᄉᆞ랑ᄒᆞ시ᄂᆞᆫ 공쥬로, 외람이 군의게 하가ᄒᆞᄆᆡ 멸시ᄒᆞ믄 하가 젼브터 디긔ᄒᆞᆫ ᄇᆡ나, 이제 여ᄎᆞ 요악지ᄉᆡ 그 몸의 밋ᄎᆞ나 조곰도

물을 보고 만심 차악ᄒᆞ며, ᄯᅩ 츅ᄉᆞ을 보니 ᄌᆞ획니[이] 비상ᄒᆞ고 ᄉᆞ의 흉츰ᄒᆞ여, 쳔지 신명겨[긔] 비러 명 ᄭᅳᆫ키을 청ᄒᆞ고, 복즁 고륙을 낙ᄐᆡ허여 한낫 고륙니[이] 어[업]ᄉᆞ믈 비런ᄂᆞᆫ지라.

이왕니[이] ᄃᆡ경ᄃᆡ로ᄒᆞ녀[여] 숭[성]명(姓名)을 살핀ᄃᆡ, 승[성]시을 쓰지 아냐 다만 삼인이 지셩츅【37】원ᄒᆞ여 공쥬 쥭그믈 일커러스니, 의심된 셜화 반드시 윤·냥·이 《간측여‖갓트여》, 젹인 ᄉᆞ이 의[믜]오믈 일너쓰니, 오왕니[이] 더옥 분분ᄒᆞ여 신ᄉᆡᆨ니[이] 찬ᄌᆡ 갓고 ○[노]목이 진열ᄒᆞ여 츅ᄉᆞ을 부마 압히 더져 왈,

"궁즁의 여ᄎᆞ 변괴 잇신ᄃᆡ 창ᄇᆡᆨ이 아지 못ᄒᆞ고, 문냥은 져[졔] 마음이 현슉ᄒᆞ므로 ᄉᆞ람을 의심ᄒᆞ미 업ᄡᅡ가, ᄒᆞ마 구[무]고ᄉᆞ의 맛찰 번ᄒᆞ니 놀납지 안니리요."

병뷔 정ᄉᆡᆨ 답 왈,

"소ᄉᆡᆼ니[이] 불명ᄒᆞ여 궁즁의 요녀[예]지ᄉᆡ 이러ᄂᆞ니 불승경히ᄒᆞ거니와, 근본을 일울[이를]진ᄃᆡ 죄명이 아모 속의 밋찰 줄 모로니, 양왕 젼히 공쥬의 질환을 념여ᄒᆞ실진ᄃᆡ, 궁ᄂᆡ 변고ᄂᆞᆫ 소ᄉᆡᆼ이 ᄌᆞ년[연] 처치하오려이와 과이 놀나지 마르소셔. 츅ᄉᆞ의 공교ᄒᆞ미 공쥬의 ᄉᆞᄐᆡ(死胎)을 쳥ᄒᆞ여 진명(盡命)ᄒᆞ믈 빈츅(頻祝)ᄒᆞ엿시나, 요여[예]지물(妖穢之物)을 무던지 오ᄅᆡ지 안인 쥴 소ᄉᆡᆼ이 지기(知機)하ᄂᆞᆫ니, 공쥬의 낙ᄐᆡ 젼의ᄂᆞᆫ 요ᄉᆞ지기(妖邪之氣) 업더니, 근일 불길ᄒᆞᆫ 긔운니 둘너시이[니] 엇지 의심이 업ᄉᆞ리요."

양왕니 부마의 경동치 아니믈 보고 필연 공쥬의 ᄉᆞᄉᆡᆼ을 불관니 역이므로 지긔ᄒᆞᄆᆡ, 심이[니]의 불쾌ᄒᆞ나, 부마의 위인니 가ᄇᆡ압지 아[안]ᄂᆞᆫ 고로 다만 츅ᄉᆞ을 거두어 궁녀을 막기고, 부마다려 정ᄉᆡᆨ고 갈오ᄃᆡ,

"창ᄇᆡᆨ이 여ᄎᆞ 변고지ᄉᆞ을 보나 안년 물시ᄒᆞ니, 이ᄂᆞᆫ 간인의 뜻을 일우미라. 문냥이 슈불○[인](雖不仁)이나 만셔[셰]야야(萬歲爺爺)의 ᄉᆞ랑ᄒᆞ시ᄂᆞᆫ 공쥬로, 외람이 군의겨[게] ᄒᆞ가ᄒᆞᄆᆡ, 군의 멸시ᄒᆞ믄【38】 하가 젼부터 지긔ᄒᆞᆫ ᄇᆡ라. 이져[졔] 여ᄎᆞ 요악지

경동ᄒᆞ미 업ᄉᆞ니, 이ᄂᆞᆫ 황녀를 경시ᄒᆞ미라. 문양이 슈암용(雖暗庸)이나 뎨후의 교ᄋᆡᄒᆞ시ᄂᆞᆫ 셩은 ᄀᆞ온ᄃᆡ ᄉᆡᆼ당ᄒᆞ여, 일즉 그몸의 블평지ᄉᆡ 업다가, 군가의 하가ᄒᆞ여 미급일이년(未及一二年)의 여ᄎᆞ디ᄉᆡ(如此之事) 층츌(層出)ᄒᆞᄃᆡ, 져의 ᄆᆞ음을 밀위여【21】 타인을 의심치 아니커니와, 군의 도리ᄂᆞᆫ 녀염 녀ᄌᆡ라도 가히 허실을 므러 간졍을 ᄒᆡᆨ실ᄒᆞ미 올커ᄂᆞᆯ, '황우어황녀(況又於皇女)짜녀!'[769] 군이 문양의 ᄉᆞᄉᆡᆼ을 블관이 아라 여ᄎᆞᄒᆞᆯ진ᄃᆡ, ᄎᆞᄂᆞᆫ 문양을 멸ᄃᆡᄒᆞ믄 가히 다시 니르지 아니ᄒᆞ려니와, 황명의 슌슌(恂恂)ᄒᆞ샤믈 져바리니, 고어의 왈, '님군이 주시ᄂᆞᆫ 바ᄂᆞᆫ 견ᄆᆡ(犬馬)라도 공경ᄒᆞ라' ᄒᆞ엿ᄂᆞ니, 문양이 슈악(雖惡)이라도, 군가의 칠거지죄(七去之罪)[770] 업술진ᄃᆡ 그러치 못ᄒᆞ리니, 이 엇디 군명을 홍모ᄀᆞᆺ치 ᄒᆞ미 아니리오. 군은 가히 ᄉᆞ졍을 졀ᄎᆞ치 못ᄒᆞ여 여ᄎᆞᄒᆞ미나, 과인 형뎨ᄂᆞᆫ 황명을 밧드러 동긔를 구호ᄒᆞᄆᆡ,【22】 그 병이 ᄉᆞᄉᆡᆼ의 갓가오니 동긔지졍의 참연ᄒᆞ려든, ᄒᆞ믈며 황야의 셩녀ᄒᆞ샤미 슉취옥탑(宿就玉榻)[771]의 편치 못ᄒᆞ시믈 ᄉᆡᆼ각건ᄃᆡ, 그 병을 난호지 못ᄒᆞ믈 한ᄒᆞ거ᄂᆞᆯ 여ᄎᆞ 변고를 엇지 괄시ᄒᆞ리오마ᄂᆞᆫ, 오히려 쇼쇼 가ᄉᆡ니 군의 쳐치를 보려 ᄒᆞ엿더니, 군이 조곰도 경념(驚念)치 아니니, 과인 등이 가히 텬졍의 쥬달ᄒᆞ여 죄명ᄌᆞ(罪名者)를 법뉼노 다ᄉᆞ려 후인을 증계ᄒᆞ리라."

셜파의 오왕이 미우의 노긔 녈슉(烈肅)ᄒᆞ고 말ᄉᆞᆷ이 쥰졀ᄒᆞ니, 좌우 궁녜 막감앙시(莫敢仰視)라. 병뷔 고요 념슬(斂膝)ᄒᆞ여 오왕의 허다 말ᄉᆞᆷ을 드르ᄆᆡ, 그윽이 그 위인의 블명ᄒᆞ믈 우이 넉이나, 말ᄉᆞᆷ이 강녈ᄒᆞ고

769)황우어황녀(況又於皇女)짜녀! : 하물며 황녀겠는가! 황우(況又); 하물며. ≒우황(又況).

770)칠거지죄(七去之罪) : 예전에, 아내를 내쫓을 수 있는 이유가 되었던 일곱 가지 죄. ①시부모에게 불손함, ②자식이 없음, ③행실이 음탕함, ④투기함, ⑤몹쓸 병을 지님, ⑥말이 지나치게 많음, ⑦도둑질을 함. 따위이다

771)슉취옥탑(宿就玉榻) : '옥으로 꾸민 침상에 나가 잠을 잔다는 뜻'으로 '임금의 잠자리'를 말함.

ᄉᆡ 그 몸의 밋ᄎᆞᄃᆡ 조금도 경동ᄒᆞ미 업ᄉᆞ니, 이ᄂᆞᆫ 황녀을 경시ᄒᆞ미라. 문냥이 《슈압용니아니ᄂᆞ‖슈암용(雖暗庸)이ᄂᆞ》, 져[제]후의 교ᄋᆡ ᄒᆞ시ᄂᆞᆫ 셩은 가온ᄃᆡ ᄉᆡᆼ장ᄒᆞ여, 일즉 그 몸의 불평지ᄉᆡ 업다가 군가의 ᄒᆞ가ᄒᆞ여 《미금일의년‖미급 일이년》의 여ᄎᆞ지ᄉᆡ 층츌ᄒᆞᄃᆡ, 저의 마음을 밀위여 타인을 의심치 아니커이와, 군의 도리ᄂᆞᆫ 여염 여ᄌᆡ라도 가히 허실을 무러 간졍을 ᄒᆡᆨ실ᄒᆞ미 올커날, 문냥의 ᄉᆞᄉᆡᆼ을 불관이 아라 여ᄎᆞ할진ᄃᆡ, ᄎᆞᄂᆞᆫ 문냥을 멸○[ᄃᆡ]ᄒᆞ믄 가히 다시 이르지 아니려이[니]와, 황명의 슌슌(恂恂) ᄒᆞ시물 져ᄇᆞ리이[니], 고어의 왈, '님군이 쥬시ᄂᆞᆫ 거ᄉᆞᆫ 견마(犬馬)라도 공경ᄒᆞ라' ᄒᆞ엿ᄂᆞ이[니], 문냥이 슈악(雖惡)이라도, 군가의 칠거지죄(七去之罪)[621] 업술진ᄃᆡ 그러치 못ᄒᆞ리이[니], 엇지 군명을 홍모 갓치 ᄒᆞ미 아니리요. 군은 가히 ᄉᆞ졍을 졀ᄎᆞ치 못ᄒᆞ녀[여] 여ᄎᆞᄒᆞ미나, 과인 형져[제]ᄂᆞᆫ 황명을 밧드러 동긔을 구호ᄒᆞᄆᆡ, 그 병의 ᄉᆞᄉᆡᆼ니[이] 갓가오이[니] 동긔지졍이 ᄀᆞ련ᄒᆞ려든, ᄒᆞ물며 황야의 셩녀ᄒᆞ시미 슉쉬옥탑(熟睡玉榻)[622]의 편치 못ᄒᆞ시물 ᄉᆡᆼ각건ᄃᆡ 그병을 난호지 못ᄒᆞ물 ᄒᆞᆫᄒᆞ거날 여ᄎᆞ 변고을 엇지 괄시ᄒᆞ리요마는, 오히려 소소가ᄉᆡ이[니] 군의 쳐치을 보려 ᄒᆞ엿더이[니] 군이 조곰도 경념치 아이이 과인 등니 가히 천졍의 쥬달ᄒᆞ여 죄명ᄌᆞ을 법법율노 ᄃᆞᄉᆞ려 후인을 경겨[계]ᄒᆞ리라."

셜파의 오왕이 미우의 노기 열슉ᄒᆞ고 말ᄉᆞᆷ이 쥰졀ᄒᆞ이[니], 좌우 궁ᄋᆡ 막감앙시(莫敢仰視)라. 병부 고요 념슬(斂膝)ᄒᆞ여 오왕의 허다 말ᄉᆞᆷ을 드르ᄆᆡ, 그윽니[이] 그 위인의 불명ᄒᆞ믈 우이 역이ᄂᆞ, 말ᄉᆞᆷ이 강열ᄒᆞ고 긔운이【39】 츄상 갓트믈 보ᄆᆡ, 다만

621)칠거지죄(七去之罪) : 예전에, 아내를 내쫓을 수 있는 이유가 되었던 일곱 가지 죄. ①시부모에게 불손함, ②자식이 없음, ③행실이 음탕함, ④투기함, ⑤몹쓸 병을 지님, ⑥말이 지나치게 많음, ⑦도둑질을 함. 따위이다

622)슉쉬옥탑(熟睡玉榻) : '옥으로 꾸민 침상에서 깊은 잠을 잔다는 뜻'으로 '임금의 잠자리'를 말함.

【23】 긔운이 이 츄상ᄀᆞᆺᄐᆞ믈 보ᄆᆡ, 다만 뎡ᄉᆡᆨ ᄉᆞ샤 왈,

"쇼ᄉᆡᆼ이 블명무식(不明無識)ᄒᆞ여 오날ᄂᆞᆯ 냥위 뎐하의 허다ᄒᆞᆫ 말ᄉᆞᆷ이 ᄌᆞ당감쉬(自當甘受)나, '군명을 홍모ᄀᆞᆺ치 ᄒᆞᆫ다' ᄒᆞ심과, '공쥬의 ᄉᆞᄉᆡᆼ을 블관이 넉인다' ᄒᆞ시믄 의외라. 공쥬의 병셰 초(初)의ᄂᆞᆫ 그러치 아니터니, 근일 증셰 크게 공교ᄒᆞ니 괴히이 넉이던 ᄇᆡ라. 이제 요괴로온 무고ᄉᆞ를 파ᄂᆡ여시나, 이ᄂᆞᆫ 쇼ᄉᆡᆼ의 집 적은 일이라, 엇지 텬졍의 번득ᄒᆞ리오. 쇼ᄉᆡᆼ이 비록 용우블명ᄒᆞ나 이만 일은 쳐치ᄒᆞᆯ 만ᄒᆞ고, 공쥐 슈존(雖尊)이나 하가ᄒᆞ여 필부의 문의 도라오ᄆᆡ, 만승의 셰(勢)와 텬승의 교(驕)를 브리지 못ᄒᆞ리니, 금일 냥위 대왕의 【24】 디괴(指敎) 의외 아니시랴? 무고ᄉᆞ로ᄡᅥ 브ᄃᆡ 텬문의 쥬달코져 ᄒᆞ실진ᄃᆡ 쇼ᄉᆡᆼ이 엇디 말니리 잇고?"

언죵(言終)의 좌우 궁노를 명ᄒᆞ여 요녜지물을 소화ᄒᆞ라 ᄒᆞ고, 소양각의 나아가 공쥬의 병을 구호ᄒᆞᄃᆡ, 무고ᄉᆞ를 언두의 일ᄏᆞᆺ디 아니코, 비로소 공쥬의 ᄆᆡᆨ후를 보니, ᄉᆞᄐᆡ(死胎) 후 심녀를 과히 ᄒᆞ여, 원긔 실낫ᄀᆞᆺᄐᆞ여실지언졍, ᄀᆞᆺᄐᆞ여 고항의 위딜(危疾)이 아니오, 요샤의 침범ᄒᆞᆫ 증셰 아니라. 이에 ᄌᆞ가(自家) 의ᄉᆞ(意思)로 십여 쳡 약을 디어 몬져 슈삼(數三) 복[772]을 시험ᄒᆞ니, 약회 신긔ᄒᆞ여 공쥬의 딜통ᄒᆞ던 ᄇᆡ 만히 감ᄒᆞ나, 공쥐 짐ᄌᆞᆺ 뎡·오 이왕을 격동코져 ᄒᆞ여 ᄒᆞᆫ갈 【25】 ᄀᆞᆺ치 고통ᄒᆞ니, 부마ᄂᆞᆫ 괴롭고 증분ᄒᆞ여 ᄉᆞ매를 ᄯᅥᆯ쳐 상부의 도라와, 일일 ᄒᆞᆫ ᄊᆡᆨ식 왕ᄂᆡᄒᆞ니, 뎡·오 이왕이 쥬야로 머므러 궁듕의셔 구호ᄒᆞ더라.

부매 스ᄉᆞ로 괴로오믈 니긔지 못ᄒᆞ고, 경쇼져 산월이 님ᄒᆞ여시나 공쥬의 우환의 분쥬ᄒᆞ여 가보디 못ᄒᆞ고, 경경(耿耿)ᄒᆞᆫ 념녀를 노치 못ᄒᆞ더라.

ᄎᆞ시 경쇼졔 잉ᄐᆡ 십삭이 ᄎᆞᄆᆡ, 졍월 습슌일(拾旬日)[773]의 일개 영ᄌᆞ를 ᄉᆡᆼᄒᆞ니, 긔

정ᄉᆡᆨ 답왈,

"소ᄉᆡᆼ이 불명무식(不明無識)ᄒᆞ여 오날날 양위 젼하의 허다헌 말슴이 ᄌᆞ당감쉬(自當甘受)나, '군명을 홍모 갓치 한다' ᄒᆞ심과 '공쥬의 ᄉᆞᄉᆡᆼ을 불관이 넉인다' ᄒᆞ시믄 의외라. 공쥬의 병셔[셰] 초의ᄂᆞᆫ 그러치 아니터이[니] 근일 증셔[셰] 크겨[게] 공교ᄒᆞ여 고이 넉이든 ᄇᆡ라. 이져[졔] 요교[괴]로온 무고ᄉᆞ을 파ᄂᆡ여스니, 이ᄂᆞᆫ 소ᄉᆡᆼ의 집 져근 일이라. 엇지 쳔정의 번득ᄒᆞ리요. 소ᄉᆡᆼ이 비록 용우불명ᄒᆞ나 이만 일은 처치할만 ᄒᆞ고, 공쥬 슈존(雖尊)이나, ᄒᆞ가ᄒᆞ여 필부의 문의 도라오ᄆᆡ 만승의셔[셰](勢)와 쳔승의 교(驕)을 부리지 못ᄒᆞᄂᆞ이[니], 금일 양위 ᄃᆡ왕의 지교(指敎) 의외 아니시랴. 무고ᄉᆞ로ᄡᅧ 부ᄃᆡ 쳔문의 쥬달코져 ᄒᆞ실진ᄃᆡ, 소ᄉᆡᆼ이 엇지 말이[니]리잇고?"

언종(言終)의 좌우 궁노을 명ᄒᆞ여 요여지물을 소화ᄒᆞ라 ᄒᆞ고, 소양각의 나아가 공쥬의 병을 구호ᄒᆞᄃᆡ, 무고ᄉᆞ을 언두의 일컷지 아니코, 비로소 공쥬의 ᄆᆡᆨ후을 보니 ᄉᆞᄐᆡ 후 심녀을 과히ᄒᆞ여 원긔 실낫 갓틀지언졍, ᄀᆞᆺ하여 고황의 위질(危疾)니 아니요, 요ᄉᆞ의 침범ᄒᆞ미 아이[니]라. 이의 ᄌᆞ겨[긔](自己) 의ᄉᆞ(意思)로 약을 십여 쳠[쳡] 지여 몬져 슈삼 복[623]을 시험ᄒᆞ니, 약효 신긔ᄒᆞ여 공쥬의 질통ᄒᆞ든 ᄇᆡ 만이 감ᄒᆞ여시나, 짐짓 뎡·오 이왕을 격동코져 한갈 갓치 고통ᄒᆞ니, 부마ᄂᆞᆫ 괴롭고 증분ᄒᆞ여 사ᄆᆡ을 ᄯᅥᆯ쳐 뎡부로 도라와 일일의 ᄒᆞᆫ ᄊᆡᆨ식 왕ᄂᆡᄒᆞ니, 뎡·오 이왕이 쥬야 머무러 궁즁의셔 구호ᄒᆞ더라.

부ᄆᆡ 스ᄉᆞ로 괴로오{오}믈 이긔지 못ᄒᆞ고, 경소져[졔] 산월니[이] 임ᄒᆞ엿시나 공쥬의 질냥(疾恙)의 분쥬ᄒᆞ여 가 보지 못ᄒᆞ고, 경경(耿耿)ᄒᆞᆫ 염녀을 놋치 못ᄒᆞ더이[니], ᄎᆞ시 경소져 잉ᄐᆡᄒᆞ여 십속이 ᄎᆞᄆᆡ 졍월 습순 【40】 일(拾旬日)[624]의 일ᄀᆡ 영ᄌᆞ

772)복 : 약의 분량을 나타내는 단위. 한 번 먹을 분량을 이른다.

623)복 : 약의 분량을 나타내는 단위. 한 번 먹을 분량을 이른다.

골이 셕대ᄒᆞ여 뇽닌(龍麟)의 삿기오, ᄇᆡᆨ옥 ᄀᆞᆺ튼 용홰(容華)라. 버들 ᄀᆞᆺ튼 눈셥과 츄슈샤일(秋水斜日)774)이 일월(日月)의[을] 슈장(收藏)ᄒᆞ고, 강산졍긔(江山精氣)ᄂᆞᆫ 미우팔ᄎᆡ(眉宇八彩)775)의 온젼ᄒᆞ여시니, 남젼(藍田)776)의 ᄇᆡᆨ옥(白玉)이 ᄐᆞᆺ글을 벗고, ᄒᆡ【26】샹의 금가마괴777) 부상(扶桑)778)의[을] 엿보ᄂᆞᆫ ᄃᆞᆺ, 구각(軀殼)779)이 장실(壯實)ᄒᆞ고, 산실의 이향(異香)이 분비(紛霏)ᄒᆞ니, 경공 부뷔 만심 환열ᄒᆞ여 녀ᄋᆞ를 구호ᄒᆞ며 손ᄋᆞ를 어로만져 ᄉᆞ랑이 만금의 비(比)치 못ᄒᆞ더라.

경시 산후 병이 업ᄉᆞ니, 경공이 깃거ᄒᆞ나 짐ᄌᆞᆺ 병부의게 녀ᄋᆞ의 ᄉᆡᆼ남ᄒᆞ믈 통치 아니니, 병뷔 소식을 몰나 굼거워 ᄒᆞ더니, 일일은 계오 틈을 타 경부의 니르니 경공이 ᄂᆡ루의 쳥ᄒᆞᆫᄃᆡ, 병뷔 ᄂᆡ헌의 니르러 악부모긔 ᄇᆡ견ᄒᆞ고 근간 존후를 뭇ᄌᆞ온 후, 도라 경시랑다려 문왈,

"녕ᄆᆡ 산월이 금월이로ᄃᆡ 소식이 업ᄉᆞ니 디금【27】 분산치 아냣ᄂᆞ냐?"

경시랑이 그 밧비 알녀ᄒᆞ믈 ᄆᆡ이 넉여, 짐ᄌᆞᆺ 탄식 왈,

"쇼ᄆᆡ 금월 습슌(拾旬)의 슌산ᄒᆞ나, 이목구비 삼기지 아니ᄒᆞ고, 남녀도 ᄎᆡ 아디 못ᄒᆞᄂᆞᆫ 육괴(肉塊)를 나하시니, 볼 젹마다 놀납고 ᄎᆞ악ᄒᆞᆯ ᄲᆞᆫ아니라, 쇼ᄆᆡ ᄎᆞ경을 보고 경심(驚心)ᄒᆞ여 식음을 믈니치고 병이 듕ᄒᆞ니, 대인과 ᄌᆞ위 챵ᄇᆡᆨ의게 젼ᄒᆞ미 무안타 ᄒᆞ샤 ᄉᆡᆼ산ᄒᆞ믈 디금 니르지 아니시니, 인가의 그런 괴이ᄒᆞᆫ 거시 날 줄 아라시리오."

773)습슌일(拾旬日) : 10일.
774)츄슈샤일(秋水斜日) : 가을 물 속에 비친 해. 여기서는 신생아 눈을 비유적으로 표현한 말.
775)미우팔치(眉宇八彩) : 여덟 가지 색깔의 눈썹.
776)남젼(藍田) : 중국(中國) 섬서성(陝西省)에 있는 산 이름으로 옥의 명산지.
777)금가마괴 : 금까마귀. '해'를 달리 이르는 말. 태양 속에 세 개의 발을 가진 까마귀가 있다는 전설에서 유래한다.
778)부상(扶桑) : 해가 뜨는 동쪽 바다.
779)구각(軀殼) : 몸의 껍질이라는 뜻으로, 온몸의 형체 또는 몸뚱이의 윤곽을 정신에 상대하여 이르는 말.

을 ᄉᆡᆼᄒᆞ니, 긔골이 셕ᄃᆡᄒᆞ녀[여] 용인(龍麟)의 삿기요, 기골(氣骨)이 ᄇᆡᆨ옥 갓튼 용화(容華)와 버들 갓튼 눈접[섭]과 츄슈ᄉᆞ일(秋水斜日)625)니[이] 일월(日月)의[을] 슈장(收藏)ᄒᆞ고, 강산정기(江山精氣)는 미우팔ᄎᆡ(眉宇八彩)626)의 온젼ᄒᆞ엿시니, 남젼(藍田)627) ᄇᆡᆨ옥(白玉)이 틔끌을 비[버]셔시며, ᄒᆡ상의 금가마괴628) 부상(扶桑)629)의[을] 엿보ᄂᆞᆫ ᄃᆞᆺ, 구각(軀殼)630)이 장실(壯實)ᄒᆞ고 산실의 이ᄒᆡᆼ(異香)이 풍비(風飛)ᄒᆞ이[니], 경공 부뷔 만심 ᄃᆡ희ᄒᆞ여 여아을 구호ᄒᆞ며 손아을 어로만져 ᄉᆞ랑이 비치 못ᄒᆞ더라.

경시 산후 병이 업ᄉᆞ이[니] 경공이 깃거ᄒᆞ나 짐짓 병부의겨[게] 여아의 ᄉᆡᆼ남을 통치 《아이이‖아니니》, 병뷔 소식을 몰나 궁거워ᄒᆞ다가, 일일은 겨유 틈을 타 경부의 이르니, 경공이 ᄂᆡ루로 쳥ᄒᆞ이[니], 병부 내헌의 이르러 악부모긔 ᄇᆡ알ᄒᆞ고, 근간 존후을 뭇ᄌᆞ온 후, 경시랑다려 문 왈,

"영ᄆᆡ 산월이 금월이로ᄃᆡ 소식이 업ᄉᆞ{오}니 지금 분ᄉᆞᆫ치 아닛나야[냐]?"

경시랑이 그 밧비 알녀ᄒᆞ믈 미워 역여 짐짓 탄식 왈,

"소ᄆᆡ 금월 습슌(拾旬)의 슌ᄉᆞᆫᄒᆞ엿시나, 이목구비 삼기지 안니ᄒᆞ고, 남녀를 ᄎᆡ 아지 못ᄒᆞᄂᆞᆫ 육교[괴](肉塊)을 ᄂᆞ하시이[니], 볼 젹마다 놀납고 ᄎᆞ악ᄒᆞ나, 소ᄆᆡ ᄎᆞ경을 보고 경실(驚失)ᄒᆞ녀[여] 식음을 물니치고 병이 즁ᄒᆞ니, ᄃᆡ인과 ᄌᆞ위 창ᄇᆡᆨ의겨[게] 젼ᄒᆞ미 무안타 ᄒᆞᄉᆞ, ᄉᆡᆼᄉᆞᆫᄒᆞ믈 이르지 안니시{이}나, 그런 고이ᄒᆞᆫ 거시 날 쥴 아러시리요."

624)습슌일(拾旬日) : 10일.
625)츄슈ᄉᆞ일(秋水斜日) : 가을 물 속에 비친 해. 여기서는 신생아 눈을 비유적으로 표현한 말.
626)미우팔치(眉宇八彩) : 여덟 가지 색깔의 눈썹.
627)남젼(藍田) : 중국(中國) 섬서성(陝西省)에 있는 산 이름으로 옥의 명산지.
628)금가마괴 : 금까마귀. '해'를 달리 이르는 말. 태양 속에 세 개의 발을 가진 까마귀가 있다는 전설에서 유래한다.
629)부상(扶桑) : 해가 뜨는 동쪽 바다.
630)구각(軀殼) : 몸의 껍질이라는 뜻으로, 온몸의 형체 또는 몸뚱이의 윤곽을 정신에 상대하여 이르는 말.

병뷔 문파의 쥬슌(朱脣)이 열니며 옥치(玉齒) 찬연(燦然) 왈,

"비록 육괴(肉塊)라도 이 뎡챵빅의 골육이니, 졔 아비 텬눈ᄌᆞᄋᆡ 업디 아닐 거시【28】오, 쳔유ᄂᆞᆫ 보기 슬타 ᄒᆞ디라도 내게ᄂᆞᆫ 통ᄒᆞ미 올흔디라. 아모커나 드러가 그 육괴를 보리라."

ᄒᆞ고 한가히 우어 조곰도 고지 아니드르니, 경시랑이 쇼왈,

"창빅이 오언(吾言)을 밋디 아니나, 이졔 드러가 그 육괴를 본즉, 부ᄌᆞ 텬눈디졍이나 놀나 졋바디리라."

병부ᄂᆞᆫ 함쇼무언(含笑無言)이오, 경공 부부ᄂᆞᆫ 병부의 거동을 보려 말을 아니터니, 병뷔 웃고 니러 왈,

"쳔워 날과 ᄒᆞᆫ가지로 녕ᄆᆡ 침소의 가, 신싱ᄋᆞ의 이목구비를 내 ᄀᆞᄅᆞ쳐 보게 ᄒᆞ려니와, 눈이 이시ᄃᆡ 태산을 아라보디 못ᄒᆞ미로다."

시랑이 쇼왈,

"나ᄂᆞᆫ 그 육괴를 눈이 셕도록 보아시니, 군은 모로미 뜻을【29】 구지ᄒᆞ여 부ᄌᆡ 상견ᄒᆞ라."

병뷔 웃고 쇼져 침소의 니르러 ᄒᆞᆫ번 기촘ᄒᆞ고 지게를 여니, 쇼졔 침병의 의지ᄒᆞ엿다가 병부를 보고 니러 마ᄌᆞ니, 병뷔 밧비 쳥좌ᄒᆞ고 눈을 드러 신싱ᄋᆞ를 보니, ᄒᆞᆫ낫 쳔니긔린(千里騏驎)[780]이오, 히샹일월(海上日月)이라. 영형발췌(英形拔萃)ᄒᆞ여 니시의 싱ᄋᆞ와 ᄒᆞᆫ 판의 박은 ᄃᆞᆺᄒᆞᄃᆡ, 찬연이 고은 빗과 특이ᄒᆞ믄 승ᄒᆞᆫ ᄃᆞᆺᄒᆞᆫ디라. 병뷔 희츌망외(喜出望外)ᄒᆞ여 ᄉᆞ랑ᄒᆞ믈 마디 아니ᄒᆞ다가, 경시를 도라보니, 쇼졔 팔ᄌᆞ츈산(八字春山)[781]을 낫초고 옥슈를 기리 ᄭᅩᄌᆞ 념슬단좌(斂膝端坐)ᄒᆞ니 광염이 아라ᄒᆞ고[782] 염질(艶質)이 작작(綽綽)ᄒᆞ여[783], 남산(南山)이 의희(依俙)ᄒᆞᆫᄃᆡ[784] 졔월(霽月)이 교교(皎皎)

780)쳔니긔린(千里騏驎) : 하루에 천 리를 달릴 수 있을 정도로 좋은 말. 기린(騏驎); 천리마(千里馬).
781)팔ᄌᆞ츈산(八字春山) : 화장한 눈썹.
782)아라ᄒᆞ다 : 아스라하다. 끝이 없다.
783)작작(綽綽)ᄒᆞ다 : 빠듯하지 아니하고 넉넉하다.

병뷔 문파의 쥬슌(朱脣)이 열이며 옥치(玉齒) 찬난(燦爛)ᄒᆞ여 왈,

"비록 육괴(肉塊)라소이[니] 이 졍창빅의 고륙(骨肉)이니, 져[졔] 아비 쳔윤ᄌᆞᄋᆡ 업지 아일 거시오, 텬유ᄂᆞᆫ 보기 놀나올지라도 ᄂᆡ겨[게]ᄂᆞᆫ 통ᄒᆞ미 올흔【41】지라. 아모켜[커]나 드러가 그 육괴을 보리라."

ᄒᆞ고 조금도 고지 듯지 안니ᄒᆞ니 경시랑이 소 왈,

"창빅이 오원[언(吾言)]을 밋지 안이나, 이져[졔] 드러가 그 육괴을 본 즉, 쳘윤지졍(天倫之情)이 나, 놀나잣ᄇᆞ지리라."

병부ᄂᆞᆫ 함소(含笑)ᄒᆞ고 경공부부ᄂᆞᆫ 병부의 거동을 보려 말을 아이[니]터이[니], 병부 웃고 왈,

"쳔유 날과 ᄒᆞᆫ 가지로 영ᄆᆡ 침소의 가, 신싱아의 이목구비을 ᄂᆡ 가르쳐 보겨[게]ᄒᆞ려이[니]와, 눈이 잇스ᄃᆡ ᄐᆡ손을 아라보지 못ᄒᆞ미로다."

시랑이 소왈,

"나ᄂᆞᆫ 그 육괴을 눈이 시도록 보왓시니, 군은 모로미 쓰질 구지ᄒᆞ녀[여] 부ᄌᆡ 싱면ᄒᆞ라."

병뷔 웃고 소져 침소의 이르러 한번 깃츰ᄒᆞ고 지겨[게]을 여니, 소져 침병의 의지ᄒᆞ엿다가 병부을 보고 이러 ᄆᆞ즈이[니], 병뷔 밧비 졍좌ᄒᆞ고 신ᄋᆞ을 밧비 보니, ᄒᆞᆫ낫 천이[니]긔린(千里騏驎)[631]이요, ᄒᆡ상일월(海上日月)이라. 령형발춰(英形拔萃)ᄒᆞ녀[여] 이시의 ᄋᆞᄌᆞ와 ᄒᆞᆫ 판의 박은 듯ᄒᆞᄃᆡ, 찬연이 고은 빗과 특이ᄒᆞ믄 승ᄒᆞᆫ 듯한지라. 병뷔 희츌망외(喜出望外)ᄒᆞ녀[여] ᄉᆞ랑ᄒᆞ믈 ᄆᆞ지 안니ᄒᆞ다가, 경시을 도라 보이[니], 소져 팔ᄌᆞ츈순(八字春山)[632]을 나즉이 ᄒᆞ고, 옥슈을 긔리 ᄭᅩᄌᆞ 염슬단좌(斂膝端坐)ᄒᆞ엿시이[니], 광념이 ᄋᆞ으라ᄒᆞ고[633], 념질(艶質)이 즉즉(綽綽)ᄒᆞ여[634] 남손(南山)이 의희

631)천니긔린(千里騏驎) : 하루에 천 리를 달릴 수 있을 정도로 좋은 말. 기린(騏驎); 천리마(千里馬).
632)팔ᄌᆞ츈순(八字春山) : 화장한 눈썹.
633)ᄋᆞ으라ᄒᆞ다 : 아스라하다. 끝이 없다.
634)즉즉(綽綽)ᄒᆞ다 : 빠듯하지 아니하고 넉넉하다.

혼 둧, 고슈(高秀)혼 싀【30】광이 봄날이 다샤ᄒᆞ딕 혜풍(惠風)이 한가혼 둧, 산후 일분 슈패(瘦敗)ᄒᆞ미 업ᄉᆞ니, 견권지졍(繾綣之情)이 블가형언(不可形言)이라. 어이 도라가 요악혼 공쥬의 병을 볼 의ᄉᆡ 이시리오. ᄎᆞ야를 또 경부의셔 지닉니, 시야의 일장 분난(紛亂)이 니러, 윤·양·니 삼인의 풍진낙쳑(風塵落堉)[785]이 되니 시ᄒᆞᄉᆞ(是何事)오? 석남하회(釋覽下回)ᄒᆞ라.

어시의 최녜 흉계를 힝ᄒᆞ여 죄를 윤·양·니 등의게 밀위고져 ᄒᆞ더니, 부매 스ᄉᆞ로 요ᄉᆞ(妖邪)를 파닉고 공쥬의 병을 구호홀디언졍, 무고ᄉᆞ를 거드디 아니니, 분한(憤恨) 착급(着急)ᄒᆞ여 일계를 힝홀ᄉᆡ, ᄎᆞ시 공쥐 부마의 신약을 먹어 병이 나날 ᄎᆞ경의 이시나, 짐즛 뎡·오 이왕을 【31】머므러 병셰 가감(加減)이 업다 ᄒᆞ고, 최녜 ᄀᆞ마니 시ᄋᆞ로 윤부인 시ᄋᆞ 녹셤과 양부인 시ᄋᆞ 영교를 브르니, 냥인이 공쥬와 최녀의 흉휼(凶譎)의 ᄀᆞᆷ겨 그 니르ᄂᆞᆫ 말이면 ᄉᆞ디라도 블감역명(不敢逆命)이라. 이의 니르니 최녜 팔진셩찬(八珍盛饌)을 닉여 포복(飽腹)토록 먹이니, 이녜 ᄉᆞ샤 칭복 왈,

"옥쥬의 ᄋᆡ인셩덕이 우리ᄀᆞᆺ튼 쳔뉴(賤流)의 디극ᄒᆞ시니, 아등의 바라미 쥬인의 셰번 더은디라. 텬되 옥쥬낭낭의 셩심슉덕을 ᄉᆞᆯ피지 아니샤 낙ᄐᆡ환휘 위독ᄒᆞ시니, 초젼ᄒᆞᄂᆞᆫ 근심이 부모의 더은디라. 몸소 니르러 옥쥬낭낭의 톄후를 뭇ᄌᆞ올 거시로ᄃᆡ, 쥬인이 엄ᄒᆞ여 임의로 단니【32】디 못ᄒᆞ게 ᄒᆞᄆᆡ, ᄒᆞᆫ갓 죄를 혜아릴 ᄲᅳᆫ이러니, 금일 상궁의 쇼명을 인ᄒᆞ여 계오니르럿더니, 이러틋 관ᄃᆡ(款待)ᄒᆞ시니 블승감격(不勝感激)이로소이다."

784)의희(依俙)ᄒᆞ다 : 어렴풋하다.

785)풍진낙쳑(風塵落堉) : 티끌이 바람에 날려 척박한 땅에 떨어짐.

(依俙)ᄒᆞ디[635] 져[졔]월(霽月)이 교교(皎皎)혼 듯, 교수(翹秀)혼 ᄉᆡᆨ광이 봄날이 다ᄉᆞ혼ᄃᆡ 혀[혜]풍(惠風)니[이] 혼가혼 듯, 산후 일분 슈픽(瘦敗)ᄒᆞ미 업ᄉᆞ이[니], 견권지졍(繾綣之情)이 불가형언(不可形言)이라. 어니[이] 도라가 요악혼 공쥬의 병을 볼 의ᄉᆞ 이시리요. ᄎᆞ야의 또 경부의셔 지닉이[니], 시야의 일장분ᄂᆞᆫ(一場紛亂)이 이러, 유[윤]·낭[냥]·이 삼인의[이] 풍진낙쳑(風塵落堉)[636]이 되이[니], 시하(是何)이○[뇨]? ○[석]남ᄒᆞ회(釋覽下回)ᄒᆞ라.

어시의 최녀 흉겨[계]을 힝ᄒᆞ여 죄을 윤·냥·이 등의겨[게] 이[미]뤄【42】고져 ᄒᆞ더이[니], 부ᄆᆡ 스ᄉᆞ로 요ᄉᆞ(妖邪)을 파닉고 공쥬의 병을 구호할지연졍, 무고ᄉᆞ을 거드지 안니니, 분혼(憤恨) 착급(着急)ᄒᆞ여 일겨[계]을 힝할ᄉᆡ, ᄎᆞ시 공쥐 부마의 신약을 먹어병셔[셰] ᄎᆞ되 잇시나, 짐짓 뎡·오 양왕을 머무러 병셔[셰] 가감(加減)이 업다 ᄒᆞ고, 최녀 가마이[니] 윤부인 시ᄋᆞ 옥셤과 양부인 시ᄋᆞ 영교을 부르이[니], 양인이 공쥬와 최녀○…결락30자…○[의 흉휼(凶譎)의 ᄀᆞᆷ겨 그 니르ᄂᆞᆫ 말이면 ᄉᆞ디라도 블감역명(不敢逆命)이라. 이의 니르니 최네] 팔진징찬(八珍盡饌)으로 포복토록 먹이ᄆᆡ, 이녀 ᄉᆞᄉᆞ칭복 왈,

"곡[공]쥬의 ᄋᆡ인성덕이 우리 갓튼 쳔유(賤流)의겨[게] 지극ᄒᆞ시니, ᄋᆞ등의 ᄇᆞ리[라]미 쥬인의 셔[셰]번 더은지라, 쳔되 옥쥬낭낭의 성심슉덕을 살피지 아이[니]ᄉᆞ 낙ᄐᆡ환위 위경ᄒᆞ시니, 초젼ᄒᆞᄂᆞᆫ 근심이 부모의 더은지라, 곰[몸]소 {소} 이르러 옥쥬낭낭의 쳐[쳬]후을 뭇ᄌᆞ올 거시로되, 주인니[이] 엄금ᄒᆞ여 임의로 단이겨[게] 못ᄒᆞᄆᆡ, 한갓 죄을 혀[혜]ᄋᆞ릴 ᄲᅮᆫ이러이[니], 금일 샹궁의 소명을 인ᄒᆞ여 겨유 이르럿더이[니], 이러틋 관ᄃᆡ(款待)ᄒᆞ시니 불승감격(不勝感激)이로소니다."

635)의희(依俙)ᄒᆞ다 : 어렴풋하다.

636)풍진낙쳑(風塵落堉) : 티끌이 바람에 날려 척박한 땅에 떨어짐.

최네 흔연 왈,

"내 윤·양 냥부인 셩경을 ᄉᆞᆺ치니, 교오질독(驕傲疾毒)ᄒᆞ여 시녀 양낭ᄇᆡ를 은혜로 거ᄂᆞ리지 아니며, 우리 옥쥬낭낭은 봄날의 마른 풀흘 《브러ᄂᆡ심∥블에 ᄐᆡ옴》 ᄀᆞᆺᄐᆞᆫ 셩덕(聖德)이, 홀노 궁듕을 니르지 말고 도듕힝걸(道中行乞)의 ᄂᆔ(類)라도 참연ᄒᆞ샤, 금은필ᄇᆡᆨ을 앗기디 아니ᄒᆞ시ᄂᆞ니, 젹션음공을 텬디 ᄉᆞᆯ피샤 슬하 장옥(璋玉)[786]이 션션(詵詵)ᄒᆞ실 ᄇᆡ로ᄃᆡ, 뎡문의 하가ᄒᆞ샤 잉ᄐᆡ 삼ᄉᆞ삭의 힘힘히 악인의 독슈의 맛춤ᄂᆡ 안ᄐᆡ(安胎)치 못ᄒᆞ시니, 엇디 ᄋᆡ듧지 아니【33】며, 옥쥬의 환휘 ᄉᆞ경의 이시니 엇디 ᄎᆞ악지 아니리오. 옥쥬의 셩휘 가복ᄒᆞ시ᄂᆞᆫ 날이면 유죄ᄌᆡ(有罪者) 죽어 앗갑지 아니ᄒᆞ거니와, 기듕 원억히 블인지쥬(不仁之主)의 년좌로 잔잉ᄒᆞᆫ 비ᄇᆡ(婢輩) 다 죽을디라, 엇지 참혹지 아니리오. 금일 내 그ᄃᆡᄂᆡ를 청ᄒᆞ여 일만장(一萬丈) 굴헝[787]을 벗고, ᄇᆡᆨ옥션간의 즐거오믈 지휘코져 ᄒᆞ미니, 그ᄃᆡᄂᆡ 만일 윤·양 두 부인으로 비쥬지의(婢主之義)를 완젼코져 ᄒᆞᆯ진ᄃᆡ, 그ᄃᆡᄂᆡ 이십도 못ᄒᆞᆫ 나히 참형지하의 원혼이 되리니, 모로미 나의 디휘를 좃ᄎᆞ면 몸이 부귀ᄒᆞ여 고루화각의 능나로 일신을 ᄭᅮ리고, 팔진셩찬을 염어(厭飫)ᄒᆞ리니 그 니히(利害) 엇더ᄒᆞ뇨?"

녹셤【34】영괴 문파의 두 눈이 두렷ᄒᆞ여 왈,

"사ᄅᆞᆷ의 원ᄒᆞᄂᆞᆫ ᄇᆡ 제 몸이 즐겁고져 ᄒᆞᄂᆞ니, 상궁이 므슨 ᄌᆡ조로 아등의 일ᄉᆡᆼ을 편케 ᄒᆞ시리오? 아쥐 굿ᄐᆞ여 질독지 아니니 우리 엇진 고로 참형의 맛ᄎᆞ리라 ᄒᆞ시ᄂᆞ뇨?"

최네 쇼왈,

"내 그ᄃᆡ로ᄲᅧ 총명(聰明) 달니(達理)ᄒᆞᆫ가

786)장옥(璋玉) : '자식'을 달리 이르는 말.
787)굴헝 : 구렁. 움쑥하게 파인 땅.

최녀 흔년 왈,

"ᄂᆡ 윤·냥 이부인 셩덕을 스치이[니] 《교우질덕∥교오질독(驕傲疾毒)》ᄒᆞ여 시녀 양낭ᄇᆡ을 은혀[혜]로 거ᄂᆞ리{이}지 아니며, 우리 옥쥬낭낭은 봄날의 마른 풀을 《브러ᄂᆡ심∥블에 태옴》 갓트여, 성덕이 홀노 궁즁의[은] 이르지 말고, 《오즁힐걸∥도중행걸(道中行乞)》의 유리거린(遊離乞人)을 보셔도 《참은∥참연》ᄒᆞᄉᆞ, 금은필ᄇᆡᆨ을 앗기지 아니ᄒᆞᄉᆞ 젹션을 공부(工夫)ᄒᆞ시니, 음공이 천되 살피ᄉᆞ 슬ᄒᆞ 장옥(璋玉)[637]니[이] 선선(詵詵)ᄒᆞ실 ᄇᆡ로ᄃᆡ, 뎡문의 ᄒᆞ가ᄒᆞᄉᆞ 잉ᄐᆡ ᄉᆞ오ᄉᆞᆨ의 힘힘히 악인의 독슈의 마춤ᄂᆡ ᄉᆞᆫᄐᆡ(産胎)치 못ᄒᆞ시니, 엇지 ᄋᆡ답지 아이[니]며, 옥쥬의 환휘 ᄉᆞ경의 겨시니 엇지 ᄎᆞ악지 아이리요. 옥쥬의 셩휘 가복ᄒᆞ시ᄂᆞᆫ 날이면, 즉죄ᄌᆞ(作罪者)을 ᄎᆞ자 간정을 무【43】른즉, 유죄ᄌᆞ 쥭어 앗갑지 아이[니] ᄒᆞ거이[니]와, 기즁 원익[억]히 불인○[ᄒᆞᆫ] 주인의 연좌로 잔잉한 비ᄇᆡ(婢輩) 다 쥬글지라, 엇지 참혹지 아이[니]리요. 금일 ᄂᆡ 그ᄃᆡ 등을 청ᄒᆞ여 일만장(一萬丈) 구렁을 벗고, ᄇᆡᆨ옥선관의 즐거오믈 기[지]휘코져 ᄒᆞ미이[니], 그ᄃᆡᄂᆡ 만일 윤·양 두부인으로 비쥐지의(婢主之義) 완젼코져 할진ᄃᆡ, 그ᄃᆡᄂᆡ 이십도 못된 ᄂᆞ의 지ᄒᆞ 원혼이 되리이[니], 모로미 ᄂᆡ 지휘을 좃ᄎᆞ면 몸이 부귀ᄒᆞ여 고루화각의 능나(綾羅)로 일신을 ᄭᅮ미고, 팔진셩찬을 염어(厭飫)ᄒᆞ리이[니] 그 이히(利害) 엇더ᄒᆞ요[뇨]?"

뉵셤 영교 청파의 두 눈이 두렷ᄒᆞ여 ○[왈],

"ᄉᆞ람의 원ᄒᆞ는 ᄇᆡ 져[졔] 몸을 즐겁고져 ᄒᆞ리이 상궁이 무ᄉᆞᆷ ᄌᆡ조로 아등의 일ᄉᆡᆼ을 편켜 ᄒᆞ리이요. 아쥐 굿ᄒᆞ여 질독지 아니니 우리 엇진 고로 참형의 맛ᄎᆞ리라 ᄒᆞ시ᄂᆞ요[뇨]?"

최녀 소왈,

"ᄂᆡ 그ᄃᆡ로ᄲᅧ 총명(聰明) 《다리∥달리(達理)》ᄒᆞᆫ가 ᄒᆞ녓더이[니], 엇지 이ᄃᆡ도록

637)장옥(璋玉) : '자식'을 달리 이르는 말.

ᄒᆞ엿더니 엇디 이ᄃᆡ도록 집미(執迷)788)ᄒᆞ뇨? 윤·양·니 삼부인이 ᄉᆞᄉᆞ로 비복을 다ᄉᆞ리디 아냐, 도위 노야를 ᄭᅬ와 믜온 비ᄌᆞ를 골육(骨肉)이 미란토록 듕형을 더으ᄂᆞ니, 그ᄃᆡ등이 쥬인의 무상ᄒᆞ믈 몰낫도다.

어제 옥쥬 침뎐의 요예지물을 파ᄂᆡ고 툭ᄉᆞ를 보니, 윤부인 슈젹이니, 윤·양·니 삼부인 【35】 의 동심모의ᄒᆞᆫ 일이라. 뎡·오 냥뎐ᄒᆡ 옥쥬 환휘 가복(可復)ᄒᆞ신 후, 윤·양·니 삼부인 시녀를 남으니 업시 다 잡아 궐졍의 드러가 츄문ᄒᆞ리니, 삼부인과 동심모의ᄒᆞ던 시녀 양낭비ᄂᆞᆫ 죄당쥬륙(罪當誅戮)이어니와, 그ᄃᆡ 등은 동심치 아냐실 거시로ᄃᆡ, 텬위디쳑(天威咫尺)789)의 형벌이 극(極)ᄒᆞ거든, 어ᄃᆡ 가 ᄋᆡᄆᆡ타 발명ᄒᆞ리오. 속졀업시 쳥츈의 맛ᄎᆞ리니, 모로미 쥬인의 ᄉᆞᄉᆡᆼ을 념녀치 말고, 내 디휘를 좃ᄎᆞ 대공을 일울진ᄃᆡ, 우리 옥쥬낭낭이 그ᄃᆡ등의 일ᄉᆡᆼ을 졔도ᄒᆞ시리니, 그 니ᄒᆡ(利害) 장ᄎᆞ 하여오."

언죵의 황금 오ᄇᆡᆨ냥을 ᄂᆡ여 이녀를 난화주니, 냥인이 ᄎᆞ언을 듯고 황금 【36】 을 보니, 비록 졔 머리를 버혀도 상궁의 말을 밧들고져 ᄒᆞ니, ᄒᆞ믈며 공쥬 침뎐의 요예지물을 파ᄂᆡ고, 튝ᄉᆡ 뎡·오 냥왕이 가진 ᄇᆡ 되어 간정(奸情)을 엄문ᄒᆞᄂᆞᆫ ᄃᆡ경이면, 참형(斬刑)을 면치 못ᄒᆞᆯ디라. 놀나 온 혼ᄇᆡᆨ이 나라날디라, 이의 니르ᄃᆡ,

"진실노 상궁의 말 ᄀᆞᆺ틀딘ᄃᆡ 아등이 엇디 죽기를 감심ᄒᆞ리오. 상궁의 놉흔 의논과 어디리 디교ᄒᆞ시믈 밧드러 힝코져 ᄒᆞᄂᆞ니, ᄲᆞᆯ니 디교ᄒᆞ쇼셔."

최네 칭션 왈,

"현ᄌᆡ(賢哉)며 녕물(靈物)이라. 그ᄃᆡ 등이 니ᄒᆡ(利害)를 통ᄒᆞ여 ᄉᆞ오나온 쥬인을 바리고 어딘 곳의 나아오고져 ᄒᆞ니, 엇디 뼈 아

788)집미(執迷) : 고집이 세어 갈팡질팡함.

789)텬위디쳑(天威咫尺) : 천자의 위엄이 지척에 있다는 뜻으로, 임금과 매우 가까운 곳 또는 제왕의 앞을 이르는 말

집미(執迷)638)ᄒᆞ요[뇨]? 윤·냥·이 삼부닌이 ᄉᆞᄉᆞ로 비복을 다ᄉᆞ리지 아냐도, 노야을 ᄭᅬ야 미온 비ᄌᆞᄂᆞᆫ 고륙(骨肉)이 미란토록 즁형을 더으ᄂᆞ, 그ᄃᆡ 등니[이] 쥬인의 무상ᄒᆞ믈 몰낫ᄯᅩ다.

어져[제] 옥쥬 침젼의 요여[예]지물을 파ᄂᆡ고 츅ᄉᆞ을 보이[니], 윤부닌[인] 슈젹이요, 양·니 삼부닌[인]의 동심모의한 일이라. 뎡·오 이왕니[이] 옥쥬 환후 가복{가복}ᄒᆞ신 후, 윤·양·이 삼부인 시녀을 남으니 업시 다 잡아 궐졍의 드러가 츄문ᄒᆞ리이[니], 삼부닌[인]○[과] 동심모의○[ᄒᆞᆫ] 시녀 냥낭은 죄당쥬륙(罪當誅戮)니[이]여니와, 그ᄃᆡᄂᆡ는 동심치 《ᄋᆞ날∥ᄋᆞ냐실》거시로ᄃᆡ, 쳔위지척(天威咫尺)639)의 형벌니[이] 급(急)ᄒᆞ거든, 어ᄃᆡ가 ᄋᆡᄆᆡ타 발명ᄒᆞ리요. 속절 업시 쳥츈의 맛ᄎᆞ리이[니], 모로미 쥬인의 ᄉᆞᄉᆡᆼ을 념여치 말고, 【44】 ᄂᆡ 지휘을 좃ᄎᆞᄆᆡ, 공을 이르[루]면 우리 옥쥬낭낭이 그ᄃᆡ 등의 일ᄉᆡᆼ을 져[제]도 ᄒᆞ실지라. 그 이ᄒᆡ(利害) 장ᄎᆞᆺ ᄒᆞ여오."

언종의 황금이ᄇᆡᆨ냥을 ᄂᆡ여 이녀을 ᄂᆞᆫ화쥬이[니], 양인니 ᄎᆞ언을 듯고 황금을 보ᄆᆡ 마음니 황홀ᄒᆞ여 비록 져[제] 머리을 드리라 ᄒᆞ여도 상궁의 말을 밧들고져 ᄒᆞ니, ᄒᆞ물며 공쥬 침젼의 요여[예]지물을 파ᄂᆡ고 츅ᄉᆞ을 냥왕이 본 ᄇᆡ 되어 간졍을 엄문ᄒᆞ는 지경이면 참형을 면치 못할지라. 혼ᄇᆡᆨ이 비월ᄒᆞ녀[여] 이로ᄃᆡ,

"진실노 상궁의 말 갓틀진ᄃᆡ 아등니 엇지 살기을 ᄇᆞ라리요. 상국의 어진 의논과 놉흔 겨[계]교ᄒᆞ시믈 밧드러 힝코져 ᄒᆞᄂᆞ이 ᄲᆞᆯ니 지교ᄒᆞ소셔."

최녀 칭션 왈,

"션ᄌᆡ(善哉)며 영물(靈物)이라. 그ᄃᆡ 등니[이] 이ᄒᆡ(利害)을 통ᄒᆞ여 ᄉᆞ오나온 쥬닌[인]을 ᄇᆞ리고 어진 곳의 ᄂᆞ오고져 ᄒᆞ이

638)집미(執迷) : 고집이 세어 갈팡질팡함.

639)쳔위디쳑(天威咫尺) : 천자의 위엄이 지척에 있다는 뜻으로, 임금과 매우 가까운 곳 또는 제왕의 앞을 이르는 말

롬답디 아니리오. 녹낭ᄌᆞᄂᆞᆫ 금야【37】의 여ᄎᆞ여ᄎᆞ ᄒᆞ고, 영낭ᄌᆞᄂᆞᆫ ᄒᆞᆫᄡᆞᆷ 약봉을 가져 양부인 협ᄉᆞ(篋笥)의 너코, 묫ᄂᆞᆫ ᄣᆡ의 여ᄎᆞ여ᄎᆞ 쥬ᄒᆞ면, 타일 부귀를 형상키 어려오리라."

녹셤 영괴 쇼왈,

"상궁의 디교ᄒᆞ신 바를 마디 못ᄒᆞ려니와 아등이 대죄를 힝ᄒᆞ고 능히 무ᄉᆞᄒᆞ리잇가?"

최녜 왈,

"그ᄃᆡ 등이 비록 죄명이 듕대ᄒᆞ나, 옥쥐 디셩으로 ᄉᆞᆯ와 ᄂᆡ실 거시니, 모로미 념녀치 말나."

인ᄒᆞ여 감언미어(甘言美語)로 ᄢᅬ오며, 금은필빅으로 그 ᄆᆞᄋᆞᆷ을 어리오니, 냥녜 언언이 낙죵ᄒᆞ고, 영괴 최녜의 준 바 약ᄡᆞᆷ을 가져 양부인 침소의 니르니, 부인은 뎡당의 잇고 좌위 업ᄂᆞᆫ디라. 대희ᄒᆞ여 협ᄉᆞ의 약을 너흐ᄃᆡ 동뉴도 알【38】 니 업고, 녹셤은 최상궁의 디휘ᄃᆡ로 개용단을 먹고 궁비 셰향 되기를 튝원ᄒᆞ니, 경ᄀᆡᆨ의 키 크고 허리 퍼진 녹셤이 변ᄒᆞ여 셰향의 뇨뇨작작(姚姚灼灼)ᄒᆞ기로 일분 다르미 업ᄂᆞᆫ디라. 최상궁이 녹셤의 속옷 골흠의 슈금낭(繡錦囊)을 ᄎᆡ와 외면회단을 너허주고, 뎨일 독약을 주어 이리이리 ᄒᆞ라 ᄒᆞ니, 녹셤이 일일쳥죵(一一聽從)ᄒᆞ고 식쳥(食廳)으로 가니, 이날 공쥐 최녀와 맛촌 일이 이시므로 식쳥의 웃듬 궁비 셰향을 불너 왈,

"네 나의 유질(有疾)ᄒᆞ므로ᄡᅧ 쥬야 일ᄀᆡᆨ도 쉬지 못ᄒᆞ여시니, 금일은 내 긔운이 잠간 나은디라, 모로미 믈너가 쉬고 나의 ᄎᆞᆺ기를 등ᄃᆡᄒᆞ라."

셰향이 ᄃᆡ왈,

"옥쥬【39】의 환휘 위듕ᄒᆞ시니, 쇼비 등이 신명긔 튝원ᄒᆞ여 쳔신(賤身)으로 ᄃᆡ코져 ᄒᆞ오나 능히 밋디 못ᄒᆞᄋᆞᆸ거ᄂᆞᆯ, 엇디 믈너가 쉬리잇고?"

공쥐 ᄌᆡ삼 위로ᄒᆞ고 물너가 편히 ᄌᆞ고 명

[니], 엇지 아름답지 아이[니]리요. 녹낭ᄌᆞᄂᆞᆫ 금야의 여ᄎᆞ여ᄎᆞᄒᆞ고, 영낭ᄌᆞᄂᆞᆫ 한쌈 약봉을 가져 양부닌[인] 협ᄉᆞ(篋笥)의 넉코 묫ᄂᆞᆫ ᄣᆡ의 여ᄎᆞ여ᄎᆞ ᄃᆡ쥬ᄒᆞ면, 타일 부귀을 형상키 어려우리라."

녹셤 영교 소왈,

"상궁의 지교ᄒᆞ신 ᄇᆡ을 마지 못ᄒᆞ여 ᄒᆞ려니와, ᄋᆞ등이 ᄃᆡ죄(大罪)을 범ᄒᆞ고 능히 무ᄉᆞᄒᆞ릿가?"

최녀 왈,

"그ᄃᆡ 등이 죄명이 비록 즁ᄒᆞ나 옥쥐 지셩으로 살와 ᄂᆡ실 거시이[니], 모로미 념녀 말나."

인ᄒᆞ여 감언미어(甘言美語)로 ᄢᅬ오며 금은필빅으로 그 마음을 어리오이[니], 냥녀 언언이 낙종ᄒᆞ고, 영교 최녀 쥰 ᄇᆡ 약ᄉᆞᆷ을 가져 양부닌[인] 침소의 이르니, 부닌[인]은 졍당의 잇고 좌위 업ᄂᆞᆫ지라. ᄃᆡ희ᄒᆞ여 약을 협ᄉᆞ의 너흐ᄃᆡ 동유(同類)도 알니 업고, 녹셤은 최녀의 지휘ᄃᆡ로 ᄀᆡ용단을 먹고 궁비 셰힝이 되기을 츅수(祝手)ᄒᆞ이[니], 경각의 키 크고 ○○○○[허리 퍼진] 녹셤이 변ᄒᆞ여 셔[셰]향의 요요ᄌᆞᆨᄌᆞᆨ(姚姚灼灼)ᄒᆞᆫ 모양이[과] 일【45】분 다르미 업ᄂᆞᆫ지라. 최상궁이 녹셤의 속옷 고름의 슈금낭(繡錦囊)을 ᄎᆡ와 외면회단을 너허 쥬고, 져[졔]일 독약을 쥬고 이리이리 ᄒᆞ라 ᄒᆞ이[니], 녹셤이 일일청종(一一聽從)ᄒᆞ고 식쳥(食廳)으로 가이[니], 이날 공쥐 최녀와 맛촌 일니 잇ᄉᆞᆫ 고로, 식쳥의 웃뜸 궁비 셔[셰]향을 불너 왈,

"네 날을 위ᄒᆞ여 조금도 쉬지 못ᄒᆞ엿시이[니] 금일은 ᄂᆡ 긔운이 잠간 ᄂᆞ은지라. 모로미 물너 가 쉬고, 나의 찻기을 등ᄃᆡᄒᆞ라."

셔[셰]힝이 ᄃᆡ 왈,

"옥쥐 환휘 즁ᄒᆞ시니 소비 등이 신명ᄶᅧ[긔] 츅원ᄒᆞ여 쳔신(賤身)으로 ᄃᆡ코져 ᄒᆞ오나 능히 밋지 못ᄒᆞᄋᆞᆸ거날, 엇지 물너가 쉬리잇고?"

공쥐 ᄌᆡ슴 위로ᄒᆞ{ᄒᆞ}고 물너가 편이 쉬

효(明曉)의 ᄃᆡ후(待候)ᄒᆞ라 ᄒᆞ니, 셰향이 ᄯᅩᄒᆞᆫ 일신이 ᄉᆡ진(澌盡)ᄒᆞᆯ ᄃᆞᆺᄒᆞ므로, 즉시 물너 졔 방으로 도라가 깁히 잠드니, 식청 궁비 등이 무심ᄒᆞ여 셰향이 변ᄒᆞᆫ 줄 모로고 진짓 셰향만 녁이더라. 녹셤이 야심ᄒᆞᆫ 후 일긔(一器) 미음을 밧드러 공쥬 알패 노ᄒᆞ니, 공쥬의 ᄉᆞ부 한상궁은 텬셩이 질딕(質直)ᄒᆞ므로, 공쥬와 최녜의 간계를 모로고 ᄀᆞᆯ오ᄃᆡ,

"옥쥐 셰향을 가 ᄌᆞ라 ᄒᆞ시ᄃᆡ, 향의 튱심이 동쵹(洞屬)ᄒᆞ여 가 ᄌᆞ디 못ᄒᆞ고, ᄯᅩ 미음【40】을 밧드러 딘음(進飮)ᄒᆞ시믈 쳥ᄒᆞ니, 원 옥쥬ᄂᆞᆫ 두어번 쳘음(啜飮)ᄒᆞ쇼셔."

공쥬 한상궁의게 붓들여 니러790) ᄀᆞᆯ오ᄃᆡ,

"ᄉᆞ식지념(事食之念)이 업ᄉᆞᄃᆡ ᄉᆞ부의 권흠과 셰향의 졍셩을 ᄆᆡ몰치 못ᄒᆞ리로다."

언파의 두어번 마시ᄂᆞᆫ 쳬ᄒᆞ다가 믄득 엄홀ᄒᆞ니 한상궁은 아모란 줄 모로고 황황ᄒᆞ여 밧비 뎡·오 이왕긔 고ᄒᆞ라 ᄒᆞ고, 가(假)셰향은 거ᄌᆞᆺ 다라나ᄂᆞᆫ 쳬ᄒᆞ니, 궁비 등이 고셩 왈,

"셰향이 옥쥬의 엄홀ᄒᆞ시믈 보고 믄득 다라나니 쾌히 잡으라."

여러 궁비 ᄯᆞ라가 셰향을 잡은디라. 이러굴 ᄉᆞ이 뎡·오 이 왕이 밧비 드러와 연고를 므른ᄃᆡ, 한상궁이 마ᄌᆞ 본바로 ᄃᆡᄒᆞ니, 이왕이 친【41】히 공쥬를 붓드러 히독약을 쓰고, 미듁을 가져오라 ᄒᆞ여 ᄡᅡ히 업치니 프른 불이 니러나ᄂᆞᆫ디라. 이왕이 대로ᄒᆞ여 고셩 분분(忿憤) 왈,

"셰향 간비 등의 죄당만ᄉᆡ(罪當萬死)라 엇지 일신들 디완(遲緩)ᄒᆞ리오. 궁노를 명ᄒᆞ여 형장긔구(刑杖器具)를 출히고, 셰향을 잡아 복초를 바든 후 죽이라."

790)니러 : 일어나. 닐다; 일어나다.

고 명효(明曉)의 ᄃᆡ후(待候)ᄒᆞ라 ᄒᆞ니, 셔[셰]힝이 ᄯᅩ한 일신이 ᄉᆡ진(澌盡)할 듯ᄒᆞᆫ 고로, 즉시 물너 져[졔]방으로 도라가 깁히 잠드이[니], 식청 궁비 등이 무심ᄒᆞ여 셔[셰]힝니[이] 변ᄒᆞᆫ 쥴 모로고 진짓 셔[셰]힝이만 녁이더라. 녹셤이 ○○[야심]ᄒᆞᆫ 후 일긔(一器) 미음을 밧드러 공쥬 압펴[페] 노ᄒᆞ이[니], 공쥬의 ᄉᆞ부 한상궁은 쳔셩이 실직(實直)ᄒᆞ므로, 공쥬와 최녀의 간졍을 모르고 가로ᄃᆡ,

"옥쥐 셔[셰]힝을 가 ᄌᆞ라 ᄒᆞ이ᄃᆡ 힝의 츙심이 동쵹(洞屬)ᄒᆞ여 가 ᄌᆞ지 못ᄒᆞ고, ᄯᅩ 미쥭을 밧드러 진임[음](進飮) ᄒᆞ시믈 쳥ᄒᆞ이[니] 원 옥쥬ᄂᆞᆫ 두어 번 처름(啜飮)ᄒᆞ소셔."

공쥬 한상궁의겨[게] 붓들녀 이러640) 갈오ᄃᆡ,

"ᄉᆞ식지엄[염](事食之念)이 업ᄉᆞᄃᆡ ᄉᆞ부의 권함과 셔[셰]힝의 정셩을 ᄆᆡ몰치 못ᄒᆞ리로다."

언파의 두어 번 ᄆᆡ시ᄂᆞᆫ 쳐[쳬] ᄒᆞ다가 문득 엄홀ᄒᆞ니, 한상궁은 아모란 쥴 모로고 황황ᄒᆞ여 밧비 뎡·오 이왕을 쳥ᄒᆞ고, 가(假) 셔[셰]힝은 거ᄌᆞᆺ 다라ᄂᆞ는 쳐[쳬]ᄒᆞ이[니] 궁비 등이 고셩 왈,

"셔[셰]힝이 옥쥬의 엄홀ᄒᆞ시믈 보고 문득 ᄃᆞ라ᄂᆞ이[니] ᄌᆞᄇᆞ라."

여러 궁비 ᄯᆞ라가 셔[셰]힝을 잡븐지라. 《여러‖이러》 굴 ᄉᆞ이의 뎡·오 이왕이 밧비 드러와 년고을 무른ᄃᆡ, 한상궁이 악가641) ᄃᆡ(對)ᄒᆞᆫ【46】 바을 이르니, 왕이 친히 공쥬을 붓드러 히독약을 쓰고, 미쥭을 가져오라 ᄒᆞ여 ᄡᅡ히 업치이[니], 푸른 불이 니러ᄂᆞ는지라. 이왕니[이] ᄃᆡ로ᄒᆞ여 고셩 분부 왈,

"셔힝 간비의 죄당만시[ᄉᆡ](罪當萬死)라, 엇지 일신들 지완(遲緩)ᄒᆞ리요. 궁노을 명ᄒᆞ여 형장긔구(刑杖器具)을 ᄎᆞ리고, 셔[셰]힝을 잡아 {복쵸을 바들ᄉᆡ} 복초ᄇᆞ든 후 쥭이

640)이러 : 일어나. 일다; 일어나다.
641)악가 : 아까. 조금 전.

ᄒᆞ더니, 뎡언간의 진짓 셰향이 궁듕이 요란ᄒᆞ믈 보고 놀나, 소양각의 니르러 오왕의 분분ᄒᆞᆷ과, 제 얼골이 된 궁비를 졍하의 슳녀시믈 보고, 블승ᄎᆞ악ᄒᆞ여 아모리 ᄒᆞᆯ 줄 모로니, 오왕이 눈을 드러 보ᄆᆡ, 셧녁 난하(欄下)의 ᄯᅩ 셰향이 이시믈 보고, 경ᄒᆡ(驚駭) 막측(莫測)ᄒᆞ여 궁비를 명ᄒᆞ여 앗가 다라【42】나려 ᄒᆞ던 셰향을 노치 마라, 셧기지 아니케 ᄒᆞ라 ᄒᆞ고, 방듕의 드러가니, 원ᄂᆡ 공쥐 듁음을 마시지 아냐시므로 거ᄌᆞᆺ 히독ᄒᆞᄂᆞᆫ 약을 먹어 졍신을 출히ᄂᆞᆫ 쳬ᄒᆞᆫ디라. 냥왕이 깃거 공쥬를 ᄃᆡᄒᆞ여 셰향의 분신(分身)ᄒᆞ믈 니른ᄃᆡ, 공쥐 거ᄌᆞᆺ 혼미ᄒᆞᆫ 소ᄅᆡ로 니르ᄃᆡ,

"셰향을 물너가 ᄌᆞ라 ᄒᆞ여시니 나올 니 업고, ᄒᆞᆫ 몸이 난호여 두 셰향이 될 니 만무ᄒᆞ니 셰ᄉᆡ(世事) 난측(難測)이라. 필유묘ᄆᆡᆨ(必有妙脈)ᄒᆞ리니 밧비 져주어 간졍을 ᄉᆞᄒᆡᆨ(査覈)ᄒᆞ쇼셔."

냥왕이 졈두ᄒᆞ고 궁비를 신칙ᄒᆞ여 공쥬를 뫼시라 ᄒᆞ고, 외궁의 나아가 셰향을 긴긴히 동히고 엄문 왈,

"여등이 엇디 흉계【43】를 ᄂᆡ여 옥쥬를 히ᄒᆞ미 필연 디쵹ᄌᆡ(指囑者) 니시리니, 모로미 일ᄉᆞ(一事)를 은닉지 말고 젼젼악ᄉᆞ를 ᄃᆡ초ᄒᆞ라."

셰향이 어ᄌᆞ러이 발명ᄒᆞᄃᆡ, 이왕이 대로ᄒᆞ여 ᄉᆞ예를 호령ᄒᆞ여 일장의 피육이 후란케 치니, 녹셤이 거ᄌᆞᆺ 크게 울고 ᄀᆞᆯ오ᄃᆡ,

"하날이 아쥬를 돕디 아니샤 패망ᄒᆞ믈 닐위니, 인력으로 ᄒᆞᆯ ᄇᆡ 아니라 엇디 참형을 밧고 악ᄉᆞ를 긔이리잇고? 원컨ᄃᆡ 딘졍을 고ᄒᆞ리이다."

냥왕이 즉시 날회라 ᄒᆞ여, 디필을 주며 일변 부마와 뎡시랑을 쳥ᄒᆞ니, 이ᄯᆡ 부마ᄂᆞᆫ 경부의 가고 시랑이 부공을 시침ᄒᆞ엿다가, 문양궁으로좃ᄎᆞ 궁뇌 니르러 뎡·오 이

{려 ᄒᆞᄂᆞᆫ지}라."

정언간의 진짓 셔[셰]힝니 궁즁니[이] 요란ᄒᆞ물 보고 놀나 소냥각의 이르이[니], 오왕의 분분함과 져[졔] 얼골니[이] 된 궁비을 정ᄒᆞ(庭下)의 슳이여시믈 보고, 불승ᄎᆞ악ᄒᆞ여 아모리 할 쥴 모르이[니], 오왕니[이] 눈을 드러보ᄆᆡ 셧역 난ᄒᆞ(欄下)의 ᄯᅩ 셔[셰]힝이 잇시믈 보고 경ᄒᆡ(驚駭)ᄒᆞ녀[여], 궁비을 명ᄒᆞ여 앗가 ᄃᆞ라ᄂᆞ려든 셔[셰]힝을 놋치 말고 져 셔[셰]힝이 셧기지 말겨[게] ᄒᆞ라 ᄒᆞ고, 방즁의 드러가이[니], 원ᄂᆡ 공쥬 미음을 ᄆᆞ시지 아냐시므로, 거잣 히독냑[약]을 먹거 정신을 ᄎᆞ리ᄂᆞᆫ 쳐[쳬]ᄒᆞᄂᆞᆫ지라. 냥왕이 깃거 공쥬을 ᄃᆡᄒᆞ여 셔[셰]힝의 분신(分身)ᄒᆞ믈 이르니, 공주 거ᄌᆞᆺ 혼미한 소ᄅᆡ로 이로ᄃᆡ,

"셔[셰]힝니 물너가 ᄌᆞ라 ᄒᆞ엿시이[니] 나올니 업고, 한 몸○○○○[이 난호여] 두 셔[셰]힝이 될 이 만무ᄒᆞ니, 셰ᄉᆞ(世事) ᄂᆞᆫ측(難測)이라. 피류묘ᄆᆡᆨ(必有妙脈)ᄒᆞ리이[니] 밧비 져쥬어 간졍을 ᄉᆞᄒᆡᆨ(査覈)ᄒᆞ소셔."

양왕니[이] 졈두ᄒᆞ고 궁비을 신칙ᄒᆞ고 외궁의 ᄂᆞ와 셔[셰]힝을 긴긴이 동이고 엄문 왈,

"여등이 엇지 흉겨[계]을 ᄂᆡ여 옥쥬을 《히ᄒᆞ이‖히ᄒᆞ려 ᄒᆞᆫ지》, 피련(必然) 지쵹ᄌᆡ(指囑者) 이시려이[니], 모로미 실ᄉᆞ을 은익지 말고 젼젼악ᄉᆞ을 직고ᄒᆞ라."

셔[셰]힝이 어ᄌᆞ러이 발명ᄒᆞ야[ᄃᆡ] 이왕이 ᄃᆡ로ᄒᆞ여, ᄉᆞ여[예]을 호령ᄒᆞ여 일장의 피육이 후란켜[케] 치이[니], 녹셤이 거즛 크겨[게] 울고 갈오ᄃᆡ,

"ᄒᆞ날이 아쥬을 돕지 아이[니]ᄉᆞ 낭ᄑᆡᄒᆞ믈 이르이[니], 일역(人力)으로 할 ᄇᆡ 아니라, 엇지 참형을 밧고 악ᄉᆞ을 그[긔]이리잇고? 원컨ᄃᆡ 진졍을 고ᄒᆞ리다."

양왕니[이] 즉시 알외【47】라 ᄒᆞ고, 지필을 쥬며 일변 부마와 뎡시랑을 쳥ᄒᆞ이[니], ᄎᆞ시 부마ᄂᆞᆫ 경부의 가고 시랑이 부공을 시침ᄒᆞ엿다○[가], 문냥궁으로 좃ᄎᆞ

【44】 왕 말솜으로 궁듕의 변괴 이시니 ᄒᆞᆫ 가지로 다ᄉᆞ리믈 니르ᄂᆞᆫ디라, 금휘 왈,

"여형이 업ᄉᆞ니 네 ᄲᆞᆯ니 가보고 오라."

시랑이 슈명ᄒᆞ여 궁의 니르니, 뎡·오 이왕이 바야흐로 형위를 베풀고 궁비를 결박ᄒᆞ여 초ᄉᆞ를 밧ᄂᆞᆫ디라. 시랑이 당의 올나 공쥬의 병후를 뭇좁고, 부마의 나가시믈 젼ᄒᆞ니, 뎡·오 이왕이 궁듕 변고를 니르고 가셰향의 초ᄉᆞ를 ᄌᆡ쵹ᄒᆞ니, 유유지지(儒儒--)791)ᄒᆞ다가, 이윽고 초ᄉᆡ(招辭) 오르ᄆᆡ, ᄒᆞ여시ᄃᆡ,

"쳔비ᄂᆞᆫ 궁비 셰향이 아니라 평남후 원비 윤부인 비ᄌᆞ 녹셤이라. 병부노얘 우리 부인긔 은졍이 듕ᄒᆞ시고, 존당 구고의 ᄌᆞᄋᆡ 일신의 온젼ᄒᆞ여 양·니 두 부인 【45】 이 계시나 셔로 화우ᄒᆞ여, '황영(皇英)의 고ᄉᆞ(故事)'792)를 법ᄒᆞ여 ᄇᆡᆨ년을 즐길가 ᄒᆞ더니, 의외 공쥐 하가ᄒᆞ시ᄆᆡ, 황녀의 존ᄒᆞᆷ과 왕희의 부귀를 겸ᄒᆞ여 셩명이 공쥬로 부마 노야의 상원위를 삼으시ᄆᆡ, 상히(常-)793) 앙앙ᄒᆞ여 양·니 이부인으로 더브러 셩샹을 각골 원망ᄒᆞ여, ᄆᆡ양 고요ᄒᆞᆫ 밤을 당ᄒᆞ여 피ᄎᆞ 공쥬를 죽여 셜분ᄒᆞ믈 원ᄒᆞᄃᆡ, 됴흔 긔틀이 업셔 여러 일월을 디ᄂᆡ더니, 우연이 옥쥬의 ᄉᆞ부 한상궁을 ᄉᆞ괴샤 ᄀᆞ장 친밀ᄒᆞ실 ᄯᆞᆫ 아니라, 한상궁이 옥쥬를 원망ᄒᆞ여 브ᄃᆡ 히코져 ᄒᆞᄆᆡ, 양·니 두 부인이 각각 친당의 고ᄒᆞ여 요예지물을 슈업시 어더 오시ᄆᆡ, 【46】 쥬뫼 친히 튝ᄉᆞ를 쓰시고 목인과 ᄆᆡ골을 한상궁을 주어 옥쥬 침뎐 좌우의 무드ᄆᆡ, 효험이 신긔ᄒᆞ여 무고ᄉᆞ를 힝ᄒᆞᆫ ᄉᆞ오일의 옥쥐 낙ᄐᆡᄒᆞ시고 병휘 위악ᄒᆞ시니, 윤·양·니 삼부인이 환환희희(歡歡喜喜)ᄒᆞ샤 공쥬의 기셰ᄒᆞ시믈 바라시더니, 부마 노야

791)유유지지(儒儒--) : 어떤 일에 딱 잘라 결정을 내리지 못하고 어물어물하며 질질 끌기만 함.

792)황영(皇英)의 고ᄉᆞ(故事) : 중국 요(堯)임금의 두 딸인 아황(娥皇)과 여영(女英)이 함께 순(舜)에게 시집 가, 서로 화목하며 순임금을 섬겼던 일.

793)상히(常-) : 늘, 항상.

궁ᄂᆡ 이르러 뎡·오 이왕의 말솜으로 궁즁의 변괴 잇시이[니] 한가지로 다ᄉᆞ리믈 일너ᄂᆞᆫ지라. 금휘 왈,

"여형니[이] 업ᄉᆞ이 네 ᄲᆞᆯ이[니] 가 보고 오라."

시랑니[이] 슈명ᄒᆞ고 궁즁의 이르이[니]. 뎡·오 이왕니[이], ᄇᆞ야흐로 형위을 벼플고 궁비을 결박ᄒᆞ여 초ᄉᆞ을 밧는지라. 시랑○[이] 당의 올나 공쥬의 병후을 뭇좁고 부마의 ᄂᆞ가시물 젼ᄒᆞ니, 이왕니[이] 궁즁 변화을 일으고 가(假) 셔[셰]힝의 쵸ᄉᆞ을 ᄌᆡ쵹ᄒᆞ이[니], 유유지지(儒儒--)642)ᄒᆞ다가, 초ᄉᆞ(招辭) 오르ᄆᆡ ᄒᆞ엿시ᄃᆡ,

"쳔비ᄂᆞᆫ 궁비 셔[셰]힝이 아니라, 평남후 원비 윤부닌 비ᄌᆞ 녹셤이라. 평남 노야 우리부닌[인]긔 흔[은]졍이 즁ᄒᆞ시고, 존당구고의 ᄌᆞᄋᆡ 일신의 온젼ᄒᆞ여 양·니 두부닌[인]이 겨○○[시나] 서로 화우ᄒᆞ여, '황영(皇英)의 고ᄉᆞ(故事)'643)을 법ᄒᆞ여 ᄇᆡᆨ연을 즐길가 ᄒᆞ엿더이[니], 의외 공쥬 ᄒᆞ가ᄒᆞ시ᄆᆡ, 황여의 존함과 왕희의 부귀을 겸ᄒᆞ녀[여] 상명니[이] 공쥬로 부마 상공의 원위로 ᄉᆞ므시ᄆᆡ, 상히(常-)644) 앙앙ᄒᆞ여 낭·니 부닌으로 더브러 셩상을 각골 원망ᄒᆞᄆᆡ, ᄆᆡ냥 고요ᄒᆞᆫ 밤을 당ᄒᆞ녀[여] 피ᄎᆞ 공쥬을 쥭여 셜분ᄒᆞ믈 원한ᄃᆡ, 조흔 기틀니[이] 업셔 여러 일월을 지ᄂᆡ더이[니], 우년이 옥쥬의 ᄉᆞ부 한상궁을 ᄉᆞ괴ᄉᆞ 가장 친밀ᄒᆞᆯ 분 아니라, 한상궁이 공쥬을 원망ᄒᆞ녀[여] 부ᄃᆡ 히코져 ᄒᆞᄆᆡ, 냥·이 두부닌[인]○[이] 각각 친당의 고ᄒᆞ여 요여[예]지물을 슈업시 어더오시ᄆᆡ, 효험이 신긔ᄒᆞ여 무고ᄉᆞ 힝ᄒᆞᆫ ᄉᆞ오일○[의] 옥쥐 낙ᄐᆡᄒᆞ시고, 병휘 위악ᄒᆞ시이[니], 윤·냥·이 삼부닌[인]이 환희(歡喜)ᄒᆞᄉᆞ 공쥬의 기셔[셰]ᄒᆞ시믈 바라시더{더}니, 부마 노야 친히 요녀[예]지물을

642)유유지지(儒儒--) : 어떤 일에 딱 잘라 결정을 내리지 못하고 어물어물하며 질질 끌기만 함.

643)황영(皇英)의 고ᄉᆞ(故事) : 중국 요(堯)임금의 두 딸인 아황(娥皇)과 여영(女英)이 함께 순(舜)에게 시집 가, 서로 화목하며 순임금을 섬겼던 일.

644)상히(常-) : 늘, 항상.

친히 요예지물을 파ᄂᆡ시고 악ᄉᆡ 발각ᄒᆞ니, 쥬뫼 대경ᄒᆞ샤 양·니 이부인을 청ᄒᆞ여 의논ᄒᆞ시니, 니부인이 여의개용단과 외면회단이란 약을 어더 아쥬를 주어 왈, 시녀뉴의 영니ᄒᆞᆫ ᄌᆞ로 개용단을 먹여, 궁녀의 얼골이 되여 여ᄎᆞ여ᄎᆞ 독약을 공쥬의 딘식ᄒᆞᄂᆞᆫ 미듁의 타 시험ᄒᆞᆫ즉, 공쥐 능히 ᄉᆞ디 못ᄒᆞᆯ 거【47】시오, 한상궁이 범ᄉᆞ를 ᄂᆡ응ᄒᆞᆯ 거시니, 셩ᄉᆞᄒᆞᆫ 연후의 면회단을 먹어 본형을 드러ᄂᆡ면 알 니 업ᄉᆞ리라 ᄒᆞ시니, 부인이 과연ᄒᆞ샤 독약을 엇고져 ᄒᆞ시니, 양부인이 슈일을 두로 구ᄒᆞ여 괴이ᄒᆞᆫ 약을 어더, 더러ᄂᆞᆫ ᄌᆞ긔 협ᄉᆞ의 두시고, 더러○[는] 가져와 믄져 한상궁긔 통ᄒᆞ여 공쥬를 업시ᄒᆞ라 ᄒᆞ니, 아쥐 대희ᄒᆞ샤 쇼비로 여의개용단을 먹어 셰향이 되니, 독약을 금낭의 너허주며 당부ᄒᆞ거ᄂᆞᆯ, 쇼비 슈명ᄒᆞ여 상궁의 곳의 와 힝ᄉᆞᄒᆞ미 ᄉᆞ죄오나, 이ᄂᆞᆫ 쥬인의 일신을 안한코져 ᄒᆞ미오, 한상궁이 ᄂᆡ응ᄒᆞ미니, 굿ᄐᆞ여 쇼비의 죄 아니니, 냥위 뎐ᄒᆞᄂᆞᆫ【48】명찰디(明察之)ᄒᆞ샤 초로일명(草露一命)을 용셔ᄒᆞ쇼셔."

ᄒᆞ엿더라. 뎡·오 이왕이 남파(覽罷)의 냥안이 둥글며 면ᄉᆡᆨ이 여토(如土)ᄒᆞ여 왈,

"네 셰향이 아닐진ᄃᆡ 즉ᄀᆡᆨ의 본형을 ᄂᆡ라."

녹셤이 금낭의셔 외면회단을 ᄂᆡ여 삼키ᄆᆡ, 믄득 연약 미려ᄒᆞ던 셰향이 변ᄒᆞ여 댱실흉험(壯實凶險)ᄒᆞᆫ 녹셤이 되엿ᄂᆞᆫ디라. 이왕이 녹셤을 보디 못ᄒᆞ엿ᄂᆞᆫ디라 시랑을 도라보아 왈,

"궁듕의 여ᄎᆞ 변괴 층츌ᄒᆞ니, 경악 상심(喪心)ᄒᆞᆯ디라. 녹셤의 초ᄉᆡᆨ 분명ᄒᆞ여 다시 므를 거시 업거니와 다만 윤부인긔 져 비ᄌᆡᆨ 이실시 올흐냐?"

시랑이 녹셤의 초ᄉᆞ를 보ᄆᆡ 의괴ᄒᆞᆯ ᄎᆞ, 궁인이 변ᄒᆞ여 녹셤이 되니 윤·양·니 삼부인의 ᄋᆡᆨ【49】회 긔괴ᄒᆞ믈 ᄎᆞ악 한심ᄒᆞ고, 가변을 탄식ᄒᆞ여, 답왈,

파ᄂᆡ시고 악ᄉᆡ 발각ᄒᆞ이[니], 쥬뫼 ᄃᆡ경ᄒᆞᄉᆞ 양·이 니부닌[인]을【48】 청ᄒᆞᄉᆞ 의논ᄒᆞ시이[니], 이부닌[인]이 여의ᄀᆡ용단과 외면회단이란 약을 어더 아쥬을 쥬어 왈, 시녀 즁 녕이[니]ᄒᆞᆫ ᄌᆞ을 ᄀᆡ용단을 먹여 궁녀의 얼골니 되어 여ᄎᆞ여ᄎᆞ 독냑[약]을 공쥬의 진식ᄒᆞᄂᆞᆫ 미쥭의 너허 시험ᄒᆞᆫ 작, 공쥐 능히 ᄉᆞ지 못할 거시오, 일니 셩ᄉᆞ한 년후의 면회단을 먹어 본형을 드러ᄂᆡ면 알니 업ᄉᆞ리라 ᄒᆞ이[니], 부닌닌[인이] 과년[연]ᄒᆞᄉᆞ 독약을 엇고져 ᄒᆞ시ᄆᆡ, 양부닌닌 [인이] 두로 구ᄒᆞ여 긔이ᄒᆞᆫ 약을 어더, 더러ᄂᆞᆫ ᄌᆞ겨[긔] 협ᄉᆞ의 두고 더러ᄂᆞᆫ 몬져 가져와 한상궁겨[긔] 통ᄒᆞ녀[여] 공쥬을 업시ᄒᆞ라 ᄒᆞ니, 아쥐 ᄃᆡ희ᄒᆞᄉᆞ 소비로 여의ᄀᆡ용단을 먹여 셔[셰]힝이 되이[니], 독냑[약]을 금낭의 너허 쥬며 당부ᄒᆞ거날, 소비 슈명ᄒᆞ녀[여] 상궁의 곳의 와 힝ᄉᆞᄒᆞ미 ᄉᆞ죄오나, 이ᄂᆞᆫ 쥬인의 일신을 안한코져 ᄒᆞ미요, ᄒᆞᆫ상궁이 ᄂᆡ응ᄒᆞ미이[니], 이 굿ᄒᆞ녀[여] 소비의 죄 아이[니]라. 양위 젼ᄒᆞᄂᆞᆫ 명찰지(明察之)ᄒᆞᄉᆞ 초로일명(草露一命)을 용ᄉᆞᄒᆞ소셔."

ᄒᆞ엿더라. 뎡·오 이왕이 남파의 용안니[이] 《둘근며 ‖ 둥글며》 면ᄉᆡᆨ이 여토(如土)ᄒᆞ여 왈,

"셔[셰]힝니[이] 아일[닐]진ᄃᆡ 즉ᄀᆡᆨ의 본형을 ᄃᆡ[ᄂᆡ]라."

녹셤이 금낭의 외면회단을 ᄂᆡ여 삼키ᄆᆡ, 믄득 년약미려(軟弱美麗)ᄒᆞ든 셔[셰]힝이 변ᄒᆞ여 흉험ᄒᆞᆫ 녹셤이 되엿ᄂᆞᆫ지라. 왕이 녹셤을 보지 못ᄒᆞ녓[엿]는지라. 시랑을 도라보와 왈,

"궁즁의 여ᄎᆞ 변괴 층츌ᄒᆞ이[니] 경악 상심(喪心)한지라. 녹셤의 초ᄉᆡᆨ 분명ᄒᆞ녀[여] ᄃᆞ시 물을 거시 업거이[니]와, 다만 윤부닌[인]긔 져 비ᄌᆡᆨ 잇실시 올흐야?"

시랑니[이] 녹셤의 초사을 보이[며] 의괴할 ᄎᆞ, 궁인이 변ᄒᆞ녀[여] 녹셤니[이] 되이[니], 윤·냥·이 삼부인의 ᄋᆡᆨ회 긔괴○○[ᄒᆞ믈] ᄎᆞ악 한심ᄒᆞ고, 가변을 탄식ᄒᆞ녀

"녹셤이 윤슈의 비ᄌᆡᆯ시 연ᄒᆞ거니와, 금야의 사름이 ᄉᆡᆼ각지 못ᄒᆞᆯ 변괴를 닐위여 죄과를 기쥬(己主)의게 ᄡᅴ이니, 극악ᄒᆞᆫ 의ᄉᆡ라. 금야의 맛ᄎᆞᆷ 샤곤(舍昆)이 나가고 가엄이 취침ᄒᆞ신 휘니, 간비를 쇼ᄉᆡᆼ이 홀노 다ᄉᆞ리지 못ᄒᆞ려니와 냥대왕이 ᄌᆡ좌ᄒᆞ신 곳의 잠간 다ᄉᆞ려 간졍을 ᄒᆡᆨ실ᄒᆞ리이다."

뎡왕이 미급답(未及答)의 오왕이 뎡ᄉᆡᆨ 왈,

"군이 비록 여ᄎᆞᄒᆞ나 ᄎᆞ녜 발셔 ᄃᆡᆨ초ᄒᆞ여시니 다시 므를 거시 업고, 문양의 침뎐의 져쥬ᄉᆡ(詛呪事) 흉참ᄒᆞ여 ᄎᆞ녀의 초ᄉᆡ 아니라도 문양을 ᄒᆡᄒᆞ리 뎍인밧긔 나지 아니리니, 엇디 의심이 업ᄉᆞ리【50】오마ᄂᆞᆫ, 녕형이 ᄆᆡ양 죵용이 쳐치ᄒᆞ믈 니르고, 과인 등을 간예치 말과져 ᄒᆞ니, 문양이 비록 과인의 동긔나 듁쳥이 그 가댱(家長)이라. 범ᄉᆡ 그 장악의 이시니 고ᄂᆞᆫ ○[외]인이라, 그 가ᄉᆞ의 아른 쳬ᄒᆞ미 블가ᄒᆞ여 녕형의 쳐치를 기다릴 ᄯᆞ름이러니, ᄯᅩ ᄉᆡᆼ각지 아닌 요녜 문양을 죽이고져 ᄒᆞ니, 과인 등이 죵ᄂᆡ 함구ᄒᆞᆯ진ᄃᆡ, 문양이 맛ᄎᆞᆯ 거시오, 셩상이 과인 등을 명ᄒᆞ샤 문양을 구병ᄒᆞ라 ᄒᆞ신 명을 어긔오지 못ᄒᆞ리니, 이 일이 비록 규ᄂᆡ 작변이나 ᄌᆞ못 듕대ᄒᆞ여 왕희를 죽이려 ᄒᆞ니, 텬졍의 쥬달ᄒᆞ여 셩명의 쳐분을 보리니, 군은 일편도이 ᄎᆞᄉᆞ를 허언으로【51】 ᄎᆡᆨ오디 말고, 명일 텬졍의 쥬ᄒᆞ려니와, 녕ᄇᆡᆨ(令伯)이 만일 가졔(家齊)를 슉연이 ᄒᆞ여실진ᄃᆡ, 투부(妬婦)의 작난이 이의 밋ᄎᆞ리오. 괴(孤) 챵ᄇᆡᆨ을 명달ᄒᆞᆫ 군ᄌᆞ로 아랏더니 일노 볼진ᄃᆡ 블명치 아니랴?"

시랑이 슉연이 념슬 답왈,

"대왕 등이 녹셤 간비의 초ᄉᆞ를 깁히 미드시니, 쇼ᄉᆡᆼ이 엇디 시비를 분간ᄒᆞ리잇고마ᄂᆞᆫ, 가슈(家嫂) 등의 위인이 셩녀슉완(聖女淑婉)의 뎨일좌(第一座)를 샤양치 아념즉

[여] 답 왈,

"녹셤이 윤슈의 비ᄌᆡᆯ[질]시 연ᄒᆞ거이[니]와 금야의 ᄉᆞ람이 ᄉᆡᆼ각지 못할 변괴을 일위여 죄과을 기주(己主)의겨[게] 《쓰니이‖씌이니》, 그[극]악한 ○…결락 31자…○[의ᄉᆡ라. 금야의 맛ᄎᆞᆷ 샤곤(舍昆)이 나가고 가엄이 취침ᄒᆞ신 휘니, 간비를 쇼ᄉᆡᆼ이 홀노] ᄃᆞᄉᆞ리지 못【49】ᄒᆞ녀이와 양위 왕니[이] ᄌᆡ좌ᄒᆞ시이[니], ○…**결락 18자**…○[잠간 다ᄉᆞ려 간졍을 ᄒᆡᆨ실ᄒᆞ리이다."

뎡왕이 미]급 답의 오왕니 졍ᄉᆡᆨ 왈,

"군이 비록 여ᄎᆞᄒᆞ나 ᄎᆞ여 발셔 즉초ᄒᆞ엿시니 다시 물을 거시 업고, 문냥의 침젼의 져주ᄉᆡ(詛呪事) 흉참ᄒᆞ여 ᄎᆞ여의 초ᄉᆡ 아이[니]라도 문냥을 ᄒᆡᆼ[ᄒᆡ]ᄒᆞ미 젹인 밧겨[게] ᄂᆞ지 아니리이[니], 엇지 의심이 업ᄉᆞ리요마ᄂᆞᆫ 여형니 ᄆᆡ냥 조용니[이] {ᄒᆞ믈} 쳐치ᄒᆞ믈 니르고 과인 등니[이] 간여치 말과져 ᄒᆞ이[니], 문냥이 비록 과인의 동ᄉᆡᆼ이나 쥭쳥이 그 가장(家長)이라, 범ᄉᆡ 그 장악의 ○○○○○[이시니 고ᄂᆞᆫ] 외인이라. 그 가ᄉᆞ의 아른 쳐[쳬] ᄒᆞ미 불가ᄒᆞ녀[여], 여형의 쳐치을 ○[기]다릴 ᄯᆞ름일러이[니], ᄯᅩ ᄉᆡᆼ각지 아이[닌] 요녀[녜] 문냥을 쥭이고져 ᄒᆞ니, 과인 등이 종ᄂᆡ 함구할진ᄃᆡ 문냥을 맛찰 거시요, 셩상이 과인 등을 명ᄒᆞᄉᆞ 문냥을 구병ᄒᆞ라 ᄒᆞ신 영을 어기오지 못ᄒᆞ러이[리니], 이 일니[이] 비록 규녀 작변이나, ᄌᆞ못 즁ᄃᆡᄒᆞ여 황녀을 쥭이려 ᄒᆞ니, 쳔졍의 쥬달ᄒᆞ여 셩명의 처분을 보실○[지]라. 군은 일편도니[이] ᄎᆞᄉᆞ을 허언으로 ᄎᆡᆨ오지 말고, 명일 쳔졍의 쥬ᄒᆞ려이[니]와 영ᄇᆡᆨ(令伯)이 만일 가져[졔](家齊)을 슉연이 ᄒᆞ엿실진ᄃᆡ, 투부(妬婦)의 잣[작]ᄂᆞᆫ이 이의 밋ᄎᆞ리요. ᄂᆡ 창ᄇᆡᆨ을 명달군ᄌᆞ로 아라더이[니] 일노 볼진ᄃᆡ 불명치 아이[니]랴?"

시랑이 슉년[연] ᄃᆡ왈,

"ᄃᆡ왕 등이 간흉 녹셤의 초ᄉᆞ을 깁히 미드시이[니], 소ᄉᆡᆼ이 엇지 시비을 분간ᄒᆞ리잇고마ᄂᆞᆫ, 가○[수](家嫂) 등이 셩녀슉완(聖女淑婉)의 져[졔]일좌(第一座)을 ᄉᆞ양치 아

ᄒᆞ니, 남의셔 별노 어진 일은 못ᄒᆞ시나, 블의악ᄉᆞᄂᆞᆫ 힝혀도 아니실디라. 간비의 허망ᄒᆞᆫ 초ᄉᆞ를 좃ᄎᆞ 일분도 의심이 니러나지 아니니, 쇼싱이 블명ᄒᆞ나 간비의 심디를 거의 ᄉᆞ못출디라, ᄒᆞᆫ번 엄히 다ᄉᆞ려 실【52】상을 알고져 ᄒᆞ더니, 오왕 뎐히 다시 다ᄉᆞ릴 거시 업ᄉᆞ믈 니르시니, 쇼싱이 ᄯᅩᄒᆞᆫ 욱이지 못ᄒᆞᄂᆞ니, 도라가 가친(家親)긔 ᄎᆞ변(此變)을 고ᄒᆞ고, 명일 샤곤이 도라온 후 셔로 의논ᄒᆞ여 텬졍의 쥬달케 ᄒᆞ쇼셔."

언파의 몸을 니러 상부로 도라가니, 냥왕이 다시 머므르지 아니코, 녹셤을 하옥ᄒᆞ고, 한상궁이 본ᄃᆡ 튱근(忠謹) 혜일(慧逸)ᄒᆞ믈 모로디 아니ᄒᆞᄃᆡ, 녹셤이 초ᄉᆞ 듕의 난디라, 이왕이 서로 도라보아 왈,

"쳔댱슈심(千丈水深)은 아라도 ᄒᆞᆫ 사ᄅᆞᆷ의 심폐(心肺)ᄂᆞᆫ 알기 어렵다794) ᄒᆞ미, 뎡히 이를 니르미로다. 한시 튱딕ᄒᆞ고 디식이 유여ᄒᆞ믈 황얘 긔특이 넉이샤 문양의 ᄉᆞ부를 삼앗더니 엇디 도로혀 문양을 히【53】홀 줄 ᄠᅳᆺᄒᆞ여시리오. 일즉이 ᄒᆞ옥ᄒᆞ여 명일 텬문의 결ᄉᆞ를 보미 올토다."

이의 하령(下令)ᄒᆞ여 한상궁을 칼 ᄡᅴ워 ᄒᆞ옥ᄒᆞ라 ᄒᆞ니, 한시 소양각의셔 공쥬를 븟드러 구호ᄒᆞ다가 하옥ᄒᆞ라 ᄒᆞ믈 듯고, 블승ᄎᆞ악(不勝嗟愕)ᄒᆞ여 공쥬긔 함누 하딕 왈,

"쳡이 옥쥬를 오셰로브터 보호ᄒᆞ여 외람이 옥쥬의 ᄉᆞ부를 봉ᄒᆞ시니, 뎨후의 셩은을 닙ᄉᆞ완 디 여러 일월이라. 맛ᄎᆞᆷᄂᆡ 옥쥬를 보익ᄒᆞ여 평싱을 맛출가 ᄒᆞ엿더니, 낙미지익(落眉之厄)795)이 블비은(不拜恩)의 이시니 엇디 원익지 아니ᄒᆞ리 잇고마ᄂᆞᆫ, 쳡의 ᄆᆞᄋᆞᆷ은 텬신이 ᄉᆞᆯ피시려니와, 옥쥬ᄂᆞᆫ 뎍인(敵人)의 화를 깃거 마르샤, 인덕을 힘ᄡᅳ디

남[냠] 즉 ᄒᆞ이[니], 남의○[셔] 비록 어진 일을 못ᄒᆞ시나, 불의 악ᄉᆞᄂᆞᆫ 힝혀도 아니ᄒᆞ실지라. 간비의 허망한 초ᄉᆞ을 좃ᄎᆞ 일분도 의심이 이러ᄂᆞ지 아이이[니니], 소싱이 불명ᄒᆞ나, 간비의 심지을 거의 ᄉᆞ못찰지라, 한번 엄히 다ᄉᆞ려 실상을 알고져 ᄒᆞ더이[니], 오왕 젼히 다시 ᄃᆞᄉᆞ리시미 업ᄉᆞ믈 이르시이[니], 소싱이 ᄯᅩ한 우기지 못ᄒᆞᄂᆞ이[니],【50】 도라가 가친겨[긔] ᄎᆞ변을 고ᄒᆞ고, 명일 ᄉᆞ곤이 도라온 후 서로 의논ᄒᆞ여 천정의 쥬달켜[케] ᄒᆞ소셔."

언파의 몸을 일어 상부로 도라가니, 양왕니 다시 머무르지 아니코, 녹셤을 ᄒᆞ옥ᄒᆞ고, 한상궁이 본ᄃᆡ 츙근(忠謹) 혀[혜]일(慧逸)ᄒᆞ믈 모로지 아니 ᄒᆞᄃᆡ, 녹셤이[의] 초ᄉᆞ 즁의 ᄂᆞᆫ지라, 이왕니[이] 셔로 도라 보아 왈,

"천장슈심(千丈水深)은 아라도 ᄉᆞ람의 심폐(心肺)ᄂᆞᆫ 알길 어렵다645) ᄒᆞ미, 이을 일오미노라. 잇[엇]지 도로혀 문냥을 히할 쥴 아라시리요. 일작니[이] ᄒᆞ옥ᄒᆞ여 쳔문의 결ᄉᆞ을 보미 올토다."

이의 ᄒᆞ령(下令)ᄒᆞ여 한상궁을 칼 며워 ᄒᆞ옥ᄒᆞ라 ᄒᆞ니, 한상궁니[이] 소냥각의셔 공쥬을 붓드러 구호ᄒᆞ다가 ᄒᆞ옥ᄒᆞ라 ᄒᆞ믈 듯고, 불승ᄎᆞ악(不勝嗟愕)ᄒᆞ녀[녀] 공쥬겨[게] 함누 ᄒᆞ직 왈,

"쳡이 옥쥬을 오셔[셰] 붓터 보호ᄒᆞ여 외람이 옥쥬의 ᄉᆞ부을 봉ᄒᆞ시니, 외람ᄒᆞ나 져[제]후의 셩은을 《입ᄉᆞ와 ‖ 입ᄉᆞ완 디》 여러 일월니○[라]. 맛참ᄂᆡ 옥쥬을 보익ᄒᆞ여 평싱을 밧들가 ᄒᆞ엿드니, 낙미지익(落眉之厄)646)을 만ᄂᆞ니 엇지 원억지 아니리잇고마ᄂᆞᆫ, 첩의 마음은 천신이 살피려이[니]와 옥쥬ᄂᆞᆫ 젹인(敵人)의 화을 깃거 ᄆᆞ르ᄉᆞ, 인덕

794)쳔댱슈심(千丈水深)은 아라도 ᄒᆞᆫ 사ᄅᆞᆷ의 심폐(心肺)ᄂᆞᆫ 알기 어렵다 : 천 길 물속은 알아도 한 길 사람의 마음속은 알기 어렵다는 뜻으로, 사람의 속마음을 알기란 매우 힘듦을 비유적으로 이르는 말.

795)낙미지익(落眉之厄) : 눈앞에 닥친 재앙.

645)쳔장슈심(千丈水深)은 아라도 ᄉᆞ람의 심폐(心肺)ᄂᆞᆫ 알길 어렵다 : 천 길 물속은 알아도 한 길 사람의 마음속은 알기 어렵다는 뜻으로, 사람의 속마음을 알기란 매우 힘듦을 비유적으로 이르는 말.

646)낙미지익(落眉之厄) : 눈앞에 닥친 재앙.

니이다.”

공【54】쥬 더욱 블열(不悅)ᄒᆞ나, 거ᄌᆞᆺ 한시를 븟들고 오열 비읍ᄒᆞ여, 딘졍으로 슬허 후일 무ᄉᆞ히 못기를 니르며, ᄋᆡᄆᆡᄒᆞ믈 탄식ᄒᆞ니, 한시 공쥬의 ᄂᆡ외 ᄀᆞᆺ디 아니믈 탄ᄒᆞ여 다시 말을 아냐 급급히 하옥ᄒᆞ이니, 궁듕이 탕화(湯火) ᄀᆞᆺᄐᆞ여 한시의 하옥과 녹셤의 초ᄉᆞ를 놀나지 아니리 업ᄉᆞᄃᆡ, 공쥬와 최녀ᄂᆞᆫ 윤·양·니와 한시를 아오로 셔르ᄌᆞ믈 환희ᄒᆞ고, 한시의 녜의 동작이 범ᄉᆞ를 의장(議長)796)ᄒᆞ여 공쥬를 권간(勸諫)ᄒᆞᄆᆡ 녜도의 맛ᄀᆞᆺ고, 동뉴를 거ᄂᆞ리ᄆᆡ 법도를 딕희니 공쥐 증분ᄒᆞ고, 최시 싀오(猜惡)ᄒᆞ던 디라, 공쥐 그 싱ᄉᆞ의 블관이 녁이믈 알고 짐ᄌᆞᆺ 히ᄒᆞ니, 윤·양·니 삼부인은 니르도 말고, 한상궁이 ᄯᅩ 엇디 원【55】억(冤抑)지 아니리오.

최시 월옥ᄒᆞ여 녹셤을 다려오라 ᄒᆞ므로, ᄀᆞ마니 남의로 인가 노복의 모양으로 손의 쥬호(酒壺)를 들고 옥밧긔 니르니, 녹셤의 가돈 옥이 한상궁 갓친 옥과 ᄉᆞ오간 ᄉᆞ이라. 혹ᄌᆞ 한시 알가 가ᄆᆞ니 옥니 등을 닛그러 귀예 다혀 니르ᄃᆡ,

“금야의 하옥ᄒᆞᆫ 바 녹셤은 나의 디친이러니 괴이ᄒᆞᆫ 화를 만나시니, 엇디 참연치 아니리오. 군은 모로미 녹셤으로 ᄒᆞ여금 식음(食飮)을 ᄭᅳᆺ지 아냐 옥니의 아ᄉᆞᄒᆞ미 업게 ᄒᆞ라.”

언파의 쥬호를 ᄂᆡ여 옥니를 난화 먹이니 무식ᄒᆞᆫ 옥니 엇디 간계를 알니오. 다만 술이 향긔롭고 과픔이 아름다오믈 깃거 흔연 졉구ᄒᆞ여 거후르니, ᄎᆡ 그릇슬 믈니지 못ᄒᆞ여셔 졍신【56】이 혼혼ᄒᆞ고 벙긋벙긋 ᄒᆞ다가 능히 말을 못ᄒᆞ고 각각 ᄲᅳ러지니, 즉시 녹셤의 가도인 옥문을 열고 녹셤을 븟드러 메은 칼을 벗기고 귀예 다혀 왈,

796)의장(議長) : 어떤 집단의 일을 맡아서 처리하는 직무를 맡은 사람.

을 힘쓸지《어다 ‖ 니이다》.”

공쥬 더욱 불열(不悅)ᄒᆞ나, 거즛 ᄒᆞᆫ시을 븟들고 오열비읍ᄒᆞ녀[여], 진졍으로 슬허 후일 무ᄉᆞ니[이] 못기을 이르며, ᄋᆡᄆᆡᄒᆞ믈 탄식ᄒᆞ이[니], 공쥬 내외 다르믈 탄ᄒᆞ며 다시 말 아니코, 급히 옥의 이르니라. 궁즁니[이]《탕황 ‖ 탕화(湯火)》 갓트여 한시 ᄒᆞ옥함과 녹셤의 초ᄉᆞ을 놀나지 아이[니]리 업ᄉᆞᄃᆡ, 공쥬와 최녀ᄂᆞᆫ 윤·냥·이와 ᄒᆞᆫ시 아오로 서르지믈 ○○○○[환희ᄒᆞ고], 한시의 녀[녜]의 동작니[이] 범ᄉᆞ을 의장(議長)647)ᄒᆞ여 공쥬을 권간(勸諫)ᄒᆞᄆᆡ 네도의 맛갓고, 동유을 거나리ᄆᆡ 법도을 직희어[니] 공쥐 증분ᄒᆞ고, 최시 싀오(猜惡)ᄒᆞ든지라, 공쥬 그 싱ᄉᆞ을 블관이【51】{이} 역이믈 알고 짐짓 히ᄒᆞ이[니], 윤·냥·이 삼부닌[인]은 이르도 말고, 한상궁이 엇지 원억지 아이리요.

최시 월옥ᄒᆞ여 녹셤을 다려오려 ᄒᆞ무로 가마이[니] 남의로 인가 노복의 모냥으로 손의 쥬호을 들고 옥 밧겨[긔] 이르이[니], 녹셤이 갓친 옥니[이] 한상궁 갓친 옥과 ᄉᆞ오간 ᄉᆞ이라. 혹ᄌᆞ 한시 알가 ᄀᆞ마니 옥이(獄吏) 등을 익ᄭᅳ러 귀여[예]다 ᄃᆡ고 {혀}이로ᄃᆡ,

“금야의 ᄒᆞ옥한 녹셤은 ᄂᆞ의 지친이러이[니] 고이한 화을 만ᄂᆞ시이[니] 엇지 참년치 아니리요. 군은 모로미 녹셤으로 ᄒᆞ여금 식금[음](食飮)을 ᄭᅳᆫ치 아냐 옥의셔 아ᄉᆞᄒᆞ미 업겨[게] ᄒᆞ라.”

언파의 쥬호을 ᄂᆡ여 옥니을 난화 먹이이[니] 무식ᄒᆞᆫ 옥이 엇지 알니요. 술이 힝긔롭고 과품니 아름답오믈 깃거 흔연 접구ᄒᆞ여 거후로이[니], ᄎᆡ 그릇슬 물치[리]지 못ᄒᆞ여 졍신이 {졍신이} 혼혼ᄒᆞ여 입을 벙긋벙긋 ᄒᆞ다가 능히 말을 못ᄒᆞ고 각각 ᄡᅳ러지이[니], 녹셤의 갓친 옥문을 열고 녹셤을 븟드러 쎠운648) 칼을 벽긔고649) 귀여 다혀

647)의장(議長) : 어떤 집단의 일을 맡아서 처리하는 직무를 맡은 사람.
648)쎠우다 : 씌우다.

"나ᄂᆞᆫ 과연 최상궁이러니, 그ᄃᆡ의 브졀업시 하옥ᄒᆞ여 고초ᄒᆞᆯ 바를 민울ᄒᆞ여, 옥니 등을 말 못ᄒᆞᄂᆞᆫ 약을 먹이ᄆᆡ 다 ᄡᅥ러지므로 그ᄃᆡ를 구ᄒᆞᄂᆞ니, 그ᄃᆡ 궁의 이셔ᄂᆞᆫ 여러 궁비 총듕(叢中)의 말이 만흘 거시니, 예서 바로 나의 거거 최관인 집을 ᄎᆞᄌᆞ가 남의를 개착ᄒᆞ고 깁히 숨어실진ᄃᆡ 의심ᄒᆞ리 업고, ᄉᆞ셰를 보아가며 평ᄉᆡᆼ을 즐겁게 ᄒᆞ리니 모로미 은신ᄒᆞ라."

녹셤이 희츌망외(喜出望外)ᄒᆞ여 최녀를 하직고 궁문을 나 이윽이 ᄒᆡᆼᄒᆞ여 최형의 집의 니【57】르니, 형이 제 누의 일을 다 아ᄂᆞᆫ 고로 녹셤을 그윽○[ᄒᆞᆫ] 당샤의 ᄀᆞᆷ초고 남의를 개복게 ᄒᆞ니, 사ᄅᆞᆷ이 혹 보리 이시나 그 녀ᄌᆞ믈 모로더라.

뎡시랑이 본부의 도라와 부공 침뎐의 감히 드러가디 못ᄒᆞ여 지게 밧긔셔 지졍이더니[797], 이윽고 금휘 시랑의 와시믈 알고 명ᄒᆞ여 입실ᄒᆞ라 ᄒᆞ니, 시랑이 비로소 방의 드러가 젼후슈말을 ᄀᆞᆺ초 고ᄒᆞ니, 금휘 청파의 경히 ᄎᆞ악ᄒᆞ여, 기리 탄왈,

"공쥐 하가ᄒᆞ던 날브터 윤·양·니 삼부의 신셰 블평ᄒᆞ믈 짐작ᄒᆞ엿거니와, 녹셤의 작변이 그ᄃᆡ도록 ᄒᆞ믄 ᄉᆡᆼ각디 못ᄒᆞ며, 요악ᄒᆞᆫ 비ᄌᆞ를 일즉이 업시치 못ᄒᆞ여, 괴이ᄒᆞᆫ 변괴를 닐위니 엇디 통히치 아니리오. 여형은 경부의 가【58】노라 ᄒᆞ더니, 디금 오지 아냐 뎡·오 이왕의 노긔를 비추어 텬졍의 쥬달을 디류(遲留)ᄒᆞᆯ 길히 업ᄉᆞ니, 내 비록 윤·양·니 삼부의 ᄇᆡᆨ일무하(白日無瑕)ᄒᆞ믈 알오ᄃᆡ, 임의 간비의 초ᄉᆡ 이ᄀᆞᆺᄐᆞᆫ 후ᄂᆞᆫ 구구히 삼부의 ᄋᆡᄆᆡᄒᆞ믈 닐너 텬문의 고치 말기를 닷토지 못ᄒᆞᆯ 거시오, 뎡·오 이왕의 ᄒᆞᄂᆞᆫ ᄃᆡ로 두어 셩샹의 쳐치를 보아, 만일 삼뷔 ᄉᆞ화를 면치 못ᄒᆞ거든 진졍을 쥬ᄒᆞ여 지셩 간구ᄒᆞ려니와, 도시(都是)[798] 명애(命

797)지졍이다 : 서성이다. 지체하다.
798)도시(都是) : 도무지. 모두가 다.

왈,

"나ᄂᆞᆫ 과연 최상궁일너이[니] 그ᄃᆡ의 부졀 업시 ᄒᆞ옥ᄒᆞ여 고초할 ᄇᆞ을 잔[민]울ᄒᆞ여, 옥니 등을 말 못ᄒᆞᄂᆞᆫ 약을 먹이ᄆᆡ ᄃᆞ ᄡᅥ러지무로 그ᄃᆡ을 구ᄒᆞᄂᆞ이[니], 그ᄃᆡ 즁궁[궁즁]의 잇셔ᄂᆞᆫ 여러 궁비 총즁의 말이 만흘 거시이[니], 여[예]셔 ᄇᆞ로 나의 거거 최관인 집을 ᄎᆞ져 가 남의을 ᄀᆡ착ᄒᆞ고 깁히 숨어 잇실진ᄃᆡ 의심ᄒᆞ리 업고, ᄉᆞ셔[셰]을 보아셔 평ᄉᆡᆼ을 져[졔]도(濟度)ᄒᆞ리이[니], 모로미 은신ᄒᆞ라."

녹셤이 희츌망외(喜出望外)ᄒᆞ여 최녀을 ᄒᆞ직ᄒᆞ고 궁문을 나 {문냥궁으로} 이윽히 ᄒᆡᆼᄒᆞ여 최현[형]의 집의 이르이[니],【52】최형이 져[졔] 누의 일을 다 아ᄂᆞᆫ 고로 녹셤을 그윽한 당ᄉᆞ의 감쵸고 남의을 ᄀᆡ복ᄒᆞ이[니], ᄉᆞ람이 혹 보와도 여ᄌᆞ믈 모르더라.

뎡시랑이 본부의 도라와 부친 침젼의 감히 드러가지 못ᄒᆞ여 지겨[게] 밧겨[긔]서 지졍잇더니[650], 이윽고 금휘 시랑의 왓쓰믈 알고 명ᄒᆞ여 입실ᄒᆞ라 ᄒᆞ이[니], 시랑이 비로소 방의 드러가 젼후슈말을 갓초 고ᄒᆞ이[니], 금휘 청파의 경히 ᄎᆞ악ᄒᆞ여, 기리 탄왈,

"공쥬 ᄒᆞ가ᄒᆞ던 날 붓터 윤·냥·이 삼부의 신셔[셰] 불평ᄒᆞ믈 짐작ᄒᆞ엿거이[니]와, 녹셤의 작변니[이] 그ᄃᆡ도록 ᄒᆞ믄 ᄉᆡᆼ각지 못ᄒᆞ여, 요약[악]ᄒᆞᆫ 비ᄌᆞ을 일작 업시치 못ᄒᆞᆫ 연괴이[니], ᄒᆞᆫ 번○[의] 괴이ᄒᆞᆫ 변을 일위이[니] 엇지 통히치 아니리요. 여형은 경부의 가노라 ᄒᆞ더이[니] 아니오이[니], 뎡·오 이왕니[이] 노긔을 멈츄고 쳔졍의 쥬달ᄒᆞ물 지류(遲留)치 못ᄒᆞ니, ᄂᆡ 비록 윤·냥·이 삼부의 ᄇᆡᆨ옥무하(白玉無瑕)○[ᄒᆞ]믈 알오ᄃᆡ, 임의 간비의 초ᄉᆞ 이 갓튼 후ᄂᆞᆫ 구구히 삼부의 ᄋᆡᄆᆡᄒᆞ믈 일너 쳔문의 고치 못ᄒᆞ믈 다토지 못할 거시오, 이 왕의 ᄒᆞᄂᆞᆫ ᄃᆡ로 두어 셩상의 처치을 보와, 만일 삼부의 ᄉᆞ화을 면치 못ᄒᆞ거든 진졍으로 쥬ᄒᆞ여

649)벽긔다 : 벗기다.
650)지졍이다 : 서성이다. 지체하다.

也)며, 텬얘(天也)라. 탄ᄒᆞ며 슬허ᄒᆞᆯ ᄇᆡ 아니로ᄃᆡ, 내 집이 슉녀 쳘부를 보젼치 못ᄒᆞ니 엇디 한홉지 아니리오."

시랑이 고왈,

"뎡·오 이왕의 거동이 분분ᄒᆞ여 진실노 투악(妬惡)ᄒᆞ므로, 알미【59】 이시니 쇼ᄌᆡ 졀노 더브러 닷토미 ○○[부졀]업ᄉᆞᄃᆡ, 명됴(明朝)의 왕을 보고 텬문의 쥬달을 ᄂᆞᆺ춘 후, 녹셤을 다시 져주어 실상을 아라ᄂᆡ미 올흔가 ᄒᆞᄂᆞ이다."

공이 탄왈,

"텬홍이 셩ᄂᆡ의 가시니, 아조 됴회 후 도라오노라 ᄒᆞ면 날이 반오나 될 거시니, 이왕이 엇디 여형(汝兄)을 기다리리오. 평명의 입궐ᄒᆞ여 문양궁 변고를 다 고ᄒᆞ리니, 윤·양·니 삼부의 화ᄋᆡᆨ은 누란(累卵)의 급ᄒᆞ미 이시리로다."

시랑이 삼슈의 복녹○[이] 완젼지상(完全之相)이믈 고ᄒᆞ여, 야야(爺爺)를 위로ᄒᆞ며 져(졔)데로 더브러 ᄌᆞ리의 나아가나, 블힝코 ᄎᆞ악ᄒᆞ믈 니긔지 못ᄒᆞ더라.

시시의 최네 녹셤을 ᄂᆡ여 보ᄂᆡ고 급급히 도라와 녀복을 도【60】로 닙고, 공쥬를 보아 계괴 묘ᄒᆞ믈 환희ᄒᆞ나, 공쥐 혹ᄌᆞ 윤·양·니 등을 죽이지 못ᄒᆞᆯ가 ᄒᆞ여, 뎡·오 이왕을 쳥ᄒᆞ여 함톄(含涕) 읍고(泣告) 왈,

"윤·양·니 삼인은 명문 녀ᄌᆡ라. 일싱 화우ᄒᆞ여 블호(不好)ᄒᆞ믈 닐위지 말고져 ᄒᆞ므로, 쇼ᄆᆡ 몸 가지믈 녀염(閭閻) 한쳔(寒賤)ᄒᆞᆫ ᄉᆞᄅᆞᆷ으로 다르미 업고, 가부의 박ᄃᆡ를 일편도이 당ᄒᆞ나 뎍인을 한ᄒᆞᆫ ᄇᆡ 업ᄉᆞᄃᆡ, 삼인{인}이 쇼ᄆᆡ의 디셩 화우를 감동치 아니코, 무고를 힝ᄒᆞ며 녹셤을 보ᄂᆡ여 쇼ᄆᆡ를 브ᄃᆡ 죽여 업시ᄒᆞ려 ᄒᆞ나, 쇼ᄆᆡᄂᆞᆫ 타인을 한치 아냐 신세를 슬허ᄒᆞᄂᆞ니, 냥뎐하ᄂᆞᆫ 비록 일관(一觀)이 통ᄒᆡ(痛駭)ᄒᆞ실디라도, 일을 ᄌᆞ셔히 ᄉᆞ힉ᄒᆞ여【61】 ᄋᆡᄆᆡᄒᆞᆫ ᄉᆞᄅᆞᆷ으로ᄡᅧ 원억ᄒᆞ미 업게 ᄒᆞ며, 윤·양·니 등이다 골육을 씻쳐 ᄌᆞ네 층층(層層)ᄒᆞ니, 만

지셩간구ᄒᆞ려니와, 도시 쳔야며 명야라. ○[탄]ᄒᆞ여 슬허할 ᄇᆡ 아이[니]로ᄃᆡ, 내 집이 슉녀쳘부을 보젼치 못ᄒᆞ이[니] 엇지 한홉지 아이[니]리요."

시랑이 고왈,

"이왕의 거동니[이] 분분ᄒᆞ여 진실노 투악(妬惡)ᄒᆞ무로 알미 잇스이[니] 소ᄌᆡ 졀노 더부러 다토미 부졀업ᄉᆞᄃᆡ, 명조(明朝)의 이왕을 보고 천문의 쥬달을 ᄂᆞᆺ춘 후, 녹셤을 다시 져주어 실상을 아라ᄂᆡ미 올흘가 ᄒᆞᄂᆞ니다."

금휘 탄 왈,

"쳔홍이 셩내의 갓스이[니] 아조 조회 후 도라오려 ᄒᆞ면 날이 반이나 될 거시이[니], 이왕이 엇지 쳔아을 기다리리요. 명일 입궐ᄒᆞ여 문냥궁 변고을【53】 다 고ᄒᆞ리이[니], 윤·냥·이 삼부의 화ᄋᆡᆨ은 누란(累卵)의 급ᄒᆞ미 잇스리이[로]○[다].

시랑이 숨수의 복녹이 완젼지샹(完全之相)이물 고ᄒᆞ니[여], 야야(爺爺)을 《구호∥위로》ᄒᆞ며, 져져[졔졔]로 더부러 ᄌᆞ리의 나아가ᄂᆞ, 불힝코 ᄎᆞ악ᄒᆞ믈 이긔지 못ᄒᆞ더라.

시시의 최녀 녹셤을 ᄂᆡ여 보ᄂᆡ고 급급히 도라와 녀복을 도로 입고, 공쥬을 보고 겨[계]교 묘ᄒᆞ믈 환희ᄒᆞ니, 공쥬 혹ᄌᆞ 윤·냥·이 등을 쥭이지 못할가 ᄒᆞ여, 뎡·오 이왕을 청ᄒᆞ여 함누(含淚) 쳑고(慽告) 왈,

"윤·냥·이 삼닌[인]은 명문 여ᄌᆡ라. 일싱 화우ᄒᆞ여 《불효∥불호(不好)》ᄒᆞ믈 이로지 말고져 ᄒᆞ무로, 소ᄆᆡ 몸 가지믈 여염(閭閻) ᄒᆞ[ᄒᆞᆫ]쳔(寒賤)과 다로미 업고, 가부의 박ᄃᆡ을 일편도○[이] 당ᄒᆞ나, 젹인을 한ᄒᆞᆫ ᄇᆡ 업ᄉᆞᄃᆡ, 숨인인[이] 소ᄆᆡ의 지셩화우을 감동치 아니코, 무고을 힝ᄒᆞ며 녹셤을 보내여 부ᄃᆡ 쥭여 업시ᄒᆞ려 ᄒᆞ나, 소ᄆᆡᄂᆞᆫ 타인을 한치 아냐 신셔[셰]을 슬허ᄒᆞᄂᆞ이[니], 양 젼하ᄂᆞᆫ 비록 일관이 통히ᄒᆞ실지라도 일을 ᄌᆞ셔이 ᄉᆞ힉ᄒᆞ여, ᄋᆡᄆᆡ한 ᄉᆞ람으로 쎠 원억ᄒᆞ미 업겨[게] ᄒᆞ며, 윤·냥·이 등니[이] 다 고륙(骨肉)을 씨쳐 ᄌᆞ녀 층층ᄒᆞ

일 기뫼(其母) 죄ᄉᆞ(罪死)ᄒᆞᆯ진ᄃᆡ 그 ᄌᆞ식을 므어ᄉᆡ ᄡᅳ리잇고? 이ᄂᆞᆫ 쇼ᄆᆡ 스ᄉᆞ로 그 ᄌᆞ식을 함ᄒᆡ(陷害)ᄒᆞᄂᆞᆫ 작시(作事)니[799] 비록 나의 긔츌이 아니나 뎡군의 골육이니 모ᄌᆞ 뉸상이 덧덧ᄒᆞᆫ디라, ᄉᆞ랑호온 졍이 타일 여러 긔츌을 둘디라도 현긔 등의 디나지 못ᄒᆞ리니, 원 냥위 왕형은 각별이 ᄉᆞ랑ᄒᆞ샤 일이 슌편ᄒᆞ게 ᄒᆞ쇼셔."

뎡왕은 화홍관대ᄒᆞᆫ 고로 공쥬의 어질믈 긔특이 넉여, 도위 도라오거든 의논ᄒᆞ여 텬졍의 고ᄒᆞ여 쳐치ᄒᆞ믈 날회고져 ᄒᆞᄃᆡ, 오왕은 윤・양・니의 투악과 【62】 녹셤의 작변을 졀치 통완ᄒᆞ여 밧비 텬졍의 알외려 ᄒᆞᄆᆡ, 뎡왕이 닷토아 병뷔 도라오믈 기다려 쥬달ᄒᆞ쟈 ᄒᆞᄃᆡ 오왕이 블쳥ᄒᆞ니, 공쥐 오왕의 말을 됴히 넉이ᄃᆡ, 거ᄌᆞᆺ ○○[어진] 체ᄒᆞ여 아미(蛾眉)를 공교로이 ᄢᅵᆼ긔여 고왈,

"뎡군이 윤・양・니를 듕ᄃᆡᄒᆞ미 산비ᄒᆡ박(山卑海薄)ᄒᆞ여 쇼ᄆᆡ ᄀᆞᆺ튼 뉴ᄂᆞᆫ 쳐쳡뉴(妻妾類)의도 이시며 업ᄉᆞ믈 모로거ᄂᆞᆯ, 이졔 윤・양・니로ᄡᅧ 죄루의 모라 너흔ᄌᆞᆨ, 쇼ᄆᆡ를 원슈ᄀᆞᆺ치 ᄆᆡ워ᄒᆞᆯ ᄲᅮᆫ 아니라, 스ᄉᆞ로 참연ᄒᆞ여 실셩발광ᄒᆞ기 쉬오리니, 냥뎐하ᄂᆞᆫ 남ᄌᆞ의 호신을 허물치 마르시고, 녀염간 녀ᄌᆞ의 쇼쇼 투악을 대ᄉᆞ로이 텬졍의 알욀 일 【63】 이 아니오, 뎡군이 크게 블호ᄒᆞ리니, 원컨ᄃᆡ 냥위 왕형은 사ᄅᆞᆷ의 졀박ᄒᆞᆫ ᄉᆞ졍을 ᄉᆞᆯ피쇼셔."

뎡왕은 크게 어디리 넉이고 오왕은 더욱 그 신셰를 잔잉히 넉여, 고셩 왈,

"뎡ᄌᆡ 하등지인(何等之人)[800]이완ᄃᆡ 황녀를 박ᄃᆡᄒᆞ여, 알기를 여시힝노(如視行路)[801]ᄒᆞ고, 요ᄉᆡᆨ(妖色)의 침닉(沈溺)ᄒᆞ여 황명을 멸시ᄒᆞ리오. 과인이 쾌히 텬졍의 쥬

799)작사(作事) : 일. 꾸며낸 일. 일을 꾸며냄. 작시다; 작사(作事)이다.
800)하등지인(何等之人) : 어떠한 사람. 무슨 사람.
801)여시힝노(如是行路) : '길가는 사람 보듯 함' 곧, 남보듯 함.

니, 만일 기뫼 죄ᄉᆞ(罪死)할진ᄃᆡ, 그 ᄌᆞ식을 무어셔 쓰리잇고? 이ᄂᆞᆫ 소ᄆᆡ 스ᄉᆞ로 그 ᄌᆞ식을 함ᄒᆡ(陷害)ᄒᆞᆫ 작시(作事)이[니], 비록 ᄂᆞ의 긔츌니[이] 아아[니]나 뎡군의 골육이요, 모ᄌᆞ 윤상(倫常)니[이] 덧덧ᄒᆞ니, 엇지 ᄂᆞ의 긔츌의 지ᄂᆞ리요. 양왕 형은 각별이 ᄉᆡᆼ각ᄒᆞ여 일니[이] 슌편켜 ᄒᆞ소셔."

뎡왕은 관홍ᄃᆡ도한 고로, 공쥬의 어질믈 긔특이 역여 도위 도라오거던 쳔졍의 고ᄒᆞ여 처치ᄒᆞ믈 날회고져 ᄒᆞᄃᆡ, 오왕은 윤・냥・이의 투악과 녹셤 ᄌᆞᆨ변을 불승통완ᄒᆞ녀[여] 밧비 쳔졍의 알외려 ᄒᆞᄆᆡ, 뎡왕니[이] 다토와 병부 도라오거든 주달ᄒᆞᄌᆞ ᄒᆞᄃᆡ, 오왕니[이] 불청ᄒᆞ니, 공 【54】 주 오왕의 말을 조와 역니[이]ᄃᆡ, 거짓 어진쳐[체]ᄒᆞ여 아미(蛾眉)을 빈츅(嚬蹙)ᄒᆞ고 공교이 ᄶᅵᆼ긔여 왈,

"뎡군이 윤・냥・이을 즁ᄃᆡᄒᆞ미 산비ᄒᆡ박(山卑海薄)ᄒᆞ여 소ᄆᆡ 갓튼 뉴ᄂᆞᆫ 쳐쳡뉴(妻妾類)의도 잇ᄉᆞ며 업ᄉᆞ믈 모로거날, 이졔 윤・냥・이로ᄡᅧ 죄루의 모라너흔 작, 소ᄆᆡ을 원슈 갓치 ᄆᆡ워할 ᄲᅮᆫ 아니라, 스ᄉᆞ로 참연ᄒᆞ여 실셩발광ᄒᆞ긔 쉬오리이[니], 양(兩)져ᄒᆞ(邸下)ᄂᆞᆫ 남ᄌᆞ의 호신ᄒᆞ믈 허물치 ᄆᆞ르시고, 여염간 여ᄌᆞ의 소소ᄒᆞᆫ ᄎᆞᆨ[투]악(妬惡)을 ᄃᆡᄉᆞ로니[이] 쳔문의 알욀 일니[이] 아니요, 뎡군의 크겨 불호ᄒᆞ리이[니], 원컨ᄃᆡ 양○[위](兩位) 왕형(王兄)은 ᄉᆞ람의 졀박한 ᄉᆞ졍을 살피소셔."

뎡왕은 크겨[게] 어지{러}니[리] 역니[이]고, 오왕은 더옥 그 신셔[셰]을 잔잉이 녁여 고셩 왈,

"졍ᄌᆡ ᄒᆞ등지인(何等之人)[651]니[이]완ᄃᆡ 황여을 박대ᄒᆞ여, 알기을 여시힝노(如視行路)[652]ᄒᆞ고, 요ᄉᆡᆨ(妖色)의 침익(沈溺)ᄒᆞ여 황명을 멸시ᄒᆞ리요. 과인니[이] 쾌이 쳔졍의 쥬달ᄒᆞ여 요녀을 처치ᄒᆞ여 뎡ᄌᆞ의 마음

651)ᄒᆞ등지인(何等之人) : 어떠한 사람. 무슨 사람.
652)여시힝노(如是行路) : '길가는 사람 보듯 함' 곧, 남보듯 함.

달ᄒᆞ여 요녀를 쳐치ᄒᆞ여 뎡ᄌᆞ의 ᄆᆞᄋᆞᆷ을 ᄉᆞᆺᄎᆞ리라."

인ᄒᆞ여 쳐음 져쥬ᄉᆞ(詛呪事)의 흉ᄉᆞ와 녹셤의 초ᄉᆞ를 일일히 ᄉᆞ매의 너코, 안ᄌᆞ 계명을 기다려 ᄉᆡ비 북이 동ᄒᆞᄆᆡ 위의를 ᄲᅥᆯ쳐 궐졍을 향ᄒᆞ니, 뎡왕은 마디 못ᄒᆞ여 오왕의 뒤흘 【64】 ᄯᅩᆯ와 입궐ᄒᆞ니, 샹이 공쥬의 병을 ᄆᆞ르신ᄃᆡ 뎡왕이 대셰(大勢) 나으믈 ᄃᆡ쥬ᄒᆞ고, 오왕이 튝ᄉᆞ와 녹셤의 초ᄉᆞ를 올니고, 우쥬(又奏) 왈,

"문양이 금번 낙ᄐᆡ 후 병이 ᄉᆞ경의 니르믄 다 다른 연괴 아니라, 져쥬의 빌ᄆᆡ로 복듕 골육을 보젼치 못ᄒᆞ고, 병이 위악ᄒᆞ여 인ᄉᆞ를 출히지 못ᄒᆞᄂᆞᆫ ᄀᆞ온ᄃᆡ, 거야의 여ᄎᆞ여ᄎᆞ ᄒᆞ믄 병이 잇ᄉᆞ와, 문양이 ᄒᆞ마면 위ᄐᆡᄒᆞᆯ 번 ᄒᆞ엿ᄉᆞ오니, 녹셤 간비를 잡아 초ᄉᆞ를 바다 텬졍의 쥬달ᄒᆞᄂᆞ이다."

샹이 문파의 경히ᄒᆞ샤, 튝ᄉᆞ와 초ᄉᆞ를 어람(御覽) 미필(未畢)의 농안이 분히ᄒᆞ샤, 즉시 형부상셔 소쥬를 패초ᄒᆞ샤, 초ᄉᆞ와 튝ᄉᆞ를 주시 【65】 고, ᄀᆞᆯ오샤ᄃᆡ,

"딤이 경을 친견ᄒᆞ믄 문양궁의 여ᄎᆞ 변괴이시니, 딤이 친히 윤・양・니 삼녀의 비ᄇᆡ(婢輩)를 ᄆᆞ를 거시로ᄃᆡ, 역옥듕쉬(逆獄重囚) 아닌 고로, 국체의 블가ᄒᆞ여 경을 맛디ᄂᆞ니, 비록 초ᄉᆡ 분명ᄒᆞ나 이 ᄯᅩᄒᆞᆫ 듕대ᄒᆞᆫ 일이니, 경은 윤・양・니 좌우 비복을 엄형추문ᄒᆞ여 일의 딘가를 알게 ᄒᆞ라."

소형뷔 ᄇᆡ복 슈명ᄒᆞ고 믈너나ᄆᆡ, 샹이 상궁 ᄇᆡᆨ시로 여러 궁비를 거나려 취운산의 나아가 삼녀의 협ᄉᆞ를 슈험ᄒᆞ라 ᄒᆞ시고, 됴회를 바드실ᄉᆡ, 병부를 갓가이 블너 ᄀᆞᆯ오샤ᄃᆡ,

"윤녀와 양・니 이녀의 투악이 임의 윤녀의 비ᄌᆞ 녹셤의 초 【66】 ᄉᆞ의 드러나시니, 죄당쥬륙(罪當誅戮)이라. 딤이 《소두 ‖ 소쥬[802]》로 ᄒᆞ여금 윤・양・니 삼녀의 시비을 ᄉᆞᆫᄎᆞ리라."

인ᄒᆞ여 《첨 ‖ 쳐음》 져주(詛呪)의 흉ᄉᆞ와 녹셤의 초ᄉᆞ와[를] 《밀밀히 ‖ 일일히》 ᄉᆞᄆᆡ의 너코, 안ᄌᆞ 겨[계]명을 긔ᄃᆞ려 ᄉᆡ벽 북이 동ᄒᆞᄆᆡ 위의을 ᄲᅥᆯ쳐 궐졍으로힝ᄒᆞ니, 뎡왕은 마지 못ᄒᆞ여 오왕 뒤흘 ᄯᅡ라 입궐ᄒᆞᄃᆡ, 상니[이] 공쥬의 병을 무르시니 뎡왕은 ᄃᆡ셔[셰] ᄂᆞ으믈 ᄃᆡ쥬ᄒᆞ고, 오왕이 츅ᄉᆞ와 녹셤의 초ᄉᆞ을 올니고 우듀(又奏) 왈,

"문냥이 금번 낙ᄐᆡ 후의 병니[이] ᄉᆞ경의 이르믄 타괴(他故) 아니라, 져주의 빌ᄆᆡ로 복즁 고륙을 보즁치 못ᄒᆞ고, 병니[이] 위악ᄒᆞ여 인ᄉᆞ을 ᄎᆞ리지 못ᄒᆞ는 가온ᄃᆡ, 거야의 여ᄎᆞ여ᄎᆞᄒᆞᄂᆞᆫ 변니[이] 잇ᄉᆞ와 문냥이 ᄒᆞ마ᄒᆞ면 위ᄐᆡ할 번 ᄒᆞ엿ᄉᆞ오니, 녹비[셤] 간비을 ᄌᆞ바 초ᄉᆞ을 바다 쳔졍의 쥬달ᄒᆞᄂᆞ이다."

상니[이] 문파의 경히ᄒᆞ여 츅ᄉᆞ와 초ᄉᆞ을 어람(御覽) 미필(未畢)의 용안니 분히ᄒᆞᄉᆞ, 즉시 형부상셔 소두을 ᄑᆡ초ᄒᆞᄉᆞ 초ᄉᆞ와 츅ᄉᆞ 【55】 ❙[653] ②❬ 을 주시고 ᄀᆞᆯ오ᄉᆞ대,,

"짐이 경을 인견ᄒᆞ믄 문냥궁의 여ᄎᆞ 변고 잇시이[니], 짐이 친히 윤・냥・이 삼여의 비ᄇᆡ을 무를 거시로ᄃᆡ, 여[역]옥즁쉬(逆獄重囚) 아인[닌] 고로, 국쳐[체]의 불가ᄒᆞ여 경을 맛기ᄂᆞ이[니], 비록 초ᄉᆡ 분명ᄒᆞ나 이 ᄯᅩᄒᆞᆫ 듕대ᄒᆞᆫ 일니[이]니, 경은 윤・냥・이 좌우 비복을 엄형ᄒᆞ여 일의 진가을 알겨[게] ᄒᆞ라."

형뷔 ᄇᆡ복 슈명ᄒᆞ고 물너나ᄆᆡ, 상이 상궁 ᄇᆡᆨ씨로 여러 궁비을 거ᄂᆞ려 취운ᄉᆞᆫ의 가 삼녀의 협ᄉᆞ을 슈탐(搜探)ᄒᆞ라 ᄒᆞ시고, 조회을 ᄇᆞ드실ᄉᆡ 병부를 각가니[이] 불너 갈오ᄉᆞᄃᆡ,

"윤녀와 양・니 이여[녀]의 투악니[이] 임의 윤여의 비ᄌᆞ 녹셤의 초ᄉᆞ의 드러나시

802)소쥬 : 등장인물 이름. 앞에 '소쥬'로 나왔다. <박본>은 '소두'로 나옴.

653)원문의 95쪽 이후 100쪽까지 각 쪽 편차(編次)에 차착(差錯)이 있다. 즉 원문의 편차는 ❙①❬56쪽❭-②❬57쪽❭❙의 순서로 필사되어 있는데, 이를 서사문맥에 따라 ❙②❬57쪽❭-①❬56쪽❭❙의 순서로 바로잡았다.

를 잡아 간졍을 ᄒᆡᆨ실ᄒᆞ라 ᄒᆞ엿거니와 공쥬의 낙ᄐᆡᄒᆞᆷ과 ᄉᆞ병 지ᄂᆡ미 젼혀 윤녀 등의 작변ᄒᆞ미오, 경의 블찰ᄒᆞᆫ 연괴로다."

병뷔 경부의셔 ᄌᆞ고 바로 됴참의 드러오니 그ᄉᆞ이 또 변괴 이시믈 모로나, 샹교로 좃ᄎᆞ 거의 짐ᄌᆞᆨᄒᆞᆯ디라 다만 브복 ᄃᆡ왈,

"신이 밤의 집의 잇지 아녓ᄉᆞᆸ거니와, 공쥬의 낙ᄐᆡ 후 질환이시믄 셩명의 아르시미오라오니, 금일 ᄉᆡ로이 윤ㆍ양ㆍ니 삼녀의 죄라 ᄒᆞ시ᄂᆞ니잇고? 신슈블민(臣雖不敏)이오나, 윤ㆍ양 등의 가댱이라, 신이 족히 그 시녀를 다ᄉᆞ【67】려 간졍을 ᄒᆡᆨ실ᄒᆞ오려든, 엇디 형부를 들네리잇고?."

샹이 ᄀᆞᆯ오샤ᄃᆡ,

"경이 거야를 집의 잇지 아녀시니 삼녀의 투악을 모로미 괴이치 아니커니와, 원간 경이 공쥬를 박ᄃᆡᄒᆞ고, 요샤(妖邪)를 젼통(專寵)ᄒᆞ므로 문양으로 ᄒᆞ여금 단장(斷腸)을 씻치고, 윤ㆍ양ㆍ니 삼녀의 방ᄌᆞᄒᆞ믈 도으미니 엇디 통한치 아니리오. 문양이 슈블인(雖不仁)이나 윤녀만 못ᄒᆞ미 업고, 딤슈박덕(朕雖薄德)이나 윤ㆍ양ㆍ니 삼녀의 부형의 밋지 못ᄒᆞ여 일녀를 하가ᄒᆞᄆᆡ 그 가히 윤녀 등을 밋지 못ᄒᆞ니, 경이 문양을 블관이 넉이나 딤의 낫출 볼진ᄃᆡ 이러ᄒᆞ미 가히 올흐랴? 윤녀의 시ᄋᆞ를 딤이 친【68】문ᄒᆞᆯ 거시로ᄃᆡ, 국톄의 블가ᄒᆞ여 형부로 다ᄉᆞ리게 ᄒᆞ엿ᄂᆞ니 경은 물녀(勿慮)ᄒᆞ라."

언파의 옥ᄉᆡᆨ이 블예(不豫)[803]ᄒᆞ시니, 병뷔 숑황뉼뉼(悚惶慄慄)[804]ᄒᆞ여 황튝(惶蹙)[805]ᄒᆞ믈 니긔지 못ᄒᆞ여 브복 쳥죄 왈,

"신이 졔가를 블엄이 ᄒᆞ여 긔괴지ᄉᆡᆨ(奇怪

803)블예(不豫) : 임금이나 왕비가 편치 않거나 죽음.
804)숑황뉼뉼(悚惶慄慄) : 몹시 고맙고도 두려움.
805)황튝(惶蹙) : 지위나 위엄 따위에 눌리어 어찌할 바를 모르고 몸을 움츠리다.

이[니], 죄당쥬륙(罪當誅戮)이라. 짐이 소두로 ᄒᆞ여금 윤ㆍ냥ㆍ니 삼여의 시비을 잡아 간졍을 ᄒᆡᆨ실ᄒᆞ라 ᄒᆞ엿거이[니]와, 공쥬의 낙ᄐᆡ함과 ᄉᆞ병 지ᄂᆡ미 젼혀 윤여 등의 작변ᄒᆞ미요, 경의 불찰ᄒᆞᆫ 연괴로다."

병뷔 경부의셔 ᄌᆞ고 ᄇᆞ로 조참의 드러오이[니] 그 ᄉᆞ이 또 변괴 잇쓰믈 모로나, 상교로 좃ᄎᆞ 거의 짐ᄌᆞᆨ할지라, 다만 부복 ᄃᆡ왈,

"신이 밤의 집의 잇지 안니 ᄒᆞ엿거이[니]와, 공쥬의 낙ᄐᆡ질환이 닛스믄 셩명의 아르시미 오ᄅᆡ오이[니], 금일 ᄉᆡ로이 윤ㆍ냥ㆍ이 삼녀의 죄라 ᄒᆞ시ᄂᆞ니잇고? 신슈블민(臣雖不敏)이나, 윤ㆍ냥 등의 가장이라. 신이 족히 그 시녀을 다ᄉᆞ려 간졍을 ᄒᆡᆨ실ᄒᆞ오려든 엇디 형부을 들네리잇고?"

상니[이] 갈오ᄉᆞ대,

"경이 거야 집의 잇지 아니[녀]시이[니] 삼여의 요악(妖惡)을 모로미 고이치 아니커이[니]와, 원간 경의 공쥬을 박ᄃᆡᄒᆞ고 요ᄉᆞ(妖邪)을 젼총(專寵)ᄒᆞ무로 문냥으로 ᄒᆞ여곰 단장(斷腸)을 《슷치고∥씻치고》 윤ㆍ냥ㆍ이 삼녀의【57】》 ①《방ᄌᆞᄒᆞ물 도으미이[니] 엇지 통히치 아이[니]리요. 문냥이 슈불인(雖不仁)이나, 윤여만 못ᄒᆞ미 업고, 짐슈박덕(朕雖薄德)이나 윤ㆍ냥ㆍ이 삼녀의 부형의 밋지 못하여, 일녀을 ᄒᆞ가ᄒᆞᄆᆡ 그 가희[히] 윤녀 등을 밋지 못ᄒᆞ니, 경니[이] 문냥을 불관니 역이나 짐의 낫츨 볼진ᄃᆡ, 여ᄎᆞᄒᆞ미 가ᄒᆞ랴? 윤여의 시아를 짐이 친문할 거시로ᄃᆡ, 국쳐[체](國體)의 불가ᄒᆞ여, 형부의 다ᄉᆞ리겨[게] ᄒᆞ엿ᄂᆞ니, 경은 물녀(勿慮)ᄒᆞ라.“

언파의 옥ᄉᆡᆨ니 불녈(不悅)ᄒᆞ시니, 병뷔 송황율율(悚惶慄慄)[654]ᄒᆞ여 황츅(惶蹙)[655]ᄒᆞ믈 이긔지 못ᄒᆞ여 부복 쳥죄 왈,

"신이 져[졔]가을 불엄니[이] ᄒᆞ여 긔괴지ᄉᆡᆨ(奇怪之事) 쳔문의 들네여 형부을 어즈

654)숑황뉼뉼(悚惶慄慄) : 몹시 고맙고도 두려움.
655)황튝(惶蹙) : 지위나 위엄 따위에 눌리어 어찌할 바를 모르고 몸을 움츠리다.

之事) 텬문을 드레여 형부를 어즈러이오니, 즈참황괴(自慙惶愧)[806]ᄒᆞ믈 니긔지 못ᄒᆞ리로소이다. 슈연(雖然)이나, 신이 일즉 공쥬를 박ᄃᆡᄒᆞ미 업습거놀, 블힝ᄒᆞ온 ᄯᅢ를 만나와 여러 쳐실을 잘 거ᄂᆞ리지 못ᄒᆞ엿습거니와, 작야 변고ᄂᆞᆫ 실노 오됴(烏鳥)[807]의 ᄌᆞ웅(雌雄)을 분변치 못홈 ᄀᆞᆺᄉᆞ와, ᄋᆡ민ᄒᆞᆫ ᄌᆞ를 벗기지 못ᄒᆞ고 요악ᄒᆞᆫ 뉴를 쳐치홀 도리 업ᄉᆞ오니, 오딕 텬【69】문의 결ᄉᆞ를 바랄 ᄲᅳᆫ이로소이다."

샹이 그 쥬답(奏答)이 문양을 블쾌히 녁이민 줄 아르시ᄃᆡ, ᄀᆞᆺᄐᆞ여 병부를 칙지 아니시고 파됴(罷朝)ᄒᆞ시니, 병뷔 물너 밧비 본부로 오니라.

ᄎᆞ시 금평휘 삼부의 화익을 념녀ᄒᆞ여 죵야블미(終夜不寐)ᄒᆞ여 명됴의 니러 태원뎐의 문침(問寢)[808]ᄒᆞ니, 발셔 진부인이 삼부를 거나려 태부인긔 신셩(晨省)ᄒᆞ고 금평후를 마ᄌᆞ 좌뎡ᄒᆞᄆᆡ, 금휘 날호여 윤부인다려 문왈,

"현부의 시녀뉴의 녹셤이 어ᄃᆡ가뇨?"

부인이 ᄃᆡ왈,

"거야의 믄득 거쳐를 모로ᄂᆞ이다."

금휘 탄식ᄒᆞ여 ᄀᆞᆯ오ᄃᆡ,

"녹셤 간비로 인ᄒᆞ여 현부 등이 장ᄎᆞᆺ 익화를 당홀디라. 가ᄂᆡ【70】의 요비를 두엇다가 변괴 망측(罔測)ᄒᆞ니 엇디 통한치 아니리오."

윤부인이 녹셤의 거쳐를 몰나 의려ᄒᆞ더니, 엄구(嚴舅)의 말솜을 듯ᄌᆞ오ᄆᆡ 심신이 경히ᄒᆞ나, ᄉᆞᄉᆡᆨ지 아니코 피셕 브복ᄒᆞ여시니, 팔ᄌᆞ츈산(八字春山)이 염염(艷艷)ᄒᆞᆫ 미우(眉宇)의 쥬슌(朱脣)이 소슬ᄒᆞ고[809] 보험(輔-)[810]이 나즉ᄒᆞ니[811], 쳔틱만광(千態萬

806)ᄌᆞ참황괴(自慙惶愧) : 스스로 부끄럽고 두려워 함.
807)오됴(烏鳥) : 까마귀.
808)문침(問寢) : 아침 일찍 부모의 침소에 가서 밤사이의 안부를 묻는 일.
809)소슬ᄒᆞ다 : 솟아 있다. 어떤 것이 기준보다 위로 나온 상태에 있다.

러니[이]오니, ᄌᆞ참황괴(自慙惶愧)[656]ᄒᆞ믈 이기지 못ᄒᆞ리오 소이다. 슈연(雖然)이나 신이 일즉 공쥬을 박ᄃᆡᄒᆞ미 업습거날, 불힝ᄒᆞ온 ᄯᅢ을 당ᄒᆞ와 여러 쳐실을 ○[잘] 거ᄂᆞ리지 못ᄒᆞ엿거니와, 쟉야의 변고ᄂᆞᆫ 실노 오조(烏鳥)[657]의 ᄌᆞ웅(雌雄)을 분변치 못ᄒᆞ와, ᄋᆡ미한 ᄌᆞ을 벗기지 못ᄒᆞ옵고 요악ᄒᆞᆫ 뉴{여}을 처치할 도리 업ᄉᆞ오니, 오직 천문의 결ᄉᆞ을 바랄 ᄲᅳᆫ이로소이다."

상니[이] 그 쥬답이 문냥을 불쾌이 역이민 쥴 아르시ᄃᆡ, ᄀᆞᆺᄒᆞ여 병부을 칙지 아니시고 파조ᄒᆞ시니, 병뷔 물너 밧비 본부로 오니, ᄎᆞ시 금휘 삼부의 화익을 념녀ᄒᆞ여 종야불ᄆᆡ(終夜不寐) ᄒᆞ여 겨[계]명(鷄鳴)의 이러 틱냥[원]전의 문침(問寢)[658]ᄒᆞ니, 발셔 진부닌[인]이 삼부을 거ᄂᆞ려 틱부닌[인]겨[긔] 신셩(晨省)ᄒᆞ고 금후을 ᄆᆞᄌᆞ 좌졍ᄒᆞᄆᆡ, 금휘 날호여 윤부닌다려 문 왈,

"현부의 시녀 즁의 녹셤이 어ᄃᆡ가요[뇨]?"

부닌[인]이 ᄃᆡ왈,

"거야의 문득 거처을 모로ᄂᆞ이다."

금휘 탄식 왈,

"녹셤 간비로 인ᄒᆞ여 현부 등의 장ᄎᆞᆺ 익화을 당할지라. 가ᄂᆡ의 요비을 두엇다가 변괴 망측(罔測)ᄒᆞ니 엇지 통한치 아니리요."

윤부닌[인]이 녹셤 거처을 몰나 의려ᄒᆞ더이[니], 엄구의 말솜을 드르니 심신의【56】】Ⅰ 경황(驚惶)ᄒᆞ나, ᄉᆞᄉᆡᆨ지 아니코 피셕 부복ᄒᆞ엿시니, 팔ᄌᆞ츈순(八字春山)이 긔리 ᄂᆞ즉ᄒᆞ고[659], 염염(艷艷)한 광휘(光輝) 더욱 찰난ᄒᆞ더라.

656)ᄌᆞ참황괴(自慙惶愧) : 스스로 부끄럽고 두려워 함.
657)오조(烏鳥) : 까마귀.
658)문침(問寢) : 아침 일찍 부모의 침소에 가서 밤사이의 안부를 묻는 일.
659)ᄂᆞ즉ᄒᆞ다 : 나지막하다.

光)이 ᄌᆞ휘(自輝)ᄒᆞ여 이날 더욱 ᄉᆡ롭더라.

【71】

810)보험(黼-) : 보협(黼頰). 뺨.
811)나죽ᄒᆞ다 : 나지막하다.

명듀보월빙 권디삼십

어시의 금휘 윤부인다려 문왈,

"현부의 시녀 등의 녹셤이 어ᄃᆡ 가뇨."

부인이 ᄃᆡ왈,

"거야의 믄득 거쳐를 모로ᄂᆞ이다."

금휘 탄식ᄒᆞ여 ᄀᆞᆯ오ᄃᆡ,

"녹셤 간비로 인ᄒᆞ여 현부 등이 장ᄎᆞ 화익을 당ᄒᆞᆯ디라. 가ᄂᆡ의 요비를 두엇다가 변이 망측ᄒᆞ니 엇디 통한치 아니리오."

윤부인이 녹셤의 거쳐를 몰나 의려ᄒᆞ더니, 엄구의 말ᄉᆞᆷ을 듯ᄌᆞ오ᄆᆡ 심신이 경히ᄒᆞ나, ᄉᆞᄉᆡᆨ디 아니코 피셕 브복ᄒᆞ여시니, 팔ᄌᆞ청산(八字青山)이 염염(艶艶)ᄒᆞᆫ 미우(眉宇)의 슈운(愁雲)이 소슬ᄒᆞ고, 보험(輔-)이 나죽ᄒᆞ며, 쳔태【1】만광(千態萬光)이 ᄌᆞ휘(自輝)ᄒᆞ니, 금평휘 ᄋᆞ부의 현슉ᄒᆞ므로뼈 ᄌᆡ앙이 만흐믈 츄연(惆然) 블낙(不樂)ᄒᆞ여 침음무어(沈吟無語)[812]ᄒᆞ니, 슌태부인이 ᄋᆞᄌᆞ의 블호ᄒᆞᆫ 긔ᄉᆡᆨ을 보고 역시 ᄎᆞ악ᄒᆞ여 문왈,

"녹셤이 간악ᄒᆞ나 본ᄃᆡ 윤부 시ᄋᆞ라. 손부를 앙사(仰事)ᄒᆞ니, 비록 고인의 위쥬튱심이 업ᄉᆞ나, 일야디간(一夜之間)의 므ᄉᆞᆷ 작악(作惡)이 이시리오. 노뫼 능히 ᄭᆡ둣디 ○[못]ᄒᆞ니 오ᄋᆞᄂᆞᆫ ᄇᆞᆰ히 ᄒᆡ셕ᄒᆞ라."

금휘 브복ᄒᆞ여 젼후디ᄉᆞ를 고ᄒᆞᆯᄉᆡ,

"문양의 낙ᄐᆡ지ᄉᆞ로 인ᄒᆞ여 허다 무고를 텬흥이 친히 보니, 이 믄득 윤·양·니 삼부의 ᄌᆞ톄(字體)라. 뎡·오 이왕이 발분ᄒᆞ여 텬졍의 고코져 ᄒᆞᄋᆞᆸ거ᄂᆞᆯ, ᄒᆡ익 만뉴(挽留)ᄒᆞ고 텬흥이【2】 도당(阻擋)ᄒᆞ여[813] ᄀᆞᆺ쳣더

812)침음무어(沈吟無語) : 속으로 깊이 생각에 잠겨 말이 없음.

813)도당(阻擋)ᄒᆞ다 : 조당(阻擋)하다. 나아가거나 다

시의 금평휘 아부을 볼ᄉᆞ록 연ᄋᆡ(憐愛)ᄒᆞ여, 이 갓튼 슉녀현부로 ᄌᆡ앙이 만첩(萬疊)ᄒᆞ믈 츄연(惆然) 불낙(不樂)ᄒᆞ여, 장부웅심(丈夫雄心)이나 ᄌᆞ연 화기소삭(和氣蕭索)ᄒᆞ여 가월천창(佳月天窓)의 수운(愁雲)이 함집(咸集)ᄒᆞ니, 역시 말ᄉᆞᆷ이 슈이 ᄂᆞ지 아냐 침음불회(沈吟不會)[660]러이[니], 슌ᄐᆡ부닌[인]이 아ᄌᆞ의 불호한 긔ᄉᆡᆨ을 보고 역시 ᄎᆞ악ᄒᆞ여 문왈,

"녹셤니[이] 간악ᄒᆞ나 본ᄃᆡ 윤부 시아로, 손부을 앙ᄉᆞ(仰事)ᄒᆞ이[니], 비록 고인의 우[위]쥬츙심(爲主忠心)니[이] 업ᄉᆞ{오}나, 일야지간(一夜之間)의 무ᄉᆞᆷ 작○[악](作惡)이 잇시리요. 노뫼 등니[능히] ᄭᆡ닷지 못ᄒᆞ니 오아ᄂᆞᆫ 발키 히셕ᄒᆞ라."

금휘 부복ᄒᆞ여 젼후지ᄉᆞ을 고할ᄉᆡ,

"문냥의 낙ᄐᆡ지ᄉᆞ로 인ᄒᆞ여 허다 무고을 병뷔 친히 보고[니], 문득 윤·냥·이 삼부의 ᄌᆞ쳐[체](字體)라. 뎡·오 이왕니[이] 발분ᄒᆞ여 천정의 고코저 ᄒᆞᄋᆞᆸ거날, ᄒᆡ익 말유(挽留)ᄒᆞ고 천흥니[이] 조당(阻擋)[661]《의

660)침음불회(沈吟不會) : 마음속으로 깊이 생각해 보아도 깨닫지 못함.

661)조당(阻擋)하다 : 나아가거나 다가오는 것을 막

니, 또 작야의 여ᄎᆞ여ᄎᆞ 변괴 잇셔 냥왕이 급히 {시}넌홍을 불너 셰향을 져주어 복초를 바드니, 곳 녹셤 간비의 음흉ᄒᆞ미 빅옥무하(白玉無瑕)흔 쥬인과 양・니 이인을 함디깅참(陷之坑塹)814)ᄒᆞ온디라. 뎡・오 이왕이 임의 텬졍의 고ᄒᆞ려 ᄒᆞ오니, 낙미디홰(落眉之禍) 아모듸 밋출 줄 모를소이다."

태부인과 진부인이 경히ᄎᆞ악ᄒᆞ여 말을 못ᄒᆞ고, 윤・양・니 삼부인이 복수(伏首) 문파(聞罷)의 ᄎᆞ악경심ᄒᆞ며, 좌듕 졔인이 상고실식(相顧失色)ᄒᆞ더니, 믄득 부문이 요요ᄒᆞ며 노복의 무리 황황젼경(遑遑戰驚)ᄒᆞ여 고왈,

"형부 관치(官差) 니르러 윤・양・○[니] 삼부【3】인 《유ᄋᆞ∥시아(侍兒)》 복쳡(僕妾)을 다 잡히ᄂᆞ이다."

태부인이 희허 쟝탄 왈,

"범식 텬애오, 명애어니와 삼쇼부의 셩심슉덕으로 요악질투(妖惡嫉妬)의 ᄆᆡ명(罵名)을 취홀 줄 알니오. 아디 못게라, 나죵 쳐치 엇디 되며 삼쇼부의 방신(芳身)이 무ᄉᆞᄒᆞ랴?"

셜파의 츄연 블낙ᄒᆞ니, 금휘 모친의 이깃트시믈 졀민ᄒᆞ여 이셩(怡聲) 쥬왈,

"윤・양・니 삼부ᄂᆞᆫ 금셰의 슉녀 쳘부로, 식뫼 너모 슈츌(秀出)ᄒᆞ여 홍안지히(紅顔之害)815)로 초년이 다험(多險)ᄒᆞ오나, 본듸 귀복(貴福) 완젼디상(完全之相)이오니, 원(願) ᄌᆞ위ᄂᆞᆫ 물녀ᄒᆞ쇼셔,"

윤・양・니 삼부인이 관잠(冠簪)816)을 탈(脫)ᄒᆞ고 하셕(下席) 청죄 왈,

"블초 쇼쳡 등이 블혜비박지질(不慧鄙薄之質)노 셩【4】문의 입승ᄒᆞ와, 능히 존당의 경셩을 다 못ᄒᆞᄋᆞᆸ고, 은의(恩誼) 브족ᄒᆞ

가오는 것을 막아서 가리다.

814)함디깅참(陷之坑塹) : 함정에 빠트림.

815)홍안지히(紅顔之害) : 젊고 예쁜 여자가 겪는 시련.

816)관잠(冠簪) : 여성들이 머리에 쓰거나 꽂는 장신구인 봉관과 비녀.

∥ᄒᆞ여》 긋쳣더니, 작야의 여ᄎᆞ여ᄎᆞ한 변괴 잇셔 양왕이 급히 시랑을 청ᄒᆞ여 셔[셰]힝《으로∥을》 져주어 복초을 ᄇᆞ드니, 녹셤 간비의 음흉ᄒᆞ미 빅옥무ᄒᆞ(白玉無瑕)한 쥬인과 양・인[이] 이ᄋᆞ을 함지깅참(陷之坑塹)662)ᄒᆞ온지라. 뎡・오 이왕니[이] 임의 천정의 고ᄒᆞ{오}려 ᄒᆞ오듸, 낙미지화(落眉之禍) 아모 고듸 밋출 쥴 모로ᄂᆞ이다."

틱부닌[인]과 진분닌[부인]이 경히ᄎᆞ악ᄒᆞ여 좌즁 져[졔]인(諸人)이 상고실식(相顧失色)ᄒᆞ더니, 문득 부문이 요란ᄒᆞ며 노복의 무리 황황전경(遑遑戰驚)ᄒᆞ여 보왈,

"형부 관치(官差) 이르러 윤・냥・이 삼부닌[인] 《유ᄒᆞ∥시아(侍兒)》 복쳡(僕妾)을 다 잡히ᄂᆞ이다."

틱부닌[인]이 희허 장○[탄] 왈,

"범식 쳔야요, 명야라. 숨 손부의 셩심슉덕으로 요악질투(妖惡嫉妬)의 ᄆᆡ명(罵名)을 취할 줄 알이【58】요. 아지 못겨[게]라. 나종 처치 엇지 되며 삼소부 방신(芳身)니[이] 무ᄉᆞᄒᆞ랴?"

셜파의 츄연 블낙ᄒᆞ믈 마지 안이이[니] 금휘 모친의 이갓치 ᄒᆞ시믈 졀민ᄒᆞ여 이셩(怡聲) 쥬왈,

"윤・냥・이 {등니} 삼부ᄂᆞᆫ 금셔[셰]의 슉녀 쳘부로, 식뫼 너머 슈츌(秀出)ᄒᆞ여 홍안지히(紅顔之害)663)로 초연(初年)이 다험(多險)ᄒᆞ오나, 본듸 귀복(貴福)이 완젼지상(完全之相)《니오이∥이오니》, 원(願) ᄌᆞ위ᄂᆞᆫ 물녀ᄒᆞ소셔."

윤・냥・이 슴인니 관잠(冠簪)664)을 탈(脫)ᄒᆞ고 ᄒᆞ셕(下席) 청죄 왈,

"불초 소쳡등니 불혀[혜]비박지질(不慧鄙薄之質)노 셩문의 입승ᄒᆞ와, 능히 존당의 경셩을 다 못ᄒᆞᄋᆞᆸ고, 은의(恩誼) 부족ᄒᆞ와

아서 가리다.

662)함지깅참(陷之坑塹) : 함정에 빠트림.

663)홍안지히(紅顔之害) : 젊고 예쁜 여자가 겪는 시련.

664)관잠(冠簪) : 여성들이 머리에 쓰거나 꽂는 장신구인 봉관과 비녀.

와 동녈(同列)을 화목디 못ᄒᆞ오며 비비(婢輩)를 어하(御下)치 못ᄒᆞ와 여ᄎᆞ 변난(變亂)이 상싱(相生)ᄒᆞ오니, 이 다 쳡 등의 블미ᄒᆞ오미라, 회[화]장하급(禍將何及)[817]이리잇고? 연이나 일노뼈 존당 셩녀를 끼치오니, 쳡 등의 블회 막대ᄒᆞ도소이다.”

언파의 ᄉᆞ싀이 ᄌᆞ약ᄒᆞ고 옥셩이 쇄연ᄒᆞ여 일호(一毫) 구겁(懼怯)ᄒᆞ며 우슈ᄒᆞ미 업ᄉᆞ니, 존당 구괴 더욱 ᄋᆡ련ᄒᆞ여 왈,

“이 다 가운의 블니(不利)ᄒᆞ미라. ‘나못치[818] 송곳치 오ᄅᆡ 숫출 곰초지 못ᄒᆞᄂᆞ니’, 현부 등의 금일 화익 만날 줄은 짐작ᄒᆞᆫ 비라. ᄉᆡ로이 근심ᄒᆞ고 놀날 거시 아니로ᄃᆡ, 아등이 【5】 무복(無福)ᄒᆞ여 슉녀 현부의 ᄌᆡ앙이 쳡다(疊多)ᄒᆞᆫ가 ᄒᆞ노라.”

블언죵시(不言終時)의 형부 관니(官吏) 삼당(三堂) 시ᄋᆞ(侍兒)를 ᄌᆡ촉이 급어셩화(及於盛火)ᄒᆞ며, 션월졍 시녀 등과 슈십인을 잡아가고, 쏘 김귀비의 샤디샹궁 요시 문양궁 최상궁으로 더브러 부듕의 니르러 삼부인 협ᄉᆞ(篋笥)를 다 뒤니, 윤·니 냥인은 각별 의심홀 거시 업ᄉᆞᄃᆡ 양부인 협샤의 ᄒᆞᆫ봡 약봉을 어드니, 괴이ᄒᆞᆫ 약뉘 십여 환이라. 《난∥요》· 최 이녜 용약(勇躍)·절치(切齒)ᄒᆞ여 분분이 도라가니, 가듕이 딘경ᄒᆞ여 결ᄉᆡ(決事) 아모리 될 줄 모로더라.

관니 쏘 문양궁의 가 녹셤을 ᄎᆞᄌᆞ니, ᄃᆡ희엿던 옥니 오히려 술을 ᄭᆡ디 못ᄒᆞ엿고, 죄 【6】 인 녹셤이 거쳬 업ᄂᆞᆫ디라. 모다 놀나 두로 ᄎᆞᄌᆞ나 죵젹이 업ᄉᆞᆫ디라, 궁듕이 분분ᄒᆞ여 모든 옥니를 ᄭᆡ와 므른죽, 말을 못ᄒᆞ고 입을 벙긋벙긋ᄒᆞ니, 모다 놀나 공쥬긔 고ᄒᆞ니, 공줘 니르ᄃᆡ,

“간인이 죄를 알고 공교로온 ᄭᅬ로 도망ᄒᆞ여시니, 이ᄂᆞᆫ 옥졸의 죄 아니라, 현마 어이 ᄒᆞ리오. 비록 녹셤이 업ᄉᆞ나 그 간졍을 힉

817)화장하급(禍將何及) : 재앙이 어디에 미칠지 알지 못함.

818) 나못ᄎᆞ : 주머니. 자루. 자루; 속에 물건을 담을 수 있도록 헝겊 따위로 길고 크게 만든 주머니.

동열(同列)의 화목지 못ᄒᆞ오며, 비비(婢輩)을 져어(制御)치 못ᄒᆞ와, 여ᄎᆞ 변ᄂᆞᆫ니[이] 상싱(相生)ᄒᆞ오니, 다 쳡등의 불미ᄒᆞ미라. 회[화]장ᄒᆞ급(禍將何急)[665]이리닛고? 연이나 일노써 존당 셩녀을 ᄭᅵ치오니 다 쳡등의 불효 막ᄃᆡᄒᆞ오니○○[이다].”

언파의 ᄉᆞ싀이 ᄌᆞ약ᄒᆞ고 옥셩니[이] 쇄연ᄒᆞ여 일호 구겁(懼怯)ᄒᆞ며 우슈ᄒᆞ미 업ᄉᆞ{오}니, 존당구괴 더욱 ᄋᆡ련ᄒᆞ여 왈,

“이 다 가운의 불니(不利)ᄒᆞ미라. 설마 엇더[디]ᄒᆞ리요. ᄉᆡ로니[이] 놀나고 근심할 비 아이[니]로되, 아등니[이] 무복(無福)ᄒᆞ여 슉녀 현부의 ᄌᆡ앙니[이] 다다(多多)한가 ᄒᆞ노라.”

불언죵시(不言終時)의 형부 관니(官吏) 삼당(三堂) 시아(侍兒)을 ᄌᆡ촉니[이] 급ᄒᆞ여 셩화 갓트며, 셩[션]월졍 시여 등과 이당(二堂) 시여 슈십인을 잡아가고, 김귀비의 ᄉᆞ지상궁 요시 문냥궁 최상궁으로 더부러 부즁의 이르러 삼부닌 협ᄉᆞ(篋笥)을 다 뒤이[니], 윤·냥·니 등은 각별 의심니[이] 업ᄉᆞᄃᆡ 양부닌[인] 협ᄉᆞ의셔 한쌈 약봉을 어드니, 괴이ᄒᆞᆫ 약 슈십여 환이라. 이의 용약(勇躍)·절치(切齒)ᄒᆞ여 분분니[이] 도라가이[니], 가즁니[이] 진경ᄒᆞ여 결ᄉᆡ(決事) 아모리 되 쥴 모로더라.

관니 쏘 문냥궁의 가 녹셤을 ᄎᆞᄌᆞ니, 직희엿든 옥이(獄吏) 오히려 슐을 ᄭᆡ지 못ᄒᆞ녀[여] 죄인 녹셤이 거처 업ᄂᆞᆫ지라. 모다 놀나 두루 ᄎᆞ즈나 죵적이 【59】 업는지라. 궁즁니[이] 분분ᄒᆞ여 모든 옥이[니]을 ᄭᆡ와 무른 즉, 말을 못ᄒᆞ고 입을 벙긋벙긋ᄒᆞ니, 모다 놀나 공쥬겨[긔] 고한ᄃᆡ, 공쥐 일오ᄃᆡ,

“간인이 죄을 알고 공교로온 ᄭᅬ로 도망ᄒᆞ녓시이[니], 이ᄂᆞᆫ 옥니의 죄 아이[니]라, 현마 어니[이] ᄒᆞ니[리]오. 비록 녹셤이 업ᄉᆞ{오}나 그 간졍을 힉실ᄒᆞ미 무어시 어려우리요.”

665)화장하급(禍將何及) : 재앙이 어디에 미칠지 알지 못함.

실ᄒᆞ미 므어시 어려오리오.”

최상궁이 이ᄃᆡ로 하령ᄒᆞ니, 모든 관니 홀일업셔 다만 시녀비ᄇᆡ만 잡아가고, 한상궁은 금ᄌᆞ(金紫)819) 궁희(宮姬)로 다른 비ᄇᆡ와 다르ᄆᆡ, 졔녀의 초ᄉᆞ를 바다 뉼젼을 상고ᄒᆞ여 다ᄉᆞ리려 ᄒᆞ더라.

이ᄢᅢ 부매 됴참 후 급히 【7】 본부로 도라오니, 형부 관니 삼당 시비를 발셔 잡아간디라. 바로 태원뎐의 드러가 존당 부모긔 뵈올ᄉᆡ, 좌듕이 일홍이 ᄉᆞ연ᄒᆞ여 슈운이 참참(參參)ᄒᆞ니820), 태부인이 병부를 보고 쳑연 함쳬 왈,

“금일 가변이 층ᄉᆡᆼᄒᆞ니 삼쇼부의 젼졍이 금일 맛ᄎᆞ리로다.”

병뷔 이셩화긔로 쥬왈,

“ᄎᆞ역텬애(此亦天也)라. 화복이 관슈(關數)ᄒᆞ고 인명이 ᄌᆡ텬ᄒᆞ니, 윤·양·니 등이 일시 화를 격ᄉᆞ오나, ᄉᆡᆼ의 념네 업ᄉᆞ오리니, 원 왕모는 셩의예 거리ᄭᅵ지 마르샤, 쇼손 등의 블효를 더으지 마르쇼셔. 앗가 궐듕 ᄉᆞ어를 듯ᄌᆞ오니, 이 다 문양의 작이라, 뎡·오 이왕이 기ᄆᆡ의 요【8】악ᄒᆞ믈 모로고 이 거조 잇ᄉᆞ오니, 쇼손이 비록 간비를 다ᄉᆞ려 즉ᄀᆡᆨ의 간졍을 쾌탈(快脫)코져 ᄒᆞ오나, 간뫼 블측ᄒᆞ오니 아딕 함구블언(緘口不言)ᄒᆞ여 죵시(終始)를 보려 ᄒᆞᄂᆞ이다.”

태부인과 진부인은 아연 탄식ᄒᆞ고 금휘 탄왈,

“여언(汝言)이 뎡합오심(正合吾心)이라 다만 시죵을 보아 ᄒᆞ리라.”

이ᄢᅢ 형부상셔 소공이 샹명을 밧ᄌᆞ와 형부 아문의 드러와 형위를 베풀고, 관니를 발ᄒᆞ여 취운산의 가 윤·양·니 삼부인 시비를 잡아 니르니, 형뷔 청듕(廳中)의 좌ᄒᆞ고 졔녀를 형장의 올닐ᄉᆡ, 셜난 모녀와 양·니 이부인 시ᄋᆡ 다 영교 녹셤의 간악ᄒᆞ미 아【9】닌즉, 각각 져히 쥬인의 셩덕을 아

---

819)금ᄌᆞ(金紫) : 금인(金印)과 자수(紫綬)라는 뜻으로, 존귀한 사람을 비유적으로 이르는 말.

820)참참(參參)ᄒᆞ다 : 나란히 빼곡하게 들어선 모양.

최상궁니 이ᄃᆡ로 ᄒᆞ령ᄒᆞ니, 모든 관니 하릴 업셔 다만 시녀비ᄇᆡ만 잡아가고, 한상궁은 금ᄌᆞ(金紫)666) 궁희(宮姬)로 인가 비ᄇᆡ와 ᄃᆞ르ᄆᆡ, 져[졔]녀의 초ᄉᆞ을 ᄇᆞ다 율젼을 상고ᄒᆞ녀[여] ᄃᆞᄉᆞ리려 ᄒᆞ더라.

잇ᄢᅢ 부ᄆᆡ 조참 후 급히 본부의 도라오니, 형부 관니 삼당 시비을 발셔 잡아간지라. ᄇᆞ로 ᄐᆡ원젼의 드러가 존당부모겨[긔] 뵈올ᄉᆡ, 좌즁니[이] 일홍니[이] ᄉᆞ연ᄒᆞ녀[여] 슈운니[이] 참참(參參)ᄒᆞ니667), ᄐᆡ부닌[인]이 병부을 보고 척건[연] 참졀 왈,

“금일 가변니[이] 층ᄉᆡᆼᄒᆞ니 숨소부의 전졍이 금일 ᄆᆞᄎᆞ리로다.”

병뷔 이셩화기로 쥬 왈,

“ᄎᆞ역쳔야(此亦天也)라. 화복니[이] 관슈(關數)ᄒᆞ고 인명니[이] ᄌᆡ쳔ᄒᆞ니, 윤·냥·이 등니[이] 일시 화ᄋᆡᆨ니[이] 잇ᄉᆞ오나, ᄉᆡᆼ의 염여 업ᄉᆞ오리이[니], 원 왕모는 셩의에 거리ᄭᅵ지 마르ᄉᆞ, 소손 등의 불효을 더으지 마르소셔. 앗가 궐즁 ᄉᆞ어을 듯ᄉᆞ오니, 이는 다 문냥의 작악이라. 뎡·오 이왕니[이] 기ᄆᆡ의 요악을 모로○[고] 이 거죄 잇ᄉᆞ오니, 소손니[이] 비록 간비을 다ᄉᆞ려 즉ᄀᆡᆨ의 간졍을 발각고져 ᄒᆞ오나, 간뫼 불측ᄒᆞ오니 아직 함구(緘口)ᄒᆞ여 종시을 보려 ᄒᆞᄂᆞ이다.”

ᄐᆡ부닌과 진부닌[인]이 아연 탄식ᄒᆞ고 금휘 탄왈,

“여언(汝言)니[이] 정합오의(正合吾意)라. 다만 시종을 보라.”

ᄒᆞ더라. 【60】 잇ᄢᅢ 병뷔상셔 소공니[이] 상명을 밧ᄌᆞ와 형부 아문의 도라와 형위를 벼풀고, 관이[니]을 블ᄒᆞ여 취운손의 가 윤·냥·이 삼부닌 시녀을 잡아 이르니, 형뷔 청즁(廳中)의 좌ᄒᆞ고 져[졔]여을 형장의 올일ᄉᆡ, 설난 모녀와 양·니 부닌[인] 시ᄋᆡ 다 영교·녹셤의 간악ᄒᆞ미 아닌 즉, 각각

---

666)금ᄌᆞ(金紫) : 금인(金印)과 자수(紫綬)라는 뜻으로, 존귀한 사람을 비유적으로 이르는 말.

667)참참(參參)ᄒᆞ다 : 나란히 빼곡하게 들어선 모양.

디 못ᄒᆞ리오. 엄형지하(嚴刑之下)의 긔운이 앙앙ᄒᆞ고 말슴이 도도ᄒᆞ여 ᄒᆞᆫ갈ᄀᆞᆺ치 ᄋᆡᄆᆡᄒᆞ믈 웨지지니[821], 옥 ᄀᆞᆺ튼 다리의 뉴혈이 돌디ᄒᆞ나 죵시 무복(無服)[822]ᄒᆞ니, ᄎᆞ례 영교의 밋ᄎᆞᄆᆡ 블하 일장의 복초 왈,

"쇼비ᄂᆞᆫ 양부인 시녜라. 과연 삼부인이 타문ᄉᆡᆼ츌(他門生出)이시나, 뎡문의 입승ᄒᆞ시ᄆᆡ 황○[영](皇英)의 고ᄉᆞ를 인증ᄒᆞ여 동녈이 화목ᄒᆞ시미 골육동긔 ᄀᆞᆺᄐᆞ시고, 니부인은 안ᄉᆡᆨ이 무염(無厭)ᄒᆞ시나 피ᄎᆞ 의합슈덕(意合修德)[823]ᄒᆞᄋᆞᆸ다가, 의외 문양옥쥐 하가ᄒᆞ시니 셩덕이 임샤(姙似) ᄀᆞᆺᄐᆞ시나, 윤부인이 쳐음 당당ᄒᆞᆫ 원위【10】를 가졋고, 긔린 ᄀᆞᆺ튼 옥동을 쎠 노야의 듕졍이 여산약ᄒᆡ(如山若海)ᄒᆞ시니, 오복이 무흠ᄒᆞᆯ ᄎᆞ, 뜻밧긔 옥쥬긔 원위를 아이시고 ᄉᆡᆨ덕이 겸비ᄒᆞ시니, 윤부인이 졀치(切齒)하시믄 '유(莠)를 ᄂᆡ고 냥(良)을 ᄂᆡᆫ 탄(歎)'[824]이 이시미라. 일노 인ᄒᆞ여 여ᄎᆞ여ᄎᆞ 셜계ᄒᆞ샤 옥쥬를 ᄒᆡ코져 틈을 엿더니, 윤부인 시녀 녹셤이 공쥬 샤부 한상궁을 깁히 ᄉᆞ괴니, 삼부인이 ᄀᆞ마니 쳥ᄒᆞ샤 한상궁긔 공쥬 ᄒᆡᄒᆞᆯ 모계를 상의ᄒᆞ와, 옥쥐 잉ᄐᆡᄒᆞ시니 ᄒᆡᆼ여 긔동(奇童)을 ᄉᆡᆼᄒᆞ시면 샹원(上元)의 긔ᄌᆞ(奇子)로 종통(宗統)을 녕(領)ᄒᆞᆫ[825]죽, 윤부인 ᄋᆞ직 무용ᄒᆞᆯ가 념녀ᄒᆞ여 여ᄎᆞ여ᄎᆞ 무고를 ᄒᆡᆼ【11】ᄒᆞᄆᆡ, 한상궁이 ᄂᆡ응ᄒᆞ미 잇더니, 과연 증험이 쇽(速)ᄒᆞ여 옥쥐 즉시 유질ᄒᆞ샤 복듕 쳔금 혈육○[을] 슈삼삭이 넘지 못ᄒᆞ여셔 낙ᄐᆡᄒᆞ시니, 윤·양·니 삼부인이 블승환희ᄒᆞ시더니, 간졍이 발각ᄒᆞ여 허다 요예지물을 뎡·오 이왕과 도위 노애 친히 어더

821)웨지지다 : 떠들썩하게 외치다. 부르짖다. '웨다'와 '지지다'의 합성어.
822)무복(無服) : 자복(自服)하지 않음.
823)의합슈덕(意合修德) : 뜻을 합하여 덕을 닦음.
824)'유(莠)를 ᄂᆡ고 냥(良)을 ᄂᆡᆫ 탄(歎)' : '(하늘이) 악한 사람을 내고 또 착한 사람을 낸 것을 탄식한다'는 뜻으로, 세상에는 선과 악이 공존한다는 것을 말함. 양유(良莠) : 좋은 풀과 나쁜 풀, 곧 착한 사람과 악한 사람을 비유적으로 이르는 말
825)녕(領)ᄒᆞ다 : 종통이나 제사 따위를 이어 받다.

저희 쥬인의 셩덕을 아지 못ᄒᆞ리요. 엄형지ᄒᆞ(嚴刑之下)의 긔운니[이] 앙앙ᄒᆞ고 말슴이 도도ᄒᆞ여 한갈갓치 ᄋᆡᄆᆡᄒᆞ믈 웨지지[668]이[니], 옥 갓튼 다리ᄋᆡ 유혈이 돌지ᄒᆞ나 종시 무복(無服)[669]ᄒᆞ니, ᄎᆞ려[례] 영교의 밋ᄎᆞᄆᆡ 불하 일장의 복초 왈,

"소비ᄂᆞᆫ 양부닌[인] 시녀라. 과연 삼부닌[인]이 타문ᄉᆡᆼ츌(他門生出)이나, 뎡문의 입승ᄒᆞ오ᄆᆡ 황영(皇英)의 고ᄉᆞ을 인증ᄒᆞ여 동녈의 화목ᄒᆞ시미 고륙동긔(骨肉同氣) 갓트시고, 윤부닌[인]은 아시결ᄇᆞ[블](兒時結髮)리[이]시고, 니부닌[인]은 안ᄉᆡᆨ이 무염(無艶)ᄒᆞ시나 피ᄎᆞ 의합슈젹[덕](意合修德)[670]ᄒᆞᄋᆞᆸ다가, 의외 문양옥쥐 하가ᄒᆞ시니 성덕니[이] 임ᄉᆞ(姙似) 갓트시나, 윤부닌[인]이 처음 당당한 원위을 ᄀᆞ졋고, 기린 갓튼 옥동을 ○[쎠], 노야의 즁졍니[이] 여ᄉᆞᆫ약ᄒᆡ(如山若海)ᄒᆞ시니, 오복니[이] 무흠할 ᄎᆞ, 듯밧겨[뜻밧긔] 옥쥬겨[긔] 《쳔위‖원위》을 《아니‖아이》시고, ᄉᆡᆨ덕니[이] 겸비ᄒᆞ시니, 윤부닌이 졀치ᄒᆞ시믄 '유(莠)을 ᄂᆡ고 양(良)을 《연‖ᄂᆡᆫ》 탄(歎)'[671]이 잇시미라. 일노 인ᄒᆞ녀[여] 여ᄎᆞ여ᄎᆞ 설겨[계]ᄒᆞᄉᆞ 옥쥬을 ᄒᆡ코져 틈을 어드니, 윤부인 시녀 녹셤이 공쥬 ᄉᆞ부 한상궁을 깁히 ᄉᆞ괴ᄆᆡ, 삼부닌[인]이 가마니 쳥ᄒᆞᄉᆞ 한상궁겨[긔] 공쥬 ᄒᆡ할 묘겨[계]을 상의ᄒᆞ와, 옥쥐 잉ᄐᆡᄒᆞ시니 ᄒᆡᆼ혀 옥동을 ᄉᆡᆼᄒᆞ시면 상원의 긔ᄌᆞ로 종통(宗統)을 영(領)ᄒᆞᆫ[672]한즉, 윤부닌[인] 아직 무용할가 념네ᄒᆞ녀[여] 여ᄎᆞ여ᄎᆞ 무고ᄉᆞ을 ᄒᆡᆼᄒᆞᄆᆡ, 한상궁니[이] ᄂᆡ응ᄒᆞ미 잇더니, 과여[연] 증험니[이] 속(速)ᄒᆞ여 옥쥐 즉시 유질ᄒᆞᄉᆞ 복즁 천금 《ᄉᆡᆼ혹(生

668)웨지지다 : 떠들썩하게 외치다. 부르짖다. '웨다'와 '지지다'의 합성어.
669)무복(無服) : 자복(自服)하지 않음.
670)의합슈덕(意合修德) : 뜻을 합하여 덕을 닦음.
671)'유(莠)을 ᄂᆡ고 냥(良)을 ᄂᆡᆫ 탄(歎)' : '(하늘이) 악한 사람을 내고 또 착한 사람을 낸 것을 탄식한다'는 뜻으로, 세상에는 선과 악이 공존한다는 것을 말함. 양유(良莠) : 좋은 풀과 나쁜 풀, 곧 착한 사람과 악한 사람을 비유적으로 이르는 말
672)영(領)ᄒᆞ다 : 종통이나 제사 따위를 이어 받다.

닉시니, 삼부인이 대경ᄒᆞ샤 출하리 밧비 셜계ᄒᆞ여 강뎍을 셔릇826)기를 쇠ᄒᆞ여, 작야의 녹셤을 개용단을 먹여 궁비 셰향이 되여 옥쥬를 치독(置毒)ᄒᆞ려 ᄒᆞ더니, 하날이 블의를 돕지 아냐 악ᄉᆡ 패루ᄒᆞ엿ᄉᆞ오니, 혜건ᄃᆡ 문허지ᄂᆞᆫ 집을 ᄒᆞᆫ 기동으로 괴이디 못홀디라. 쳔비 영교ᄂᆞᆫ 본ᄃᆡ 양노야 틱【12】상(宅上) 비ᄌᆡ라. 쥬인의 은혜 일신의 져젓ᄉᆞ오나 골졀(骨節)이 미란(靡爛)ᄒᆞᆫ 형벌을 당ᄒᆞ여 엇디 긔망ᄒᆞ리잇고? 마디 못ᄒᆞ여 딘졍을 고ᄒᆞᄋᆞᆸᄂᆞ니, 복원 노야ᄂᆞᆫ 잔명을 어엿비 넉이쇼셔."

ᄒᆞ엿더라.

형뷔 초ᄉᆞ의 흉참ᄒᆞ믈 보고 또 약봉을 상고ᄒᆞᄆᆡ, 다시 므를 거시 업셔 죄인을 다 하옥ᄒᆞ고 영교의 초ᄉᆞ와 약봉을 올녀, 계ᄉᆞ(啓事) 왈,

"죄인의 시녀를 츄문ᄒᆞ오니 슈십인이 ᄒᆞᆫ갈ᄀᆞᆺ치 블복ᄒᆞ오ᄃᆡ, 오딕 양시의 비ᄌᆞ 영괴 복초ᄒᆞ오며 독약을 ᄯᅩᄒᆞᆫ 양시 협ᄉᆞ의셔 엇다 ᄒᆞᄂᆞ이다."

텬지 드ᄅᆞ시고 블승통히ᄒᆞ샤 형부의 하됴ᄒᆞ샤, '뉼젼(律典)을 상고ᄒᆞ여 죄인을 쳐결ᄒᆞ【13】라' ᄒᆞ시니, 유ᄉᆡ 뉼젼을 잡아 계샤(啓辭)827) 왈,

"윤·양·니 삼녜 ᄉᆞ족지녀(士族之女)로 투악이 과도ᄒᆞ여 방ᄌᆞ히 왕희를 싀살(弑殺)코져 ᄒᆞ니 죄 듕ᄒᆞ고 벌이 경ᄒᆞ오나, 인명을 상히치 아녓ᄉᆞ오니, ᄌᆞ고로 투악은 칠거(七去)의 경계라. 맛당이 구가(舅家)를 니이(離異)ᄒᆞ여 각각 친당의 닉치고, 비빅ᄂᆞᆫ 다만 쥬인의 명을 좃출 ᄯᆞ름이라, 져의 죄 아니니 다 방셕ᄒᆞ고, 녹셤은 ᄌᆞ겁(自怯)ᄒᆞ여

826)셔릇다 ; 거두어 치우다. 없애다.
827)계샤(啓辭) : 논죄(論罪)에 관하여 임금에게 올리던 글.

惛)‖혈육(血肉)》니[이] 슈습삭니[이] 넘지 못ᄒᆞ여셔【61】 낙틱ᄒᆞ시니, 윤·냥·이 삼부인이 불승희힝ᄒᆞ시다가 간졍니[이] 발각ᄒᆞᄆᆡ 허다 요여[예]지물을 뎡·오 이왕과 도위 노야 친히 어더 내시니, 삼부닌[인]이 ᄃᆡ경ᄒᆞᄉᆞ 찰하리 밧비 셜겨[계]ᄒᆞ여 서릇기을 쇠ᄒᆞ여, 즉야의 녹섬을 기용단을 먹여 궁비 셔[셰]힝니[이] 되어 옥쥬을 치독ᄒᆞ려 ᄒᆞ드니, 《오날니‖하날이》 불의을 돕지 아니ᄉᆞ 악ᄉᆡ 픽루ᄒᆞ엿ᄉᆞ오니, 혜건ᄃᆡ 문어지ᄂᆞᆫ 집을 한 기동으로 괴이지 못홀진ᄃᆡ, 쳔비 영교ᄂᆞᆫ 본ᄃᆡ 양 노야 틱상 비ᄌᆡ라, 쥬인의 은혀[혜] 일신의 져젓ᄉᆞ오나 골졀(骨節)니[이] 미란(靡爛)한 형벌을 당ᄒᆞ녀[여] 엇지 긔망ᄒᆞ리잇고 마ᄂᆞᆫ, 《가지‖마지》 못ᄒᆞ와 진졍○[을] 고ᄒᆞᄂᆞ니다. 노야ᄂᆞᆫ 잔명을 어넛비 역니[이]소셔."

ᄒᆞ엿더라.

형뷔 초ᄉᆞ의 흉참ᄒᆞ믈 보고 또 약봉을 상고ᄒᆞᄆᆡ 다시 무를 거시 업셔 죄인을 다 ᄒᆞ옥ᄒᆞ고 영교의 초ᄉᆞ와 약봉을 올녀 겨[계]ᄉᆞ(啓事) 왈,

"죄인의 시여을 츄문ᄒᆞ오니 슈십{니}인이 할[ᄒᆞᆫ]갈갓치 불복ᄒᆞ오ᄃᆡ, 오직 양씨의 비ᄌᆞ 영교 복초ᄒᆞ오며 독약을 ᄯᅩᄒᆞᆫ 양씨 협ᄉᆞ의서 어더이다 ᄒᆞᄂᆞ이다."

쳔지 드르시고 불승통히ᄒᆞᄉᆞ 형부의 ᄒᆞ교ᄒᆞᄉᆞ, '율젼(律典)을 상고ᄒᆞ여 죄인을 쳐결ᄒᆞ라' ᄒᆞ시니, 유ᄉᆡ 율젼을 잡아 겨[계]ᄉᆞ(啓辭)673) 왈,

"윤·냥·이 숨여 ᄉᆞ족지녀(士族之女)로 투악이 과도ᄒᆞ여 방ᄌᆞ히 왕희을 싀살(弑殺)코져 ᄒᆞ니 죄 듕ᄒᆞ고 벌니[이] 경ᄒᆞ오나, 인명을 상히치 아녓ᄉᆞ오니 ᄌᆞ고로 투악은 ○○○[칠거(七去)의] 경겨[계]라 맛당니[이] 구가을 이이(離異)ᄒᆞ여 각각 친당의 닉치고, 비빅ᄂᆞᆫ 다만 쥬인의 명을 좃츨 다름이라, 저의 죄 《아이이‖아니니》 방셕ᄒᆞ고 녹섬을[은] ᄌᆞ겁(自怯)ᄒᆞ여 간 고지

673)계ᄉᆞ(啓辭) : 논죄(論罪)에 관하여 임금에게 올리던 글.

간 곳이 업ᄉᆞ오나, 슈악(首惡)을 다ᄉᆞ리ᄆᆡ 하ᄇᆡᄂᆞᆫ 일쳬라, 물죄ᄒᆞ고, 궁인 한시ᄂᆞᆫ 블튱블의(不忠不義) 반쥬지죄(叛主之罪) 듕ᄒᆞ오나, 셩은을 나리오샤 감ᄉᆞ(減死) 뎡ᄇᆡ(定配) ᄒᆞ리로소이다."

샹이 의윤(依允)ᄒᆞ샤 하됴 왈,

"윤·양·니 삼녜 몬져 텬흥의 쳐실이나, ᄌᆞ고로【14】 부마의 쳐쳡이 업ᄉᆞᄃᆡ, 딤이 특별이 은권을 나리오믄 셕년 윤모의 튱녈을 ᄉᆡᆼ각ᄒᆞ고, ᄎᆞ마 기녀의 일ᄉᆡᆼ을 공규의 함원치 못ᄒᆞ여, 윤녀를 텬흥의 원비를 빌녀시니, ᄯᅩ ᄎᆞ마 양·니 냥녀를 거졀치 못ᄒᆞ여 드ᄃᆡ여 텬흥의 ᄂᆡ조를 가음아라, 황영의 고ᄉᆞ를 효측ᄒᆞ라 ᄒᆞ엿더니, 윤·양·니 삼녜 교오질투ᄒᆞ여 간비(姦婢)를 쳐결ᄒᆞ여 황녀를 싀살코져 ᄒᆞ며, 그 가부의 골육이 셰샹의 나디 못ᄒᆞ게 ᄒᆞ니, 삼녀의 요음간악(妖淫奸惡)은 녀무(呂武)[828]의 심ᄒᆞᆫ디라. 간뫼 발각ᄒᆞᄆᆡ 맛당히 엄히 다ᄉᆞ려 후인을 증계ᄒᆞᆯ 거시로ᄃᆡ, 특별이 관뎐(寬典)을 드리워 윤·양·니 삼녀를【15】 다 뎡가로 졀혼ᄒᆞ여, 각각 본부로 도라가 심규(深閨)의 슈졸(守卒)ᄒᆞ믈 허ᄒᆞᄂᆞ니, 듕외(中外)ᄂᆞᆫ 디실ᄒᆞ라."

ᄒᆞ시고 ᄯᅩ 한상궁의 금ᄌᆞ(金紫) ᄃᆡ쳡을 앗고 녀염의 ᄂᆡ치고, 삼녀의 시비를 다 노흐라 ᄒᆞ시니, 금평휘 ᄒᆞᆯ일 업셔 슈명이퇴(受命而退)ᄒᆞ고, 부매 가졔 못ᄒᆞᆫ 죄를 청ᄒᆞ니 샹이 '물ᄃᆡ(勿待)ᄒᆞ라' ᄒᆞ시ᄆᆡ, 튱텬디긔로 분앙ᄒᆞ믈 니긔지 못ᄒᆞ나, ᄒᆞᆯ일업셔 묵연이 퇴ᄒᆞ여 본부의 도라오니, 황문(黃門)[829]이 됴셔를 밧드러 니르럿더라.

이 소식이 윤·양 이부의 니르니, 잇ᄃᆡ 윤어ᄉᆞ 곤계ᄂᆞᆫ 항쥐(杭州)[830] 션묘의 가고

828)녀무(呂武) : 중국의 대표적인 여성권력자인 한(漢)나라 고조(高祖)의 황후 여후(呂后) 여치(呂雉?-BC108)와 당(唐)나라 고종의 황후 측천무후(則天武后) 무조(武曌 : 624-705).

829)황문(黃門) : 내시(內侍).

830)항쥐(杭州) : 중국 절강성(浙江省) 북부에 있는 도시.

업ᄉᆞ【62】오나, 슈악(首惡)을 다ᄉᆞ리ᄆᆡ, ᄒᆞᄇᆡᄂᆞᆫ 일쳐[쳬]라, 물죄ᄒᆞ고 궁인 한씨ᄂᆞᆫ 불츌[츙]불의(不忠不義) 반쥬지죄(叛主之罪) 즁ᄒᆞ오나, 셩은을 나리오ᄉᆞ 감ᄉᆞ(減死) 졍ᄇᆡ(定配)ᄒᆞ리로소니[이]다."

상니[이] 의윤(依允)ᄒᆞᄉᆞ ᄒᆞ교 왈,

"윤·냥·이 삼녀 몬져 쳔흥의 쳐실이나, ᄌᆞ고로 부마의 처첩니[이] 업ᄉᆞᄃᆡ, 짐니[이] 특별니[이] 은젼을 나리오믄 석년 윤모의 츙열을 ᄉᆡᆼ각ᄒᆞ고, ᄎᆞ마 기여의 일ᄉᆡᆼ을 공규의 함원치 못ᄒᆞ녀[여], 윤녀을 천흥의 원비을 빌녀스니, ᄯᅩ ᄎᆞᆷ아 양·니 등을 거절치 못ᄒᆞ여 드ᄃᆡ여 쳔흥의 내조을 가음아라, 황영의 고ᄉᆞ을 효측ᄒᆞ라 ᄒᆞ엿더이[니], 윤·냥·이 삼녀 고우[교오]질투ᄒᆞ여 간비(姦婢)로 쳐결ᄒᆞ여 황녀을 싀살코져 ᄒᆞ며, 가부의 골육니[이] 셔[셰]상의 나지 못하겨[게] ᄒᆞ니, 삼녀의 요음간악(妖淫奸惡)은 《너무위 ‖ 녀무(呂武)[674]의》 심ᄒᆞᆫ지라. 간뫼 발○[각]ᄒᆞ엿시ᄆᆡ 맛당니[이] 엄히 다ᄉᆞ려 후인을 징겨[계]할 ○[거]시로ᄃᆡ, 특별니[이] 관젼을 드리워 윤·냥·이 삼녀을 뎡가로 졀혼ᄒᆞ여, 각각 본부로 도라가 심규(深閨)의 슈졸(守卒)ᄒᆞ믈 허ᄒᆞ느이[니] 즁의[즁외]ᄂᆞᆫ 지실ᄒᆞ라."

ᄒᆞ시고 ᄯᅩ 한상궁의 직첩을 앗고 여념의 내치고, ᄉᆞᆷ녀 노비을 다 노흐라 ᄒᆞ시니, 금평휘 《할니이 ‖ 할일》 업셔 슈명니퇴(受命而退)ᄒᆞ고, 부ᄆᆡ 가져[졔] 잘못ᄒᆞ믈 청죄ᄒᆞ니, 상니[이] '물ᄃᆡ(勿待)ᄒᆞ라' ᄒᆞ시니, 츙천지기로 분앙ᄒᆞ믈 이기지 못ᄒᆞ나, 하릴 업셔 묵연이퇴ᄒᆞ여 본부로 도라오니, 황문(黃門)[675]니 조셔을 밧드러 이르럿더라.

이 소식니 윤·냥·이 부의 이르러니 이ᄯᆡ 윤어ᄉᆞ 곤겨[계]난 항쥐(杭州)[676] 선ᄉᆞᆫ

674)녀무(呂武) : 중국의 대표적인 여성권력자인 한(漢)나라 고조(高祖)의 황후 여후(呂后) 여치(呂雉?-BC108)와 당(唐)나라 고종의 황후 측천무후(則天武后) 무조(武曌 : 624-705).

675)황문(黃門) : 내시(內侍).

676)항쥐(杭州) : 중국 절강성(浙江省) 북부에 있는 도시.

업ᄂᆞᆫ디라. 위태와 뉴시 모녜 블승희열(不勝喜悅)ᄒᆞ나, 오히려 ᄉᆞ라난 줄 블힝ᄒᆞ여, 신묘랑을【16】 쳥ᄒᆞ여 각별 셜계ᄒᆞᆯᄉᆡ, 묘랑이 헌계 왈,

"문양공쥬ᄂᆞᆫ 김귀비의 ᄉᆞ랑ᄒᆞᄂᆞᆫ ᄯᆞᆯ이라, 그윽이 혜건ᄃᆡ 윤부인 ᄉᆞ라나믈 깃거 아니리니, 여ᄎᆞ여ᄎᆞᄒᆞ여 윤시 도라오ᄂᆞᆫ 길히 거교를 바로 북궁으로 보ᄂᆡ면, 귀비 반ᄃᆞ시 죽이리니, 이ᄂᆞᆫ 남의 힘을 비러 심복대환(心腹大患)[831]을 덜미라, 엇지 묘치 아니리오."

부인 왈,

"ᄎᆞ계 신묘ᄒᆞ나 뎡텬흥은 흉휼지인(凶譎之人)이라. 반ᄃᆞ시 뎔녀를 혼ᄌᆞ 보ᄂᆡ지 아니리니, 뎡가 부ᄌᆞ 듕 빅힝(陪行)ᄒᆞ면 엇디 하리오."

경ᄋᆡ 쇼왈,

"쇼녜 일계 이시니, 부친이 여ᄎᆞ여ᄎᆞᄒᆞ여가 다려 오쇼셔 ᄒᆞ여, 구몽슉을 불너 이리이리 ᄒᆞ면 일이 일니이다."

뉴시 칭찬 왈,

"녀ᄋᆞ의【17】 계괴 묘ᄒᆞ니, 그ᄃᆡ로 ᄒᆞ리라."

ᄒᆞ고 조손모녜(祖孫母女) 밀밀히 의논을 뎡ᄒᆞ고 츄밀을 ᄃᆡ하여 왈,

"뎔녜 츌화를 만나니 상공이 친히 가 금평후를 보고 다려오쇼셔."

공이 비록 미혼단의 뎡명지긔를 일허시나 오히려 뎔ᄋᆞ등 ᄉᆞ랑은 감치 아녓ᄂᆞᆫ 고로, 그 츌화(黜禍) 니이(離異)ᄒᆞ믈 놀나, 즉시 거교를 슈습ᄒᆞ고 ᄎᆞ환양낭비를 거ᄂᆞ려 운산 뎡부로 가니라.

뉴시 ᄯᅩ 심복비ᄌᆞ로 구몽슉을 불너 이 ᄉᆞ연을 니르니, 몽슉의 집이 취운산으로 옥누항 왕ᄂᆡᄒᆞᄂᆞᆫ 길히라, 신묘랑이 ᄎᆞ일 음운(陰雲)을 ᄐᆞ고 북궁의 드러가, 귀비를 보고 져의 평ᄉᆡᆼ 지조를 ᄌᆞ랑ᄒᆞ여, 현녀(玄女)[832]

831)심복대환(心腹大患) : 마음속에 품고 있는 큰 근심.

832)현녀(玄女) : 중국 상고(上古) 때에 중원 땅에서

의 가고 업ᄂᆞᆫ지라. 위ᄐᆡ와 뉴시 모녀 불승희【63】힝(不勝喜幸)ᄒᆞ나, 오히려 ᄉᆞ랏ᄂᆞᆫ 쥴 불힝ᄒᆞ녀[여], 신묘랑○[을] 청ᄒᆞ여 각별 셜겨[계]할ᄉᆡ, 묘랑이 헌겨[계] 왈,

"공쥬ᄂᆞᆫ 김귀비의 ᄉᆞ랑ᄒᆞᄂᆞᆫ ᄯᆞᆯ이라, 《고윽니‖그윽이》 혀[혜]건ᄃᆡ 윤부닌[인] ᄉᆞ라나믈 깃거 《아이리이‖아니리니》 여ᄎᆞ여ᄎᆞᄒᆞ여 윤씨 도라오ᄂᆞᆫ 길의 거교을 ᄇᆞ로 북궁으로 보ᄂᆡ면, 귀비 반다시 쥭이리이[니] 이ᄂᆞᆫ 남의 손을 비러 심복대환(心腹大患)[677]을 업시ᄒᆞ미라. 엇지 묘치 《아이리요‖아니리오》."

부닌[인] 왈,

"《ᄎᆞ셔‖ᄎᆞ계》 신묘ᄒᆞ나 뎡천흥니[이] 흉휼지인(凶譎之人)니[이]라. 반다시 뎔여을 홀노 보내지 《아이리이‖아니리니》 뎡가 부ᄌᆞ 즁 빅힝ᄒᆞ면 엇지 ᄒᆞ리요."

○○○○[경ᄋᆡ 쇼왈]

"구공[몽]슉을 불너 이리이리 ᄒᆞ면 일니[이] 《일이라‖일니이다》."

뉴씨 청파의 칭찬 왈,

"여ᄋᆞ의 겨[계]교 묘ᄒᆞ니 그ᄃᆡ로 하라."

ᄒᆞ고 조손모여[녀](祖孫母女) 일일니[이] 의논을 정ᄒᆞ고, 츄밀을 ᄃᆡᄒᆞ여 ○[왈],

"뎔녀 츌화을 《마이‖만나니》 상공니[이] 친히 가 금평후을 보고 다려오소셔."

공니 비록 미혼단의 졍명지긔ᄂᆞᆫ 일어시나 오히려 뎔아 등 사량[랑]은 감치 아냐쓰이[니], 그 츌화 이이(離異)ᄒᆞ믈 놀나 즉시 거교을 찰혀 ᄎᆞ환양낭빅을 거ᄂᆞ려 운ᄉᆞ 뎡부로 가이[니]라.

뉴시ᄂᆞᆫ 심복 비ᄌᆞ로 구몽슉을 불너 이 ᄉᆞ년[연]을 이르니 몽슉의 집이 취운순으로 옥누항 왕ᄂᆡᄒᆞᄂᆞᆫ 길이라. 신묘랑이 ᄎᆞ일 음운을 타고 북궁의 드러가, 귀비을 보고 져[졔] 평ᄉᆡᆼ 지조을 ᄌᆞ랑ᄒᆞ여 ○○[현녀]낭낭【64】 신셔(神書)을 졍[전]ᄒᆞ든 《비원‖

677)심복대환(心腹大患) : 마음속에 품고 있는 큰 근심.

낭랑(娘娘) 신셔(神書)를 젼ᄒᆞ던 《빅원‖빅원(白猿)[833]》과 귀【18】곡ᄌᆞ(鬼谷子)[834]의 신술(神術)을 가져 묘ᄒᆞᆫ ᄌᆡ죄 아니밋ᄎᆞᆫ 곳이 업ᄉᆞ니, 귀비 신긔히 녁이믈 텬션이 강님ᄒᆞᆷᄀᆞᆺ치 ᄒᆞ여, 젼졍을 므르니, 묘랑의 교식지언(矯飾之言)[835]이 현하(懸河)[836] ᄀᆞᆺᄐᆞ여 말솜마다 녕힐(佞黠)[837]ᄒᆞ고, 또 위・뉴냥인의 연유(緣由)를 고ᄒᆞ고, 여ᄎᆞ여ᄎᆞᄒᆞ여 황혼의 윤시 거교를 북궁으로 다려 오리라 ᄒᆞ니, 귀비 깃거 날이 져믈기를 기다리더라.

ᄎᆞ일 윤츄밀이 뎡부의 니르러 딜녀를 호힝ᄒᆞᆯᄉᆡ, 양공이 역시 니른디라. 뎡부의셔 윤・양 이부(二府)ᄂᆞᆫ ᄉᆞ이 갓갑고, 니부ᄂᆞᆫ 님산의 이시니 밋쳐 셔신을 통치 못ᄒᆞᆯ[ᄒᆞᆫ]디라. 부인 녀ᄌᆞ의 힝되 홀노 가디 못ᄒᆞ리니, 시랑 닌흥으로 호힝ᄒᆞ라 ᄒᆞ고, 윤・양 이공의 와시【19】믈 알고 금평휘 외당의셔 냥공을 마ᄌᆞ, 피ᄎᆞ 참난(慘難)을 니르고, 금휘 니르ᄃᆡ,

"문운이 블힝ᄒᆞ여[고], 만싱이 《만복‖박복(薄福)》ᄒᆞ여, 냥 현부의 슉ᄌᆞ아질과 셩덕ᄌᆡ화로 여ᄎᆞ 투악(妬惡)을 시러 니이(離異)ᄒᆞ믄 실시녀외(實是慮外)라. 식부 등의 ᄌᆡ뫼 너모 슈츌(秀出)ᄒᆞ므로 일시 박명ᄒᆞ나, 본ᄃᆡ 슈복하원지상(壽福遐遠之相)[838]이라. 언마

황제(黃帝)가 치우(蚩尤)와 싸울 때에 황제에게 병법을 가르쳐 주었다는 신녀(神女).

833)빅원(白猿) : 신녀(神女) 현녀낭랑으로부터 검술을 배우고, 또 현녀의 도움으로 천서(天書)를 얻어 운몽산(雲夢山) 백운동(白雲洞) 석벽에 이를 새겼다가, 상제의 명으로 백운동군(白雲洞君)이 되어 이 천서가 인간세계에 누출되지 않도록 지키는 일을 맡았다는 흰 원숭이. 중국소설 <평요기(平妖記)> 1-2회에 나온다.

834)귀곡자(鬼谷子) : 중국 전국 시대 초나라의 종횡가(縱橫家). 은신하던 지방인 귀곡(鬼谷)를 따서 호로 삼았으며, 도술에 능통하여 따르는 제자가 많았고, ≪귀곡자(鬼谷子)≫ 3권을 지었다고 한다.

835)교식지언(矯飾之言) : 거짓으로 겉만 번지레하게 꾸민 말.

836)현하(懸河) : 급한 경사를 세차게 흐르는 하천. 현하지변(懸河之辨); 물 흐르듯 거침없이 말을 잘 함.

837)녕힐(佞黠) : 아첨을 잘하고 교활함.

838)슈복하원지상(壽福遐遠之相) : 수복을 길게 누릴 상모(相貌).

빅원(白猿)[678])》과 귀곡ᄌᆞ(鬼谷子)[679] 신술(神術)을 가져 묘ᄒᆞᆫ ᄌᆡ죄 아니 밋찰 곳이 업ᄉᆞ{오}니, 귀비 신긔히 역니[이]믈 쳔신 갓치 ᄒᆞ여, 전정을 무르니, 묘랑이 교식지언(矯飾之言)[680]이 《현ᄋᆞ‖현하(懸河)[681]》 갓트여 말솜마다 영힐(佞黠)[682]ᄒᆞ고, 또 위・뉴 양인의 년유(緣由)을 고ᄒᆞ고, 여ᄎᆞ여ᄎᆞᄒᆞ여 황혼의 윤씨 거교을 북궁으로 다려오리라 ᄒᆞ니, 귀비 깃거 날이 저물기을 기다리더라.

ᄎᆞ일 윤츄밀니[이] 뎡부의 이르러 딜여을 호힝할ᄉᆡ, 양공니[이] 역시 이르러ᄂᆞᆫ지라. 뎡부의셔 윤・냥 이부ᄂᆞᆫ ᄉᆞ니[이] 갓갑고 , 니부ᄂᆞᆫ 임슨의 잇스니 밋처 셔신을 통치 못한지라. 부닌[인] 여ᄌᆞ의 힝도 홀노 가지 못ᄒᆞ리이[니], 시랑 인홍으로 호힝ᄒᆞ라 ᄒᆞ고, 윤・냥 이공니[이] 왓시물 알고, 금평후 외당의셔 양공을 마ᄌᆞ, 피ᄎᆞ 참ᄂᆞᆫ(慘難)을 이르고 금휘 이로ᄃᆡ,

"문운니 불힝ᄒᆞ고 만싱니[이] 박복ᄒᆞ여, 양 현부의 슉ᄌᆞ아질과 성덕ᄌᆡ화로 여ᄎᆞ 추악(醜惡)을 시러 이니(離異)ᄒᆞ믄 실시의외(實是慮外)라. 식부 등의 ᄌᆡ뫼 너머[683] 슈츌(秀出)ᄒᆞ무로 일시 박명ᄒᆞ나, 본대 슈복(壽福)니[이] ᄒᆞ원지상(遐遠之相)[684]이라. 언마ᄒᆞ여 부운의 옹폐(擁蔽)ᄒᆞᆫ 거술 쓰리치

678)빅원(白猿) : 신녀(神女) 현녀낭랑으로부터 검술을 배우고, 또 현녀의 도움으로 천서(天書)를 얻어 운몽산(雲夢山) 백운동(白雲洞) 석벽에 이를 새겼다가, 상제의 명으로 백운동군(白雲洞君)이 되어 이 천서가 인간세계에 누출되지 않도록 지키는 일을 맡았다는 흰 원숭이. 중국소설 <평요기(平妖記)> 1-2회에 나온다.

679)귀곡자(鬼谷子) : 중국 전국 시대 초나라의 종횡가(縱橫家). 은신하던 지방인 귀곡(鬼谷)를 따서 호로 삼았으며, 도술에 능통하여 따르는 제자가 많았고, ≪귀곡자(鬼谷子)≫ 3권을 지었다고 한다.

680)교식지언(矯飾之言) : 거짓으로 겉만 번지레하게 꾸민 말.

681)현하(懸河) : 급한 경사를 세차게 흐르는 하천. 현하지변(懸河之辨); 물 흐르듯 거침없이 말을 잘 함.

682)녕힐(佞黠) : 아첨을 잘하고 교활함.

683)너머 : 너무.

684)하원지상(遐遠之相) : 복(福) 따위를 길게 누릴 상모(相貌).

ᄒᆞ여 부운의 옹폐(擁蔽)ᄒᆞᆫ 거ᄉᆞᆯ ᄡᅳ리치리오 마ᄂᆞᆫ, 아ᄃᆡᆨ ᄉᆞ경의 잔잉ᄒᆞᆫ 바ᄂᆞᆫ 졔손이 강보히졔(襁褓孩提)[839]로 ᄌᆞ모를 상니(相離)ᄒᆞᄂᆞᆫ 졍ᄉᆡ 참연ᄒᆞ고, ᄯᅩ 식부 등이 다 유신(有娠)ᄒᆞ여시니 엇지 통박(痛迫)지 아니리오."

839)강보히졔(襁褓孩提) : 포대기에 싸여 있는 어린 아이.

리요마ᄂᆞᆫ, 아직 ᄉᆞ경의 잔잉ᄒᆞᆫ ᄇᆞᄂᆞᆫ 《져손니‖졔손이》 강보히져[졔](襁褓孩提)[685]로 ᄌᆞ모을 상니(相離)ᄒᆞᄂᆞᆫ 졍ᄉᆡ 참연ᄒᆞ고, ᄯᅩ 식부 등의 다 유신(有娠)ᄒᆞ엿시니 엇지 통박(痛迫)지 아니리요."

윤츄밀의 ᄃᆡ답이 ᄒᆞ여요. 【65】

685)강보히졔(襁褓孩提) : 포대기에 싸여 있는 어린 아이.

츄밀이 비록 젼일 강명(剛明)을 일허시나, 역비참연(亦悲慘然)ᄒᆞ여 장탄 왈,

"쇼뎨ᄂᆞᆫ 더욱 션형의 슈개 ᄌᆞ녀를 셩【20】취ᄒᆞᄆᆡ, 참난이 년쇽ᄒᆞ여 딜녀의 신셰 이에 밋ᄎᆞ니, 챵감(愴感)ᄒᆞ믈 니긔지 못ᄒᆞ리로다."

셜파의 츄연 블낙ᄒᆞ니, 금휘 ᄯᅩᄒᆞᆫ 윤명쳔의 왕ᄉᆞ를 감회ᄒᆞ여 쳑연 함비(含悲) 왈,

"셕ᄌᆞ의 아등이 동치히졔(童穉孩提)를 두어 약혼 뎡ᄆᆡᆼ(定盟)ᄒᆞᆯ 시졀의 금일ᄉᆡ 이실 줄 알니오."

양평댱이 츄연 왈,

"ᄌᆞ식이 만흐나 졍니ᄂᆞᆫ 다 각각이라. 녀ᄋᆡ ᄌᆡ용덕ᄒᆡᆼ이 블미ᄒᆞ나 어버의[840] 텬눈ᄌᆞᄋᆡᄂᆞᆫ 각별ᄒᆞᆫ 고로, 챵ᄇᆡᆨ의 뇽봉지ᄌᆡ(龍鳳之才)를 외람이 ᄲᅡᆨᄒᆞᄆᆡ, 져의 평ᄉᆡᆼ이 쾌ᄒᆞᆯ가 ᄒᆞ더니, 조물이 다싀(多猜)ᄒᆞ여 소장지홰(蕭墻之禍)[841] 눈셥의 ᄲᅥ러지니, 비록 댱부의 웅심이나 져의 쳥츈 녹발을 심규의 허송ᄒᆞ믈 엇디【21】 ᄎᆞᆷ으리오."

금휘 호언으로 관위ᄒᆞ고 현긔 등 냥ᄋᆞ를 ᄂᆡ여와 냥공을 뵈니, 냥ᄋᆡ ᄉᆡᆼ지슈셰(生之數歲)의 톄형이 셕대ᄒᆞ니, 옥으로 삭인 긔부와 ᄭᅩᆺᄎᆞ로 무은 살빗치 영형쇄락(英形灑落)ᄒᆞ여 교야(郊野)의 긔린(麒麟)이오, 월익뉴미(月額柳眉)와 넉ᄉᆞ쥬슌(-四朱脣)[842]이 뇽봉지ᄌᆡ(龍鳳之材)라. 산고옥츌(山高玉出)이오 ᄒᆡ심츌쥐(海深出珠)니, 뎡듁쳥과 윤·양·니의 ᄉᆡᆼᄋᆡ 엇지 범범ᄒᆞ리오. 냥공이 ᄉᆡ로이 귀듕(貴重) 닉ᄋᆡ(溺愛)ᄒᆞ미 년셩지벽(連城之璧)[843]과 됴승지듀(趙城之珠)[844]의 비

840)어버의 : 어버이. 부모.

841)소장지홰(蕭墻之禍) : 궁궐이나 가정 안에서 일어난 변란이나 재앙. '내란'을 비유하는 말로 쓰인다. 소장(蕭墻)은 <논어(論語)> '계씨편(季氏篇)'에 나오는 말로 대궐 앞의 담장을 뜻함.

842)넉ᄉᆞ쥬슌(-四朱脣) : 넉 '사'자('四'字) 모양의 붉은 입술.

843)년셩지벽(連城之璧) : 화씨지벽(和氏之璧)을 달리 이르는 말. 화씨지벽은 전국 때 변화씨(卞和氏)라

명쥬보월빙 권지십이

ᄎᆞ셜 윤츄밀이 젼일 총명을 일허스나 역시 ᄎᆞᆷ연(慘然)ᄒᆞ여 장탄 왈,

"소제ᄂᆞᆫ 더욱 션형의 수기 ᄌᆞ녀을 셩취ᄒᆞᄆᆡ, 참ᄂᆞᆫ이 연속ᄒᆞ여 질녀의 신셰 이의 밋ᄎᆞ니, 창감(愴感)ᄒᆞ믈 이긔지 못ᄒᆞ리로다."

셜파의 츄연 불낙ᄒᆞ니, 금휘 ᄯᅩᄒᆞᆫ 윤명쳔의 왕ᄉᆞ을 감회ᄒᆞ여 쳑연 함비(含悲) 왈,

"셕ᄌᆞ의 아등이 동치히졔(童穉孩提)로 약혼 뎡ᄆᆡᆼ(定盟)ᄒᆞᆯ 시졀의 금일ᄉᆡ 잇슬 줄 알니오."

양평장이 츄연 왈,

"ᄌᆞ식이 만흐나 졍니는 다 각각이라. 녀ᄋᆡ ᄌᆡ용덕ᄒᆡᆼ이 불미ᄒᆞ나 업어이[686] 쳔눈ᄌᆞᄋᆡᄂᆞᆫ 각별ᄒᆞᆫ 고로, 창ᄇᆡᆨ이 용봉지ᄌᆡ(龍鳳之才)을 외람이 ᄶᅡᆨᄒᆞᄆᆡ, 져의 평ᄉᆡᆼ이 쾌ᄒᆞᆯ가 ᄒᆞ더니, 조물이 다싀(多猜)ᄒᆞ여 소장지홰(蕭墻之禍)[687] 눈셥의 ᄲᅥ러지니, 비록 장부 웅심이나 져의 쳥츈 녹발을 심규의 허송ᄒᆞ물 엇지 참으리오."

금휘 호언으로 관위 ᄒᆞ고, 현긔 등 양아을 ᄂᆡ여 와 냥공을 뵈니, 양의[ᄋᆡ] ᄉᆡᆼ지수셰(生之數歲)의 쳬형이 셕ᄃᆡᄒᆞ며, 옥으로 삭인 긔보와 ᄭᅩᆾᄎᆞ로 무은 ᄉᆞᆯ빗치 영형쇄락(英形灑落)ᄒᆞ여 교야(郊野)의 긔린(麒麟)이오, 월익뉴미(月額柳眉)와 넉ᄉᆞ쥬슌(-四朱脣)[688]이 용봉지ᄌᆡ(龍鳳之材)라. 산고옥츌(山高玉出)이오, ᄒᆡ심출쥐(海深出珠)니 뎡쥭쳥과 윤·양의 ᄉᆡᆼᄋᆡ 엇지 범범ᄒᆞ리오. 냥공이 ᄉᆡ로이 귀듕(貴重) 익ᄋᆡ(溺愛)ᄒᆞ며[미] 연셩지벽(連城之璧)[689]과 조승지쥬(趙城之

686)업어이 : 어버이. 부모.

687)소장지홰(蕭墻之禍) : 궁궐이나 가정 안에서 일어난 변란이나 재앙. '내란'을 비유하는 말로 쓰인다. 소장(蕭墻)은 <논어(論語)> '계씨편(季氏篇)'에 나오는 말로 대궐 앞의 담장을 뜻함.

688)넉ᄉᆞ쥬슌(-四朱脣) : 넉 '사'자('四'字) 모양의 붉은 입술.

689)연셩지벽(連城之璧) : 화씨지벽(和氏之璧)을 달리 이르는 말. 화씨지벽은 전국 때 변화씨(卞和氏)라

치 못ᄒᆞ더라.

금휘 졔ᄌᆞ로 냥공을 뫼셔시라 ᄒᆞ고 냥공ᄌᆞ를 ᄂᆞᆺ그러 ᄂᆡ당의 드러가니, 윤·양·니 삼인이 존당 구고와 ᄌᆞᄆᆡ(姉妹) 금장(襟丈)으로 별회 분분ᄒᆞ니, 니졍(離情)이 샹하키 어려온디라. 좌위 날이 느【22】ᄌᆞ믈 고ᄒᆞ니 삼인이 존당 구고와 ᄌᆞᄆᆡ 금장으로 분슈홀ᄉᆡ, 태부인이 옥슈를 잡고 츄연 왈,

"노뫼 현부 등을 써나ᄆᆡ 안젼긔화(眼前奇花)를 일흐미라. 여등은 오히려 쳥츈이 져므디 아냐시니 타일을 긔약ᄒᆞ려니와, 노모ᄂᆞᆫ 셔산낙일(西山落日) ᄀᆞᆺᄐᆞ니 엇디 슬프디 아니리오. 원ᄒᆞᄂᆞ니 쇼부 등은 방신(芳身)을 보듕ᄒᆞ여 슈히 못기를 바라노라."

삼부인이 니회(離懷) 악연ᄒᆞ여 츄파 빵셩의 누쉬 삼삼ᄒᆞ니[여], 셩은의 관곡ᄒᆞ시믈 샤례ᄒᆞ고, 그 ᄉᆞ이 셩톄 안강ᄒᆞ신즉 풍운의 길시를 만나 다시 존하의 ᄇᆡ현ᄒᆞ믈 원ᄒᆞ나이다. 좌위 블승탄복ᄒᆞ고 분슈ᄒᆞ여 샹교(上轎)ᄒᆞᄆᆡ, 일가 졔인의 훌연ᄒᆞ미 여실듕【23】보(如失重寶)ᄒᆞ고, 존당구괴 ᄎᆞ마 써나디 못ᄒᆞ며, 현긔 운긔 ᄌᆞ염 등은 모친 낫출 다혀 ᄎᆞ마 써나디 못ᄒᆞ여 누쉬여우(涙水如雨)ᄒᆞ니, 삼인이 블승참연ᄒᆞ나 본ᄃᆡ 쳔균지량(千鈞之量)이라, 블변안ᄉᆡᆨᄒᆞ고 화셩유어로 ᄌᆞ녀를 다ᄅᆡ여 각각 유모를 맛디고 슈히 오믈 니른 후 샹교ᄒᆞ니, 졔ᄋᆡ 울고 좌위 쳑비ᄒᆞ더라.

문득 문양궁으로조ᄎᆞ 궁비 니르러 공쥬 말솜으로 변난을 치위(致慰)ᄒᆞ고, 셩샹이 그룻 요비의 무복(誣服)을 신디(信之)ᄒᆞ시며,

珠)690)의 비치 못ᄒᆞ더라.

금휘 졔ᄌᆞ로 양공을 뫼셔시라 ᄒᆞ고 양공ᄌᆞ을 익그러 ᄂᆡ당의 드러가니, 윤【1】·양·니 ᄉᆞᆷ부인이 존당구고와 ᄌᆞᄆᆡ(姉妹) 금장(襟丈)으로 별회 분분ᄒᆞ니, 이졍(離情)이 상ᄒᆞ키 어려온지라. 좌위 날이 느즈믈 고ᄒᆞ니 ᄉᆞᆷ인이 존당구고와 ᄌᆞᄆᆡ금장으로 분슈홀ᄉᆡ, ᄐᆡ부인이 옥수을 잡고 츄연 왈,

"노뫼 현부 등을 써나ᄆᆡ 안젼긔화(眼前奇花)○[를] 일흐미라. 여등은 오히려 쳥츈이 져무지 아냐시니 타일을 긔약ᄒᆞ려니와, 노모ᄂᆞᆫ 셔산낙일(西山落日) 갓트니 엇지 슬푸지 아니리오. 원ᄒᆞ노니 소부 등은 방신(芳身)을 보즁ᄒᆞ여 슈이 못기을 바라로라."

ᄉᆞᆷ부인이 니회(離懷) 악연ᄒᆞ여 츄파 쌍셩의 누쉬 ᄉᆞᆷᄉᆞᆷᄒᆞ여, 셩은의 관곡ᄒᆞ시믈 ᄉᆞ례ᄒᆞ고, 그 ᄉᆞ이 성체 안강ᄒᆞ신 즉 풍운의 길시을 만나 다시 존ᄒᆞ의 ᄇᆡ현ᄒᆞ믈 원ᄒᆞᄂᆞ이다. 좌위 불승탄복ᄒᆞ고 분수ᄒᆞ여 상교(上轎)ᄒᆞᄆᆡ, 일가 졔인의 훌연ᄒᆞ미 여실즁보(如失重寶)ᄒᆞ고, 존당구괴 ᄎᆞ마 써ᄂᆞ지 못ᄒᆞ며, 현긔 등은 모친 나출 다혀 ᄎᆞ마 써ᄂᆞ지 못ᄒᆞ여 누쉬여류(涙水如流)ᄒᆞ니, ᄉᆞᆷ인이 불승참연ᄒᆞ나 본ᄃᆡ 쳔균지량(千鈞之量)이라. 안ᄉᆡᆨ불변ᄒᆞ고 화셩유어로 ᄌᆞ녀을 다ᄅᆡ여 각각 유모을 맛기고 슈이 오믈 이른 후 상교ᄒᆞ니, 졔ᄋᆡ 연연(戀戀)ᄒᆞ고 좌위 쳑비(慽悲)ᄒᆞ더라.

문득 문양궁으로 좃ᄎᆞ 궁ᄋᆡ 이르러 공주 말솜으로 변난을 치위(致慰)ᄒᆞ고, 셩상이 그룻 요비의 무복(誣服)을 신지(信之)ᄒᆞᄉᆞ, 변

는 사람이 형산(荊山)에서 돌 위에 봉황이 깃들이는 것을 보고 얻었다는 천하의 이름난 옥을 말하는데, 후대에 진(秦)나라 소양왕(昭襄王)이 이 옥을 탐내, 당시 이 옥을 가지고 있던 조(趙)나라 혜문왕(惠文王)에게 진나라 15개의 성(城)과 바꾸자는 제안을 했다는 데서, '연성지벽(連城之璧)'이라는 이름이 붙게 되었다고 한다.

844)됴승지듀(趙城之珠) : 조(趙)나라에 있는 구슬이라는 뜻으로 화씨지벽(和氏之璧)을 이르는 말. 주838)의 연성지벽(連城之璧)과 같은 구슬을 말하고 있으나 그것을 갖고자 하고 아끼는 주체가 진(秦)나라 소양왕(昭襄王)과 조나라 혜문왕(惠文王)이라는 사실이 다르다.

는 사람이 형산(荊山)에서 돌 위에 봉황이 깃들이는 것을 보고 얻었다는 천하의 이름난 옥을 말하는데, 후대에 진(秦)나라 소양왕(昭襄王)이 이 옥을 탐내, 당시 이 옥을 가지고 있던 조(趙)나라 혜문왕(惠文王)에게 진나라 15개의 성(城)과 바꾸자는 제안을 했다는 데서, '연성지벽(連城之璧)'이라는 이름이 붙게 되었다고 한다.

690)조승지쥬(趙城之珠) : 조(趙)나라에 있는 구슬이라는 뜻으로 화씨지벽(和氏之璧)을 이르는 말. 주838)의 연성지벽(連城之璧)과 같은 구슬을 말하고 있으나 그것을 갖고자 하고 아끼는 주체가 진(秦)나라 소양왕(昭襄王)과 조나라 혜문왕(惠文王)이라는 사실이 다르다.

변이 ᄌᆞ긔로 말미암아시믈 칭과(稱過)ᄒᆞ고 타일 누얼을 신빅ᄒᆞᆫ 후 다시 일틱의 못기를 닐너, 신질이 미ᄎᆞᄒᆞ여 몸소 가 분슈치 못ᄒᆞ믈 만만 칭샤ᄒᆞ여, 쳥문ᄌᆞ(聽聞者)로 ᄒᆞ여금 감회ᄒᆞᆯ디라. 【24】

삼부인이 흔연이 셩덕을 칭샤ᄒᆞ고 후회를 긔약ᄒᆞ여 귀톄 슈히 ᄎᆞ복ᄒᆞ믈 일ᄏᆞᆺ더라. 삼당 졔시비 각각 쥬인을 뫼셔 도라가ᄃᆡ, 홀노 영교 간 곳이 업ᄉᆞ니, 양부인은 거리ᄶᅵ지 아니나, 양공이 간비를 다ᄉᆞ리지 못ᄒᆞ믈 분에(憤恚)ᄒᆞ더라. 윤공은 딜녀 힝거를 거ᄂᆞ려 옥누항으로 향ᄒᆞ고, 양평댱은 녀ᄋᆞ를 다려 본부로 가고, 시랑은 니부인을 뫼셔 님산으로 향ᄒᆞ니, 아디 못게라, 윤부인이 능히 옥누항으로 무ᄉᆞ히 도라간가. 분셕 하회ᄒᆞ라.

ᄎᆞ시 영괴 동뉴로 더브러 방셕ᄒᆞ믈 닙어 형부 아문을 나 도라올ᄉᆡ, 혜오ᄃᆡ,

"내 최상궁의 다ᄅᆡ므로 무복ᄒᆞ여 삼부인이 츌거ᄒᆞ시니 【25】 본부 노애 엇지 날을 다ᄉᆞ리지 아니시리오. ᄀᆞ마니 도망ᄒᆞ여 공쥬궁의 가 최상궁을 ᄎᆞᄌᆞ 공쥬긔 뵈고 부귀를 도모ᄒᆞ리라."

ᄒᆞ고, 인ᄒᆞ여 길히셔 몸을 ᄡᅢ혀 문양궁의 니르니, 최녜 알고 급히 닛그러 깁히 숨기고, 한상궁이 옥듕의 나 공쥬긔 하딕ᄒᆞᆯᄉᆡ 눈물을 ᄡᅳ려 왈,

"노쳡이 비록 고인의 할고지튱(割股之忠)845)이 업ᄉᆞ나, 일즉 셩샹과 낭낭의 디우(知遇) 셩은(聖恩)을 닙ᄉᆞ와 옥쥬를 휵양(慉養)ᄒᆞᄆᆡ, 외람이 모녀의 지지 아니 ᄒᆞ옵더니, 쳔만 념외(念外)예 악명을 시러 블의 블튱의 쳐ᄒᆞ오니, 유죄 무죄 간 법당ᄉᆞ죄(法當死罪)라 부앙텬디(俯仰天地)846)의 원앙(怨怏)을 ᄣᅡ홀 곳이 업도소이다. 연이나 일누잔쳔(一縷殘喘)847)을 허ᄒᆞ시니, 【26】 아

845)할고지튱(割股之忠) : 자신의 넓적다리 살을 도려내어 주인이나 임금을 먹이는 충성.

846)부앙텬디(俯仰天地) : 하늘을 우러러보고 땅을 굽어 봄.

847)일누잔쳔(一縷殘喘) : 한 가닥 실오라기처럼 남아 있는 목숨.

이 ᄌᆞ긔로 말ᄆᆡ암아 낫스믈 칭과(稱過)ᄒᆞ고 타일 누얼을 신빅ᄒᆞ고 일틱의 못기을 일너시며, 신질이 미ᄎᆞᄒᆞ여 몸소 가 분수치 못ᄒᆞ믈 만만 칭ᄉᆞᄒᆞ여, 쳥문ᄌᆞ(聽聞者)로 ᄒᆞ여곰 감회 【2】 ᄒᆞᆯ지라.

ᄉᆞᆷ부인이 흔연 칭ᄉᆞᄒᆞ고 후회을 긔약ᄒᆞ고 귀쳬 수이 ᄎᆞ복ᄒᆞ믈 일컷더라. ᄉᆞᆷ당 졔시비 각각 졔 듀인을 뫼셔 도라가되, 홀노 영교 간 곳지 업ᄉᆞ니, 양부인은 거리ᄶᅵ지 아니나, 댱공이 간비을 다ᄉᆞ리지 못ᄒᆞ물 분연(憤然)ᄒᆞ더라. 윤공은 질녀의 힝거을 거ᄂᆞ려 옥누항으로 향ᄒᆞ고, 평장은 녀ᄋᆞ을 다려 본부로 가고, 시랑은 니부인을 뫼셔 임산으로 향ᄒᆞ니, 아지 못게라, 윤부인○[이] 능히 옥누항으로 무ᄉᆞ이 도라가[간]가. 분셕ᄒᆞ회ᄒᆞ라.

ᄎᆞ시 영교 동뉴로 더부러 방셕ᄒᆞ믈 입어 형부 아문을 나 도라 올ᄉᆡ, 혜오ᄃᆡ, "○[내] 최상궁의 다ᄅᆡ므로 무복ᄒᆞ여 ᄉᆞᆷ부인이 츌화ᄒᆞ시니, 본부 노야 엇지 날을 다ᄉᆞ리지 아니리오." ᄒᆞ고, "가마니 도망ᄒᆞ여 공주궁의 가 최상궁을 ᄎᆞᄌᆞ 공주긔 뵈읍고 부귀을 도모ᄒᆞ리라."

ᄒᆞ고, 연ᄒᆞ여 길의셔 몸을 ᄲᅦ여 문양궁의 니르니, 최녀 알고 급히 익그러 급히 슘기고, 한상궁이 공주긔 나아와 ᄒᆞ직ᄒᆞᆯᄉᆡ, 눈물을 ᄲᅮ려 왈,

"노쳡이 비록 고인의 할고지츙(割股之忠)691)이 업ᄉᆞ오나, 일즉 셩상과 낭낭의 지우(知遇) 셩은(聖恩)을 입ᄉᆞ와 옥주을 휵양(慉養)ᄒᆞᄆᆡ, 외람이 모녀의 지지 아니 ᄒᆞ옵더니, 쳔만 몽ᄆᆡ(夢寐)의 악명을 시러 불의 불츙의 쳐ᄒᆞ오니, 유죄무죄간 법당ᄉᆞ죄(法當死罪)라. 부앙쳔지(俯仰天地)692)의 원앙(怨怏)을 싸홀 곳지 업도소이다. 연이나 일누잔쳔(一縷殘喘693))을 허ᄒᆞ시나, 아모려나

691)할고지츙(割股之忠) : 자신의 넓적다리 살을 도려내어 주인이나 임금을 먹이는 충성.

692)부앙cus지(俯仰天地) : 하늘을 우러러보고 땅을 굽어 봄.

693)일누잔쳔(一縷殘喘) : 한 가닥 실오라기처럼 남아 있는 목숨.

모려나 투ᄉᆡᆼᄒᆞ와 누얼을 신셜ᄒᆞ고 옥쥬 좌하의 다시 앙ᄉᆞ(仰事)ᄒᆞ믈 바라ᄂᆞ니, 복원 옥쥬ᄂᆞᆫ ᄇᆡᆨᄒᆡᆼ을 슈련ᄒᆞ샤 맛ᄎᆞᆷᄂᆡ 군ᄌᆞ의 문의 득죄치 마르쇼셔."

공쥐 청파의 블열ᄒᆞ나, 강인 샤왈,

"ᄉᆞ부의 디교(指敎)를 명심ᄒᆞ리니, 샤부ᄂᆞᆫ 일시 누얼을 슬허 말고 아ᄃᆡᆨ 황명을 슌슈ᄒᆞ여 편히 머므다가, 다시 못기를 바라노라."

한시 그 외친ᄂᆡ소(外親內疏)ᄒᆞ믈 개탄ᄒᆞ고, 녀염으로 나가니, 궁희 듕 어진 ᄌᆞᄂᆞᆫ 그 위인을 앗기고, 간악ᄒᆞᆫ 뉴ᄂᆞᆫ 그 업ᄉᆞ믈 깃거ᄒᆞ더라.

최녜 한시 업ᄉᆞ믈 깃거 ᄎᆞ야의 영교를 불너 불ᄉᆡᆨ, 금화ᄎᆡ단(金貨綵緞)을 가져 그 알패 노코, 금반옥긔(金盤玉器)의 미쥬 셩찬을 ᄀᆞᆺ초아 먹이며,【27】 흔연 칭샤 왈,

"금일 윤·양 등을 소제ᄒᆞ미 다 그ᄃᆡ의 놉흔 의긔와 어진 덕이라. 우리 엇디 쳔금 ᄌᆡ보로ᄡᅥ 그ᄃᆡ의 일ᄉᆡᆼ을 제도(濟度)치 아니리오."

영괴 흔연 왈,

"쳡이 빙옥 ᄀᆞᆺ튼 쥬모를 구확(矩矱)[848]의 밀쳐 형벌을 감심ᄒᆞ믄, 다 옥쥬의 ᄋᆡ인지덕과 상궁의 후의를 갑고져 ᄒᆞ미라. 이제 쥬인을 바리고 도라와시니 상궁은 옥쥬긔 고ᄒᆞ여 나의 일ᄉᆡᆼ을 졔도ᄒᆞ쇼셔."

최녜 언언칭지(言言稱之)ᄒᆞ고 낙낙히 허락ᄒᆞ니, 영괴 깃브믈 니긔지 못ᄒᆞ여 두어잔 술을 거후로ᄆᆡ, 좌셕의 구러져 일언을 블개ᄒᆞ고 명이 진ᄒᆞ니, 희(噫)라, 영괴 니를 탐ᄒᆞ며 ᄌᆡ물을 ᄉᆞ랑ᄒᆞᄂᆞᆫ 고로 빙옥 ᄀᆞᆺ튼 쥬인을 ᄉᆞ디의 밀치믈 타연이 ᄒᆞ고, 졔 몸의【28】 부귀를 도모ᄒᆞᄆᆡ 샹텬이 엇디 강벌(降罰)치 아니시리오. 쇽졀업시 일ᄇᆡ쥬의 명이 맛ᄎᆞ니, ᄀᆞ만ᄒᆞᆫ 가온ᄃᆡ 보응(報應)이 업다 ᄒᆞ리오.

최시 영괴 죽으믈 보고 대희ᄒᆞ여 큰 통의

848)구확(溝壑) : 구학(溝壑). 구렁. 움쑥하게 파인 땅. 빠지면 헤어나기 어려운 환경을 비유적으로 이르는 말.

투ᄉᆡᆼᄒᆞ여 누얼을 신셜ᄒᆞ고 옥주 좌ᄒᆞ의 앙ᄉᆞ(仰事)ᄒᆞ믈 바라나니, 복원 옥주ᄂᆞᆫ ᄇᆡᆨᄒᆡᆼ을 슈련ᄒᆞᄉᆞ 마ᄎᆞᆷᄂᆡ 군ᄌᆞ의【3】 문의 득죄치 마르소셔."

공쥬 청파의 불열ᄒᆞ나 강잉 ᄉᆞ왈,

"ᄉᆞ부의 지교(指敎)을 명심ᄒᆞ려니와, ᄉᆞ부ᄂᆞᆫ 일시 누얼을 슬허 말고 아즉 황명을 슌슈ᄒᆞ여 편히 머무다가, 다시 못기을 바라노라."

한시 그 외친ᄂᆡ소(外親內疏)ᄒᆞ물 ᄀᆡ탄ᄒᆞ고, 여염으로 나가니, 궁희 즁 어진 ᄌᆞᄂᆞᆫ 그 위인을 앗기고 간악ᄒᆞᆫ 뉴ᄂᆞᆫ 업ᄉᆞ믈 깃거ᄒᆞ더라.

최녀 한시 업ᄉᆞ물 깃거 ᄎᆞ야의 영교을 불너 볼ᄉᆡᆨ, 금화ᄎᆡ단(金貨綵緞)을 가져 그 압ᄒᆡ 놋코 금반옥긔(金盤玉器)의 미주셩찬을 가초아 먹이며 흔연 칭ᄉᆞ 왈,

"금일 윤·양 등을 소제ᄒᆞ미 그ᄃᆡ의 덕이라. 우리엇지 쳔금ᄌᆡ보로ᄡᅧ 그ᄃᆡ의 일ᄉᆡᆼ을 졔도(濟度)치 아니리오."

영교 흔연 왈,

"쳡이 빙옥 갓튼 주인을 구확(矩矱)[694]의 밀쳐 형벌을 감심ᄒᆞ믄 다 옥주의 ᄋᆡ인지덕과 상궁의 후의을 갑고져 ᄒᆞ미라. 이제 주인을 바리고 도라왓시니 상궁은 옥주긔 고ᄒᆞ여 나의 일ᄉᆡᆼ을 졔도ᄒᆞ소셔."

최녜 언언이 칭ᄉᆞᄒᆞ고 낙낙히 허락ᄒᆞ니, 영교 깃부믈 이긔지 못ᄒᆞ여 두어잔을 거우르ᄆᆡ 좌셕의 구러져 일언불ᄀᆡᄒᆞ고 명이 진ᄒᆞ니, 희(噫)라, 영교 니을 탐ᄒᆞ며 ᄌᆡ물을 탐ᄒᆞ여 ᄇᆡᆨ옥 갓튼 주인을 ᄉᆞ지의 밀치물 ᄐᆡ연이 ᄒᆞ고, 졔몸이 부귀을 도모ᄒᆞᄆᆡ 상쳔이 엇지 강벌치 아니리오. 속졀업시 일ᄇᆡ주의 명이 맛ᄎᆞ니, 가만ᄒᆞᆫ 가온ᄃᆡ 보응(報應)이 업다 ᄒᆞ리오

최녀 영교 죽으물 보고 ᄃᆡ희ᄒᆞ여 급히 큰

694)구확(溝壑) : 구학(溝壑). 구렁. 움쑥하게 파인 땅. 빠지면 헤어나기 어려운 환경을 비유적으로 이르는 말.

휘모라 너허, 이 밤으로셔 후원 문ᄃᆡ이를 주고 ᄇᆡᆨ금을 주어 먼니 바리고 오라ᄒᆞ니, 문니(門吏) 승명ᄒᆞ여 먼니 바리니 알 니 업더라.

ᄎᆞ시 윤츄밀이 딜녀를 ᄇᆡ힝(陪行)ᄒᆞ여 본부로 가더니 날이 황혼이라 횃불을 젼후로 버리고 교ᄌᆞ 뒤를 쫄오더니, 믄득 구몽슉이 쥰마를 ᄐᆞ고 두어 가동으로 더브러 디나다가 츄밀을 보고 크게 놀나 하마ᄒᆞ여 뵈ᄋᆞᆸ고, 청ᄒᆞ여 왈,

"야긔 한닝ᄒᆞ거ᄂᆞᆯ 슉뷔 엇디【29】 야힝ᄒᆞ시리잇고? 예셔 쇼딜의 집이 머지 아니ᄒᆞ고 또 옥누항이 디근ᄒᆞ니, 모든 ᄎᆞ환 복ᄇᆡ 힝거를 족히 뫼실디라, 원 슉부는 쇼딜의 집의 금야를 헐슉ᄒᆞ시고 평명의 도라가쇼셔."

츄밀○[왈]

"ᄉᆞ셰 그러ᄒᆞ나 언마ᄒᆞ여 집의 가리오."

몽슉이 ᄌᆡ삼 청뉴ᄒᆞ니, 이러 굴 ᄉᆞ이 교ᄌᆞ 멘 놈이 취우(驟雨)ᄀᆞᆺ치 치모라 가는디라. 츄밀이 넷 ᄆᆞ음이 이시면 엇디 구몽슉 돈견의 말을 신청ᄒᆞ리오마ᄂᆞᆫ, 발셔 요약의 심졍이 상ᄒᆞ여시니 각별 《후의‖호의(狐疑)》 업셔 모든 복부를 분부 왈,

"부인이 유ᄐᆡᄒᆞ여시니 조심ᄒᆞ여 가라. 나ᄂᆞᆫ 구상공 ᄐᆡᆨ상의 머므러 명됴의 도라가리라."

졔뇌 쳥녕ᄒᆞ고 가거ᄂᆞᆯ, 츄밀이 몽슉을 ᄯᆞ라 가니, 몽슉이 셔당을 쇄소ᄒᆞ고 식찬을 후히 ᄒᆞ여 관ᄃᆡᄒᆞ니, 츄밀【30】이 ᄎᆞ야를 편히 머믈고 명일 도라가니, 윤시 무ᄉᆞ히 도라간가 미디하여(未知何如)오.

시시의 윤부 듕복(衆僕)이 부인 거교를 풍우ᄀᆞᆺ치 달녀, 옥누항 길흘 바리고 쇼로로 좃ᄎᆞ 북궁을 향ᄒᆞ니, 셜난 쥬영 등 삼네 놀나 왈,

"이 길흔 본부로 가는 길히 아니라 녈위ᄂᆞᆫ 옥누항으로 가지 아니ᄒᆞ고 어ᄃᆡ로 가ᄂᆞ뇨?"

듕복이 쇼왈,

ᄎᆡ농(彩籠)의 너허 ᄎᆞ야의 후원 문직이【4】을 주고, ᄇᆡᆨ금을 주어 멀니 바리고 오라 ᄒᆞ니, 문직이 수명ᄒᆞ여 멀니 바리니, 알 니 업더라.

ᄎᆞ시 윤츄밀이 질녀을 ᄇᆡ힝(陪行)ᄒᆞ여 본부로 도라오더니 날이 황혼이라. 홰불을 젼후의 버리고 교ᄌᆞ 뒤흘 ᄯᆞ로더니, 문득 구몽숙이 쥰마을 타고 두어 가동으로 더부러 지나다가 츄밀을 보고 크게 놀나 ᄒᆞ마ᄒᆞ여 뵈ᄋᆞᆸ고, 청ᄒᆞ여 왈,

"야긔 ᄒᆞᆫ닝ᄒᆞ거날 숙뷔 엇지 야힝ᄒᆞ시리잇고? 예○[셔] 소질의 집이 머지 아니ᄒᆞ고 또 옥누항○[이] 지근ᄒᆞ니, 모든 ᄎᆞ환 복뷔 힝거을 족히 뫼실지라. 숙부ᄂᆞᆫ 소질의 집의 금야을 헐 숙ᄒᆞ시고 평명의 도라가소셔."

○○○[츄밀 왈],

"ᄉᆞ셰 그러ᄒᆞ나 언마ᄒᆞ여 집의 도라가리오."

몽슉이 ᄌᆡ숨 간청ᄒᆞ니 이러ᄒᆞᆯ식 이의 교ᄌᆞ 멘 놈이 풍우(風雨)갓치 모라 가ᄂᆞᆫ지라. 츄밀이 옛 ᄆᆞ음이 잇시면 엇지 구몽슉 돈견의 말을 드르리오마ᄂᆞᆫ, 발셔 요약의 심장이 상ᄒᆞ엿시니, 각별 호의(狐疑)업셔 모든 복부을 ᄃᆡᄒᆞ여 분부 왈,

"부인이 유ᄐᆡᄒᆞ엿시니 조심ᄒᆞ여 가라. 나ᄂᆞᆫ 구상공 ᄐᆡᆨ상의 머루러 명조의 도라가리라."

제노 청명ᄒᆞ고 가거날, 츄밀이 몽슉을 ᄯᆞ라 가니, 몽슉이 셔당○[을] 소쇄ᄒᆞ고 식찬을 후히 ᄒᆞ여 관ᄃᆡᄒᆞ니, 츄밀이 ᄎᆞ야을 편이 머물고 명일 도라 가니, 윤시 무ᄉᆞ이 도라간가 미지ᄒᆞ여(未知何如)오."

시시의 윤부 복뷔 부인 거교을 메고 풍우갓치 달녀 옥누항 길을 바리고 소로로 좃ᄎᆞ 북궁으로 향ᄒᆞ니, 셜난 쥬영 등 ᄉᆞ녀 놀나 왈,

"이 길은 본부로 가는 길이 아니라. 열위【5】ᄂᆞᆫ 옥누항으로 가지 아니코 어ᄃᆡ로 가ᄂᆞᆫ요?"

즁복이 소왈,

"우리 엇디 알니오. 본부 태부인이 니르시ᄃᆡ 부인을 뫼셔 김귀비게로 가라 ᄒᆞ시니, 아등은 다만 명을 슌슈ᄒᆞᆯ ᄯᆞᄅᆞᆷ이라. 기간 곡졀 엇디 알니오."

셜난 등이 김귀비 셰ᄌᆞ를 듯고 ᄯᅩ 태부인【31】 명이라 ᄒᆞ니, 벅벅이 됴치 아닌 ᄠᅳᆺ이라, 아연실식ᄒᆞ여 왈,

"녈위 말을 드르니 부인을 쟝ᄎᆞᆺ 뇽담호구(龍潭虎口)의 너흐려 ᄒᆞᄂᆞᆫ도다."

졔복이 답왈,

"본부 태부인 명이니 아등이 엇디 위월(違越)ᄒᆞ리오."

셜파의 취우ᄀᆞᆺ치 모라 북궁으로 가니, 유·ᄋᆞ(乳·兒)[849] 등이 망망(恾恾)[850] 호읍(號泣)ᄒᆞ나 엇디 밋ᄎᆞ리오. 부인이 교듕(轎中)의셔 ᄎᆞ언을 드르ᄆᆡ 필유묘ᄆᆡᆨ(必有妙脈)ᄒᆞᆷ을 ᄭᆡᄃᆞ라, 비록 본부로 갈디라도 조모의 포려(暴戾)ᄒᆞᆷ과 슉모의 간악ᄒᆞ미 ᄌᆞ긔를 편히 두디 아닐디니, 뇽담호구의 ᄲᅧ러지믄 일쳬라. 복궁으로 간다 ᄒᆞᆷ을 드르나 ᄀᆞᆺᄐᆞ여 놀나미 업더니, 교뷔 북궁의 니르러 와시믈 통ᄒᆞ니 귀비 크게 깃거ᄒᆞ며,【32】 ᄯᅩ 그 셩화를 닉이 드러시ᄆᆡ ᄒᆞᆫ번 귀경코져 ᄒᆞ여, 청듕(廳中)의 쵹을 ᄇᆞᆰ히고 궁비로 시립ᄒᆞᆫ 후 윤시를 브르니, 윤시 이의 밋쳐ᄂᆞᆫ ᄒᆞᆯ일 업ᄂᆞᆫ디라, 셜난 등이 부인을 계하의 뫼셔 니르ᄆᆡ, 좌우 궁인이 일시의 니르ᄃᆡ,

"뎐샹의 낭낭이 계시니 부인은 ᄆᆞᆫ홀치 마르쇼셔."

부인이 츄파를 흘녀 당샹을 보니, 과연 귀비 후비의 복식으로 청듕의 엄연이 안ᄌᆞᄌᆞ가를 쟝목시지(長目視之)ᄒᆞ니, 초월아미(初月蛾眉)[851] 작약(綽約)ᄒᆞ여 ᄒᆡ당일지(海棠一枝)ᄀᆞᆺᄐᆞ나, 냥안의 살셩(殺星)[852]이 은은ᄒᆞ고 거동이 심히 교오(驕傲)ᄒᆞ더라. 부인이 일견 쳠망의 셩안이 나즉ᄒᆞ고, 옥뫼 ᄌᆞ

849)유·ᄋᆞ(乳·兒) : 유랑(乳娘)과 시아(侍兒).
850)망망(恾恾) : 몹시 걱정하고 두려워함.
851)초월아미(初月蛾眉) : 초승달과 같은 눈썹.
852)살셩(殺星) : 사람의 운명과 수명을 맡아 그 사람을 빨리 죽게 한다는 흉한 별.

"우리 엇지 알니오. 본부 ᄐᆡ부인이 니르시ᄃᆡ 부인을 뫼셔 김귀비게로 가라 ᄒᆞ시니, 아등은 다만 명을 슌슈ᄒᆞᆯ ᄯᆞᄅᆞᆷ이라. 기간 곡절을 어이 알니오."

셜난 등이 귀비 셰ᄌᆞ을 듯고, ○[ᄯᅩ] ᄐᆡ부인 명이라 ᄒᆞ니, 벅벅○[이] 조치 아닌 ᄯᅳᆺ지라. 아연 실식ᄒᆞ여 왈,

"열위 말을 드르니 부인을 장ᄎᆞᆺ 용담호구(龍潭虎口)의 너흐려 ᄒᆞᄂᆞᆫ또다."

졔복이 답 왈,

"본부 ᄐᆡ부인 명이니 아들이 엇지 위월(違越)ᄒᆞ리오."

셜파의 풍우 갓치 모라 북궁으로 가니, 유·아(乳·兒)[695] 등이 망망(恾恾)[696] 호읍(號泣)ᄒᆞ나 엇지 밋ᄎᆞ리오. 부인이 교즁(轎中)의셔 이 말을 드르ᄆᆡ 필유묘ᄆᆡᆨ(必有妙脈)ᄒᆞᆷ을 ᄭᆡᄃᆞ라, 비록 본부로 갈지라도 조모의 포려(暴戾)ᄒᆞᆷ과 슉모의 간악ᄒᆞ미 ᄌᆞ긔을 편히 두지 아닐지라. 호구의 ᄲᅧ르지믄 일쳬라. 북궁으로 간다 ᄒᆞᆷ을 드르나 굿타여 놀나미 업더니, 교뷔 북궁의 이르러 왓시믈 통ᄒᆞᆫ ᄃᆡ, 귀비 ᄃᆡ희ᄒᆞ며, ᄯᅩ 셩화을 익이 드러시ᄆᆡ ᄒᆞᆫ 번 귀경코져 ᄒᆞ여, 청듕(廳中)의 쵹을 밝히고 궁비로 시립ᄒᆞᆫ 후 윤시을 부러[르]니, 윤시 이의 밋쳐ᄂᆞᆫ ᄒᆞᆯ일 업ᄂᆞᆫ지라. 날호여 교즁의 나리니 두어 궁인이 잇그러 게ᄒᆞ의 ᄃᆞᄃᆞ르ᄆᆡ, 좌우 궁인이 일시의 일르ᄃᆡ,

"젼상의 낭낭이 계시니 부인은 만홀치 마르소셔."

부인이 츄파을 흘녀 당상을 보니, 과연 귀비 후비의 복식으로 청듕의 언연이 안ᄌᆞ자가을 장목시지(長目視之)ᄒᆞ니, 초월아미(初月蛾眉)[697] ᄌᆞ약ᄒᆞ여 ᄒᆡ당일지(海棠一枝) 갓【6】트나, 양안의 술셩(殺星)[698]이 은은ᄒᆞ고 거동이 심이 《교요 ‖ 교오(驕傲)》ᄒᆞ더라. 부인이 일견 쳠망의 셩안이

695)유·아(乳·兒) : 유랑(乳娘)과 시아(侍兒).
696)망망(恾恾) : 몹시 걱정하고 두려워함.
697)초월아미(初月蛾眉) : 초승달과 같은 눈썹.
698)술셩(殺星) : 사람의 운명과 수명을 맡아 그 사람을 빨리 죽게 한다는 흉한 별.

약ᄒᆞ여 ᄀᆞᆯ오ᄃᆡ, 【33】

"쳡슈미쳔(妾雖微賤)이나 당당한 ᄉᆞ문일ᄆᆡᆨ으로 경상지녜(卿相之女)며 경샹지뷔(卿相之婦)오 팔좌(八座)의 명뷔라. 황후낭낭긔 됴현ᄒᆞ라 ᄒᆞᆫ즉, 계젼의 츄쥬등알(趨走登謁)ᄒᆞ려니와, 귀비낭낭이 슈존(雖尊)이나 만민의 국뫼 아니시니, 됴졍 명부를 ᄃᆡ졉ᄒᆞᄂᆞᆫ 녜 이ᄀᆞᆺ치 만홀이 못ᄒᆞᆯ 거시오, 쳡이 ᄯᅩ 당하 쳔인이 아니니 엇디 후궁긔 하당 ᄇᆡ알ᄒᆞ리오. 궁희 등은 셜ᄉᆞ 무식 블통ᄒᆞ여 ᄉᆞ톄를 모를지언졍, 낭낭은 거의 고금 예법을 명찰ᄒᆞ시리니, 엇디 ᄉᆞᄉᆞ로이 외됴 명부를 핍박ᄒᆞ여 능멸ᄒᆞ미 이ᄀᆞᆺᄐᆞ리오. 쳡슈블혜(妾雖不慧)나 낭낭의 실톄ᄒᆞ시믈 그윽이 블취ᄒᆞᄂᆞ니, 졔궁희ᄂᆞᆫ 【34】 나의 다언(多言)ᄒᆞ믈 괴이히 넉이디 말고, 낭낭긔 고ᄒᆞ라."

셜파의 옥슈를 단졍이 ᄭᆞᆺ고 움즉이지 아니니, 귀비와 졔궁이 윤부인을 보건ᄃᆡ 셰쇽 홍분미ᄉᆡᆨ(紅粉美色)의 뉴(類) 아니라, 건곤(乾坤)의 슈츌ᄒᆞᆫ 졍긔를 오로디 픔슈ᄒᆞ여시니, 옥톡(玉免)[853] 동녕(東嶺)의 소ᄉᆞᄆᆡ 셔광을 ᄉᆞ히의 흘니ᄂᆞᆫ 듯, 《셩젼운빙∥선결운빈(鮮潔雲鬢)[854]》과 월모화안(月貌花顔)이 초셰츌뉴(超世出類)ᄒᆞ여, 다듬지 아닌 옥부촉영(玉膚燭影)[855]과 그리지 아닌 뇽슈ᄉᆞ졔(龍鬚蛇蹄)[856] 더욱 쇄락(灑落) 슈려(秀麗)ᄒᆞ여 냥협홍슌(兩頰紅脣)[857]의 년화(蓮花)를 불워ᄒᆞ고, 운환무빈(雲鬟霧鬢)[858]의 방튁(肪澤)[859]을 무가(無加)ᄒᆞ여시나, 초ᄃᆡ

853)옥퇴(玉免) : 옥토끼. 달을 달리 이르는 말.

854)선결운빈(鮮潔雲鬢) : 곱고 깨끗하며 구름같이 아름다운 귀밑머리. 귀밑머리 : 이마 한가운데를 중심으로 좌우로 갈라 귀 뒤로 넘겨 땋은 머리.

855)옥부촉영(玉膚燭影) : 옥처럼 하얀 피부와 촛불의 그림자, 둘 다 인위적으로 다듬어서 만들어진 것이 아니다.

856)뇽슈ᄉᆞ졔(龍鬚蛇蹄) : 용의 수염과 뱀의 발굽이란 뜻으로, 그림을 그릴 때 있지도 않은 불필요한 것까지를 그리는 것을 말함.

857)냥협홍슌(兩頰紅脣) : 두 뺨과 붉은 입술.

858)운환무빈(雲鬟霧鬢) : 여자의 탐스러운 쪽 찐 머리와 안개 같은 살쩍(귀밑털)이란 뜻으로, 여자의 잘 단장한 아름다운 머리를 이르는 말.

나즉ᄒᆞ고 옥뫼 ᄌᆞ약ᄒᆞ여 왈,

"쳡슈미쳔(妾雖微賤)이나 당당ᄒᆞᆫ ᄉᆞ문일ᄆᆡᆨ으로 경상지녀(卿相之女)며 경상지뷔(卿相之婦)오 팔좌(八座)의 명뷔라. 황후 낭낭긔 조현ᄒᆞ라 ᄒᆞᆫ즉, 계젼의 《추슈증알∥츄쥬등알(趨走登謁)》ᄒᆞ려니와, 귀비 낭낭이 슈존(雖尊)이나 만민의 국뫼 아니시니, 조졍 명부을 ᄃᆡ졉ᄒᆞ시ᄂᆞᆫ 녜 이갓치 만홀치 못ᄒᆞ실 거시오, 쳡이 ᄯᅩ 당ᄒᆞ 쳔인이 아니니 엇지 후궁긔 ᄒᆞ당 ᄇᆡ알ᄒᆞ리오. 궁희 등은 셜ᄉᆞ 무식불통ᄒᆞ여 ᄉᆞ체을 몰을지언졍, 낭낭은 거의 고금네법을 명찰ᄒᆞ시리니, 엇지 ᄉᆞᄉᆞ로이 외조명부을 핍박ᄒᆞ여 능멸ᄒᆞ미 여ᄎᆞᄒᆞ리오. 쳡슈불혜(妾雖不慧)나 낭낭의 실덕ᄒᆞ시물 그윽이 불취ᄒᆞᄂᆞ니, 졔궁인은 나의 다언(多言)ᄒᆞ믈 고이 역이지 말고, 낭낭긔 고ᄒᆞ라."

셜파의 옥수을 단졍이 ᄭᆞᆺ고 움즉이지 아니니, 궁비와 졔궁이 윤시을 보건ᄃᆡ 시[셰]속 홍분미ᄉᆡᆨ(紅粉美色)의 뉴(類) 아니라. 건곤(乾坤)의 수츌ᄒᆞᆫ 졍긔을 오로지 품슈ᄒᆞ엿시니, 창졸의 어ᄃᆡ 고의며 어ᄃᆡ 뮈오믈 분변키 어려온지라. 겸ᄒᆞ여 단슌(丹脣)이 움즉이ᄆᆡ 두어 조(條) 옥셩(玉聲)을 맛ᄎᆞ니, 안ᄉᆡᆨ이 씩씩ᄒᆞ며 ᄎᆞ고 ᄆᆡ온 거동이 셜상ᄒᆞᆫᄆᆡ(雪上寒梅)[699] 갓ᄐᆞ니, 당상당하(堂上堂下) 막불경아(莫不驚訝)ᄒᆞ고 ᄃᆡ경황홀(大驚恍惚)ᄒᆞ며, 귀비 역시 놀나 ᄯᅩᄒᆞᆫ ᄃᆡ노(大怒)ᄒᆞ여 혀오ᄃᆡ, 문양을 쳔고의 드문 가인(佳人)이라 ᄒᆞ여더니, ᄎᆞ인의 쳔ᄌᆡ특용(天姿特容)은 고금의 무젹(無敵)ᄒᆞ리니, 이갓튼 졀염을 두고 ᄯᅩ 엇지 문양으로 【7】 화락ᄒᆞ리오. 만일 ᄎᆞ인을 업시치 아니면 아녀의 심복(心腹) ᄃᆡ환(大患)이오, ᄯᅩ ᄎᆞ녀의 방ᄌᆞᄒᆞ미 날을 후궁이라ᄒᆞ여 업수히 역이미 엇지 통ᄒᆞᆫ치 아니리오. 쳥[졍]히 침음(沈吟)ᄒᆞ더니 뇨상궁이 나아와 니로ᄃᆡ,

699)셜상ᄒᆞᆫᄆᆡ(雪上寒梅) : 겨울에 눈 속에 핀 차가운 매화꽃.

(楚臺)[860]의 셔ᄋᆡ(瑞靄) 몽몽(濛濛)[861]ᄒᆞ고 왕모도화(王母桃花)[862] 일쳔졈(一千點)이 긔긔(奇奇)히 븕엇ᄂᆞᆫ ᄃᆞᆺ, 광염(光艶)이 아라ᄒᆞ고[863] 묘딜(妙質)이 작작(綽綽)ᄒᆞ【35】여 챵졸(倉卒)[864]의 어ᄃᆡ 고으며 어ᄃᆡ ᄆᆡ오믈 분별키 어려오니, 일견(一見)의 눈을 옴기기 앗가온디라. 샤일쌍광(斜日雙光)[865]이 나ᄌᆞᆨᄒᆞ고, 단슌이 움ᄌᆞᆨ이ᄆᆡ 두어 됴(條) 쇄옥셩(碎玉聲)[866]을 맛ᄎᆞ니, 안ᄉᆡᆨ이 ᄉᆡᆨᄉᆡᆨᄒᆞ며 ᄎᆞ고 ᄆᆡ온 거동이 셜샹한ᄆᆡ(雪上寒梅) ᄀᆞᆺ트니, 당샹당ᄒᆡ(堂上堂下) 막블경앙(莫不敬仰)ᄒᆞ고 대경황홀(大驚恍惚)ᄒᆞ여, 귀비 역시 놀나고 쏘ᄒᆞᆫ 대로ᄒᆞ여 혜오ᄃᆡ, 문양○[을] 쳔고의 드문 가인(佳人)이라 ᄒᆞ엿더니, ᄎᆞ인의 쳔ᄌᆡ특용(天姿特容)은 고금의 무뎍(無敵)ᄒᆞ리니, 뎡부매 이 ᄀᆞᆺ튼 졀염미쳐(絶艶美妻)를 두고, 쏘 문양으로 엇디 화락ᄒᆞ리오. 만일 ᄎᆞ인을 업시치 아니면 아녀의 심복(心腹) 대환(大患)이오, 쏘 ᄎᆞ녀의 방ᄌᆞᄒᆞ미 날을 후궁이라 ᄒᆞ여 업슈【36】히 녁이미 엇디 통ᄒᆡ치 아니리오. 뎡히 침음(沈吟)ᄒᆞ더니 뇨상궁이 나아와 ᄀᆞᆯ오ᄃᆡ,

"윤시 감히 낭낭을 모욕ᄒᆞ오니 그 죄 블용쥬(不容誅)라 엇디 쳐치ᄒᆞ리잇고?"

귀비 왈,

"윤녜 방ᄌᆞᄒᆞ미 여ᄎᆞᄒᆞ니 가히 ᄂᆡᆼ옥(冷獄)의 가도아 죽여 후환을 ᄭᅳᆺᄎᆞ리라."

ᄒᆞ고 쏘 윤부인을 향ᄒᆞ여 즐왈,

"윤가 요녜ᄂᆞᆫ 드르라. 오슈박덕(吾雖薄德)

---

859)방ᄐᆡᆨ(肪澤) : 기름기. 머리 따위에 기름을 발라 윤기가 나게 함.

860)초ᄃᆡ(楚臺) : 중국 초(楚)나라 양왕(襄王)이 무산신녀(巫山神女)를 만나 운우(雲雨)의 정을 나누는 꿈을 꾸었다는 양대(陽臺).

861)몽몽(濛濛) : 비, 안개, 연기 따위가 자욱함.

862)왕모도화(王母桃花) : 중국 신화에 나오는 서왕모(西王母)의 요지(瑤池)에서 기른다는 반도(蟠桃) 복숭아 나무의 꽃.

863)아라ᄒᆞ다 : 아득하다. 정신을 잃을 지경이다.

864)챵졸(倉卒) : 미처 어찌할 사이 없이 매우 급작스러움.

865)샤일쌍광(斜日雙光) : 내리뜬 두 눈빛.

866)쇄옥셩(碎玉聲) : 옥을 깨뜨리는 소리라는 뜻으로, 아름다운 목소리를 이르는 말.

"윤시 감히 낭낭을 모욕ᄒᆞ오니 그 죄 불용쥬(不容誅)라, 엇지 쳐치ᄒᆞ릿고?"

귀비 왈,

"윤녀 방ᄌᆞᄒᆞ미 여ᄎᆞᄒᆞ니 가히 ᄂᆡᆼ옥(冷獄)의 가도와 후환을 ᄭᅳᆫ츠라."

ᄒᆞ고 윤부인을 향ᄒᆞ여 즐 왈,

"윤가 요녀는 드르라. 오슈박덕(吾雖薄德)이나 셩주의 수은ᄒᆞ여 직품이 즁(重)ᄒᆞ고, 너와 비컨ᄃᆡ 연유소장(年有少長)이 다르거ᄂᆞᆯ, 네 엇지 나의 안젼의 교요[오](驕傲) 방ᄌᆞ(放恣)ᄒᆞ미 이갓트리오. 초의 셩상이 문양공주로써 ᄒᆞ가 ᄒᆞ시ᄆᆡ, ᄌᆞ고로 부ᄆᆡ 양쳐 업거ᄂᆞᆯ, 황상이 천고의 업ᄂᆞᆫ 은젼을 드리오ᄉᆞ 부마의 여러 쳐실을 허ᄒᆞ시니, 인심이 감은ᄒᆞᆯ ᄇᆡ여ᄂᆞᆯ, 요악 투부(妬婦) 등이 과분ᄒᆞᆫ 줄 모로고, 투긔을 방ᄌᆞ히 ᄒᆞ여 간비을 동심ᄒᆞ여 요악으로써 황녀을 죽이랴 ᄒᆞ며, 교언영ᄉᆡᆨ으로 장부을 좀으고, 가부의 골육이 셰상의 나지 아냐셔 잔ᄒᆡᄒᆞ니, ᄎᆞᄂᆞᆫ 녀이나, 셩듀의 슈은ᄒᆞ여 ᄃᆡ픔이 ᄎᆞ듕(此重)ᄒᆞ고, 또 너와 비컨ᄃᆡ 년유쇼댱(年有少長)이 ᄂᆡ도ᄒᆞ거ᄂᆞᆯ[867] 네 엇디 나의 안젼의 교오방ᄌᆞᄒᆞ미 이ᄀᆞᆺᄐᆞ리오. 쵸의 셩샹이 문양공쥬로ᄡᅧ 하가ᄒᆞ시ᄆᆡ, ᄌᆞ고로 부마의 냥쳬 업거ᄂᆞᆯ, 황샹이 쳔고의 업ᄉᆞᆫ 은젼을 드리오샤 부마의 여러 쳐실【37】을 허ᄒᆞ시니, 인심의 감은 ᄒᆞᆯ ᄇᆡ어ᄂᆞᆯ, 요악 투부(妬婦) 등이 과분ᄒᆞ믈 모로고, 투긔를 방ᄌᆞ히 ᄒᆞ여 간비로 동심ᄒᆞ여 요악으로ᄡᅧ 황녀를 죽이려 ᄒᆞ며, 교언녕ᄉᆡᆨ으로 댱부를 좀으며, 가부의 골육이 셰샹의 나디 아녀셔 잔히ᄒᆞ니, ᄎᆞᄂᆞᆫ 녀무(呂武)[868]의 지난 투악이라. 창텬이 비록 놉흐시나 ᄉᆞᆯ피시믄 소소(昭昭)ᄒᆞ여, 악ᄉᆡᆨ 발각ᄒᆞ나 셩은이 오히려 여텬ᄒᆞ샤, 모든 투부의 대죄를 다 관셔ᄒᆞ시믄 공쥬의 덕이라. 내 이졔 브르믄 젼후 간상을 뭇고져 ᄒᆞ미어ᄂᆞᆯ, 젼후 셩덕을 샤례치 아니코 ᄌᆞ존 방ᄌᆞᄒᆞ여 블공태만ᄒᆞᆫ 언ᄉᆡ 여ᄎᆞᄒᆞ니, 오슈미약(吾雖微弱)이나 간악 투부를 결연이 용샤치 아니리라."【38】

부인이 청파의 통원 분에ᄒᆞ나 엇디 즐겨 입을 여러 더러온 말을 ᄃᆡᄒᆞ리오. 고인의 니른 바 목블시샤ᄉᆡᆨ(目不視邪色)ᄒᆞ고 이블텽음셩(耳不聽淫聲)이라. 다만 못 보며 못 듯ᄂᆞᆫ ᄃᆞᆺᄒᆞ여 츄패(秋波) 미미(微微)ᄒᆞ고 홍슌이 ᄆᆡᆨᄆᆡᆨᄒᆞ여, 홍슈(紅袖)를 뎡히 ᄉᆞᆺ고 일언을 블개ᄒᆞ니, 귀비 그 견고 강녈ᄒᆞ믈 더옥 대로ᄒᆞ여 좌우 궁비를 ᄭᅮ지져 속히 윤녀를 셕혈(石穴)의 가도라 ᄒᆞ니, 뇨상궁이 승명ᄒᆞ여 건댱ᄒᆞᆫ 궁비로 부인을 활착ᄒᆞ여 후원 ᄂᆡᆼ옥의 가돌ᄉᆡ, 셜난 등 삼네 죽기로ᄡᅧ 부인을 좃ᄎᆞ니, 모든 궁비 어ᄌᆞ러이 두다린 ᄃᆡ, 귀비 왈,

867)ᄂᆡ도ᄒᆞ다 : 크게 다르다. 판이(判異)하다.

868)녀무(呂武) : 중국의 대표적인 여성권력자인 한(漢)나라 고조(高祖)의 황후 여후(呂后) 여치(呂雉; BC241-108)와 당(唐)나라 고종의 황후 측천무후(則天武后) 무조(武曌 : 624-705).

후(呂后)[700]의 지ᄂᆞᆫ 투악이라. 창쳔이 비록 놉푸시나 ᄉᆞᆯ피시미 소소(昭昭)ᄒᆞ여, 악ᄉᆡᆨ 발각ᄒᆞ나 셩은이 오히려 여쳔ᄒᆞᄉᆞ, 모든 투부의 죄을 다 관ᄉᆞᄒᆞ시믄 다 공주의 덕이라. ᄂᆡ 이졔 부르믄 젼후 간상을 뭇고져 《ᄒᆞ거ᄂᆞᆯ ‖ ᄒᆞ미어ᄂᆞᆯ》, 셩덕을 ᄉᆞ례치 아니코 ᄌᆞ존방ᄌᆞᄒᆞ여 불공ᄐᆡ만ᄒᆞᆫ 언ᄉᆡ 여ᄎᆞᄒᆞ니, 오수미약(吾雖微弱)이나 간악 투부을 결연이 용ᄉᆞ치 아니리라."

부인이 청파의 분예(憤恚)ᄒᆞ나 엇지 질겨 입을 여러 말을 ᄃᆡᄒᆞ리오. 고인이 이른 ᄇᆡ 목불시ᄉᆞᄉᆡᆨ(目不視邪色)이오, 이【8】불청악셩(耳不聽惡聲)이라. 다만 못 보며 못 듯ᄂᆞᆫ 듯ᄒᆞ여 츄ᄑᆡ(秋波) 미미(微微)ᄒᆞ고 홍슌이 ᄆᆡᆨᄆᆡᆨᄒᆞ여, 일언을 불ᄀᆡᄒᆞ니, 귀비 그 견고 강녈ᄒᆞ믈 익노(益老)ᄒᆞ여 좌우 궁비을 ᄭᅮ지져 수히[701] 윤녀을 셕혈(石穴)의 가도라 ᄒᆞ니, 뇨상궁이 청명ᄒᆞ고 건장ᄒᆞᆫ 궁비로 부인을 활측ᄒᆞ여 후원 ᄂᆡᆼ옥의 가돌ᄉᆡ, 셜난 등 ᄉᆞᆷ녜 죽기로ᄡᅧ 부인을 좃ᄎᆞ니, 문득 궁비 어ᄌᆞ러이 두다린 ᄃᆡ, 귀비 왈,

700)녀후(呂后) : BC241-180. 중국 한고조의 황후. 성은 여(呂). 이름은 치(雉). 고조를 보좌하여 진말(秦末)·한초(漢初)의 국난을 수습하였으나, 고조가 죽은 뒤 실권을 장악하여, 고조의 애첩인 척부인(戚夫人)과 척부인 소생 왕자 조왕(趙王)을 죽이는 등 포악을 일삼아, 측천무후(則天武后), 서태후(西太后)와 함께 중국의 3대 악녀로 꼽힌다.

701)수히 : 속히.

"ᄎᆞ 삼녀ᄂᆞᆫ 간녀의 동당(同黨)이라 ᄒᆞᆫ가지로 죽이미 올흐니 엇디 져【39】희를 노화 ᄉᆞ긔(事機)를 누셜ᄒᆞ리오."

궁비 올히 넉여 삼비를 ᄒᆞᆫ가지로 셕옥의 가도니, 이 셕혈은 복궁 후원 뒤히니 극히 음침 유벽(幽僻)ᄒᆞ여 사ᄅᆞᆷ의 ᄌᆞ최 님치 아니코, 젹은 산 밋출 인연ᄒᆞ여 두어 돌굼기 사ᄅᆞᆷ 뉵칠인이 용신(容身)ᄒᆞᆯ 만ᄒᆞ니, 궐듕 쇼쇽이 오히려 이 셕혈을 모로리 만터라. 이의 윤부인 비쥬 ᄉᆞ인을 가도고 혹ᄌᆞ 탈신ᄒᆞ미 이실가 ᄒᆞ여, 쇠로 문을 믿ᄃᆞ라 긴긴히 봉쇄ᄒᆞ고, 도라와 귀비긔 복명ᄒᆞ니, 귀비 블승쾌활ᄒᆞ여 이슈가ᄋᆡᆨ(以手加額) 왈,

"내 위·뉴 냥인의 계교로 윤녀를 소졔(掃除)ᄒᆞ미 되니 엇디 깃브디 아니리오." 【40】

ᄒᆞ고, 윤부 졔복(諸僕)과 거교 좃ᄎᆞᆺ던 시녀를 ᄇᆡᆨ금으로 상샤(賞賜)ᄒᆞ고, 위·뉴 냥인긔 금화 ᄎᆡ단과 쳔금으로 칭샤ᄒᆞ니, 윤부 ᄎᆞ환 복뷔 귀비의 듕상을 어드ᄆᆡ 흔흔낙낙ᄒᆞ여 도라가 위·뉴의게 고ᄒᆞ니라.

ᄎᆞ시 윤부인이 일장 ᄉᆞ화(死禍)를 만나 삼비(三婢)로 더브러 힘힘히 셕옥 듕쉬 되니, 이 본ᄃᆡ 빙ᄌᆞ옥골(氷姿玉骨)869)이오, 슈구(瘦軀)870) 금심871)이라. 엇디 누옥ᄂᆡᆼ디(陋獄冷地)의 괴로온 경계를 당ᄒᆞ여 안연(晏然)ᄒᆞ리오. 쇼시로브터 명운이 다험ᄒᆞ여 엄졍을 만니 이국의 참별ᄒᆞ여 궁텬극지지통(窮天極地之痛)872)《이나‖을》 셔리담고, 험악ᄒᆞᆫ 조모의 포려ᄒᆞᆫ 호령은 날노 더ᄒᆞ고 시로 층가ᄒᆞ며, 간악ᄒᆞᆫ 슉모ᄂᆞᆫ 보ᄎᆡ【41】미 시로 더ᄒᆞ니, 밥 먹으ᄆᆡ 편치 못ᄒᆞ고 잠ᄌᆞᄆᆡ 쌔를 ᄎᆞᆺ디 못ᄒᆞ니, 긔구험난(崎嶇險難)

869)빙ᄌᆞ옥골(氷姿玉骨) : 얼음처럼 맑고 깨끗한 살결과 옥같이 희고 깨끗한 골격이라는 뜻으로, 맑고 고결한 풍채를 이르는 말이나, 여기서는 얼음이나 옥처럼 부서지기 쉬운 연약한 몸을 말한 것임.

870)슈구(瘦軀) : 빼빼 마른 몸.

871)금심 : 근심. 해결되지 않은 일 때문에 속을 태우며 걱정함.

872)궁텬극지지통(窮天極地之痛) : 하늘 끝과 땅 끝까지 이르는 슬픔.

"ᄎᆞ ᄉᆞᆷ녀ᄂᆞᆫ 간녀의 동당(同黨)이니 ᄒᆞᆫ 가지로 죽이미 올흐니 엇지 져희을 노ᄒᆞ ᄉᆞ긔(事機)을 누셜ᄒᆞ리오."

궁비 올히 역여 ᄉᆞᆷ녀을 ᄒᆞᆫ 가지로 셕옥의 가도니, 이 셕혈은 북궁 후원 뒤히니 극히 음침 유벽(幽僻)ᄒᆞ여 ᄉᆞᄅᆞᆷ의 ᄌᆞ최 님치 아니코 져근 산 밋출 인연ᄒᆞ여 두어 돌궁기 ᄉᆞᄅᆞᆷ 육칠인이 용신(容身)ᄒᆞᆯ 만ᄒᆞ니, 궐 즁 소속이 오히려 이 셕혈을 모로리 만터라. 이의 윤부인 노주 ᄉᆞ인을 가도고 탈신ᄒᆞ미 잇슬가 ᄒᆞ여, 쇠로 문을 믿드러 긴긴히 봉쇄ᄒᆞ고, 도라와 귀비긔 복명ᄒᆞ니, 귀비 불승쾌활ᄒᆞ여 이수가ᄋᆡᆨ(以手加額) 왈,

"ᄂᆡ 위·뉴 양인의 계교로 윤녀을 소졔(掃除)ᄒᆞ미 되니 엇지 깃부지 아니리오."

ᄒᆞ고 윤부 졔복(諸僕)과 거교 좃ᄎᆞᆺ던 시녀을 ᄇᆡᆨ금을 상(賞)ᄒᆞ고 위·뉴 양인긔 금화ᄎᆡ단과 쳔금으로 치하ᄒᆞ니, 윤부 ᄎᆞ환복뷔 귀비의 듕상을 으드니 흔흔낙낙ᄒᆞ여 도라가 위·뉴의게 고ᄒᆞ니라.

ᄎᆞ시 윤시 일장 ᄉᆞ화(死禍)을 만나 ᄉᆞᆷ녀로 더부러 힘힘이 셕옥 듕쉬 되니, 본ᄃᆡ 셩ᄌᆞ옥골(聖姿玉骨)702)이요, 수구(瘦軀)703) 금심704)이라. 엇지 누옥ᄂᆡᆼ지(陋獄冷地)【9】의 괴로온 경계을 당ᄒᆞ여 ○○[안연(晏然)]ᄒᆞ《시되‖리오》. 소시로 붓터 명운이 다험ᄒᆞ여 엄졍을 만니 이국의 참별ᄒᆞ여 궁쳔극지지통(窮天極地之痛)705)을 셔리담고, 험난ᄒᆞᆫ 조모의 포악과 슉모의 보ᄎᆡ미 날노 더ᄒᆞ여, ᄒᆞ마면 옥이 바아지고 쏫지 써러지ᄂᆞᆫ 경계을 여러번 당ᄒᆞ나, 명쳘보신ᄒᆞ여 신여명(身與命)706)이 구젼(俱全)ᄒᆞ여 쳔만 곡경

702)셩ᄌᆞ옥골(聖姿玉骨) : 거룩한 자태와 옥같이 희고 깨끗한 골격이라는 뜻으로, 거룩하고 맑은 풍채를 이르는 말이나, 여기서는 옥처럼 부서지기 쉬운 연약한 몸을 말한 것임.

703)슈구(瘦軀) : 빼빼 마른 몸.

704)금심 : 근심. 해결되지 않은 일 때문에 속을 태우며 걱정함.

705)궁쳔극지지통(窮天極地之痛) : 하늘 끝과 땅 끝까지 이르는 슬픔.

706)신여명(身與命) : 몸과 목숨.

을 ᄀᆞᆺ초 겻거 ᄒᆞ마ᄒᆞ면 옥(玉)이 바아지고 ᄭᅩᆺ치 ᄯᅥ러지ᄂᆞᆫ 경계를 여러 번 당ᄒᆞ나, 명텰보신ᄒᆞ여 신여명(身與命)873)이 구젼(俱全)ᄒᆞ여, 쳔만 곡경 ᄀᆞ온ᄃᆡ 신의옛 구고와 의긔옛 군ᄌᆡ '샤광(師曠)의 ᄎᆞᆼ(聽)'874)과 니루(離婁)의 명(明)875)이 아니로ᄃᆡ, 윤부 가변을 거울ᄀᆞᆺ치 빗최여 호구낭혈(虎口狼穴)의 건져ᄂᆡ여 구약(舊約)을 셩젼ᄒᆞ고, 존당구고의 양츈혜틱이 일신의 져젓고, 가부의 듕ᄃᆡ 여산ᄒᆞ여 모시(毛詩)876) 관져(關雎)877)의[와] 당톄지화(棠棣之華)878)를 노ᄅᆡᄒᆞ니, 가히 녀ᄌᆞ 평ᄉᆡᆼ이 ᄆᆡ몰치 아닐 거시오, 슬하의 옥동이 ᄡᅣᆼᄡᅣᆼᄒᆞ니 만무일흠(萬無一欠)이라.【42】 조물이 다ᄉᆡᄒᆞ여 하날이 각별 ᄌᆡ앙을 나리오시니, 문양공줘 만고일악(萬古一惡)879)으로 군ᄌᆞ 슉녀의 원앙ᄎᆡ(鴛鴦債)880)를 버히고 《삼ᄉᆡᆨ‖ᄉᆞᆷᄉᆡᆼ》슉ᄎᆡ(三生宿債)881)를 앗고져 ᄒᆞ여 일장화란(一場禍亂)이 이의 밋ᄎᆞ니, 셩샹이 니이졀혼(離異絶婚)ᄒᆞ시ᄆᆡ 간영(奸獰)882)ᄒᆞᆫ 무리 뉘뉴(類類)를 좃ᄎᆞ 용ᄉᆞ(用事)ᄒᆞ니, 엇디 응시(應時)ᄒᆞ미883) 아니리오. 밧그로 귀비 잇고

873)신여명(身與命) : 몸과 목숨.

874)샤광(師曠)의 ᄎᆞᆼ(聽) : 사광(師曠)의 총명함. 중국 춘추(春秋) 때 사광이란 사람이 소리를 잘 분변하여 길흉을 점쳤다는 고사에서 유래한 말.

875)니루(離婁)의 명(明) : 이루(離婁)의 밝음. 중국 황제(黃帝) 때 사람인 이루가 눈이 밝았다는 데서 나온 말.

876)모시(毛詩) : '시경(詩經)'을 달리 이르는 말. 중국 한나라 때의 모형이 전하였다고 하여 이렇게 이른다.

877)관져(關雎) : <시경(詩經)> '국풍(國風)' '주남(周南)'의 한 편명(篇名). 군자숙녀의 사랑을 노래한 시.

878)당톄지화(棠棣之華) : <시경(詩經)> '소아(小雅)' '당체편(棠棣篇)'의 첫구. '산앵두나무의 꽃'이란 말. 이 시는 형제간의 우애를 노래하고 있다.

879)만고일악(萬古一惡) : 세상에 비길 데 없이 악한 사람.

880)원앙ᄎᆡ(鴛鴦債) : 금실 좋은 부부로 살아가야 할 의무.

881)삼ᄉᆡᆼ숙채(三生宿債) : 전세 현세 내세에 걸쳐 운명적으로 정해져 있는 인연에 대한 의무.

882)간영(奸獰) : 간사하고 모질음.

883)응시(應時)ᄒᆞ다 : ①때에 맞추다. ②때에 따르다. ③때에 맞추어 생겨나다.

듕의 신의에 구고와 의긔에 군ᄌᆞ의 'ᄉᆞ광(師曠)의 총(聽)'707)과 '이루(離婁)의 명(明)708)이 아니로ᄃᆡ, 윤부 가변을 거울 갓치 빗최여 호구낭혈(虎口狼穴)의 건져ᄂᆡ여 마춤ᄂᆡ 《구악‖구약(舊約)》을 셩젼ᄒᆞ고, 존당구고의 양츈혜틱이 일신의 져젓고, 가부의 듕ᄃᆡ 여산(如山)ᄒᆞ여, 가이 녀ᄌᆞ의 평ᄉᆡᆼ이 ᄆᆡ몰치아닐 거시오, 슬ᄒᆞ 옥동이 《장장‖ᄡᅣᆼᄡᅣᆼ》ᄒᆞ니 만무일흠(萬無一欠)이라. 조물이 다ᄉᆡᄒᆞ여 ᄒᆞ날이 각별 ᄌᆡ앙을 나리오시니, 문양공주 만고일악(萬古一惡)709)으로 군ᄌᆞ숙녀 원앙ᄎᆡ(鴛鴦債)710)을 버히고 ᄉᆞᆷᄉᆡᆼ슉ᄎᆡ(三生宿債)711)을 앗고져 ᄒᆞ여 일장화란(一場禍亂)이 이의 밋ᄎᆞ니, 셩상이 니의졀혼(離異絶婚)ᄒᆞ시니[ᄆᆡ], 간영(奸獰)712)ᄒᆞᆫ ○○[무리] 위·뉴을 ᄯᆞ라 용ᄉᆞ(用事)ᄒᆞ니, 엇지 응시(應時)ᄒᆞ미713) 아니리오. 밧그로 귀비 잇고 안으로 위·뉴 양인이 협공ᄂᆡ응(挾攻內應)ᄒᆞ니, 윤부인 노주 승쳔입지(昇天入地)714)ᄒᆞᆯ ᄌᆡ죄(才操)715) 업거니, 엇지 능히 면ᄒᆞ리오. ᄒᆡ음업시716) 일만장 구렁의 ᄯᅥ러지나, ᄌᆞ익ᄒᆞᄂᆞᆫ 구고와 듕ᄃᆡᄒᆞᄂᆞᆫ 가뷔 젼연이 모로ᄂᆞᆫ지라. 부인이 비록 쳔균의 무

707)ᄉᆞ광(師曠)의 총(聽) : 사광(師曠)의 총명함. 중국 춘추(春秋) 때 사광이란 사람이 소리를 잘 분변하여 길흉을 점쳤다는 고사에서 유래한 말.

708)이루(離婁)의 명(明) : 이루(離婁)의 밝음. 중국 황제(黃帝) 때 사람인 이루가 눈이 밝았다는 데서 나온 말.

709)만고일악(萬古一惡) : 세상에 비길 데 없이 악한 사람.

710)원앙ᄎᆡ(鴛鴦債) : 금실 좋은 부부로 살아가야 할 의무.

711)삼ᄉᆡᆼ숙채(三生宿債) : 전세 현세 내세에 걸쳐 운명적으로 정해져 있는 인연에 대한 의무.

712)간영(奸獰) : 간사하고 모질음.

713)응시(應時)ᄒᆞ다 : ①때에 맞추다. ②때에 따르다. ③때에 맞추어 생겨나다.

714)승텬입디(昇天入地) : 하늘로 오르고 땅속으로 들어간다는 뜻으로, 자취를 감추고 없어짐을 이르는 말.

715)ᄌᆡ죄(才操) : '재주'의 원말. ①무엇을 잘할 수 있는 타고난 능력과 슬기. ②어떤 일에 대처하는 방도나 꾀.

716)ᄒᆡ음업다 : 하염없다. 어떤 행동이나 심리 상태 따위가 자신의 의지와는 상관없이 계속되는 상태이다.

안흐로 위·뉴 냥인이 협공ᄂᆡ응(挾攻內應)ᄒᆞ니, 윤부인 비쥐(婢主) 승텬입디(昇天入地)884)ᄒᆞᆯ ᄌᆡ죄(才操)885) 업거니, 엇디 능히 면ᄒᆞ리오. ᄒᆡ음업시886) 일만장 굴헝의 ᄲᅥ러지나, ᄌᆞᄋᆡᄒᆞᄂᆞᆫ 구고와 듕ᄃᆡᄒᆞᄂᆞᆫ 가뷔 《쳔연이‖젼연이》 모로ᄂᆞᆫ디라. 부인이 비록 쳔균의 무거옴과 하ᄒᆡ의 냥으로 ᄎᆞᆷ기를 위쥬ᄒᆞ나, 쳥츈 녹발【43】이 쇠치 아녀셔 힘힘히 독슈(毒手)의 맛ᄎᆞ ᄉᆞᄉᆡᆼ존망(死生存亡)을 알월 길히 업ᄉᆞ니, 냥가 존젼의 블효ᄂᆞᆫ 텬디의 가득ᄒᆞ고, ᄇᆡᆨ년 군ᄌᆞ의 디음(知音)은 고분(叩盆)887)의 밋ᄎᆞ며, 무모치ᄋᆞ(無母稚兒)의 뉵아디통(蓼莪之痛)888)은 ᄉᆡᆼ셰의 ᄡᆞᆺ홀 곳이 업ᄉᆞᆯ디라. 힘힘히889) 농듕(籠中)의 갓치인 봉황이오, 쳘망의 걸닌 홍곡(鴻鵠)이라. 비록 강하(江河)의 대량(大量)이나, 심ᄉᆡ 엇디 안안ᄒᆞ리오. 부인이 스ᄉᆞ로 명되 다쳔(多遷)ᄒᆞ고890) 시운이 블니ᄒᆞ믈 슬허ᄒᆞ고, 에분통ᄒᆡ(恚憤痛駭)891)ᄒᆞ미 텰골(徹骨)ᄒᆞ니, 도로혀 만념이 부운ᄀᆞᆺ고 심신이 막막ᄒᆞ여, ᄒᆞᆫ번 셕옥의 방신을 바리ᄆᆡ, 보험(酺頰)이 뎍뎍(寂寂)ᄒᆞ고, 단슌(丹脣)이 ᄆᆡᆨᄆᆡᆨᄒᆞ니, 셜난 등이 붓드러 실셩【44】 비읍 왈,

"유유창텬(悠悠蒼天)이 우리 션노야와 조부인 셩덕광화(聖德光華)로 슈삼 ᄌᆞ녀를 두시고 노애 만니 이국의 비명원ᄉᆞᄒᆞ시니, 튱효절의ᄂᆞᆫ 금셕의 박아 만ᄃᆡ의 셕지 아니시

884)승텬입디(昇天入地) : 하늘로 오르고 땅속으로 들어간다는 뜻으로, 자취를 감추고 없어짐을 이르는 말.

885)ᄌᆡ죄(才操) : '재주'의 원말. ①무엇을 잘할 수 있는 타고난 능력과 슬기. ②어떤 일에 대처하는 방도나 꾀.

886)ᄒᆡ음업다 : 하염없다. 어떤 행동이나 심리 상태 따위가 자신의 의지와는 상관없이 계속되는 상태이다.

887)고분(叩盆) : 고분지통(叩盆之痛). 물동이를 두드리는 슬픔이라는 뜻으로, 아내가 죽은 슬픔을 이르는 말.

888)뉵아디통(蓼莪之痛) : 어버이가 죽어서 봉양하지 못하는 효자의 슬픔을 이르는 말.

889)힘힘히 : 부질없이. 쓸데없이.

890)다쳔(多遷)ᄒᆞ다 : 여러 번 옮기다. 기복(起伏)이 심하다.

891)에분통ᄒᆡ(恚憤痛駭) : 몹시 분하고 원통함.

검717)과 하ᄒᆡ지량(河海之量)으로 ᄎᆞᆷ기을 위주ᄒᆞ나, 쳥츈녹발이 쇠치 아냐셔 힘힘히 독슈(毒手)의 마ᄎᆞ ᄉᆞᄉᆡᆼ존망(死生存亡)을 ○○[알월] 길이 업ᄉᆞ니, 양가 존젼의 불효ᄂᆞᆫ 쳔지의 가득ᄒᆞ고, ᄇᆡᆨ【10】녁[년]군ᄌᆞ의 지음(知音)은 고분(叩盆)718)의 밋ᄎᆞ며 무모치아(無母稚兒)의 육아지통(蓼莪之痛)719)은 ᄉᆡᆼ셰의 ᄊᆞᆺ홀 곳지 업ᄉᆞᆯ지라. 힘힘히720) 농듕(籠中)의 갓친 봉황이오, 쳘망의 걸닌 홍곡(鴻鵠)이라. 비록 강하(江河)의 ᄃᆡ량(大量)이나, 심ᄉᆡ 엇지 안안ᄒᆞ리오. 부인이 스ᄉᆞ로 명되 다쳔(多遷)ᄒᆞ고721) 시운이 불니ᄒᆞ물 슬허ᄒᆞ고, 예분통ᄒᆡ(恚憤痛駭)722)ᄒᆞ미 쳘골(徹骨)ᄒᆞ니, 도로혀 만심○[이] 부운 갓고, 신심(身心)이 낙막(落寞)ᄒᆞ여, ᄒᆞᆫ 번 셕옥의 방신을 바리ᄆᆡ 보혐(酺頰)이 젹젹ᄒᆞ고 단슌이 ᄆᆡᆨᄆᆡᆨᄒᆞ니, 셜난등이 붓드러 실셩비읍 왈,

"유유창쳔(悠悠蒼天)아, 우리 션노야와 조부인 셩덕광화(聖德光華)로 수ᄉᆞᆷ ᄌᆞ녀을 두시고 노야 만니이국의 비명원ᄉᆞᄒᆞ시니, 츙효절의ᄂᆞᆫ 금셕의 박아 만ᄃᆡ의 셕지 아니시ᄆᆡ, ᄉᆞᆷ위 ᄌᆞ네 엇지 복션지니(福善之理)723)을 밧ᄌᆞᆸ지 못ᄒᆞ고, 이 갓튼 ᄎᆞᆷ난의 ᄲᅥ러지시니 부인 쳔금약질이 보젼ᄒᆞ믈 바라리오. 비ᄌᆞ 등이 부인을 뫼셔 본부의 이셔 긔화

717)무검 : 무거움.

718)고분(叩盆) : 고분지통(叩盆之痛). 물동이를 두드리는 슬픔이라는 뜻으로, 아내가 죽은 슬픔을 이르는 말.

719)육아디통(蓼莪之痛) : 어버이가 죽어서 봉양하지 못하는 효자의 슬픔을 이르는 말.

720)힘힘히 : 부질없이. 쓸데없이.

721)다쳔(多遷)ᄒᆞ다 : 여러 번 옮기다. 기복(起伏)이 심하다.

722)에분통ᄒᆡ(恚憤痛駭) : 몹시 분하고 원통함.

723)복션지니(福善之理) : 착한 사람에게 복을 내리는 만물의 이치.

미, 삼위 ᄌᆞ네 엇디 복션지니(福善之理)[892]를 밧ᄌᆞᆸ디 못ᄒᆞ고, 이 ᄀᆞᆺ튼 참난의 ᄡᅥ러지시니 부인 쳔금약질노 보젼ᄒᆞ믈 바라리잇고? 비ᄌᆞ 등이 부인을 뫼셔 본부의 잇셔 긔화(奇禍)를 디ᄂᆡ여시나, 태부인과 뉴부인이 오히려 ᄆᆡᆨ듁(麥粥) 악초(惡草)라도 일일 일종을 먹이시므로 투ᄉᆡᆼ(偸生)ᄒᆞ엿거니와, 김귀비ᄂᆞᆫ 엇던 악종이완ᄃᆡ 무죄ᄒᆞᆫ 우리 비쥬를 이런 누옥의 가도아 장ᄎᆞᆺ ᄉᆞ오일의 일긔 청슈(淸水)도 주지 아니니, 【45】 이ᄂᆞᆫ 셰셰ᄉᆡᆼᄉᆡᆼ(世世生生)[893]애 블공ᄃᆡ텬디슈(不共戴天之讎)라. 사람이 이 ᄀᆞᆺ튼 앙화를 디으ᄆᆡ 나죵이 엇디 못되지 아니리오. 아모려나 투ᄉᆡᆼᄒᆞ여 풍운의 길시를 만나 악인이 멸망ᄒᆞᄂᆞᆫ 거동을 보려ᄒᆞ나, 엇디 ᄌᆞᄉᆡᆼᄒᆞ믈 긔약ᄒᆞ리오. 만일 ᄉᆞ지 못ᄒᆞ면 음혼이 쳔ᄃᆡ의 원귀 되여 슈인(讎人)의 고기를 너흘니라[894]."

이러틋 에분졀치(恚憤切齒)ᄒᆞ나 능히 망나(網羅)를 버셔날 길히 업셔, 슈양산(首陽山)[895]이 아니로ᄃᆡ 아ᄉᆞ(餓死)ᄒᆞ미 즉긔의 잇ᄂᆞᆫ디라. 비쥐 셔로 붓드러 쇽슈무칙(束手無策)이러니, 이날 ᄯᅩ 져므러 심야 삼경(三更)이 되니 만뇌(萬籟) 구젹(俱寂)ᄒᆞᆫ 듕, 귀ᄆᆡ(鬼魅)의 블과 야슈비셩(野獸悲聲)이 쳐쳐(悽悽)ᄒᆞ여 슈회(愁懷)를 더옥 돕ᄂᆞᆫ디라. 【46】 부인 노쥐 상ᄃᆡ(相對) 비읍ᄒᆞ더니, 문득 셕혈 밧긔 은은ᄒᆞᆫ 인뎍이 졈졈 갓가오며 나죽이 불너 왈,

"파랑은 ᄭᆡ엿ᄂᆞ냐?"

삼네 경아ᄒᆞ여 혹ᄌᆞ 귀비의 ᄇᆞ린 사ᄅᆞᆷ이 져의 비쥬를 죽이려 ᄒᆞᆫ가 ᄒᆞ여 더옥 놀나나, ᄒᆞᆯ일업셔 답왈,

"디금 ᄌᆞ디 아녓거니와 야심 삼경의 엇던

892)복션지니(福善之理) : 착한 사람에게 복을 내리는 만물의 이치.

893)셰셰ᄉᆡᆼᄉᆡᆼ(世世生生) : 몇 번이든지 다시 환생하는 일. 또는 그런 때.

894)너흘다 : 물다. 물어뜯다. 씹다.

895)슈양산(首陽山) : 중국 감숙성(甘肅省) 롱서(隴西) 지역에 있는, 백이(伯夷)와 숙제(叔齊)가 굶어죽었다는 산.

(奇禍)를 지ᄂᆡ여시나, ᄐᆡ부인과 뉴부인이 오히려 ᄆᆡᆨ죽(麥粥) 악초(惡草)《로‖라도》 일일 일종을 먹이시무로 투ᄉᆡᆼ(偸生)ᄒᆞ엿거니와, 김귀비ᄂᆞᆫ 엇던 악죵이완ᄃᆡ 무죄ᄒᆞᆫ 우리 노주을 이런 누옥의 가도아 장ᄎᆞᆺ ᄉᆞ오일의 일긔 청수(淸水)도 쥬지 아니니, 이ᄂᆞᆫ 셰셰ᄉᆡᆼᄉᆡᆼ(世世生生)[724]의 불공ᄃᆡ쳔지슈(不共戴天之讎)라. ᄉᆞᄅᆞᆷ이 이갓튼 앙화을 지으ᄆᆡ 나종이 엇지 무ᄉᆞᄒᆞ리오. 아모긔[려]나 투ᄉᆡᆼᄒᆞ여 풍운○○○[의 길시]을 만나 악인의 명[멸]망ᄒᆞᄂᆞᆫ 거동을 보려ᄒᆞᄂᆞ, 엇지 ᄌᆞᄉᆡᆼᄒᆞ믈 어드리오. 만일 ᄉᆞ지 못ᄒᆞᆯ진ᄃᆡ 음혼이 쳔ᄃᆡ의 원혼이 되어 슈인(讎人)의 고기을 너흘니라[725]."

이러틋 예분졀치(恚憤切齒)ᄒᆞ【11】나 능히 망나(網羅)을 버셔날 길히 업셔, 수양산(首陽山)[726]이 아니로ᄃᆡ 아ᄉᆞᄒᆞ미 즉각의 잇ᄂᆞᆫ지라. 노쥬 셔로 붓드러 속수무칙(束手無策)이러니, 이날 ᄯᅩ 져무러 심야 ᄉᆞᆷ경(三更)이 되ᄆᆡ 만뇌(萬籟) 구젹(俱寂)ᄒᆞᆫ 듕, 귀ᄆᆡ(鬼魅)의 불과 야수비셩(野獸悲聲)이 쳐쳐(悽悽)ᄒᆞ여 슈회(愁懷)을 더욱 돕ᄂᆞᆫ지라. 부인 노주 상ᄃᆡ(相對) 비읍ᄒᆞ더니, 문득 셕혈 박긔 은은ᄒᆞᆫ 인셩이 졈졈 갓가오며 나죽이 불너 왈,

"파랑은 ᄭᆡ엿ᄂᆞ냐?"

ᄉᆞᆷ녀 경아ᄒᆞ여 혹ᄌᆞ 귀비의 부린 ᄉᆞᄅᆞᆷ이 져의 노주을 죽이려 ᄒᆞᆫ가 ᄒᆞ여 더욱 놀나나, ᄒᆞᆯ일 업셔 답왈,

"지금 ᄌᆞ지 아냣거니와 심야ᄉᆞᆷ경의 ᄒᆞ인(何人)이완ᄃᆡ 죽어가ᄂᆞᆫ ᄉᆞᄅᆞᆷ을 부르ᄂᆞ뇨?"

724)셰셰ᄉᆡᆼᄉᆡᆼ(世世生生) : 몇 번이든지 다시 환생하는 일. 또는 그런 때.

725)너흘다 : 물다. 물어뜯다. 씹다.

726)수양산(首陽山) : 중국 감숙성(甘肅省) 롱서(隴西) 지역에 있는, 백이(伯夷)와 숙제(叔齊)가 굶어죽었다는 산.

사름이완ᄃᆡ 죽어가ᄂᆞᆫ 사름을 브르ᄂᆞ뇨?”

기인 왈,

“나ᄂᆞᆫ ᄒᆡ롭지 아닌 사름이라. 본ᄃᆡ 악당이 아니니 의심치 말나. 부인과 졔낭ᄌᆡ 무죄히 셕혈 ᄂᆡᆼ디의 긔아이ᄉᆞ(飢餓而死)ᄒᆞ믈 ᄎᆞ마 보디 못ᄒᆞ여 구활ᄒᆞᆯ ᄯᅳᆺ이 이시ᄃᆡ, 이목이 번거ᄒᆞ믈 두려 금일이야 승간ᄒᆞ여 요긔(療飢)ᄒᆞᆯ 거ᄉᆞᆯ 가져와시나,【47】 문을 봉ᄒᆞ여 시니 어ᄃᆡ로 드리리오.”

셜난 등이 ᄎᆞ경ᄎᆞ희(且驚且喜)896)ᄒᆞ니 놀나믄 귀비의 심복이 음식의 약을 두어 급히 죽이려 ᄒᆞ민가 의심ᄒᆞ미오, 깃거ᄒᆞ믄 신명이 보우ᄒᆞ여 활인지불(活人之佛)이 금셰의 이시민가, 호ᄉᆞ난녜(胡思亂慮)897) 일시의 층츌(層出)ᄒᆞ여 능히 슈히 ᄃᆡ치 못ᄒᆞ니, ᄯᅩ 닐오ᄃᆡ,

“녈위ᄂᆞᆫ 간당인가 의심치 말나. 나ᄂᆞᆫ 귀비 궁인 태셤이러니 일죽 쥬인의 블인ᄒᆞ믈 개탄ᄒᆞ며, 그 좌우의 돕ᄂᆞ니 간악하여 뇨상궁 최샹궁 ᄀᆞᄐᆞ니도 다 간악ᄒᆞ니, 날 ᄀᆞᄐᆞᆫ 말ᄌᆡ 시인(侍人)이 엇디 ᄒᆞ리오. 부인과 그ᄃᆡ 등의 참졀ᄒᆞᆫ 형식을 참연ᄒᆞ여 약간 딘식(進食)ᄒᆞᆯ 거ᄉᆞᆯ 가져와시니 의심말고 바드라.”【48】

셜난 등이 져의 딘졍이믈 깃거 년망이 칭샤ᄒᆞ고, 진력ᄒᆞ여 셕문 겻ᄐᆡ 젹은 굼글 ᄂᆡ니, 계오 그릇 ᄒᆞ나 나들 만ᄒᆞ더라.

태셤이 몬져 등잔과 기름을 드려 불을 ᄇᆞᆰ힌 후, 미좃ᄎᆞ898) 큰 그릇ᄉᆡ 됴흔 밥과 미찬(美饌) 향다(香茶)를 드리니, 부인 노쥐 바다 ᄉᆞ오일 긔갈을 위로ᄒᆞ며 ᄎᆞ완(茶碗)899)을 나와 먹기를 파ᄒᆞᄆᆡ, 부인이 분원이 흉격(胸膈)의 막혀 다만 두어 번 식음ᄒᆞᆫ 후 그릇ᄉᆞᆯ 물니니, 졔녀ᄂᆞᆫ 포복ᄒᆞ여 태셤의 여산대은(如山大恩)을 만만 칭샤ᄒᆞᄃᆡ, 만일

896)ᄎᆞ경ᄎᆞ희(且驚且喜) : 한편으로 놀라면서 한편으로 기뻐함.

897)호ᄉᆞ난녜(胡思亂慮) : =호사난상(胡事亂想). 이런 저런 잡생각을 함. 허튼 생각을 함.

898)미좃ᄎᆞ : 뒤이어. ⇒미조ᄎᆞ. 미조차.

899)ᄎᆞ완(茶碗) : 찻종의 하나. 조금 크고 뚜껑이 있다.

기인이 왈,

“나ᄂᆞᆫ ᄒᆡ롭지 아닌 ᄉᆞ룸이라. 본ᄃᆡ 악당이 아니니 의심치 말나. 부인과 졔 낭ᄌᆡ 무죄히 셕혈 ᄂᆡᆼ지의 긔아이ᄉᆞ(飢餓而死)ᄒᆞ믈 ᄎᆞ마 보지 못ᄒᆞ여 구활ᄒᆞᆯ ᄯᅳᆺ지 잇시ᄃᆡ, 이목이 번거ᄒᆞ물 두려 금일이야 겨유 승간ᄒᆞ여 요긔(療飢)ᄒᆞᆯ 것슬 가져와ᄉᆞ나, 문을 봉ᄒᆞ여시니 어ᄃᆡ로 드리리오.”

셜난 등이 ᄎᆞ경ᄎᆞ희(且驚且喜)727)ᄒᆞ여, 놀나믄 귀비의 심복이 음식의 약을 두어 먹여 급히 죽이려 ᄒᆞ민가 의심ᄒᆞ미오, 깃거ᄒᆞ믄 신명이 보우ᄒᆞ여 활인지불(活人之佛)이 금셰의 잇시민가, 호ᄉᆞ난녀(胡思亂慮)728) 일시의 층출(層出)ᄒᆞ여 능히 수히 ᄃᆡ치 못ᄒᆞ니, ᄯᅩ 일오ᄃᆡ,

“열위ᄂᆞᆫ 나을 간당인가 의심치 말나. 나ᄂᆞᆫ 귀비 궁인 ᄐᆡ셤이러니 일죽 주인의 블인ᄒᆞ믈 ᄀᆡ탄ᄒᆞ며, 그 좌우의 돕ᄂᆞ니 간악ᄒᆞ여 뇨상궁 최상궁 갓트니 다 간악ᄒᆞ니, 날 갓튼 말ᄌᆡ 시인(侍人)이 엇지 ᄒᆞ리오. 부인과 그ᄃᆡ 등의 ᄎᆞᆷ졀ᄒᆞᆫ 형식을 ᄎᆞᆷ연ᄒᆞ여 약간 진식(進食)ᄒᆞᆯ 거ᄉᆞᆯ 가【12】져 왓시니 의심 말고 바드라.”

셜난 등이 져의 진졍이믈 깃거 연망이 칭ᄉᆞᄒᆞ고, 진녁ᄒᆞ여 셕문 겻히 져근 궁글 ᄂᆡ니 여유 그릇 ᄒᆞ나 드나들만 ᄒᆞ더라.

ᄐᆡ셤이 몬져 등잔과 기름을 드려 불을 발키ᄆᆡ, 미좃ᄎᆞ729) 큰 그릇ᄉᆡ 조흔 밥과 미찬(美饌) 향다(香茶)을 드리니, 부인 노쥐 바다 ᄉᆞ오일 긔갈을 졔어ᄒᆞ며, ᄎᆞ과(茶果)730)을 나와 먹기을 파ᄒᆞᄆᆡ, 부인이 분원ᄒᆞᆫ 흉격(胸膈)이 막혀 두어 번 마신 후 그릇슬 물니니, 졔녀ᄂᆞᆫ 포복도록 먹은 후, ᄐᆡ셤의 여산ᄃᆡ은(如山大恩)을 만만 칭ᄉᆞᄒᆞᆫᄃᆡ, 만일 쳔일을 다시 보실진ᄃᆡ 후히 갑기을 긔약ᄒᆞ

727)ᄎᆞ경ᄎᆞ희(且驚且喜) : 한편으로 놀라면서 한편으로 기뻐함.

728)호ᄉᆞ난녀(胡思亂慮) : =호사난상(胡事亂想). 이런 저런 잡생각을 함. 허튼 생각을 함.

729)미좃ᄎᆞ : 뒤이어. ⇒미조ᄎᆞ. 미조차.

730)ᄎᆞ과(茶果) : 차와 과일.

텬일을 다시 보거든 후히 갑기를 긔약ᄒᆞ고, 블연즉 ᄉᆞ후 결초(結草)[900]ᄒᆞ믈 니르니, 셤이 겸양 칭샤ᄒᆞ고 도라갈ᄉᆡ, 피ᄎᆡ 언약ᄒᆞ여 【49】 밤이 깁거든 ᄉᆡᆨ찬을 출혀 오리니 기다리라 ᄒᆞ더라 .

ᄎᆞ후 밤마다 두어 시비로 더브러 부인 비듀의 ᄉᆡᆨ음을 출혀오니, 일노ᄡᅧ 긔갈을 면ᄒᆞ나 능히 호구(虎口)를 버셔날 길히 업셔 쥬쥬야야(晝晝夜夜)의 초ᄉᆞ졀민(焦思切悶)ᄒᆞ더라.

시시의 김귀비 윤시 비쥬를 셕옥의 가도고 일일 일죵 ᄎᆞ도 주지 아냐 아ᄉᆞᄒᆞ기를 죄오며, 또 ᄉᆡᆼ각ᄒᆞᄃᆡ, 내 젼일 드르니 니시는 박면흉상(薄面凶相)이라, 텬흥이 그 일ᄐᆡᆨ의 이실 졔는 녀ᄌᆞ의 함원을 씻치 아니려 ᄒᆞ므로, 잠간 냥졍(良情)이 잇던 거시어니와, 이졔 니이졀혼ᄒᆞᄆᆡ 또 집이 머니 통신키 쉽지 못ᄒᆞ리니, 다시 념두의 거리ᄭᅵ지 아니【50】려니와, 양녀 요물은 ᄉᆡᆨ모 ᄌᆡ덕이 윤녀로 더브러 일빵 구술이라 ᄒᆞ니, ᄎᆞ녀를 마ᄌᆞ 잡아 업시치 아닌즉, 녀ᄋᆞ의 젼졍의 유히ᄒᆞ리라 ᄒᆞ여, 의ᄉᆡᆨ 이에 밋ᄎᆞᄆᆡ ᄀᆞ마니 신묘랑으로 상의ᄒᆞ니, 묘랑이 쇼왈,

“이 소임은 빈도의 본ᄉᆡᆨ(本事)라. 능히 풍운을 ᄐᆞ고 효표(虎豹)와 오되(烏鳥) 되니, ᄒᆞᆫ갓 경상지가(卿相之家)를 니르지 말고, 구듕심궐도 츌입ᄒᆞ리니, 일개 양시 엇디 이 신묘랑의 신츌귀몰ᄒᆞᄂᆞᆫ ᄌᆡ조의 버셔나리잇고?”

귀비 대열 왈,

“ᄉᆞ뷔 이 ᄀᆞᄐᆞᆫ 신통으로 양녀를 마ᄌᆞ 잡아다가 셕혈의 너허, 윤녀와 ᄒᆞᆫ가지로 죽이면 엇디 묘치 아니리오. 아녀 문양【51】이 복이 놉하 ᄉᆞ부를 만나시니, 이는 한고조(漢高祖)의 ᄌᆞ방(子房)[901]ᄀᆞᄐᆞ니 엇디 강뎍을 소졔치 못ᄒᆞᆯ가 근심ᄒᆞ리오.”

묘랑이 ᄎᆞ언을 듯고 더욱 신긔ᄒᆞᆫ 체ᄒᆞ여

900)결초(結草) : =결초보은(結草報恩). ‘풀을 맺어 은혜를 갚는다’는 말로, 죽어서도 은혜를 잊지 않고 갚음을 이르는 말.

901)ᄌᆞ방(子房) : 중국 한나라의 건국공신 장량(張良)의 자(字).

고, 불연즉 ᄉᆞ후 결초(結草)[731]ᄒᆞ믈 이르니, 셤이 겸양칭ᄉᆞᄒᆞ고 도라갈ᄉᆡ, 피ᄎᆞ 언약ᄒᆞ여 밤이 깁거든 셕찬을 ᄎᆞ려 오리니 기ᄃᆞ리라 ᄒᆞ더라.

ᄎᆞ후 밤마다 두어 시비로 더부러 부인 노주의 ᄉᆡᆨ음을 ᄎᆞ려오니, 일노ᄡᅧ 긔갈을 면ᄒᆞ나, 능히 호구(虎口)을 버셔날 길이 업셔 주주야야(晝晝夜夜)의 초ᄉᆞ졀민(焦思切悶)ᄒᆞ더라.

시시의 김귀비 윤시 비주을 셕옥의 가도고 일일 일종 ᄎᆞ도 주지 아냐 아ᄉᆞᄒᆞ기을 죄오며, 또 ᄉᆡᆼ각ᄒᆞᄃᆡ, ᄂᆡ 젼일 드르니 니시는 박면흉ᄉᆡᆨ(薄面凶色)이라, 쳔흥이 그 일ᄐᆡᆨ의 잇실 졔는 녀ᄌᆞ의 함원을 ᄊᆡ치지 아니랴 홈으로, 잠간 양졍(良情)이 잇든 거시여니와, 이졔 니이졀혼ᄒᆞᄆᆡ 또 집이 머니 통키 쉽지 못ᄒᆞ리니, 다시 념두의 거리ᄭᅵ지 아니려니와, 양녀 요물은 ᄉᆡᆨ모 ᄌᆡ덕이 윤녀로 일쌍 구술이라 ᄒᆞ니, ᄎᆞ녀을 마ᄌᆞ 업시치 아닌즉, 녀ᄋᆞ의 젼졍의 유히ᄒᆞ리라 ᄒᆞ여, 의ᄉᆡᆨ 이의 맛ᄎᆞᄆᆡ 가마니 신묘랑으로 상의ᄒᆞ니 묘랑이 소왈,

“이 소임은 빈【13】도의 본ᄉᆡᆨ(本事)라. 능히 풍운을 타고 호표(虎豹)와 《오쾨∥오죄(烏鳥)》 되니, ᄒᆞᆫ갓 경상지가(卿相之家)로 니르지 말고, 궁즁심궐도 츌입ᄒᆞ리니, 일기 양시 엇지 이 신묘랑의 신츌귀몰ᄒᆞᄂᆞᆫ ᄌᆡ조의 버셔나리잇고?”

귀비 ᄃᆡ희 왈,

“ᄉᆞ뷔 이 갓튼 신통으로 양녀을 마ᄌᆞ 잡아다가 셕혈의 너허, 윤녀와 ᄒᆞᆫ 가지로 죽이면 엇지 조치 아니리오. 아녀 문양이 복이 놉ᄒᆞ ᄉᆞ부을 만나시니, 이는 한고조(漢高祖)의 ᄌᆞ방(子房)[732] 갓트니 엇지 강젹을 소졔치 못ᄒᆞᆯ가 근심ᄒᆞ리오.”

묘랑이 ᄎᆞ언을 듯고 더욱 신긔ᄒᆞᆫ 체ᄒᆞ여

731)결초(結草) : =결초보은(結草報恩). ‘풀을 맺어 은혜를 갚는다’는 말로, 죽어서도 은혜를 잊지 않고 갚음을 이르는 말.

732)ᄌᆞ방(子房) : 중국 한나라의 건국공신 장량(張良)의 자(字).

ᄌᆞ존(自尊) 교오(驕傲)ᄒᆞ미 측냥 업더니, 일일은 월야를 타 양부로 가니, 아디 못게라 양시 요물의게 잡혀 ᄉᆞᄉᆡᆼ존망(死生存亡)이 엇디 된고?

어시의 양쇼졔 천만 의외예 간비의 허다 모함이 빙셜옥결지신(氷雪玉潔之身)을 만고 투부(萬古妬婦)의 악명을 시러 만셩(萬姓)의 타비(唾非)902)ᄒᆞᄂᆞᆫ ᄇᆡ 되고, 구가로 니이ᄒᆞ여 친당의 도라갈ᄉᆡ, 존당 구고의 산은히덕과 가부의 여산듕졍을 긋ᄎᆞ며, 슬하 유치를 더디고903) 도라가ᄂᆞᆫ 심ᄉᆡ 여할(如割)ᄒᆞ니, 닌닌(轔轔)ᄒᆞᆫ904) 술【52】위박회 한뎨(漢帝)의 년(輦)을 ᄒᆞᆫ가지로 못ᄒᆞ고, 댱신궁(長信宮)905)으로 도라가ᄂᆞᆫ 반비(班妃)906)로 흡ᄉᆞᄒᆞᆫ디라. 임의 분슈ᄒᆞ여 부친을 ᄯᆞᆯ와 친당의 도라오ᄆᆡ, 모부인이 신을 벗고 듕당의 나와 녀ᄋᆞ를 븟들고 오열비읍ᄒᆞ며, 졔형ᄌᆞᄆᆡ 블승분한ᄒᆞ니 쇼졔 심회 블낙ᄒᆞ나, 태태를 뵈옵고 졔형ᄌᆞᄆᆡ로 ᄎᆡ슈(彩袖)를 년ᄒᆞᄆᆡ, 일단 시름을 물외의 더디고 면면이 반기니, 부인이 탄식 왈,

"녀ᄋᆞ의 용모 ᄌᆡ덕으로 뎡군 ᄀᆞᄐᆞᆫ 군ᄌᆞ를 만나, 피ᄎᆡ 부부의 상뎍ᄒᆞ미 디극ᄒᆞ여 ᄇᆡᆨ년의 화락이 무흠ᄒᆞ고, 비록 좌우의 뎍국이 이시나 황영(皇英)의 셩ᄉᆡ 이실가 ᄒᆞ엿더니, 조물이 다싀ᄒᆞ고【53】 여등의 명되 궁험ᄒᆞ여, 셩샹이 무고히 신ᄌᆞ의 인뉸을 희(戲)디어 문양이 하가ᄒᆞᄆᆡ 환난이 이의 밋ᄎᆞ니, 엇디 슬프지 아니리오. 희(噫)라, 아녀의 빙ᄌᆞ아elf(氷姿雅質)907)노 청츈 녹발이 쇠치 아녀셔 무고히 심규의 폐륜ᄒᆞ여, 소혜(蘇

902)타비(唾非) : 경멸하여 침 뱉고 비난함.
903)더디다 : 던지다. 버리다.
904)닌닌(轔轔)ᄒᆞ다 : 수레바퀴가 굴러가며 덜거덕거리다.
905)댱신궁(長信宮) : 중국 한(漢)나라 때 장락궁 안에 있던 궁전. 주로 태후가 살았다.
906)반비(班妃) : 중국 한(漢)나라 성제(成帝)의 후궁. 시가(詩歌)를 잘하여 성제의 총애를 받았으나 조비연(趙飛燕)에게 참소를 당하여 장신궁(長信宮)에 유폐되어 부(賦)를 지어 상심을 노래하였다.
907)빙ᄌᆞ아딜(氷姿雅質) ; 어름처럼 맑고 깨끗한 자태와 아름다운 자질.

ᄌᆞ존(自尊) 교우[오](驕傲)ᄒᆞ미 측냥 업더니, 일일은 월야을 타 양부로 가니, 아지 못게라, 양시 요물의 잡혀와 ○…**결락 23자**…○[ᄉᆞᄉᆡᆼ존망(死生存亡)이 엇디 된고?

어시의 양쇼졔 천만 의외예 간비의] 허다 모함이 빙셜옥결지신(氷雪玉潔之身)으로 만고 투부萬古妬婦로 악명을 시러 만셩(萬姓)의 타비(唾非)733)ᄒᆞᆫ ᄇᆡ 되고, 구가로 니이ᄒᆞ여 친당의 도라갈ᄉᆡ, 존당구고의 산은히덕과 가부의 여산듕졍을 긋ᄎᆞ며, 슬ᄒᆞ 유치을 더지고734) 도라가ᄂᆞᆫ 심ᄉᆡ 여할(如割)ᄒᆞ니, 린린(轔轔)ᄒᆞᆫ735) 술위박휘 한졔(漢帝)의 연(輦)을 ᄒᆞᆫ가지로 못ᄒᆞ고, 장신궁(長信宮)736)으로 도라가ᄂᆞᆫ 반비(班妃)737)로 흡ᄉᆞᄒᆞᆫ지라. 임의 분수ᄒᆞ여 부친을 ᄯᆞ라 친당의 도라오ᄆᆡ, ○[모]부인이 신을 벗고 듕당의 셔 ○○[나와] 녀아을 븟드러 오열비읍ᄒᆞ며, 졔형ᄌᆞᄆᆡ 불승분한ᄒᆞ니 소져 심회 불낙ᄒᆞ나, ᄐᆡᄐᆡ을 뵈옵고 졔형ᄌᆞᄆᆡ로 ᄎᆡ수(彩袖)을 연ᄒᆞ여, 일단 시름을 물외의 《더시고∥더지고》 면면이 반기니, 부인이 탄왈,

"녀ᄋᆞ의 용모 ᄌᆡ덕으로 뎡군 갓ᄐᆞᆫ 군ᄌᆞ을 만나 피ᄎᆞ 부부의 상젹ᄒᆞ미 지극ᄒᆞ여 ᄇᆡᆨ년의 화락이 무흠ᄒᆞ고, 비록 좌우의 젹국이 잇시나 《황명이∥황영(皇英)의》 셩ᄉᆡ 잇실가 ᄒᆞ엿더니, 조물이【15】 다싀ᄒᆞ여 여등의 명되 궁ᄒᆞ여, 셩상이 무고히 신ᄌᆞ의 인뉸을 희(戲)지어 문양이 ᄒᆞ가ᄒᆞᄆᆡ 환난이 이의 밋ᄎᆞ니, 엇지 슬푸지 아니리오. 희(噫)라, 아녀의 방[빙]ᄌᆞ아질(氷姿雅質)738)노 청츈 녹발이 쇠치 아냐셔 무고히 인뉸을 폐

733)타비(唾非) : 경멸하여 침 뱉고 비난함.
734)더자다 : 던지다. 버리다.
735)린린(轔轔)ᄒᆞ다 : 수레바퀴가 굴러가며 덜거덕거리다.
736)댱신궁(長信宮) : 중국 한(漢)나라 때 장락궁 안에 있던 궁전. 주로 태후가 살았다.
737)반비(班妃) : 중국 한(漢)나라 성제(成帝)의 후궁. 시가(詩歌)를 잘하여 성제의 총애를 받았으나 조비연(趙飛燕)에게 참소를 당하여 장신궁(長信宮)에 유폐되어 부(賦)를 지어 상심을 노래하였다.
738)빙ᄌᆞ아질(氷姿雅質) ; 어름처럼 맑고 깨끗한 자태와 아름다운 자질.

蕙)908)의 ᄒᆡ월년년됴득련(海月年年照君邊)909)을 늣기고, 독좌댱문의(獨坐障門倚)910) 오경계삼챵(五更鷄三唱)911)을 슬허ᄒᆞᆯ디라. 여뫼 긴 날의 너의 단장박명(斷腸薄命)과 홍슈ᄌᆞ한(紅袖自恨)912)을 엇디 보리오."

셜파의 엄읍뉴톄(掩泣流涕)ᄒᆞ니 양부인이 민망ᄒᆞ여 안ᄉᆡᆨ을 슈렴ᄒᆞ고 옥뫼 ᄌᆞ약ᄒᆞ여 이셩(怡聲) 쥬왈,

"만ᄉᆡ 텬애오 명애라. 이 다 쇼녀의 명되 박ᄒᆞ고 ᄒᆡᆼᄉᆡ 블미ᄒᆞ오미니, 윤부인 셩덕과 니시의【54】 관인ᄒᆞᆫ 셩덕이 아닌 후, 뉘 쇼녀의 블미ᄒᆞ믈 용셔ᄒᆞ리잇고? 쇼녀의 이러므로 나의 블미ᄒᆞ믈 붓그릴지언졍, 슈한슈원(誰恨誰怨)이리잇고?"

부인이 청파의 블승ᄋᆡ련(不勝哀憐)ᄒᆞ며 ᄯᅩ 분연 왈,

"인가의 투악ᄒᆞᆫ 녀ᄌᆡ 왕왕이 이셔 뎍국을 ᄒᆡᄒᆞᆫ다 ᄒᆞ거니와, 영교 쳔비 본ᄃᆡ 내 집 소쇽이어늘, ᄇᆡ듀(背主) 망은(忘恩)ᄒᆞ여 간인을 ᄯᆞ라 빙옥 ᄀᆞᆺ튼 듀인을 함ᄒᆡᄀᆡᆼ참(陷害坑塹)ᄒᆞ여 스ᄉᆞ로 죄를 두려 도망ᄒᆞ니, 엇디 분치 아니리오. 간비를 잡ᄂᆞᆫ 날이면 만단의 ᄡᅳ져 후셰 블튱 간비를 징계ᄒᆞ리라."

쇼졔 ᄃᆡ왈,

"영괴 간인의 휼듕(譎中)의 농낙ᄒᆞ여 ᄇᆡ듀ᄒᆞ오니, 이 스ᄉᆞ로 망신ᄒᆞ올○○[디라], 엇디 죡히 무식【55】 쳔비를 개회(介懷)ᄒᆞ리잇고?"

모부인과 졔쇼년이 쇼져의 여ᄎᆞ 셩덕(聖德) ᄌᆡ화(才華)를 가지고 평ᄉᆡᆼ 계활(計活)이 이러틋 어ᄌᆞ러오믈 앗기고 슬허ᄒᆞ니, 평댱

908)소혜(蘇蕙) : 중국 동진(東晋) 때 진주자사(秦州刺史) 두도(竇滔)의 아내. 자(字) 약란(若蘭). 남편에 대한 그리움과 회한을 읊은 회문시(回文詩) <직금회문선기도(織錦回文璇璣圖)> 로 유명하다.

909)히월년년됴득련(海月年年照君邊) : 바다 위에 뜬 달은 해마다 당신 주변을 비치네.

910)독좌당문의(獨坐障門倚) : 홀로 장지문에 기대 앉아 있노라니.

911)오경계삼창(五更鷄三唱) : 새벽닭이 세 번을 우네.

912)홍슈ᄌᆞ한(紅袖自恨) : 젊은 여자의 신세 한탄.

ᄒᆞ니, 노뫼 긴 셰월의 너희 단장박명(斷腸薄命)과 홍안ᄌᆞ한(紅顔自恨)739)을 엇지 보리오."

셜파의 음[엄]읍유체(掩泣流涕)ᄒᆞ니 양부인이 민망ᄒᆞ여 안ᄉᆡᆨ을 슈렴ᄒᆞ고 옥뫼 ᄌᆞ약ᄒᆞ여 이셩 주왈,

"만ᄉᆡ 쳔야요 명야라. 이 다 소녀의 명되 박ᄒᆞ고 ᄒᆡᆼᄉᆡ 불민ᄒᆞ오미오니, 윤부인 셩덕과 니시의 관인ᄒᆞᆫ 셩심이 아닌 후, 뉘 소녀의 불미ᄒᆞ물 용셔ᄒᆞ리잇고? 소녀ᄂᆞᆫ 이러ᄒᆞ므로 나의 불미ᄒᆞ물 붓그릴지언졍 누을 탓ᄒᆞ리잇고?"

부인이 청파의 불승《아연 ‖ ᄋᆡ연(哀憐)》ᄒᆞ며 ᄯᅩ 분연 왈,

"인가의 투악ᄒᆞᆫ 녀ᄌᆡ 왕왕이 잇셔 적국을 ᄒᆡᄒᆞ다 ᄒᆞ거니와, 영교 쳔비 본ᄃᆡ ᄂᆡ집 소쇽이여늘 ᄇᆡᆨ주(背主) 망언(妄言)ᄒᆞ여 간인을 ᄯᆞ라 빙옥 갓튼 주인을 함ᄒᆡᄀᆡᆼ참(陷害坑塹)ᄒᆞ여 스ᄉᆞ로 죄을 두려 도망ᄒᆞ니, 엇지 분치 아니리오. 간비을 잡는 날이면 만편의 찌져 후셰 불츙간비을 경계ᄒᆞ리라."

소져 ᄃᆡ왈,

"영교 간인의 슐듕의 녹낙ᄒᆞ여 ᄇᆡ주ᄒᆞ오니 졔 스ᄉᆞ로 망신ᄒᆞ올지라. 엇지 족히 무식천비을 ᄀᆡ회(介懷)ᄒᆞ리잇고?"

모부인과 졔소년이 소져 여ᄎᆞ 셩덕(聖德) ᄌᆡ화(才華)을 가지고 평ᄉᆡᆼ 계활이 이러탓 어ᄌᆞ○[러]오믈 앗기고 슬허ᄒᆞ니, 평장이 비록 일셰을 안공(眼空)ᄒᆞᄂᆞᆫ740) 장뷔나 녀아 ᄉᆞ랑은 과도ᄒᆞ여, 광수(廣袖)741)로 녀ᄋᆞ의 옥수을 잡고, 무빈(霧鬢)을 쓰다듬어 장탄ᄒᆞ여 슈회(愁懷) 만단(萬端)이나【15】ᄒᆞ나, ᄉᆡᆨ음의 맛시 업셔 부부양인이 셕식을

739)홍안ᄌᆞ한(紅顔自恨) : 젊은 여자의 신세 한탄.

740)안공(眼空)ᄒᆞ다 : 안중(眼中)에 없다. 어떤 것을 안중(眼中)에 두지 않을 만큼 포부가 크다.

741)광수(廣袖) : 통이 넓은 소매. 도포(道袍)의 소매.

이 비록 일셰를 안공(眼空)ᄒᆞᄂᆞᆫ913) 댱뷔나 여ᄋᆞ ᄉᆞ랑은 과도ᄒᆞ여, 쇼슈(素袖)914)로 여ᄋᆞ의 옥슈를 잡고, 무빈(霧鬢)을 쁘다듬아 댱탄ᄒᆞ여 슈회(愁懷) 만단(萬端)이나 ᄒᆞ니, 식음의 맛시 업셔 부부 냥인이 셕식(夕食)을 블어(不御)915)ᄒᆞ니, ᄌᆞ녀뷔(子女婦) 민망ᄒᆞ여 지삼 관비(寬悲)ᄒᆞ시믈 쳥ᄒᆞ고, 양부인이 블효를 민망ᄒᆞ여 낭셩화어(朗聲和語)로 부모를 위로ᄒᆞ여 셕식을 파ᄒᆞ고, 쵹을 볽히ᄆᆡ 부인이 야심토록 뎡당의 뫼셔 말숨ᄒᆞ다가, 각각 슉소로 도라가니, 평댱과 【56】 부인이 녀ᄋᆞ를 ᄉᆞ침의 보ᄂᆡ지 아니코 겻ᄐᆡ 누여 교무(交撫)ᄒᆞ미 유하영ᄋᆞ(乳下嬰兒) ᄀᆞᆺᄐᆞ니, 모부인은 회리(懷裏)916)의 닉ᄋᆡ(溺愛)ᄒᆞ여 모녀의 쳬쳬(逮逮)917)한 졍이 타인 모녀의 디나며, 양시 노릐ᄌᆞ(老萊子)918)의 어린 체를 다ᄒᆞ여, 모친 《유압‖유합(乳盒)919)》을 만지며 향싀(香顋)920)를 졉ᄒᆞ여 ᄋᆞ쇼(兒小)의 ᄐᆡ(態)를 다ᄒᆞ니, 평댱이 근심을 두로혀 미쇼 왈,

"노뷔 녀ᄋᆞ로뼈 범ᄉᆞ의 노셩(老成)ᄒᆞᆫ가 넉엿더니, 금일 보건ᄃᆡ 미거(未擧)ᄒᆞ미 만토다. 공연이 투부 악명을 시러 구가의 영츌ᄒᆞ나, ᄉᆞᄉᆡᆨ이 타연ᄒᆞ믈 괴이히 넉엿더니, ᄌᆞ모의게 이런 어린 체를 ᄒᆞ므로 만념을 니ᄌᆞ미로다."

부인이 역쇼ᄒᆞ고, 쇼졔 미쇼 ᄃᆡ왈,

"대인과 태태 엇【57】디 ᄉᆡᆼ각지 못ᄒᆞ시ᄂᆞ니잇고? 쇼녀ᄂᆞᆫ 비록 구가의 실의(失意)ᄒᆞ오나, 친측의 도라오오ᄆᆡ 부○[모]형뎨 반셕ᄀᆞᆺᄐᆞ여 각별 슬프미 업ᄉᆞ니, 신셰 박명

913)안공(眼空)ᄒᆞ다 : 안중(眼中)에 없다. 어떤 것을 안중(眼中)에 두지 않을 만큼 포부가 크다.
914)쇼슈(素袖) : 흰 옷소매.
915)블어(不御) : 존귀한 사람이 음식 따위를 먹지 않는 것을 높여 이르던 말. 진어(進御)의 반대말.
916)회리(懷裏) : 마음속. 품속.
917)쳬쳬(逮逮) : 마음에 잊지 못하여 연연해 함.
918)노릐ᄌᆞ(老萊子) : 중국 춘추 시대 초나라의 은사(隱士). 70세에 어린아이 옷을 입고 어린애 장난을 하여 늙은 부모를 위안하였다고 한다. 저서에 ≪노래자≫ 15편이 있다.
919)유합(乳盒) : 젖가슴. 유방(乳房).
920)향싀(香顋) : 향기로운 뺨.

불음(不飮)ᄒᆞ니, ᄌᆞ녀 민망ᄒᆞ여 관비(寬悲)ᄒᆞ시믈 쳥ᄒᆞ고, 양부인이 불효을 민망ᄒᆞ여 낭셩화어(朗聲和語)로 부모을 위로ᄒᆞ여 셕식을 파ᄒᆞ고, 촉을 밝히ᄆᆡ 부인이 야심토록 졍당의 뫼셔 말숨ᄒᆞ다가 각각 숙소로 도라가니, 평댱과 부인이 녀ᄋᆞ을 ᄉᆞ침의 보ᄂᆡ지 아니코 겻히 누이고 교무ᄒᆞ미 유아 《갓치‖갓ᄐᆞ》 쳬쳬ᄒᆞᆫ ᄉᆞ랑이 비ᄒᆞᆯ ᄃᆡ 업ᄉᆞ니, 소제 ᄯᅩᄒᆞᆫ 노릐ᄌᆞ(老萊子)742)의 어린 체을 다ᄒᆞ여, 모친 유합(乳盒)743)을 만지며 향시(香顋)744)을 졉ᄒᆞ여 아소(兒小) ᄒᆡ아(孩兒) ○○[의 ᄐᆡ(態)]을 다ᄒᆞ니, 평장이 근심을 두로혀 미쇼 왈,

"노뷔 녀아을 범ᄉᆞ의 노셩(老成)ᄒᆞᆫ가 역여더니, ᄎᆞ일 보건ᄃᆡ 미거(未擧)ᄒᆞ미 만토다. 공연이 투악(妬惡)을 시러 구가의 영츌ᄒᆞ나, ᄉᆞᄉᆡᆨ이 ᄐᆞ연ᄒᆞ믈 고이 넉엿더니, ᄌᆞ모의게 어린 체을 하므로 만념을 이즈리[미]로다."

부인이 미소ᄒᆞ고 소져 역(亦) 소왈,

"ᄃᆡ인과 ᄐᆡᄐᆡ 엇지 ᄉᆡᆼ각지 못ᄒᆞᄂᆞᆫ잇고? 소녀ᄂᆞᆫ 비록 구가의 실의(失意)ᄒᆞ오나, 친측의 도라오ᄆᆡ 부모형뎨 반셕 갓트여, 각별 슬푸미 업ᄉᆞ니 신셰 박명 듕이나 오히려 마음을 위로ᄒᆞ려니와, 윤부인은 친측의 도가가ᄆᆡ 명슈유소지[귀](名雖有所歸)나 실즉무소귀(實卽無所歸)745)라. ᄒᆞᆫ번 《궁문‖구문

742)노릐ᄌᆞ(老萊子) : 중국 춘추 시대 초나라의 은사(隱士). 70세에 어린아이 옷을 입고 어린애 장난을 하여 늙은 부모를 위안하였다고 한다. 저서에 ≪노래자≫ 15편이 있다.
743)유합(乳盒) : 젖가슴. 유방(乳房)
744)향싀(香顋) : 향기로운 뺨.
745)명슈유소귀(名雖有所歸)나 실즉무소귀(實卽無所歸)라 : 명목상으로는 비록 돌아갈 곳이 있으나, 실제로는 돌아갈 곳이 없음. '돌아갈 곳(所歸)'은

ᄒᆞᆫ ᄀᆞ온ᄃᆡ나 오히려 ᄆᆞᄋᆞᆷ을 위로ᄒᆞ려니와, 윤부인은 친측의 도라가ᄆᆡ 명슈유소귀(名雖有所歸)나 실즉무소귀(實卽無所歸)[921]라. ᄒᆞᆫ 번 구문(舅門)을 하ᄃᆡᆨᄒᆞᄆᆡ 빙옥방신(氷玉芳身)이 다시 호구(虎口)의 ᄡᅥ러지니, 윤가 허다 변고ᄂᆞᆫ 블가ᄉᆞ문어타인(不可使聞於他人)이라. 일죽 당(堂) 우[922] 부뫼 존(存)치 아니시고, 윤츄밀이 비록 뎔녀를 ᄉᆞ랑ᄒᆞ나 본ᄃᆡ 휴휴댱뷔(休休丈夫)[923]라, 가듕(家中) 셰쇄지ᄉᆞ(細瑣之事)를 엇디 알니잇고? 위태부인 험난과 뉴부인 간악ᄒᆞ미 엇디 그 약질을 잘 보젼케【58】 ᄒᆞ리잇고? 니른바 뇽의 굴혈을 ᄡᅥ나ᄆᆡ 범의 구무[924]의 님ᄒᆞ미라. 위태ᄒᆞ미 누란(累卵)의 이시니 쇼녀로 비컨ᄃᆡ 우락(憂樂)이 ᄂᆡ도ᄒᆞ온디라. 슉녀 현완(賢婉)으로 명이 궁박ᄒᆞ미 이의 밋ᄎᆞ오니, 쇼녀의 비박ᄒᆞᆫ 긔질노 일시 ᄋᆡᆨ경을 슬허ᄒᆞ면 텬되 엇디 외오 넉이지 아니시리잇가?”

부인이 탄왈,

“텬되 엇디 이ᄀᆞᆺ치 고로디 아니신고? 비록 보디 아녀시나 윤시ᄂᆞᆫ 녜문덕가의 현부모 ᄉᆡᆼ츌이라. 그 ᄉᆡᆨ용 픔질이 범범 쇽녀와 ᄀᆞᆺᄐᆞ리오마ᄂᆞᆫ, 뉸회보응(輪回報應)이 블명(不明)ᄒᆞ시미로다.”

평댱은 녜의군ᄌᆡ라 위·뉴 냥인이 간험ᄒᆞ믈 니르지 아니나, 윤명쳔【59】의 튱효대졀과 그 젹덕여음이 ᄌᆞ녀의게 밋지 못ᄒᆞ여, 슈삼 ᄌᆞ녀의 화ᄋᆡᆨ이 비상ᄒᆞ믈 개탄ᄒᆞ며, 녀ᄋᆞ의 심ᄉᆞ를 어엿비 넉여 죵야 년ᄋᆡᆨᄒᆞ여 젼젼불ᄆᆡ러라.

ᄎᆞ후 양부인이 화됴월셕(花朝月夕)의 형뎨ᄌᆞᄆᆡ로 부모슬하의 학낭쇼어(謔浪笑

921)명슈유소귀(名雖有所歸)나 실즉무소귀(實卽無所歸)라 : 명목상으로는 비록 돌아갈 곳이 있으나, 실제로는 돌아갈 곳이 없음. ‘돌아갈 곳(所歸)’은 돌아가 의지할 수 있는 곳으로, 부모 형제 친척이 있는 곳을 말함. ‘돌아갈 곳이 없음(無所歸)’는 유교에서 아내를 출거(黜去)할 수 없는 세 가지 경우, 곧 삼불거(三不去)의 하나에 해당한다.

922)우 : 위. 위에.

923)휴휴당뷔(休休丈夫) : 사소한 일에 얽매이지 않아 도량이 크고 마음이 편한 대장부.

924)구무 : 구멍.

(舅門)》을 ᄒᆞ직ᄒᆞᄆᆡ 빙옥방신(氷玉芳身)이 다시 호구(虎口)의 ᄡᅥ러지니, 윤가 허다 변고ᄂᆞᆫ 불가ᄉᆞ문어타인(不可使聞於他人)이라, 일작 당상(堂上)의 부뫼 존(存)치 아니시고, 윤츄밀이 비록 질녀을 ᄉᆞ랑ᄒᆞ나 본ᄃᆡ 휴휴장뷔(休休丈夫)[746]라 가즁(家中) 셰쇄지ᄉᆞ(細瑣之事)을 엇지 알니잇고? 위ᄐᆡ부인 험난과 뉴부인 강악ᄒᆞ미 엇지 그 약질을 보【16】젼케 ᄒᆞ리오. 이른 바 용의 굴헝[747]을 ᄡᅥ나ᄆᆡ 범의 궁긔[748] 임ᄒᆞ미라. 위ᄐᆡᄒᆞ미 누란(累卵)의 잇스니 소녀로 비컨ᄃᆡ 우락(憂樂)이 상반ᄒᆞ온지라. 슉녀 현완(賢婉)으로 명이 궁박ᄒᆞ미 이의 밋ᄉᆞ오니, 소녀의 비박ᄒᆞᆫ 긔질노 일시 ᄋᆡᆨ경을 슬허ᄒᆞ면, 쳔되 엇○[지] 외오 역이지 아니시리잇가?”

부인이 탄 왈,

“쳔되 엇지 이갓치 고로지 아니신고? 비로[록] 보지 아냐시ᄂᆞ 윤시ᄂᆞᆫ 예문덕가의 현부모 ᄉᆡᆼ츌이라. 그 ᄉᆡᆨ용 품질이 범범 숙녀와 갓트리오마ᄂᆞᆫ 윤회보응(輪廻報應)이 불명(不明)ᄒᆞ미로다.”

평장은 여[예]의군ᄌᆡ라, 위·뉴 양인의 간험ᄒᆞ물 니르지 아니ᄂᆞ, 윤명천의 츙효ᄃᆡ절노 그 젹덕여음이 그 ᄌᆞ녀의게 밋지 못ᄒᆞ여 수숨 ᄌᆞ녀의 화ᄋᆡᆨ이 비상ᄒᆞ믈 ᄀᆡ탄ᄒᆞ고, 녀아의 심ᄉᆞ을 어엿비 넉여 종야 연ᄋᆡᆨᄒᆞ여 젼젼불ᄆᆡ러라.

ᄎᆞ후 양부인이 화조월셕(花朝月夕)의 형뎨ᄌᆞᄆᆡ로 부모 슬하의 학낭소어(謔浪笑語)[749]로 비회을 이즈시게 ᄒᆞ니, 도로혀 ᄌᆞ

돌아가 의지할 수 있는 곳으로, 부모 형제 친척이 있는 곳을 말함. ‘돌아갈 곳이 없음(無所歸)’는 유교에서 아내를 출거(黜去)할 수 없는 세 가지 경우, 곧 삼불거(三不去)의 하나에 해당한다.

746)휴휴당뷔(休休丈夫) : 사소한 일에 얽매이지 않아 도량이 크고 마음이 편한 대장부.

747)굴헝 : 구렁. 움쑥하게 파인 땅.

748)궁긔 : 구멍.

749)학낭쇼어(謔浪笑語) : 실없는 말로 희롱하고 익살을 부리며 우스운 이야기를 함.

語)925) 비회를 니ᄌᆞ시게 ᄒᆞ니, 도로혀 ᄌᆞ신 계활(計活)을 니젓더라.

부인이 년일 ᄉᆞ침을 ᄎᆞᆺ디 아니ᄒᆞ더니 일일은 셕식을 파ᄒᆞᄆᆡ, 믄득 심신이 곤뇌ᄒᆞ고 긔운이 블평ᄒᆞᆫ디라. 망망(惘惘)926)이 즐기지 아냐 화미(華眉)를 찡긔고 왈,

"쇼네 신상이 블평ᄒᆞ오니, 금일 ᄉᆞ침의 도라가 혈숙고져 ᄒᆞᄂᆞ이다."

부뫼 념녀ᄒᆞ여 허ᄒᆞ니, 부인이 혼뎡【60】 후 유모 시비 등을 거ᄂᆞ려 침소의 도라와 촉을 ᄇᆞᆰ히고, 단의홍군(單衣紅裙)으로 침병의 의지ᄒᆞ여 뉴미(柳眉)를 영빈(儜嚬)927) ᄒᆞ고 단슌이 믁믁ᄒᆞ여 즐기지 아니ᄒᆞ더니, 이윽고 모든 졔형이 니르러 녈좌ᄒᆞᄆᆡ, 졔인이 ᄀᆞᆯ오ᄃᆡ,

"아ᄌᆞ의 드ᄅᆞ니 쇼고(小姑) 신상이 블평ᄒᆞ여 ᄉᆞ침의 도라오다 ᄒᆞ니 병심이 반ᄃᆞ시 뎍막ᄒᆞᆯ 줄 알고 니ᄅᆞ과이다."

양시 왈,

"우연이 미양으로 심ᄉᆡ 곤뇌ᄒᆞ나 본ᄃᆡ 대단치 아니코, 또 쇼년 혈긔 방강(方强)ᄒᆞ니 족히 ᄉᆞ싱의 념녀ᄂᆞᆫ 업ᄉᆞᆯ디라. 졔형이 침슈를 폐ᄒᆞ고 심야의 슈고로이 니ᄅᆞ시니 후의 감샤ᄒᆞ여이다."

졔인이 흔연 칭샤ᄒᆞ고 한담ᄒᆞᆯᄉᆡ,【61】 좌우로 호쥬 셩찬과 향다를 나와 졔부인이 진음ᄒᆞᆯᄉᆡ, 양부인이 평일 일작(一勺) 블음(不飮)이라. 금일 신긔 블평ᄒᆞᆷ과 졔인의 권ᄒᆞᄆᆞ로 일ᄇᆡ 향온(香醞)을 거후ᄅᆞᄆᆡ, 경긱의 쥬긔 편편ᄒᆞ여 일도(一道)928) 상운(祥雲)이 팔광(八光)929)을 ᄀᆞ리오니, 홍ᄇᆡᆨ 모란이 ᄃᆞᆺ토아 ᄇᆞᆰ엇ᄂᆞᆫ ᄃᆞᆺ, 광염이 촉하의 바ᄋᆡ니, 쇄락ᄒᆞᆫ ᄐᆡ되 쳔승만ᄇᆡ(千勝萬倍)930)라. 졔부인이 크게 긔이히 녁이고 블승ᄋᆡ경(不勝愛

925)학낭쇼어(謔浪笑語) : 실없는 말로 희롱하고 익살을 부리며 우스운 이야기를 함.
926)망망(惘惘) : 낙심하여 멍한 모양.
927)영빈(儜嚬) : 괴로이 찡그림.
928)일도(一道) : 한 가지 길. 여기서는 '한 줄'의 뜻.
929)팔광(八光) : 눈썹의 광채. 팔(八)은 눈썹의 모양을 나타냄.
930)쳔승만ᄇᆡ(千勝萬倍) ; 천 배 만 배나 더 뛰어나다.

신 계활(計活)을 이졋더라.

부인이 연일 ᄉᆞ침을 ᄎᆞᆺ지 아니ᄒᆞ더니, 일일은 셕식을 파ᄒᆞᆫ 후 문득 심ᄉᆡ 곤뇌ᄒᆞ고 긔운이 불평ᄒᆞᆫ지라. 망망(惘惘)750)이 즐기지 아냐 화미을 ᄶᆞᆼ긔고 왈,

"소녀 신상이 불평ᄒᆞ오니 금일 ᄉᆞ침의 도라가 헐숙고져 ᄒᆞᄂᆞ이다."

부뫼 념녀ᄒᆞ며 허ᄒᆞ니, 부인이 혼뎡을 파ᄒᆞᆫ 후 유모 시비을 거ᄂᆞ려 침소의 도라와 촉을 밝히고, 단의홍군(單衣紅裙)으로 침병의 의지ᄒᆞ여 유미(柳眉)○[를] 영빈(儜嚬)751)ᄒᆞ고 단슌이 믁믁ᄒᆞ여 즐기지 아니ᄒᆞ더니, 이윽고 모든 졔형이 이르러 열좌ᄒᆞ니, 졔인이 갈【17】오ᄃᆡ,

"아ᄌᆞ의 드ᄅᆞ니 신상이 불평ᄒᆞ여 ᄉᆞ침의 도라오다 ᄒᆞ니 병심이 ᄌᆞ연 젹막ᄒᆞᆯ 줄 알고 위회(慰懷)코져 이르과이다."

양시 손ᄉᆞ 왈,

"우연ᄒᆞᆫ 미양으로 심ᄉᆡ 곤뇌ᄒᆞ나 본ᄃᆡ ᄃᆡ단치 안코, 소년 혈긔 방강(方强)ᄒᆞ니 족히 ᄉᆞ싱의 념여 업슬지라. 졔형이 침수을 폐ᄒᆞ고 심야의 수고로이 이르시니 후의 감ᄉᆞᄒᆞ여이다."

졔인이 흔연 칭ᄉᆞᄒᆞ고 ᄒᆞᆫ담ᄒᆞᆯᄉᆡ, 좌우로 호주 셩찬과 향다을 나와 졔부인이 진음ᄒᆞᆯᄉᆡ, 양부인이 평일 일죽(一勺) 불음이라. 금일 신긔 불평ᄒᆞᆷ과 졔인의 권ᄒᆞᄆᆞ로 일ᄇᆡ 향온(香醞)을 거우ᄅᆞᄆᆡ, 경각의 주긔 편편ᄒᆞ여 일두(一頭)752) 상운(祥雲)이 팔광(八光)753)을 가리오니, 홍ᄇᆡᆨ 모란이 다토아 불것ᄂᆞᆫ 듯754) 광염이 촉ᄒᆞ의 바ᄋᆡ니, 쇄락ᄒᆞᆫ ᄐᆡ되 쳥[쳔]승만ᄇᆡ(千勝萬倍)755)라. 졔부인이 크게 긔이히 녁이고 불승ᄋᆡ경(不勝愛敬)ᄒᆞ여

750)망망(惘惘) : 낙심하여 멍한 모양.
751)영빈(儜嚬) : 괴로이 찡그림.
752)일두(一頭) : 한 머리. 한 덩이. 한 덩어리. 머리(頭)는 덩어리를 이룬 수량의 정도를 나타내는 말.
753)팔광(八光) : 눈썹의 광채. 팔(八)은 눈썹의 모양을 나타냄.
754)불것는 듯 : 붉어있는 듯. 붉었는 듯.
755)쳔승만ᄇᆡ(千勝萬倍) ; 천 배 만 배나 더 뛰어나다.

敬)ᄒᆞ여 잠쇼 농왈,

"아ᄅᆞᆷ답다 부인이여, 반ᄃᆞ시 월뎐(月殿)의 님ᄌᆡ 업고 광한궁(廣寒宮)[931]이 ᄇᆡ여시리로다. 뎡병뷔 엇던 사ᄅᆞᆷ이완ᄃᆡ 므ᄉᆞᆷ 복으로 이 ᄀᆞᄐᆞᆫ 졀ᄃᆡ슉완(絶代淑婉)으로 흠업시 화락을 일우리오. 【62】 과연 쇼고의 용안이 너모 슈츌(秀出)ᄒᆞ므로 조물의 ᄉᆡᄀᆡ를 만나미라. 아디 못게라, 윤부인이 만고 무빵 졀염이믈 드럿거니와, 문양공쥐 윤·양·니 삼인을 젼졔(剪除)ᄒᆞᄆᆡ 기힝(其行)이 ᄉᆞ덕의 버셔나시니 다시 의논치 말고, 그 외모 ᄉᆡᆨ광(色光)이 능히 부인을 밋ᄎᆞ랴? 블연즉 뎡병뷔 졀염가인을 닛고[932] 금슬(琴瑟)의 화(和)와 종고(鐘鼓)의 낙(樂)이 블합ᄒᆞ믈 뭇디 아냐 알소이다."

양시 청파의 뎡ᄉᆡᆨ 왈,

"부인이 단묵(端默)ᄒᆞ미 녜도의 웃듬이라. 금일 언담(言談)의 부창(婦唱)[933]되믈 삼가지 아니시ᄂᆞ잇고? 비컨ᄃᆡ 연되(燕鳥) 아ᄅᆞᆷ다오나 난봉(鸞鳳)과 다르【63】고, 계홰(桂花) 아ᄅᆞᆷ다오나 부용(芙蓉)과 ᄌᆡᆼ션(爭先)치 못ᄒᆞᄂᆞ니, 져 문양공쥐 본ᄃᆡ 황가디엽(皇家枝葉)으로 농ᄌᆞ봉손(龍子鳳孫)이니 녀염쇽녀(閭閻俗女)와 ᄀᆞᄐᆞ리잇가? 월녀(越女)[934] 셔시(西施)[935] 비록 아ᄅᆞᆷ다오나 묘복박덕(眇福薄德)[936]ᄒᆞ니 족히 닐너 브졀업고, ᄆᆡᆼ광(孟光)[937]과 황시(黃氏)[938] 이시나 냥홍

931)광한궁(廣寒宮) : 광한전(廣寒殿). 달 속에 있다는, 항아(姮娥)가 사는 가상의 궁전.

932)닛다 : ①잇다. ②잃다.

933)부창(婦唱) : '아내의 말이 성(盛)하다'는 뜻으로 부창부수(夫唱婦隨)의 도리에 어긋난다는 말.

934)월녀(越女) : ①중국 춘추시대에 월(越)나라의 여자. ②월(越)나라에 미녀가 많다는 데서, '미인'을 일컫는 말로도 쓰임.

935)셔시(西施) : 중국 춘추 시대 월나라의 미인. 오나라에 패한 월나라 왕 구천이 서시를 부차에게 보내어 부차가 그 용모에 빠져 있는 사이에 오나라를 멸망시켰다.

936)묘복박덕(眇福薄德) : 복이 적고 덕이 엷음.

937)ᄆᆡᆼ광(孟光) : 후한 때 사람 양홍(梁鴻)의 처. 추녀였으나 남편의 뜻을 잘 섬겨 현처로 이름이 알려졌고, 고사 거안제미(擧案齊眉)로 유명하다.

938)황시(黃氏) : 중국 삼국시대 촉의 정치가 제갈량의 처. 용모는 몹시 추(醜)녀였으나 재주가 뛰어났

잠소 농왈,

"아름답다 부인이여, 반다시 월젼(月殿)의 임ᄌᆡ 업고 광한궁(廣寒宮)[756]이 비엿시리로다. 뎡병뷔 언[엇]던 ᄉᆞᄅᆞᆷ○[이]완ᄃᆡ 무ᄉᆞᆷ 복으로 이갓튼 졀ᄃᆡ숙완(絶代淑婉)을 흠업시 화락을 일우리오. 과연 소고의 용안이 너무 슈츌(秀出)ᄒᆞ므로 조물의 ᄉᆡᄀᆡ을 만나미라. 아지못게라, 윤부인이 만고 무쌍 졀염이물 드럿거니와, 문양공쥐 윤·양·니 ᄉᆞᆷ인을 졀졔(切除)ᄒᆞᄆᆡ 기힝(其行)이 ᄉᆞ덕의 버셔낫시니 다시 의논치 말고, 그 외모 ᄉᆡᆨ광(色光)이 능히 부인을 밋ᄎᆞ랴? 불연즉 병뷔 가인을 잇고[757] 금슬(琴瑟)의 화(和)와 종고(鐘鼓)의 낙(樂)이 불합ᄒᆞ믈 뭇지 아냐 알니로소이다."

양시 청파의 뎡ᄉᆡᆨ 왈,

"부인은 단묵(端默)ᄒᆞ미 웃듬이라. 금일 【18】 언담(言談)이 부참(婦慙)[758]되믈 삼가지 아니시ᄂᆞ니잇고? 비컨ᄃᆡ 연죄(燕鳥) 아름다오나 난봉(鸞鳳)과 다르고, 계홰(桂花) 아름다오나 부용(芙蓉)과 경션(競先)치 못ᄒᆞᄂᆞ니, 져 문양공주 본ᄃᆡ 황가지엽(皇家枝葉)으로 용ᄌᆞ봉숀(龍子鳳孫)이니 여염속녀(閭閻俗女)와 닷토리잇가? 월녀(越女)[759] 셔시(西施)[760] 비록 아름다오나 묘복박덕(眇福薄德)[761]ᄒᆞ니 족히 일너 브졀 업고, ᄆᆡᆼ광(孟光)[762] 황시(黃氏)[763] 잇시나 양홍

756)광한궁(廣寒宮) : 광한전(廣寒殿). 달 속에 있다는, 항아(姮娥)가 사는 가상의 궁전.

757)잇다 ; ①잇다. ②잃다.

758)부참(婦慙) : 부인의 부끄러움. 또는 부덕(婦德)에 부끄러움이 됨.

759)월녀(越女) : ①중국 춘추시대에 월(越)나라의 여자. ②월(越)나라에 미녀가 많다는 데서, '미인'을 일컫는 말로도 쓰임.

760)셔시(西施) : 중국 춘추 시대 월나라의 미인. 오나라에 패한 월나라 왕 구천이 서시를 부차에게 보내어 부차가 그 용모에 빠져 있는 사이에 오나라를 멸망시켰다.

761)묘복박덕(眇福薄德) : 복이 적고 덕이 엷음.

762)ᄆᆡᆼ광(孟光) : 후한 때 사람 양홍(梁鴻)의 처. 추녀였으나 남편의 뜻을 잘 섬겨 현처로 이름이 알려졌고, 고사 거안제미(擧案齊眉)로 유명하다.

763)황시(黃氏) : 중국 삼국시대 촉의 정치가 제갈량의 처. 용모는 몹시 추(醜)녀였으나 재주가 뛰어났

(梁鴻)[939]과 졔갈무후(諸葛武侯)[940]의 슈미(秀美)ᄒᆞ므로도 금슬(琴瑟)이 블합지 아니ᄒᆞ여시니, ○○[이에] 부부 후박(厚薄)의[이] 이실 거시라 괴이ᄒᆞᆫ 말솜을 ᄒᆞ여 뎡ᄃᆡᄒᆞ믈 싱각지 아니ᄒᆞ시ᄂᆞ니잇고? 쇽담의 왈, '쥬언(晝言)은 문됴(聞鳥)ᄒᆞ고 야언(夜言)은 문셔(聞鼠)ᄒᆞᆫ다'[941] ᄒᆞ니, 혹ᄌᆞ 블현ᄌᆡ(不賢者) 알오미 되면 블측ᄒᆞᆫ 일이 이실가 두리ᄂᆞ【64】니, 원컨ᄃᆡ 졔형은 '언필찰(言必察)ᄒᆞ고 ᄒᆡᆼ필신(行必愼)'[942] ᄒᆞ쇼셔."

셜파의 안ᄉᆡᆨ이 화평ᄒᆞ고 말솜이 뎡대(正大)ᄒᆞ여 녜도의 일호 착만(錯漫)[943]ᄒᆞ미 업ᄂᆞᆫ디라. 졔부인이 블승탄복ᄒᆞ여 탄디(歎之) 칭션(稱善) 왈,

"긔ᄌᆡ(奇哉)며 현ᄌᆡ(賢哉)라. 쳔고의 ᄒᆞᆫ낫 셩녜오 금셰의 독보(獨步) 슉녀로소니, 아등은 앙망블급(仰望不及)ᄒᆞ리니, 엇디 ᄒᆞᆫ갓 동긔지졍(同氣之情) ᄲᅮᆫ이리오. 금일지언(今日之言)을 듕심명디(中心銘之)[944]ᄒᆞ여 평ᄉᆡᆼ에 스싱ᄒᆞ리라."

부인이 잠쇼 칭션 왈,

"졔형이 맛춤ᄂᆡ 쇽틱(俗態)를 면치 못ᄒᆞ여 동거지간의 이ᄀᆞᆺ치 과례(過禮)를 ᄒᆡᆼᄒᆞ시니 평일 우ᄋᆡᄒᆞ시던 졍이 아니로소이다."

(梁鴻)[764] 무후(武侯)[765]의 수미(秀美)ᄒᆞ므로도 금슬(琴瑟)의 불합지 아니ᄒᆞ엿시니, ○○[이에] 부부 후박의[이] 잇슬 거시라 고이ᄒᆞᆫ 말솜을 ᄒᆞ여 뎡ᄃᆡᄒᆞ믈 싱각지 아니시ᄂᆞᆫ이잇고? 속담의 왈, '주언(晝言)은 문조(聞鳥)ᄒᆞ고, 야언(夜言)은 문셔(聞鼠)ᄒᆞᆫ다'[766] ᄒᆞ니, 혹ᄌᆞ 불현ᄌᆡ(不賢者) 알미 되면 불측ᄒᆞᆫ 일이 잇슬가 두리ᄂᆞ니, 졔형은 '언필출(言必察) ᄒᆡᆼ필신(行必愼)'[767]ᄒᆞ소셔."

셜파의 안ᄉᆡᆨ이 화평ᄒᆞ고 말솜이 뎡ᄃᆡ(正大)ᄒᆞ여 예도의 일호 착난(錯亂)ᄒᆞ미 업ᄂᆞᆫ지라. 졔인이 불승탄복ᄒᆞ여 탄식 칭선(稱善) 왈,

"긔ᄌᆡ(奇哉)며 현ᄌᆡ(賢哉)라. 쳔고의 ᄒᆞᆫ낫 성녀오, 금셰에 독보(獨步) 슉녀로소니, 아등은 밋지 못ᄒᆞ리로다, 엇지 ᄒᆞᆫ갓 동긔지졍 ᄲᅮᆫ이리오. 금일언을 듕심장지(中心藏之)[768] ᄒᆞ여 평ᄉᆡᆼ의 스승ᄒᆞ리라."

부인이잠소 칭찬 왈,

"졔형이 마츰ᄂᆡ 속틱(俗態)을 면치 못ᄒᆞ여 동긔○[간](同氣間)의 이갓치 과례(過禮)을 ᄒᆡᆼᄒᆞ시니 평일 우ᄋᆡᄒᆞ시던 졍이 아니로소이다."

다고 한다.

939)냥홍(梁鴻) : 중국 후한(後漢) 때의 은사(隱士). 처 맹광(孟光)의 고사(故事) '거안제미(擧案齊眉)'로 유명하다.

940)졔갈무후(諸葛武侯) : 181~234. 중국 삼국 시대 촉한의 정치가. 자(字)는 공명(孔明). 시호는 충무(忠武). 뛰어난 군사 전략가로, 유비를 도와 오(吳)나라와 연합하여 조조(曹操)의 위(魏)나라 군사를 대파하고 파촉(巴蜀)을 얻어 촉한을 세웠다. 유비가 죽은 후에 무향후(武鄕侯)로서 남방의 만족(蠻族)을 정벌하고, 위나라 사마의와 대전 중에 병사하였다

941)'쥬언(晝言)은 문됴(聞鳥)ᄒᆞ고 야언(夜言)은 문셔(聞鼠)ᄒᆞᆫ다' : 낮말은 새가 듣고 밤말은 쥐가 듣는다. 아무도 안 듣는 데서라도 말조심해야 한다는 말.

942)'언필찰(言必察) ᄒᆡᆼ필신(行必愼)' : 말은 반드시 잘 살펴서 하고 행동은 반드시 삼가 하여 신중히 하여야 한다.

943)착만(錯漫) : 어긋나고 산만함.

944)듕심명디(中心銘之) : 마음 가운데에 새김.

다고 한다.

764)냥홍(梁鴻) : 중국 후한(後漢) 때의 은사(隱士). 처 맹광(孟光)의 고사(故事) '거안제미(擧案齊眉)'로 유명하다.

765)졔갈무후(諸葛武侯) : 181~234. 중국 삼국 시대 촉한의 정치가. 자(字)는 공명(孔明). 시호는 충무(忠武). 뛰어난 군사 전략가로, 유비를 도와 오(吳)나라와 연합하여 조조(曹操)의 위(魏)나라 군사를 대파하고 파촉(巴蜀)을 얻어 촉한을 세웠다. 유비가 죽은 후에 무향후(武鄕侯)로서 남방의 만족(蠻族)을 정벌하고, 위나라 사마의와 대전 중에 병사하였다

766)'쥬언(晝言)은 문됴(聞鳥)ᄒᆞ고 야언(夜言)은 문셔(聞鼠)ᄒᆞᆫ다' : 낮말은 새가 듣고 밤말은 쥐가 듣는다. 아무도 안 듣는 데서라도 말조심해야 한다는 말.

767)'언필찰(言必察) ᄒᆡᆼ필신(行必愼)' : 말은 반드시 잘 살펴서 하고 행동은 반드시 삼가 하여 신중히 하여야 한다.

768)듕심장지(中心藏之) : 마음 가운데에 깊이 간직함.

졔부인이 쇼왈,【65】

"'아챵지가(我唱之歌)를 군(君)이 화(和)ᄒᆞᆫ다'945) ᄒᆞ믈 뎡히 이를 니르미로다."

언파의 일장을 낭쇼(朗笑)ᄒᆞ고, 이ᄋᆞᆨ이 한담ᄒᆞ다가 임의 야심ᄒᆞᄆᆡ, 원산(遠山)의 미월(微月)이 몽농ᄒᆞ여, 창오(蒼梧)946)의 딘(盡)코져 ᄒᆞ니, 졔인이 야심ᄒᆞ믈 ᄭᆡᄃᆞ라 각각 일ᄲᅣᆼ 쇼시ᄋᆞ로 홍심(紅心)947)을 잡혀 알플 인도ᄒᆞ고, 졔부인이 ᄎᆔ슈를 닛그러 일시의 도라가니, 부인이 난두(欄頭)의 나와 ᄉᆞᆼ별ᄒᆞ고, 이ᄋᆞᆨ이 ᄇᆡ회ᄒᆞ다가 실듦의 도라와 뎡히 ᄎᆔ침코져 ᄒᆞ더니, 믄득 음풍이 ᄉᆞ긔(使氣)948)ᄒᆞ며 비운이 참참ᄒᆞ더니, ᄒᆞᆫ 괴이ᄒᆞᆫ 즘ᄉᆡᆼ이 창을 열치고 다라드니, 크기ᄂᆞᆫ 큰ᄀᆡ 만ᄒᆞ고 호표의 모양【66】이로ᄃᆡ 나ᄅᆡ 잇ᄂᆞᆫ디라. 모든 시녜 무망(無妄)의 대경ᄒᆞ여 밋쳐 버ᄉᆞᆫ 의복을 거두지 못ᄒᆞ며, 일시의 창황망조(惝恍罔措)949)ᄒᆞ니, 각별 그 즘ᄉᆡᆼ이 다른 사ᄅᆞᆷ을 ᄒᆡ치 아니코, 바로 다라드러 독ᄒᆞᆫ 눈을 번득이며 나ᄅᆡ를 펼쳐, 양부인을 가바야이 활착ᄒᆞ여 문을 밀치고 운외(雲外)의 표등(飄登)950)ᄒᆞ니, 졔녜 실ᄉᆡᆨᄒᆞ여 일시의 ᄋᆡ고 소ᄅᆡᄒᆞ며 창황히 뎡당의 고ᄒᆞᆯᄉᆡ, 이듦의 허황다겁(虛荒多怯)ᄒᆞᆫ ᄌᆞᄂᆞᆫ 업더져 ᄀᆡ절ᄒᆞ리 만터라.

유랑 시비 크게 울며 뎡당의 고ᄒᆞ니, 이러 굴 ᄉᆞ이의 샹하 ᄂᆡ외 딘동ᄒᆞ며, ᄎᆞ환 복뷔 밋쳐 ᄌᆞ지 아닌 뉴ᄂᆞᆫ 큰 ᄆᆡ와【67】 긴 창을 들고 ᄂᆡ다르며, ᄌᆞ던 뉴ᄂᆞᆫ 조으름이 몽농ᄒᆞ여 셤 ᄀᆞ온ᄃᆡ 옷술 거두며, 니를 아오로디951) 못ᄒᆞ게 ᄯᅥᆯ기를 마디 아니ᄒᆞ며,

945)'아챵지가(我唱之歌)를 군(君)이 화(和)ᄒᆞᆫ다' : 내가 부를 노래를 그대가 부른다는 뜻으로, 내가 할 말을 상대방이 하는 경우를 이르는 말.

946)창오(蒼梧) : 창오산(蒼梧山). 중국 광서성(廣西省) 창오현(蒼梧縣)에 있는 산 이름. 순(舜)임금이 죽었다고 전해지는 곳.

947)홍심(紅心) : 남포등이나 초 따위의 심지(心-).

948) ᄉᆞ긔(使氣) : 자기의 혈기대로 기세를 부림.

949)창황망조(惝恍罔措) : 너무 당황하거나 급하여 어찌할 줄을 모르고 갈팡질팡함.

950)표등(飄登) : 솟구쳐 오름.

951)아오로다 : 아우르다. 다물다. 입술이나 이처럼 두 쪽으로 마주 보는 물건을 꼭 맞대다.

ᄒᆞ고 이ᄋᆞᆨ히 ᄒᆞᆫ담ᄒᆞ다가 임의 야심ᄒᆞᄆᆡ, 원산(遠山)의 미월(微月)이 몽농ᄒᆞ여 창오(蒼梧)769)의 진코져 ᄒᆞ니, 제인이 야심ᄒᆞ믈 ᄭᆡ다라 각각 소시(小廝)770) 일쌍식 홍심(紅心)771)을 잡혀 압ᄒᆞᆯ 인도ᄒᆞ고, 졔 부인이 ᄎᆔ수을 익그러 일시의 도라가니, 부인이 난두(欄頭)의 나와 ᄇᆡ송ᄒᆞ고, 이ᄋᆞᆨ이 ᄇᆡ회ᄒᆞ다가 실듦의 도라와 졍히 취침【19】코져 ᄒᆞ더니, 문득 음풍이 ᄉᆞ긔(使氣)772)ᄒᆞ며 비운이 참참ᄒᆞ더니, ᄒᆞᆫ 고이ᄒᆞᆫ 즘ᄉᆡᆼ이 창을 열치고 다라드되, 크기ᄂᆞᆫ ᄀᆡ만ᄒᆞ고 호표의 모양이로ᄃᆡ 나ᄅᆡ 잇ᄂᆞᆫ지라. 모든 시녀 무망(無妄)의 ᄃᆡ경ᄒᆞ여 밋쳐 버산 의복○[을] 거두지 못ᄒᆞ고 일시의 창황망조(惝恍罔措)773)ᄒᆞ니, 각별 그 즘ᄉᆡᆼ이 다른 ᄉᆞᄅᆞᆷ을 ᄒᆡ치 아니코, 바로 다라드러 독ᄒᆞᆫ 눈을 ᄡᅧ 번득이며 나ᄅᆡ을 펼쳐, 양부인을 가ᄇᆡ야이 활착ᄒᆞ여 문을 열치고 운외(雲外)의 표등(飄登)774)ᄒᆞ니, 졔녀 실ᄉᆡᆨᄒᆞ여 일시의 ᄋᆡ고 소ᄅᆡᄒᆞ며 창황이 뎡당의 고ᄒᆞᆯᄉᆡ, 이 듦의 허황다겁(虛荒多怯) ᄌᆞᄂᆞᆫ 업더져 ᄀᆡ절ᄒᆞ리 만터라.

유랑 시비 크게 울며 뎡당의 고ᄒᆞ니, 이러 굴 ᄉᆡ이의 상ᄒᆞ ᄂᆡ외 진동ᄒᆞ며, ᄎᆞ환 복부 밋쳐 ᄌᆞ지 아닌 뉴ᄂᆞᆫ 긴 ᄆᆡ와 창을 들고 ᄂᆡ닷고, ᄌᆞ던 뉴ᄂᆞᆫ ᄂᆡ을 아오로지775) 못ᄒᆞ게 ᄯᅥᆯ기을 마지 아니ᄒᆞ며, 소아(小兒) 미약(微弱)은 범이 드럿다ᄒᆞᄆᆡ 무셔워 울기을 마지 아니니, 상ᄒᆞ ᄂᆡ외의 셩진천지(聲震天

769)창오(蒼梧) : 창오산(蒼梧山). 중국 광서성(廣西省) 창오현(蒼梧縣)에 있는 산 이름. 순(舜)임금이 죽었다고 전해지는 곳.

770)소시(小廝) : 어린 비자(婢子)

771)홍심(紅心) : 남포등이나 초 따위의 심지(心-).

772) ᄉᆞ긔(使氣) : 자기의 혈기대로 기세를 부림.

773)창황망조(惝恍罔措) : 너무 당황하거나 급하여 어찌할 줄을 모르고 갈팡질팡함.

774)표등(飄登) : 솟구쳐 오름.

775)아오로다 : 아우르다. 다물다. 입술이나 이처럼 두 쪽으로 마주 보는 물건을 꼭 맞대다.

쇼당(小黨) 미약(微弱)은 범이 드럿다 ᄒᆞ미 무셔워 울기를 마지아니니, 샹하 ᄂᆡ외의 셩진텬디(聲震天地)952)ᄒᆞᄂᆞᆫ디라. 양공 부부와 졔ᄉᆡᆼ 등이 몽니(夢裏)의 대경ᄒᆞ여 계오 의복을 슈습ᄒᆞ고 보보젼경(步步顚傾)953)ᄒᆞ여 황황히 ᄂᆡᄃᆞ라 보니, 효월(曉月)이 희미ᄒᆞᆫᄃᆡ 공듕의 음풍이 참참ᄒᆞᆫ ᄀᆞ온ᄃᆡ, 과연 나ᄂᆞᆫ 호피 쇼져를 후려 공듕의 올나시니, 다만 삽삽ᄒᆞᆫ954) 홍군(紅裙)이 편편(翩翩)이 날닐 ᄯᆞ름이라. 공의 부부와 졔부인이며 샹하 【68】 노쇠 ᄒᆞᆫ가지로 앙쳠관망(仰瞻觀望)ᄒᆞ고 실ᄉᆡᆨ경혼(失色驚魂)ᄒᆞ여 돈족실셩(頓足失性)ᄒᆞ며, 다만 그 가ᄂᆞᆫ 곳을 바라보며 ᄋᆡ고955)ᄒᆞᆯ ᄉᆞ이의, 발셔 비풍(悲風)이 ᄋᆡᄋᆡᄒᆞᆫ ᄀᆞ온ᄃᆡ 간 곳이 업ᄂᆞᆫ디라. 샹히 일시의 통곡ᄒᆞ니, 소ᄅᆡ 텬디의 딘동ᄒᆞ며 야월(夜月)이 무광(無光)ᄒᆞ더라.

평당은 실셩 엄읍(掩泣)956)ᄒᆞ고 부인은 ᄒᆞᆫ번 울ᄆᆡ 셰번 여ᄋᆞ를 불너 ᄌᆞ로 혼졀ᄒᆞ니, 졔ᄉᆡᆼ과 졔쇼년 졔부인이 역시 ᄎᆞ악 상도(傷悼)ᄒᆞ여 능히 부모를 위로ᄒᆞᆯ 말이 업ᄂᆞᆫ디라. 냥구(良久) ᄋᆡ읍의 비로소 비회를 금억ᄒᆞ여 부모를 븟드러 가, 당듕의 드러가 위로 왈,

“금야 호환은 쳔고의 비상(非常) ᄒᆡ악(駭愕) 【69】 ᄒᆞᆫ 변이라, 경셩 댱안의 호표 싀랑의 무리 츌입ᄒᆞ미 희한ᄒᆞᆫ 변괴오, 허다 쥬문갑뎨(朱門甲第)957)의 ᄇᆞᄃᆡ 우리 ᄐᆡᆨ듕(宅中)의 돌입ᄒᆞ여 쇼ᄆᆡ를 잡아가니, 이 젹지 아닌 변이라, 셰ᄉᆞ난측(世事難測)이로소이다. 연이나 ᄇᆞᆰᄂᆞᆫ 날 뎡부의 ᄀᆡ별ᄒᆞ고 노복을 흣터 ᄆᆡᄌᆞ의 거쳐를 심방ᄒᆞ미 늦지 아니ᄒᆞ옵고, ᄒᆞ믈며 ᄉᆞᄌᆞ(死者)ᄂᆞᆫ 블가부ᄉᆡᆼ(不可復生)이라 ᄒᆞ오니, 대인과 ᄌᆞ위 이ᄀᆞᆺ치

952)셩진텬디(聲震天地) : 소리가 천지를 진동함.
953)보보젼경(步步顚傾) : 걸음마다 엎어지고 자빠짐.
954)삽삽ᄒᆞ다 : 부드럽다.
955)ᄋᆡ고 : 애고. ‘아이고’의 준말. 탄식하거나 기막힐 때 내는 소리.
956)엄읍(掩泣) : 얼굴을 가리고 욺.
957)쥬문갑뎨(朱門甲第) : 붉은 대문을 단, 크게 잘 지은 집이란 뜻으로, 높은 벼슬아치가 사는 집을 이르는 말.

地)776)ᄒᆞᄂᆞᆫ지라. 양공부부와 졔ᄉᆡᆼ 등이 몽니(夢裏)의 ᄃᆡ경ᄒᆞ여 겨유 의ᄃᆡ을 슈습ᄒᆞ고 보보젼경(步步顚傾)777)ᄒᆞ여 황황이 ᄂᆡ다라 보니, 효월(曉月)이 희미ᄒᆞᆫ ᄃᆡ, 공즁의 음운이 츰츰ᄒᆞ고, 과연 나ᄂᆞᆫ 호표 소져을 후려 공즁의 올낫시니, 다만 삽삽ᄒᆞᆫ778) 홍군(紅裙)이 편편(翩翩)이 날 ᄯᆞ름이라. 공의 부부와 졔부인이며 상ᄒᆞ 노쇠 앙쳔관망(仰瞻觀望)ᄒᆞ고, 실ᄉᆡᆨ경혼(失色驚魂)ᄒᆞ여 돈족실셩(頓足失性)ᄒᆞ며, 다만 가ᄂᆞᆫ 곳을 바라보며 ᄋᆡ고779)ᄒᆞᆯ ᄉᆡ이의 발셔 간곳지 업ᄂᆞᆫ지라. 상히 일시의 통곡ᄒᆞ나[니] 소ᄅᆡ 쳔지의 진동ᄒᆞ며 야월(夜月)이 무광(無光)ᄒᆞ더라.

평장은 실셩 음읍(飮泣)780)ᄒᆞ고 부인은 ᄒᆞᆫ 번 울ᄆᆡ 셰번 녀ᄋᆞ을 불 【20】 너 ᄌᆞ로 혼졀ᄒᆞ니. 졔ᄉᆡᆼ과 졔소년 부인이 역시 ᄎᆞ악 망조(罔措)ᄒᆞ여 능히 부모을 위로ᄒᆞᆯ ᄆᆞ음이 업ᄂᆞᆫ지라. 양구(良久) ᄋᆡ읍의 비로소 비회을 금억ᄒᆞ고 부모을 붓드러 당즁의 드러가 위로 왈,

“금야의 호환은 쳔고의 비상ᄒᆞᆫ 변이라. 셰ᄉᆞ을 난측이로○○[소이]다. 연이나 박ᄂᆞᆫ 날 뎡부의 ᄀᆡ별ᄒᆞ고 노복을 흣터 ᄆᆡᄌᆞ의 거쳐을 심방ᄒᆞ미 늣지 아니 ᄒᆞ옵고, 허물며 ᄉᆞᄌᆞ(死者)ᄂᆞᆫ 불가부ᄉᆡᆼ(不可復生)이라. ᄃᆡ인과 ᄌᆞ위의 과상ᄒᆞ실진ᄃᆡ, 소ᄆᆡ 쳔셩ᄃᆡ효로 유명간 불효을 늣기오리니, 복원 부모ᄂᆞᆫ 비회을 관억ᄒᆞᄉᆞ 소ᄌᆞ 등의 민박ᄒᆞᆫ 졍ᄉᆞ을 슐피소셔.”

776)셩진텬디(聲震天地) : 소리가 천지를 진동함.
777)보보젼경(步步顚傾) : 걸음마다 엎어지고 자빠짐.
778)삽삽ᄒᆞ다 : 부드럽다.
779)ᄋᆡ고 : 애고. ‘아이고’의 준말. 탄식하거나 기막힐 때 내는 소리.
780)음읍(飮泣) : 흐느끼어 욺.

과상ᄒᆞ실진ᄃᆡ, 쇼ᄆᆡ 텬셩대효로 유명간 블효를 늣기오리니, 복원 부모ᄂᆞᆫ 비회를 관억ᄒᆞ샤 쇼ᄌᆞ 등의 민박ᄒᆞ온 졍ᄉᆞ를 술피쇼셔.”

공은 누쉬 만면ᄒᆞ여 말이 업고, 부인【70】은 뉴체 왈,

“녀ᄋᆡ ᄌᆞ유(自幼)로 싱어부귀ᄒᆞ고 댱어호치ᄒᆞ여 일즉 발ᄌᆞ최 계졍을 님치 아니니, 쳥슈미질(淸秀美質)노 무인심야의 호환을 만나시니, 즘싱이 밋쳐 히치 아냐셔 녀ᄋᆡ 엇지 즈레 죽지 아냐시리오. 희라, 녀ᄋᆡ 출하리 시명(時命)이 부박ᄒᆞ여 텬명으로 죽어시면, 모녀의 졍니 비록 통박ᄒᆞ나 그 향혼옥골(香魂玉骨)을 풍진(風塵)의 쟝(葬)ᄒᆞ리니, 이ᄀᆞᆺ치 참달비상(慘怛悲傷)958)ᄒᆞ미 낫지 아니랴. 여뫼 미ᄉᆞ지젼의 단댱지곡(斷腸之曲)과 역니통(逆理痛)959)을 엇지 견ᄃᆡ리오.”

셜파의 실셩ᄋᆡ호(失性哀號)ᄒᆞ여 ᄌᆞ로 혼도(昏倒)ᄒᆞ나 졔ᄌᆡ 홀일업고, 졔ᄉᆞ금장(娣姒襟丈)960)이 평일 쇼고(小姑)의 셩덕 ᄌᆡ화로 흉【71】변 참ᄉᆞᄒᆞ여 ᄒᆞᆫ 조각 빅골도 풍진(風塵)의 쟝치 못ᄒᆞ니, 각골 통도ᄒᆞ여 상고오읍(相顧嗚泣)이러니, 이러 굴 ᄉᆞ이 동방이 긔빅ᄒᆞ고 계셩이 ᄌᆞᄌᆞ니, 평댱이 모든 복부 아역을 ᄎᆡ뎡(採定)ᄒᆞ여 ᄉᆞ쳐로 홋터, 부인 존망을 아라오면 쳔금을 상ᄒᆞ리라 ᄒᆞ고 금빅(金帛)을 주어 보ᄂᆡ니, 듕복이 역비감읍(亦悲感泣)ᄒᆞ여 ᄉᆞ쳐로 홋터져 ᄎᆞᄌᆞ나 맛ᄎᆞᆷᄂᆡ 경니화(鏡裏花)961)와 슈듕월(水中月)962)

958)참달비상(慘怛悲傷) : 참혹하고 놀랍고 슬픔.
959)역니통(逆理痛) : 순리(順理)를 거스르는 일을 당한 슬픔이란 말로, 자식을 잃은 부모의 슬픔을 말함.
960)졔ᄉᆞ금장(娣姒襟丈) : 형제의 아내들의 손위 손아래의 여러 동서(同壻)들. '제(娣)'는 손아래 동서, '사(姒)'는 손위 동서, 금장(襟丈) 손위·손아래 구분 없이 동서를 이르는 말.
961)경니화(鏡裏花) : '거울 속에 비친 꽃'이란 뜻으로 상상 속에만 있고 현실에는 존재하지 않는 것을 비유로 일컫는 말.
962)슈듕월(水中月) : '물속에 비친 달'이란 뜻으로 실제로 잡아보거나 만져볼 수 없는 것을 비유로 이르는 말.

공은 뉘쉬 만면ᄒᆞ여 ᄇᆞ답ᄒᆞ고 부인은 유체 왈,

“녀ᄋᆡ ᄌᆞ유(自幼)로 싱어호치ᄒᆞ고 장어부귀ᄒᆞ여 일작 발ᄌᆞ최 계젼의 임치 아니니, 쳥수미질(淸秀美質)노 심야의 호랑을 만나시니, 즘싱이 밋쳐 히치 아냐셔 녀ᄋᆡ 엇지 즈레 죽지 아냐시리오. 희라, 녀○[ᄋᆡ] ○[출]ᄒᆞ리 명이 굴(屈)ᄒᆞ여 쳥[쳔]명으로 죽어시면 모녀 졍니 비록 통박ᄒᆞ나 그 향혼옥골(香魂玉骨)을 풍진(風塵)의 장(葬)ᄒᆞ리니, 이갓치 츰담비상ᄒᆞ미 낫지 아니랴. 여뫼 미ᄉᆞ지젼(未死之前)의 단장지곡(斷腸之曲)과 역니지통(逆理之痛)781)을 엇지 견ᄃᆡ리오.”

셜파의 ᄋᆡ호실셩(哀號失性)ᄒᆞ여 ᄌᆞ로 혼도(昏倒)ᄒᆞ나 졔ᄌᆡ 홀 일 업고, 졔부인이 평일 소고(小姑) 셩덕 ᄌᆡ화로 흉변 참ᄉᆞᄒᆞ여 ᄒᆞᆫ 조각 빅골도 풍진의 장치 못ᄒᆞ니, 각골 통도ᄒᆞ여 상고오읍(相顧嗚泣)이러니, 이러구러 동방이 긔빅ᄒᆞ고 계셩이 악악ᄒᆞ니, 평장이 모든 복부 아역을 ᄉᆞ면으로 홋터, 부인 존망을 아라오면 쳔금을 상ᄒᆞ리라 ᄒᆞ고, 금빅을 주어 보ᄂᆡ니, 즁복이 역(亦) 비졀감읍(悲絶感泣)○○[ᄒᆞ여] ᄉᆞ방으로 홋【21】터 ᄎᆞᄌᆞ나 마ᄎᆞᆷ나[ᄂᆡ] 경니화(鏡裏花)782) 수즁월(水中月)783) 갓트니, 묘랑이 요술노 후려 심궁(深宮) 북원(北苑) 셕굴(石窟) 닝옥(冷獄)의 가둔 양시을 어ᄃᆡ 가 ᄎᆞ자리오. 양부 허다 복부(僕夫) 수월을 츄심ᄒᆞ다가 공환(空還)ᄒᆞ니라. ᄯᅩ 뎡부의 복부을 보ᄂᆡ여

781)역니지통(逆理之痛) : 순리(順理)를 거스르는 일을 당한 슬픔이란 말로, 자식을 잃은 부모의 슬픔을 말함.
782)경니화(鏡裏花) : '거울 속에 비친 꽃'이란 뜻으로 상상 속에만 있고 현실에는 존재하지 않는 것을 비유로 일컫는 말.
783)수듕월(水中月) : '물속에 비친 달'이란 뜻으로 실제로 잡아보거나 만져볼 수 없는 것을 비유로 이르는 말.

굿트니, 묘랑의 요술노 후려 심궁(深宮) 북원(北苑) 셕혈(石穴) 닝옥(冷獄)의 가도인 양부인을 어딕 가 ᄎᆞᄌᆞ리오. 양부 허다 가졍(家丁) 복뷔(僕夫) 슈월을 츄심ᄒᆞ다가 헛도이 공환(空還)ᄒᆞ니라. 또 취운산 뎡부의 복【72】부를 보ᄂᆡ여 야릭(夜來) 변고를 통ᄒᆞ고, 상ᄉᆞ를 다ᄉᆞ리고져 ᄒᆞ나 뎡병부의 의논을 몰나, 뎡부의 긔별ᄒᆞ여 병부로 상의ᄒᆞᆫ 후 발상ᄒᆞ려 ᄒᆞ니, 의논이 엇지 된고 하회를 셕남ᄒᆞ라.【73】

야릭(夜來) 변고을 통ᄒᆞ고, 상ᄉᆞ(喪事)을 다ᄉᆞ리고져 ᄒᆞ나 병부의 의논을 몰나, 뎡부의 긔별ᄒᆞ야 병부로 상의ᄒᆞᆫ 후 발상ᄒᆞ려 ᄒᆞ더라.

명듀보월빙 권디삼십일

ᄎᆞ셜 신묘랑이 ᄎᆞ일 셕양의 몸을 숨겨 양부의 드러가 긔ᄉᆡᆨ을 솔피고 밤들기를 기다리더니, 야심 후 양시 ᄉᆞ침의 도라오ᄆᆡ 모든 부인이 모다 야심토록 한담ᄒᆞ다가 도라가거늘, 묘랑이 깃거 이의 범이 되여 입으로 풍운을 디어 사름을 경동ᄒᆞ고, 브디블각의 드리다라 부인을 활착ᄒᆞ여 공듕의 오로니, 부인이 무망의 이 변을 만난디라. 챵졸의 슈미를 모로고 힘힘이 요ᄉᆞ(妖邪)의게 활착ᄒᆞᆫ ᄇᆡ 되여 운외의 오로니, 졍신이 어둑ᄒᆞ여 아모란 줄【1】 모로더니, 계오 긔운을 슈습ᄒᆞ여 눈을 드러 솔피니, 괴이ᄒᆞᆫ 즘ᄉᆡᆼ이 ᄌᆞ긔 몸을 후려 공듕의 올나 표표(飄飄)히 힝ᄒᆞ니, 이변(耳邊)의 풍셩이 요요ᄒᆞ여 가ᄂᆞᆫ 바를 아지 못ᄒᆞᆯ디라. 슌식의 ᄒᆞᆫ 곳의 니르니, 인셩이 ᄌᆞᄌᆞᄒᆞ며 어ᄌᆞ러이 ᄀᆞ르쳐 왈,

"진짓 텬신이로다."

ᄒᆞ니, 부인이 희미히 나미러보니, 졍하의 일위 듕년 녀ᄌᆡ 후비 복ᄉᆡᆨ으로 시녀 십여인을 거ᄂᆞ려 ᄒᆞ날을 우러러 보며 숫두어리ᄂᆞᆫ디라. 그 즘ᄉᆡᆼ이 소ᄅᆡ를 아니코 ᄌᆞ가를 업고 그곳을 디나 ᄇᆡᆨ여간을 힝ᄒᆞ여ᄂᆞᆫ 두어 궁인이 왈,

"아둥이 낭낭 명으로 ᄉᆞ부를 기다리미 오ᄅᆡ도다. 낭낭이 양시를 바로 셕혈의 가도라 ᄒᆞ【2】신다."

ᄒᆞ고, 인도ᄒᆞ여 ᄒᆞᆫ 산 밋틔 다ᄃᆞ라 셕혈을 열고, 즘ᄉᆡᆼ이 업어 그 쇽의 드리치고 도라가니, 양시 어둑ᄒᆞᆫ 듕 윤시 노듀를 만나니 놀납고 반가오믈 니긔지 못ᄒᆞ여 셔로 봉변디ᄉᆞ를 니르고, 에분(恚憤)이 통입골슈(痛入骨髓)ᄒᆞ더라.

묘랑이 양시를 잡아 셕옥의 너코, 뇨상궁으로 더부러 북궁의 니르러 귀비를 보니, 귀비 당의 나려 마ᄌᆞ 좌뎡ᄒᆞᄆᆡ, 묘랑의 손을 잡고 그 신긔ᄒᆞ믈 칙칙 칭찬ᄒᆞᄆᆡ, 혜 달코 춤이 갈(渴)ᄒᆞ니, ᄌᆞ긔 모녜 셰셰ᄉᆡᆼᄉᆡᆼ(世

어시의 묘랑이 ᄎᆞ일 셕양의 몸을 숨겨 양부의 드러가 긔ᄉᆡᆨ을 솔피고 밤들기을 기다리더니, 야심 후 양시 ᄉᆞ침의 도라오ᄆᆡ 졔부인이 모다 야심토록 ᄒᆞᆫ 담ᄒᆞ다가 도라 가거놀, 묘랑이 깃거 이의 범이 되어 입으로 풍운을 지어 ᄉᆞ름을 경동ᄒᆞ고, 브지불각의 드리다라 부인을 활측ᄒᆞ여 공듕의 오르니, 부인이 무망의 ᄎᆞ변을 만ᄂᆞᆫ지라. 창졸의 수미을 모르고 힘힘히 요ᄉᆞ(妖邪)의게 활측ᄒᆞᆫ ᄇᆡ 되어 운외○[의] 오르니, 졍신이 아득ᄒᆞ여 아모란 줄 모로고 슌식(瞬息)의 ᄒᆞᆫ 곳의 이르니, 인셩이 ᄌᆞᄌᆞᄒᆞ며 어ᄌᆞ러이 가라쳐 왈,

"진짓 쳔신이로다."

ᄒᆞ거놀, 부인이 희미히 나리미러 보니, 졍ᄒᆞ의 일위 즁년 녀ᄌᆡ 후비 복ᄉᆡᆨ으로 시녀 십여인을 거ᄂᆞ려 하날을 울어러 보며 숫두어리ᄂᆞᆫ지라. 그 즘ᄉᆡᆼ이 소ᄅᆡ을 아니코 ᄌᆞ가을 업고 그 곳을 지나 ᄇᆡᆨ여간을 힝ᄒᆞ여ᄂᆞᆫ 두어 궁인이 갈오ᄃᆡ,

"아둥이 낭낭 명으로 ᄉᆞ부을 기ᄃᆞ리미 오ᄅᆡ도다. 낭낭이 양시을 바로 셕혈의 가도라 ᄒᆞ신다."

ᄒᆞ고 인도ᄒᆞ여 ᄒᆞᆫ 산 밋희 다다라 셕혈을 열고, 즘ᄉᆡᆼ이 업어 그 속의 드리치고 도라가니, 양시 어득ᄒᆞᆫ 듕, 윤시 노주을 만나ᄆᆡ 경희ᄒᆞ물 이긔지 못ᄒᆞ여, 셔로【22】 봉변지ᄉᆞ을 이르고, 에분(恚憤)이 통입골슈(痛入骨髓)ᄒᆞ더라.

묘랑이 양시을 잡아 셕옥의 너코 뇨상궁으로 더부러 북궁의 이르러 귀비을 보니, 귀비 ᄒᆞ당영지ᄒᆞ여 좌뎡ᄒᆞᄆᆡ, 묘랑의 손을 잡고 그 신긔ᄒᆞ물 칙칙칭찬ᄒᆞᄆᆡ, 혜 달고 츔이 갈ᄒᆞ니, ᄌᆞ긔 모녀 세셰ᄉᆡᆼᄉᆡᆼ(世世生生)

世生生)의 은인으로 ᄃᆡ접ᄒᆞ여 져바리지 아닐 바를 신신(申申)이 ᄆᆡᆼ셰ᄒᆞ고, 금반옥긔의 팔진셩찬을 묘랑의 알【3】패 버리고, 상방(尙方) 일등 ᄌᆞ하쥬(紫霞酒)963)를 뉴리죵(琉璃鍾)964) 호박ᄃᆡ(琥珀臺)965)의 만작(滿酌)ᄒᆞ여, 귀비 친히 잔을 드러 묘랑을 권ᄒᆞ며, 허다 긔딘이보(奇珍異寶)966)와 금화(金貨) ᄎᆡ단(綵緞)을 ᄡᆞ하 그 공을 샤례ᄒᆞ니, 묘랑이 흔흔ᄌᆞ득ᄒᆞ여 눈셥을 모호고 즐겨 아닌는 빗ᄎᆞ로 빗ᄡᆡ와 왈,

"쇼되(小道) 낭낭 후은을 밧ᄌᆞ와 브득이 양부인을 히ᄒᆞ오나, 양시 쇼도로 일면지분도 업고 또 원쉬 업거놀, 낭낭과 욱쥬의 소원으로 무죄ᄒᆞᆫ 사ᄅᆞᆷ을 죽이려 ᄒᆞ오니 ᄀᆞ만ᄒᆞᆫ ᄀᆞ온ᄃᆡ 비록 알 니 업ᄉᆞ나, 엇디 하날이 두렵지 아니리잇고?"

귀비 청파의 ᄇᆡᆨ슈계슈(拜手稽首)967) 왈,

"니르지 아니나 아ᄂᆞ니, ᄉᆞ부는 우리【4】모녀의 은인이라. 엇디 져바리미 이시리오. 원(願) ᄉᆞ부는 범ᄉᆞ를 물녀(勿慮)ᄒᆞ여, 다만 우리 모녀의 디원으로 셤기믈 닛디 말고, 나죵이 잇게 ᄒᆞ라."

ᄒᆞ여, 쳔만가지로 다ᄅᆡ고 부귀로 져혀 묘랑을 농낙ᄒᆞ니, 묘랑이 암희 ᄌᆞ득ᄒᆞ믈 마디 아니니, 귀비 ᄉᆞᄉᆞ의 묘랑을 깃겨968) 타일을 도모ᄒᆞᆯ ᄯᅳᆺ이 잇는 고로, 만금을 혜지 아니코 그 욕심을 치오니, 가히 우엄즉ᄒᆞ도다.

묘랑이 블과 심산 일개 요튝(妖畜)으로 인형을 비러 ᄆᆞᆰ은 셰샹을 속이고, 악인을 도아 현ᄌᆞ를 함ᄒᆡ(陷害)ᄒᆞ니, 샹텬이 엇디 딘노치 아니시리오. 요얼(妖孽)이 패루ᄒᆞᄆᆡ

963)ᄌᆞ하쥬(紫霞酒) : 신선들이 마신다는 술. '자하(紫霞)'는 신선이 사는 곳에 서리는 보랏빛 노을을 이르는 말.

964)뉴리죵(琉璃鍾) : 유리로 만든 작은 그릇. 종(鍾)은 '종자(鐘子)' 곧 '종지'를 말하며, '종지'는 '종발(鐘鉢)'보다 작은 그릇을 이르는 말이다.

965)호박ᄃᆡ(琥珀臺) : 호박(琥珀)으로 만든 받침대.

966)긔딘이보(奇珍異寶) : 기묘하고 진귀하며 특이한 보배.

967)ᄇᆡᆨ슈계슈(拜手稽首) : 두 손을 맞잡고 머리가 바닥에 닿도록 몸을 굽혀 공손히 절함.

968)깃기다 : 기뻐하게 하다.

의 은인으로 ᄃᆡ접ᄒᆞ여 져ᄇᆞ리지 아닐 바을 신신(申申)히 ᄆᆡᆼ셰ᄒᆞ고, 금반옥긔의 팔진경장을 묘랑의 압희 버리고, 상방(尙方) 일등 ᄌᆞ하주(紫霞酒)784)을 유리종(琉璃鍾)785) 호박ᄃᆡ(琥珀臺)786)의 만작(滿酌)ᄒᆞ여 귀비 친히 잔을 드러 묘랑을 권ᄒᆞ며, 허다 긔진이보(奇珍異寶)787)와 금화(金貨) ᄎᆡ단(綵緞)을 ᄊᆞᄒᆞ 그 공을 ᄉᆞ례ᄒᆞ니, 묘랑이 흔흔ᄌᆞ득ᄒᆞ여 눈셥을 모흐고 즐겨 아닛는 빗ᄎᆞ로 빗ᄉᆡ워 왈,

"소되(小道) 낭낭 후은을 밧ᄌᆞ와 부득이 양부인을 히ᄒᆞ오나, 양시 소도로 일○○[면지]분이 업고 또 원쉬 업거놀, 낭낭과 옥주의 소원으로 무죄ᄒᆞᆫ ᄉᆞᄅᆞᆷ을 쥭이랴 ᄒᆞ오니, 가만ᄒᆞᆫ 가온ᄃᆡ 비록 알니 업시ᄂᆞ, 엇지 ᄒᆞ날이 두렵지 아니리잇고?"

귀비 청파의 ᄇᆡᆨ수계수(拜手稽首)788) 왈,

"이르지 아니ᄂᆞ, ᄉᆞ부는 우리 모녀의 은인이라. 엇지 져바리미 잇스리오. 원(願) ᄉᆞ부는 범ᄉᆞ을 물녀(勿慮)ᄒᆞ여 우리 모녀의 지원으로 셤기물 잇지 말고, 나종이 잇게 ᄒᆞ라."

ᄒᆞ여 쳔만가지로 다ᄅᆡ고 부귀로 젼[져]혀 묘랑을 농낙ᄒᆞ니, 묘랑이 암희ᄌᆞ득ᄒᆞ여 ᄒᆞ믈 마지 아니니, 귀비 ᄉᆞᄉᆞ의 묘랑을 깃거[겨]789) 타일을 도모ᄒᆞᆯ ᄯᅳ지 잇는고로, 만금을 혜지 아니코 그 욕심을 치우니, 가히 우엄즉 ᄒᆞ도다. 묘랑이 불과 ᄉᆞᆷ[심]산요축(深山妖畜)으로 인형을 비러 말근 셰상을 속이고 악인을 도와 현【23】ᄌᆞ을 함ᄒᆡ(陷害)ᄒᆞ니, 상쳔이 엇지 진노치 아니시리오.

784)ᄌᆞ하주(紫霞酒) : 신선들이 마신다는 술. '자하(紫霞)'는 신선이 사는 곳에 서리는 보랏빛 노을을 이르는 말.

785)유리종(琉璃鍾) : 유리로 만든 작은 그릇. 종(鍾)은 '종자(鐘子)' 곧 '종지'를 말하며, '종지'는 '종발(鐘鉢)'보다 작은 그릇을 이르는 말이다.

786)호박ᄃᆡ(琥珀臺) : 호박(琥珀)으로 만든 받침대.

787)긔진이보(奇珍異寶) : 기묘하고 진귀하며 특이한 보배.

788)ᄇᆡᆨ수계수(拜手稽首) : 두 손을 맞잡고 머리가 바닥에 닿도록 몸을 굽혀 공손히 절함.

789)깃기다 : 기뻐하게 하다.

죽엄이 만단(萬端)의 쥬(誅)ᄒᆞ믈 뭇디 【5】 아냐 알니러라.

태셤이 귀비의 악ᄉᆞ를 보ᄆᆡ 모골이 송연ᄒᆞ여, 위ᄒᆞ여 댱ᄂᆡ를 근심ᄒᆞ고, 윤・양 이부인과 졔녀의 옥듕 고초를 어엿비 넉여, ᄶᅵ를 타 식음을 공궤ᄒᆞ니, 그 의긔현심(義氣賢心)이 쳔고의 희ᄒᆞᆫᄒᆞ니, 이 역시 텬되 소소ᄒᆞ샤 이 ᄀᆞᆺᄐᆞᆫ 의협지인(義俠之人)을 나리오샤 슉인셩녀(淑人聖女)의 ᄂᆡᆼ옥지디(冷獄之地)의 긔아이ᄉᆞ(飢餓而死)ᄒᆞ믈 면케ᄒᆞ시미라. 만일 태셤이 아니면 윤・양 노쥐 엇디 보젼ᄒᆞ리오. 윤・양 이부인과 셜난 등이 셕혈 간고(艱苦)를 어나 ᄶᅵ의 면ᄒᆞᆫ고.

화셜 윤부인이 셕혈의 드런 지 십여일의 비쥐 계오 의디ᄒᆞ여, 태셤의 ᄒᆞ로 ᄒᆞᆫᄶᅵ식 궁극히 틈을 타 어 【6】 더 밧드는 식음으로 년명ᄒᆞ여 아ᄉᆞᄒᆞ믈 면ᄒᆞ나, 쳔만 비원이 흉장의 얽혓더니, 일일은 뇨상궁이 옥문을 열며, 호표의 모양으로 양시를 업어 옥의 드리치고, 즉시 옥문을 ᄌᆞᆷ으고 나가거ᄂᆞᆯ, 윤부인이 양시를 보고 밧비 그 손을 ᄌᆞᆸ고, 함누 탄왈,

"부인으로 더브러 분슈ᄒᆞ연 지 십여일○[의] 이런 화를 만나니, 쳡은 취운산을 ᄯᅥ나던 날 여ᄎᆞ여ᄎᆞ 잡혀 북궁의 니르러 셕옥듕 죄싊 되엿거니와, 부인은 엇디 요괴게 잡혀 오시뇨?"

양시 호표의 등의 올나 셕혈 듕의 들ᄆᆡ 경신이 어둑ᄒᆞ더니, 윤부인 어셩(語聲)을 드르니, 원간969) 양시 친당의 온 후, 평댱이 【7】 공쥬의 악악ᄒᆞ믈 두리고, 샹명이 졀혼ᄒᆞ라 ᄒᆞ여 니이ᄒᆞ신 고로, 구당(舅堂) 문안과 윤부인 도듕 변고를 모로ᄂᆞᆫ지라. 윤시의 말노 ᄌᆞᆺᄎᆞ 비로소 알ᄆᆡ, 경혼을 뎡ᄒᆞ여 옥면의 쥬류(珠淚) 방방ᄒᆞ여 능히 답지 못ᄒᆞ더니, 날호여 호표의게 잡혀오믈 니르고, 윤부인 봉변ᄒᆞᆫ 슈말을 《니르니‖무르니》, 윤부인이 젼후ᄉᆞ를 니르고 ᄀᆞᆯ오ᄃᆡ,

"부인을 잡아온 거시 진짓 호푀 아니오, 요괴의 작용이니, 젼의 하ᄆᆡ(妹) 쵹의셔 나

969)원간 ; 워낙. 원래. 본디부터.

요얼(妖孼)이 픽루ᄒᆞᄆᆡ 죽엄이 만단(萬端)의 주(誅)ᄒᆞ물 뭇지 아냐 알니러라.

ᄐᆡ셤이 귀비의 악ᄉᆞ을 보ᄆᆡ 모골이 송연ᄒᆞ여, 위ᄒᆞ여 장ᄂᆡ을 근심ᄒᆞ고, 윤・양과 졔녀의 옥듕고초을 어엿비 넉여, ᄶᅵ을 타 식음을 공궤ᄒᆞ니, 그 의긔현심(義氣賢心)이 쳔고의 희한ᄒᆞᄆᆡ, 이 역시 쳔되 소소ᄒᆞ여 이 갓튼 의협지인(義俠之人)을 나리오ᄉᆞ 슉인셩녀(淑人聖女)의 긔아이ᄉᆞ(飢餓而死)ᄒᆞ믈 면케 ᄒᆞ시미라. 만일 ᄐᆡ셤이 안니면 윤・양 노쥐 엇지 보젼ᄒᆞ리오. 윤・양 이부인과 셜난 등이 셕혈 간고(艱苦)을 어나 ᄶᅵ의 면ᄒᆞᆫ고.

화셜 윤부인이 셕혈의 드런지 십여일의 노쥐 겨유 의지ᄒᆞ여, ᄐᆡ셤의 ᄒᆞ로 ᄒᆞᆫ ᄶᅵ식 궁극히 틈을 타 어더 밧드ᄂᆞᆫ 식음으로 연명ᄒᆞ여 아ᄉᆞ을 면ᄒᆞ나, 쳔만비원이 흉장의 어리엿더니, 일일은 뇨상궁이 옥문을 열며, 호표의 모양으로 양시을 업어 옥의 드리치고 옥문을 잠으로 나가거ᄂᆞᆯ, 윤부인이 양시을 보고 밧비 그 손을 잡고 함누 탄왈,

"부인으로 더부러 분수ᄒᆞ연지 십여일의 이런 화을 만나니, 쳡은 취운산을 ᄯᅥ나든 날 여ᄎᆞ여ᄎᆞ 잡혀 북궁의 이로러 옥듕 죄수 되엿거니와, 부인은 엇지 요괴의게 잡히시뇨?"

양시 호표의 등의 올나 셕혈 듕의 들ᄆᆡ 경신이 아득ᄒᆞ더니, 윤부인 언셩을 드르ᄆᆡ, 원간790) 양시 친당의 온 후, 평장이 공주의 악악ᄒᆞ믈 두리고, 상명이 졀혼ᄒᆞ라 ᄒᆞ여 니이ᄒᆞ신 고로, 구당(舅堂) 문안과 윤부인 변고을 모로ᄂᆞᆫ지라. 윤시 말노 ᄌᆞᆺᄎᆞ 비로 【24】 소 알고, 경신을 뎡ᄒᆞ여 옥면의 쥬뉘(珠淚) 방방ᄒᆞ여 능히 답지 못ᄒᆞ더니, 날호여 호표의게 잡혀오믈 니르고, 윤부인 봉변ᄒᆞᆫ 젼후수말을 무르니, 윤부인이 젼후ᄉᆞ을 베풀고 갈오ᄃᆡ,

"부인을 잡아온 거시 진짓 호표 아니오, 요괴의 작용이니, 젼의 하졔(弟) 쵹의셔 나

790)원간 ; 워낙. 원래. 본디부터.

는 호표의게 잡혀, 구몽슉의 욕을 두려 물의 ᄉᆡᆨ져시믈 드럿더니, 부인의 봉변ᄒᆞ미 ᄯᅩ 그런 무리라. 김귀비의 거동이 결단코 아등을 죽이리니, 냥가의 블회 극ᄒᆞ고【8】 슬하 유치의 육아지통(蓼莪之痛)을 품으며, 복ᄋᆞ를 분산치 못ᄒᆞᆫ즉 엇디 유유(悠悠)ᄒᆞᆫ970) 한이 되지 아니리오."

양시 분개 ᄋᆡ읍 왈,

"쳡 ᄀᆞᆺᄐᆞ니는 유뮈블관(有無不關)ᄒᆞ거니와, 부인은 타일 원억을 신셜ᄒᆞᆫ즉, 뎡문 종뷔오, 가군의 원비시니, 이제 간인의 독슈로 셕혈 듕 죄쉬 되ᄆᆡ, 구가의 블니ᄒᆞᆫ 운ᄋᆡᆨ이 아니리오."

냥인이 셔로 비회를 니르며 위로ᄒᆞᄃᆡ,

"만ᄉᆡ 텬애라. 인력의 밋출 ᄇᆡ 아니오, 이 다 귀비의 ᄉᆞ오나옴과 아등의 ᄋᆡᆨ회라, 현마 엇디 ᄒᆞ리오. 되여가믈 보리라."

ᄒᆞ더라.

이ᄣᆡ 김귀비 신묘랑을 만나 윤·양을 셕혈 원귀를 ᄆᆡᆫᄃᆞ니, 흔흔양양ᄒᆞ【9】여 묘랑의 공덕을 언언이 칭샤ᄒᆞ고 금ᄇᆡᆨ으로 깃기니, 묘랑이 딘심갈녁ᄒᆞ여 못 밋출 ᄃᆞ시 힝ᄒᆞ며, 온가지로 귀비 뜻을 영합ᄒᆞ니, 귀비 황홀ᄒᆞ여 심곡을 일일히 니르고, 문양공쥬의 오복이 완전케 ᄒᆞ라 ᄒᆞ니, 묘랑이 슌슌응낙ᄒᆞ여 사ᄅᆞᆷ의 길흉화복을 졔 손으로 나는 ᄃᆞ시 ᄒᆞ니, 궁인 뉴의도 어진 ᄌᆞ는 묘랑의 공교ᄒᆞ믈 깃거ᄒᆞ는 일이 업ᄉᆞ나, 블현ᄌᆞ는 ᄉᆡᆼ불(生佛)이 강님(降臨)ᄒᆞᆫ ᄃᆞ시 츄앙ᄒᆞ니, 묘랑이 귀비의 즁ᄃᆡ를 바든 후는 ᄌᆞ존(自尊)ᄒᆞ여 요악ᄒᆞᆫ 졍틱 블가형언(不可形言)이로ᄃᆡ, 귀비 ᄭᆡᄃᆞᆺ지 못ᄒᆞ고 범ᄉᆞ를 미더, ᄆᆡ양 윤·양의 아ᄉᆞ치 아니믈 의심ᄒᆞ여, 니르면【10】 ᄃᆡ답이 여류ᄒᆞ여 오라지 아냐 아ᄉᆞ홀 바로 ᄃᆡ답ᄒᆞ니, 귀비 쇼왈,

"낸들 윤·양의 죽을 줄 모로디 아니나, 지금 완완ᄒᆞ미 괴이ᄒᆞ니, 혹ᄌᆞ 구ᄒᆞ리 이실가 념녀ᄒᆞ노라."

묘랑이 윤·양의 상뫼 귀복이 온젼ᄒᆞ고, 팔ᄌᆡ 대길ᄒᆞ여 초년 험ᄋᆡᆨ이 츈몽ᄀᆞᆺᄐᆞᆯ 줄 아

---

970)유유(悠悠)하다 : 아득하게 멀거나 오래되다.

는 호표의게 잡혀, 구몽숙의 욕을 두려 물의 ᄉᆡᆨ져시믈 드럿더니, 부인이 봉변ᄒᆞ미 ᄯᅩ 그런 무리라. 김귀비 이 거동이 결단코 아등을 죽이리니, 양가의 불효 극ᄒᆞ고 슬하유치의 육아지통(蓼莪之痛)을 품으며, 복아을 분산치 못ᄒᆞᆫ 즉 엇지 유ᄒᆞᆫ(遺恨)이 되지 아니리오."

양시 분ᄀᆡ ᄋᆡ읍 왈,

"쳡 갓트 니는 유뮈불관(有無不關)ᄒᆞ거니와, 부인은 타일 원억을 신셜ᄒᆞᆫ 즉, 뎡문 종뷔오, 가군의 원비시니, 이제 간인의 독수로 셕혈 듕 죄쉬되ᄆᆡ, 구가의 불니ᄒᆞᆫ 운ᄋᆡᆨ이 아니리오."

양인이 셔로 비회을 이르며 위로ᄒᆞᄃᆡ,

"만ᄉᆡ 쳔야라 인녁의 밋출 ᄇᆡ 아니오, 이는 다 귀비의 ᄉᆞ오나옴과 아등의 ᄋᆡᆨ회라, 현마 엇지 ᄒᆞ리오, 되어가믈 보리라."

ᄒᆞ더라.

이ᄣᆡ 김귀비 신묘랑을 만나 윤·양을 셕혈 원귀을 ᄆᆡᆫ드니, 흔흔양양ᄒᆞ여 묘랑의 공덕을 언언이 칭ᄉᆞᄒᆞ고 금ᄇᆡᆨ으로 깃기니, 묘랑이 진심갈녁ᄒᆞ여 못밋출 다시 힝ᄒᆞ며, 온가지로 귀비 뜻슬 영합ᄒᆞ니, 귀비 황홀ᄒᆞ여 심곡을 일일이 이르고, 문양공주의 오복이 완젼케 ᄒᆞ라 ᄒᆞ니, 묘랑이 슌슌응낙ᄒᆞ고 ᄉᆞᄅᆞᆷ의 길흉화복《으로‖을》 졔 임의로 홀 드시 ᄒᆞ니, 궁인 뉴의도 언[어]진 ᄌᆞ는 묘랑의 공교ᄒᆞ물 깃거 아니나, 불현ᄌᆞ는 ᄉᆡᆼ불(生佛)이 강님(降臨)ᄒᆞ다시 추【25】앙ᄒᆞ니, 묘랑이 귀비의 듕ᄃᆡ을 바든 후는 ᄌᆞ존(自尊)ᄒᆞ여 요악ᄒᆞᆫ 졍틱 불가형언(不可形言)이로ᄃᆡ, 귀비 ᄭᆡ닷지 못ᄒᆞ고, 범ᄉᆞ을 미러[더], ᄆᆡ양 윤·양의 아ᄉᆞ치 아니믈 의심ᄒᆞ여, 이르면 ᄃᆡ답이 여류ᄒᆞ여 오ᄅᆡ지 아녀 아ᄉᆞ홀 바로 ᄃᆡᄒᆞ니, 귀비 소왈,

"ᄂᆡᆫ들 윤·양의 {윤·양의} 죽을 줄 모로지 아니나, 지금 완완ᄒᆞ미 괴이 ᄒᆞ니, 혹ᄌᆞ 구ᄒᆞ리 잇실가 념녀ᄒᆞ노라."

묘랑이 윤·양의 상뫼 귀복이 온젼ᄒᆞ고, 팔ᄌᆞ ᄃᆡ길ᄒᆞ여 초년 험ᄋᆡᆨ이 츈몽 갓틀 줄 아나, 아직 귀비의 마음을 깃기랴, 짐짓 윤

나, 아직 귀비의 ᄆᆞᄋᆞᆷ을 깃기려 짐줓 윤・양이 ᄉᆞ지 못ᄒᆞ리라 ᄒᆞ더라.

어시의 윤츄밀이 뎡녀의 힝거를 ᄯᆞᆯ오다가, 구몽슉의 디극히 쳥ᄒᆞᆷ을 인ᄒᆞ여 구가의셔 밤을 디ᄂᆡ고 명됴의 환가ᄒᆞᄆᆡ, 경이 마조 ᄂᆡᄃᆞ라 니르ᄃᆡ,

"작일 운산의 가샤 대인이 친히 죵뎨를 다려오신다 ᄒᆞ더【11】니, 엇디 야야ᄂᆞᆫ 금일이야 도라오시고, 죵뎨를 다리라 갓던 교부 시녀ᄇᆡ도 아니 오ᄂᆞ니잇고?"

츄밀이 경왈,

"뎡녜 작일 이리로 몬져 왓거니와, 나ᄂᆞᆫ 길히셔 구몽슉을 만나, 병후 야힝이 히롭다 ᄒᆞ여 졔 집셔 밤을 디ᄂᆡ라 ᄒᆞ므로 이졔야 오과라."

태부인과 뉴시 거줓 놀나ᄂᆞᆫ 쳬ᄒᆞ여 교부조ᄎᆞ 긔쳑 업ᄉᆞᆷ을 니르니, 츄밀이 비록 상심실혼(喪心失魂)ᄒᆞᆫ 듕이나 ᄎᆞ악(嗟愕) 발비(拔臂) 왈,

"작일 분명이 거교를 압셰워 집으로 보ᄂᆡ엿거ᄂᆞᆯ, 엇디 긔쳑이 업고, 노복조ᄎᆞ 업다 ᄒᆞᄆᆞᆫ 므ᄉᆞᆷ 말이니잇고?"

태부인이 손등을 너로[971] 두다리며, 직쵹ᄒᆞ여 츄【12】밀노 듕복을 불너보라 ᄒᆞ니, 공이 이의 듕복을 불너 작일 거교를 뫼시던 노복을 ᄎᆞᄌᆞ나 긔쳑이 업ᄉᆞᆫ디라. 위태 직쵹ᄒᆞ여 뎡부의 통ᄒᆞ고 듕복을 홋터 거쳐를 심방ᄒᆞ라 ᄒᆞ니, 츄밀이 대경 참비ᄒᆞ여 모든 복부로 작일 거교 메던 노복을 심방ᄒᆞ며, 뎡부의 젼ᄒᆞ니라.

시시의 금평휘 졔ᄌᆞ를 거ᄂᆞ려 셔헌의셔 말솜ᄒᆞ더니, 윤부 창뒤 니르러 윤공의 말솜으로 뎡녀의 도듕 실니ᄒᆞᆫ ᄉᆞ연을 젼ᄒᆞ니, 금휘 대경 ᄎᆞ악ᄒᆞ여 손으로 셔안을 쳐 왈,

"슈한슈원(誰恨誰怨)이리오. 작일 우리 윤현부를 다려다가 주어실진ᄃᆡ 금일 변괴 이시리오."

남휘 그 익화【13】를 짐작ᄒᆞᆫ ᄇᆡ나 경히(驚駭) ᄎᆞ악(嗟愕)ᄒᆞ미 젹지 아니ᄃᆡ, 야야의 과도ᄒᆞ시믈 민박ᄒᆞ여, 피셕 쥬왈,

971)너로 : 널리. 넓게.

・양이 ᄉᆞ지 못ᄒᆞ리라 ᄒᆞ더라.

어시의 윤츄밀이 질녀의 힝거을 ᄯᆞ로다가, 구몽숙의 지극히 쳥ᄒᆞᆷ을 인ᄒᆞ여 구가의셔 밤을 지ᄂᆡ고 명조의 환가ᄒᆞᄆᆡ, 경이 마조 ᄂᆡ다라 니로ᄃᆡ,

"작일 운산의 가ᄉᆞ ᄃᆡ인이 친히 죵데을 다려 오신다 ᄒᆞ더니, 엇지 야야ᄂᆞᆫ 금일이야 도라오시고, 죵데을 다리러 갓든 교부 시녀 ○[ᄇᆡ]도 아니 오ᄂᆞᆫ이잇고?

츄밀이 경왈,

"질녀 작일 이리로 몬져 왓거니와 나ᄂᆞᆫ 길희셔 구몽숙을 만나, 병후 야힝이 히롭다 ᄒᆞ여 졔집의셔 밤을 지ᄂᆡ라 ᄒᆞ므로 이졔야 오노라."

ᄐᆡ부인과 뉴시 거즛 놀나ᄂᆞᆫ 쳬ᄒᆞ여 교부조ᄎᆞ 긔쳑 업ᄉᆞ물 니르니, 츄밀이 비록 상심실혼(喪心失魂)○[ᄒᆞᆫ] ○[즁]이나, ᄎᆞ악(嗟愕) 발비(拔臂) 왈,

"작일 분명이 거교을 압셰워 집으로 보ᄂᆡ엿거ᄂᆞᆯ, 엇지 긔쳑이 업셔 노복조ᄎᆞ 업다ᄒᆞ니 무ᄉᆞᆷ 말이잇고?"

ᄐᆡ부인이 손등을 너루[791] 두다리며, 직쵹ᄒᆞ여 츄밀노 즁복을 불너보라 ᄒᆞ니, 공이 이의 즁복을 불너 작【26】일 거교을 뫼시던 노복을 ᄎᆞᄌᆞ나 긔쳑이 업ᄂᆞᆫ지라. 위ᄐᆡ 직쵹ᄒᆞ여 뎡부의 통ᄒᆞ고 즁복을 불너 거쳐을 상심(詳尋)ᄒᆞ라 ᄒᆞ니, 츄밀이 ᄃᆡ경ᄒᆞ여 모든 복부을[로] 작일 거교 메든 노복을 심방ᄒᆞ며, 뎡부의 젼ᄒᆞ니라.

시시의 금평휘 졔ᄌᆞ을 거나려 셔헌의셔 말솜ᄒᆞ더니, 윤부 창두 이르러 윤공의 말솜으로 질녀의 도즁 실니ᄒᆞᆫ ᄉᆞ연을 젼ᄒᆞ니, 금휘 ᄃᆡ경ᄎᆞ악ᄒᆞ여 손으로 셔안을 쳐 왈,

"슈한슈원(誰恨誰怨)이리오. 작일 우리 윤현부을 다려다가 두[주]엇실진ᄃᆡ, 금일 변고 잇시리오."

남휘 그 익화을 짐쟉ᄒᆞᆫ ᄇᆡ나 경희[히](驚駭) ᄎᆞ악(嗟愕)ᄒᆞ미 젹지 아니ᄃᆡ, 야야의 과도ᄒᆞ시물 민박ᄒᆞ여, 피셕 주왈,

791)너루 : 널리. 넓게.

"윤시의 만난 ᄇᆡ 경ᄒᆡᄒᆞ오나, 도로혀 살ᄶᅡ흘 드ᄃᆡᆫ 작시라. 간당이 그 창두와 동심ᄒᆞ여시믈 짐작ᄒᆞ올 거시오, 윤시 옥누항의 도라가도 그 조모와 슉뫼 죽이고 말니니, 출하리 잡아다가 슈히 결단을 ᄂᆡ미 나으미 잇고, 윤시 결단코 됴요박복지상(早夭薄福之相)이 아니오니, 원컨ᄃᆡ 대인은 물우소려(勿憂消慮)ᄒᆞ쇼셔."

금휘 졈두ᄒᆞ고 즉시 윤부의 니르러 윤공을 보고 기간ᄉᆞ(其間事)를 므른ᄃᆡ, 츄밀이 죵두지미(從頭至尾)를 다 니르고 참비ᄒᆞ믈 마디 아니ᄒᆞ니, 금휘 반일을 머므러 노복 등을 헷【14】쳐, 그 종적을 츄심ᄒᆞ나 그림ᄌᆞ도 보디 못ᄒᆞ고, 메여오던 교부도 ᄎᆞᆺ디 못ᄒᆞ니, 원ᄂᆡ 뉴시 노복을 금은필ᄇᆡᆨ(金銀疋帛)을 주어 본향의 나려가 깁히 숨으라 ᄒᆞ니, ᄎᆞ고로 ᄎᆞᆺ지 못ᄒᆞ미러라.

금휘 블승참연ᄒᆞ여 녀ᄋᆞ를 뭇지 아니코, 본부의 도라와, 태원뎐의 드러가 시좌ᄒᆞᄆᆡ, 금휘 맛ᄎᆞᆷᄂᆡ ᄀᆡ이지 못ᄒᆞᆯ디라, 이의 안ᄉᆡᆨ을 화히 ᄒᆞ고 말솜을 브드러이 ᄒᆞ여, 윤시 봉변지ᄉᆞ를 고ᄒᆞ고, 위로 왈,

"윤시의 화란이 ᄎᆞ악ᄒᆞ오나, 그 상뫼 누셜즁(縲絏中) 됴요박복(早夭薄福)지 아니리라 ᄒᆞ연 지 오라ᄃᆡ, 맛ᄎᆞᆷᄂᆡ 운건(運蹇)ᄒᆞ여 화ᄋᆡᆨ의 ᄉᆡ져시나 깁흔 념네 업술디라, 원ᄌᆞ경은 과상치 마【15】르쇼셔.

태부인이 청파의 대경 왈,

"셰간의 이런 괴이ᄒᆞᆫ 변괴 이시니 엇디 ᄎᆞ악지 아니리오. 간당이 윤ᄋᆞ를 아ᄉᆞ 갈 제 엇디 ᄒᆡᄒᆞ미 업ᄉᆞ리오, 디란 ᄀᆞᆺ튼 약질이 독슈의 살기를 바라리오."

셜파의 누쉬 ᄉᆞ매를 젹시니, 금휘 졀민ᄒᆞ여 호언으로 위로ᄒᆞ고, 진부인이 참연ᄒᆞ미 일신이 녹ᄂᆞᆫ ᄃᆞᆺᄒᆞᄃᆡ, 존당의 비ᄉᆡᆨ을 돕지 못ᄒᆞ여 ᄉᆞ식을 강인ᄒᆞ나, 뺭안의 쥬뤼 어ᄅᆡ믈 면치 못ᄒᆞ니, 남휘 존당 부뫼 졀우ᄒᆞ시믈 민망ᄒᆞ여, 이셩낙ᄉᆡᆨ(怡聲樂色)으로 위열(慰悅)ᄒᆞ더라.

일일은 양부 ᄎᆞ환이 니르러, 쇼졔 작야의 호환을 만나 ᄌᆞ최 업술 ᄲᅮᆫ 아니라, 그 호픠

"윤시의 만난 ᄇᆡ 경ᄒᆡᄒᆞ오나, 도로혀 ᄉᆞᆯᄊᆞ흘 드ᄃᆡᆫ ᄌᆞᆨ시라. 간당이 그 창두와 동심ᄒᆞᄒᆞ여시물 짐ᄌᆞᆨᄒᆞ올 거시오, 윤시 옥누항의 도라가도 그 조모와 슉모 죽이고 말니니, 출ᄒᆞ리 간당이 잡아다가 수히 결단을 ᄂᆡ미 나으미 잇고, 윤시 결단코 조요박복지상(早夭薄福之相)이 아니오니, 원컨ᄃᆡ ᄃᆡ인은 물려(勿慮) ᄒᆞ소셔."

금휘 졈두ᄒᆞ고 즉시 윤부의 이르러 윤공을 보고 기간 ᄉᆞ고을 무른ᄃᆡ, 츄밀○[이] 종두지미(從頭至尾)을 다 이르고 ᄎᆞᆷ비ᄒᆞ물 마지 아니니, 금휘 반일을 머무러 보복 등을 헷쳐 그 종젹을 츄심ᄒᆞ나 그림ᄌᆞ도 보지 못ᄒᆞ고, 메여오든 교부도 ᄎᆞᆺ지 못ᄒᆞ니, 원ᄂᆡ 뉴시 노복을 금은필ᄇᆡᆨ(金銀疋帛)을 주어 본향의 나려가 깁히 숨으라 ᄒᆞ니, ᄎᆞ고로 찻지 못ᄒᆞ미러라.

금휘 불승ᄎᆞᆷ연ᄒᆞ여 녀ᄋᆞ을 뭇지 아니코, 본부의 도라【27】와 ᄐᆡ원젼의 드러가 시좌ᄒᆞᄆᆡ, 금휘 마ᄎᆞᆷᄂᆡ ᄀᆡ이지 못ᄒᆞᆯ지라. 이의 안ᄉᆡᆨ을 화히ᄒᆞ고 말솜을 부드러이 ᄒᆞ여 윤시 봉변지ᄉᆞ을 고ᄒᆞ고, 위로 왈,

"유[윤]시의 화란이 ᄎᆞ악ᄒᆞ오나, 그 상뫼 누셜듕(縲絏中) 조요박복지상(早夭薄福之相)이 아냐, 맛ᄎᆞᆷᄂᆡ 념네 업ᄉᆞ오리니, 원 ᄌᆞ위ᄂᆞᆫ 과상치 마르소셔."

ᄐᆡ부인이 청파의 ᄃᆡ경 왈,

"셰상의 이런 괴이ᄒᆞᆫ 변이 잇시니 엇지 ᄎᆞ악지 아니리오. 간당이 윤아을 아ᄉᆞ 갈 제 엇지 ᄒᆡᄒᆞ미 업ᄉᆞ리오. 지란 갓튼 약질이 독수의 ᄉᆞᆯ기을 바라리오."

셜파의 누쉬 ᄉᆞᄆᆡ을 젹시니, 금휘 졀민ᄒᆞ여 호언으로 위로ᄒᆞ고, 진부인이 ᄎᆞᆷ연ᄒᆞ미 일신이 녹는 듯ᄒᆞᄃᆡ, 존당의 비ᄉᆡᆨ을 돕지 못ᄒᆞ여 ᄉᆞ식을 강잉ᄒᆞ나, 양안의 누쉬 어ᄅᆡ물 면치 못ᄒᆞ니, 남휘 존당부모 졀우ᄒᆞ시물 민망ᄒᆞ여, 이셩낙ᄉᆡᆨ(怡聲樂色)으로 위로(慰勞)ᄒᆞ더라.

일일은 양부 ᄎᆞ환이 이르러 소져 작야의 호환을 만나 ᄌᆞ최 업술ᄲᅮᆫ 아니라, 그 호표

나ᄅᆡ를 가져【16】 공듕의 소ᄉᆞ 경ᄀᆡᆨ의 간ᄃᆡ 업ᄉᆞ믈 고ᄒᆞ니, 태부인으로브터 합문 샹히 ᄎᆞ악ᄒᆞ며, 윤시ᄂᆞᆫ 도듕의 거쳐를 모로니 ᄉᆞᄉᆡᆼ을 판단치 아닐 거시로ᄃᆡ, 양시ᄂᆞᆫ 임의 범의게 물녀가다 ᄒᆞ니 살미 만무ᄒᆞᆫ디라. 태부인이 크게 울고져 ᄒᆞ니, 병뷔 안ᄉᆡᆨ을 ᄌᆞ약히 ᄒᆞ여 이셩 쥬왈,

"이 반ᄃᆞ시 요얼(妖孼)972)의 작용이라, 양공의 가ᄐᆡᆨ이 심산벽쳬(深山僻處) 아니오, 도셩 ᄌᆡ상의 쳔문만호(千門萬戶)를 비뢰라도 잘나라들기 어렵거든, 어나 호푀 도셩을 돌입ᄒᆞ여 ᄇᆞᄃᆡ 양시를 므러갈 니 업고, 젼의 하ᄆᆡᄂᆞᆫ 촉의셔 나ᄂᆞᆫ 호표의 ᄒᆡ를 만나 닉슈지환(溺水之患)을 당ᄒᆞ니, 양시 므러간 거시 ᄒᆞᄆᆡ【17】 후려가던 뉘니, 각별ᄒᆞᆫ 요정이 셰샹의 이시미라. 양시의 상뫼 슈화(水火) 듕의 드러도 위ᄐᆡ치 아닐 거시오, 필연 ᄉᆡᆼ존ᄒᆞᆫ 소식이 삼ᄉᆞ년 ᄂᆡ의 이시리니, 원 조모ᄂᆞᆫ 과상치 마르쇼셔."

태부인이 실셩뉴쳬 왈,

"너ᄂᆞᆫ ᄆᆡ양 사ᄅᆞᆷ의 상모를 미더 이완(弛緩)ᄒᆞᆫ 말을 ᄒᆞᄂᆞ뇨? 윤・양의 화ᄋᆡᆨ 만나미 아모리 ᄉᆡᆼ각ᄒᆞ여도 살 니 업ᄉᆞ니, 냥부(兩婦)의 셩ᄒᆡᆼ긔질(性行氣質)과 ᄉᆞ덕효의(四德孝義)를 ᄉᆡᆼ각ᄒᆞᆫ즉 고금의 희한ᄒᆞ니, 너의 쳐쳡이 ᄇᆡᆨ인이 이시나, 노모의 졍은 윤・양의 비기지 못ᄒᆞ리니, 그 누셜 변고ᄂᆞᆫ 맛ᄎᆞᆷᄂᆡ 벗지 못ᄒᆞ고 맛ᄎᆞ미, 엇디 참혹지 아니리오."

언파의 통곡ᄒᆞ니, 금후 부【18】ᄌᆡ 존당의 과ᄋᆡᆨᄒᆞ시믈 졀민ᄒᆞ여, 일시의 그러치 아니므로 관위ᄒᆞ고, 합문 샹히 다 위ᄒᆞ여 슬픈 빗출 뵈지 못ᄒᆞ고, 져마다 됴흔 말ᄉᆞᆷ으로 위로ᄒᆞ고, 금휘 제공ᄌᆞ를 명ᄒᆞ여 화담쇼어(和談笑語)로 존당의 슈회(愁懷)를 니ᄌᆞ시게 ᄒᆞ라 ᄒᆞ며, 부마로 양부의 가 곡졀을 ᄌᆞ시 므르라 ᄒᆞ니, 부매 슈명ᄒᆞ여 양부로 가니, 양공 부뷔 방셩대곡ᄒᆞ여 시신을 겻ᄐᆡ 노흠 ᄀᆞᆺ거ᄂᆞᆯ, 부매 관위ᄒᆞ여 긋치ᄆᆡ, 양공

972)요얼(妖孼) : ①요악한 귀신의 재앙. 또는 재앙의 징조. ②요망스러운 사람.

나ᄅᆡ을 가져 공즁의 소ᄉᆞ 경각의 간ᄃᆡ 업ᄉᆞ물 고ᄒᆞ니, ᄐᆡ부인으로부터 합문 상히 ᄎᆞ악ᄒᆞ여 윤시ᄂᆞᆫ 도듕의 거쳐을 모로니 ᄉᆞᄉᆡᆼ을 판단치 아닐 거시로ᄃᆡ, 양시ᄂᆞᆫ 임의 범의게 물녀가다 ᄒᆞ니, ᄉᆞᆯ기 만무ᄒᆞᆯ지라. ᄐᆡ부인이 크게 울고져 ᄒᆞ니, 부ᄆᆡ 안ᄉᆡᆨ을 ᄌᆞ약히 ᄒᆞ여 이셩 주왈,

"반다시 요얼(妖孼)792)의 작얼이라. 양공의 가ᄐᆡᆨ이 심산벽쳐(深山僻處) 아니오, ᄌᆡ상가 쳔문만호(千門萬戶)을 비죄라도 나라들기 어렵거든, 어ᄂᆡ 호표 도셩을 돌입ᄒᆞ여 부ᄃᆡ 양시을 물어갈니 업고,【28】 젼의 하ᄆᆡᄂᆞᆫ 촉의셔 나ᄂᆞᆫ 호표의 ᄒᆡ을 만나 익수지환(溺水之患)을 만나니, 양시 물어간 거시 하ᄆᆡ을 무러간[가]든 뉴니, 각별ᄒᆞᆫ 요졍이 세상의 잇시미라. 양시의 상뫼 수화 즁의 드러도 위ᄐᆡ치 아닐 거시오, 필경 ᄉᆡᆼ존ᄒᆞᆫ 소식이 ᄉᆞᆷᄉᆞ년 ᄂᆡ의 잇시리니, 원 조모ᄂᆞᆫ 과상치 마르소셔."

ᄐᆡ부인이 실셩유쳬 왈,

"너ᄂᆞᆫ ᄆᆡ양 ᄉᆞᄅᆞᆷ의 상모을 미러[더] 이완(弛緩)ᄒᆞᆫ 말을 ᄒᆞᄂᆞ뇨? 윤・양의 화ᄋᆡᆨ 만나미 아모리 ᄉᆡᆼ각ᄒᆞ여도 ᄉᆞᆯ니 업ᄉᆞ니, 냥부(兩婦)의 션ᄒᆡᆼ긔질(善行氣質)과 ᄉᆞ덕효의(四德孝義)을 ᄉᆡᆼ각ᄒᆞᆫ즉 고금의 희한ᄒᆞ니, 너의 쳐쳡이 ᄇᆡᆨ인이 잇시나 노모의 졍은 윤・양의 비기지 못ᄒᆞ리니, 그 누셜 변고ᄂᆞᆫ 맛ᄎᆞᆷᄂᆡ 벗지 못ᄒᆞ고 맛ᄎᆞ미, 엇지 참통치 아니리오."

언파의 통곡ᄒᆞ니, 금후 부ᄌᆞ 존당의 과상ᄒᆞ시물 졀민ᄒᆞ여, 일시의 그러치 아니므로 관위ᄒᆞ고, 합문상히 다 위ᄒᆞ여 슬푼 빗출 뵈지 못ᄒᆞ고, 져마다 호언으로 위로ᄒᆞ고, 금휘 제공ᄌᆞ을 명ᄒᆞ여 화담소어(和談笑語)로 조모의 슈회(愁懷)을 이즈시게 ᄒᆞ라 ᄒᆞ며, 부마로 양부의 가 곡졀을 ᄌᆞ셰 무러라 ᄒᆞ니, 부ᄆᆡ 수명ᄒᆞ여 양부로 가니, 양공 부부 방셩ᄃᆡ곡ᄒᆞ여 시신을 겻히 노음 갓거ᄂᆞᆯ, 부ᄆᆡ 관위ᄒᆞ《기을‖여》 긋치ᄆᆡ, 양공 부부

792)요얼(妖孼) : ①요악한 귀신의 재앙. 또는 재앙의 징조. ②요망스러운 사람.

부뷔 작야 호환을 젼ᄒᆞ여 비뤄 만항이나 ᄒᆞ여, 녀ᄋᆞ의 허장(虛葬)973)을 의논ᄒᆞᆫᄃᆡ, 병뷔 말녀 왈,

"쇼ᄉᆡᆼ이 비록 무신블의(無信不義)나, 녕녀로 결발대륜(結髮大倫)의 부부지졍을 ᄆᆡᄌᆞᆫ지 뉵【19】년의 골육을 두어 은의(恩誼) 경치 아니ᄒᆞ더니, 당ᄎᆞ시 ᄒᆞ여 참혹한 누셜듕(陋說中)의 호환의 졀명ᄒᆞ미 진적ᄒᆞᆫ즉, 그 비상ᄒᆞᆫ 심ᄉᆡ 엇더ᄒᆞ리잇고마ᄂᆞᆫ, 실인의 상뫼 됴요박복이 아닐 ᄲᅳᆫ 아니라, 일즉 나ᄂᆞᆫ 범이 도셩의 드러 ᄌᆡ상가 명부를 므러 등운(登雲)ᄒᆞ다 ᄒᆞ믈 듯지 못ᄒᆞ엿ᄂᆞ니, 이 필연 요얼이라. ᄉᆞ년 젼의 쇼ᄉᆡᆼ의 양ᄆᆡ(養妹) 여ᄎᆞ 변을 만나 닉슈지화(溺水之禍)를 보ᄆᆡ, 쇼ᄉᆡᆼ이 구ᄒᆞ여 도라와 남ᄆᆡ지의(男妹之義)를 ᄆᆡᄌᆞ니, 일이 그러ᄒᆞ미 괴이치 아닌지라. 삼ᄉᆞ년을 긔약ᄒᆞ여 ᄉᆡᆼ존ᄒᆞᆫ 소식이 업ᄉᆞ면 허장ᄒᆞ려니와, 시금(時今)은 블가ᄒᆞᆫ디라, 국개 비록 의졀ᄒᆞ믈 닐너 계시나 【20】 죽으미 뎍실ᄒᆞᆯ진ᄃᆡ, 유ᄌᆞ식블거(有子息不去)974)로ᄡᅧ 텬문의 알외고, 뷘관이라도 쇼ᄉᆡᆼ의 집 션산의 쟝ᄒᆞ미 덧덧ᄒᆞ나, 만만 그러치 아니니이다."

양공이 병부의 말을 그러히 넉이나, 녀ᄋᆞ를 ᄉᆡᆼ각ᄒᆞᆯᄉᆞ록 참통ᄒᆞ여 누하여우(淚下如雨) 왈,

"챵ᄇᆡᆨ지언이 유리ᄒᆞ나, 녀ᄋᆡ 팔ᄌᆡ 험흔(險釁)ᄒᆞ여 괴이ᄒᆞᆫ 누명을 싯고, ᄯᅩ 호환을 만나니 엇디 살기를 바○[라]리오. 요졍이라도 잡아가ᄂᆞᆫ ᄠᅳᆺ이 심상치 아니니, 지란 ᄀᆞᆺᄐᆞᆫ 약질이 위ᄐᆡᄒᆞᆯ 거시오, 유ᄐᆡ듕(有胎中)이니, 더욱 엇지 위ᄐᆡ치 아니리오. 그 의상(衣裳)을 념쟝(殮葬)치 아니면 유유ᄒᆞᆫ 원ᄇᆡᆨ이 어ᄃᆡ 의지ᄒᆞ리오."

뎡병뷔 쇼왈,

"악댱의 광풍졔월(光風霽月) ᄀᆞᆺᄐᆞᆫ 긔도

973)허장(虛葬) : 오랫동안 생사를 모르거나 시체를 찾지 못하는 경우에 시체 없이 그 사람의 옷가지나 유품으로써 장례를 치름. 또는 그 장례. ≒영장(靈葬)

974)유ᄌᆞ식블거(有子息不去) : 자식을 둔 아내는 내쫓지 못함.

작야 호환을 젼ᄒᆞ여 비뉘만항이나 ᄒᆞ여, 녀ᄋᆞ의 허장(虛葬)793)을 의논ᄒᆞᆫ ᄃᆡ, 병뷔 말녀 왈,

"소ᄉᆡᆼ이 비록 무신불의(無信不義)ᄒᆞ나 영녀로 결발ᄃᆡ륜(結髮大倫)의 부ᄌᆞ지졍을 ᄆᆡ잔지 뉵년의 골육을 두어 은의(恩誼) 경치 아니 ᄒᆞ더니, 당ᄎᆞ시 ᄒᆞ여 ᄎᆞᆷ혹【29】ᄒᆞᆫ 누명듕(陋名中)의 호환의 졀명ᄒᆞ미 진젹ᄒᆞᆫ즉, 그 비상ᄒᆞᆫ 심ᄉᆡ 엇더ᄒᆞ리잇고마ᄂᆞᆫ, 실인의 상뫼 조요박복지 아닐 ᄲᅳᆫ 아니라, 일즉 나ᄂᆞᆫ 범이 도셩의 드러 ᄌᆡ상가 명부을 무러 등운(登雲)ᄒᆞ다 ᄒᆞ문 듯지 못ᄒᆞ엿나니, 이 필연 요얼이라. ᄉᆞ년 젼의 소ᄉᆡᆼ의 양ᄆᆡ(養妹) 여ᄎᆞ 변을 만나 익수지환(溺水之患)을 보ᄆᆡ, 소ᄉᆡᆼ이 구ᄒᆞ여 도라와 남ᄆᆡ지의(男妹之義)을 ᄆᆡᄌᆞ니, 일이 그러ᄒᆞ미 괴이치 아닌지라. ᄉᆞᆷᄉᆞ년을 긔약ᄒᆞ여 ᄉᆡᆼ존ᄒᆞᆫ 소식이 업ᄉᆞ면 허장ᄒᆞ려니와, 지금은 불가ᄒᆞᆫ지라. 국기 비록 의졀ᄒᆞ물 일너시나 죽으미 젹실ᄒᆞᆯ진ᄃᆡ, 유ᄌᆞ식불거(有子息不去)794)로ᄡᅧ 쳔문의 알외고, 빈 관이라도 소ᄉᆡᆼ의 집 션산의 장ᄒᆞ미 ᄯᅥᆺᄯᅥᆺᄒᆞ나, 만만 그러치 아니이다."

양공 병부의 말을 그러이 녁이나 녀아을 ᄉᆡᆼ각ᄒᆞᆯᄉᆞ록 ᄎᆞᆷ통(慘痛) ᄒᆞ누(下淚)ᄒᆞ여 왈,

"창ᄇᆡᆨ지언이 유리ᄒᆞ나, 녀ᄋᆡ 팔ᄌᆡ 험흔(險釁)ᄒᆞ여 괴이ᄒᆞᆫ 누명을 싯고, ᄯᅩ 호환을 만나니 엇지 ᄉᆞᆯ기을 마라리오. 요졍이라도 잡아가ᄂᆞᆫ ᄠᅳᆺ지 심상치 아니니, 지란 갓튼 약질이 위ᄐᆡᄒᆞᆯ 거시오, 유ᄐᆡ듕(有胎中)이니 더욱 위ᄐᆡ치 아니리오. 그 의상(衣裳)을 염장(殮葬)치 아니면 유유ᄒᆞᆫ 혼ᄇᆡᆨ이 어ᄃᆡ 의지ᄒᆞ리오."

병뷔 소왈,

"악장의 광풍쳬[졔]월(光風霽月) 갓튼 거

793)허장(虛葬) : 오랫동안 생사를 모르거나 시체를 찾지 못하는 경우에 시체 없이 그 사람의 옷가지나 유품으로써 장례를 치름. 또는 그 장례. ≒영장(靈葬)

794)유ᄌᆞ식불거(有子息不去) : 자식을 둔 아내는 내쫓지 못함.

(氣度)로 【21】 도, 일녀를 위ᄒᆞ여 구구(區區)ᄒᆞ샤, 다려오던 날브터 비쳑ᄒᆞᆫ 심ᄉᆞ를 ᄀᆞᆷ초지 못ᄒᆞ시더니, 즉금 괴이ᄒᆞᆫ 변을 ᄭᆡ돗지 못ᄒᆞ시고 허장을 의논ᄒᆞ시니, 쇼ᄉᆡᆼ이 외람ᄒᆞ나 그윽이 블춰{야}ᄒᆞᄋᆞᆸᄂᆞ니, 슈년만 기다려 맛ᄎᆞᆷᄂᆡ 소식이 업술진ᄃᆡ, ᄉᆡᆼ이 텬하를 다 도라 그 ᄆᆡ골(埋骨)이라도 어더 쇼셔(小壻)의 션산의 장ᄒᆞ오리니, 원컨ᄃᆡ 괴이ᄒᆞᆫ 의논을 긋치쇼셔."

공이 병부를 춰듕(取重)ᄒᆞ므로 그 말을 좃ᄎᆞ 허장을 긋치고, 윤부인 평부를 므르니 병뷔 ᄃᆡ왈,

"쇼ᄉᆡᆼ의 쳐실을 다 일흘 시절을 만나 여ᄎᆞ여ᄎᆞ 실산ᄒᆞ니이다."

양공이 경탄 왈,

"윤부인의 봉변을 드르ᄆᆡ 아녀도 진짓 범이 아니오, 요정 【22】 의 작난인가 ᄒᆞᄂᆞ니, 엇지 경악지 아니며, 또 엇디 ᄉᆡᆼ존ᄒᆞ믈 긔필ᄒᆞ리오."

병뷔 호언관위ᄒᆞ여 하딕고 분부의 도라오니, 존당 부뫼 통셕ᄒᆞ미 ᄉᆡ로온디라. 병뷔 민망ᄒᆞ여 지삼 위로ᄒᆞ고 ᄌᆞ녀를 유희ᄒᆞ여 츈풍화긔 므로녹으니, 졔공지 빅시를 ᄯᆞ라 학낭쇼어로 존당의 우으시믈 요구ᄒᆞ니, 태부인이 그 효의를 감동ᄒᆞ여 잠간 딘뎡(鎭靜)ᄒᆞ나 ᄊᆡᄊᆡ 비졀ᄒᆞ믈 마지 아니터니, 시랑이 오라지 아냐 슈시를 빅힝ᄒᆞ여 님산의 두고 도라오니, 부모 존당이 그 ᄉᆞ이라도 반기며 쇼져의 무ᄉᆞ히 득달ᄒᆞ믈 깃거ᄒᆞ더라.

ᄎᆞ시 문양이 소원을 일워 윤·양·니 등을 졀【23】의(絶義)ᄒᆞ여 각가 도라가나, 오히려 그 ᄉᆞ라시믈 한ᄒᆞ더니, 모비의 글을 보ᄆᆡ, 윤·양·니를 잡아 셕혈의 너허시믈 닐너, 강뎍(强敵)을 소제ᄒᆞ고 텬하를 일광(一匡)975)ᄒᆞ미[믈] 깃거ᄒᆞ니, 공쥐 대희ᄒᆞ나, 부매 윤·양·니 등 부인이 업ᄉᆞᆫ 후 죡젹이 궁문의 님치 아니ᄒᆞ니, 최상궁이 ᄋᆡ돌와 공쥬다려 왈,

"쳡이 젼후 옥쥬를 위ᄒᆞ여 심녀를 허비ᄒᆞ

975)일광(一匡) : 어지러운 천하를 다스려 바로잡음.

조(擧措)로, 일녀을 위ᄒᆞ여 구구(區區)ᄒᆞᄉᆞ, 다려오던 날부터 비쳑ᄒᆞᆫ 심ᄉᆞ을 감초지 못ᄒᆞ시더니, 직금 괴이ᄒᆞᆫ 변을 ᄭᆡ닷지 못ᄒᆞ시고 허장을 의논ᄒᆞ시니, 소ᄉᆡᆼ이 외람ᄒᆞ나 그윽이 불춰ᄒᆞᄋᆞᆸᄂᆞ니, 원컨ᄃᆡ 괴이ᄒᆞᆫ 의논을 긋치소셔."

공이 병부을 【30】 춰듕(取重)ᄒᆞᄂᆞᆫ 고로 그 말을 조ᄎᆞ 허장을 긋치고, 윤부인 평부을 무르니 병뷔 ᄃᆡ왈,

"소ᄉᆡᆼ의[이] 쳐실은[을] 다 일흘 시졀을 만나 여ᄎᆞ여ᄎᆞ 실산ᄒᆞ니이다."

양공이 경탄 왈,

"윤부인의 봉변을 드르ᄆᆡ 아녀도 진짓 범이 아니오, 요졍의 작난인가 ᄒᆞᄂᆞ니, 엇지 경악지 아니며, 또 엇지 ᄉᆡᆼ존ᄒᆞ물 긔필ᄒᆞ리오."

병뷔 호언관위ᄒᆞ여 ᄒᆞ직고 본부의 도라오니, 존당부뫼 통셕ᄒᆞ미 ᄉᆡ로온지라. 병뷔 민망ᄒᆞ여 지ᄉᆞᆷ 위로ᄒᆞ고 ᄌᆞ녀을 유희ᄒᆞ여 츈풍화긔 무루녹으니, 졔공지 빅시을 ᄯᆞ라 학낭소어로 존당의 우으시물 요구ᄒᆞ니, ᄐᆡ부인이 그 효의을 감동ᄒᆞ여 잠간 진졍ᄒᆞ나, ᄊᆡᄊᆡ 비졀ᄒᆞ믈 마지 아니터니, 시랑이 오리지 아냐 《소시∥수시(嫂氏)》을 빅힝ᄒᆞ여 임산의 《주고∥두고》 도라오ᄆᆡ, 부모 존당이 그 ᄉᆞ이라도 반기고 소져의 무ᄉᆞ히 득달ᄒᆞ물 깃거ᄒᆞ더라.

문양이 소원을 일워 윤·양·니 등을 졀의(絶義)ᄒᆞ여 각각 도라가나, 오히려 ᄉᆞ라시물 ᄒᆞᆫᄒᆞ더니, 모비의 글을 보ᄆᆡ, 윤·양 이인을 잡아 셕혈의 너어시물 일너, 강젹(强敵)을 소제ᄒᆞ고 쳔ᄒᆞ을 일광(一匡)795)ᄒᆞ믈 일너시니, 공쥐 ᄃᆡ희ᄒᆞ나 ᄉᆞ식지 아니코, 병을 조리ᄒᆞ여 소셩ᄒᆞᄃᆡ, 부ᄆᆡ 윤·양 이부인이 업ᄉᆞᆫ 후 종젹이 궁문의 ○○[님치] 아닛ᄂᆞᆫ지라. 최상궁이 ᄋᆡ달나 공주다려 왈,

"쳡이 젼후 옥주을 위ᄒᆞ여 심녀을 허비ᄒᆞ

795)일광(一匡) : 어지러운 천하를 다스려 바로잡음.

며 쳔방백계(千方百計)로 득광(得光)ᄒᆞ믈 바라미러니, 도금(到今)ᄒᆞ여 쥬군이 윤·양·니의 화ᄋᆡᆨ을 옥쥬의 탓시믈 아라, ᄒᆞᆫ번 문병ᄒᆞ미 업ᄉᆞ니 엇디 분한치 아니며, 존당구괴 마디못ᄒᆞ여 므르시나 졍의 가작(假作)으로 ᄒᆞ시니, 일마【24】다 옥쥬의 팔ᄌᆡ 괴이ᄒᆞ여 구고와 가부의 은ᄋᆡ를 닙지 못ᄒᆞ시니, 쳡이 ᄋᆡᄃᆞᆲ고 분ᄒᆞ믈 니긔지 못ᄒᆞᄂᆞ니, 출하리 현긔 ᄌᆞ영 등을 다 죽여, 윤·양·니의 ᄡᅵ를 아조 업시ᄒᆞ미 올코, 영교를 죽여시니 ᄯᅩ 녹셤을 마ᄌᆞ 죽여 후일 ○[환]을 아조 업시ᄒᆞ미 올치 아니리잇가?"

공쥬 쳑연 탄왈,

"가부(家夫)의 툥(聰)을 오롯ᄒᆞ랴 뎍인을 업시 ᄒᆞ미러니, 부마의 박ᄃᆡ ᄐᆡ심ᄒᆞ니, 윤·양·니 삼인이 ᄋᆡᄆᆡ히 죄의 ᄉᆡᆼ지믈 졀치통한ᄒᆞ여 장ᄎᆞᆺ 므러먹고져 ᄒᆞ니, 엇디 후ᄃᆡ를 바라리오. 영교ᄂᆞᆫ 브득이 죽여시나, 녹셤ᄌᆞᆺᄎᆞ 죽이미 살인지ᄒᆡ(殺人之害) 두리오니, 엇디 굿【25】ᄐᆞ여 죽이리오. 출하리 금은을 주어 향니로 가 깁히 잇셔 ᄉᆞᆯ나 ᄒᆞ미 올흐니, 보모ᄂᆞᆫ 녹셤을 밧비 쳐치ᄒᆞ고, 현긔 ᄌᆞ염 등은 상부 가듕이 죵용ᄒᆞ거든 쳐치ᄒᆞ리라."

최녜 즉시 금은필ᄇᆡᆨ을 녹셤의게 보ᄂᆡ여 밧비 원방으로 가라 ᄒᆞ니, 셤이 발셔 최형지자(之子)로 졍을 ᄆᆡᄌᆞ 피차 ᄯᅥ날 ᄯᅳᆺ이 업셔, 맛ᄎᆞᆷᄂᆡ 원방으로 가지 아니코 경샤의셔 ᄉᆞ더라.

공쥬 병이 ᄎᆞ경(差境)ᄒᆞᄆᆡ 소셰를 일우고, 상부의 니르러 존당 구고긔 문안ᄒᆞ고 피셕ᄒᆞ여, 괴이ᄒᆞᆫ 질양이 미류ᄒᆞ여 존당 구고긔 셩녀 깃치믈 샤례ᄒᆞ고, 윤·양·니 등이 ᄋᆡᄆᆡᄒᆞᆫ 죄루를 시러 원통이 니이ᄒᆞ믈 ᄎᆞ셕【26】ᄒᆞ며, 녹셤 영교 등의 간악을 통완ᄒᆞ여 윤·양의 거쳐 모로ᄂᆞᆫᄃᆡ 밋쳐ᄂᆞᆫ 옥뉘 방방ᄒᆞ고, 현긔 등을 나호여 년ᄋᆡᄒᆞᄂᆞᆫ 졍을 ᄡᅴ여 그 ᄌᆞ모를 ᄯᅥ나 지쇽(遲速)이 망ᄆᆡ(茫昧)ᄒᆞ믈 챵감(愴感)ᄒᆞ여, 어딘 거동을 작위ᄒᆞ미 디ᄌᆞ로 ᄒᆞ여곰 통완ᄒᆞ미[믈] 형상키 어려운디라. 태부인과 금휘 그 질휘(疾候)

여 쳔방ᄇᆡᆨ계(千方百計)로 득광(得光)ᄒᆞ믈 바라미러니, 도금(到今)ᄒᆞ여 주군이 윤·양·니 화ᄋᆡᆨ을 공주의 탓시물 아라, ᄒᆞᆫ번 문병ᄒᆞ미 업ᄉᆞ니【31】엇지 분ᄒᆞᆫ치 아니며, 존당구괴 마지 못ᄒᆞ여 무르시나 졍의 가작으로 ᄒᆞ시니, 일마다 옥주의 팔ᄌᆡ 괴이ᄒᆞ여 구고와 가부의 은ᄋᆡ을 입지 못ᄒᆞ시니, 첩이 ᄋᆡ달고 분ᄒᆞ물 이긔지 못ᄒᆞᄂᆞ니, 찰ᄒᆞ리 현긔 ᄌᆞ염 등을 다 죽여 윤·양 등의 씨을 아조 업시ᄒᆞ미 올코, 영교을 죽여시니 ᄯᅩ 녹셤을 마ᄌᆞ 죽여 후일 환을 아조 업시ᄒᆞ미 올치 아○[니]리잇가?"

공주 쳑연 탄왈,

"가부(家夫)의 춍(寵)을 오롯ᄒᆞ랴 젹인을 업시ᄒᆞ미러니, 부마의 박ᄃᆡ ᄐᆡ심ᄒᆞ니, 이ᄂᆞᆫ 윤·양·니 ᄉᆞᆷ인의 ᄋᆡᄆᆡ히 죄의 ᄉᆡᆼ지믈 졀치통ᄒᆞᆫᄒᆞ여 장ᄎᆞᆺ 무러먹고져 ᄒᆞ니, 엇지 후ᄃᆡ을 바라리오. 영교ᄂᆞᆫ 브득이 죽엿시나, 녹셤을 마ᄌᆞ 죽이미 ᄉᆞᆯ인지ᄒᆡ(殺人之害) 두리오니, 엇지 굿ᄒᆞ여 죽이리오. 출ᄒᆞ리 금은을 주어 향니로 가 깁히 잇셔 ᄉᆞᆯ나 ᄒᆞ미 조흐니, 보모ᄂᆞᆫ 밧비 녹셤을 쳐치ᄒᆞ고, 현긔 ᄌᆞ염 등은 상부 가듕의[이] ○○○○[조용ᄒᆞ거든] 쳐치ᄒᆞ리라."

최녜 즉시 금은필ᄇᆡᆨ을 녹셤의게 보ᄂᆡ여 밧비 원방으로 가라 ᄒᆞ니, 발셔 최현지ᄌᆞ(之子)로 졍을 ᄆᆡᄌᆞ 피ᄎᆞ ᄯᅥ날 ᄯᅳᆺ지 업셔, 맛ᄎᆞᆷᄂᆡ 원방으로 가지 아니코 경ᄉᆞ의셔 ᄉᆞ더라.

공쥐 병휘 ᄎᆞ셩(差成)ᄒᆞᄆᆡ 소셰을 일우고, 상부의 이르러 존당구고긔 신셩ᄒᆞ고 피셕ᄒᆞ여, 괴이ᄒᆞᆫ 질양이 미류ᄒᆞ여 존당긔 셩녀 ᄭᅵ치믈 ᄉᆞ례ᄒᆞ고, 윤·양·니 등이 ᄋᆡᄆᆡᄒᆞᆫ 죄루을 시러 원통이 니이ᄒᆞ믈 ᄎᆞ셕ᄒᆞ며, 녹셤 영교 등의 간악을 통완ᄒᆞ며, 윤·양의 거쳐 모로ᄆᆡ 미쳐ᄂᆞᆫ 옥뉘 방방ᄒᆞ고, 현【32】긔 등을 일오여[796] 연ᄋᆡᄒᆞᄂᆞᆫ 졍을 ᄡᅴ여, 그 ᄌᆞ모을 ᄯᅥ나 지쇽(遲速)이 망ᄆᆡ(茫昧)ᄒᆞ물 감창(感愴)ᄒᆞ여, 어진 거동을 작위ᄒᆞ미 지ᄌᆞ로 ᄒᆞ여곰 통완키 형언(形言) 업ᄂᆞᆫ지라.

796)일오다 : 이르게 하다. 나오게 하다.

소셩ᄒᆞ믈 칭하ᄒᆞᄃᆡ 윤·양 등의 말을 거드지 아니며, 진부인은 묵묵히 말이 업셔 현긔 등 손을 잡고 쳑연비상ᄒᆞᆯ ᄯᆞ름이라. 공ᄌᆔ 구고의 뎡엄(整嚴)ᄒᆞ믈 어려이 넉여 다시 말을 아니코, 이윽이 시좌ᄒᆞ여 부마의 드러오믈 기다리ᄃᆡ, 외당의셔 셰홍으로 시ᄉᆞ를 논문【27】ᄒᆞ여 ᄂᆡ당의 드러오지 아니ᄒᆞ니, 공ᄌᆔ 기다리다가 못ᄒᆞ여 궁으로 도라와 듕심의 원한이 ᄐᆡᆼ듕(撐中)ᄒᆞ더라.

ᄎᆞ셜 뉴부인이 긔모비계로 윤시를 귀비의게 보ᄂᆡ고, 그 칭샤ᄒᆞᄂᆞᆫ 금은을 바ᄃᆞᄆᆡ 스ᄉᆞ로 디혜 과인ᄒᆞ믈 양양ᄌᆞ득ᄒᆞ더니, 어ᄉᆞ 곤계 항ᄌᆔ 션묘의 분소(墳掃)ᄒᆞ고 도라와 변고를 드ᄅᆞᄆᆡ, ᄎᆞ악경심ᄒᆞ여 통졀ᄒᆞ믈 니긔지 못ᄒᆞ나 ᄎᆞ줄 길히 업ᄉᆞ믈 슬허ᄒᆞ니, 뉴시 거즛 ᄌᆞ딜을 ᄃᆡᄒᆞ여 그 교부(轎夫)를 츄심ᄒᆞ라 ᄒᆞ고, ᄀᆞ장 슬허ᄒᆞᄂᆞᆫ 쳬ᄒᆞ니, 어ᄉᆡ 슉모의 뜻을 ᄉᆞᆺ치고 대왈,

"져져의 거쳐를 모로미 ᄎᆞ악ᄒᆞᆫ 변괴라. 교부로 갓던 노복을 용모를 그려 팔방(八方)【28】 구ᄌᆔ(九州)[976]예 보ᄒᆞ여 ᄎᆞᆺ도록 ᄒᆞ려 ᄒᆞᄂᆞ이다."

뉴시 놀나 말을 아니허니, 어ᄉᆡ 나간 후 심복 노ᄌᆞ로 ᄇᆡᆨ금을 주어 다라난 뉴들을 ᄎᆞᄌᆞ 보고, 어ᄉᆞ의 구ᄉᆡᆨ(求索)이 심ᄒᆞ니 다 녀복을 개착ᄒᆞ거나, 슈염 만ᄒᆞᆫ ᄌᆞᄂᆞᆫ 목ᄌᆡ(目子) 병든 쳬ᄒᆞ여 구ᄉᆡᆨᄒᆞᄂᆞᆫ 뉴의 드디 말나 ᄒᆞ니, ᄎᆞ고로 어ᄉᆡ 능히 ᄎᆞᆺ지 못ᄒᆞ니라.

ᄎᆞ시 뎡슉녈이 잉ᄐᆡ 십이삭의 츈이월 초슌의 벽하졍 누옥의셔 산졈(産漸)이 이시나, 일긔(一器) ᄀᆡᆼ반도 ᄃᆡ후ᄒᆞ리 업ᄉᆞ니, 일종 물인들 어ᄃᆡ 가 구ᄒᆞ리오. 다만 홍션 일비지 겻틀 ᄯᅥ나지 아닐 ᄲᅮᆫ이라. 하날이 윤니부 명쳔공 젹심튱녈을 ᄉᆞᆯ피샤, 그 문호를 챵ᄃᆡᄒᆞ고 종샤를 녕(領)ᄒᆞᆯ【29】 종손을 ᄂᆡ

976)구ᄌᆔ(九州) : 중국 고대에 전국을 나눈 9개의 주. 요순시대(堯舜時代)와 하(夏)나라 때에는 기(冀)·연(兗)·청(靑)·서(徐)·형(荊)·양(揚)·예(豫)·양(梁)·옹(雍)이었다.

ᄐᆡ부인과 금휘 그 질양이 소셩ᄒᆞᆷ을 칭하ᄒᆞ되, 윤·양 등의 말은 거드지 아니며, 진부인은 묵묵히 말이 업셔 현긔 등의 손을 잡고 쳑연비상ᄒᆞᆯ ᄯᆞ름이라. 공주 구고의 엄뎡(嚴整)ᄒᆞ물 어려이 넉여 다시 말 아니코, 이윽이 시좌ᄒᆞ여 부마의 드르오믈 기다리ᄃᆡ, 외당의셔 셰홍으로 시ᄉᆞ을 논문ᄒᆞ여 ᄂᆡ당의 드러오지 아니ᄒᆞ니, 공주 기다리다 못ᄒᆞ여 궁으로 도라와 듕심의 원ᄒᆞᆫ이 ᄐᆡᆼ듕(撐中)ᄒᆞ더라.

ᄎᆞ셜, 뉴부인이 긔모비계로 윤시을 귀비의게 보ᄂᆡ고, 그 칭ᄉᆞᄒᆞᄂᆞᆫ 금은을 바ᄃᆞᄆᆡ 스ᄉᆞ로 지혜 과인ᄒᆞ물 양양ᄌᆞ득ᄒᆞ더니, 어ᄉᆞ 형뎨 항쥬 션묘의 소분(掃墳)ᄒᆞ고 도라와 변고을 드ᄅᆞᄆᆡ, ᄎᆞ악경심ᄒᆞ여 통졀ᄒᆞ믈 이긔지 못ᄒᆞ나, ᄎᆞ질 길이 업ᄉᆞ물 슬허ᄒᆞ니, 뉴시 거짓 ᄌᆞ질 등을 ᄃᆡᄒᆞ여 그 교부(轎夫)을 추심ᄒᆞ라 ᄒᆞ고, 가장 슬허ᄒᆞᄂᆞᆫ 쳬ᄒᆞ니, 어ᄉᆡ 숙모의 뜻을 스치고 ᄃᆡ왈,

"져져의 변이 모로미 ᄎᆞ악ᄒᆞᆫ 변괴라. 교부로 갓던 노복을 용모을 그려 팔방(八方) 구주(九州)[797]의 보ᄒᆞ여 찻도록 ○○[ᄒᆞ려] ᄒᆞᄂᆞ이다."

뉴시 놀나 말을 아니터니, 어ᄉᆞ 나간 후 심복 노ᄌᆞ을 ᄇᆡᆨ금을 주어, 다라ᄂᆞᆫ 뉴을 ᄎᆞᄌᆞ 보고, 어ᄉᆞ의 《긔ᄉᆡᆨ‖구ᄉᆡᆨ(求索)》이 심ᄒᆞ니 다 녀복을 ᄀᆡ촉ᄒᆞ거나, 슈염만ᄒᆞᆫ ᄌᆞᄂᆞᆫ 목ᄌᆡ(目子) 병든 쳬ᄒᆞ야 구ᄉᆡᆨᄒᆞᄂᆞᆫ 뉴의 드지 말ᄂᆞ ᄒᆞ니, ᄎᆞ고로 어ᄉᆡ 능히 찻지 못ᄒᆞ니라.

ᄎᆞ시 뎡숙녈【33】이 잉ᄐᆡ 십일삭의 츈이월 초슌의 벽하졍 누옥의셔 산졈(産漸)이 잇시나, 일긔(一器) ᄀᆡᆼ반도 ᄃᆡ후ᄒᆞ리 업ᄉᆞ니, 일종 물인들 어ᄃᆡ가 구ᄒᆞ리오. 다만 홍션 일인이 겻틀 ᄯᅥᄂᆞ지 아일 ᄲᅮᆫ이라. 하날이 윤니부 명쳔공 젹심츙열을 ᄉᆞᆯ피ᄉᆞ, 그 문호을 창ᄃᆡᄒᆞ고 종ᄉᆞ을 영ᄒᆞᆯ 종손을 ᄂᆡ미,

797)구주(九州) : 중국 고대에 전국을 나눈 9개의 주. 요순시대(堯舜時代)와 하(夏)나라 때에는 기(冀)·연(兗)·청(靑)·서(徐)·형(荊)·양(揚)·예(豫)·양(梁)·옹(雍)이었다.

시ᄆᆡ, ᄒᆞᆫᄂᆞᆺ 셩인을 강세(降世)ᄒᆞ여 탁셰(濁世)를 ᄇᆞᆰ히시니, 이 엇디 ᄒᆞᆯ노 윤문 쳔니긔린(千里騏驎) ᄲᆞᆫ이리오. 송실(宋室)의 명상(名相)○○[이오] 보좌(寶座)의 냥신(良臣)이 될디라. 산졈이 이시므로브터 오ᄎᆡ샹운(五彩祥雲)이 벽ᄒᆞ졍을 두로고, 찬난ᄒᆞᆫ 셔광이 밤의 집을 ᄇᆞᆰ히거ᄂᆞᆯ, 그 향긔 긔이ᄒᆞ미 합가(闔家)의 가득ᄒᆞ더라.

어ᄉᆞ와 ᄃᆡᆨᄉᆞᄂᆞᆫ 짐작고 그ᄋᆞᆨ이 슉녈의 슌산ᄒᆞ믈 원ᄒᆞ더니, 쇼제 일개 옥동을 ᄉᆡᆼᄒᆞ니, 기ᄋᆡ(其兒) 나며 소ᄅᆡ 청고웅댱ᄒᆞ여 집말[977]니 울히고, 톄형이 셕대ᄒᆞ여 산쳔슈긔와 일월졍화를 오로지 거두어 골격이 비상ᄒᆞ니, 니른바 단산(丹山)[978]의 유봉(有鳳)이오 교야(郊野)의 긔린(麒麟)이라. 홍션이 쇼져를 붓드【30】러 ᄉᆡᆼ산(生産)의 아모도 드리미러 보리 업ᄉᆞ믈 통도ᄒᆞ며, ᄯᅩ 쇼져의 잉ᄐᆡ지후(孕胎之後)로 년원졍 누옥과 벽화졍 ᄂᆡᆼ지의 한업ᄉᆞᆫ 풍상을 겻그니, 혹ᄌᆞ 슌산치 못ᄒᆞᆯ가 념녀 초젼(焦煎)ᄒᆞ더니, 임의 슌산ᄒᆞ나 ᄀᆡᆼ반을 나올 길히 업ᄉᆞ니, 블승졀민ᄒᆞ여 옥듕의셔 크게 소ᄅᆡᄒᆞ여 사롬을 브르니, 셕부인 시ᄋᆞ 녈셤이 디나다가 그 소ᄅᆡ를 대답ᄒᆞ거ᄂᆞᆯ, 홍션이 쇼져의 시산(始産)ᄒᆞ믈 니르고 ᄀᆡᆼ반을 구ᄒᆞᄃᆡ, 셤이 즉시 뎡당의 고ᄒᆞ니, 위·뉘 약블동념(若不動念)ᄒᆞ여 날이 져므도록 물 ᄒᆞᆫ술도 보ᄂᆡ지 아닐 ᄲᆞᆫ 아니라, 아모나 벽화졍 문 열 니 이시면, ᄉᆞ죄로 뎡ᄒᆞ리라 ᄒᆞ니, 뉘 감히 거역ᄒᆞ【31】리오. ᄎᆞ고로 산후 허약ᄒᆞᆫᄃᆡ ᄀᆡᆼ반을 나오지 못ᄒᆞ고, 누옥ᄂᆡᆼ디(陋獄冷地)의 ᄒᆞᆫ닙 거젹을 의디ᄒᆞ여 몸을 바려시ᄆᆡ, 정신이 아득ᄒᆞ고 만신이 ᄯᅥᆯ니기를 면치 못ᄒᆞ여, 홍션의 손을 ᄌᆞᆸ고 긔운을 슈습지 못ᄒᆞᄂᆞᆫ디라. 션이 톄읍 왈,

"부인이 됴조(早朝)의 분산ᄒᆞ샤 밤이 오도록 곡긔를 나오지 못ᄒᆞ시니, 장ᄎᆞᆺ 보젼치

---

977)집말 : 집의 마루. 집의 지붕꼭대기. 마루; 지붕이나 산 따위의 꼭대기.

978)단산(丹山) : 중국 복건성(福建省) 북부(北部) 무이산(武夷山) 안에 있는 산 이름. 벽수단산(碧水丹山)의 수려한 경치로 유명하다.

ᄒᆞᆫ낫 셩인을 강셰(降世)ᄒᆞ여 탁셰○[를] ᄆᆞᆰ히시니, 엇지 ᄒᆞᆯ노 윤문 쳔니긔린(千里騏驎) ᄲᅮᆫ이리오. 송실(宋室)의 명상(名相)○○[이오] 보좌(寶座)의 냥신(良臣)이 될지라. 산졈이 잇시므로부터 오ᄎᆡ상운(五彩祥雲)이 벽하졍을 두루고, 찬난ᄒᆞᆫ 셔광이 밤의 집을 발키거날, 그 향긔 긔이ᄒᆞ미 ○○○[합가의] 가득ᄒᆞ더라.

어ᄉᆞ와 직ᄉᆞᄂᆞᆫ 짐즉고 그ᄋᆞᆨ이 슉녈의 슌산ᄒᆞ믈 원ᄒᆞ더니, 소져 일ᄀᆡ 옥동을 ᄉᆡᆼᄒᆞ니, 기ᄋᆡ 나ᄆᆡ 소ᄅᆡ 청고 웅장ᄒᆞ여 집 마뤼[798] 울니고, 체형이 셕ᄃᆡᄒᆞ여 산쳔수긔와 일월경긔을 오로지 두어 골격이 비상ᄒᆞ니, 이른바 단산(丹山)[799]의 셔봉(棲鳳)이오, 교야(郊野)의 긔린(麒麟)이라. 홍션이 소져을 붓드러 ᄉᆡᆼ산(生産)의 아모도 드리미러 보리 업ᄉᆞ물 통도ᄒᆞ며, ᄯᅩ 소져의 잉ᄐᆡ지후(孕胎之後)로 연원졍 누옥과 벽ᄒᆞ졍 ᄂᆡᆼ지의 ᄒᆞᆫ업ᄉᆞᆫ 풍상을 격그니, ᄒᆞᆯᄌᆞ 슌산치 못ᄒᆞᆯ가 녕[념]녀 쵸젼(焦煎)ᄒᆞ다가, 임의 슌산ᄒᆞ나 ᄀᆡᆼ반을 나올 길이 업ᄉᆞ니, 불승절민ᄒᆞ여 옥듕의셔 크게 소ᄅᆡᄒᆞ여 ᄉᆞ롬을 브른ᄃᆡ, 셕부인 시아 월셤이 지나다가 그 소ᄅᆡ을 ᄃᆡ답ᄒᆞ거날, 홍션이 소져의 슌산ᄒᆞ물 이르고 ᄀᆡᆼ반을 구ᄒᆞᆫᄃᆡ, 셤이 즉시 뎡당의 고ᄒᆞ니, 위·뉴【34】 약불동념(若不動念)ᄒᆞ여 날이 져무로록 물 ᄒᆞᆫ술도 보ᄂᆡ지 아니ᄒᆞᆯ ᄲᅮᆫ더러, 아모나 벽하졍 문 열 니 잇시면, ᄉᆞ죄로 영ᄒᆞ리라 ᄒᆞ니, 뉘 감○[히] 거역ᄒᆞ리오. ᄎᆞ고로 산 후 허약ᄒᆞᆫ ᄃᆡ ᄀᆡᆼ반을 나오지 못ᄒᆞ고, 누옥ᄂᆡᆼ지(陋獄冷地)의 ᄒᆞᆫ 닙 거젹을 의지ᄒᆞ여 몸을 바렷시ᄆᆡ, 정신이 아득ᄒᆞ고 만신이 ᄯᅥᆯ니기을 면치 못ᄒᆞ여, 션의 손을 잡고 긔운을 슈습지 못ᄒᆞᄂᆞᆫ지라. 션이 체읍 왈,

"부인이 됴조(早朝)의 분산ᄒᆞᄉᆞ 밤이 되도록 곡긔을 나오지 못ᄒᆞ시니, 장ᄎᆞᆺ 보젼치

---

798)마루 : 지붕이나 산 따위의 꼭대기.

799)단산(丹山) : 중국 복건성(福建省) 북부(北部) 무이산(武夷山) 안에 있는 산 이름. 벽수단산(碧水丹山)의 수려한 경치로 유명하다.

못ᄒᆞ리로소이다."

쇼졔 ᄇᆞ답ᄒᆞ고, 밤을 ᄉᆡ와 명일이 되나 물 ᄒᆞᆫ술 보ᄂᆡ미 업ᄉᆞ니, 쇼졔 긔운이 엄엄ᄒᆞ여 거의 딘ᄒᆞᆯ ᄃᆞᆺᄒᆞᆫ디라. 션이 가슴을 두다려 아모리ᄒᆞᆯ 줄 모로ᄃᆡ, 옥문을 여디 아니니 비됴(飛鳥)라도 날 슈 업ᄂᆞᆫ디라. 날이 져믈기의 밋쳐ᄂᆞᆫ 션이 하날을 브【32】르지지며 옥문을 드다려 왈,

"아쥐 위태부인과 뉴부인긔 므슴 원쉬 잇관ᄃᆡ 사ᄅᆞᆷ을 이 디경의 밋게 ᄒᆞᄂᆞ뇨? 벽화경이 슈양산 아니로ᄃᆡ, 아ᄉᆞ지경(餓死之境)이 됴셕의 이시니, 운산 부마 노야ᄂᆞᆫ 이런 ᄯᅢ 구치 아니시ᄂᆞᆫ고? 가히 ᄋᆡ닯고 분ᄒᆞᆫ 일이로다."

혼ᄌᆞ말노 이러틋 ᄒᆞᄃᆡ, 옥문을 열 길히 업고, 쇼져의 기갈이 심ᄒᆞᆫ디라, 엇디 잔잉치 아니리오.

ᄎᆞ시 어ᄉᆡ 딕ᄉᆞ와 존당의 문안ᄒᆞ고 나갈ᄉᆡ, 녈셤이 난간 뒤히셔 졔 동뉴(同類)다려 니르ᄃᆡ,

"뎡부인이 거일 앗ᄎᆞᆷ의 분산ᄒᆞ여시믈 홍션이 웨여 니르거ᄂᆞᆯ 뎡당의 고ᄒᆞ니, ᄒᆞᆫ술 물도 주지 말나 ᄒᆞ고, 아모나 벽ᄒᆞ경의 갈만ᄒᆞ여도979) 죽이리【33】라 ᄒᆞ시니, 부인이 산후 ᄀᆡᆼ반도 나오디 못ᄒᆞ여시ᄆᆡ 거의 딘ᄒᆞ여시리라."

어ᄉᆡ 듯고 나와 딕ᄉᆞ다려 왈,

"현뎨 앗가 념셤의 말을 드러시니 장ᄎᆞᆺ 져를 엇디 구ᄒᆞ리오."

딕ᄉᆡ 츄연 왈,

"가ᄉᆡ 이러틋 괴이ᄒᆞᆫ 후, 능히 구구(區區)ᄒᆞ믈 면치 못ᄒᆞ오리니, 형댱이 ᄀᆡᆼ반을 ᄀᆞᆺ초아 구ᄒᆞ쇼셔."

어ᄉᆡ 왈,

"우형이 져를 잠간 보고 오기ᄂᆞᆫ 어렵디 아니나 ᄀᆡᆼ반을 어ᄃᆡ 가 어드리오."

딕ᄉᆡ 즉시 시노 계튱을 불너,

"ᄀᆡᆼ반을 출혀 오ᄃᆡ 비밀이 ᄒᆞ라."

ᄒᆞ고 딕ᄉᆡ 왈,

"형댱이 몬져 가샤 홍션을 보ᄂᆡ여 가져가

979)갈만ᄒᆞ여도 : 가려고만 하여도.

못ᄒᆞ리로○○[소이]다."

소졔 ᄇᆞ답ᄒᆞ고, 밤을 ᄉᆡ오고 명일이 되나 물 ᄒᆞᆫ 술 보ᄂᆡ미 업ᄉᆞ니, 소져 긔운이 엄엄ᄒᆞ여 거의 진ᄒᆞᆯ 듯ᄒᆞᆫ지라. 션이 가슴을 두다려 아모리 ᄒᆞᆯ 줄 모로ᄃᆡ, 옥문을 여지 아니니 비조라도 날 수 업ᄂᆞᆫ지라. 날이 져물기의 밋쳐ᄂᆞᆫ 션이 ᄒᆞ날을 부루지니며 옥문을 두다려 왈,

"아쥐 위ᄐᆡ부인과 뉴부인긔 무슴 원슈 잇관ᄃᆡ ᄉᆞᄅᆞᆷ을 이지경의 밋게 ᄒᆞᄂᆞ뇨? 벽하경이 수양산이 아니로ᄃᆡ 아ᄉᆞ지환(餓死之患)이 조셕의 잇시니, 취운산 부마 노야ᄂᆞᆫ 이런 ᄯᅢ 구치 아니ᄒᆞ시ᄂᆞᆫ고? ᄋᆡ달다. 이런 분ᄒᆞᆫ 일이 엇ᄃᆡ 잇ᄂᆞᆫ고."

혼ᄌᆞ 말노 이럿틋 ᄒᆞ되, 옥문을 열 길이 업고, 소져의 긔갈이 심ᄒᆞᆫ지라. 엇지 잔잉치 아니리오.

ᄎᆞ시 어ᄉᆡ 직ᄉᆞ와 존당의 문안ᄒᆞ고 나갈ᄉᆡ, 월셤이 난간 뒤히셔 졔 동뉴다려 이로ᄃᆡ,

"뎡부인이 거일 아ᄎᆞᆷ의 분산ᄒᆞ엿시물 홍션이 웨여 이르거날 뎡당의 고ᄒᆞ니, ᄒᆞᆫ 술 물도 주지 말나 ᄒᆞ시고, 아모나 벽ᄒᆞ경【35】 말만 ᄒᆞ여도 죽이리라 ᄒᆞ시니, 부인이 산후 ᄀᆡᆼ반도 나오지 못ᄒᆞ엿시니 거의 진ᄒᆞ엿시리라."

ᄒᆞ거ᄂᆞᆯ, 어ᄉᆡ 듯고 직ᄉᆞ다려 왈,

"현뎨 악가 월셤의 말을 드럿시니 장ᄎᆞᆺ 져을 엇지 구ᄒᆞ리오."

직ᄉᆡ 츄연 왈,

"가ᄉᆡ 이럿틋 괴이ᄒᆞᆫ 후, 능히 구구(區區)ᄒᆞ믈 면치 못ᄒᆞ리니, 형장이 ᄀᆡᆼ반을 갓초아 구ᄒᆞ소셔."

어ᄉᆡ 왈,

"우형이 져을 잠간 보고 오기ᄂᆞᆫ 어렵지 아니나 ᄀᆡᆼ반을 어ᄃᆡ가 어드리오."

직ᄉᆡ 즉시 시노 계츙을 불너,

"ᄀᆡᆼ반을 찰혀오ᄃᆡ 비밀이 ᄒᆞ라."

ᄒᆞ고, 직ᄉᆡ ○[왈]

"형장이 몬져 가ᄉᆞ 홍션을 보ᄂᆡ여 가져가소셔."

게 ᄒᆞ쇼셔."

어ᄉᆡ 졈두ᄒᆞ고, 낭듕의 두어가지 환약을 너코 단의(短衣)로 ᄂᆡ헌(內軒)의 드러오니, 듕문을 ᄎᆞᄎᆞ 봉ᄒᆞ엿【34】ᄂᆞᆫ디라. 쟝원을 넘어 젹은덧 ᄉᆞ이 벽화졍의 다ᄃᆞ르니, 뇽힝호븨(龍行虎步) 신능ᄒᆞ여 태부인 침뎐을 지나ᄃᆡ 알니 업더라. ᄆᆡᆺ 옥문의 니르ᄆᆡ, 쳘쇄(鐵鎖)를 열 길히 업셔 뒷벽을 문 마치980) ᄲᅥ혀 도로 맛초게 ᄒᆞ고 드러가니, 쇼져는 엄홀(奄忽)ᄒᆞ엿고 션은 븟들고 쳬읍ᄒᆞᄂᆞᆫ디라. 어ᄉᆡ 눈을 들ᄆᆡ 쇼졔 몸 우히 걸닌 ᄒᆞᆫ 벌 의상이 발발이 ᄲᅥ러져 살흘 ᄀᆞ리오지 못ᄒᆞ고, ᄒᆞᆫ녑 거젹의 ᄉᆡᆼᄋᆞ를 겻ᄐᆡ 누이고 《엄화∥엄와(奄臥)》ᄒᆞ여시니, 츄월이 운니(雲裏)의 ᄡᅡ히여 향년(香蓮)이 쳥엽(靑葉)의 빗겻ᄂᆞᆫ981) 둧, 긔려ᄒᆞᆫ 용안(容顔)과 찬난ᄒᆞᆫ 광염이 사ᄅᆞᆷ의 심장을 요동ᄒᆞᄂᆞᆫ디라. 그 손을 쥡으ᄆᆡ ᄎᆞ기 어름 ᄀᆞᄐᆞ니 블승【35】참연ᄒᆞ고, 버거 유ᄋᆞ를 보니, 일쳑(一尺) ᄇᆡᆨ옥이 영형 긔이ᄒᆞ여, 구각(軀殼)이 셕대ᄒᆞ고 골격이 슈앙(秀昻)ᄒᆞ여, 곤산(崑山)의 ᄇᆡᆨ옥이 ᄉᆡ롭고, 남젼(藍田)의 ᄇᆡᆨ벽이 ᄐᆡ글을 버슨 둧, 뇽미봉안(龍眉鳳眼)이오 호비쥬슌(虎鼻朱脣)이라. 어ᄉᆡ 어로만져 기모의 여ᄎᆞ 험난 듕, 무ᄉᆞ히 분산ᄒᆞ믈 ᄒᆡᆼ심(幸甚)ᄒᆞᄃᆡ, 그 위ᄐᆡᄒᆞ믈 비졀ᄒᆞ여, 홍션을 도라보아 왈,

"네 동산 담을 넘어 ᄒᆡᆼ각의 나가 계듕의 ᄃᆡ후ᄒᆞᆫ ᄀᆡᆼ반과 온ᄎᆞ를 어더 오라."

ᄒᆞ니, 홍션이 슈명ᄒᆞ여 동산 담을 신고ᄒᆞ여 넘어 ᄒᆡᆼ각으로 오니, 듕의 쳐 ᄆᆡ경이 쇼져의 존후를 뭇거ᄂᆞᆯ, 션이 답왈,

"분산 후 슈일이로ᄃᆡ, ᄒᆞᆫ술 물을 못 어더 긔갈을 구치 못ᄒᆞ여 위ᄐᆡᄒᆞ미 경ᄀᆡᆨ이【36】라."

ᄒᆞ니, 듕의 부쳬 눈물을 금치 못ᄒᆞ여, 태부인과 뉴시를 원망ᄒᆞ미 곤슈의 ᄉᆞᄆᆞᆺ고, ᄀᆡᆼ반을 극진히 ᄒᆞ여 주니, 션이 바다 벽ᄒᆞ졍의 니르러, ᄀᆡᆼ반과 온ᄎᆞ를 나오니, 어ᄉᆡ 쇼져의 누은 곳의 갓가이 나아가 그 팔흘 쥐

980)마치 : 만치. 만큼.
981)빗기다 : 비기다. 비스듬하게 기대다.

어ᄉᆡ 졈두ᄒᆞ고 낭즁의 두어가지 환약을 너코 단의(短衣)로 ᄂᆡ헌(內軒)의 드러오니, 듕문을 ᄎᆞᄎᆞ 봉ᄒᆞ여ᄂᆞᆫ지라. 장, 용ᄒᆡᆼ호븨(龍行虎步) 신능ᄒᆞ여 ᄐᆡ부인 침당을 지ᄂᆡ도 알니 업더라. ᄆᆡᆺ 옥문의 이르ᄆᆡ 쳘쇄(鐵鎖)을 열 길히 업셔 뒤벽을 문 만치 ᄲᅥ혀 도로 맛초게 ᄒᆞ고 드러가니, 소져ᄂᆞᆫ 엄홀ᄒᆞ엿고 션은 븟들고 쳬읍ᄒᆞᄂᆞᆫ지라. 어ᄉᆡ 눈을 들어 보ᄆᆡ 소져 몸우히 걸닌 ᄒᆞᆫ 벌 의상이 발발이 ᄲᅥ러져 술을 가리오지 못ᄒᆞ고, ᄒᆞᆫ넙 거젹의 ᄉᆡᆼ아을 겻ᄐᆡ 누이고 《엄화∥엄와(奄臥)》ᄒᆞ엿시니, 어ᄉᆡ 일견(一見)의 불승참연(不勝慘然)ᄒᆞ고, 버거 유아을 보니, 일쳑(一尺) ᄇᆡᆨ옥이 영형긔이ᄒᆞ여, 구각(軀殼)이 셕ᄃᆡᄒᆞ고 골격이 수앙(秀昻)ᄒᆞ여 곤산(崑山)의 ᄇᆡᆨ옥이 ᄉᆡ롭고, 남젼(藍田)의 ᄇᆡᆨ벽이 ᄐᆡ글을 버슨 듯, 용미봉안(龍眉鳳眼)이오 호비쥬슌(虎鼻朱脣)이라. 어ᄉᆡ 어로만져 기모의 여ᄎᆞ 험난 듕, 무ᄉᆞ히 슌산ᄒᆞ물 ᄒᆡᆼ심(幸甚)ᄒᆞ되 그 위【36】ᄐᆡᄒᆞ믈 비졀ᄒᆞ여, 홍션을 도라보아 왈,

"네 동산 담을 너머 ᄒᆡᆼ각의 가 계츙의 ᄃᆡ후ᄒᆞᆫ ᄀᆡᆼ반을 온ᄎᆞ와 가져오라."

ᄒᆞ니, 홍션이 수명ᄒᆞ고 동산 담을 신고히 너머 ᄒᆡᆼ각으로 오니, 츙의 쳐 ᄆᆡ경이 소져의 존후을 뭇거ᄂᆞᆯ, 션이 답왈,

"슌산 후 수일이로ᄃᆡ, 작수(勺水)을 못 어더 긔갈을 구치 못ᄒᆞ여 위ᄐᆡᄒᆞ미 경각이라."

ᄒᆞ니, 츙의 부쳐 눈물을 금치 못ᄒᆞ여, ᄐᆡ부인과 뉴시을 원망ᄒᆞ미 골슈의 ᄉᆞᄆᆞᆺ고, ᄀᆡᆼ반을 극진이 ᄒᆞ여 쥬니, 션이 바다 벽ᄒᆞ졍의 이르러, ᄀᆡᆼ반과 온ᄎᆞ을 나오ᄆᆡ, 어ᄉᆡ 소져 갓가이 나아가 그 팔을 주무르며, 션으로 신아을 안아 옥즁 ᄂᆡ지의 상치 말나 ᄒᆞ더니, 이윽고 부인이 경신을 ᄎᆞ려 어ᄉᆞ의

므르며, 션으로 신ᄋᆞ를 안아 옥듕닝디의 상치 말나 ᄒᆞ더니, 이윽고 부인이 졍신을 출혀 어ᄉᆞ의 이시믈 보고, 경ᄋᆞᄒᆞ여 몸을 닐고져 ᄒᆞ거ᄂᆞᆯ, 어ᄉᆡ 편히 누어시믈 니르고, 분산은 무ᄉᆞ히 ᄒᆞ고 옥동을 ᄉᆡᆼᄒᆞ미 영화로오나, 가변이 괴이ᄒᆞ여 즉시 드러와 보디 못ᄒᆞ믈 니르나, 힝혀도 말이 존당의 원망ᄒᆞ미 업ᄉᆞ니, 진짓 대효군ᄌᆡ라. 슉녈이 어득ᄒᆞᆫ 졍【37】신을 슈습ᄒᆞ여, 계오 답ᄒᆞᄃᆡ,

“쳡이 비록 분산ᄒᆞ나, 유죄무죄 간 죄명이 망극ᄒᆞ니, 군ᄌᆡ 존당 명 업시 니르러 보셤즉디 아니커ᄂᆞᆯ, 년원졍의 이실 졔부터 ᄌᆞ로 왕ᄂᆡᄒᆞ샤 긔렴(紀念)ᄒᆞ시니, 비록 그 ᄉᆞᄉᆡᆼ을 념ᄒᆞ시ᄂᆞᆫ 후의 감샤ᄒᆞ나, 셩효의 효슌치 못ᄒᆞ믈 블복ᄒᆞᄂᆞ니, 원 군ᄌᆞᄂᆞᆫ 즉시 나가샤 쳡의 죄를 더으디 마르쇼셔.”

청아ᄒᆞᆫ 말슴이 볍되 가즉ᄒᆞ며, ᄇᆡᆨᄐᆡ만염(百態萬艶)이 긔긔승졀(奇奇勝絶)ᄒᆞ여 누옥ᄂᆡᆼ실의 효화(孝和)[982]ᄒᆞᆫ 거동과 찬난ᄒᆞᆫ 명광(明光)이 됴요(照耀)ᄒᆞ여, 요[유]졍당부(有情丈夫)로 ᄆᆞᄋᆞᆷ을 요동케 ᄒᆞᄂᆞᆫ디라. 어ᄉᆡ 탄왈,

“만ᄉᆡ 텬애니, ᄌᆞ의 만난 ᄇᆡ 비록 참졀ᄒᆞ나 므어ᄉᆞᆯ 원ᄒᆞ며,【38】 사ᄅᆞᆷ을 탓ᄒᆞ리오. 다만 ᄉᆡᆼ의 드러오미 ᄒᆞᆫ갓 부부의 ᄉᆞ졍 ᄲᆞᆫ 아니라, 산후 급ᄒᆞ믈 구ᄒᆞ미니, ᄌᆞᄂᆞᆫ 만ᄉᆞ를 《파탁 ‖ 파락(擺落)[983]》ᄒᆞ고 ᄆᆞᄋᆞᆷ을 노아 됴요(早夭)를 딧지 말나.”

인ᄒᆞ여 ᄀᆡᆼ반을 권ᄒᆞ니, 쇼졔 산후 슈일을 굴머시ᄆᆡ 엇디 ᄉᆞ식지심(思食之心)이 업ᄉᆞ리오마ᄂᆞᆫ, 비록 ᄒᆞ히지량(河海之量)이나 ᄌᆞ기 신셰 명되 ᄀᆞᆺ초 험ᄒᆞ믈 탄ᄒᆞ여, 촉쳐(觸處)의 옥장금심(玉腸金心)이 요동ᄒᆞ니, 허핍(虛乏)ᄒᆞᆫ 의ᄉᆡ 업셔 다만 졍신을 슈습지 못ᄒᆞᄃᆡ, 어ᄉᆡ 궁극히 어더 와 디셩으로 권ᄒᆞ믈 당ᄒᆞᄆᆡ 능히 사양치 못ᄒᆞ여 진식(進食)ᄒᆞᆯ지언졍, 어ᄉᆡ 겻ᄐᆡ 잇셔 ᄌᆞ긔 참참ᄒᆞᆫ 거동을 ᄀᆞᆺ초 보아 슬피 녁이믈 당ᄒᆞᄆᆡ, 심회

982)효화(孝和) : 효성(孝誠)스럽고 온화(溫和)함.
983)파락(擺落) : 털어버림.

잇시물 보고 경아ᄒᆞ여 몸을 일고져 ᄒᆞ거ᄂᆞᆯ, 어ᄉᆡ 편히 누엇시물 이르고, 분산은 무ᄉᆞ이 ᄒᆞ여 옥동을 ᄉᆡᆼᄒᆞ미 영화로오나, 가변이 괴이ᄒᆞ여 즉시 드러와 보지 못ᄒᆞ믈 이르나, 힝혀도 말이 존당의 원망ᄒᆞ미 업ᄉᆞ니, 진짓 ᄃᆡ효군ᄌᆞ라. 슉녈이 아득ᄒᆞᆫ 졍신을 슈습ᄒᆞ여, 겨유 답ᄒᆞᄃᆡ,

“쳡이 비록 분산ᄒᆞ나, 《유좌무좌 ‖ 유죄무죄》 간 죄명이 망측ᄒᆞ니, 군ᄌᆡ 존당 명 업시 이르러 보셤즉지 아니커ᄂᆞᆯ, 연원졍의 잇슬 젹부터 ᄌᆞ로 왕ᄂᆡᄒᆞᄉᆞ 긔렴(紀念)ᄒᆞ시니, 비록 그 ᄉᆞᄉᆡᆼ○[을] 념녀ᄒᆞ시ᄂᆞᆫ 후의 감ᄉᆞᄒᆞ오나, 셩효의 효슌치 못ᄒᆞ믈 불복ᄒᆞ나니, 원 군ᄌᆞᄂᆞᆫ 즉시 나가ᄉᆞ 쳡의 죄을 더으지 마르소셔.”

청아ᄒᆞᆫ 말슴이 볍되 가즉ᄒᆞ【37】며 ᄇᆡᆨᄐᆡ만염(百態萬艶)이 긔긔승졀(奇奇勝絶)ᄒᆞ여 유졍장부(有情丈夫)로 마음을 요동케 ᄒᆞᄂᆞᆫ지라. 어ᄉᆡ 탄왈,

“만ᄉᆡ 쳔야니, ᄌᆞ의 만ᄂᆞᆫ ᄇᆡ 비록 참졀ᄒᆞ나 무어ᄉᆞᆯ 원ᄒᆞ며, ᄉᆞᄅᆞᆷ을 탓ᄒᆞ리오. 다만 ᄉᆡᆼ의 드러오미 ᄒᆞᆫ갓 부부의 ᄉᆞ졍 ᄲᆞᆫ 아니라, 산후 급ᄒᆞ믈 구ᄒᆞ미니, ᄌᆞᄂᆞᆫ 만ᄉᆞ을 파락(擺落)[800]ᄒᆞ고 마음을 노ᄒᆞ 보듕ᄒᆞ라.”

인ᄒᆞ여 ᄀᆡᆼ반을 권ᄒᆞ니, 소져 산후 수일을 굴머시ᄆᆡ 엇지 ᄉᆞ식지심(思食之心)이 업ᄉᆞ리오마ᄂᆞᆫ, 비록 하히지량(河海之量)이나 ᄌᆞ긔 신셰 명도을 갓초 험ᄒᆞ믈 탄ᄒᆞ여, 촉쳐(觸處)의 옥장금심(玉腸金心)이 요동ᄒᆞ니, 허핍(虛乏)ᄒᆞᆫ 의ᄉᆡ 궁극히 업셔, 다만 졍신을 슈습지 못ᄒᆞ되, 어ᄉᆡ 궁극히 어더와 지셩으로 권ᄒᆞᄆᆡ, 능히 ᄉᆞ양치 못ᄒᆞ여 진식(進食)ᄒᆞᆯ지어[언]졍, 어ᄉᆞ 겻히셔 ᄌᆞ긔 츰츰ᄒᆞᆫ 거동을 갓초 보아 슬피 녁이믈 당ᄒᆞᄆᆡ, 심회 역시 불편ᄒᆞ여 머리을 숙여 슈괴(羞

800)파락(擺落) : 털어버림.

역시 블평ᄒᆞ여 머리를 【39】 숙여 슈괴(羞愧)ᄒᆞ믈 씌여시니, 어식 다시 말을 아니코 유ᄋᆞ를 어로만져 아룸다오믈 니긔지 못ᄒᆞ나, 깃브믈 고홀 곳이 업셔, ᄌᆞ졍이 보고져 ᄒᆞ시미 착급ᄒᆞ시나 말미암을 길히 업고, 계뷔 젼일 ᄆᆞ옴이 업ᄉᆞ니 뎡시의 ᄉᆡᆼ남ᄒᆞ믈 경ᄉᆞ로 알 니 업슬더라. 가변이 졈졈 망측기의 밋고, ᄌᆞ긔 형뎨와 뎡·하·댱이 보젼ᄒᆞ기 어려오믈 혜아리미, 쳔만 비원이 흉듕의 밋쳐, 유ᄋᆞ의 낫출 다히고 슈셩댱탄의 냥항뉘(兩行淚) 참연(慘然)ᄒᆞ여 ᄀᆞᆯ오ᄃᆡ,

"사ᄅᆞᆷ이 셰샹의 나미, 부뫼 애휼(愛恤)ᄒᆞ샤 텬뉸지졍을 완젼ᄒᆞ여, 기리 냥친을 뫼셔 슬하의 열낙홀진ᄃᆡ 므슴 근심이 이시리오마ᄂᆞᆫ, 아ᄃᆞᆼ은 므ᄉᆞᆫ 죄악으로 【40】 엄안을 모로니, 죵텬지통(終天之痛)[984]이 ᄌᆞ식을 나하 깃브믈 고홀 곳이 업ᄉᆞ니, 이 참기 어려온 지통이로다."

언파의 블승엄읍(不勝掩泣)ᄒᆞ니, 뎡시 어ᄉᆞ의 이러톳 비샹(悲傷)ᄒᆞ믈 보미 역시 심회 감챵ᄒᆞᄃᆡ, ᄌᆞ긔 ᄯᅩ 비식으로 그 ᄆᆞ옴을 도으미 블가ᄒᆞ여, 화ᄒᆞᆫ 낫빗ᄎᆞ로 도라가믈 간유(諫諭)[985]ᄒᆞ니, 어식 ᄯᅩᄒᆞᆫ 조뫼 알가 두려 거름을 두러혈식, 홍션다려 ᄎᆞ후 밤이 깁거든 ᄆᆡ졍의 ᄃᆡ후ᄒᆞᄂᆞᆫ ᄀᆡᆼ반을 ᄎᆞᄌᆞ 구호ᄒᆞ라 ᄒᆞ고, 쇼져다려 됴호(調護)ᄒᆞ믈 부쵹(咐囑)ᄒᆞᆫ 후 나가니, 쇼졔 나믄 밥을 션을 주어 긔아를 면케 ᄒᆞ니, 션이 먹기를 다ᄒᆞᆫ 후 눈믈 ᄡᅳ려,

"상공의 구ᄒᆞ시미 아니런들 부인의 엄홀ᄒᆞ시믈 【41】 회두(回頭)키 어려오니, 쇼비 그 신능ᄒᆞ시믈 탄복ᄒᆞ나이다."

쇼졔 묵연 브답이러니, 션이 ᄯᅩ 두 부인을 원망ᄒᆞ여 상시ᄂᆞᆫ ᄆᆡᆨ듁(麥粥) 지강이나○[마] 주다가, 산후 ᄒᆞᆫ 그릇 물도 아니 주믈 각골 분ᄒᆞᆫᄒᆞ니, 쇼졔 졍식, 왈,

"나의 명되 궁험ᄒᆞ므로 남의 업ᄉᆞᆫ 화를

984)죵텬지통(終天之痛) : 이 세상에서 더할 수 없이 큰 슬픔.

985)간유(諫諭) : 윗사람에게 옳지 못하거나 잘못한 일을 고치도록 말하여 깨닫게 함.

愧)ᄒᆞ물 씌여시니, 어식 다시 말을 아니코, 유아을 어로만져 아롬다오물 이긔지 못ᄒᆞ나, 깃부물 고홀 곳[801]지 업셔, 모친이 보고져 ᄒᆞ시미 착급ᄒᆞ나 말ᄆᆡ아믈 길이 업고, 계뷔 젼일 ᄆᆞ음이 업ᄉᆞ니 뎡시의 ᄉᆡᆼ남ᄒᆞ물 경ᄉᆞ로 알니 업슬지라. 가변○[이] 졈졈 망측기의 밋고 ᄌᆞ긔 형뎨와 뎡·하·장이 보젼ᄒᆞ기 어려오물 혀아리미, 쳔만 비원이 흉듕의 ᄆᆡ쳐, 유아의 낫출 다히고 수셩장탄의 양항뉘(兩行淚) 츰연(慘然)ᄒᆞ여 갈오ᄃᆡ,

"ᄉᆞᄅᆞᆷ이 세상의 나ᄆᆡ, 부모 ᄋᆡ휵(愛恤)ᄒᆞᄉᆞ 쳔뉸지졍을 완젼ᄒᆞ며, 기리 쌍친을 뫼셔 슬ᄒᆞ의 열낙홀진ᄃᆡ 무슴 근심이 잇시리오마ᄂᆞᆫ, 【38】 아등이[은] 무슴 죄악으로 엄안을 모로니, 죵쳔지통(終天之痛)[802]이 ᄌᆞ식을 나ᄒᆞ 깃부믈 고홀 곳지 업ᄉᆞ니, 츰기 어려온 지통이라."

언파의 불승음읍(不勝飮泣)ᄒᆞ니, 뎡시 어ᄉᆞ의 이러틋 비상(悲傷)ᄒᆞ믈 보ᄆᆡ 역시 심회 감창ᄒᆞ되, ᄌᆞ긔 ᄯᅩ 비식으로 그 마음을 도오미 불가ᄒᆞ여 화ᄒᆞᆫ 낫빗ᄎᆞ로 도라가믈 간유(諫諭)[803]ᄒᆞ니, 어식 ᄯᅩᄒᆞᆫ 조뫼 알가 두려 거름을 두루혈식, 홍션다려 ᄎᆞ후 밤이 깁거든 ᄆᆡ졍의 ᄃᆡ후ᄒᆞᄂᆞᆫ ᄀᆡᆼ반을 ᄎᆞᄌᆞ 구호ᄒᆞ라 ᄒᆞ고, 소져다려 조호(調護)ᄒᆞ믈 부탁ᄒᆞᆫ 후 나아가니, 소져 남은 밥을 션을 주어 긔아을 면케 ᄒᆞ니, 션이 먹기을 다ᄒᆞᆫ 후 눈물 ᄲᅳ려,

"상공의 구ᄒᆞ시미 아니런들 부인의 엄홀ᄒᆞ시믈 회두(回頭)키 어려오니, 소녀 그 신능ᄒᆞ시물 탄복ᄒᆞᄂᆞ이다."

소져 묵연브답이러니, 션이 ᄯᅩ 두 부인을 원망ᄒᆞ여 평시ᄂᆞᆫ ᄆᆡᆨ죽(麥粥) 지강이나○[마] 주다가, 산후 ᄒᆞᆫ술 물도 업ᄉᆞ믈 각골 분한ᄒᆞ니, 소져 뎡식 왈,

"나의 명도 궁험ᄒᆞ므로 남의 업ᄉᆞᆫ 화을

801)곳 : 곳.

802)죵쳔지통(終天之痛) : 이 세상에서 더할 수 없이 큰 슬픔.

803)간유(諫諭) : 윗사람에게 옳지 못하거나 잘못한 일을 고치도록 말하여 깨닫게 함.

졋그니, 굿ᄐᆞ여 존당 슉당의 탓시 아니라. 엇디 원언(怨言)을 나는 ᄃᆡ로 ᄒᆞ여 죄를 더으ᄂᆞ뇨?.”

션이 《경셩 ‖ 경셜(輕說》 ᄒᆞ믈 샤죄ᄒᆞ더라.

어ᄉᆡ 외당의 나오니, ᄃᆡᆨᄉᆡ 슈슈의 긔운을 뭇고 ᄉᆡᆼᄋᆞ의 남녀를 므르니, 어ᄉᆡ 그 비상 특이ᄒᆞ믈 대강 젼ᄒᆞ고 뎡시 엄홀ᄒᆞᆫ 경ᄉᆡᆨ을 닐너 탄왈,

“우형이 본ᄃᆡ 호화지심이 업지 아냐, 쳐쳡을 모화 집을 메오고, 옥동【42】화녀를 술샹의 유희ᄒᆞ미 원이러니, 당ᄎᆞ시ᄒᆞ여는 만ᄉᆡ 부운ᄀᆞᆺᄐᆞ여, 뎡·진 취ᄒᆞᆫ 줄도 뉘웃분디라. 진시는 임의 집을 써낫거니와, 뎡시는 벽하졍을 버셔날 길히 업고, 비록 ᄉᆡᆼ남ᄒᆞᆫ 경ᄉᆡ 이시나 닝옥 누쳐의 쳠상ᄒᆞ여 죽으미 이실진ᄃᆡ, ‘ᄇᆡᆨ인(伯仁)이 유아이ᄉᆡ(由我而死)라’[986]. 내 비록 죽이지 아냐시나 내 ᄉᆞᄉᆞ로 히홈과 다르리오.”

ᄌᆡᆨᄉᆡ 슈슈의 ᄉᆡᆼ남ᄒᆞ믈 힝열ᄒᆞ나 ᄇᆡᆨ시의 슬허ᄒᆞ시믈 보고 쳑연탄식이러니, 날호여 위로 탄왈,

“녀ᄌᆞ의 ᄉᆡᆨ광이 맛ᄎᆞᆷᄂᆡ 신샹의 히를 일우미니 슈슈 등과 져졔(姐姐) 용안이 너모 슈발ᄒᆞ시므로 초년 ᄌᆡ앙을 면치 못ᄒᆞ시미라. 슈슈의 ᄋᆡᆨ경도 참연【43】ᄒᆞ거니와 져져의 화란은 ᄉᆡᆼ각 밧기라. 젼혀 공쥬 ᄀᆞᆺᄐᆞᆫ 강뎍을 만난 연괴나, 기실(其實)은 각각 명운이니 오ᄃᆡᆨ 일이 되여가믈 볼 ᄯᆞ름이니, 부졀업시 슬허 마르쇼셔.”

어ᄉᆡ 왈,

“이를 근심ᄒᆞ미 아니라 가변의 히이(駭異)ᄒᆞ믈 통완ᄒᆞᄂᆞ니, 아등 형뎨 효도의 온젼ᄒᆞᆫ 사ᄅᆞᆷ이 되지 못ᄒᆞᆯ가 두리노라.”

986)ᄇᆡᆨ인(伯仁)이 유아이ᄉᆡ(由我而死)라 : 백인(伯仁; 중국 동진 때 사람)은 나로 인해 죽었다'는 뜻으로, 직접적으로 사람을 죽이지는 않았지만 죽은 사람에 대해 자신이 적극적으로 구하지 않은 책임이 있음을 안타까워하거나, 어떤 사건에 간접적으로 연관되어 있는 것을 비유적으로 나타낸 말. 《진서(晉書)》 열전(列傳), 주의(周顗) 조(條)에 나오는 말.

격그니, 굿ᄒᆞ여 존당슉당의 탓시 아니라, 엇지 원언(怨言)을 나 듯는 ᄃᆡ ᄒᆞ여 죄을 더으리오.”

션이 경셜(輕說)ᄒᆞ물 ᄉᆞ죄ᄒᆞ더라.

어ᄉᆡ 외당의 나오니 ᄌᆡᆨᄉᆡ 수수의 존후을 뭇고 ᄉᆡᆼ아의 남녀을 무르니, 어ᄉᆡ 그 비상 특이ᄒᆞ물 ᄃᆡ강 젼ᄒᆞ고, 뎡시 엄홀○[ᄒᆞᆫ] 경ᄉᆡᆨ을 일너 탄왈,

“우형이 본ᄃᆡ 호화지심이 업지 아냐, 쳐쳡을 모화 집을 메오고, 옥동화녀을 슬상의 유희ᄒᆞ미 원이러니, 당ᄎᆞ시ᄒᆞ여 만ᄉᆡ 부운 갓트여【39】 뎡·진 취ᄒᆞᆫ 줄도 뉘웃분지라. 진시는 임의 집을 써낫거니와, 뎡시는 벽ᄒᆞ졍을 버셔날 길이 업고, 비록 ᄉᆡᆼ남ᄒᆞᆫ 경ᄉᆞ 잇시나 닝옥 누쳐의 쳠상ᄒᆞ여 죽으미 잇슬진ᄃᆡ, ‘ᄇᆡᆨ인(伯仁)이 유아이ᄉᆞ(由我而死)라’[804]. ᄂᆡ 비록 죽이지 아냐시나 ᄂᆡ ᄉᆞᄉᆞ로 히ᄒᆞ미 아니리오.”

ᄌᆡᆨᄉᆡ 수시의 ᄉᆡᆼ남ᄒᆞ물 힝열ᄒᆞ나 ᄇᆡᆨ시의 슬허ᄒᆞ시물 보고 쳑연 탄식이러니, 날호여 위로 탄왈,

“녀ᄌᆞ의 ᄉᆡᆨ광이 맛ᄎᆞᆷᄂᆡ 신상의 히을 일우미니 수시 등과 졔[져]졔 용안이 너무 수발ᄒᆞ므로 초년 ᄌᆡ앙을 면치 못시미라. 수수의 ᄋᆡᆨ경도 ᄎᆞᆷ연ᄒᆞ거니와 졔[져]의 화란은 ᄉᆡᆼ각 밧기라. 젼혀 공주 갓튼 강젹을 만난 연괴나, 기실은 각각 명운이니, 오직 일이 되여가믈 볼 ᄯᆞ름이라. 브졀 업시 슬허마르소셔.”

어ᄉᆡ 왈,

“ᄂᆡ을 근심ᄒᆞ미 아니라, 가변의 히이(駭異)ᄒᆞ믈 통완ᄒᆞᄂᆞ니, 아등 형뎨 효도의 온젼치 못ᄒᆞᆫ ᄉᆞᄅᆞᆷ이 될가 두리노라.”

804)ᄇᆡᆨ인(伯仁)이 유아이ᄉᆡ(由我而死)라 : 백인(伯仁; 중국 동진 때 사람)은 나로 인해 죽었다'는 뜻으로, 직접적으로 사람을 죽이지는 않았지만 죽은 사람에 대해 자신이 적극적으로 구하지 않은 책임이 있음을 안타까워하거나, 어떤 사건에 간접적으로 연관되어 있는 것을 비유적으로 나타낸 말. 《진서(晉書)》 열전(列傳), 주의(周顗) 조(條)에 나오는 말.

딕ᄉᆡᆨ 도로혀 위로ᄒᆞ고, 어ᄉᆡᆨ 계튱을 블너 날마다 ᄀᆡᆼ반을 ᄃᆡ후ᄒᆞ여 홍션을 주라 ᄒᆞ고, 딕ᄉᆡᆨ 됴금도(鳥禽圖) ᄒᆞᆫ ᄲᅣᆼ을 주어 시샹(市上)의 가 파라 보ᄐᆡ라 ᄒᆞ니, 튱이 샤양ᄒᆞ나, 딕ᄉᆡᆨ 권ᄒᆞ여 주고 누셜치 말기를 당부ᄒᆞ니, 튱이 ᄆᆡ졍으로 딘심갈녁ᄒᆞ여 ᄃᆡ후ᄒᆞ니, 슉녈이 드ᄃᆡ여 아ᄉᆞᄒᆞ믈 면ᄒᆞ니, 【44】 뉴시 칠팔일만의 ᄌᆡ강을 보ᄂᆡ여 ᄉᆞᄉᆡᆼ을 아라 오라 ᄒᆞ니, 뎡시 몸을 거젹의 바려시므로 시비 도라가 이ᄃᆡ로 보ᄒᆞᆫᄃᆡ, 뉴시 가장 깃거 ᄒᆞ더라.

ᄎᆞ시 진쇼졔 강졍의 누월을 ᄀᆞᆷ초여 분산후 옥화산으로 가고져 ᄒᆞ더니, 진태위 어ᄉᆞ를 보아 쇼ᄆᆡ를 다려다가 분산ᄒᆞ믈 쳥ᄒᆞᆫᄃᆡ, 어ᄉᆡᆨ 블허ᄒᆞ엿더니 진태위 거교를 츌혀 강졍의 니르러 쇼져를 위력으로 다려가려 ᄒᆞ니, 진시 어ᄉᆞ의 말 업ᄉᆞ므로 능히 임의치 못ᄒᆞ여 유유ᄒᆞ니, 태위 대언 왈,

"비록 ᄉᆞ원을 두려 도라가믈 디란(至亂)ᄒᆞ여 ○○[ᄒᆞᄂᆞ], 냥친의 간졀ᄒᆞ시믈 ᄉᆡᆼ각지 아닛ᄂᆞ뇨? ᄉᆞ원이 현【45】ᄆᆡ ᄌᆞ힝ᄒᆞ믈 미안ᄒᆞ여 졔 집의 다려가지 아닐ᄉᆞ록 우리 더욱 깃거ᄒᆞᄂᆞ니, 년원졍 누옥을 ᄉᆡᆼ각ᄒᆞᆫ즉 다시 윤가의 보ᄂᆡ고져 ᄯᅳᆺ이 이시리오. 남ᄆᆡ 부모를 뫼셔 긴 셰월의 타렴(他念) 업시 즐기미 올흐니, 므ᄉᆞ 일 윤가 노모의 보ᄎᆡ미 되리오."

언파의 쇼져를 ᄌᆡᆨ촉ᄒᆞ여 거교의 오로라 ᄒᆞ니, 쇼졔 ᄇᆡᆨ형의 고집과 어려오믈 아ᄂᆞᆫ 고로, 여러번 닷토지 못ᄒᆞ여 브득이 운산으로 도라갈ᄉᆡᆨ, 시노 일인을 머므러 어ᄉᆞᄭᅴ 도라가믈 고ᄒᆞ라 ᄒᆞ고, 거거로 더브러 운산의 도라오니, 낙양후 부뷔 녀ᄋᆞ의 화란을 모로나, 그 《구계‖구가(舅家)》 블평ᄒᆞ믈 듯고 념녀ᄒᆞ다가 그 도라【46】오믈 반기ᄃᆡ, 쇼져ᄂᆞᆫ 만ᄉᆡᆨ 무렴(無念)ᄒᆞ여 조금도 즐기미 업고, 침소를 ᄡᅥ나 유벽ᄒᆞᆫ 곳을 ᄀᆞᆯ히여 쳐ᄒᆞ고, 부모ᄭᅴ 고왈,

"ᄋᆞ히 쳔만 브득이 ᄌᆞ최를 ᄀᆞᆷ초고 ᄉᆞ라시믈 젼파치 아니려 ᄒᆞ니, 부모ᄂᆞᆫ 다시 잔 곡졀을 뭇지 마르쇼셔."

직ᄉᆡᆨ 《도록혀‖도로혀》 위로ᄒᆞ고, 어ᄉᆡᆨ 계츙을 불너 날마다 ᄀᆡᆼ반을 ᄃᆡ후ᄒᆞ여 홍경[션]을 주라 ᄒᆞ고, 누셜 말기을 당부ᄒᆞ니, 츙이 ᄆᆡ셤으로 진심ᄒᆞ여 ᄃᆡ후ᄒᆞᄆᆡ, 슉녈이 드ᄃᆡ여 아ᄉᆞᄒᆞ물 면ᄒᆞ니, 뉴시 칠팔일만의 ᄌᆡ강을 보ᄂᆡ여 ᄉᆞᄉᆡᆼ을 아라 오라 ᄒᆞᆫ ᄃᆡ, 시비 이르러 뎡시 몸을 거젹의 바려시믈 보고, 도라가 《이다로‖이ᄃᆡ로》 보ᄒᆞᆫᄃᆡ, 뉴시 가장 깃거 ᄒᆞ더라.

ᄎᆞ시 진소져 강졍의 누월을 감초어 산후 옥화산으로 가고져ᄒᆞ더니, 진ᄐᆡ위 어ᄉᆞ을 보아 소ᄆᆡ을 다려다가 분산ᄒᆞ믈 쳥ᄒᆞᆫᄃᆡ, 어ᄉᆡᆨ 불허 ᄒᆞ엿더니, 진ᄐᆡ【40】위 거교을 ᄎᆞ려 강졍의 니르러 소져을 위력으로 다려갸라 ᄒᆞ니, 진시 어ᄉᆞ의 말이 업ᄉᆞ므로 능히 임의치 못ᄒᆞ여 유유ᄒᆞ거놀, ᄐᆡ위 ᄃᆡ언 왈,

"비록 ᄉᆞ원을 두려 도라가물 지란(至亂)○○[ᄒᆞ여] ᄒᆞ나, 양친의 간졀ᄒᆞ시물 ᄉᆡᆼ각지 아닛ᄂᆞ뇨? ᄉᆞ원이 현ᄆᆡ ᄌᆞ힝ᄒᆞ믈 미안ᄒᆞ여 졔집의 다려가지 아닐ᄉᆞ록 우리 더욱 깃거ᄒᆞᄂᆞ니, 영[연]원졍 누옥을 ᄉᆡᆼ각ᄒᆞᆫ 즉 다시 윤가의 보ᄂᆡ고져 ᄯᅳᆺ지 잇시리오. 남ᄆᆡ 부모을 뫼셔 긴 셰월의 타념(他念) 업시 즉기미 올흐니, 무ᄉᆞᆫ 일노 윤가 노모의 보ᄎᆡ미 되리오."

언파의 소져을 ᄌᆡᆨ촉ᄒᆞ여 거교의 오로라 ᄒᆞ니, 소져 ᄇᆡᆨ형의 고집과 어려오물 아ᄂᆞᆫ 고로, 여러번 다토지 못ᄒᆞ여 브득이 운산으로 도라갈ᄉᆡᆨ, 시노 일인을 머무러 어ᄉᆞᄭᅴ 도라가물 고ᄒᆞ라 ᄒᆞ고, 거거로 더○[브]러 운산의 도라오니, 낙양후 부부 녀아의 화란을 모로나, 그 구가(舊家) 불평ᄒᆞ물 듯고 념녀ᄒᆞ다가 그 도라오물 반기ᄃᆡ, 소져ᄂᆞᆫ 만ᄉᆡᆨ 무심ᄒᆞ여 조곰도 즐기미 업고, 침소을 ᄡᅥ나 유벽쳐(幽僻處)을 갈히여 쳐ᄒᆞ고, 부모ᄭᅴ 고왈,

"아히 쳔만 브득이 ᄌᆞ최을 감초고 ᄉᆞ랏시물 젼파치 아니려 ᄒᆞ니, 부모ᄂᆞᆫ 다시 잔 곡졀을 뭇지 마르소셔."

낙향후 부뷔 경악ᄒᆞᄃᆡ 쇼졔 즐겨 니르지 아니므로 다시 뭇지 아니ᄒᆞ고, 그윽ᄒᆞᆫ ᄃᆡ 뎡ᄒᆞᆫ 후 유랑 시ᄋᆞ 등다려 힐문ᄒᆞ니, 유랑이 쇼져의 당부를 드럿ᄂᆞᆫ디라. 다만, 쇼져와 뎡슉녈이 흉참ᄒᆞᆫ 누명을 시러시므로 고루화각의 잇지 못ᄒᆞ여 년원졍의 올맛더니, 쇼졔 환휘 대단ᄒᆞᄆᆡ 거ᄌᆞᆺ 죽엇다 ᄒᆞ여, 강졍의 올마, 어ᄉᆡ 디셩【47】 구호ᄒᆞ여 회두ᄒᆞ믈 고ᄒᆞᄃᆡ, 부인이 녀ᄋᆞ의 신누(身累)를 ᄎᆞ악ᄒᆞ고, 낙향휘 잔잉년셕(孱仍憐惜)ᄒᆞ여 ᄌᆞᄋᆡᄒᆞ미 강보 ᄀᆞᆺ트니, 쇼졔 깁히 드러 텬일을 블견ᄒᆞ여 듕회 듕 나지 아니ᄆᆡ, 부뫼 더옥 슬허ᄒᆞ더니, 츈이월 긔망의 일개 영ᄌᆞ를 ᄉᆡᆼᄒᆞ니, 산실의 이향(異香)이 옹비(邕飛)ᄒᆞ고 셔광이 됴요ᄒᆞ여, 귀인이 강셰(降世)ᄒᆞ믈 알디라. 진후 부뷔 만심 환희ᄒᆞ여 산모를 보호ᄒᆞ며 손ᄋᆞ를 보니, 구각(軀殼)이 셕대ᄒᆞ고, 왕실(旺實)987)이 여ᄒᆡ(如海)ᄒᆞ여 강산의 뎡긔를 타시며, 젼혀 부습(父襲)이니, 공의 부뷔 긔ᄋᆡ(奇愛) 황홀ᄒᆞ여 녀ᄋᆞ의 신누를 한치 아니코, 타일 신원ᄒᆞ믈 긔약ᄒᆞ더라.

윤어ᄉᆡ 슈슌을 강【48】졍의 가지 못ᄒᆞ엿더니, 일일은 파됴(罷朝) 후 강졍의 니르니 쇼져의 그림ᄌᆞ도 업고, 시녜 잇셔 쇼져의 도라가시믈 고ᄒᆞ니, 어ᄉᆡ 쇼져의 뜻이 아니믈 디긔ᄒᆞ나, ᄌᆞ긔의 말을 듯지 아녀 임의로 ᄒᆞ믈 미안ᄒᆞ여 ᄉᆞᄆᆡ를 ᄯᅥᆯ쳐 본부의 도라오다.

어시의 뉴시 금계로 딜녀의 ᄃᆡ신을 삼아시나, 금계의 쳔누ᄒᆞ미 청의 하류의 버릇슬 면치 못ᄒᆞᆯ ᄲᅮᆫ 아니라, 뎡시를 대죄의 모라 너허 아홉 입988)과 구리 혜989) 이셔도, 발명치 못ᄒᆞ고, 뎡문 셰엄 일ᄃᆡ의 희한ᄒᆞ나 뎡시를 ᄉᆞᆯ오지 못ᄒᆞ게 살인 듕슈를 ᄆᆡᆫᄃᆞᆯ고

987)왕실(旺實) : 기운 따위가 왕성하고 가득 참.

988)아홉 입 : '아홉 개의 입' 이란 뜻으로, 아홉 개의 입으로 말을 하는 것처럼 많은 말을 늘어놓는 것을 말함.

989)구리 혜 : '동설(銅舌)'의 번역어. 조선조 궁중악기의 하나인 '순(錞)'에 달았던 작은 방울 모양의 것으로, 이것을 흔들어 소리를 냈다. 여기서는 방울소리처럼 유창한 말주변을 뜻한다.

낙양후 부부 경악ᄒᆞᄃᆡ 소져 즐겨 니르지 아니므로 다시 뭇지 아니ᄒᆞ고, 그윽ᄒᆞᆫ ᄃᆡ 졍ᄒᆞᆫ 후 유랑 시아 등다려 힐문ᄒᆞ니, 유랑이 소져의 당부을 드럿ᄂᆞᆫ지라. 다만, 소져와 뎡숙녈이 흉츰ᄒᆞᆫ 누명을 시러시므로 고루화각의 잇지 못ᄒᆞ여 영원졍의 올마더니, 소져 화[환]후 ᄃᆡ단ᄒᆞᄆᆡ 거즛 죽엇다 ᄒᆞ여,【41】 강졍의 올마, 어ᄉᆡ 지셩 구호ᄒᆞ여 회두ᄒᆞ물 고ᄒᆞᆫ ᄃᆡ, 부인이 녀ᄋᆞ의 신수(身數)을 ᄎᆞ악ᄒᆞ고, 낙양휘 잔잉연셕(孱仍憐惜)ᄒᆞ여 ᄌᆞᄋᆡᄒᆞ미 강보 갓트니, 소져 깁히 드러 쳔일을 불견ᄒᆞ여 중회 즁 나지 아니ᄒᆞᄆᆡ, 부뫼 더욱 슬허ᄒᆞ더니, 츈이월 긔망의 일ᄀᆡ 영ᄌᆞ을 ᄉᆡᆼᄒᆞ니, 산실의 이향(異香)○[이] 옹비(邕飛)ᄒᆞ고 셔광이 조요ᄒᆞ여, 귀인이 강셰ᄒᆞ물 알지라. 진후 부부 만심 환희ᄒᆞ여 산모을 보호ᄒᆞ며 손아을 보니, 구각(軀殼)이 셕ᄃᆡᄒᆞ고 강산영긔(江山靈氣)을 탓시며, 젼혀 부습(父襲)이니, 공의 부부 긔ᄋᆡ(奇愛) 황홀(恍惚)ᄒᆞ여 녀ᄋᆞ의 신누을 ᄒᆞᆫ치 아니ᄒᆞ고, 타일 신원ᄒᆞ물 원ᄒᆞ더라.

윤어ᄉᆡ 수슌을 강졍의 가지 못ᄒᆞ엿더니, 일일은 파조 후 강졍의 이르니 소져의 그림ᄌᆞ도 업고, 시녀 잇셔 소져의 도라가시물 고ᄒᆞ니, 어ᄉᆡ 소져의 뜻지 아니물 지긔ᄒᆞ나, ᄌᆞ긔 말을 듯지 아냐 임의로 ᄒᆞ물 미안ᄒᆞ여 ᄉᆞᄆᆡ을 ᄯᅥᆯ쳐 본부의 도○○[라오]다.

어시의 뉴시 금계로 질녀의 ᄃᆡ신을 삼아시나, 금계의 쳔누ᄒᆞ미 청의ᄒᆞ류의 버릇슬 면치 못ᄒᆞᆯ ᄲᅮᆫ 아니라, 뎡시을 ᄃᆡ죄의 모라 너허 아홉 닙805)과 구리 혜806) 잇셔도 발명치 못ᄒᆞ고, 뎡문 셰엄이 일ᄃᆡ의 희ᄒᆞᆫᄒᆞ나 뎡시을 ᄉᆞᆯ오지 못ᄒᆞ게, ᄉᆞᆯ인 듕수을 ᄆᆡᆫ들고져 ᄒᆞ여, 범ᄉᆞ를 신묘랑으로 의논ᄒᆞ고 ᄐᆡ부

805)아홉 닙 : '아홉 개의 입' 이란 뜻으로, 아홉 개의 입으로 말을 하는 것처럼 많은 말을 늘어놓는 것을 말함.

806)구리 혜 : '동설(銅舌)'의 번역어. 조선조 궁중악기의 하나인 '순(錞)'에 달았던 작은 방울 모양의 것으로, 이것을 흔들어 소리를 냈다. 여기서는 방울소리처럼 유창한 말주변을 뜻한다.

져 ᄒᆞ여, 범ᄉᆞ를 신묘랑으로 의논ᄒᆞ고 태부인긔 고왈,

"뎡【49】시 젼일과 달나 ᄌᆞ식이 이신 후는 경(輕)이 죽이기 어려오니, 출하리 은혜와 덕으로 감화ᄒᆞᄂᆞᆫ 거시 올흐니, 벽하졍 옥문을 여러 제 몸을 임의로 출입케 ᄒᆞ시고, 소ᄉᆡᆼ(所生)이 비록 깃브디 아니나, 존고의 도리 다려와 유모를 뎡ᄒᆞ여 겻틔 두시미 가ᄒᆞ니이다."

위뉘 뉴시의 말은 다 올히 넉이ᄂᆞᆫ디라. 즉시 '그리ᄒᆞ라' ᄒᆞ고, 유도 풍족ᄒᆞᆫ 시녀를 불너 벽하졍의 가 신ᄋᆞ를 다려와 침소의셔 기르라 ᄒᆞ니, 시네 승명ᄒᆞ여 벽하졍의 가 태부인 명을 젼ᄒᆞ고, 신ᄉᆡᆼ(新生) 공ᄌᆞ 다려가믈 청ᄒᆞ니, 쇼졔 호혈(虎穴)의 더지미 ᄎᆞ악ᄒᆞᄃᆡ ᄌᆞ약히 유ᄋᆞ를 보낼ᄉᆡ, 갓가이 나호여 ᄌᆞ시 슬피ᄆᆡ 좌【50】비샹(左臂上)의 '옥닌(玉麟)' 두 ᄌᆞ 잇고, 우비샹(右臂上)의 '셩인(聖人)' 두 ᄌᆞ 분명ᄒᆞ니, 심니(心裏)의 괴이히 넉여 이윽이 어로만지다가, 시비 ᄌᆡ촉ᄒᆞ믈 급히 ᄒᆞ니 마디못ᄒᆞ여 주어 보ᄂᆡᄃᆡ, 참연ᄒᆞᆫ 회포와 경경ᄒᆞᆫ 념녜 간졀ᄒᆞ거ᄂᆞᆯ, ᄎᆞ일 옥문을 화열이 여러 존당 명이,

"죄괘 비록 흉참ᄒᆞ나 임의 골육을 끼쳐 남ᄋᆞ를 ᄉᆡᆼᄒᆞ여시니, ᄌᆞ식의 낫출 아니 보지 못ᄒᆞ여 샤ᄒᆞᄂᆞ니, 블의악ᄉᆞ를 먼니ᄒᆞ고 누실의 《고초ᄒᆞ니 ‖ 고초ᄒᆞ지 말아》 녯 침소의 도라가라."

쇼졔 청파의 경황송구ᄒᆞ미 젼ᄌᆞ의 더ᄒᆞ여, 명달ᄒᆞᆫ 혜아리미 궁극ᄒᆞᆫ 계교와 문을 열미 됴흔 뜻이 아니믈 짐작ᄒᆞ나, ᄉᆞ쉭지 아니코 쳔연이 은【51】덕을 샤례ᄒᆞ여 황공ᄒᆞ믈 일ᄏᆞᆺ고, 녯 침소의 도라가라 ᄒᆞ시미 감은ᄒᆞ나 능히 죄루 듕 븟그러온 낫출 드러 듕회 듕 나디 못ᄒᆞ믈 고ᄒᆞ니, ᄎᆞ일 태부인이 뉴시로 더브러 신ᄋᆞ를 보ᄆᆡ, 믜온 ᄆᆞᄋᆞᆷ의도 긔이ᄒᆞ믈 결을치 못ᄒᆞ여 뉴시 경아다려 왈,

"○○○[뎡시ᄂᆞᆫ] 기다리지 아넛ᄂᆞᆫ ᄌᆞ식을 두어 이러ᄐᆞᆺ 비상특츌ᄒᆞᄃᆡ, 너ᄂᆞᆫ 셩혼 팔년

인긔 고왈,

"뎡시 젼일과 달나 ᄌᆞ식이 잇신 후ᄂᆞᆫ 경(輕)히 죽이기 어려오니, 출ᄒᆞ리 은혜와 덕으로 감화ᄒᆞᄂᆞᆫ 거시 올흐니, 벽ᄒᆞ졍 옥문을 열어 제몸을 임의로 출입게 ᄒᆞ【42】시고, 그 소ᄉᆡᆼ(所生)이 비록 깃부지 아니나, 존고 도리 다려와 유모을 졍ᄒᆞ여 겻히 두시미 가ᄒᆞ니이다."

부인이 뉴시의 말은 다 올히 넉이ᄂᆞᆫ지라. 《뉴시 ‖ 즉시》 '그리ᄒᆞ라' ᄒᆞ고, 유도 풍족ᄒᆞᆫ 시녀을 불너 벽ᄒᆞ졍의 가 신아을 다려와 침소의셔 기르라 ᄒᆞ니, 시녜 승명ᄒᆞ여 벽ᄒᆞ졍의 가 ᄐᆡ부인 명을 젼ᄒᆞ고, 신○[ᄉᆡᆼ](新生) 공ᄌᆞ 다려가물 청ᄒᆞ니, 소졔 호혈(虎穴)의 더지물 ᄎᆞ악ᄒᆞ되 ᄌᆞ약히 유아을 보낼ᄉᆡ, 갓가이 《날호여 ‖ 나호여》 ᄌᆞ셰○[히] 슬피ᄆᆡ 좌비상(左臂上)의 '옥인(玉麟)' 두 ᄌᆞ 잇고, 우비상(右臂上)의 '셩인(聖人)' 두 ᄌᆞ 분명ᄒᆞ니, 심ᄂᆡ(心內)의 고이히 녁여 이윽이 어로만지다가, 시비 ᄌᆡ촉ᄒᆞ미 급ᄒᆞ니, 마지 못ᄒᆞ여 주어 보낼ᄉᆡ, ᄎᆞᆷ연ᄒᆞᆫ 회포와 경경ᄒᆞᆫ 념녀 간졀ᄒᆞ거ᄂᆞᆯ, ᄎᆞ일 옥문을 화열이 열어 존당 명이

"죄괘 비록 흉ᄎᆞᆷᄒᆞᄃᆡ 임의 골육을 ᄭᅵ쳐 남아을 ᄉᆡᆼᄒᆞ여시니, ᄌᆞ식의 낫출 아니 보지 못ᄒᆞ여 ᄉᆞᄒᆞᄂᆞ니, 불의 악ᄉᆞ을 멀니ᄒᆞ고 옛 침소의 도라오라."

소졔 청파의 경황송구ᄒᆞ미 젼ᄌᆞ의 더ᄒᆞ야, 명달ᄒᆞᆫ 혜아리미 궁극ᄒᆞᆫ 계교와 문을 열미 조흔 뜻지 아니물 짐즉ᄒᆞ나, ᄉᆞ쉭지 아니코 쳔연이 은덕을 ᄉᆞ례ᄒᆞ여 황공ᄒᆞ믈 일컷고, 옛 침소의 도라가라 ᄒᆞ시미 감은ᄒᆞ나, 능히 죄루 즁 붓그러온 낫출 드러 듕회 즁의 나지 못ᄒᆞ물 고ᄒᆞ니, ᄎᆞ일 ᄐᆡ부인이 뉴시로 더부러 신ᄋᆞ을 보ᄆᆡ, 믜온 마음의도 긔이ᄒᆞ물 결울치 못ᄒᆞ여, 뉴시 경ᄋᆞ다려 왈,

"○○○[뎡시ᄂᆞᆫ]기ᄃᆞ리지 아넛ᄂᆞᆫ ᄌᆞ식을 두어 이러툿 비상특츌ᄒᆞᄃᆡ, 너ᄂᆞᆫ 셩혼 팔년

의 ᄒᆞᆫ낫 골육이 업ᄉᆞ니 엇디 ᄋᆡ돏지 아니리오."

경ᄋᆡ 탄식 묵연이오, 태부인이 신ᄋᆞ를 지삼 보고 뉴시다려 왈,

"뎡시의 쇼ᄉᆡᆼ 긔츌이 {ᄒᆞ나토}990) 범상치 아녀 삼칠(三七)도 못ᄒᆞᆫ 거시 이ᄃᆡ도록 긔이ᄒᆞ니, 우리 젹년(積年) 심녁을 허비ᄒᆞ여 광텬을 죽이고져【52】 ᄒᆞ던 ᄇᆡ, 헛곳의 도라가고 소ᄉᆡᆼ만 펴지오니 엇지 ᄋᆡ돏지 아니리오."

뉴시 탄왈,

"쳡인들 ᄉᆡᆼ각ᄂᆞᆫ ᄇᆡ 업ᄉᆞ리잇고마ᄂᆞᆫ, 이러므로 유ᄋᆞ를 몬져 다려왓ᄉᆞᆸᄂᆞ니, 존고ᄂᆞᆫ ᄋᆡ휼(愛恤)ᄒᆞ샤 듕목의 시비를 동치 마르쇼셔."

위태 흔연 왈,

"노모ᄂᆞᆫ 일죽991) 현부의 말을 좃ᄎᆞ리라."

ᄒᆞ고 신ᄋᆞ를 거즛 무ᄋᆡ(撫愛)ᄒᆞ니, 가듕이 의심ᄒᆞ더라.

ᄃᆡᆨ시 드러와 뎔ᄋᆞ의 비상특츌ᄒᆞ믈 만심환희ᄒᆞᄃᆡ, 조모의 침뎐의 다려오미 필유ᄒᆡ단(必有害端)992)이믈 그윽이 념녀ᄒᆞ더라. 츄밀이 비록 상셩듕(喪性中)이나 신ᄋᆞ의 긔이ᄒᆞ믈 니긔지 못ᄒᆞ여, 모젼의 고왈,

"ᄒᆡᄋᆞ의 특이ᄒᆞ미 광텬의 우히니 뎡시 죄괘 비록 호대ᄒᆞ나 샤ᄒᆞ시【53】미 맛당ᄒᆞ이다."

태부인 왈,

"네 그리 아니ᄒᆞ나 뎡시 죄과를 샤ᄒᆞ엿ᄂᆞ니, ᄎᆞ후나 다시 악ᄉᆞ를 아닐가 ᄒᆞ나 엇디 미드리오."

츄밀이 지삼 어로만져 ᄋᆡ듕ᄒᆞ믈 마디 아니ᄒᆞ고 유모를 당부ᄒᆞ여 조심ᄒᆞ라 ᄒᆞ더라.

일야ᄂᆞᆫ 태부인 신긔 블평ᄒᆞᄆᆡ 츄밀이 ᄌᆞ뎔을 거ᄂᆞ려 경희뎐의 시좌ᄒᆞ고, 하·댱 이쇼졔 금계 엇게를 년ᄒᆞ여 좌뎡ᄒᆞ여시니, 뉴

990)정소저의 출산은 이번이 초산(初産)이기 때문에 '하나토'는 불필요한 말이다.

991) 일죽 : ①일찍. 일찍이. ②일정(一定), 일정(一定)하게, 한결같이. 여기서는 ②의 의미.

992)필유히단(必有害端) : 반드시 해(害)의 단초가 됨.

의 ᄒᆞᆫ낫 골육이 업ᄉᆞ니 ᄋᆡ답지 아니리오."【43】

경ᄋᆡ 탄식 묵연이오, ᄐᆡ부인이 신ᄋᆞ을 지ᄉᆞᆷ 보고 뉴시다려 왈,

"뎡시의 소ᄉᆡᆼ출(所生出)이 범상치 아냐 ᄉᆞᆷ칠일(三七日)도 못ᄒᆞᆫ 거시 이ᄃᆡ도록 긔이ᄒᆞ니, 우리 젹년(積年) 심녁을 허비ᄒᆞ여 광쳔을 죽이고져 ᄒᆞ든 ᄇᆡ, 헷곳의 도라가고 소ᄉᆡᆼ만 펴지{오}니 엇지 ᄋᆡ답지 아니리오."

뉴시 ᄃᆡ왈,

"쳡인들 ᄉᆡᆼ각ᄂᆞᆫ ᄇᆡ 업ᄉᆞ리오마ᄂᆞᆫ 어[이]러무로 유아을 몬져 다려왓ᄉᆞᆸᄂᆞ니, 존고ᄂᆞᆫ ᄋᆡ휼(愛恤)ᄒᆞ사 듕목의 시비을 돕지 마르소셔."

위ᄐᆡ 흔연 왈,

"노모ᄂᆞᆫ 일작807) 현부의 말을 조ᄎᆞ리라."

ᄒᆞ고, 신아을 거즛 무ᄋᆡ(撫愛)ᄒᆞ니, 가듕이 의심치 아니터라.

ᄃᆡᆨ시 신아의 비상특츌ᄒᆞ물 만심환희ᄒᆞᄃᆡ, 조모의 침당의 다려오미 필유곡졀(必有曲折)이물 그윽이 념녀ᄒᆞ더라. 츄밀이 비록 상셩듕(喪性中)이나 신아○[의] 긔이ᄒᆞ물 ᄃᆡ희ᄒᆞ여 모젼의 고왈,

"ᄒᆡ아의 특이ᄒᆞ미 광쳔의 우히니 뎡시 죄괘 비록 호ᄃᆡ(浩大)ᄒᆞ나 ᄉᆞᄒᆞ시미 맛당ᄒᆞ니이다."

ᄐᆡ부인 왈,

"네 이르지 아니나 뎡시 죄과을 ᄉᆞᄒᆞ엿ᄂᆞ니, ᄎᆞ후나 다시 악ᄉᆞ을 아닐가 ᄒᆞ나 엇지 미드리오."

츄밀이 지ᄉᆞᆷ 어로만져 ᄋᆡ듕ᄒᆞ물 마지 아니ᄒᆞ고 유모을 당부ᄒᆞ여 조심ᄒᆞ라 ᄒᆞ더라.

일야ᄂᆞᆫ ᄐᆡ부인 신긔불평ᄒᆞᄃᆡ 츄밀이 ᄌᆞ질을 거ᄂᆞ려 경희젼의 시좌ᄒᆞ고, 하·장 이소져 금계로 엇기을 연ᄒᆞ{ᄒᆞ}여 좌졍ᄒᆞ엿시니, 뉴부인이 밧긔 나와 금계을 불너 왈,

"존괴 현질의 친집ᄒᆞᆫ 찬션이 구미의 합ᄒᆞ다 ᄒᆞ시니 모로미 죽음을 보술펴 나오라."

807)일작 : ①일찍. 일찍이. ②일정(一定), 일정(一定)하게, 한결같이. 여기서는 ②의 의미.

부인이 밧긔 나와 금계를 블너 왈,

"존괴 현달의 친집흔 찬션이 구미의 합ᄒᆞ다 ᄒᆞ시니 모로미 쥭음을 보살펴 나오라."

금계 뉴시의 악심을 모로고 짓짓 뉴신 쳬ᄒᆞ여 응ᄃᆡᄒᆞ고 나와, 청ᄉᆞ의셔 쥭음(粥飮)을 친집고져 홀 제, 【54】 묘랑이 흔드러 변ᄒᆞ여 뎡시 되여 날ᄂᆡᆫ 칼흘 들고 바로 금계의 머리를 잡고 ᄶᅮ지져 왈,

"네 윤문의 쇽현ᄒᆞ믹 여슉의 위셰를 ᄶᅵ고 슉모의 극악ᄒᆞ미 아니 밋촌 곳이 업셔, 널노ᄡᅧ 샹원위를 누리게 ᄒᆞ니, 나의 통완ᄒᆞ미 골슈의 ᄉᆞ못ᄂᆞᆫ디라. 금일 단검(短劍)의 네 목숨을 ᄭᅳᆫ코, 나믄 칼날이 여슉(汝叔)의 극악을 문죄ᄒᆞ리라."

가뉴시 본ᄃᆡ 청의 하류의 쳔녀로 블의예 명부(命婦) 존위를 누리니, ᄆᆡ양 공구지심(恐懼之心)이 이셔 뎡시ᄂᆞᆫ 니르도 말고 가듕 비복도 결울 의ᄉᆡ 업ᄂᆞᆫ디라. 몸을 두로혀 존당으로 드러 다르니, 묘랑이 ᄯᆞ라 태부인 침뎐 청ᄉᆞ의 니르【55】러, 녀셩 즐왈,

"요악 쳔네 태부인 무ᄋᆡ를 밋고 졔 아ᄌᆞ미 셰를 ᄯᅧ, 날을 압두ᄒᆞ고 위(位)를 탈(脫)ᄒᆞ니, 오날ᄂᆞᆯ 죽여 분을 플니라."

언파의 다라드러 쇼뉴시의 머리를 드러 손의 ᄀᆞᆷ고 니검(利劍)으로 멱을 지르니, 뉴시 마조 ᄂᆡᄃᆞ라 가슴을 두다려 ᄋᆡ고ᄒᆞᄂᆞᆫ 소ᄅᆡ 딘동ᄒᆞ니, 츄밀이 문을 당ᄒᆞ여 좌ᄒᆞ엿다가 뉴시의 소ᄅᆡ를 놀나 문을 열치고 보니, 뎡시 만면 노긔로 좌슈의 단검을 들고 우슈로 쇼뉴시의 머리를 즙아, 상인(霜刃)이 옴ᄌᆞᆨ이ᄂᆞᆫ 바의 븕은 피를 돌[993] 지어[994] 흐르고, 시신이 것구러지니, 대경ᄒᆞ여 어ᄉᆞ 형뎨로 보라 ᄒᆞ니, 묘랑이 거ᄌᆞᆺ 뉴【56】시긔 다라드니, 뉴시 피ᄒᆞ여 실(室)의 들고, 어ᄉᆞ 형뎨 병비(竝臂)ᄒᆞ여 지게 밧글 나려ᄒᆞ니, 묘랑이 어ᄉᆞ 형뎨ᄂᆞᆫ 감히 항형(抗衡)치 못ᄒᆞ며[여], 힝혀 본형이 날가 두려 나ᄂᆞᆫ ᄃᆞ시 벽하경 길노 다르니, 츄밀이 어ᄉᆞ 형뎨

993)돌 : 똘. 도랑.

994)지다 : 어떤 상태가 이루어지다.

금계 뉴시의 악심을 모로고 진짓 뉴신 쳬ᄒᆞ여 응ᄃᆡᄒᆞ고 나와, 청ᄉᆞ의셔 죽음(粥飮)을 친집고져 홀제, 묘랑이 흔드러 뎡시 되어 날ᄂᆡᆫ 칼을 들【44】고 바로 금계의 머리을 잡고 ᄶᅮ지져 왈,

"네 윤문의 속현ᄒᆞ믹 여숙(汝叔)의 위셰을 ᄶᅵ고 숙모의 극악ᄒᆞ미 아니 미촐 곳지 업셔, 일노ᄡᅧ 상원위을 누리게 ᄒᆞ니, 나의 통완ᄒᆞ미 골슈의 ᄉᆞ못ᄂᆞᆫ지라. 금일 담금[단검(短劍)]의 네 목숨을 ᄭᅳᆫ고 나문 칼날이 여숙의 극악을 문죄ᄒᆞ리라."

가뉴시 본ᄃᆡ 청의ᄒᆞ류의 쳔아(賤兒)로 불의에 명부(命婦) 존위을 누리니, ᄆᆡ양 공구지심(恐懼之心)○[이] 잇셔 뎡시ᄂᆞᆫ 이르도 말고 가듕비복도 결울 의ᄉᆡ 업ᄂᆞᆫ지라. 몸을 두르[로]혀 존당으로 드리다르니, 묘랑이 ᄯᆞ라 ᄐᆡ부인 침당 청ᄉᆞ의 이르러, 녀셩 질왈,

"요악쳔네 ᄐᆡ부인 무ᄋᆡ을 밋고 위을 탈ᄒᆞ니 오날날 죽여 분을 풀니라."

언파의 다라드러 소뉴시의 머리을 풀어 손의 감고 니검(利劍)으로 멱을 지르니, 뉴시 마조 ᄂᆡ다러 ᄋᆡ고 ᄒᆞᄂᆞᆫ 소ᄅᆡ 진동ᄒᆞᄂᆞᆫ지라. 츄밀이 문을 당ᄒᆞ○[여] ○○[좌ᄒᆞ]엿다가, 뉴시 소ᄅᆡ의 놀나 문을 열고 보니, 뎡시 만면 노긔로 단검을 들고 ᄒᆞᆫ 손으로 뉴시의 머리을 잡아 상인(霜刃)이 움즉이ᄂᆞᆫ 바의 션혈이 ᄯᅩᆯ[808] 지어[809] 흐르고 시신이 것구러지니, ᄃᆡ경ᄒᆞ여 어ᄉᆞ 형뎨로 보라 ᄒᆞ니, 묘랑이 그짓[810] 뉴시게 다라드니, 뉴시 피ᄒᆞ여 실(室)의 들고, 형뎨 병비(竝臂)ᄒᆞ여 지게 밧글 나려 ᄒᆞ니, 묘랑이 어ᄉᆞ 형뎨ᄂᆞᆫ 감히 《힝형 ‖ 항형(抗衡)》 치 못ᄒᆞ고, 힝혀 본형이 날가 두려, 나ᄂᆞᆫ다시 벽ᄒᆞ경 길노

808)ᄯᅩᆯ : 똘.

809)지다 : 어떤 상태가 이루어지다.

810)그짓 : 거짓.

로 뎡시를 ᄎᆞᄌᆞ오라 ᄒᆞ고 금계의 시신을 보니, 발셔 명ᄆᆡᆨ(命脈)이 업ᄂᆞᆫ디라. 뉴시 청ᄉᆞ(廳舍)를 두다려 통곡ᄒᆞ니, 태흉이 신긔 블평ᄒᆞ여 누엇다가 대경ᄒᆞ여 ᄂᆡᄃᆞ라 븟들고 방셩대곡ᄒᆞ니, 츄밀이 ᄯᅩᄒᆞᆫ 통곡ᄒᆞ여 금계 쥬인의 얼골 비러시믈 모로니, 어ᄉᆞ 형뎨 역시 신ᄉᆡᆨ이 변ᄒᆞ니, 이ᄂᆞᆫ 뉴 악(惡)의 죽으믈 슬허ᄒᆞ미 아니라 뎡시 망측지화(罔測之禍)【57】의 ᄉᆡᆼ지믈 탄ᄒᆞ미라. 계부의 명으로 청ᄉᆞ의 나오니 요ᄉᆡ(妖邪) 발셔 ᄌᆞ최를 ᄀᆞᆷ촌디라. 어ᄉᆡ 요ᄉᆞ의 작변이믈 짐작고 쳐음 나와 ᄌᆞᆸ디 못ᄒᆞ믈 ᄋᆡ둘와 ᄒᆞ나, ᄒᆞᆯ일 업셔 태모와 계부의 과상(過傷)ᄒᆞ시믈 간ᄒᆞ고, 어ᄉᆞᄂᆞᆫ ᄌᆞᆼ시 ᄒᆞᆫ 마ᄃᆡ 우름이 업ᄉᆞ나 가변과 뎡시의 화ᄋᆡᆨ을 근심ᄒᆞ더라.

뉴시 금계를 위ᄒᆞᆫ 슬프미 업ᄉᆞ나 짐ᄌᆞᆺ 과상(過傷)ᄒᆞ며, 뉴부의 흉음을 통ᄒᆞ여 금오부ᄌᆡ 알게 ᄒᆞ니, 원ᄂᆡ 교ᄋᆡ 장ᄉᆞ로 가ᄃᆡ 금오ᄂᆞᆫ 금계를 녀ᄋᆡ로 아라 아득히 모로고, 흉문(凶聞)을 드르ᄆᆡ 망극참통(罔極慘痛)ᄒᆞ믈 니긔지 못ᄒᆞ고, 영부인은 뎡시의 오장을 너흘고져 ᄒᆞ니, 금오 부ᄌᆡ 그 시신을 붓들고【58】 일셩 혼도(昏倒)ᄒᆞ니, ᄉᆞᄌᆡ(四子) 붓드러 권간(勸諫)ᄒᆞ고, 윤덕ᄉᆞᄂᆞᆫ 인ᄉᆞ의 마디못ᄒᆞ여 ᄒᆞᆫ마ᄃᆡ 됴상지녜(弔喪之禮)를 폐치 못ᄒᆞᄃᆡ, 어ᄉᆞᄂᆞᆫ 거지 타연ᄒᆞ여 일셩을 브동ᄒᆞ니, 뉴시 더옥 통완ᄒᆞ여 ᄉᆞ딜(四姪)을 ᄃᆡᄒᆞ여 뎡시의 지르던 말을 니르고, 어셔 고장ᄒᆞ여 원슈를 잡흐라 ᄒᆞ니, 뉴ᄉᆡᆼ 등이 쳬읍 ᄃᆡ왈,

"ᄉᆞᆨ뫼 니르지 아니시나 원슈를 아니 갑흐리잇고? 다만 젹은 일의도 본 증인이 명ᄇᆡᆨᄒᆞ여○[야] 변졍(辨正)이 되니, ᄉᆞ원 형뎨 듕의나 뉘 보니 잇ᄂᆞ니잇고?"

뉴시 왈,

"딜ᄋᆞ 등은 밋쳐 보지 못ᄒᆞ여시나 상공이 목도ᄒᆞ여시니 증인이 업다 ᄒᆞ리오."

다르니, 츄밀이 어ᄉᆞ 형뎨로 뎡시을 ᄎᆞᄌᆞ오라 ᄒᆞ고, 금계의 시신을 보니 발셔 명ᄆᆡᆨ(命脈)이 업ᄂᆞᆫ지라. 뉴시 청ᄉᆞ(廳舍)을 두다려 통곡ᄒᆞ니, ᄐᆡ흉이 신긔 불평ᄒᆞ여 누엇다가 ᄃᆡ경ᄒᆞ여 ᄂᆡ다라 붓들고【45】 방셩ᄃᆡ곡ᄒᆞ니, 츄밀이 ᄯᅩᄒᆞᆫ 통곡ᄒᆞ여 금계 쥬인의 얼골을 비러시물 모르ᄆᆡ, 어ᄉᆞ 형뎨 역시 신ᄉᆡᆨ이 변ᄒᆞ니, 이ᄂᆞᆫ 뉴 악(惡)의 죽으물 슬어ᄒᆞ미 아니라, 뎡시 망측지계(罔測之計)의 ᄉᆡᆼ지물 탄ᄒᆞ미라. ᄉᆞᆨ부의 명으로 청ᄉᆞ의 나오니 요ᄉᆡ(妖邪) 발셔 ᄌᆞ최을 감촌지라. 어ᄉᆞ 요ᄉᆞ의 작변이물 짐작고, 쳐음 나와 잡지 못ᄒᆞ물 ᄋᆡ달와 ᄒᆞ나, ᄒᆞᆯ일 업셔 ᄐᆡ모와 계부의 과상(過傷)ᄒᆞ시물 간ᄒᆞ고, 어ᄉᆞᄂᆞᆫ 종시 ᄒᆞᆫ마ᄃᆡ 울음이 업ᄉᆞ나 가변과 뎡시의 화ᄋᆡᆨ을 근심ᄒᆞ더라.

뉴시 금계을 위ᄒᆞᆫ 슬푸미 업ᄉᆞ나 짐짓 과상(過傷)ᄒᆞ며, 뉴부의 흉음을 통ᄒᆞ여 금오부ᄌᆡ 알게 ᄒᆞ니, 원ᄂᆡ 교ᄋᆡ 장ᄉᆞ로 가ᄃᆡ 금오ᄂᆞᆫ 금계을 녀ᄋᆞ로 알아 아득히 모로고, 흉문(凶聞)을 드르ᄆᆡ 망극참통(罔極慘痛)ᄒᆞ믈 이긔지 못ᄒᆞ고, 연부인은 뎡시의 오장을 너흘고져 ᄒᆞ니, 금오 부ᄌᆡ 그 시신을 붓들고 실셩(失性) 혼도(昏倒)ᄒᆞᄆᆡ, ᄉᆞᄌᆡ(四子) 붓드러 권간(勸諫)ᄒᆞ고, 윤직ᄉᆞᄂᆞᆫ 인ᄉᆞ의 마지 못ᄒᆞ여 ᄒᆞᆫ마ᄃᆡ 조상지녜(弔喪之禮)을 폐치 못ᄒᆞᄃᆡ, 어ᄉᆞᄂᆞᆫ 거지 ᄐᆡ연ᄒᆞ여 일셩을 브동ᄒᆞ니, 뉴시 더욱 통완ᄒᆞ여 ᄉᆞ질(四姪)을 ᄃᆡᄒᆞ여 뎡시의 지르든 말을 이르고, 어셔 고장ᄒᆞ여 원슈을 갑흐라 ᄒᆞ니, 뉴ᄉᆡᆼ 등이 쳬읍 왈,

"ᄉᆞᆨ뫼 이르지 아니시나 원슈을 아니 갑흐리잇고? 다만 젹은 일의도 본증(本證)[811]이 명ᄇᆡᆨᄒᆞ여야 변뎡(辨正)이 되나니, ᄉᆞ원 형뎨 듕이나 뉘 보니 잇고?"

뉴시 왈,

"딜아 등은 밋쳐 보지 못ᄒᆞ엿시나, 상공이 목도ᄒᆞ엿시니 증인이 엇지 업다 ᄒᆞ리오."

811)본증(本證) : 재판에서, 입증 책임을 지는 당사자가 그 사실을 증명하기 위하여 제출하는 증거.

뉴싱 등이 즉시 형부의 고장(告狀)ᄒᆞ니, 형부샹셔 소뒤 뉴가 소졍(所呈)[995]을 【59】 보고 경악ᄒᆞ여, 상문(相門) 후ᄇᆡᆨ가(侯伯家) 녀ᄌᆡ 투긔로 살인은 젼고(前古)의 희괴(稀怪)ᄒᆞᆫ디라. 한심ᄒᆞ여 즉시 관ᄎᆡ를 발ᄒᆞ여 윤부 간졍을 므를 ᄉᆡ, 윤부 시녀 셰월 비영 등이 블하일장(不下一杖)의 뎡시 살인ᄒᆞ믈 고ᄒᆞ니, 소형뷔 뎐문의 쥬달ᄒᆞ오ᄃᆡ,

"금평후 뎡연의 녀식이 도어ᄉᆞ(都御使) 윤광뎐의 체 되오믄, 셩샹이 젼일 졍문 포댱ᄒᆞ시믈 거의 아오실디라. 뎡네 투악으로 비로셔[996] 그 뎍국 뉴시를 질너 죽이다 ᄒᆞ오니 변괴 등한치 아니코, 뎡시 공후지녜ᄆᆡ 법관이 쳔단치 못ᄒᆞ와 알외오ᄃᆡ, 그 비ᄇᆡ를 츄문ᄒᆞ온즉 츄밀ᄉᆞ 윤쉬 보다 ᄒᆞᄂᆞ이다."

샹이 어람필(御覽畢)의 블승ᄎᆞ악ᄒᆞ샤 왈,

"뎡녀의 긔특ᄒᆞ믄 【60】 딤의 본 ᄇᆡ라. 셩ᄒᆡᆼᄉᆞ덕이 녀듕군ᄌᆡ니 결ᄒᆞ여 그럴 니 업고, 뉴가의 고장을 미들 거시 아니라."

ᄒᆞ시고 호두금패(虎頭禁牌)를 나리와 츄밀을 패초(牌招)ᄒᆞ시니, 윤공이 샤를 ᄯᆞ라 입궐 쳥ᄃᆡ(請對)ᄒᆞ온ᄃᆡ, 샹이 ᄆᆞ르샤 왈,

"딤의 포장졍문(褒獎旌門)ᄒᆞᆫ 바 명셩슉녈문(明聖淑烈門) 뎡네 ᄒᆞᆫ갓 졀ᄒᆡᆼ이 특이ᄒᆞᆯ ᄲᅮᆫ 아냐, 셩ᄒᆡᆼ긔질(性行氣質)이 딘션딘미(盡善盡美)ᄒᆞ더니 므ᄉᆞᆫ 연고로 살인지명(殺人之名)이 잇ᄂᆞ뇨? 경은 실진무은(實陳無隱)ᄒᆞ여 슉녀뎔부로 원앙ᄒᆞᆫ 죄를 면케 ᄒᆞ라."

공이 돈슈 쥬왈,

"뎡네 셩샹의 졍표ᄒᆞ신 ᄇᆡ오, ᄯᅩ 신의 집의 입승(入承)ᄒᆞ오ᄆᆡ, 셩ᄒᆡᆼᄉᆞ덕이 투쳘(透徹) ᄌᆞ인(慈仁)ᄒᆞ오니, 신이 ᄯᅩᄒᆞᆫ 셩녀뎔부로 밀위ᄋᆞᆸ더니, 거야(去夜) 【61】 의 괴이ᄒᆞᆫ 변이 ○[ᄂᆞ] 블평지ᄉᆡ 만ᄉᆞ와 심당의 두엇ᄉᆞᆸ더니, 작야(昨夜)의 여ᄎᆞ여ᄎᆞ 거죄 ᄒᆡ악ᄒᆞ오나, 젼일 위인으로 니를진ᄃᆡ 그럴 니 업ᄉᆞᆸ고, 의형 톄지 호발(毫髮) ᄎᆞ착이 업ᄉᆞ오니, 신이 ᄯᅩᄒᆞᆫ 경괴막측(驚怪莫測)이로소이다."

995)소졍(所呈) : 소장(訴狀)을 관청에 낸 것
996)비로셔 : 비롯하여. 비로셔다; 비롯하다.

뉴싱 등이 즉시 형부의 고장(告狀)ᄒᆞ니, 형부샹셔 소쥐 뉴가 【46】 소장(訴狀)을 보고 경악ᄒᆞ여, 즉시 관ᄎᆡ(官差)을 발ᄒᆞ여 윤부 간졍을 물을ᄉᆡ, 윤부 시녜 계월 비영 등이 불하일장(不下一杖)의 뎡시 ᄉᆞᆯ인ᄒᆞ물 고ᄒᆞ니, 소형뷔 이ᄃᆡ로 쳔문의 주달ᄒᆞ온ᄃᆡ, 상이 어람 필의 불승ᄎᆞ악 왈,

"뎡녀의 긔특ᄒᆞ믄 짐이 본 ᄇᆡ라. 셩ᄒᆡᆼᄉᆞ덕이 ᄉᆞ군ᄌᆡ니, 결(決)ᄒᆞ여 그러ᄒᆞᆯ 니 업고, 뉴가의 고장을 밋을 거시 아니라."

ᄒᆞ시고 호두금ᄑᆡ(虎頭禁牌)을 나리와 츄밀을 ᄑᆡ초(牌招)ᄒᆞ시니, 윤공이 ᄉᆞ를 ᄯᆞ라 입궐 쳥ᄃᆡ(請對)ᄒᆞ온ᄃᆡ, 상이 문왈,

"짐이 표장(表獎) 졍문(旌門)ᄒᆞᆫ ᄇᆡ 명셩숙녈문(明聖淑烈門) 뎡네 ᄒᆞᆫ갓 졀ᄒᆡᆼ이 특이ᄒᆞᆯ ᄲᅮᆫ 아냐, 셩ᄒᆡᆼ긔질(性行氣質)이 진선진미(盡善盡美)ᄒᆞ더니, ᄒᆞ고(何故)로 ᄉᆞᆯ인지명(殺人之名)이 잇ᄂᆞ뇨?" 경은 실진무은(實陳無隱)ᄒᆞ여 숙녀쳘부로 원왕ᄒᆞᆫ 죄을 면케ᄒᆞ라."

공이 돈수 주왈,

"뎡녀 셩상의 졍표ᄒᆞ신 ᄇᆡ오, ᄯᅩ 신문(臣門)의 입승(入承)ᄒᆞ오ᄆᆡ, 셩ᄒᆡᆼᄉᆞ덕이 투쳘(透徹) ᄌᆞ인(慈仁)ᄒᆞ오니, 신이 ᄯᅩᄒᆞᆫ 셩녀쳘부로 ○[미]뤼ᄋᆞᆸ더니, 거야(去夜)의 괴이ᄒᆞᆫ 변이 ○[ᄂᆞ] 불평지ᄉᆡ 만ᄉᆞ와 심당의 두엇ᄉᆞᆸ더니, 작야(昨夜)의 여ᄎᆞ여ᄎᆞᄒᆞᆫ 거죄 ᄒᆡ악ᄒᆞ오나, 젼일 위인을 일을진ᄃᆡ[812] 글얼[813] 니 업ᄉᆞᆸ고, 의형 《쳐지 ‖ 체지(體肢)》 호발도 ᄎᆞ착이 업ᄉᆞᆸᄂᆞᆫ지라, 신이 ᄯᅩᄒᆞᆫ 경괴막측(驚怪莫測)이로소이다."

812)일을진ᄃᆡ ; 이를진대. 일을다; 이르다.
813)글얼 : 그럴. '그러할'의 준말.

샹이 블예(不豫)ᄒᆞ샤 왈,

"뎡녀로 일분 볼미디언(不美之言)이 업ᄂᆞᆫ가 ᄒᆞ엿더니, 경의 쥬ᄉᆞ를 드르니 살인지죄를 면키 어려오나, 슈연이나 뎡녀로ᄡᅥ 고금의 희한ᄒᆞᆫ 슉녀로 아랏더니, 실노 괴이ᄒᆞ나 뉴가의 원졍(原情)을 아니 듯지 못ᄒᆞ여, 달니 구쳐(區處)[997]ᄒᆞ리니, 경은 도라가 뉴녀를 슈히 념장(殮葬)케 ᄒᆞ라."

츄밀이 ᄇᆡ슈 쥬왈,

"신슈블명(臣雖不明)이오나, 뎡녀의 초셰ᄒᆞ믄 모로지 아니 ᄒᆞ오ᄃᆡ, 금번 악【62】ᄉᆞᄂᆞᆫ 니ᄆᆡ망냥(魑魅魍魎)의 됴화로 비로ᄉᆞᆫ가[998] 의혹ᄒᆞᄋᆞᆸᄂᆞ니, 엇지 뎡시의 위인을 모로미 이시리잇고? 신이 목도ᄒᆞ고 뉴 개(家) 보원코져 ᄒᆞ오나 셩샹은 원컨ᄃᆡ 슉찰지(熟察之)ᄒᆞ샤 뎡녀의 죄 허망(虛妄)ᄒᆞ믈 ᄉᆞᆯ피쇼셔."

샹이 졈두ᄒᆞ샤 하됴왈,

"딤이 하원경 등의 원ᄉᆞᄒᆞ므로브터 사람의 원상(寃傷)을 ᄉᆞᆯ피고, 윤쉬 ᄯᅩ 의심ᄒᆞ니, 뎡녀의 평일 ᄒᆡᆼᄉᆞ를 밀위여 그 원상을 살피리니, 뉴가의 고장을 아니 듯지 못ᄒᆞ여, 감ᄉᆞ뎡ᄇᆡ(減死定配)ᄒᆞ고 젼ᄌᆞ 졍문 포장을 삭(削)ᄒᆞ라."

ᄒᆞ시니, 법뷔 ᄇᆡ소를 댱ᄉᆞ(長沙)[999]의 뎡ᄒᆞ여 삼일치ᄒᆡᆼ(三日治行)ᄒᆞ라 ᄒᆞ니, 샹이 의윤ᄒᆞ시고 파됴ᄒᆞ시니, 뎡부ᄆᆡ ᄆᆡ뎨의 죄루를 ᄎᆞ악ᄒᆞ고, 녀ᄌᆞ의 찬【63】뎍이 ᄌᆞ고의 희한ᄒᆞ믈 슬허ᄒᆞ나, ᄌᆞ긔 등이 누의를 구ᄒᆞ미 혐의 잇고, 살인자ᄉᆞ(殺人者死)ᄂᆞᆫ 법율의 당연ᄒᆞ거ᄂᆞᆯ, 쇼ᄆᆡ 일명을 보젼홈도 셩은의 늉늉ᄒᆞ시미라. 그 원억ᄒᆞ믈 모로디 아니 ᄒᆞᄃᆡ 어ᄉᆞ 등의 안면으로ᄡᅥ, ᄌᆞ긔 입으로 그 집 악ᄉᆞ를 젼파치 못ᄒᆞ여 묵묵히 퇴됴ᄒᆞ여 궐문을 나ᄆᆡ, 하리로 경부의 가 거교를 비

997)구쳐(區處)ᄒᆞ다 : 따로 구분하여 처리하다.
998)비로ᄉᆞ다 : 비롯하다. 시작하다
999)댱ᄉᆞ(長沙) : 중국 호남성의 동부 곧 동정호(洞庭湖) 남쪽 상강(湘江) 동쪽 하류에 있는 도시. 수륙 교통의 요충지이며 호남성의 성도(省都)이다.

상이 불열 왈,

"뎡녀로 일분 불미지언(不美之言)이 업ᄂᆞᆫ가 ᄒᆞ엿더니, 경의 주ᄉᆞ을 드르ᄆᆡ ᄉᆞᆯ인지죄(殺人之罪)을 면키 어려오나, 슈연이나 뎡녀로써 고금의 희한ᄒᆞᆫ 숙녀로 알아더니, 실노 고이ᄒᆞ나 뉴가의 원(寃)을 아니 듯지 못ᄒᆞ여 완(宛)니[814] 구쳐(區處)[815]ᄒᆞ리니, 경은 도라가 뉴녀을 수히 《영장‖염장(殮葬)》ᄒᆞ라."

츄밀이 ᄇᆡ수 주왈,

"신슈불명(臣雖不明)이오나, 뎡녀의 초셰ᄒᆞ믄 모로지 아【47】니 ᄒᆞ오ᄃᆡ, 금번 악ᄉᆞᄂᆞᆫ 니ᄆᆡ망냥(魑魅魍魎)의 조화을[로] 비로ᄉᆞᆫ가[816] 의혹ᄒᆞᄂᆞ니, 엇지 뎡시의 위인을 모로리잇고? 신이 목도ᄒᆞ고 뉴가의셔 보원코져 ᄒᆞ나 셩상은 숙출지시(熟察之視) ᄒᆞᄉᆞ 뎡녀의 죄 허무(虛無)ᄒᆞ물 ᄉᆞᆯ피소셔."

상이 졈두ᄒᆞᄉᆞ 하교 왈,

"짐이 하원경 등의 원ᄉᆞᄒᆞ므로 붓터 ᄉᆞᄅᆞᆷ의 원상을 《ᄉᆞᆯ피리라 ᄒᆞ시고‖ᄉᆞᆯ피기를 신듕히 ᄒᆞᄂᆞᆫ 비오》, 윤쉬 ᄯᅩ 의심ᄒᆞ니, 뎡녀의 평일 ᄒᆡᆼᄉᆞ을 밀위여 그 원상을 《살피리니‖살필 ᄇᆡ로ᄃᆡ》, 뉴가의 고장을 아니 듯지 못ᄒᆞ《여‖니》, 감ᄉᆞ뎡ᄇᆡ(減死定配)ᄒᆞ고 젼ᄌᆞ 졍문표장을 삭(削)ᄒᆞ라."

ᄒᆞ시니, 법뷔 ᄇᆡ소을 장ᄉᆞ(長沙)[817]의 뎡ᄒᆞ여 ᄉᆞᆷ일치ᄒᆡᆼ(三日治行)ᄒᆞ라 ᄒᆞ니, 상이 의윤ᄒᆞ시고 파조ᄒᆞ시ᄆᆡ, 뎡부ᄆᆡ ᄆᆡ졔의 죄명을 ᄎᆞ악ᄒᆞ고 녀ᄌᆞ의 찬젹이 ᄌᆞ고의 희한ᄒᆞ물 슬허ᄒᆞ나, ᄌᆞ긔 등이 누의을 구ᄒᆞ미 혐의 잇고, ᄉᆞᆯ인ᄌᆞ(殺人者) ᄉᆞ(死)ᄒᆞ믄 법뉼의 당연ᄒᆞ거ᄂᆞᆯ, 소ᄆᆡ 일명을 보젼홈도 셩은이 융융ᄒᆞ시미라. 그 원억ᄒᆞ물 모로지 아니ᄃᆡ, 어ᄉᆞ 등의 안면으로, ᄌᆞ긔 입으로 그 집 악

814)완(宛)니 : 완연(宛然)이. 분명하게.
815)구쳐(區處)ᄒᆞ다 : 따로 구분하여 처리하다.
816)비로ᄉᆞ다 : 비롯하다. 시작하다
817)장ᄉᆞ(長沙) : 중국 호남성(湖南省)의 동부 곧 동정호(洞庭湖) 남쪽 상강(湘江) 하류의 동쪽 기슭에 있는 도시. 수륙 교통의 요충지이며 호남성의 성도(省都)이다.

러 옥누항으로 오라 ᄒᆞ고, 윤츄밀의 뒤흘 좃ᄎᆞ 윤부의 니르니, 합샤(闔舍)의 곡셩이 딘동ᄒᆞ여 뉴금오 부ᄌᆡ 시신을 ᄌᆡᆨ병각의 옴기고 방셩통곡ᄒᆞ여 각골통상ᄒᆞ미 비길 ᄃᆡ 업고, 셕부인 경ᄋᆞ와 뉴부인은 어ᄉᆞ 형데와 하·댱을 마ᄌᆞ【64】 죽이지 못ᄒᆞ여 심홰 되어, 우름을 시작ᄒᆞᄆᆡ 분이 나 눈물이 비발 ᄀᆞᆺ고, 태흉은 진짓 쇼유시로 아라 방셩대곡ᄒᆞ니, 엇디 가쇼롭디 아니 ᄒᆞ리오.

병뷔 ᄇᆡᆨ화헌의 도라와 츄밀긔 고ᄒᆞᄃᆡ,

"쇼ᄆᆡ의 누얼과 뉴부인 참ᄉᆞᄒᆞ시믈 드르니 경심ᄎᆞ악ᄒᆞᄃᆡ, 셩명(聖明)의 호ᄉᆡᆼ지덕으로 쇼ᄆᆡ의 일명을 빌니샤 댱ᄉᆞ의 찬뎍ᄒᆞ시니, ᄒᆡᆼ게(行車) 총총ᄒᆞ여 삼일ᄂᆡ 니발(離發)ᄒᆞ오니, 쇼ᄉᆡᆼ이 금일 다려가 ᄒᆡᆼ니를 출히고 존당 부모를 니별코져 ᄒᆞᄂᆞ니, 능히 허ᄒᆞ시믈 어드리잇가?"

윤공이 뎡시의 악ᄉᆞ를 목도ᄒᆞᄆᆡ 극악히 넉이나, 부마의 위인을 긔ᄃᆡ【65】 ᄒᆞᄂᆞᆫ 고로, 다만 허락 왈,

"딜부의 살인지명이 실노 의외오, 뉴시의 급ᄉᆞᄒᆞ믈 보ᄆᆡ 엇디 ᄎᆞ악지 아니리오. 산후 삼칠일(三七日)의 신ᄋᆡ 크게 비상ᄒᆞ여 ᄆᆡᄉᆡ 과의(過矣)로ᄃᆡ, 가변이 긔괴ᄒᆞ여 딜뷔 쳔여리의 찬뎍ᄒᆞ니, 신ᄋᆞ의 졍ᄉᆡ 비고참달(悲苦慘怛)ᄒᆞ니, ᄉᆞᄉᆞ의 괴이ᄒᆞᆫ디라. 챵ᄇᆡᆨ이 딜부를 다려가 위로 니발케 ᄒᆞ라. 광ᄋᆞ의 ᄇᆡ쳬(配妻) ᄒᆞ나ᄒᆞᆫ 죽고 ᄒᆞ나ᄒᆞᆫ 찬뎍ᄒᆞ니, 엇디 슬프디 아니리오."

병뷔 츄밀의 흐리며 프러지믈 실쇼ᄒᆞ나 ᄉᆞᄉᆡᆨ지 아니코, 하리로 경부의 가 거교 어더 와시믈 고ᄒᆞ니, 병뷔 어ᄉᆞ다려 왈,

"쇼ᄆᆡ의 살인지ᄉᆡ ᄎᆞ악ᄒᆞ여 ᄃᆡ면이 무셔오나, 평일 졀【66】노뻐 이러치 아닐 줄노 혜아렷더니 셰ᄉᆡ 의외라. 녕ᄆᆡ 공쥬를 무고지사와 치독ᄒᆞ던 바며, 금번 쇼ᄆᆡ의 살인ᄒᆞᆷ과 엇디 다르리오. '증삼(曾參)의 살인(殺人)'[1000] ᄀᆞᆺᄐᆞ여 그 허무ᄒᆞᆫ 줄 아나, 다만

1000)증삼(曾參) 살인(殺人) : 헛소문, 또는 잘못된

ᄉᆞ을 젼파치 못ᄒᆞ여 묵묵히 퇴조ᄒᆞ여 궐문을 나ᄆᆡ, ᄒᆞ리로 ᄒᆞ여곰 뎡[경]부의 가 거교을 비러 옥누항으로 오라 ᄒᆞ고, 윤츄밀의 뒤흘 좃ᄎᆞ 윤부의 이르니, 합ᄉᆞ(闔舍)의 곡셩이 진동ᄒᆞ여 뉴금오 부ᄌᆡ 시신을 ᄎᆡᆨ병각의 옴겨 두고 방셩통곡ᄒᆞ여 각골 통상ᄒᆞ미 비길 ᄃᆡ 업고, 경아와 뉴부인은 어ᄉᆞ 형뎨와 하·장을 마ᄌᆞ 죽이지 못ᄒᆞ여 심화되여, 우름을 시작ᄒᆞᄆᆡ ᄀᆞᆺ칠 쥴 모로고, ᄐᆡ흉은 진짓 소뉴시로 알아 방셩ᄃᆡ곡ᄒᆞ니, 엇지 가소롭지 아니리오.

병뷔 ᄇᆡᆨ화헌의 드러와 츄밀긔 고ᄒᆞᄃᆡ,

"소ᄆᆡ의【48】 누얼과 뉴부인 참ᄉᆞᄒᆞ물 드르니 경심ᄎᆞ악ᄒᆞᄃᆡ, 셩명이 호ᄉᆡᆼ지덕으로 소ᄆᆡ의 일명을 사(赦)ᄒᆞᄉᆞ 장ᄉᆞ의 찬젹ᄒᆞ시니, ᄒᆡᆼ긔(行期) 춍춍ᄒᆞ여 ᄉᆞᆷ일ᄂᆡ 이발(離發)ᄒᆞᆯ지라. 소ᄉᆡᆼ이 금일 다려가 ᄒᆡᆼ니을 ᄎᆞ리고 존당부모을 니별코져 ᄒᆞᄂᆞ니, 능히 허ᄒᆞ시물 어드리잇가?"

융[윤]공이 뎡시의 악ᄉᆞ을 목도ᄒᆞᄆᆡ 그[극]악히 녁이나, 부마의 위인을 긔ᄃᆡᄒᆞ는 고로 다만 허락 왈,

"질부의 ᄉᆞᆯ인지명이 실노 의외요, 뉴시의 급ᄉᆞᄒᆞ물 보ᄆᆡ 엇지 ᄎᆞ악지 아니리오. 산후 칠팔일의 신아 크게 비상ᄒᆞ여 ᄆᆡᄉᆡ 과의(過矣)로ᄃᆡ, 가변이 긔괴ᄒᆞ여 질뷔 쳔여리의 찬젹ᄒᆞ니, 정ᄉᆡ 비고ᄎᆞᆷ난(悲苦慘難)ᄒᆞᆫ지라, 창ᄇᆡᆨ이 {이}질부을 다려가 니별케 ᄒᆞ라. 광아의 ᄇᆡ쳐(配妻) ᄒᆞ나은 죽고 ᄒᆞ나은 찬젹ᄒᆞ니, 엇지 슬푸지 아니리오"

병뷔 츄밀의 호[흐]리며 푸러지물 실소ᄒᆞ나 ᄉᆞᄉᆡᆨ지 아니코, ᄒᆞ리 경부의 가 거교 어더 왓시물 고ᄒᆞ니, 병뷔 어ᄉᆞ다려 왈,

"소ᄆᆡ의 ᄉᆞᆯ인지ᄉᆡ ᄎᆞ악ᄒᆞ여 ᄃᆡ면이 무셔우나, 평일 져노[로]써 이럿치 아닐 쥴노 혀아려더니 세ᄉᆡ 의외라. 녕ᄆᆡ 공주{을} 무고지ᄉᆞ(巫蠱之事)와 치독지ᄉᆞ(置毒之事)며, 금번 소ᄆᆡ의 ᄉᆞᆯ인ᄒᆞᆷ과 엇지 다르리오. '증ᄉᆞᆷ(曾參)의 ᄉᆞᆯ인(殺人)'[818] 갓트여 그 허무ᄒᆞᆫ

818)증ᄉᆞᆷ(曾參) 살인(殺人) : 헛소문, 또는 잘못된 소

ᄋᆡᄃᆞᆯ은 바ᄂᆞᆫ 쇼ᄆᆡ 뉴부인 죽일 졔 ᄉᆞ원이 므ᄉᆞ일 ᄂᆡ다라 ᄌᆞᆸ디 못ᄒᆞ뇨? 이졔 쇼ᄆᆡ를 다려가려 ᄒᆞᄂᆞ니 잇ᄂᆞᆫ 곳을 가ᄅᆞ치라."

어ᄉᆡ 금계의 죽으믈 츄연ᄒᆞ미 업고, 슉녈의 화ᄋᆡᆨ을 근심ᄒᆞ여 ᄉᆞᄉᆡᆼ이 아모리 될 줄 모로더니, 셩은이 빗기1001) 더으샤 감사 뎡ᄇᆡᆨᄒᆞ시니, 녀ᄌᆞ의 찬덕이 고금의 희한ᄒᆞ나 죽ᄂᆞᆫ 바의 비ᄒᆞᆯ ᄇᆡ 아니라, 도로혀 영ᄒᆡᆼᄒᆞ니, 병부의 말을 듯고 희미히 【67】 쇼왈,

"쇽담의 '쳔장슈셰(千丈水勢)ᄂᆞᆫ 아라도 ᄉᆞᄅᆞᆷ의 심디(心地)ᄂᆞᆫ 모른다'1002) ᄒᆞ미, 녕ᄆᆡ를 니르미라. 쇼뎨 ᄆᆡ양 녕ᄆᆡ를 유약ᄒᆞᆫ가 ᄒᆞ엿더니, 뉴시 죽이ᄂᆞᆫ 슈단을 보니 능ᄒᆞᆷ과 ᄉᆞ오나오미 남 다른디라, 엇디 경악지 아니리오. 다만 소뎨 일즉이 죽이고져 의ᄉᆡ 이시ᄃᆡ 용녈ᄒᆞ여 '오기(吳起)의 살쳐(殺妻)'1003)를 본밧디 못ᄒᆞ엿더니, 녕ᄆᆡ ᄉᆡᆨ훤이 죽이니 용약ᄒᆞᆫ 결단이 형을 달맛도다. 덕ᄒᆡᆼ은 출혀 보ᄂᆡ려 ᄒᆞ면 엇지 막으리오. 잇ᄂᆞᆫ 곳은 대모 침뎐 뒤히니 드러가 므엇ᄒᆞ리오, 바로 나오라 ᄒᆞ여 다려가쇼셔."

병뷔 어ᄉᆞ의 타연 ᄌᆞ약ᄒᆞ여 뉴시 죽으믈 측은ᄒᆞ미 업고, 슉녈의 살인을 고지 【68】 듯지 아니믈 보ᄆᆡ ᄯᅩᄒᆞᆫ 웃고, ○○○[츄밀긔] 하시의 귀근을 쳥ᄒᆞ여 왈,

"하년슉이 샹경ᄒᆞ신 후 운산의 가샤를 뎡

소문. 증자의 어머니가 증자가 사람을 죽였다는 헛된 소문을 듣고 베 짜던 북을 던지고 사건 현장으로 달려갔다는 고사 곧 '증모투저(曾母投杼)에서 유래된 말.

1001) 빗기 : 비스듬히. 한쪽으로 기울어지게. 편중(偏重)되게

1002)쳔장슈셰(千丈水勢)ᄂᆞᆫ 아라도 ᄉᆞᄅᆞᆷ의 심디(心地)ᄂᆞᆫ 모른다 : =천 길 물속은 알아도 한 길 사람의 속은 모른다. 사람의 속마음을 알기란 매우 힘듦을 비유적으로 이르는 말.

1003)오기(吳起)의 살쳐(殺妻) : 중국 전국 시대(戰國時代)의 병법가 오기가 자신의 충심을 입증하기 위해 아내를 베었던 고사. 즉, 오기가 노(魯)나라에서 관직생활을 하던 때, 제(齊)나라가 침공해오자, 노나라가 그를 장수로 임명하여 막게 하려다가, 그의 처(妻)가 제나라 사람인 것을 알고 임명을 주저하자, 처를 죽이고 노나라 장수가 되어 제를 무찌른 일을 말함.

줄 아나, 다만 《의다로온‖ᄋᆡᄃᆞᆯ은》 바ᄂᆞᆫ 소ᄆᆡ 뉴부인 죽일졔 ᄉᆞ원이 무슴 일노 ᄂᆡ다라 잡지 못ᄒᆞ뇨? 이졔 소ᄆᆡ을 다려 가랴 ᄒᆞᄂᆞ니 잇ᄂᆞᆫ 곳을 가라치라."

어ᄉᆡ 금계의 죽으물 측연ᄒᆞ미 업고 슉녈의 화ᄋᆡᆨ을 근심ᄒᆞ여 ᄉᆞᄉᆡᆼ이 아모리 될 줄을 모로더니, 셩은○[이] 빗기819) 더으ᄉᆞ 감ᄉᆞ 뎡ᄇᆡᆨ ᄒᆞ시니, 녀ᄌᆞ의 찬젹이 고금의 희한ᄒᆞ나 죽ᄂᆞᆫᄃᆡ【49】 비ᄒᆞᆯ ᄇᆡ 아니라. 도로혀 영ᄒᆡᆼᄒᆞ니, 병부의 말을 듯고 희미히 소왈,

"속담의 '쳔장수셰(千丈水勢)ᄂᆞᆫ 아라도 ᄉᆞᄅᆞᆷ의 심지(心地)ᄂᆞᆫ 모론다'820) ᄒᆞ미, 영ᄆᆡ을 이르미라. 소졔 ᄆᆡ양 ○○[녕ᄆᆡ]을 유약ᄒᆞᆫ가 녁엿더니, 뉴시 죽이ᄂᆞᆫ 수단을 보ᄆᆡ 능ᄒᆞᆷ과 ᄉᆞ오나오미 남다른지라. 엇지 경악지 아니리오. 다만 소져[졔](小弟) 일즉 죽이고져 의ᄉᆡ 잇시ᄃᆡ 용열ᄒᆞ여 '오긔(吳起)의 ᄉᆞᆯ쳐(殺妻)'821)을 본밧지 못ᄒᆞ엿더니, 녕ᄆᆡ ᄉᆡᆨ훤이 죽이니 용냑ᄒᆞᆫ 결단이 형을 달맛도다. 젹ᄒᆡᆼ은 ᄎᆞ려 보ᄂᆡ려 ᄒᆞ면 엇지 막으리오. 잇ᄂᆞᆫ 곳은 ᄃᆡ모(大母) 침당 뒤히니 드러가 무엇ᄒᆞ리오, 바로 나오라 ᄒᆞ여 다려가소셔."

병뷔 어ᄉᆞ의 ᄐᆡ연 ᄌᆞ약ᄒᆞ여 뉴시 죽으믈 측은ᄒᆞ미 업고, 슉녈의 ᄉᆞᆯ인을 고지 듯지 아니믈 보ᄆᆡ ᄯᅩᄒᆞᆫ 웃고, ○○○[츄밀긔] 하시의 귀근을 쳥ᄒᆞ여 왈,

"하연숙이 상경ᄒᆞ신 후 운산의 가ᄉᆞ을 졍

문. 증자의 어머니가 증자가 사람을 죽였다는 헛된 소문을 듣고 베 짜던 북을 던지고 사건 현장으로 달려갔다는 고사 곧 '증모투저(曾母投杼)에서 유래된 말.

819) 빗기 : 비스듬히. 한쪽으로 기울어지게. 편중(偏重)되게.

820)쳔장수셰(千丈水勢)ᄂᆞᆫ 아라도 ᄉᆞᄅᆞᆷ의 심지(心地)ᄂᆞᆫ 모론다 : =천 길 물속은 알아도 한 길 사람의 속은 모른다. 사람의 속마음을 알기란 매우 힘듦을 비유적으로 이르는 말.

821)오긔(吳起)의 살쳐(殺妻) : 중국 전국 시대(戰國時代)의 병법가 오기가 자신의 충심을 입증하기 위해 아내를 베었던 고사. 즉, 오기가 노(魯)나라에서 관직생활을 하던 때, 제(齊)나라가 침공해오자, 노나라가 그를 장수로 임명하여 막게 하려다가, 그의 처(妻)가 제나라 사람인 것을 알고 임명을 주저하자, 처를 죽이고 노나라 장수가 되어 제를 무찌른 일을 말함.

ᄒᆞ려 ᄒᆞ시니, 하ᄆᆡ를 다려 가 별원을 쇄소ᄒᆞ여 쵹힝을 기다리고져 ᄒᆞᄂᆞ니, 합하는 금일 허ᄒᆞ샤 쇼ᄆᆡ로 ᄒᆞᆫᄃᆡ 가게 ᄒᆞ쇼셔."

츄밀이 비록 변심 듕이나 병부로 하가 신셜이 쾌ᄒᆞ믈 드럿ᄂᆞᆫ디라. 그 도라오믈 굴지계일(屈指計日)[1004]ᄒᆞ여 기다리며, ᄒᆞ시의 양부모 ᄉᆡᆼ각ᄂᆞᆫ 졍니와 ᄉᆡᆼ부모 그리ᄂᆞᆫ 회포를 가ᄋᆡᄒᆞ여, 미리 운산의 보ᄂᆡ여 ᄒᆞ공의 샹경ᄒᆞ믈 기다리게 ᄒᆞ미 올흔 고로, 개연이 허락ᄒᆞ고 ᄀᆞᆯ오ᄃᆡ,

"뉴시 블의 흉ᄉᆞᄒᆞᄆᆡ 그 부형의 살인ᄌᆞ를 ᄃᆡ살(代殺)치 【69】 못ᄒᆞᄆᆡ, 디원극통ᄒᆞ여 ᄒᆞ니, 기졍(其情)이 역가긍(亦可矜)이라. 내 ᄯᅳᆺ의ᄂᆞᆫ 시신이나 오가 션산의 쟝코져 ᄒᆞ나, 광텬이 므ᄉᆞᆫ 쥬원지 별산(別山)의 쟝코져 ᄒᆞᆯ ᄲᆞᆫ 아니라, 거야의 죽어시ᄃᆡ ᄒᆞᆫ 마ᄃᆡ 울미 업고 복졔도 출히미 업ᄉᆞ니, 괴이ᄒᆞ미 심ᄒᆞ고, 문견ᄌᆡ(聞見者) 광텬의 무신무의(無信無義)를 ᄭᅮ짓지 아니랴?"

병뷔 미급답의 어ᄉᆡ ᄭᅮ러 고왈,

"유ᄌᆡ(猶子) 엄안을 모로고 ᄌᆞ모의 거쳐를 아지 못ᄒᆞᄂᆞᆫ 죄인이라. 거년의 계부의 명으로 브득이 뉴시를 취ᄒᆞ니, 그 위인이 크게 음악ᄒᆞ여 남ᄌᆞ로 니르면 반역지상(叛逆之相)으로 흉죵(凶終)을 면치 못ᄒᆞ오리니, 오리혀 뎡시 칼날이 영화로오 【70】 나, 셰ᄉᆡ 난측이오 인심이 흉참ᄒᆞ오니, 거야의 죽은 바 뉴○[시] 뎡시의 살인 ᄀᆞᆺᄐᆞ여 기간 연괴 잇ᄉᆞ올 거시오, 셰쇄지언(細瑣之言)이 황공ᄒᆞ오나, 쇼딜의 뉴시로 부부지락이 업습거ᄂᆞᆯ 거야의 죽은 거ᄉᆞᆫ 비홍(臂紅)이 터도 업ᄉᆞ오니, 비록 뉴시라도 다른ᄃᆡ 유졍ᄒᆞ엿ᄉᆞ리니, 져 더러온 거ᄉᆞᆯ 션산의 쟝ᄒᆞ며 복졔를 출히리잇고? 원 계부ᄂᆞᆫ 유ᄌᆞ의 ᄯᅳᆺ을 막지 마르쇼셔."

츄밀이 그러치 아니믈 닐너 ᄌᆡ삼 ᄎᆡᆨᄒᆞᄃᆡ, 어ᄉᆡ 고집이 일만 쇠 ᄡᅳ어도 도로혀지 아니니, 츄밀이 ᄒᆞᆯ일 업셔 ᄒᆞ더라.

뉴금오 뎡ᄌᆞ 뉴태위 츄밀 슉딜의 문답ᄉᆞ

1004)굴지계일(屈指計日) : 손가락을 꼽아 가며 예정된 날을 기다림.

ᄒᆞ려 ᄒᆞ엿시니, 하ᄆᆡ을 다려가 별원을 소쇄ᄒᆞ여 촉힝을 기ᄃᆞ리고져 ᄒᆞᄂᆞ니, 합ᄒᆞᄂᆞᆫ 금일 허ᄒᆞᄉᆞ 소ᄆᆡ로 ᄒᆞᆫᄃᆡ 가게 ᄒᆞ소셔."

공이 비록 변심 듕이나 병부 하가 신셜이 쾌ᄒᆞ물 드럿ᄂᆞᆫ지라, 그 도라오믈 굴지계일(屈指計日)[822]ᄒᆞ여 기ᄃᆞ리며, 하시의 양부모 ᄉᆡᆼ각ᄂᆞᆫ 졍니와 ᄉᆡᆼ부모 그리ᄂᆞᆫ 회포을 가ᄋᆡᄒᆞ여, 미리 운산의 보ᄂᆡ여 하공의 상경을 기ᄃᆞ리○○[게 ᄒᆞ]미 올흔 고로, ᄀᆡ연이 허락고 츄연 왈,

"뉴시의 죽으미 가긍(可矜)ᄒᆞ되, 광천이 ᄒᆞᆫ 마ᄃᆡ 울미 업고 복제도 ᄎᆞ리미 업ᄉᆞ니 고이ᄒᆞ미 심ᄒᆞ고, 문견ᄌᆡ(聞見者) 광천의 무신무의(無信無義)을 ᄭᅮ짓지 아니랴?"

병뷔 미급 답의 어ᄉᆡ ᄭᅮ러 고왈,

"유ᄌᆡ(猶子) 엄안을 모로고 ᄌᆞ 【50】 모의 거쳐을 모로ᄂᆞᆫ 죄인이라. 거년의 계부의 명으로 브득이 뉴시를 취ᄒᆞ니, 그 위인이 크게 음악(淫惡)ᄒᆞ여 남ᄌᆞ로 니로면 반녁지상(叛逆之相)으로 흉종(凶終)을 면치 못ᄒᆞ오리니, 오히려 뎡시 칼날이 영화로오나, 셰ᄉᆞ난측이오, 인심이 흉츰ᄒᆞ니, 거야의 죽은 ᄌᆡ 기간 연괴 잇실 거시오, 셰쇄지언(細瑣之言)이 황공ᄒᆞ오나, 소질이 뉴시로 부부지졍이 업습거ᄂᆞᆯ 거야의 죽은 거ᄉᆞᆫ 비홍(臂紅)이 터도 업ᄉᆞ오니, 져런 더러온 거ᄉᆞᆯ 엇지 복제을 ᄎᆞ리리잇고? 원 계부ᄂᆞᆫ 유ᄌᆞ의 ᄯᅳᆺ즐 괴이히 녁이지 마르소셔."

츄밀이 그럿치 아니물 일너 ᄌᆡ삼 ᄎᆡᆨᄒᆞ되, 어ᄉᆡ 일호도 추연ᄒᆞ미 업ᄉᆞ니, 추밀이 ᄒᆞᆯ일 업셔 ᄒᆞ더라.

뉴금오 장ᄌᆞ 뉴ᄐᆡ위 츄밀 숙질 문답ᄉᆞ을

822)굴지계일(屈指計日) : 손가락을 꼽아 가며 예정된 날을 기다림.

를 비영【71】으로 드른디라. 태위 본ᄃᆡ 인명뎡대ᄒᆞᆫ 위인으로 쇼ᄆᆡ의 인물을 근심ᄒᆞ다가 금계 밧괴인 줄은 모로나, 윤어ᄉᆡ 부부지락이 업다 ᄒᆞᄃᆡ 비홍 업ᄉᆞ믈 듯고, 블승경혹 참괴ᄒᆞ여 그 부친긔 고왈,

"윤ᄉᆞ원이 본ᄃᆡ 쇼ᄆᆡ와 졍의 블합ᄒᆞ여 이졔 비명참ᄉᆞᄒᆞᄃᆡ, ᄒᆞᆫ번 우름이 업시 남의 집 부녀 갓ᄐᆞ니 이ᄂᆞᆫ 누의 명박(命薄)ᄒᆞ미라, 남을 원ᄒᆞᆯ 거시 업고, ᄉᆞ원이 위ᄒᆞ여 복졔를 출히지 아니ᄒᆞ니 이 집 션산의 쟝ᄒᆞ미 괴(怪)ᄒᆞᆫ디라, 다려다가 초상 입념(入殮)[1005]을 규녀 ᄀᆞᆺ치 ᄒᆞ여, 션산의 쟝(葬)ᄒᆞ미 올흔가 ᄒᆞᄂᆞ이다."

금오ᄂᆞᆫ 듕무소듀(中無所主)ᄒᆞᆫ디라. 아모리 나 ᄒᆞ라 ᄒᆞ【72】니, 뉴이랑 삼낭이 다 어ᄉᆞ를 미워ᄒᆞᄃᆡ 태우와 필낭은 어ᄉᆞ를 한치 아냐, 쇼ᄆᆡ의 시신을 거두어 본부의 도라와, ○○○○[이랑 등이] 원슈 갑지 못ᄒᆞ믈 각골 셜워 곡셩이 텬디 진동ᄒᆞ더라.

어ᄉᆡ 쇼뉴시 시톄를 가져 가ᄆᆡ ᄉᆡ훤ᄒᆞ미 등의 진 가ᄉᆡ를 버ᄉᆞᆫ ᄃᆞᆺᄒᆞ니, 원ᄂᆡ 금계 취가ᄒᆞ미 업ᄉᆞ나, 뉴이랑이 우연이 유정ᄒᆞ엿더니 홀연 간 곳이 업ᄉᆞ니, 졔 누의 되여 비명원ᄉᆞ(非命寃死)ᄒᆞ믄 모로고 그윽이 닛지 못ᄒᆞ여 ᄒᆞ더라.

뎡병뷔 슌참졍 부듕의 가 거교를 비러 하쇼져를 ᄒᆞᆫ가지로 다려가믈 니르니, 뉴시 젼ᄀᆞᆺᄐᆞ면 허치 아닐 거시로ᄃᆡ, 하개 샹경ᄒᆞ거【73】든 ᄒᆞ시를 미리 보ᄂᆡ여 ᄃᆡ후ᄒᆞ고, 녀ᄋᆞ를 다려오려 ᄒᆞ미오, 뎡시를 죽이지 못ᄒᆞᄆᆡ 믜오미 니검(利劍)을 삼킨 ᄃᆞᆺᄒᆞ나, 밧긔 병뷔 이시므로 악심을 발치 못ᄒᆞ고, ᄎᆞ환으로 벽하졍의 보ᄂᆡ여 취운산으로 도라가라 ᄒᆞ니, 이ᄯᆡ 뎡숙녈이 ᄋᆞᄌᆞ를 뎡당의 보ᄂᆡ고 문을 ᄌᆞᆷ으지 아니ᄆᆡ 경녀(驚慮)ᄒᆞ더니, 홍션이 ᄉᆞ긔를 알고 죄명이 ᄉᆞᆯ기를 긔필치 못ᄒᆞᆯ디라. ᄌᆞ긔 화익이 쳡쳡ᄒᆞ믈 혜아리나 경동치 아냐 왈,

"죄를 듕히 ᄒᆞ려 ᄒᆞᄆᆡ 인명이 참혹히 상

1005)입념(入殮) : 상례(喪禮)에서 입관(入棺)과 염습(殮襲)을 아울러 이르는 말.

비염[영]으로 드른지라. ᄐᆡ위 본ᄃᆡ 인명뎡ᄃᆡᄒᆞ므로 소ᄆᆡ의 인물을 근심ᄒᆞ다가, 금계 밧고인 줄 모로나, 윤어ᄉᆡ 부부지낙이 업ᄃᆞᄒᆞ되 비홍 업ᄉᆞ믈 듯고, 불승경혹 ᄎᆞᆷ괴ᄒᆞ여 그 부친긔 고왈,

"윤ᄉᆞ원이 본ᄃᆡ 소ᄆᆡ와 졍이 불합ᄒᆞ여 이졔 비명ᄎᆞᆷᄉᆞᄒᆞᄃᆡ, ᄒᆞᆫ번 울미 업셔 남의 집 부녀 갓트니, 이 누의 명박(命薄)ᄒᆞ미라. 남을 원ᄒᆞᆯ 거시 업고, ᄉᆞ원이 위ᄒᆞ여 복제을 ᄎᆞ리지 아니ᄒᆞ니 이 집 션산의 장ᄒᆞ미 괴이ᄒᆞᆫ지라. 다려가 초상 입염(入殮)[823]을 규녀 갓치 ᄒᆞ여 션산의 장(葬)ᄒᆞ미 올흘가 ᄒᆞᄂᆞ이다."

금오ᄂᆞᆫ 듕무소주(中無所主)ᄒᆞᆫ지라. 아모리나 ᄒᆞ라 ᄒᆞ니, 뉴이랑 ᄉᆞᆷ랑이 다 어ᄉᆞ을 믜워ᄒᆞᄃᆡ, ᄐᆡ우와 필랑은 어ᄉᆞ을 ᄒᆞᆫ치 아냐, 소ᄆᆡ의 시신을 거두어 본부의 도라와, ○○○○[이랑 등이] 원슈 갑지【51】 못ᄒᆞ믈 각골 슬워 ᄒᆞ더라.

윤어ᄉᆡ 소뉴시 신체을 다려가ᄆᆡ ᄉᆡ훤ᄒᆞ미 등의 가ᄉᆡ을 버산 듯 하더라. 원ᄂᆡ 금계 취가ᄒᆞ미 업ᄉᆞ○[나], 뉴이랑이 우연이 유졍ᄒᆞ엿더니 홀연 간 곳지 업ᄉᆞᄆᆡ, 졔 누의 죄의 비명원ᄉᆞ(非命寃死)ᄂᆞᆫ 모로고 그윽이 잇지 못ᄒᆞ야 ᄒᆞ더라.

뎡병뷔 슌참졍 부듕의 가 거교을 비러 하소져와 ᄒᆞᆫ가지로 다려가믈 니르니, 뉴시 젼갓트면 허치 아닐 거시로ᄃᆡ, 하ᄀᆡ 상경ᄒᆞ거든 하시을 미리 보ᄂᆡ여 ᄃᆡ후ᄒᆞ고, 녀아을 다려오려 ᄒᆞ미오, 뎡시을 죽이지 못ᄒᆞᄆᆡ 믜오미 니검(利劍)을 ᄉᆞᆷ킨 듯ᄒᆞ나, 밧긔 병뷔 잇지[시]므로 악심을 발치 못ᄒᆞ고, ᄎᆞ환으로 벽ᄒᆞ졍의 보ᄂᆡ여 취운산으로 도라가라 ᄒᆞ니, 이ᄯᆡ 뎡숙녈이 아ᄌᆞ을 졍당의 보ᄂᆡ고 문을 잠으지 아니ᄆᆡ 경여(驚慮) ᄒᆞ더니, 션이 ᄉᆞ긔을 알고 죄명이 ᄉᆞᆯ기을 긔필치 못ᄒᆞᆯ지라. ᄌᆞ긔 화익이 쳡쳡ᄒᆞ믈 혜아리나 경동치 아냐 왈,

"죄을 듕히 ᄒᆞ려ᄒᆞᄆᆡ 인명이 참혹히 상ᄒᆞ

823)입념(入殮) : 상례(喪禮)에서 입관(入棺)과 염습(殮襲)을 아울러 이르는 말.

ᄒᆞ니 엇디 측은치 아니리오. 뉴시ᄂᆞᆫ 죽지 아녀시리니 기간 ᄉᆞ괴 잇도다."

언파의 거디 타연무려【74】ᄒᆞ나, 션은 상연 뉴쳬ᄒᆞ여 통원분완ᄒᆞ더니, 믄득 뎡당 시ᄋᆡ 니르러 뎡병뷔 밧긔 와시믈 니르고, 취운산으로 가 댱ᄉᆞ를 가라 ᄒᆞ니, 션이 쇼져의 ᄉᆞ화(死禍) 면ᄒᆞ믈 깃거ᄒᆞ나, 원뎍(遠謫)ᄒᆞ믈 슬허ᄒᆞ고, 쇼졔 타연이 뎡당의 하딕을 고ᄒᆞ더라.【75】

니 엇지 측은치 아니리오. 뉴시ᄂᆞᆫ 죽지 아냐시리니 기간 ᄉᆞ괴 잇도다."

언파의 거지 ᄐᆡ연무려ᄒᆞ나, 션은 산연(潸然) 유체ᄒᆞ여 통원분완ᄒᆞ더라. 문득 뎡당 시ᄋᆡ 이르러 뎡병뷔 밧긔 왓시물 니르고, 취운산의 가 장ᄉᆞ로 가라 ᄒᆞ니, 션이 소져의 ᄉᆞ화(死禍) 면ᄒᆞ물 깃거ᄒᆞ나, 원젹(遠謫)ᄒᆞ물 슬허ᄒᆞ고, 소졔 ᄀᆡ연(介然)이 뎡당의 ᄒᆞ직을 고ᄒᆞ니,

명듀보월빙 권디삼십이

어시의 뎡쇼졔 개연(介然)이 뎡당의 하딕을 고ᄒᆞ니, 태부인은 블평ᄒᆞ여 보디 못ᄒᆞ고, 뉴부인은 딜녀 죽인 원슈로 아니 보고, 츄밀은 누쳔니의 무ᄉᆞ히 가라 ᄒᆞ고 블너 보지 아니니, 쇼졔 타루ᄒᆞ고 뎡당을 바라 ᄉᆞᄇᆡᄒᆞᆫ 후 나올ᄉᆡ, 댱쇼졔 뎡슉녈의 화ᄋᆡᆨ을 경심(驚心)ᄒᆞ나 구ᄒᆞ믈 엇디 못ᄒᆞᆯ디라. 몸소 니별코져 ᄒᆞ나 나아가 위별(爲別)ᄒᆞᆯ 길히 업더니, 이의 태부인긔 고왈,

"하부인이 뎡형으로 취운산의 나아간다 ᄒᆞ니, 니별ᄒᆞ믈 고ᄒᆞᄂᆞ이다."

공이 몬져 ᄀᆞᆯ오ᄃᆡ,

"가보미 므셔오ᄃᆡ, 금장디【1】녜(襟丈之禮)[1006] 쳔니 원별의 아니 보지 못ᄒᆞ리니 잠간 나아가 보라."

태흉이 또ᄒᆞᆫ 막디 아니커ᄂᆞᆯ, 댱쇼졔 하졍(下庭)의 니르러 셔로 손을 잡고 묵묵냥구(默默良久)의 탄왈,

"텬되 무심ᄒᆞ여 현인이 화의 ᄡᆡ져 누쳔니의 다시 모드미 아득ᄒᆞ니, 구원(九原)[1007]의 녕혼이 못기를 원ᄒᆞᄂᆞ이다."

뎡슉녈이 쳑연 탄식ᄒᆞ여 다만 존당을 뫼셔 기리 안낙ᄒᆞ여 구원의 셔로 보믈 니르니, 댱시 읍읍뉴쳬ᄒᆞ여 슉녈의 화ᄋᆡᆨ과 다시 못기 어려오믈 늣기며, 존당 슉당의 실덕을 탄ᄒᆞ여 냥인의 위름(危懍)[1008]ᄒᆞᆫ 바를 슬허ᄒᆞ니, 슉녈이 츄연 묵연이러니, 병부의 ᄌᆡ쵹【2】이 급ᄒᆞ니 하쇼졔 뎡당의 ᄇᆡ샤ᄒᆞ고 댱쇼져로 분슈ᄒᆞᆯᄉᆡ, 도라가ᄂᆞᆫ 심ᄉᆞ의 쳑연ᄒᆞᆷ과 ᄯᅥ나ᄂᆞᆫ 졍니(情理) 의의(依依)ᄒᆞ여[1009] 거슈(擧手) 댱별(將別)이 샹ᄒᆞ(上下)키 어렵더라.

병뷔 냥ᄆᆡ의 ᄒᆡᆼ거를 호숑ᄒᆞᆯᄉᆡ, 어ᄉᆞ다려 왈,

1006)금장디녜(襟丈之禮) : 동서(同壻)들 사이의 예절.
1007)구원(九原) : 저승.
1008)위름(危懍) : 매우 위태함.
1009)의의(依依)ᄒᆞ다 : 헤어지기가 서운하다.

ᄐᆡ부인은 불평ᄒᆞ여 보지 못ᄒᆞ고, 뉴부인은 질녀 죽인 원슈을[로] 아니 보고, 츄밀은 수쳔니의 무ᄉᆞ이 가라 ᄒᆞ고 불너보지 아니니, 소져 타루ᄒᆞ고【52】 뎡당을 바라 ᄉᆞᄇᆡᄒᆞᆫ 후 나오[올]ᄉᆡ, 장소져 뎡시의 화을 보ᄆᆡ 경심(驚心)ᄒᆞ나 구ᄒᆞᆷ을 밋지 못ᄒᆞᆯ지라. 몸소 이별코져 ᄒᆞᄃᆡ 나아가 위별(爲別)ᄒᆞᆯ 길이 업더니, 이의 ᄐᆡ부인긔 고왈,

"하부인이 뎡형으로 취운산의 나아간다 ᄒᆞ오니, 니별ᄒᆞ물 고ᄒᆞ나이다."

공이 몬져 갈오ᄃᆡ,

"가보미 무셔우ᄃᆡ 금장지녀[녜](襟丈之禮)[824] 쳔니 원별의 아니보지 못ᄒᆞ리니 잠간 나가 보라."

ᄐᆡ흉이 또ᄒᆞᆫ 막지 아니커ᄂᆞᆯ, 장소져 하졍(下庭)의 이르러 셔로 손을 잡고 묵묵양구(默默良久)의 탄왈,

"쳔되 무심ᄒᆞ여 현인이 화의 ᄡᆡ져 누쳔니의 다시 모드미 아득ᄒᆞ니, 구원(九原)[825]의 영혼이 못기을 원ᄒᆞᄂᆞ이다."

뎡슉열이 쳑연 탄식ᄒᆞ여 다만 존당을 뫼시고 기리 안낙ᄒᆞ며 구원의 셔로 보물 니르니, 장시 읍읍유쳬ᄒᆞ여 숙당(叔堂)의 실덕을 탄ᄒᆞ며, 《당일 ‖ 냥인》의 위름(危懍)[826]ᄒᆞᆫ 바을 슬허ᄒᆞ니, 슉녈이 츄연 묵연이러니, 병부의 ᄌᆡ촉이 셩화 갓트니, 하소져 뎡당의 ᄇᆡᄉᆞᄒᆞ고 장소져로 분수ᄒᆞᆯᄉᆡ, 도라가ᄂᆞᆫ 심ᄉᆞ의 쳑연ᄒᆞᆷ과 ᄯᅥᄂᆞ난 졍니(情理) 의의(依依)ᄒᆞ며[여][827], 거수(擧手) 장별(將別)이 상ᄒᆞ(上下)키 어렵더라.

병뷔 냥ᄆᆡ의 ᄒᆡᆼ거를 호ᄒᆡᆼᄒᆞᆯᄉᆡ, 어사다려 왈,

---

824)금장지녜(襟丈之禮) : 동서(同壻)들 사이의 예절.
825)구원(九原) : 저승.
826)위름(危懍) : 매우 위태함.
827)의의(依依)ᄒᆞ다 : 헤어지기가 서운하다.

"ᄉᆞ원이 살인듕슈(殺人重囚)를 와 보미 쉽디 아니ᄃᆡ, 부부지졍으로 원별을 당ᄒᆞ여 ᄒᆞᆫ번 낫ᄎᆞ로 위로ᄒᆞ미 가ᄒᆞ니, 명일 잠간 단녀가라."

어ᄉᆡ 미쇼 답왈,

"녕ᄆᆡ 살인 듕쉬나 간악찰녀(奸惡刹女)를 ᄉᆡ훤이 죽여 나의 소원을 맛쳐시니, 형이 비록 쳥치 아니나 명일 당당이 가리라."

병뷔 웃고 밧비 본부로 도라오니, 시시【3】의 뎡부의셔 윤·양의 화란을 슬허ᄒᆞ더니, 쳔만 몽상지외(夢想之外)의 녀ᄋᆡ 살인 듕슈로 죽으미 반ᄃᆞᆺᄒᆞ믈 드르ᄆᆡ, 진부인은 창황비도(惝怳悲悼)ᄒᆞ여 식음을 폐ᄒᆞ고, 태부인은 오열비상(嗚咽悲傷) 왈,

"노뫼 붕셩지통(崩城之痛)[1010]을 픔으ᄃᆡ, 오히려 명완블ᄉᆞ(命頑不死)[1011]ᄒᆞ고 구연시식(久延視息)[1012]ᄒᆞ여 긴 셰월의 손ᄋᆞ 등을 유희ᄒᆞ여 슬프믈 니졋더니, 이졔 윤·양의 화ᄋᆡᆨ과 혜ᄋᆞ의 당ᄒᆞᆫ ᄇᆡ 살기를 밋지 못ᄒᆞ니, 노뫼 ᄎᆞ마 엇디 혜ᄋᆞ의 죽ᄂᆞᆫ 양을 보리오."

언필의 쳔항누쉬(千行淚水) 옷길술 젹시니, 금휘 역시 슬허ᄒᆞ나 모부인의 과도ᄒᆞ시믈 민망ᄒᆞ여, 화셩유어로 ᄇᆡᆨ단 위【4】로ᄒᆞ더니, 텬문의 결ᄉᆡ 나려 녀ᄋᆞ를 댱ᄉᆞ의 찬ᄇᆡᆨᄒᆞ시니, 텬은이 망극ᄒᆞ나 쳔니 원찬을 대경 ᄎᆞ악ᄒᆞ더니, 병뷔 냥ᄆᆡ를 다려 도라오니 존당 부뫼 슬프고 반가온 심ᄉᆡ 황홀ᄒᆞ여, 밧비 나와 집슈(執手) 뉴쳬(流涕)ᄒᆞ니, 뎡·하 냥쇼졔 조모와 부모의 ᄇᆡ알ᄒᆞ고, 시랑 등으로 녈좌(列坐)ᄒᆞᄆᆡ, 태부인이 쇼져의 낫출 다혀 실셩오열 왈,

"너의 ᄇᆡᆨᄒᆡᆼ(百行) ᄉᆞ덕(四德)으로 구가의 가 어진 일홈을 엇지 못ᄒᆞ고, 투악발부(妬惡潑婦)로 살인 죄쉬 되여 혈혈약질(孑孑弱質)이 누쳔니 애각의 뎍ᄀᆡᆨ이 되니, 텬도의

1010)붕셩지통(崩城之痛) : 성이 무너질 만큼 큰 슬픔이라는 뜻으로, 남편이 죽은 슬픔을 이르는 말.

1011)명완블ᄉᆞ(命頑不死) : 목숨이 모질어서 쉽게 죽지 않음.

1012)구연시식(久延視息) : 오래도록 눈을 뜨고 숨을 쉬며 살고 있음.

"ᄉᆞ원이 술인듕수(殺人重囚)을 와 보미 쉽지 아니나 부부지졍으로 원별을 당ᄒᆞ여 ᄒᆞᆫ 번 낫ᄎᆞ로 위로ᄒᆞ미 가ᄒᆞ니, 명일 잠간 단여 가라."

어ᄉᆡ 미소 왈,

"영ᄆᆡ 술인죄슈나 간악출녀(奸惡刹女)을 ᄉᆡ원이 죽여 나의 소원을 맛쳐시니, 형이 비록 쳥치 아니나 명일 당당히 가리이다."

병뷔 웃고 밧비 본부로 도라오니, 시시의 뎡부【53】의셔 윤·양의 화란을 슬허ᄒᆞ더니, 쳔만 몽상지외(夢想之外)에 녀ᄋᆡ {술ᄋᆡ} 술인듕수로 죽으미 반듯ᄒᆞ믈 드르ᄆᆡ, 진부인은 창황비도(惝怳悲悼)ᄒᆞ여 식음을 젼폐ᄒᆞ고, ᄐᆡ부인은 오열비상(嗚咽悲傷) 왈,

"노뫼 붕셩지통(崩城之痛)[828]을 품으ᄃᆡ, 오히려 명완불ᄉᆞ(命頑不死)[829]ᄒᆞ고 구연시식(久延視息)[830]ᄒᆞ여 슬푸믈 이졋더니, 이제 윤·양의 화ᄋᆡᆨ과 혜아의 당ᄒᆞᆫ ᄇᆡ 술기을 밋지 못ᄒᆞ니, 노뫼 엇지 ᄎᆞ마 혜아의 죽ᄂᆞᆫ 양을 보리오."

언필의 쳔항누쉬(千行淚水) 옷깃슬 젹시니, 금휘 역시 슬허ᄒᆞ나 모친의 과도ᄒᆞ시물 민망ᄒᆞ여, 화셩유어로 ᄇᆡᆨ단 위로ᄒᆞ더니, 쳔문 결ᄉᆡ 녀아을 장ᄉᆞ의 찬ᄇᆡᆨᄒᆞ시니, 쳔은이 망극ᄒᆞ나 쳔니 원찬을 ᄃᆡ경ᄎᆞ악ᄒᆞ더니, 병뷔 냥ᄆᆡ을 다려 도라오ᄆᆡ, 존당부뫼 슬푸고 반가온 심ᄉᆡ 황홀ᄒᆞ여, 밧븨 나와 집수(執手) 쳬읍(涕泣)ᄒᆞ니, 뎡·하 냥소져 조모와 부모긔 ᄇᆡ알ᄒᆞ고, 시랑 등으로 열좌(列坐)ᄒᆞᄆᆡ, ᄐᆡ부인이 소져의 낫촐 다혀 실셩오열 왈,

"너의 ᄇᆡᆨᄒᆡᆼ(百行) ᄉᆞ덕(四德)으로 구가의 가 어진 일홈을 엇지 못ᄒᆞ고, 투악발부(妬惡潑婦)로 술인죄쉬 되어 혈혈약질(孑孑弱質)이 수쳔니 ᄋᆡ각의 젹ᄀᆡᆨ이 되니, 쳔도의

828)붕셩지통(崩城之痛) : 성이 무너질 만큼 큰 슬픔이라는 뜻으로, 남편이 죽은 슬픔을 이르는 말.

829)명완불ᄉᆞ(命頑不死) : 목숨이 모질어서 쉽게 죽지 않음.

830)구연시식(久延視息) : 오래도록 눈을 뜨고 숨을 쉬며 살고 있음.

무심ᄒᆞ심과 조물의 다싀(多猜)ᄒᆞ미 엇디 이ᄃᆡ도록 ᄒᆞ뇨?"

진부【5】인이 녀ᄋᆞ의 셤외(纖腰) 다르믈 문디(問之)ᄒᆞᆫᄃᆡ, 하시 그 옥동을 ᄉᆡᆼᄒᆞ여 비상ᄒᆞ믈 고ᄒᆞ니, 존당 부뫼 대희ᄒᆞ나 호혈의 이시믈 우려ᄒᆞ여, 금휘 병부다려 왈,

"녀ᄋᆡ 임의 ᄉᆡᆼ산ᄒᆞ여시니 ᄉᆞᄉᆡᆨ(事事) 명이어니와, 위디(危地)의 더지지 못ᄒᆞ리니, 네 엇디 다려오지 아닛ᄂᆞ뇨?"

병뷔 ᄃᆡ왈,

"위노의 용심이 괴이1013) 두지 아닐 거시오, 쇼ᄆᆡ의 ᄒᆡᆼ게 총총ᄒᆞ여 밋쳐 념네 유ᄋᆞ의게 밋디 못ᄒᆞ엿ᄉᆞ오니, 명일 가 므러 보샤이다."

ᄒᆞ고 인ᄒᆞ여 연듕셜화(筵中說話)1014)와 윤어ᄉᆞ의 말ᄉᆞᆷ을 일일히 고ᄒᆞ니, 시랑이 쇼왈,

"살인디ᄉᆞ(殺人之事)를 의심치 아니믄 소ᄆᆡ를 깁히 알오미로ᄃᆡ, 인명이 디듕(至重)ᄒᆞ거ᄂᆞᆯ 조【6】금도 경동치 아니니 관인ᄒᆞᆫ 도량이 젹고, 규ᄂᆡ ᄋᆡ증이 고로지 아니미라."

ᄒᆞ더라.

뎡시 좌의 윤·양·니 등이 업ᄉᆞ믈 의아ᄒᆞ여 뭇ᄌᆞ오니, 태부인이 윤·양·니의 봉변지ᄉᆞ를 니르고, ᄀᆞᆯ오ᄃᆡ,

"너ᄂᆞᆫ 윤부의 이시ᄃᆡ 쇼고의 화ᄋᆡᆨ을 모로니 엇디 연무듕(煙霧中) 사ᄅᆞᆷ이 아니리오."

뎡시 망연브디(茫然不知)라. 그윽이 참연경악ᄒᆞᄃᆡ, ᄌᆞ약히 ᄃᆡ왈,

"쇼손이 누명이 ᄎᆞ악ᄒᆞ오나, 이 ᄯᅩ 텬쉬라. ᄉᆡᆼ셰 십오ᄌᆡ의 쵸목도 상히온 일이 업ᄉᆞ오니 살인악ᄉᆡ니잇가? 댱ᄉᆞ아냐 만니라도 보명(保命)ᄒᆞᆯ딘ᄃᆡ, 필경 신셜ᄒᆞ믈 기다릴 ᄶᅡ람이라. 존당 부모ᄂᆞᆫ 쇼녀를 업ᄂᆞᆫ 양으로 아르샤, 셩녀【7】를 허비치 마르쇼셔."

태부인이 그 도량을 더욱 어엿비 녁이더라. 하쇼졔 삼형의 신셜(伸雪) 후 병부를 쳐

1013)괴이 : 고이. 온전하게. 고스란히. 편안하고 순탄하게.

1014)연듕셜화(筵中說話) : 임금과 신하가 모여 자문(諮問)·주달(奏達)하는 자리에서 논의 되었거나 주고받은 이야기.

무심과 조물의 다싀(多猜)ᄒᆞᆷ이 엇지 이ᄃᆡ도록 ᄒᆞ뇨?"

진부인이 녀아의 셤요(纖腰) 다름을 문지(問之)ᄒᆞᆫᄃᆡ, 하시 그 옥동을 ᄉᆡᆼᄒᆞ물 고ᄒᆞ니, 존당부모 ᄃᆡ희ᄒᆞ나, 호혈의 잇시물 우려ᄒᆞ여금휘 병부다려 왈,

"녀ᄋᆡ 임의 ᄉᆡᆼ남ᄒᆞ엿시니, ᄉᆡᆼᄉᆡᆨ(生死) 명이어니와, 위지(危地)의 더지지 못ᄒᆞ【54】리니, 네 엇지 다려오지 아닛ᄂᆞ뇨?"

병부 ᄃᆡ왈,

"위노의 흉심이 고이 두지 아닐 거시오, 소ᄆᆡ의 ᄒᆡᆼ거 총총ᄒᆞ여 밋쳐 념(念)이 유아의게 밋지 못ᄒᆞ엿ᄉᆞ오니, 명일 가 무러 보ᄉᆞ이다."

ᄒᆞ고, 인ᄒᆞ여 연즁셜화(筵中說話)831)와 윤어ᄉᆞ의 말ᄉᆞᆷ을 일일이 고ᄒᆞ니, 시랑이 소왈,

"ᄉᆞᆯ인지ᄉᆞ을 의심치 아니믄 소ᄆᆡ을 깁히 아르미로ᄃᆡ, 인명이 지듕(至重)ᄒᆞ거ᄂᆞᆯ 조곰도 경동치 아니니 《과인‖관인》ᄒᆞᆫ 도량이 젹고, 규ᄂᆡ ᄋᆡ증이 고로지 아니미라."

ᄒᆞ더라.

뎡시 좌의 윤·양·니 업ᄉᆞ물 의아ᄒᆞ여 뭇ᄉᆞ오니, ᄐᆡ부인이 윤·양·니의 봉변지ᄉᆞ을 니르고 갈오ᄃᆡ,

"윤부의 잇시ᄃᆡ 소고의 화ᄋᆡᆨ을 모로니 엇지 연무듕(煙霧中) ᄉᆞᄅᆞᆷ이 아니리오."

뎡시 망연브지(茫然不知)라, 그윽이 참연경악ᄒᆞ되 ᄌᆞ약히 ᄃᆡ왈,

"소손이 누명이 ᄎᆞ악ᄒᆞ오나, 이 ᄯᅩ 쳔쉬라. ᄉᆡᆼ셰 십오ᄌᆡ의 초목도 상히온 일이 업ᄉᆞ오니 하물며 ᄉᆞᆯ인악ᄉᆡ리잇고? 장ᄉᆞ 아냐 만니라도 보명(保命)ᄒᆞᆯ 진ᄃᆡ, 필경 신셜ᄒᆞ물 기다릴 ᄯᆞ름이라. 존당 부모ᄂᆞᆫ 소녀을 업ᄂᆞᆫ 양으로 아르ᄉᆞ, 셩녀을 허비치 마르소셔."

ᄐᆡ부인이 그 도량을 더욱 어엿비 ○○[녁이]더라. 하소져 ᄉᆞᆷ형의 신셜(伸雪) 후 병부을 쳐음 보ᄂᆞᆫ지라. 이의 손ᄉᆞ 왈,

831)연듕셜화(筵中說話) : 임금과 신하가 모여 자문(諮問)·주달(奏達)하는 자리에서 논의 되었거나 주고받은 이야기.

음 보ᄂᆞᆫ디라, 이의 손샤 왈,

"쇼ᄆᆡ ᄒᆞᆫ갓 구활대은을 닙을 ᄲᆞᆫ 아니라, 이졔 삼거거(三哥哥)의 신원홈과 ᄉᆡᆼ부모의 은샤를 씌여 고토의 환쇄(還刷)ᄒᆞ시미 다 거거의 은혜라. 쇄신분골ᄒᆞ여도 다 갑ᄉᆞᆸ디 못ᄒᆞ리니, 오ᄃᆡᆨ ᄆᆞ음의 삭여 구원(九原)의 풀 ᄆᆡᆺ기를 원ᄒᆞᄂᆞ이다."

언필의 옥뉘 좌셕의 괴이니, 좌위 참연 블승ᄒᆞ고, 병뷔 블열 왈,

"우형이 현ᄆᆡ로 더브러 남ᄆᆡ디의를 ᄆᆡᄌᆞ니, 《칭 ‖ 친(親)》 동긔(同氣)로 다르미 업셔, 피ᄎᆞ의 칭은ᄒᆞ미 블가ᄒᆞ니 이졔 칭은 두ᄌᆡ【8】 우형의 ᄯᅳᆺ이 아니오, 남ᄆᆡ간 칭은이 괴이ᄒᆞ니 다시 니르지 말나."

쇼졔 병부의 은덕을 블승감골ᄒᆞ나 감히 언어의 니르디 아니터라. 태부인이 냥 손ᄋᆞ를 겻ᄐᆡ 누이고 블승년ᄋᆡ(不勝憐愛) 귀듕(貴重)ᄒᆞᄂᆞᆫ 듕, 손녀의 원뎍(遠謫)을 슬허ᄒᆞᄃᆡ, 쇼졔 화ᄒᆞᆫ ᄉᆡᆨ으로 ᄌᆞ긔 비원을 낫토지 아니코, 하쇼졔 숙녈의 누쳔니 원거를 참상ᄒᆞ여 ᄋᆡ루를 금치 못ᄒᆞᄃᆡ, 진부인이 냥녀를 어로만져 년ᄋᆡ(憐愛) 권면(勸勉)ᄒᆞ여 각각 조심ᄒᆞ믈 당부ᄒᆞ여 죵야 블ᄆᆡ러니, 계명의 금후 부ᄌᆡ 존당의 신셩ᄒᆞ고 병뷔 됴참 후 윤부의 니르러 츄밀을 보고, 쇼ᄆᆡ의 신ᄉᆡᆼᄋᆞ를 다려다가 부【9】모긔 뵈오믈 청ᄒᆞ니, 츄밀이 ᄂᆡ당의 니르러 유ᄋᆞ 다려가믈 고ᄒᆞᆫᄃᆡ, 태부인이 미급답의 뉴시 공교로운 쇠를 ᄉᆡᆼ각고, 권ᄒᆞ여 왈,

"신ᄉᆡᆼᄋᆞ를 뎡가의셔 보고져 ᄒᆞ미 인졍의 괴이치 아니니, 잠간 보ᄂᆡ쇼셔."

태흉이 허ᄒᆞᄃᆡ, 츄밀이 외당의 나와 니르니, 병뷔 ᄉᆡᆼᄋᆞ의 유모를 불너 공ᄌᆞ를 편히 안아 가라 ᄒᆞ고, ᄒᆞᆫ가지로 도라와 존당의 드러가 볼ᄉᆡ, 이 문득 별긔이질(別氣異質)[1015]이라. 텬디일월(天地日月)의 졍화(精華)와 산쳔녕긔(山川靈氣)를 모화 구각이 셕대ᄒᆞ고 톄형이 긔이ᄒᆞ니, ᄉᆡᆼ지 계오 삼칠일이로ᄃᆡ 영발신이(映發神異)[1016]ᄒᆞᄆᆡ 말을

1015)별긔이질(別氣異質) : 별이기질(別異氣質). 기질이 특별하고 기이함.

"소ᄆᆡ ᄒᆞᆫ갓 구활ᄃᆡ은을 입을 ᄲᆞᆫ 아니라, 이졔 ᄉᆞᆷ거거(三哥哥)의 신원홈과 ᄉᆡᆼ부뫼 고토의 은ᄉᆞ을 씌여 환귀(還歸)ᄒᆞ시미 다 거거의 은혜라. 쇄신분골ᄒᆞ여도 다 갑지 못ᄒᆞ오리니, 오즉 결초보은(結草報恩)ᄒᆞ기을 원ᄒᆞᄂᆞ이다."

언필의 옥뉘【55】좌셕의 고이니, 죄[좌]위 불승참연ᄒᆞ고, 병뷔 불열 왈,

"우형이 현ᄆᆡ로 더부러 남ᄆᆡ지의을 ᄆᆡ즈니 친동긔(親同氣)로 다르미 업셔, 피ᄎᆞ의 칭은ᄒᆞ미 불가ᄒᆞ니, 칭은 두ᄌᆡ 우형의 ᄯᅳᆺ지 아니오, 남ᄆᆡ간 칭은이 고이ᄒᆞ니 다시 니르지 말나."

소져 병부의 ○○[은덕]을 불승각골ᄒᆞ나 감히 언어의 일캇지 아니터라. ᄐᆡ부인이 양 손아을 겻ᄐᆡ 누이고 불승연ᄋᆡ(不勝憐愛) 귀듕ᄒᆞᄂᆞᆫ 듕, 혜쥬의 원젹(遠謫)을 슬허ᄒᆞᄃᆡ, 소져 화ᄒᆞᆫ ᄉᆡᆨ으로 ᄌᆞ긔 비원을 나토지 아니코, 하소져 숙녈의 누쳔니 원거을 참상ᄒᆞ여 ᄋᆡ루을 금치 못ᄒᆞ되, 진부인이 양여(兩女)을 어로만져 연ᄋᆡ(憐愛) 권면(勸勉)ᄒᆞ여 각각 조심ᄒᆞ물 당부ᄒᆞ며 종야불ᄆᆡ러니, 계명의 금후 부ᄌᆡ 존당의 신셩ᄒᆞ고 병부 조참 후 윤부의 이르러 츄밀을 보고, 소ᄆᆡ의 신ᄉᆡᆼ아을 다려다가 부모긔 뵈오믈 청ᄒᆞ니, 츄밀이 ᄂᆡ당의 이르러 유아 다려가랴 ᄒᆞ믈 고ᄒᆞᆫᄃᆡ, ᄐᆡ부인이 미급답의 뉴시 공교로온 쇠을 ᄉᆡᆼ각고, 권왈,

"손아을 뎡가의셔 보고져 ᄒᆞ미 인졍의 고이치 아니ᄒᆞ니, 잠간 보ᄂᆡ소셔."

ᄐᆡ흉이 허ᄒᆞᆫ ᄃᆡ, 츄밀이 외당의 나와 이르니, 병뷔 ᄉᆡᆼ아의 유모을 불너 공ᄌᆞ을 편히 안아가라 ᄒᆞ고, ᄒᆞᆫ가지로 도라와 존당의 드러와 볼ᄉᆡ, 이 문들 별긔이질(別氣異質)[832]{이질}이라. 쳔지일월(天地日月) 청[졍]화(精華)와 산쳔영긔(山川靈氣)을 모하 구각이 셕ᄃᆡᄒᆞ고 쳬형이 긔이ᄒᆞ니, 겨유 삼칠일이로ᄃᆡ 영발신이(映發神異)[833]ᄒᆞ미 말

832)별긔이질(別氣異質) : 별이기질(別異氣質). 기질이 특별하고 기이함.

통ᄒᆞᆯ ᄃᆞᆺ, 잠미봉안(蠶眉鳳眼)1017)이오 호비쥬슌(虎鼻朱脣)1018)의 뇽호(龍虎) ᄀᆞᆺᄐᆞᆫ 긔【10】상이 대귀인의 상뫼(相貌)라. 금휘 신연(新然)1019) 변ᄉᆡᆨ(變色)ᄒᆞ여, 탄지(歎之) 칭션(稱善) 왈,

"긔ᄌᆡ며 대ᄌᆡ라, ᄎᆞᄋᆞ여! 타일 윤문을 놉히고 명쳔의 종(宗)을 빗ᄂᆡ리니, 하날이 광텬 형뎨를 ᄂᆡ심도 탁셰를 ᄇᆞᆰ히ᄂᆞᆫ ᄇᆡ오, 윤가를 챵ᄒᆞᆯ 거시어ᄂᆞᆯ, ᄯᅩ 이런 긔ᄌᆞ를 나리오샤 윤문의 긔린과 숑실의 보좌를 삼으시니, 작인(作人)1020)이 승어부슉(勝於父叔)이라. 아모 디경의 밋쳐도 이 ᄋᆞ들을 두어시니 댱ᄂᆡ를 근심ᄒᆞᆯ ᄇᆡ 아니라, 윤부 가란은 ᄉᆞ원 형뎨의 출텬대효로 진뎡ᄒᆞ리니, ᄋᆞ녀ᄂᆞᆫ 신누(身陋)를 슬허 말고 ᄌᆞ보ᄒᆞ믈 극진히 ᄒᆞ라."

태부인과 진부인이 어로만져 ᄋᆡ통ᄒᆞ믈 니긔지 못ᄒᆞ나, 명【11】일은 발힝일이라. 니졍이 참연ᄒᆞ믈 금치 못ᄒᆞ여 태부인은 도로혀 명완(命頑)ᄒᆞ믈 탄ᄒᆞ니, 금후와 병뷔 이셩낙ᄉᆡᆨ으로 위로ᄒᆞ여, 타일의 신셜이 쾌ᄒᆞ고 복녹이 완젼ᄒᆞᆯ 바를 고ᄒᆞ여 위열ᄒᆞ더라.

어시의 윤어ᄉᆡ 뎡쇼져의 원억ᄒᆞᆫ 죄덕을 참비ᄒᆞ여 경경ᄒᆞᆫ 념네 ᄒᆞᆫ ᄭᆡ도 노치 못ᄒᆞ고, 가변의 졈졈 ᄒᆡ이(駭異)ᄒᆞ믈 ᄎᆞ악ᄒᆞᄃᆡ 능히 냥칙(良策)을 ᄭᆡᄃᆞᆺ지 못ᄒᆞ고, 조모와 슉모의 블인악ᄉᆞ를 감화ᄒᆞᆯ 길히 업ᄉᆞ니, 졍의 온젼ᄒᆞᆯ 날이 업셔, 맛ᄎᆞᆷᄂᆡ 블효죄인이 되기를 면치 못ᄒᆞᆯ가 비회 만쳡(萬疊)ᄒᆞ기의 밋쳐ᄂᆞᆫ, 뎡·진 위ᄒᆞᆫ 근심과 여산듕졍(如山重情)1021)이 다 ᄉᆞ라지고【12】오딕 조모와 슉모 감화ᄒᆞ기의만 골몰ᄒᆞ여시니, 젼ᄌᆞ 쾌활ᄒᆞ던 듕텬댱긔 ᄉᆞ라지고, 고요ᄒᆞᆫ ᄭᆡ면 쳑연탄식ᄒᆞ여 우슈울억(憂愁鬱抑)ᄒᆞ믈 마디

1016)영발신이(映發神異) : 광채가 나고 신비로움.
1017)잠미봉안(蠶眉鳳眼) : 누에 같은 눈썹과 봉황의 눈.
1018)호비쥬슌(虎鼻朱脣) : 호랑이 코와 주사(朱砂)처럼 붉은 입술.
1019)신연(新然) : 새로이. 새롭게. '구연(舊然): 예전처럼'의 상대어.
1020)작인(作人) ; 사람 됨됨이나 생김새.
1021)여산듕졍(如山豊情) : 산처럼 크고 무거운 정.

을 통ᄒᆞᆯ 듯, 잠미봉안(蠶眉鳳眼)834)이오 호비쥬슌(虎鼻朱脣)835)의 용호(龍虎)【56】갓튼 긔상이 ᄃᆡ귀인의 상뫼(相貌)라. 금휘 번연(翻然)836) 역ᄉᆡᆨ(易色)ᄒᆞ여 탄지(歎之) 칭션(稱善) 왈,

"긔ᄌᆡ며 ᄃᆡᄌᆡ라. ᄎᆞ아여! 타일 윤문을 놉히고 명쳔공의 종ᄉᆞ(宗嗣)을 빗ᄂᆡ리니, ᄒᆞ날이 광쳔형뎨울[을] ᄂᆡ심도 탁셰을 ᄆᆞᆰ히ᄂᆞᆫ ᄇᆡ오, 윤가을 창ᄒᆞᆯ 거시여ᄂᆞᆯ, ᄯᅩ 이런 긔ᄌᆞ을 나리오ᄉᆞ 윤문의 긔린과 숑실의 보좌을 삼으시니, 작인(作人)837)이 승어부숙(勝於父叔)이라, 아모지경의 밋쳐도 이 아들을 두엇시니 장ᄂᆡ을 근심ᄒᆞᆯ ᄇᆡ 아니라. 윤부가란은 ᄉᆞ원 형뎨의 츌쳔ᄃᆡ효로 진정ᄒᆞ리니, 아녀ᄂᆞᆫ 신수(身數)을 슬허말고 ᄌᆞ보ᄒᆞ믈 극진이 ᄒᆞ라."

ᄐᆡ부인과 진부인이 어로만져 ᄋᆡ듕ᄒᆞ믈 이긔지 못ᄒᆞ나, 명일은 발힝일이라. 니졍이 참연ᄒᆞ믈 금치 못ᄒᆞ여 ᄐᆡ부인이 도로혀 명완(命頑)ᄒᆞ믈 탄ᄒᆞ니 금후와 병뷔 이셩낙ᄉᆡᆨ으로 위로ᄒᆞ여, 타일 신셜이 쾌ᄒᆞ고 복목이 완젼ᄒᆞᆯ 바을 고ᄒᆞ여 위열ᄒᆞ더라.

어시의 윤어ᄉᆡ 뎡소져의 원억ᄒᆞᆫ 죄젹을 참비ᄒᆞ여 경경ᄒᆞᆫ 념네 일시도 놋치 못ᄒᆞ고, 가변이 ᄒᆡ이(駭異)ᄒᆞ물 ᄎᆞ악ᄒᆞᄃᆡ 능히 양칙(良策)을 ᄭᆡ닷지 못ᄒᆞ고, 조모와 숙모의 블인악ᄉᆞ을 감화ᄒᆞᆯ 길이 업ᄉᆞ니, 졍의 온젼ᄒᆞᆯ 날이 업셔, 맛ᄎᆞᆷᄂᆡ 불효죄인이 되기을 면치 못{치}ᄒᆞᆯ가 비회 만쳡(萬疊)ᄒᆞ기의 밋쳐ᄂᆞᆫ, 뎡·진 위ᄒᆞᆫ 근심과 여산듕졍(廬山重情)838)이 다 ᄉᆞ라지고 오직 조모와 숙모 감화ᄒᆞ기의만 골몰ᄒᆞ엿시니, 젼ᄌᆞ 쾌활ᄒᆞ든 츙천장긔 ᄉᆞ라지고, 고요ᄒᆞᆫ ᄭᆡ면 쳑연탄식ᄒᆞ여 우슈울억(憂愁鬱抑)ᄒᆞ믈 마지 아니ᄒᆞ며, 계부

833)영발신이(映發神異) : 광채가 나고 신비로움.
834)잠미봉안(蠶眉鳳眼) : 누에 같은 눈썹과 봉황의 눈.
835)호비쥬슌(虎鼻朱脣) : 호랑이 코와 주사(朱砂)처럼 붉은 입술.
836)번연(翻然) : 번연(翻然)히. 갑작스럽게.
837)작인(作人) ; 사람 됨됨이나 생김새.
838)여산듕졍(如山豊情) : 산처럼 크고 무거운 정.

아니○[니], ᄋᆞ1022)의 병이 듕ᄒᆞ믈 민망ᄒᆞ여 호언으로 위로ᄒᆞ니, 댱부의 신셰 참난ᄒᆞ고 효ᄌᆞ의 명되 궁박ᄒᆞ믈 그윽이 탄ᄒᆞ며, ᄋᆞ의 병셰 약효로 ᄎᆞ셩ᄒᆞᆯ ᄇᆡ 아니라, 가변으로 인ᄒᆞ여 심녀를 여디업시 허비ᄒᆞ고, 골육이 상ᄒᆞᄂᆞᆫ 듕장과 긔아의 깁히 병들미라. 쳥슈ᄒᆞᆫ 품격이 날노 표연ᄒᆞ여 옷술 니긔디 못ᄒᆞᆯ ᄃᆞᆺᄒᆞ니, 견ᄌᆡ 위ᄐᆡᄒᆞ믈 념녀치 아니리 업더라.

어ᄉᆡ 뎡시의 뎍힝을 위로ᄒᆞ고져 뎡부【13】의 니르러 악공 부부를 볼ᄉᆡ, 슌태부인이 어ᄉᆞ를 쳥ᄒᆞ니, 어ᄉᆡ 쳔쳔이 거러 드러와 슌태부인과 악모 부부긔 ᄇᆡ알ᄒᆞ고 근간 존후를 뭇ᄌᆞ오니, 늠연ᄒᆞᆫ 긔상은 하일(夏日)의 두리온 거동이오, 구츄상텬(九秋上天)의 놉흐믈 우을 거시오, 쇄락ᄒᆞᆫ 신광은 혜풍이 화란(和暖)ᄒᆞᆫᄃᆡ 뉵뇽(六龍)이 샹응(相應)의 태양이 승됴(承照)ᄒᆞ여 경명광휘를 만방의 흘리ᄂᆞᆫ ᄃᆞᆺ, 두렷ᄒᆞᆫ 텬졍(天庭)1023)의 ᄲᆡ혀난 눈셥은 팔ᄎᆡ문명(八彩文明)1024)이 일월(日月)이[을] 슈장(收藏)ᄒᆞ고 긴 눈이 빵미(雙眉)를 가ᄅᆞ치고, 미우(眉宇) 텬졍(天庭)의ᄂᆞᆫ 강산슈긔(江山秀氣)를 거두어, 만장홍예(萬丈紅霓) 두우(斗宇)를 ᄢᅦ쳣ᄂᆞᆫ1025) ᄃᆞᆺ ᄇᆡᆨ셜(白雪)이 엉긘 목은 고요(皐陶)1026)와 흡ᄉᆞᄒᆞ고, 단봉(丹鳳)이 나ᄂᆞᆫ ᄃᆞᆺᄒᆞᆫ 엇게1027)ᄂᆞᆫ【14】 ᄌᆞ산(子産)1028)과 방불ᄒᆞ나 텬일

1022)ᄋᆞ : 아우.

1023)텬졍(天庭) : 관상에서, 두 눈썹의 사이 또는 이마의 복판을 이르는 말.

1024) 팔ᄎᆡ문명(八彩文明) : '여덟팔자(八字)' 모양의 눈썹이 아름답고 선명함.

1025)ᄢᅦ치다 : 꿰뚫다.

1026)고요(皐陶) :중국 고대의 전설상의 인물. 순(舜)임금의 신하로, 구관(九官)의 한 사람이다. 법을 세우고 형벌을 제정하였으며, 옥(獄)을 만들었다고 한다. 목이 아름다워, 『사기(史記)』에 공자(孔子)의 목이 고요(皐陶)의 목과 닮았다는 표현이 있다.

1027)엇게 : 어깨.

1028)ᄌᆞ산(子産) : 중국 춘추 시대 정나라의 정치가(?~B.C.522). 성은 공손(公孫). 이름은 교(僑). 정나라 목공(穆公)의 손자로, 진나라와 초나라의 역학 관계를 이용함으로써 정나라의 평화를 유지하였다. 또 농지를 정리하고 나라의 재정(財政)을 재건하였으며, 성문법을 만들었다. 아름다운 어깨를

병이 듕【57】ᄒᆞ물 민박ᄒᆞ여 호언위로ᄒᆞ니, 장부인의 신셰 참난ᄒᆞ고 효ᄌᆞ의 명되 궁박ᄒᆞ믈 그윽이 탄ᄒᆞ며, 아이839) 병이 약효로 ᄎᆞ셩ᄒᆞᆯ ᄇᆡ 아니라, 가변으로 인ᄒᆞ여 심녀을 허비ᄒᆞ여 병이 된지라. 쳥슈ᄒᆞᆫ 품격이 날노 표연ᄒᆞ여 오술 이긔치[지] 못ᄒᆞᆯ 듯ᄒᆞ니, 견ᄌᆡ 위ᄐᆡᄒᆞ믈 념녀치 아니리 업더라.

어ᄉᆡ 뎡시의 젹힝을 위로코져 뎡부의 이르러 악공부부을 볼ᄉᆡ, 슌ᄐᆡ부인이 어ᄉᆞ을 쳥ᄒᆞ니, 어ᄉᆡ 쳔쳔이 거러 드러와 슌ᄐᆡ부인과 악공 부부긔 ᄇᆡ알ᄒᆞ고 근간 존후을 뭇ᄌᆞ오니, 늠연ᄒᆞᆫ 긔상은 하일(夏日)의 두리온 거동이오, 두렷ᄒᆞᆫ 쳔졍(天庭)840)의 ᄲᆡ혀ᄂᆞᆫ 눈셥은 팔ᄎᆡ문명(八彩文明)841)이 일월(日月)이 수장(收藏)ᄒᆞ고, 미우(眉宇) 쳔졍(天庭)의ᄂᆞᆫ 강산수긔(江山秀氣)을 거두어, 만장홍예(萬丈虹霓)842) 두우(斗宇)을 ᄢᅦ쳣ᄂᆞᆫ843) 듯, 그 위인이 망지여운(望之如雲)이오 쳠지여일(瞻之如日)이라. 조당(朝堂)으로 ᄇᆞ로 나오ᄆᆡ 홍금포(紅錦袍)ᄂᆞᆫ 유요(柳腰)의 엄연(儼然)ᄒᆞ고, ᄌᆞ금관(紫金冠)은 월익(月額)의 비겻시니 팔쳑경윤(八尺徑輪)844)의 언건(偃蹇)ᄒᆞᆫ 위의와 긔여온 격죄(格調) 슝심군ᄌᆞ(崇深君子)오 만고영웅(萬古英雄) ᄃᆡ현(大賢)이여ᄂᆞᆯ, 안흐로 '민쳔(旻天)의 우름'845)과 ᄃᆡ순(大舜)의 경겨(境界)을 품어시나, 안모(顔貌)의 츈풍화긔ᄂᆞᆫ 심니츈산(深裏春

839)아이 : 아우.

840)쳔졍(天庭) : 관상에서, 두 눈썹의 사이 또는 이마의 복판을 이르는 말.

841) 팔ᄎᆡ문명(八彩文明) : '여덟팔자(八字)' 모양의 눈썹이 아름답고 선명함.

842)만장홍예(萬丈虹霓) : 만 길이나 되는 긴 무지개.

843)ᄢᅦ치다 : 깨뜨리다. 꿰뚫다.

844)팔쳑경윤(八尺徑輪) : 팔척이나 되는 키와 그 몸 둘레를 함께 이르는 말. 경륜(徑輪)은 사물의 지름과 둘레를 함께 이르는 말.

845)'민쳔(旻天)의 우름' : 순(舜)임금이 밭에 나가 부모의 사랑을 얻지 못하는 자신을 원망하며, 또 한편으로는 부모를 사모하여 하늘을 향해 큰 소리로 목 놓아 울었던 고사(故事)를 말함. 『맹자』 '만장장구상(萬章章句上)'에 나온다. 민천(旻天)은 어진 하늘

지표(天日之表)[1029]는 그 긔상이오, 농봉지직(龍鳳之材)[1030]는 그 위인이니 망지여운(望之如雲)이오 쳠지여일(瞻之如日)이라. 됴당(朝堂)으로 바로 나오믹 홍금포(紅錦袍)는 뉴요(柳腰)의 엄연(儼然)ᄒᆞ고, ᄌᆞ금관(紫金冠)은 월익(月額)의 빗겨시니, 팔쳑경뉸(八尺徑輪)[1031]의 언건(偃蹇)ᄒᆞᆫ 위의와 거여은 격됴(格調) 슝심군ᄌᆞ(崇深君子)오 만고영웅(萬古英雄) 대현(大賢)이어ᄂᆞᆯ, 안으로 '민텬(旻天)의 우름'[1032]과 대슌(大舜)의 경계(境界)를 품어시되, 안모(顏貌)의 츈풍화긔는 심니츈산(深裏春山)[1033]의 만홰방챵(萬花方暢)ᄒᆞᆫ 듯, 츈일(春日)이 다ᄉᆞᄒᆞ여[1034] 만물을 부흌(扶慉)ᄒᆞᄂᆞᆫ 됴화를 가져시니, 언어의 쾌활홈과 힝디(行止)의 발양ᄒᆞᆷ은 반졈 거리씬 근심이 업숨 ᄀᆞᆺᄐᆞ니, 태부인과 금후 부뷔 바야흐로 녀ᄋᆞ의 원뎍을 슬【15】허 슈미(愁眉)를 펴지 못ᄒᆞ다가, 어ᄉᆞ를 보믹 아름답고 긔이ᄒᆞᆷ믈 결울치 못ᄒᆞ여, 태부인과 진부인이 져런 셔랑으로 녀ᄋᆡ 화락지 못ᄒᆞ고 풍상익회 비상ᄒᆞᆷ믈 더욱 한ᄒᆞ나, 어ᄉᆞ의 화열ᄒᆞᆷ믈 도로혀 괴이히 넉여 비쳑ᄒᆞᆫ ᄉᆞ싀을 뵈디 못ᄒᆞ고, 금평휘 집슈 쳑연 왈,

"인인(人人)이 옹셔지졍(翁壻之情)이 부ᄌᆞ지졍만 못ᄒᆞ다 ᄒᆞ나, 나는 실노 너 알오믈 텬ᄋᆞ 등과 달니 아닛는 고로, 블미ᄒᆞᆫ 쇼녀의 품질을 과ᄋᆡ(過愛)ᄒᆞ고, 웃듬은 녕션대인(令先大人)의 뜻을 좃ᄎᆞ, 널노뼈 동상을 삼

가져, 『사기(史記)』에 공자(孔子)의 어깨가 고요(皐陶)의 어깨를 닮았다는 표현이 있다.

1029)텬일지표(天日之表) : 온 세상에 군림할 인상(人相). 곧 임금의 인상을 이르는 말이다.

1030)농봉지직(龍鳳之材) : 용(龍)과 봉(鳳) 곧 임금의 재목(材木).

1031)팔척경뉸(八尺徑輪) : 팔척이나 되는 키와 그 몸둘레를 함께 이르는 말. 경륜(徑輪)은 사물의 지름과 둘레를 함께 이르는 말.

1032)'민텬(旻天)의 우름' : 순(舜)임금이 밭에 나가 부모의 사랑을 얻지 못하는 자신을 원망하며, 또 한편으로는 부모를 사모하여 하늘을 향해 큰 소리로 목 놓아 울었던 고사(故事)를 말함. 『맹자』'만장장구상(萬章章句上)'에 나온다. 민천(旻天)은 어진 하늘

1033)심니츈산(深裏春山) : 봄 산 깊은 곳

1034)다ᄉᆞᄒᆞ다 : 조금 따뜻하다.

山)[846]의 만화방창(萬花方暢)ᄒᆞᆫ 듯, 츈일(春日)이 다ᄉᆞᄒᆞ며 만물을 부흌(扶慉)ᄒᆞᄂᆞᆫ 죠화을 가졋시니, 언어의 쾌활홈과 힝지(行止)의 발양ᄒᆞᆷ은 반졈 거리낀 근심이 업는 ○[듯]ᄒᆞ니, 틱부인과 금후 부부 바야흐로 녀아의 원젹을 슬허 슈미(愁眉)을 펴지 못ᄒᆞ다가, 어ᄉᆞ을 보믹 아름답고 긔이ᄒᆞ여 결울치 못ᄒᆞ며, 틱부인이 진부인과 져런 셔랑을 《닉아‖녀ᄋᆡ》 화락【58】지 못ᄒᆞ고 《금장‖풍상(風霜)》 익회(厄會) 비상ᄒᆞᆷ믈 더욱 ᄒᆞᆫᄒᆞ니, 어ᄉᆞ의 화열ᄒᆞᆷ믈 도로혀 고이히 녁여 비쳑ᄒᆞᆫ ᄉᆞ싀을 뵈지 못ᄒᆞ고, 금평휘 집수 쳑연 왈,

"인인(人人)이 옹셔지졍(翁壻之情)이 부ᄌᆞ지졍만 못ᄒᆞ다 ᄒᆞ되, 나는 실노 너 알믈 쳔아 등과 달니 아닛 고로, 불미○[ᄒᆞᆫ] 소녀로 너의 건즐을 ○○○[소임케]ᄒᆞ미 너의 품질을 과ᄋᆡᄒᆞ고, 웃듬은 영션딕인(令先大人)의 뜻즐 좃ᄎᆞ 널노쎠 동상을 숨아 문난의 광치을 일우고, 녀아의 젼졍이 길이 즐거올가 ᄒᆞ엿더니, 조물이 작희ᄒᆞ고 녀아 명되 고이ᄒᆞ여, 쳔만 긔약지 아닌 슬인 즁슈을[로] 형부의 고장ᄒᆞ니, 법뉼노 의논홀진딕 딕술(代殺)이 벅벅홀지라. 일분 살기을 바라지 아냐더니, 셩은이 여쳔ᄒᆞᄉᆞ 초로일명(草露一命)을 빌녀 장ᄉᆞ의 젹거ᄒᆞ시니, 이는 ᄉᆞ골부육(死骨復育)이오, 고목싱화(枯木生花)[847]{라}ᄒᆞᄂᆞᆫ 호싱지덕(好生之德)이라.

846)심니츈산(深裏春山) : 봄 산 깊은 곳

847)ᄉᆞ골부육(死骨復育) 고목싱화(枯木生花) : 죽은 사람의 뼈에서 살이 다시 돋아나고, 마른 나무에

아 문난의 광ᄎᆡ를 닐위고, 녀ᄋᆞ의 젼졍이 기리 즐거울가 ᄒᆞ엿더니, 조물이 작희ᄒᆞ고 녀ᄋᆞ의 명되【16】 괴이ᄒᆞ여, 살인 듕슈로 형부의 고장ᄒᆞ여시니, 법뉼노 의논ᄒᆞᆯ진ᄃᆡ ᄃᆡ살(代殺)이 벅벅ᄒᆞᆫ디라. 일분 살기를 바라지 아녓더니, ᄀᆡ약지 아닌 셩은이 빗기 더으샤, 초로(草露) 일명을 빌녀 당ᄉᆞ의 뎍거ᄒᆞ시니, 이ᄂᆞᆫ ᄉᆞ골(死骨)이 부흌(復慉)이오, 고목의 ᄉᆡᆼ화(生化)ᄒᆞᄂᆞᆫ 호ᄉᆡᆼ지덕(好生之德)이라. 슈연이나 오ᄃᆡᆨ 한ᄒᆞᄂᆞᆫ 바ᄂᆞᆫ 져의 위인이 간흉의 버셔나 평일 온슌턴 셩ᄒᆡᆼ이 '그린 ᄯᅧᆨ'1035)이 되니, 참연통졀ᄒᆞ믈 ᄎᆞᆷ으랴? 부모 동ᄀᆡᄂᆞᆫ 져의 원억ᄒᆞ믈 알녀니와, ᄉᆞ원은 녀ᄋᆡ 뉴부인을 지를 젹 녕존슉과 ᄒᆞᆫ가지로 보다 ᄒᆞ니, 비록 부부지졍이 듕ᄒᆞ나 살인 듕슈를【17】 ᄎᆞᄌᆞ미 블가ᄒᆞ고, 뉴부인 비명참ᄉᆞᄒᆞ미 슈일(數日)이어ᄂᆞᆯ 복졔(服制)1036)를 츌히지 아니코, 홍포옥ᄃᆡ(紅袍玉帶)로 됴참ᄒᆞ미 방인(傍人)의 시비를 취ᄒᆞ리니, 언지 실체ᄒᆞ미 여ᄎᆞᄒᆞ뇨?"

어ᄉᆡ 흠신(欠身)1037) 샤왈,

"쇼ᄉᆡᆼ이 브ᄌᆡ박덕(不才薄德)으로 합하의 디우지은(知遇之恩)을 닙ᄉᆞ와 모쳠(冒添) 동상(東床)의 은ᄋᆡ를 밧ᄌᆞ완지 세ᄌᆡ 삼년이라. ᄒᆞᆫ갓 반ᄌᆞ지도(半子之道) 디극ᄒᆞᆯ ᄲᆞᆫ 아냐, 션친과 친붕지간이 ᄌᆞ별ᄒᆞ시니 쇼ᄉᆡᆼ 등의 의앙ᄒᆞ옵ᄂᆞᆫ 하졍(下情)이 샤슉의 버금으로 ᄒᆞ오니, 어린 심폐(心肺)를 듯지 아니시나 거의 ᄲᅧ 짐작ᄒᆞ실가 ᄒᆞ엿더니, 이졔 뉴녀의 복졔 아님과 살인ᄌᆞ를 ᄎᆞᄌᆞ 니르믈 의(義) 아니라 ᄒᆞ시니, 실노 우【18】러옵던 ᄇᆡ 아니라. 실인의 ᄒᆡᆼᄉᆞᄂᆞᆫ 살인악ᄉᆞᄂᆞᆫ 니르도 말고 쇼ᄉᆞ(小事)의도 모진 일이 업ᄉᆞ오니, 엇디 뉴녀를 칼노 디르미 이시며, 뉴녀ᄂᆞᆫ 사ᄅᆞᆷ 일운1038) 지1039) 포려(暴戾) 악심(惡心)

1035)'그린 ᄯᅧᆨ' : 그림의 떡. 아무리 마음에 들어도 이용할 수 없거나 차지할 수 없는 경우를 이르는 말.

1036)복제(服制) : ①상례(喪禮)에서 정한 오복(五服)의 제도. ②상복을 입는 일.

1037)흠신(欠身) : 공경하는 뜻을 나타내기 위하여 몸을 굽힘.

슈연이나 오직 ᄒᆞᆫᄒᆞᄂᆞᆫ 바난 져의 위인이 간흉의 버셔ᄂᆞ 평일 온슌턴 셩ᄒᆡᆼ이 그림ᄯᅧᆨ848)이 되니, 참연통졀ᄒᆞ믈 ᄎᆞᆷ으랴? 부모 동ᄀᆡᄂᆞᆫ 져의 원억ᄒᆞ믈 알녀니와, ᄉᆞ원은 녀ᄋᆡ 뉴분[부]인 질을 젹 영존숙(令尊叔))과 ᄒᆞᆫ가지로 보다 ᄒᆞ니, 비록 부부지졍이 듕ᄒᆞ나 ᄉᆞᆯ인 듕슈을 ᄎᆞᄌᆞ미 블가ᄒᆞ고, 뉴부인 비명참ᄉᆞᄒᆞ미 수일(數日)이여ᄂᆞᆯ 복졔(服制)849)ᄂᆞᆯ[ᄅᆞᆯ] 츌히지 아니코 홍포옥ᄃᆡ(紅袍玉帶)로 조ᄎᆞᆷ(朝參)ᄒᆞ미 방인(傍人)의 시비을 취ᄒᆞ리니, 엇지 실체ᄒᆞ미 여ᄎᆞᄒᆞ뇨?"

어ᄉᆡ 흠신(欠身)850) ᄉᆞᄉᆞ 왈,

"소ᄉᆡᆼ이 무ᄌᆡ박덕(無才薄德)으로 합하의 지우지은(知遇之恩)을 입ᄉᆞ와 모쳠(冒添) 동상(東床)의 은ᄋᆡ을 밧ᄌᆞ완지 삼년【59】이라. ᄒᆞᆫ갓 반ᄌᆞ지되(半子之道) 지극ᄒᆞᆯ ᄲᅲᆫ 아냐, 션친과 친분이 ᄌᆞ별ᄒᆞ시니 소ᄉᆡᆼ 등이 모앙(慕仰)ᄒᆞ는 하졍(下情)이 ᄉᆞ숙의 버금으로 아오니, 어린 심폐(心肺)을 듯지 아냐 거의 짐작ᄒᆞ실가 ᄒᆞ엿더니, 뉴녀의 복졔 아님과 ᄉᆞᆯ인ᄌᆞ을 ᄎᆞᄌᆞ 이르믈 의(義) 아니라 ᄒᆞ시니, 실노 우럿던 ᄇᆡ 아니라. 실인의 ᄒᆡᆼᄉᆞᄂᆞᆫ ᄉᆞᆯ인악ᄉᆞᄂᆞᆫ 니르도 말고 《요ᄉᆞ‖쇼사(小事)》의도 모진 일 업ᄉᆞ오니, 엇지 뉴녀을 칼노 지르미 잇시며, 뉴녀ᄂᆞᆫ ᄉᆞᄅᆞᆷ이론지851) 표려(剽戾) 악심(惡心)을 젼주(專主)

서 꽃이 피어남.

848)그림ᄯᅧᆨ : 그림의 떡. 아무리 마음에 들어도 이용할 수 없거나 차지할 수 없는 경우를 이르는 말.

849)복졔(服制) : ①상례(喪禮)에서 정한 오복(五服)의 제도. ②상복을 입는 일.

850)흠신(欠身) : 공경하는 뜻을 나타내기 위하여 몸을 굽힘.

을 젼쥬(專主)ᄒᆞ여 면모의 블길지되(不吉之兆) 무궁ᄒᆞ여, 남ᄌᆞ로 니른ᄌᆞᆨ 반역이 반ᄃᆞᆺᄒᆞᆫ디라. 결단코 쇼ᄉᆡᆼ을 ᄃᆡᆨ희여 박ᄃᆡ를 감심ᄒᆞ다가 녕녀의 ᄒᆡ를 바다 힘힘히 죽지 아니리니, 뉴가 부ᄌᆞᄂᆞᆫ 기녀(其女) 기ᄆᆡ(其妹)로 아라 통곡비상ᄒᆞ나, 쇼ᄉᆡᆼ은 혜건ᄃᆡ 뉴네 아니오, 녕녀(佘女)의 젼형을 비러 독슈의 맛ᄎᆞᆫ ᄌᆞᄂᆞᆫ 결비(決非)1040) 뉴네오, 죽인 ᄌᆞᄂᆞᆫ 녕녀를 믜이 넉여 브ᄃᆡ 녕녀를 업시코져 ᄒᆞ미니, 각별ᄒᆞᆫ 흉계 이【19】셔 진짓 뉴녀ᄂᆞᆫ 됴히 물너나고, ᄂᆡ도ᄒᆞᆫ 거시 죽어 녕녀로 화ᄋᆡᆨ을 당케 ᄒᆞ미라. 사ᄅᆞᆷ이 다 뉴녀의 복졔 출히지 아니믈 시비ᄒᆞ미 잇셔도, 쇼ᄉᆡᆼ의 의심이 동ᄒᆞ여 그 시신을 간예치 아니려 ᄒᆞ옵ᄂᆞ니, 대인이 당시 쇼ᄉᆡᆼ을 무신히 넉이시나 타일 뉴녀의 일이 {드러나}드러나면 쇼ᄉᆡᆼ의 명달ᄒᆞ믈 아르시리이다."

금휘 잠쇼 왈,

"너의 너모 궁극ᄒᆞᆫ 의심이 의외오, 셰상이 다 여심(汝心)을 모로ᄂᆞᆫ ᄌᆞᄂᆞᆫ 뉴시 초상의 님ᄒᆞ여, 복졔 폐ᄒᆞ믈 무신블의(無信不義)로 밀위리라."

어ᄉᆡ ᄃᆡ왈,

"만인이 다 즐ᄎᆡᆨᄒᆞ나 쇼ᄉᆡᆼ의 금셕지심은 요개(搖改)치 아니리이다."

태부인이 탄왈,

"노인이 손녀를【20】 위ᄒᆞ여 화란의 비상ᄒᆞ믈 참연 통절ᄒᆞᄂᆞ니, 군의 말을 드르니 타일지ᄉᆡ 목젼의 버럿ᄂᆞᆫ ᄃᆞᆺ, 혹ᄌᆞ 원억을 신셜ᄒᆞᆯ가 바라미 이시나, 쳔금 약질이 산후 일삭도 못ᄒᆞ여 누쳔니 ᄒᆡᆼ도를 무ᄉᆞ히 득달ᄒᆞ미 어려온 고로, 쳔만 가지 졍ᄉᆡ 간절ᄒᆞ여 보젼치 못ᄒᆞᆯ가 근심이 깁흐니, 군은 비록 댱부의 긔상이 쾌대(快大)ᄒᆞ나 규ᄂᆡ의 《삼ᄉᆞ실(三四室)॥이ᄉᆞᆷ실(二三室)1041)》을

1038)일우다 : 이루다. 예식이나 계약 따위를 진행되게 하다.
1039)지 : 어떤 일이 있었던 때로부터 지금까지의 동안을 나타내는 말.
1040)결비(決非) : 결코 아님.
1041)이솜실(二三室) : 이 대목까지 윤광천이 혼인한 처실들은 정혜주・전성념・유교아 삼인뿐이다.

ᄒᆞ여 면모의 불길지죄(不吉之兆) 무궁ᄒᆞ여, 남ᄌᆞ로 이른 ᄌᆞᆨ 반역이 반ᄃᆞᆺᄒᆞᆫ지라. 결단코 소ᄉᆡᆼ을 직희여 박ᄃᆡ을 감심ᄒᆞ다가 녕녀의 ᄒᆡᆼ[ᄒᆡ]을 바다 힘힘히 죽지 아니리니, 뉴가 부ᄌᆞᄂᆞᆫ 기녀(其女) 기ᄆᆡ(其妹)로 아라 통도비상ᄒᆞ나, 소ᄉᆡᆼ은 혜건ᄃᆡ 뉴네 아니오, 녕녀(佘女)의 젼형을 비러 독수의 맛ᄎᆞᆫ ᄌᆞᄂᆞᆫ 결비(決非)852) 뉴녀오, 죽인 ᄌᆞᄂᆞᆫ 영녀을 믜이 녁여 부ᄃᆡ 영녀을 업시코져 ᄒᆞ미니, 각별ᄒᆞᆫ 흉계 잇셔 진짓 뉴녀ᄂᆞᆫ 조히 물○[너]나고, ᄂᆡ도ᄒᆞᆫ 거시 죽어 영녀로 화ᄋᆡᆨ을 당케 ᄒᆞ미라. ᄉᆞᄅᆞᆷ이 다 뉴녀의 복졔 출히지 아니믈 시비ᄒᆞ미 잇셔도, 소ᄉᆡᆼ의 의심이 듕ᄒᆞ여 그 시신을 간예치 아니려 ᄒᆞ옵ᄂᆞ니, ᄃᆡ인이 당시 소ᄉᆡᆼ을 무식히 녁이시나, 타일 뉴녀의 일이 드러나면 소ᄉᆡᆼ의 명달ᄒᆞ믈 아르시리이다."

금휘 잠소 왈,

"너의 너무 긍극ᄒᆞᆫ 의심이 의외요, 셰상이 다 여심(汝心)을 모로는 ᄌᆞ는 뉴시 초상의 임ᄒᆞ여, 복졔 폐ᄒᆞ물 무신블의(無信不義)로 밀위리라."

어ᄉᆡ ᄃᆡ왈,

"쳔만인이 다 즐ᄎᆡᆨᄒᆞ나 소ᄉᆡᆼ의 금셕지심은 요ᄀᆡ(搖改)치 아니리이다."【60】

ᄐᆡ부인이 탄왈,

"노인이 손녀을 위ᄒᆞ여 화란의 비상ᄒᆞ믈 참연통졀ᄒᆞ더니, 군의 말을 드르ᄆᆡ 타일지ᄉᆡ 목젼의 버런ᄂᆞᆫ ᄃᆞᆺ, 혹ᄌᆞ 원억을 신셜ᄒᆞᆯ가 바라미 잇시ᄂᆞ, 쳔금약질이 산후일삭도 못ᄒᆞ여 누쳔니 ᄒᆡᆼ도을 무ᄉᆞ이 득달ᄒᆞ미 어려온 고로, 쳔만 가지 졍ᄉᆡ 간졀ᄒᆞ여 보젼치 못ᄒᆞᆯ가 근심이 깁흐니, 군은 비록 장부의 긔상이 쾌ᄃᆡ(快大)ᄒᆞ나 규ᄂᆡ의 《ᄉᆞᆷᄉᆞ실(三四室)॥이ᄉᆞᆷ실(二三室)853)》을 두엇다가 화락지 못ᄒᆞ고, ᄉᆞ화(死禍)을 면ᄒᆞᆫ ᄌᆞᄂᆞᆫ 찬젹이오, 원젹을 아닌 ᄌᆞᄂᆞᆫ 본부의 와 쳔일

851)-이론지 : -이런지. -인지. 막연한 의문을 나타내는 연결어미.
852)결비(決非) : 결코 아님.
853)이솜실(二三室) : 이 대목까지 윤광천이 혼인한 처실들은 정혜주・전성념・유교아 삼인뿐이다.

두엇다가 화락지 못ᄒᆞ고, ᄉᆞ화(死禍)를 면ᄒᆞᆫ ᄌᆞᄂᆞᆫ 찬뎍이오, 원뎍을 아닌 ᄌᆞᄂᆞᆫ 본부의와 뎐일을 블견ᄒᆞ고, 옥ᄀᆞᆺ튼 긔린을 ᄉᆡᆼᄒᆞ나 깃브믈 고ᄒᆞᆯ 곳이 업셔ᄒᆞ니, 군의 회픠 여러가지로 난(亂)ᄒᆞᆯ 거시로ᄃᆡ, 이러ᄐᆞᆺ 화열ᄒᆞ미 이 【21】 샹치 아니시랴?"

어ᄉᆡ 진시의 ᄌᆞ긔 허락 업시 본부의 도라가믈 미안ᄒᆞ여, 비록 진ᄐᆡ우의 위력으로 좃ᄎᆞ○…결락12자…○[본부의 이르러시믈 아ᄃᆡ, 블열ᄒᆞ던 듕], 슌산 ᄉᆡᆼᄌᆞᄒᆞ믈 알고 ᄂᆡ렴(內念)의 영힝ᄒᆞᄃᆡ, 못 닛ᄂᆞᆫ 졍인즉 범연치 아니터니, 태부인 말ᄉᆞᆷ으로 좃ᄎᆞ 슈연(愁然)이 념슬 대왈,

"쇼ᄉᆡᆼ이 존당의 이러ᄐᆞᆺ ᄒᆞ시믈 듯ᄌᆞ오니, 인뎡텬니(人情天理)의 괴이치 아니ᄒᆞ오나, 길흉화복이 막비텬쉬(莫非天數)라. ᄌᆞ고로 셩인도 오ᄂᆞᆫ ᄋᆡᆨ을 면치 못ᄒᆞ시니, 형포(荊布)의 화란이 경참ᄒᆞ오나, 이 곳 명운이라. 엇디 한탄ᄒᆞ미 이시리잇고? 쇼ᄉᆡᆼ이 ᄆᆡ져의 ᄉᆞᄉᆡᆼ거쳐를 모로고 오히려 타일을 바라ᄂᆞᆫ ᄇᆡ 잇셔, 봉노시하(奉老侍下)의 과상치 못ᄒᆞ거ᄂᆞᆯ, ᄒᆞ물며 형포 등 【22】 의 ᄋᆡᆨ경을 슬허 ᄆᆡ양 우슈(憂愁) 울억(鬱抑)ᄒᆞ리잇가? 원컨ᄃᆡ 존당은 이런 일의 무익ᄒᆞᆫ 셩녀를 허비치 마르쇼셔. ᄋᆡᆨ화(厄禍)의 ᄉᆡᆨ진 ᄌᆡ 다 풍운의 길시를 만나 일ᄐᆡᆨ지샹(一宅之上)의 영화로이 못기를 기다리쇼셔."

태부인이 어ᄉᆞ의 흐르ᄂᆞᆫ 말ᄉᆞᆷ의 ᄯᅩᄒᆞᆫ 잠소ᄒᆞ나 명일은 니발(離發)ᄒᆞᆯ ᄂᆞᆯ이라, 합문의 《비결∥비졀(悲絶)》ᄒᆞ믈 니기지 못ᄒᆞ여○○○[ᄒᆞ더라],

ᄎᆞ시 뎡쇼졔 침소의 도라왓더니, 태부인이 젼어 왈,

"손ᄋᆞ 부부ᄂᆞᆫ 계오 삼오쳥츈이오, 녹발이 쇠ᄒᆞᆯ 날이 머러시니 젼졍이 만니라. 타일 상봉회합ᄒᆞ여, 오날ᄂᆞᆯ 화란을 일장츈몽으로 알녀니와, 노모는 칠슌이 거의라, 혹ᄌᆞ 너의 환쇄 【23】 ᄒᆞ믈 보디 못ᄒᆞᆯ가 슬허ᄒᆞᄂᆞ니, 윤군이 ᄒᆞᆫ 당의 모든 ᄡᅵ나 좌간을 ᄡᅥ나지 말고, 조손 부부 부녀 남ᄆᆡ 다 니졍(離情)을 위로ᄒᆞ라."

을 불견ᄒᆞ고, 옥갓튼 긔린을 ᄉᆡᆼᄒᆞ나 깃부믈 고ᄒᆞᆯ 곳지 업셔 ᄒᆞ니, 군의 회픠 여러 가지로 난(亂)ᄒᆞᆯ 거시로ᄃᆡ, 이러틋 화열ᄒᆞ미 이상치 아니랴?"

어ᄉᆡ 진시의 ᄌᆞ긔 허락 업시 도라오믈 미안ᄒᆞ여, 비록 진ᄐᆡ우의 위력으로 좃ᄎᆞ 본부의 이르러시믈 블열ᄒᆞ나, 슌산 ᄉᆡᆼᄌᆞᄒᆞ믈 알고 ᄂᆡ렴(內念)의 영힝ᄒᆞ며, 못 잇ᄂᆞᆫ 졍인 즉 범연치 아니터니, ᄐᆡ부인 말ᄉᆞᆷ을 좃ᄎᆞ 수연(愁然)이 염슬 ᄃᆡ왈,

"길흉화복이 막비쳔쉬(莫非天數)라. ᄌᆞ고로 셩인도 오ᄂᆞᆫ ᄋᆡᆨ을 면치 못ᄒᆞ시니, 형포(荊布)의 화란이 공참(孔慘)ᄒᆞ오나, 이 곳 명운이라. 엇지 ᄒᆞᆫ탄ᄒᆞ미 잇시리잇고? 소ᄉᆡᆼ이 ᄆᆡ져의 ᄉᆞᄉᆡᆼ거쳐을 모로고 오히려 타일을 바라ᄂᆞᆫ ᄇᆡ 잇셔, 봉노시하(奉老侍下)의 과상치 못ᄒᆞ거ᄂᆞᆯ, 허물며 형포 등 ᄋᆡᆨ경을 슬허 ᄆᆡ양 우슈(憂愁) 울억(鬱抑)ᄒᆞ리잇고? 원컨ᄃᆡ 존당은 이런 일의 무익ᄒᆞᆫ 셩녀을 허비치 마르소셔. ᄋᆡᆨ화(厄禍)의 ᄡᆡ진 ᄌᆡ 다 풍운 길시을 만나 영화로이 일ᄐᆡᆨ의 못기을 기ᄃᆞ리소셔"

ᄐᆡ부인이 어ᄉᆞ의 흐【61】르ᄂᆞᆫ 말ᄉᆞᆷ의 ᄯᅩᄒᆞᆫ 잠소ᄒᆞ나 명일은 니발(離發)이라. 합문의 비졀(悲絶)ᄒᆞ믈 이긔지 못ᄒᆞ여 ᄒᆞ더라.

ᄎᆞ시 뎡소져 침소의 도라왓더니, ᄐᆡ부인이 젼어 왈,

"손아 부부ᄂᆞᆫ 겨유 ᄉᆞᆷ오쳥츈이오, 녹발이 쇠ᄒᆞᆯ 날이 머러시니 젼졍이 만니라. 타일 상봉회환ᄒᆞ여 오날날 화란을 일장츈몽으로 알녀니와, 노모ᄂᆞᆫ 칠슌이 거의라. 혹ᄌᆞ 너의 환쇄ᄒᆞ물 보지 못ᄒᆞᆯ가 슬허ᄒᆞᄂᆞ니, 윤군이 ᄒᆞᆫ당의 모든 ᄡᅵᄂᆞᆫ 좌간을 ᄡᅥᄂᆞ지 말고 좃ᄎᆞ 부녀와 부부 남ᄆᆡ 니졍(離情)을 위로ᄒᆞ라."

쇼졔 승명ᄒᆞ여 조모 좌하의 안ᄌᆞ니, 어ᄉᆞ로 ᄃᆡ좌ᄒᆞᄆᆡ ᄌᆞ긔 악ᄉᆞ를 디으미 아니로ᄃᆡ, 누얼을 붓그려 옥면의 홍광이 취디(聚之)ᄒᆞ고, 팔ᄌᆞ츈산(八字春山)이 나ᄌᆞᆨᄒᆞ여 홍슈를 뎡히 ᄭᅳᄌᆞ 츄연 시좌ᄒᆞ니, 일만 염ᄐᆡ와 일쳔 광염이 좌우의 됴요ᄒᆞ니, 됴일(照日)이 만방의 찬난ᄒᆞ며, ᄇᆡᆨ년(白蓮)이 녹파(綠波)의 소ᄉᆞᆫ ᄃᆞᆺ, 어리로온 거동과 천연ᄒᆞᆫ 위의 뎨슌(帝舜)이 남훈뎐(南薰殿)[1042] 샹의 한가ᄒᆞ심과, 녀와시(女媧氏)[1043] 농상의 좌ᄒᆞ심 ᄀᆞᆺᄐᆞ니, 무ᄉᆞ무려(無思無慮)ᄒᆞ고 유졍유일(惟精惟一)[1044]ᄒᆞ여 셰경을 모로ᄂᆞᆫ ᄃᆞᆺᄒᆞ니, 【24】 존당 부뫼 ᄉᆡᆨ로이 황홀 ᄋᆡ련ᄒᆞ여 니졍을 ᄎᆞ악상비ᄒᆞ고, 병부 등이 츄연(惆然) 결훌(缺欻)[1045]ᄒᆞ나, 태모의 심ᄉᆞ를 요동치 아니려 화담희어로 즐기시믈 요구ᄒᆞ여, 현긔 등 쇼ᄋᆞ와 슉녈의 ᄉᆡᆼᄋᆞ를 좌간의 ᄂᆡ여 작인(作人)의 특이ᄒᆞ믈 볼 젹마다 통ᄋᆡᄒᆞ니, 비록 슬픈 듕이나 병부의 번화(繁華)ᄂᆞᆫ 만히 감치 아닌디라, 어ᄉᆡ 투목(偸目)으로 부인을 잠간 보고, 금후긔 뭇ᄌᆞ오ᄃᆡ,

"실인 호힝을 완뎡ᄒᆞ엿ᄂᆞ니잇가."

공이 답왈,

"뎐흥이 호힝ᄒᆞᆯ딘ᄃᆡ 위ᄐᆡᄒᆞᆫ 념녜 업술 거시로ᄃᆡ, 병부 ᄃᆡᆨ임이 듕대ᄒᆞ니 슈삼삭 슈유(受由)를 엇디 못ᄒᆞᆯ 거시오, 닌흥은 근간 신음ᄒᆞᄆᆡ 쳔니 원힝 【25】 이 어려워, 브ᄃᆡ 셰흥을 보닐가 시브ᄃᆡ, 셰ᄋᆞ의 위인이 무ᄉᆡᆨ 과격ᄒᆞ고 소활 방탕ᄒᆞ여 삼가미 업셔 남과 결우려 ᄒᆞ니, 누의를 무ᄉᆞ히 다려가지 못ᄒᆞᆯ

1042)남훈뎐(南薰殿) : 순임금이 오현금(五絃琴)으로 남풍시(南風詩)를 타 백성들의 불만을 어루만져주던 전각.

1043)녀와시(女媧氏) : 여왜(女媧). 중국의 천지 창조 신화에 나오는 여신. 오색 돌을 빚어서 하늘의 갈라진 곳을 메우고 큰 거북의 다리를 잘라 하늘을 떠받치고 갈짚의 재로 물을 빨아들이게 하였다고 한다. 사람의 얼굴과 뱀의 몸을 한 여신으로 알려져 있다.

1044)유졍유일(惟精惟一) : 오직 한 가지 일에 마음을 쏟아 정성을 다함.

1045)결훌(缺欻) : 무엇인가를 잃은 것 같은 서운한 마음이 일어남.

소져 승명ᄒᆞ여 조모 좌ᄒᆞ의 안ᄌᆞ 어ᄉᆞ로 ᄃᆡ좌ᄒᆞᄆᆡ, ᄌᆞ긔 악ᄉᆞ을 지으미 아니로ᄃᆡ, 누언을 붓그려 옥명[면]의 홍광이 취지ᄒᆞ고 팔ᄌᆞ츈산(八字春山)[854]이 나작ᄒᆞ여 홍수을 졍히 ᄭᅳᄌᆞ 추연 시좌ᄒᆞ니, 일만 염ᄐᆡ와 일쳔 광염이 좌우의 조요ᄒᆞᆫ지라. 존당부뫼 ᄉᆡᆨ로이 황홀ᄋᆡ련ᄒᆞ여 니졍을 ᄎᆞ악상비ᄒᆞ고, 병부 등이 츄연(惆然) 결훌(缺欻)[855]ᄒᆞ나 ᄃᆡ모의 심ᄉᆞ을 요동치 아니려 비ᄉᆡᆨ을 감초ᄂᆞᆫ지라. 어ᄉᆡ 투목으로 부인을 잠간 보고, 금후긔 뭇ᄌᆞ오ᄃᆡ,

"《형이‖형인(荊人)》○[의] 호힝을 완졍ᄒᆞ엿ᄂᆞ잇가?"

휘 답왈,

"쳔흥이 호힝ᄒᆞᆯ진ᄃᆡ 위ᄐᆡᄒᆞᆯ 념녀 업술 거시로ᄃᆡ, 병부 직임이 듕ᄃᆡᄒᆞ니 수숨삭 수유(受由)을 엇지 못ᄒᆞᆯ 거시오, 인흥은 근간 신음ᄒᆞᄆᆡ 쳔니 원힝이 어려워, 브득이 셰흥을 보닐가 ᄒᆞᄃᆡ, 셰아의 위인이 무식 과격ᄒᆞ고 소활 방탕ᄒᆞ여 ᄒᆞᆫ 일 삼가미 업셔 남과 결우려 ᄒᆞ니, 누의을 무ᄉᆞ이 다려가지 못ᄒᆞᆯ가 근심ᄒᆞ노라."

854)팔ᄌᆞ츈산(八字春山) : 화장한 눈썹을 이르는 말

855)결훌(缺欻) : 무엇인가를 잃은 것 같은 서운한 마음이 일어남.

가 념ᄒᆞ노라."

어ᄉᆞ 쇼이ᄃᆡ왈(笑而對曰),

"사ᄅᆞᆷ되오미 셰흥 ᄀᆞᆺ튼 후ᄂᆞᆫ 당ᄉᆞ 아녀 만니 타국이라도 념녀 업ᄉᆞ오나, 국개 셜과ᄒᆞ샤 디격(至隔) 슈슌이어ᄂᆞᆯ, 셰흥 ᄀᆞᆺ튼 쥰걸을 과장의 블참케 ᄒᆞ시미 블가ᄒᆞ니, 후ᄇᆡᆨ 형이 비록 신질이 이시나 장ᄉᆞ 왕반의 더ᄒᆞ든 아닐 거시니, 후ᄇᆡᆨ으로 호힝케 ᄒᆞ시고 셰흥으로뼈 입과(入科)케 ᄒᆞ시미 가ᄒᆞ니이다."

금휘 미급답의 태부인 왈,

"셰흥의 년긔 이뉵을 디나 신댱긔위(身長氣威)【26】 미딘ᄒᆞᆫ 거시 업ᄉᆞᆫᄃᆡ 엇디 과장의 블참ᄒᆞ리오. 닌흥이 못갈진ᄃᆡ 텬흥이 병부 ᄃᆡ임이 듕대ᄒᆞ나, 슈월 슈유ᄒᆞ여 손ᄋᆞ를 호힝ᄒᆞ라."

금휘 모친의 울울ᄒᆞ신 심ᄉᆞ의 과경이나 보고져 ᄒᆞ시믈 역지 못ᄒᆞ여 ᄃᆡ왈,

"ᄌᆞ괴 여ᄎᆞᄒᆞ시고 ᄉᆞ원의 말이 올ᄉᆞ오나, 셰흥의 신댱긔질이 슉셩ᄒᆞ오ᄃᆡ 힝실은 무일가취(無一可取)오니, 져런 거ᄉᆞᆯ 일즉이 입과ᄒᆞ여 혹ᄌᆞ 방말(榜末)의나 참예ᄒᆞ올진ᄃᆡ 취화(取禍)ᄒᆞᆯ 마ᄃᆡ오니, 쇼지 ᄆᆡ양 졔ᄋᆞ 듕 셰흥을 념녀ᄒᆞᄂᆞ이다."

태부인이 셰흥의 옥면뉴풍(玉面柳風)1046) 과 뉴슈지언(流水之言)이 능녀 활발ᄒᆞ여, 병부 여【27】풍(餘風)이 만흔디라, 태부인이 년ᄋᆡᄒᆞᄂᆞᆫ 고로 금후의 ᄆᆡ양 나모라ᄒᆞ믈 블열ᄒᆞ여, 셰흥의 댱쳐를 모화 니르며 ᄌᆡᄌᆞ쥰걸이믈 니르니, 공이 모명을 슌슈ᄒᆞ여 셰흥을 장ᄉᆞ의 보ᄂᆡ지 아니려 ᄒᆞᆯᄉᆡ, 시랑의 신질이 풍한의 상ᄒᆞᆫ ᄇᆡ러니, 일긔 졈졈 츈화(春和)ᄒᆞᄆᆡ, 나으믈 일ᄏᆞᆺ고 쇼ᄆᆡ를 호힝ᄒᆞ려 ᄒᆞ니, 금휘 마디 못ᄒᆞ여 허ᄒᆞ더라.

병뷔 어ᄉᆞ를 닛그러 화경의 니르러 시ᄋᆞ로 진쇼져를 쳥ᄒᆞ고, 어ᄉᆞ다려 왈,

"진ᄆᆡ 분산 후 일칠일(一七日)이 디낫거니와 쇼ᄆᆡ로 더브러 원별을 아니치 못ᄒᆞ리니, 쇼ᄆᆡᄂᆞᆫ 누명을 븟그려 외가의 가지 아

1046)옥면뉴풍(玉面柳風) : 옥처럼 하얀 얼굴과 버들처럼 날렵한 풍채.

어ᄉᆡ 소이ᄃᆡ왈(笑而對曰),

"ᄉᆞᄅᆞᆷ되오【62】미 셰흥 갓트면 장ᄉᆞ 아냐 만니타국이라도 염녀 업ᄉᆞ오나, 국가의 셜과ᄒᆞᄉᆞ 지격(至隔) 수슌이여날, 셰흥 갓튼 쥰걸을 과장의 불참케 ᄒᆞ시미 블가ᄒᆞ니, 후ᄇᆡᆨ 형이 비록 신질이 잇시나 장ᄉᆞ 왕반의 더ᄒᆞ든 아닐 거시니, 후ᄇᆡᆨ 형으로 힝케 ᄒᆞ시고 셰흥으로써 입과(入科)케 ᄒᆞ시미 가ᄒᆞ니이다."

금휘 미급답의 ○[ᄐᆡ]부인 왈,

"셰흥의 년긔 이뉵의 지나 신장긔위(身長氣威) 미진ᄒᆞᆫ 거시 업거ᄂᆞᆯ, 엇지 과장의 불츰ᄒᆞ리오. 인흥이 못 갈진ᄃᆡ 쳔흥이 병권 즁임이 즁ᄃᆡᄒᆞ나, 수월 수유ᄒᆞ여 손아을 호힝ᄒᆞ라."

금휘 모친의 울울ᄒᆞᆫ 심ᄉᆞ의 과경이나 보고져 ᄒᆞ시물 역지 못ᄒᆞ여 ᄃᆡ왈,

"ᄌᆞ교 여ᄎᆞᄒᆞ시고 ᄉᆞ원의 말이 올ᄉᆞ오나, 셰흥의 신장긔질이 숙셩ᄒᆞᄃᆡ 힝신은 무일가취(無一可取)오니 져런 거ᄉᆞᆯ 일즉이 입과ᄒᆞ여 혹ᄌᆞ 방말(榜末)의나 참녜ᄒᆞᆯ진ᄃᆡ 취화(取禍)ᄒᆞᆯ 마ᄃᆡ오니, 소지 ᄆᆡ양 졔아 듕 셰흥을 념여ᄒᆞᄂᆞ이다."

ᄐᆡ부인이 셰흥의 옥면호풍(玉面豪風)과 뉴슈지언(流水之言)이 능녀 활발ᄒᆞ여, 병부 여풍(餘風)이무로, ᄐᆡ부인이 연ᄋᆡ(憐愛)ᄒᆞᄂᆞᆫ지라. 금후의 ᄆᆡ양 나모라ᄒᆞ믈 블열ᄒᆞ여, 세흥의 장쳐을 모화 이르며 ᄌᆡᄌᆞ쥰결이믈 이르니, 휘 모명을 슌수ᄒᆞ여 셰흥을 장ᄉᆞ의 보ᄂᆡ지 아니려 ᄒᆞᆯᄉᆡ, 시랑의 신질이 풍한의 상ᄒᆞᆫ ᄇᆡ러니, 일긔 졈졈 츈화(春和)ᄒᆞᄆᆡ, 나으믈 일컷고 소ᄆᆡ을 호힝ᄒᆞ려 ᄒᆞ니, 금휘 마지 못ᄒᆞ여 허하ᄒᆞ더라.

병뷔 어ᄉᆞ을 익그러 화경의 이르러 시아로 진소져을 쳥ᄒᆞ고, 어ᄉᆞ다려 왈,

"진ᄆᆡ 분산 후 칠일이 지나거니와 소ᄆᆡ로 더【63】 원별을 아니치 못ᄒᆞ리니, 소ᄆᆡᄂᆞᆫ 누명을 븟그려 외가의 가지 아니코, 진ᄆᆡᄂᆞᆫ {누명 업시} ᄉᆞ라시물 아모ᄃᆡ도 젼파치 아니려 심당 벽쳐의 두문불츌ᄒᆞ니, 피ᄎᆞ 상견

니코,【28】 진믹는 ᄉ라시믈 아모 듸도 젼파치 아니려 심당벽쳐의 두문블츌ᄒ니, 피ᄎ 상견이 어려워 지쳑쳔니 되엿ᄂ니, 내 이졔 표믹를 쳥ᄒ리니, ᄉ원은 빵개 슉녀로 회포를 니를디어다.”

어싀 은은 함쇼 왈,

“니른바 빵개 슉녀는 ‘그림의 썩’이라, ᄒ나흔 살인 듕슈로 슈쳔니 원디의 찬뎍ᄒ고, ᄒ나흔 쇼뎨를 업슨 것ᄀ치 ᄒ여 친당 번화를 좃오니, 쇼뎨 가실이 아니라 유뮈불관(有無不關)토소이다.”

병뷔 ᄭ지져 왈,

“네 비록 낫가족이 둣거워도 진믹를 칙죄홀 빅 업ᄉ리니, 어나 집이 며나리를 이믹ᄒᆫ 죄루의 모라 너허,【29】 말좌쳔비(末座賤婢)의 당ᄒ는 틱장을 더어 닉치는 규귀 어듸 잇더뇨? 표믹는 온슌ᄒᆫ 부인이라, 일동일졍을 ᄌ젼치 아닐 사름이로듸, 네 브졀업시 다려다가 강교(江郊)의 후리치니[1047] 진형 등이 동긔지졍으로 그 비고(悲苦)ᄒ믈 잔잉ᄒ여 위력으로 다려왓거니와, 진믹 일호 군가를 원망ᄒ미 업고 녕존당 태부인 과악을 ᄀ초아 스ᄉ로 작죄ᄒᆷ ᄀ치 ᄒ니, 실노 녀ᄌ 되오미 잔잉ᄒᆫ디라. ᄉ원이 므ᄉ일 진믹를 나모라 ᄒᄂ뇨?”

어싀 미쇼 왈,

“형이 진시를 아름다온 줄노 니르시나, 원간 녕믹나 진시나 셩회(誠孝) 흡흡(洽洽)지 못ᄒ고, 위인이 온슌치 못ᄒ기로 부득지(不得志)라. 텬【30】하(天下)의 무블시져부뫼(無不是底父母)[1048]라 ᄒ니, 형이 싱각지 못ᄒ시냐?”

병뷔 쇼왈,

“ᄉ원이 이졔 냥믹를 다 블합히 녁일진듸, 다시 슉녀를 취ᄒ리니 엇디 환거(鰥居)ᄒ리오.”

언파의 시녀로 쇼져를 쳥ᄒ듸, 굿ᄐ여 어

1047)후리치다 : 감추다.
1048)텬하(天下) 무불시져부모(無不是底父母) : 천하에 옳지 않은 부모는 없다. 『小學』 <嘉言>편에 나오는 말.

이 어려워 지쳑이 쳔니 되엿시니 닉 이졔 표믹을 쳥ᄒ리니, ᄉ원은 양ᄀ 숙녀로 {쳥ᄒ여} 회포을 일울지어다.”

어ᄉ 은은 함소 왈,

“니른 바 양ᄀ숙녀는 ‘그림의 썩’이라. ᄒ나흔 ᄉᆞᆯ인 듕수로 수쳔니 원지의 찬젹ᄒ고, ᄒ나흔 소졔을 업슴 갓치 ᄒ고 친당번화을 ᄯᅳ르니, 소졔 가실이 아니라. 유뮈불관(有無不關)토소이다.”

병뷔 ᄭ지져 왈,

“네 비록 낫가족이 둣거워도 진믹 칙죄홀 빅 업ᄉ리니, 어닉 집의 며ᄂ리을 이믹ᄒᆫ 죄루의 모라너허, 말(末)지 쳔비(賤婢)의 당ᄒ는 틱장을 더○[어] 닉치는 규구 어듸 잇ᄂ뇨? 표믹는 온슌ᄒᆫ 부인이라. 일동일졍을 ᄌ젼홀 ᄉ름이 아니로듸, 네 브졀 업시 다려다가 《장교∥강교(江郊)》의 후리치니[856] 진형 등이 동긔지졍으로 빈[비]고(悲苦)ᄒ물 잔잉ᄒ여 위력으로 ○○[다려]왓거니와, 진믹 일호 군가을 원망ᄒ미 업고 영존 틱부인 과악을 감초아 스ᄉ로 작죄ᄒᆷ 갓치 ᄒ니, 실노 녀ᄌ되미 잔잉ᄒᆫ지라. ᄉ원이 무슴 일노 진믹을 나모라 ᄒ나뇨?”

어싀 미소 왈,

“형이 진시을 아름다온 쥴 아르시거니와, 원간 영믹나 진시나 셩효(誠孝) 흡흡(洽洽)지 못ᄒ고 위인이 온슌치 못ᄒ기로 브득지(不得志)라. 쳔ᄒ(天下)의 무불시져부모(無不是底父母)[857]라 ᄒ니, 형이 싱각지 못ᄒ시냐?”

병뷔 소왈,

“ᄉ원이 이졔 냥믹 다 불합히 녁일진듸 다시 숙녀을 취ᄒ리니 엇지 환거(鰥居)ᄒ리오.”

언파의 시녀로 소져을 쳥ᄒ【64】니, 굿

856)후리치다 : 감추다.
857)쳔ᄒ(天下) 무불시져부모(無不是底父母) : 천하에 옳지 않은 부모는 없다. 『小學』 <嘉言>편에 나오는 말.

ᄉᆞ의 와시믈 젼치 아니코, 뎡쇼졔 명일 원별의 슬픈 회포를 낫ᄎᆞ로 펴고져 ᄒᆞ믈 닐너 협문으로 오라 ᄒᆞ니, 진시 실노 츌입ᄒᆞᆯ 의ᄉᆡ 업ᄉᆞ나 뎡쇼져를 원별ᄒᆞᄂᆞᆫ 의ᄉᆡ 참연ᄒᆞ여, 브득이 쵹을 잡히고 뎡부 션화졍을 향ᄒᆞᆯᄉᆡ, 뎡슉녈이 바야흐로 뎡당으로셔 나오다가, 진쇼져를 보고 반기ᄂᆞᆫ 졍과 슬픈 회픠【31】 교집ᄒᆞ여, 밧비 손을 잡고 문을 열ᄆᆡ, 어ᄉᆞ와 병뷔 잇ᄂᆞᆫ디라. 진쇼졔 본부로 올 쩍의 어ᄉᆞ의 허락을 듯지 못ᄒᆞ엿ᄂᆞᆫ디라. ᄆᆡ양 방심치 못ᄒᆞ더니, 어ᄉᆞ를 ᄃᆡᄒᆞᄆᆡ 일만(一萬) 블안ᄒᆞ미 이셔, 셔로 녜필 좌뎡(坐定)의 병뷔 니러나며, 쇼왈,

“너의 부부 삼인이 일실의 모다 나의 이시믈 괴로이 녁이ᄂᆞᆫ 고로 마디 못ᄒᆞ여 나가노라.”

어ᄉᆡ 미쇼 왈,

“형이 동긔지졍으로 남ᄆᆡ 별회를 니르면 밤이 딘토록 다치[1049] 못ᄒᆞᆯ 비어ᄂᆞᆯ, 엇디 쇼뎨를 맛지고 나가시ᄂᆞ뇨?”

병뷔 우으며 나가거ᄂᆞᆯ, 어ᄉᆡ 홍션으로 유ᄋᆞ를 다려오라 ᄒᆞ니, 슈유의 신ᄋᆞ를 다려 압【32】히 노흐니, 일쳑 ᄇᆡᆨ옥이 영형 긔이ᄒᆞ여 오악(五嶽)[1050]이 슈긔(秀氣)ᄒᆞ며 일월졍ᄎᆡ(日月精彩) 어ᄅᆡ여시니, 뇽미봉안의 광ᄎᆡ 징징(澄澄) 발월(發越)ᄒᆞ여 텬뎡(天庭)이 두렷ᄒᆞ고 휜츌ᄒᆞ여, 셕대댱ᄆᆡᆼ(碩大壯猛)ᄒᆞᆫ 긔골이 대쇄 비록 다르나 완연이 ᄌᆞ긔 형용이라. 부ᄌᆞ텬뉸의 디극ᄒᆞᆫ ᄉᆞ랑이 황홀 늉흡ᄒᆞ미 뎡시 ᄉᆡᆼᄋᆞ로 다르미 업ᄉᆞᄃᆡ, 진시를 미온(未穩)ᄒᆞ미 심ᄒᆞ여, 뎡ᄉᆡ 냥구의 봉안을 흘녀 진시를 보아 왈,

“ᄉᆡᆼ이 비록 용우ᄒᆞ나 ᄌᆞ의게ᄂᆞᆫ 쇼텬이어ᄂᆞᆯ, 임의 강졍을 분산 젼 써나지 말고져 ᄒᆞ며[ᄃᆡ], 도라가믈 니르지 아니코 거취를 ᄌᆞ힝ᄒᆞ여 ᄉᆡᆼ을 업슨 것ᄀᆞᆺ치 ᄒᆞ【33】고, ᄌᆞ의 졔형이 옥여 다려가나 ᄎᆞᄋᆡ 난 지 일칠일이 디나ᄃᆡ 소식을 젼치 아냐, 부ᄌᆡ 상견치 못

1049)다치 : ‘다ᄒᆞ지’의 준말.

1050)오악(五嶽) : 얼굴의 두 눈과 두 콧구멍, 입을 말함.

ᄒᆞ여 어ᄉᆞ의 왓시믈 젼치 아니코, 뎡소져 명일 원별의 슬픈 회포로 낫츨 펴고져 ᄒᆞ믈 일너 협문으로 오라 ᄒᆞ니, 진시 실노 츌입ᄒᆞᆯ 의ᄉᆡ 업ᄉᆞ나, 뎡시을 원별ᄒᆞᄂᆞᆫ 의ᄉᆡ 참연ᄒᆞ여, 브득이 쵹을 잡히고 뎡부 션화졍으로 향ᄒᆞᆯᄉᆡ, 뎡소져 바야흐로 뎡당으로 나오다가, 진소져을 보고 반기ᄂᆞᆫ 졍과 슬픈 회포 교집ᄒᆞ여, 밧비 손을 잡고 문을 열ᄆᆡ, 어ᄉᆞ와 병뷔 잇ᄂᆞᆫ지라. ○…결락23자…○[진쇼졔 본부로 올 쩍의 어ᄉᆞ의 허락을 듯지 못ᄒᆞ엿ᄂᆞᆫ디라.] ᄆᆡ양 방심치 못ᄒᆞ더니, 어ᄉᆞ을 ᄃᆡᄒᆞᄆᆡ 일단 불안ᄒᆞ미 잇셔 셔로 녜필 죄[좌]졍(坐定)의 병뷔 이러나며 소왈,

“너의 부부 ᄉᆞᆷ인이 일실의 모다 나의 잇시물 괴로이 녁이ᄂᆞᆫ 고로 마지 못ᄒᆞ여 나가로라.”

어ᄉᆡ 미소 왈,

“형이 동긔지졍으로 남ᄆᆡ 별회을 이르면 밤이 진토록 다 못ᄒᆞᆯ 비여ᄂᆞᆯ 엇지 소졔을 맛기고 나가시ᄂᆞ뇨?”

병뷔 우으며 나가거ᄂᆞᆯ, 어ᄉᆡ 홍션으로 유아을 다려오라 ᄒᆞ니, 슈유의 신아을 다려 압히 노호ᄆᆡ, 일쳑 ᄇᆡᆨ옥이 영형 긔이ᄒᆞ여 오악(五嶽)[858]이 수긔(秀氣)ᄒᆞ며 일월졍ᄎᆡ(日月精彩) 어렷시며, 용미봉안의 광ᄎᆡ 징징(澄澄) 발월(發越)ᄒᆞ여 쳔졍(天庭)이 두렷ᄒᆞ고 원츌ᄒᆞ며, 셕ᄃᆡ장ᄆᆡᆼ(碩大壯猛)ᄒᆞᆫ 긔골이 ᄃᆡ소 비록 다르나 완연이 ᄌᆞ긔 형용이라. 부ᄌᆞ쳔뉸의 지극ᄒᆞᆫ ᄉᆞ랑이 뎡시 ᄉᆡᆼ아로 다르미 업ᄉᆞᄃᆡ, 진시을 미온(未穩)ᄒᆞ미 심ᄒᆞ여 뎡ᄉᆡ 양구의 봉안을 흘녀 진시을 보아 왈,

“ᄉᆡᆼ이 비록 용우ᄒᆞ나 ᄌᆞ의게ᄂᆞᆫ 소쳔이어ᄂᆞᆯ, 임의 강졍을 분산젼 써ᄂᆞ지 말고져 ᄒᆞᄃᆡ, 도라가물 니르지 아니코 ᄌᆞ힝ᄒᆞ여 ᄉᆡᆼ을 업슴 갓치 ᄒᆞ고, ᄌᆞ의 졔형이 옥여 다【65】려 가나 ᄎᆞᄋᆡ 난지 일칠일이 지나ᄃᆡ 소식을 젼치 아냐, 부ᄌᆡ 상봉치 못ᄒᆞ게 홈은 엇지 고져ᄒᆞᄂᆞᆫ 의ᄉᆞ뇨?”

858)오악(五嶽) : 얼굴의 두 눈과 두 콧구멍, 입을 말함.

ᄒᆞ믄 엇디코져 ᄒᆞᄂᆞᆫ 의ᄉᆡ뇨?"

쇼졔 어ᄉᆞ의 블호디ᄉᆡᆨ과 쥰졀지언을 드르ᄆᆡ, ᄌᆞ긔 그 허락을 듯지 못ᄒᆞ고 도라오미 비록 소리(率爾)히[1051] ᄒᆞ여시나, 그 조모와 슉모의 극악대흉을 ᄉᆡᆼ각ᄒᆞᄆᆡ, 비록 어ᄉᆞ의 타시 아니나 심니의 구가(舅家)도 감은ᄒᆞᆫ 의ᄉᆡ 나지 아니ᄒᆞ며, 어ᄉᆡ 그 가ᄉᆞ를 도라보디 아니믈 그윽이 한ᄒᆞ여 냥안을 낫초고 믁연 블응ᄒᆞ니, 어ᄉᆡ 진시의 픔되 유열ᄒᆞ미 부죡ᄒᆞ여 뎡시의 쳔균대량과 츈양화긔를 ᄯᆞ로지 못ᄒᆞ믈, 본【34】ᄃᆡ 모로디 아니ᄒᆞᄃᆡ, 금일 이ᄀᆞᆺ치 ᄂᆡᆼ녈(冷烈)ᄒᆞᆫ ᄉᆞᄉᆡᆨ을 보ᄆᆡ, 크게 미흡ᄒᆞ여 일장을 쥰ᄎᆡᆨᄒᆞ여 녀ᄒᆡᆼ과 부덕을 모로고 방자 교우ᄒᆞ믈 니르ᄃᆡ, 짐즛 쇼져로 ᄒᆞ여곰 노분이 튱격게 ᄒᆞ나, 쇼져의 단엄경열(端嚴貞烈)ᄒᆞ미 금옥의 견고홈과 츄상의 ᄂᆡᆼ담ᄒᆞ믈 겸ᄒᆞ여, 말숨이 젹으며 네뫼 빈빈(彬彬)ᄒᆞ여 부뷔 언젼힐난(言戰詰難)을 긔괴히 넉이므로, 어ᄉᆞ의 곤ᄎᆡᆨ을 당ᄒᆞᄃᆡ 굿ᄐᆞ여 블평ᄒᆞᆫ 답언이 업셔, 날호여 념임(斂衽)ᄒᆞ고 왈,

"쳡이 브릉누질노 셩문의 의탁ᄒᆞᄆᆡ, ᄒᆡᆼᄉᆡ 블미ᄒᆞ고 ᄉᆞ덕이 박ᄒᆞ여 망측ᄒᆞᆫ 죄뤼 층츌ᄒᆞ여, 일명이 보젼키 어려온디라, 임【35】의 존당이 죽으믈 명ᄒᆞ시니 감히 살고져 ᄯᅳᆺ이 업습거ᄂᆞᆯ, 일누 잔쳔이 구구 투ᄉᆡᆼᄒᆞ여 오날ᄂᆞᆯ가지 셰샹의 이시미 군ᄌᆞ의 구활디덕(救活之德)이라. ᄉᆡᆼᄉᆞ거취 다 군ᄌᆞ 장니(掌裏)의 이시니, 엇디 감히 친젼의 도라가믈 ᄌᆞᄒᆡᆼ(自行)ᄒᆞ리잇고마ᄂᆞᆫ, 가형의 호의(狐疑) 업순 ᄆᆞᄋᆞᆷ의 쳡의 거쳬 외로오믈 닛디 못ᄒᆞ여 위력으로 다려오나, 쳡이 ᄯᅩ 강경을 ᄡᅥ나지 말고져 ᄒᆞᄃᆡ, 그윽이 ᄉᆞ량(思量)ᄒᆞᄆᆡ, '무족언(無足言)이 비쳔니(飛千里)라'[1052]. 쳡이 ᄉᆞ라 강경의 엄뉴ᄒᆞ믈 존당이 아르신 즉, ᄒᆞᆫ갓 쳡이 죽고 남지 못홀 ᄲᅮᆫ 아니라,

1051)소리(率爾)히 : 솔이(率爾)히. 말이나 행동이 신중하지 못하고 가벼이.

1052)'무족언(無足言)이 비쳔니(飛千里)라' ; '말은 비록 발이 없지만 천 리 밖까지도 순식간에 퍼진다'는 뜻으로,, 말을 삼가야 함을 비유적으로 이르는 말

소져 어ᄉᆞ의 불호지ᄉᆡᆨ과 준졀지언을 드러ᄆᆡ, ᄌᆞ긔 그 허락을 듯지 못ᄒᆞ고 도라오미 비록 소루(疏漏)히[859] ᄒᆞ엿시나 그 조모와 숙모의 극악ᄃᆡ흉을 ᄉᆡᆼ각ᄒᆞᄆᆡ, 비록 한님의 탓시 아니나 심니의 구가(舅家)도 감은ᄒᆞᆯ 의ᄉᆡ 업고, 어ᄉᆡ 그 가ᄉᆞ로 도라보지 아니믈 그윽○[이] ᄒᆞᆫᄒᆞ여 양안을 낫초고 묵연 블응ᄒᆞ니, 어ᄉᆡ 진시의 품되 유열ᄒᆞ미 브족ᄒᆞ여 뎡시의 쳔균ᄃᆡ량과 츈양화긔을 ᄯᆞ로지 못ᄒᆞ믈 본ᄃᆡ 모로지 아니ᄒᆞᄃᆡ, 금일 ᄂᆡᆼ열(冷烈)ᄒᆞᆫ ᄉᆞᄉᆡᆨ을 보ᄆᆡ 크게 미온ᄒᆞ여 일장을 준ᄎᆡᆨᄒᆞ여 녀ᄒᆡᆼ과 부덕을 모로고 방ᄌᆞ 교우ᄒᆞ믈 니르ᄃᆡ, 진즛[860] 소져로 ᄒᆞ여곰 노분이 츙격게 ᄒᆞ나, 소져의 단엄졍녈(端嚴貞烈)ᄒᆞ미 금옥의 견고홈과 츄상의 ᄂᆡᆼ담ᄒᆞ믈 겸ᄒᆞ여, 말숨이 젹으며 녜뫼 빈빈(彬彬)ᄒᆞ여 부뷔 《억젼‖언젼(言戰)》 힐난(詰難)을 긔괴히 녁이므로, 어ᄉᆞ의 곤ᄎᆡᆨ을 당ᄒᆞ되 굿ᄒᆞ여 불평ᄒᆞᆫ 답언이 업셔, 날호여 염임(斂衽)ᄒᆞ고 왈,

"쳡이 불능누질노 셩문의 의탁ᄒᆞᄆᆡ, ᄒᆡᆼᄉᆡ 블미ᄒᆞ고 ᄉᆞ덕이 박ᄒᆞ여 망측ᄒᆞᆫ 죄루 층츌ᄒᆞ여, 일명이 보존키 어려온지라. 임의 존당이 죽으믈 명ᄒᆞ시니 감희 ᄉᆞᆯ고져 ᄯᅳᆺ지 업습거날, 일누 잔쳔이 투ᄉᆡᆼᄒᆞ여 오날날가지 셰상의 잇시미 군ᄌᆞ의 구활(救活)이라. ᄉᆡᆼᄉᆞ거취 다 군ᄌᆞ의 장듕의 잇시니 엇지 감히 친젼의 도라가물 ᄌᆞᄒᆡᆼ(自行)ᄒᆞ리잇고마ᄂᆞᆫ, 형의 호의 업【66】산 마음의 쳡의 거쳐 외로오물 잇지 못ᄒᆞ여 위력으로 다려오나, 쳡이 ᄯᅩ 강경을 ᄡᅥ나지 말고져 ᄒᆞᄃᆡ, 그윽이 ᄉᆞ량(思量)ᄒᆞᄆᆡ 언비쳔니(言飛千里)[861]라. 강경의 엄뉴ᄒᆞ물 존당이 아르신 즉, ᄒᆞᆫ갓 쳡이 죽고 남지 못홀 ᄲᅮᆫ 아니라, 군ᄌᆡ ᄯᅩᄒᆞᆫ ᄎᆡᆨ이 듕ᄒᆞ실 듯ᄒᆞ니, 여러 가지 ᄉᆞ셰 난난

859)소루(疏漏)하다 : 생각이나 행동 따위가 꼼꼼하지 않고 거칠다.

860)진즛 : 진정(眞正). 진정(眞正)으로, 진실로.

861)언비쳔니(言飛千里) ; '말이 천리 밖까지 날아간다.'는 뜻으로,, 말을 삼가야 함을 비유적으로 이르는 말

군ᄌᆡ 또ᄒᆞᆫ 슈칙이 듕ᄒᆞ실 ᄃᆞᆺᄒᆞ니, 여러가지 ᄉᆞ셰 난안(難安)ᄒᆞ【36】므로 마디못ᄒᆞ여 도라○○[오나], 일노뼈 여러가지 죄를 삼으시미 여ᄎᆞᄒᆞ니, 이 도시 쳡의 블민ᄒᆞ미라, 감미 어ᄌᆞ러온 회포를 펴지 못ᄒᆞᄂᆞ이다."

청화아셩(淸和雅聲)이 낭낭ᄒᆞ고 쇄연ᄒᆞ여 금반(金盤)의 딘쥬(眞珠)를 구을니고, 안뫼(顔貌) ᄀᆡ려광윤(奇麗光潤)ᄒᆞᆫ 염ᄐᆡ(艶態) 작작(灼灼)ᄒᆞ니, 뎡쇼져로 병익(竝翼)ᄒᆞ여 ᄒᆞ나흔 츄텬냥일(秋天陽日) ᄀᆞᆺ고, ᄒᆞ나흔 계궁소월(桂宮素月) ᄀᆞᆺᄐᆞ여, 보고 다시 볼ᄉᆞ록 눈을 옴기기 앗가오니, 어ᄉᆡ 심니의 져 ᄀᆞᆺ튼 슉녀 텰부로 더브러 화란 업시 동쥬(同住)치 못ᄒᆞ믈 ᄎᆞ탄ᄒᆞ며, 뎡쇼져 원별은 더옥 참연ᄒᆞ여, 뎡쇼져를 향ᄒᆞ여 ᄀᆞᆯ오ᄃᆡ,

"ᄌᆞ의 힝ᄉᆞ며 ᄉᆞ덕을 ᄉᆡᆼ의 ᄇᆞᆰ【37】히 아ᄂᆞᆫ 비라. ᄒᆞᆫ갓 동녈을 질투ᄒᆞ여 발검히명(拔劍害命)ᄒᆞ믄 니르도 말고, 쳔고궁흉일악대죄(千古窮凶一惡大罪)1053)를 지엇다 ᄒᆞ여도 의심치 아닐디라. 이졔 죄루를 시러 당ᄉᆞ 원뎍이 녀ᄌᆞ의 슬픈 힝ᄉᆡᆨ이나, 작죄 업셔 압히 굽디 아니니, 필경이 원억을 신셜ᄒᆞᆯ디라. 당ᄉᆡ 요원ᄒᆞ나 ᄉᆞ디 아니니, ᄆᆞ암을 구지 잡아 명텰보신ᄒᆞ여, 쳔ᄇᆡᆨ(千百) 가지 슈한(愁恨)을 부운의 더져, 비고(悲苦)ᄒᆞ믈 즐거온 일ᄀᆞᆺ치 ᄒᆞᆯ진ᄃᆡ 못견딜 ᄇᆡ 업ᄂᆞ니, 우리 ᄌᆞ위 궁텬극통(窮天極痛)을 픔으시고 여러 셰월의 남다른 경계를 지ᄂᆡ시나, 당ᄎᆞ시ᄒᆞ여 외로오시미 심ᄒᆞᄃᆡ 슬허ᄒᆞ시미 업고, 만상비고(萬狀悲苦)【38】를 됴흔 일ᄀᆞᆺ치 ᄒᆞ시니, 원컨ᄃᆡ ᄌᆞᄂᆞᆫ 방신을 보듕ᄒᆞ여 타일 셔로 만나기를 ᄀᆡ약ᄒᆞᆯ디라."

뎡쇼졔 공경 문파의 념님(斂衽) ᄃᆡ왈,

"쳡슈혼암미렬(妾雖昏暗微劣)1054)이나 군ᄌᆞ의 셩언(聖言)이 여ᄎᆞᄒᆞ시니, 엇디 감동ᄒᆞ미 업ᄉᆞ리잇고? 일노브터 명심감골ᄒᆞ여 삼가 닛디 말고, 아모 일이 이셔도 다만 살기

1053)쳔고궁흉일악대죄(千古窮凶一惡大罪) : 세상에 없는 지독히 흉하고 악한 큰 죄.

1054)쳡슈혼암미렬(妾雖昏暗微劣) : 첩이 비록 어둡고 보잘 것 없으나 ….

(難難)ᄒᆞ므로 마지 못ᄒᆞ여 도라오나, 일노뼈 여러 가지 죄을 ᄉᆞᆷ으미 여ᄎᆞᄒᆞ니 이 도시 쳡의 죄라. 감히 어ᄌᆞ로온 희[회]포을 펴지 못ᄒᆞᄂᆞ이다."

청화아셩(淸和雅聲)이 낭낭ᄒᆞ고 쇄연ᄒᆞ여 금반(金盤)의 진쥬을 구을니고, 안뫼(顔貌) ᄀᆡ려광윤(奇麗光潤)ᄒᆞᆫ 염ᄐᆡ(艶態) 작작(灼灼)ᄒᆞ니, 뎡소져로 병익(竝翼)ᄒᆞᄆᆡ ᄒᆞ나흔 츄쳔양일(秋天陽日) 갓고, ᄒᆞ나흔 계궁소월(桂宮素月) 갓흐여, 보고 볼ᄉᆞ록 눈을 옴기기 앗가오니, 어ᄉᆡ 심니의 졔[져] 갓튼 슉녀쳘부을 더부러 화란 업시 동주(同住)치 못ᄒᆞ물 ᄎᆞ탄ᄒᆞ며, 뎡소져 월[원]별은 더욱 ᄎᆞᆷ연ᄒᆞ여, 뎡소져을 향ᄒᆞ여 왈,

"ᄌᆞ의 힝ᄉᆞ며 ᄉᆞ덕을 ᄉᆡᆼ이 발히862) 아ᄂᆞᆫ 비라. ᄒᆞᆫ갓 동녈을 질투ᄒᆞ여 발검히명(拔劍害命)ᄒᆞ믄 이로도 말고, 쳔고궁흉일악ᄃᆡ죄(千古窮凶一惡大罪)863)을 지엇다 ᄒᆞ여도 의심치 아닐지라. 이졔 죄루을 시러 장ᄉᆞ 원젹이 녀ᄌᆞ의 슬푼 힝ᄉᆡᆨ이나, 작죄 업셔 압히 굽지 아니니, 필경이 원억을 신셜ᄒᆞᆯ지라. 장ᄉᆡ 요원ᄒᆞ나 ᄉᆞ지 아니니, 마음을 구지 잡아 명쳘보신ᄒᆞ여, 쳔ᄇᆡᆨ(千百) 가지 수한(愁恨)을 부운의 더져, 비고(悲苦)ᄒᆞ물 즐거온 일 갓치 ᄒᆞᆯ진ᄃᆡ 못견딜 ᄇᆡ 업ᄂᆞ니, 우리 ᄌᆞ위 궁쳔극통(窮天極痛)을 품으시고 여【67】러 셰월의 남다른 경계을 지ᄂᆡ시나, 당ᄎᆞ시ᄒᆞ여 외로오심이 심ᄒᆞᄃᆡ, 슬허ᄉᆞ시미 업고, 만상비고(萬狀悲苦)을 조흔 일갓치 ᄒᆞ시니, 원컨ᄃᆡ ᄌᆞᄂᆞᆫ 방신을 보듕ᄒᆞ여 타일 셔로 만나기을 ᄀᆡ약ᄒᆞᆯ지어다."

뎡소져 공경문파의 염임(斂衽) ᄃᆡ왈,

"쳡슈혼암미열(妾雖昏暗微劣)864)이나 군ᄌᆞ의 셩언(聖言)이 여ᄎᆞᄒᆞ시니, 엇지 감동ᄒᆞ미 업ᄉᆞ리잇고? 일노부터 명심각골ᄒᆞ여 ᄉᆞᆷ가 잇지 말고, 아모 일이 잇셔도 다만 ᄉᆞᆯ기

862)발히 : 밝히.

863)쳔고궁흉일악ᄃᆡ죄(千古窮凶一惡大罪) : 세상에 없는 지독히 흉하고 악한 큰 죄.

864)쳡슈혼암미열(妾雖昏暗微劣) : 첩이 비록 어둡고 보잘 것 없으나 ….

를 위쥬ᄒᆞ리니, 원 군ᄌᆞᄂᆞᆫ 쳡을 념두의 머므르지 마르시고, 존당을 뫼셔 안강ᄒᆞ시믈 바라ᄂᆞ이다."

어ᄉᆡ 지삼 당부ᄒᆞ고 ᄯᅥ나기를 년년(戀戀)ᄒᆞ다가, 이의 개연이 팔을 들어 읍ᄒᆞ여 작별ᄒᆞ고 밧그로 나가니, 뎡·진 이쇼졔 절ᄒᆞ여 니별ᄒᆞ고, 셔로 닛그러 진부인【39】 침누의 니르러 부인긔 시좌ᄒᆞ여 별경을 고ᄒᆞ니, 부인이 손을 줍고 쳐연이 눈믈을 드리워 왈,

"딜ᄋᆞ의 셩ᄒᆡᆼ슉덕(聖行淑德)으로 긔구ᄒᆞᆫ 익경을 디ᄂᆡ며, 녀ᄋᆡ 망측ᄒᆞᆫ 화란을 당ᄒᆞ니, 엇디 너의 운익의 괴이ᄒᆞ미 이ᄃᆡ도록 ᄒᆞᆯ 줄 알니오. 윤낭이 딜ᄋᆞ를 비록 크게 그릇 넉일디라도 다시ᄂᆞᆫ 옥누항을 드ᄃᆡ기 어려오니, 출하리 거거 슬하의 기리 뫼셔 남ᄆᆡ 즐기고 흉ᄒᆞᆫ 구가를 ᄉᆡᆼ각디 말나."

진시는 함누무언(含淚無言)이오, 뎡쇼졔 탄왈,

"만ᄉᆡ 다 명이라 쇼녀 등의 굿기미 운쉬 블니ᄒᆞ미니, 굿ᄐᆞ여 사룸을 탓ᄒᆞ디 못ᄒᆞᆯ디라. 구가 존당【40】을 원(怨)ᄒᆞ여 ᄌᆞ부지도를 일흐리잇고? 쇼녀ᄂᆞᆫ 국개 찬출ᄒᆞ시니 가군이 임의로 거취를 뎡치 못ᄒᆞ오나, 진뎨ᄂᆞᆫ 오히려 평상ᄒᆞᆫ 몸이라, ᄉᆞ라시믈 아르신즉 구가 명녕을 좃ᄎᆞ미 올흔디라. 모친은 엇디 이런 말ᄉᆞᆷ을 ᄒᆞ시ᄂᆞ니잇고?"

진부인이 슬픈 한을 니긔지 못ᄒᆞ여 죵야토록 뎡·진·하 삼인을 겻ᄐᆡ 누이고, 각각 신셰를 참비ᄒᆞ여, 효신의 녀ᄋᆡ 발ᄒᆡᆼᄒᆞᆯ디라. 모녀의 유유ᄒᆞᆫ 졍이 비ᄒᆞᆯ 곳 업ᄉᆞᄃᆡ, 뎡쇼졔 ᄎᆞᆷ기를 위쥬ᄒᆞ여 일졀 비식을 낫토지 아니터니, 임의 효계(曉鷄) 창명(唱鳴)ᄒᆞ니, 진쇼졔 일장 작별의 셔로 읍쳬 년년ᄒᆞ여 챵연【41】 비졀ᄒᆞ믈 형상치 못ᄒᆞᄃᆡ, 진시 ᄉᆞ라시믈 혹ᄌᆞ 여어보리 이실가ᄒᆞ여, 무궁ᄒᆞᆫ 졍회를 ᄎᆞᆷ고 분슈ᄒᆞ여 협문으로 도라가니, 진부인이 냥녀를 다리고 존당의 드러와 ᄒᆡᆼ니를 출힐ᄉᆡ, 금평휘 모친 비회ᄒᆞ시믈 민박ᄒᆞ여 화긔를 작위ᄒᆞ나, 쳔금 쇼교를 누쳔니 원디의 찬뎍ᄒᆞᄂᆞᆫ 졍ᄉᆡ ᄎᆞ악ᄒᆞ고, 병부 등이

을 위주ᄒᆞ리니, 원 군ᄌᆞᄂᆞᆫ 쳡을 념두의 머무지 마르시고, 존당을 뫼셔 안강ᄒᆞ시물 바라ᄂᆞ이다."

어ᄉᆡ 지ᄉᆞᆷ 당부ᄒᆞ고 ᄯᅥ나기을 연연(戀戀)ᄒᆞ다가, 이러 기연이 팔을 드러 읍ᄒᆞ여 작별ᄒᆞ고 박그로 나가니, 뎡·진 이소져 절ᄒᆞ여 니별ᄒᆞ고, 셔로 익그러 진부인 침소의 이르러 부인긔 시좌ᄒᆞ여 별경을 고ᄒᆞ니, 부인이 손을 잡고 쳐연이 눈물을 드리워 왈,

"질아의 셩ᄒᆡᆼ숙덕(聖行淑德)으로 긔구ᄒᆞᆫ 익경을 지ᄂᆡ며, 녀ᄋᆡ 망측ᄒᆞᆫ 화란을 당ᄒᆞ니, 엇지 너의 운익이 고이ᄒᆞ미 여ᄎᆞᄒᆞᆯ 줄 알아시리오. 윤랑이 질아을 비록 그릇 녁이나 다시ᄂᆞᆫ 옥누항을 드ᄃᆡ기 어려오니, 출ᄒᆞ리 거거 슬하의 길이 뫼셔 남ᄆᆡ 즐기고 흉ᄒᆞᆫ 구가을 ᄉᆡᆼ각지 말나."

진시ᄂᆞᆫ 함누무언(含淚無言)이오, 뎡시 탄왈,

"만ᄉᆡ 다 명이라. 소녀 등의 굿기미 운쉬 불니ᄒᆞ미니, 굿ᄒᆞ여 ᄉᆞ롬을 탓ᄒᆞ지 못ᄒᆞᆯ지라. 구가 존당을 원(怨)ᄒᆞ여 자부지도을 일흐리잇고? 소녀ᄂᆞᆫ 구긔 찬출ᄒᆞ시니 가군이【68】 임의로 거취을 졍치 못ᄒᆞ오나, 진졔ᄂᆞᆫ 오히려 평상ᄒᆞᆫ 몸이라. ᄉᆞ랏시물 아르신즉 구가 명녕을 좃ᄎᆞ미 올흔지라. 모친은 엇지 이런 말ᄉᆞᆷ을 ᄒᆞ시ᄂᆞᆫ잇고?"

진부인이 슬픈 ᄒᆞᆫ을 이긔지 못ᄒᆞ여 종야토록 뎡·진·하 ᄉᆞᆷ인을 겻히 누이고 각각 신셰울 ᄎᆞᆷ비ᄒᆞ여 ᄒᆞᆯ ᄲᅮᆫ이라. 명신(明晨)의 녀ᄋᆡ 발ᄒᆡᆼᄒᆞᆯ지라, 모녀의 연연ᄒᆞᆫ 졍이 비ᄒᆞᆯ 곳지 업ᄉᆞᄃᆡ, 뎡소져 ᄎᆞᆷ기을 위주ᄒᆞ여 일졀 비식을 낫토지 아니터니, 임의 효계(曉鷄) 쌍명(雙鳴)ᄒᆞᄆᆡ, 진소져 일장 작별의 셔로 읍쳐[쳬] 연연ᄒᆞ여 참연비졀ᄒᆞ물 형상치 못ᄒᆞᄃᆡ, 진시 ᄉᆞ라시물 혹ᄌᆞ 여허보리 잇실가ᄒᆞ여 《무무∥무궁》ᄒᆞᆫ 졍회을 ᄎᆞᆷ고 분수ᄒᆞ여 협문으로 도라가니, 진부인이 냥녀을 다리고 존당의 드러와 ᄒᆡᆼ니을 찰일ᄉᆡ, 금평휘 모친 비회을 민박ᄒᆞ여 화긔을 작위ᄒᆞ나, 쳔금 소교을 수만니 원지의 찬젹ᄒᆞᄂᆞᆫ 심ᄉᆡ ᄎᆞ

면면이 비한(悲恨)을 뎡(定)치 못ᄒᆞ니, ᄒᆞ믈며 태부인 심ᄉᆞᄂᆞᆫ 형용ᄒᆞᆯ 거시 이시리오. 쇼져를 븟들고 쳔항뉘 옷깃ᄉᆞᆯ 젹시니, 쇼졔 블효를 더욱 슬허 쳑연이 탄식ᄒᆞ고, 태모를 위로 왈,

"블초ᄋᆡ ᄒᆞᆫ 일도 효의를 빗ᄂᆡ지 못ᄒᆞ고, ᄀᆡ구【42】ᄒᆞᆫ 죄루의 ᄉᆡᆼ져 원뎍게 되오니, ᄒᆞᆫ갓 니측ᄒᆞᄂᆞᆫ 하졍이 비졀ᄒᆞᆯ ᄲᅮᆫ 아니라, 왕모의 상회(傷懷)ᄒᆞ샤미 과도ᄒᆞ샤, 셩톄 손상(損傷)ᄒᆞ시믈 ᄉᆡᆼ각디 아니시니, 쇼녀의 ᄆᆞ옴이 버히ᄂᆞᆫ ᄃᆞᆺᄒᆞ온디라. 복원 태모ᄂᆞᆫ 쇼녀를 업ᄉᆞ니로 아르샤 셩녀를 허비치 마르시고, 셩톄 안강ᄒᆞ샤 기리 만슈무강ᄒᆞ쇼셔."

태부인이 비도참졀(悲悼慘絶)ᄒᆞ믈 계오 금억ᄒᆞ여 쇼져의 보듕ᄒᆞ믈 당부ᄒᆞ더니, 공치 니르러 길흘 직촉ᄒᆞᄂᆞᆫ디라. 뎡쇼졔 옥화산 존고긔 하딕을 고코져 ᄒᆞᄆᆡ, 날이 느ᄌᆞ믈 민망ᄒᆞ여 쳔만 비원을 ᄎᆞᆷ고 몸을 니러 존당의 하딕ᄒᆞ여,【43】 힝게(行車) 밧브믈 고ᄒᆞ니, 태부인과 진부인이 가숨이 막혀 말을 일우지 못ᄒᆞ고, 금평후ᄂᆞᆫ 녀ᄋᆞ의 손을 잡아 원노의 무ᄉᆞ히 득달ᄒᆞ여 보듕ᄒᆞ믈 니르고, 병부 등은 타일 환쇄ᄒᆞᆯ 날이 이시리라 ᄒᆞ여 가ᄂᆞᆫ 심ᄉᆞ를 위로ᄒᆞ나, 부모 동긔의 니졍이 ᄎᆞ아ᄒᆞ믄 ᄉᆞ별을 당ᄒᆞᆫ ᄃᆞᆺ, 일좌의 비풍이 ᄉᆞ긔(使氣)ᄒᆞ고, 셰셜(細雪)이 셔리를 셧거 ᄡᅳ리ᄂᆞᆫ ᄃᆞᆺᄒᆞ여 가ᄂᆞᆫ ᄆᆞ옴과 보ᄂᆡᄂᆞᆫ 졍이 상하키 어려온디라. 시랑이 ᄯᅩᄒᆞᆫ 부모 존당의 하딕ᄒᆞ여 쇼ᄆᆡ를 호힝ᄒᆞᆯᄉᆡ, 태부인과 진부인이 목이 메고 압히 어두어 시랑다려 니르ᄃᆡ,

"너ᄂᆞᆫ 누의를 댱ᄉᆞ의 두고 도라오면【44】 혈혈 ᄋᆞ녜 긴 셰월의 엇디 능히 견ᄃᆡ리오. 비록 상니(相離)ᄒᆞᄂᆞᆫ 졍이 어려오나, 녀ᄋᆞ를 위ᄒᆞ여 너희 오인이 돌녀가며 댱ᄉᆞ의 왕ᄂᆡᄒᆞ여 그 외로온 형셰를 면케 ᄒᆞ라."

시랑이 관위 왈,

"쇼ᄌᆡ 슈삼삭 말ᄆᆡ를 어디시니 쇼ᄆᆡ 뎍소의 잠간 ᄆᆞ음을 뎡ᄒᆞ여 머므ᄂᆞᆫ 거동을 보고 도라오오리니, 그 ᄉᆞ이 셰흥이나 유흥이나 보ᄂᆡ샤 쇼ᄆᆡ를 위로케 ᄒᆞ시고 과상치 마르

악ᄒᆞ고, 병부 등이 면면이 비회(悲懷)을 졍(定)치 못ᄒᆞ니, 허물며 ᄐᆡ부인 심ᄉᆞᄂᆞᆫ 형용ᄒᆞᆯ 거시 잇시리오. 소져을 븟들고 쳔항누 옷깃ᄉᆞᆯ 젹시니, 소져 불효을 더욱 슬허 쳑연이 탄식ᄒᆞ고, ᄃᆡ모을 위로 왈,

"불초ᄋᆡ ᄒᆞᆫ 일도 효의를 빗ᄂᆡ지 못ᄒᆞ고, ᄀᆡ구ᄒᆞᆫ 죄루의 ᄉᆡᆼ져 원젹케 되오니, ᄒᆞᆫ갓 니친ᄒᆞᄂᆞᆫ 하졍이 비졀ᄒᆞᆯ ᄲᅮᆫ 아니라, ᄃᆡ모의 상회ᄒᆞ시미 과도ᄒᆞᄉᆞ, 셩쳬 손상ᄒᆞ시물 ᄉᆡᆼ각지 아니시니, 소녀의 마음이 버히ᄂᆞᆫ 듯ᄒᆞ온지라. 복원 ᄃᆡ모(大母)ᄂᆞᆫ 소녀【69】을 업ᄉᆞ니로 아르ᄉᆞ 셩녀을 허비치 마르시고, 셩쳬 안강ᄒᆞᄉᆞ 만수무강ᄒᆞ소셔."

ᄐᆡ부인이 비도 참졀ᄒᆞ물 겨유 금억ᄒᆞ여 소져의 보듕ᄒᆞ물 당부ᄒᆞ더니, 공치 니르러 길을 ᄌᆡ촉ᄒᆞᄂᆞᆫ지라. 소져 옥화산 존고긔 ᄒᆞ직○○[고져] ᄒᆞᄂᆞᆫ지라. 날이 느즈믈 민망ᄒᆞ여 쳔만 비원을 ᄎᆞᆷ고 몸을 이러 존당긔 ᄒᆞ직ᄒᆞ여 힝거 밧부믈 고ᄒᆞ니, ᄐᆡ부인과 진부인이 가숨이 막혀 말을 일우지 못ᄒᆞ고, 금평후ᄂᆞᆫ 녀아의 손을 잡아 원노의 무ᄉᆞ히 득달ᄒᆞ여 보듕ᄒᆞ믈 이르고, 병부 등은 타일 환쇄ᄒᆞᆯ 날이 잇시리라 ᄒᆞ여 가ᄂᆞᆫ 심ᄉᆞ을 위로ᄒᆞ나, 부모동긔의 이졍(離情)이 ᄎᆞ아ᄒᆞ믄 ᄉᆞ별을 당ᄒᆞᆫ 듯, 일좌의 비풍이 ᄉᆞ긔(使氣)ᄒᆞ고 셰셜(細雪)이 셔리을 셧겨[거] ᄲᅮ리ᄂᆞᆫ 듯ᄒᆞ여, 가ᄂᆞᆫ 마음과 보ᄂᆡᄂᆞᆫ 졍이 상ᄒᆞ키 어려온지라. 시랑이 ᄯᅩᄒᆞᆫ 부모존당의 ᄒᆞ직ᄒᆞ여 누의을 호힝ᄒᆞᆯᄉᆡ, ᄐᆡ부인이 목이 메여 시랑다려 니르ᄃᆡ,

"너ᄂᆞᆫ 누의을 장ᄉᆞ의 두고 도라오면 혈혈 아녜 긴 셰월의 엇지 능히 견ᄃᆡ리오. 비록 상니(相離)ᄒᆞᄂᆞᆫ 졍이 어려오나, 녀아을 위ᄒᆞ여 너의 오인이 돌녀가며 장ᄉᆞ의 왕ᄂᆡᄒᆞ여 그 외로온 형셰을 면케 ᄒᆞ라."

시랑이 위로 왈,

"소ᄌᆡ 수숨삭 말ᄆᆡ을 어더시니 소ᄆᆡ 젹소의 잠간 마음을 졍ᄒᆞ여 머무ᄂᆞᆫ 거동을 보고 도라오오리니, 그 ᄉᆞ이 셰흥이나 유흥이나 보ᄂᆡᄉᆞ 소ᄆᆡ을 위로케 ᄒᆞ시고【70】 과상

쇼셔."

금평휘 쳔만 《간인 ‖ 강잉(强仍)》 왈,

"ᄌᆞ위 과상ᄒᆞ시미 민박ᄒᆞ거ᄂᆞᆯ 부인은 엇디 이ᄃᆡ도록 ᄒᆞ여 ᄌᆞ의(慈意)를 요동ᄒᆞ고, 되지 못ᄒᆞᆯ 의논을 ᄂᆡ여 오ᄋᆞ를 돌려가며 녀ᄋᆞ를 ᄃᆡᆨ희ᄌᆞ ᄒᆞᄂᆞ뇨? 비록【45】 오ᄋᆡ 들니지 아니나, 댱ᄉᆞ 태슈ᄂᆞᆫ 문ᄉᆡᆼ 쥬계홰니 녀ᄋᆞ를 극진 고렴ᄒᆞ여 위ᄐᆡᆨᄒᆞᆫ 념네 업ᄉᆞᆫ디라. 모로미 과려치 말나."

치 마르소셔."

금평휘 쳔만 강잉(强仍) 왈,

"ᄌᆞ위 과상ᄒᆞ시미 민박ᄒᆞ거ᄂᆞᆯ 부인은 엇지 이ᄃᆡ도록 ᄒᆞ여 ᄌᆞ의(慈意)을 요동ᄒᆞ고, 되지 못ᄒᆞᆯ 의논을 ᄂᆡ여 오아을 돌여가며 녀아을 직희ᄌᆞ ᄒᆞ는요? 비록 오ᄋᆡ 돌니지 아니나, 쟝ᄉᆞ ᄐᆡᆨ수ᄂᆞᆫ 문ᄉᆡᆼ 주계화니 녀아을 극진이 고렴ᄒᆞ여 위ᄐᆡᆨᄒᆞᆫ 념여 업ᄉᆞᆯ지라. 모로미 과려치 마르소셔"

ᄒᆞ더라.【71】

부인이 계오 안슈(眼水)를 거두고 녀ᄋᆞ를 ᄯᆞ라 듕당의 나오니, 문양공쥬는 본ᄃᆡ 투현질능(妬賢嫉能)ᄒᆞᄂᆞᆫ 고로 쇼고의 츌인 비상ᄒᆞ믈 ᄯᅩᄒᆞᆫ 질오(嫉惡)ᄒᆞ던 ᄇᆡ라. 이 경ᄉᆡᆨ을 당ᄒᆞ여 거ᄌᆞᆺ 비도결연(悲悼缺然)ᄒᆞᆫ 쳬ᄒᆞᄂᆞᆫ 안ᄉᆡᆨ을 ᄃᆡ으나, 하쇼져와 쇼니시는 니졍이 참졀ᄒᆞ여 일쳔 줄 누쉬 ᄎᆡ슈를 젹시며, 셔로 븟드러 ᄎᆞ마 손을 노치 못ᄒᆞ니, 진부인이 쳔만 보듕ᄒᆞ믈 ᄌᆡ삼 니르며, 쇼져는 존당 부모의 안강ᄒᆞ시믈 쳥ᄒᆞ여 비졍(悲情)이 참참ᄒᆞᆫ 듕, 신ᄉᆡᆼᄋᆞᄂᆞᆫ【46】 ᄌᆞ모 ᄯᅥ나는 ○[줄] 모로니, 쇼졔 ᄋᆞᄌᆞ의 낫출 다혀 이윽이{이} 오열ᄒᆞ다가, ᄋᆞ히를 모친긔 드리고, 고왈,

"셰샹 만ᄉᆡ 오로[1055] 다 인력의 밋출 ᄇᆡ 아니오니, 복원 ᄌᆞ위ᄂᆞᆫ 할단인졍(割斷人情)ᄒᆞ샤 잔 호의를 마르시고, ᄎᆞᄋᆞ의 인명과 ᄉᆞᄉᆡᆼ이 텬야(天也)오, 화복이 관슈(關數)ᄒᆞ니, 비인력지소○[위]얘(非人力之所爲也)라. 유ᄋᆞ를 굿ᄐᆞ여 위ᄐᆡᄒᆞ미 업ᄉᆞ믈 아르시나, 그윽ᄒᆞᆫ ᄀᆞ온ᄃᆡ ᄆᆞᄉᆞᆫ 궁흉ᄒᆞᆫ 계괴 이실 줄 뉘 알니잇고? 출하리 졔 집의 보ᄂᆡ여 ᄋᆞ히 ᄉᆞᄉᆡᆼ 유무 간 우리 집 탓시 되게 마르쇼셔."

부인이 참연 왈,

"여언(汝言)이 시얘(是也)나, 셰샹의 난지 일삭도 못ᄒᆞᆫ 거술 ᄎᆞ마 엇디 호혈의 보ᄂᆡ리【47】오. 텬흥과 의논ᄒᆞ여 됴토록 ᄒᆞ리니, 너ᄂᆞᆫ 다른 념녀 말고 네 몸이○[나] 무양ᄒᆞ라."

시랑이 날이 느ᄌᆞ믈 ᄌᆡ촉ᄒᆞ니, 쇼졔 계오 슈명ᄒᆞ고 모든 ᄃᆡ 무한ᄒᆞᆫ 회포와 가득ᄒᆞᆫ 졍을 긋쳐 거교의 오로니, 홍션 등 졔시비 뒤흘 좃ᄎᆞ ᄆᆞᆯ긔 오로니, 금평휘 뎍소의 군관과 노복을 뎡ᄒᆞ여 보ᄂᆡ고, 당ᄉᆞ 태슈의게 셔간을 븟치니라.

병뷔 졔뎨를 거ᄂᆞ려 쇼ᄆᆡ를 슈십니 당졍

1055)오로 : 모두. 전부.

ᄎᆞ셜 부인이 겨유 안수(眼水)을 거두고 녀아을 ᄯᅡ라 즁당의 나오니, 문양공주ᄂᆞᆫ 본ᄃᆡ 투현질능(妬賢嫉能)ᄒᆞᆫ 고로 소고의 츌인 비상ᄒᆞ믈 ᄯᅩᄒᆞᆫ 질오(嫉惡)ᄒᆞ든 ᄇᆡ라. 이 경상을 당ᄒᆞ여 거ᄌᆞᆺ 비도결연(悲悼缺然)ᄒᆞᄂᆞᆫ 거동을 지으나, 하소져와 소니시ᄂᆞᆫ 이졍이 ᄎᆞᆷ졀ᄒᆞ여 일쳔 줄 누쉬 ᄎᆡ수을 젹시며, 셔로 붓드러 ᄎᆞ마 손을 놋치 못ᄒᆞ니, 진부인이 쳔만 보듕ᄒᆞ물 ᄌᆡ숨 니르며, 소져ᄂᆞᆫ 존당부모의 안강ᄒᆞ시믈 쳥ᄒᆞ여 비뎡(悲情)이 ᄎᆞᆷᄎᆞᆷᄒᆞᆫ 듕, 신ᄉᆡᆼ아ᄂᆞᆫ ᄌᆞ모 ᄯᅥ나ᄂᆞᆫ 정을 모로니, 소져 아ᄌᆞ의 낫출 다혀 이윽이 오열ᄒᆞ다가, 아히을 모친긔 드리고 왈,

"세상만ᄉᆡ 다 인력의 밋출 ᄇᆡ 아니오니, 복원 ᄌᆞ위ᄂᆞᆫ 《활난민정 ‖ 할단인졍(割斷人情)》ᄒᆞᄉᆞ 잔 호의을 마르시고, ᄎᆞ아의 인명과 ᄉᆞᄉᆡᆼ이 쳔야(天也)요, 화복이 관수(關數)ᄒᆞ니, 비인녁소위(非人力之所爲)라, 유아을 굿ᄒᆞ여 위ᄐᆡᄒᆞ미 업ᄉᆞ믈 아르시나, 그윽ᄒᆞᆫ 가온ᄃᆡ 무산 궁흉ᄒᆞᆫ 계교 잇슬 줄 알니잇고? 출ᄒᆞ리 졔집의 보ᄂᆡ여 아히 ᄉᆞᄉᆡᆼ유무 간 우리집 탓시 되게 마르소셔."

부인이 ᄎᆞᆷ연 왈,

"여언(汝言)이 시야(是也)나, 셰상의 난지 일삭도 못ᄒᆞᆫ 거술 ᄎᆞ마 업[엇]지 호혈의 보ᄂᆡ리오. 쳔흥과 의논ᄒᆞ여 조토록 ᄒᆞ리니, 너ᄂᆞᆫ 다른 념녀 말고 네 몸이○[나] 무양ᄒᆞ라."

시랑이 느즈믈 ᄌᆡ촉ᄒᆞ니, 소져 겨오 강잉ᄒᆞ여 수명ᄒᆞ고, 모든 ᄃᆡ 무한ᄒᆞᆫ 회포와 가득ᄒᆞᆫ 졍을 ᄉᆞᆷ쳐【1】 거교의 올으니, 홍션 등 졔시비 뒤흘 좃ᄎᆞ 말긔 올으ᄆᆡ, 금평휘 젹소의 군관과 노복을 졍ᄒᆞ여 보ᄂᆡ고, 장ᄉᆞ ᄐᆡ수의게 셔간을 부치니라.

병뷔 졔뎨을 거ᄂᆞ려 소ᄆᆡ을 숫비니 장졍(長亭)[865]의 송별홀ᄉᆡ, 윤직ᄉᆡ ᄯᅩᄒᆞᆫ 수시을

(長亭)[1056]의 숑별ᄒᆞᆯᄉᆡ, 윤ᄃᆡᆨᄉᆡ ᄯᅩᄒᆞᆫ 슈시를 ᄇᆡ별ᄒᆞ려 나와 거교 뒤히 좃ᄎᆞ가니, 살인 즁슈로 뎍힝이 슬프나 위의 츄죵이 셩만ᄒᆞ여 죄인의 힝ᄉᆡᆨ이 아니더라. 쇼졔【48】 거거 등의게 청ᄒᆞ여 옥화산의 단녀가믈 니르니, 병뷔 즉시 화산 조부로 가니라.

ᄎᆞ시 조부인이 녀ᄋᆞ의 화란을 ᄌᆞ시 아디 못ᄒᆞ여 그 거쳬 업ᄉᆞ믈 망연 브디ᄒᆞ믄, 냥ᄌᆞ와 졔거게 다 긔이므로, 다만 공쥬궁 져쥬ᄉᆞ로 인ᄒᆞ여 죄루(罪累)의 ᄆᆡ여, 뎡부 농장 ᄉᆞ오일 졍(程)의 나가시{시}므로 아라, 그 젼졍이 블안ᄒᆞ믈 슬허ᄒᆞ고 셔신도 통치 못ᄒᆞ믈 비도ᄒᆞᆫ즉, 어ᄉᆡ 흐르ᄂᆞᆫ 구변으로 금평휘 ᄆᆡ져의 편키를 위ᄒᆞ여 그 몸이 반셕ᄀᆞᆺᄐᆞ믈 고ᄒᆞ고, ᄌᆞ긔 등 한업ᄉᆞᆫ 고경(苦境)을 영영 ᄉᆞᄉᆡᆨ지 아니나, 부인이 일시도 방하(放下)치 못ᄒᆞ여, 셰낫 ᄌᆞ녀의 신셰를 우려ᄒᆞ며, 뎡·진 하·댱【49】 등 위란을 닛디 못ᄒᆞ여 슬허ᄒᆞᄃᆡ, 구패 어ᄉᆞ의 신긔ᄒᆞᆫ 약효로 인ᄒᆞ여 녯 ᄆᆞ음이 졈졈 도라오고, ᄌᆞ긔 상셩(喪性)ᄒᆞ엿던 바를 괴이히 넉이고, 옥누항의 도라간즉 ᄯᅩ 실혼 상셩ᄒᆞᆯ가 두려 조부인을 ᄃᆡᆨ회여 셔로 위회(慰懷)ᄒᆞ여 셰월을 보ᄂᆡ며, 어ᄉᆞ 형뎨 부부를 ᄉᆡᆼ각고 주야 가득ᄒᆞᆫ 념녜 조부인긔 나리지 아니니, 부인이 구파의 본심이 여젼(如前)ᄒᆞ고 병이 나으믈 깃거, ᄆᆡᄉᆞ의 디극ᄒᆞ미 존고 밧드 ᄃᆞᆺᄒᆞ니, 구시 더옥 감은ᄒᆞ며 부인이 구파로 더브러 심원 별쳐의 잇셔, 일즉 사ᄅᆞᆷ을 ᄃᆡᄒᆞ미 업고, 비회를 셔로 니를 ᄡᅳᆫ이오, 부인과 구시 ᄃᆡᆨᄉᆞ 형뎨【50】와 뎡·진 하·댱 등을 ᄉᆡᆼ각ᄒᆞᆯ지언졍, 일신이 한가ᄒᆞ여 옥누항의 이실 젹과 텬디 현격ᄒᆞᄃᆡ, 다만 존고를 속이고 깁히 드러시ᄆᆡ 텬일을 다시 보지 못ᄒᆞᆯ가 ᄉᆞ례(思慮) 간졀ᄒᆞ더니, 믄득 뎡쇼졔 니르러 ᄇᆡ알ᄒᆞ믈 당ᄒᆞ니, 부인이 일념의 닛디 못ᄒᆞ던 뎡시를 보ᄆᆡ 반기미 넘뼈, 밧비 옥슈를 잡고 운환을 어로만져 능히 말숨을 일우지 못ᄒᆞ거ᄂᆞᆯ, 쇼졔 존고의 이러ᄐᆞᆺ ᄒᆞ시믈 보오

1056)댱졍(長亭) : 예전에, 먼 길을 떠나는 사람을 전송하던 곳.

ᄇᆡ별ᄒᆞ려 나와 거교 뒤히 좃ᄎᆞ가니, 술인 듕슈로 젹힝이 슬푸나 위의 츄종이 셩만ᄒᆞ여 죄인의 힝ᄉᆡᆨ이 아니러라. 소져 거거 등긔 청ᄒᆞ여 옥화산의 가믈 니르니, 병부 즉시 화산 조부로 가니라.

ᄎᆞ시 쇼[조]부인이 녀아의 화란을 ᄌᆞ세 아지 못ᄒᆞ여 그 거쳐 업ᄉᆞ믄[믈] 망연브지ᄒᆞ믄, 냥ᄌᆞ의[와] 졔거거 다 긔이므로, 다만 공주궁 져주ᄉᆞ로 인ᄒᆞ여 죄루(罪累)의 ᄆᆡ여, 뎡부 농장 ᄉᆞ오일 졍(程)의 《나마‖나가》시므로 알아, 그 젼졍이 불안ᄒᆞ믈 슬허ᄒᆞ고, 셔신도 통치 못ᄒᆞ믈 비도ᄒᆞᆫ직, 어ᄉᆡ 흐르ᄂᆞᆫ 구변으로 금평휘 져의 편키을 위ᄒᆞ야 그 몸이 반셕 갓트믈 고ᄒᆞ고, ᄌᆞ긔 등 ᄒᆞᆫ 업ᄉᆞᆫ 곡경을 영영 ᄉᆞᄉᆡᆨ지 아니나, 부인이 일시도 방ᄒᆞ치 못ᄒᆞ여, 셰낫 ᄌᆞ녀의 신셰을 우려ᄒᆞ며, 뎡·진·하·장 등 위란을 잇지 못ᄒᆞ여 슬허ᄒᆞᄃᆡ, 구ᄑᆡ 어ᄉᆞ의 신긔ᄒᆞᆫ 약효로 인ᄒᆞ여 옛날 마음이 졈졈 도라오고, ᄌᆞ긔 상셩ᄒᆞ엿던 바을 고이히 녁이고, 옥누항의 도라간 즉 ᄯᅩ 실혼상셩ᄒᆞᆯ가 두려 조부인을 직회여 셔로 위회(慰懷)ᄒᆞ여 셰월을 보ᄂᆡ며, 어ᄉᆞ 형졔 부부을 ᄉᆡᆼ각고 주야 가득ᄒᆞᆫ 념녀 조부인긔 나리지 아니니, 부인이 구파의 본심이【2】여젼(如前)ᄒᆞ고 병이 나흐믈 깃거, ᄆᆡᄉᆞ의 지극ᄒᆞ미 존고 밧드듯 ᄒᆞ니 구시 더욱 감은ᄒᆞ며, 부인이 구파로 더부러 심원벽쳐의 잇셔, 일즉 ᄉᆞᄅᆞᆷ을 ᄃᆡᄒᆞ미 업고 비회을 셔로 이를 ᄲᅮᆫ이오, 부인과 구시 어ᄉᆞ 형뎨와 하·장·뎡·진 등을 ᄉᆡᆼ각ᄒᆞᆯ지언졍, 일신이 ᄒᆞᆫ가ᄒᆞ여 옥누항의 잇실 젹과 쳔지 현격ᄒᆞᄃᆡ, 다만 존고을 속이고 깁히 드럿시ᄆᆡ 쳔일을 다시 보지 못ᄒᆞᆯ가 ᄉᆞ려(思慮) 간졀ᄒᆞ더니, 문득 뎡소져 이르러 ᄇᆡ알ᄒᆞ믈 당ᄒᆞ니, 부인이 일념의 잇지 못ᄒᆞ든 뎡시을 보ᄆᆡ 반기미 넘쳐, 밧비 옥수을 잡고 운환을 어로만져 능히 말을 일우지 못ᄒᆞ거ᄂᆞᆯ, 소져 존고의 이러ᄐᆞᆺ ᄒᆞ시물 보ᄆᆡ 각

---

865)장졍(長亭) : 예전에, 먼 길을 떠나는 사람을 전송하던 곳.

ᄆᆡ 감은 각골ᄒᆞ여, 나ᄌᆞᆨ이 존후를 뭇ᄌᆞᆸ고 오ᄅᆡ 감지 폐ᄒᆞ믈 샤죄ᄒᆞ여, 말ᄉᆞᆷ이 온슌비약(溫順卑弱)ᄒᆞ며 댱ᄉᆞ 원디의 뎍거ᄒᆞᄆᆡ 그ᄉᆞ이 셩톄 안강ᄒᆞ시믈 튝(祝)ᄒᆞ니, 부【51】인이 비로소 연유를 므러 알고 크게 슬허 눈물을 드리오고, 원노의 보듕ᄒᆞ여 타일 산 얼골노 반기믈 ᄌᆡ삼 긔탁(期託)[1057]ᄒᆞ니 ᄉᆞ의(辭意) 쳐연ᄒᆞᆫ디라.

쇼졔 이의 호언으로 위로ᄒᆞ여 믈녀ᄒᆞ시믈 쳥ᄒᆞᄆᆡ, 의문(議問)이 만치 아니나 ᄉᆞ에(辭語) 관곡(款曲)ᄒᆞ여 디극ᄒᆞᆫ 졍이 말ᄉᆞᆷ 밧긔 낫타나고, 특츌ᄒᆞᆫ 효셩이 심곡으로 소사나니, 부인과 구파의 가업시 반김과 한업시 두긋거워ᄒᆞᄂᆞᆫ 듕이나, 연연○[ᄒᆞᆫ] 옥결빙심의 원앙(寃怏)ᄒᆞᆫ 죄루를 므릅ᄡᅧ, 규리(閨裏)의 ᄌᆞ최로 살인죄명을 시러 댱ᄉᆞ 누쳔니의 원억히 뎍거ᄒᆞ믈 슬허, 앗기믈 니긔지 못ᄒᆞ여 부인이 쇼져의 옥비를 어로만져【52】탄셩 쳬읍ᄒᆞ여 쳥뉘(淸淚) 산산(潸潸)ᄒᆞ니, 나군(羅裙)의 우셩(雨聲)을 화(和)ᄒᆞᄂᆞᆫ디라. 뎡쇼졔 더옥 블효를 늣기고, 이 ᄀᆞᆺ튼 ᄌᆞᄋᆡ를 ᄯᅥ나 쳔니(千里) 애각(涯角)의 단취(團聚)의 긔약이 아으라ᄒᆞ믈 슬허, 옥빈화협(玉鬢花頰)[1058]의 쳐ᄉᆡᆨ(悽色)이 은은ᄒᆞ여, 능히 강인(强忍)치 못ᄒᆞ니, 구패 읍쳬 왈,

"윤시 문운(門運)이 블힝ᄒᆞ여 션상셔 노애 만니 타국의 가 인셰를 바리시ᄆᆡ, ○○○○○[위·뉴 부인의] 양미토긔(揚眉吐氣)ᄒᆞᆯ 시졀이 되어, 어ᄉᆞ와 ᄃᆡᆨ식 장ᄎᆞᆺ 보젼키 어렵고, 가란이 상ᄉᆡᆼ(相生)ᄒᆞ여 부인과 졔쇼졔 ᄎᆞᄎᆞ 위ᄐᆡᆨᄒᆞᆫ 경계를 당ᄒᆞ시니, 노쳡의 간장이 ᄆᆡ여지ᄂᆞᆫ ᄃᆞᆺ, 셜우믈 니긔지 못ᄒᆞᄂᆞ니, 어나날 우리 부인과 쇼졔 ᄋᆡᆨ운을 소멸ᄒᆞ시고 풍운의 길시를【53】만나 고ᄐᆡᆨ의 모다 녜ᄀᆞᆺ치 즐기실고? 만일 ᄒᆞᆫ 당의 합취(合聚)ᄒᆞ여 즐길진ᄃᆡ, 노쳡이 셕ᄉᆞ(夕死)나 무한(無恨)이라. 오ᄃᆡᆨ 위·뉴 양부인의 ᄎᆡᆨ션

1057)긔탁(期託) : 기약(期約)하여 당부함.

1058)옥빈화협(玉鬢花頰) : 옥 같은 귀밑머리와 꽃 같은 빰이라는 뜻으로, 젊고 아리따운 여자의 얼굴을 이르는 말.

골ᄒᆞ여, 나ᄌᆞᆨ이 존후을 뭇ᄌᆞᆸ고 오ᄅᆡ 감지 폐ᄒᆞ물 ᄉᆞ죄ᄒᆞ여, 말ᄉᆞᆷ이 온슌비약(溫順卑弱)ᄒᆞ며 ᄯᅩ 장ᄉᆞ 원지의 젹거ᄒᆞᄆᆡ 그 ᄉᆞ이 셩쳬안강ᄒᆞ시믈 축(祝)ᄒᆞ니, 부인이 비로소 연유을 무러 알고 크게 슬허 눈물을 드리오고, 원노의 보듕ᄒᆞ여 타일《ᄉᆞ을‖ᄉᆞᆫ 얼골노》 만나 반기물 ᄌᆡᄉᆞᆷ 긔탁(期託)[866]ᄒᆞ니 ᄉᆞ어(辭語) 쳐연ᄒᆞᆫ지라.

소져 이의 호언으로 위로ᄒᆞ여 물녀ᄒᆞ시물 쳥ᄒᆞᄆᆡ, 의문이 만치 아니ᄂᆞ ᄉᆞ어 관곡(款曲)ᄒᆞ여 지극ᄒᆞᆫ 졍이 말ᄉᆞᆷ 밧긔 ○○[낫타]나고, 특츌ᄒᆞᆫ 효셩이 심곡으로 소ᄉᆞ나니, ○[두]긋거워 ᄒᆞᄂᆞᆫ 즁이나, 연연○[ᄒᆞᆫ] 옥셜빙심(玉雪氷心)의 원앙(怨怏)ᄒᆞᆫ 죄루을 무릅셔, 규리(閨裏)의 ᄌᆞ최로 ᄉᆞᆯ인죄명을 시러 장ᄉᆞ 쳔니의 원억히 젹거ᄒᆞ믈 슬허, 앗기물이【3】긔지 못ᄒᆞ여 부인이 소져의 옥비을 어로만져 탄셩쳬읍ᄒᆞ여, 쳥뉘(淸淚) 산산(潸潸)ᄒᆞ니, 뎡소져 더욱 불효을 늣기고, 이 갓트신 ᄌᆞᄋᆡ을 ᄯᅥ나물 슬허, 옥빈화협(玉鬢花頰)[867]의 쳐ᄉᆡᆨ(悽色)이 은은ᄒᆞ니, 구ᄑᆡ 읍쳬 왈,

"윤시 문운이 불힝ᄒᆞ여 션상셔 노야 만니 타국의 가 인셰을 바리시ᄆᆡ, ○○○○○[위·뉴 부인의] 양미토긔ᄒᆞᆯ 시졀을[이] 되야, 《ᄐᆡ우와 혹ᄉᆡᆼ‖어ᄉᆞ와 ᄌᆞ식》 잣[장]ᄎᆞᆺ 보젼키 업[어]렵고, 가란이 상ᄉᆡᆼ(相生)ᄒᆞ여 부인과 졔소져 ᄎᆞᄎᆞ 위ᄐᆡᆨᄒᆞᆫ 경계을 당ᄒᆞ니, 노쳡의 간장이 ᄆᆡ여지ᄂᆞᆫ 듯, 셜우믈 이긔지 못ᄒᆞᄂᆞ니, 어ᄂᆡ 날 우리 부인과 소져 ᄋᆡᆨ운을 소멸ᄒᆞ고 풍운 길시을 만나 고ᄐᆡᆨ의 모다 녜갓치 즐길고? 만일 ᄒᆞᆫ 당의 합취ᄒᆞ여 즐길진ᄃᆡ, 노쳡이 셕ᄉᆞ(夕死)나 무ᄒᆞᆫ(無恨)이라. 오직 위·뉴 냥부인의 ᄎᆡᆨ션(責善)ᄒᆞ심만

866)긔탁(期託) : 기약(期約)하여 당부함.

867)옥빈화협(玉鬢花頰) : 옥 같은 귀밑머리와 꽃 같은 빰이라는 뜻으로, 젊고 아리따운 여자의 얼굴을 이르는 말.

(責善)ᄒᆞ심만 원ᄒᆞᆯ ᄯᆞ름이로소이다."

부인이 탄왈,

"도시 쳡의 모ᄌᆞ고식(母子姑媳)이 명박다쳔(命薄多淺)1059)ᄒᆞ미라. 엇디 사ᄅᆞᆷ을 원(怨)ᄒᆞ며 남을 탓ᄒᆞ리잇고?"

언파의 츄연 희허(唏噓)ᄒᆞ니1060), 뎡쇼제 존고와 구파의 슬허ᄒᆞ믈 블승졀민ᄒᆞ여 붓드리 위로ᄒᆞ고, ᄯᅩᄒᆞᆫ 거름을 두로혀ᄂᆞᆫ 심ᄉᆡ ᄌᆞ못 ᄎᆞ아(嵯峨)ᄒᆞ여, 츄파(秋波)의 츄슈(惆愁) 그림ᄌᆡ 어ᄅᆡ여, 위로 고왈,

"쇼쳡이 명되 긔박(奇薄)ᄒᆞ여 ᄉᆡᆼ각지 못ᄒᆞᆯ 죄루의 ᄲᆡ져시나, 원억ᄒᆞ믄 챵텬이 슬피실디라. 타일 신셜ᄒᆞ여 환쇄ᄒᆞᄂᆞᆫ 날【54】 다시 존뎐의 봉ᄇᆡ(奉拜)ᄒᆞ여 슬하의 무ᄋᆡᄒᆞ샤믈 밧ᄌᆞᆸ고 기리 하졍을 펴올가 ᄒᆞᆸᄂᆞ니, 복망 존고ᄂᆞᆫ 블초ᄋᆞ의 일시 화ᄋᆡᆨ을 과려치 마르시고 만슈무강ᄒᆞ쇼셔."

또 구파를 향ᄒᆞ여 기리 안보ᄒᆞ믈 쳥ᄒᆞᄆᆡ, 일ᄉᆡᆨ이 거의 반오의 니르러ᄂᆞᆫ 총총이 거교의 들ᄆᆡ, ᄃᆡᆨ시 ᄯᅩᄒᆞᆫ 이곳의셔 슈슈를 비별ᄒᆞ고, 병부 등이 쇼져를 ᄯᆞ라 칠팔 니(里)를 더 힝ᄒᆞ여, 강외(江外)의 다ᄃᆞ라 남ᄆᆡ 분슈ᄒᆞᆯᄉᆡ, 병부의 디극ᄒᆞᆫ 우ᄋᆡ로ᄡᅧ 쇼ᄆᆡ를 원억히 죄뎍(罪謫)ᄒᆞ니, 님별의 참연비도ᄒᆞ믈 니긔지 못ᄒᆞ여 봉안의 누쉬 삼삼(森森)ᄒᆞ니, 셰흥 등 삼공ᄌᆞ의 실셩오열(失性嗚咽)ᄒᆞ믄 동긔의 상변(喪變)을【55】 당ᄒᆞᆫ ᄃᆞᆺᄒᆞ고, 쇼져ᄂᆞᆫ 거거(哥哥)와 뎨남(弟男) 등을 ᄃᆡᄒᆞ여 존당 부모를 뫼셔 기리 안강ᄒᆞ믈 ᄐᆞᆨᄒᆞ고, 힝되(行途) 밧브므로 무궁ᄒᆞᆫ 졍을 ᄎᆞᆷ아 갈 길흘 각각 난ᄒᆞᆯᄉᆡ, 병뷔 시랑을 지삼 당부ᄒᆞ여 ᄆᆡ뎨를 편히 머므르고 슈히 도라오라 ᄒᆞ나, 남ᄆᆡ의 니회(離懷) 참연ᄒᆞ여 눈믈이 흐르ᄃᆡ, 시랑은 쇼져를 다리고 가므로 급히 분슈치 아니ᄆᆡ, 계오 쳬읍ᄒᆞ기를 면ᄒᆞ여 졔형뎨 도라가기를 쳥ᄒᆞ고, 거교를 호힝ᄒᆞ여 공ᄎᆡ(公差)로 더브러 댱ᄉᆞ로 힝ᄒᆞ니,

1059)명박다쳔(命薄多淺) : 명(命)이 엷고 얕음.
1060)희허(唏噓)ᄒᆞ다 : 탄식하여 울다.

원ᄒᆞᆯ ᄯᆞ름이로소이다."

부인이 탄왈,

"오직 쳡의 모ᄌᆞ고식(母子姑息)이 명박ᄒᆞ미라. 엇지 ᄉᆞᄅᆞᆷ을 원(怨)ᄒᆞ며 남을 탓ᄒᆞ리잇고?"

언파의 ○…결락 15자…○[츄연 희허(唏噓)ᄒᆞ니868) 뎡쇼제 존고와 구파의] 슬허ᄒᆞ믈 불승졀민ᄒᆞ여 붓드러 위로ᄒᆞ고, ᄯᅩᄒᆞᆫ 거름을 《두러ᄂᆞᆫ‖두로혀ᄂᆞᆫ》심ᄉᆡ ᄌᆞ못 ᄎᆞ악(嵯愕)ᄒᆞ여 추파(秋波)의 츄수(惆愁) 그림ᄌᆡ 어ᄅᆡ여, 위로 고왈,

"소쳡이 명되 긔박ᄒᆞ여 ᄉᆡᆼ각지 못ᄒᆞᆯ 죄루의 ᄲᆡ졋시나, 원억ᄒᆞ믄 창쳥[쳔](蒼天)이 슬피실지라. 타일 신셜ᄒᆞ여 환쇄ᄒᆞᄂᆞᆫ 날 다시 존젼의 봉ᄇᆡ(奉拜)ᄒᆞ여 슬ᄒᆞ의 《무ᄋᆡᄒᆞ시ᄂᆞᆫ 우ᄋᆡ을‖무ᄋᆡᄒᆞ시믈》밧ᄌᆞᆸ고 기리 ᄒᆞ졍을 펴올가 ᄒᆞᆸᄂᆞ니, 복망 존고ᄂᆞᆫ 불초 소쳡의 일시 화【4】ᄋᆡᆨ을 과려치 마르시고 만수무강ᄒᆞ소셔."

또 구파을 향ᄒᆞ여 기리 안보ᄒᆞ시믈 쳥ᄒᆞᄆᆡ, 일ᄉᆡᆨ이 거의 반오의 이르러ᄂᆞᆫ 총총이 거교의 들ᄆᆡ, 직시 ᄯᅩᄒᆞᆫ 이곳의셔 수수을 비별ᄒᆞ고, 병부 등이 소져을 ᄯᆞ르 칠팔니(七八里)을 더 힝ᄒᆞ여, 강오[외](江外)의 다다라 남ᄆᆡ 분수ᄒᆞᆯᄉᆡ, 병부의 지극ᄒᆞᆫ 우의로ᄡᅧ 소ᄆᆡ을 원억히 죄젹(罪謫)ᄒᆞ여 임별의 ᄎᆞᆷ연비도ᄒᆞ믈 이긔지 못ᄒᆞ여 봉안의 누쉬 ᄉᆞᆷᄉᆞᆷ(森森)ᄒᆞ니, 셰흥 등 ᄉᆞᆷ공지 실셩오열(失性嗚咽)ᄒᆞ믄 동긔의 상변(喪變)을 당ᄒᆞᆫ ᄃᆞᆺᄒᆞ고, 소져ᄂᆞᆫ 거거 등을 ᄃᆡᄒᆞ여 존당부모을 뫼셔 기리 안낙ᄒᆞ믈 츅ᄒᆞ고, 힝되(行途) 맛부므로 무궁ᄒᆞᆫ 졍을 ᄎᆞᆷ아 갈길을 각각 난ᄒᆞᆯᄉᆡ, 병뷔 시랑○[을] 지ᄉᆞᆷ 경계ᄒᆞ여 ᄆᆡ졔을 편이 머무르고 수히 도라오라 ᄒᆞ니, 남ᄆᆡ의 니회(離懷) ᄎᆞᆷ연ᄒᆞ여 눈물이 흐르더라. 시랑은 소져을 다리고 가므로 급히 분수치 아니ᄆᆡ, 겨유 쳬읍ᄒᆞ기을 면ᄒᆞ여 졔형이 도라가기을 쳥ᄒᆞ고, 거교을 호힝ᄒᆞ여 공치로 더부러 장ᄉᆞ로 힝ᄒᆞ니, 병부곤계 부듕으로 도라오니라.

868)희허(唏噓)ᄒᆞ다 : 탄식하여 울다.

병부 곤계ᄂᆞᆫ 부듕으로 도라오○[니]라.

어시의 조부인이 구파로 더브러 ᄋᆞ부를 니별ᄒᆞ고 참비ᄒᆞᆫ 심사를 지향치 못ᄒᆞ니, 딕ᄉᆡ ᄎᆞ일【56】 머므러 모친을 위로ᄒᆞ여 뎔ᄋᆞ의 츌범 특이ᄒᆞ믈 고ᄒᆞ더니, 이윽고 어ᄉᆡ 니르러 ᄌᆞ위긔 뵈ᄋᆞᆸ고, 츈양화긔와 유열ᄒᆞᆫ 말솜으로 뎡시의 찬츌ᄒᆞ미 오라지 아닐 바를 고ᄒᆞ며, 진시의 ᄉᆡᆼᄋᆡ 뎡시의 쇼ᄉᆡᆼ과 ᄀᆞᆺᄐᆞ믈 고ᄒᆞ여, ᄒᆞᆫ나흔 긔린ᄀᆞᆺ고 ᄒᆞ나흔 ᄎᆡ봉ᄀᆞᆺᄐᆞ믈 일ᄏᆞ르니, 부인이 만쳡(萬疊) 슈회(愁懷) 듕이나, 어ᄉᆞ의 풍늉호일(豊隆豪逸)ᄒᆞᆫ 긔상과 뉴슈지언(流水之言)을 드르면 오히려 잠간 위회ᄒᆞ미 되어, 탄식 왈,

"ᄌᆞ식이 십삭 ᄐᆡ교의 품슈(稟受)ᄒᆞᄆᆡ 담ᄂᆞ니 만흐니, 뎡·진 이부의 특이ᄒᆞ므로 ᄌᆞ녀를 ᄉᆡᆼ산ᄒᆞᄆᆡ 범상치 아니려니와, 그ᄃᆡ도록 긔이ᄒᆞ믄 텬의 오히려 윤가를 보됴(保調)【57】케 ᄒᆞ시미○[니], 젹지 아닌 경ᄉᆡ라. 깃브미 헐치 아니ᄃᆡ, 뎡현뷔 원뎍이 ᄎᆞ악ᄒᆞ여 뉴시 죽으미 벅벅ᄒᆞ니, 타일 신셜ᄒᆞᆯ 긔약이 이시리오."

어ᄉᆡ 화셩유어로 쳔만 위로ᄒᆞ고, 문견(聞見)의 긔담미어(奇談美語)와 가쇼지ᄉᆞ(可笑之事)를 ᄀᆞᆺ초 고ᄒᆞ여, ᄌᆞ위 우으시믈 요구ᄒᆞ더라.

병부 등이 쇼ᄆᆡ를 숑별ᄒᆞ고 부듕의 도라오니, 태부인 비쳑ᄒᆞ믄 니르지 말고 진부인이 심ᄉᆞ를 붓칠 ᄃᆡ 업셔, 침실의 고요히 누어 눈믈이 하슈(河水) ᄀᆞᆺᄐᆞᆫ디라. 병뷔 크게 민박ᄒᆞ여 졔뎨로 더브러 조모와 ᄌᆞ위를 쳔만 관위ᄒᆞ여, 쇼ᄆᆡ의 복녹 완젼지상을 일ᄏᆞ라, 타일 영귀ᄒᆞᆯ 바를 고ᄒᆞ여 열친ᄒᆞ기를 위쥬ᄒᆞᄆᆡ,【58】 허다 가쇼지ᄉᆡ 무궁ᄒᆞ여 비록 슬프고 근심ᄒᆞ던 ᄌᆡ라도, 병부의 희쇼(喜笑)를 당ᄒᆞ여ᄂᆞᆫ 웃기를 면치 못ᄒᆞᄂᆞᆫ디라. 일노ᄡᅧ 태부인과 진부인이 잠간 심ᄉᆞ를 딘뎡ᄒᆞ나 ᄊᆡᆨᄊᆡᆨ 참비ᄒᆞ믈 니긔지 못ᄒᆞ더라.

이젹의 뉴시 공교로온 ᄭᅬ를 어드니, 뎡쇼져를 살인지죄로 함ᄒᆞᄆᆡ 죽을 줄로 아랏다가, 찬뎍ᄒᆞ믈 보고 블승통완ᄒᆞ여, 신묘랑으로 하여곰 당ᄉᆞ왕비 교ᄋᆞ의게 글을 젼ᄒᆞ여,

어시의 조부인이 구파로 더부러 아부을 니별ᄒᆞ고 ᄎᆞᆷ비ᄒᆞᆫ 심ᄉᆞ을 지향치 못ᄒᆞ니, 직ᄉᆡ ᄎᆞ일 머무러 모친을 위로ᄒᆞ며 질아의 츌범특이ᄒᆞ믈 고ᄒᆞ더니, 이윽고 어ᄉᆡ 일으러 모젼의 뵈ᄋᆞᆸ고 츈양화긔와 유열ᄒᆞᆫ 말솜으로 뎡시의 찬츌이 오ᄅᆡ지 아니물 고ᄒᆞ며, 진시의 ᄉᆡᆼᄋᆡ 뎡시의 ᄉᆡᆼ아와 갓트믈 고ᄒᆞ여, ᄒᆞᄂᆞ흔 긔린 갓고 ᄒᆞ나흔 ᄎᆡ봉 갓트믈 일【5】커러니, 부인이 만쳡(萬疊) 근심 듕이나, 어ᄉᆞ의 풍융호일(豊隆豪逸)ᄒᆞᆫ 긔상과 뉴수지언(流水之言)을 드르면 잠간 위회ᄒᆞ미 되어, 탄식 왈,

"ᄌᆞ식이 십삭 ᄐᆡ교의 품수(稟受)ᄒᆞᄆᆡ 담는니 만흐니, 뎡·진 이부의 특이ᄒᆞ미 ᄌᆞ녀을 ᄉᆡᆼ산ᄒᆞᄆᆡ 범상치 아니려니와, 그ᄃᆡ도록 긔이ᄒᆞ믄 천의 오히려 윤가을 보존케 ᄒᆞ시미○[니], 젹지 아닌 경ᄉᆡ라. 깃부미 헐치 아니ᄃᆡ, 뎡현부 원젹이 ᄎᆞ악ᄒᆞ여 뉴시 죽으미 벅벅ᄒᆞ니, 타일 신셜ᄒᆞᆯ 긔약이 잇스리오."

어ᄉᆡ 화셩유어로 쳔만 위로ᄒᆞ더라.

병부 등이 소ᄆᆡ을 송별ᄒᆞ고 부듕의 도라오니, ᄐᆡ부인이 비록 비쳑ᄒᆞ믄 이러도 말고, 고요히 누어 눈물이 하수 갓ᄐᆞᆫ지라. 병뷔 크게 민민ᄒᆞ여 졔졔로 더부러 조모와 모친을 쳔만 관위ᄒᆞ여, 소ᄆᆡ의 복녹이 완젼지상을 일케[커]러 타일 영귀ᄒᆞᆯ 바을 고ᄒᆞ고, ○…결락9자…○[열친ᄒᆞ기를 위쥬ᄒᆞᄆᆡ] 허다 가소지ᄉᆡ 무궁ᄒᆞ여, 비록 슬푸고 근심ᄒᆞ던 ᄌᆡ라도 병부의 희소(喜笑)을 당ᄒᆞ여ᄂᆞᆫ 웃기을 면치 못ᄒᆞᄂᆞᆫ지라. 일노쎠 ᄐᆡ부인과 진부인이 잠간 심ᄉᆞ을 ○[진]정ᄒᆞ나, ᄊᆡᆨᄊᆡᆨ ᄎᆞᆷ비ᄒᆞ믈 마지 아니 ᄒᆞ더라.

이젹의 뉴시 공교로온 ᄭᅬ을 어더 뎡소져을 ᄉᆞᆯ인 죄수로 ᄒᆞᆷᄒᆞᄆᆡ 죽을 줄노 아라다가, 천[찬]젹ᄒᆞ믈 보고 불승통완ᄒᆞ여, 신묘랑으로 ᄒᆞ여금 장ᄉᆞ왕○[비] 교아의게 글을

뎡시 찬츌ᄒᆞᆫ 소유를 베플고 댱ᄉᆞ의 ᄇᆡ소(配所)ᄒᆞ미 ᄯᅵ를 묘히 어더시니, 모로미 왕을 ᄎᆞᆨᄒᆞ여 뎡시를 죽도록 ᄒᆞ라 ᄒᆞ고, 심니(心裏)의 흔흔ᄌᆞ득ᄒᆞ여 혜오ᄃᆡ,

"나의 계교를 힝ᄒᆞ【59】ᄆᆡ 조시로브터 뎡시 진시가지 근심 업시 셔르즌 ᄌᆞᆨ1061)시니, 광텬 형뎨와 하·댱을 마ᄌᆞ 업시ᄒᆞ리라. ᄒᆞ믈며 하공 ᄂᆡ외 미구(未久)의 샹경ᄒᆞᆫᄌᆞᆨ, 현ᄋᆞ의 안면을 거리쪄 하녀를 히ᄒᆞ미 쉽디 못ᄒᆞ리니, 츌하리 희텬으로 부부락(夫婦樂)을 영영 일우지 못ᄒᆞ게 ᄒᆞ여, 가뷔 됴ᄉᆞ(早死)ᄒᆞᆫᄌᆞᆨ, 하시 홍안박명을 한ᄒᆞ여 외로온 명도를 탓ᄒᆞᆯ 거시 업ᄉᆞ리니, 다만 광텬 형뎨를 급히 죽이리라."

ᄒᆞ여 ᄃᆡᆨᄉᆞ 곤계를 날노 조로고 즐타ᄒᆞ여 편ᄒᆞᆯ 날이 업시 보ᄎᆡᄃᆡ, 어ᄉᆞ와 ᄃᆡᆨᄉᆡ 가지록1062) 셩효를 다ᄒᆞ여 일호 원망ᄒᆞ미 업ᄉᆞ니, 뉴시 그 어질며 ᄀᆡ특ᄒᆞ믈 모로지 아니나, 작인의【60】 비상홈과 녁냥의 침원(沉遠)1063)ᄒᆞ미 못견될 고경을 됴흔 ᄃᆞ시 겻그믈 더옥 괴이히 녁이더라.

어ᄉᆞ 형뎨 ᄉᆞ군찰임(事君察任)의 청명ᄃᆡᆨ졀(淸名直節)이 ᄉᆞ림의 츄앙ᄒᆞᄂᆞᆫ ᄇᆡ 되고, 셩샹의 통우ᄒᆞ샤미 만됴의 소ᄉᆞ날 ᄲᆞᆫ 아니라, 어ᄉᆞᄂᆞᆫ 치셰경뉸지ᄌᆡ(治世經綸之才)와 결승쳔니지외(決勝千里之外)ᄒᆞᄂᆞᆫ ᄎᆞᆼ명(聰明)디모(智謀)를 겸ᄒᆞ여 영ᄀᆡ(靈氣) 츌인ᄒᆞ며, 뎡튱ᄃᆡᆨ졀이 이윤(伊尹)1064) 녀망(呂望)1065)의 후를 ᄯᆞ로고, 츌텬대효ᄂᆞᆫ 대슌(大舜) 증왕(曾王)1066)의 일뉘라. 효힝이 셰고

1061)즉ㅅ : 즛. 모양. 꼴.

1062)가지록 : 갈수록. 시간이 흐르거나 일이 진행됨에 따라 더욱더.

1063)침원(沉遠) : 심원(深遠). 헤아리기 어려울 만큼 깊고 멀다.

1064)이윤(伊尹) : 중국 은나라의 전설상의 인물. 이름난 재상으로 탕왕을 도와 하나라의 걸왕을 멸망시키고 선정을 베풀었다.

1065)녀망(呂望) : 중국 주(周)나라 초기의 정치가. 태공망(太公望)의 다른 이름. 여(呂)는 그에게 봉해진 영지(領地)이며, 상(尙)은 그의 이름이다. 강태공(姜太公). 여상(呂尙) 등의 다른 이름으로도 불린다.

젼ᄒᆞ여, 뎡시 찬츌ᄒᆞᆫ 소유을 벼풀고 장ᄉᆞ의 ᄇᆡ소(配所)ᄒᆞ미 ᄯᆞᆺ을 묘히 어더시니, 모로미 왕을 촉ᄒᆞ여 뎡시을 죽도록 ᄒᆞ라 ᄒᆞ고, 심니의 흔흔ᄌᆞ득ᄒᆞ여 혜오ᄃᆡ,

"나의 계교을 힝ᄒᆞᄆᆡ 조시로【6】부터 뎡시 진시가지 근심 업시 셔르진 ᄌᆞᆨ869)시니, 광쳔 형뎨와 하·장을 ○○[마ᄌᆞ] 업시ᄒᆞ리라. ᄒᆞ물며 하공 ᄂᆡ외 미구(未久)의 상경ᄒᆞᆫ즉, 현아의 안면을 거리쪄 ○○○○○○[하녀를 히ᄒᆞ미] 쉽지 못ᄒᆞ리니, 출ᄒᆞ리 희쳔으로 《부ᄌᆞ‖부부》 지락을 영영 일우지 못ᄒᆞ게 ᄒᆞ여, 가뷔 조ᄉᆞ(早死)ᄒᆞᆫ즉, 하시 홍안박명을 한ᄒᆞ여 외로온 명도을 탓ᄒᆞᆯ 거시 업ᄉᆞ리니, 다만 광쳔 형뎨을 급히 죽이○[리]라"

ᄒᆞ여 직ᄉᆞ 형뎨을 날노 조르고 즐타ᄒᆞ나[여] 편ᄒᆞᆯ 날이 업시 보ᄎᆡᄃᆡ, 어ᄉᆞ와 직ᄉᆡ 가지록 셩효을 당ᄒᆞ여 일호 원망이 업ᄉᆞ니, 뉴시 그 어질며 ᄀᆡ특ᄒᆞ믈 모로지 아니나, 작인의 비상홈과 녁냥이 침원(沉遠)870)ᄒᆞ미 못 견될 곡경을 조흔 드시 격그믈 더욱 괴이히 녁이더라.

어ᄉᆞ 형뎨 ᄉᆞ군출임(事君察任)의 청명직졀(淸名直節)이 ᄉᆞ림의 츄앙ᄒᆞᄂᆞᆫ ᄇᆡ되고, 셩상의 총우ᄒᆞ시미 만조의 소ᄉᆞ날 ᄲᆞᆫ 아니라, 어ᄉᆞᄂᆞᆫ 치셰경뉸지ᄌᆡ(治世經綸之才)와 결승쳔니지외(決勝千里之外) ᄒᆞᄂᆞᆫ 총명(聰明) 지모(智謀)을 겸ᄒᆞ여 영ᄀᆡ(靈氣) 츌인ᄒᆞ고, 졍츙직졀이 이윤(伊尹)871) 녀망(呂望)872)의 후을 ᄯᆞ르고, 츌쳔ᄃᆡ효ᄂᆞᆫ ᄃᆡ슌(大舜) 증ᄌᆞ(曾子)의 일뉘라. 효힝이 셰고무젹(世古無敵)873)이오, 《학ᄉᆞ‖직ᄉᆞ》의 군ᄌᆞ유풍(君

869)즉ㅅ : 즛. 모양. 꼴.

870)침원(沉遠) : 심원(深遠). 헤아리기 어려울 만큼 깊고 멀다.

871)이윤(伊尹) : 중국 은나라의 전설상의 인물. 이름난 재상으로 탕왕을 도와 하나라의 걸왕을 멸망시키고 선정을 베풀었다.

872)녀망(呂望) : 중국 주(周)나라 초기의 정치가. 태공망(太公望)의 다른 이름. 여(呂)는 그에게 봉해진 영지(領地)이며, 상(尙)은 그의 이름이다. 강태공(姜太公). 여상(呂尙) 등의 다른 이름으로도 불린다.

무뎍(世古無敵)[1067]이오 졍튱ᄃᆡᆨᄇᆡᆨ(貞忠直白)이 ᄌᆞ고(自古)의 희한(稀罕)ᄒᆞ니, 호호(浩浩)ᄒᆞᆫ 긔상은 츄텬(秋天)이 묵묵홈 ᄀᆞᆺ고 발췌특이(拔萃特異)[1068]ᄒᆞ여, 영쥰대현(英俊大賢)의【61】 틀을 겸ᄒᆞ여 셰고(世古)의 무ᄡᅣᆼ(無雙) ᄒᆞ거ᄂᆞᆯ, ᄃᆡᆨᄉᆞᄂᆞᆫ 군ᄌᆞ유풍(君子遺風)과 셩ᄌᆞ도덕(聖姿道德)이 공ᄆᆡᆼ안증(孔孟顏曾)[1069] 이후의 ᄒᆞᆫ 사ᄅᆞᆷ이라. 흡흡(洽洽)ᄒᆞᆫ 도덕과 빈빈(彬彬)ᄒᆞᆫ 녜ᄒᆡᆼ(禮行)이 대셩(大聖)[1070]이 ᄃᆡ좌(對坐)ᄒᆞ시나 《무블하ᄌᆞ(無不瑕疵) ‖ 무하(無瑕)[1071]》홀디라. 튱효셩ᄒᆡᆼ이 이윤(伊尹) 부열(傅說)[1072]의 튱과 뎨슌(帝舜)의 효를 본밧ᄌᆞ오니, 만단(萬端) 즐타지셩(叱打之聲)을 당ᄒᆞ나, 온화ᄒᆞᆫ 낫빗과 브드러온 말ᄉᆞᆷ이 ᄉᆡᆼ쳘(生鐵)을 녹일 ᄇᆡ로ᄃᆡ, 위흉의 포려홈과 뉴악의 간힐ᄒᆞ미 그 셩효대덕이 만고의 희한ᄒᆞ믈 졀치ᄒᆞ고, 경ᄋᆞ의 독악ᄒᆞ미 어ᄉᆞ 곤계의 어질며 효우ᄒᆞ믈 모로리오마ᄂᆞᆫ 이럴ᄉᆞ록 질지이심(嫉之已甚)[1073]이 ᄆᆡ【62】이 녁이고 통완ᄒᆞ니, 아디못게라 흉계 장ᄎᆞᆺ 어나 곳의 밋ᄎᆞᆫ고.

익셜. 션시의 ᄎᆞᆨ디 하부의셔 하공과 됴부인이 녀ᄋᆞ를 실산ᄒᆞᆫ 슬프미 구곡(九曲)[1074]

子遺風)과 셩ᄌᆞ도덕(聖姿道德)이 공ᄆᆡᆼ안증(孔孟顏曾)[874] 이후의 ᄒᆞᆫ ᄉᆞᄅᆞᆷ이라. 온화ᄒᆞᆫ 낫빗과 부드러온 말ᄉᆞᆷ이 ᄉᆡᆼ쳘(生鐵)을 녹일 ᄇᆡ로ᄃᆡ, 위흉의 포려(暴戾) 극흉(極凶)홈과 뉴악의 간힐ᄒᆞ미 그 셩효ᄃᆡ덕이 만고의 희한ᄒᆞ믈 졀치ᄒᆞ고, 경아의 독악간흉ᄒᆞ미 어ᄉᆞ곤계의 어질며 효우ᄒᆞ믈 모로리오마ᄂᆞᆫ, 이럴ᄉᆞ록 질지이심(嫉之已甚)[875]이 ᄆᆡ이녁이고 통완ᄒᆞ나, 아지 못게라, 흉계【7】 장ᄎᆞᆺ 어나 곳의 밋ᄎᆞᆫ고.

익셜, 션시의 ᄎᆞᆨ지 하부의셔 하공과 조부인이 ᄋᆡ녀을 실산ᄒᆞᆫ 슬푸미 구곡(九曲)[876]이 ᄉᆞ라지ᄂᆞᆫ 듯ᄒᆞ나, 슬하의 원ᄉᆞᆷ 등 ᄉᆞᆷᄋᆡ 층층이 넘노라 만 결[877] 회포을 관인홀 젹이 만코, 옥수(玉樹) 신월(新月) 갓튼 ᄌᆞ뷔 안젼의 긔화(奇花) 일월(日月)이 되엿시니 ᄌᆞ연 금억ᄒᆞ미 되엿더라.

1066)증왕(曾王) : 중국의 대표적 효자인 증자(曾子 : BC505-435)와 왕상(王祥 : 184-268)을 함께 이르는 말.
1067)셰고무뎍(世古無敵) : 세상에 견줄만한 사람이 없을 정도로 뛰어남.
1068)발췌특이(拔萃特異) : 무리 가운데서 특별히 뛰어나고 특이함.
1069)공밍안증(孔孟顏曾) : 유학의 네 성현인 공자, 맹자, 안회, 증삼을 아울러 이르는 말.
1070)대셩(大聖) : 큰 성인. 유교에서 공자(孔子)를 높여 이르는 말.
1071)무하(無瑕) : 흠잡을 것이 없다. 흠이나 티가 없다. 원문의 '무불하자(無不瑕疵)'는 '하자(瑕疵; 흠과 티)가 없지 않다'는 뜻이 되어 비문(非文)이다. '무하부자(無瑕不疵)'의 오기인 듯.
1072)부열(傅說 : 중국(中國) 은(殷)나라 고종(高宗) 때의 재상(宰相), 토목(土木) 공사(工事)의 일꾼이었는 데, 당시(當時)의 재상(宰相)으로 등용(登用)되어 중흥(中興)의 대업을 이루었음
1073)질지이심(嫉之已甚) : 시기하기를 더욱 심히 함.
1074)구곡(九曲) : '구곡간장(九曲肝腸)'의 줄임말. 굽이굽이 서린 창자라는 뜻으로, 깊은 마음속 또는 시름이 쌓인 마음속을 비유적으로 이르는 말.

873)셰고무뎍(世古無敵) : 세상에 견줄만한 사람이 없을 정도로 뛰어남.
874)공밍안증(孔孟顏曾) : 유학의 네 성현인 공자, 맹자, 안회, 증삼을 아울러 이르는 말.
875)질지이심(嫉之已甚) : 시기하기를 더욱 심히 함.
876)구곡(九曲) : '구곡간장(九曲肝腸)'의 줄임말. 굽이굽이 서린 창자라는 뜻으로, 깊은 마음속 또는 시름이 쌓인 마음속을 비유적으로 이르는 말.
877)결 : 갈래. 무늬.

이 ᄉᆞ라디ᄂᆞᆫ 듯ᄒᆞ나, 슬하의 원삼 등 삼ᄋᆡ 층층이 넘노라 만 결[1075] 회포를 관인ᄒᆞᆯ 젹이 만고, 옥슈(玉樹) 신월(新月) ᄀᆞᆺᄐᆞᆫ ᄌᆞ뷔 안져(眼底)의 긔화일월(奇花日月)이 되어시니, ᄌᆞ연 금억ᄒᆞ미 되엿더라.

윤쇼졔 상문(相門) 교옥(皎玉)으로 ᄉᆡᆼ어교ᄋᆡ(生於嬌愛)ᄒᆞ며 댱어호치(長於豪侈)ᄒᆞ니, ᄌᆞ쇼(自少)로 셰샹 고락을 아디 못ᄒᆞᆯ ᄇᆡ로ᄃᆡ, ᄋᆞ시 ᄆᆡᆼ약으로 슈졀간고(守節艱苦)와 비상(飛霜)을 지ᄂᆡ고, 셔촉 만니의 죵가(從嫁)ᄒᆞᄆᆡ 가향이 아ᄋᆞ라 ᄒᆞ여, 부친이 상경ᄒᆞ신 후ᄂᆞᆫ 존문(存問)이 ᄌᆞ로 님치 아니【63】ᄒᆞ니, 녀ᄌᆞ의 연연약장(戀戀弱腸)이 신혼모졍의 북텬(北天)[1076]을 창망(悵望)ᄒᆞᄂᆞᆫ 심회 엇더ᄒᆞ리오마ᄂᆞᆫ, 친측(親側)의 부모 은ᄋᆡ를 늣길ᄉᆞ록 구고의 뎍디(謫地) 고초로 ᄉᆡᆼ계 쳐량ᄒᆞ시믈 우러러 슬허ᄒᆞ미, 텬셩디효로 비로ᄉᆞᆫ ᄇᆡ 효감(孝感) 소치(所致)라. 셰셰(歲歲)[1077] 삼상(參商)[1078]ᄒᆞᄆᆡ 존당 부모를 니측ᄒᆞᆫ 심ᄉᆡ 참연 비졀ᄒᆞ나, 텬ᄉᆡᆼ 품슈ᄒᆞᆫ ᄇᆡ 침위(沈威) 유열(愉悅)ᄒᆞ여 일개 쇼녀ᄌᆞ의 녁냥이 창ᄒᆡ의 깁기와 듕산(重山)의 무거오믈 가져, 그 너르미 텬디와 방불ᄒᆞ고 화슌유열(和順愉悅)ᄒᆞ미 모란이 츈풍의 휘듯ᄂᆞᆫ[1079] ᄃᆞᆺ, 츈풍화긔(春風和氣)와 동일지ᄋᆡ(冬日之愛)[1080]를 겸ᄒᆞ여, 심니(心裏)의 쳔단(千端) 비원과 만가지 괴로오미 이시나, 외뫼 화(和)ᄒᆞ믄 동풍의 화왕(花王)이 우ᄉᆞ【64】며 츈일(春日)이 만방의 다샤ᄒᆞᆷ ᄀᆞᆺᄐᆞ여, 본부 부귀와 쵹디 간고를 혜건ᄃᆡ 텬샹 신션과 디하 귀것 ᄀᆞᆺᄐᆞᄃᆡ, 쳐빈(處貧)을 안연(晏然)ᄒᆞ여 모ᄆᆡᆨ(麰麥)과 ᄎᆡ소를 블염(不厭)ᄒᆞ고, 구고를 밧드ᄂᆞᆫ 셩회 츌텬ᄒᆞ여 온

1075)결 : 갈래. 무늬.

1076)북텬(北天) : 북쪽 하늘. 여기서는 북당(北堂) 곧 어머님이 계신 곳, 나아가 부모님이 계신 곳을 말함.

1077)셰셰(歲歲) : 해마다. 해가 갈수록.

1078)삼상(參商) : 멀리 떨어져서 그리워함. 삼상(參商)은 본래 동·서로 멀리 떨어져 있는 별인 삼성(參星)과 상성(商星)을 아울러 이르는 말임.

1079)휘듯다 : 흔들리다. 휘날리다.

1080)동일지ᄋᆡ(冬日之愛) : 겨울 햇살의 다사로움.

윤소져 상문(相門) 교옥(皎玉)으로 상[ᄉᆡᆼ]어교ᄋᆡ(生於嬌愛)ᄒᆞ며 장어호치(長於豪侈)ᄒᆞ니, ᄌᆞ소(自少)로 셰상 고락을 아지 못ᄒᆞᆯ ᄇᆡ로ᄃᆡ, 《오직∥ᄋᆞ시》 ᄆᆡᆼ약으로 수졀간고(守節艱苦)와 비상(飛霜)을 지ᄂᆡ고, 셔촉 만니의 종가(從嫁)ᄒᆞᄆᆡ 가향이 아ᄋᆞ라 ᄒᆞ여, 부친이 상경ᄒᆞ신 후ᄂᆞᆫ 존문(存問)이 ᄌᆞ로 임치 아니ᄒᆞ니, 녀ᄌᆞ의 연연약장(戀戀弱腸)이 신혼모졍이 북쳔(北天)[878]을 창망(悵望)ᄒᆞᄂᆞᆫ 심ᄉᆡ 엇더ᄒᆞ리오마ᄂᆞᆫ, 친측(親側)의 부모 은ᄋᆡ을 늣기[길]ᄉᆞ록 구고의 《졍니∥뎍디(謫地)》 고초을[로] 《삼켜∥ᄉᆡᆼ계》 쳐량ᄒᆞ시믈 울어러 슬허ᄒᆞ미 쳔셩지효로 비로손 ᄇᆡ 효감(孝感) 소치(所致)라. 셰셰(歲歲)[879] 상상ᄒᆞᄆᆡ 존당 부모을 이측ᄒᆞᆫ 심ᄉᆡ 참연비졀ᄒᆞ나, 쳔ᄉᆡᆼ 품수ᄒᆞᆫ ᄇᆡ 침위(沈威) 유열(愉悅)ᄒᆞ여 일ᄀᆡ 소녀ᄌᆞ의 녁냥이 창ᄒᆡ의 깁기와 슝산(崇山)[880]의 무거오물 가져, 그 너르미 쳔지와 방블ᄒᆞ고 화슌유열(和順愉悅)ᄒᆞ미 모란이 츈풍의 휘드ᄂᆞᆫ[881] 듯, 동일지ᄋᆡ(冬日之愛)[882]을 겸ᄒᆞ여, 심니(心裏)의 쳔단(千端) 비원과 만가지 괴로오미 잇시나, 외모 화(和)ᄒᆞ믄 동풍의 모란이 우스며, 츈일(春日)이 만방의 다ᄉᆞᄒᆞᆷ과 갓트여, 본부 부귀와 촉지 간고을 혜컨ᄃᆡ 쳔상 신션과 지ᄒᆞ 귀것 갓트ᄃᆡ, 쳬변(處變)을 안연(晏然)ᄒᆞ{ᄒᆞ}여 모ᄆᆡᆨ(麰麥)과 ᄎᆡ소을 불염(不厭)ᄒᆞ고, 구고을 밧드ᄂᆞᆫ 셩효 츌쳔ᄒᆞ여 온슌ᄒᆞᆫ 빗과 너그러온【8】 셩ᄒᆡᆼ이 가지록 유열ᄒᆞ

878)북텬(北天) : 북쪽 하늘. 여기서는 북당(北堂) 곧 어머님이 계신 곳, 나아가 부모님이 계신 곳을 말함.

879)셰셰(歲歲) : 해마다. 해가 갈수록.

880)슝산(崇山) : 중국 오악(五嶽) 가운데 하나. 중국 하남성(河南省) 서북부 낙양(洛陽) 동쪽에 있다. 높이는 1,600미터

881)휘드다 : 흔들리다. 휘날리다.

882)동일지ᄋᆡ(冬日之愛) : 겨울 햇살의 다사로움.

슌ᄒᆞᆫ 빗과 너그러온 셩ᄒᆡᆼ이 가지록 유열ᄒᆞ여, 혹ᄌᆞ 구고의 뜻을 어긔오미 이실가 조심ᄒᆞ고 삼가, 가ᄌᆞᆨᄒᆞᆫ 정셩이 하ᄉᆡᆼ이라도 이의 더으지 못ᄒᆞ고, 원삼 등 삼ᄋᆞ를 혈심으로 무ᄋᆡᄒᆞ여 슈슉(嫂叔)의 셔어(齟齬)ᄒᆞ믈 바리고 친동긔의 디극ᄒᆞᆫ 뜻을 다ᄒᆞ여, ᄇᆡᆨᄒᆡᆼ의 녜뫼 빈빈ᄒᆞ고 법되 슉슉ᄒᆞ여 님하 ᄉᆞ군ᄌᆞ의 풍이 이시니, 기심(其心)이 여옥(如玉)이오 기ᄒᆡᆼ(其行)이 여빙(如聘)ᄒᆞ여, 여러 일【65】월의 하ᄌᆞᄒᆞᆯ 곳이 업고 탄복 친션ᄒᆞᆯ ᄇᆡ라. 쇼져의 슈츌ᄒᆞᆫ 용화와 셩심ᄉᆞ덕으로, 구고 ᄌᆞᄋᆡ와 가부의 듕ᄃᆡᄂᆞᆫ ᄌᆡ기듕(在其中)이로ᄃᆡ, 구고ᄂᆞᆫ 셰월이 갈ᄉᆞ록 년ᄋᆡ 귀듕ᄒᆞ미 친ᄉᆡᆼ 녀ᄋᆞ로 일반이나, ᄉᆡᆼ의 염박ᄒᆞ믄 날노 심ᄒᆞ여, 딘고람이로라 ᄒᆞ던 도젹의 흉참흠과 더러운 셔간의 음참ᄒᆞ던 바를 ᄉᆡᆼ각ᄒᆞ면, 비위 동ᄒᆞ여 부부눈의를 몽니의도 출힐 ᄆᆞᄋᆞᆷ이 업ᄂᆞᆫ디라.

그 용모의 수려 쇄락ᄒᆞ미 계궁소월(桂宮素月)과 금분화왕(金盆花王)[1081] ᄀᆞᆺᄐᆞᄃᆡ, 쇼년 풍경의 조곰도 요동치 아냐 그 셩회 츌텬ᄒᆞ며 ᄒᆡᆼᄉᆡ 긔이【66】ᄒᆞ믈 보나, 탄복ᄒᆞᄂᆞᆫ ᄆᆞᄋᆞᆷ이 업셔 그윽이 음악찰녀로 츼워, 부모의 의심을 닐위지 아니랴 외친ᄂᆡ쇼ᄒᆞ믈 쥬(主)ᄒᆞ여 ᄉᆞ실과 부모 면젼의 상ᄃᆡᄒᆞ미 무상ᄒᆞ나, 맛춤ᄂᆡ 이셩지합(二姓之合)을 일우지 아냐, 그 고운 용홰 ᄉᆡᆼ의 눈의 뮙고, 아름다온 ᄒᆡᆼᄉᆡ ᄉᆡᆼ의 ᄆᆞᄋᆞᆷ의 분완ᄒᆞ니, 어ᄃᆡ로 ᄎᆞᆺᄎᆞ 금슬우지(琴瑟友之))의 죵고낙지(鐘鼓樂之)ᄒᆞ여 유ᄌᆞᄉᆡᆼ녀(有子生女)ᄒᆞᆯ 뜻이 이시리오. 일양 ᄆᆡᆨᄆᆡᆨ히 염박(厭薄)ᄒᆞ여 츌하리 집의 업과져 바라며, 부부의 의를 긋쳐 상ᄃᆡ치 말기를 원ᄒᆞ나, 뜻과 ᄀᆞᆺ지 못ᄒᆞ여 부모ᄂᆞᆫ ᄆᆡ양 윤시의 현슉ᄒᆞ믈 칭찬ᄒᆞ여, ᄉᆡᆼ을 권ᄒᆞ여 비록【67】 안ᄒᆡ 슈ᄒᆡ(手下)나 그 위인을 공경듕ᄃᆡᄒᆞ믈 범연이 말고, 윤공을 은인으로 아라 그 쇼교(小嬌)의 일신이 안뎡(安定)토록 ᄒᆞ라 당부ᄒᆞ니, ᄉᆡᆼ이 부공의 셩품이 강엄ᄒᆞ시믈 두리고, 화란 후로 블평

1081)금분화왕(金盆花王) : 금빛 화분 속에 피어 있는 모란꽃. 화왕(花王)은 모란꽃을 말함.

여, 혹ᄌᆞ 구고의 뜻즐 어긔오미 잇실가 조심ᄒᆞ고 ᄉᆞᆷ가 가작ᄒᆞᆫ[883] 정셩이 하ᄉᆡᆼ이라도 이의셔 더으지 못ᄒᆞ고, 원ᄉᆞᆷ 등 ᄉᆞᆷ아을 혈심으로 무ᄋᆡᄒᆞ여 수숙(嫂叔)의 셔어(齟齬)ᄒᆞ믈 바리고 친동긔의 지극ᄒᆞᆫ 뜻즐 다ᄒᆞ여, ᄇᆡᆨᄒᆡᆼ의 녜뫼 빈빈ᄒᆞ고 법되 숙숙ᄒᆞ여 님ᄒᆞ ᄉᆞ군ᄌᆞ의 풍이 잇시니, 기심(其心)이 여옥(如玉)이오 기ᄒᆡᆼ(其行)이 여빙(如聘)ᄒᆞ여, 여러 일월의 ᄒᆞᄌᆞᄒᆞᆯ 곳지 업고 탄복칭션ᄒᆞᆯ ᄇᆡ라. 소져의 수츌ᄒᆞᆫ 용화와 셩심으로 구고와 가부의 듕ᄃᆡᄂᆞᆫ ᄌᆡ기듕(在其中)이로ᄃᆡ, 구고ᄂᆞᆫ 셰월이 갈ᄉᆞ록 연ᄋᆡ 귀듕ᄒᆞ미 친ᄉᆡᆼ 녀ᄋᆞ로 일반이나, ᄉᆡᆼ의 염박ᄒᆞ믄 날노 더ᄒᆞ여 진고람이로라 ᄒᆞ던 도젹의 흉흠과 더러온 셔간의 음츰ᄒᆞ던 바을 ᄉᆡᆼ각ᄒᆞ면, 비위 동ᄒᆞ여 부부윤의를 몽니의도 출힐 《길‖ᄆᆞᄋᆞᆷ》이 업ᄂᆞᆫ지라.

그 용모의 수려 쇄락ᄒᆞ미 계궁소월(桂宮素月)과 금분화왕(金盆花王)[884] 갓트ᄃᆡ, 소연(少年) 풍경의 조금도 요동치 아냐 그 셩효츌쳔ᄒᆞ며 ᄒᆡᆼᄉᆡ 긔이ᄒᆞ믈 보아[나], 탄복ᄒᆞᆫ 마음이 업셔 그윽이 음악투부로 치워, 부모의 의심을 일위지 아니랴 외친ᄂᆡ소ᄒᆞ믈 주(主)ᄒᆞ여 ᄉᆞ실과 부모 면젼의 상ᄃᆡᄒᆞ미 무상ᄒᆞ나, 마춤ᄂᆡ 이셩지합(二姓之合)이[을] 일위지 아냐, 그 고은 용홰 ᄉᆡᆼ의 눈의ᄂᆞᆫ 뮙고, 아름다온 ᄒᆡᆼᄉᆡ ᄉᆡᆼ의 ᄆᆞᄋᆞᆷ의ᄂᆞᆫ 분완ᄒᆞ니, 어ᄃᆡ로 ᄎᆞᆺ[ᄌᆞᆺ]ᄎᆞ 금슬우지(琴瑟友之))ᄒᆞ고 종고낙지(鐘鼓樂之)ᄒᆞ여 유ᄌᆞᄉᆡᆼ녀(有子生女)ᄒᆞᆯ 뜻지 잇시리오. 일양 ᄆᆡᆨᄆᆡᆨ히 염박(厭薄)ᄒᆞ여 츌하리 집의 업과져 바라며,【9】 부부지의을 ᄭᆞᆫ쳐 상ᄃᆡ치 말기을 원ᄒᆞ나, 여의치 못ᄒᆞ며 부모ᄂᆞᆫ ᄆᆡ양 윤시의 현숙ᄒᆞ믈 칭찬ᄒᆞ며, ᄉᆡᆼ을 권ᄒᆞ여 비록 안ᄒᆡ 수하(手下)나 그 위인을 공경듕ᄃᆡᄒᆞ믈 범연이 말고, 윤공을 은인으로 알아 그 소교의 일신이 안졍(安定)토록ᄒᆞ라 당부ᄒᆞ니, ᄉᆡᆼ이 부친 셩품

883)가작ᄒᆞ다 : 가지런하다.
884)금분화왕(金盆花王) : 금빛 화분 속에 피어 있는 모란꽃. 화왕(花王)은 모란꽃을 말함.

ᄒᆞ신 심위(心憂) 이신즉, 반ᄃᆞ시 셩질(成疾) ᄒᆞ시ᄂᆞᆫ 고로, 혹ᄌᆞ 윤시 박ᄃᆡᄒᆞ믈 아르실가 ᄒᆞ여 짐ᄌᆞᆺ 후ᄃᆡᄒᆞᄂᆞᆫ 쳬ᄒᆞ나, ᄉᆞ실의 고요히 ᄃᆡᄒᆞᄆᆡ 믁믁ᄒᆞᆫ 미위(眉宇) 싁싁ᄒᆞ고 셜풍이 은은ᄒᆞ여, 창엄(滄嚴)[1082]ᄒᆞᆫ 긔위(氣威) 견ᄌᆞ로 ᄒᆞ여곰 숑연경구(悚然敬懼)ᄒᆞ믈 니긔지 못ᄒᆞᆯ ᄇᆡ라.

쇼졔 ᄉᆡᆼ셰 십칠의 ᄒᆡᆼ신 만ᄉᆞ를 상냥(商量)ᄒᆞ나, 가부의 이ᄃᆡ도록 ᄒᆞᄂᆞᆫ 묘ᄆᆡᆨ(苗脈)이 업ᄉᆞᆯ 거시로ᄃᆡ, 신혼 초야 흉변으로 인ᄒᆞ여 ᄌᆞ긔【68】를 비하(卑下)히 넉이며, 음악(淫惡)으로 칙워 염박ᄒᆞ믈 지긔ᄒᆞᄆᆡ, 스ᄉᆞ로 명도(命途)를 탄ᄒᆞᆯ지언졍 부부 ᄉᆞ졍은 몽니의도 ᄉᆡᆼ각디 아니코, 무죄히 박ᄃᆡᄒᆞ믈 슬허ᄒᆞ지 아냐 비홍(臂紅)을 ᄒᆡᆼ여 보리 이실가 ᄀᆞᆷ초며, 구괴 아디 못ᄒᆞ니, 여러 셰월의 ᄉᆡᆼ의 믜워ᄒᆞ미 가지록 심ᄒᆞ며, 비록 구괴 ᄌᆞᄋᆡᆨᄒᆞ미 친ᄉᆡᆼ 부모 ᄀᆞᆺᄐᆞ나 녀ᄌᆞ 일ᄉᆡᆼ이 가부의 장니(掌裏)의 잇거ᄂᆞᆯ, 그 박졍 ᄆᆡ몰ᄒᆞ미 이상 ᄐᆡ심ᄒᆞ여 조금도 인졍이 업ᄉᆞ니, 므어ᄉᆞᆯ 미드며 젼졍 만니의 바랄 거시 업ᄉᆞᄃᆡ, 윤쇼졔 화열단듕ᄒᆞ미 ᄉᆞᄉᆡᆨ(辭色)의 한ᄒᆞ미 업ᄉᆞ나, 누쳔니 궁향(窮鄕)의 부모를 원별ᄒᆞ고 뎍거【69】슈졸(戍卒)의 가실(家室)이 되어, 형ᄎᆞ포군(荊釵布裙)을 블염ᄒᆞ고 음식이 ᄆᆡᆨ반과 즐긘 ᄎᆡ소 아니면 일긔 속듁(粟粥)이라. 부귀호화 듕 ᄉᆡᆼ댱ᄒᆞ여 이런 고초를 견ᄃᆡ기 어렵거ᄂᆞᆯ, 초실(草室)이 누츄ᄒᆞ여 집ᄌᆞ리[1083] 초벽이 계오 풍우를 ᄀᆞ리오나, 빙ᄌᆞ귀골(氷姿貴骨)이 좌와간(坐臥間) 블평누악(不平陋惡)ᄒᆞᄃᆡ, 쇼졔 고루화당(高樓華堂)의 호치(豪侈)를 ᄊᆡ여심 ᄀᆞᆺᄐᆞ여 괴로오믈 모로ᄂᆞᆫ ᄃᆞᆺᄒᆞ나, 하ᄉᆡᆼ의 참엄(斬嚴)ᄒᆞᆫ 노긔와 녈일(烈日)ᄒᆞᆫ 안광이 ᄌᆞ긔를 믜워보기의 당ᄒᆞ여ᄂᆞᆫ, ᄀᆞ만ᄒᆞᆫ 가온ᄃᆡ 옥장(玉腸)이 ᄉᆞ희여[1084] ᄌᆞ긔 평ᄉᆡᆼ이 위ᄐᆡᄒᆞ믈 ᄎᆞ아

1082)창엄(滄嚴) : 차갑고 엄함.
1083)집ᄌᆞ리 : 짚으로 만든 자리.
1084)ᄉᆞ희다 : 사위다. 다 타버리다. 불이 사그라져서 재가 되다.

이 강엄ᄒᆞ믈 두리고, 화란지후로 불평ᄒᆞ신 심위(心憂) 잇신즉, 반드시 셩질(成疾)ᄒᆞ시ᄂᆞᆫ 고로, 혹ᄌᆞ 윤시 박ᄃᆡᄒᆞ믈 알으실가 ᄒᆞ가[여] 짐즛 후ᄃᆡᄒᆞᄂᆞᆫ 쳬ᄒᆞ나, ᄉᆞ실의 고요히 ᄃᆡᄒᆞᄆᆡ 묵묵ᄒᆞᆫ 미위(眉宇) 씍씍ᄒᆞ고 셜풍이 늠늠ᄒᆞ여, 참엄(斬嚴)[885]ᄒᆞᆫ 위의 견ᄌᆞ로 ᄒᆞ여곰 송영[연]경구(悚然敬懼)ᄒᆞ믈 이긔지 못ᄒᆞᆯ ᄇᆡ라.

소져 ᄉᆡᆼ셰 십칠의 ᄒᆡᆼ신 만ᄉᆞ을 상냥(商量)ᄒᆞ나, 가부의 이ᄃᆡ도록 ᄒᆞᄂᆞᆫ 주의ᄂᆞᆫ 업ᄉᆞᆯ 거시로ᄃᆡ, 신혼초야의 흉변을 인ᄒᆞ여 ᄌᆞ긔을 비아[하](卑下)이 녁이며 음악(淫惡)으로 치워 염박ᄒᆞ믈 지긔ᄒᆞᄆᆡ, 스ᄉᆞ로 명도(命途)을 탄ᄒᆞᆯ지언졍, 부부 ᄉᆞ졍은 몽니의도 ᄉᆡᆼ각지 아니코, 무죄히 박ᄃᆡᄒᆞ믈 슬허ᄒᆞ미 업셔 비홍(臂紅)을 ᄒᆡᆼ혀 보리 잇실가 감초며, 구괴 아지 못ᄒᆞ니 여러 세월의 ᄉᆡᆼ의 믜워ᄒᆞ미 가지록 심ᄒᆞᄆᆡ, 비록 구괴 ᄌᆞᄋᆡᆨᄒᆞ미 친부모 갓트나, 녀ᄌᆞ 일신이 가부의 장니(掌裏)의 잇거ᄂᆞᆯ, 그 박졍 ᄆᆡ몰ᄒᆞ미 이상 ᄐᆡ심ᄒᆞ며 조고만 인졍이 업ᄉᆞ니, 무어ᄉᆞᆯ 미드며 젼졍 만니의 미들 거시 업ᄉᆞᄃᆡ, 소져 화열단중ᄒᆞ미 ᄉᆞᄉᆡᆨ(辭色)의 ᄒᆞᆫ(恨)이 업ᄉᆞ나, 누쳔니 궁향(窮鄕)의 부모을 원별ᄒᆞ【10】고 젹거 수졸(戍卒)의 가실(家室)이 되어 형ᄎᆞ포군(荊釵布裙)의[을] 불념(不厭)ᄒᆞ고 음식이 ᄆᆡᆨ반과 즐긴 ᄎᆡ쇼아니면 일긔 속죽(粟粥)이라. 부귀호화 듕 ᄉᆡᆼ장ᄒᆞ여 이런 고초을 견ᄃᆡ기 어렵거ᄂᆞᆯ, 토실(土室)이 누츄ᄒᆞ여 집ᄌᆞ리[886] 초벽이 겨유 풍우을 가리오나, 빙ᄌᆞ귀골(氷姿貴骨)이 좌와간(坐臥間) 블평누악(不平陋惡)ᄒᆞᄃᆡ, 소져 고루화당(高樓華堂)의 호치(豪侈)을 ᄊᆡ엿심 갓트여 괴로오믈 모로ᄂᆞᆫ ○[듯]ᄒᆞ나, 하ᄉᆡᆼ의 참엄(斬嚴)ᄒᆞᆫ 노긔와 열일(烈日)ᄒᆞᆫ 안광이 ᄌᆞ긔을 미워보기의 당ᄒᆞ여ᄂᆞᆫ, 가만ᄒᆞᆫ 가온ᄃᆡ 옥장(玉腸)이 ᄉᆞ희여[887] ᄌᆞ긔 평ᄉᆡᆼ이 위ᄐᆡᄒᆞ믈 ᄎᆞ아

885)참엄(斬嚴) : 매우 엄중함.
886)집ᄌᆞ리 : 짚으로 만든 자리.
887)ᄉᆞ희다 : 사위다. 다 타버리다. 불이 사그라져서 재가 되다.

(嗟哦)ᄒᆞ나[1085], 외모ᄂᆞᆫ 더옥 여일화평(如一和平)ᄒᆞ여 무ᄉᆞ무려히 지ᄂᆡ니, 하ᄉᆡᆼ이 여러 셰월의 두고 보ᄆᆡ 그 인물과 상모를 측【70】냥치 못ᄒᆞ여, 도로혀 윤공의 ᄌᆞ녀 가온ᄃᆡ 괴이ᄒᆞᆫ 거시 나시믈 탄ᄒᆞ고, 그 완젼지샹과 힝ᄉᆞ쳐신이 초츌 특이ᄒᆞ믈 그윽이 의려(疑慮)ᄒᆞ여, 제 신혼 초일의 간부를 드리며, 미혼젼 진고람으로 졍을 ᄆᆡᄌᆞ시ᄃᆡ 힝지거동은 유법단일(有法端壹)ᄒᆞ여, 슉녀 명풍과 ᄉᆞ군ᄌᆞ 긔상이 이시니, ᄂᆡ외 다르미 엇디 이ᄃᆡ도록 심ᄒᆞᆫ고. 가히 측냥치 못ᄒᆞᆯ디라. 아모커나 오라도록 음부의 비루지ᄉᆞ(鄙陋之事)를 ᄉᆞᆯ펴 간부를 쾌히 잡은 후, 음악지죄(淫惡之罪)를 다ᄉᆞ리ᄂᆞᆫ 거시 올흐니 아딕 블호지ᄉᆡᆨ을 낫토지 아니리라 ᄒᆞ여, 잠간 외면의 후ᄒᆞᆫ ᄉᆡᆨ을 작위ᄒᆞ나 쇼져의 ᄎᆞᆼ명영긔로 엇【71】디 기의를 모로리오. 그윽이 팔ᄌᆞ를 한ᄒᆞ여 신셰를 탄ᄒᆞ여 심니의 남다른 회푀 만쳡ᄒᆞ여도, 일즉 초영 벽난 등 비ᄌᆞ를 ᄃᆡᄒᆞ나 심ᄉᆞ를 니르지 아니코, 경샤 노복이 왕ᄂᆡᄒᆞ믈 인ᄒᆞ여 친당의 셔간을 븟치ᄃᆡ, ᄌᆞ긔 괴롭고 간초ᄒᆞ믈 필디어서(筆之於書)[1086]ᄒᆞᄂᆞᆫ 일이 업셔, 일양 무ᄉᆞᄒᆞ믈 고ᄒᆞᆯ ᄲᆞᆫ이오, 모친이 어지지 못ᄒᆞ믈 근심ᄒᆞ여 가ᄉᆞ를 념녀ᄒᆞ미 깁흐ᄃᆡ 언두의 일ᄏᆞᆺ지 아니니, 하공 부부 부ᄌᆞᄂᆞᆫ 윤부 ᄉᆞ고를 알길히 업ᄉᆞᆫ디라. 됴부인이 쇼져를 ᄃᆡᄒᆞ여 타루(墮淚) 문왈,

"내 집이 옥누항의 잇셔 부귀를 누릴 ᄊᆡ 녀ᄋᆞ를 윤낭과 뎡혼ᄒᆞ니, 이런 참홰【72】이실 줄은 모로고 셰월이 슈히 가믈 원ᄒᆞ여, 년장ᄃᆡ문(連墻大門)[1087]의 ᄌᆞ녀를 밧고와 됴왕모ᄅᆡ(朝往暮來)ᄒᆞ여 작소(鵲巢)[1088]의 깃드리믈 보고져 ᄒᆞ엿더니, 삼ᄋᆞ를 참망ᄒᆞ고 죄뤼(罪累) 망측ᄒᆞ여 쵹(蜀) 듕 슈졸이

1085)ᄎᆞ아(嗟哦)ᄒᆞ다 : 탄식하다. 한탄하다.

1086)필디어서(筆之於書) : 편지에다 적음.

1087)년장ᄃᆡ문(連墻大門) : 담장과 대문을 서로 이어 가까이 살아감.

1088)작소(鵲巢) : 까치집. 신혼부부의 신방. 『시경』 <소남(召南)> '작소(鵲巢)'편에 신부가 시집가는 신랑의 집을 작소(鵲巢)라 함.

(嗟哦)ᄒᆞ나[888], 외모의ᄂᆞᆫ 더욱 여일화평(如一和平)ᄒᆞ여 무ᄉᆞ무려이 지ᄂᆡ니, 하ᄉᆡᆼ이 여러 셰월의 두고 보ᄆᆡ 그 인물과 상모을 측냥치 못ᄒᆞ여, 도로혀 윤공의 ᄌᆞ녀 즁 괴이ᄒᆞᆫ 거시 낫시믈 탄ᄒᆞ고, 그 《관젼‖완전》지상과 힝ᄉᆞ쳐신이 초츌 특이ᄒᆞ믈 그윽이 의려ᄒᆞ야, 제 시[신]혼 초일의 간부을 드리고, 미혼젼 진고람으로 졍을 ᄆᆡᄌᆞᆺ시되, 힝지거동은 유법관일(有法貫一)ᄒᆞ여, 숙녀 명풍과 ᄉᆞ군ᄌᆞ의 긔상이 잇시니, ᄂᆡ외 다르미 엇지 이ᄃᆡ도록 심ᄒᆞᆫ고, 가히 측냥치 못ᄒᆞ리로다. 아모커나 오ᄅᆡ도록 음부의 비루지ᄉᆞ(鄙陋之事)을 ᄉᆞᆯ펴 간부을 쾌히 잡은 후, 음악지죄(淫惡之罪)을 다ᄉᆞ리ᄂᆞᆫ 거시 올흐니 아즉 불호지ᄉᆡᆨ을 나토지 아니리라 ᄒᆞ여, 잠간 외면의 후ᄒᆞᆫ ᄉᆡᆨ을 작위ᄒᆞ나 소져의 총명영긔로 엇지 기의을 모로리오. 그윽이 팔ᄌᆞ을 한ᄒᆞ며 신세을 탄ᄒᆞ여 심니의 남다른 회포 만쳡ᄒᆞ여【11】도, 일즉 소영 벽난 등 비ᄌᆞ을 ᄃᆡᄒᆞ나 심ᄉᆞ을 니르지 아니코, 경ᄉᆞ 노복이 왕ᄂᆡᄒᆞ믈 인ᄒᆞ여 친당의 셔간을 부치ᄃᆡ, ᄌᆞ긔 괴롭고 간고ᄒᆞ믈 필지어셔(筆之於書)[889]ᄒᆞ미 업○[셔], 일양 무ᄉᆞᄒᆞ믈 고ᄒᆞᆯ ᄲᆞᆫ이오, 모친이 어지지 못ᄒᆞ믈 근심ᄒᆞ여 가ᄉᆞ을 념녀ᄒᆞ미 깁흐ᄃᆡ 언두의 일컷지 아니니, 하공 부부 부ᄌᆞᄂᆞᆫ 윤부 ᄉᆞ고을 알길이 업난지라. 조부인이 소져을 ᄃᆡᄒᆞ여 타누(墮淚) 문왈,

"ᄂᆡ집이 옥누항의 잇셔 부귀을 누릴 ᄊᆡ 녀ᄋᆞ을 윤랑과 졍혼ᄒᆞ니, 이런 츰화 잇슬 줄은 모로고 셰월이 수이 가믈 원ᄒᆞ여, 연장ᄃᆡ문(連墻大門)[890]의 ᄌᆞ녀을 밧고아 조왕모ᄅᆡ(朝往暮來)ᄒᆞ여 작소(鵲巢)[891]의 깃드리물 보고져 ᄒᆞ엿더니, ᄉᆞᆷ아을 참망ᄒᆞ고 죄루(罪累) 망측ᄒᆞ여 촉(蜀) 듕 수졸이 되니,

888)ᄎᆞ아(嗟哦)ᄒᆞ다 : 탄식하다. 한탄하다.

889)필지어셔(筆之於書) : 편지에다 적음.

890)년장ᄃᆡ문(連墻大門) : 담장과 대문을 서로 이어 가까이 살아감.

891)작소(鵲巢) : 까치집. 신혼부부의 신방. 『시경』 <소남(召南)> '작소(鵲巢)'편에 신부가 시집가는 신랑의 집을 작소(鵲巢)라 함.

되니, 구약을 셩젼ᄒᆞ미 녕존대인(令尊大人)의 남다른 신의라."

ᄒᆞ더라.【73】

구약을 셩젼ᄒᆞ미 영존ᄃᆡ인(令尊大人)의 남다른 신의를

명듀보월빙 권디삼십삼

어시의 됴부인이 윤쇼져를 ᄃᆡᄒᆞ여 타루(墮淚) 왈,

"쵹(蜀) 듕 슈졸이 되엿거놀, 구약을 셩젼ᄒᆞ미 녕존 대인의 남다른 신의라. 진실노 감은ᄒᆞᄃᆡ 녀ᄋᆡ 본ᄃᆡ 미약잔딜(微弱孱質)노 화란여ᄉᆡᆼ(禍亂餘生)이라. 비록 금평후와 진부인의 무양ᄒᆞᄂᆞᆫ 은ᄋᆡ를 닙어 그 양네 되나, 부ᄒᆡᆼ(婦行)과 녀공(女功)을 아름다이 ᄇᆡ호디 못ᄒᆞ여실디라. 녕데 윤낭의 픔딜은 현명ᄒᆞ나 오히려 ᄎᆡ 모로거니와, 조부인과 뉴부인이 능히 녀ᄋᆞ의 져른 거술 가ᄅᆞ치며 부ᄒᆡᆼ(婦行)을 경계ᄒᆞ여 가도를 온젼이 ᄒᆞ고, 고식(姑媳)의 정의 모녀간 ᄀᆞᆺᄐᆞ여,【1】 셔로 틈나ᄂᆞᆫ 일이 업ᄉᆞ랴? 모로미 현부ᄂᆞᆫ 날을 ᄂᆡ외치 말고, 녕존당 태부인으로브터 조·뉴 냥부인의 셩품을 닐너, 나의 녀ᄋᆞ 위ᄒᆞᆫ 근심이 프러지게 ᄒᆞ라."

쇼제 존고의 말숨이 이의 밋쳐ᄂᆞᆫ 모친의 과악을 ᄉᆡᆼ각ᄒᆞᄆᆡ 능히 답언이 나디 아니ᄒᆞᄃᆡ, 쳔연이 ᄌᆡᄇᆡ ᄃᆡ왈,

"쇼고의 슉ᄌᆞ인픔(淑姿人品)과 텬향이질(天香異質)이 고왕금ᄂᆡ의 셩녀 털뷔라. 인심의 아름답기를 니긔지 못ᄒᆞ리니, ᄇᆡᆨ뫼 ᄌᆞ모로 더브러 ᄋᆡ듕ᄒᆞ믄 거의 짐작ᄒᆞᆯ 일이오, ᄇᆡᆨ모부인은 쳔고의 희한ᄒᆞ신 슉네시라, 셩심인덕이 하쳔의도 학정(虐政)이 업ᄉᆞᆸᄂᆞ니, ᄒᆞ믈며 ᄌᆞ부 귀듕ᄒᆞ미니잇가? 슈연이나 셰ᄉᆞ를 난측이오【2】 댱ᄂᆡ를 미리 예탁지 못ᄒᆞ오리니, 쇼쳡이 ᄯᅩᄒᆞᆫ 쇼고의 신셰 아모란 줄 몰나 우민우탄(憂悶憂歎)이로소이다."

부인이 본ᄃᆡ 춍명ᄒᆞᆫ디라, 윤시의 말이 블쾌ᄒᆞ믈 그윽이 의아ᄒᆞ나, 다시 뭇디 아니믄 윤시 답언을 어려이 넉일가 ᄒᆞ여 말을 아니나, 일녀를 슈쳔니 애각의 상니(相離)ᄒᆞ여 못닛ᄂᆞᆫ 졍이 쥬야의 일시를 방심치 못ᄒᆞ여, 영쥬의 평안ᄒᆞᆫ 소식을 드르면 잠간 위로ᄒᆞ미 되나, 고ᄉᆞ를 삼상(參商)1089)ᄒᆞ여 《비결

1089)삼상(參商) : ①멀리 떨어져서 그리워함. ②마음

진실노 감은ᄒᆞᄃᆡ, 녀ᄋᆡ 본ᄃᆡ 미약잔질(微弱孱質)노 화란여ᄉᆡᆼ(禍亂餘生)이라. 비록 금평후와 진부인의 무양ᄒᆞᄂᆞᆫ 은ᄋᆡ을 입어 그 양녀되나, 부ᄒᆡᆼ(婦行)과 녀공(女功)을 아름다이 ᄇᆡ호지 못ᄒᆞ엿실지라. 영졔 윤낭의 품질은 현명ᄒᆞ나 오히려 ᄎᆡ 모로거니와, 조부인과 뉴부인이 능히 녀ᄋᆞ의 져른 거술 가로치며 부ᄒᆡᆼ을 경계ᄒᆞ여 가도(家道)을 온젼이 ᄒᆞ고, 고식(姑媳)의 졍이 모녀간 갓트여, 셔로 틈나ᄂᆞᆫ 일이 업ᄉᆞ랴? 모로미 현부ᄂᆞᆫ 날을 ᄂᆡ외치 말고 영존 ᄐᆡ부인으로부터 조·뉴 냥부인 셩품을 일너, 나의 녀아 위ᄒᆞᆫ 근심이 푸러지게 ᄒᆞ【12】라."

소져 존고의 말숨이 이의 밋쳐ᄂᆞᆫ 모친의 과악을 ᄉᆡᆼ각ᄒᆞᄆᆡ 능히 답언이 나지 아니ᄒᆞᄃᆡ, 쳔연이 ᄌᆡᄇᆡ 왈,

"소고의 슉ᄌᆞ인품(淑姿人品)과 쳔향이질(天香異質)이 고왕금ᄂᆡ의 셩녀쳘부라. 인심의 아름답기을 이긔지 못ᄒᆞ오리니, ᄃᆡ뫼 ᄌᆞ모로 더브러 ᄋᆡ듕ᄒᆞ믄 거의 짐ᄌᆞᆨᄒᆞᆯ 일이오, ᄇᆡᆨ모부인은 쳔고의 희한ᄒᆞᆫ 숙녀시라. 현심ᄉᆞ덕이 ᄒᆞ쳔의도 ᄒᆞᆨ졍(虐政)이 업ᄉᆞᆸᄂᆞ니, 하물며 ᄌᆞ부 귀듕ᄒᆞ미니잇고? 셰ᄉᆞ을 난측이오, 장ᄂᆡ을 미리 예탁지 《못ᄒᆞ믈‖못ᄒᆞ오니》, 소쳡이 ᄯᅩᄒᆞᆫ 소고의 신셰 아모란 쥴 몰나 우민우탄(憂悶憂歎)이로소이다."

부인이 본ᄃᆡ 총명ᄒᆞᆫ지라. 윤시의 말이 불쾌ᄒᆞ물 그윽히 의아ᄒᆞ나, 다시 뭇지 아니믄 윤시의 답언을 어려이 넉일가 ᄒᆞ야 말을 아니나, 일녀을 수쳔니 ᄋᆡ각의 상니(相離)ᄒᆞ여 못잇ᄂᆞᆫ 졍이 주주야야의 일시을 방심치 못ᄒᆞ여, 염두(念頭)의 평안ᄒᆞᆫ 소식을 드르면 잠간 위로ᄒᆞ미 되나, 고ᄉᆞ을 숨상(參商)892)

---

892)삼상(參商) : ①멀리 떨어져서 그리워함. ②마음

‖비절(悲絶)》ᄒᆞ믈 니긔지 못ᄒᆞ고, 쵹의 나려완 지 칠년 신정(新正)의 밋ᄎᆞ니, 젼일 몽ᄉᆞ를 ᄉᆡᆼ각고 원삼 등을 어드ᄆᆡ 참망ᄒᆞᆫ 삼ᄌᆞ로 다르미 업ᄉᆞ니, 혹ᄌᆞ 신원이【3】 머지 아닐가 바라더니, 홀연 경샤로셔 샤명(赦命)이 나려와 삼ᄌᆞ의 신원이 거울 ᄀᆞᆺ고, 하공으로 참지정ᄉᆞ 정국공을 봉ᄒᆞ여 안거ᄉᆞᄆᆞ(安車駟馬)[1090]로 브르시ᄂᆞᆫ 됴명이 나리고, 녜관이 뎍소의 니르니 하공 부ᄌᆡ 원억을 신셜ᄒᆞᆫ 곡절을 모로고, 다만 샤명이 니르ᄆᆡ 여취여치(如醉如痴)[1091]ᄒᆞ여 놀나고 슬프미 교집ᄒᆞᄆᆡ, 도로혀 심혼이 황홀ᄒᆞ거ᄂᆞᆯ, 본읍 태슈와 경샤 녜관이 허다 위의를 거ᄂᆞ려 ᄉᆡ비(柴扉)의 니르ᄆᆡ, 하리츄죵(下吏騶從)이 운집ᄒᆞ고 공의 작치(爵次) 존듕ᄒᆞᄆᆡ, 발셔 경샤 관부 하리와 뎡국의셔 밧드ᄂᆞᆫ 환미(宦米)[1092]를 어ᄌᆞ러이 드리니, 공이 의관을 뎡히 ᄒᆞ여 샤명(詞命)[1093]을 밧ᄌᆞᆸ고,【4】 북향ᄉᆞᄇᆡᄒᆞ여 셩은을 슉샤(肅謝)ᄒᆞ고, 몸을 굽혀 녜관이 샤명(赦命)을 젼ᄒᆞ고, 샹교(上敎)를 옴겨 니르믈 드를ᄉᆡ, 뎡병부로ᄡᅧ 신원이 두렷ᄒᆞ고, 셩의(聖意) 깁히 뉘웃ᄎᆞ시고, 샤(使)를 보ᄂᆡ샤 밧비 됴현ᄒᆞ라 ᄒᆞ신 ᄯᅳᆺ이라. 공이 비로소 신셜ᄒᆞᆫ 근본을 알ᄆᆡ, ᄉᆡ로이 삼ᄌᆞ의 참망ᄒᆞ믈 각골 통도ᄒᆞ여, 초왕과 김탁을 일만 조각의 마으과져 ᄒᆞ미 ᄀᆞᆨ골ᄒᆞᆯ지언정, 일호(一毫) 셩샹을 원망ᄒᆞ미 업셔, ᄉᆞᄉᆞ의 뎡부마 은혜를 감샤ᄒᆞ여, 골슈의 ᄉᆞ못ᄎᆞᆯ ᄡᅳᆫ이라.

이의 샤명(使命)을 ᄃᆡᄒᆞ여 슈루 탄왈,

"누인(陋人)이 삼ᄌᆞ를 참망ᄒᆞ여 목젼의 ᄎᆞᆷ지 못ᄒᆞᆯ 경계를 당ᄒᆞ나, 완인블ᄉᆞ(頑忍不死)ᄒᆞ고 셩듀【5】의 호ᄉᆡᆼ지덕으로 쵹디의 보젼ᄒᆞ믈 어드니, 비록 망ᄋᆞ 등의 원억ᄒᆞ나 죄명인즉 역뎍 듕쉬(重囚)어ᄂᆞᆯ, 엇디 감히

속으로 어떤 일을 골똘히 생각함.

1090)안거ᄉᆞᄆᆞ(安車駟馬) : 네 필의 말이 끄는 호화롭고 편안한 수레.

1091)여취여치(如醉如痴) : 취한 듯 바보가 된 듯 정신을 가누지 못함.

1092)환미(宦米) : 녹미(祿米). 녹봉으로 주던 쌀.

1093)샤명(詞命) : 임금의 말이나 명령.

ᄒᆞ여 비절(悲絶)ᄒᆞ믈 이긔지 못ᄒᆞ고, 쵹의 나려완지 칠년 신정(新正)의 밋ᄎᆞ니, 젼일 몽ᄉᆞ을 ᄉᆡᆼ각고 원ᄉᆞᆷ 등을 어드ᄆᆡ ᄎᆞᆷ망ᄒᆞᆫ ᄉᆞᆷᄌᆞ로 다르미 업ᄉᆞ니, 혹ᄌᆞ 신원이 머지 아닐가 바라더니, 홀연 경ᄉᆞ로셔 ᄉᆞ명(赦命)이 나려와 ᄉᆞᆷᄌᆞ의 신원이 거울 갓고, 하공으로 ᄎᆞᆷ지정ᄉᆞ 뎡국공을 봉ᄒᆞ여 안거ᄉᆞ마(安車駟馬)[893]로 부르시ᄂᆞᆫ 조명이 나리고, 녜관이 젹소의 이르니 하공 부ᄌᆡ 원억을 신셜ᄒᆞᆫ 곡절을 모로○[고], 다만 ᄉᆞ명이 이르ᄆᆡ 여취여광(如醉如狂)[894]ᄒᆞ여 놀나고 슬푸미【13】 교집ᄒᆞ니, 도로혀 심혼이 황홀ᄒᆞ거ᄂᆞᆯ, 본군 ᄐᆡ수와 경ᄉᆞ 녜관이 허다 위의을 거ᄂᆞ려 ᄉᆡ문(柴門)의 이르ᄆᆡ, ᄒᆞ리수[추]종(下吏騶從)이 운집ᄒᆞ고 공의 ᄌᆞᆨ치(爵次) 존즁ᄒᆞᄆᆡ, 발셔 경ᄉᆞ 관부 ᄒᆞ리와 뎡국의셔 밧드ᄂᆞᆫ 환미(宦米)[895]을 어ᄌᆞ라이 드리니, 공이 의관을 뎡졔ᄒᆞ고 ᄉᆞ명(詞命)[896]을 마ᄌᆞ 북향ᄉᆞᄇᆡᄒᆞ여 셩은을 숙ᄉᆞ(肅謝)ᄒᆞ고, 좌뎡 후 예관이 상교을 옴겨 니름을 들을ᄉᆡ, 뎡병부로ᄡᅧ 신원이 두렷ᄒᆞ고 셩의(聖意) 깁히 뉘웃ᄎᆞ시고 ᄉᆞ명을 보ᄂᆡᄉᆞ 밧비 조현ᄒᆞ라 ᄒᆞ신 ᄯᅳᆺ시라. 공이 비로소 신셜ᄒᆞᆫ 근본을 알ᄆᆡ, ᄉᆡ로이 ᄉᆞᆷᄌᆞ의 ᄎᆞᆷᄉᆞᄒᆞ믈 각골 통도ᄒᆞ여, 초왕 김탁을 일만 조각의 마으고져 ᄒᆞ미 각골ᄒᆞᆯ지언정, 일호(一毫) 셩상을 원망ᄒᆞ미 업셔 ᄉᆞᄉᆞ마다 뎡부마 은혜을 감ᄉᆞᄒᆞ여 골슈의 ᄉᆞ못ᄎᆞᆯ 분이라.

이의 ᄉᆞ명(使命)을 ᄃᆡᄒᆞ여 수루 탄왈,

"누인(陋人)이 ᄉᆞᆷᄌᆞ을 ᄎᆞᆷ망ᄒᆞ여 목젼의 ᄎᆞᆷ지 못ᄒᆞᆯ 경계을 당ᄒᆞ여, 완인불ᄉᆞ(頑忍不死)ᄒᆞ고 셩쥬의 호ᄉᆡᆼ지덕으로 쵹지의 보젼ᄒᆞ물 어드니, 비록 망아 등이 원억ᄒᆞ나 죄명인 즉 역적 듕슈(重囚)여ᄂᆞᆯ, 엇지 감히 신

속으로 어떤 일을 골똘히 생각함.

893)안거ᄉᆞ마(安車駟馬) : 네 필의 말이 끄는 호화롭고 편안한 수레.

894) 여취여광(如醉如狂) : 너무 기쁘거나 감격하여 미친 듯 취한 듯 정신을 가누지 못함.

895)환미(宦米) : 녹미(祿米). 녹봉으로 주던 쌀.

896)샤명(詞命) : 임금의 말이나 명령.

신셜ᄒᆞ여 녕혼인들 됴ᄒᆞᆫ ᄃᆡ 도라가고, 누인의 ᄒᆡ골인들 고원의 뭇치기를 바라리오. 이제 셩듀의 일원디명이 복분(覆盆)의 원(寃)을 신셜ᄒᆞ시니, 니른바 죽ᄂᆞᆫ 날이 ᄉᆞᄂᆞᆫ ᄒᆡ ᄀᆞᆺᄐᆞᆫ디라. 엇디 샤관(使官)을 좃ᄎᆞ 샹경ᄒᆞ믈 더ᄃᆡ리오마ᄂᆞᆫ, 실노 화란 이후의 정신이 모손(耗損)ᄒᆞ고 쳔질(賤疾)이 미류ᄒᆞ여 샤환의 뜻이 업ᄉᆞᆫ디라. 능히 셩샹 덕음(德音)을 밧드지 못ᄒᆞᆯ가 두리ᄂᆞ니, 녜관이 잔도(棧道)[1094] 검각(劍閣)[1095]의 슈고로이 니르시믈 블안ᄒᆞ여이다."

샤관이 황샹의 츄연 ᄎᆞ셕(嗟惜)ᄒᆞ【6】샤 하공을 밧비 브르시던 바를 일일이 젼ᄒᆞ며, ᄒᆡᆼ거를 ᄌᆡ촉ᄒᆞ고 삼혹ᄉᆞ를 츄증ᄒᆞ샤 그 원ᄉᆞᄒᆞ믈 졔문 디어 셜졔(設祭)ᄒᆞ랴 ᄒᆞ시믈 니른ᄃᆡ, 공이 읍읍 샤왈,

"셩듀의 여ᄎᆞᄒᆞ시믈 망ᄋᆞ 등 졍녕(精靈)이 알진ᄃᆡ, 셩은을 감격ᄒᆞ여 ᄇᆡᆨ골의 ᄉᆞ못출디라. 일문참화(一門慘禍)○[의] 일명(一命)을 ᄉᆞᆯ와ᄂᆡ미 셩샹 호ᄉᆡᆼ지덕이니, 엇디 감히 환쇄ᄒᆞᄂᆞᆫ 은명과 고관대쟉(高官大爵)으로 은명을 밧드디 아냐, 예ᄉᆞ 사ᄅᆞᆷ과 ᄀᆞᆺᄐᆞ여 향니의 안연이 이셔 샤ᄃᆡᆨᄒᆞᄂᆞᆫ 소표를 올니리오. 신ᄌᆞ의 ᄉᆞᄉᆡᆼ거취 다 쥬샹긔 잇ᄂᆞᆫ디라, 맛당이 ᄒᆞᆫ번 샹경ᄒᆞ여 텬은을 슉샤(肅謝)ᄒᆞ고 ᄒᆡ골을 비러 향니로 도라갈 거시로ᄃᆡ, 일【7】긔 한ᄂᆡᆼᄒᆞ여 병신이 슈쳔니 험도의 ᄒᆡᆼ역이 더될가 ᄒᆞᄂᆞ이다."

샤관이 하공의 말을 듯고 병셰 가바압지 아니믈 ᄯᅩᄒᆞᆫ 우려ᄒᆞ여 왈,

"쇼관이 셩디를 밧ᄌᆞ와 풍우를 므릅쓰고 임의 각읍이 영송(迎送)ᄒᆞᄂᆞᆫ 위의를 쥰비하여 슈고로오미 업ᄉᆞᆯ디라. 합하 비록 신질(身疾)이 계시나, 츈한(春寒)이 엄동(嚴冬)과 ᄂᆡ도ᄒᆞ니 하관이 삼가 뫼셔 가리니, 셩쥬의 기다리시ᄂᆞᆫ 바를 어긔오지 마르시고, ᄉᆞᆯ가ᄒᆞ여 밧비 ᄒᆡᆼᄒᆞ게 ᄒᆞ쇼셔."

1094)잔도(棧道) : 험한 벼랑 같은 곳에 낸 길. 선반처럼 달아서 낸다.

1095)검각(劍閣) : 중국 사천성에 있는 현(縣) 이름. 특히 검각현의 대검산 소검산 사이에 난 잔도(棧道)는 험하기로 유명하다.

셜ᄒᆞ여 영혼인들 조ᄒᆞᆫᄃᆡ 도라가고, 누인의 ᄒᆡ골인들 고원의 뭇치기을 바라리오. 이졔 셩주의 일월지명이 복분(覆盆)의 원(寃)을 신셜ᄒᆞ시니, 이른 바 죽는 날이 ᄉᆞᄂᆞᆫ 날 갓튼지라. 엇지 ᄉᆞ관(使官)을 좃ᄎᆞ 상경ᄒᆞ물 더ᄃᆡ리오마ᄂᆞᆫ, 실노 화란 이후의 정신이 모손(耗損)ᄒᆞ고 쳔질(賤疾)이 미류ᄒᆞ여 ᄉᆞ환의 뜻지【14】 업ᄂᆞᆫ지라. 능히 셩상 덕음(德音)을 밧드지 못ᄒᆞᆯ가 두리나니, 녜관이 잔도(棧道)[897] 검각(劍閣)[898]의 수고로이 이르시믈 불안ᄒᆞ여이다."

ᄉᆞ관이 황상의 츄연 ᄎᆞ셕(嗟惜)ᄒᆞᄉᆞ 하공을 밧비 부르시든 바을 일일이 젼ᄒᆞ며, ᄒᆡᆼ거을 ᄌᆡ촉ᄒᆞ고 ᄉᆞᆷ혹ᄉᆞ을 츄증ᄒᆞᄉᆞ 그 《션ᄉᆞ‖원사》ᄒᆞ물 졔문지어 셜졔(設祭)ᄒᆞ랴 ᄒᆞ시물 니른ᄃᆡ, 공이 읍읍 ᄉᆞ왈,

"셩교 여ᄎᆞᄒᆞ시믈 망아 등 졍녕(精靈)이 알진ᄃᆡ 셩은을 감격ᄒᆞ여 ᄇᆡᆨ골의 ᄉᆞ못출지라. 일문ᄎᆞᆷ화(一門慘禍)의 일명(一命)을 ᄉᆞᆯ와ᄂᆡ미 셩상 호ᄉᆡᆼ지덕이니, 엇지 감히 환쇄ᄒᆞᄂᆞᆫ 은면[명]과 고관ᄃᆡᄌᆞᆨ(高官大爵)으로 은명을 밧드지 아냐, 예ᄉᆞ 사ᄅᆞᆷ과 갓트여 향니의 안연이 잇셔 ᄉᆞᄌᆡᆨᄒᆞᄂᆞᆫ 소표을 올니리오. 신ᄌᆞ의 ᄉᆡᆼ술거취 다 군상긔 잇ᄂᆞᆫ지라. 맛당이 ᄒᆞᆫ번 상경ᄒᆞ여 쳔은을 숙ᄉᆞᄒᆞ고 ᄒᆡ골을 비러 향니로 도라갈 거시로ᄃᆡ, 일긔 ᄒᆞᆫᄂᆡᆼᄒᆞ여 병신이 수쳔니 험노의 ᄒᆡᆼ역이 더될가 ᄒᆞᄂᆞ이다."

ᄉᆞ관이 하공의 말을 듯고 그 병셰 가ᄇᆡ압지 아니믈 ᄯᅩᄒᆞᆫ 우려ᄒᆞ여 왈,

"소관이 셩지을 밧ᄌᆞ와 풍우을 무릅시[스]고 임의 각읍이 영송(迎送)ᄒᆞᄂᆞᆫ 위의을 준비ᄒᆞ여 수고로오미 업ᄉᆞᆯ지라. 합히 비록 신질(身疾)이 계시나, 츈ᄒᆞᆫ(春寒)이 엄동(嚴冬)과 ᄂᆡ도ᄒᆞ니 소ᄉᆡᆼ이 ᄉᆞᆷ가 뫼셔 가리니, 성주의 기다리시ᄂᆞᆫ 바을 어긔오지 마르시고, ᄉᆞᆯ가ᄒᆞ여 밧비 ᄒᆡᆼᄒᆞ게 ᄒᆞ소셔."

897)잔도(棧道) : 험한 벼랑 같은 곳에 낸 길. 선반처럼 달아서 낸다.

898)검각(劍閣) : 중국 사천성에 있는 현(縣) 이름. 특히 검각현의 대검산 소검산 사이에 난 잔도(棧道)는 험하기로 유명하다.

공이 셕년 참화를 ᄉᆡᆼ각건ᄃᆡ 환욕(宦慾)이 ᄉᆞ연(辭然)ᄒᆞ나, 셩샹의 과도히 츄회(追悔)ᄒᆞ시믈 당ᄒᆞ여 인신지되(人臣之道) 블령지심(不逞之心)[1096]으로 츄샤(推辭)ᄒᆞ면 황명을 역【8】ᄒᆞ고 셕ᄉᆞ를 공치(攻治)ᄒᆞᆷ[1097] ᄀᆞᆺᄐᆞ여 튱심이 아니니, 원경 등 원ᄉᆞ(寃死)ᄒᆞ믈 각골 통상ᄒᆞ며[나], 원상 등 삼ᄋᆡ 환도인셰(還道人世)[1098]ᄒᆞ여 슬하의 넘노니 회포를 잠간 위로ᄒᆞᄂᆞᆫ디라, 샤관의 ᄎᆞᆨᄒᆡᆼ(促行)ᄒᆞ믈 좃ᄎᆞ ᄉᆞ오일 치ᄒᆡᆼᄒᆞ여 샹경ᄒᆞ믈 니르니, 샤관 왈,

“각읍이 영송ᄒᆞ니 ᄒᆡᆼ도를 ᄉᆞᄉᆞ로이 ᄒᆞᆯ ᄇᆡ 아니니 명일이라도 발ᄒᆡᆼᄒᆞ샤이다.”

본읍 태쉬 ᄯᅩ ᄒᆡᆼ거를 ᄌᆡᄎᆞᆨᄒᆞ며, 디원지통(至冤至痛)을 신원ᄒᆞ믈 치하ᄒᆞ여 스ᄉᆞ로 경ᄉᆞ를 당ᄒᆞᆷ ᄀᆞᆺᄐᆞᆫ, 평일 공의 정ᄉᆞ를 참연ᄒᆞ고 거쳐 의식의 견ᄃᆡ기 어려오믈 슬피 넉이ᄃᆡ, 능히 일분일니(一分一履)[1099]와 냥찬(糧饌)[1100]을 보ᄐᆡ지 못ᄒᆞᆫ 공이 긔아이ᄉᆞ(飢餓而死)ᄒᆞᆯ디언정 일물(一物)도 밧【9】지 아니미러라.

닌읍 쥬현(州縣) ᄌᆞᄉᆞ(刺史)와 동향 ᄉᆞ태위(士大夫) 하공의 환쇄ᄒᆞ믈 듯고 일시의 모다 치하ᄒᆞ며, 인심이 ᄌᆞ연 부귀를 븟좃ᄂᆞᆫ디라, 대역 듕슈로 뎍거ᄒᆞ믈 업슈히 넉여 ᄎᆞᆺ디 아니턴 ᄌᆡ, 언ᄉᆞ를 치례ᄒᆞ고 의관을 빗ᄂᆡ여, 셩은의 ᄉᆡ로운 경ᄉᆞ를 치하ᄒᆞ며, 삼ᄒᆞᆨᄉᆞ의 참망ᄒᆞ믈 아니 슬허ᄒᆞ리 업ᄉᆞ니, ᄉᆡ문의 안ᄆᆡ(鞍馬) 운집ᄒᆞ고 초실의 빈ᄀᆡᆨ이 벌 뭉긔 ᄃᆞᆺᄒᆞ니, 공의 부ᄌᆡ 츄연 샤ᄉᆞᄒᆞ고 도로혀 너모 요란ᄒᆞ믈 깃거 아니 ᄒᆞ더라.

녜관이 하공ᄌᆞ의 츌인ᄒᆞᆫ 의표를 보고 칭션블승ᄒᆞ여, 공의 팔ᄌᆡ ᄆᆡ몰치 아니믈 긔특이 넉이{넉이}더라. 셕양의 녜관이 본읍으로 드러갈ᄉᆡ【10】 우명일(又明日)노 발ᄒᆡᆼ

1096)블령지심(不逞之心) : 원한, 불만, 불평 따위를 품고 어긋나게 행동하려는 마음.
1097)공치(攻治)ᄒᆞ다 : 공치(攻治)하다. 비난하다. 헐뜯다.
1098)환도인셰(還道人世) : 인간 세상에 다시 태어남.
1099)일분일니(一分一履) : 돈 한 푼, 신발 한 짝.
1100)냥찬(糧饌) : 양식과 반찬을 통틀어 이르는 말.

공이 셕년 ᄎᆞᆷ화을 ᄉᆡᆼ각건ᄃᆡ 환욕(宦慾)○[이] 삭연(索然)ᄒᆞ나, 성상의 과도히 츄회ᄒᆞ시물 당ᄒᆞ여 인신지되(人臣之道) 불평ᄒᆞ시《물 ‖ 므로》 츄ᄉᆞ(推辭)ᄒᆞ시면 황명을 역ᄒᆞ고 셕ᄉᆞ【15】을 공치(攻治)ᄒᆞᆷ[899] 갓트여 츙심이 아니니, 원경 등 원ᄉᆞᄒᆞ믈 각골 통상ᄒᆞ며[나], 원상 등 ᄉᆞᆷᄋᆡ 환도인셰(還道人世)[900]ᄒᆞ여 슬ᄒᆞ의 넘노니 회포을 잠간 위로ᄒᆞᄂᆞᆫ지라. ᄉᆞ관이 ᄎᆞᆨᄒᆡᆼ(促行)ᄒᆞ믈 좃ᄌᆞ[ᄎᆞ] ᄉᆞ오일 치ᄒᆡᆼᄒᆞ여 상경ᄒᆞ믈 니르니 ᄉᆞ관 왈,

“각읍이 영송ᄒᆞ니 ᄒᆡᆼ니(行李)을 ᄉᆞᄉᆞ로이 출일 ᄇᆡ 아니라, 명일이라도 발ᄒᆡᆼᄒᆞᄉᆞ이다.”

ᄒᆞ고, 본군 ᄐᆡ수 ᄯᅩ ᄒᆡᆼ거을 ᄌᆡᄎᆞᆨᄒᆞ며, 지원지통(至冤至痛)을 신원ᄒᆞ믈 치ᄒᆞᄒᆞ며, 스ᄉᆞ로 경ᄉᆞ을 당ᄒᆞᆷ 갓지[치] ᄒᆞᆫ, 평일 공의 정ᄉᆞ을 ᄎᆞᆷ연ᄒᆞ고 거쳐의 견ᄃᆡ기 어려옴을 슬피 녁이ᄃᆡ, 능히 일푼일이(一分一履)[901]와 냥찬(糧饌)[902]을 보ᄐᆡ지 못ᄒᆞᆫ 공이 긔아이ᄉᆞ(飢餓而死)ᄒᆞᆯ지언정 일물(一物)도 밧지 아니미러라.

인읍 지현(知縣) ᄌᆞᄉᆞ(刺史)와 동향 ᄉᆞᄐᆡ위(士大夫) 하공의 환쇄ᄒᆞ물 듯고 일시의 모다 칭하(稱賀)ᄒᆞ며, 인심이 ᄌᆞ연 부귀을 부좃ᄂᆞᆫ지라. ᄃᆡ역듕수로 젹거ᄒᆞ믈 업수이 녁여 ᄎᆞᆺ지 아닛턴 ᄌᆡ, 인ᄉᆞ을 치려[례]ᄒᆞ고 의관을 빗ᄂᆡ여, 셩은의 ᄉᆞ로온 경ᄉᆞ을 치하ᄒᆞ며, ᄉᆞᆷ 학ᄉᆞ의 참망ᄒᆞ물 아니 슬허ᄒᆞ리 업ᄉᆞ니, ᄉᆡ문의 안ᄆᆡ(鞍馬) 운집ᄒᆞ고 초실의 빈ᄀᆡᆨ이 운집ᄒᆞ니, 공의 부ᄌᆡ 츄연 ᄉᆞᄉᆞᄒᆞ여 도로혀 너무 요란ᄒᆞ믈 깃거 아니ᄒᆞ더라.

녜관이 하공ᄌᆞ의 출인ᄒᆞᆫ 의표을 보고 불승칭션ᄒᆞ여, 공의 팔ᄌᆡ ᄆᆡ몰치 아니믈 긔특이 녁이더라. 셕양의 녜관이 본부로 도라갈ᄉᆡ, 우명일(又明日)노 발ᄒᆡᆼᄒᆞ믈 언약ᄒᆞ고, 치ᄒᆡᆼ은 각읍이 영송ᄒᆞ므로 하부의셔ᄂᆞᆫ 출일 거시 업더라.

899)공치(攻治)ᄒᆞ다 : 공치(攻治)하다. 비난하다. 헐뜯다.
900)환도인셰(還道人世) : 인간 세상에 다시 태어남.
901)일분일이(一分一履) : 돈 한 푼, 신발 한 짝.
902)냥찬(糧饌) : 양식과 반찬을 통틀어 이르는 말.

ᄒᆞ믈 언약ᄒᆞ고, 치힝은 각읍이 영송ᄒᆞ므로 하부의셔ᄂᆞᆫ 출힐 거시 업더라.

이윽고 경샤로좃ᄎᆞ 뎡부 시뇌 니르러 금평후의 셔간을 올니니, 공이 반겨 ᄣᅥ혀 보니 다만 통원(痛寃)을 신셜ᄒᆞ고 고토의 도라올 바를 치하ᄒᆞ고, 옥누항 고튁으로 가지 말고 바로 취운산 별원으로 오기를 청ᄒᆞ고, 샤관을 좃ᄎᆞ 슈히 샹경ᄒᆞ라 ᄒᆞ엿더라.

공이 ᄉᆞᄉᆞ의 감샤ᄒᆞ여 ᄋᆞᄌᆞ다려 니르ᄃᆡ,

"뎡형 부ᄌᆞ와 윤명강은 우리 집 은인이라, ᄉᆡᆼ셰의 다 못 갑흐리로다. 근간 명강이 유질ᄒᆞ다 ᄒᆞ더니, 셔ᄉᆞ(書辭) 통졍(通情)이 젼과 다르니 병이 깁흔 연괴라. 언디 근심이 젹으【11】며, 이졔 뎡형이 나의 심곡을 아라, 녯집을 바리고 운산으로 나오라 ᄒᆞ니, 내 ᄯᅳᆺ이 ᄯᅩ 고튁을 보지 말고져 ᄒᆞ더니, 언디 깃브디 아니리오."

드드여 ᄂᆡ실의 드러가 부인을 ᄃᆡᄒᆞ여, 뎡병부의 의긔로 삼ᄌᆞ의 신원이 거울 ᄀᆞᆺ고, 간당이 패ᄒᆞ믈 젼ᄒᆞ며, ᄉᆡ로온 비회를 니긔지 못ᄒᆞ고, 뎡병부의 디혜를 칭복ᄒᆞ미 결을치 못ᄒᆞ니, 부인이 슬픈 가온ᄃᆡ나 간당이 복멸(覆滅)ᄒᆞ믈 크게 힝심ᄒᆞ여, 졀치(切齒) 타루(墮淚)ᄒᆞ믈 마지 아니터라. 이러구러 우명일이 다ᄃᆞ르니 샤관이 힝거를 ᄌᆡ촉ᄒᆞ여 니르ᄃᆡ,

"일긔 화란(和暖)치 못ᄒᆞ여 츈한(春寒)이 심ᄒᆞ나 밧비 힝ᄒᆞ샤, 초왕과 김탁【12】의 간담(肝膽)을 헷쳐 녕윤 삼인의 원슈 갑기를 ᄉᆡᆼ각ᄒᆞ쇼셔."

하공이 함누 장탄 왈,

"초왕과 김탁의 장부를 헷치고 골절을 ᄌᆞᆺ마아도[1101], ᄋᆞ등의 디원 극통을 다 갑지 못ᄒᆞ리니, 오ᄋᆞ 등은 비원참ᄉᆞ(悲怨慘死)ᄒᆞ여시나, 하날과 귀신이 ᄒᆞᆫ가지로 슬피 넉이샤 다시 우리 슬하의 도라왓거ᄂᆞᆯ, 간당은 궁극히 사ᄅᆞᆷ을 모함ᄒᆞ여 참화의 모라 너흘 젹은 양양ᄌᆞ득(揚揚自得)[1102]ᄒᆞ여 져희 ᄀᆞᆺ

1101)ᄌᆞᆺ마아다 : 짓마다. 짓이기다시피 잘게 부스러뜨리다.

1102)양양ᄌᆞ득(揚揚自得) : 뜻을 이루어 뽐내며 꺼드

이윽고 경ᄉᆞ로 좃ᄎᆞ 뎡부【16】 시뇌 이르러 금후의 셔간을 올니니, 공이 반겨 ᄣᅥ혀 보ᄆᆡ, 다만 통원(痛寃)을 신셜ᄒᆞ고 고토의 도라올 바을 치ᄒᆞᄒᆞ고, 옥누항 고튁으로 가지 말고 취운산 별원으로 오기을 청ᄒᆞ고, ᄉᆞ관을 좃ᄎᆞ 수이 상경ᄒᆞ라 하여더라.

공이 ᄉᆞᄉᆞ의 감ᄉᆞᄒᆞ여 아ᄌᆞ다려 니로ᄃᆡ,

"뎡형 부ᄌᆞ와 윤명강은 우리 집 은인이라. ᄉᆡᆼ셰의 다 못 갑흐리로다. 근간 명강이 유질ᄒᆞ다 ᄒᆞ더니, 셔ᄉᆞ(書辭) 통졍(通情)이 젼과 다르니 병이 깁흔 연괴라, 엇지 근심이 젹으며, 이졔 뎡형이 나의 심곡을 밝히 아라, 옛집을 바리고 운산으로 나오라 ᄒᆞ니, ᄂᆡ ᄯᅳᆺ지 고튁을 보지 말고져 ᄒᆞ던지라, 엇지 깃부지 아니리오."

드ᄃᆡ여 ᄂᆡ실의 드러가 부인을 ᄃᆡᄒᆞ여, 뎡병부의 의긔로 ᄉᆞᆷᄌᆞ의 신원이 거울 갓고, 간당이 ᄑᆡᄒᆞ믈 젼ᄒᆞ며, ᄉᆡ로온 비회을 이긔지 못ᄒᆞ고, 뎡병부의 지혜을 칭복ᄒᆞ미 결을치 못ᄒᆞ니, 부인이 슬푼 가온ᄃᆡ나 간당이 복멸(覆滅)ᄒᆞ믈 크게 힝심ᄒᆞ여, 졀치(切齒) 타루(墮淚)ᄒᆞ믈 마지 아니터라. 이러구러 우명일이 ᄃᆞᄃᆞ르니 ᄉᆞ관이 힝거을 ᄌᆡ촉ᄒᆞ여 일오ᄃᆡ,

"일긔 《화한 ‖ 화난(和暖)》치 못ᄒᆞ여 츈ᄒᆞᆫ(春寒)이 심ᄒᆞ나 밧비 힝ᄒᆞᄉᆞ, 초왕과 김탁의 간담을 헤쳐 영윤 ᄉᆞᆷ인의 원슈 갑기을 ᄉᆡᆼ각ᄒᆞ소셔."

하공이 ᄒᆞᆷ누 장탄 왈,

"초왕과 김탁의 장부을 헤치고 골절을 ᄌᆞᆺ바아도[903] 도 오아의 지원극통을 다 갑지 못ᄒᆞ리니, 오아 등은 비원ᄎᆞᆷᄉᆞ(悲怨慘死)하여시나, ᄒᆞ날과 귀신은 ᄒᆞᆫ가지로 슬피 넉이ᄉᆞ 다시 우리 슬ᄒᆞ의 도라왓거ᄂᆞᆯ, 간당은【17】궁극히 ᄉᆞ름을 모ᄒᆡᄒᆞ여 ᄎᆞᆷ화의 모라 너흘 젹은 앙앙ᄌᆞ득(揚揚自得)[904]ᄒᆞ여

903)ᄌᆞᆺ바아다 : 짓빻다. 마구 함부로 빻다.

904)양양ᄌᆞ득(揚揚自得) : 뜻을 이루어 뽐내며 꺼드럭거림. 또는 그런 태도

길 바를 ᄉᆡᆼ각지 못ᄒᆞ다가, 이졔 악ᄉᆡ 발각ᄒᆞᄆᆡ 졔 ᄯᅩ 멸망지화를 취ᄒᆞ니, 인(仁)을 바리고 악(惡)을 취ᄒᆞᄆᆡ 므어시 유익ᄒᆞ리오."

이러틋 문답ᄒᆞ여 일희일비ᄒᆞ여 도로혀 의희몽환(依俙夢幻)[1103]ᄒᆞ니, 견【13】ᄌᆡ(見者) 블승감탄ᄒᆞ고, 공ᄌᆡ 쥬야 뫼셔 화셩유어로 위로ᄒᆞ믈 마지 아니ᄒᆞ고, 발ᄒᆡᆼ일이 다ᄃᆞ르ᄆᆡ 본현의셔 일빵금교(一雙錦轎)와 쥰마(駿馬) ᄒᆡᆼ장(行裝)이며, 아역(衙役)[1104] 관니와 무슈ᄒᆞᆫ 시녀 ᄎᆞ환(叉鬟)을 보ᄂᆡ여 ᄒᆡᆼ거를 도으니, 셕일 촉디 ᄒᆞᆫ 가의 파월(播越)[1105]ᄒᆞᆯ 졔와 ᄂᆡ도ᄒᆞ여, 나려올 적은 역적 즁슈의 부형으로 뎍거ᄒᆞᄆᆡ, 각읍 슈령이 안면 잇던 ᄌᆡ라도 나와 보기를 ○○○[인언(人言)을] 취ᄒᆞᆯ가 져허ᄒᆞ고, 공이 화란여ᄉᆡᆼ으로 심녀를 허비ᄒᆞ고 참쳑을 ᄋᆡ상ᄒᆞ여 반ᄉᆡᆼ반ᄉᆞ 듕 거동이 위위(危危)ᄒᆞ거ᄂᆞᆯ, 부인이 비블ᄌᆞ승(悲不自勝)[1106]ᄒᆞ여[며] 유ᄉᆞ지심(有死之心)ᄒᆞ여 쥬야 혈읍ᄒᆞ여 눈물노 셰월을 허비ᄒᆞᆯ ᄲᅳᆫ이더니, 텬되 슌환ᄒᆞᄆᆡ 도라【14】오ᄂᆞᆫ 위의ᄂᆞᆫ 휘휘황황(輝輝煌愰)ᄒᆞ여 비록 ᄒᆡᆼ공치 아니려 쥬의를 뎡ᄒᆞ여시나, 녈후(列侯) 국공(國公)의 고관대작을 ᄡᅴ여 길히 오로니, 녈읍이 진동ᄒᆞ여 쥬현 ᄌᆞᄉᆡ 십니(十里)의 영숑ᄒᆞ고, ᄋᆡᄆᆡᄒᆞᆫ 죄루를 신셜ᄒᆞ믈 명경(明鏡)을 닷금 ᄀᆞᆺᄐᆞ니, 삼혹ᄉᆞ 작위를 츄증ᄒᆞ여 목묘(木廟)[1107]를 뫼셔 ᄎᆡ여(彩輿)의 안운(安運)ᄒᆞ여 잔도(棧道) 검각(劍閣)을 조심ᄒᆞ여 지나니, 셕일 하운이 외로이 삼혹ᄉᆞ와 님쇼져의 상구를 븟드러 소쥐(蘇州) 가 안장ᄒᆞ고 목쥬(木主)를 ᄇᆡᄒᆡᆼ(陪

럭거림. 또는 그런 태도

1103)의희몽환(依俙夢幻) : 말이나 행동 따위가 꿈이나 환상 속에서 하는 것과 같음.

1104)아역(衙役) : 아노(衙奴). 수령이 지방 관아에서 사사롭게 부리던 사내종.

1105) 파월(播越) : 파천(播遷). ①임금이 도성을 떠나 다른 곳으로 피란하던 일 ②멀리 유랑함. 정처 없이 떠돌아다님.

1106)비블ᄌᆞ승(悲不自勝) : 슬픔이 너무 커 이겨내지 못한 채 애통함.

1107)목묘(木廟) : 나무로 만든 위패(位牌).

져희 굿기[길] 바을 ᄉᆡᆼ각지 못ᄒᆞ엿거니와 이졔 악ᄉᆡ 발각ᄒᆞᄆᆡ 졔 ᄯᅩ 멸망지화을 취ᄒᆞ니 인(仁)을 바리고 악(惡)을 취ᄒᆞᄆᆡ 무어시 유익ᄒᆞ리오."

이러틋 문답ᄒᆞ여 일희일비ᄒᆞ니 견ᄌᆡ(見者) 불승감탄ᄒᆞ고, 공ᄌᆡ 주야 뫼셔 화셩유어로 위로ᄒᆞ믈 마지 아니ᄒᆞ고, 발ᄒᆡᆼ일이 다다르ᄆᆡ 본 《형‖현(縣)》의셔 일쌍금교(一雙錦轎)와 준마(駿馬) ᄒᆡᆼ장(行裝)이며 아역(衙役)[905] 관니와 무수ᄒᆞᆫ 시녀 ᄎᆞ환(叉鬟)을 보ᄂᆡ여 ᄒᆡᆼ거을 도으니, 셕일 촉지 ᄒᆞᆫ 가의 파월(播越)[906]ᄒᆞᆯ 졔와 ᄂᆡ도ᄒᆞ여, 나려올 적은 역적 즁슈의 부형으로 젹거ᄒᆞᄃᆡ[ᄆᆡ] 각읍 수령이 안면 잇든 ᄌᆡ라도 나와 보기을 인언(人言)을 취ᄒᆞᆯ 가 져허ᄒᆞ고, 공이 화란여ᄉᆡᆼ으로 심녁을 허비ᄒᆞ고 춤쳑의 ᄋᆡ상ᄒᆞ여 반ᄉᆡᆼ반ᄉᆞ 듕 거동이 위위(危危)ᄒᆞ거ᄂᆞᆯ, 부인이 비불ᄌᆞ승(悲不自勝)[907]ᄒᆞ여 유ᄉᆞ지심(有死之心)ᄒᆞ고 주야 혈읍ᄒᆞ야 눈물노 세월을 보ᄂᆡᆯ ᄲᅳᆫ이러니, 쳔되 슌환ᄒᆞᄆᆡ 도라오ᄂᆞᆫ 위의ᄂᆞᆫ 휘휘황황(輝輝煌煌)ᄒᆞ여 비록 ᄒᆡᆼ공치 아니려 주의을 뎡ᄒᆞ엿시나, 열후(列侯) 군공(君公)의 고관ᄃᆡ작을 ᄡᅴ여 길의 올으니, 열읍이 진동ᄒᆞ여 쥬현 ᄌᆞᄉᆡ 십니의 영송ᄒᆞ고, ᄋᆡᄆᆡᄒᆞᆫ 죄루을 신셜ᄒᆞ여 명경(明鏡)을 닥금 갓트니, 숨혹ᄉᆞ 족위을 츄증ᄒᆞ여 목묘(木廟)[908]을 뫼셔 ᄎᆡ여(彩輿)의 안온(安穩)ᄒᆞ여 잔도(棧道) 검각(劍閣)으로 조심ᄒᆞ여 지나니, 셕일 하운이 외로이 숨혹ᄉᆞ와 님소져의 상구을 붓드러 소쥐(蘇州) 가 안장ᄒᆞ고 목주(木主)을 ᄇᆡᄒᆡᆼ(陪行)【18】ᄒᆞ여 촉으로 갈 젹과 비길 ᄇᆡ 아니라.

905)아역(衙役) : 아노(衙奴). 수령이 지방 관아에서 사사롭게 부리던 사내종.

906) 파월(播越) : 파천(播遷). ①임금이 도성을 떠나 다른 곳으로 피란하던 일 ②멀리 유랑함. 정처 없이 떠돌아다님.

907)비블ᄌᆞ승(悲不自勝) : 슬픔이 너무 커 이겨내지 못한 채 애통함.

908)목묘(木廟) : 나무로 만든 위패(位牌).

行)ᄒᆞ여 쵹으로 갈 젹과 비길 ᄇᆡ 아니라.

공의 부뷔 영화로운 일을 당ᄒᆞᄆᆡ 더옥 비회교집(悲懷交集)ᄒᆞ여 셰ᄉᆡ 츈몽 ᄀᆞᆺᄐᆞ나, 공ᄌᆞ와 윤쇼졔 쥬야 위로ᄒᆞ며 원삼 등 삼ᄋᆡ 옥슈(玉樹) 신월(新月) ᄀᆞᆺ【15】ᄐᆞ여 션풍긔골(仙風奇骨)이 하싱으로 난형난뎨(難兄難弟)라. 일노뼈 위로ᄒᆞ여 발힝 슈월의 계오 황셩을 드ᄃᆡ니, 이ᄂᆞᆫ 공의 부뷔 참쳑(慘慽)[1108]의 상ᄒᆞᆫ 병이 이시므로 급히 힝치 못ᄒᆞ미라.

공이 입경(入京)ᄒᆞᄂᆞᆫ 날 친붕제우와 일가 족친이 다 문외의 마즐ᄉᆡ, 금평휘 병부를 다리고 셔문의 나오ᄆᆡ, 윤어ᄉᆞ 형뎨 ᄯᅩᄒᆞᆫ 나와 영ᄃᆡ(迎待)ᄒᆞᄃᆡ, 윤츄밀은 요약의 변심ᄒᆞ여 연무 듕 사롬으로 하공의 환쇄ᄒᆞᆷ믈 깃거ᄒᆞ나 움족여 마즐 ᄯᅳᆺ이 나지 아냐, ᄆᆡ양 뉴시 침실의 머리를 박고 이시니 이의 오디 못ᄒᆞ엿더라.

일식이 반오(半午)의 하공의 위의 문외의 님ᄒᆞ니, 금평휘 쟝막을 둘너 기【16】다리다가, 밧비 하공의 하거(下車)ᄒᆞᆷ믈 인ᄒᆞ여 셔로 집슈 쟝탄의 녜를 폐ᄒᆞ고 년{기}슬좌뎡(連膝坐定)[1109]ᄒᆞ니, 병부와 윤어ᄉᆞ 곤계 하공을 향ᄒᆞ여 ᄇᆡ례ᄒᆞᄆᆡ, 공이 병부의 손을 잡고 눈을 드러 뎡병부와 윤어ᄉᆞ 형뎨를 보니, 그 작인이 비상 특이ᄒᆞᆷ믄 모로ᄂᆞᆫ ᄇᆡ 아니나, 뉵칠년 ᄉᆞ이 편발동몽(編髮童蒙)[1110]을 면치 못ᄒᆞ엿던 ᄌᆞᄂᆞᆫ 옥당금마(玉堂金馬)[1111]의 명ᄉᆡ 되여 팔쳑댱부의 언건ᄒᆞᆫ 톄디 노셩군자를 압두ᄒᆞ고, 계오 관녜를 일우나 ᄋᆡ틔를 면치 못ᄒᆞ엿던 뎡병부ᄂᆞᆫ 당ᄎᆞ지

1108)참쳑(慘慽) : 자손이 부모나 조부모보다 먼저 죽는 일.

1109)년슬좌뎡(連膝坐定) : 무릎을 서로 닿게 가까이 앉음.

1110)편발동몽(編髮童蒙) : 예전에, 관례를 하기 전에 머리를 길게 땋아 늘이고 지내던 어린아이.

1111)옥당금마(玉堂金馬) : 중국 한(漢)나라 대궐의 옥당전(玉堂殿)과 금마문(金馬門)을 함께 이르는 말로, 한림원 또는 황제를 가까이서 받드는 한림원 벼슬아치를 뜻한다. 옥당전은 한림원이 있었던 전각의 이름이며 금마문은 전각의 문으로, 문 앞에 동마(銅馬)가 있어 붙여진 이름이다. 조선에서는 홍문관을 옥당이라 했다.

공의 부부 영화로온 일을 당ᄒᆞᄆᆡ 더욱 비회교집(悲懷交集)ᄒᆞ여 셰ᄉᆡ 츈몽 갓트나, 공ᄌᆞ와 윤소져 주야 위로ᄒᆞ며 원상 등 삼ᄋᆡ 옥수(玉樹) 신월(新月) 갓트여 션풍이골(仙風異骨)이 하싱으로 나형난제(難兄難弟)라. 일노써 위로ᄒᆞ여 발힝 수월의 겨유 황셩을 드ᄃᆡ니, 이ᄂᆞᆫ 공의 부뷔 ᄎᆞᆷ쳑(慘慽)[909]의 상ᄒᆞᆫ 병이 잇시므로 급히 힝치 못ᄒᆞ미라.

공이 입셩(入城)ᄒᆞᄂᆞᆫ 날 친붕졔우와 일가 족친이 다 문외의 마즐ᄉᆡ, 금평휘 병부을 다리고 셔문의 나오ᄆᆡ, 윤어ᄉᆞ 형뎨 ᄯᅩᄒᆞᆫ 나와 영ᄃᆡ(迎待)ᄒᆞᄃᆡ 윤츄밀은 요약이[의] 변[변]심(變心)ᄒᆞ여 염[연]무듕(煙霧中) ᄉᆞ롬으로 하공의 환쇄ᄒᆞᆷ믈 깃거ᄒᆞ나 움죽여 마즐 ᄯᅳᆺ지 나지 아냐, ᄆᆡ양 뉴시 침실의 머리을 박고 잇시니 이의 오지 못ᄒᆞ엿더라.

일식이 반오(半午)의 하공의 위의 문외의 님ᄒᆞ니, 금평휘 장막을 둘너 기다리다가, 밧비 하공의 ᄒᆞ거(下車)ᄒᆞ물 인ᄒᆞ여 셔로 집수장탄의 녜을 폐ᄒᆞ고 연슬좌뎡(連膝坐定)[910]ᄒᆞ니, 병부와 윤어ᄉᆞ 곤계 하공을 향ᄒᆞ여 ᄇᆡ례ᄒᆞᄆᆡ, 공이 병부의 손을 잡고 눈을 드러 병부와 윤어ᄉᆞ 형뎨을 보니, 그 작인이 비상특이ᄒᆞᆷ믈 모로ᄂᆞᆫ ᄇᆡ 아니나, 뉵칠년 ᄉᆞ이 편발동몽(編髮童蒙)[911]을 면치 못ᄒᆞ엿던 ᄌᆞᄂᆞᆫ 옥당금마(玉堂金馬)[912]의 명ᄉᆡ 되여 팔쳑장부의 언건ᄒᆞᆫ 체위 노셩군ᄌᆞ을 압두ᄒᆞ고, 계유 관례을 일우나 아틔(兒態)을 면치 못ᄒᆞ엿던 뎡병부ᄂᆞᆫ 완연ᄒᆞᆫ 직상으로

909)츰쳑(慘慽) : 자손이 부모나 조부모보다 먼저 죽는 일.

910)연슬좌뎡(連膝坐定) : 무릎을 서로 닿게 가까이 앉음.

911)편발동몽(編髮童蒙) : 예전에, 관례를 하기 전에 머리를 길게 땋아 늘이고 지내던 어린아이.

912)옥당금마(玉堂金馬) : 중국 한(漢)나라 대궐의 옥당전(玉堂殿)과 금마문(金馬門)을 함께 이르는 말로, 한림원 또는 황제를 가까이서 받드는 한림원 벼슬아치를 뜻한다. 옥당전은 한림원이 있었던 전각의 이름이며 금마문은 전각의 문으로, 문 앞에 동마(銅馬)가 있어 붙여진 이름이다. 조선에서는 홍문관을 옥당이라 했다.

시ᄒᆞ여 완연ᄒᆞᆫ 지샹으로, ᄌᆞ금관의 홍포옥ᄃᆡ로 슈앙(秀昂)ᄒᆞᆫ 격조와 당대【17】ᄒᆞᆫ 신댱이 귀격달상(貴格達相)을 일워, 츄월명광과 농봉미목이 산쳔의 뎡긔를 거두어, ᄇᆡᆨ년빈샹(百年賓相)[1112]의 지상의 관ᄌᆡ(貫子)[1113] 두렷ᄒᆞ고 ᄒᆞᆫ번 움즉이ᄆᆡ 늠쥰(凜俊)ᄒᆞ여 농닌(龍麟)의 틀이오, 안ᄌᆞᄆᆡ 엄위(嚴威)ᄒᆞ여 태산의 암암(巖巖)홈과 텬일(天日)의 [1114]의의(猗猗)홈 ᄀᆞᆺᄐᆞ여 엇디 ᄒᆞᆫ갓 쇽셰 미남ᄌᆞ의 '화지용(花之容) 뉴지풍(柳之風)'[1115]의 비ᄒᆞ여 의논ᄒᆞ리오.

윤어ᄉᆞ 광텬의 긔상과 품격이 뎡병부로 만히 방불ᄒᆞ니, 당당ᄒᆞᆫ 상모와 굉걸뇌락(宏傑磊落)ᄒᆞᆫ 긔상이 쳔고 영걸이오 셰ᄃᆡ 녈댱 뷔어늘, 윤시랑 희텬의 션풍옥골이 더욱 슉연ᄒᆞ여 낫 우희 미인의 염티를 묘시(藐視)ᄒᆞ고, 청빙(淸氷)의 ᄆᆞᆰ으믈 우이 넉이【18】ᄂᆞᆫ 격죄 쇄락ᄒᆞ고, 구츄상텬(九秋霜天)의 일뉸명월(一輪明月)이 ᄇᆞᆰ아시며, 단산(丹山)[1116]의 봉황이 나린 ᄃᆞᆺ, 밋쳐 말ᄉᆞᆷ을 발치 아니나 네뫼 삼엄(森嚴)ᄒᆞ고 도힝이 빈빈ᄒᆞ여, 셩현 품질이 공안(孔顔)[1117]의 후를 니을디라. 하공이 눈이 밤븨고 반가온 경이 무량ᄒᆞ여 니를 거시 업ᄉᆞ니, 어린 ᄃᆞ시 평후의 팔을 어로만져 말을 일우지 못ᄒᆞ니, 금평휘 츄연이 안식을 곳치고 왈,

"우리 셕년의 명쳔형 곤계로 더브러 교도를 일우며, 일일불견(一日不見)을 여삼츄(如三秋)ᄒᆞ고 관포(管鮑)[1118]의 디음(知音)을

1112)ᄇᆡᆨ년빈샹(百年賓相) : 사위 곧 부마의 상모(相貌). 백년빈(百年賓; 백년손님)은 사위를 뜻함.

1113)관ᄌᆡ(貫子) : 망건에 달아 당줄을 꿰는 작은 단추 모양의 고리. 신분에 따라 금(金), 옥(玉), 호박(琥珀), 마노, 대모(玳瑁), 뿔, 뼈 따위의 재료를 사용하였다.

1114)의의(猗猗) : 아름답고 성(盛)한 모양.

1115)화지용(花之容) 뉴지풍(柳之風) : 꽃 같은 얼굴과 버들 같은 풍채라는 뜻으로 아름다운 얼굴과 날씬한 몸매를 가리킴.

1116)단산(丹山) : 중국 복건성(福建省) 북부(北部) 무이산(武夷山) 안에 있는 산 이름. 벽수단산(碧水丹山)의 수려한 경치로 유명하다.

1117)공안(孔顔) : 공자(孔子)와 안자(顔子)를 함께 이르는 말.

1118)관포(管鮑) : 중국 춘추시대 사람인 관중(管仲)

ᄌᆞ금관의【19】 홍포옥ᄃᆡ의 수앙(秀昂)ᄒᆞᆫ 격죠와 장ᄃᆡᄒᆞᆫ 신장이 귀격달상(貴格達相)을 일워시니, 엇지 ᄒᆞᆫ갓 쇽셰 미남ᄌᆞ의 '화지농(花之容) 뉴지풍(柳之風)'[913]으로 의논ᄒᆞ리오.

윤어ᄉᆞ 광쳔의 긔상과 풍격이 뎡병부로 만히 방불ᄒᆞ니, 당당ᄒᆞᆫ 상모와 《광궐∥굉걸》뇌락(宏傑磊落)ᄒᆞᆫ 긔상이 쳔고영걸이오 일셰 열장뷔여늘, 윤직ᄉᆞ 희쳔의 션풍옥골이 더욱 슉연ᄒᆞ여 낫 우희 미인의 염티을 묘시(藐視)ᄒᆞ고, 구쥬[츄]상쳔(九秋霜天)의 일뉸명월(一輪明月)이 발갓시며, 단산(丹山)[914]의 봉황이 나린 듯, 밋쳐 말ᄉᆞᆷ이[을] 발치 아니ᄂᆞ 네뫼 ᄉᆞᆷ엄(森嚴)ᄒᆞ고 조힝(操行)이 빈빈ᄒᆞ여 성현 품질이 공안(孔顔)[915]의 후을 니을지라. 하공이 눈이 밤븨고 반가온 경이 무량ᄒᆞ여 이를 거시 업ᄉᆞ니, 어린드시 평후의 팔을 어로만져 말을 일우지 못ᄒᆞ니, 평휘 추연이 안식을 고치고 왈,

"우리 셕ᄌᆞ(昔者)의 명쳔형 곤계로 더부러 교도을 일우며 일일불견(一日不見)을 여ᄉᆞᆷ츄(如三秋)ᄒᆞ고 관포(管鮑)[916]의 지긔(知己)을 효측ᄒᆞ여 평ᄉᆡᆼ 동긔 갓튼 정의(情誼)을 온젼코져 ᄒᆞ거늘, 불힝ᄒᆞ여 명쳔형이 금국의 가 맛고 피ᄎᆞ의 심폐을 비췰 지 업ᄂᆞᆫ

913)화지용(花之容) 뉴지풍(柳之風) : 꽃 같은 얼굴과 버들 같은 풍채라는 뜻으로 아름다운 얼굴과 날씬한 몸매를 가리킴.

914)단산(丹山) : 중국 복건성(福建省) 북부(北部) 무이산(武夷山) 안에 있는 산 이름. 벽수단산(碧水丹山)의 수려한 경치로 유명하다.

915)공안(孔顔) : 공자(孔子)와 안자(顔子)를 함께 이르는 말.

916)관포(管鮑) : 중국 춘추시대 사람인 관중(管仲)과 포숙(鮑叔)을 함께 이르는 말. 우정이 아주 돈독한 친구사이였다.

효측ᄒᆞ여 평ᄉᆡᆼ 동긔 ᄀᆞᆺ튼 경의(情誼)를 온젼코져 ᄒᆞ거ᄂᆞᆯ, 블힝ᄒᆞ여 명천형을 금국의 가 맛고, 퇴지【19】를 셔측의 원별ᄒᆞ니, ᄉᆡᆼ셰 즐거오미 칠팔(七八) 직[1119]나 듀러져 외로운 일신이 좌하(座下)의 셔로 ᄎᆞ즐 동긔 업고 피ᄎᆞ의 심폐를 빗최던 문경지괴(刎頸之交)[1120] 업ᄂᆞᆫ디라. 비록 형의 슬픈 경ᄉᆞ와 ᄀᆞᆺ든 아니ᄒᆞ나 울울ᄒᆞᆫ 회푀 어나 ᄭᅴ 퇴디를 ᄉᆡᆼ각지 아니리오마ᄂᆞᆫ, 봉노지하(奉老之下)[1121]의 관ᄉᆡ(官事) 다쳡(多疊)ᄒᆞ니, 형을 ᄎᆞᆨ의 니별ᄒᆞ연 지 칠년이 거의로ᄃᆡ 몸소 가 반기지 못ᄒᆞ니 평일 경의(情誼) 아니라. 이졔 디원극통을 신셜ᄒᆞ고 은샤를 ᄡᅴ여 영화로이 도라오니 깃브미 젹다 못ᄒᆞ려니와, 셕ᄉᆞ를 ᄉᆡᆼ각ᄒᆞᄆᆡ ᄌᆞ안 등 삼인의 참ᄉᆞᄂᆞᆫ 셰월이 오랄ᄉᆞ록 심한골경(心寒骨驚)ᄒᆞ니,【20】 참연비졀ᄒᆞᆫ 심회를 ᄎᆞᆷ지 못ᄒᆞᆯ ᄇᆡ나, ᄉᆞ이이의(事而已矣)니 현마 엇디ᄒᆞ리오."

하공이 비로소 심신을 뎡ᄒᆞ여 기리 탄식(歎息) ᄌᆞᄎᆞ(咨嗟) 왈,

"쇼데 셕ᄉᆞ를 츄감ᄒᆞᄆᆡ 슬프미 오ᄂᆡ를 버히ᄂᆞᆫ 둣ᄒᆞ니, 다시 졔긔ᄒᆞ미 유익지 아닐 줄 아ᄃᆡ, 허다 긴 셰월의 슬프믈 금억기 어렵거ᄂᆞᆯ, 이졔 고국의 ᄉᆡᆼ환ᄒᆞᄆᆡ 물ᄉᆡᆨ이 의연ᄒᆞᆫ디라. 아심이 비쳘비셕(非鐵非石)이니 엇디 상감(傷感)치 아니리오. 이러므로 심ᄉᆞ를 뎡치 못ᄒᆞ더니, 형의 말을 드르니 무ᄉᆡᆨᄒᆞᆫ 흉금이 ᄉᆡ훤ᄒᆞᆫ디라, 다시 츄감치 아니리라."

셜파의 병부의 손을 잡고 탄왈,

"노부의 이번 ᄉᆡᆼ환ᄒᆞ미 젼혀 현계(賢

과 포숙(鮑叔)을 함께 이르는 말. 우정이 아주 돈독한 친구사이였다.

1119)직 : 할(割). 비율을 나타내는 단위. 1할은 전체 수량의 10분의 1로, 1푼의 열 배이다.

1120)문경지괴(刎頸之交) : 서로를 위해서라면 목이 잘린다 해도 후회하지 않을 정도의 사이라는 뜻으로, 생사를 같이할 수 있는 아주 가까운 사이, 또는 그런 친구를 이르는 말. 중국 전국 시대의 인상여(藺相如)와 염파(廉頗)의 고사에서 유래하였다.

1121)봉노지하(奉老之下) : 부모나 조부모를 모시고 있는 처지. 또는 그런 처지의 사람.

지라. 비록 형의 슬푼 심ᄉᆞ와 갓든 아니 ᄒᆞᄂᆞ 울울ᄒᆞᆫ 심ᄉᆡ 어ᄂᆡ ᄭᅴ 형을 ᄉᆡᆼ각지 아니리오마는, 봉노지ᄒᆞ(奉老之下)[917]의 관ᄉᆡ(官事) 다쳡(多疊)ᄒᆞ니, 형을 ᄎᆞᆨ의 니별ᄒᆞᆫ[하]연 지 칠년이 거의로ᄃᆡ 몸소 가 반기지 못ᄒᆞ니 평일 경의 아니라. 이졔 지원극통을 신셜ᄒᆞ고 영화《을∥로이》 고토의 도라오니 깃부미 젹다 못ᄒᆞ려니와, 셕ᄉᆞ을 ᄉᆡᆼ각ᄒᆞᄆᆡ【20】 ᄌᆞ안 등 숨인의 ᄎᆞᆷᄉᆞᄂᆞᆫ 셰월이 오릴ᄉᆞ록 심ᄒᆞᆫ골경(心寒骨驚)ᄒᆞᆫ지라. ᄎᆞᆷ연비졀ᄒᆞᆫ 심회을 ᄎᆞᆷ지 못ᄒᆞᆯ ᄇᆡ나, ᄉᆞᄌᆞ이의(死者已矣)니 엇지ᄒᆞ리오."

하공이 비로소 심신을 졍ᄒᆞ여 기리 탄식(歎息) ᄌᆞᄎᆞ(咨嗟) 왈,

"소제 셕ᄉᆞ을 츄감ᄒᆞᄆᆡ 슬푸미 오ᄂᆡ을 버히ᄂᆞᆫ 듯ᄒᆞ니, 다시 졔긔ᄒᆞ미 유익지 아닐 줄 아ᄃᆡ, 허다 긴 셰월의 슬품을 금억기 어렵거ᄂᆞᆯ, 이졔 고국의 ᄉᆡᆼ환ᄒᆞᄆᆡ 물ᄉᆡᆨ이 의연ᄒᆞᆫ지라. 아심이 비쳘비셕(非鐵非石)이니 엇지 상감(傷感)치 아니리오. 이러므로 심ᄉᆞ을 졍치 못ᄒᆞ더니, 형언을 드르ᄆᆡ 무ᄉᆡᆨᄒᆞᆫ 흉금이 ᄉᆡ훤ᄒᆞᆫ지라. 다시 츄감치 아니리라."

셜파의 병부의 손을 잡고 탄왈,

"노부의 ᄉᆡᆼ환ᄒᆞ미 젼혜[혀] 현계(賢契)[918]의 심은후덕이니, 우리 부지 몰신(歿身)토록 잇지 못ᄒᆞ리니, ᄎᆞᄉᆡᆼ의 갑기을 긔약지 못ᄒᆞ리로다."

917)봉노지ᄒᆞ(奉老之下) : 부모나 조부모를 모시고 있는 처지. 또는 그런 처지의 사람.

918)현계(賢契) : 문인(門人), 제자, 친구 등을 존중해서 이르는 말.

契)1122)의 【21】 심은 후덕이니, 우리 부ᄌᆡ 몰신토록 닛지 못ᄒᆞ리니, ᄎᆞ싱의 갑기를 긔약지 못ᄒᆞ리로다.”

도라 윤태우 형뎨를 보○[고] 왈,

“아지 못게라 녕존대인이 므ᄉᆞᆫ ᄉᆞ괴 잇셔 이의 셔로 반기지 못ᄒᆞᄂᆞ뇨?”

병뷔 몬져 몸을 니러 졀ᄒᆞ고 ᄀᆞᆯ오ᄃᆡ,

“가엄이 젼일 년슉(緣叔) 아르시미 동긔 ᄀᆞᆺᄐᆞ시니, 쇼딜ᄇᆡ 평일 년슉의 무ᄋᆡᄒᆞ시ᄂᆞᆫ 은의를 밧ᄌᆞ와 의앙ᄒᆞᄂᆞᆫ 하졍이 범연ᄒᆞᆫ 곳의 비길 ᄇᆡ 아니라. 흑ᄉᆞ 등 삼형이 일시의 참별ᄒᆞ고 년슉이 위ᄐᆡᄒᆞ시니, 쇼딜이 ᄋᆞ쇼지심(兒小之心)의 창황 졀민ᄒᆞᄆᆞᆯ 니긔지 못ᄒᆞ여, 우운 거조를 ᄒᆞ여 김후를 속이고 간졍을 알오ᄃᆡ, 기시 쇼딜이 형셰 셔의ᄒᆞ【22】여1123), 셰월이 오ᄅᆡᄃᆡ 존문 디원 극통을 신셜치 못ᄒᆞ고, 등양ᄒᆞ여 셰지 구의(久矣)로ᄃᆡ ᄡᅵ를 엇디 못ᄒᆞ와, 년슉으로 ᄒᆞ여곰 측디 간고를 겻그시게 ᄒᆞ오니, 년딜(緣姪)이 언ᄉᆡ 용둔ᄒᆞ고 인ᄉᆡ 블민ᄒᆞ와 발셔 이 일을 들쳐ᄂᆡ지 못ᄒᆞ오미 황괴ᄒᆞ거ᄂᆞᆯ, 과도히 칭은ᄒᆞ시믈 밧ᄌᆞ와 더옥 참황ᄒᆞ여, 알욀 바를 아디 못ᄒᆞᆯ소이다.”

윤태우 곤계 말ᄉᆞᆷ을 니어 디원 극통을 신셜ᄒᆞ여 영화로이 환됴ᄒᆞ시믈 치하ᄒᆞ고, 계부의 환휘 거츈으로부터 비경ᄒᆞ샤 상요를 ᄯᅥ나디 못ᄒᆞ시므로 ᄃᆡ답ᄒᆞ고, 시랑은 부친 환후로[를] 일ᄏᆞᄅᆞᄆᆡ 면모【23】의 우ᄉᆡᆨ이 은연ᄒᆞ여 졀박ᄒᆞᆫ 근심을 노치 못ᄒᆞ더라.

하공이 친붕졔우와 일가족당을 향ᄒᆞ여 슈고로이 문외의 나 마ᄌᆞ믈 ᄉᆞ샤(謝辭)ᄒᆞ고, 친옹 님공의 손을 ᄌᆞᆸ고 반기ᄂᆞᆫ 졍을 니긔지 못ᄒᆞ며, 남공이 ᄉᆡᆼ녀ᄒᆞ여 망녀와 ᄀᆞᆺᄐᆞ믈 니르니 공이 더옥 이상이 넉이더라.

날이 늣고 네관이 ᄌᆡ촉ᄒᆞ여 궐졍의 복명ᄒᆞᆯᄉᆡ, 공이 졔우친쳑을 명일 보기를 일ᄏᆞᆮ고 ᄉᆡᆼᄂᆡ로 드러가니, 졔인이 다 뒤흘 ᄌᆞᆺᄎᆞ 드

1122)현계(賢契) : 문인(門人), 제자, 친구 등을 존중해서 이르는 말.

1123)셔의ᄒᆞ다 : 서어(齟齬)하다. ①틀어져서 어긋나다. ②익숙하지 아니하여 서름서름하다. 여기서는 ①의 의미로 '맞지 않다' '마땅하지 않다'는 뜻.

도라 윤ᄐᆡ우 형뎨을 보아 왈,

“아지 못게라. 영존ᄃᆡ인이 무ᄉᆞᆫ ᄉᆞ괴 잇셔 이의 셔로 반기지 못ᄒᆞᄂᆞ뇨?”

병뷔 몬져 긔이ᄇᆡ(起而拜) 왈,

“가엄이 젼일 연슉(緣叔) 아르시미 동긔 갓ᄐᆞ시니, 소질ᄇᆡ 평일 연슉의 무ᄋᆡᄒᆞ시ᄂᆞᆫ 은의을 밧ᄌᆞ와 의앙ᄒᆞᄂᆞᆫ 하졍이 범연ᄒᆞᆫ 곳의 비길 ᄇᆡ 아니라. 흑ᄉᆞ 등 ᄉᆞᆷ형이 일시의 ᄎᆞᆷ별ᄒᆞ고 연숙이 위ᄐᆡᄒᆞ시니, 소질이 아희 마음의 창황 졀민ᄒᆞ물 이긔지 못ᄒᆞ여, 우은 거조을 ᄒᆞ여 김후을 속이고 간졍을 알오ᄃᆡ, 기시 소질이 형셰 셔어ᄒᆞ여919), 셰월이 오ᄅᆡᄃᆡ 존문 지원극통을 신셜치 못ᄒᆞ고, 인슌(因循)920)ᄒᆞ【21】여 셰지 구의로ᄃᆡ, ᄡᅵ을 엇지 못ᄒᆞ여 연슉으로 ᄒᆞ여곰 측지간고을 격그시게 ᄒᆞ니, 소질이 인ᄉᆡ 불민ᄒᆞ와 발셔 이 일을 들쳐ᄂᆡ지 못ᄒᆞ미 황괴ᄒᆞᄋᆞᆸ거날, 과도히 칭은ᄒᆞ시믈 밧ᄌᆞ와 더욱 ᄎᆞᆷ황ᄒᆞ여, 알욀 ᄇᆞ을 아지 못ᄒᆞᆯ소이다.”

윤ᄐᆡ우 형뎨 말ᄉᆞᆷ을 이어 지원극통을 신셜ᄒᆞ여 영화로이 환조ᄒᆞ믈 치하ᄒᆞ고, 계부의 환휘 거츈으로부터 비경ᄒᆞᄉᆞ 상요을 ᄯᅥ나지 못ᄒᆞ므로 ᄃᆡ답ᄒᆞ고, 시랑은 부친 환후을 일커로ᄆᆡ 면모의 우ᄉᆡᆨ이 은연ᄒᆞ여 졀박ᄒᆞᆫ 근심을 놋치 못ᄒᆞ더라.

하공이 친붕졔우와 일가족당을 ᄃᆡᄒᆞ여 수고로이 문외의 나 마즈믈 ᄉᆞᄉᆞ(謝辭)ᄒᆞ고, 친옹 임공의 손을 잡고 반기ᄂᆞᆫ 졍을 이긔지 못ᄒᆞ며, 님공이 ᄉᆡᆼ녀ᄒᆞ여 망녀와 갓트물 이르니 공이 더욱 이상이 넉이더라.

날이 늣고 네관이 ᄌᆡ촉ᄒᆞ여 궐졍의 《봉명(奉命)‖복명(復命)》ᄒᆞᆯᄉᆡ, 공이 졔우친쳑을 명일 보기을 일컷고 ᄉᆡᆼᄂᆡ로 드러가니,

919)셔어ᄒᆞ다 : 서어(齟齬)하다. ①틀어져서 어긋나다. ②익숙하지 아니하여 서름서름하다. 여기서는 ①의 의미로 '맞지 않다' '마땅하지 않다'는 뜻.

920)인슌(因循) : 낡은 인습을 버리지 아니하고 지킴.

러가ᄃᆡ 금평후 부ᄌᆞ와 윤혹ᄉᆞ 형뎨 잠간 디류ᄒᆞ더니, 이윽고 하ᄉᆡᆼ이 모친 ᄒᆡᆼ거를 뫼시고 윤시를 호ᄒᆡᆼᄒᆞ여 니르니, 평휘 【24】 청ᄒᆞ여 셔로 볼ᄉᆡ, 하ᄉᆡᆼ이 시년 십칠의 톄위 댱엄ᄒᆞ고 긔도(氣度) 뎡슉ᄒᆞ여, 두렷ᄒᆞᆫ 면모ᄂᆞᆫ 남젼ᄇᆡᆨ옥(藍田白玉)이오, 와잠농미(臥蠶龍眉)ᄂᆞᆫ 문명(文明)[1124]이 녕녕(盈盈)ᄒᆞ여[1125] ᄆᆞᆰ은 봉안과 너른 텬졍의 졍쇄 찬난ᄒᆞ니, 낫 우히 광치 홍일(紅日)이 부상(扶桑)의 오름 ᄀᆞᆺ튼디라. 츄포혁ᄃᆡ(麤布革帶)[1126]의 갈건야복(葛巾野服)이 더옥 그 풍신의 빗나믈 도으며, 골격의 표표 특이ᄒᆞ믄 더옥 긔이ᄒᆞ니, 니른바 명쥬(明珠)를 ᄉᆞ셕(沙石)의 더지니 보광(寶光)이 더옥 찬난ᄒᆞ고, 황금이 진토의 바리이나 광치 흙빗치 므드디 아니미라. 평휘 크게 흠복 년ᄋᆡᄒᆞᄂᆞᆫ 졍을 니긔지 못ᄒᆞ여, 집슈 【25】 츄연 왈,

"젼ᄌᆞ ᄌᆞ의를 니별ᄒᆞᆯ ᄶᆡ 오날이 이시믈 닐넛더니, 하날이 맛ᄎᆞᆷᄂᆡ 현인 녈ᄉᆡ 참화의 ᄉᆡᆨ지믈 숣피시미 소소(昭昭)ᄒᆞ샤, 간인의 악ᄉᆡ 드러나 ᄌᆞ안 등의 신셜이 명졍ᄒᆞ고, 녕엄과 ᄌᆞ의의 환쇄ᄒᆞᄂᆞᆫ 날 ᄒᆡᆼᄉᆡᆨ이 쾌ᄒᆞ다 니를 거시로ᄃᆡ, 다만 ᄉᆞᄌᆞ(死者)ᄂᆞᆫ 이의(已矣)라. 국개 은젼을 쓰시나 깃브믈 알 길히 업ᄉᆞ니 엇디 참연치 아니리오. 연이나 녕ᄌᆞ당 태부인이 히를 년ᄒᆞ여 삼개 긔린을 탄ᄉᆡᆼᄒᆞ시니, 범상ᄒᆞᆫ 경ᄉᆡ 아니라. ᄌᆞ안 등의 도라오믈 거의 알니니 엇디 ᄒᆡᆼ심치 아니리오."

하ᄉᆡᆼ이 비읍 ᄇᆡᆨ샤 왈,

"년슉의 대은과 듁청 형의 【26】 의기현심으로뼈, 소딜의 집 디원 극통을 신셜ᄒᆞ니, ᄒᆞᆫ갓 환쇄ᄒᆞ믈 즐길 ᄲᅮᆫ 아니라, 망형 등의 청츈 참ᄉᆞᄒᆞ믄 궁텬비원(窮天悲怨)이어ᄂᆞᆯ, 죄루를 ᄢᅵᆺ지 못ᄒᆞ여 녕ᄇᆡᆨ(靈魄)이 슬허ᄒᆞ리러니, 듁청형의 디모ᄌᆡ략이 간인의 복초를 슈고 아냐 바드미 되니, 엇디 긔이치 아니

1124)문명(文明) : 문채(文彩)가 뛰어나고 분명함.
1125)녕녕(盈盈)ᄒᆞ다 : 용모 따위가 곱고 아름답다.
1126)츄포혁ᄃᆡ(麤布革帶) : 발이 굵고 거칠게 짠 베옷을 입고 가죽띠를 두른 차림.

졔인이 다 뒤을 좃ᄎᆞ 드러가되 금평후 부ᄌᆞ와 윤혹ᄉᆞ 형뎨 잠간 지류ᄒᆞ더니, 이윽고 하ᄉᆡᆼ이 모친 ᄒᆡᆼ거을 뫼시고 윤시을 호ᄒᆡᆼᄒᆞ여 이르니, 평휘 청ᄒᆞ여 셔로 볼ᄉᆡ, 하ᄉᆡᆼ이 시년 십칠의 쳬위장엄ᄒᆞ고 긔되(氣度) 졍슉ᄒᆞ여, 두렷ᄒᆞᆫ 면모ᄂᆞᆫ 남젼ᄇᆡᆨ옥(藍田白玉)이오, 와잠농미(臥蠶龍眉)ᄂᆞᆫ 문명(文明)[921]이 영영(盈盈)ᄒᆞ여[922] 말근 봉안과 너른 쳔졍이 졍화 찬난ᄒᆞ니, 낫 우희 광치 홍일(紅日)이 부상(扶桑)의 오름갓튼 【22】 지라. 추포혁ᄃᆡ(麤布革帶)[923]의 갈건야복(葛巾野服)이 덕[더]욱 그 풍신의 빗나믈 도으며, 골격의 표표 특이ᄒᆞ믄 더욱 긔이ᄒᆞ니, 이른 바 명쥬(明珠)을 ᄉᆞ셕(沙石)의 더지ᄆᆡ 보광(寶光)이 더욱 찬란ᄒᆞ고, 황금이 진토의 바리이나 광치 흑빗치 무드지 아니미라. 평휘 흠복 은ᄋᆡᄒᆞᄂᆞᆫ 졍을 이긔지 못ᄒᆞ여 집수 츄연 왈,

"젼ᄌᆞ ᄌᆞ의을 니별ᄒᆞᆯ ᄶᆡ 오날날이 잇시물 일넛더니, ᄒᆞ날이 맛ᄎᆞᆷᄂᆡ 현인 일ᄉᆡ(逸士)[924]ᄎᆞᆷ화의 ᄉᆡᆨ지믈 숣피시미 소소ᄒᆞᄉᆞ 간인의 드러나 ᄌᆞ안 등 신셜이 명졍ᄒᆞ고 영ᄃᆡ인과 ᄌᆞ의에 환쇄ᄒᆞᄂᆞᆫ 날 ᄒᆡᆼᄉᆡᆨ이 쾌ᄒᆞ다 니를 거시로ᄃᆡ, 다만 ᄉᆞᄌᆞᄂᆞᆫ 이의라. 국ᄀᆡ 은권을 쓰시나 갓브물 알 길이 업ᄉᆞ니 엇지 ᄎᆞᆷ연치 아니리오. 연이나 영ᄌᆞ당 ᄐᆡ부인이 히을 연ᄒᆞ여 ᄉᆞᆷᄀᆡ 긔린을 탄ᄉᆡᆼᄒᆞ시니 범상ᄒᆞᆫ 경ᄉᆡ 아니라. ᄌᆞ안 등 도라오믈 거의 알니니 엇지 ᄒᆡᆼ심치 아니리오."

하ᄉᆡᆼ이 비읍 ᄇᆡᆨᄉᆞ 왈,

"연숙의 ᄃᆡ은과 쥭청 형의 의긔현심으로 써, 소질의 집 지원극통을 신셜ᄒᆞ니, ᄒᆞᆫ갓 환쇄ᄒᆞ믈 즐길 ᄲᅮᆫ 아니라, 망형 등 청츈 ᄎᆞᆷᄉᆞᄒᆞ믄 궁쳔비원(窮天悲怨)이여ᄂᆞᆯ, 죄루을 씻지 못ᄒᆞ여 영ᄇᆡᆨ(靈魄)이 슬허ᄒᆞ리러니, 쥭청형의 지모ᄌᆡ략이 간인의 복초을 수고 아니[냐] 바드미 되니, 엇지 긔이치 아니며,

921)문명(文明) : 문채(文彩)가 뛰어나고 분명함.
922)영영(盈盈)ᄒᆞ다 : 용모 따위가 곱고 아름답다.
923)츄포혁ᄃᆡ(麤布革帶) : 발이 굵고 거칠게 짠 베옷을 입고 가죽띠를 두른 차림.
924)일ᄉᆡ(逸士) : 뛰어난 선비.

며, 감은 쾌열치 아니리잇고? 망형 등 시톄를 완젼ᄒᆞ여 ᄒᆡ골을 향진(鄕塵)의 쟝(葬)ᄒᆞ미 다 년슉과 윤대인 은덕이니, 샤곤(舍昆) 등이 명명지듕의 감은ᄇᆡᆨ골ᄒᆞ여 구원(九原)의 함호결초(銜琥結草)1127)ᄒᆞ리로소이다.”

인ᄒᆞ여 뎡병부를 향ᄒᆞ여 은덕을 칭샤ᄒᆞᄃᆡ 감은ᄒᆞᆫ ᄆᆞ음이 골【27】졀의 ᄉᆞ못ᄎᆞᆺᄂᆞᆫ디라. 금평휘 ᄀᆞᆯ오ᄃᆡ,

“녕엄과 나ᄂᆞᆫ 셔로 은혜와 덕을 니를 ᄉᆞ이 아니오, 이런 범연ᄒᆞᆫ 일의 우리 부ᄌᆞ를 칭숑ᄒᆞ믈 아심이 딘뎡으로 블평ᄒᆞ니, ᄌᆞ의ᄂᆞᆫ 다시 일ᄏᆞᆺ지 말나.”

언파의 원삼 등 삼ᄋᆞ를 블너 알패 니르ᄆᆡ, 개개히 츌인비상(出人非常)ᄒᆞᆯ ᄲᅳᆫ 아니라, 의연이 하혹ᄉᆞ 삼인이 도라온 ᄃᆞᆺᄒᆞ니, 대쇄 다르나 젼형(全形)인즉 일호 ᄎᆞ착이 업ᄉᆞ니, 크게 ᄉᆞ랑ᄒᆞ고 긔특ᄒᆞ여 하공의 팔ᄌᆡ 궁치 아니믈 깃거ᄒᆞ더라.

하싱이 윤태우 형뎨를 쳐음 보미 아니로ᄃᆡ 그 ᄉᆞ이 댱대ᄒᆞ미 노셩군ᄌᆞ(老成君子)의 틀이 니러심과 존귀현달지상(尊貴顯達之相)이 당당ᄒᆞ【28】니, ᄒᆞ나흔 발호ᄒᆞ여 텬일의 의의ᄒᆞᆫ 긔상과 졔월(霽月)의 표표ᄒᆞᆫ 긔질이 금고의 희한ᄒᆞᆫ 영쥰군ᄌᆡ어ᄂᆞᆯ, 시랑의 셩현픔질의 빈빈ᄒᆞᆫ 녜모와 삼엄ᄒᆞᆫ 위의 대

1127)함호결초(銜琥結草) : ≒함환결초(銜環結草). ‘남에게 입은 은혜를 꼭 갚는다’ 의미를 가진 ‘함환이보(銜環以報)’와 ‘결초보은(結草報恩)’이라는 두 개의 보은담(報恩譚)을 아울러 이르는 말로, ‘남에게 받은 은혜를 살아서는 물론 죽어서까지도 꼭 갚겠다’는 보다 강조된 의미가 담긴 뜻으로 쓰인다. 두 보은담의 유래를 보면, ‘함환이보’는 중국 후한 때 양보(楊寶)라는 소년이 다친 꾀꼬리 한 마리를 잘 치료하여 살려 보낸 일이 있었는데, 후에 이 꾀꼬리가 양보에게 백옥환(白玉環)을 물어다 주어 보은했다는 남북조 시기 양(梁)나라 사람 오균(吳均)이 지은『續齊諧記』의 고사에서 유래하였다. 또 ‘결초보은’은 중국 춘추 시대에, 진나라의 위과(魏顆)가 아버지가 세상을 떠난 후에 서모를 개가시켜 순사(殉死)하지 않게 하였더니, 그 뒤 싸움터에서 그 서모 아버지의 혼이 적군의 앞길에 풀을 묶어 적을 넘어뜨려 위과가 공을 세울 수 있도록 하였다는 『춘추좌전』<선공(宣公)>15년 조(條))의 고사에서 유래한 말이다.

감은 쾌열치 아니리잇고마ᄂᆞᆫ, ○[망]형 등의 신쳬을 슈고로이 완젼ᄒᆞ여 ᄒᆡ골을 향산(鄕山)의 장ᄒᆞ미 다 연숙과 윤악장 은덕이니 망형 등이 명명지듕의 감은 각【23】골ᄒᆞ여 구원의 함쥬결초(含珠結草)925)ᄒᆞ리로소이다.”

인ᄒᆞ여 뎡병부을 향ᄒᆞ여 은덕을 창ᄉᆞᄒᆞᄃᆡ 감은ᄒᆞᆫ 마음이 골졀의 ᄉᆞ못찻ᄂᆞᆫ지라. 금평휘 갈오ᄃᆡ,

“영엄과 나ᄂᆞᆫ 셔로 은혜와 덕을 니를 사이 아니오, 이런 범연ᄒᆞᆫ 일의 우리 부ᄌᆞ을 칭ᄉᆞᄒᆞ믄 아심이 진졍으로 불평ᄒᆞ니, ᄌᆞ의ᄂᆞᆫ 다시 일컷지 말나.”

언파의 원상 등 ᄉᆞᆷ아을 불너 압ᄒᆡ 이르니, ᄀᆡᄀᆡ 츌인비상(出人非常)ᄒᆞᆯ 분 아니라, 의연히 하혹ᄉᆞ ᄉᆞᆷ인이 도라온 듯ᄒᆞ니, ᄃᆡ쇄 다르나 젼형(全形)인즉 일호 ᄎᆞ측이 업ᄂᆞᆫ지라. 크게 ᄉᆞ랑ᄒᆞ고 긔특ᄒᆞ여 하공의 팔ᄌᆡ 궁치 아니믈 깃거ᄒᆞ더라.

하싱이 윤ᄐᆡ우 형뎨을 쳐음 보ᄆᆡ[미] 아니로ᄃᆡ 그 ᄉᆞ이 장ᄃᆡᄒᆞ미 노셩군ᄌᆞ(老成君子)의 틀이 이러심과 존귀현달지상(尊貴顯達之相)이 당당ᄒᆞ니, 하싱이 ᄌᆞ긔 안면의 합당ᄒᆞᆫ ᄌᆞ을 촉지의셔 보지 못ᄒᆞ엿다가, 금일 윤형 등을 보ᄆᆡ 흠션ᄒᆞ믈 마지 아니ᄒᆞ고, 윤혹ᄉᆞ의 셩현품질을 더욱 과ᄋᆡᄒᆞ여 ᄆᆡ

925)함쥬결쵸(銜珠結草) : ≒함환결초(銜環結草). ‘남에게 입은 은혜를 꼭 갚는다’ 의미를 가진 ‘함환이보(銜環以報)’와 ‘결초보은(結草報恩)’이라는 두 개의 보은담(報恩譚)을 아울러 이르는 말로, ‘남에게 받은 은혜를 살아서는 물론 죽어서까지도 꼭 갚겠다’는 보다 강조된 의미가 담긴 뜻으로 쓰인다. 두 보은담의 유래를 보면, ‘함환이보’는 중국 후한 때 양보(楊寶)라는 소년이 다친 꾀꼬리 한 마리를 잘 치료하여 살려 보낸 일이 있었는데, 후에 이 꾀꼬리가 양보에게 백옥환(白玉環)을 물어다 주어 보은했다는 남북조 시기 양(梁)나라 사람 오균(吳均)이 지은『續齊諧記』의 고사에서 유래하였다. 또 ‘결초보은’은 중국 춘추 시대에, 진나라의 위과(魏顆)가 아버지가 세상을 떠난 후에 서모를 개가시켜 순사(殉死)하지 않게 하였더니, 그 뒤 싸움터에서 그 서모 아버지의 혼이 적군의 앞길에 풀을 묶어 적을 넘어뜨려 위과가 공을 세울 수 있도록 하였다는 『춘추좌전』<선공(宣公)>15년 조(條))의 고사에서 유래한 말이다.

셩군ᄌᆞ(大聖君子)의 뎨일좌를 졈득ᄒᆞᆯ디라. 암암히 칭긔흠복(稱其欽服)ᄒᆞ고 뎡병부의 노챵(老蒼)1128)ᄒᆞ미 나흐로 좃ᄎᆞ ᄂᆡ도ᄒᆞ여, 발셔 명공 후ᄇᆡᆨ이 되ᄆᆡ 톄위 존듕ᄒᆞ고 긔상이 엄쥰ᄒᆞ여 텬승을 긔필ᄒᆞᆯ디라. 하ᄉᆡᆼ이 ᄌᆞ긔 안면의 합당ᄒᆞᆫ ᄌᆞ를 ᄎᆞᆨ디의셔 보디 못ᄒᆞ엿다가, 금일 윤ㆍ뎡 등을 보ᄆᆡ 흠션ᄒᆞ믈 마지 아니ᄒᆞ고, 윤ᄒᆞᆨᄉᆞ의 셩현픔질을 더옥 과ᄋᆡᄒᆞ여 ᄆᆡ데의 ᄇᆡ위 쾌【29】ᄒᆞ믈 ᄒᆡᆼ열ᄒᆞ고, 뎡ㆍ윤 등은 하ᄉᆡᆼ을 쳐음 만나ᄆᆡ 흔ᄒᆡᆼᄒᆞ믈 니긔디 못ᄒᆞ여 골육동긔를 상봉ᄒᆞᆷ ᄀᆞᆺᄐᆞᆫ디라.

태우형뎨 ᄆᆡ져의 거교를 바로 본부로 향ᄒᆞ믈 쳥ᄒᆞᆫᄃᆡ, ᄉᆡᆼ이 쇼져의 유무를 블관이 넉이믈 힝노 ᄀᆞᆺᄐᆞ나, 부모의 ᄯᅳᆺ이 쇼져를 몬져 취운산으로 다려가 가샤를 안둔ᄒᆞ고 방소를 뎡ᄒᆞ여 든 후 죵용이 윤부로 보ᄂᆡ랴 ᄒᆞ시던 고로, 부모긔 고ᄒᆞ고 도라보ᄂᆡ믈 니르니, 태우 형뎨 결연ᄒᆞ나 임의 경샤의 와시니 셔로 빈빈 왕ᄂᆡᄒᆞ여 디극ᄒᆞᆫ 졍을 펴며 우공(友恭)ᄒᆞᄂᆞᆫ ᄆᆞᄋᆞᆷ을 다ᄒᆞᆯ디라. ᄌᆡ쳥치 아니코, 하ᄉᆡᆼ이 ᄒᆞᆨᄉᆞ를 ᄃᆡ【30】ᄒᆞ여 왈,

"ᄌᆞ경이 ᄉᆞ빈을 보디 못ᄒᆞ시ᄆᆡ ᄆᆡ양 깁흔 한이 되시나, 누쳔니 애각의 관산(關山)이 격ᄒᆞ고 ᄒᆡ쉬(河水) 즈음치니1129), 능히 졍니를 펴지 못ᄒᆞᆫ디라. 일야 경샤를 쳠망ᄒᆞ샤 ᄉᆞ빈으로 ᄒᆞ여곰 동방 츌입ᄒᆞᄂᆞᆫ ᄌᆞᄆᆡ를 아디 못ᄒᆞ시고, 쇼ᄆᆡ 상니ᄒᆞ믈 슬허ᄒᆞ시더니, 이졔 도라오ᄆᆡ ᄌᆞ당이 ᄉᆞ빈을 보고져 ᄒᆞ시미 일시 급ᄒᆞᆫ디라. 모로미 ᄒᆞᆫ가디로 ᄒᆡᆼᄒᆞ여 운산 가 녕ᄆᆡ를 보고 ᄌᆞ위긔 현셩ᄒᆞ미 엇더ᄒᆞ뇨."

시랑이 ᄃᆡ왈,

"형이 비록 니르디 아니나 쇼뎨 등이 ᄆᆡ져를 반길 ᄯᅳᆺ이 급ᄒᆞ고, 악모긔 ᄇᆡ현ᄒᆞ미 인ᄉᆞ의 폐치 못ᄒᆞᆯ디라. ᄒᆞᆫ가디【31】로 운산의 가리니, 형이 ᄯᅩᄒᆞᆫ 악모의 우뎨 ᄉᆡᆼ각ᄒᆞ시ᄂᆞᆫ 심ᄉᆞ를 츄이ᄒᆞ여, 우리 ᄌᆞ위 형을 동상 오년의 상견ᄒᆞ믈 엇디 못ᄒᆞ시고 참연

1128)노챵(老蒼) : 점잖고 의젓함.

1129)즈음치다 : 가로막히다. 격(隔)하다.

졔의 ᄇᆡ위 쾌ᄒᆞ믈 ᄒᆡᆼ열ᄒᆞ고, 뎡ㆍ윤 등은 하ᄉᆡᆼ을 쳐음 만나ᄆᆡ 흔ᄒᆡᆼᄒᆞ믈 이긔지 못ᄒᆞ여 골육동긔을 상봉ᄒᆞᆷ 갓치 지ᄂᆡ더라.

ᄐᆡ위 형뎨 ᄆᆡ졔의 거교을 ᄇᆞ로 본부의 향ᄒᆞ물 쳥ᄒᆞᆫᄃᆡ, ᄉᆡᆼ이 소져 유무을 불관이 녁이나, 부모의 ᄯᅳᆺ지 소져을 몬져 운산으로 다려가 가ᄉᆞ을 졍ᄒᆞ고 방소을 졍ᄒᆞ여 든 후 종용히 윤부로 보ᄂᆡ려 ᄒᆞ시든 고로, 부모긔 고ᄒᆞ고 도라 보ᄂᆡ믈 이르니, ᄐᆡ【24】우 형뎨 결연ᄒᆞ나 임의 경ᄉᆞ의 왓시니 셔로 빈빈 왕ᄂᆡᄒᆞ여 지극ᄒᆞᆫ 졍을 펴며 《우몽∥우공(友恭)》ᄒᆞᄂᆞᆫ ᄆᆞ음을 다ᄒᆞᆯ지라. ᄌᆡ쳥치 아니코, 하ᄉᆡᆼ이 ᄒᆞᆨᄉᆞ을 ᄃᆡᄒᆞ여 왈,

"ᄌᆞ경이 ᄉᆞ빈을 보지 못ᄒᆞ시ᄆᆡ ᄆᆡ양 깁흔 ᄒᆞᆫ이 되시나, 누쳔니 ᄋᆡ각의 관산(關山)이 격ᄒᆞ고 ᄒᆡ쉬(河水) 즈음치니926), 능히 졍니을 펼 길이 업ᄂᆞᆫ지라. 일야 경ᄉᆞ을 쳠망ᄒᆞᄉᆞ ᄉᆞ빈으로 ᄒᆞ여금 동방 츌입게 ᄒᆞᄂᆞᆫ ᄌᆞᄆᆡ을 아지 못ᄒᆞ시고, 소ᄆᆡ 상니ᄒᆞ물 슬허ᄒᆞ시더니, 이졔 도라오ᄆᆡ ᄌᆞ당이 ᄉᆞ빈을 보고져 ᄒᆞ시미 일시 급ᄒᆞᆫ지라, 모로미 ᄒᆞᆫ가지로 ᄒᆡᆼᄒᆞ여 운산으로 가 영ᄆᆡ을 보고 ᄌᆞ위게 현알ᄒᆞ미 엇더ᄒᆞ뇨?"

시랑이 ᄃᆡ왈,

"형이 비록 이르지 아니나 소졔 등이 ᄆᆡ졔을 반길 ᄯᅳᆺ지 급ᄒᆞ고, 인ᄌᆞ(人子)의 되 악모긔 ᄇᆡ현ᄒᆞ믈 폐치 못ᄒᆞᆯ지라. ᄒᆞᆫ가지로 가리니 형이 ᄯᅩᄒᆞᆫ 악모의 우졔 ᄉᆡᆼ각ᄒᆞ시ᄂᆞᆫ 심ᄉᆞ을 츄이ᄒᆞ여, 우리 ᄌᆞ위 형을 동상 오년의 상견ᄒᆞ믈 엇지 못ᄒᆞ시고 ᄎᆞᆷ연이 슬허ᄒᆞ시ᄂᆞᆫ 졍니을 ᄉᆡᆼ각ᄒᆞ여, ᄇᆡ현ᄒᆞ믈 더ᄃᆡ 말

926)즈음치다 : 가로막히다. 격(隔)하다.

이 슬허ᄒᆞ시ᄂᆞᆫ 졍니를 ᄉᆡᆼ각ᄒᆞ여, ᄇᆡ현ᄒᆞ믈 더ᄃᆡ니 말나.”

하ᄉᆡᆼ이 뉴시의 간흉을 아디 못ᄒᆞ고, 윤시ᄂᆞᆫ 비록 염박ᄒᆞ나 악모ᄂᆞᆫ ᄆᆡ온 의ᄉᆡ 업ᄂᆞᆫ디라 하ᄉᆡᆼ 왈,

“내 몸이 만니의 뎍거 죄쉬 아니면 텬니를 겻보 ᄃᆞᆺ ᄒᆡᆼᄒᆞ여, 일년의 일이슌을 악댱긔 ᄇᆡ알ᄒᆞ여 ᄒᆞᆫᄀᆞᆺ 반ᄌᆞ디도(半子之道)1130)를 출힐 ᄡᅳᆫ 아니라, 텬디 ᄀᆞᆺᄐᆞᆫ 대은을 쇄신분골ᄒᆞ나 다 갑기 어려오니, 의앙ᄒᆞᄂᆞᆫ 졍셩이 범연ᄒᆞᆫ 곳의 비겨 녜ᄉᆞ 옹셔디간 ᄀᆞᆺ【32】ᄐᆞ리오마ᄂᆞᆫ, 쵹디 슈졸노 이셔 ᄆᆞ음을 펴지 못ᄒᆞ나, 임의 고토의 ᄉᆡᆼ환ᄒᆞᆫ 후좃ᄎᆞ ᄇᆡ알ᄒᆞ기를 어ᄃᆡ ᄒᆞ리오. ᄉᆞ당을 뫼셔 운산의 가샤를 뎡ᄒᆞ고 명일 존부로 나아가리라.”

태우 등이 하ᄉᆡᆼ의 말을 ᄃᆞᆺ고, ᄌᆞ긔 집 변고를 아득히 모로ᄂᆞᆫ 거동이라, 타일 블미ᄒᆞᆫ 소문이 ᄌᆞ연이 날 바를 붓그리고, 계부의 변심 상셩(喪性)ᄒᆞ믈 더옥 ᄋᆡ돏고 슬허ᄒᆞ나 밋출 길히 업ᄂᆞᆫ디라. 다만 ᄉᆞᄉᆡᆨ이 화열ᄒᆞ여 피ᄎᆞ 흠ᄋᆡᄒᆞᄂᆞᆫ 졍을 ᄊᆡ여실 ᄡᅳᆫ이라.

금평휘 하ᄉᆡᆼ을 ᄌᆡ촉ᄒᆞ여 밧비 ᄂᆡᄒᆡᆼ(內行)을 뫼셔 운산으로 나오믈 니르고, ᄌᆞ긔 몬져 병부를 다리【33】고 부듕으로 향ᄒᆞ니라. 하ᄉᆡᆼ이 일ᄒᆡᆼ을 휘동ᄒᆞ여 운산을 향ᄒᆞ니, 윤태우 형뎨 뒤흘 좃ᄎᆞ ᄒᆞᆫ가지로 ᄒᆡᆼᄒᆞ고, 하부 노복과 공의 군관의 뉘 경샤의 잇던 무리 일시의 문의 메여 마쟈 부인 ᄒᆡᆼ거를 호위ᄒᆞ니, 쟝ᄒᆞᆫ 위의 일노(一路)의 휘황ᄒᆞ니 도듕 관광ᄌᆡ 셔로 젼ᄒᆞ여, 왕ᄂᆡ(往來)의 비환(悲歡)이 상반ᄒᆞᆷ과 명ᄆᆡᆨ이[을] 보젼ᄒᆞ니[여] 깃브믈 니르ᄃᆡ, 하혹ᄉᆞ 삼인은 원억을 신셜ᄒᆞᄃᆡ ᄉᆞᄌᆡ(死者) 부ᄉᆡᆼ(復生)치 못ᄒᆞ믈 탄ᄒᆞ더라.

하부 일ᄒᆡᆼ이 운산 뎡부의 니르러 별원의 가니, 윤혹ᄉᆞ 부인이 하운의 쳐 박시로 더브러 이의셔 기다리다가, 모친 교ᄌᆡ ᄂᆡ경ᄒᆞ【34】의 다ᄃᆞᆺ고 하ᄉᆡᆼ이 드러오니, 쇼졔

1130)반ᄌᆞ디도(半子之道) : 사위의 도리. 반ᄌᆞ(半子); ‘아들이나 다름없다’는 뜻으로 사위를 이르는 말.

나.”

하ᄉᆡᆼ이 뉴시의 간흉을 아지 못ᄒᆞ고, 윤시ᄂᆞᆫ 비록 염박ᄒᆞ나 악모ᄂᆞᆫ ᄆᆡ운 의ᄉᆡ 업ᄂᆞᆫ지라, 이의 갈오ᄃᆡ,

“ᄂᆡ 몸이 만니 젹거 죄슈 아니면 쳔니을 겻보듯ᄒᆞ여 일년의 일이슌을 악장긔 ᄇᆡ현ᄒᆞ여 ᄒᆞᆫ갓 반ᄌᆞ지도(半子之道)927)을 찰일 분 아니라, 쳔지 갓튼 ᄃᆡ은을 쇄신분골ᄒᆞ나 다 갑기 어려오니, 의앙ᄒᆞᄂᆞᆫ 졍셩이 범연ᄒᆞᆫ 곳의【25】 비겨 예ᄉᆞ 옹셔지간 갓트리오마ᄂᆞᆫ, 쵹지 슈졸노 잇셔 마음을 펴지 못ᄒᆞ야[나], 임의 고토의 ᄉᆡᆼ환ᄒᆞᆫ 후좃ᄎᆞ ᄇᆡ알ᄒᆞ기을 더ᄃᆡ리오. ᄌᆞ당을 뫼셔 운산의 가 가ᄉᆞ을 졍ᄒᆞ고 명일 존부의 나가라[리]라.”

ᄐᆡ우 등이 하ᄉᆡᆼ의 말을 듯고, ᄌᆞ긔 집 변고을 아득히 모로ᄂᆞᆫ 거동이라. 타일 불미ᄒᆞᆫ 소문이 ᄌᆞ연 날 바을 붓그리고, 계부의 변심 상셩(喪性)ᄒᆞ물 더욱 ᄋᆡ답고 슬허ᄒᆞ나 밋출 길이 업ᄂᆞᆫ지라. 다만 ᄉᆞᄉᆡᆨ이 화열ᄒᆞ여 피ᄎᆞ 흠ᄋᆡᄒᆞᄂᆞᆫ 졍을 ᄊᆡ엿실 분이러라.

금평휘 하ᄉᆡᆼ을 ᄌᆡ촉ᄒᆞ여 ᄂᆡᄒᆡᆼ(內行)을 뫼셔 운산으로 나오믈 이르고, ᄌᆞ긔 몬져 병부을 다리고 부듕으로 향ᄒᆞ니라. 하ᄉᆡᆼ이 일ᄒᆡᆼ을 휘동ᄒᆞ여 운산으로 향ᄒᆞ니, 윤ᄐᆡ우 형뎨 뒤을 좃ᄎᆞ ᄒᆞᆫ가지로 ᄒᆡᆼᄒᆞ고, 하부 노복과 공의 군관의 경ᄉᆞ 잇던 무리 일시의 나와 마ᄌᆞ 부인 ᄒᆡᆼ거{거}을 호위ᄒᆞ니, 장ᄒᆞᆫ 위의 일노의 휘황ᄒᆞᆫ지라. 도즁 관광ᄌᆡ 셔로 일너 왕ᄂᆡ(往來)의 비환(悲歡)이 상반ᄒᆞᆷ과 명ᄆᆡᆨ이 보젼ᄒᆞ물 《깃부물∥깃버ᄒᆞ여》 니르ᄃᆡ, 하혹ᄉᆞ 슴인은 원억을 신셜ᄒᆞ니[ᄃᆡ] ᄉᆞᄉᆡ[ᄌᆡ](死者) 부ᄉᆡᆼ(復生)치 못ᄒᆞ믈 탄ᄒᆞ더라.

하부 일ᄒᆡᆼ이 운산 뎡부의 니르러 별원의 가니, 윤혹ᄉᆞ 부인이 하운 쳐 박시로 더부러 이의 기ᄃᆞ리다가, 모친 교ᄌᆞ ᄂᆡ졍ᄒᆞ의 다ᄃᆞᆺ고 하ᄉᆡᆼ이 드러오니, 소져 쥬렴을 헤쳐

927)반ᄌᆞ지도(半子之道) : 사위의 도리. 반ᄌᆞ(半子); ‘아들이나 다름없다’는 뜻으로 사위를 이르는 말.

쥬렴을 헷쳐 부인을 붓드러 ᄂᆡᄆᆡ, 거거(哥哥)의 옷기ᄉᆞᆰ을 ᄌᆞᆸ아 쳔항누쉬(千行淚水) 오월댱슈(五月長水) ᄀᆞᆺᄐᆞ여, 남ᄆᆡ 산 낫ᄎᆞ로 반기믈 영힝ᄒᆞ나, 디원을 신셜ᄒᆞᄃᆡ 삼혹ᄉᆞᄂᆞᆫ 능히 ᄉᆞ디 못ᄒᆞ믈 ᄀᆞᆨ골 비졀ᄒᆞ니, 부인이 여ᄋᆞ를 보ᄆᆡ 오년 ᄉᆞ이 ᄋᆞ히 밧괴여 봉관화리의 명뷔 되고, 삼오츈광을 당ᄒᆞ여 ᄭᆞᆺ치 바야흐로 봉오리ᄎᆡ 픠고져 ᄒᆞ고, ᄃᆞᆯ이 보름을 만난 ᄃᆞᆺ, 옥부(玉膚) 츄영(透映)이 긔려(奇麗) 광윤(光潤)ᄒᆞ여, 뉵쳑향신(六尺香身)의 ᄇᆡᆨᄐᆡ만염(百態萬艶)이 ᄉᆡ로이 찬난ᄒᆞ니, 위·뉴의 보ᄎᆡ이ᄂᆞᆫ 죵이 되여시믄 아디 못하고, 그 일신이 존귀ᄒᆞ고 영화【35】로오믈 크게 ○○○○[깃거ᄒᆞ나], 깃븐 경과 반기ᄂᆞᆫ 심ᄉᆡ 황홀ᄒᆞ여, 셕ᄉᆞ를 츄렴(追念)ᄒᆞᄆᆡ 녀ᄋᆞ를 붓들고 실셩비읍ᄒᆞ믈 긋치지 아니니, 하ᄉᆡᆼ이 쇼ᄆᆡ를 가득이 반기고 외모긔질이 조금도 상치 아냐시믈 힝심ᄒᆞ나, 모친과 ᄆᆡ데의 과상ᄒᆞ믈 민망ᄒᆞ여 모친을 위로 왈,

"왕ᄉᆞ는 이의(已矣)라. 슬허ᄒᆞ여 밋출 길히 업ᄉᆞᆸ고, 삼데 발셔 삼형의 ᄃᆡ신이라, 텬수의 뎡ᄒᆞᆫ 바를 ᄉᆡᆼ각ᄒᆞ샤 이ᄃᆡ도록 상회치 마르쇼셔."

도라 쇼져다려 왈,

"소ᄆᆡ 오년 니측(離側)의 금일 슬하의 봉ᄇᆡᄒᆞ기를 당ᄒᆞ여, 이셩낙ᄉᆡᆨ으로 열친을 위치 아니코, 무익ᄒᆞᆫ 셕ᄉᆞ를 일ᄏᆞ라 새로운 비회【36】로 ᄌᆞ위 심ᄉᆞ를 요동ᄒᆞᄂᆞ뇨?"

인ᄒᆞ여, 모친과 소ᄆᆡ를 당의 오르시믈 청ᄒᆞ니, 부인이 계오 심회를 금억ᄒᆞ여 쇼녀의 손을 잡고 방샤(房舍)의 드러오니, 뎡부의셔 일용즙물(日用什物)을 일일히 ᄀᆞᆺ초고 ᄎᆡ셕포진(彩席鋪陳)1131)이 뎡제ᄒᆞ여 비록 샤치와 부려(富麗)를 피ᄒᆞ나, 별원 ᄂᆡ외 당샤의 광활홈과 방소의 정쇄ᄒᆞ미 후ᄇᆡᆨ의 가ᄉᆞ며 명공 ᄌᆡ렬의 거체라. 촉디 초옥누실노 비컨ᄃᆡ 풍도디옥을 버셔 ᄇᆡᆨ옥션계의 오름 ᄀᆞᆺᄐᆞ

1131)ᄎᆡ셕포진(彩席鋪陳) : 바닥에 깔아놓은 아름다운 색깔로 꾸민 돗자리와, 방석, 요 따위를 통틀어 이르는 말

부인을 붓드러 ᄂᆡ며, 거거의 옷깃슬 잡아 쳔항누쉬(千行淚水) 여우(如雨)ᄒᆞ여 남ᄆᆡ 낫출 반기물 영힝ᄒᆞ나, 지원은 신셜ᄒᆞᄃᆡ ᄉᆞᆷ혹ᄉᆞᄂᆞᆫ 능히 ᄉᆞ지【26】 못ᄒᆞ믈 각골비졀ᄒᆞ나[니], 부인이 녀아을 보ᄆᆡ 오년 ᄉᆞ이 아ᄐᆡ 밧고여 봉관화리의 명뷔 되고, ᄉᆞᆷ오츈광을 당ᄒᆞ여 ᄭᆞᆺ치 바야호로 봉오리 지고 달이 보름을 만난 듯, 뉵쳑향신(六尺香身)의 ᄇᆡᆨᄐᆡ만염(百態萬艶)이 ᄉᆡ로이 찬난ᄒᆞ니, 위·뉴의 보ᄎᆡ이ᄂᆞᆫ 종이 되어시믄 아지 못ᄒᆞ고, 그 일신이 존귀ᄒᆞ고 영화로오믈 크게 깃거ᄒᆞ나, 셕ᄉᆞ을 츄렴(追念)ᄒᆞᄆᆡ 녀아을 붓들고 실셩비읍ᄒᆞ미[믈] 마지 아니니, 하ᄉᆡᆼ이 소ᄆᆡ을 가득이 반기고 외모긔질이 조곰도 상치 아니믈 힝심ᄒᆞ나, 모친과 ᄆᆡ져 과상ᄒᆞ믈 민망ᄒᆞ여 모칠[친]을 위로 왈,

"왕ᄉᆞᄂᆞᆫ 이의(已矣)라. 슬허ᄒᆞ여 밋칠 길이 업ᄉᆞᆸ고, ᄉᆞᄌᆡ부ᄉᆡᆼᄒᆞ니 업ᄉᆞ오니, 이ᄃᆡ도록 상회치 마르소셔."

도라 소져다려 왈,

"소ᄆᆡ 오년 이측(離側)의 금일 슬하의 봉ᄇᆡᄒᆞ기을 당ᄒᆞ여, 이셩화긔로 열친을 위치 아니코, 무익ᄒᆞᆫ 셕ᄉᆞ을 일커러 ᄉᆞ[ᄉᆡ]로온 비회로 ᄌᆞ위 심ᄉᆞ을 요동ᄒᆞᄂᆞ뇨?"

인ᄒᆞ여 모친과 소ᄆᆡ을 당의 오르시물 청ᄒᆞ니, 부인이 겨유 심회을 금억ᄒᆞ여 소녀의 손을 잡고 방ᄉᆞ(房舍)의 드러오니, 뎡부의셔 일용즙물(日用什物)을 일일이 갓초고 ᄎᆡ셕포진(彩席鋪陳)928)이 정제ᄒᆞ여 비록 ᄉᆞ치와 부져[려](富麗)을 피ᄒᆞ나, 별원 당ᄉᆞ의 광활홈과 방ᄉᆞ의 정쇄ᄒᆞ미 후ᄇᆡᆨ의 가ᄉᆡ며 명승[공](名公) ᄌᆡ열의 거쳐라. 촉지 초옥누실노 비컨ᄃᆡ 풍도지옥을 버셔 ᄇᆡᆨ옥션경의 오름

928)ᄎᆡ셕포진(彩席鋪陳) : 바닥에 깔아놓은 아름다운 색깔로 꾸민 돗자리와, 방석, 요 따위를 통틀어 이르는 말

니, 아로삭인 난간과 분벽(粉壁) ᄉᆞ창(紗窓)의 ᄎᆡ식기동이 현황(炫煌)ᄒᆞ여 평ᄉᆡᆼ 쳐음으로 쥬궁패궐(珠宮貝闕)[1132]을 구경ᄒᆞᆫ ᄃᆞᆺ, 도로혀 휘휘ᄒᆞ【37】며[1133] 광활ᄒᆞ여 인신의 거쳐ᄀᆞᆺ치 아니니, 젼자 옥누항 고ᄐᆡᆨ이 뎡부 별원도곤 샤치(奢侈)ᄒᆞ던 줄 ᄭᆡᄃᆞᆺ디 못ᄒᆞᆯ디라.

윤쇼져와 삼ᄋᆡ 다 거륜의 나려 드러오ᄆᆡ, 하쇼제 윤쇼져로 녜필 좌뎡의 원상 등을 나호여[1134]○[니], 그 신당거지(身長擧止) 슉셩ᄒᆞ고 풍신용홰(風神容華) 완연이 삼형이 도라옴 ᄀᆞᆺᄐᆞ니, 혹비혹희(或悲或喜)[1135]ᄒᆞ여 텬되 쇼쇼(昭昭)ᄒᆞᆫ 고로 삼형이 참망ᄒᆞ나 즉시 환도(還道)ᄒᆞ여 부모 슬히 되ᄆᆡ, 동긔의 정을 다시 니어 늣겁고 통원ᄒᆞᆫ 회포를 죡히 펴디라. 삼뎨의 손을 ᄌᆞᆸ고 눈물을 거두어 기리 탄ᄒᆞ고, 모친긔 고왈,

“셕년 참변을 당ᄒᆞᆯ ᄯᅧᆨ 엇디 오날늘이 이시며, 삼【38】거거의 녕빅이 그ᄃᆡ도록 신긔ᄒᆞ여, 셰상을 늣거이 바리고 디원 극통이 맛ᄎᆞ믈 인ᄒᆞ여, 디긔를 펴지 못ᄒᆞ고 튱효를 헛 곳의 더디믈 슬허, 모친 복듕을 의디ᄒᆞ여 셰상의 환ᄉᆡᆼᄒᆞ니, 삼형이 망ᄒᆞ나 삼뎨히를 년ᄒᆞ여 슬히 되니, 니른바 블ᄒᆡᆼ 즁 경ᄉᆡ오 망극ᄒᆞᆫ 문회 다시 흥긔ᄒᆞ미라. 부모의 젹덕여음(積德餘蔭)을 힘닙으미니 슬히 엇디 ᄆᆡ몰ᄒᆞ리잇고. 당금(當今)ᄒᆞ여ᄂᆞᆫ 궁극히 슬픈 집이라 일ᄏᆞᆺ지 못ᄒᆞᆯ 거시오, 화변지시로 비길진ᄃᆡ 즐겁고 영화로오미 이 밧긔 더으리잇가. 삼형의 시신을 념쟝(殮葬)ᄒᆞᆷ과 디원을【39】 신셜ᄒᆞ미 다 양부모(養父母)와 병부 거거의 텬디대은이라. 쇼녀의 목숨을 구ᄒᆞ여 부모긔 산 얼골노 뵈게 ᄒᆞᆷ도 양거거(養哥哥)[1136]의 은덕이니, 쇼녀를 부뫼 나호

1132)쥬궁패궐(珠宮貝闕) : 진주나 조개 따위의 보물로 호화찬란하게 꾸민 대궐.
1133)휘휘ᄒᆞ다 : 고요하고 쓸쓸하다.
1134)나호여다 : 나오게 하다.
1135)혹비혹희(或悲或喜) : 일희일비(一喜一悲). 한편으로는 기쁘고 한편으로는 슬픔. 기쁨과 슬픔이 번갈아 일어남.
1136)양거거(養哥哥) : 양형(養兄). 양부모(養父母)의 아들 가운데서 손 위 남자형제를 이르는 말.

갓트니, 아로ᄉᆡᆨ인 난간과 분벽(粉壁)【27】ᄉᆞ창(紗窓)의 ᄎᆡ식기동이 현황ᄒᆞ여 평ᄉᆡᆼ 쳐음으로 쥬궁ᄑᆡ궐(朱宮貝闕)[929]을 구경ᄒᆞᆫ ᄃᆞᆺ 도로혀 훼훼[휘휘[930]]ᄒᆞ며 광활ᄒᆞ여 인신의 거쳐 갓지 아니니, 젼ᄌᆞ 옥누항 고ᄐᆡᆨ이 뎡부 별원도곤 ᄉᆞ치(奢侈)ᄒᆞ던 줄 ᄭᆡᄃᆞᆺ지 못ᄒᆞᆯ지라.

윤소져와 ᄉᆞᆷᄋᆡ 다 《시준‖거륜》의 나려오ᄆᆡ, 하소○[져] 윤소져로 더부러 녜필좌뎡의 원상 등을 《날호여‖나호여》 그 신장거지 숙셩ᄒᆞ고 풍신용관(風神容觀)[931]이 의연이 ᄉᆞᆷ형이 도라옴 갓트니, 일희일비ᄒᆞ여 이의 ᄉᆞᆷ데의 손을 잡고 모친긔 고왈,

“셕년 ᄎᆞᆷ변을 당ᄒᆞ여 엇지 오날날이 잇시며, ᄉᆞᆷ거거의 영빅이 그ᄃᆡ도록 신긔ᄒᆞ여, 셰상을 늣거이 바리고 지원극통이 맛ᄎᆞ믈 인ᄒᆞ여, 지긔을 펴지 못ᄒᆞ고 츙효을 헷 곳의 더지믈 슬허, 모친 복듕을 의지ᄒᆞ여 셰상의 환ᄉᆡᆼᄒᆞ니, 이른 바 블ᄒᆡᆼ듕다ᄒᆡᆼ(不幸中多幸)이오, 망극ᄒᆞᆫ 문회 다시 흥긔ᄒᆞ미라. 부모의 젹덕여음(積德餘蔭)으로 슬히 엇지 ᄆᆡ몰ᄒᆞ리오. 당금(當今)ᄒᆞ여ᄂᆞᆫ 궁극히 슬픈 집이라 일컷지 못ᄒᆞᆯ 거시오, 화변지시로 비길진ᄃᆡ 즐겁고 영화로오미 이 밧긔 더으리잇가? ᄉᆞᆷ형의 시신을 염장(殮葬)ᄒᆞᆷ과 지원을 신셜ᄒᆞ미 다 양부모(養父母)와 병부 거거의 천지ᄃᆡ은이라, 소녀의 목숨을 구ᄒᆞ여 부모긔 산 얼골노ᄡᅧ 뵈ᄋᆞᆸ게 ᄒᆞᆷ도 양거거(養哥哥)[932]의 은덕이니, 소녀을 부뫼 나흐시나 급화의 구ᄒᆞ믄 병부 거거오, 지셩 ᄋᆡ휼ᄒᆞ여 친ᄉᆡᆼ과 갓치 ᄒᆞ시믄 양부뫼시【28】니, 호쳔ᄃᆡ은(昊天大恩)이 구로지혜(劬勞之惠)[933]와 다

929)쥬궁ᄑᆡ궐(珠宮貝闕) : 진주나 조개 따위의 보물로 호화찬란하게 꾸민 대궐
930)휘휘ᄒᆞ다 : 고요하고 쓸쓸하다.
931)풍신용관(風神容觀) : 풍채(風采)와 용의(容儀).
932)양거거(養哥哥) : 양형(養兄). 양부모(養父母)의 아들 가운데서 손 위 남자형제를 이르는 말.

시나 급화의 구ᄒᆞ믄 병부 형이오, 디셩 이휼(愛恤)ᄒᆞ여 친싱과 《ᄀᆞᆺᄐᆞ시믄∥ᄀᆞᆺ티 ᄒᆞ시믄》 양부되시니 호텬대은(昊天大恩)이 구로지혜(劬勞之惠)1137)와 다르미 이시리잇가."

부인이 잠간 ᄆᆞ음을 딘졍ᄒᆞ여 왈,

"병부의 대은은 우리 부부와 너희 살홀 헐우고 ᄲᅧ를 바아도 갑홀 길히 업ᄉᆞ니, 언어로 니를 ᄇᆡ 아니오, 너의 구부(舅父) 윤공의 은덕이 ᄯᅩᄒᆞᆫ 뎡공과 다르미 이시리오. 너를 뎡병뷔 구활ᄒᆞ고 금후 부뷔 친녀 ᄀᆞᆺ치 이【40】휼ᄒᆞᄂᆞᆫ 덕화ᄂᆞᆫ 오히려 니르디 말고, 여형 등의 궁텬 원상을 신빅ᄒᆞ미 뎡병부의 대은이라, 감은ᄒᆞ미 골절의 ᄉᆞ못ᄎᆞ 디하의 결초(結草)1138)를 긔약홀 ᄯᆞ름이라."

윤시 모친의 대단이 슈패(瘦敗)치 아니믈 환열(歡悅)ᄒᆞ고 부인은 녀ᄋᆞ의 고상(苦狀)1139)을 모로고, 그 외뫼 여젼ᄒᆞ믈 깃거 모녀남ᄆᆡ디회(母女男妹之懷)를 니를ᄉᆡ, 하시 윤시의 풍완윤틱ᄒᆞᆫ 용뫼 슈려쇄락ᄒᆞ여, 셔풍옥골이 촉디 간고를 겻그나 조금도 슈약(瘦弱)ᄒᆞ미 업ᄉᆞ믈 ᄯᅩᄒᆞᆫ 깃거, 탄식 왈,

"쇼ᄆᆡᄂᆞᆫ 져져로 더브러 동긔지졍을 펴지 못ᄒᆞ고, 괴이ᄒᆞᆫ 익화로 촉디를 ᄡᅥ나ᄆᆡ 결홀ᄒᆞᆫ 회푀 심니(心裏)의 ᄡᅡ혓【41】ᄂᆞᆫ디라. 져졔 부모를 효봉ᄒᆞ샤 디극ᄒᆞᆫ 셩효로 궁향 벽쳐의 한업ᄉᆞᆫ 간고를 ᄒᆞ시ᄃᆡ, 텬우신됴ᄒᆞ여 오히려 형용이 여젼ᄒᆞ시니, 텬셩의 화열ᄒᆞ시미 편협히 우슈울억(憂愁鬱抑)지 아닌 연괴라. 이졔 요힝 국은으로 합문이 샹경ᄒᆞ니 져져의 니측ᄒᆞ신 심ᄉᆡ 쇼ᄆᆡ로 일양이라. ᄒᆞ믈며 존괴 신셕(晨夕)의 져져를 싱각ᄒᆞ샤 참연 비열(悲咽)ᄒᆞ시미 날로 더으시니, 존당과 존고의 존안을 쳠망ᄒᆞ올 젹마다, 태태의 쇼ᄆᆡ 싱각ᄒᆞ시ᄂᆞᆫ 졍니를 혜아려 더옥 슬프믈 니긔지 못ᄒᆞᄂᆞᆫ디라, 엇디 상경ᄒᆞ신 후좃르미 잇시리잇가."

1137)구로지혜(劬勞之惠) : 자기를 낳아서 기른 어버이의 은혜.

1138)결초(結草) : =결초보은(結草報恩). '풀을 맺어 은혜를 갚는다'는 말로, 죽어서도 은혜를 잊지 않고 갚음을 이르는 말.

1139)고상(苦狀) : 고생스러운 사정이나 형편.

부인이 잠간 마음을 진정ᄒᆞ여 왈,

"병부의 ᄃᆡ은은 우리 부부와 너의 ᄉᆞᆯ을 헐고 ᄲᅧ을 바아도 갑흘 길이 업ᄉᆞ니, 언어로 일을 ᄇᆡ 아니오, 너의 구부(舅父) 윤공의 은덕이 ᄯᅩᄒᆞᆫ 뎡공과 다르미 잇시리오. 너을 뎡병뷔 구활ᄒᆞ고 평후 부뷔 ᄋᆡ휼ᄒᆞᄂᆞᆫ 덕화ᄂᆞᆫ 오히려 이르지 말고, 여형 등 구천 원혼을 신빅ᄒᆞ미 병부의 ᄃᆡ은이라. 감은ᄒᆞ미 골졀의 ᄉᆞ못ᄎᆞ 지ᄒᆞ의 결초(結草)934)을 긔약홀 ᄯᆞ름이라."

윤시 모친의 ᄃᆡ단 수핀(瘦敗)치 아니믈 환열ᄒᆞ고, 부인은 녀아의 고상(苦狀)935)은 모로고 그 외뫼 여젼ᄒᆞ물 깃거 모녀남ᄆᆡ(母女男妹) 니회(離懷)을 이를ᄉᆡ, 윤시의 풍완윤틱ᄒᆞᆫ 용뫼 수려쇄락ᄒᆞ여, 셔풍옥골이 촉지 간고을 격그나 조곰도 수약(瘦弱)ᄒᆞ미 업ᄉᆞ물 ᄯᅩᄒᆞᆫ 깃거, 탄식 왈,

"소ᄆᆡᄂᆞᆫ 《졔졔∥져져》로 더부러 동긔지졍을 펴지 못ᄒᆞ고, 고이ᄒᆞᆫ 익화로 촉지을 ᄡᅥ나ᄆᆡ 결울ᄒᆞᆫ 회포 심니의 ᄡᅡ혓ᄂᆞᆫ지라. 《졔졔∥져져》 부모을 효봉ᄒᆞᄉᆞ 지극ᄒᆞᆫ 셩효로 궁향 《박쳐∥벽쳐》의 ᄒᆞᆫ업ᄉᆞᆫ 간고을 ᄒᆞ시ᄃᆡ, 쳔우신조ᄒᆞ여 오히려 형용이 여젼ᄒᆞ시니, 쳔셩의 화열ᄒᆞ시미 편협히 우슈울억(憂愁鬱抑)지 아니신 연괴라. 이졔 요힝 국은으로 합문이 상견ᄒᆞ니 져져의 니측ᄒᆞ신 심ᄉᆡ 소ᄆᆡ로 일양이라. 허물며 존괴 신셕(晨夕)의 져져을 식[싱]각 ᄒᆞᄉᆞ 참연비졀ᄒᆞ시미 날노 더【29】으시니, 존당과 존고의 존안을 쳠망ᄒᆞ올젹마다, ᄐᆡᄐᆡ의 소ᄆᆡ 싱각ᄒᆞ시ᄂᆞᆫ 졍니을 혀아려 더욱 슬품을 이긔지

933)구로지혜(劬勞之惠) : 자기를 낳아서 기른 어버이의 은혜.

934)결초(結草) : =결초보은(結草報恩). '풀을 맺어 은혜를 갚는다'는 말로, 죽어서도 은혜를 잊지 않고 갚음을 이르는 말.

935)고상(苦狀) : 고생스러운 사정이나 형편.

ᄎᆞ 현셩(見成)[1140]ᄒᆞ시믈 디완ᄒᆞ시리오. 금일은 발셔 【42】 져므러시니 명일의 ᄲᆞᆯ니 옥누항의 나아 가쇼셔.”

윤시 기모의 악심을 혜아려 쇼고의 블평ᄒᆞ믈 디긔ᄒᆞᄆᆡ 심ᄉᆡ 블호ᄒᆞ나, 오딕 유열ᄒᆞᆫ ᄉᆞ싁으로 쳔연 화답ᄒᆞᆯ ᄯᆞᆫ이라. 하시 거기의 셩췌 오년의 남녀간 유치(幼稚) 업ᄉᆞ믈 일야 기다리ᄂᆞᆫ 바의, 디금 묘망(渺茫)ᄒᆞ니 실노뼈 졀민ᄒᆞ믈 일ᄏᆞᄅᆞ니, 부인 왈,

“네 ᄯᅩᄒᆞᆫ 셩혼 삼ᄌᆡ의 ᄉᆡᆼ산치 못ᄒᆞ나, 너의 남ᄆᆡᄂᆞᆫ 쳥츈녹발이라, 타일의 ᄌᆞ네 번셩ᄒᆞᆯ디라도, 우리ᄂᆞᆫ 화란여ᄉᆡᆼ으로 녹발이 다 희ᄂᆞᆫ디라. 이러틋 쇠로ᄒᆞ니 원상 등을 셩인ᄒᆞ며, 여등의 ᄉᆡᆼ산ᄒᆞ믈 보디 못ᄒᆞᆯ가 슬허ᄒᆞ노라.”

하시 모친 말ᄉᆞᆷ을【43】 듯ᄌᆞ오ᄆᆡ, ᄌᆞ긔ᄂᆞᆫ 부부 금슬지락을 그 존괴 원슈ᄀᆞᆺ치 막ᄌᆞ르거ᄂᆞᆯ, 모친은 윤부 변고ᄂᆞᆫ 망연브지ᄒᆞ고 ᄉᆡᆼ산 바라시믈 도로혀 우어, 말을 아니 ᄒᆞ더라.

ᄉᆡᆼ이 윤ᄒᆞᆨᄉᆡ 밧긔 와시믈 고ᄒᆞ니, 부인이 반겨 즉시 쳥ᄒᆞ여 볼ᄉᆡ, 비록 ᄋᆞ시 젹 보던 ᄇᆡ나 당금의 노셩당대ᄒᆞ미 대귀인의 골격이 니러, 팔쳑신당의 《가득 ‖ 가즉[1141]》ᄒᆞᆫ 풍치 진승상(晉丞相)[1142] 두샤인(杜舍人)[1143]을 묘시(藐視)ᄒᆞ니, 슈앙ᄒᆞᆫ 골격과 쇄락ᄒᆞᆫ 광휘 츈양화긔와 동일지ᄋᆡ를 겸ᄒᆞ여 셩현군ᄌᆞ의 ᄒᆞᆨ녜(學禮)를 효측ᄒᆞ니, 동용거지 츌어범뉴ᄒᆞ여 속셰 범인의 비길 ᄇᆡ 아니라. 부인을 향ᄒᆞ여 먼니셔 ᄇᆡ례ᄒᆞ고【44】 념슬좌뎡ᄒᆞ여 원노 힝역을 치위ᄒᆞ고, 궁텬 원상(寃傷)을 쾌셜(快雪)[1144]ᄒᆞ믈 치하ᄒᆞᄆᆡ, 단

1140)현셩(見成) : 현신(現身). 아랫사람이 윗사람에게 예를 갖추어 자신을 보이는 일.
1141)가즉ᄒᆞ다 : 가지런하다. 나란하다.
1142)진승상(晉丞相) : 중국 서진(西晉)의 미남자 반악(潘岳). 자는 안인(安仁). 승상을 지냈고 미남자의 대명사로 쓰인다.
1143)두샤인(杜舍人) : 중국 만당(晩唐)때 시인 두목지(杜牧之). 이름은 두목(杜牧). 중서사인(中書舍人)에 올랐고, 중국의 대표적 미남자로 꼽힌다.
1144)쾌셜(快雪) : 원한이나 치욕 따위를 시원스럽게

못ᄒᆞ는지라. 엇지 상경ᄒᆞ신 후ᄌᆞᆺᄎᆞ 형[현]셩(見成)[936]ᄒᆞ시믈 지완ᄒᆞ시리오. 금일은 발셔 져무러시니 명일 ᄲᆞᆯ니 옥누항의 나아 가소셔.”

윤시 기모의 악심을 혀아려 소고의 불평ᄒᆞ믈 지긔ᄒᆞᄆᆡ 심ᄉᆡ 불호ᄒᆞ나, 오즉 유열ᄒᆞᆫ ᄉᆞ싁으로 쳔연화답ᄒᆞᆯ ᄯᆞᆫ이라. 하시 거거의 셩취 오년의 남녀간 유치(幼稚) 업ᄉᆞ물 일야 기다리ᄂᆞᆫ 바의, 지금도 묘망(渺茫)ᄒᆞ니 실노써 졀민ᄒᆞ믈 일커른ᄃᆡ, 부인 왈,

“네 ᄯᅩ 셩혼 ᄉᆞᆷᄌᆡ의 ᄉᆡᆼ산치 못ᄒᆞ니, 너의 남ᄆᆡᄂᆞᆫ 쳥츈녹발이라, 타일의 ᄌᆞ녀 번셩ᄒᆞᆯ지라도 우리ᄂᆞᆫ 화란여ᄉᆡᆼ으로 녹발이 희ᄂᆞᆫ지라. 이러틋 쇠노ᄒᆞ니 원상 등을 셩인ᄒᆞ며, 여등의 ᄉᆡᆼ산ᄒᆞ믈 보지 못ᄒᆞᆯ가 슬허ᄒᆞ노라.”

하시 모친 말ᄉᆞᆷ을 드로ᄆᆡ, ᄌᆞ긔ᄂᆞᆫ 부부 금슬지낙을 그 존괴 원슈갓치 막ᄌᆞ르거ᄂᆞᆯ, 모친은 윤부변고ᄂᆞᆫ 망연부지ᄒᆞ고 ᄉᆡᆼ산 바라시물 도로혀 우어 말을 아니ᄒᆞ더라.

ᄉᆡᆼ이 윤ᄒᆞᆨᄉᆞ 밧긔 왓시물 고ᄒᆞ니, 부인이 반겨 즉시 쳥ᄒᆞ여 볼ᄉᆡ, 비록 아시젹 보든 ᄇᆡ나 당금의 노셩장ᄃᆡᄒᆞ미 ᄃᆡ귀인이[의] 골격이 니러, 팔쳑 신장의 가즉ᄒᆞᆫ[937] 풍치 진승상(晉丞相)[938] 두ᄉᆞ인(杜舍人)[939]을 묘시(藐視)ᄒᆞ니, 슈약[앙]ᄒᆞᆫ 골격과 쇄락ᄒᆞᆫ 광휘 츌어범뉴ᄒᆞ여 속셰 범인의 비길 ᄇᆡ아니라. 부인을 향ᄒᆞ여 먼니셔 ᄇᆡ례【30】ᄒᆞ고, 염슬좌정ᄒᆞ여 원노 힝역의 구치ᄒᆞ믈 인ᄉᆞᄒᆞ고, 궁천 원상(寃傷)을 쾌셜(快雪)[940]ᄒᆞ믈 치하ᄒᆞᄆᆡ, 단슌호치(丹脣皓齒)의 ᄇᆡᆨ옥이 간

936)현셩(見成) : 현신(現身). 아랫사람이 윗사람에게 예를 갖추어 자신을 보이는 일.
937)가즉ᄒᆞ다 ; 가지런하다. 나란하다.
938)진승상(晉丞相) : 중국 서진(西晉)의 미남자 반악(潘岳). 자는 안인(安仁). 승상을 지냈고 미남자의 대명사로 쓰인다.
939)두ᄉᆞ인(杜舍人) : 중국 만당(晩唐)때 시인 두목지(杜牧之). 이름은 두목(杜牧). 중서사인(中書舍人)에 올랐고, 중국의 대표적 미남자로 꼽힌다.
940)쾌셜(快雪) : 원한이나 치욕 따위를 시원스럽게 씻어버림.

슌호치(丹脣皓齒)의 빅옥이 간간이 빗최여 청월쇄락(淸越灑落)1145)훈 셩음이 유열흐고, 금옥의 견고훈 긔질이 사름으로 흐여금 긔경(起敬) 탄복게 흐는 풍도 유열 화평흐며, 낫 우희 일만 가디 찬연훈 염틱 미인의 고으믈 더러이 넉이니, 됴흔 픔격과 묽은 광치 빅일이 당젼흐며 츄월이 탁운(濁雲)을 버슨 돗, 상연이 놉흔 긔상은 츄텬이 아으라흔디, 일졈 편운(片雲)이 업숨과 방불흐고, 슈연이 묽고 긔이흐미 옥청진군(玉淸眞君)1146)이 하강훈 돗, 부인이 황홀(恍惚) 과망(過望)흐여 츄파(秋波)의【45】 비루(悲淚)를 먹음고 말숨을 뎡히 흐여 왈,

"셕년의 윤·하 냥문이 년장디문흐여 각별훈 교도를 니으미, 어린 즈녀를 가져 혼스를 뇌약(牢約)흐여, 세월이 슈히 가믈 워[원]흐여 현부(賢婦) 긔셔(奇壻)를 밧비 보고져 흐미러니, 문회 망극훈 시운을 만나 삼으를 참망흐고, 흉쇄 장츠 블측훈 지경의 니르디 녕존대인과 금평휘 디셩 간구흐샤, 상공과 원광이 게오 보젼흐믈 어덧고, 삼으의 형톄를 완젼흐여 《션형‖션영(先塋)》의 안장흐미 다 녕존대인과 뎡공의 여텬대은이라. 쥬쥬야야의 감격훈 므음이 골졀의 스못고, 오문이 여디 업순 화개(禍家) 되미 즈【46】녀의 혼취 구약 디로 바라지 못흐더니, 녕존대인의 남다르신 현심 신의로뼈 윤·하 냥문의 구약을 일워, 원광을 몬져 동상을 삼으샤 쳔금옥녀로 쵹디 궁향의 더지고 도라오시니, 현부의 용모긔질과 빅힝스덕은 셰월이 오랄스록 바라미 넘뻬고 광으의게 외람훈 안히로디, 쵹디 무궁훈 간고를 겻그니 잔잉흐믈 니긔지 못흐고, 녀의 화란을 만나 뎡병부의 구활지덕을 힘닙어 일명을 계오 보젼흐고, 존문의 거두어 대군즈로 대례(大禮)1147)를 일우미, 발셔 삼년

씻어버림.

1145)청월쇄락(淸越灑落) : 소리가 맑고 높으며 깨끗하고 상쾌함.

1146)옥청진군(玉淸眞君) : 도교의 최고의 신인 원시천존(=옥황상제)이 산다는 옥청궁에서 옥황상제를 보좌하는 신선.

간이 비최여 청월쇄락(淸越灑落)941)훈 셩음 ○…결락16자…○[이 유열흐고, 금옥의 견고훈 긔질이 사룸]으로 흐여곰 긔경탄복게 흐는 중[풍]도 유열 화명(和明)흐며, 낫 우희 일만가지 찬연훈 염틱 미인의 고으믈 더러이 넉이니, 조흔 품격과 말근 광치 빅일이 당젼흐고 츄월이 탁운을 버슨 듯, 상연이 놉흔 긔상은 츄천이 아으라흔디, 일졈 편운이 업숨과 방불훈지라. 부인이 황홀(恍惚) 과망(過望)흐여 츄파(秋波)의 비누(悲淚)을 머금고 말숨을 경히 흐여 왈,

"셕년의 윤·하 양문이 연장디문흐여 각별훈 교도을 니으미, 어린 즈녀을 가져 혼스을 긔약흐여 셰월이 수히 가○[믈] 원흐여 현부○○[긔셔]을 보고져 흐미러니, 문회 망극훈 시운을 만나 숨아을 츰상흐고, 흉쇄 장촛 불측흐[훈] 지경의 니르되 영존디인과 금평휘 지셩 간구흐스, 상공과 원광이 겨유 보젼흐믈 어덧고, 숨아의 형쳬을 완젼흐여 《션형‖션영(先塋)》의 안장흐미, 다 윤·뎡 이공의 여천디은이라. 주주야야의 감격훈 마음이 골졀의 스뭇고, 오문이 여지 업순 화기(禍家) 되미 즈녀혼취을 구약 디로 바라지 못흐더니, 영디인의 남다르신 현심 신의로써 윤·하 양문의 구약을 일워, 원광으로 몬져 동상을 숨으스 쳔금옥녀로 촉지 궁향의 더지고 도라오시니, 현부의 용모긔질과 빅힝스덕은 셰월이 오랄스록 바라미 넘치고, 광아의게 외람훈 안【31】히로디, 촉지 무궁훈 간고을 격그디 잔잉흐믈 이긔지 못흐고, 녀의 화란을 만나 뎡병부의 구활지덕을 힘입어 일명을 겨유 보젼흐고, 존문의 거두어 군즈로 디례(大禮)942)을 일우미 발셔 숨지되엿시디, 상견훌 날이 머러 긔약이 아득흐니, 구구훈 정과 가득훈 회포을 펼길이 업셔, 다만 셕년 정혼지시을 촉

941)청월쇄락(淸越灑落) : 소리가 맑고 높으며 깨끗하고 상쾌함.

942)디례(大禮) : 혼례(婚禮).

츈츄를 지닉여시되 상견홀 날이 머【47】러 긔약이 아득ᄒᆞ니, 구구ᄒᆞᆫ 경과 가득ᄒᆞᆫ 회포를 펼 길히 업셔, 다만 셕년 뎡혼지시를 쵹쳐(觸處)의 싱각ᄒᆞ여 인ᄉᆞ의 변역ᄒᆞ믈 슬허ᄒᆞ더니, 뎡병부의 디모지략을 인ᄒᆞ여 원억을 신셜ᄒᆞ고, 고토의 도라와 모녀 남미 산 낫ᄎᆞ로 반기고, 현셔의 풍용을 상견ᄒᆞ여 대군ᄌᆞ 도덕을 앙망ᄒᆞ미, 블민ᄒᆞᆫ 쇼녀의 감당치 못홀 바를 붓그리나, ᄉᆞ정이 무한(無恨)ᄒᆞ여 일녀의 젼정이 쾌ᄒᆞ고, 문난(門欄)의 광치 비상ᄒᆞ믈 힝열ᄒᆞᄂᆞ이다."

혹시 투목으로 그 악모를 보미, 정슉ᄒᆞᆫ 덕힝이 외모의 현츌ᄒᆞ여 일개 슉녀명염이라. 심니의 흠복【48】ᄒᆞ여 몸을 굽혀 그 말솜을 드르미, 공슈 ᄉᆞ샤ᄒᆞ여 블감ᄒᆞ믈 일ᄏᆞᄅᆞ되, 본ᄃᆡ 부인 녀ᄌᆞ와 흔연 다셜(多說)ᄒᆞ기를 못ᄒᆞᄂᆞᆫ 셩픔이라. 게오 두어 조 말솜으로 인ᄉᆞ를 츌힐 ᄲᅳᆫ이오, 다시 개구ᄒᆞ미 업셔 의연 단좌ᄒᆞ미, 듕산의 무겁기와 창히의 깁희를 가져 금옥의 견고ᄒᆞᆫ 거슬 겸ᄒᆞ니, 그 구셕과 가을 여어 보기 어려온디라. 부인이 아름답고 긔이ᄒᆞ믈 결을치 못ᄒᆞ여 녀ᄋᆞ의 평싱이 쾌ᄒᆞ믈 깃거ᄒᆞ니, 뉘 도로혀 위・뉴의 보치이ᄂᆞᆫ 죵이 되여시믈 ᄯᅳᆺᄒᆞ여시리오.

윤쇼졔 나와 혹ᄉᆞ를 보믹 남ᄆᆡ 반기ᄂᆞᆫ 경이 샹하키 어려온디라. 쇼져【49】ᄂᆞᆫ 존당 부모의 톄후를 뭇고, 혹ᄉᆞᄂᆞᆫ 원노 힝역의 무ᄉᆞ 환경을 치하ᄒᆞ여 피차 깃브믈 니긔지 못ᄒᆞᄂᆞᆫ디라. 태위 ᄯᅩᄒᆞᆫ 져져를 보랴 외헌(外軒)의 이시니, 부인이 쇼져를 침소를 뎡ᄒᆞ여 보ᄂᆡ고 태우를 쳥ᄒᆞ여 보라 ᄒᆞ니, 쇼졔 물너와 태우를 쳥ᄒᆞ여 남ᄆᆡ 삼인이 좌를 일우고 별ᄂᆡ 회포를 니를ᄉᆡ, 태우의 쥰녈(峻烈) 굉위(宏偉)홈과 댱엄ᄒᆞᆫ 톄도ᄂᆞᆫ 혹ᄉᆞ의 청슈홈과 다를 ᄲᅳᆫ 아니라, 혹ᄉᆞᄂᆞᆫ 슈약(瘦弱)ᄒᆞ미 심ᄒᆞ엿ᄂᆞᆫ디라. 쇼졔 위ᄒᆞ여 근심ᄒᆞ믈 마디 아니터라. 날이 져물미 태우 곤계 명일 다시 오믈 일캇고 도라가니, 하싱이 머물고져 ᄒᆞ되 츄밀【50】의 병이 진퇴

1147)대례(大禮) : 혼례(婚禮).

쳐(觸處)의 싱각ᄒᆞ여 인ᄉᆞ의 변역ᄒᆞ믈 슬허ᄒᆞ더니, 뎡병부의 지모직[지]략을 인ᄒᆞ여 원억ᄒᆞ믈 비로소 신셜ᄒᆞ고, 고토의 도라와 모녀남○[미] 산 낫출 반기고 현셔의 풍용을 《상경∥상견》ᄒᆞ여 ᄃᆡ군ᄌᆞ 도덕을 앙망ᄒᆞ미, 불민ᄒᆞᆫ 소녀의 감당치 못ᄒᆞ믈 붓그리나, ᄉᆞ정이 무한(無恨)ᄒᆞ여 일녀의 젼졍이 쾌ᄒᆞ고 문난(門欄)의 광치 비상ᄒᆞ물 힝열ᄒᆞᄂᆞ이다."

혹시 투목으로 그 악모을 보미, 졍슉ᄒᆞᆫ 덕이 외모의 견[현]츌(現出)ᄒᆞ여 일기 슉녀명염이라. 심니의 흠복ᄒᆞ여 몸을 굽혀 그 말을 드르미, 공수 사ᄉᆞᄒᆞ여 불감ᄒᆞ믈 일커르듸, 본ᄃᆡ 부인 녀ᄌᆞ와 흔연 다셜(多說)ᄒᆞ기을 못ᄒᆞᄂᆞᆫ 셩품이라. 겨유 두어 말솜으로 인ᄉᆞ을 츌힐 분이오, 다시 기구ᄒᆞ미 업셔 의연 단좌ᄒᆞ미, 듕산의 무겁기와 창히의 깁흐믈 가져 금옥의 견고ᄒᆞᆫ 거슬 겸ᄒᆞ니, 그 도량 심천(深淺)을 여허보기 여려온지라. 부인이 아름답고 긔이ᄒᆞ물 결을치 못ᄒᆞ여 녀아의 평싱이 쾌ᄒᆞ물 깃거ᄒᆞ니, 뉘 도로혀 위・뉴의 보치이ᄂᆞᆫ 종이 되엿시물 ᄯᅳᆺᄒᆞ엿시리오.

윤소져 나와【32】 학ᄉᆞ을 보미 남ᄆᆡ 반기ᄂᆞᆫ 졍이 상ᄒᆞ키 어려온지라. 소져ᄂᆞᆫ 부모 존당 쳬후을 뭇고, 혹ᄉᆞᄂᆞᆫ 원노 힝역의 무ᄉᆞ 환경을 치하ᄒᆞ여 피ᄎᆞ 깃부물 이긔지 못ᄒᆞᄂᆞᆫ지라. ᄐᆡ위 ᄯᅩᄒᆞᆫ 져져을 보랴 외헌의 잇시니, 부인이 소져을 침소을 졍ᄒᆞ여 보ᄂᆡ고, ᄐᆡ우을 쳥ᄒᆞ여 보라 ᄒᆞ니, 소져 물너와 ᄐᆡ우을 쳥ᄒᆞ여 남ᄆᆡ 숨인이 좌을 일우고, 별ᄂᆡ 회포을 일을ᄉᆡ, ᄐᆡ우의 쥰일(俊逸) 굉위(宏偉)홈과 장엄ᄒᆞᆫ 쳬도ᄂᆞᆫ 혹ᄉᆞ의 청수홈과 다를 분 아니라, 혹ᄉᆞᄂᆞᆫ 수약(瘦弱)ᄒᆞ미 심ᄒᆞ엿ᄂᆞᆫ지라. 소져 위ᄒᆞ여 근심ᄒᆞ물 마지 아니터라. 날이 져물미 ᄐᆡ우 곤계 명일 다시 오믈 일컷고 도라가니, 하싱이 머물고져 ᄒᆞ되 츄밀의 병이 진퇴의 쾌소(快蘇)ᄒᆞ미 업ᄉᆞ믈 듯고, 진실노 그러ᄒᆞ므로 알어 밤을

ᄒᆞ여 쾌소(快蘇)ᄒᆞ미 업ᄉᆞ믈 듯고, 진실노 그러ᄒᆞ므로 아라 밤을 ᄒᆞᆫ가지로 디ᄂᆡ믈 청치 못ᄒᆞ더라.

ᄎᆞ시의 샤관(使官)이 하공을 다리고 복명ᄒᆞ여 상경ᄒᆞ믈 쥬달ᄒᆞ고, 샹이 크게 반기샤 밧비 인견ᄒᆞ실ᄉᆡ, 공이 ᄉᆞ환(仕宦)의 뜻이 업ᄉᆞ나 군젼의 평복으로 뵈지 못ᄒᆞ여, 금포(錦袍) 오ᄉᆞ(烏紗)[1148]를 ᄀᆞᆺ초아 탑젼의 산호무도(山呼舞蹈)ᄒᆞ니, 준일(俊逸)ᄒᆞᆫ 신ᄎᆡ 늠늠ᄒᆞ며 년급ᄉᆞ슌(年及四旬)의 비상(悲傷) 참쳑(慘慽)ᄒᆞ고 경녁(經歷) 화란(禍亂)ᄒᆞᄆᆡ, 슈미(鬚眉) 츄상(秋霜)이 셧기믈 면치 못ᄒᆞᄂᆞᆫ디라.

샹이 반기믈 니긔지 못ᄒᆞ샤 환시(宦侍)로 ᄒᆞ여금 슈돈(繡墩)[1149]을 주어 좌를 일우라 ᄒᆞ시고,【51】 하공이 숑뉼(悚慄)ᄒᆞ여 좌의 나아가디 못ᄒᆞ니, 샹이 ᄌᆡ삼 권유ᄒᆞ샤 갓가이 나아오라 ᄒᆞ시니, 공이 여러번 샤양치 못ᄒᆞ여 시러곰 뇽샹하(龍床下)의 나아가니, 샹이 공의 손을 ᄌᆞᆸ으시고 텬안이 츄연ᄒᆞ샤 뇽누(龍淚)를 나리와, ᄀᆞᆯ오샤ᄃᆡ,

“이졔 경을 보ᄆᆡ 딤이 참연 슈괴ᄒᆞᆯ 쁜 아니라, 원경 등의 비명원ᄉᆞᄒᆞ미 젼혀 딤의 블명ᄒᆞ미라. 무죄ᄒᆞᆫ 신하를 죽이○[미] 만ᄃᆡ의 시비를 면치 못ᄒᆞᆯ ᄇᆡ니, 금ᄎᆞ지시(今此之時)ᄒᆞ여 뉘웃고 ᄋᆡ돌와ᄒᆞ나 가히 밋ᄎᆞ랴. 경은 쵹디 간고를 겻그ᄃᆡ 오히려 일뉘(一縷) 보젼ᄒᆞ여, 우리 군신이 다시 산 얼골노 보아 딤의 뉘웃ᄂᆞᆫ ᄆᆞ음【52】과 경의 슬픈 심ᄉᆞ를 니르니, 가히 ᄉᆡᆼ인은 쳔만니 애각의 뉴찬(流竄)ᄒᆞ나 영화로이 도라오믈 어덧거니와, ᄉᆞᄌᆞᄂᆞᆫ 알오미 업셔 쳥츈의 참ᄉᆞᄒᆞᆫ 원혼이 딤의 블명ᄒᆞ믈 원망ᄒᆞ리니, 엇지 슬프지 아니리오.”

하공이 복디ᄒᆞ여 셩교를 듯ᄌᆞ오ᄆᆡ ᄉᆡ로온 슬픔을 니긔지 못ᄒᆞ나, 디쳑텬안(咫尺天顔)

1148)오ᄉᆞ(烏紗) : 오사모(烏紗帽). 관복을 입을 때 머리에 쓰던 검은 사(紗)로 만든 모자.
1149)슈돈(繡墩) : 수를 놓은 앉을 자리.

ᄒᆞᆫ가지로 지ᄂᆡ믈 청치 못ᄒᆞ더라.

ᄎᆞ시 ᄉᆞ관(使官)이 하공을 다리고 《봉명‖복명》ᄒᆞ여 상경ᄒᆞ믈 주달ᄒᆞ니, 상이 크게 반기ᄉᆞ 밧비 인견ᄒᆞ실ᄉᆡ, 공이 ᄉᆞ환(仕宦)의 뜻지 업ᄉᆞ나 군젼의 ○○○○[평복으로] 뵈지 ○[못]ᄒᆞ여, 금포(錦袍) 오ᄉᆞ(烏紗)[943]을 갓초아 탑젼(榻前)○[의] 산호무도(山呼舞蹈)ᄒᆞ니, 준일(俊逸)ᄒᆞᆫ 긔상과 발호(勃豪)ᄒᆞᆫ 신ᄎᆡ 늠늠ᄒᆞ여 년급ᄉᆞ슌(年及四旬)의 비상(悲傷) 참쳑(慘慽)ᄒᆞ고 경녁(經歷) 화란(禍亂)ᄒᆞ여, 슈미(鬚眉) 츄상(秋霜)이 셕기물 면치 못ᄒᆞᄂᆞᆫ지라.

상이 반기물 이긔지 못ᄒᆞᄉᆞ 환시로 ᄒᆞ여곰 수돈(繡墩)[944]을 주어 좌을 일우라 ᄒᆞ시고, 평신ᄒᆞ물 니르시니 하공이 송뉼(悚慄)ᄒᆞ여 좌의 나아가지 못ᄒᆞᆫᄃᆡ, 상이 ᄌᆡᄉᆞᆷ 권유ᄒᆞᄉᆞ 갓가이 나아오라 ᄒᆞ시니, 공이 여러번 ᄉᆞ양치 못【33】ᄒᆞ여 시러금 용상하(龍床下)의 나아가니, 상이 공의 손을 ᄌᆞᆸ으시고 쳔안이 추연ᄒᆞᄉᆞ 뇽수(龍水)[945]을 나리와 갈아ᄉᆞᄃᆡ,

“경을 보ᄆᆡ 짐이 ᄎᆞᆷ연슈괴ᄒᆞᆯ 분 아니라, 원ᄉᆞᆷ 등 비명원ᄉᆞᄒᆞ미 젼혀 짐의 불찰불명(不察不明)ᄒᆞ미라. 무죄ᄒᆞᆫ 신ᄒᆞ을 죽이미 만ᄃᆡ의 시비을 면치 못ᄒᆞᆯ ᄇᆡ니, 금ᄎᆞ지시(今此之時)ᄒᆞ여 뉘웃고 ᄋᆡ달와 ᄒᆞ나 가히 밋ᄎᆞ랴. 경은 쵹지 간고을 격그ᄃᆡ 오히려 일뉘(一縷) 보젼ᄒᆞ여 우리 군신이 다시 산 얼골노 보와 짐의 뉘웃ᄂᆞᆫ 마음과 경의 슬푼 심ᄉᆞ을 일으니, 가히 ᄉᆡᆼ인은 쳔만니의 뉴찬(流竄)ᄒᆞ나 영화로이 도라왓거니와, ᄉᆞᄌᆞᄂᆞᆫ 아름이 업셔 쳥츈의 ᄎᆞᆷᄉᆞᄒᆞᆫ 원혼이 짐의 불명ᄒᆞ물 원망ᄒᆞ리니, 엇지 슬푸지 아니리오.”

하공이 복지ᄒᆞ여 셩교을 듯ᄌᆞ오니 ᄉᆡ로온

943)오ᄉᆞ(烏紗) : 오사모(烏紗帽). 관복을 입을 때 머리에 쓰던 검은 사(紗)로 만든 모자.
944)슈돈(繡墩) : 수를 놓은 앉을 자리.
945)뇽수(龍水) : ‘용의 눈물’ 곧 ‘임금의 눈물’

의 감히 비ᄉᆡᆨ을 낫토디 못ᄒᆞ여, 오딕 ᄌᆡᄇᆡ 고두(叩頭) 쥬왈,

“미신이 튱년의 등양(騰揚)ᄒᆞ와 냥됴 셩은을 닙ᄉᆞ오미 하날이 낫고 ᄯᆞ히 좁을 거시어늘, ᄒᆞᆫ 일도 국가를 보좌ᄒᆞ미 업ᄉᆞᆸ고 디량(智量)이 회홍(恢弘)치 못ᄒᆞ와, 사ᄅᆞᆷ의 볼미디ᄉᆞ(不美之事)를 보아 어진 곳의 닐위ᄂᆞᆫ ᄌᆡ덕(才德)이 업【53】ᄉᆞᆸ고, 다만 질악(嫉惡)을 여슈(如讐)ᄒᆞ와 ᄉᆞ군지되(事君之道) 셩듀의 덕화를 널니지 못ᄒᆞ고, 살육(殺戮)을 권ᄒᆞ오미 초한(峭悍)[1150]키를 면치 못ᄒᆞ미니, 엇디 사ᄅᆞᆷ의 됴히 넉이믈 어드리잇고? 일노ᄡᅧ 삼ᄌᆞ를 죽이고 망극ᄒᆞᆫ 죄뤼 텬일지하의 셔지 못ᄒᆞᆯ 붓그러오미 이시나, 셩듀의 호ᄉᆡᆼ디덕이 미신의 초로일명(草露一命)을 빌니샤 쵹디(蜀地)의 찬ᄇᆡᄒᆞ시니, 비록 무죄ᄒᆞ오나 누얼이 당당ᄒᆞᆫ 쥬륙을 면치 못ᄒᆞᆯ ᄇᆡ어늘, 냥관긔루(歛官刏縷)[1151]로 더브러 아니 ᄒᆞ시믈 각골 감은ᄒᆞ올 ᄲᅳᆫ 아니라, 감히 신셜(伸雪)을 바라지 아녓ᄉᆞᆸ더니, 셩샹 일월지명이 복분(覆盆)의 원을 신셜케 ᄒᆞ시고, 과도ᄒᆞ【54】오신 은전이 미신으로ᄡᅧ 고관대작을 더으샤 녜관으로 브르시ᄂᆞᆫ 셩통이 ᄉᆡ로오시니, 신이 황황송구ᄒᆞ와 향ᄒᆞᆯ 바를 아디 못ᄒᆞ옵ᄂᆞ니, 신이 본ᄃᆡ 브ᄌᆡ박덕(不才薄德)으로 됴항(朝行)의 튱슈(充數)ᄒᆞ와 작딕을 도모ᄒᆞ여 국녹을 도뎍ᄒᆞ미, 욕심이 무궁ᄒᆞ와 긋칠 줄 모로므로 하날이 참화를 나리오시니, 엇지 ᄒᆞᆫ갓 간당의 탓시리잇고? 원경 등의 참ᄉᆞᄒᆞ옴도 다 각각 져의 명되 다박흉험(多薄凶險)ᄒᆞ오미니 셩샹이 블찰ᄒᆞ신 ᄇᆡ 아니라, 져의 녕ᄇᆡᆨ이 폐하의 이러틋 후회ᄒᆞ시ᄂᆞᆫ 셩권(聖眷)을 감은ᄒᆞ오미 ᄇᆡᆨ골의 ᄉᆞ못ᄎᆞᆫ 원혼이 되지 아니리니, 복【55】원 셩명은 미셰ᄒᆞᆫ 쇼ᄌᆞ 등 죽으믈 앗기지 마르시고 신의 작딕을 환슈ᄒᆞ샤, 셩ᄃᆡ지치의 한가ᄒᆞᆫ ᄇᆡᆨ셩이 되게 ᄒᆞ쇼셔.”

1150)초한(峭悍) : 매우 엄격하고 매서움.

1151)냥관긔루(歛官刏縷) : 참형(斬刑)에 처해야 할 탐학(貪虐)한 관리.

슬푸믈 이긔지 못ᄒᆞ나, 지쳑쳔안(咫尺天顔)의 감히 비ᄉᆡᆨ을 낫토지 못ᄒᆞ여 오직 ᄌᆡᄇᆡ 고두(叩頭) 주왈,

“미신이 츙년의 등양(騰揚)ᄒᆞ와 냥조 셩은을 입ᄉᆞ오미 하날이 낫고 ᄯᆞ히 좁을 거시여날, 신이 불츙ᄒᆞ와 성주의 덕화을 널니지 못ᄒᆞ고 포ᄒᆞᆫ(暴悍)[946]키을 면치 못ᄒᆞ미니 엇지 ᄉᆞᄅᆞᆷ의 조히 녁이물 어드리잇고? 일노ᄡᅧ ᄉᆞᆷᄌᆞ을 죽이고 망극ᄒᆞᆫ 죄루 쳔일지ᄒᆞ의 셔지 못ᄒᆞᆯ 붓그러오미 잇시나, 셩주의 호ᄉᆡᆼ지덕이 미신의 초로인[일]명(草露一命)을 빌니ᄉᆞ 촉지의 찬ᄇᆡᄒᆞ시니, 비록 무죄ᄒᆞ오나, 누얼이 당당ᄒᆞᆫ 쥬륙을 면치 못ᄒᆞᆯ ᄇᆡ여날, 일명을 ᄉᆞᄒᆞ시니 각골감은ᄒᆞᆯ 분 아니라, 감히 신셜(伸雪)을 바라【34】지 아냐ᄉᆞᆸ더니, 셩상 일월지명이 복분(覆盆)의 원(寃)을 신셜케 ᄒᆞ시고, 과도ᄒᆞ신 은권이 미신으로ᄡᅧ 고관ᄃᆡ족을 더으ᄉᆞ 녜관으로부르신 셩총이 ᄉᆡ로오니, 신이 송구ᄒᆞ와 향ᄒᆞᆯ 바을 아지 못ᄒᆞ옵ᄂᆞ니, 신이 본ᄃᆡ 브ᄌᆡ박덕(不才薄德)으로 조항(朝行)의 츙슈(充數)ᄒᆞ와 작직을 도모ᄒᆞ와 국녹을 도적ᄒᆞ미, 욕심이 무궁ᄒᆞ와 곳칠 줄 모로오므로, ᄒᆞ날이 ᄎᆞᆷ화을 나리오시니, 엇지 ᄒᆞᆫ갓 간당의 탓시리잇고? 원경 등 ᄎᆞᆷᄉᆞᄒᆞᆷ도 다 각각 져의 다박(多薄)《츙엄‖흉험(凶險)》ᄒᆞ오미니, 성상이 불찰ᄒᆞ신 ᄇᆡ 아니시라. 경[져]의 영ᄇᆡᆨ○…결락15자…○[이 폐하의 이러틋 후회ᄒᆞ시ᄂᆞᆫ 셩권(聖眷)을] 감은ᄒᆞ오미 ᄇᆡᆨ골의 ᄉᆞ못ᄎᆞ 원혼이 되지 아니리니, 복원 셩명은 미셰ᄒᆞᆫ 소ᄌᆞ 등 죽오믈 앗기지 마르시고 신의 작직을 환슈ᄒᆞᄉᆞ, 셩ᄃᆡ의 한가ᄒᆞᆫ 빙[ᄇᆡᆨ]셩이 되게 ᄒᆞ소셔.”

946)포ᄒᆞᆫ(暴悍) : 매우 사나움.

말노 좃ᄎᆞ 톄루를 금치 못ᄒᆞ니, 샹이 탄ᄒᆞ샤 왈,

“경이 비록 참쳑 환난을 경녁ᄒᆞ나 가히 퇴샤ᄒᆞᆯ ᄯᆡ 아니오, 긔ᄇᆡ이 츄상 ᄀᆞᆺ거ᄂᆞᆯ 딤의 블명박덕을 그윽이 한ᄒᆞ여 ᄃᆡ임을 거졀ᄒᆞ니, 딤심이 더욱 참괴ᄒᆞ믈 니긔지 못ᄒᆞ리로다.”

공이 황망이 ᄇᆡ복 ᄃᆡ쥬왈,

“신이 비록 무상 블튱ᄒᆞ오나 감히 셩샹을 원ᄒᆞ여 ᄃᆡ샤를 찰임치 아니리잇고? 진실노 텬질이 미류ᄒᆞ와 졍신이 혼모(昏耗)ᄒᆞ고 긔운이 ᄉᆞ라져, 쇼쇼【56】ᄒᆞᆫ 가ᄉᆞ도 불찰ᄒᆞ오니, 힝공찰ᄃᆡᄒᆞ올 근력이 업ᄉᆞ므로 딘졍소회를 쥬달ᄒᆞ오미오, 일호도 국가를 원ᄒᆞᆯ ᄇᆡ 업ᄉᆞ오니, 셩샹의 일월지명으로ᄡᅥ 미신의 심폐를 살피실가 ᄇᆞ라미로소이다.”

샹이 ᄀᆞᆯ오샤ᄃᆡ, 참디졍ᄉᆞᄂᆞᆫ 소임이 쇼년명유와 다르믈 니르샤 힝공ᄒᆞ믈 니르시고, 뎡국공은 더옥 한가ᄒᆞ믈 니르시니, 공이 딘졍으로 샤양ᄒᆞ여 더옥 봉국ᄒᆞᆯ 공이 업ᄉᆞ믈 샤양ᄒᆞ여, 국공(國公) 인슈(印綬) 거두시믈 쥬ᄒᆞ여 혈심소발(血心所發)1152)이로ᄃᆡ, 샹이 그 튱의를 져바리믈 ᄎᆞ셕ᄒᆞ샤 그 고샤ᄒᆞᄂᆞᆫ 말이 일분 가식지언(假飾之言)이 아닌 줄 아르시ᄃᆡ, 맛ᄎᆞᆷᄂᆡ 환【57】슈ᄒᆞᆯ 뜻이 업ᄉᆞ시니, 공이 고두 간걸ᄒᆞ여 곳칠 줄 모로ᄂᆞᆫ디라. 샹이 그 고집을 아르샤 작위를 씌워 됴항간 관샤(官事)의 참예치 아니려ᄒᆞ믈 디긔ᄒᆞ시고, 마디못ᄒᆞ여 참디졍ᄉᆞ를 환슈ᄒᆞ시고, 뎡국공 인슈ᄂᆞᆫ 거두지 아니샤 니르샤ᄃᆡ,

“ᄌᆞ고로 현인군ᄌᆞ와 튱신녈ᄉᆞ 쇼인의 모ᄒᆡᄒᆞ믈 면치 못ᄒᆞ여, 셩왕(成王)1153) ᄀᆞᆺᄐᆞᆫ 셩군이 슉부(叔父)1154)를 의심ᄒᆞ미 이시니

말노 좃ᄎᆞ 체루을 금치 못ᄒᆞ니, 상이 탄 왈,

“경이 비록 참쳑 환란을 경녁ᄒᆞ나 가히 ᄐᆡ[퇴]ᄉᆞᄒᆞᆯ ᄯᆡ 아니오, 거[긔]ᄇᆡ이 츄상 갓거○[ᄂᆞᆯ] 짐의 불명박덕을 그윽이 한ᄒᆞ여 직임을 거절ᄒᆞ니, 짐이 더욱 ᄎᆞᆷ괴ᄒᆞ물 이긔지 못ᄒᆞ리로다.”

공이 황망이 ᄇᆡ복 ᄃᆡ왈,

“신이 불츙ᄒᆞ오나 감히 셩상을 원ᄒᆞ미 아니라, 천질이 미류ᄒᆞ와 정신이 혼미ᄒᆞ고 긔운이 ᄉᆞ라져 소소ᄒᆞᆫ 가ᄉᆞ도 불출ᄒᆞ오니, 힝공출직ᄒᆞᆯ 근녁이 업ᄉᆞ오므로 진정소회을 주달ᄒᆞ미오, 일호도 국가을 원ᄒᆞᆫ ᄇᆡ 아니로소이다.”

상 왈, ᄎᆞᆷ지정ᄉᆞᄂᆞᆫ 소임이 소년명뉴와 다르물 이르ᄉᆞ 힝공【35】ᄒᆞ물 니르시고, 뎡국공은 더욱 ᄒᆞᆫ가ᄒᆞ물 니르시니, 공이 진정으로 ᄉᆞ양ᄒᆞ여 국공(國公) 인수(印綬) 거두시물 ᄌᆡ삼 간청ᄒᆞ온 ᄃᆡ, 상이 종불윤(終不允)ᄒᆞ시고 이의 옥ᄇᆡ의 어온을 잡으ᄉᆞ 친히 권ᄒᆞ시니, 공이 성은을 감격ᄒᆞ여 쌍수로 밧ᄌᆞ와 거우르고,

---

1152)혈심소발(血心所發) : 진심에서 우러난 바임.

1153)셩왕(成王) : 중국 주나라의 제2대 왕. 이름은 송(誦). 어려서 즉위하였기 때문에 처음에는 숙부 주공단(周公旦)이 섭정하였으나, 후에 소공(召公)·필공(畢公) 등의 보좌를 받아 주나라의 기초를 쌓았다

1154)슉부(叔父) : 중국 주나라의 정치가 주공(周公). 문왕의 아들로 성은 희(姬). 이름은 단(旦). 형인 무왕을 도와 은나라를 멸하였고 어린 조카 성왕(成王)을 섭정하여 주나라의 기초를 튼튼히 하였

간참이 셩ᄒᆞ미라. 딤이 비록 블명ᄒᆞ나 간참이 업ᄉᆞ면 경의 부ᄌᆞ를 의심치 아냐실 거시오, 개용단(改容丹)의 요괴로오미 아니면 초왕과 오확 두셕으로뼈 원경 등으로 알 빅 업술디라. 국운이 냥신을【58】 참혹히 맛ᄎᆞ 업시홀 ᄲᅥ오, 경의 가홰 공참(孔慘)1155) ᄒᆞ여 원경 등이 초통참ᄉᆞ(楚痛慘死)1156)ᄒᆞ니, 딤이 당시ᄒᆞ여 후회 참비ᄒᆞ미 경이 삼ᄌᆞ를 죽이고 슬허ᄒᆞᄂᆞᆫ ᄆᆞ음의 못ᄒᆞ지 아니ᄒᆞ니, 경은 식니쟝부(識理丈夫)로 녜의 통쳘ᄒᆞᆫ디라. 딤을 원치 말고 군신대의를 참셥(參攝)1157)게 ᄒᆞ리니, 경의 질양이 미류ᄒᆞ믈 드르믹 참지졍ᄉᆞᄂᆞᆫ 힝공키 어려온 고로 환슈ᄒᆞ나, 뎡국공은 다만 뎡읍(邑) 졍ᄉᆞ만 ᄉᆞ실의셔 결ᄒᆞ고 쇼디졀목(小之節目)은 뎡후빅(侯伯)이 가음알니니, 경은 대ᄉᆞ만 결ᄒᆞᆯ디라. 병듕이라도 어려올 빅 업고 경이 공뇌 업ᄉᆞ믈 일ᄏᆞ라 샤양ᄒᆞ나, 경의 위국뎡튱이 빅일의 쎄【59】엿고, 하북(河北)을 딘뎡ᄒᆞ여 도뎍을 냥민을 삼으며, 슈한ᄌᆡ이(水旱災異)1158)를 업시ᄒᆞ며 념질귀ᄆᆡ(染疾鬼魅)1159)를 딘뎡ᄒᆞ여 빅셩을 보젼ᄒᆞ미 젹은 공뇌 아니라. 엇지 국공을 샤양ᄒᆞ며 뎡국으로뼈 식읍을 삼디 못ᄒᆞ리오. 경이 다시 고샤ᄒᆞᆫ즉 결ᄒᆞ여 딤의 박덕을 함원ᄒᆞ미라."

하공이 셩괴 이에 밋쳐ᄂᆞᆫ 진실로 난안ᄒᆞ여 다만 읍쳬여우(泣涕如雨)ᄒᆞ여 샤은 왈,

"셩괴 이 ᄀᆞᆺᄐᆞ시니 신이 감히 국공작위를 샤양치 못ᄒᆞ오나, ᄒᆞᆫ 조각 일운 공이 업시 국공을 봉ᄒᆞ시미 엇디 외람치 아니코 두렵지 아니리잇고."

샹이 옥비의 어온을 친히 잡으샤 권ᄒᆞ여 골ᄋᆞᄉᆞᄃᆡ,

"왕ᄉᆞᄂᆞᆫ 이의라. ᄎᆞ후【60】나 우리 군신

다. 예악 제도(禮樂制度)를 정비하였으며, ≪주례(周禮)≫를 지었다고 알려져 있다

1155)공참(孔慘) : 매우 참혹함.

1156)초통참ᄉᆞ(楚痛慘死) : 몹시 원통하고 참혹하게 죽음.

1157)참셥(參攝) : 힘을 보태어 굳건하게 지킴.

1158)슈한ᄌᆡ이(水旱災異) : 장마와 가뭄으로 인한 여러 재난.

1159)념질귀ᄆᆡ(染疾鬼魅) : 전염병과 귀신의 작변.

이 휴쳑(休戚)을 ᄒᆞᆫ 가지로 ᄒᆞ여, 경은 셕년 참화를 물외의 더지고 딤의 뉘웃ᄂᆞᆫ 뜻을 아라, 경의 아들 원광을 과장의 츌입게 ᄒᆞ라. 딤이 원광을 십일세 동몽인 졔 보아시나 그 비상ᄒᆞ믈 아라시니, 경이 원광을 두어시니 타인의 십ᄌᆞ를 블워 아니리니, 무익ᄒᆞᆫ 셕ᄉᆞ를 츄렴(追念)치 말고 ᄉᆡ로 즐거오믈 누리고, 삭망(朔望) 됴알(朝謁)과 국지대ᄉᆞᄂᆞᆫ 참예ᄒᆞ여 ᄲᅥ지ᄂᆞᆫ 일이 업게 ᄒᆞ라."

공이 셩은을 감격ᄒᆞ여 ᄡᅣᆼ슈로 어온을 밧ᄌᆞ와 거후로고, 날이 져믈기로 퇴됴ᄒᆞᆯᄉᆡ, 공이 크게 취ᄒᆞ여시므로 븟드러 보ᄂᆡ시니, ᄉᆡ로온 은영이 일시【61】의 빗난디라.

고ᄐᆡᆨ의 도라오ᄆᆡ 삼ᄌᆞ의 형용이 묘망(渺茫)ᄒᆞ여 흔뎍이 업ᄉᆞ니, 유유텬디(悠悠天地)의 이 셜우믈 엇디 ᄎᆞᆷ아 견ᄃᆡ리오.

임의 날이 져물ᄆᆡ 이의 퇴조ᄒᆞᆯᄉᆡ, 공이 크게 취ᄒᆞ엿시므로 상이 ᄂᆡ시로 붓드러 보ᄂᆡ시니 ᄉᆡ로온 은영이 일시의 빗ᄂᆞᆫ지라.

궐문을 나 일ᄀᆡ 운산으로 갓시물 알아시나 날이 임의 황혼이오 문을 거의 닷을 ᄯᅢ라. ᄒᆡᆼ거(行車)의 군속(窘束)ᄒᆞ미 잇실 고로, 이의 ᄒᆡᆼ마을 고ᄐᆡᆨ으로 두루혀니, 다만 직희엿던 노복이 ᄃᆡ후ᄒᆞ엿다가 마ᄌᆞᆯ ᄯᆞ름이라.

공이 비록 장부웅심으로 경년(頃年)[947] 고초을 경녁ᄒᆞ여, 견고ᄒᆞ미 ᄉᆡᆼ쳘 갓고 셕장(石腸)[948]이 되엿시나, 오날날 옛집의 도라오ᄆᆡ 고젹이 의연ᄒᆞ니, 평일 슘ᄌᆞ의 거쳐ᄒᆞ든 곳과 유완ᄒᆞ든 물ᄉᆡᆨ이 거목상비(擧目傷悲)[949]오 촉쳐감상(觸處感傷)[950]이라. 취듕의 만(萬) 결[951] 비원(悲怨)이 간격(肝膈)[952]을 ᄉᆞ히ᄂᆞᆫ[953] 듯ᄒᆞ니, 목금 셩쥬의 은영이 망극ᄒᆞᄉᆞ 사골(死骨)이 부육(復育)ᄒᆞᆷ 갓트나 금일지통을 엇지 견ᄃᆡ리오.

이ᄯᆡ 윤츄밀이 상성(喪性)ᄒᆞ엿시나, 하공

947)경년(頃年) : 근년(近年). 요 몇 해 사이.

948)셕장(石腸) : 철석간장(鐵石肝腸). 굳센 의지나 지조가 있는 마음.

949)거목상비(擧目傷悲) : 눈을 들어 보는 것마다 탄식과 슬픔을 자아낼 뿐임.

950)촉쳐감상(觸處感傷) : 닿는 곳마다 슬픈 생각이 떠올라 마음이 상함.

951)결 : 나무, 돌, 살갗 따위에서 조직의 굳고 무른 부분이 모여 일정하게 켜를 지으면서 짜인 바탕의 상태나 무늬. 여기서는 켜를 지으면서 짜인 무늬 하나하나를 세는 단위명사로 쓰임.

952)간격(肝膈) : 간(肝)과 흉격(胸膈)을 함께 이르는 말로 마음속을 뜻한다.

953)ᄉᆞ히다 : 사위다. 다 타버리다. 불이 사그라져서 재가 되다.

셩음이 ᄉᆞᆺ치락 니으락 각골 통원ᄒᆞ미 형상치 못ᄒᆞ니, 윤츄밀이 변심 상셩듕(喪性中)이나, 하공의 참절ᄒᆞᆫ 곡셩을 듯고 츄연비절(惆然悲絶)ᄒᆞ여 나아가 밧비 하공의 손을 즙고, 위로 왈,

"쇼뎨 병이 괴이ᄒᆞ여 몸을 움ᄌᆞᆨ이디 못ᄒᆞᄂᆞᆫ 고로 형을 문외의 맛디 못ᄒᆞ여, ᄌᆞ딜만 보ᄂᆡ엿더니 형이 무ᄉᆞ 환경ᄒᆞ믈 듯고 환ᄒᆡᆼᄒᆞᆯ 쓴 아니라, ᄃᆡ원을 신셜ᄒᆞ여 거리ᄭᅵᆫ 한이 업ᄉᆞ니 형의 심ᄉᆡᆨ 쾌ᄒᆞᆯ 줄노 아랏더니, 엇디 이ᄃᆡ도록 슬허ᄒᆞᄂᆞ뇨?【62】 ᄉᆞ직 브ᄉᆡᆼ(復生)ᄒᆞ미 업ᄉᆞ나, 형은 ᄌᆞ안 등 삼긔(三忌)를 맛지 못ᄒᆞ여셔 다시 슬하의 환ᄉᆡᆼᄒᆞ여 옥골 영풍이 ᄒᆞᆫ판의 박아 일호 착난(錯亂)이 업ᄉᆞ니, ᄌᆞ란 거ᄉᆞ로 어린 거ᄉᆞᆯ 밧고ᄂᆞᆫ 한이 이실디언졍, 그 형용이 업ᄉᆞ믈 슬허ᄒᆞᆯ ᄇᆡ 아니라, 평일 신ᄇᆡᆨ(伸白)기 젼(前)의도 오히려 ᄎᆞᆷ고 견ᄃᆡ엿거ᄂᆞᆯ, 이졔 무익ᄒᆞᆫ 비회를 발ᄒᆞ여 ᄡᅵ업ᄉᆞᆫ 통곡이 엇디 놀납디 아니리오. 모로미 ᄒᆞᆫ가지로 ᄇᆡᆨ화헌의 가 우리 심회를 니르고 이곳의셔 심ᄉᆞ를 상ᄒᆡ오지 말나."

하공이 크게 반겨 우름을 긋치고 윤츄밀을 보니, 안광의 정명지긔를 일코 거동이 괴이ᄒᆞ여 보기【63】의 당황ᄒᆞ믈 그읏이 념녀ᄒᆞ여, 광슈(廣袖)로 누흔을 졔어ᄒᆞ고 기리 탄왈,

"쇼뎨 퇴됴ᄒᆞᄆᆡ 발셔 날이 기우러 취운산으로 가지 못ᄒᆞ고, 형을 ᄎᆞᄌᆞ 밤을 지ᄂᆡ고ᄌᆞ ᄒᆞ나, 형의 유질ᄒᆞ믈 드르니 쇼뎨를 만나 별ᄂᆡ를 니르노라 침쉬(寢睡) 블안ᄒᆞ면,

이 상경ᄒᆞ믈 영ᄒᆡᆼᄒᆞ고, 뉴시 간흉(奸凶)이나 녀셔을 위ᄒᆞᆫ 졍이 범연치 아냐, 가졍을 노ᄒᆞ 하공이 퇴궐ᄒᆞ여 본부 고ᄐᆡᆨ으로 갓스믈 알고, 츄밀을 권ᄒᆞ여 하공을 밋좃ᄎᆞ 하부의 니르러 하공을 볼ᄉᆡ, 공이 뎡히 고적【36】을 둘너보ᄆᆡ, 젹년 비ᄒᆞᆫ이 젹발ᄒᆞ니 발이 겨유 즁문을 너머 셔허[헌]을 임ᄒᆞ여 당의 올나 눈을 들어 보ᄆᆡ, 고적은 완연ᄒᆞ나 형영이 묘망(渺茫)ᄒᆞ여 반기리 업ᄉᆞ니, 쳔지간이 슬푸믈 어이 견ᄃᆡ리오.

셩음이 ᄉᆞᆮ치락 이으락 각골통상ᄒᆞ믈 이긔지 못ᄒᆞ니, 츄밀이 변심 듕이나 하공의 ᄎᆞᆷ졀ᄒᆞᆫ 곡셩을 듯고 추연비열(惆然悲咽)ᄒᆞ여 나아가 하공의 손을 잡고 위로 왈,

"소졔 병이 고이ᄒᆞ여 몸이 움ᄌᆞᆨ이기 어려온 고로 형을 문외의 맛지 못ᄒᆞ여 ᄌᆞ질만 보ᄂᆡ엿더니, 형이 무ᄉᆞ이 상경ᄒᆞ물 듯고 불승환ᄒᆡᆼᄒᆞᆫ지라. 지통을 신셜ᄒᆞ여 거리ᄭᅵᆫ 거시 업시 형의 심ᄉᆡᆨ 쾌ᄒᆞᆫ 줄노 아랏더니, 엇지 이ᄃᆡ도로[록] 슬허ᄒᆞᄂᆞᆫ요? ᄉᆞᄌᆞᄂᆞᆫ 불가부ᄉᆡᆼ(不可復生)이라, 형은 ᄌᆞ안 등 슴거[긔](三忌)을 맛지 못ᄒᆞ여셔 다시 슬ᄒᆡ 되어 옥골영풍의 수출ᄒᆞᆫ 젼형이 ᄒᆞᆫ 판의 박아 호발도 ᄎᆞ축(差錯)이 업ᄉᆞ니, ᄌᆞ란 거ᄉᆞᆯ 어린 거ᄉᆞ로 밧고ᄂᆞᆫ ᄒᆞᆫ이 이실지언졍, 그 형영 업ᄉᆞ믈 슬허ᄒᆞᆯ ᄇᆡ 아니오, 평일 신ᄇᆡᆨ 젼(前)의도 오히려 견ᄃᆡ엿거든 이졔 무익ᄒᆞᆫ 비회을 발ᄒᆞ여 ᄡᅧ ᄡᅵ 업ᄉᆞᆫ 곡셩이 엇지 놀납지 아니리오. 형은 모로미 ᄒᆞᆫ가지로 ᄇᆡᆨ화헌의 가 별회을 니르고 이 곳의셔 심ᄉᆞ을 상ᄒᆡ오지 말나."

하공이 크게 반겨 우름을 긋치고 추밀을 보니, 그 안광이 졍긔 업고 당황ᄒᆞ여 보기의 고이ᄒᆞ믈 그윽이 념녀ᄒᆞ여, 양수(兩手)로 누흔【37】을 졔어ᄒᆞ고 기리 탄왈,

"소졔 퇴조ᄒᆞᄆᆡ 날이 어두어 운산으로 가지 못ᄒᆞ고, 형을 ᄎᆞᄌᆞ 밤을 지ᄂᆡ고져 ᄒᆞ나, 형이 유질ᄒᆞ믈 드르ᄆᆡ 침쉬(寢睡) 불안ᄒᆞ여 병셰 더을가 두려 ᄎᆞᆺ지 못ᄒᆞ고, 이곳의 도

병셰 더을가 두려 ᄎᆞᆺ디 못ᄒᆞ고, 이곳의 도라와 망ᄋᆞ 등의 쳐소 유젹을 보ᄆᆡ, 인비셕목(人非石木)이라, ᄉᆡ로이 통도비졀ᄒᆞ믈 엇디 ᄎᆞᆷ으리오."

윤태위 하공을 호언 관위ᄒᆞ고 계부와 ᄒᆞᆫ가지로 부듕의 도라오니, 윤시랑은 부듕의 잇다가 계의 나려 마ᄌᆞ, 부공을 츌입의 부호(扶護)ᄒᆞ여, 온듕뎡대ᄒᆞ고【64】 슉연경근ᄒᆞᄂᆞᆫ 녜졀이 공부ᄌᆞ의 후를 니어 셰ᄃᆡ의 무뎍ᄒᆞᆫ 대현군ᄌᆡ라. 하공이 흠ᄋᆡ칭복ᄒᆞ믈 니긔지 못ᄒᆞ여, 죵야토록 츄밀과 태우 곤계로 담화ᄒᆞᄃᆡ, 츄밀의 거동이 젼ᄌᆞ와 ᄂᆡ도ᄒᆞ여 정신 인ᄉᆡ 흐리고 ᄆᆞ러져 어림장이 ᄀᆞᆺᄐᆞ믈 크게 경녀ᄒᆞ더라.

라와 망아의 쳐소 수젹(手迹)을 보ᄆᆡ 인비목셕(人非木石)이라. ᄉᆡ로이 엇지 ᄎᆞᆷ으리오."

윤ᄐᆡ우 곤계 부숙을 뫼셔 이르럿더니, ᄐᆡ위 하공을 호언 관위ᄒᆞ고 계부와 ᄒᆞᆫ가지로 ᄇᆡᆨ화헌의 가 말ᄉᆞᆷᄒᆞ시믈 쳥ᄒᆞ고, 시랑이 ᄯᅩ 부친을 뫼셔 도라가시믈 쳥ᄒᆞ니, 하공이 날이 어두어 션묘(先廟)의 ᄇᆡ알치 못ᄒᆞ고 슬픈 심회을 금억ᄒᆞ여 츄밀노 더부러 ᄇᆡᆨ화헌의 이르니, 츄밀이 요약의 《병심∥변심》ᄒᆞ미 거의 긔년의, 일즉 ᄒᆞ로도 외헌의 잇지 아냐, 뉴시 침소의 머리을 박아 모친 문안도 출히지 못ᄒᆞ더니, 이날 하공을 ᄃᆡᄒᆞ여 ᄇᆞ득이 침금을 ᄂᆡ여와 밤을 지닐 ᄉᆡ, ᄐᆡ우 곤계 공의 좌우로 긔거(起居)을 밧드러 동촉(洞屬)ᄒᆞᄂᆞᆫ 셩효와 승안ᄒᆞᄂᆞᆫ 화긔 양츈 갓거ᄂᆞᆯ, ᄐᆡ우의 어그러온[954] 긔상과 풍융ᄒᆞᆫ 담긔(膽氣) ᄌᆞ약ᄒᆞ니, 가히 군ᄌᆞ영풍이 탕탕지위(蕩蕩之威)[955]○[을] 겸ᄒᆞ여, 하일(夏日)의 두리온 긔상과 동일(冬日)의 화ᄒᆞᆫ 긔운이 가즉ᄒᆞ고, 시랑의 온듕뎡ᄃᆡᄒᆞᆫ 거지와 안셔ᄒᆞᆫ 동용이 가히 안ᄆᆡᆼ주졍(顔孟朱程)[956]의 도학을 니은 ○○[이른]바 셩인군ᄌᆡ라. 하공이 만복(滿腹) 흠ᄋᆡ(欽愛)ᄒᆞ고 더옥 녀셔의 화풍경운지상(和風慶雲之相)의 군ᄌᆞ유ᄒᆡᆼ(君子有行)이 겸젼ᄒᆞ믈 두굿겨, 그 옥수(玉手)을 어로【38】만지며, 츄밀을 향ᄒᆞ여 왈,

"명쳔 형이 불ᄒᆡᆼ○[히] 만니타국의 츙졀노 몽[몸]을 맛쳐시나, ᄉᆞ원 곤계 갓튼 영웅긔ᄌᆞ와 셩현을 두엇시니, 이른바 ᄉᆞ이불ᄉᆞ(死而不死)라. 명공의 복이 ᄯᅩᄒᆞᆫ ᄃᆞᆺ겁도다."

추밀이 젼일 갓트면 두굿기ᄂᆞᆫ 빗치 그 엇더ᄒᆞ리오마ᄂᆞᆫ, 요약의 상ᄒᆞᆫ 졍신이 아조 모

---

954)어그러오다 : 너그럽다. ⇒어그럽다.

955)탕탕지위(蕩蕩之威) : 치우침이 없이 크고 넓은 위엄.

956)안ᄆᆡᆼ주졍(顔孟朱程) : 중국의 유학자들인 안자(顔子; 顔回), 맹자(孟子; 孟軻), 주자(朱子; 朱熹), 정자(程子; 程顥, 程頤)를 함께 이르는 말.

손(耗損)ᄒᆞᆫ 어린 ᄉᆞ름이 되엿ᄂᆞᆫ지라. 하공의 말숨을 듯고 초초(草草)히 손ᄉᆞᄒᆞ여 혓된 우음과 둔탁ᄒᆞᆫ 말숨이 젼일 윤공이 아니라. 하공이 심ᄒᆞ의 고이히 넉이나 그릇된 곡졀은 ᄭᆡ닷지 못ᄒᆞ고, 간간 양안을 흘녀 숙시ᄒᆞ고 ᄒᆞᆫ담ᄒᆞ여 밤이 가ᄂᆞᆫ 둘 이젓더니, 믄득 원근의 계셩(鷄聲)이 이러나고 종괴(鐘鼓) 동ᄒᆞ거놀, 비[빈]쥐(賓主) 각각 침상의 나아가 잠간 가ᄆᆡ(假寐)957)ᄒᆞ고 명효(明曉)의 이러나니, ᄂᆡ당으로 좃ᄎᆞ 조반을 ᄂᆡ여오니, 금반옥긔(金盤玉器)의 ᄉᆞ미진찬(奢味珍饌)이 긔이(奇異)ᄒᆞ여 가히 먹음즉ᄒᆞ니, 이ᄂᆞᆫ 뉴시 하공을 ᄃᆡ졉ᄒᆞ미라. 다만 희쳔의 빙악(聘岳)으로 ᄃᆡ졉ᄒᆞ면 엇지 이러ᄒᆞ리오마ᄂᆞᆫ, ᄌᆞ긔 쳔금 녀아의 존구(尊舅)로 이러틋 경ᄃᆡ(敬待)ᄒᆞ미라.

ᄐᆡ뇌 역시 그릇가지 《나∥다》 셤ᄐᆡᆨ(贍擇)ᄒᆞ여958) 별녜(別禮)을 다ᄒᆞ니, 셕ᄉᆡᆼ의 쳐경아ᄂᆞᆫ 깃거 아니나, 모친이 현아을 과ᄋᆡᄒᆞᄂᆞᆫ 줄 아ᄂᆞᆫ 고로 말을 아니나, ᄂᆡ심은 현아 소져 궁벽 셔촉의 바리여 다시 도라오지 못ᄒᆞᆯ 줄노 아랏다가, 하가의 신원이 거울 갓트여 하공이 고관ᄃᆡ죽을 ᄡᅥ여 도라오니, 허【39】물며 하ᄉᆡᆼ의 표치풍광(標致風光)이 셕ᄐᆡ우의 여러 층 나으미 잇고, 문장ᄌᆡ화 츌셰ᄒᆞ니 미구(未久)의 단계(丹桂)959)의 주인이 된즉, 부모의 두굿겨 ᄒᆞ실 바을 그윽이 ᄉᆡ긔ᄒᆞ나, ᄒᆞᆯ일 업더라.

추밀이 음식의 풍비ᄒᆞ물 깃거 마음의 뉴시의 술가오물 탄복ᄒᆞ며 상을 《날호여∥나호여》 하공을 권ᄒᆞ니, 공이 흔연이 햐져ᄒᆞ며 기리 탄왈,

“촉도 만니의 수줄[졸](戍卒)이 되어 모ᄆᆡᆨ○[을] 너흘고960) 초구(草具)961)을 맛보

---

957)가ᄆᆡ(假寐) : 잠자리를 제대로 보지 않고 잠을 잠

958)셤ᄐᆡᆨ(贍擇)ᄒᆞ다 : 섬택(贍擇)하다. 좋은 것으로 잘 고르다.

959)단계(丹桂) ; 붉은 계수나무. 조선시대에 임금이 과거 급제자에게 계수나무 꽃을 수놓은 푸른 적삼을 하사하였다.

960)너흘다 : 입에 물다. 씹다. 물어뜯다.

961)초구(草具) : 풀로 마련한 음식이라는 뜻으로,

아 진찬화미(珍饌華味)을 슨쳔지 오릭더니, 화란여싱이 완쳔(頑喘)962)을 보젼ᄒᆞ여 다시 졔도(帝都)의 도라와 고구친붕(故舊親朋)을 반기고 네 먹든 화미을 다시 먹을 줄 엇지 알니오.”

셜파의 엄연 타루ᄒᆞ니 추밀이 역시 추연ᄒᆞ여 위로하물 마지 아니ᄒᆞ고, 틱우 곤계 쏘ᄒᆞᆫ 추연ᄒᆞ더라.

임의 조반을 파ᄒᆞᄆᆡ 틱우 곤계ᄂᆞᆫ 입궐 조현ᄒᆞ고, 하공은 고틱의 도라와 이날이야 ᄂᆡ외을 둘너보고 아ᄌᆞ을 가ᄃᆞ릴ᄉᆡ, 이윽고 하싱이 니르러 부친의 작야 윤부의 가 윤공과 동숙ᄒᆞ시믈 알고, 이의 이르러 야릭 존후을 뭇ᄌᆞᆸ고 봉시(奉侍)ᄒᆞ여 취운산 뎡부 별원의 이르니, 임의 부인과 녀부 ᄂᆡ외로 간검ᄒᆞ고 가ᄉᆞ을 셜치ᄒᆞ여, 하싱이 비복을 거ᄂᆞ려 ᄂᆡ외을 수습ᄒᆞ미 ᄌᆞ못 졍뎨ᄒᆞ더라.

공이 조션 가묘의 빈알ᄒᆞ고, ᄂᆡ당의 드러가 일일지간이나 반기며 깃거ᄒᆞ미 측냥 업고, 부인이 녀부을 거ᄂᆞ려 마【40】즐 ᄉᆡ, 영주소져 봉관화리로 옥픽을 울녀 나아와 부친 슬하의 직빅ᄒᆞ고, 공의 ᄉᆞᄆᆡ을 밧드러 반기미 넘치ᄃᆡ, 원산아미(遠山蛾眉)963)의 슈운(愁雲)이 함집(涵集)ᄒᆞ고 츄파(秋波) 셩안(星眼)의 옥뉘(玉淚) 형영(瀅零)ᄒᆞ니, 공이 녀아을 보ᄆᆡ 별후 오년의 장셩 수미ᄒᆞ미 비승ᄒᆞ여, 써날 졔ᄂᆞᆫ 교교ᄒᆞ여 별 ᄀᆞᆺᄒᆞ더니, 이졔 보ᄆᆡ 유화 쇄락ᄒᆞ고 셩장 단일ᄒᆞ여 달이 보롬이 ᄎᆞ고져 ᄒᆞ고, 녹파(綠波)의 향연(香蓮)이 피엿ᄂᆞᆫ 듯ᄒᆞ니, 쳔틱만염이 식식요요(色色姚姚)ᄒᆞ여 교소쳔혜(巧笑倩兮)964)와 미목변혜(美目盼兮)965)ᄂᆞᆫ 위후(衛后)966)와

‘악식(惡食)’을 이르는 말

962)완쳔(頑喘) : 질긴 숨.

963)원산아미(遠山蛾眉) : ≒춘산아미(春山蛾眉). 여자의 아름다운 눈썹.

964)교소쳔혜(巧笑倩兮) : 예쁘게 웃는 미소 보조개가 아름답네. 『시경』 <위풍(衛風)> ‘석인(碩人)’편에 나오는 시구로 위(衛)나라 장공(莊公)의 처 장강(莊姜)의 아름다움을 노래한 것.

965)미목변혜(美目盼兮) : 아름다운 눈매 눈동자가 또렷하네. 『시경』 <위풍(衛風)> ‘석인(碩人)’편에 나오는 시구로 위(衛)나라 장공(莊公)의 처 장강

방불ᄒᆞ고, 유한졍뎡ᄒᆞᆫ 임ᄉᆞ(姙似)967)의 덕(德)과 반소(班昭)968)의 풍ᄎᆡ와 가ᄌᆞᆨᄒᆞ니, 연연ᄒᆞ되 약ᄒᆞ지 아니ᄒᆞ고 윤틱ᄒᆞᄃᆡ 탁(濁)지 아니니, 머리의 봉관(鳳冠) 옥ᄎᆡ(玉釵)969) 뎡졔ᄒᆞ고, ᄎᆡ봉(彩鳳) 갓튼 엇게의 녹금상[삼](綠錦衫)970)을 착ᄒᆞ고, 셤셤뉴요(纖纖柳腰)의 난봉홍상(鸞鳳紅裳)971)을 가ᄒᆞ여시니, 임의 명부(命婦)의 복식을 일웟ᄂᆞᆫ지라. 품복 가온ᄃᆡ 옥틱 방용이 더옥 아름답고 긔이ᄒᆞ니 공이 본ᄃᆡ 이 ᄯᆞᆯ ᄉᆞ랑이 쳔늉 박긔 ᄌᆞ별ᄒᆞ던 ᄇᆞ로써, 아틱(兒態)972)의 요변(妖變)을 만나 실니(失離) 오년의 ᄉᆡᆼ존망을 몰나 주야 슬허ᄒᆞ다가, 뎡병부의 구ᄉᆡᆼ지덕으로 ᄉᆡᆼ존ᄒᆞᆫ 아라시나, 만니 관산이 즈음쳐 발셔 오년 츈취라. 부녀의 지극ᄒᆞᆫ ᄌᆞ익로써 그 반갑고 깃부믈 일구(一口)로 형언ᄒᆞ리오. 연망이 그 옥수을 익그러 슬ᄒᆞ의 안치고 운환을 어로만져 왈,

"우리 너을 무인반야(無人半夜)의 무고히 실산ᄒᆞ고 익을 술오던 시【41】졀의, 엇지 금일 네 아비 역명(逆命)을 신셜ᄒᆞ고 오익 ᄉᆡᆼ존ᄒᆞ여 셔로 만날 줄 알니오. 이ᄂᆞᆫ 뎡창빅의 심은후덕(深恩厚德)이니 우리 부부부ᄌᆞ모녀(夫婦父子母女)가 셰셰ᄉᆡᆼᄉᆡᆼ의 그 은덕을 다 못 갑흐리로다."

소져 옥면의 쳥뉘 산산ᄒᆞ여 블효을 늣기

(莊姜)의 아름다움을 노래한 것.

966)위후(衛后) : 중국 춘추시대 위(衛)나라 장공(莊公)의 처 댱강(莊姜). 아름답고 덕이 높았고 시를 잘하였다.

967)임ᄉᆞ(姙似) : 중국 주(周)나라 현모양처(賢母良妻)인 문왕의 어머니 태임(太姙)과 무왕(武王)의 어머니 태사(太姒)를 함께 일컫는 말.

968)반소(班昭) : 45~116. 중국 후한(後漢) 시대의 시인. 자는 혜희(惠姬). 반고(班固)의 여동생. 남편이 죽은 후 궁정에 초청되어 황후·귀인의 스승이 되었으며, 조대가(曹大家)로 불리었다. 반고의 유지(遺志)를 이어 ≪한서≫를 완성하였으며, 저서에 ≪조대가집≫이 있다.

969)옥ᄎᆡ(玉釵) : 옥으로 만든 비녀.

970)녹금삼(綠錦衫) : 푸른색 비단 저고리.

971)난봉홍상(鸞鳳紅裳) : 난새와 봉새를 수놓은 붉은 치마.

972)아틱(兒態) : 아이의 모습을 지니고 있거나 행동거지가 아이와 같음.

고, 뎡병부의 은덕을 일카라 별회 수어만(數於萬)973)이니 일희일비ᄒᆞ고 혹탄혹소(或嘆或笑)ᄒᆞ여 회포만단(懷抱萬端)이라.

ᄉᆡᆼ이 부모의 슬허ᄒᆞ시물 민망ᄒᆞ여 화셩유어로 위안ᄒᆞ며 ᄆᆡᄌᆞ(妹者)을 ᄒᆡ유 왈,

"ᄃᆡ인과 ᄌᆞ위 깃분 시졀을 당ᄒᆞ시ᄆᆡ ᄉᆡ로이 셕ᄉᆞ을 늣기시ᄂᆞᆫᄃᆡ, 엇지 과도히 비ᄋᆡᄒᆞ여 부모의 지통을 돕ᄂᆞ뇨? 모로미 심ᄉᆞ을 관억ᄒᆞ여 존젼의 심회을 더으게 말나."

소져 ᄉᆡᆼ의 말을 듯고 ᄀᆡ용 화긔ᄒᆞ여 ᄉᆞ례ᄒᆞ고, 윤시로 더부러 학낭소어로 부모을 위로ᄒᆞ더라.

금후와 병부 졔ᄉᆡᆼ으로 더부러 하부의 빈빈왕ᄂᆡᄒᆞ여 ᄆᆡᄉᆞ을 극역 쥬션ᄒᆞ니, 동긔지친이라도 하·뎡 양가의 지긔지교(知己之交)ᄂᆞᆫ 밋ᄎᆞ리 업더라.

추밀이 상심 듕이나 하공으로 겹겹 인친지후(姻親之厚)와 고구지졍(故舊之情)이 범연치 아니ᄒᆞ고 ᄌᆞ별ᄒᆞ여 빈빈 왕ᄂᆡᄒᆞ여 즐기더니, 하ᄉᆡᆼ 쏘ᄒᆞᆫ 윤시로 은ᄋᆡ 소원ᄒᆞ나, 악장(岳丈)의 지우(知遇)ᄂᆞᆫ 감ᄉᆞᄒᆞᄂᆞᆫ 고로, 윤부의 나아가 ᄐᆡ노와 뉴시게 빅현ᄒᆞᆯᄉᆡ, 하ᄉᆡᆼ이 조심경(照心鏡) 안광으로 위·뉴 양흉을 보ᄆᆡ, 그 지감이 장ᄎᆞᆺ 엇더케 녁인고? 분셕ᄒᆞ회ᄒᆞ라.

ᄎᆞ시 윤추밀의 변화 긔질【42】ᄒᆞᆷ과 그 병근이 긔괴ᄒᆞ믈 뉘 아니 의아ᄒᆞ리오. 금후 부ᄌᆞᄂᆞᆫ 조심경 안광이라, 추밀의 병들미 젼혀 윤부의 가란이 ᄌᆞ듕의 ᄉᆡᆼᄒᆞ민 줄 모로리오마ᄂᆞᆫ, ᄂᆞᆼ히 조흔 계졔(階梯)을 ᄉᆡᆼ각지 못ᄒᆞ거ᄂᆞᆯ, 촉도(蜀道) 만니(萬里)의 머무든 하공이 무ᄉᆞᆫ 두미(頭尾)을 알니오. 다만 그 병근이 ᄃᆡ단ᄒᆞ믈 위ᄒᆞ여 념여ᄒᆞᆯ ᄲᅮᆫ이라.

일야을 동숙ᄒᆞᄆᆡ ᄐᆡ우곤계 공의 좌와(坐臥)을 셤기ᄆᆡ, 긔거(起居)을 다 붓드러 그 몸이 편토록 ᄒᆞ야, 범ᄇᆡᆨ만ᄉᆞ(凡百萬事)974)의 다 효순ᄒᆞ믈 주ᄒᆞ야 동촉ᄒᆞᆫ 졍셩이 ᄃᆡ숸

973)수어만(數於萬) : 수가 만(萬)에 이름. 매우 많다는 뜻을 나타낸 말.

974)범ᄇᆡᆨ만ᄉᆞ(凡百萬事) : 갖가지의 모든 행동과 온갖 일.

명일(明日) 효신(曉晨)의 하ᄉᆡᆼ이 부공의 도라오지 아니시믈 괴이ᄒᆞ여, 고ᄐᆡᆨ의 니르러 샤묘(祠廟)의 ᄇᆡ알ᄒᆞ고 윤부의 나아와 부공긔 야ᄅᆡ 존후를 뭇ᄌᆞᆸ고 악댱을 ᄇᆡ견(拜見)ᄒᆞᆯᄉᆡ, 츄밀이 반가오믈 니긔지 못ᄒᆞ여 손을 ᄌᆞᆸ고 별ᄂᆡ 경회를 니르니, 하ᄉᆡᆼ이 눈을 드러 악댱을 보ᄆᆡ 크게 젼일과 다【65】르믈 의아ᄒᆞ여, 사ᄅᆞᆷ의 변작(變作)ᄒᆞ미 이 ᄀᆞᆺᄐᆞ믈 괴이히 녁이더라.

하ᄉᆡᆼ이 와시믈 ᄂᆡ루(內樓)의 통ᄒᆞ고, 태우 형데 ᄉᆞᄆᆡ를 닛그러 경희뎐의 드리가 태부인과 뉴시긔 ᄇᆡ알ᄒᆞᄆᆡ, ᄉᆡᆼ이 특이ᄒᆞᆫ 풍ᄎᆡ 늠늠쇄락ᄒᆞ여 화벽(和璧)[1160]이 ᄯᅳᆺ글을 ᄡᅵᄉᆞ며, ᄆᆞᆰ은 봉안(鳳眼)은 광ᄎᆡ 징징 발월ᄒᆞ여 츄슈(秋水) 긴 강의 샤일(斜日)이 빗췬 듯, 와ᄌᆞᆷ미(臥蠶眉)ᄂᆞᆫ 문명이 뎡뎡ᄒᆞ니, 경쇄 찬난ᄒᆞ거ᄂᆞᆯ, 호비쥬슌(虎鼻朱脣)과 연함호뒤(燕頷虎頭) ᄉᆡᆨᄉᆡᆨ 슈려ᄒᆞ여, 반악(潘岳)[1161]의 고으믈 능만ᄒᆞ며, 니두(二杜)[1162]의 호풍(好風)을 허랑이 녁이니, 침위(沈威)ᄒᆞ미 산악의 무거오믈 가져, 녜필 좌뎡ᄒᆞᄆᆡ 공슈(拱手) 믁믁(默默)ᄒᆞ여 위풍이 널【66】슉ᄒᆞ여 말 븟치기 어려운디라. 엇디 년

1160)화벽(和璧) : 명옥(名玉)의 일종. 전국시대 초(楚)나라 변화씨(卞和氏)의 옥(玉)으로, '완벽(完璧)', '화씨지벽(和氏之璧)' 등으로 불리기도 한다. 그 후 이 '화벽'은 조(趙)나라 혜문왕(惠文王)의 손에 들어갔으나, 이를 탐내는 진(秦)나라 소양왕(昭襄王)이 진나라 15개의 성(城)과 이 옥을 교환하자고 한 까닭에 '연성지벽(連城之璧)'이라는 이름이 붙기도 하였다.

1161)반악(潘岳) : 247~300. 중국 서진(西晉) 때의 문인. 자는 안인(安仁). 미남이었고 망처(亡妻)를 애도한 <도망시(悼亡詩)>가 유명하다.

1162)니두(二杜) : 중국 만당(晩唐) 대의 시인 두목지(杜牧之 : 803~852)를 달리 이르는 말. 미남자로도 유명하다.

(大舜) 증ᄌᆞ(曾子)을 효즉(效則)ᄒᆞᄂᆞᆫ지라. 허물며 시랑의 온듕뎡ᄃᆡ(穩重正大)ᄒᆞᆷ과 숙연경근(肅然敬謹)ᄒᆞᆫ 녜졀이 공부ᄌᆞ(孔夫子)의 후을 이어 셰ᄃᆡ의 ᄒᆞᆫ낫 ᄃᆡ현군ᄌᆡ라. 하공이 블승{ᄋᆡ}흠복ᄒᆞ여 종야토록 추밀과 ᄐᆡ우곤계로 담화ᄒᆞᄃᆡ, 추밀의 거동이 젼ᄌᆞ와 ᄂᆡ도ᄒᆞ믈 그게 경녀ᄒᆞ더라.

명효(明曉)의 하ᄉᆡᆼ이 야야(爺爺)의 도라오지 아니시물 고이ᄒᆞ여, 고ᄐᆡᆨ의 니르러 ᄉᆞ묘(祠廟)의 ᄇᆡ알ᄒᆞ고, 윤부의 나아가 부친 긔후을 뭇고 빙공을 ᄇᆡ견(拜見)ᄒᆞᆯ ᄉᆡ, 츄밀이 반가오물 니긔지 못ᄒᆞ여 밧비 손을 ᄌᆞᆸ고 별ᄂᆡ 경회을 이르니, 하ᄉᆡᆼ이 눈을 들어 악공을 보ᄆᆡ 크게 젼일과 다르물 고이히 녁이더라.

하ᄉᆡᆼ이 왓시물 ᄂᆡ루(內樓)의 통ᄒᆞ고, ᄐᆡ우곤계 ᄉᆞᄆᆡ을 익그러 경희당의 드러가 위·뉴의게 ᄇᆡ알ᄒᆞᄆᆡ, ᄉᆡᆼ의 쥰일(俊逸) 특이(特異)ᄒᆞᆫ 풍뉴(風流) 신ᄎᆡ(身彩) 늠늠쇄락ᄒᆞ여, 고은 용화는 ᄇᆡᆨ벽(白璧)의 틔글【43】을 씨스며, 말근 봉안(鳳眼)은 광ᄎᆡ 《짐짐‖징징(澄澄)》ᄒᆞ여 츄슈장강(秋水長江)의 ᄉᆞ양(斜陽)이 부싀ᄂᆞᆫ 듯, 와ᄌᆞᆷ뇽미(臥蠶龍眉)의 문명이 영영(盈盈)ᄒᆞ니 미옥정쇄 찬난ᄒᆞ거ᄂᆞᆯ, 호비쥬슌(虎鼻朱脣)과 연함호치(燕頷皓齒)[975] 썩썩 수려ᄒᆞ여 반악(潘岳)[976]의 고으물 능만ᄒᆞ고, 니두(二杜)[977]의 호풍(好風)을 허랑이 녁이니, 침위(沈威) 장엄(莊嚴)ᄒᆞ미 산악의 무거오믈 가져, ᄒᆡᆼ동거지 ᄃᆡ군ᄌᆞ 틀이 일워시니, 녜필 좌뎡의 공수(拱手) 묵묵(默默)ᄒᆞᄆᆡ 그 위풍이 《념축‖열숙(烈肅)》ᄒᆞ여 말 붓치기 어려온지라. 엇지 년소 셔ᄉᆡᆼ의 연연(軟軟) 쳥약(靑弱)ᄒᆞ미 잇시리오.

975)연함호치(燕頷皓齒) : 제비 비슷한 턱과 하얀 이.

976)반악(潘岳) : 247~300. 중국 서진(西晉) 때의 문인. 자는 안인(安仁). 미남이었고 망처(亡妻)를 애도한 <도망시(悼亡詩)>가 유명하다.

977)니두(二杜) : 중국 만당(晩唐) 대의 시인 두목지(杜牧之 : 803~852)를 달리 이르는 말. 미남자로도 유명하다.

쇼 셔ᄉᆡᆼ의 연연(軟軟) 쳥약(靑弱)ᄒᆞ미 이시리오.

뉴시 하가 참화를 써려 셔쵹(西蜀) 슈졸(戍卒)이라 나모라 바리고, 녀ᄋᆞ의 뜻을 아ᄉᆞ 김듕관으로 동상을 삼으려 ᄒᆞ던 일이 당시ᄒᆞ여 뉘웃브고 참괴ᄒᆞ니, 비록 하ᄉᆡᆼ이 아지 못ᄒᆞ나 ᄒᆞ마면 쳔금귀녀(千金貴女)의 젼경을 맛출 번ᄒᆞᆷ을 ᄉᆡᆼ각ᄒᆞᄆᆡ 스ᄉᆞ로 놀납고, 하ᄉᆡᆼ의 텬일지푀(天日之表)[1163] 뎡병부의 츌뉴ᄒᆞᆷ을 불워홀 ᄇᆡ 아니고, 셕ᄉᆡᆼ의 십ᄇᆡ승(十倍勝)이라. 황홀ᄒᆞᆫ 경과 무궁ᄒᆞᆫ ᄉᆞ랑이 좌우로 병츌ᄒᆞ여 쾌활ᄒᆞᆷ을 니긔지 못ᄒᆞᄃᆡ, ᄉᆡᆼ이 가바압디 아니므로 모양 업시 ᄉᆞ랑ᄒᆞᄂᆞᆫ 빗출 낫【67】토지 못ᄒᆞ고, 오직 웃ᄂᆞᆫ 입이 버러 디원을 신셜ᄒᆞ고 영화로이 환쇄ᄒᆞᆷ을 치하ᄒᆞ여, 옹셔지의(翁壻之義) 오년의 쳐음 보ᄆᆞᆯ 일ᄏᆞ라 빗난 말솜이 현하(懸河)[1164]를 드리온 ᄃᆞᆺ, 간힐(奸黠)ᄒᆞᆫ 거동이 가지록 요악ᄒᆞ여 졍인군ᄌᆞ의 ᄌᆞ연 아라볼 ᄇᆡ어ᄂᆞᆯ, 태부인의 ○○○[어리게] 《지예‖치례(致禮)》ᄒᆞ고 긔괴히 존대컨 쳬ᄒᆞᄂᆞᆫ 거동이, 의상을 쁘다ᄃᆞᆷ으며 소ᄅᆡ를 브드러이 ᄒᆞ여 ᄉᆞ랑ᄒᆞᄂᆞᆫ 졍을 일ᄏᆞᄅᆞᄆᆡ, 능휼ᄒᆞᆫ 언ᄉᆞ와 번득이ᄂᆞᆫ 냥안의 흉포ᄒᆞᆫ 거동이 낫타나니, 하ᄉᆡᆼ이 본ᄃᆡ 부인녀ᄌᆞ를 ᄌᆞ시 살피지 못ᄒᆞᄂᆞᆫ ᄇᆡ나, ᄎᆞ 냥인의 긔용(氣容)[1165]이 심상치 아니ᄆᆞᆯ 괴이히 넉여, 잠간【68】 투목숑아(偸目竦訝)ᄒᆞᄆᆡ, 싀험간흉ᄒᆞᆫ 무리ᄆᆞᆯ 디긔ᄒᆞ니, ᄌᆞ긔ᄂᆞᆫ 져를 두릴 거시 업ᄉᆞ나 일ᄆᆡ의 평ᄉᆡᆼ이 안안치 못홀가 근심ᄒᆞᄆᆡ, 블쾌ᄒᆞ여 계오 슈인ᄉᆞ를 펴고 조부인긔 ᄇᆡ현코져 ᄒᆞᆫᄃᆡ, 태부인이 그 거쳐 업시 실산ᄒᆞᆷ을 닐너 가ᄂᆡ의 업ᄉᆞᄆᆞᆯ 니르니, ᄉᆡᆼ이 대경의혹ᄒᆞ여 태우 형데 그 모친 거쳐를 모로고ᄂᆞᆫ 평상이 힝셰홀 니 업ᄉᆞᆯ디라.

그 가변을 측냥치 못ᄒᆞ여 즉시 하직고 나와 악당과 태우 곤계로 이윽이 말솜ᄒᆞ다가,

1163)텬일지표(天日之表) : 온 세상에 군림할 인상(人相). 곧 임금의 인상을 이르는 말이다.
1164)현하(懸河) : 급한 경사를 세게 흐르는 하천.
1165)긔용(氣容) : 기색과 용모.

뉴시 하가 화란을 ᄭᅳ려 촉(蜀) 수졸(戍卒)이라 나모라 바리고, 녀아의 뜻즐 아ᄉᆞ 김듕관으로 동상을 ᄒᆞ던 일이 당시ᄒᆞ여 뉘웃부고 츰괴ᄒᆞ니, 비록 하ᄉᆡᆼ이 아지 못ᄒᆞ나 ᄒᆞ마 쳔금소교(千金小嬌)의 젼경을 맛출 번ᄒᆞᆫ 일을 ᄉᆡᆼ각ᄒᆞᄆᆡ 스ᄉᆞ로 놀납고, 하ᄉᆡᆼ의 쳔일지푀(天日之表)[978] 뎡부마의 특츌ᄒᆞᆷ을 불워 아닐 ᄇᆡ오, 셕ᄉᆡᆼ으로 십ᄇᆡ승(十倍勝)이라. 황홀ᄒᆞᆫ 정과 무궁ᄒᆞᆫ ᄉᆞ랑이 좌우로 병출ᄒᆞ여 깃분 심ᄉᆡ 쾌활ᄒᆞᆷ을 이긔지 못ᄒᆞᄃᆡ, ᄉᆡᆼ의 위인이 가ᄇᆡ압지 아니므로 모양 엽[업]시 ᄉᆞ랑ᄒᆞᄂᆞᆫ 빗출 낫토지 못ᄒᆞ여, 오즉 웃ᄂᆞᆫ 입을 열어, 지원을 신셜ᄒᆞᆷ과 영화로이 환쇄(還刷)ᄒᆞᆷ을 치하ᄒᆞ여, 동상(東床)되연지 오ᄌᆡ의 쳐음으로 상견ᄒᆞᆷ을 일카라 빗난 말솜이 현하(懸河)[979] 갓고, 간힐(奸黠)ᄒᆞᆫ 거동이 요악ᄒᆞ여 뎡인군ᄌᆞ의 ᄌᆞ연이 알 ᄇᆡ어날, ᄐᆡ뇌 어리게 《지게‖치례》ᄒᆞ며, 긔괴히 존【44】ᄃᆡᄒᆞᄂᆞᆫ 거동이, 의상을 쓰다듬어 소ᄅᆡ을 부드러이 ᄒᆞ여 말솜을 펴며 ᄉᆞ랑ᄒᆞᄂᆞᆫ 졍을 니르ᄆᆡ, 능휼ᄒᆞᆫ 인ᄉᆞ와 번득이ᄂᆞᆫ 안광의 흉포지긔 나타나니, 하ᄉᆡᆼ이 본ᄃᆡ 부인 녀ᄌᆞ로[를] ᄌᆞ셰히 ᄉᆞᆯ피ᄂᆞᆫ ᄇᆡ 업ᄉᆞ나, ᄎᆞ(此) 양인의 거동이 심상치 아니ᄆᆞᆯ 괴이ᄒᆞ여, 즘간 ᄌᆞ긔ᄂᆞᆫ 져을 두릴 거시 업ᄉᆞ나 다만 일ᄆᆡ의 평ᄉᆡᆼ이 안안치 못홀가 근심이 이러나니, 불열블쾌ᄒᆞ여 겨유 두어 말 인ᄉᆞ을 펴고 조부인긔 《유무로 젼코져 ᄒᆞᆫᄃᆡ‖ᄇᆡ현코져 ᄒᆞᆫᄃᆡ》, ᄐᆡ뇌 그 거쳐 업시 실산ᄒᆞ여 가ᄂᆡ의 업ᄉᆞᆷ을 일커르니, ᄉᆡᆼ이 심니의 ᄃᆡ경 의아ᄒᆞ여 ᄐᆡ우 곤계 그 모친 거쳐을 모로고 평상이 힝셰홀니 업ᄂᆞᆫ지라.

그 가변을 측냥치 못ᄒᆞ고 더옥 히연ᄒᆞ물 이긔지 못ᄒᆞ여 즉시 ᄒᆞ직고 나와, 악장과 ᄐᆡ우곤계로 이윽이 담화ᄒᆞ다가 부공을 뫼셔

978)쳔일지표(天日之表) : 온 세상에 군림할 인상(人相). 곧 임금의 인상을 이르는 말이다.
979)현하(懸河) : 급한 경사를 세게 흐르는 하천.

부공을 뫼셔 도라갈ᄉᆡ, 츄밀이 하공을 ᄃᆡᄒᆞ여 녀ᄋᆞ를 슈히 귀령ᄒᆞ믈 쳥ᄒᆞ니, 하공이 쾌허ᄒᆞᆫᄃᆡ, 츄밀이 시【69】랑을 명ᄒᆞ여 거교를 출혀 누의를 다려오라 ᄒᆞ니, 혹ᄉᆡ 슈명ᄒᆞ여 ᄒᆞᆫ가지로 취운산의 나올ᄉᆡ, 하공이 녯 가샤를 다시 드ᄃᆡ기 슬흐나, 사묘를 아조 뫼셔 운산으로 가려, 잠간 부듕의 드러가 사묘의 현ᄇᆡ(見拜)ᄒᆞ고, 위의를 ᄀᆞᆺ초아 운산으로 나아가니, 금평후 부ᄌᆡ 발셔 하부 사우 봉안ᄒᆞᆯ 당샤를 뎡ᄒᆞ여, 범ᄉᆞ의 군속(窘束)ᄒᆞᆫ 일이 업셔 ᄌᆞ상이 ᄒᆞ므로, 하공 부ᄌᆡ 가묘를 봉안ᄒᆞ고 환쇄(還刷) 이샤(移徙)ᄒᆞ믈 샤묘의 고튝ᄒᆞ여 나례(儺禮)[1166]를 필ᄒᆞᄆᆡ, 고ᄉᆞ를 상감ᄒᆞ여 슬프믈 니긔지 못ᄒᆞ더라.

도라갈ᄉᆡ, 추밀이 공을 ᄃᆡᄒᆞ여 수이 녀아의 귀령을 쳥ᄒᆞ니, 하공이 쾌허ᄒᆞᄂᆞᆫ지라. 시랑을 명ᄒᆞ여 거교을 ᄎᆞ려 누의을 다려오라 ᄒᆞ니, 시랑이 수명ᄒᆞ여 ᄒᆞᆫ가지로 운산으로 나올ᄉᆡ, 하공이 옛 가ᄉᆞ의 ᄎᆞ마 다시 드ᄃᆡ기 슬흐나, ᄉᆞ묘을 아죠 뫼셔 운산으로 나아가려, 잠간 부듕의 드러가 ᄉᆞ묘의 ᄇᆡ알ᄒᆞ고, 위의을 갓초아 션ᄃᆡ 목주을 다 뫼셔오니, 금후 부ᄌᆡ 발셔 하부 사우 봉안【45】ᄒᆞᆯ 당ᄉᆞ을 정ᄒᆞ여, 범ᄉᆞ의 군속(窘束)ᄒᆞ미 업게 ᄒᆞ여시므로, 하공부ᄌᆡ ᄉᆞ묘을 봉안ᄒᆞ고, 환쇄(還刷) 이ᄉᆞ(移徙)을 고ᄒᆞ여 ᄇᆡ례을 필ᄒᆞᄆᆡ, 셕ᄉᆞ을 츄렴ᄒᆞ여 슬푸믈 금치 못ᄒᆞ더라.

하공이 녀ᄋᆞ를 보ᄆᆡ 반갑고 아ᄅᆞᆷ다오믈 니긔지 못ᄒᆞ여, 운환(雲鬟)을 어로만져 츄연이【70】 냥항누를 나리와 ᄀᆞᆯ오ᄃᆡ,

하공이 녀ᄋᆞ을 보ᄆᆡ 반갑고 아름다옴을 측냥치 못ᄒᆞ여 운환(雲鬟)을 어로만져 왈,

"셕년 참화지시의 오날ᄂᆞᆯ이 이시믈 긔약지 못하고, 촉디의셔 너를 마ᄌᆞ 실니ᄒᆞᄆᆡ 우리의 참절ᄒᆞᆫ 심ᄉᆡ 촌할(寸割)ᄒᆞ믈 형상치 못ᄒᆞ더니, 텬되 오히려 살피샤 통원을 신ᄇᆡᆨᄒᆞ고, 고토의 도라와 부녜 산 얼굴노 반기니 ᄎᆞᆼ싱 무한이로ᄃᆡ, 원경 등의 ᄌᆞ최ᄂᆞᆫ 묘연ᄒᆞ니, 셰월이 오랄ᄉᆞ록 비도ᄒᆞ믈 엇다 니르리오."

"우리 부녀 상봉ᄒᆞ니 ᄎᆞᆼ싱 여한이 업ᄉᆞ나 원경 등의 자최ᄂᆞᆫ 묘망ᄒᆞ니 셰월이 오릴ᄉᆞ록 각골비도ᄒᆞ물 엇지 이ᄌᆞ리오."

쇼졔 화셩유어로 위로ᄒᆞ고, 부안을 우러러 됴ᄇᆡᆨ(早白) 쇠로(衰老)ᄒᆞ시믈 슬허ᄒᆞ더라.

소져 화셩유어로 위로ᄒᆞ여 야야을 쳠망ᄒᆞ여 조ᄇᆡᆨ(早白) 쇠노(衰老)ᄒᆞ믈 슬허ᄒᆞ더라.

공이 윤공의 병셰를 념녀ᄒᆞ고, 식부를 명ᄒᆞ여 금일 귀령ᄒᆞ여 누년 니친(離親)ᄒᆞᆫ 회포를 위로ᄒᆞ라 ᄒᆞ더라.【71】

공이 윤공 병셰을 념녀ᄒᆞ여 식부을 명ᄒᆞ여 금일노 귀령ᄒᆞ여 누년 니친지회(離親之懷)을 위로ᄒᆞ라 ᄒᆞ니,

1166)나례(儺禮) : 민가와 궁중에서, 음력 섣달 그믐날에 묵은해의 마귀와 사신을 쫓아내려고 베풀던 의식. 본디 중국에서 시작한 것으로, 새해의 악귀를 쫓을 목적으로 행하다가 차츰 중국 칙사의 영접, 왕의 행행(行幸), 인산(因山) 때 따위에도 행하였다.

명듀보월빙 권디삼십ᄉᆞ

어시의 하공이 윤공의 병을 념녀ᄒᆞ고, 식부를 명ᄒᆞ여 금일 귀령ᄒᆞ여 누년 니친ᄒᆞᆫ 회포를 위로ᄒᆞ라 ᄒᆞ니, 쇼졔 ᄇᆡ샤슈명ᄒᆞ고 밧긔 윤혹ᄉᆡ ᄌᆡ쵹ᄒᆞᄂᆞᆫ 고로, 구고긔 하ᄃᆡᆨ ᄇᆡ샤ᄒᆞᄆᆡ, 믈너 침소의 와 ᄉᆡᆼ의게 도라가믈 고ᄒᆞ니, ᄉᆡᆼ이 그 가ᄂᆡ의 업술ᄉᆞ록 깃거ᄒᆞᄂᆞᆫ 디라, 쾌허ᄒᆞ니, 쇼졔 엇디 가부의 뜻을 모로리오마ᄂᆞᆫ, ᄌᆞ긔 도리를 출히려 귀근을 고ᄒᆞ고 즉시 거교의 들ᄆᆡ, 하쇼졔 듕당의 나와 숑별ᄒᆞ여 왈,

"쇼뎨ᄂᆞᆫ 부모를 뫼셔 니회(離懷)를 편 후도 【1】 라가리니 이졔ᄂᆞᆫ 져져로 동긔지졍을 펴미 긴 셰월의 무ᄒᆞᆫᄒᆞᆯ가 ᄒᆞᄂᆞ이다."

윤시 답왈,

"쳡이 현ᄆᆡ로 작일 상봉ᄒᆞ여 금일 써나미 결연ᄒᆞ나, 부모의 기다리시ᄂᆞᆫ 바를 위로ᄒᆞ여 ᄲᆞᆯ니 도라가나, ᄎᆞ후 셔로 모드미 빈빈ᄒᆞ리니, 현ᄆᆡᄂᆞᆫ 구고를 뫼셔 누년 회포를 펴쇼셔."

언파의 교뷔 ᄎᆡ거를 메워 집문을 나니, 윤혹ᄉᆡ 호힝ᄒᆞ여 본부의 도라오ᄆᆡ, 위·뉴 이 부인이 마조 나와 발을 것고 쇼져를 볼ᄉᆡ, 츄밀이 ᄯᅩᄒᆞᆫ 급급히 나와 녀ᄋᆞ를 븟들고 반기ᄂᆞᆫ 졍을 니긔디 못ᄒᆞ니, 쇼졔 존당 부모긔 ᄇᆡ례를 맛고 뫼셔 침뎐의 드러오니, 【2】 댱시 쳐음으로 보ᄂᆞᆫ디라. 녜필 좌뎡의 위·뉘 누년 그리던 졍을 니르고, 쵹디 관산이 텬양(天壤)을 격ᄒᆞ나 다르지 아니턴 바를 닐너, 반가오미 밋칠 ᄃᆞᆺ, 눈믈이 ᄉᆡᆷ솟ᄃᆞᆺᄒᆞ니, 쇼졔 조모의 안강ᄒᆞ심과 모친의 쇠패치 아니믈 깃거ᄒᆞ나, 야야의 신관1167)이 환탈ᄒᆞ고 의형이 황당ᄒᆞ믈 경악ᄒᆞ여 초우(焦憂)ᄒᆞ믈 니긔지 못ᄒᆞ니, 효셩(曉星) 츄파의 쥬루를 먹음고 ᄇᆡᆨ년용화의 슬프믈 요동ᄒᆞ여 조모 톄후를 뭇ᄌᆞᆸ고, 야야의 환후 증졍을 뭇ᄌᆞ와 누년 ᄉᆞ친ᄒᆞ던 회포를 잠간 펼

1167)신관 : '얼굴'의 높임 말.

소져 ᄇᆡᄉᆞ수명ᄒᆞ고 박긔 윤시랑이 도라가믈 ᄌᆡ쵹ᄒᆞᄂᆞᆫ 고로, 구고긔 ᄒᆞ직ᄒᆞ고 물너 침실의 도라와 ᄉᆡᆼ의게 도라가물 고ᄒᆞ니, ᄉᆡᆼ이 그 가ᄂᆡ의 업술ᄉᆞ록 깃거ᄒᆞᄂᆞᆫ지라. 쾌허ᄒᆞ니, 소져 엇지 가부의 ᄯᅳᆺ슬 모로리오마ᄂᆞᆫ, ᄌᆞ긔 도리을 출히려 귀근을 고ᄒᆞ고 즉시 거교의 들ᄆᆡ, 하소져 듕당의 나와 ᄇᆡ별 왈,

"소져[졔](小弟)ᄂᆞᆫ 부모을 뫼셔 니회(離懷)을 편 후 도라가리니, 이졔ᄂᆞᆫ 졔졔(姐姐)로 동긔예 졍을 펴미 진980) 셰월의 무한ᄒᆞᆯ가 ᄒᆞᄂᆞ이다."

윤시 왈,

"쳡이 현ᄆᆡ을 작일 상봉ᄒᆞ야 금일 써나미 결연ᄒᆞ나, 부모의 기ᄃᆞ리시ᄂᆞᆫ 바을 위ᄒᆞ여 ᄲᆞᆯ니 도라가나, ᄎᆞ후 셔로 모드미 빈빈ᄒᆞ리니, 현ᄆᆡᄂᆞᆫ 구고을 뫼셔 누년회포을 펴소셔."

언파의 교뷔 ᄎᆡ거을 【46】 메워 집문을 나니, 윤혹ᄉᆞ 호힝ᄒᆞ여 본부의 도라오ᄆᆡ, 위·뉴 양인이 소져을 보ᄆᆡ, 추밀이 ᄯᅩᄒᆞᆫ 급히 나와 녀ᄋᆞ을 븟들고 반기ᄂᆞᆫ 졍을 이긔지 못ᄒᆞ니, 소져 존당부모게 ᄇᆡ례을 맛고 버거 침당의 드러오니, 장시 쳐음으로 보ᄂᆞᆫ지라. 녀[녜]필 좌졍의 위·뉴 누년 그리던 졍을 니르고, 쵹지 관산이 쳔양(天壤)을 격ᄒᆞᆫ 바와 다르지 아니턴 바을 일너, 탐탐ᄒᆞᆫ ᄉᆞ랑이 비길 ᄃᆡ 업셔 반가오미 밋칠 ᄯᅳᆺᄒᆞ여, 도로혀 눈물이 여류ᄒᆞ니, 소져 조모의 안강ᄒᆞ심과 모친의 수약(瘦弱)지 아니믈 깃거ᄒᆞ나, 야야의 신관981)이 환탈ᄒᆞ고 의형이 황당ᄒᆞ믈 경악ᄒᆞ여 초우ᄒᆞ믈 니긔지 못ᄒᆞ니, 효셩양안(曉星兩眼)의 쥬루(珠淚)를 머금고 ᄇᆡᆨ년

980)진 : 긴. *질다; 길다. 잇닿아 있는 물체의 두 끝이 서로 멀다.
981)신관 : '얼굴'의 높임 말.

식, 조부인이 좌의 계시지 아니믈 의아ᄒᆞ여 빅모의 안위를 뭇ᄌᆞ오니, 태 【3】 부인이 실산ᄒᆞᆫ 셜화를 누루(屢屢)히 젼ᄒᆞ니, 쇼졔 경악(驚愕) 발비(發悲)ᄒᆞ여 도라 태우 곤계를 보니, 쳐연이 안식을 곳치고 관을 숙여 말이 업ᄉᆞ니, 쇼졔 쳬루 왈,

"빅모의 실산ᄒᆞ시미 뎍실ᄒᆞ면 냥뎨 텬하의 쥬류ᄒᆞ여, 쇠신1168)이 ᄯᅮ러지기를 긔약ᄒᆞ고 일신이 ᄉᆞ딘토록 거쳐를 ᄎᆞᆺ는 거시 올커늘, 엇디 무ᄉᆞ 평상ᄒᆞᆫ 사름 ᄀᆞᆺ치 청평화각(淸平花閣)의 즐기ᄂᆞ뇨?"

태우 곤계 밋쳐 ᄃᆡ치 못ᄒᆞ여셔, 태부인이 ᄀᆞᆯ오ᄃᆡ,

"조현부를 실산ᄒᆞ여시나 그 디식이 원대ᄒᆞ고 ᄉᆞ리 통텰ᄒᆞᆫ디라, 쇼쇼 ᄋᆞ녀ᄌᆞ로 밀월비 아니니, 타일 필경 무ᄉᆞ 환귀ᄒᆞᆯ 거시오. 노뫼 【4】 근ᄂᆡ의 쇠로ᄒᆞ미 심ᄒᆞ여 상셕(床席)을 ᄯᅥ나디 못ᄒᆞ고, ᄯᅩᄒᆞᆫ 여뷔 질양이 가바압지 못ᄒᆞᆫᄃᆡ, 광·희 냥ᄋᆡ 장ᄎᆞᆺ 어ᄃᆡ를 디향ᄒᆞ여 ᄎᆞᄌᆞ리오. 그런 오활(迂闊)ᄒᆞᆫ 말을 다시 니르지 말나."

위흉의 말이 긋친 후 시랑은 믁믁ᄒᆞ고 태○○[우는] 안식이 ᄉᆡᆨᄉᆡᆨᄒᆞ여 답왈,

"져져의 말솜이 맛당ᄒᆞ시나 계부 환휘 비경ᄒᆞ샤 심상치 아니신디라. 아이 시탕의 분쥬 초젼ᄒᆞᆫ 바를 홀노 더디고 가듕을 ᄎᆞ마 ᄯᅥ나지 못ᄒᆞ나, 근일은 져기 동졍(動靜)이 계신 ᄃᆞᆺᄒᆞᆫ디라, 죵후(從後)ᄒᆞ여 니발(離發)코져 ᄒᆞᄂᆞ이다."

츄밀이 지좌ᄒᆞ여 모든 말을 드르ᄃᆡ, 우려홈도 업고 간예홈 【5】 도 업셔, 만ᄉᆡ 무렴(無念)ᄒᆞ여 비록 입을 여러 슈작하고 눈으로 사름을 보나 쥬ᄒᆞᆫ 소견과 뎡ᄒᆞᆫ ᄆᆞ음이 업셔 단연이 목인 ᄀᆞᆺᄐᆞ니, 쇼졔 경황(驚惶) 졀우(絶憂)ᄒᆞᄂᆞᆫ ᄀᆞ온ᄃᆡ, 구파를 ᄎᆞᄌᆞᄆᆡ ᄯᅩ 졀강으로 가다가 실산ᄒᆞ믈 뉴시 니르니, 듯는 말마다 ᄎᆞ악 한심ᄒᆞ여, 경ᄋᆡ 여젼이 셕가 기인으로 이시믈 보니 ᄎᆞ셕ᄒᆞ여 형뎨 다 명도의 박ᄒᆞ믈 심니의 탄ᄒᆞ고, 댱시 션풍월

1168)쇠신 : 쇠로 만든 신.

용화의 슬푸믈 요동ᄒᆞ여, 야야의 환후증셰을 뭇ᄌᆞ와 수년 ᄉᆞ치[친]지회을 잠간 펼ᄉᆡ, 조부인이 지좌치 아니믈 의아ᄒᆞ여 빅모의 거쳐을 물으니, ᄐᆡ뷔 조부인 실산ᄒᆞ물 누누(屢屢)이 젼ᄒᆞᄆᆡ, 소져 경악(驚愕) 발비(發悲)ᄒᆞ여 도라 ᄐᆡ우곤계을 보ᄆᆡ, 쳐연이 낫빗출 곳치고 관을 숙이거늘, 소져 왈,

"빅모의 실산이 젹실ᄒᆞ면 양뎨 주류쳔하ᄒᆞ여, 쇠신982)이 ᄯᅮ러지기을 그음ᄒᆞ고 일신이 쇠진토록 거쳐을 알미 올커늘, 엇지 무ᄉᆞ평상ᄒᆞᆫ ᄉᆞ름 갓치 쳥현화직(淸賢華職)을 ᄯᅴ여 즐기ᄂᆞ뇨?"

ᄐᆡ우곤계 미급답의, ᄐᆡ뷔 ᄌᆞ가 ᄉᆡᆼ젼의는 광쳔 형졔 아모ᄃᆡ도 나 움즉이지 못ᄒᆞᆯ 줄 【47】 노 일너, 비록 인언이 잇셔도 ᄌᆞ긔 츔아 쳔금 양손(兩孫)을 동셔남븍의 지향업시 보ᄂᆡ지 못ᄒᆞ믈 니르니, 소져 조모 흉심과 모친 악힝을 혀아려 근심이 만쳡(萬疊)ᄒᆞ고, ᄐᆡ우 등 셩효을 ᄉᆡᆨ[ᄉᆡᆼ]각건ᄃᆡ, 실노 거쳐을 모로면 져갓치 안연치 아닐 거시므로, 기간 필유ᄉᆞ고(必有事故)ᄒᆞ믈 ᄭᆡᄃᆞ라, 슉모의 간 곳은 ᄐᆡ우의 지긔ᄒᆞ엿시나 가변을 ᄒᆞᆫ심ᄒᆞ고, ᄐᆡ우의 빅힝이 블힝ᄒᆞ여, 뎡시 젹거ᄒᆞ고 진시 죽으며 뉴시 츔ᄉᆞᄒᆞ믈 ᄐᆡ뷔 이르니, 소져 가듕 ᄉᆞ셰(事勢)을 드러보ᄆᆡ ᄎᆞ악ᄒᆞ믈 마지 아니나, 부친이 젼일과 달나 ᄌᆞ질을 현현(顯顯)이 ᄉᆞ랑ᄒᆞᄂᆞᆫ 바는 업고, 만ᄉᆡ 무려ᄒᆞ여 비록 입으로 언어을 수작ᄒᆞ고 눈으로 ᄉᆞ름을 보나 주ᄒᆞᆫ 소견과 졍ᄒᆞᆫ 마음이 ᄒᆞ나도 업셔 완연이 토목(土木) 우인(偶人)이 안ᄌᆞ심 갓트니, 소져 경황졀민ᄒᆞ고, 구파을 ᄎᆞᄌᆞᄆᆡ, ᄯᅩ 졀강으로 가다가 실산ᄒᆞ믈 뉴시 이르니, 듯는 말마다 ᄎᆞ악 ᄒᆞᆫ심ᄒᆞ며, 경ᄋᆡ 연[여]젼이 셕가 기인(棄人)이물 ᄎᆞ셕ᄒᆞ여 형뎨 다 명도의 박ᄒᆞ믈 ᄂᆡ심의 탄ᄒᆞ고, 장소져의 션풍월모(仙風月貌)와 숙ᄌᆞ혜질이 하시의 아ᄅᆡ 아니믈 깃거, 거거의 쳐궁이 유복ᄒᆞ물 힝심ᄒᆞᄃᆡ, 모친 거동이 결단코 효ᄌᆞ현부을 편히ᄒᆞᆯ ᄂᆡ 업ᄉᆞ니, 여러가지 남다른 심위 요란ᄒᆞᆫ지라. 누년 상니ᄒᆞ

982)쇠신 : 쇠로 만든 신.

모(仙風月貌)와 슉ᄌᆞ혜질이 하시 아릐 아니믈 깃거ᄒᆞ여, 뎨남의 쳐궁이 복되믈 깃거ᄒᆞᆫ듸, 모친의 거동이 결단코 효ᄌᆞ 현부의 신상을 편히 ᄒᆞᆯ 니 업ᄉᆞ니, 여러가지 남다른 심위【6】 요란ᄒᆞᆫ더라. 누년 상니ᄒᆞ엿던 친당의 도라오나 즐거오미 업셔 근심이 가득ᄒᆞ니, 뉴시 ᄯᅩᄒᆞᆫ 총명ᄒᆞᆫ 고로 녀ᄋᆞ의 긔식을 ᄇᆞᆰ히 아라 힝혀도 간모(奸謀)를 알게 아니ᄒᆞ고, 그 옥비셤슈를 어로만져 ᄋᆡ듕ᄒᆞᆫ 졍을 니긔디 못ᄒᆞ다가, 비샹(臂上) 잉혈이 완연ᄒᆞ고 '하가ᄌᆞ부(河家子婦)' 네ᄌᆞ 완연ᄒᆞ니 경악ᄒᆞ믈 니긔지 못ᄒᆞ여, 눈물을 흘녀 왈,

"셕군이 경ᄋᆞ를 박ᄃᆡᄒᆞ미 각골비한(刻骨悲恨)이어ᄂᆞᆯ, 너를 셩혼 오ᄌᆡ(五載)의 금슬후박을 남ᄀᆞᆺ치 모로고, 디금 남녀간 ᄉᆡᆼ산치 못ᄒᆞ믈 한ᄒᆞ더니, 이제 너의 비홍을 보니 하랑의 박경을 뭇지 아녀 알【7】니로다. 너의 사ᄅᆞᆷ되오미 용화긔질과 빅힝 ᄉᆞ덕이 일무소흠(一無所欠)이라. 초군(超群) 특이ᄒᆞ미 실노뼈 너 ᄀᆞᆺ튼 ᄌᆞ를 구ᄒᆞ여 만나기 어렵거ᄂᆞᆯ, 하ᄉᆡᆼ은 하등지인(何等之人)이완ᄃᆡ, 쳔고명염의 졀ᄉᆡᆨ슉녀를 박ᄃᆡᄒᆞ미 이 디경의 밋쳣ᄂᆞ뇨? 아디 못게라 져의 눈의 므ᄉᆞᆫ 허믈을 뵈엿ᄂᆞ뇨?"

쇼제 모친의 과도ᄒᆞ시믈 민박ᄒᆞ여 ᄌᆞ긔 심ᄉᆞ와 남다른 회포를 고치 못ᄒᆞ고, 신혼초일의 망측ᄒᆞᆫ 변고를 구듕(口中)의 올님도 측ᄒᆞ여[1169], 다만 화열이 ᄃᆡ왈,

"쇼녀ᄂᆞᆫ 본ᄃᆡ 부부 ᄉᆞ졍을 녀렴(慮念)치 아니ᄒᆞ고, 하군이 ᄯᅩᄒᆞᆫ 고인의 유취지년(有娶之年)이 못되여시믈 아쳐【8】ᄒᆞᄂᆞ니, 부부 후박이 주표 유무의 달니디 아녀시니, 모친은 엇디 브졀업ᄉᆞᆫ 념녀를 ᄒᆞ시ᄂᆞ니잇고?"

언파의 ᄉᆞ긔 태연ᄌᆞ약ᄒᆞ나 츄밀과 태부인이히 다 하ᄉᆡᆼ의 박경을 놀나고, 뉴시 녀ᄋᆞ의 신셰를 슬허ᄒᆞ니 무궁ᄒᆞᆫ 근심과 ᄋᆡ돌온 ᄆᆞ음이 한업시 형상치 못ᄒᆞ다가, 묘랑의 츄슈(推數)[1170]를 ᄉᆡᆼ각ᄒᆞ니, 현ᄋᆞ로뼈 오년 단

1169)측ᄒᆞ다 : 망측(罔測)하다. 언짢다. 섭섭하다. 원망스럽다.

엿던 친당의 도라오나 즐거온 일이 업셔 가득ᄒᆞᆫ 근심 분이니, 뉴시 ᄯᅩᄒᆞᆫ 총면[명]ᄒᆞᆫ지【48】라. 녀ᄋᆞ의 셩품긔질을 밝히 알아 힝혀도 ᄌᆞ긔 간모(奸謀)을 알게 아니ᄒᆞ고, 그 옥비셤수을 어로만져 ᄋᆡ듕ᄒᆞ다가, 비상(臂上) 잉혈이 완연ᄒᆞ고 '하가ᄌᆞ뷔(河家子婦)' 네ᄌᆡ 이시니, 경악 함누 왈,

"셕ᄉᆡᆼ이 경ᄋᆞ을 박ᄃᆡᄒᆞ물 각골비한(刻骨悲恨)이여ᄂᆞᆯ, 너흘 셩혼 오ᄌᆡ(五載)의 금슬 후박을 남갓치 모로고, 지금 남녀간 ᄉᆡᆼ산치 못ᄒᆞ믈 한○[ᄒᆞ]더니, 이졔 너희 비홍을 보ᄆᆡ 하랑의 박경ᄒᆞ믈 불문가지(不問可知)라. 위인이 용화긔질과 빅힝ᄉᆞ덕이 일무소흠(一無所欠)ᄒᆞ고, 초군특이(超群特異)ᄒᆞ미 실노 너 갓튼 ᄌᆞ을 엇기 어렵거ᄂᆞᆯ, 하ᄌᆞᄂᆞᆫ ᄒᆞ등지인(何等之人)○[이]완ᄃᆡ 쳔고명염의 졀ᄉᆡᆨ숙녀을 박ᄃᆡᄒᆞ미 이지경의 밋쳐ᄂᆞ뇨? 아지 못게라, 져의 눈의 무삼 허물을 뵈엿ᄂᆞ냐?"

소져 모친의 과도히 민박ᄒᆞ시믈 졀민ᄒᆞ여, ᄌᆞ긔 심ᄉᆞ을 바로 고치 아니ᄒᆞ고,

"하군이 ᄯᅩᄒᆞᆫ 고인의 유취(有娶)ᄒᆞ던 나히 아니믈 심히 불평ᄒᆞ여 ᄒᆞ옵나니, 부부간 후박이 쥬표유무의 달니지 아냐시니, 불[부]졀 업ᄉᆞᆫ 념녀을 과도히 ᄒᆞ시ᄂᆞ니잇가?"

언파의 ᄉᆞ긔 ᄐᆡ연ᄒᆞᄃᆡ, 공과 ᄐᆡ뇌 하ᄉᆡᆼ의 박경ᄒᆞ믈 슬허ᄒᆞ니, 뉴시 무궁ᄒᆞᆫ 근심과 ᄒᆞᆫ업ᄉᆞᆫ ᄋᆡ달오믈 형상치 못ᄒᆞ다가, 묘랑의 말을 ᄉᆡᆼ각ᄒᆞ니 현아로뼈 오년 단상(斷傷)ᄒᆞ나 타일 부귀 복녹이 늉늉【49】ᄒᆞ리라 ᄒᆞ던지라. 녀ᄋᆞ의 상모 위인이 결단코 ○[반]쳡여(班婕妤)[983]의 ᄒᆞᆫ을 픔어 맛지 아닐지라.

장(斷腸)ᄒᆞ나 타일 부귀복녹이 늉늉ᄒᆞ리라 ᄒᆞ던디라. 녀ᄋᆞ의 상모 위인이 결단코 반쳡여(班婕妤)[1171]의 댱신궁(長信宮)[1172] 한을 픔어 맛디 아닐디라 일분 위로ᄒᆞ나, 분한아[이] 가득ᄒᆞ더라.

하부 됴부인이 녀ᄋᆞ를 다리고 젹년【9】니졍(離情)을 펴ᄂᆞᆫ 가온ᄃᆡ, 옥비홍졈(玉臂紅點)을 보고 ᄀᆞ장 경녀ᄒᆞ여 ᄒᆞᆨᄉᆞ의 박졍을 슬허ᄒᆞ니, 쇼졔 존고의 간흉대악을 ᄎᆞ마 모녀 ᄉᆞ이도 고치 못ᄒᆞ여 믁믁ᄒᆞ고, 하ᄉᆡᆼ이 쇼ᄆᆡ다려 조부인 거쳐를 므러 왈,

"ᄉᆞ빈 형뎨 대효의 군ᄌᆡ어ᄂᆞᆯ, 그 모부인을 실산ᄒᆞ여 거쳬 업ᄉᆞᆫ 후ᄂᆞᆫ 평상이 잇디 아니리니, 원간 윤부 가ᄂᆡ의 므ᄉᆞᆫ 변괴 잇셔 조부인이 실산디화를 보며, ᄉᆞ빈 형뎨ᄂᆞᆫ 므솜 연고로 ᄌᆡ취ᄒᆞ미 잇ᄂᆞ뇨?"

쇼졔 그 거거의 뭇ᄂᆞᆫ 바의 다ᄃᆞ라 망연의 긔일 길히 업셔, '윤태우 형뎨 ᄌᆡ취 삼취ᄒᆞᆫ 연유로브터, 뉴부인 딜네 입승ᄒᆞ여 사【10】ᄅᆞᆷ되오미 평상ᄒᆞᆫ 녜ᄉᆞ ᄉᆞᄅᆞᆷ 아니오, 간능다모ᄒᆞ여 홀연 윤부의 가변이 츙츌ᄒᆞ며, 난ᄃᆡ업ᄉᆞᆫ 호표의 거시 맛치 쇼ᄆᆡ ᄎᆞᆨ디의셔

1170)츄슈(推數) : 닥쳐올 운수를 미리 헤아려 앎.
1171)반첩여(班婕妤) : 중국 한(漢)나라 성제(成帝)의 후궁. 시가(詩歌)를 잘하여 성제의 총애를 받았으나 조비연(趙飛燕)에게 참소를 당하여 장신궁(長信宮)에 있으면서 부(賦)를 지어 상심을 노래하였다.
1172)당신궁(長信宮) : 중국 한(漢)나라 때 장락궁 안에 있던 궁전. 여기서는 한(漢) 성제(成帝)의 후궁 반첩여(班婕妤)가 이곳으로 물너나 시부(詩賦)로 마음을 달랬던 고사를 말함. 원가행(怨歌行)이란 시가 전한다.

일분 위로ᄒᆞ나 불승분ᄒᆞᆫ(不勝憤恨)이러라.

하부 조부인이 녀ᄋᆞ을 다리고 젹년 니졍(離情)을 펴ᄂᆞᆫ 가온ᄃᆡ, 비홍졈(臂紅點)이 완연ᄒᆞ믈 가장 경녀ᄒᆞ고, 시랑의 박졍ᄒᆞ믈 한ᄒᆞ니, 소져 존고의 간흉ᄃᆡ악을 ᄎᆞ마 모녀 ᄉᆞ이도 발구치 못ᄒᆞ여 다만,

"시랑의 심회 불평ᄒᆞ미 만흔 고로 부부ᄉᆞ졍을 베프지 아니미니, ᄌᆞ위 엇지 경녀ᄒᆞ시ᄂᆞ잇고?"

하ᄉᆡᆼ이 또ᄒᆞᆫ 조부인 거쳐 업ᄉᆞ믈 알고 소져을 ᄃᆡᄒᆞ여 왈,

"ᄉᆞ원 ᄉᆞ빈의 위인이 ᄃᆡ현구[군]ᄌᆞ여ᄂᆞᆯ, 그 모부인을 실산ᄒᆞ여 거쳐 업ᄉᆞ면 결단코 평상이 잇지 아니리니, 원간 윤부 가ᄂᆡ의 무ᄉᆞᆫ 변고 잇셔 조부인이 실산지화을 보며, ᄉᆞ원 곤계 ᄎᆞᄌᆞ라 나지 아니ᄒᆞᄂᆞ뇨? ᄂᆡ 현ᄆᆡ의 양고모(養姑母)[984] 부인을 잠간 보니 이른바 언족이식비(言足以飾非)[985]오, 은악양션(隱惡佯善)이라. 반다시 조흔 ᄉᆞᄅᆞᆷ이 아니오, 독ᄉᆞ(毒邪) ᄉᆡ험(猜險)ᄒᆞ미 남다른 듯ᄒᆞ니, 일노조ᄎᆞ ᄉᆞ빈의 곤계와 현ᄆᆡ 등 블평ᄒᆞᆫ ᄉᆞ단이 만을가 념녀ᄒᆞ노라."

소져 답언이 나지 아냐 왈,

"존고 거쳐ᄂᆞᆫ 뎡병부 등이 아ᄂᆞᆫ 빈니, 이제 옥화산 조부의 계시ᄃᆡ, 기간 ᄉᆞ괴 만ᄒᆞ 존당과 양존고(養尊姑) 아지 못ᄒᆞ시ᄂᆞ니, 윤시랑 등이 ᄌᆞ당 거쳐을 알므로 평상무상(平常無狀)ᄒᆞ여 ᄉᆞ【50】람의 시비을 두리지 아닛ᄂᆞ니, 거거 소ᄆᆡ다려 뭇지 아니나 타일 윤부 ᄉᆞ고을 아르시리이다."

983)반첩여(班婕妤) : 중국 한(漢)나라 성제(成帝)의 후궁. 시가(詩歌)를 잘하여 성제의 총애를 받았으나 조비연(趙飛燕)에게 참소를 당하여 장신궁(長信宮)에 있으면서 부(賦)를 지어 상심을 노래하였다.
984)양고모(養姑母) : 의붓시어머니. 양(養)시어머니.
985)언족이식비(言足以飾非) : 교묘(巧妙)한 말이 자기(自己)의 나쁜 점(點)을 꾸미기에 넉넉함

만나던 변고를 존괴 야반의 당ᄒᆞ시게 되니, 뎡슉녈이 긔이ᄒᆞᆫ 신명으로 ᄉᆞ긔를 미리 짐작고 초인으로 존고의 젼형(全形)을 일워, 존괴 진실노 취운산으로 언연이 가시 ᄃᆞᆺᄒᆞ고, 존고ᄂᆞᆫ 즉시 옥화산 친당의 안거ᄒᆞ시ᄂᆞᆫ 연유와, 존당 이하로 윤부 샹ᄒᆡ 다 호표의게 ᄒᆡ를 보실시 젹실ᄒᆞᆫ 줄 《알고‖이르고》, 윤군의 형뎨ᄂᆞᆫ 짐즛 간인의 엿보ᄂᆞᆫ 의심을 막으려, 텬하ᄉᆞᄒᆡ의 쥬류ᄒᆞ여 ᄌᆞ당의 거쳐를 ᄎᆞᄌᆞ《라나려‖나서려》 ᄒᆞ니, 【11】 존당이 막아 왈, 너희 대ᄒᆡ의 부평초 ᄀᆞᆺ튼 어미를 위ᄒᆞ여 늙은 한미를 도라보지 아닛ᄂᆞᆫ다 ᄒᆞ샤, 윤태우 압ᄒᆡ셔 ᄌᆞ문키로 져히시니, 닷토다 못ᄒᆞ여 ᄀᆞᆺ치고, ᄆᆡ양 인간의 ᄌᆞ쳐죄인(自處罪人)ᄒᆞ나, 실노 그럴진ᄃᆡ 윤군 형뎨의 츌텬효로 언연(偃然)이 닙어셰ᄒᆞ리오' ○○[ᄒᆞ다].

하ᄉᆡᆼ이 윤부 허다 변고를 ᄃᆞᆺ고, 여신ᄒᆞᆫ 춍명이 위・뉴의 과악을 ᄭᆡᄃᆞ라, 쇼ᄆᆡ의 신셰와 윤ᄉᆡᆼ 등의 남다른 디통을 위ᄒᆞ여 ᄎᆞ셕ᄒᆞ여, 윤시의 위인을 츄이컨ᄃᆡ 소양(宵壤)이 블모(不侔)[1173]ᄒᆞ나 그 음ᄒᆡᆼ이 위・뉴의 ᄭᅵ친 여ᄆᆡᆨ이ᄆᆡ 그러ᄒᆞᆫ가 ᄒᆞ다가, 다시 ᄉᆡᆼ각ᄒᆞ니 쇼ᄆᆡ ᄒᆡᄒᆞ던 요인이 쵹(蜀)을【12】 못 취ᄒᆞ니 농(隴)[1174]을 엿보민가 ᄒᆞ여, 쳔ᄉᆞ만녜(千思萬慮) ᄇᆡᆨ츌ᄒᆞ여 디향치 못ᄒᆞ더라. 됴부인이 녀ᄋᆞ의 말을 ᄃᆞᆺ고 ᄀᆞᆺ득ᄒᆞᆫ 간장이 다 ᄌᆡ 되기를 면치 못ᄒᆞ더라.

날이 ᄇᆞᆰ으ᄆᆡ 하ᄀᆡᆨ이 작벌(作閥)[1175] 운집(雲集)ᄒᆞ니, 원ᄂᆡ 삼ᄒᆞᆨᄉᆞ의 참ᄉᆞᄒᆞ믈 아니 슬허ᄒᆞ리 업셔 형셰를 붓좃ᄂᆞᆫ 고로, 하공이 셔용(敍用)ᄒᆞ여 국공작위를 밧ᄌᆞᆸ고 부귀영통이 ᄉᆡ로오니, 만됴 거경이 문젼의 작벌운집ᄒᆞ니, 원억을 신셜ᄒᆞ믈 칭하ᄒᆞᄆᆡ 하공이

하ᄉᆡᆼ이 소ᄆᆡ의 바로 이르지 아니ᄒᆞᆫ[ᄒᆞ]ᄂᆞᆫ 눈치을 어이 모로리오. 우문(又問) ○[왈],

"ᄐᆡᄐᆡ 현ᄆᆡ을 구별지여(久別之餘)의 상봉ᄒᆞᄉᆞ 혈셩으로 무르시ᄂᆞᆫ 바의 엇지 답언이 모호ᄒᆞ뇨?"

소져 미소ᄒᆞ고, ᄒᆞᆫ갈 갓치 일신이 편ᄒᆞ므로 ᄃᆡ답ᄒᆞ나 엇지 그 심폐을 ᄉᆞ못지 못ᄒᆞ리오. 그윽이 념녀ᄒᆞ여 일ᄆᆡ의 평ᄉᆡᆼ이 불평ᄒᆞᆯ가 근심ᄒᆞ되, ᄯᅩᄒᆞᆫ 부모긔 이런 말숨을 고치 아니ᄒᆞ더라.

1173)불모(不侔) : '가지런하지 않다'는 말로, 차이가 크다는 뜻을 나타냄. 소양불모(宵壤不侔); 하늘과 땅처럼 큰 차이가 있음.

1174)농(隴) : 중국 진(秦) 한(漢) 때의 지명. 오늘의 감숙성(甘肅省). 득롱망촉(得隴望蜀); 농(隴)을 얻고 나니 촉(蜀)을 갖고 싶다는 뜻으로, 인간의 욕심이 끝이 없음을 이르는 말.

1175)작벌(作閥) : 떼를 지음. 집단을 이룸. 벌(閥); 특수한 세력이나 권력을 지닌 개인이나 집단.

요란ᄒᆞ믈 깃거 아냐, 다만 텬은을 일ᄏᆞ라 탄식하더라.

화셜 금평후 뎨삼ᄌᆞ 셰흥의 ᄌᆞᄂᆞᆫ 여ᄇᆡᆨ이니, ᄉᆡᆼ셩ᄒᆞ믈 각별 이상【13】이ᄒᆞ여, 늠늠ᄒᆞᆫ 신ᄎᆡ 일만 버들이 츈풍의 휘들고, 일쳔화신(花信)이 츈월의 발화(發花)ᄒᆞ여 고으믈 비양(飛揚)ᄒᆞᄂᆞᆫ 듯, ᄃᆞᆯ ᄀᆞᆺᄐᆞᆫ 텬졍(天庭)의 뉴셩(流星) ᄀᆞᆺᄐᆞᆫ 냥안(兩眼)이오, 와ᄌᆞᆷ봉미(臥蠶鳳眉)의 문명이 녕녕(盈盈)ᄒᆞ여, 츈화됴일(春花照日) ᄀᆞᆺᄐᆞᆫ 긔운이 쳔고영걸이라. 시년 십삼의 구각(軀殼)이 댱대ᄒᆞ여 팔쳑신댱이오, 원비(猿臂)[1176] 일외(逸腰)[1177]라. 겸ᄒᆞ여 문장ᄌᆡ홰(文章才華) 일셰의 독보ᄒᆞ여, 붓술 들ᄆᆡ 귀신을 울닐 ᄌᆡ죄 잇고, 셩되 상활ᄒᆞ여 츄슈(秋水)를 헷치며, 고집이 과격ᄒᆞ여 ᄒᆞᆫ번 뜻을 뎡ᄒᆞᄆᆡ 일쳔 쇠 ᄭᅳ어도 두로혀지 못ᄒᆞᄂᆞᆫ 픔질이라. 년과(年過) ᄉᆞ오셰로브터 호승이 ᄐᆡ과ᄒᆞ고, 능녀(凌厲) 신긔(神奇)ᄒᆞ미 ᄇᆡᆨ형 여풍이【14】로ᄃᆡ, 병부ᄂᆞᆫ 텬디○[지]량(天地之量)과 하히지심(河海之深)으로 여견만니(如見萬里)ᄒᆞᄂᆞᆫ 총명이 이시며, 됴심경 안광이 사ᄅᆞᆷ의 장부를 ᄢᅦ보나, 삼공ᄌᆞᄂᆞᆫ 과격 쥰녈ᄒᆞ여 분긔 발ᄒᆞᆫ 즉 젼후를 ᄉᆡᆼ각지 아니코, 활발호일ᄒᆞ여 두리고 것칠 거시 업ᄉᆞᆫ 듯ᄒᆞ고, 말ᄉᆞᆷ이 흐르ᄂᆞᆫ 듯ᄒᆞ여 언쇼(言笑)를 죵일 긋칠 ᄉᆞ이 업고, 사ᄅᆞᆷ을 ᄃᆡᄒᆞᆫ 즉 보ᄎᆡ고 욕ᄒᆞ기를 위듀(爲主)ᄒᆞ고, 브ᄃᆡ 결워 니긔고 긋치ᄂᆞᆫ디라. 만ᄉᆡ 슉셩ᄒᆞ여 평남후 아ᄅᆡ ᄒᆞᆫ 사ᄅᆞᆷ이니, 존당 슌태부인의 ᄉᆞ랑이 근근쳬쳬(懃懃棣棣)[1178]ᄒᆞ여 웃ᄂᆞᆫ 입을 주리디 못ᄒᆞ여, ᄀᆞᆯ오ᄃᆡ,

1176)원비(猿臂) : 원숭이의 팔이라는 뜻으로, 길고 힘이 있어 활쏘기에 좋은 팔을 이르는 말.

1177)일요(逸腰) : 늘씬한 허리.

1178)근근쳬쳬(懃懃棣棣) : 정성스럽고 은근함.

화셜 금평후 졔 ᄉᆞᆷᄌᆞ 셰흥의 ᄌᆞᄂᆞᆫ 예ᄇᆡᆨ이니, ᄉᆡᆼ셩ᄒᆞᆷ을 츌어범뉴(出於凡類)ᄒᆞ여 늠늠ᄒᆞᆫ 신ᄎᆡᄂᆞᆫ 일만 버들이 츈풍의 의의ᄒᆞ고, 일쳔화신(一千花信)이 츈월의 만발ᄒᆞ여 고으믈 비양(飛揚)ᄒᆞᄂᆞᆫ 듯, ○○○[ᄃᆞᆯ ᄀᆞᆺᄐᆞᆫ] 쳔졍(天庭)의 유셩(流星) 갓튼 양안(兩眼)이오, 《봉안‖와ᄌᆞᆷ봉미(臥蠶鳳眉)》의 문명(文明)이 영영(盈盈)ᄒᆞ여 쳔고영걸이라. 시년 십ᄉᆞᆷ의 언건ᄒᆞᆫ 위의와 늠늠ᄒᆞᆫ 신장이 팔쳑이오, 양비과슬(兩臂過膝)ᄒᆞ여 장부의 쳬위 늠연ᄒᆞ거날, 겸ᄒᆞ여 광박(廣博)ᄒᆞᆫ 문장 필법은 니두(李杜)[986] 종왕(鍾王)[987]의 녁슐 놀ᄂᆡᄂᆞᆫ지라. 셩졍이 씩씩엄숙ᄒᆞ며 상쾌활발ᄒᆞ여[고], 고집이 ᄐᆡ과ᄒᆞ여 마음을 ᄒᆞᆫ번 뎡ᄒᆞᆫ 즉 다시 곳치미 업ᄉᆞ니, 호호(浩浩)ᄒᆞᆫ 긔상과 탁탁(卓卓)ᄒᆞᆫ[988] 품질이 ᄇᆡᆨ형으로 방불ᄒᆞ나, 광명뎡ᄃᆡᄒᆞ믄 밋지 못ᄒᆞ여, 결증이 ᄐᆡ과ᄒᆞ여 노분이 발ᄒᆞ면 젼후을【51】혜지 아냐, 호일(豪逸)ᄒᆞ미[989] 두리고 거칠 거시 업셔, ᄉᆞᄅᆞᆷ을 보ᄎᆡ며 호승(好勝)[990] 결과(結果)ᄒᆞ여[991] ᄉᆞᄅᆞᆷ을 부ᄃᆡ 이긔고 긋치ᄂᆞᆫ지라. 존당 순ᄐᆡ부인의 과도ᄒᆞᆫ ᄉᆞ랑이 근근쳬쳬(懃懃棣棣)[992]ᄒᆞ며 보면 웃ᄂᆞᆫ입을 주리지 못ᄒᆞ고, 스ᄉᆞ로 ᄌᆞ랑ᄒᆞ여 왈,

986)니두(李杜) : 중국 당나라 때 시인 이백(李白: 701-762)과 두보(杜甫: 712~770)

987)종왕(鍾王) : 중국 위(魏)나라의 서예가 종요(鍾繇 : 151-230)와 진(晉)나라의 서예가 왕희지(王羲之 : 307-365)를 함께 이르는 말.

988)탁탁(卓卓)ᄒᆞ다 : 여럿 가운데서 뛰어나게 우뚝하다.

989)호일(豪逸)ᄒᆞ다 : 예절이나 사소한 일에 매임이 없이 호방하다.

990)호승(好勝) : 남과 겨루어 이기기를 좋아함.

991)결과(結果)ᄒᆞ다 : 일을 하기를 끝까지 하여 결말을 내다. 요절을 내다. 죽이다.

992)근근쳬쳬(懃懃棣棣) : 정성스럽고 은근함.

"나의 셰ᄋᆞᄂᆞᆫ 인듕신션(人中神仙)이오 됴듕난봉(鳥中鸞鳳)이라. 만ᄉᆡ【15】츌인ᄒᆞ니 텬흥의 아ᄅᆡ 잇디 아닐디라. 뎡문이 므ᄉᆞᆫ 복으로 다ᄉᆞᆺ 긔린이 개개히 비쇽ᄒᆞ니, 가도의 챵셩ᄒᆞ믈 가히 알디라. 엇디 아름답디 아니리오."

금휘 ᄃᆡ왈,

"다ᄉᆞᆺ ᄋᆞᄒᆡ ᄒᆞ나토 일ᄏᆞ를 힝ᄉᆡ 업ᄉᆞᄃᆡ, 블관ᄒᆞᆫ 풍신이 남다른 고로 보ᄂᆞ니 더욱 칭찬ᄒᆞ니, 셰ᄋᆞᄂᆞᆫ 더욱 방일ᄒᆞ여 소견의 쥬ᄒᆞᆫ 거시 업고, 어린 긔운이 사ᄅᆞᆷ을 침노ᄒᆞ여 욕ᄒᆞ기를 잘ᄒᆞ고 뎡대ᄒᆞ미 업셔 위인이 넘녀로오니, 혹ᄌᆞ 문호를 쳠욕ᄒᆞᆯ가 두리ᄂᆞ이다."

태부인이 블열ᄒᆞ여 왈,

"셰ᄋᆞ의 츌범ᄒᆞ미 우연ᄒᆞᆫ 남이라도 친ᄋᆡᄒᆞ려【16】든 너ᄂᆞᆫ 엇디 부ᄌᆞ텬뉸(父子天倫)으로 디식이 업셔 괴이ᄒᆞᆫ {괴이ᄒᆞᆫ} 말을 ᄒᆞᄂᆞ뇨?"

금휘 복슈 ᄃᆡ왈,

"ᄌᆞ졍이 텬ᄋᆞ 오인을 과도히 ᄌᆞᄋᆡᄒᆞ샤 그 단쳐(短處)를 모로시미니이다. 텬흥은 넘나며 방탕ᄒᆞ고, 나히 이귀(二九) 지나고 위ᄎᆡ 후ᄇᆡᆨ(侯伯)의 당ᄒᆞᄃᆡ ᄋᆞ쇼의 희ᄒᆡ(戲諧)를 면치 못ᄒᆞ고, ᄉᆡᆼ각ᄂᆞᆫ ᄇᆡ 쥬ᄉᆡᆨ 두 가디오 삼가미 업ᄉᆞ니, 가다듬아 뎡도의 나아간즉 춍명상쾌ᄒᆞ미 블인용우(不仁庸愚)ᄒᆞᆫ 뉴ᄂᆞᆫ 되디 아니ᄒᆞ리이다."

"세아ᄂᆞᆫ 인듕젹션(人中謫仙)이오, 조듕난봉(鳥中鸞鳳)이라. 오문이 무ᄉᆞᆷ 복으로 다셧 아ᄒᆡ 비범특이ᄒᆞ여 만고 영웅군ᄌᆞ로 ᄇᆡᆨᄒᆡᆼ(百行) 만ᄉᆞ(萬事)의 츌인ᄒᆞ미 타인의 지나니, 일노좃ᄎᆞ 오문이 창ᄒᆞ고 가되 흥ᄒᆞᆯ 바을 알니로다."

금휘 고왈,

"다셧 아ᄒᆡ 용우ᄒᆞ여 외모 추루키을 면ᄒᆞ여시나, ᄇᆡᆨᄒᆡᆼ의 ᄒᆞᆫ 일을 일카름 즉지 아니ᄒᆞ옵거ᄂᆞᆯ, 셰아ᄂᆞᆫ 더욱 방일(放逸) 허랑(虛浪)ᄒᆞ여 소견의 주ᄒᆞᆯ 거시 업고, 어린 긔운이 ᄉᆞ람을 침노ᄒᆞ여 욕ᄒᆞᆯ 분 아니라, 셩되 싀험(猜險) 과격(過激)ᄒᆞ여 온듕뎡ᄃᆡᄒᆞ미 업ᄂᆞᆫ지라. 이 아ᄒᆡ 위인이 만히 념녀로오니, 그윽이 근심ᄒᆞᄂᆞᆫ 바ᄂᆞᆫ 혹ᄌᆞ 문호을 쳠욕ᄒᆞᆯ가 두리ᄂᆞ이다."

ᄐᆡ부인이 불열 왈,

"셩되 ᄐᆡ과ᄒᆞ나 져의 위인이 츌어범뉴ᄒᆞ여 타인의 십ᄇᆡ승(十倍勝)이니, 우연ᄒᆞᆫ 남이○[라]도 칭ᄋᆡᄒᆞᆯ ᄇᆡ여날, 너ᄂᆞᆫ 부ᄌᆞ쳔뉸ᄌᆞᄋᆡ(父子天倫慈愛)로써 그 업ᄂᆞᆫ 단쳐을 ᄎᆡᆨᄒᆞᄂᆞᆫ요?"

금휘 ᄃᆡ왈,

"ᄐᆡᄐᆡ 쳔아 오형제을 과도히 ᄉᆞ랑ᄒᆞ시므로 그 단쳐을 모로시거니와, 텬흥은 넘나고 방탕ᄒᆞ여 나히 이구(二九)을 지나고 위ᄎᆡ 후ᄇᆡᆨ(侯伯)의 당ᄒᆞ여시되, 간간이 아소의 희ᄒᆡ(戲諧)을 면치 못ᄒᆞ고, 그 즁심의【52】ᄉᆡᆼ각ᄂᆞᆫ 거시 주ᄉᆡᆨ 두가지오, ᄉᆞᆷ갈 일이 업ᄉᆞᆸᄂᆞ니, 가다듬어 졍도의 도라간 즉 총명상쾌ᄒᆞ미 불인용우(不仁庸愚)ᄒᆞᆫ 뉴ᄂᆞᆫ 되지 아니려니와, 맛ᄎᆞᆷᄂᆡ 호방(豪放)을 주리잡지 못ᄒᆞᆯ진ᄃᆡ, 종시 ᄃᆡ군ᄌᆞ 무리의 나아가지 못ᄒᆞᆯ 거시오. 지어 셰아ᄒᆞ여ᄂᆞᆫ 활달ᄒᆞᆫ 거ᄉᆞᆫ 쳔아을 달마거니와, 원ᄃᆡᄒᆞᆫ 지식과 신명 특달은 열의 ᄒᆞ나흘 ᄯᆞ로기 어려오니, 굿ᄒᆞ여 문ᄒᆞᆨ으로는 써질 ᄇᆡ 업ᄉᆞ오나, 셩품이 과격쥰강(過激峻强)ᄒᆞ여 인후장ᄌᆞ(仁厚長者)의 관홍ᄒᆞ미 업셔, 비복이라도 제 쯧즐 어긘 즉 반다시 그 ᄉᆞᄉᆡᆼ을 도라보지 아니니, 무식광망(無識狂妄)ᄒᆞ미 귀쳔간 인명이 지듕ᄒᆞ믈 모

태부인이 니르ᄃᆡ,

“타일 졔ᄋᆞ의 영귀ᄒᆞ미 너의 밋출 ᄇᆡ 아니니 너모 ᄋᆞ히들을 언참(言讖)을 흉히 말나.”

ᄒᆞ더라.

셰흥 공ᄌᆡ 당【17】ᄒᆞᆫ 긔운을 츔아 죵용ᄒᆞ미 부젼 ○[쌘]이오, 금후의 ᄌᆞ최 밋디 아닌 곳의ᄂᆞᆫ 남ᄉᆡ 무궁ᄒᆞ여 튱텬댱긔를 능히 졔어치 못ᄒᆞ니, ᄉᆡᆨ욕이 됴동(早動)ᄒᆞ여 슈년브터 ᄃᆡ월누 창기 ᄉᆞ오인을 유졍ᄒᆞ여시며 가듕의 홍장시녀를 지ᄂᆡ보리 업ᄉᆞᄃᆡ, 능ᄃᆡ(能大)1179) 신긔ᄒᆞ미 금후 ᄀᆞᆺᄐᆞᆫ 부형을 오히려 긔이니, 여ᄎᆞ고로 ᄇᆞᄃᆡ 특이ᄒᆞᆫ 슉녀를 ᄀᆞᆯᄒᆡ여 셰흥의 가실을 삼고져 ᄒᆞᄂᆞᆫ디라 황친국쳑과 명공후ᄇᆡᆨ의 유녀ᄌᆞᄂᆞᆫ 뎡공ᄌᆞ의 풍신ᄌᆡ화를 흠앙ᄒᆞ여 구혼ᄒᆞ리 문졍의 몌여시ᄃᆡ 금휘 동셔로 밀막아 허락지 아니코【18】 ᄐᆡ부ᄒᆞᄂᆞᆫ 념네 일시 방하치 못ᄒᆞ더라.

하공이 별원의 오므로브터 금후 부ᄌᆡ 됴왕모ᄅᆡᄒᆞ여 아니 보ᄂᆞᆫ ᄯᆡ 업고, 하ᄉᆡᆼ이 금후 셤기미 슉친(熟親)1180) ᄀᆞᆺ치 ᄒᆞ고, 남후 등으로 더브러 피ᄎᆞ의 골육동긔 아니믈 ᄭᆡᄃᆞᆺ지 못ᄒᆞ여 금난교되(金蘭交道) 관포(管鮑)를 효측ᄒᆞ니, 냥가 졍분이 가지록 극진ᄒᆞ고, 진부인이 하공 부ᄌᆡ 뎡부의 오ᄂᆞᆫ ᄯᆡ를 타 별원의 니르러, 됴부인의 유한뇨됴(幽閑窈窕)ᄒᆞ미 언ᄉᆞ(言辭) 동용(動容)의 낫타나니, 진부인이 ᄀᆞ장 흠복ᄒᆞ며, 진부인의 단일 네듕ᄒᆞ미 ᄉᆞ군ᄌᆞ 녈댱부의 풍이라. 됴부인이 경복ᄒᆞ믈 마디아냐 두 부【19】인이 디긔상합ᄒᆞ여 골육 ᄌᆞᄆᆡ ᄀᆞᆺᄐᆞᆫ 의(誼) 비길 ᄃᆡ

1179)능ᄃᆡ(能大) : 일처리 하는 것이 매우 능함.
1180)슉친(熟親) : 오래 사귀어 친분이 아주 가까움. 또는 그런 사람.

로니, 엇지 념녀로온 위인이 아니리잇고?”

ᄐᆡ부인이 잠소 왈,

“지ᄌᆞ(知子)ᄂᆞᆫ 막여뷔(莫如父)라. ᄒᆞ거니와 너의 셰아 나모라 ᄒᆞ미 심ᄒᆞ니 노뫼 아쳐ᄒᆞ노라.”

금휘 함소무언이나, 부ᄌᆞ쳔뉸의 지극ᄒᆞᆫ ᄌᆞᄋᆡ로써 셰흥의 위인이 쾌활츌뉴ᄒᆞ믈 어[엇]지 두굿기지 아니리오마ᄂᆞᆫ, 그 발호ᄒᆞ믈 깃거아냐 《긔ᄉᆡᆼ‖긔ᄉᆡᆨ》이 엄숙ᄒᆞ여 미우의 셔리 ᄊᆞ려 묵묵무언(默默無言)ᄒᆞ고, 그 ᄒᆡᆼ동을 유심 출지ᄒᆞ고 일호 용셔ᄒᆞ미 업시 엄히 잡죄니, 공ᄌᆞ의 호상쾌활ᄒᆞ미나 부젼을 임ᄒᆞᆫ 즉 봉안이 ᄉᆡᆨ슬ᄒᆞ고 호흡이 나작ᄒᆞ니, 부젼을 써는 즉 거치며 두릴 거시 업셔, 수년 젼의 발셔 ᄃᆡ월누 창기 ᄉᆞ오인을 유졍ᄒᆞ여○○[시며] 가듕 홍장시녀(紅粧侍女)ᄂᆞᆫ 지【53】목ᄒᆞ리 업ᄉᆞᄃᆡ, 능ᄃᆡ(能大)993) 신긔ᄒᆞ여 금후 갓튼 ᄌᆞ상ᄒᆞᆫ 부형이 오히려 아지 못ᄒᆞ고, ᄆᆡ양 아ᄌᆞ 위인이 심상치 아니믈 보ᄃᆡ 특이ᄒᆞᆫ 숙녀을 갈희여 셰흥을 진압게 ○○○[ᄒᆞ고져] ᄒᆞᄂᆞᆫ지라. ᄎᆞ고로 황친국쳑과 명공거경의 구혼ᄒᆞ리 문졍의 메여시나, 금휘 동셔로 밀막아 허락지 아니코, ᄐᆡ부ᄒᆞᄂᆞᆫ 념녀 일시 방ᄒᆞ지 못ᄒᆞ더라.

하공이 별원의 오므로부터 금후 부ᄌᆞ 조왕모ᄅᆡᄒᆞ여 아니 보ᄂᆞᆫ ᄯᆡ 업고, 하ᄉᆡᆼ이 금후 셤기미 부친 갓치 ᄒᆞ고 남후 등으로 더부러 피ᄎᆞ 동긔에 졍을 다ᄒᆞ여 금난교되(金蘭交道) 관포(管鮑)을 효측ᄒᆞ니, 양가 졍분이 가지록 극진ᄒᆞ더라.

993)능ᄃᆡ(能大) : 일처리 하는 것이 매우 능함.

업고, 됴부인이 금평후와 남후의 텬디 ᄀᆞᆺᄐᆞᆫ 대은을 일ᄏᆞᄅᆞ니, 진부인이 실노 깃거 아냐 진짓 금평후의 ᄂᆡ상(內相)이러라.

하쇼제 ᄉᆡᆼ가의셔 샹경ᄒᆞᆫ 후, ᄉᆡᆼ양부모(生養父母) 셤기미 조금도 간격이 업셔, 협문으로 왕ᄂᆡᄒᆞ여 ᄀᆞ득ᄒᆞᆫ 졍셩이 ᄒᆞᆫ갈 ᄀᆞᆺᄐᆞ니, 금후 부부와 슌태부인이 년ᄋᆡᄒᆞ미 더으고, 하・뎡 냥가 남졍(男丁)이 나간 ᄢᅵ를 타 됴・진 냥부인이 셔로 왕ᄂᆡᄒᆞ여 일가 친쳑이 아니믈 ᄭᆡ돗디 못ᄒᆞᄃᆡ, 냥부인이 침믁(沈默)ᄒᆞᆫ 고로 친졀ᄒᆞᆫ 가온ᄃᆡ도 희롱되고 부잡(浮雜)ᄒᆞ미 업고, 됴부 【20】 인은 더욱 화란의 슬프미 심두의 ᄆᆡᆺ쳐, ᄆᆡ양 셕ᄉᆞ를 늣기고 즐기미 업더라.

이ᄢᅵ 국가의셔 경과(慶科)를 뎡ᄒᆞ여 인ᄌᆡ를 ᄲᆡ실ᄉᆡ, 금평후 부ᄌᆡ 하공을 권ᄒᆞ여 원광으로 장옥의 드려보ᄂᆡ니, 하공이 셕년의 삼ᄌᆡ 농방의 고등ᄒᆞ엿던 바로 그 시(時)를 상상ᄒᆞ여 됴달이 조믈의 써리ᄂᆞᆫ 바를 ᄉᆡᆼ각ᄒᆞ여 ᄋᆞᄌᆞ를 과장의 드릴 ᄯᅳᆺ이 업고, ᄉᆡᆼ이 문달을 구치 아냐 부귀를 헌신ᄀᆞᆺ치 넉이니 엇디 입과ᄒᆞ리오. 남휘 힘ᄡᅧ 권유 왈,

"공명부귀란 거시 조물의 작희ᄒᆞᆷ도 두립거니와, 원간 은거ᄒᆞᆫ 쳐ᄉᆞ와 ᄒᆞᆨ문의 유여ᄒᆞ니ᄂᆞᆫ【21】 등양(騰揚)을 못밋ᄂᆞᆫ 뉘, 각각 신슈(身數)와 상격(相格)을 타 나미라. ᄌᆞ의ᄂᆞᆫ 영귀지상(榮貴之相)으로 부귀영미(富貴榮美)ᄒᆞ므로ᄡᅧ 죵신영효(終身榮孝)를 구치 아니믄 원국(怨國)ᄒᆞᄂᆞᆫ 마ᄃᆡ ᄀᆞᆺᄐᆞ니, 닉이 ᄉᆡᆼ각ᄒᆞ여 입장츌셰(入場出世)1181)ᄒᆞ여 관일뎡튱(貫一貞忠)으로 나라ᄒᆞᆯ 돕ᄉᆞᆸ고, 타일 조각을 어더 망형의 원슈를 갑게 ᄒᆞ라."

1181)입장츌셰(入場出世) : 과장(科場)에 들어가 급제하여 출세함.

하소져 ᄉᆡᆼ가의셔 상경ᄒᆞᆫ 후 양가부모 셤기미 조곰도 간격이 업셔, 협문으로 왕ᄂᆡᄒᆞ여 가득ᄒᆞᆫ 졍이 ᄒᆞᆫ갈갓트니, 금후 부부와 슌ᄐᆡ부인이 연ᄋᆡᄒᆞ미 더으고, 하・뎡 양가 남졍(男丁)이 나간 ᄢᅵ을 타, 조・진 양부인이 셔로 왕ᄂᆡᄒᆞ여 일가친쳑 아니믈 ᄭᆡ닷지 못ᄒᆞ되, 조부인은 화란의 슬푸미 심곡의 ᄆᆡᆺ쳐 ᄆᆡ양 셕ᄉᆞ을 늣기고 즐기미 업더라.

ᄎᆞ시 조졍의셔 경과(慶科)을 셜ᄒᆞ여 인ᄌᆡ을 ᄲᆡ실 ᄉᆡ, 금평후 부ᄌᆡ 하공을 권ᄒᆞ여 원광으로 장옥의 드려 보ᄂᆡ니, 하공○[이] 셕년의 ᄉᆞᆷᄌᆞ 고등ᄒᆞ엿든 바을 상상ᄒᆞ여, 조달이 조물이 써리ᄂᆞᆫ 바을 ᄉᆡᆼ각ᄒᆞ여, 아ᄌᆞ을 과장의 드릴【53】 ᄯᅳᆺ지 업고, ᄉᆡᆼ이 문달을 구치 아냐 부귀을 헌신 갓치 녁이니, 엇지 입과ᄒᆞ리오. 남휘 험[힘]ᄡᅧ 권왈,

"공명부귀 조물의 작희ᄒᆞᆷ도 두렵거니와, ᄒᆞᆨ문이 유여ᄒᆞ여도 등양ᄒᆞ믈 엇지 못ᄒᆞᄂᆞᆫ 뉴ᄂᆞᆫ 각각 상뫼 궁유(窮儒) 한ᄉᆞ(寒士)로 늘글 골격이어ᄂᆞᆯ, ᄌᆞ여ᄂᆞᆫ 조달영귀ᄒᆞᆯ 상이오, 진짓 유명만셰(有名萬世)ᄒᆞᆯ 골격이라. 강ᄒᆞᄃᆡᄌᆡ(江河大才)을 복듕의 감초며 안민뎡국(安民靖國)ᄒᆞᆯ 덕화을 두어 만일 몸이 쳥운의 오른 즉, 니음양순ᄉᆞ시(理陰陽順四時)ᄒᆞᄂᆞᆫ ᄌᆡ상이 되리니, 하고로 과장의 불츰ᄒᆞ여 울젹ᄒᆞᆫ 셔ᄉᆡᆼ이 되기을 달게 녁이리오. 형이 셕ᄉᆞ을 츄렴ᄒᆞ고 화란을 비상ᄒᆞ여 문달을 불구(不求)ᄒᆞ거니와, 쳔젼[졍](天定)ᄒᆞᆫ 운수와 당당ᄒᆞᆫ 팔ᄌᆞ을 도망키 어려우니, ᄉᆞ름의 ᄉᆞᄉᆡᆼ이 과장(科場)의 달이지 아녓ᄂᆞᆫ지라. 혹ᄉᆞ ᄉᆞᆷ인이 유ᄉᆡᆼ으로 잇셔도 임의 팔ᄌᆡ 그릇ᄒᆞᆫ 후ᄂᆞᆫ 능히 화익을 버셔날 길이 업ᄉᆞ니, 지ᄂᆞᆫ 일은 ᄉᆡᆼ각지 말고, ᄌᆞ의 스ᄉᆞ로 ᄡᅧ 과장의 나아가 계지(桂枝) 쳥ᄉᆞᆷ(靑衫)으로 영친ᄒᆞᄂᆞᆫ 도리 올코, 혹ᄉᆞ ᄉᆞᆷ형의 원슈을 갑

하공 부ᄌᆡ 그러히 녁이나 맛ᄎᆞᆷᄂᆡ 깃거 아니커ᄂᆞᆯ 남휘 다시금 극진 녁권ᄒᆞ니, 하공이 ᄋᆞᄌᆞ를 장옥의 드러가라 ᄒᆞ고, 뎡부의셔 유흥과 필흥은 어리므로 셰흥만 응과ᄒᆞ니, 하·뎡 냥ᄉᆡᆼ이 ᄒᆞᆫ가지로 드러가 {슈다} 만인다ᄉᆞ(萬人多士) ᄀᆞ온ᄃᆡ 글졔를 보ᄃᆡ, ᄃᆡ을 의ᄉᆡ 업셔【22】 한유ᄒᆞ다가 시긱이 느ᄌᆞ믈 보고 냥인이 명지(名紙)1182)를 펴고 ᄎᆡ필을 드러 휘쇄(揮灑)1183)ᄒᆞ니, 평ᄉᆡᆼ아ᄌᆡ필유용(平生雅才必有用)1184)이라. 댱강(長江)이 호호ᄒᆞ여 쳔니(千里)를 터바린 ᄃᆞᆺ, 챵뇽(蒼龍)이 셔리고 난봉이 춤추ᄂᆞᆫ ᄃᆞᆺ, 경긱의 휘필ᄒᆞ여 죵ᄌᆞ를 주어 밧치라 ᄒᆞ고, 셔로 ᄃᆡᄒᆞ여 하ᄉᆡᆼ은 셰흥의 ᄌᆡ조를 칭찬ᄒᆞ고, 셰흥은 하ᄉᆡᆼ의 웅문대ᄌᆡ를 경복ᄒᆞᄂᆞᆫ ᄃᆞᆺ 스ᄉᆞ로 등공(騰空)ᄒᆞ여 몸이 쳥운의 비등ᄒᆞ여 경악의 근시키를 바라거ᄂᆞᆯ, 하ᄉᆡᆼ이 그 과욕을 웃더라.

이날 샹이 태학의 ᄒᆡᆼᄒᆡᆼ(行行)ᄒᆞ샤 졔시관을 거나려 글을 ᄲᆞ노실ᄉᆡ, 황야의 인ᄌᆡ 바라시미 대한【23】의 운예(雲霓) ᄀᆞᆺ튼더라. 화ᄃᆡ(花帶)1185) 쳥삼(靑衫)을 ᄃᆡ후(待候)ᄒᆞ

1182)명지(名紙) : 시지(試紙). 과거시험에 쓰던 종이.
1183)휘쇄(揮灑) : ≒휘호(揮毫). 붓을 들어 글씨를 쓰거나 그림을 그림.
1184)평ᄉᆡᆼ아ᄌᆡ필유용(平生雅才必有用) : 평생 닦은 재주는 반드시 쓸모가 있다.
1185)화ᄃᆡ(花帶) : 계화(桂花)와 옥대(玉帶).

ᄂᆞᆫ 쯧지 올흘지니, 이졔 일수을 혜아리미 위ᄉᆡ 초왕을 ᄒᆞ마 나리ᄒᆞᆯ 거시로ᄃᆡ, 지금 긔쳑 업ᄉᆞ니 반드시 초왕을 순히 잡지 못ᄒᆞᆯ 분 아냐 반ᄉᆞᆼ(叛狀)이 업지 아니리니, 이 ᄶᅴ을 타 ᄌᆞ의 등양(登揚)ᄒᆞ고 ᄌᆞ원청병(自願請兵)ᄒᆞ여 호국의 나라가 반역을 문죄ᄒᆞ리니, 흉인의 간담【55】을 ᄶᅦ혀 영형(令兄) 원ᄉᆞ지ᄇᆡᆨ(寃死之魄)을 위로ᄒᆞ고 골육의 ᄉᆞ못ᄂᆞᆫ 원슈을 갑흐미 올치 아니리오.”

하ᄉᆡᆼ이 ᄭᆡ다라 왈,

“소졔의 용우둔ᄌᆡ(庸愚鈍才)로써 비록 《광장‖과장(科場)》의 참녜ᄒᆞ나 등양ᄒᆞᆯ 줄 바라지 못ᄒᆞ거니와, 형의 가르치미 이갓트니 엇지 밧드지 아니리오.”

금휘 ᄌᆡ권ᄒᆞ고 하공이 병부의 말을 올히 녁여 아ᄌᆞ을 입장ᄒᆞ라 ᄒᆞ니, ᄉᆡᆼ이 승명ᄒᆞ여 과구(科具)을 출혀 입장ᄒᆞᆯ ᄉᆡ, 뎡부의셔 유흥 필흥은 년유ᄒᆞᆫ 고로 셰흥이 ᄒᆞᆯ노 입과ᄒᆞ니, 하·뎡 양○[ᄉᆡᆼ]이 ᄒᆞᆫ가지로 장옥의 나아가 수만다ᄉᆞ(數萬多士)을 보아 《쳔우‖젼(殿) 우994)》을 ᄉᆞᆯ펴 졔(題)을 보미, 지필(紙筆)을 들 《을ᄉᆡ‖의ᄉᆡ》 업더니, 글을 ᄌᆡ촉ᄒᆞᄂᆞᆫ 북이 세 번 동ᄒᆞ미, 양인이 조희을 펴고 산호필을 드러 일필휘지ᄒᆞ니 《문‖무》불가졈(無不加點)이라. 임의 투필(投筆)ᄒᆞ미 시권을 말아 종ᄌᆞ로 밧치라 ᄒᆞ고, 셔로 익그러 두로 귀경ᄒᆞᆯ ᄉᆡ, 뎡공ᄌᆡ 스ᄉᆞ로 등양ᄒᆞ기을 죄오니, 하ᄉᆡᆼ이 그 과욕이 심ᄒᆞ믈 실소(失笑)ᄒᆞ더라.

ᄎᆞ일 황상이 ᄒᆞᆨ소(學所)995)의 어림(御臨)996)ᄒᆞᄉᆞ 졔신의 ᄲᆞ노아 올니ᄂᆞᆫ 시권을 다 어람ᄒᆞ시ᄃᆡ, 쳔의에 합ᄒᆞᆫ 문ᄌᆡ을 보지 못ᄒᆞ시니 셩의 불예ᄒᆞ시더니, ᄎᆈ후의 승상 구듄(寇準)997)이 두장 시권을 탑하의 드려

994)우 : 위. 어떤 기준보다 더 높은 쪽.
995)ᄒᆞᆨ소(學所) : 학교가 있는 곳.
996)어림(御臨) : 임금이 자리에 참석함.
997)구듄(寇準) : 961-1023. 중국 송나라 진종 때의 정치가. 자는 평중(平仲). 재상에 올랐고, 내국공

샤 어젼의 노흐시고, 시관의 올니는 글을 어람ᄒᆞ샤 셩의예 가합(可合)ᄒᆞᆫ 지죄 업ᄉᆞ니, 텬심이 블예ᄒᆞ시더니, 최후의 승샹 구쥰(寇準)1186)이 두 댱 시권을 농상 하의 헌ᄒᆞ고, ○○[쥬왈],

"득인ᄒᆞ시믈 하례ᄒᆞᄋᆞᆸᄂᆞ니, 이 두 글이 고하를 뎡키 {어}어렵도소이다. 그러나 ᄒᆞᆫ 댱은 안민뎡국지ᄌᆡ(安民靖國之才)를 가져 셩현도혹이 빈빈ᄒᆞ고, ᄒᆞ나흔 문치 발월ᄒᆞ여 영쥰호걸의 긔상이니, 텬감이 살피샤 고하를 뎡ᄒᆞ실소이다."

샹이 두 댱 글을 어람ᄒᆞ시미 몬져 그 필획이 찬난ᄒᆞ여 만니의 챵농이 셔리고,【24】 시의(詩意) 웅건(雄建) 청월(淸越)ᄒᆞᆯ ᄲᅮᆫ 아니라, 쳡쳡ᄒᆞᆫ 문한이 은하만니(銀河萬里)의 것칠 거시 업고, ᄒᆞ나흔 공ᄆᆡᆼ의 도덕을 젼쥬(專主)ᄒᆞ고 ᄒᆞᆫ 댱 시권은 영걸쥰격이 글 우희 낫타나니, 셩의 대열ᄒᆞ샤 친히 어필노 댱원(壯元)과 탐화(探花)를 ᄡᅳ시고 ᄎᆞ례로 ᄭᅩ노샤 슈를 ᄎᆡ와 방을 ᄲᅥ히시니, 젼두관이 길게 소ᄅᆡᄒᆞ여 댱원은 호쥬인 하원광이니 년이 십칠이오, 부는 젼임 병부상셔 겸 문연각 태혹ᄉᆞ 뎡국공 진이라 브르는 소ᄅᆡ 셰번의, 일위 쇼년이 만인총듕(萬人叢中)의 츄창(趨蹌)1187)ᄒᆞ여 옥계하의 응명ᄒᆞ미, 풍광이 동인(動人)ᄒᆞ여 강산의 츌뉴【25】ᄒᆞᆫ 졍긔오, 너른 텬졍(天庭)은 망월(望月)이 두렷ᄒᆞ미오, 셜빈(雪鬢)1188)은 ᄇᆡᆨ년(白蓮)을 ᄭᅩᄌᆞᆺ고, 단ᄉᆞ쥬슌(丹砂朱脣)은 혈긔 방광(放光)ᄒᆞ니, 신댱이 팔쳑오촌(八尺五寸)이오, 원비(猿臂) 과슬(過膝)ᄒᆞ며 대인긔상이오, 댱부위풍이라. 졔셰안민지ᄌᆡ(濟世安民之才)는 흉듕의 픔엇고, 놉흔 격됴와 ᄲᅢ혀난 신ᄎᆡ○[는] 셰ᄃᆡ○[의] 독보ᄒᆞ니, 경운화풍지 왈,

"이 두장 글이 족히 쳔의에 인지 ᄲᅢ히시믈 위로ᄒᆞ올지라. 신이 능히 우열을 뎡치 못ᄒᆞᄋᆞᆸᄂᆞ니 폐히 명츌ᄒᆞ소셔."

상이 두장 글을 어람ᄒᆞ시미 몬져 필획이【56】 찬난ᄒᆞ여 난봉이 춤추는 듯 의식 웅건(雄建) 청월(淸越)ᄒᆞᆯ 분 아니라, 쳡쳡ᄒᆞᆫ 문장이 은하만니의 거칠 거시 업고, ᄒᆞᆫ장은 공ᄆᆡᆼ도덕(孔孟道德)이 온젼ᄒᆞ고, ᄒᆞᆫ장은 영웅풍격(英雄風格)이 《ᄒᆞᆫ‖글》 우희 나타나니, 상이 친히 장원(壯元)○[과] 탐화(探花)로 ᄎᆞ례을 뎡ᄒᆞᆫ 후 비봉을 쎠혀 호명ᄒᆞ니, 《젼주관‖젼두관(殿頭官)》이 소ᄅᆡ을 놉혀 왈, '호주인 하원광의 년이 십칠이오, 부는 젼임 형부상셔 문연각 ᄐᆡ혹ᄉᆞ 뎡국공 하진이라' 호명ᄒᆞ기을 세 번의, 일위 소년이 만인 듕을 헛쳐 츄창ᄒᆞ여 옥계의 다다르니, 동탕ᄒᆞᆫ 풍치와 쇄락ᄒᆞᆫ 긔상이 쳔고일인이라. 흉듕의 졔셰안민지칙(濟世安民之策)과 안방뎡국지슐(安邦定國之術)을 품어 흡흡ᄒᆞᆫ 도덕셩ᄒᆡᆼ이 셩현지풍을 니어 ᄃᆡ군ᄌᆞ 틀을 겸ᄒᆞ엿시니, 쳔안이 ᄃᆡ열ᄒᆞᄉᆞ 탑젼의 올녀 계화(桂花)을 친히 ᄭᅩᄌᆞ시고 옥ᄃᆡ아홀(玉帶牙笏)과 청삼(靑衫)을 주시고 니르ᄉᆞ 왈,

1186)구쥰(寇準) : 961-1023. 중국 송나라 진종 때의 정치가. 자는 평중(平仲). 재상에 올랐고, 내국공(萊國公)에 봉작되었다.

1187)츄창(趨蹌) : 예도(禮度)에 맞게 허리를 굽히고 빨리 걸어감.

1188)셜빈(雪鬢) : 살쩍밀이. 망건을 쓸 때에 귀밑머리를 망건 속으로 밀어 넣는 물건. 대나무나 뿔로 얇고 갸름하게 만든다.

(萊國公)에 봉작되었다.

상(慶雲和風之相)과 태산암암지용(泰山巖巖之容)이며 군ᄌᆞ대현(君子大賢)의 틀을 가져, 바라미 의의(儀儀)ᄒᆞ여[1189] 약년쇼ᄌᆞ(弱年小子)의 화지용(花之容) 뉴지풍(柳之風)으로 닉도ᄒᆞ니, 텬안이 댱원을 보시미 흡연이 깃븐 빗출 여르시니, 젼ᄌᆞ의 하원광을 긔특이 녁이시미라. 국가의 동냥지지(棟樑之材) 어드시믈 환열ᄒᆞ샤, 【26】 즉시 뎐의 올녀 옥ᄃᆡ(玉帶) 아홀(牙笏)과 계화(桂花) 쳥삼(靑衫)을 주실시, 일ᄏᆞ라 ᄀᆞᆯ오ᄉᆞᄃᆡ,

"산고옥츌(山高玉出)이오 히심츌쥐(海深出珠)니 하진의 싱지 엇디 비상치 아니리오. 경의 특이ᄒᆞ미 죡히 타인의 십ᄌᆞ를 블워 아닐디라. 딤이 젼일 실덕을 뉘웃는 듕이나, 경부(卿父)의 유복ᄒᆞ믈 위ᄒᆞ여 깃거ᄒᆞ노라."

ᄒᆞ시니, 만됴문뮈 샹교(上敎)로 좃ᄎᆞ 일시의 만셰를 블너 득인ᄒᆞ시믈 하례ᄒᆞ고, 눈을 ᄡᅩ아 하댱원의 동탕(動蕩)ᄒᆞᆫ 신광을 뉘 아니 흠복ᄒᆞ리오. 댱원이 계지쳥삼(桂枝靑衫)으로 옥계의 나려 팔빅ᄒᆞ여 셩은을 샤은ᄒᆞ니, 동용녜졀이며 녜의 【27】 도학이 빈빈ᄒᆞ니, 군젼의 대례를 반싱을 닉인지라도 이의 더으지 못ᄒᆞᆯ디라.

상이 어슈로ᄡᅧ 친히 쟝원의 손을 잡으샤 츄연이 옥음을 나리와, ᄀᆞᆯ오샤ᄃᆡ,

"딤이 셕ᄌᆞ의 블명ᄒᆞ여 실덕이 ᄌᆞ못 태심ᄒᆞ여, 여형 삼인이 비명참ᄉᆞᄒᆞ니 이졔 츄회ᄒᆞ나 밋지 못ᄒᆞ고, 만ᄃᆡ의 블명ᄒᆞᆫ 시비를 면치 못ᄒᆞ려니와, 딤이 다시 경가로ᄡᅧ 원억ᄒᆞ미 업게 ᄒᆞ리니, 경은 군신의 경이 부ᄌᆞ로 다르미 업게 ᄒᆞ라."

언파의 지삼 츄회(追悔) 블낙(不樂)ᄒᆞ시니, 하댱원이 ᄎᆞ시를 당ᄒᆞ미 심담이 붕【28】널ᄒᆞ여, 브복ᄒᆞ여 샹교를 듯ᄌᆞ오미 감히

1189)의의(儀儀)ᄒᆞ다 : 의용이 아름답고 덕이 있는 모양.

"우리 군신이 이졔 만나미 ᄡᅥᆨ 느즌지라. 여형 슴인이 흉인의 간츰(姦讒)으로 말미암어 원억 츰ᄉᆞᄒᆞ고, 경뷔 은ᄉᆞ을 좃ᄎᆞ 상경ᄒᆞ미 짐이 불명 박덕을 뉘웃고, 금일 ᄯᅩ 너을 보니 산고옥출(山高玉出)이오 히심출쥐(海深出珠)라. 하경의 싱ᄒᆞᆫ 빅 엇지 비상치 아니며, 너의 특이ᄒᆞ미 족히 타인의【57】 십ᄌᆞ을 당ᄒᆞᆯ지라. 짐이 셕년 실덕을 뉘웃는 듕이나, 여부(汝父)의 유복ᄒᆞ믈 위ᄒᆞ여 깃거ᄒᆞ노라."

만죄(滿朝) 일시의 만세을 불너 득인ᄒᆞ시믈 하례ᄒᆞ고, 눈을 쏘아 장원의 동탕(動蕩)ᄒᆞᆫ 신광을 뉘아니 흠복ᄒᆞ리오. 장원이 계화쳥ᄉᆞᆷ(桂花靑衫)으로 옥계의 나려 팔빅 ᄉᆞ은ᄒᆞ니, 동용녜졀이 규구(規矩)의 합도(合道)ᄒᆞ여 녜의 빈빈ᄒᆞ니, 군젼의 ᄃᆡ례을 반싱을 익이나 이의 더으지 못ᄒᆞᆯ지라.

상이 옥비의 어온을 친히 잡으ᄉᆞ 권ᄒᆞ시니 성은이 융융ᄒᆞᆫ지라. 장원이 밧ᄌᆞ와 거후르미 비록 슴형의 원ᄉᆞ을 슬허ᄒᆞ나, 쳔은의 늉듕ᄒᆞ시믈 감은각골ᄒᆞ더라.

비식을 낫토디 못ᄒᆞ여, 오딕 지비 샤은ᄒᆞᆯ 쎈이라. 샹이 옥비의 어온을 친히 잡으샤 권ᄒᆞ시며, ᄀᆞᆯ오샤ᄃᆡ,

"일노 츄이ᄒᆞ여 ᄉᆡᆼ각ᄒᆞᄆᆡ 경부의 튱의(忠義) 딕빅(直白)ᄒᆞ므로 후ᄉᆞ(後嗣)를 복멸(覆滅)치 아니믈 ᄭᅵ닷ᄂᆞ니, 경은 딤을 어지리 도아 국가를 보익ᄒᆞ믈 바라노라."

댱원이 ᄇᆡ슈(拜受) 계슈(稽首)ᄒᆞ여 황은을 슉샤(肅謝)ᄒᆞ고, 버거 ᄎᆞ례로 브르시니 탐화(探花)ᄂᆞᆫ 금평후의 뎨삼ᄌᆞ 셰흥이라. 탑하의 츄진ᄒᆞᄆᆡ 동탕ᄒᆞᆫ 긔상은 긔린(麒麟)이 교야(郊野)의 나리고, 발월ᄒᆞᆫ 풍신은 침향뎐(沈香殿)[1190] 샹【29】의 쳥평ᄉᆞ(淸平詞)[1191] 짓던 니쳥년(李靑蓮)[1192]이 아니면 양쥬(楊州) 노샹(路上)의셔 귤(橘)을 탐ᄒᆞ던 두샤인(杜舍人)[1193]이라. 쳔만다ᄉᆞ ᄀᆞ온ᄃᆡ 호호히 ᄲᅥ혀나니 ᄒᆞ나흔 츄텬(秋天)의 계슈(桂樹) ᄀᆞᆺ고, ᄒᆞ나흔 삼츈(三春) 화시(花時) ᄀᆞᆺᄐᆞ니, 영풍쥰골이 쳔만듕 ᄲᅥ혀나 태을진인(太乙眞人)[1194]이 운니(雲裏)의 ᄇᆡ회ᄒᆞ며, 니빅(李白)이 침향뎐(沈香殿) 취ᄒᆞᆫ 풍ᄎᆡ라도 이ᄀᆞᆺ지 못ᄒᆞᆯ디라.

1190)침향뎐(沈香殿) : 중국 서안(西安)에 있는 당(唐) 현종(玄宗)의 별궁(別宮)인 화청궁(華淸宮) 내의 한 전각.

1191)청평ᄉᆞ(淸平詞) : 당 현종이 양귀비를 데리고 침향전에서 모란을 구경하다가 이백을 불러 짓게 해, 즉석에서 지어 바쳤다는 악부시(樂府詩) 3수.

1192)니청년(李靑蓮) : 중국 당나라 때의 시인 이백(李白)의 호(號). 701~762. 자는 태백(太白). 호는 청련거사(靑蓮居士). 칠언 절구에 특히 뛰어났으며, 이별과 자연을 제재로 한 작품을 많이 남겼다. 현종과 양귀비의 모란연(牧丹宴)에서 취중에 <청평조(淸平調)> 3수를 지은 이야기가 유명하다. 시성(詩聖) 두보(杜甫)에 대하여 시선(詩仙)으로 칭하여진다. 시문집에 ≪이태백시집≫ 30권이 있다.

1193)두샤인(杜舍人) : 중국 만당(晩唐)때 시인 두목지(杜牧之). 이름은 두목(杜牧). 중서사인(中書舍人)에 올랐고, 중국의 대표적 미남자로 꼽힌다.

1194)태을진인(太乙眞人) : =태을성군(太乙星君). 음양가에서, 북쪽 하늘에 있는 별인 태을성(太乙星)의 성군(星君)으로면서 병란·재화·생사 따위를 맡아 다스린다고 하는 천상선관(天上仙官).

탐화을 호명ᄒᆞᆯ ᄉᆡ ᄒᆡ쥬인(海州人)[998] 뎡셰흥이 년이 십ᄉᆞᆷ이오, 부ᄂᆞᆫ 금평후 ᄃᆡᄉᆞ도 뎡현이라. 호명 ᄉᆞᆷᄎᆞ의 일위소년이 옥계의 츄진ᄒᆞ니 젼상젼ᄒᆡ 일시의 눈을 들ᄆᆡ, 믄득 쳔고영걸이오 셰ᄃᆡ무젹이니, 신장이 언건ᄒᆞ여 팔쳑 경윤의 두렷ᄒᆞᆫ 면모ᄂᆞᆫ, 츄월이 광텬(光天)ᄒᆞ고 ᄇᆡᆨ일(白日)이 승쳔(昇天)ᄒᆞᆫ 듯, 호호발양ᄒᆞ여 ᄐᆡ산을 넘쒸ᄂᆞᆫ 듯, 늠늠쇄락(凜凜灑落)ᄒᆞ여 구쳔(九天)[999]을 괴오ᄂᆞᆫ 듯, 먼니셔 나아오ᄆᆡ 창뇽(蒼龍)이 여의쥬을 먹음어 구름을 멍에ᄒᆞ여 하날의 오르ᄂᆞᆫ 듯, 갓가이 나아오ᄆᆡ 어위ᄎᆞᆫ 긔상과 늠연ᄒᆞᆫ 골격이 만고의 드믄 영걸이라. 쳔심이 경동희열ᄒᆞᄉᆞ 뎐의 올녀 어화청ᄉᆞᆷ과 어주을【58】ᄉᆞ급ᄒᆞ사 성춍의 늉늉ᄒᆞ시미 하장원의 나리미 업더라. 셰흥 이ᄒᆞ 모든 신ᄂᆡ을 젼의 올녀 ᄇᆡᆨ단 유희ᄒᆞᆯᄉᆡ, 장원은 유희 듕이나 동용과 네뫼 삼엄ᄒᆞ고, 뎡탐화ᄂᆞᆫ 화ᄃᆡ청ᄉᆞᆷ으로 ᄉᆞ주(賜酒)을 거후르ᄆᆡ 젼의 나려 숙ᄉᆞ(肅謝) 후, 유희을 당ᄒᆞ여ᄂᆞᆫ 남다른 호긔을 장축(藏縮)지 못ᄒᆞ니, 진퇴 유희의 쾌활ᄒᆞ미 나타나니, 젼상젼ᄒᆞ의 보ᄂᆞᆫ 눈이 양

---

998)ᄒᆡ쥬인(海州人) : 정세흥의 본관을 해주정씨로 설정한 사실은 해주정씨가 황해도 해주를 관향(貫鄕)으로 하고 있고, 시조 정숙(鄭肅) 또한 신라 육촌(六村)의 하나인 진지촌장(珍支村長) 지백호(智伯虎)의 후손이라는 점에서, 이 소설의 한국적 소재의 하나로 주목된다. <낙본>은 정세흥의 만형인 정천흥의 관향을 태주(泰州; 중국 강소성江蘇省에 있는 도시)로 설정해놓고 있다(5권 62쪽).

999)구천(九天) : 하늘을 아홉 방위로 나누어 이르는 말. 중앙을 균천(鈞天), 동쪽을 창천(蒼天), 서쪽을 호천(昊天), 남쪽을 염천(炎天), 북쪽을 현천(玄天)이라 하고 동남쪽을 양천(陽天), 서남쪽을 주천(朱天), 동북쪽을 변천(變天), 서북쪽을 유천(幽天)이라 한다.

날이 져믈ᄆᆡ 어개 환궁ᄒᆞ실ᄉᆡ, 여러 신ᄂᆡ(新來)를 년(輦) 알패 셰오시고 도라가시니, 하당원으로 듕셔샤인 한님ᄒᆞᆨᄉᆞ를 ᄒᆞ이시고 뎡탐화로 츈방ᄒᆞᆨᄉᆞ를 ᄒᆞ이시니, 하당원이 딘정으로 벼술을 샤양ᄒᆞ여 ᄉᆞ군보국ᄒᆞᆯ【30】 ᄌᆡ죄 업ᄉᆞ믈 쥬ᄒᆞ니 샹이 블윤ᄒᆞ시고, 뎡탐화ᄂᆞᆫ 샤양ᄒᆞᆯ 뜻이 업ᄉᆞ나 부공이 고샤치 아니믈 ᄎᆡᆨᄒᆞ실가 두려 나히 어리고 쇼ᄒᆞᆨ이 젼무ᄒᆞ여 ᄃᆡᆨ임을 출힐 길 업ᄉᆞ믈 주ᄒᆞ여 십년 말ᄆᆡ를 청ᄒᆞ니, 샹이 우어 ᄀᆞᆯᄋᆞ샤ᄃᆡ,

“ᄌᆡ조ᄂᆞᆫ 년치노쇼(年齒老少)로 가디 아닛ᄂᆞ니, 딤이 너의 ᄌᆡ조를 임의 아ᄂᆞ니 엇디 브졀업시 샤양ᄒᆞᄂᆞ뇨? 여형 등이 다 십삼의 등양ᄒᆞ여 ᄉᆞ군찰ᄃᆡᆨᄒᆞᄃᆡ ᄇᆡᆨ힝의 하ᄌᆞᄒᆞᆯ 거시 업고, 니어 텬흥은 문무의 대용(大用)ᄒᆞ니, 너의 위인이 여형과 방블ᄒᆞᆫ디라. 딤이 뎡히 깃거【31】ᄒᆞ거ᄂᆞᆯ 엇디 십년을 허ᄒᆞ리오.”

ᄒᆞ시니, 탐화의 샤양이 딘정이 아니라.

즉시 샤은ᄒᆞ고 인ᄒᆞ여 환궁의 호가(扈駕)ᄒᆞ여 힝ᄒᆞᆯᄉᆡ, 문무반녈이 정정졔졔히 호위ᄒᆞ고 여러 신ᄂᆡ 계화청삼으로 금안ᄇᆡᆨ마(金鞍白馬)의 허다 츄죵이 젼ᄎᆞ후옹(前遮後擁)ᄒᆞ여 대로의 압셔 환궁ᄒᆞ신 후, 당원이 방하를 거ᄂᆞ려 어화청삼으로 부듕의 도라와 친젼의 ᄇᆡ알ᄒᆞ니, 두굿기고 아름다오믈 니ᄀᆡ지 못ᄒᆞᄃᆡ, 셕년 삼ᄌᆡ 일방의 고등ᄒᆞ여 부듕의 도라오ᄆᆡ 한업시 즐기던 바를 ᄉᆡᆼ각ᄒᆞ니, 심장이 썩거지ᄂᆞᆫ ᄃᆞᆺᄒᆞᆫ디라. 공이【32】 ᄋᆞᄌᆞ의 손을 잡고 부인이 등을 어로만져 실셩오열 왈,

인의 신상의 오롯ᄒᆞᆫ지라. 장원의 침듕ᄒᆞᆫ 긔상과 탐화의 호호ᄒᆞᆫ 풍광은 니ᄇᆡᆨ(李白) ᄒᆞᆨᄉᆞ 침향젼(沈香殿)[1000]의 취ᄒᆞᆫ 거동이라.

쳔심이 흔흡ᄒᆞᄉᆞ 즉일 작직을 졔수ᄒᆞ실ᄉᆡ, 장원으로 듕셔ᄉᆞ인 한님ᄒᆞᆨᄉᆞ을 ᄒᆞ이시고, 탐화로 츈방ᄒᆞᆨᄉᆞ을 ᄒᆞ이시니, 하장원이 죽기로 작직을 ᄉᆞ양ᄒᆞᆫᄃᆡ 상이 불윤ᄒᆞ시고, 뎡탐화ᄂᆞᆫ ᄉᆞ양ᄒᆞᆯ 뜻시 업ᄉᆞ니 부공의 ᄎᆡᆨ을 밧ᄌᆞ올가 두려 나히 어리고 ᄌᆡ조 미(微)ᄒᆞ믈 주ᄒᆞ여 십년 수유(受由)ᄒᆞ믈 청ᄒᆞ여 즉직을 환수ᄒᆞ소셔 ᄒᆞᄃᆡ, 상이 종불윤ᄒᆞᄉᆞ 사군(事君) 출임(察任)의 ᄌᆡ죄 년치다소의 잇지 아니믈 ᄌᆡ숨 이르시니, 뎡탐화 진짓 ᄉᆞ양이 아니라.

즉시 ᄉᆞ은ᄒᆞ여 어가을 뫼셔 환궁ᄒᆞ실 졔, 여러 신ᄂᆡᄂᆞᆫ 압ᄒᆞᆯ 당ᄒᆞ여 계화청숨의 옥ᄃᆡ을 도도며 《아호로∥아홀(牙笏)》이 정졔(整齊)ᄒᆞ여 금안ᄇᆡᆨ마(金鞍白馬)의 청동(靑童) 쌍ᄀᆡ(雙個)와 ᄒᆞ리 아역을 거ᄂᆞ려 힝ᄒᆞ니, ᄉᆡᆼ가(笙歌)ᄂᆞᆫ 요량(嘹喨)ᄒᆞ고 군악(軍樂)은 표표(漂漂)ᄒᆞᆫ[1001] 듕 하장원의 쳔일【59】의의(猗猗)ᄒᆞᆫ 풍광과 용인의 상셔로온 픔질이 일노의 휘황ᄒᆞ거ᄂᆞᆯ, 뎡탐화의 옥골영픈이 쳔고의 희한ᄒᆞ니, 노상 관시ᄌᆡ 금평후의 복됨과 하문의 ᄉᆡ로온 과경을 칭찬ᄒᆞ여, 진속인(塵俗人)이 아닌가 의심ᄒᆞ더라.

평남후 뎡병부 쳔ᄒᆞ 병마을 겸ᄒᆞ여 허다 위의로 성가(聖駕)을 호위ᄒᆞᄆᆡ, 금관조복으로 ᄇᆡᆨ셜만니운(白雪萬里雲)[1002]을 탓시니,

---

1000)침향젼(沈香殿) : 중국 서안(西安)에 있는 당(唐) 현종(玄宗)의 별궁(別宮)인 화청궁(華淸宮) 내의 한 전각.

1001)표표(漂漂)ᄒᆞ다 : 공중에 높이 떠 있다..

1002)ᄇᆡᆨ셜만니운(白雪萬里雲) : 하얀 눈이나 하늘 높이 떠있는 흰 구름과 같은 백마(白馬).

"산 사름은 비록 화란을 경녁ᄒᆞ나 목숨을 보젼ᄒᆞᄆᆡ 오히려 깃브믈 보거니와, ᄉᆞᄌᆞᄂᆞᆫ 영화 경ᄉᆞ의 알오미 업ᄂᆞᆫ디라. 금일 너의 과경을 당ᄒᆞ니 셕년 여형 등의 참방ᄒᆞ여 도라오던 일을 ᄉᆡᆼ각건ᄃᆡ, 엇디 통원ᄒᆞ믈 ᄎᆞᆷ으리오. 사름이 유ᄋᆞ 치ᄌᆞ를 업시 ᄒᆞ여도 통도ᄒᆞ거든, 우리ᄂᆞᆫ 텬디간 원억디통을 픔어 능히 ᄎᆞᆷ고 견ᄃᆡ지 못ᄒᆞᆯ 거시로ᄃᆡ, 여러 셰월의 됴흔 사름ᄀᆞᆺ치 디ᄂᆡ여, 이졔 고토의 도라와 셩듀의 후은이 ᄉᆡ로오시니, 금ᄎᆞ디시(今此之時)ᄒᆞ여ᄂᆞᆫ 【33】 우리 부뷔 고루화당의 안와(安臥)ᄒᆞ여 근심이 업ᄉᆞ니, 녜를 니져 ᄉᆡ 즐거오믈 보니 인비셕목(人非石木)이라, 참통비졀ᄒᆞ믈 엇디 ᄎᆞᆷ으리오."

위의 부셩ᄒᆞ미 쳔ᄌᆞ의 버금이라. 당당ᄒᆞᆫ 상뫼 ᄐᆡ산의 졔월(霽月)이오, 쳥쳔빅일이 광휘을 먼니 비최고 엄숙ᄒᆞᆫ 위의 쳔만고 일인이라. 통탕ᄒᆞᆫ 풍신이 탐화랑의 우히오, 장원의 일이층 더으니, 이ᄂᆞᆫ 뎡병부 ᄒᆞᆫ업시 광윤ᄒᆞ며 흠업시 동탕ᄒᆞ미 이상ᄒᆞ여 뵈미러라. 경셩노쇠 다 관광ᄒᆞ여 장원과 탐화을 칭찬ᄒᆞ다가 병부의 위의 풍광을 ᄉᆡ로이 창[칭]찬ᄒᆞ여 혜다를 듯ᄒᆞ더라.

힝ᄒᆞ여 어가을 뫼셔 금궐의 드르신 후, 만조문무와 모든 신은(新恩)이 물너날ᄉᆡ, 이날 금후 뎡연과 뎡국공 하진이 다 미양이 잇셔 어가을 시위치 못ᄒᆞ고 ᄉᆞ실의 물너 잇시ᄆᆡ, 상이 ᄂᆡ시로 하·뎡 양공의게 젼교ᄒᆞᄉᆞ 아ᄌᆞ의 총명특츌ᄒᆞ여 국가의 보필 됨을 일카르ᄉᆞ 황봉어주(黃封御酒)로 은영을 뵈시니, 이날 뉘 아니 하·뎡 양인 복조(福祚)을 흠션ᄒᆞ리오.. 병부 【60】 장원과 탐화로 더부러 퇴조ᄒᆞ여 본부로 도라올ᄉᆡ, 청동쌍ᄀᆡᄂᆞᆫ 압흘 인도ᄒᆞ고, 집ᄉᆞ아역은 젼ᄎᆞ후옹(前遮後擁)ᄒᆞ여 각각 도라오ᄆᆡ, 하공부부 아ᄌᆞ의 평ᄉᆡᆼ ᄃᆡᄉᆞ로 장원의 고등ᄒᆞᄆᆡ 두굿기나, 셕년 숨지 일방의 고등ᄒᆞ여 부듕의 도라오ᄆᆡ ᄒᆞᆫ 업시 즐기던 바을 ᄉᆡᆼ각ᄒᆞ니, 심장이 썻거지ᄂᆞᆫ 듯ᄒᆞ여 공의 부부 아ᄌᆞ의 손을 즙고 실셩오열 왈,

"산ᄉᆞ름은 비록 화란을 경녁ᄒᆞ나 목숨을 보젼ᄒᆞᄆᆡ 오히려 깃부믈 보거니와, ᄉᆞᄌᆞᄂᆞᆫ 영화 경ᄉᆞ의 아로미 업ᄂᆞᆫ지라. 금일 너의 과경을 당ᄒᆞ니 셕녕[년] 네 형 등의 참방ᄒᆞ여 도라오던 일이 ᄉᆡᆼ각건ᄃᆡ 통완(痛惋)치 아니리오. ᄉᆞ름이 유아 치ᄌᆞ을 업시ᄒᆞ여도 통도ᄒᆞ거든, 우리ᄂᆞᆫ 쳔지간 원억지통을 품어 능히 ᄎᆞᆷ고 견ᄃᆡ지 못ᄒᆞᆯ 거시로ᄃᆡ, 여러 세월의 ᄎᆞᆷ고 견ᄃᆡ지 못ᄒᆞᆯ 슬움을 ᄎᆞᆷ고 조흔 ᄉᆞ롬 갓치 지ᄂᆡ여, 이졔 고루(高樓)의 도라와 안연평셕(晏然平席)ᄒᆞ○[ᄂᆞᆫ] 듕, 셩주(聖主)의 망극ᄒᆞᆫ 후은이 ᄉᆡ로오니, 금ᄎᆞ지시(今此之時)ᄒᆞ여ᄂᆞᆫ 우리 부뷔 고루화당의 《안화‖안와(安臥)》ᄒᆞ여 근심이 업ᄉᆞ나, 옛일을 잇고 ᄉᆡ 즐거오믈 보니, 인비목셕(人非

댱원이 삼형을 싱각고 심회 비졀ᄒᆞ나 부모를 이셩낙식(怡聲樂色)으로 위로ᄒᆞ고, 윤쇼졔 또ᄒᆞᆫ 호언관위(好言款慰)ᄒᆞ더니, ᄂᆡ시 니르러 샹교를 젼ᄒᆞ고 댱원의 비상ᄒᆞ믈 칭찬ᄒᆞ시고 황봉어쥬(黃封御酒)[1195]를 드리니, 하공이 브복ᄒᆞ여 젼교를 듯ᄌᆞᆸ고 북향 샤은 후, ᄂᆡ시를 관ᄃᆡᄒᆞ여 ᄀᆞᆯ오ᄃᆡ,

"망ᄋᆞ등의 참ᄉᆞᄒᆞ믄 팔ᄌᆞ 긔박ᄒᆞᆫ 연괴오, 원억을 신셜ᄒᆞ여 녕빅이라도 죄루를 버ᄉᆞ미 셩듀의 디우ᄒᆞ신【34】 덕이라. 돈ᄋᆡ(豚兒) 외람이 뇽누(龍樓)의 어향(御香)[1196]을 ᄡᅩ이니, 황공ᄒᆞ여 도로혀 깃븐 줄을 아디 못ᄒᆞ더니, 어온(御醞)을 샤숑(賜送)ᄒᆞ샤 ᄌᆞ식 잘 나흐믈 일코ᄅᆞ시니, 황튝(惶蹙) 블안(不安)ᄒᆞ믈 니긔디 못ᄒᆞ리로다."

언파의 쥬찬을 ᄀᆞᆺ초와 듕샤(中使)를 관ᄃᆡᄒᆞ고 셩은을 회쥬ᄒᆞ니라.

시시의 뎡부의셔 셰흥 공ᄌᆞ 계화청삼으로 존당 부모긔 빅알ᄒᆞ니, 태부인이 웃ᄂᆞᆫ 입을 주리디 못ᄒᆞ고 아름다오믈 결을치 못ᄒᆞ여, 탐화의 옥골션풍이 남후의 나리디 아니믈 스ᄉᆞ로 ᄌᆞ랑ᄒᆞ니, 금휘 ᄌᆞ경의 희열ᄒᆞ시믈 영힝【35】ᄒᆞ여 화평ᄒᆞᆫ ᄉᆞ식을 디으나, 그 ᄋᆞᆨ이 셩만의 셰를 두려 쇼년등과ᄒᆞ여 디긔를 펴ᄆᆡ 더옥 삼가ᄂᆞᆫ 일이 업술가 근심ᄒᆞᄂᆞᆫ디라. 탐화를 압셰워 샤묘의 현빅ᄒᆞ고 나려

1195)황봉어주(黃封御酒) : 임금 하사하는 술. 황봉(黃封)은 임금이 하사한 술을 단지에 담고 황색 천으로 봉(封) 것으로 임금이 하사한 술을 뜻한다.

1196)어향(御香) : 임금의 향기 또는 어전의 향기를 뜻하는 말로, 임금의 은혜를 비유적으로 표현한 말.

木石)이라. ᄎᆞᆷ통비졀ᄒᆞ믈 엇지 ᄎᆞᆷ으리오."

장원이 ᄉᆞᆷ형을 ᄉᆡᆼ각고 심회 비졀ᄒᆞ나, 부모의 이갓치 비통ᄒᆞ시믈 보고 슬푸믈 강잉ᄒᆞ여 이의 안식을 화히 ᄒᆞ여, 주왈,

"왕ᄉᆞᄂᆞᆫ 식[싱]각ᄒᆞᆯ ᄉᆞ록 ᄲᅧ져리고 슬이 쓸이니 무익【61】히 추렴ᄒᆞ오면 심신이 요란ᄒᆞᆯ 분이오니, 원 부모ᄂᆞᆫ 심페(心肺)의 비상(悲傷)ᄒᆞ미[믈], 망형 등의 환ᄉᆡᆼᄒᆞ물 짐작ᄒᆞᄉᆞ, 셩녀을 관비(寬悲)ᄒᆞ소셔."

윤시랑 부인 영쥐 지ᄉᆞᆷ 위로ᄒᆞ여 《감화‖감회(感懷)》ᄒᆞ더니, ᄂᆡ시 니르러 상교을 젼ᄒᆞ여 장원의 비상ᄒᆞ믈 칭찬ᄒᆞ며 황봉어주(黃封御酒)[1003]을 드리니, 하공이 부복ᄒᆞ여 상교을 듯ᄌᆞᆸ고 망궐ᄉᆞ은(望闕謝恩) 후, ᄐᆡ감을 ᄃᆡᄒᆞ여 추연 슈루(垂淚) 왈,

"망아 등의 ᄎᆞᆷᄉᆞᄂᆞᆫ 져의 명박(命薄) 과험(過險)ᄒᆞᆫ 연괴오, 죄루을 버셔 고토의 도라오믄 셩명일월지덕(聖明日月之德)[1004]이라. 이졔 불초 돈ᄋᆡ 《종누‖용누(龍樓)》의 어향(御香)[1005]을 쏘이니, 셩총의 은혜 난망이라. 송황늡쳑(悚惶慄惕)ᄒᆞ여 아모리 ᄒᆞᆯ 바을 모로더니, 셩은이 각[가]지록 망극ᄒᆞᄉᆞ, ᄌᆞ식 잘 나흐믈 일카라 ᄉᆞ광[관](使官)을 보ᄂᆡᄉᆞ 어온(御醞)으로 은영을 더으시니, 불감ᄒᆞ와 능히 주ᄒᆞᆯ 바을 아지 못ᄒᆞᆯ소이다."

언파의 주찬으로 ᄂᆡ시을 각별 졉ᄃᆡᄒᆞ고 셩은의 망극ᄒᆞ시물 회주ᄒᆞ니라.

이날 뎡부의셔 셰흥공ᄌᆞ 화ᄃᆡ(花帶) 인ᄉᆞᆷ(璘衫)[1006]으로 도라와 존당 부모긔 뵈오ᄆᆡ, ᄐᆡ부인이 웃ᄂᆞᆫ 입을 주리지 못ᄒᆞ여 아름답고 긔이ᄒᆞ미 쳔아의 나리지 아니믈 스ᄉᆞ로 ᄌᆞ랑ᄒᆞ니, 금휘 ᄌᆞ경의 희열ᄒᆞ시믈 영힝ᄒᆞ

1003)황봉어주(黃封御酒) : 임금 하사하는 술. 황봉(黃封)은 임금이 하사한 술을 단지에 담고 황색 천으로 봉(封) 것으로 임금이 하사한 술을 뜻한다.

1004)셩명일월지덕(聖明日月之德) : 임금의 해와 달처럼 밝은 은혜.

1005)어향(御香) : 임금의 향기 또는 어전의 향기를 뜻하는 말로, 임금의 은혜를 비유적으로 표현한 말.

1006)인ᄉᆞᆷ(璘衫) : '청삼(靑衫)'을 달리 이르는 말. 과거 급제자가 입는 청삼(靑衫)이 옥빛과 같은 푸른빛을 띠고 있어 붙인 이름.

와, 경계 왈,

"네 나히 계오 이뉵이 갓 디나 구상유취(口尙乳臭)믈 ᄉᆡᆼ각ᄒᆞ여 쇼심공근(小心恭謹)[1197]ᄒᆞ라 네 만ᄉᆡ 무식ᄒᆞ여 댱ᄌᆞ의 원대디량(遠大之量)이 업고 군ᄌᆞ의 온듕홈도 업ᄉᆞ니, 모로미 삼가고 조심ᄒᆞ여 어린 긔운을 졀ᄎᆞᄒᆞ고 뎡대ᄒᆞ믈 위쥬ᄒᆞ라. 므ᄉᆞᆫ 지덕으로 ᄉᆞ군찰임(事君察任)의 허믈이 업ᄉᆞ리오."

태부인이 쇼왈,

"셰ᄋᆡ 비록 호일ᄒᆞ나, 너의 디극ᄒᆞᆫ 경계를【36】 드르며 텬ᄋᆞ 등의 ᄒᆡᆼᄉᆞ를 보ᄂᆞᆫ디라, 엇디 쒸여나게 허믈을 디으리오. 금일을 당ᄒᆞ여 부모지심이 즐겁디 아니리오. 댱ᄂᆡ를 근심ᄒᆞ여 경계ᄒᆞᄂᆞᆫ 말이 너모 급ᄒᆞ도다."

금휘 ᄃᆡ왈,

"ᄌᆞ괴 맛당ᄒᆞ시나, 쇼ᄌᆡ ᄇᆞᄌᆡ 박덕으로 외람이 위거녈후(位居列侯)ᄒᆞ고, 삼ᄌᆡ 년ᄒᆞ여 과갑(科甲)의 고등ᄒᆞ고, 디어 텬흥은 늉듕ᄒᆞᆫ 위권이 문무의 넘ᄒᆞ오니, 져의 위인이 용녈튼 아니ᄒᆞ오나 군자디ᄒᆡᆼ(君子之行)이 브족ᄒᆞ오니, 쇼ᄌᆡ ᄆᆡ양 념녀ᄒᆞᄋᆞᆸᄂᆞᆫ 듕, 디어(至於) 셰흥ᄒᆞ와는 졔 형의셔 더 오활(迂闊)ᄒᆞ오니, 니른바 '다남ᄌᆞ즉다구(多男子則多咎)'[1198]라 ᄒᆞ오미 이런 ᄃᆡ 닐【37】 념즉ᄒᆞ온디라.○…결락10자…○[엇지 우구치 아니리잇가?]"

1197)쇼심공근(小心恭謹) : 매우 조심하고 공손하며 삼감.

1198)다남ᄌᆞ즉다구(多男子則多咎) : 아들이 많으면 그만큼 걱정거리가 많음.

나 그윽이 셩만(盛滿)ᄒᆞ믈 두리고, 셰흥이 조년 등과ᄒᆞ고 두리고 슴가미 업살 바을 가장 근심ᄒᆞᆫ[ᄒᆞ]ᄂᆞᆫ지라. 탐화을 압셰워 가묘의 ᄇᆡ현ᄒᆞ고 나와, 경계【62】 왈,

"네 나히 아직 이칠(二七)도 못되엿고 셰ᄉᆞ을 ᄎᆡ 모로ᄂᆞᆫ지라. ᄒᆞᆫ 조각 혹문이 용우키을 면ᄒᆞ여시나, 만ᄉᆡ 허랑무식ᄒᆞ여 장ᄌᆞ(長者)의 원ᄃᆡᄒᆞᆫ 의량(意量)이 업고, 군ᄌᆞ의 온듕ᄒᆞᆫ ᄒᆡᆼ실이 업ᄂᆞᆫ지라. 모로미 어린 긔운을 나ᄂᆞᆫ ᄃᆡ로 말고, 범ᄉᆞ을 온즁키을 주ᄒᆞ여 조션(祖先)의 죄인이 되지 말며, 문호을 쳠욕지 말지니, 무ᄉᆞᆫ 지덕으로 ᄉᆞ군출임ᄒᆞ여 허물 업기을 바라리오."

ᄐᆡ부인이 소왈,

"셰ᄋᆡ 비록 호일ᄒᆞ나, 지극ᄒᆞᆫ 경계을 드르며 청[쳔]아의 ᄒᆡᆼ실을 보ᄂᆞᆫ ᄇᆡ니, 엇지 쒸여나게 허물을 지으미 잇시리오. 금일을 당ᄒᆞ여 부모지심이 두굿겁기을 이르지 못ᄒᆞᆯ ᄇᆡ여ᄂᆞᆯ, 장ᄂᆡ을 염녀ᄒᆞ여 경계ᄒᆞ미 너모 급ᄒᆞ도다."

금휘 ᄃᆡ왈,

"ᄌᆞ교 맛당ᄒᆞ시나 ᄒᆡᄋᆡ 박덕 부ᄌᆡ로 위거열후(位居列侯)ᄒᆞ고, 청[쳔]흥 등 슴ᄋᆡ 다 쳥운의 오르니, 주야 긍긍업업(兢兢業業)[1007]ᄒᆞ여 청[쳔]아의 방탕호일ᄒᆞ여 넘ᄂᆞᆫ ᄒᆡᆼᄉᆞ와 셰아의 무식과격을 우구(憂懼)ᄒᆞᄋᆞᆸᄂᆞ니, 무ᄌᆡ무덕(無才無德)으로 일즉이 반용닌부봉익(攀龍鱗附鳳翼)[1008]ᄒᆞ여 엇지 두렵지 아니ᄒᆞ오며, 가득ᄒᆞᄆᆡ 넘치고 두렷ᄒᆞᄆᆡ 이지러지ᄂᆞᆫ ᄒᆞᆫ(恨)은 ᄌᆞ고이ᄅᆡ(自古以來)로 잇ᄉᆞ오니 엇지 우구치 아니리잇가?"

탐화ᄂᆞᆫ ᄌᆡᄇᆡ 수명ᄒᆞ여 부훈을 듯ᄌᆞ올 ᄲᅮᆫ이오, 병부ᄂᆞᆫ 염슬궤좌ᄒᆞ여 말ᄉᆞᆷ의 간여ᄒᆞ미 업ᄉᆞ나, 부공의 호ᄉᆡᆨ기주(好色嗜酒)ᄒᆞ믈 칙ᄒᆞ시기의 다다라ᄂᆞᆫ 그윽이 공구(恐懼)【63】ᄒᆞ여, 경시 불고이취(不告而娶)ᄒᆞᆫ지

1007)긍긍업업(兢兢業業) : 항상 조심하여 삼감. 또는 그런 모양.

1008)반용닌부봉익(攀龍鱗附鳳翼) : '용의 비늘을 붙잡고 봉의 날개를 탄다'는 뜻으로, 용이나 봉황으로 상징되는 '성인(聖人)'이나 '임금'을 섬기며 공명을 이루는 일의 어려움을 표현한 말.

태부인이 니르ᄃᆡ,
"나의 손ᄋᆞ 오인이 필경은 가문을 욕디 아니리라."
ᄒᆞ더라.

인ᄒᆞ여, 외당의 하ᄀᆡᆨ이 작벌운집(作閥雲集)ᄒᆞ니, 금후 부ᄌᆡ 츌외(出外)ᄒᆞ여 졔ᄀᆡᆨ을 마즐ᄉᆡ, 명공거경이 벌이 뭉긔 ᄃᆞᆺᄒᆞ여 신ᄂᆡ를 유희ᄒᆞᄂᆞᆫ 듕, 닌흥은 취쳐ᄒᆞᆫ 줄 알고 탐화ᄂᆞᆫ 금휘 ᄆᆡ양 뎡혼ᄒᆞᆫ ᄃᆡ 이시믈 니르ᄂᆞᆫ 고로 구혼치 못ᄒᆞ나, 취쳐치 아녀시믈 유의치 아니리 업더라.

윤츄밀의 변심상셩ᄒᆞ여시므로도 셔랑의 과경을 흔흔 쾌락ᄒᆞ여 ᄒᆞ고, 윤쇼졔 본부의셔 도라오디 아녓다가, ᄉᆡᆼ이 등과ᄒᆞᄆᆡ 인ᄉᆞ의 마디 못ᄒᆞ【38】여 운산의 도라오ᄆᆡ, 구고와 하쇼졔 반기믈 니긔디 못ᄒᆞ고, 쵹디간초를 면ᄒᆞ여 봉관화리의 명뷔 되니 영힝ᄒᆞ나, 셕년의 님시 명부의 복ᄉᆡᆨ을 ᄀᆞᆺ초고 즐기던 바를 ᄉᆡᆼ각ᄒᆞ여 비회 ᄉᆡ롭더라. 당원과 하쇼졔 부모를 뫼셔 화안이셩으로 쳔만 위로ᄒᆞ믈 디극히 ᄒᆞ더라. ᄎᆞ야의 금휘 머믈고 윤츄밀을 쳥뉴(請留)ᄒᆞ여 죵용이 담화ᄒᆞ며, ᄇᆡ작을 날릴ᄉᆡ 윤태우 곤계 츄밀을 뫼셧고, 남후와 탐홰(探花) 금후를 뫼셔 좌우로 부호(扶護)ᄒᆞ여 경근지녜(敬謹之禮) 동쵹ᄒᆞ고, 쥬량이 남다르나 부젼이라 일ᄇᆡ를 졉구【39】치 못ᄒᆞ고, ᄀᆞ장 가쇼졀도지ᄉᆡ(可笑絶倒之事) 이시나 미미히 우술 ᄯᆞ롬이니, 당원은 더옥 녜듕군ᄌᆡ(禮重君子)라. ᄋᆞ쇼(兒

ᄉᆞᆷ년이로ᄃᆡ 존당부모 아지 못ᄒᆞ여 분[부]친을 두리더라.

ᄂᆡ시(內侍) 향온을 가져 뎡부의 이르러 상교을 젼ᄒᆞ니, 금휘 불승황감(不勝惶感)ᄒᆞ여 망궐ᄉᆞ은ᄒᆞ고 ᄂᆡ시을 관ᄃᆡᄒᆞ여 보ᄂᆡ고, 임의 야심ᄒᆞᄆᆡ 금후 병부와 탐화을 다리고 협문으로 좃ᄎᆞ 하부의 이르러 하공과 담화ᄒᆞᄆᆡ, 간간이 장원을 유희ᄒᆞ며 하공의 심회을 위로ᄒᆞ더니, 명조의 금후와 뎡국공 친우붕ᄇᆡ(親友朋輩)며 공경ᄌᆡ신(公卿宰臣)이 하·뎡 양가의 다 모다 경ᄉᆞ을 치하ᄒᆞ며, 신ᄂᆡ을 유희ᄒᆞᆯ ᄉᆡ, 하공은 셕ᄉᆞ을 늣겨 ᄉᆡ 즐거오믈 아지 못ᄒᆞ고 금후ᄂᆞᆫ 셩만ᄒᆞ믈 두려 깃부믈 아지 못ᄒᆞ여 졔ᄀᆡᆨ의 치하을 ᄉᆞᄉᆞᄒᆞᆯ 분이라. 모든 공경열휘(公卿列侯) 유녀ᄌᆞᄂᆞᆫ 장원과 탐화의 풍광을 흠션ᄒᆞ나, 장원은 임의 추밀사 윤공의 녀셔ᄆᆡ 구혼치 아니나, 탐화의 취쳐전이믈 유의ᄒᆞ되 금휘 뎡혼ᄒᆞ므로 밀막으믈 한ᄒᆞ더라.

추밀이 《바로‖비록》 상성실혼ᄒᆞ엿시나 셔랑의 과경을 두굿기고, 윤소져 밋쳐 도라오지 못ᄒᆞ엿다가 하ᄉᆡᆼ이 등과ᄒᆞᄆᆡ 인ᄉᆞ의 물너 잇지 못ᄒᆞ여 운산의 나오ᄆᆡ, 하소져 반김과 조부인이 두굿기미 측냥 업셔, 촉지간고로 변ᄒᆞ여 봉관화리의 명뷔 되물 깃거ᄒᆞ나, 셕년의 원경 등이 등과ᄒᆞ여 님소져 명부 복ᄉᆡᆨ을 갓초아 즐기【64】든 바을 ᄉᆡᆼ각ᄒᆞ여 참통ᄒᆞ믈 형상치 못ᄒᆞ니, 장원과 윤·하 양소져 위로ᄒᆞ더라. 하공이 ᄎᆞ야의 금후을 쳥ᄒᆞ고 윤츄밀○[을] 머무르며 낙양후 곤계을 쳥ᄒᆞ여 ᄇᆡ즉을 날닐ᄉᆡ, 윤ᄐᆡ우 곤계 츄밀을 뫼셔 이의 잇고, 병부와 탐화 금후 면젼의 잇고, 좌와의 붓드러 경근지네(敬謹之禮)을 다ᄒᆞ고 감히 희소을 못ᄒᆞᄂᆞᆫ 즁, ○[장]원은 더욱 녜듕군ᄌᆡ라, 아소(兒小)의 《희익‖戱謔》을 취치 아냐, 부젼의 화순ᄒᆞᆫ 안ᄉᆡᆨ과 조심ᄒᆞᄂᆞᆫ 모양이 문왕(文王)[1009]

小)의 희ᄒᆡ를 취치 아냐, 부젼의 화열ᄒᆞᆫ 낫빗과 조심하ᄂᆞᆫ 모양이 문왕(文王)[1199]이 왕계(王季)[1200]를 뫼심 ᄀᆞᆺ고, 윤ᄒᆞᆨᄉᆞ의 삼엄ᄒᆞᆫ 녜졀과 ᄀᆡ이ᄒᆞᆫ 셩ᄒᆡᆼ이 일빈일쇼(一嚬一笑)[1201]의 다 녜의를 잡아, 죵일 좌셕을 뎡돈ᄒᆞ고 의관이 졔졔ᄒᆞ여 옥 ᄀᆞᆺ튼 용화의 잠간 미ᄒᆞᆫ 우음을 씌여 그 화평ᄒᆞ고 너그러오미 츈풍이 니이(離異)ᄒᆞ여 남훈뎐(南薰殿)[1202] 샹의 경운이 ᄉᆡ로옴 ᄀᆞᆺ고, 늠연단좌ᄒᆞᆫ즉 녈일이 츄상의 바임 ᄀᆞᆺᄐᆞ여 감히 말 븟치기 어려온ᄃᆡ【40】라. 뎡・하・진 졔쇼년 가온ᄃᆡ 공ᄆᆡᆼ의 도덕이 빈빈ᄒᆞ니ᄂᆞᆫ 홀노 윤ᄒᆞᆨᄉᆡ니, 하당원의 셩ᄌᆞ유풍이 젹은 ᄇᆡ 아니라[나], 웅위ᄒᆞᆫ ᄀᆡ상이 영쥰을 겸ᄒᆞ여시므로 오히려 윤ᄒᆞᆨᄉᆞ의 대도셩ᄒᆞᆨ(大道聖學)의 슈삼층 밋지 못ᄒᆞ고, 윤태우ᄂᆞᆫ 쳔고걸츌이라, 뇽호ᄀᆡ습과 텬일지퓌 뎡병부로 방블ᄒᆞ니, 계부지젼의 경근을 잡으나 잇다감 단ᄉᆞ의 ᄇᆡᆨ옥이 빗최여 희쇼ᄒᆞ기의 밋쳐ᄂᆞᆫ ᄀᆡ담졀도지ᄉᆡ(奇談絶倒之事) 무궁ᄒᆞᄃᆡ, 소ᄅᆡ를 낫초고 ᄀᆡ운을 발치 아냐 계부를 경근ᄒᆞ미 엄부와 ᄀᆞᆺ치 셤기더라. 하ᄉᆡᆼ을 신진(新進)이라 ᄒᆞ여, ᄌᆞᄀᆡ 샤관(四官)[1203]의【41】 도를 다ᄒᆞ렷노라 ᄒᆞ니, 하당원이 쇼왈,

"다른 샤관(四官)은 아모 용녈ᄒᆞᆫ ᄌᆡ라도 마디 못ᄒᆞ여 ᄀᆞᆺᄎᆞ려니와 네 날을 침노ᄒᆞᆯ딘

1199)문왕(文王) : 중국 주나라 무왕의 아버지. 이름은 창(昌). 무왕의 주나라 건국의 기초를 닦았고 고대의 이상적인 성인군주(聖人君主)의 전형으로 꼽힌다.

1200)왕계(王季) : 중국 주 문왕(文王) 창(昌)의 아버지. 이름은 계력(季歷). 자손이 왕업(王業)을 이룰 수 있는 기초를 닦았다.

1201)일빈일쇼(一嚬一笑) : 한 번 찡그리고 한 번 웃는다는 뜻으로, 성내기도 하고 기뻐하기도 하는 감정이나 표정의 변화를 이르는 말.

1202)남훈뎐(南薰殿) : 순임금이 오현금(五絃琴)으로 남풍시(南風詩)를 타 백성들의 불만을 어루만져 주던 전각.

1203)샤관(四官) : 조선 시대에, 과거에 관한 일을 맡아보던 사관(四館)의 관원(官員). 성균관, 예문관, 승문원, 교서관의 관원(官員)을 이른다. 당시 과거에 급제한 '신래(新來)'들은 이 네 관아(官衙)에 배속되어 관직생활을 시작하였는데 이때 통과의례로 선배관원들 곧 '선진(先進)'들에게 면신례(免新禮)를 행하던 관례가 있었다.

이 왕계(王季)[1010]을 뫼심 갓고, 윤ᄒᆞᆨᄉᆞ의 ᄉᆞᆷ엄ᄒᆞᆫ 녜졀과 ᄀᆡ이ᄒᆞᆫ 셩ᄒᆡᆼ이 일빈일소(一嚬一笑)[1011]의 다 녜졀을 ᄌᆞᆸ아, 종일 좌셕을 정돈ᄒᆞ고 의관을 졔졔ᄒᆞ여 옥갓튼 용화의 ᄌᆞᆷ간 미미ᄒᆞᆫ 우음을 씌여 화평ᄒᆞ고 너그러오미 츈풍이 니니(旎旎)[1012]ᄒᆞ여 남훈젼(南薰殿)[1013] 상의 경운이 ᄉᆡ로옴 갓고, 늠연단좌ᄒᆞᆫ즉 열일이 츄상의 바임 갓트여 감히 말 붓치기 어려온지라. 뎡・하・진 졔소년 듕 공ᄆᆡᆼ의 도덕을 효측ᄒᆞᆫ 이ᄂᆞᆫ 홀노 윤ᄒᆞᆨᄉᆡ니, 하장원의 셩ᄌᆞ유풍이 젹은 ᄇᆡ 아니라[나], 웅위ᄒᆞᆫ ᄀᆡ상이 영듄(英俊)을 겸ᄒᆞ엿시므로 오히려 윤ᄒᆞᆨᄉᆞ의 수ᄉᆞᆷ층 밋지 못ᄒᆞ고, 윤ᄐᆡ우ᄂᆞᆫ 쳔고 걸출이라, 뇽호ᄀᆡ습과 천일지표 뎡병부로 방불ᄒᆞ니, 계부지젼의 경근을 잡으나 잇다감 단ᄉᆞ의 ᄇᆡᆨ옥이 빗최여 장원과 뎡・진 졔 소년을 침노ᄒᆞ여 희소ᄒᆞ기【65】의 밋쳐ᄂᆞᆫ ᄀᆡ담졀도지ᄉᆡ(奇談絶倒之事) 무궁ᄒᆞᄆᆡ[ᄃᆡ], 소ᄅᆡ을 낫초고 ᄀᆡ운을 발치 아냐 계부을 경근ᄒᆞ미 엄부와 갓치 셤기더라. 하ᄉᆡᆼ을 《진신∥신진》이라 ᄒᆞ여 ᄌᆞᄀᆡ ᄉᆞ관(四官)[1014]의 도을 닷[다]ᄒᆞ렷노라 ᄒᆞ니, 하장원이 소왈,

"다른 ᄉᆞ관(四官)은 아모 용녈ᄒᆞᆫ ᄌᆡ라도

1009)문왕(文王) : 중국 주나라 무왕의 아버지. 이름은 창(昌). 무왕의 주나라 건국의 기초를 닦았고 고대의 이상적인 성인군주(聖人君主)의 전형으로 꼽힌다.

1010)왕계(王季) : 중국 주 문왕(文王) 창(昌)의 아버지. 이름은 계력(季歷). 자손이 왕업(王業)을 이룰 수 있는 기초를 닦았다.

1011)일빈일소(一嚬一笑) : 한 번 찡그리고 한 번 웃는다는 뜻으로, 성내기도 하고 기뻐하기도 하는 감정이나 표정의 변화를 이르는 말.

1012)니니(旎旎) : 바람이 이는 모양.

1013)남훈젼(南薰殿) : 순임금이 오현금(五絃琴)으로 남풍시(南風詩)를 타 백성들의 불만을 어루만져 주던 전각.

1014)ᄉᆞ관(四官) : 조선 시대에, 과거에 관한 일을 맡아보던 사관(四館)의 관원(官員). 성균관, 예문관, 승문원, 교서관의 관원(官員)을 이른다. 당시 과거에 급제한 '신래(新來)'들은 이 네 관아(官衙)에 배속되어 관직생활을 시작하였는데 이때 통과의례로 선배관원들 곧 '선진(先進)'들에게 면신례(免新禮)를 행하던 관례가 있었다.

ᄃᆡ 네 눈의 ᄌᆡ를 너코 낫ᄎᆡ 춤을 밧트리라."

태위 쇼왈,

"형이 쇼데를 업슈히 넉여 이 말을 ᄒᆞ거니와, 공당(公堂) 톄면이 ᄉᆞ실과 ᄂᆡ도ᄒᆞ니 쇼졔 이졔라도 듕셔ᄉᆡᆼ(中書省)[1204]과 한님원(翰林院)[1205]의 갈진ᄃᆡ, 형이 마디 못ᄒᆞ여 쇼데(小弟)를 놉히 안치고 션ᄉᆡᆼ(先生) 네로 ᄃᆡ졉ᄒᆞ리니 엇디 ᄒᆞᆫ갓 신ᄂᆡ(新來)로 보ᄎᆡᆯ ᄡᅳᆫ이리오."

하댱원이 미급답의 금휘 쇼왈,

"공당의 나아가면 션ᄉᆡᆼ 네ᄂᆞᆫ 마디 못ᄒᆞ려니와, ᄉᆞ실의셔ᄂᆞᆫ 너의 슈년 댱이【42】오 ᄯᅩ 져뷔(姐夫)라 공슌이 보ᄎᆡ일 니 이시리오."

태위 쇼이ᄃᆡ왈,

"악댱 말ᄉᆞᆷ이 맛당ᄒᆞ신디라. 쇼ᄉᆡᆼ이 죵져뷔(從姐夫)라 하여 져를 공경ᄒᆞ거니와, 그러치 아니면 져를 긔운이 ᄉᆡ딘(澌盡)토록 보ᄎᆡ지 아니리잇고? 년긔 슈년 댱(長)을 니르시나 ○○[견마]디치(犬馬之齒)[1206]ᄂᆞᆫ 일빅이라도 존경ᄒᆞᆯ 거시 업ᄂᆞ이다."

금휘 대쇼ᄒᆞ고 댱원이 날호여 쇼왈,

"네 날을 견마(犬馬) ᄀᆞᆺ다 ᄒᆞ거니와, 악댱은 너와 션악(善惡)이 달나, 날을 언언이 칭션(稱善)ᄒᆞ시고 동상의 마ᄌᆞ시미 엇디오? ᄐᆡ셔를 그룻 ᄒᆞ시미냐, 안춍이 너만 못ᄒᆞ시미냐? 뉘(類) 뉴(類)를 ᄯᆞ로고 무리 무리【43】 디으니, 악댱의 명감 업ᄉᆞ시믈 한ᄒᆞ고 날을 견마의 비겨 욕ᄒᆞ지 말라. 너희 인ᄉᆡ 황당ᄒᆞ도다."

일좨(一座) 대쇼ᄒᆞ고, 윤태위 웃고 하ᄉᆡᆼ을 ᄭᅮ짓더라. 하공이 윤·뎡·진 삼공으로 더

1204)듕셔ᄉᆡᆼ(中書省) : 중국 수나라·당나라·송나라·원나라 때에 일반 행정을 심의하던 중앙 관아.

1205)한님원(翰林院) : 중국 당나라 중기 이후에 주로 조서(詔書)를 기초하는 일을 맡아보던 관아.

1206)견마디치(犬馬之齒) : 개나 말의 나이.

마지 못ᄒᆞ여 그 시기ᄂᆞᆫ 바을 좃ᄎᆞ려니와, 네 장찻 ᄉᆞ관인 쳬ᄒᆞ여 날을 침노ᄒᆞᆯ진ᄃᆡ, 네 눈의 ᄌᆡ을 너흐며 낫ᄎᆡ 춤을 밧ᄐᆞ 수욕(數辱)지 못ᄒᆞ랴?"

ᄐᆡ우 소왈,

"ᄌᆞ의 날노ᄡᅧ 나히 수년 치지(稚之)ᄒᆞ믈 업수히 녁이거니와, ᄂᆡ 이졔라도 듕셔ᄉᆡᆼ(中書省)[1015]과 한님원(翰林院)[1016]의 갈진ᄃᆡ, 형이 비록 염치 조으나 공당 쳬면은 ᄉᆞ실과 ᄂᆡ도ᄒᆞ니, 날을 놉히 안쳐 션ᄉᆡᆼ(先生) 네로 ᄃᆡ졉ᄒᆞ리니 엇지 보ᄎᆡ지 못ᄒᆞ리오."

장원이 웃고 밋쳐 답지 못ᄒᆞ여셔 금후 소왈,

"ᄌᆞ의에 작직이 다 ᄉᆞ원의 지ᄂᆡᆫ ᄇᆡ니, 션ᄉᆡᆼ네ᄂᆞᆫ 마지 못ᄒᆞ여, 공당의 나아간 즉 편치 못ᄒᆞ려니와, ᄉᆞ실의 쳐ᄒᆞ여ᄂᆞᆫ 수년 장이오 종졔뷔(從弟夫)니 엇지 ᄉᆞ원의게 곤군(困窘)이 보ᄎᆡᆯ 일이 잇시리오."

윤ᄐᆡ우 소이ᄃᆡ왈,

"악장 말ᄉᆞᆷ이 올ᄉᆞ오나 소ᄉᆡᆼ의 종졔뷘(從姐夫) 고로 져을 마지 못ᄒᆞ여 공경ᄒᆞ거니와, 그럿치 아니면 엇지 ᄉᆡ진토록 보ᄎᆡ지 못ᄒᆞ리잇고? 년긔 수년 장(長)을 이르시나, 견마지치(犬馬之齒)[1017]ᄂᆞᆫ 일빅이라도 존경ᄒᆞ미 업ᄂᆞ이다."

금휘 박소ᄒᆞ고 장원이 날호여 미소왈,

"ᄉᆞ원은 날노ᄡᅧ 견【66】마(犬馬) 갓다 ᄒᆞ여 욕ᄒᆞ거니와, 악장은 ᄉᆞ원의 마음과 달나 날을 언언이 칭션(稱善)ᄒᆞ시고 동상의 마ᄌᆞ시니 안총이 너만 못ᄒᆞ시미냐? 뉘(類) 뉴(類)을 ᄯᆞ로고 무리 무리지으니, 악장의 명감을 한ᄒᆞ고 날을 견마의 비겨 욕ᄒᆞ지 말나. 너의 인ᄉᆡ 황당ᄒᆞ도다."

일좨(一座) ᄃᆡ소ᄒᆞ고, 윤ᄐᆡ위 웃고 하ᄉᆡᆼ을 ᄭᅮ짓더라. 하공이 뎡·윤 등 ᄉᆞᆷ공으로 더부

1015)듕셔ᄉᆡᆼ(中書省) : 중국 수나라·당나라·송나라·원나라 때에 일반 행정을 심의하던 중앙 관아.

1016)한님원(翰林院) : 중국 당나라 중기 이후에 주로 조서(詔書)를 기초하는 일을 맡아보던 관아.

1017)견마지치(犬馬之齒) : 개나 말의 나이.

브러 좌를 일워, 졔쇼년의 동탕ᄒᆞᆫ 풍ᄂᆔ 셔로 찬난ᄒᆞ고, 간간(衎衎)ᄒᆞᆫ 담쇼를 드러 그 위인의 심쳔(深淺)과 단듕(端重) 걸호(傑豪)ᄒᆞ믈 짐작ᄒᆞ니,

러 좌을 일워 졔소년의 동탕ᄒᆞᆫ 풍ᄎᆡ 셔로 찬난ᄒᆞ고, 간간(衎衎)ᄒᆞᆫ 담소을 드러 그 위인의 심쳔(深淺)과 단듕(端重)ᄒᆞ믈 짐작ᄒᆞ더라.【67】

간신(艱辛) 등셔(謄書)ᄒᆞ엿시나, 안혼(眼昏)도 심ᄒᆞ고 졍신도 혼모(昏暮)ᄒᆞ여 오셔(誤書)와 낙ᄌᆞ(落字) 만흘 듯ᄒᆞ오니 ᄃᆡ단 붓그러오.

명쥬보월빙 권지십습 종【68】

윤태우와 뎡병부의 튱텬ᄒᆞᆫ 호긔를 흠ᄋᆡᄒᆞ고, ᄋᆞᄌᆞ의 침위ᄒᆞ믈 ᄯᅩᄒᆞᆫ 두굿기더라. 윤ᄒᆞᆨᄉᆞ의 담연이 희학의 참예치 아님과 죵일 념슬궤좌(斂膝跪坐)ᄒᆞ여 잇다감 부공의 톄후를 ᄆᆞᆺᄌᆞ올 ᄲᆞᆫ이오. 여러 쇼년의 침노ᄒᆞ【44】여 희롱ᄒᆞ믈 드른 쳬 아니믈 보ᄆᆡ 도로혀 괴이히 넉이고, 그 골격이 틔업ᄉᆞᆫ 어름과 ᄆᆞᆰ은 슈졍 ᄀᆞᆺᄐᆞ여 반졈 쇽틔 므드지 아니ᄒᆞ고, 가슴 ᄀᆞ온ᄃᆡ ᄇᆡᆨ일이 빗최며 심졍이 츄슈 ᄀᆞᆺᄐᆞ여, 놉흐미 쳔고의 ᄃᆡ두ᄒᆞ리 업ᄉᆞᆯ ᄃᆞᆺᄒᆞ니, 하공이 혹ᄌᆞ 그 슈한(壽限)이 당원치 못ᄒᆞᆯ 가 념녀ᄒᆞ여 친히 일ᄇᆡ쥬를 브어, ᄒᆞᆨᄉᆞ를 향ᄒᆞ여 ᄀᆞᆯ오ᄃᆡ,

"졔쇼년이 다 부형이 ᄌᆡ좌ᄒᆞ므로뼈 구한(舊恨)이 업거니와, 현셔ᄂᆞᆫ 죵일 좌셕을 곳치미 업고 ᄒᆞᆫ 마ᄃᆡ 희ᄒᆞᆨ이 밧긔 나디 아냐, 오딕 ᄆᆞ음의 골몰ᄒᆞᆫ ᄇᆡ 녕엄의 긔운을 므를 ᄲᆞᆫ이라.【45】 좌듕이 뉘 아니 부형을 두어시며 경근지녜를 져마다 아니리오마ᄂᆞᆫ, 진실노 ᄉᆞ빈의 대셩유풍(大聖遺風)을 ᄯᆞᆯ오리 업ᄉᆞᆯ디라. 공ᄆᆡᆼ(孔孟)이 도덕을 만고의 뉴젼ᄒᆞ시고 ᄒᆞᆨᄒᆡᆼ이 쳔츄만년의 민멸치 아닐 ᄇᆡ로ᄃᆡ, 오히려 공부ᄌᆞ(孔夫子)도 조두(俎豆)[1207] 버리ᄂᆞᆫ 희롱이 계시고, ᄆᆡᆼᄌᆡ(孟子) 달고질[1208]ᄒᆞ시는 거죄 사ᄅᆞᆷ으로 좃ᄎᆞ ᄒᆞᆫ번

1207)조두(俎豆) : 각종 제기(祭器)를 통틀어 이르는 말. 조(俎)는 고기를 담는 제기이고 두(豆)는 국 따위의 일반 음식을 담는 제기이다.

1208)달고질 : 달구질. 달구로 집터나 땅을 단단히 다지는 일

어시의 하공이 뎡·윤·진공으로 더부러 주벽의 좌을 일워, 여러 소년 명뉴의 츌뉴ᄒᆞᆫ 풍신과 동탕ᄒᆞᆫ 용화 셔로 빗출 닷토니, 찬난ᄒᆞᆫ 광휘 만좌을 요동ᄒᆞ고 간간이 담소을 들어, 그 위인의 능녀(凌厲) 단듕(端重) 호유(豪遊)을 짐작ᄒᆞ니, 윤ᄐᆡ우와 뎡병부의 츙천장긔와 흐르ᄂᆞᆫ 언변이 유여ᄒᆞ믈 흠ᄋᆡᄒᆞ고, 아ᄌᆞ의 정숙홈을 두굿기ᄂᆞᆫ 듕이나, 윤시랑의 담연이 희학의 참녜치 아냐 종일 염슬단좌(斂膝端坐)ᄒᆞ여 봉안이 지슬(止膝)[1018] ᄒᆞ고 호흡이 나작ᄒᆞ여, 잇다감 부친의 체후을 ᄆᆞᆺᄌᆞ올 ᄲᅮᆫ이오, 제인의 어침긔롱(語侵譏弄)[1019]ᄒᆞ믈 못 보며, 못 듯ᄂᆞᆫ 닷, 동촉ᄒᆞᆫ 셩회 ᄒᆡᆼ지(行止)의 낫타나니, 하공이 도로혀 고이히 넉이고, 그 골격이 너무 틔 업산 수정 갓트여 가슴 가온ᄃᆡᄂᆞᆫ ᄇᆡᆨ일이 빗최ᄂᆞᆫ 듯, 험 업시 조흠과, 한업시 말근 골격이 놉고 놉흐며 너르고 너르미 쳔지와 방불ᄒᆞ니, 왕왕(汪汪)ᄒᆞ여[1020] 그 금회(襟懷)[1021]을 엿보기 어려오니, 하공이 그 너무 맑고 조흐미 수한(壽限)이 브족ᄒᆞᆯ 가 념여ᄒᆞ며, 친히 일ᄇᆡ주을 부어 학ᄉᆞ을 향ᄒᆞ여 왈,

"금일 졔소년이 다 부형이 ᄌᆡ좌ᄒᆞ여 술을 접구ᄒᆞ리 업거니와, 현셔ᄂᆞᆫ 종시 좌셕을 곳치미 업고 ᄒᆞᆫ 희쇠(喜笑) 입 밧글 나지 아냐, 오직 마음의 가작ᄒᆞᆫ ᄇᆡ 영엄의 긔운을 물을 분이라. 이 좌듕의【1】 뉘 아니 부형을 뫼셔 경슌지네을 져마다 봉영집옥(奉盈執玉)[1022] 갓치 아니리오마ᄂᆞᆫ 진실노 현셔의 ᄃᆡ셩유풍(大聖遺風)을 ᄯᆞ로리 업ᄉᆞᆯ지라.

1018)지슬(止膝) : 눈을 내리 떠 무릎을 봄.

1019)어침긔롱(語侵譏弄) : 남의 인격을 침범할 정도로 실없는 말로 놀림.

1020)왕왕(汪汪)ᄒᆞ다 : 물이 끝없이 넓고 깊다.

1021)금회(襟懷) : 마음속에 깊이 품은 회포.

1022)봉영집옥(奉盈執玉) : 가득찬 물그릇을 받들 듯하고 옥을 잡은 것 같이 함. 매우 조심하는 모양을 이르는 말. 「소학」"명륜(明倫)" 편의, "孝子如執玉 如奉盈 洞洞屬屬然 如弗勝 如將失之"에서 온 말.

우으시믈 면치 못ᄒᆞ시미어늘, ᄉᆞ빈은 쇼년 디심의 희학과 언쇼 힝혀도 잇디 아니ᄒᆞ니, 내 도로혀 괴이히 녁이ᄂᆞ니 ᄒᆞ믈며 ᄉᆞ빈의 의형이 쳥슈(淸秀)ᄒᆞ여 진틱(塵態) 므드디 아닌지라. 대개 ᄆᆞ음이 셰간의 이시나【46】 뜻이 빅옥션경의 오롬 ᄀᆞᄐᆞ니, 댱뷔란 거시 쳘셕ᄀᆞᆺ치 견고ᄒᆞ여 쥬식을 과히 말며 욕화를 먼니하ᄂᆞᆫ 거시 올흐듸, ᄉᆞ빈은 만히 셰쇽범뉴와 ᄀᆞᆺ지 아니ᄒᆞ니, 힝여 슈한의 ᄒᆡ로올가 념녀ᄒᆞᄂᆞ니, 모로미 술을 간간이 나오고 뜻을 쾌활이 ᄒᆞ여, 거름마다 삼가며 말ᄉᆞᆷ마다 조심키를 잠간 덜홀진듸, ᄌᆞ연 {이} 진욕(塵慾)의[이] 이시{미}리라."

인ᄒᆞ여 술을 권ᄒᆞ고 츄밀이 ᄯᅩᄒᆞᆫ 하공의 말을 좃ᄎᆞ 혹ᄉᆞ의 술먹기를 닐너 하공의 주ᄂᆞᆫ 바 빅작을 샤양치 말라 ᄒᆞ니, 혹ᄉᆡ 마지 못ᄒᆞ여 바다 거후르고 하공을 향【47】ᄒᆞ여 샤례ᄒᆞ여, ᄀᆞᆯ오듸,

"쇼싱이 므ᄉᆞᆫ 사ᄅᆞᆷ이완듸 악댱이 과장ᄒᆞ샤미 이의 밋ᄎᆞ시니잇고? 다만 고인이 유언(有言) 왈, 날을 ᄭᅮ짓ᄂᆞᆫ ᄌᆞᄂᆞᆫ ᄉᆞ싱이오 날을 기리ᄂᆞᆫ ᄌᆞᄂᆞᆫ 원슈라 ᄒᆞ오니, 쇼싱의 비박디힝(鄙薄之行)과 블민ᄒᆞᆫ 위인이 ᄒᆞᆫ 일도 일ㅋ롬즉 ᄒᆞ미 업거ᄂᆞᆯ, 악댱은 녁듸 대셩(大聖)으로ᄡᅧ 비우(庇佑)ᄒᆞ시니1209), 셩현을 욕되게 ᄒᆞ시고 쇼싱으로 ᄒᆞ여금 참괴ᄒᆞ미 치신무디(置身無地)케 ᄒᆞ시니, 평일 의앙턴 빅 아니로소이다. ᄒᆞ믈며 쥬식이란 거ᄉᆞᆫ 신샹의 질을 닐위고 힝실의 ᄒᆡ로오믈 도으니, 악댱은 반드시 쇼싱빅를 경계ᄒᆞ샤 쥬식을 먼리ᄒᆞ라 당부ᄒᆞ【48】시미 올커ᄂᆞᆯ, 엇디 도로혀 권ᄒᆞ시ᄂᆞ 니잇고?"

1209)비우(庇佑)ᄒᆞ다 : 비호(庇護)하다. 편들어서 감싸주고 보호하다.

공빙의 도덕을 유젼ᄒᆞ고, 학힝녜의 쳔츄만년의 민멸치 아닐 빅로듸, 공ᄌᆞᄂᆞᆫ 오히려 《조쥬∥쥬두(俎豆)1023)》 버리ᄂᆞᆫ 희롱이 계시고, 밍ᄌᆞᄂᆞᆫ 달고질1024)ᄒᆞᄂᆞᆫ 거죄 ᄉᆞ람을 ᄒᆞᆫ번 웃게 ᄒᆞ미 업지 아니시듸, ᄉᆞ빈은 ᄒᆞᆫ번 웃고 희소의 힝혀도 간예치 아니니, ᄂᆡ 도로혀 고이히 녁이ᄂᆞ니, 하물며 ᄉᆞ빈의 의형이 쳥수ᄒᆞ여 진틱(塵態)의 무든 일이 업ᄂᆞᆫ지라. 마음이 너무 놉고 조흐며 만ᄉᆞ의 욕홰(慾火) 동치 아냐, 몸이 셰간의 잇시나 뜻인 즉 션경을 옴 갓ᄐᆞ미냐? 장부란 거시 쳘셕 갓치 견고ᄒᆞ여, 주식을 멀니ᄒᆞ며 욕화을 부동ᄒᆞᄂᆞᆫ 거시 올흐듸, ᄉᆞ빈은 셰속 범뉴와 가[갓]지 아니ᄒᆞ니, 힝혜 수(壽)의 ᄒᆡ로올가 념녀ᄒᆞᄂᆞ니, 모로미 슐을 간간이 나오고 뜻을 쾌활이 ᄒᆞ여, 거름마다 삼가며 말ᄉᆞᆷ마다 조심ᄒᆞ여, 집녜(集禮)ᄒᆞ기을 잠간 덜진듸 ᄌᆞ연 진욕(塵慾)이 이시리라."

언파의 ○[이]의 ○○[술을] 권ᄒᆞ니, 추밀이 ᄯᅩᄒᆞᆫ 하공의 말노좃ᄎᆞ 술먹기을 일너, 하공의 주ᄂᆞᆫ 빅작을 ᄉᆞ양치 말나 ᄒᆞ니, 학ᄉᆡ 마지 못ᄒᆞ여 바다 먹고, 슈연(粹然)이1025) 무릅을 쓸고 관을 뎡히ᄒᆞ여 공경ᄒᆞᄂᆞᆫ 네을 《어더∥더어》 흠신 ᄉᆞᄉᆞ 왈,

"소싱이 무산 ᄉᆞᄅᆞ미라 합하의 과장ᄒᆞ시미 이의 밋ᄎᆞ시나니잇고? 고인이 유언(有言) 왈, '날을 ᄭᅮ짓ᄂᆞᆫ ᄌᆞᄂᆞᆫ 스승이오,【2】 날을 기리ᄂᆞᆫ ᄌᆞᄂᆞᆫ 원슈라' ᄒᆞ니, 소싱이 비박지힝(鄙薄之行)과 잔미(孱微) 불인(不仁)ᄒᆞ미 빅집ᄉᆞ(百執事)1026) 말(末)의도 일카롬즉 ᄒᆞ미 업거ᄂᆞᆯ, 합하ᄂᆞᆫ 고셩인(古聖人)으로 쎠 소싱의게 비유ᄒᆞᄉᆞ 셩현을 욕되게 ᄒᆞ시니, 평일 바라던 빅 아니오, 하물며 주식이란 거산 신상의 치소(嗤笑)을 니르고 힝실

1023)쥬두(俎豆) : 각종 제기(祭器)를 통틀어 이르는 말. 조(俎)는 고기를 담는 제기이고 두(豆)는 국 따위의 일반 음식을 담는 제기이다.
1024)달고질 : 달구질. 달구로 집터나 땅을 단단히 다지는 일
1025)슈연(粹然)이 : 사람이 얼굴이나 마음이 꾸밈이 없고 순박하게.
1026)빅집ᄉᆞ(百執事) : 온갖 일.

하공이 그 단듕ᄒᆞ믈 심ᄋᆡᄒᆞ나 너모 진욕이 업셔 슈를 누리지 못ᄒᆞᆯ 가 념녀ᄒᆞ나[니], 평남휘 우음을 먹음고 고ᄒᆞ여, ᄀᆞᆯ오ᄃᆡ,

“년슉(緣叔)이 ᄉᆞ빈으로ᄡᅧ 진욕이 므드지 아냐 슈한이 브죡ᄒᆞᆯ가 근심ᄒᆞ시거니와, ᄉᆞᄅᆞᆷ되오미 곤산(崑山)[1210]의 흰 옥ᄀᆞᆺ고 녀슈(麗水)[1211]의 황금이 단년ᄒᆞᆷ ᄀᆞᆺᄐᆞᆫ디라. 상모를 의논ᄒᆞ여도 봉안이 징쳥(澄淸)ᄒᆞ여 가을 믈을 헷친 ᄃᆞᆺ 경긔 ᄉᆞᄅᆞᆷ의게 쏘이니, 반ᄃᆞ시 슈한이 댱원 ᄒᆞᆯ 거시오, 일월각(日月閣)[1212]이 니러셔니 그 귀격(貴格)을 가히 다 니ᄅᆞ지 못ᄒᆞᆯ ᄇᆡ라. 위국인신지상(爲國人臣之相)으로 니음양(理陰陽)【49】슌ᄉᆞ시(順四時)[1213]ᄒᆞᆯ 직덕이 이시니, 므ᄉᆞ 일 진욕(塵慾)이 젹으며 슈한(壽限)이 댱원치 못ᄒᆞᆯ가 념녀ᄒᆞ리잇가?”

공이 쇼왈,

1210)곤산(崑山) : 곤륜산(崑崙山). 중국 전설상의 높은 산. 중국의 서쪽에 있으며, 옥(玉)이 난다고 한다. 전국(戰國) 시대 말기부터는 서왕모(西王母)가 살며 불사(不死)의 물이 흐른다고 믿어졌다.

1211)녀슈(麗水) : 중국 양자강(揚子江) 상류인 운남성(雲南省)의 금사강(金砂江)을 이름. <천자문> ‘금생여수(金生麗水)’에서 말한 금(金)의 산지(産地)로 유명.

1212)일월각(日月角) : 관상법(觀相法)에서 부모운(父母運)을 나타내는 일각(日角)과 월각(月角)을 함께 이르는 말. 일각은 왼쪽 눈 위 약 3㎝ 부분, 월각은 오른쪽 눈 위 약 3㎝ 부분의 이마를 말하는데, 일월각이 뚜렷하면 높은 관직에 오를 상(相)이라 한다.

1213)니음양(理陰陽) 슌ᄉᆞ시(順四時) : 음양(陰陽)을 다스리고 사시(四時; 春夏秋冬)의 변화에 순응함.

의 히로오미 잇시니, 합히 반다시 소싱 등을 경계ᄒᆞ물 올히 ᄒᆞ시나, 소싱을 도로혀 권ᄒᆞ시니 소싱이 그윽이 의아ᄒᆞᄂᆞ이다.”

하공이 그 단듕침엄ᄒᆞ물 ᄋᆡ듕ᄒᆞ나, 너무 진욕이 무드지 아냐 수한이 브죡ᄒᆞᆯ가 념녀ᄒᆞ니, 평남휘 우음을 머금고 왈,

“년숙(緣叔)이 ᄉᆞ빈으로써 진욕이 젹어 향수치 못ᄒᆞᆯ가 근심ᄒᆞ거니와, ᄉᆞᄅᆞᆷ되오미 ○○○○[곤산(崑山)[1027]의 흰] 옥갓고 여수(麗水)[1028]의 양금(良金)을 단련ᄒᆞᆷ 갓튼지라. 상모로 의논ᄒᆞ야도 봉안이 징쳥(澄淸)ᄒᆞ여 가을 물결을 헤치며, 일광이 빗쵠 듯 경긔 ᄉᆞᄅᆞᆷ의긔 쏘이니, 반다시 수한이 장원ᄒᆞᆯ 거시오, 용미(龍眉)ᄂᆞᆫ 눈밧글 지나고, 쳔정(天庭)이 두우(斗牛)[1029]을 무은 듯ᄒᆞ여, 일월각(日月閣)[1030]이 이러시니, 귀격(貴格)을 다 니ᄅᆞ지 못ᄒᆞᆯ ᄇᆡ라. 곱고 빗나기ᄂᆞᆫ 형언치 말고, 오악(五嶽)[1031]이 융긔ᄒᆞ여 긔품이 뉴수 갓트여 의금(衣錦)[1032] 인신지상(人臣之相)이오, 니음양슌ᄉᆞ시(理陰陽順四時)[1033]ᄒᆞᆯ 직덕이 이시니 무삼 수한이 장원치 못ᄒᆞᆯ가 념녀ᄒᆞ리잇고?”

하공이 소왈,

1027)곤산(崑山) : 곤륜산(崑崙山). 중국 전설상의 높은 산. 중국의 서쪽에 있으며, 옥(玉)이 난다고 한다. 전국(戰國) 시대 말기부터는 서왕모(西王母)가 살며 불사(不死)의 물이 흐른다고 믿어졌다.

1028)여슈(麗水) : 중국 양자강(揚子江) 상류인 운남성(雲南省)의 금사강(金砂江)을 이름. <천자문> ‘금생여수(金生麗水)’에서 말한 금(金)의 산지(産地)로 유명.

1029)두우(斗牛) : 이십팔수 가운데 두성과 우성을 아울러 이르는 말.

1030)일월각(日月角) : 관상법(觀相法)에서 부모운(父母運)을 나타내는 일각(日角)과 월각(月角)을 함께 이르는 말. 일각은 왼쪽 눈 위 약 3㎝ 부분, 월각은 오른쪽 눈 위 약 3㎝ 부분의 이마를 말하는데, 일월각이 뚜렷하면 높은 관직에 오를 상(相)이라 한다.

1031)오악(五嶽) : 얼굴의 두 눈과 두 콧구멍, 입을 말함.

1032)의금(衣錦) : 비단옷을 입는다는 뜻으로, 부귀한 몸이 됨을 이르는 말

1033)니음양슌ᄉᆞ시(理陰陽順四時) : 음양(陰陽)을 다스리고 사시(四時; 春夏秋冬)의 변화에 순응함.

“챵ᄇᆡᆨ의 달니(達理)ᄒᆞᆫ 말과 ᄇᆞᆰ은 상법을 드르니, ᄉᆞ빈의 슈복을 념녀치 아니ᄒᆞᄂᆞ니, 참화지후의 ᄆᆞ음이 허랑ᄒᆞ여 ᄆᆡ양 ᄋᆞ들과 ᄉᆞ회[1214]를 위ᄒᆞᄆᆡ, 각별이 슈복을 바라ᄂᆞᆫ 고로 의ᄉᆡ 구구하여 아니날 념네 업셔 ᄌᆞ연 언단의 낫타나미로다.”

남휘 함쇼 궤좌ᄒᆞ고, 금평휘 ᄀᆞᆯ오ᄃᆡ,

“청텬ᄇᆡᆨ일(青天白日)은 노예하쳔(奴隷下賤)도 역지기명(亦知其明)[1215]이라. ᄉᆞ빈의 비상ᄒᆞ믈 텬흥이 아니라타 몰나 보리오. 스스로 상법을 아ᄂᆞᆫ 쳬ᄒᆞ여 시【50】비ᄒᆞᄂᆞᆫ 거시 어리기 심ᄒᆞᆫ가 ᄒᆞ노라.”

낙양휘 쇼왈,

“윤보는 챵ᄇᆡᆨ이 명달하며 상쾌ᄒᆞ믈 싀긔ᄒᆞ여, 쇼견이 승어부(勝於父)ᄒᆞ믈 질투ᄒᆞ여 깃거 아니ᄒᆞ므로, 본ᄃᆡ 텬흥의 말ᄉᆞᆺ출 무주려 못ᄒᆞ게 ᄒᆞ미라. ‘인인(人人)이 기ᄌᆡ(其子) 승어부ᄒᆞ믈 기뷔(其父) 드르면 희열(喜悅)이라’ ᄒᆞ여시ᄃᆡ, 윤보ᄂᆞᆫ 텬흥이셔 나은 쳬ᄒᆞ니, 진실노 텬흥이 그 ᄌᆞ식되미 원민치 아니리오.”

하・윤 냥공과 진태상이 박쇼ᄒᆞ고 금평휘 흔흔이 삼각미염(三角美髯)[1216]을 어로만져 우어 ᄀᆞᆯ오ᄃᆡ,

“형언이 가쇼롭기를 니긔지 못ᄒᆞᆯ디라 용우블ᄉᆞᄒᆞ여 그 부형의 용우ᄒᆞ믈 후【51】리ᄌᆞᆸᄂᆞᆫ 버르ᄉᆞᆯ 우리 가듕의ᄂᆞᆫ 보도 듯도 못ᄒᆞᆫ 말이니 형이 본ᄃᆡ 부형의 헐ᄲᅮ리ᄂᆞᆫ ᄌᆡ죄 잇ᄂᆞᆫ가 시브니 모로미 텬흥을 가ᄅᆞ치라.”

낙양후 형뎨 금평후를 ᄭᅮ짓고 셔로 희롱하여 즐기믈 마지 아니ᄒᆞ다가, 야심ᄒᆞᄆᆡ 낙양후 삼곤계 ᄌᆞ뎔을 거나려 몬져 도라가고, 윤・뎡・하 삼공이 죵용이 말ᄉᆞᆷᄒᆞᆯᄉᆡ, 하공이 술이 취ᄒᆞ므로 좃ᄎᆞ 셕ᄉᆞ를 ᄉᆡᆼ각하여 망ᄌᆞ 등을 ᄉᆡᆼ각고 냥항누를 나리오며, ᄇᆡᆨ화헌 가온ᄃᆡ셔 셕년 《왕ᄋᆡ‖왕ᄂᆡ(往來)》의 윤

1214)ᄉᆞ회 : 사위.
1215)역지기명(亦知其明) : 또한 그 밝음을 안다.
1216)삼각미염(三角美髯) : 세모 꼴 형태의 아름다운 수염.

“창ᄇᆡᆨ의 통달ᄒᆞᆫ 말과 발근 상법을 드르니, ᄉᆞ빈의 수복을 념녀치 아닌ᄂᆞ니, 참화지후의 마음이 허황ᄒᆞ여 아달과 ᄉᆞ회[1034]【3】를 위ᄒᆞ미 수복을 각별 바라ᄂᆞᆫ 고로, 의ᄉᆡ 구구ᄒᆞ여 아니 날 념녀을 두미로다.”

평휘 함소궤좌 ᄲᅮᆫ이오, 금휘 왈,

“청천ᄇᆡᆨ일(青天白日)은 노예하쳔(奴隷下賤)도 역지기명(亦知其明)[1035]이라. ᄉᆞ빈이 비상ᄒᆞ믈 쳔흥이 아니라도 몰나볼 이 업ᄉᆞ리니, 스ᄉᆞ로 상격을 아난 체ᄒᆞᄂᆞᆫ 거시 어리기 심치 아니냐?”

낙양휘 소왈,

“윤보ᄂᆞᆫ 쳔흥의 멸달상쾌ᄒᆞ믈 시긔ᄒᆞ여 말ᄉᆞᆺ출 무주려 못ᄒᆞ게 ᄒᆞ니, ‘인인(人人)이 기ᄌᆡ승어부(其子勝於父)라 ᄒᆞᆫ 즉 기부열지(其父悅之)ᄒᆞᆫ다’ ᄒᆞᄃᆡ, 윤보ᄂᆞᆫ 쳔흥의 츌뉴ᄒᆞ믈 깃거 아냐, 제 스ᄉᆞ로 쳔흥{이}의셔 나은 쳬ᄒᆞ니, 쳔흥이 그 아달 되미 엇지 원민치 아니리오.”

윤・하 양공과 진ᄐᆡ상 등이 박소ᄒᆞ고, 금평후 호호(皓皓)이 긴 슈염을 어로만져 웃어 왈,

“진형의 험언을 드르니 가소롭기을 이긔지 못ᄒᆞᆯ ᄇᆡ라. 다만 ᄃᆡ인ᄌᆞ(對人子)ᄒᆞ여 그 부형의 용우ᄒᆞ믈 주리잡ᄂᆞᆫ 버릇ᄉᆞᆫ 우리 가듕의ᄂᆞᆫ 보고 듯지 못ᄒᆞᆫ ᄇᆡ니, 부형 헐ᄲᅮ리ᄂᆞᆫ ᄌᆡ죄 잇ᄂᆞᆫ가 시부니, 모로미 쳔흥을 가르치라.”

낙양후 곤계 금후을 ᄭᅮ짓고 셔로 긔롱ᄒᆞ여 즐기다가, 야심 후 낙양후 ᄉᆞᆷ곤계 ᄌᆞ질을 거ᄂᆞ려 몬져 도라가고, 윤・하・뎡 ᄉᆞᆷ공이 조용히 말ᄉᆞᆷᄒᆞᆯᄉᆡ, 하공이 취ᄒᆞᆷ으로 좃차 셕ᄉᆞ을 상감(傷感)ᄒᆞ여, 망ᄌᆞ을 ᄉᆡᆼ각고 츄연이 양항누(兩行淚)을 나리와, ○[왈(曰)]

“셕ᄌᆞ(昔者)의 명쳔형으로 더부러, 각각 어린 ᄌᆞ녀와 복듕 골육으로써 졍혼ᄒᆞ여 수히 ᄌᆞ라믈 기다리더니, 도금(到今)ᄒᆞ여 비록

1034)ᄉᆞ회 : 사위.
1035)역지기명(亦知其明) : 또한 그 밝음을 안다.

명천공과 츄밀노 더브러 ᄌᆞ긔와 금평휘 모다 어린 ᄌᆞ【52】녀를 가져 뎡혼ᄒᆞ던 바와, 복듕의 골육이 이시믈 셔로 닐너 각각 부인이 ᄉᆡᆼ산ᄒᆞ여 ᄋᆞᄒᆡ ᄌᆞ라기를 기다려 셩혼ᄒᆞ믈 의논ᄒᆞ던 일이, 다 감회ᄒᆞ여 탄식 슈셩(數聲)의 젼젼 고ᄉᆞ를 니르며 슬프믈 니긔지 못ᄒᆞ니, 금평휘 역시 츄연ᄒᆞ여 ᄀᆞᆯ오ᄃᆡ,

"쇼뎨 명쳔형으로 더브러 어린 ᄌᆞ녀를 가져 뎡혼ᄒᆞ던 ᄇᆡ 일장츈몽 ᄀᆞᆺ고, 비록 명쳔형이 업ᄉᆞ나 구약을 셩젼ᄒᆞ여 텬흥으로ᄡᅧ 윤가 동상을 삼고 ᄉᆞ원으로 내 집 동상을 삼으니, 친옹이 비록 보디 못ᄒᆞ나 ᄌᆞ부 녀셰 다 아심(我心)의 흡연ᄒᆞ여, 식부ᄂᆞᆫ 텬【53】ᄋᆞ의게 외람ᄒᆞᆫ 안히오, ᄉᆞ원은 녀식의 감당치 못ᄒᆞᆯ 장ᄇᆡ라. 져희 각각 화락ᄒᆞᆯ가 바라더니, 블힝ᄒᆞᆫ 시졀을 만나 녀ᄋᆞᄂᆞᆫ 살인죄슈로 댱ᄉᆞ의 찬츌ᄒᆞ고, 식부ᄂᆞᆫ 공쥬 ᄒᆡᄒᆞᆫ 누얼을 시러 옥누항으로 니이졀혼ᄒᆞ여 가다가, 도듕의셔 뎍난을 당ᄒᆞ여 지금 거쳐를 모르니 참연ᄒᆞᆫ 심회를 형상키 어려오니, 디향ᄒᆞ여 ᄎᆞᄌᆞᆯ 길히 업ᄉᆞ니 능히 ᄉᆡᆼ존망을 알 길히 업ᄉᆞᆫ지라. 텬ᄋᆞ의 ᄇᆡ항(配行)[1217]이 그ᄃᆡ도록 ᄎᆞ라ᄒᆞᆯ[1218] 줄 어이 아라시리오."

하공이 ᄀᆞᆯ오ᄃᆡ,

"윤부인을 ᄉᆞ오셰 되도록 나의 ᄂᆡ이 본 ᄇᆡ라. 귀복달슈【54】지상(貴福達壽之相)이 만고의 희한ᄒᆞᆫ디라, 슈화듕(水火中)의 드러도 위ᄐᆡᄒᆞᆯ 일이 업ᄉᆞ리니, 형은 과려치 말고 타일을 기다리라. 다만 우리 졍분이 동긔와 다르미 업고 형이 또 내 식부를 ᄉᆞ오셰가지 본 ᄇᆡ니 ᄀᆞᆺᄐᆞ여 ᄂᆡ외ᄒᆞᆯ ᄇᆡ 아니라, 쵹디 간고를 참참이 겻그며 니친(離親)ᄒᆞᆫ 경ᄉᆡ 남다르ᄃᆡ, 우리 부부를 효봉ᄒᆞ미 진실노 원광이라도 현부의게 더으든 못ᄒᆞᆯ 거시오, ᄇᆡᆨ힝 ᄉᆞ덕이 여러 셰월의 오랄ᄉᆞ록 특이ᄒᆞ니, ᄋᆞ문의 보ᄇᆡ라. 형이 ᄒᆞᆫ번 볼디어다."

1217)ᄇᆡ항(配行) : 아내의 지위 또는 그러한 지위에 있는 사람.

1218)ᄎᆞ라ᄒᆞ다 : 아득하다. 아득히 멀다.

칠【4】팔츈츄 되엿거니와, 인ᄉᆞ의 변역하미 엇지 슬푸지 아니리오."

금휘 또ᄒᆞᆫ 츄연 탄왈,

"소졔 역시 명쳔 형으로 더부러 어린 ᄌᆞ녀로 졍혼ᄒᆞ던 ᄇᆡ 춘몽 갓고, 비록 명쳔 형이 업ᄉᆞ나 구약○[을] 셩젼ᄒᆞ야 쳥[쳔]흥으로ᄡᅧ 윤부 동상을 삼고, ᄉᆞ원으로ᄡᅧ ᄂᆡ집 셔낭(壻郎)을 삼으니, 친옹이 보지 못ᄒᆞ믈 슬허ᄒᆞ나, ᄌᆞ부 녀셔 아심의 흡연ᄒᆞ여 식부ᄂᆞᆫ 쳔흥의 외람ᄒᆞᆫ 안히오, ᄉᆞ원은 녀식의 감당치 못ᄒᆞᆯ 군ᄌᆡ라. 져희 기리 화락ᄒᆞᆯ가 ᄒᆞ엿더니, 블힝ᄒᆞ여 녀식이 살인죄슈로 장ᄉᆞ의 찬츌ᄒᆞ고, 식부ᄂᆞᆫ 공쥐 《괴이‖ᄒᆡ》ᄒᆞᆫ 누얼을 시러 니이졀혼ᄒᆞ여 옥누항으로 나가ᄃᆞ가, 도즁의셔 난젹(亂賊)을 만나 지금 거쳐을 모로니, 참한ᄒᆞ믈 형상키 어려오ᄃᆡ 지향ᄒᆞ여 ᄎᆞᄌᆞᆯ 곳이 업ᄉᆞ니, ᄉᆡᆼ존망을 모로ᄂᆞᆫ지라. 쳔아의 ᄇᆡ항(配行)[1036]이 그ᄃᆡ도록 ᄒᆞᆯ 줄 엇지 알아시리오."

하공이 또ᄒᆞᆫ 경녀 왈,

"윤부인을 ᄉᆞ오셰 되도록 나의 익히 본 ᄇᆡ니, 귀복지상(貴福之相)이 만고의 희안ᄒᆞᆫ지라. 수화듕(水火中)의 드러도 위ᄐᆡᄒᆞᆯ ᄂᆡ 업ᄉᆞ니, 형은 과려치 말고 타일을 기ᄃᆞ리라. 다만 우리 졍분이 동긔의 다르미 업고, 형이 또 ᄂᆡ 식부을 ᄉᆞ오셰가지 본 ᄇᆡ니 ᄂᆡ외ᄒᆞᆯ ᄇᆡ 아니라. 쵹지간고을 참참이 격그며, 니친(離親)ᄒᆞᆫ 경ᄉᆡ 남다르ᄃᆡ, 우리 부부을 효봉ᄒᆞ미 진실노 원광이라도 윤시의셔 더으든 못ᄒᆞᆯ 거시오, ᄇᆡᆨ힝 ᄉᆞ덕이 여러 셰월이 가도록 특이ᄒᆞ니, 오문의 큰 보ᄇᆡ라. 형이 ᄒᆞᆫ 번 볼지어다."

1036)ᄇᆡ항(配行) : 아내의 지위 또는 그러한 지위에 있는 사람.

금평휘 ᄀᆞᆯ오ᄃᆡ,

"우리 경원ᄌᆞ 동긔와 감치 아니ᄒᆞ고 녕ᄋᆞ를 쇼뎨 양녀【55】ᄒᆞᄆᆡ 졔 우리 셤기미 친싱 부모 ᄀᆞᆺ고 우리 져를 ᄉᆞ랑ᄒᆞᄂᆞᆫ ᄠᅳᆺ이 친싱 긔츌과 다르미 업ᄉᆞ니, 냥가의 각별ᄒᆞ미 녀ᄋᆞ로ᄡᅧ 일호 간격이 없ᄂᆞᆫ디라. 엇디 다른 ᄌᆞ녀를 ᄂᆡ외ᄒᆞ며 식부를 셔로 뵈고져 아니리오마ᄂᆞᆫ, 쇼졸ᄒᆞᆫ 녀ᄌᆞ 타문 남ᄌᆞ를 보디 아니려 ᄒᆞ리니, 굿ᄐᆞ여 윤부인을 쳥치 말라."

하공이 쇼왈,

"형으로 더브러 졍의 골육동긔 아니믈 아지 못ᄒᆞᄂᆞ니, 형이 임의 나의 녀식을 양녀ᄒᆞ여 ᄉᆞ랑ᄒᆞ미 친싱의 넘거ᄂᆞᆯ 어이 ᄋᆞ부를 보디 못ᄒᆞ며, 형의 집 하날 ᄀᆞᄐᆞᆫ 은혜를 쇼뎨 부ᄌᆞ의게 드리오니, 식뷔 ᄯᅩᄒᆞᆫ【56】형의 은덕을 감골ᄒᆞᄂᆞᆫ디라. 반ᄃᆞ시 일ᄎᆞ ᄇᆡ견을 폐치 못ᄒᆞᆯ 거시오, 형이 명강형과 동긔 ᄀᆞᄐᆞ니 식뷔 여러 가지로 셔어ᄒᆞᆫ 일이 업ᄉᆞ리니 이졔 브를 거시라."

언필의 시녀로 하쇼져의게 젼어ᄒᆞ여 윤쇼져를 다리고 나오라 ᄒᆞ니, 윤츄일이 ᄯᅩᄒᆞᆫ 쇼왈,

"형이 쇼뎨와 관포(管鮑)의 디긔(志氣) 이시니 녀식을 잠간 보미 방히롭지 아니ᄒᆞ며, ᄯᅩ 하형이 이ᄀᆞᆺ치 보과져 아니나 우리 ᄉᆞ이 굿ᄐᆞ여 녀(女)와 부(婦)를 ᄂᆡ외ᄒᆞ리오. 형은 굿ᄐᆞ여 샤양치 말나."

금평휘 하·윤 이공의 말을 좃ᄎᆞ 다시 윤쇼져 보기를 막디 아니ᄒᆞ고, 좌의 시랑의 곤계【57】와 하댱원과 윤태우 형뎨와 평남후 등이라. 뎡탐화ᄂᆞᆫ 샤관의 디리히 보칙므로, 금평휘 명ᄒᆞ여 일즉이 드러가 ᄌᆞ고 명일 유과를 마ᄌᆞ ᄒᆞ라 ᄒᆞ엿ᄂᆞᆫ 고로, 좌의 업ᄂᆞᆫ디라. 평남휘 윤부인의 나오믈 듯고 피ᄒᆞ여 드러가고져 ᄒᆞ거ᄂᆞᆯ, 하공과 윤츄밀이 ᄉᆞᄆᆡ를 잡아 ᄀᆞᆯ오ᄃᆡ,

"챵빅은 원광과 형뎨 ᄀᆞᆺ고 ᄒᆞ믈며 윤부인 셔랑이라. 나의 식부를 챵빅이 못볼 니 업고 원광이 타일 윤부인을 ᄯᅩᄒᆞᆫ 아니 보디 못ᄒᆞ리니, 모로미 피치말나."

금후【5】 왈,

"우리 경의[원]ᄌᆞ 동○[긔]의 감치 아니코, 영쥬소졔 양녀ᄒᆞᄆᆡ 졔 우리 셤기미 친부모 갓고, 우리 져 ᄉᆞ랑ᄒᆞ미 친싱과 다르미 업ᄉᆞ니, 냥가의 각별ᄒᆞ미 일호 간격○[이] 업ᄂᆞᆫ지라. 어[엇]지 다른 ᄌᆞ녀로 ᄂᆡ외ᄒᆞ며 식부로셔 뵈고져 아니리오마ᄂᆞᆫ, 수졸(羞拙)ᄒᆞᆫ 녀ᄌᆞ 타문 남ᄌᆞ을 보지 아니려 ᄒᆞ리니 윤부인을 쳥치 말나."

하공이 소왈,

"소졔 형으로 더부러 골육동긔 아닌 줄 아지 못ᄒᆞᄂᆞ니, 형이 임의 ᄂᆡ 녀식을 양녀ᄒᆞ여 친싱 갓거ᄂᆞᆯ, 어이 원광의 쳐을 보지 못ᄒᆞ며, 형의 집 하날 갓튼 은혜을 소졔 부ᄌᆞ의게 드리오니, 식뷔 ᄯᅩᄒᆞᆫ 형의 은덕을 각골ᄒᆞᆯ지라. 반다시 일ᄎᆞ ᄇᆡ견은 폐치 못ᄒᆞᆯ 거시오, 형이 명강과 동긔 갓ᄐᆞ니 식부을 이졔 브를 거시라."

언팔[필]의 시녀로 하·윤 양소져을 부르니 추밀이 소왈,

"형이 소졔와 관포(管鮑)의 지긔(志氣)을 이으니, 녀식을 잠간 보아도 못ᄒᆞᆯ 일이 아니오, 하형이 이갓치 보라 ᄒᆞ니 굿ᄒᆞ여 ᄉᆞ양ᄒᆞ리오."

금휘 윤·하 이공의 말을 좃ᄎᆞ 윤소져 보기을 막지 아니ᄒᆞ고, 모든 시좌ᄒᆞᆫ 소년○[이] 장원이[만] 잇고, 탐화 물너가 ᄌᆞ고 명일유가을 맛ᄎᆞ려 ᄒᆞ엿ᄂᆞᆫ 고로, 평남후와 윤ᄐᆡ우 형뎨 시좌ᄒᆞ엿더니, ○○○[평남휘] 윤부인 난[나]오믈 듯고, 즉시 피ᄒᆞ여 부듕의로 가려ᄒᆞ니, 하·윤 냥공이 그 ᄉᆞᄆᆡ을 잡아 왈,

"챵빅은 원광과 ○○[형뎨] 갓고 다 윤부셔랑이라. ᄂᆡ 식부을 챵빅이 못볼니【6】업고, 원광이 타일의 윤부인을 못볼 니 업ᄉᆞ니, 모로미 피치 말나."

평남휘 ᄀᆞ장 블안ᄒᆞᄃᆡ 마지 못ᄒᆞ여 좌의 잇더니, 이윽고 하쇼졔 윤쇼져로 더브러 【58】 외헌의 나아오니, 원ᄂᆡ 윤부인은 금평후의 이시믄 아디 못ᄒᆞ고 엄구대인의 브르시ᄂᆞᆫ 명을 응ᄒᆞ여 나오ᄆᆡ, 지게를 당ᄒᆞ여 윤태우 형뎨 안ᄌᆞᆺ다가 믈너셔고, ᄒᆞ공이 우음을 먹음어 식부와 녀ᄋᆡ 드러오믈 니르니, 하쇼졔 거의 짐작고 윤쇼져를 인도ᄒᆞ여 실듕의 드러가니, 평남후ᄂᆞᆫ 관을 숙이고 눈을 ᄂᆞᆺ초아 원비를 뎡히 ᄭᅩ자 셧시며, 금평후ᄂᆞᆫ 날호여 긔동ᄒᆞ니, 윤부인이 눈드러 살피미 업ᄉᆞ나 젼ᄌᆞ의 보디 못ᄒᆞ던 남ᄌᆡ 이시믈 어이 모로리오. 가장 경아ᄒᆞᄃᆡ ᄉᆞ쉭지 아니ᄒᆞ더니, 하공이 웃고 ᄀᆞᆯ오ᄃᆡ,

"뎡형은【59】 나의 동긔 ᄀᆞᆺᄐᆞᆫ 친우오, 삼싱의 다 갑지 못ᄒᆞᆯ 은혜 이실 ᄲᅳᆫ 아니라, 윤형으로 더브러 디극ᄒᆞᆫ ᄉᆞ이니, 현뷔 ᄯᅩᄒᆞᆫ ᄋᆞ시의 항상(恒常)이 ᄇᆡ견ᄒᆞᆫ ᄇᆡ라. 모로미 슉딜지녜(叔姪之禮)로 뵈고, 뎡병부ᄂᆞᆫ 원광의 문경지괴(刎頸之交)오, 명쳔형의 동상(東床)이니 못볼 ᄉᆞ이 아니라. 현부ᄂᆞᆫ 모로미 괴이히 넉이지 말나."

윤시 놀나오나 ᄇᆡ샤 슈명ᄒᆞ여 금평후긔 ᄌᆡᄇᆡᄒᆞᄆᆡ 평휘 답ᄇᆡᄒᆞ니, 윤공이 과도ᄒᆞ믈 닐너 ᄌᆞ딜ᄀᆞᆺ치 아니믈 니르고, 윤쇼졔 평남후로 녜필ᄒᆞᄆᆡ 하공이 ᄌᆞ긔 겻ᄐᆡ 안치고, 태연이 웃ᄂᆞᆫ 용화를 여러 금후를 향ᄒᆞ여 ᄀᆞᆯ오ᄃᆡ,

"나의 식부【60】ᄂᆞᆫ 녀듕ᄉᆞ군ᄌᆡ(女中士君子)라 외모용식을 족히 니를 거시 아니로ᄃᆡ, ᄇᆡᆨᄉᆡ(百事) 진션진미ᄒᆞ여 싁ᄐᆡ ᄯᅩᄒᆞᆫ 이ᄀᆞᆺᄐᆞ니, 이 진짓 '하쥬(河洲)의 옥 ᄀᆞᆺᄐᆞᆫ 슉녜(淑女)'[1219] 아니리오."

윤츄밀은 하공의 녀ᄋᆞ ᄉᆞ랑ᄒᆞ믈 보고 ᄌᆞ긔도 젼일은 하시를 져ᄀᆞᆺ치 ᄉᆞ랑ᄒᆞ던 줄 ᄭᆡ

1219)하쥬(河洲) … 슉여(淑女) : 강물 모래톱 가운데 있는 숙녀라는 뜻으로 주(周)나라 문왕(文王)의 비(妃)인 태사(太姒)를 말한다. 문왕과 태사 부부의 사랑을 노래한 『시경』 <관저(關雎)>장의 "관관저구 재하지주 요조숙녀 군자호구(關關雎鳩 在河之洲 窈窕淑女 君子好逑)"의 '하주(河洲)' '숙녀(淑女)'서 온말.

남휘 마지 못ᄒᆞ여 좌의 잇ᄉᆞ나 블열ᄒᆞ더니, 이윽고 하·윤 냥소져 외헌의 나오니, 원ᄂᆡ 윤부인은 금평후 부ᄌᆞ 이시믄 아지 못ᄒᆞ고 엄구의 소명을 응ᄒᆞ여 나오ᄆᆡ, 지게을 당ᄒᆞ여 윤ᄐᆡ우 형뎨 안졋다가 물너셔고, 하공이 우음을 먹음어 식부와 녀ᄋᆞ을 드러오기을 니르니, 하소져 거의 짐작고 윤소져을 인도ᄒᆞ여 실듕의 드러오니, 평남후ᄂᆞᆫ 관을 숙이고 눈을 낫초아 공수적닙(拱手正立)ᄒᆞ엿고, 금평후ᄂᆞᆫ 날호여 긔동ᄒᆞ니, 윤부인이 눈들어 ᄉᆞᆯ피미 업ᄉᆞ나 젼ᄌᆞ의 보지 못ᄒᆞ던 남ᄌᆞ 잇시믈 어이 모로리오. 가장 경아ᄒᆞᄃᆡ ᄉᆞ쉭지 아니터니, 하공이 소왈,

"뎡형은 나의 동긔 갓ᄐᆞᆫ 친우요, 숨싱의 다 갑지 못ᄒᆞᆯ 은인일 ᄲᅮᆫ 아니라 윤형으로 더부러 지극ᄒᆞᆫ ᄉᆞ이며, 현뷔 ᄯᅩᄒᆞᆫ 아시의 항상 ᄇᆡ견ᄒᆞᆫ ᄇᆡ니, 모로미 숙질지녜(叔姪之禮)로 뷔[뵈]고 뎡○[병]부ᄂᆞᆫ 원광의 문경지괴(刎頸之交)오 명쳔형의 동상(東床)이니 못 볼 ᄉᆞ이 아니라, 현부ᄂᆞᆫ 모로미 고히 넉이지 말나."

윤시 듕심의 놀나오나 ᄇᆡᄉᆞ 수명ᄒᆞ여 금평○[후]게 ᄌᆡᄇᆡᄒᆞᄆᆡ, 금휘 답ᄇᆡᄒᆞ니, 윤공이 과도ᄒᆞ물 일너 ᄌᆞ질 갓치 아니믈 니르고, 윤시 평남후로 녜필ᄒᆞᄆᆡ 하공이 ᄌᆞ긔 겻히 안기을 명ᄒᆞ고, 《희쳔∥희연(喜然)》이 웃ᄂᆞᆫ 용화을 열어 금후다려 왈,

"나의 식부ᄂᆞᆫ 녀듕군ᄌᆞ(女中君子)라. 외모용싁으로 일을 거시 아니라, ᄇᆡᆨᄉᆡ(百事) 가작ᄒᆞ며 싁ᄐᆡ【7】 ᄯᅩ 이 갓ᄐᆞ니, 진짓 '하쥬(河洲)의 가잔[1037] 숙녀(淑女)'[1038]라."

추밀이 하공의 ᄌᆞ부 ᄉᆞ랑ᄒᆞ물 보고, ᄌᆞ긔

1037)가잔 : 가작ᄒᆞᆫ. *가작ᄒᆞ다; 가지런하다. 여럿이 층이 나지 않고 고르다.

1038)하쥬(河洲)의 … 숙녀(淑女) : 강물 모래톱 가운데 있는 숙녀라는 뜻으로, 주(周)나라 문왕(文王)의 비(妃)인 태사(太姒)를 말한다. 문왕과 태사 부부의 사랑을 노래한 『시경』 <관저(關雎)>장의 "관관저구 재하지주 요조숙녀 군자호구(關關雎鳩 在河之洲 窈窕淑女 君子好逑)"의 '하주(河洲)' '숙녀(淑女)'서 온말.

ᄃᆞ라, 쏘ᄒᆞᆫ 하시를 ᄌᆞ긔 겻ᄐᆡ 안쳐 잠간 년ᄋᆡᄒᆞᄂᆞᆫ 졍을 낫토니, 금평후 부ᄌᆡ 눈을 흘녀 윤시를 얼프시 본즉, 풍완호질(豐婉好質)이 슈려쇄락ᄒᆞ여 명광이 찬난ᄒᆞ니, 가을 ᄃᆞᆯ이 벽옥누(碧玉樓)의 ᄇᆞᆰ아시며, 츄슈(秋水)향년(香蓮)이 쳔엽(千葉)의 소삿ᄂᆞᆫ ᄃᆞᆺ, ᄲᅢ혀난 미목의 셩덕이 빗최고, 샤일(斜日) 쌍광(雙光)의 졍【61】치 징징 발월ᄒᆞ여, 미우팔ᄎᆡ의 셩덕이 현어외모(顯於外貌)ᄒᆞ며 복덕이 어릐여시니, 찬난ᄒᆞᆫ ᄐᆡ도와 《신연‖선연(嬋姸)》ᄒᆞᆫ 긔질이 션원(仙苑)의 향긔를 겸ᄒᆞ여 쳔ᄐᆡ만광이 솟다이 ᄲᅢ혀나니, 뉵쳑신댱과 일쳑나요(一尺羅腰)며 쳥운 ᄀᆞᆺᄐᆞᆫ 녹발과 비봉(飛鳳) ᄀᆞᆺᄐᆞᆫ 엇개 표연ᄒᆞ여, ᄌᆞ약긔려ᄒᆞᆫ 가온ᄃᆡ 유한슉뇨(幽閑淑窈)ᄒᆞ고 쳥연뎡녈(靑煙貞烈)ᄒᆞ니, 이 진짓 단일셩장(端壹盛裝)의 쳔고 희한ᄒᆞᆫ 셩녀 명염이라. 금후 부ᄌᆡ 크게 탄복ᄒᆞᆯ ᄲᅮᆫ 아니라, 비록 한업ᄉᆞᆫ 명광은 오히려 잠간 그 죵형을 밋디 못ᄒᆞᆯ ᄃᆞᆺᄒᆞ나, 용화긔질이 ᄒᆞᆫ 판의 박은 ᄃᆞᆺ 흡연이 방블ᄒᆞ【62】여, 그 갓ᄐᆞᆫ 곳이 덕셩이 츌어이목(出於耳目)ᄒᆞ여 ᄒᆡᆼ지동용(行止動容)이 법되 단연ᄒᆞ고 신듕ᄒᆞ여, ᄉᆞ군ᄌᆞ ᄀᆞᆺᄐᆞᆫ 픔되 은연이 방블ᄒᆞ고, 흐억ᄒᆞ고 윤염(潤艶)ᄒᆞ여 풍완윤ᄐᆡᆨᄒᆞ미 그 죵형의셔 승ᄒᆞᄃᆡ, 쳔ᄐᆡᆨ(川澤)의 어름이 ᄯᅳᆺ글을 ᄡᅵᄉᆞ며, 만니 댱공(長空)의 ᄒᆞᆫ 조각 구름이 업ᄉᆞᆫ 곳이 냥일(陽日)이 댱텬ᄒᆞ여 광위를 흘님ᄀᆞᆺ치 신긔롭고 ᄆᆞᆰ으믄 그 죵형긔 잠간 블급(不及)ᄒᆞᆫ ᄃᆞᆺᄒᆞ니, 쇼(小) 윤시ᄂᆞᆫ 비컨ᄃᆡ, 츄텬이 아으라ᄒᆞ여 구만니 댱공의 일졈 부운이 업ᄉᆞᆫ 곳의 듕츄망월이 옥누(玉樓)의 한가ᄒᆞ여 명광을 만방의 흘님ᄀᆞᆺᄐᆞ니, 금휘 윤쇼져를 보ᄆᆡ ᄌᆞ긔 식부를【63】 더욱 ᄉᆡᆼ각ᄒᆞ여, 하공을 향ᄒᆞ여 왈,

"형이 비상 참쳑ᄒᆞ고 녁경화변(歷經禍變)ᄒᆞ여시나, 대효의 ᄋᆞᄃᆞᆯ과 셩녀의 현부를 슬하의 두어 문호를 흥긔ᄒᆞ며 가도를 챵셩ᄒᆞ미 일노 좃ᄎᆞ 디긔(知機)ᄒᆞ리니, 엇디 깃브지 아니리오. 비록 윤부인을 금일 보옵디 아니ᄒᆞ나, 비상특이하시믄 ᄋᆞ시의도 쇽뉴

젼일 하시을 하시을 ᄉᆞ랑ᄒᆞ던 줄 ᄊᆡ다라, 하시을 쏘ᄒᆞᆫ 겻ᄒᆡ 안쳐 연ᄋᆡᄒᆞᄂᆞᆫ 졍을 낫토고, 금평후 부ᄌᆡ 눈을 흘녀 윤시을 보니, 《풍안‖풍완(豐婉)》호질(好質)이 슈려쇄락ᄒᆞ여 명광이 찬난ᄒᆞ니, 가을 달이 옥우(玉宇)의 발가시며 츄수향년(秋水香蓮)이 쳥엽(靑葉)의 소ᄉᆞᆺᄂᆞᆫ 듯, ᄲᅦ혀ᄂᆞᆫ 이목의 덕셩이 비최고, 고은 용안의 복녹이 무궁ᄒᆞ여 영귀지상이라. 유한졍뎡지덕(幽閑貞靜之德)과 현슌완열(賢順婉悅)ᄒᆞᆫ ᄐᆡ되 쳔고명염슉녀(千古名艶淑女)라. 금휘 부ᄌᆡ 심ᄒᆞ의 크게 탄복할 ᄲᅮᆫ 아니라, 비록 ᄒᆞᆫ업ᄉᆞᆫ 《명관‖명광(明光)》은 오히려 일이층이나 그 종형을 밋지 못ᄒᆞ나, 만니[이] 방불ᄒᆞ여 윤시와 어[얼]푸시 갓ᄒᆞᆫ 곳이 만흐니, 덕셩이 츌어미목(出於眉目)ᄒᆞ며, ᄒᆡᆼ지동용(行止動容)의 업[법]되 단일신즁(端壹愼重)ᄒᆞ여 ᄉᆞ군ᄌᆞ 갓ᄒᆞᆫ 품되 은연이 방불ᄒᆞ고, 흠[흐]억ᄒᆞ고 윤염(潤艶)ᄒᆞ여 풍완ᄒᆞᆫ 듕, 쳥졍ᄒᆞ미 《쳔덕‖쳔ᄐᆡᆨ(川澤)》의 어름이 틋글을 씨ᄉᆞ며, 만니 장공(長空)의 일편운(一片雲)이 업산ᄃᆡ, 망월이 듕쳔의 ᄒᆞᆫ가ᄒᆞ여 명관[광]을 흘님 갓ᄐᆞ니, 윤시을 보ᄆᆡ ᄌᆞ긔 식부을 더욱 ᄉᆡᆼ각ᄒᆞ여, 하공을 향ᄒᆞ여 왈,

"형이 비상 참쳑ᄒᆞ고 염[역]경화변(歷經禍變)ᄒᆞ나, ᄃᆡ효의 아달과 셩녜(聖禮)의 현부을 두어 문호을 흥긔ᄒᆞ리니, 엇지 깃부지 아니리오. 비록 윤부인을 금일 보옵지 아니ᄒᆞ나 비상특이ᄒᆞ믄 아시의도 속뉴와 다르니, 형의 과장을【8】 듯지 아냐셔 발키 아

(俗流)와 다르니, 형의 과장을 듯디 아냐셔 ᄇᆞᆰ히 아랏ᄂᆞᆫ디라. 쇼데의 실산ᄒᆞᆫ ᄌᆞ부 등을 싱각ᄒᆞᄆᆡ ᄎᆞ셕ᄒᆞ믈 니긔지 못ᄒᆞ리로다."

하공이 대취ᄒᆞ여, 상시 픔은 ᄠᅳᆮ을 ᄀᆞᆷ초지 못ᄒᆞ므로 이윽이 취담을 긋치지 아니타가, 윤쇼져의 손【64】을 잡아 흔연이 그 팔흘 ᄲᅢ혀 왈,

"셕ᄌᆞ의 ᄇᆡᆨ화헌 가온ᄃᆡ셔 현부의 비샹의 '하문ᄌᆞ부(河門子婦)' 네ᄌᆞ를 잉혈노 내 친히 ᄡᅥᆺ더니, 흐르ᄂᆞᆫ 셰월이 살 ᄀᆞᆺᄐᆞ여 어나 ᄉᆞ이 현부로 내 집 사ᄅᆞᆷ을 삼아 발셔 오년 츈취되니, 나의 ᄉᆞ랑ᄒᆞᄂᆞᆫ 경이 녀ᄋᆞ의 우히라. 현뷔 ᄯᅩᄒᆞᆫ 날 알오믈 츄밀 형의셔 더ᄒᆞ라."

이리 니르며 눈을 드러 쇼져의 팔흘 보ᄆᆡ, 옥 ᄀᆞᆺᄐᆞᆫ 비샹의 홍졈이 완연ᄒᆞ고 셕년의 하문ᄌᆞ부 네ᄌᆞ ᄡᅳᆫ 거시 분명ᄒᆞ여 단ᄉᆞ를 졈(點)ᄒᆞᆷ ᄀᆞᆺᄐᆞ니, 하공이 우연이 식부의 팔흘 ᄲᅢ히ᄆᆡ 문득 잉졈(鸚點)을 본디라. 셩혼 오직의 비홍이 완전ᄒᆞ믈 경【65】히 ᄎᆞ악ᄒᆞ여, ᄌᆞ긔 부부ᄂᆞᆫ ᄋᆞᄌᆞ의 박힝을 아지 못ᄒᆞ고, ᄆᆡ양 농손(弄孫)의 ᄌᆞ미를 바라던 일이 우은디라. ᄋᆞᄌᆞ의 현쳐 박ᄃᆡᄒᆞᄂᆞᆫ 힝ᄉᆞ를 분완졀통ᄒᆞ고[나] 셰쇄ᄒᆞ기를 구치 아니므로, 날호여 윤시의 팔흘 노흐나 ᄉᆞ식이 다르믈 면치 못ᄒᆞ니, 윤쇼제 쳔만 싱각 밧긔 비홍을 엄구의 보신 ᄇᆡ 되ᄆᆡ, 놀납고 블평ᄒᆞ믈 니긔지 못ᄒᆞ나, 외뫼 쳔연(天然) 안상(安常)ᄒᆞ여 무ᄉᆞ무려ᄒᆞᆫ 거동이 셰ᄉᆞ를 모로ᄂᆞᆫ ᄃᆞᆺᄒᆞ니, 하공이 더욱 ᄉᆞ랑ᄒᆞ나 그 단장 박명을 잔잉ᄒᆞ여 쥬홍이 ᄉᆞ라지니, 하쇼제 야야의 긔식을 슷치ᄆᆡ 윤쇼져의 블평ᄒᆞᆫ 심사를 혜아려, 즉시 니러 ᄂᆡ루로 드러가려 ᄒᆞᆫᄃᆡ, 윤쇼제 금후 부ᄌᆞ긔 녜ᄒᆞ고 하시로 더브러 ᄂᆡ루로【66】 드러가니, 하공이 금후를 향ᄒᆞ여 왈,

"쇼데 명박험흔(命薄險釁)1220)ᄒᆞᄆᆡ 형의 남다른 유복을 감히 ᄯᆞᆯ을 길히 업거니와, 형은 오ᄌᆞ의 옥슈신월 ᄀᆞᆺᄐᆞᆫ 손ᄋᆡ 층층ᄒᆞ거니와, 쇼데ᄂᆞᆫ 삼ᄌᆞ를 참망ᄒᆞ고 원광이 큰

1220)명박험흔(命薄險釁) : 명(命)이 박하고 험함.

랏ᄂᆞ니, 소졔의 실산ᄒᆞᆫ ᄌᆞ부 등을 식[싱]각ᄒᆞᄆᆡ, 더욱 차셕ᄒᆞ믈 이긔지 못ᄒᆞ리로다."

하공이 ᄃᆡ취ᄒᆞ여, 상시 품은 ᄯᅳᆺ을 감초지 못ᄒᆞ여, 이윽이 취담을 그치지 아니타가, 윤시의 손을 잡아 흔연이 그 팔을 ᄲᅢ혀 왈,

"셕ᄌᆞ의 ᄇᆡᆨ화헌 가온ᄃᆡ셔 비상의 잉혈노 '하문ᄌᆞ부(河門子婦)' 네ᄌᆞ을 ᄂᆡ 친히 쎳더니, 흐르ᄂᆞᆫ 셰월이 ᄉᆞᆯ 갓ᄐᆞ여 어ᄂᆞ ᄉᆞ이 현부로 ᄂᆡ집 ᄉᆞ람을 삼아, 발셔 오년츈츄 되니, 나의 ᄉᆞ랑ᄒᆞᄂᆞᆫ 졍이 영쥬의 우히라. 현뷔 ᄯᅩ 날 알오믈 추밀 형의셔 더ᄒᆞᆫ다."

니르며, 눈을 드러 소져의 팔을 보ᄆᆡ, 옥비의 홍졈이 완연ᄒᆞ고, 셕년 필젹이 분명ᄒᆞ고[여] 단ᄉᆞ을 취ᄒᆞᆷ 가ᄐᆞ니, 공이 경아(驚訝) 차악(嗟愕)ᄒᆞ여, ᄌᆞ가 부부ᄂᆞᆫ 아ᄌᆞ 박졍을 아지 못ᄒᆞ고 ᄆᆡ양 농손(弄孫) ᄌᆞ미을 바라던 일이 우은지라. 아ᄌᆞ의 현쳐 박ᄃᆡᄒᆞᄂᆞᆫ 힝ᄉᆞ을 졀통분완ᄒᆞ나, 셰소(細小)ᄒᆞ물 《누‖구(求)》치 아니므로, 날호여 윤시의 팔을 노흐나 ᄉᆞ식이 다르믈 면치 못ᄒᆞ니, 윤시 쳔만 싱각 밧긔 비홍을 엄구의 본 ᄇᆡ 되니, 놀납고 불평ᄒᆞ물 이긔지 못ᄒᆞ여[나], 외뫼 쳔연 안상(安常)ᄒᆞ여 무ᄉᆞ무려ᄒᆞᆫ 거동이 셰ᄉᆞ을 모로ᄂᆞᆫ 듯ᄒᆞ니, 하공이 더욱 ᄉᆞ랑ᄒᆞ나, 그 단장박명을 잔잉ᄒᆞ여 주홍이 ᄉᆞ라지니, 하소져 부친 긔식을 ᄉᆞᆺ치ᄆᆡ 윤소져의 불평ᄒᆞᆫ 심ᄉᆞ을 혜아려, 즉시 니러나 《두루여‖ᄂᆡ루로》 드러가려 ᄒᆞ[ᄒᆞᆫ]ᄃᆡ, ○○[윤시] 금평후 부ᄌᆞ긔 녜ᄒᆞ고 하시로 더부러 드러가니, 하공이 금후을 향ᄒᆞ여 왈,

"소제의 명박(命薄)ᄒᆞᆷ이 현【9】형의 남다른 복을 감히 ᄯᆞᆯ올 길 업거니와, 형은 슬ᄒᆞ의 옥수신월 갓튼 《신ᄋᆡ‖손ᄋᆡ(孫兒)》 층층ᄒᆞ나, ᄂᆞᄂᆞᆫ ○○○[삼ᄌᆞ를] 참만[망]ᄒᆞ고, 원광을[이] 큰 아히로 종ᄉᆞ의 듕탁과

ᄋᆞ히로 종샤의 듕탁과 일신 후ᄉᆞ를 깁히 바라미 타인디ᄌᆞ(他人之子)의 다르미 잇ᄂᆞᆫ디라. 비록 원상 등이 이시나 계오 유하를 면ᄒᆞᆫ 거시 엇디 당셩ᄒᆞᆫ 원광과 ᄀᆞᆺᄐᆞ리오. 쥬야 식부의 농장(弄璋)ᄒᆞᄂᆞᆫ ᄌᆞ미를 보고져 텬신긔 비ᄂᆞᆫ ᄇᆡ로ᄃᆡ, 【67】 셩혼 오ᄌᆡ의 식뷔 ᄉᆡᆼ산ᄒᆞᄂᆞᆫ 일이 업고, 영쥬를 ᄉᆞ빈과 셩녜ᄒᆞ연 디 삼ᄌᆡ의 태신(胎身)의 긔미 업ᄉᆞ니, 쇼뎨의 무궁ᄒᆞᆫ 젹악과 한업ᄉᆞᆫ ᄌᆡ앙이 ᄌᆞ녀간의 농장ᄒᆞᄂᆞᆫ ᄌᆞ미를 보디 목ᄒᆞᆯ가 슬허ᄒᆞ노라."

금휘 영쥬의 비홍이 완연ᄒᆞ믈 모로디 아니ᄒᆞ던 ᄇᆡ나, 하ᄉᆡᆼ이 윤시 박ᄃᆡᄒᆞ미 ᄒᆡᆼ노(行路)1221) ᄀᆞᆺᄐᆞᆫ 몽니의도 ᄉᆡᆼ각디 못ᄒᆞ여 시ᄃᆡ, 하공이 그 비홍을 상고ᄒᆞ고 말이 이 ᄀᆞᆺᄐᆞ니, 남의 집 규녀의 쥬표를 아른 쳬ᄒᆞ미 블가ᄒᆞᆫ 고로 다만 쇼왈,

"ᄌᆞ의의 부부와 ᄉᆞ빈의 부뷔 쳥츈녹발이 쇠(衰)ᄒᆞᆯ 날이 머럿고, 젼 【68】 졍이 만니라. 아직 ᄉᆡᆼ산ᄒᆞᄂᆞᆫ 경ᄉᆡ 업ᄉᆞ나 타일 옥동화녀 몃 사름을 둘동1222) 알니오. 형의 년긔 우리 아ᄅᆡ오, 비록 됴ᄇᆡᆨ(早白)ᄒᆞ미 이시나 긔운인즉 ᄇᆡᆨ셰(百歲) 하슈(賀壽)1223)를 긔약ᄒᆞᆯ 거시니, 손ᄋᆞ를 니르디 말고 증손을 넉넉이 볼디라. 너모 급히 셔도람즉디 아니토다. 슈연(雖然)이나, 영쥐 일홈이 츌가ᄒᆞᆫ 녀ᄌᆡ나 규녀와 다르미 업ᄂᆞ니, 어ᄃᆡ로 좃ᄎᆞ ᄉᆡᆼ산ᄒᆞᆯ 긔미 이시리오. 남ᄌᆞ의 호쥬기ᄉᆡᆨ(好酒嗜色)ᄒᆞ미 ᄒᆡᆼ실의 유ᄒᆡ홈도 업디 아니ᄒᆞ거니와, 빙ᄎᆡ(聘采) ᄇᆡᆨ냥(百輛)으로 마ᄌᆞᆫ 바 뎡실을 ᄀᆞᆺᄐᆞ여 결발(結髮)1224) 대륜(大倫)을 폐ᄒᆞᆯ 【69】 일이 아니라. 공ᄌᆡ(孔子) 대셩(大聖)이샤ᄃᆡ 공니(孔鯉)1225)를 두시니, 반ᄃᆞ시 부부뉸의를 온젼이 ᄒᆞ시미오, 문왕이

1221)ᄒᆡᆼ노(行路) : '행로인(行路人)'의 줄임말.

1222)-ㄹ동 : '-ㄹ지'의 뜻을 나타내는 어미로 무지(無知), 미확인의 경우에 흔히 쓰인다.

1223)하슈(賀壽) : 장수(長壽)를 축하함.

1224)결발(結髮) : ①상투를 틀거나 쪽을 찌는 일. 또는 그렇게 한 머리. ②'혼인(婚姻)'을 달리 이르는 말.

1225)공니(孔鯉) : 공자(孔子)의 아들 이름.

후ᄉᆞ을 깁히 바라미 타인지ᄌᆞ(他人之子)의 다로미 잇난지라. 비록 원상 등이 잇시나 계유 유아을 면ᄒᆞᆫ 거시니, 엇지 장셩○[ᄒᆞᆫ] 원광 갓ᄒᆞ리오. 주야 식부의 농장지경(弄璋之慶)을 보고져 쳔신긔 비ᄂᆞᆫ ᄇᆡ로ᄃᆡ, 셩혼 오ᄌᆡ의 윤시 ᄉᆡᆼ산ᄒᆞᄂᆞᆫ 일이 업고, 영쥬을 ᄉᆞ빈과 셩네ᄒᆞ연지 ᄉᆞᆷ년의 ᄐᆡ신 긔미 업ᄉᆞ니, 소제 무궁ᄒᆞᆫ 젹악과 ᄒᆞᆫ업ᄉᆞᆫ ᄌᆡ앙이 ᄌᆞ녀간 농장ᄒᆞᄂᆞᆫ ᄌᆞ미을 보지 못ᄒᆞᆯ가 슬허ᄒᆞ노라."

금휘 영쥬 소져의 비홍이 완연ᄒᆞ믈 아ᄂᆞᆫ지라. 하ᄉᆡᆼ이 윤시을 박ᄃᆡᄒᆞ여 ᄒᆡᆼ노(行路)1039) 갓트믈 ᄉᆡᆼ각지 못ᄒᆞ엿시나, 하공이 그 비홍을 상고ᄒᆞ믈 보고 말이 이 갓트니, 남의 집 규녀 쥬표 유무○[를] 아른 쳬ᄒᆞ미 불가ᄒᆞᆫ 고로 다만 소왈,

"ᄌᆞ의에 부부와 영주의 쳔츈녹발이 쇠ᄒᆞᆯ 날이 머럿고 젼졍이 만니라. 아직 ᄉᆡᆼ산ᄒᆞᄂᆞᆫ 경ᄉᆡ 업ᄉᆞ나 타일 옥동화녀 몃ᄎᆞᆯ 둘쥴 알니오. 형의 년긔 우리 아ᄅᆡ오, 비록 조ᄇᆡᆨ(早白)ᄒᆞ미 잇시ᄂᆞ 긔운인즉 ᄇᆡᆨ셰을 긔약ᄒᆞᆯ 거시니, 손아을 니르지 말고 증손을 넉넉이 보리니, 너무 셔도람 즉지 아니토다. 수연이나 영주 일홈이 츌가ᄒᆞᆫ 녀ᄌᆡ나, 규녀와 다르미 업ᄉᆞ니 어ᄃᆡ로조ᄎᆞ ᄉᆡᆼ산ᄒᆞᆯ 긔미 잇ᄉᆞ리오. 남ᄌᆞ의 호주기ᄉᆡᆨ(好酒嗜色)ᄒᆞ미 ᄒᆡᆼ실의 유ᄒᆡᄒᆞ거니와, 빙ᄎᆡ(聘采) 【10】 ᄇᆡᆨ냥(百輛)ᄒᆞ여, 냥가 부뫼 ᄌᆡ상(在上)ᄒᆞ여 녜로 마잔 ᄇᆡ 졍실을, 굿ᄒᆞ여 결발(結髮)1040) ᄃᆡ륜(大倫)을 폐ᄒᆞᆯ 일이 아니라. 공ᄌᆡ(孔子) ᄃᆡ셩(大聖)이ᄉᆞᄃᆡ 공니(孔鯉)1041)을 두시고 반다시 부부윤의을 온젼이 ᄒᆞ시미오, 문왕(文王)이 셩군이로시ᄃᆡ 요조숙녀을 오ᄆᆡᄉᆞ복(寤寐思服)ᄒᆞᄉᆞ 모시(毛詩)1042) 제일편을 일

1039)ᄒᆡᆼ노(行路) : '행로인(行路人)'의 줄임말.

1040)결발(結髮) : ①상투를 틀거나 쪽을 찌는 일. 또는 그렇게 한 머리. ②'혼인(婚姻)'을 달리 이르는 말.

1041)공니(孔鯉) : 공자(孔子)의 아들 이름.

1042)모시(毛詩) : '시경(詩經)'을 달리 이르는 말. 중국 한나라 때의 모형(毛亨)이 전하였다고 하여 이

셩인이샤ᄃᆡ 뇨됴슉녀를 오ᄆᆡ샤복(寤寐思服)ᄒᆞ샤 모시(毛詩)[1226] 뎨일편을 일워 계시니 힝실과 도덕이 아모리 셩학(聖學) 대도(大道)의 밋쳐도 부부늎의를 어ᄌᆞ러일 니 이시리오."

금휘 이 말솜을 닉오믄 윤부 가란과 뉴부인 악심을 드르미 잇ᄂᆞᆫ 고로, 혹ᄉᆡ 하시 박ᄃᆡᄒᆞ믈 윤공이 아라드를 만치ᄒᆞ여 혹ᄉᆞ의 금슬을 권장코져 ᄒᆞ미라. 츄밀이 비록 요약의 샹셩(喪性)ᄒᆞ여 흐리고 프러져 젼일 강명지긔(剛明之氣) 업ᄉᆞ나, 금후의 언ᄂᆡ(言內)로 좃ᄎᆞ ᄆᆞ음【70】이 요동(搖動)ᄒᆞ여, 빵광을 빗기 흘녀 시랑을 냥구 찰시의 날호여 문왈,

"하현부ᄂᆞᆫ 너의게 외람ᄒᆞᆫ 안ᄒᆡ라. 반ᄃᆞ시 공경듕ᄃᆡᄒᆞ미 올커ᄂᆞᆯ, 하고(何故)로 부부늎의를 폐ᄒᆞ여 여부의 농손(弄孫) 기다리ᄂᆞᆫ ᄆᆞ음을 도라보지 아닛ᄂᆞ뇨?"

혹ᄉᆡ 피셕브복ᄒᆞ여 듯ᄌᆞ올 ᄯᆞᆫ이오, 밋쳐 ᄃᆡ답지 못ᄒᆞ여셔, 태위 ᄯᅴ를 됴히 어더시믈 환희ᄒᆞ여, 슉모의 용심이라도 다시 혹ᄉᆞ 부부의 금슬을 막ᄌᆞ르디 못ᄒᆞ게 ᄒᆞ려 ᄒᆞ므로, 문득 좌를 ᄯᅥ나 계부 면젼의 말솜을 고ᄒᆞ오ᄃᆡ,

"유ᄌᆡ(猶子) 희텬의 박쳐(薄妻)ᄒᆞ믈 발셔 알외여 엄히 계칙(戒飭)ᄒᆞ시게 ᄒᆞ【71】려 ᄒᆞ오ᄃᆡ, 졔 ᄆᆡ양 됴혼쇼빙(早婚少聘)[1227]이 셩인의 경계(警戒)아니믈 일ᄏᆞ라 나히 삼오(三五)나 ᄎᆞ기를 기다려 부부늎의를 출히렷노라 ᄒᆞ오니, 그 말이 ᄯᅩᄒᆞᆫ 그르디 아니ᄒᆞ온 고로 디금 계부 면젼의 고치 못ᄒᆞ엿솝더니, 금년이 희 뎨(弟)와 하 슈(嫂)다 삼오지셰(三五之歲)를 당ᄒᆞ엿고, 하 합ᄒᆡ 샹경ᄒᆞ샤 필연 동방의 ᄌᆞ미를 보고져 ᄒᆞ실 거시오, 져의 도리 반ᄌᆞ지도(半子之道)를 가죡이 ᄒᆞ미 올흘가 ᄒᆞᄂᆞ이다."

하공이 츄밀을 향ᄒᆞ여 ᄯᆞᆯ과 셔랑을 ᄌᆞ긔

1226)모시(毛詩) : '시경(詩經)'을 달리 이르는 말. 중국 한나라 때의 모형(毛亨)이 전하였다고 하여 이렇게 이른다.

1227)됴혼쇼빙(早婚少聘) ; 일찍 시집가고 어려서 장가 듦. 남녀가 어려서 혼인함.

워계시니, 힝실과 도덕이 아모지경의 밋쳐도, 부부윤의을 폐ᄒᆞᆫ즉 가ᄉᆞ 난(亂)ᄒᆞᄂᆞ니, 엇지 고이히 부부윤긔을 어ᄌᆞ러일 니 이시리오."

금휘 이 말 일오믄 윤부 가란과 뉴부인 악심을 드럿ᄂᆞᆫ 고로, 혹ᄉᆡ 하소져 박ᄃᆡᄒᆞ믈 윤공이 알아들을 만치 ᄒᆞ여 혹ᄉᆞ의 금슬을 권장코져 ᄒᆞ미라. 추밀이 비록 흐리고 푸러져 젼일 광명지긔 업ᄉᆞ나, 금후의 언어로 좃ᄎᆞ 마음이 요동ᄒᆞ여, 안광을 빗기 흘녀 시랑을 냥구 출시의 날호여 문왈,

"하현부ᄂᆞᆫ 너의게 외람ᄒᆞᆫ 안ᄒᆡ라. 반다시 공경듕ᄃᆡᄒᆞ미 올커ᄂᆞᆯ, ᄒᆞ고로 부부윤의을 폐ᄒᆞ여 여부의 농손(弄孫) 기ᄃᆞ리ᄂᆞᆫ 마음을 도라보지 아닛ᄂᆞ뇨?"

혹ᄉᆡ 부복ᄒᆞ여 듯ᄌᆞ올 분이러니, 윤틱위 ᄯᅴ을 조히 어더시물 환희ᄒᆞ여, 슉모의 용심이라도 다시 학ᄉᆞ부부의 금슬을 막ᄌᆞ로지 못ᄒᆞ게 ○○[ᄒᆞ려] ᄒᆞ므로, 믄득 좌을 ᄯᅥ나 슉부 면젼의 고ᄒᆞᄃᆡ,

"유ᄌᆡ(猶子) 희쳔의 박쳐(薄妻)ᄒᆞ믈 발셔 알외여 엄히 계칙(戒責)ᄒᆞ시게 ᄒᆞ오려 ᄒᆞ오ᄃᆡ, 졔 ᄆᆡ양 조혼소빙(早婚少聘)[1043]이 셩인의 경계(警戒) 아니믈 일카라, 나히 숨외(三五) ᄎᆞ기을 기다【11】려 부부윤의을 출히련노라 ᄒᆞ오니, 그 말이 ᄯᅩᄒᆞᆫ 그르지 아닌 고로 지우금(至于今) 계부게 고치 아냣솝더니, 금년이 희쳔과 하쉬 다 숨외요, 하상셔 상경ᄒᆞᄉᆞ 필연 동상의 ᄌᆞ미을 보려 ᄒᆞ실 거시오, 졔 도리 반ᄌᆞ지의(半子之義)을 가죡이 ᄒᆞ미 올흘가 ᄒᆞᄂᆞ이다."

하공이 추밀을 향ᄒᆞ야 ᄯᆞᆯ과 셔랑을 다 ᄌᆞ긔 집의셔 숨ᄉᆞ삭 머물게 ᄒᆞ물 간청ᄒᆞ니,

렇게 이른다.

1043)조혼쇼빙(早婚少聘) ; 일찍 시집가고 어려서 장가 듦. 남녀가 어려서 혼인함.

집의셔 삼ᄉᆞ삭식 머믈게 ᄒᆞ믈 간졀이 쳥ᄒᆞ니, 츄밀이 태우의 말을 올히 녁이고 하공의 쳥ᄒᆞ므로 좃ᄎᆞ 일언의 쾌【72】허ᄒᆞ여, ᄒᆞᆨᄉᆞ로 하부의 슈삼삭 머믈나 ᄒᆞ니, 하·뎡 냥공이 다 깃거 ᄒᆞᄃᆡ, ᄒᆞᆨᄉᆡ 양모의 ᄆᆞᄋᆞᆷ을 ᄉᆞᆺ치ᄆᆡ 실노 두리온 ᄆᆞᄋᆞᆷ이 가득ᄒᆞ여, 운산의 머믈고져 ᄆᆞᄋᆞᆷ이 업ᄉᆞᆫ디라. 부젼의 ᄌᆡ빈 고왈,

"ᄋᆞ히 박힝무식(薄行無識)ᄒᆞ오나, 엇디 무단이 인륜을 폐ᄒᆞ리잇고마ᄂᆞᆫ, 됴혼쇼빙은 셩인의 경계라. 쇼ᄌᆞ와 하·댱 등이 다 년긔 유튱키를 면치 못ᄒᆞ엿ᄉᆞ오니, 블평ᄒᆞ미 업디 아니ᄒᆞ온 고로 슈년을 더 기다려 부부 뉸의를 출히고져 ᄒᆞ오미러니, 이런 미셰지ᄉᆞ(微細之事)의 셩녀를 번거로이 ᄒᆞ시니 죄 깁도소이다."

츄밀이 다시금 경계ᄒᆞ【73】여, '뉸긔를 어ᄌᆞ러이지 마라 장옥(璋玉)[1228]이 션션(詵詵)[1229]케 ᄒᆞ라' ᄒᆞ고, 다시 운산의 슈삼삭 머믈나 ᄒᆞ니, ᄒᆞᆨᄉᆡ ᄃᆡ왈,

"쇼ᄌᆡ 감히 엄명을 역ᄒᆞ오미 아니라, 대인 환휘 진퇴(進退) 무상(無常)ᄒᆞ오시거ᄂᆞᆯ, 엇디 무고히 이곳의 뉴쳐ᄒᆞ리잇고?"

츄밀이 뎡ᄉᆡᆨ 왈,

"내 비록 유병ᄒᆞ나 일일 위급ᄒᆞᆫ 증졍이 아니오, 네 업ᄉᆞ나 네 형이 이신즉 네 이시나 다르미 업슬 거시오, 낫인즉 됴참(朝參) 후 반일을 옥누항의 이시리니, 모로미 괴이히 구지 말나."

ᄒᆞ더라.【74】

추밀이 ᄐᆡ우의 말을 올히 녁이고, 하공의 쳥ᄒᆞ믈 일언○[의] 쾌허ᄒᆞ야 ᄒᆞᆨᄉᆞ을 머물게 ᄒᆞ니, 하·뎡 양공의 쳥ᄒᆞ믈 일언 쾌허ᄒᆞ야, ᄒᆞᆨᄉᆞ을 머물게 ᄒᆞ니, 하·뎡 양공이 다 깃거ᄒᆞᄃᆡ, 학ᄉᆡ 양모의 마음을 스치ᄆᆡ 실노써 두리온 념녀 가득ᄒᆞ여, 운산의 이실 의ᄉᆡ 업ᄂᆞᆫ지라. 부젼의 ᄌᆡ빈 고왈,

"아ᄒᆡ 수(雖) 박힝무신(薄行無信)이오나, 엇지 무단이 인뉸을 폐졀코져 ᄒᆞ리잇고마ᄂᆞᆫ, 조혼소빙은 군ᄌᆞ의 경계라. 소ᄌᆞ와 하·장 등이 다 년긔 유츙키을 면치 못ᄒᆞ엿시니, 불평ᄒᆞ미 업지 아닌 고로 수년을 더 기다리고져 ᄒᆞ오미니, 아ᄒᆡ 죄 깁도소이다."

츄밀이 다시 경계ᄒᆞ여, 윤긔을 어ᄌᆞ러이지 말나 ᄒᆞ고, 다시 운산의 수슴삭 머물나 ᄒᆞ니, 학ᄉᆡ ᄃᆡ왈,

"소ᄌᆡ 감히 엄의을 거슬이고져 ᄒᆞ오미 아니라, ᄃᆡ인 환휘 진퇴무상(進退無常)《ᄒᆞ미니‖ᄒᆞ오니》, 하졍(下情)의 일시 니측이 졀박ᄒᆞ옵거ᄂᆞᆯ, 엇지 무고히 이곳의 유쳐ᄒᆞ리잇고?"

공이 뎡ᄉᆡᆨ 왈,

"ᄂᆡ 비록 유병ᄒᆞ나 일일 위급ᄒᆞᆫ 증이 아니오, 네 업ᄉᆞ나 여형이 이신즉, 네 이시나 다름이【12】 업슬 거시오, 이곳의 잇스나 낫인즉 조츰(朝參) 후 반일을 옥누항의 이리니, 모로미 고이히 구지 말나."

1228)장옥(璋玉) : 아들. 농장지경(弄璋之慶: 아들을 낳은 경사)에서 유래한 말.

1229)션션(詵詵) : 수가 많은 모양

명듀보월빙 권디삼십오

화셜 윤추밀이 뎡ᄉᆡᆨ 왈,

“내 비록 유병ᄒᆞ나 일일위급(日日危急)ᄒᆞᆫ 증졍이 아니오. 네 업ᄉᆞ나 여형이 잇신ᄌᆞᆨ 네 이시나 다르미 업ᄉᆞᆯ 거시오, 이곳의 이시나 낫인ᄌᆞᆨ 됴참 후 반일을 옥누항의 이시리니, 모로미 괴이히 구지 말나.”

혹ᄉᆡ 진실노 대모와 양모의 용심이 ᄌᆞ긔 이곳의 뉴식(留食)ᄒᆞ믈 깃거 아닐 거시오, 쥬야 황황(惶惶) 가ᄌᆞᆨᄒᆞᆫ ᄇᆡ 조모와 양뫼 회심ᄒᆞ샤 조손 모ᄌᆞ의 졍이 온젼키를 바라ᄆᆡ, 듕심의 가득이 ᄉᆡᆼ각ᄂᆞᆫ ᄇᆡ 조모와 양모의 ᄆᆞ음을【1】 감화코져 ᄒᆞᄆᆡ 가득ᄒᆞ니, 하・댱을 향ᄒᆞᆫ 은졍이 헐ᄒᆞ미 아니로ᄃᆡ, 능히 쳐실 다히1230) 호화지심은 몽니의도 업ᄂᆞᆫ디라. 실노뼈 이의 머믈미 민민(憫憫)ᄒᆞ나, 대인의 명이 이 ᄀᆞᆺᄐᆞ시고, 하・뎡 냥공과 남후며 하댱원이 간졀이 쳥ᄒᆞ니, 시러곰 다시 사양치 못ᄒᆞ여 부명을 슌슈ᄒᆞᆯ ᄲᆞᆫ이라.

하공이 ᄋᆞᄌᆞ의 ᄒᆡᆼᄉᆞ를 통한ᄒᆞ여, 냥안을 길게 ᄲᅧ ᄌᆞ로 댱원을 보ᄂᆞᆫ 긔ᄉᆡᆨ이 ᄀᆞ장 엄녈ᄒᆞ니, 댱원이 엇디 모로리오. 윤시로 셩혼 오ᄌᆡᆨ의 부부의 졍을 일우지 아니코 ᄒᆡᆼ노ᄀᆞᆺ치 녁이나, 부뫼 모로시니 금슬을 권ᄒᆞ시ᄂᆞᆫ 일이【2】 업ᄉᆞ믈 그윽이 깃거ᄒᆞ다가, 금야의 대인이 윤시의 비홍을 보시고 이러ᄐᆞᆺ ᄒᆞ시믈 블안ᄒᆞ나, 능히 ᄌᆞ긔 심회를 셰셰히 고치 못ᄒᆞ고, ᄆᆡ양 윤시의 음비지ᄒᆡᆼ(淫鄙之行)을 드른 후ᄂᆞᆫ, 《경위‖비위(脾胃)1231)》의 눅눅ᄒᆞ믈1232) 니긔지 못ᄒᆞ여 윤시를 블관이 녁이미 ᄒᆡᆼ노도근 심ᄒᆞᄃᆡ, 하공은 윤시 ᄉᆞ랑이 ᄌᆞ못 과도ᄒᆞ여 댱원을 분노ᄒᆞ미 젹지 아닌지라. 댱원이 만인을 묘시(藐視)ᄒᆞ{시}ᄂᆞᆫ ᄌᆡ조를 두어, 몸이 쳥운의 올나 뇽안의 됴회ᄒᆞ미 복이 넘ᄶᅵ거ᄂᆞᆯ, 규각의 원을

1230)다히 : ①쪽, 편, ②대로. ③처럼. 같이.

1231)비위(脾胃) : 아니꼽고 싫은 것을 견디어 내는 성미.

1232)눅눅ᄒᆞ다 : 메스껍다. 태도나 행동 따위가 비위에 거슬리게 몹시 아니꼽다.

학ᄉᆡ 진실노 조모와 양모의 용심이 ᄌᆞ긔 이곳의 《유ᄉᆡᆨ‖유식(留食)》ᄒᆞ믈 깃거 아닐 거시오, 주야 바라ᄂᆞᆫ ᄇᆡ 조모와 양모의 마음을 감화코져 ᄒᆞᄆᆡ, 쳐실 호화지심은 몽니의도 업ᄂᆞᆫ지라. 실노ᄡᅧ 이의 머물미 민망ᄒᆞ나, ᄃᆡ인의 명이 이 갓트시고 하・정 양공과 남후 하장원이 간졀이 쳥ᄒᆞ니, 시러금 ᄉᆞ양치 못ᄒᆞ여 부명을 슌수ᄒᆞᆯ ᄲᆞᆫ이라.

하공이 아ᄌᆞ의 ᄒᆡᆼᄉᆞ을 통한ᄒᆞ여, 양안을 길게 ᄲᅧ ᄌᆞ로 장원을 보ᄂᆞᆫ 긔ᄉᆡᆨ이 장엄(莊嚴) 녈일(烈日)ᄒᆞ니 장원이 엇지 모로리오. 윤시로 셩혼 오ᄌᆡᆨ에 부부의 졍을 일우지 아니코 ᄒᆡᆼ노갓치 녁이나, 부뫼 모르니, 금슬의 권ᄒᆞ시ᄂᆞᆫ 일이 업ᄉᆞ믈 그윽이 깃거ᄒᆞ다가, 금야의 부친이 윤시의 비홍을 보고 이러틋 ᄒᆞ시믈 불안ᄒᆞ나, 능히 ᄌᆞ긔 심회을 셰셰히 고치 못ᄒᆞ고, ᄆᆡ양 윤시의 음비지ᄒᆡᆼ을 드른 후ᄂᆞᆫ 졍의(正意)에 눅눅ᄒᆞ믈 이긔지 못ᄒᆞ여, 윤시 불관이 녁이물 ᄒᆡᆼ노도곤1044) 심ᄒᆞᄃᆡ, 하공은 윤시 ᄉᆞ랑이 ᄌᆞ못 과도ᄒᆞ여 장원을 분노ᄒᆞ미 젹지 아닌지라. 장원이 만인을 묘시ᄒᆞᄂᆞᆫ ᄌᆡ조로 몸이 《쳔운‖청운(靑雲)》의 올나 용안의 조회ᄒᆞ미 복이 넘씨거ᄂᆞᆯ, 규각의 원을 두어 ᄡᅧ 부모의 뜻즐 맛치지 못ᄒᆞ니, 엇지 분원코 통완치 아니리오.

1044)-도곤 : -보다.

두어 ᄲᅧ 부모의 뜻을 밧드옵디 못ᄒᆞ니, 엇디 통완치 아니리오. 【3】

이날 윤공과 태우ᄂᆞᆫ 집으로 도라가고, 흑ᄉᆞᄂᆞᆫ 취운산의 머믈ᄉᆡ, 하공이 동방을 ᄇᆡ셜ᄒᆞ여 녀셔의 동실지락(同室之樂)을 두굿기나, ᄋᆞᄌᆞ의 ᄒᆡᆼᄉᆞ를 통완ᄒᆞ여 ᄒᆞᆫ번 듕칙코져 ᄆᆞᄋᆞᆷ이 이시ᄃᆡ, 부부후박(夫婦厚薄)은 위엄을[으로] 권ᄒᆞ며 곳칠 길히 업ᄉᆞ믈 ᄊᆡ닷고, ᄋᆞᄌᆞ를 ᄃᆡᄒᆞ여 일언을 여지 아니코, 긔ᄉᆡᆨ이 유엄(有嚴) ᄉᆡᆨᄉᆡᆨᄒᆞ여 츄상녈○[일](秋霜烈日) ᄀᆞᆺᄐᆞ니, 당원이 ᄀᆞ장 공구 툭쳑ᄒᆞ여 일시도 ᄆᆞᄋᆞᆷ을 노치 못ᄒᆞ더라.

하당원과 뎡ᄒᆡ원(解元)[1233]이 삼일유가(三日遊街)를 맛고, 각각 ᄃᆡᆨᄉᆞ(職事)를 출혀 ᄉᆞ군찰임ᄒᆞᄆᆡ, 긔졀(氣節) 청ᄒᆡᆼ(淸行)이 됴야의 딘동ᄒᆞ고, 물망ᄌᆡ덕 【4】이 ᄉᆞ류의 츄앙ᄒᆞᄂᆞᆫ ᄇᆡ 되고 샹통이 늉셩ᄒᆞ시니, 하ㆍ뎡 냥인의 위국튱심이 각각 부형의 나리디 아닌디.라 하ㆍ뎡 냥공이 각각 그 ᄋᆞᄌᆞ의 ᄉᆞ군찰임이 초츌특이ᄒᆞ믈 두굿기나, 금후ᄂᆞᆫ 흑ᄉᆞ의 과격ᄒᆞᆫ 셩도를 경계ᄒᆞ고, 하공은 샤인의 박ᄒᆡᆼ무신ᄒᆞ믈 분ᄒᆡᄒᆞ여, 일일은 ᄂᆡ헌의 드러가 부인으로 더브러 죵용이 말숨ᄒᆞ며, 윤흑ᄉᆞ 일ᄐᆡᆨ상의 머므러 반ᄌᆞ의 녜 극진ᄒᆞ믈 두굿기고, 됴부인이 날마다 녀ᄋᆞ의 비샹을 상고ᄒᆞ여 슈일 젼의 쥬픠(朱標) 업ᄉᆞ믈 젼ᄒᆞ여, 윤시랑의 셩졍이 단엄녈슉 【5】ᄒᆞ며 침엄뎡대ᄒᆞᆫ 가온ᄃᆡ도, 녀ᄋᆞ 향ᄒᆞᆫ 은졍인즉 산고ᄒᆡ박ᄒᆞ믈 크게 깃거, 녀셔의 금슬이 화합ᄒᆞ믈 ᄒᆡᆼ열ᄒᆞ나, ᄋᆞᄌᆞ와 윤시ᄂᆞᆫ ᄒᆡᆼ노 ᄀᆞᆺᄐᆞ믈 깁히 념녀ᄒᆞ여, 부인을 ᄃᆡᄒᆞ여

1233)ᄒᆡ원(解元) : 중국에서 각 성(省)에서 시행하는 향시(鄕試)에 1등으로 급제한 자를 이르는 말. 한국 고소설에서는 임금 앞에서 치르는 전시(殿試)의 2등 합격자를 이르는 말로 쓰고 있는데, 때로는 3등급제자인 탐화(探花)와 혼용되어 쓰이기도 한다. 이 작품에서도, 정세흥은 하원광과 함께 과거에 응시하여 원광에 이어 2등으로 급제하였는데, 처음은 '탐화(探花)'로 불리다가, 여기서는 해원(解元)으로 불리고 있다. 그런데 중국이나 조선의 과거제도에서는 최종 시험인 전시(殿試)의 1등 급제자를 장원(狀元,壯元), 2등을 방안(榜眼), 3등을 탐화(探花)라 하였다.

이날 윤공과 ᄐᆡ우ᄂᆞᆫ【13】 집으로 도라가고, 흑ᄉᆞᄂᆞᆫ 취운산의 머물 ᄉᆡ, 하공이 동방을 ᄇᆡ셜ᄒᆞ여 녀셔의 동실지낙(同室之樂)을 두굿기나, 아ᄌᆞ의 ᄒᆡᆼᄉᆞ을 통완ᄒᆞ여 ᄒᆞᆫ번 듕칙고져 ᄒᆞᄃᆡ, 부부후박(夫婦厚薄)은 위엄으로 곳칠 길 업ᄉᆞ믈 ᄊᆡ다라, 아ᄌᆞ을 향ᄒᆞ여 일언불ᄀᆡ(一言不開)ᄒᆞ나, 긔ᄉᆡᆨ이 유엄(有嚴)ᄒᆞ여 츄상녈일(秋霜烈日) 갓타니 장원이 가장 공구ᄒᆞ여 일시도 마음을 놋치 못ᄒᆞ더라.

하장원과 뎡ᄒᆡ원(解元)[1045]이 ᄉᆞᆷ일유가(三日遊街)을 맛고, 각각 직ᄉᆞ(職事)을 출혀 ᄉᆞ군출임ᄒᆞᄆᆡ, 긔졀(氣節) 청ᄒᆡᆼ(淸行)이 조야의 진동ᄒᆞ고, 물망(物望) ᄌᆡ덕(才德)이 ᄉᆞ류의 흠앙ᄒᆞᄂᆞ[ᄂᆞᆫ] ᄇᆡ로, 상총이 융셩ᄒᆞ시니, 하ㆍ뎡 양인의 위국츙심(爲國忠心)이 각각 그 부형의 나리지 아닌지라. 하ㆍ뎡 양공이 기ᄌᆞ의 ᄉᆞ군출임이 초츌특이ᄒᆞ물 두굿기나, 금후ᄂᆞᆫ 흑ᄉᆞ의 과격ᄒᆞᆫ 셩도을 경계ᄒᆞ고 하공은 ᄉᆞ인의 박ᄒᆡᆼ무신을 분ᄒᆡᄒᆞ여, 일노써 ᄂᆡ헌의 드러와 조부인으로 말숨ᄒᆞ여 흑ᄉᆞ의 일ᄐᆡᆨ지상의 잇셔 반ᄌᆞ지녜 극진ᄒᆞ물 두굿기며, 마ᄎᆞᆷᄂᆡ 녀ᄋᆞ의 비홍을 상고ᄒᆞ가[여], 슈일 젼 쥬표 티도 업ᄉᆞ믈 보고, 공의 엄슉뎡ᄃᆡ흠으로도 녀ᄋᆞ의 부부금슬이 즁여하ᄒᆡ(重如河海)[1046]ᄒᆞ믈 깃거ᄒᆞ며, 녀셔의 금슬이 화합ᄒᆞᆯᄉᆞ록 윤시와 아ᄌᆞᄂᆞᆫ 두[둘] ᄉᆞ이 남 갓트믈 념녀ᄒᆞ여, 부인을 ᄃᆡᄒᆞ여 아ᄌᆞ의 ᄒᆡᆼ지을 니르고져 ᄒᆞ더니, ᄉᆞ인이 조

1045)ᄒᆡ원(解元) : 중국에서 각 성(省)에서 시행하는 향시(鄕試)에 1등으로 급제한 자를 이르는 말. 한국 고소설에서는 임금 앞에서 치르는 전시(殿試)의 2등 합격자를 이르는 말로 쓰고 있는데, 때로는 3등급제자인 탐화(探花)와 혼용되어 쓰이기도 한다. 이 작품에서도, 정세흥은 하원광과 함께 과거에 응시하여 원광에 이어 2등으로 급제하였는데, 처음은 '탐화(探花)'로 불리다가, 여기서는 해원(解元)으로 불리고 있다. 그런데 중국이나 조선의 과거제도에서는 최종 시험인 전시(殿試)의 1등 급제자를 장원(狀元,壯元), 2등을 방안(榜眼), 3등을 탐화(探花)라 하였다.

1046)즁여하ᄒᆡ(重如河海) : 큰 강과 바다처럼 무거움.

ᄋᆞᄌᆞ의 힝지를 니르고져 ᄒᆞ더니, 샤인이 됴당으로셔 나와 부모긔 뵈오ᄆᆡ, 하공이 믁믁 뎡싀ᄒᆞ여 오ᄅᆡ 말을 아니ᄒᆞ다가, 부인을 향ᄒᆞ여 ᄀᆞᆯ오ᄃᆡ,

"어나 사ᄅᆞᆷ이 ᄌᆞ녀를 아니 두리오마ᄂᆞᆫ, 우리 부부ᄂᆞᆫ 졍시 남ᄌᆞᆺ디 못ᄒᆞ여 허다 참경과 홍화를 당ᄒᆞᆯ 시졀의도, 일분 위회(慰懷)ᄒᆞᄆᆡ 원광 남ᄆᆡ라. 윤츄일의 만고 희한ᄒᆞᆫ 유신(有信)【6】ᄒᆞᄆᆡ, 화가(禍家) 여ᄉᆡᆼ(餘生)으로 혐의치 아냐, 쳔금 녀ᄌᆞ로 개연이 셰쵹 슈졸의 며나리와 안히를 삼고, ᄋᆞ들노뼈 화가의 입장(入丈)ᄒᆞ믈 태연이 ᄒᆞ니, 친옹의 은덕은 하날이 낫고 ᄯᅡ히 좁을 거시오, 윤시 셩힝과 싀덕이 범범용우ᄒᆞᆯ디라도, 은인의 난망지덕을 혜아려 그 일ᄉᆡᆼ을 편히 ᄒᆞᄂᆞᆫ 거시 인인군ᄌᆞ의 보덕ᄒᆞᄂᆞᆫ 도리어든, ᄒᆞ믈며 윤현부의 셩힝ᄉᆞ덕과 외모긔질은 나의 용둔ᄒᆞᆫ 언ᄉᆞ로뼈 일ᄏᆞ라 니르ᄆᆡ 셔의ᄒᆞᆫ 디라. 우리 부부를 효봉ᄒᆞᄆᆡ 그 셩효 ᄉᆞ덕의 겸비ᄒᆞ미 셩녀의 나리지【7】 아냐, 그 효의 진효부(陳孝婦)[1234]와 강가부를 긔특다 못ᄒᆞᆯ디라. 쵹디의 무한ᄒᆞᆫ 간고와 측냥 업ᄉᆞᆫ 괴로오미 쳔금 약질이 일시 견ᄃᆡ기 어려오ᄃᆡ, 가지록 유열화평ᄒᆞ여 동동ᄒᆞᆫ 셩효와 쵹쵹ᄒᆞᆫ 졍셩이 원광이라도 이의 더으디 못ᄒᆞ리니, 원광이 일분 인심이 이실진ᄃᆡ, ᄒᆞᆫ갓 안히로 니르지 말고 하류쳔쳡이라도, 그 셩효ᄉᆞ덕과 외모긔질을 항복ᄒᆞ여 간ᄃᆡ로 멸ᄃᆡ치 못ᄒᆞ려든, ᄒᆞ믈며 은인의 만금쇼교(萬金小嬌)를 취ᄒᆞ여 쵹디간고를 무한이 겻겨시니, 공경 듕ᄃᆡᄒᆞᆯ 거시어ᄂᆞᆯ, 그 무신 박힝이 오긔(吳起)도곤 심ᄒᆞ여,【8】 내 모야의 그 팔흘 보ᄆᆡ 쥬픠 완연ᄒᆞ고, '하문ᄌᆞ부(河門子婦)' 네ᄌᆞ 분명ᄒᆞ니, 식부의 남달니 긔특ᄒᆞ여 원광의 박ᄃᆡ를 한치 아냐 ᄉᆞ긔 여일ᄒᆞ나, 엇디 녀ᄌᆞ 심졍이 안안ᄒᆞ리오. 우리 윤현부를 ᄉᆞ랑ᄒᆞᄆᆡ 실노 영쥬의게 나린 일

1234)진효부(陳孝婦) : 중국 한(漢)나라 때 진현(陳縣)의 효부(孝婦). 남편이 변방에 수자리 살러 나가 죽자, 남편과의 약속을 지켜 일생 개가하지 않고 시어머니를 성효로 섬겼다. 『소학』 <제6 선행편>에 나온다.

당으로셔 나와 부모긔 뵈니, 공이 묵묵 뎡싀ᄒᆞ여 오ᄅᆡ 말을 아니타가 부인을 향ᄒᆞ여 왈,

"뉘【14】 아니 ᄌᆞ녀을 두며 셔랑과 며ᄂᆞ리을 아니 어드리오마ᄂᆞᆫ, 우리부부 졍ᄉᆞ 남 갓지 못ᄒᆞ고 통한ᄒᆞᆫ 원억을 품어 《잠잠‖참참(慘慘)》ᄒᆞᆫ 심ᄉᆞ을 위로ᄒᆞ며 밋 바라ᄂᆞᆫ 밧ᄌᆡ 원광 남ᄆᆡ라. 윤츄밀의 유신ᄒᆞ미 만고의 희한ᄒᆞ여 ᄯᆞᆯ노ᄡᅧ ᄀᆡ연이 셔촉수졸의 며ᄂᆞ리와 안히을 ᄉᆞᆷ고, 아달노ᄡᅧ 하가의 입장(入丈)ᄒᆞ믈 혐의치 아니니, 무궁ᄒᆞᆫ 은덕을 니르려 ᄒᆞᄆᆡ 분골난망(粉骨難忘)이오, 윤시의 촉지 간고와 궁익은 쳔금 약질이 능히 보젼치 못ᄒᆞᆯ ᄇᆡ로ᄃᆡ, 유슌ᄒᆞᆫ 셩힝과 화열ᄒᆞᆫ 품질이 녯[넷] 슉녀의 풍치(風致)[1047]을 가져 조곰도 괴로오믈 낫토지 아니코 우리 부부을 효봉ᄒᆞᄂᆞᆫ 졍셩이 동촉ᄒᆞᆫ지라. 원광이 만일 《임심‖인심(人心)》일진ᄃᆡ ᄒᆞᆫ갓 안히로 니르지 말고, ᄒᆞ류 쳔쳡이라도 그 부모을 지효로 밧들믈 보면 감격ᄒᆞᆫ 의식 이셔, 비록 졔 마음의 인졍이 업ᄉᆞ나 부부 은익을 폐치 못ᄒᆞᄂᆞᆫ 거시 올커ᄂᆞᆯ, 은인의 만금 교아로 젹소 간고을 비상이 격고 ᄉᆞ덕이 일무소흠(一無所欠)이오, 외모 ᄌᆡ질이 쳔ᄃᆡ의 희한ᄒᆞ거ᄂᆞᆯ, 무고히 박ᄃᆡᄒᆞ여 셩혼 오년의 식뷔 규수나 다르지 아니니, 우리 부부ᄂᆞᆫ 원광의 박힝을 망연브지라. 모야의 ᄂᆡ 친히 식부의 팔을 보니 쥬졈이 완연ᄒᆞ고, '하문ᄌᆞ뷔(河門子婦)'라 쓴 거시 의연ᄒᆞ니, 식부의 위인이 유달니 긔특ᄒᆞ여 원광의 박ᄃᆡ을 ᄒᆞᆫ치 아니라[나], 엇지 녀ᄌᆞ의 안안ᄒᆞᆯ ᄇᆡ리오. 우리 윤현부을 사랑ᄒᆞᄆᆡ 실노 영쥬의 《짓‖나린》 일이 업ᄉᆞᆫ[ᄉᆞᆯ]가 ᄒᆞ엿【15】더니, 맛ᄎᆞᆷᄂᆡ 구고의 졍이 친부모의 ᄌᆞ익만 갓지 못ᄒᆞ여, 부인이 영쥬의 비홍이시믄 즉시 아라시ᄃᆡ, 윤시ᄂᆞᆫ 오년을 다리고 잇시나 그 비홍 유무을 알녀 아니ᄒᆞ엿시니, 금ᄎᆞ지시(今此之時)ᄒᆞ여ᄂᆞᆫ 식뷔 오히려 상경ᄒᆞ여 친졍이 갓갑고, 의식 고상(苦狀)을

1047)풍치(風致) : 품격에 맞는 아름다움.

이 업ᄉᆞᆫ가 ᄒᆞ엿더니, 맛춤ᄂᆡ 구고의 졍이 친ᄉᆡᆼ부모만 ᄀᆺ디 못ᄒᆞ여, 부인이 영쥬의 비홍이 이시믈[믄] 즉시 아르시ᄃᆡ, 윤현부는 그 부모를 ᄯᅥ나 부인이 다리고 이시ᄃᆡ 그 쥬표 유무를 알녀 아녀시니, 당ᄎᆞ시ᄒᆞ여는 식뷔 오히려 샹경ᄒᆞ여 누년 ᄯᅥ나 그리던 부모를 만나, ᄒᆞᆫ 일이나【9】 위로ᄒᆞᄂᆞᆫ 거시 깃브다 ᄒᆞᄃᆡ, ᄎᆞᆨ디궁향의 누쳔니 ᄋᆡ각을 즈음쳐, 니친쳑(離親戚) 기부모(棄父母)ᄒᆞ여 혈혈단신이 원광을 우럴미 되어시ᄃᆡ, 원광의 박ᄃᆡᄒᆞ미 ᄒᆡᆼ노ᄀᆺ고, 궁향간초(窮鄕艱楚)ᄂᆞᆫ 니를 거시 업ᄉᆞ니, 범연ᄒᆞᆫ 위인일진ᄃᆡ 발셔 초ᄉᆞ(焦思)ᄒᆞ여 셩질ᄒᆞ기 쉬울 거시로ᄃᆡ, 일양 화슌ᄒᆞᆫ 빗과 디효디셩이 우리 부부를 동동ᄎᆞᆨᄎᆞᆨ히 밧드런 ᄇᆡ라. 엇디 긔특지 아니리오."

언파의 샤인을 ᄯᅮ러질 ᄃᆞ시 슉시ᄒᆞ니, 긔위 삼엄ᄒᆞ고 안모의 찬 셔리 ᄡᅳ리니, ᄆᆡᆼ녈ᄒᆞᆫ 안광이 사ᄅᆞᆷ의 ᄲᅧ를 다 ᄇᆞ아는 ᄃᆞᆺᄒᆞᆫ디라. 샤인이 황공ᄒᆞ여 피셕브【10】복ᄒᆞ여 블감앙시오, 됴부인은 얼픗 녀ᄋᆞ의 말노 좃ᄎᆞ 드르미 슈일이 되어시ᄃᆡ, 년ᄒᆞ여 ᄂᆡ외빈ᄀᆡᆨ이 브졀여류ᄒᆞ니(不絶如流), 가ᄃᆞᆨ이 죵용치 못ᄒᆞ여 말을 아니나 깁히 념녀ᄒᆞ더니, 공의 말ᄉᆞᆷ을 듯고 기리 탄식 왈,

"쳡이 참화지후의 만식 부운ᄀᆺᄐᆞ여 아모 곳의도 되ᄎᆞ지[1235] 못ᄒᆞᆯ ᄲᅮᆫ 아니라, ᄋᆞ부의 초츌ᄒᆞᆫ 셩ᄒᆡᆼ 싀덕이 보는 ᄌᆞ로 ᄒᆞ여금 긔이ᄒᆞ믈 결을치 못ᄒᆞ니, 원광의 안고ᄒᆞ미 무산(巫山)과 월궁을 구경ᄒᆞ엿다 닐너도, 윤시를 하ᄌᆞᄒᆞᆯ 곳이 업고, ᄯᅩᄒᆞᆫ 금슬이 박졍ᄒᆞ믄 몽니의도 ᄉᆡᆼ각지 못ᄒᆞ여시므로, 져의 부부 후박을【11】 《알녀ᄒᆞ미 아니오∥알녀ᄒᆞ지 아니코》, 영쥬는 미약잔질이라, 혹ᄌᆞ 윤ᄉᆡᆼ이 브족히 녁이미 이실가 그 비홍을 살피미러니, 명공이 일노ᄡᅧ 구고의 졍이 친부모의 ᄌᆞᄋᆡ만 못ᄒᆞ다 ᄒᆞ시니, 가히 맛당ᄒᆞᆫ 말ᄉᆞᆷ이로소이다."

샤인이 부모의 이ᄀᆺᄐᆞᆫ 말ᄉᆞᆷ을 듯ᄌᆞᆸ고 크

1235)되ᄎᆞ다 : 되우 차다. 매우 흡족하게 마음에 들다.

면ᄒᆞ엿시니, ᄒᆞᆫ 일이나 마음을 위로ᄒᆞᆯ ᄇᆡ여니와, ᄎᆞᆨ지의셔는 누쳔니(累千里) ᄋᆡ각의 친부모을 상니ᄒᆞ고, 혈혈일신(孑孑一身)이 원광을 울얼미 되엿시ᄃᆡ, 원광의 박ᄃᆡ는 ᄒᆡᆼ노갓고 궁향(窮鄕) 간초(艱楚)는 일을 거시 업ᄉᆞ니, 범연ᄒᆞᆫ 인물일진ᄃᆡ 발셔 노심초ᄉᆞᄒᆞ여 셩질ᄒᆞ기의 일을 거시로ᄃᆡ, 일양 화ᄒᆞᆫ 낫빗과 온슌ᄒᆞᆫ ᄒᆡᆼᄉᆞ로 우리부부을 동ᄎᆞᆨ히 밧들던 ᄇᆡ, 엇지 긔특지 아니리오."

언프의 ᄉᆞ인을 ᄯᅮ러질 다시 숙시ᄒᆞ니, 긔위 ᄆᆡᆼ녈ᄒᆞ여 불감앙시라. 조부인이 아부의 비홍이 지금 이시믈 몽니의도 ᄉᆡᆼ각지 아냐다가, 얼프시 녀ᄋᆞ의 말노초ᄎᆞ 드르미 수일되엿ᄉᆞ나, 연ᄒᆞ여 ᄂᆡ외 빈ᄀᆡᆨ이 여류(如流)ᄒᆞ니, 밋쳐 발셜치 못ᄒᆞ엿다,가 공의 말노좃ᄎᆞ 길이 탄식, 왈,

"쳡이 ᄎᆞᆷ화지후의 만ᄉᆡ 부운 갓트여 타ᄉᆞ의 마음이 업는 듕이나, 아부의 초츌ᄒᆞᆫ 셩ᄒᆡᆼ슉덕이 보는 ᄌᆞ로 ᄒᆞ여금 긔이ᄒᆞ물 결울치 못ᄒᆞ니, 원광의 안고ᄒᆞ미 무산(巫山)과 월궁을 귀경ᄒᆞ엿다 일너도, 윤시을 하ᄌᆞᄒᆞᆯ 곳지 업고, ᄯᅩᄒᆞᆫ 금슬이 박졍ᄒᆞ믄 몽니의도 ᄉᆡᆼ각지 못ᄒᆞ여시므로, 져의 부부후박【16】을 《알녀ᄒᆞ미 아니오∥알녀ᄒᆞ지 아니코》, 영주는 미약잔질이라, 《혹ᄉᆞ∥혹ᄌᆞ》 윤ᄉᆡᆼ이 부족히 녁이미 잇슬가 그 비홍을 ᄉᆞᆯ피미러니, 명공이 일노ᄡᅧ 구고의 졍이 친부모의 ᄌᆞᄋᆡ만 못ᄒᆞ다 ᄒᆞ시니, 가히 맛당ᄒᆞ도소이다."

ᄉᆞ인이 부모의 이 갓튼 말ᄒᆞᆷ을 듯고 크게 황공ᄒᆞ여 감히 일언을 못ᄒᆞ니, 하공이 ᄉᆞ인을 상ᄒᆞ의 ᄭᅮᆯ니고 엄졍이 수죄ᄒᆞ여 현쳐을

게 황공숑뉼ᄒᆞ여 감히 일언을 못ᄒᆞ니, 하공이 샤인을 상ᄒᆞ의 ᄭᅮᆯ니고 엄졀이 슈죄ᄒᆞ여, 현쳐를 박ᄃᆡ홈과 윤공의 블셰대은을 져바려, 그 쳔금 쇼교로 ᄒᆞ여금 단장박명을 닐위게 ᄒᆞ믈 ᄀᆞᆺ초 니르고, 다시 ᄀᆞᆯ오ᄃᆡ,

"네 윤시를 박ᄃᆡᄒᆞ미 필연 쵹디의셔 ᄌᆞᄀᆡᆨ이 현부를 함(陷)【12】ᄒᆞ여, 망측ᄒᆞᆫ 누언으로ᄡᅧ 금슬이 블합ᄒᆞ미라. 여뷔 명박다험(命薄多險)ᄒᆞ여 허다 참경을 다 지ᄂᆡ여시나, 사ᄅᆞᆷ의 현우(賢愚) 션악(善惡)을 아ᄂᆞ니, 윤시 만일 여ᄎᆞ 음비지ᄒᆡᆼ이 이실진ᄃᆡ, 너의 박ᄃᆡᄒᆞ미 올코 나의 식안의 블명ᄒᆞ미 참괴ᄒᆞᆫ디라. 윤시 만일 타일이라도 ᄒᆞᆫ 조각 허믈이 이실진ᄃᆡ, 눈을 ᄀᆞᆷ아 너의게 샤례ᄒᆞ여 블명을 일ᄏᆞ로리라. 현부의 빙옥지신의 누언이 측(惻)ᄒᆞ거ᄂᆞᆯ1236), 너의 혼암블통이 흉젹의 음악패셜을 인ᄒᆞ여 현쳐를 박ᄃᆡᄒᆞ미 여ᄎᆞᄒᆞ니, 디인(知人)의 암녈(暗劣)ᄒᆞ미 ᄶᅩᆨ 업ᄉᆞᆫ디라. 내 명정(明正)이 ᄒᆞᆫ【13】번 닐너 효험이 업ᄉᆞ면 그 허믈을 니르려 ᄒᆞᄆᆡ, 가장 즁용치 못ᄒᆞᆯ ᄲᅮᆫ 아니라, 부ᄌᆞ의 졍을 네 거의 모로지 아니리라."

샤인이 브복 청교ᄒᆞᄆᆡ, ᄌᆞ긔 ᄉᆡᆼ셰 십칠년의 금일 쳐음으로 칙교를 듯ᄌᆞ올 ᄲᅮᆫ 아니라, 근간의 ᄌᆞ긔를 미안ᄒᆞ시믈 공구 젼뉼ᄒᆞ던디라. 어ᄃᆡ가 윤시 박ᄃᆡᄒᆞᄂᆞᆫ 소유를 낫토리오. 부친은 오히려 진고람 흉젹을 ᄒᆞᆫ번 보실 ᄲᅮᆫ이오, 신혼초야의 망측지변과 음비ᄒᆞᆫ 셔ᄉᆞ를 모로시고 금슬을 권칙ᄒᆞ시미 이ᄀᆞᆺᄐᆞ시니, ᄎᆞ마 거역지 못ᄒᆞ고, 화란 후 부모의 즐기시믈 계교ᄒᆞᄆᆡ ᄌᆞ긔 몸이 슈고롭【14】고 어려오믈 도라보디 아니ᄒᆞᄂᆞᆫ ᄇᆡ라. 윤시의 음악ᄒᆞ미 군ᄌᆞ의 ᄇᆡ위라 ᄒᆞ여 실듕의 머므름도 측ᄒᆞ나, 부모의 셩의 여ᄎᆞᄒᆞ시니, 져 윤시 음악ᄒᆞ미 노류장화 ᄀᆞᆺ틀디라도 친의를 위월치 못ᄒᆞ리니, 윤시 비록 음악지ᄉᆡᆨ 이시나 노류장화도 유졍ᄒᆞ미 이시니, 엇디 더럽고 측ᄒᆞ믈 ᄎᆞᆷ지 못ᄒᆞ리오. ᄒᆞ여 이의 이셩낙ᄉᆡᆨ으로 샤죄 왈,

1236)측(惻)ᄒᆞ다 : 언짢다. 섭섭하다. 원망스럽다. 억울하다.

박ᄃᆡ홈과 윤공의 ᄃᆡ은을 져바려 그 ᄯᆞᆯ노 ᄒᆞ여곰 단장박명을 일위게 ᄒᆞ믈 갓초 이르고, 다시 갈오ᄃᆡ,

"네 윤시을 박ᄃᆡᄒᆞ미 필연 쵹지의셔 자ᄀᆡᆨ이 《형부‖현부》을 함히ᄒᆞ려 ᄒᆞ여, 망측ᄒᆞᆫ 누언으로ᄡᅧ 금슬이 불합ᄒᆞᆫ 연괴냐? 네 아비 탄지(彈指)1048) 무상(無常)ᄒᆞ여 여형 ᄉᆞᆷ인을 ᄎᆞᆷ망ᄒᆞ고 목젼의 ᄎᆞᆷ아 보지 못ᄒᆞᆯ 경계을 당ᄒᆞ엿시나, 오히려 ᄉᆞ람의 션악(善惡) 현우(賢愚)ᄂᆞᆫ 거의 짐ᄌᆞᆨᄒᆞ여 아라보ᄂᆞ니, 아뷔(我婦) 음악ᄒᆞᆫ ᄒᆡᆼᄉᆡᆨ 이신ᄌᆞᆨ, 너의 박ᄃᆡᄒᆞᄂᆞᆫ 거시 올코 나의 ᄉᆞᄅᆞᆷ 그릇 알아보미 심히 ᄎᆞᆷ괴ᄒᆞ니, 눈을 두고 너의게 ᄉᆞ례ᄒᆞ여 불명ᄒᆞ믈 일커르련이와, 윤시의 ᄋᆡᄆᆡᄒᆞ미 ᄇᆡᆨ옥무하ᄒᆞ거ᄂᆞᆯ, 흉젹의 음악ᄑᆡ셜을 인ᄒᆞ여 현쳐을 박ᄃᆡᄒᆞ니, 너의 거죄 불민 암녈(暗劣)ᄒᆞᆫ 타시라. 일노 ᄌᆞᆺᄎᆞ 부ᄌᆞ의 졍이 거의 상(傷)ᄒᆞᆯ 쥴 알니니 너ᄂᆞᆫ ᄌᆞ임ᄌᆞᄒᆡᆼ(自任自行)ᄒᆞ라."

ᄉᆞ인이 ᄉᆡᆼ셰 십팔년의 쳐음으로 부친의 칙ᄒᆞ시물 들을【17】 분 아니라, 근간 ᄌᆞ긔을 미안ᄒᆞ여 크게 엄위ᄒᆞᆫ ᄉᆞᄉᆡᆨ이 잇시ᄆᆡ 공구젼뉼(恐懼戰慄)ᄒᆞ던지라. 어ᄃᆡ가 윤시 박ᄃᆡᄒᆞ든 소유을 고ᄒᆞ리오. 신혼 초일의 망측ᄒᆞᆫ 변과 기간 음비ᄒᆞᆫ 허물을 모로시ᄂᆞᆫ 고로, 금슬을 화합고져 ᄒᆞ시물 ᄎᆞ마 거역지 못ᄒᆞᄆᆡ, ᄌᆞ긔 몸이 어려오믈 도라보지 못ᄒᆞᄂᆞᆫ지라. 윤시 뮈음도 측(惻)ᄒᆞ나1049), 부모의 셩의 여ᄎᆞᄒᆞ시니, 져 윤시 음악ᄒᆞ미 노류장화 갓츨[틀]지라도 친의을 위월치 못ᄒᆞ○[리]니 엇지 그 측ᄒᆞ믈 ᄎᆞᆷ지 못ᄒᆞ리오. 이의 이셩낙ᄉᆡᆨ으로 ᄉᆞ죄 왈,

1048)탄지(彈指) : 순간. 찰나. 예전에, 순식(瞬息)의 억분의 1이 되는 수를 이르던 말. 즉, 10^{-80}을 이른다. 여기서는 이러한 순간에도 무상을 느꼈다는 것이므로, '언제나' '항상' 의 의미로 쓰인 것임.

1049)측(惻)ᄒᆞ다 : 언짢다. 섭섭하다. 원망스럽다. 억울하다.

"쇼직 ᄀᆞᆺᄐᆞ여 윤시를 의심ᄒᆞ여 박ᄃᆡᄒᆞ미 아니라, 피ᄎᆡ 다 년긔유틍ᄒᆞ여 셩녜ᄒᆞ오ᄆᆡ, 피ᄎᆞ 년쇼ᄒᆞ미 블평ᄒᆞ고, ᄋᆞᄒᆡ 어린 소견의 우리 집은 남다른 고로 만ᄉᆞ의 다 조심ᄒᆞ여 무병(無病) 【15】 이 슈(壽)를 누리고져, 이십이나 피ᄎᆞ의 되기를 기다리미오러니, 대인이 ᄒᆡᄋᆞ의 말ᄉᆞᆷ을 밋디 아니ᄒᆞ샤 이러ᄐᆞᆺ 의려ᄒᆞ시니, 이 므ᄉᆞᆷ 대ᄉᆡ라 셩녀의 거리ᄭᅵ시리잇고? ᄎᆞ후 졀노 더브러 금슬지락을 온젼이 ᄒᆞ오리니, 원 대인은 미셰지ᄉᆞ의 셩녀를 번거이 마르시믈 바라ᄂᆞ이다."

공이 그러이 녁여, 다만 브졀업시 뉸의를 폐치 말나 당부ᄒᆞ며, 샤인을 권유ᄒᆞ여 일삭은 쇼져 침소의 머믈고, 일망은 ᄌᆞ긔게 슉딕ᄒᆞ라 ᄒᆞ니, 샤인이 감히 ᄒᆞᆯ 말을 못ᄒᆞ고 ᄎᆞ일 혼뎡 후 쇼져 침소의 니르니, 쇼졔 바야흐로 촉하의셔 【16】 녜긔를 슈련ᄒᆞ다가, 샤인을 보고 니러 마ᄌᆞ 먼니 좌를 뎡ᄒᆞ니, 샤인이 이날은 젼ᄌᆞ와 달나, 슬흔 거ᄉᆞᆯ 강인ᄒᆞ고 아니ᄭᅩ은 거ᄉᆞᆯ ᄎᆞᆷ아 쇼져로 더브러 부부지락을 일우려 ᄒᆞᄂᆞᆫ디라. 눈을 드러 그 얼골을 다시 유의ᄒᆞ여 ᄉᆞᆯ피ᄆᆡ, 미우팔ᄎᆡᄂᆞᆫ 셩ᄌᆞ긔ᄆᆡᆨ(聖者氣脈)이오, 찬난ᄒᆞᆫ 염ᄐᆡᄂᆞᆫ 슉뇨대덕(淑窈大德)을 겸ᄒᆞ여, 만면 화긔 츈풍이 이이(怡怡)ᄒᆞ여, 만물을 회ᄉᆡᆼᄒᆞᄂᆞᆫ 조화를 가져, 영복대귀지상(榮福大貴之相)이 일품명부의 존귀를 누릴디라. 어리로운 ᄐᆡ도ᄂᆞᆫ 화왕(花王)[1237]이 앗ᄎᆞᆷ 이슬을 ᄯᅥᆯ치고, ᄆᆞᆰ은 광ᄎᆡᄂᆞᆫ 츄텬(秋天)의 소월(素月)이 옥누의 바ᄋᆡᄂᆞᆫ ᄃᆞᆺ, 봉관을 【17】 슉이고 홍슈(紅袖)를 뎡히 ᄭᅩᄌᆞ 단연(端然) 위좌(危坐)ᄒᆞᄆᆡ, 일개 쇼녀ᄌᆞ의 거동이 완연이 ᄒᆞᆨ니군ᄌᆞ의 틀이 잇ᄂᆞᆫ디라. 샤인이 눈을 옴기지 아니ᄒᆞ고 보기를 ᄯᅮ러질 ᄃᆞ시 ᄒᆞ다가, 그 상모긔질이 ᄌᆞ긔 아ᄂᆞᆫ 바 음악지ᄉᆞ와 ᄂᆡ도ᄒᆞ믈 측냥치 못ᄒᆞ다가, 가마니 혜오ᄃᆡ,

"져의 음악지죄 ᄒᆞᆫ번 죽기를 면치 못ᄒᆞᆯ ᄇᆡ어ᄂᆞᆯ, 부모ᄂᆞᆫ 그 ᄉᆞ오나오믈 아디 못ᄒᆞ시고, 나의 박ᄃᆡ를 도로혀 ᄎᆡᆨᄒᆞ시며, 대인이 디인ᄒᆞᄂᆞᆫ 안견(眼見)을 니르샤, 져의 긔특ᄒᆞ

1237)화왕(花王) : '모란꽃'을 달리 이르는 말.

"소직 ᄀᆞᆺᄒᆞ여 윤시을 의심ᄒᆞ여 박ᄃᆡᄒᆞ오미 아니라, 피ᄎᆡ 다 년긔 유츙ᄒᆞ여 셩녜ᄒᆞ오ᄆᆡ 아ᄒᆡ 어린 소견의 우리 집은 남다른 고로, 만ᄉᆞ의 다 조심ᄒᆞ여 무병(無病)이 수(壽)을 누리고져, 피ᄎᆞ의 이십이나 되기을 기ᄃᆞ리미오니, ᄃᆡ인이 ᄒᆡ아의 말ᄉᆞᆷ을 밋지 아니ᄉᆞ 이러ᄐᆞᆺ 의려ᄒᆞ시니, 이 무ᄉᆞᆷ ᄃᆡᄉᆞ라 셩의에 거리ᄭᅵ시리잇고? ᄎᆞ후 져로 더부러 금슬지낙(琴瑟之樂)을 온젼이 ᄒᆞ오리니 원 ᄃᆡ인은 미세지○[ᄉᆞ]의 셩녀을 번거이 마르소셔."

공이 그러이 역여, 다만 부졀업시 윤의을 폐치 말나 당부ᄒᆞ며, ᄉᆞ인을 권유ᄒᆞ여 일망은 소져의 침소의 머물고 일망은 ᄌᆞ긔○[게] 《수직 ‖ 숙직》ᄒᆞ라 ᄒᆞ니, ᄉᆞ인이 감히 ᄒᆞᆫ말을 못ᄒᆞ고 ᄎᆞ일 혼졍 후 소져 침소의 이르니, 소져 바야흐로 촉ᄒᆞ의셔 녀[녜]기을 수련ᄒᆞ다가, ᄉᆞ인을 보고 이러 마ᄌᆞ 【18】 멀니 좌을 졍ᄒᆞ고, ᄉᆞ인이 이날 젼ᄌᆞ와 달나 슬은 거ᄉᆞᆯ 강잉ᄒᆞ고, 아니ᄭᅩ은 거ᄉᆞᆯ ᄎᆞᆷ아 소져로 더부러 부부지낙을 일우려 ᄒᆞᄂᆞᆫ지라. 눈을 들어 그 얼골을 유의ᄒᆞ여 다시 ᄉᆞᆯ피ᄆᆡ, 미우팔ᄎᆡᄂᆞᆫ 셩ᄌᆞ긔ᄆᆡᆨ(聖者氣脈)이오, 찬난○[ᄒᆞᆫ] 염ᄐᆡᄂᆞᆫ 《슈교지덕 ‖ 슉뇨대덕(淑窈大德)》을 겸ᄒᆞ여 만면화긔 츈풍이 의의(猗猗)ᄒᆞ여, ᄇᆡᆨ물이 회ᄉᆡᆼᄒᆞᄂᆞᆫ 조화을 가져, 영복지상이 일픔명부의 존귀을 누릴지라. 어리러온 ᄐᆡ도ᄂᆞᆫ 모란이 조로(朝露)을 ᄯᅥᆯ치고 말근 광ᄎᆡᄂᆞᆫ 츄쳔의 소월이 옥누의 바ᄋᆡᄂᆞᆫ 듯, 봉관을 슉이고 홍수을 졍히 ᄭᅩᄌᆞ 안연 단좌의 일기 소녀ᄌᆞ의 거동이 완연이 ᄒᆞᆨ니군ᄌᆞ의 틀이 잇ᄂᆞᆫ지라. ᄉᆞ인이 눈을 옴기지 아니ᄒᆞ고 숙시 양구의, 그 상모긔질이 ᄌᆞ긔 아ᄂᆞᆫ ᄇᆡ 음악지ᄉᆞ와 ᄂᆡ도ᄒᆞ믈 측냥치 못ᄒᆞ여 가마니 혜오ᄃᆡ,

"져의 음흉지죄 ᄒᆞᆫ 번 죽기을 면치 못ᄒᆞᆯ ᄇᆡ여ᄂᆞᆯ, 부모ᄂᆞᆫ 그 ᄉᆞ오나오믈 아지 못ᄒᆞ시고, 나의 박ᄃᆡ을 도로혀 ᄎᆡᆨᄒᆞ시며, ᄃᆡ인이 지인ᄒᆞᄂᆞᆫ 안견(眼見)을 니르ᄉᆞ 져의 긔특ᄒᆞ믈 그럿ᄐᆞᆺ 칭찬ᄒᆞ시니, 나의 회포을 고ᄒᆞᆯ

믈 그러틋 칭찬ᄒᆞ시니, 나의 회포를 고홀 길히 업ᄂᆞᆫ디라. 아디 못게라, 작인의 비상ᄒᆞ믄 셩녀슉완의 명풍을 가져, 【18】 덕과 복이 면모의 어ᄅᆡ여 나의 믜워 보ᄂᆞᆫ 눈의도 져러틋 아롬다오니, 엇지 안과 밧기 이러틋 ᄂᆡ도ᄒᆞᆫ고? 녯날 하걸(夏桀)[1238]의 ᄆᆡ희(妹喜)[1239]와 은쥬(殷紂)[1240]의 달긔(妲己)[1241]져 윤시 ᄀᆞᆺ트여 걸쥐(桀紂) 그 ᄉᆞ오나오믈 아디 못ᄒᆞ고 망국멸신(亡國滅身)ᄒᆞᄆᆡ 니르러시니, 윤시 아니 날을 죽이고 내 집을 망히올 인물인가?"

의ᄉᆡ 이의 밋쳐ᄂᆞᆫ, 분연통히ᄒᆞ여 ᄉᆞ매를 곳쳐 나오고져 ᄒᆞ다가, 곳쳐 ᄉᆡᆼ각ᄒᆞᄃᆡ 윤시 비록 음악간교지ᄉᆡ(淫惡奸巧之事) 이실디라도 내 ᄆᆞ음의 치부(置簿)ᄒᆞ여 그 ᄉᆞ오나오믈 알 ᄯᆞ름이오, 고혹(蠱惑)ᄒᆞᄂᆞᆫ 거죄 업ᄉᆞ면 날을 간ᄃᆡ로 죽이든 못ᄒᆞ리니, 아딕 엄명을 슌【19】슈ᄒᆞ고, 져의[를] 살펴 간부를 잡은 후, 일을 명빅히 들쳐ᄂᆡ여 명뎡기죄(明正基罪)ᄒᆞᄂᆞᆫ 거시 상칙이라 ᄒᆞ여, 분노ᄒᆞᆫ 긔운을 졔오 춤고, 믁믁 냥구의 시녀를 명ᄒᆞ여 금침을 포셜ᄒᆞ라 ᄒᆞ고, 쵹을 물닌 후 상요의 나아가, 쇼져로 더브러 금니의 나아가려 ᄒᆞᄆᆡ, 누연(陋然)ᄒᆞ고[1242] 아니ᄭᅩ으믈 니긔지 못ᄒᆞ니, 쇼졔 엇디 샤인의 긔ᄉᆡᆨ을 모로리오. 실노ᄡᅧ 부부의 은ᄋᆡ를 부운의 더져 그 후박을 거리ᄭᆡ미 업셔 가작ᄒᆞᄂᆞᆫ 졍을 좃고져 아니ᄃᆡ, 샤인의 용녁이 구졍

길이 업ᄂᆞᆫ지라. 아지못게라, 작인의 비상ᄒᆞ면[믄] 셩녀숙완의 명풍을 가져 복덕이 면모의 어ᄅᆡ여 나의 미워보ᄂᆞᆫ 눈의도 져러틋 아름다오니, 엇지 쎠[1050] ᄂᆡ외 그리 현격ᄒᆞᆫ고? 옛날 하걸(夏桀)[1051]의 《여희‖ᄆᆡ희(妹喜)[1052]》와 은주(殷紂)[1053]의 달긔(妲己)[1054] 져 윤시 갓트여 걸쥐(桀紂) 그 ᄉᆞ오나옴을 아지 못ᄒᆞ고 혹【19】ᄒᆞ여 망국멸신(亡國滅身)ᄒᆞ미 되어시니, 윤시 아니 날을 죽이고 집을 망히올 인물인가?"

의ᄉᆡ 이의 밋쳐ᄂᆞᆫ 분연통히ᄒᆞ여 ᄉᆞᄆᆡ을 썰쳐 나오고ᄌᆞ ᄒᆞ다가, 곳쳐 ᄉᆡᆼ각ᄒᆞᄃᆡ, 윤시 비록 음악간교지ᄉᆡ(淫惡奸巧之事) 잇슬지라도 ᄂᆡ 마음이 치부(置簿)ᄒᆞ여 그 ᄉᆞ오나오믈 알 ᄯᆞ름이오, 고혹(蠱惑)ᄒᆞᄂᆞᆫ 거죄 업ᄉᆞ면 날을 간ᄃᆡ로 죽이든 못ᄒᆞ리니, 아직 엄명을 슌수ᄒᆞ리라 ᄒᆞ고, 묵묵 양구의 시녀로 침금을 포셜ᄒᆞ고 촉을 물니고 상요의 나아가, 소져로 더부러 금니의 나아가ᄂᆞ 측ᄒᆞ여 아니ᄭᅩ으믈 이긔지 못ᄒᆞ니, 소져 엇지 ᄉᆞ인의 긔ᄉᆡᆨ을 모로리오. 실노쎠 부부의 은ᄋᆡ을 몽니(夢裏)의 더져, 그 후박을 ᄭᅥ리미[1055] 업셔 가작ᄒᆞᄂᆞᆫ 졍을 좃고져 아니ᄃᆡ, ᄉᆞ인의 용녁이 구졍(九鼎)을 가ᄇᆡ야이 아ᄂᆞᆫ 수단이

1238)하걸(夏桀) : 중국 하나라의 마지막 왕. 성은 사(姒). 이름은 이계(履癸). 은나라의 탕왕에게 멸망하였다. 은나라의 주왕과 더불어 동양 폭군의 전형으로 불린다.

1239)ᄆᆡ희(妹喜) : 중국 하(夏)의 마지막 황제 걸(桀)의 비(妃). 은나라 마지막 황제 주(紂)의 비(妃) 달기(妲己)와 함께 포악한 여성의 대표적 인물로 꼽힌다.

1240)은쥬(殷紂) : 중국 은나라의 마지막 임금. 이름은 제신(帝辛). 주(紂)는 시호(謚號). 지혜와 체력이 뛰어났으나, 주색을 일삼고 포학한 정치를 하여 인심을 잃어 주나라 무왕에게 살해되었다

1241)달긔(妲己) : 중국 은나라 주왕의 비(妃). 왕의 총애를 믿어 음탕하고 포악하게 행동하였는데, 뒤에 주나라 무왕에게 살해되었다. 하걸(夏桀)의 비 매희(妹喜)와 함께 망국의 악녀로 불린다.

1242)누연(陋然)ᄒᆞ다 : 더럽다.

1050)쎠 : 써. '그것을 가지고', '그것으로 인하여'의 뜻을 지닌 접속 부사. 한문의 '以'에 해당하는 말로 문어체에서 주로 쓴다.

1051)하걸(夏桀) : 중국 하나라의 마지막 왕. 성은 사(姒). 이름은 이계(履癸). 은나라의 탕왕에게 멸망하였다. 은나라의 주왕과 더불어 동양 폭군의 전형으로 불린다.

1052)ᄆᆡ희(妹喜) : 중국 하(夏)의 마지막 황제 걸(桀)의 비(妃). 은나라 마지막 황제 주(紂)의 비(妃) 달기(妲己)와 함께 포악한 여성의 대표적 인물로 꼽힌다.

1053)은주(殷紂) : 중국 은나라의 마지막 임금. 이름은 제신(帝辛). 주(紂)는 시호(謚號). 지혜와 체력이 뛰어났으나, 주색을 일삼고 포학한 정치를 하여 인심을 잃어 주나라 무왕에게 살해되었다

1054)달긔(妲己) : 중국 은나라 주왕의 비(妃). 왕의 총애를 믿어 음탕하고 포악하게 행동하였는데, 뒤에 주나라 무왕에게 살해되었다. 하걸(夏桀)의 비 매희(妹喜)와 함께 망국의 악녀로 불린다.

1055)ᄭᅥ리다 : 꺼리다. 거리끼다. 개운치 않거나 언짢은 데가 있어 마음에 걸리다

(九鼎)을 가바야이 녁이ᄂᆞᆫ디라. 엇디 쇼져의 연약ᄒᆞ므로ᄡᅧ 큰 힘을 당ᄒᆞᆯ 길히 이시리오.【20】 이의 상샹슈리(床上繡裏)1243)의 나아가 잠간 즘을 들ᄆᆡ, 비웅(飛雄)1244)의 상셔를 응ᄒᆞ여 긔린의 장몽(長夢)을 어드ᄃᆡ, 몽듕 셜홰 ᄌᆞ못 허다ᄒᆞ므로 대개만 긔록 ᄒᆞ노라.

윤쇼졔 댱몽을 어더 ᄡᅣᆼ닌(雙麟)의 긔이ᄒᆞ믈 당ᄒᆞ여 놀나 소ᄅᆡᄒᆞ니, 샤인이 역시 ᄭᆡ여 쇼져를 흔드러 ᄭᆡ오니, 문득 원슈ᄀᆞᆺ치 믜온 의ᄉᆡ 잠간 은근ᄒᆞ여 몽ᄉᆞ의 허다 비상ᄒᆞ믈 ᄉᆡᆼ각고, 쇼져의 손을 잡아, 쇼왈,

"자의 소ᄅᆡᄒᆞ미 반ᄃᆞ시 댱몽을 인ᄒᆞᆫ ᄇᆡ라. 우리 부뫼 ᄆᆡ양 농손의 ᄌᆞ미를 일야의 현망(懸望)1245)ᄒᆞ시ᄂᆞᆫ ᄇᆡ러니, 금야 몽ᄉᆡ 크게【21】 길ᄒᆞ니 일노 좃ᄎᆞ 장옥(璋玉)이 션션ᄒᆞᆯ가 ᄒᆞ나이다."

쇼졔 샤인과 ᄒᆞᆫ가지로 대몽이 이시ᄃᆡ, ᄉᆞᄉᆞ로 발구치 아니려 ᄒᆞᄂᆞᆫ 고로 셔셔히 손을 ᄲᅢ히고 물너나니, 하ᄉᆡᆼ이 다시 븟드러 향몌(香袂)1246)를 졉ᄒᆞ고 셤슈를 어로만져 부부의 은ᄋᆡ 요동ᄒᆞ나, 몽ᄉᆞ 긔이ᄒᆞ믈 혜건ᄃᆡ 반ᄃᆞ시 농장(弄璋)ᄒᆞᄂᆞᆫ 경ᄉᆡ 이실 거시로ᄃᆡ, 윤시의 음힝ᄉᆞ를 ᄉᆡᆼ각ᄒᆞᆫ즉 그 ᄌᆞ식이 셩현 ᄀᆞᆺ틀지라도 능히 힝셰ᄒᆞ기 어렵고, 조션 봉ᄉᆞ와 부모 후ᄉᆞ를 밧드디 못ᄒᆞᆯ디라. 도로혀 심신이 어ᄌᆞ로워 깃븐 ᄃᆞᆺ 놀나운 ᄃᆞᆺ ᄀᆞ장 번뇌ᄒᆞ더니,【22】 효계 창명(唱鳴)ᄒᆞᄆᆡ, 부뷔 니러 부모긔 문후ᄒᆞ고, 하쇼져로 담화ᄒᆞ여 우ᄋᆡᄒᆞᄂᆞᆫ 졍이 타인의 디난디라.

윤혹ᄉᆞ ᄯᅩᄒᆞᆫ 하부의 머므러 낫인즉 옥누항의 갓다가, 승셕(乘夕)ᄒᆞ여 취운산의 나아와 쇼져로 더브러 일실지ᄂᆡ의 쳐ᄒᆞᄆᆡ, ᄌᆞ연 금슬종고(琴瑟鐘鼓)의 관져지낙(關雎之樂)이 흡연ᄒᆞᄃᆡ, 군ᄌᆞᄂᆞᆫ 믁믁ᄒᆞ고 슉녀ᄂᆞᆫ 졍졍ᄒᆞ

1243)상샹슈리(床上繡裏) ; 수를 놓은 이불을 편 침상 속.
1244)비웅(飛雄) : 웅비(雄飛). 기운차고 용기 있게 활동함.
1245)현망(懸望) : 마음을 졸이며 간절히 바람.
1246)향몌(香袂) ; 향기로운 옷소매.

잇시니, 엇지 소져의 연약ᄒᆞ므로ᄡᅧ 그 힘을 당ᄒᆞ리오. 임의 수리(繡裏)1056)의 나아가 잠간 즘을 들ᄆᆡ, 비웅(飛雄)1057)의 상셔을 응ᄒᆞ여 긔린의 장몽(長夢)을 어드ᄆᆡ 몽듕 셜화 ᄌᆞ못 허다ᄒᆞ므로 ᄃᆡ강만 ○○[긔록]ᄒᆞ다.

윤소져 장몽을 어더 쌍인(雙麟)의 긔이ᄒᆞ믈 당ᄒᆞ여 놀나 소ᄅᆡᄒᆞ니, ᄉᆞ인이 역시 ᄭᆡ여 소져을 흔드러 ᄭᆡ오니, 믄득 원수 갓치 믜온 의ᄉᆡ 잠간 은근ᄒᆞ여 몽ᄉᆞ의 허다 비상ᄒᆞ믈 ᄉᆡᆼ각고, 소져의 손을 잡고 소왈,

"ᄌᆞ의 소ᄅᆡᄒᆞ미 반다시 장몽을 인ᄒᆞᆫ ᄇᆡ라. 우리 부뫼 ᄆᆡ양 농손의 ᄌᆞ미을 바라시더니, 금야의【20】 몽ᄉᆡ 크게 길ᄒᆞ니 일노 조ᄎᆞ 장옥이 션션ᄒᆞᆯ가 ᄒᆞ나이다."

소져 ᄉᆞ인과 ᄒᆞᆫ가지로 대몽이 이시ᄆᆡ[ᄃᆡ] 스ᄉᆞ로 발구치 아니려 ᄒᆞᄂᆞᆫ 고로 쳔연히 손을 ᄲᅢ히고 물너나니, 하ᄉᆡᆼ이 다시 붓드러 향메(香袂)1058)을 졉ᄒᆞ고 셤슈을 어로만져 부부의 은ᄋᆡ 요동ᄒᆞ나, 몽ᄉᆞ 긔이ᄒᆞ믈 혜건ᄃᆡ 반ᄃᆞ시 농장(弄璋)ᄒᆞᄂᆞᆫ 경ᄉᆞ 이슬 거시로ᄃᆡ, 윤시의 음힝 악ᄉᆞ을 ᄉᆡᆼ각ᄒᆞᆫ즉 그 ᄌᆞ식이 셩현 ᄀᆞᆺ틀지라도 능히 힝셰ᄒᆞ기 어렵고, 조션봉ᄉᆞ와 부모 후ᄉᆞ를 맛기지 못ᄒᆞᆯ지라. 도로혀 심신이 어ᄌᆞ로워 깃분 ᄃᆞᆺ 놀나온 ᄃᆞᆺ 가장 번뇌ᄒᆞ더니, 효계 초명(初鳴)ᄒᆞᄆᆡ 부뷔 니러 부모긔 문후ᄒᆞ고, ○[하]쇼져로 더부러 담화ᄒᆞ여 우ᄋᆡᄒᆞᄂᆞᆫ 졍이 타인의 지ᄂᆞᆫ지라.

윤혹ᄉᆡ ᄯᅩᄒᆞᆫ 하부의 머므러 낫인즉 옥누항의 갓다가, 《승격 ‖ 승셕(乘夕)》ᄒᆞ여 취운산의 나와 쇼져로 더부러 일실지ᄂᆡ의 쳐ᄒᆞ여, ᄌᆞ연 금슬종고(琴瑟鐘鼓)의 관져지낙(關雎之樂)이 흡연ᄒᆞ되, 군ᄌᆞᄂᆞᆫ 묵묵ᄒᆞ고 슉녀ᄂᆞᆫ 졍졍ᄒᆞ여 상경여빈(相敬如賓)1059)ᄒᆞ니,

1056)수리(繡裏) : 수를 놓은 이불 속.
1057)비웅(飛雄) : 웅비(雄飛). 기운차고 용기 있게 활동함.
1058)향메(香袂) ; 향기로운 옷소매.
1059)상경여빈(相敬如賓) : 서로 손님을 공경하듯 함.

여 여경상빈(如敬相賓)1247)ᄒᆞ니, 일분도 ᄋᆞ쇼의 부박ᄒᆞᆫ 거죄 업ᄉᆞᆫ디라. 하공의 부뷔 두굿기고, 하쇼졔 일노 좃ᄎᆞ 잉ᄐᆡᄒᆞ고, 윤부인이 몽ᄉᆞ를 어드므로부터 태후(胎候)의 긔미 분명ᄒᆞᄃᆡ, 몽ᄉᆞ를 구외(口外)의【23】ᄂᆡ여 니르미 업더라.

어시의 윤부 뉴부인이 하샤인의 농방(龍榜)1248) 쳔인(千人)을 압두ᄒᆞ여 의의히 댱원낭이 되어, 그 몸이 옥당 한원의 잇셔 청현아망(淸賢雅望)이 됴야를 드레ᄆᆡ, 크게 깃거 흔흔ᄌᆞ득ᄒᆞ여 즐거오믈 니긔디 못ᄒᆞᄂᆞᆫ 듕, 녀ᄋᆞ의 비홍이 업디 아닌 바를 ᄉᆡᆼ각ᄒᆞ여 그 금슬이 박ᄒᆞ믈 슬허ᄒᆞ고, 녀ᄋᆡ 샹경ᄒᆞᄆᆡ ᄌᆞ긔 악ᄉᆞ를 ᄆᆞ음ᄃᆡ로 못ᄒᆞ여, 혹ᄌᆞ 젼ᄌᆞ 변고를 드르면, ᄃᆡ인ᄒᆞ믈 붓그리고 슬허 초ᄉᆞᄒᆞ여 죽을가 두리므로, 녀ᄋᆡ 촉의셔 도라와 슌일을 옥누항의셔 머므ᄂᆞᆫ ᄉᆞ이, 당시를 슌편히 거ᄂᆞ리고 태우 형뎨를【24】ᄉᆞ랑ᄒᆞᄂᆞᆫ 쳬ᄒᆞᄃᆡ, 쇼졔 모친과 조모의 심ᄉᆞ를 ᄉᆡᆼ각ᄒᆞ여 짐작ᄒᆞ미 ᄇᆞᆰ은디라. ᄇᆡᆨ모의 실산ᄒᆞ믈 슬허ᄒᆞ고 조모와 모친을 권유ᄒᆞ여 하·댱 등을 ᄉᆞ랑ᄒᆞ쇼셔 ᄒᆞ니, 태부인이 태우 등을 ᄉᆞ랑ᄒᆞᄂᆞᆫ 쳬ᄒᆞ고, 뉴부인이 변ᄉᆡᆨ 왈,

"너의 말이 날을 의심ᄒᆞ여 몹쓸 일이나 ᄒᆞᆫᄃᆞ시 ᄒᆞ거니와, 나ᄂᆞᆫ 실노 악ᄉᆡᆨ 업ᄉᆞ니, 오ᄅᆡ ᄯᅥ나 그리던 졍은 펴지 아니ᄒᆞ고 괴이ᄒᆞᆫ 말을 ᄒᆞᄂᆞ뇨?"

윤부인이 ᄌᆞ긔 간언이 효험이 업ᄉᆞ믈 모로지 아니ᄒᆞᄃᆡ, 다시금 모친과 태모를 ᄒᆡ유ᄒᆞ여 악을 먼니ᄒᆞ고 인을 닥그쇼셔 청ᄒᆞ다가, 오년 니측【25】ᄒᆞᆫ 졍을 다 펴지 못ᄒᆞ고 하ᄉᆡᆼ이 등과ᄒᆞ므로 즉시 도라가니, 뉴시 결연ᄒᆞᄂᆞᆫ 듕이나, ᄯᅩᄒᆞᆫ 깃거 ᄉᆡᆨ로이 댱시를 못견ᄃᆡ도록 보ᄎᆡ며, 태우 등을 듕칙ᄒᆞ며 졸나 못견ᄃᆡ도록 보ᄎᆡ고, 태부인을 부촉ᄒᆞ여 ᄇᆡᆨ가지로 흉포 ᄉᆡᆨ험ᄒᆞ미 밋디 아닌곳이 업

1247)여경상빈(如敬相賓) : 서로 손님을 공경하듯 함.
1248)농방(龍榜) : 과거급제자 방목(榜目).

일분도 ᄋᆞ소의 부박ᄒᆞ미 업ᄂᆞᆫ지라. 하공 부부 두굿기고, 하소져 일노 좃ᄎᆞ 잉ᄐᆡᄒᆞ고 윤부인이 몽ᄉᆞ을 어든 후로부터 태후의 긔미 분명ᄒᆞᄃᆡ, 몽ᄉᆞ을 구외의 ᄂᆡ미 업더라.

어시의 윤부 뉴부인이 하ᄉᆞ인의 용방(龍榜)1060) 쳔인(千人)을 압두ᄒᆞ여 장원낭이 되어, 그 몸이 옥당 한원의 이셔 청현아망(淸賢雅望)이 조야의 드레ᄆᆡ, 크게 깃거 흔흔ᄌᆞ득ᄒᆞᆫ 듕이나,【21】 녀ᄋᆞ의 비홍이 업지 아니턴 바을 ᄉᆡᆼ각ᄒᆞ여, 깁히 념녀ᄒᆞ여 금슬이 박ᄒᆞ믈 슬허ᄒᆞ고, 녀ᄋᆡ 상경ᄒᆞᄆᆡ ᄌᆞ긔 악ᄉᆞ을 마음ᄃᆡ로 힝치 못ᄒᆞ여, 혹ᄌᆞ 젼젼 변고와 악ᄉᆞ을 드르면, ᄃᆡ인ᄒᆞ믈 붓그리고 슬허 초ᄉᆞᄒᆞ고 죽을가 두리므로, 녀ᄋᆡ 촉의셔 도라와 슌일을 옥누항의 머무ᄂᆞᆫ ᄉᆞ이의ᄂᆞᆫ, 장시을 순편이 거ᄂᆞ리고 ᄐᆡ우 형뎨을 ᄉᆞ랑ᄒᆞᄂᆞᆫ 쳬ᄒᆞᄃᆡ, 윤시 모친과 조모의 심ᄉᆞ을 ᄉᆡᆼ각ᄒᆞ여 슉모의 실산을 슬허ᄒᆞ고, 뎡슉녈의 화ᄋᆡᆨ을 ᄎᆞ셕ᄒᆞ여 조모와 모친을 만가지로 권ᄒᆞ여, ᄐᆡ우형뎨을 ᄉᆞ랑ᄒᆞ시며, 하·장 등을 무ᄋᆡᄒᆞ소셔 청ᄒᆞ나, ᄐᆡ뇌(太老) 그 말을 좃ᄎᆞ ᄉᆞ랑ᄒᆞᄂᆞᆫ 쳬ᄒᆞ며 기리ᄂᆞᆫ 다시ᄒᆞ고, 뉴시ᄂᆞᆫ 녀ᄋᆞ의 권유ᄒᆞᄆᆡ 다ᄃᆞ라ᄂᆞᆫ 변ᄉᆡᆨ 왈,

"너의 말이 날을 어[의]심ᄒᆞ여 무ᄉᆞᆫ 못ᄒᆞᆯ 노릇시나 ᄒᆞᆫᄃᆞ시 ᄒᆞ거니와, 나ᄂᆞᆫ 실노 악ᄉᆡᆨ 업ᄉᆞ니, 오ᄅᆡ ᄯᅥ나 그리던 은졍은 펴지 아니ᄒᆞ고 고이ᄒᆞᆫ 말을 ᄒᆞᄂᆞ뇨?"

윤부인이 ᄌᆞ긔 간언이 효험이 업ᄉᆞ믈 모로지 아니ᄃᆡ, 다시곰 모친과 ᄃᆡ모을 ᄒᆡ유ᄒᆞ여 악을 멀니ᄒᆞ고 인을 닥그소셔 청ᄒᆞ다가, 오년 니측ᄒᆞᆫ 졍을 다 펴지 못ᄒᆞ고, 하ᄉᆡᆼ이 등과ᄒᆞ므로 즉시 도라가니, 뉴시 결연○[ᄒᆞᆫ] 듕이나, ᄯᅩᄒᆞᆫ 깃거 ᄉᆡᆨ로이 댱시를 못견ᄃᆡ도록 보ᄎᆡ며, 태우 등을 날마다 듕칙ᄒᆞ며 조로고 보ᄎᆡ게 ᄐᆡ부인긔 촉ᄒᆞ여[며], 뎡시의 유ᄋᆡ 운산의 이시믈【22】 가장 졀치통한ᄒᆞ여, 부ᄃᆡ 업시코져 묘량을 기다리더

1060)용방(龍榜) : 과거급제자 방목(榜目).

ᄉᆞ며, 뎡시의 유ᄌᆡ 운산의 됴히 이시믈 ᄀᆞ장 졀치통완ᄒᆞ여, ᄇᆞᄃᆡ 업시코져 묘량을 기다리더니, 《아이고‖아이오(俄而-)1249)》 묘량이 댱ᄉᆞ(長沙)의 나아가 뉴부인 셔간을 드리고, 뎡시 ᄒᆡᄒᆞ믈 쵹ᄒᆞ고 답간을 맛타 도라오니, 뉴시 크게 반겨 뎡시를 근심업시 셔르져시니, 그 유ᄌᆞ(幼子)를 마ᄌᆞ 업시ᄒᆞ여 달【26】나 ᄒᆞ니, 묘량이 쇼왈,

"빈되 부인을 위ᄒᆞ여 블인악ᄉᆞ를 만히 ᄒᆞ니 텬신이 무셥거니와, 발셔 버린 춤이 되어시니, 현마 엇디 ᄒᆞ리잇고?"

뉴시 ᄌᆡ삼 당부ᄒᆞ여 뎡시 유ᄌᆞ를 죽이라 ᄒᆞ니, 묘량이 응낙고 몬져 귀비긔 뵈고져 궐듕의 니르니, 맛초아 문양공쥐 입궐ᄒᆞ여 뎨후긔 됴현ᄒᆞ고, 믈너 복궁의 니르러 모녜 셔로 졍회를 니르다가 묘량을 보ᄆᆡ, 김귀비 크게 반겨 공쥬로 더브러 ᄉᆞ괴라 ᄒᆞ고, 묘량의 신긔ᄒᆞᆫ ᄌᆡ조를 니르니, 공쥐 강뎍을 다 셔르져 다른 근심이 업ᄉᆞᄃᆡ, 뎡부마의 텰셕 ᄀᆞᆺ튼 ᄯᅳᆺ을 도【27】로혀지 못ᄒᆞ여, 부부의 화락이 흡연치 못ᄒᆞᆯ ᄲᅮᆫ 아니라, 윤·양·니 등이 업ᄉᆞᆫ 후ᄂᆞᆫ 금후 부부와 슌태부인이 외친ᄂᆡ소(外親內疏)를 디극히 ᄒᆞ니, 공쥐 요악ᄒᆞᆯ지언졍 춍명○[영]긔(聰明靈氣)ᄂᆞᆫ 남다른 고로, 구고의 긔ᄉᆡᆨ을 거의 ᄉᆞᆺ치고 통완ᄒᆞ여, ᄇᆞᄃᆡ 그 소ᄉᆡᆼ○[을] 아오로 업시ᄒᆞ여 구고의 ᄯᅳᆺ을 셜분코져 ᄒᆞᄃᆡ, 긔회 묘ᄒᆞ믈 엇디 못ᄒᆞ엿더니, 다ᄒᆡᆼ이 묘량을 만난디라. 이의 공쥬의 길흉화복과 젼졍운슈를 므르니, 묘량이 공쥬의 ᄆᆞᄋᆞᆷ을 아라 젼졍화복 ᄒᆞᆫ 흠도 업시 대길ᄒᆞ믈 일ᄏᆞᄅᆞ니, 공쥐 대열ᄒᆞ여 금은표리(金銀表裏)1250)를 상【28】샤(賞賜)ᄒᆞ여 셔로 깁히 ᄆᆡᄌᆞ ᄉᆞ괴기를 니르고, ᄌᆞ긔 회포를 닐너, 윤·양·니 등 삼인과 ᄌᆞ녀의 년월일시를 닐너 므르니, 묘량이 삼부인 팔ᄌᆞ와 삼ᄋᆞ의 길흉을 졈복ᄒᆞᄆᆡ 크게 대길 존귀ᄒᆞ니, 부월(斧鉞)과 졍확

1249)아이오(俄而-) : 얼마 안 있다가. 이윽고.

1250)금은표리(金銀表裏) : 금(金) 은(銀)과 옷감. 표리(表裏); 임금이 신하에게 내리거나 신하가 임금에게 바치던 옷의 겉감과 안감.

니, 《아니오‖아이오(俄而-)1061)》 묘량이 장ᄉᆞ(長沙)의 나아가 뉴부인 셔간을 드리고 뎡시 ᄒᆡᄒᆞ믈 촉ᄒᆞ《므로‖고》, 답간을 맛타 도라오니, 뉴시 크게 깃부고 반겨 뎡시을 근심 업시 셔르져시니, 유아을 마ᄌᆞ 업시ᄒᆞ여 달나 ᄒᆞ니, 묘량이 소왈,

"빈되 분[부]인을 위ᄒᆞ여 불인악ᄉᆞ을 만이 ᄒᆞ니 쳔신이 무셥거니와, 발셔 버린 츔이 되어시니, 현마 엇지 ᄒᆞ리오."

뉴시 ᄌᆡ숨 당부ᄒᆞ여 ○…결락8자…○[뎡시 유ᄌᆞ를 쥭이라]이르니, 묘량이 응낙고 몬져 귀비게 뵈려 궐듕의 이르니, 맛초아 문양공쥐 입궐ᄒᆞ여 ᄐᆡ후긔 조현ᄒᆞ고 물너 북궁의 이르러 모녀 셔로 졍회을 이르다가, 묘량을 보ᄆᆡ, 귀비 가장 반겨 공주로 더부러 ᄉᆞ괴(師姑)라 ᄒᆞ고, 묘량의 신긔ᄒᆞᆫ ᄌᆡ조을 일일이 이로니, 공쥐 강적을 다 셔르져 다른 근심이 업ᄉᆞᄃᆡ, 뎡부마의 쳘셕 갓튼 ᄯᅳᆺ즐 도로혀지 못ᄒᆞ여, 부부의 화락이 흡연치 못ᄒᆞᆯ 분 아니라, 윤·양 등이 업ᄉᆞᆫ 후ᄂᆞᆫ 금후 부부와 슌ᄐᆡ부인이 외친ᄂᆡ소(外親內疏)로 지극히ᄒᆞ니, 공쥐 요악ᄒᆞ나 총명영긔(聰明靈氣) 남다른 고로, 구고의 긔ᄉᆡᆨ을 거의 스치고 통완ᄒᆞ여, 부ᄃᆡ 그 소ᄉᆡᆼ아(所生兒)을 업시ᄒᆞ여 구고의 ᄯᅳᆺ즐 셜분코져 ᄒᆞᄃᆡ, 긔회을 엇지 못ᄒᆞ엿더니, 다ᄒᆡᆼ이 묘량을 만난지라. 이의 공쥬의 길흉화복을 무르니, 묘량이 공주의 마음을 알아 젼졍화복의 흠 업시 ᄃᆡ길ᄒᆞ믈【23】 일카ᄅᆞ니, 공쥐 대열ᄒᆞ여 금은(金銀)을 상ᄉᆞᄒᆞ여 셔로 ᄉᆞ괴믈 이르고, 윤·양·니 삼인과 ᄌᆞ녀의 년월일시을 일너 무르니, 묘량이 삼부인 팔ᄌᆞ와 삼ᄋᆞ의 길흉을 졈복ᄒᆞᄆᆡ 크게 대길 존귀ᄒᆞ니, 부월과 졍확(鼎鑊)의 임ᄒᆞ나 죽지 아닐 줄 알오ᄃᆡ, 짐짓 금은을 《각고려‖낫고려》 ᄒᆞ여 이의 웃고 왈,

1061)아이오(俄而-) : 얼마 안 있다가. 이윽고.

(鼎鑊)이 님ᄒᆞ나 죽디 아닐 줄 알오ᄃᆡ, 짐즛 금은을 낫고려, 이의 웃고 ᄀᆞᆯ오ᄃᆡ,

"ᄎᆞ 뉵인의 팔ᄌᆡ ᄯᅩᄒᆞᆫ 하등이 아니라, 실노 ᄒᆡᄒᆞ기 어려오ᄃᆡ, 빈도의 신술(神術)을 만난즉 엇디 버셔나며, 이만 사ᄅᆞᆷ 소제 ᄒᆞ기를 근심ᄒᆞ리잇고?"

공ᄌᆔ 대희하여, 비로소 윤시를 본궁의 다려온 연유와 양시를 후려다가 셕혈의 너【29】흔 바를 셰셰히 므러, 윤·양·니 등의 ᄋᆡᆨ화를 듕심의 흔열ᄒᆞ여 밧비 죽일 ᄯᅳᆺ이 급ᄒᆞ니, 귀비ᄂᆞᆫ 날마다 셕혈의 궁녀를 보ᄂᆡ여 윤·양이 죽은가 아라오라 ᄒᆞᆫ즉, 태셤의 밧드ᄂᆞᆫ 졍셩이 극진ᄒᆞ여 여러 이목이 아디 못ᄒᆞ게 공급ᄒᆞᄂᆞᆫ 도리 극진ᄒᆞ니, 두 부인과 셜난 모녀 삼인이 긔아이ᄉᆞ(饑餓而死)ᄒᆞ믈 면ᄒᆞ고, 두 부인이 잉ᄐᆡ 팔삭이라. 만일 시쇽 범골(凡骨) 쇽뉴로 니를진ᄃᆡ 발셔 보젼치 못ᄒᆞ여실 거시로ᄃᆡ, 귀인은 ᄇᆡᆨ신이 호위ᄒᆞᄂᆞᆫ디라. ᄌᆞ연 텬신의 보호홈과 태셤의 궁극ᄒᆞᆫ 졍셩이 보긔(補氣)ᄒᆞᆯ 찬션과 아【30】ᄅᆞᆷ다온 미죽으로 년명ᄒᆞ나, 귀비의 쳬탐이 니른즉 짐즛 위ᄐᆡᄒᆞᆫ 거동을 뵈이니, 귀비와 문양이 그 ᄉᆞ라시믈 대로ᄒᆞ고, 만일 뎡·양 냥부의셔 알진ᄃᆡ 대환이 이시리니, 쾌히 죽여 분을 셜ᄒᆞ리라 ᄒᆞ여, 일야ᄂᆞᆫ 공ᄌᆔ 최상궁과 건댱ᄒᆞᆫ 궁녀 오뉵인으로 셕혈 밧긔 니르러, 뎡히 윤·양 죽일 계교를 ᄉᆡᆼ각더니, 묘랑이 나아와 웃고 계교를 드려, ᄀᆞᆯ오ᄃᆡ,

"귀ᄌᆔ 뎍국을 위ᄒᆞ여 져러틋 분분(紛紛)ᄒᆞ시니, 빈도의 ᄆᆞ음의ᄂᆞᆫ 츄경디 못물의 노쥬 오인을 모라 너흐미 냥칙이로소이다."

공ᄌᆔ 손등을 두다려 칭찬 왈,

"묘ᄌᆡ며 긔【31】ᄌᆡ라. ᄉᆞ부ᄂᆞᆫ 신츌귀몰ᄒᆞᆫ ᄌᆡ산(才算)[1251]은 냥평(良平)[1252]이 ᄌᆡᄉᆡᆼᄒᆞ여도 이의 더으지 못ᄒᆞ리로다."

언파의 옥문을 크게 열고, 공ᄌᆔ 놉히 안ᄌᆞ 좌우로 윤·양 등을 ᄌᆞᆸ아 츄경지 물가의 ᄂᆡ여 셰우라 호령ᄒᆞ니, 최상궁이 응명ᄒᆞ여

1251)ᄌᆡ산(才算) : 재주와 계책.
1252)냥평(良平) : 중국 한(漢)나라 때의 책사(策士) 장량(張良)과 진평(陳平)을 함께 이르는 말.

"ᄎᆞ 뉵인의 팔ᄌᆡ 하등이 아니라, ᄒᆡ키 어려오ᄃᆡ, 빈도의 신슐(神術)을 만ᄂᆞᆫ즉 엇지 이만 ᄉᆞᄅᆞᆷ이야 근심ᄒᆞ리잇고?"

공쥬 대희ᄒᆞ여, 비로소 윤시을 북궁의 다려오든 바와 양시을 후려다가 셕혈의 너흐믈 셰셰이 무러, 윤·양·니 등의 ᄋᆡᆨ화을 듕심의 흔열ᄒᆞ여 밧비 죽일 ᄯᅳᆺ지 급ᄒᆞ니, 귀비ᄂᆞᆫ 날마다 셕혈의 궁녀을 보ᄂᆡ여 윤·양이 죽은가 아라 오라 ᄒᆞᆫ즉, 태셤의 밧드ᄂᆞᆫ 졍셩이 극진ᄒᆞ여 여러 이목이 알지 못ᄒᆞ게 공급ᄒᆞ니, 두 부인과 셜난 모녀 ᄉᆞ인이 기ᄉᆞ(饑死)을 면ᄒᆞ고, 두 부인이 잉ᄐᆡ 팔삭이라. 만일 범골(凡骨)일진ᄃᆡ 발셔 보젼치 못ᄒᆞᆯ 거시로ᄃᆡ, ᄌᆞ연 쳔신이 보호홈과 ᄐᆡ셤의 졍셩으로 죽기을 면ᄒᆞ나, 귀비의 졍탐이 이른즉 짐짓 위ᄐᆡᄒᆞᆫ 거동을 뵈이니, 귀비 모녀 그 ᄉᆞ라시믈 대노ᄒᆞ여 만일 뎡·양 부의셔 알진ᄃᆡ 대환이 잇시리니, 쾌히 죽여 분을 셜ᄒᆞ리라 ᄒᆞ여, 일야ᄂᆞᆫ 공ᄌᆔ 최상궁과 건장ᄒᆞᆫ 궁녀 오뉵인으로 더부러 셕혈 밧긔 이르러, 졍히 윤·양 죽일 계교을 ᄉᆡᆼ각더니, 묘랑이 나와【24】 웃고 헌계 왈,

"귀ᄌᆔ 젹국을 위ᄒᆞ여 져러틋 분주ᄒᆞ시니 빈도의 마음의ᄂᆞᆫ 츅[추]경지 못물의 노주 오인을 모라 너흐미 양칙이로소이다."

공ᄌᆔ 손등을 두다려 칭찬 왈,

"묘ᄌᆡ며 긔ᄌᆡ라. ᄉᆞ부의 신츌귀몰(神出鬼沒)은 양평(良平)[1062]이 ᄌᆡᄉᆡᆼᄒᆞ여도 이의 더으지 못ᄒᆞ리로다."

언파의 옥문을 크게 열고, 공ᄌᆔ 놉피 안져 좌우로 윤·양 등을 잡아 추경지 물가의 ᄂᆡ여 셰우라 호령ᄒᆞ니, 최상궁이 응명ᄒᆞ여 궁녀 등과 일시의 다라드러, 윤부인의 두

1062)양평(良平) : 중국 한(漢)나라 때의 책사(策士) 장량(張良)과 진평(陳平)을 함께 이르는 말.

나아가니, 윤·양 이부인이 문양의 모진 소ᄅᆡ와 궁녀의 산악 ᄀᆞᆺ튼 긔셰로, 핍박ᄒᆞ고 최상궁이 드리다라 윤부인의 두발(頭髮)을 다ᄅᆡ여, 왈,

"황샹이 부인ᄂᆡ 죄괘 ᄉᆞᆯ오지 못ᄒᆞ리라 ᄒᆞ샤, 옥쥬를 명ᄒᆞ샤, 츄경디 물의 모라 너흐라 ᄒᆞ시니, 아디 못게라 부인ᄂᆡ 옥쥬의 셩덕대혜(盛德大惠)를 모로시고, 감히 무고지ᄉᆞ와【32】 치독ᄒᆞᄂᆞᆫ 간계로 옥쥬를 히ᄒᆞ니, 그 간특 투악ᄒᆞᆫ 죄 ᄂᆞᆯ을 갈힐진ᄃᆡ 가히 쥬륙(誅戮)을 면ᄒᆞ랴. 명텬이 심원ᄒᆞ시나 살피시믄 소소(昭昭)ᄒᆞ신디라, 부인ᄂᆡ 황명으로 츄경디 믈 가온ᄃᆡ 원귀 되리니, 원치 말디어다."

언파의 핍박ᄒᆞ여 옥문의 ᄭᅳ어 ᄂᆡ고져 ᄒᆞ니, 윤부인이 궁인의 무례ᄒᆞᆷ과 최녀의 욕셜을 대로ᄒᆞ여 통히ᄒᆞ믈 니긔디 못ᄒᆞ니, 봉황미(鳳凰眉) 거ᄉᆞ리고 ᄡᅣᆼ안을 놉히 ᄡᅥ 옥셩이 ᄆᆡᆼ녈ᄒᆞ여 즐왈,

"네 비록 공쥬의 보뫼나 내 ᄯᅩᄒᆞᆫ ᄉᆞ문일ᄆᆡᆨ으로, 외람ᄒᆞ나 공쥬와 동녈지의 잇거ᄂᆞᆯ, 네 도리와 명분이 감히 이러치 못ᄒᆞᆯ 거시【33】오, 공쥐 슈존이나, 나의 셩명거취 그 댱듕(掌中)의 잇디 아니커ᄂᆞᆯ, 감히 황명을 위됴(僞造)ᄒᆞ여 아등을 죽이고져 ᄒᆞ거니와, 황샹이 만일 나의 죄 ᄉᆞ죄라 ᄒᆞ샤 죽이랴 ᄒᆞ실진ᄃᆡ, 필연 일이 광명뎡대ᄒᆞ샤 외됴와 의논ᄒᆞ샤, ᄂᆞᆯ뎐을 골ᄒᆡ여 법을 뎡히 ᄒᆞ시리니, 하고로 심야의 공쥬를 명ᄒᆞ샤 암밀히 츄경디 믈의 너흐라 ᄒᆞ시리오. 네 날로ᄡᅧ 삼셰 유ᄋᆞ만 넉이거니와, 내 ᄯᅩᄒᆞᆫ 뎡ᄒᆞᆫ ᄯᅳᆺ이 잇셔 너의 암밀지언을 고지 듯디 아니리니, 공쥐 비록 황녀의 존ᄒᆞ믈 ᄌᆞ셰(藉勢)ᄒᆞ나 군신대의 디엄 ᄎᆞ듕ᄒᆞ거ᄂᆞᆯ, 감히 황명을 위됴【34】치 못ᄒᆞᆯ디라. 네 ᄯᅩ 감히 요악ᄒᆞᆫ 혀를 놀려 상명을 가칭ᄒᆞ니, 이 죄 쥬륙(誅戮)을 가히 면ᄒᆞ랴? ᄌᆞ고이ᄅᆡ로 국가역뎍 듕쉬라도 원졍(原情)을 바드시고, 됴졍 의논을 좃ᄎᆞ 졍형을 힝ᄒᆞᄂᆞ니, 힘힘이[1253] 외됴의 명부를 잡아드려 셕혈의 너허 슈월

1253)힘힘이 : 부질없이. 한가히.

팔을 다ᄅᆡ여 왈,

"황상이 부인ᄂᆡ 죄과을 ᄉᆞ로지 못ᄒᆞ리라 ᄒᆞᄉᆞ, 옥주로 명ᄒᆞᄉᆞ 추경지 물의 모라 너흐라 ᄒᆞ시니, 아디 못게라 부인ᄂᆡ 옥주의 셩덕ᄃᆡ혜(盛德大惠)을 모로시고 감히 무고지ᄉᆞ와 독ᄒᆞᆫ 간계로 옥주을 히ᄒᆞ니, 기죄 유무을 가릴진ᄃᆡ 가히 쥬륙(誅戮)을 면ᄒᆞ랴. 명쳔이 소소(昭昭)히 ᄉᆞᆯ피ᄉᆞ 부인ᄂᆡ 황명으로 추경지 물 가온ᄃᆡ 원귀 되리로다."

언파의 핍박ᄒᆞ여 옥문의 ᄂᆡ고져 ᄒᆞ니, 윤부인이 궁인의 무례ᄒᆞᆷ과 최녀의 욕셜을 대노 통히ᄒᆞ여 봉황미(鳳凰眉)을 거ᄉᆞ리고 쌍안을 놉히 ᄡᅥ ᄆᆡᆼ셩 질왈,

"〇[네] 비록 공주의 보뫼나 ᄂᆡ ᄉᆞ문일ᄆᆡᆨ으로 공주와 동녈지의 잇거ᄂᆞᆯ, 네 도리 감히 이러치 못ᄒᆞᆯ 거시오, 공주 슈존이나 나의 셩명거취 그 장듕(掌中)의 잇지 아니커ᄂᆞᆯ, 감히 황명을 위조(僞造)ᄒᆞ여 아등을 죽이고져 ᄒᆞ거니와, 황상이 만일 ᄂᆡ 죄을 ᄉᆞ죄라 ᄒᆞ실진ᄃᆡ, 필연 일이 광명뎡ᄃᆡ(光明正大)ᄒᆞᄉᆞ 외조와 의논【25】ᄒᆞ사 죄지 유무을 갈히여 명뎡히 ᄒᆞ시리니, 네 날노ᄡᅧ ᄉᆞᆷ셰 유아로ᄡᅧ 넉이거니와, ᄂᆡ ᄯᅩᄒᆞᆫ 졍ᄒᆞᆫ ᄯᅳᆺ지 잇셔 너희 암밀지언을 고지 듯지 아니리니, 공주 비록 황녀의 존ᄒᆞ미 잇시나, 군신ᄃᆡ의예 감히 황명을 위조ᄒᆞ니, 그 죄 가히 주륙(誅戮)의 가치 아니랴? ᄌᆞ고이ᄅᆡ로 국가역젹 즁쉬라도 원졍(原情)을 바드시고, 조졍 의논을 좃ᄎᆞ 졍형ᄒᆞᄂᆞ니, 힘힘히[1063] 외조명부을 잡아드려 셕혈의 너허두고, 수월을 물도 주지 아니타가 필경은 못히 너흐랴 ᄒᆞ실니 이시리오. ᄂᆡ 이졔 쳔졍의 지원극통을 주달ᄒᆞ고 너희 긔군망상지죄(欺君罔上之罪)[1064]을 다ᄉᆞ리리라."

1063)힘힘히 : 부질없이. 한가히.

을 ᄒᆞᆫ 먹음[1254] 물도 주지 아니타가 필경은 못물의 너흐라 ᄒᆞ실니 이시리오. 내 이졔 텬졍의 디원극통을 주달ᄒᆞ고, 너의 긔군망샹지죄(欺君罔上之罪)[1255]를 다ᄉᆞ리리라."

언필의 상궁을 ᄡᅳ리치고 궁녀 등을 즐퇴ᄒᆞ니, 단엄녈일ᄒᆞᆫ 위풍이 츄상이 늠늠ᄒᆞ고 한월이 셜샹의 바ᄋᆡ는 ᄃᆞᆺᄒᆞ니, 궁녀【35】○[등]이 숑연ᄒᆞ여 믈너셔고, 감히 ᄌᆞᆺ가이 나아드지 못ᄒᆞᄃᆡ, 문양이 요악ᄒᆞᆫ 소ᄅᆡ로 윤·양 이녀를 어셔 잡아ᄂᆡ라 호령이 뇌졍ᄀᆞᆺ트니, 궁녀 등이 윤·양을 다시 구박ᄒᆞ여 압셰오니, 양시는 에분(恚憤)이 흉격의 막혀 일언을 못ᄒᆞ고, 윤부인은 조금도 놀나며 요동 ᄒᆞ미 업셔, 힝보를 쳔연이 ᄒᆞ여 셕혈 밧글 나ᄆᆡ, 공쥐 뎡부 《별월‖별원》의 이실 젹브터 디은 바 은원이 업ᄉᆞᄃᆡ, ᄆᆡ오미 통입골슈(痛入骨髓)ᄒᆞ여, ᄒᆞᆫ번 손으로 윤·양 냥인을 ᄢᅧ흘고져 ᄒᆞ던디라. 금일 그ᄋᆞᆨᄒᆞᆫ 밤을 당ᄒᆞ여 좌우 궁비 다 ᄌᆞ긔 심복이어늘, 평일 원슈도곤 더 믜워【36】ᄒᆞ던 바 윤·양을 셰이ᄆᆡ[1256] 이 ᄯᅩ 텬ᄌᆡ일시(千載一時)[1257]오, 그 싱살이 ᄌᆞ긔 장악 가온ᄃᆡ 잇는디라. 금일 ᄌᆞ긔 악ᄉᆞ는 텬신 밧 알니 업ᄉᆞ믈 더욱 깃거, 이의 젹은 칼흘 들고 윤·양 이부인을 향ᄒᆞ여 교아졀치(咬牙切齒)[1258] 왈,

"나와 너 요녀 등으로 므ᄉᆞᆫ 원쉬완ᄃᆡ, 내 여등을 은혜로 ᄃᆡ졉ᄒᆞ는 졍을 니져, 한상궁으로 동모ᄒᆞ여 나의 침뎐의 무고ᄉᆞ(巫蠱事) 힝흠과 녹셤 영교를 보ᄂᆡ여 치독 작변ᄒᆞ미 만고 간악대흉이라. 셩샹이 너의 가살지죄(可殺之罪)를 모로지 아니시ᄃᆡ, 특별ᄒᆞᆫ 은젼을 쓰시고져 ᄒᆞ시더니, 됴졍 의논이 분운ᄒᆞ여 여등의 쳔살무셕지죄(千殺無惜之罪)를 ᄀᆞᆺ초 주【37】달ᄒᆞ는 고로, 시러금 샤치 못ᄒᆞᆯ디라. 황얘 날노 ᄒᆞ여금 너희 죄를 다ᄉᆞ려 쳐치ᄒᆞ라 ᄒᆞ시니, 싱살이 나의게 이실

1254)먹음 : 모금.
1255)긔군망샹지죄(欺君罔上之罪) : 임금을 속인 죄.
1256)셰이다 : 세우다.
1257)텬ᄌᆡ일시(千載一時) : 천년만에 한번 만난 때.
1258)교아졀치(咬牙切齒) : 몹시 분하여 이를 갊.

언필의 최녀을 ᄲᅮ리치고 궁녀을 즐퇴ᄒᆞ니, 단엄열일ᄒᆞᆫ 위풍이 츄상 늠늠ᄒᆞ고 한월이 셜상의 바욈 갓트니, 궁녀 등이 송연ᄒᆞ여 물너 셔고, 감히 나아드지 못ᄒᆞᆫ ᄃᆡ, 문양이 요악ᄒᆞᆫ 소ᄅᆡ로 이녀을 어셔 잡아ᄂᆡ라 호령ᄒᆞ니, 궁녀 등이 윤·양을 다시 구박ᄒᆞ여 압셰우되, 양시는 《네분‖에분(恚憤)》이 흉듕이 막혀 일언을 못ᄒᆞ고, 윤부인은 조곰도 놀나며 요동ᄒᆞ미 업셔, 힝보을 쳔연이 ᄒᆞ여 옥 밧글 나ᄆᆡ, 공쥐 뎡부 별원의 이실 젹부터 지은 ᄇᆡ 은원이 업ᄉᆞᄃᆡ, ᄆᆡ오미 《골원혈수‖통입골슈(痛入骨髓)》ᄒᆞ여, ᄒᆞᆫ번 손을 놀녀 윤·양을 ᄢᅧ흘고져 ᄒᆞ던지라. 금일 그ᄋᆞᆨᄒᆞᆫ 밤을 당ᄒᆞ여 좌우궁비 다 ᄌᆞ긔 심복이라. 평일 원수도곤 깁던 바, 윤·양을 좌ᄒᆞ의 셰우ᄆᆡ, ᄯᅩ 쳔ᄌᆡ【26】일시(千載一時)[1065]오, 그 싱술이 ᄌᆞ긔 손의 잇는지라. 금일 ᄌᆞ긔 악ᄉᆞ는 쳔신 밧 알니 업ᄉᆞ믈 더욱 깃거ᄒᆞ여, 이의 졀치 왈,

"나와 너 요녀 등으로 무ᄉᆞᆫ 원수완ᄃᆡ, ᄂᆡ 여등을 은혜로 ᄃᆡ졉ᄒᆞ는 덕을 이져, ᄒᆞᆫ상궁으로 동심ᄒᆞ여 나의 침젼의 무고(巫蠱)을 힝흠과 녹셤·영교을 보ᄂᆡ여 작변ᄒᆞ미 만고 간악ᄃᆡ흉이라. 셩상이 너희 가살지죄(可殺之罪)을 모로지 아니시ᄃᆡ, 특별ᄒᆞ온 은젼을 쓰시고져 ᄒᆞ시더니, 조졍의논이 분운ᄒᆞ여 너의 죄을 가초 주달ᄒᆞ는 고로, 날노 ᄒᆞ여 너의을 쳐치케 ᄒᆞ시니, 싱술이 나의게 달닐 분 아니라, 뎡군이 나 입궐시을 당ᄒᆞ여 너의 요녀을 밧비 쥭여 죄을 졍히 ᄒᆞ라 당부ᄒᆞ엿ᄂᆞ니, 일인즉 참형을 더어 간졍을 츄문ᄒᆞᆫ 후 부월(斧鉞)의 주(誅)ᄒᆞ미 맛당ᄒᆞ○

1064)긔군망상지죄(欺君罔上之罪) : 임금을 속인 죄.
1065)쳔ᄌᆡ일시(千載一時) : 천년만에 한번 만난 때.

ᄲᅳᆫ 아니라, 뎡군이 나 입궐ᄒᆞᆯ ᄣᆡ를 당ᄒᆞ여 너희 등 요녀를 밧비 죽여 죄를 뎡히 ᄒᆞ라 당부ᄒᆞ엿ᄂᆞ니, 일인즉 참형으로 츄문ᄒᆞᆫ 후 부월의 쥬(誅)ᄒᆞ미 맛당ᄒᆞᄃᆡ, 황얘 여부 윤현의 튱녈과 양필광의 어질믈 도라보샤, 그 ᄌᆞ식이 비록 만고 대악지죄나 ᄎᆞ마 오형지뉼(五刑之律)노 죽이디 못ᄒᆞ샤, 날노 ᄒᆞ여금 츄경지 물의 모라너허 고요히 죽이라 ᄒᆞ시니, 이 ᄯᅩ 망극ᄒᆞ신 셩은이믈 아디 못ᄒᆞᄂᆞ냐?"

언파【38】의 칼흘 드러 윤시를 디르려 ᄒᆞ다가, 공쥐 실슈ᄒᆞ여 윤시는 상치 아니고 공쥬 손이 상ᄒᆞ여 뉴혈이 낭ᄌᆞᄒᆞ니, 공쥐 윤시의 탓시 아니믈 알오ᄃᆡ, 졔 ᄆᆞ옴ᄃᆡ로 윤·양을 디르지 못ᄒᆞ고 스ᄉᆞ로 져의 손이 듕상ᄒᆞ믈 당ᄒᆞ니, 분한이 하날이라도 ᄢᅦ칠 듯 크게 소ᄅᆡᄒᆞ여, 윤시 ᄌᆞ긔를 지른다 ᄒᆞ니 궁비 ᄎᆞ언을 듯고 황망이 귀비긔 보ᄒᆞ니, 귀비 시녀를 다리고 셕혈의 니르니, 공쥐 손을 븟들고 윤·양을 므러 먹고져 ᄒᆞ거ᄂᆞᆯ, 귀비 약으로 그 상쳐의 ᄡᆞᄆᆡ고 고셩대즐 왈,

"여등이 ᄉᆞ죄를 므릅ᄡᅳ고 금일가지 이심도 황은이어ᄂᆞᆯ, 요악【39】방ᄌᆞᄒᆞ미 가지록 더ᄒᆞ여, 공쥬를 발검(拔劍) 상ᄒᆡ오니 일마다 ᄉᆞ죄라. 좌우는 져 냥녀를 즛두다려 죽도록 ᄒᆞ라."

최녀 등과 궁인등이 쳘편과 ᄆᆡ를 드러 일시의 다라드니, 셜난 등은 궁인의게 잡혀 움즉이도 못ᄒᆞ니, 뉘 시러금 부인 등을 구ᄒᆞ리오. 귀비와 공쥬의 모질고 무셔온 셩이 니러나는 불 ᄀᆞᆺ고, 간험ᄒᆞᆫ 호령이 긋칠 줄을 모로고, 어셔 윤·양 이녀를 박살ᄒᆞ라 지쵹ᄒᆞ니, 윤부인이 스ᄉᆞ로 ᄉᆞ지 못ᄒᆞᆯ 줄 모로디 아니ᄃᆡ, 부모의 싱휵ᄒᆞ신 몸으로ᄡᅧ 궁비 등의 난타ᄒᆞ는 경상과 욕을 당ᄒᆞ니, 히연 ᄎᆞ악ᄒᆞ【40】믈 니긔지 못ᄒᆞᆯ ᄲᅳᆫ 아니라, 최상궁이 귀비의 명을 듯고 승홍(乘輿)ᄒᆞ여 쳘편을 둘을 들고 알프로 나아들믈 보ᄆᆡ, 블승통ᄒᆞᆫ 분원ᄒᆞ나 양쇼져를 친히 븟들고 궁인등을 ᄉᆞ지쳐 믈니쳐, 왈,

[ᄃᆡ], 황야 여부 윤현의 츙녈과 양필광의 어질믈 도라보ᄉᆞ, 그 ᄌᆞ식이 유죄ᄒᆞ나 ᄎᆞ마 오형지뉼(五刑之律)노 죽이지 못ᄒᆞᄉᆞ 날노 ᄒᆞ여 추경지 물의 모라너허 고요히 죽이라 ᄒᆞ시니, 이 ᄯᅩ 셩은이믈 아디 못ᄒᆞᄂᆞ냐?."

언파의 칼을 들어 윤시을 질을야 ᄒᆞ다가, 실수ᄒᆞ여 윤시는 상치 아니코 공주의 손이 상ᄒᆞ여 혈흔이 낭ᄌᆞᄒᆞ니, 공주 윤시의 탓 아니믈 모로지 아니ᄃᆡ, ᄌᆞ긔 마음과 갓치 못ᄒᆞ고 스ᄉᆞ로 듕상ᄒᆞ믈 당ᄒᆞ니, 분한이 츙천ᄒᆞ여 크게 소ᄅᆡᄒᆞ여, 윤시 ᄌᆞ긔을 질은다 ᄒᆞ니, 궁비 ᄎᆞ언을 듯고 황망【27】이 귀비긔 고ᄒᆞ니, 귀비 시녀을 다리고 셕혈의 이르니, 공주 손을 븟들고 윤·양을 무러 먹고져 ᄒᆞ거ᄂᆞᆯ, 귀비 약을 ᄊᆞᄆᆡ고 대질 왈,

"여등이 ᄉᆞ죄을 무릅쓰고 금일가지 이심도 황은이여ᄂᆞᆯ, 요악 방ᄌᆞᄒᆞ미 가지록 더ᄒᆞ여 공주을 발검(拔劍), 상ᄒᆡ오니 일마다 ᄉᆞ죄라. 좌우는 져 양녀을 즛두다려 죽도록 ᄒᆞ라."

최녀와 궁인 등이 쳘편과 ᄆᆡ을 들어 일시의 다라드러 치려ᄒᆞ니, 셜난 등은 궁인의게 잡혀 움작이지 못ᄒᆞᄆᆡ, 뉘 부인을 구ᄒᆞ리오. 귀비와 공쥬의 모질고 무셔온 셩이 니러나는 불 갓고, 간험ᄒᆞᆫ 호령이 긋칠 줄 모로고, 어셔 윤·양을 박술ᄒᆞ라 지촉ᄒᆞ니, 윤부인이 스ᄉᆞ로 ᄉᆞ지 못ᄒᆞᆯ 줄 모로지 아니 ᄒᆞᄃᆡ, 부모의 싱육ᄒᆞ신 몸을 궁비 등의 두다리는 경상을 당ᄒᆞ니, 히연ᄎᆞ악ᄒᆞᆯ 분 아니라, 최상궁이 귀비의 명을 듯고 승홍(乘輿)ᄒᆞ여 쳘편을 들고 압흐로 나아오믈 보고, 블승통완ᄒᆞ여 양소져을 친히 븟들고 궁인을 ᄉᆞ지쳐 믈니쳐 왈,

“야텬(夜天)이 됴림(照臨)ᄒᆞ시고 신명이 ᄌᆡ방(在傍)ᄒᆞ니, 사ᄅᆞᆷ이 비록 알 니 업다 ᄒᆞ나, 블인악ᄉᆞ를 즐긴 후ᄂᆞᆫ 앙홰 업디 아니리니, 김귀비 비록 존대ᄒᆞᆫ 쳬ᄒᆞ나 내 ᄯᅩᄒᆞᆫ 당당ᄒᆞᆫ 상문지녀로 외됴 명뷔라. 당당ᄒᆞᆫ 뎡궁 낭낭이시라도 무죄히 무인심야의 외됴 명부를 간ᄃᆡ로 박(迫)ᄒᆞ여 죽이지 못ᄒᆞ시리니, ᄒᆞ믈며 나의 ᄉᆡᆼ살디권이 귀비 【41】 긔 잇디 아니니, 괴이히 구지 말나.”

귀비 윤부인의 말을 듯고 익익대로ᄒᆞ여 궁녀 등을 ᄭᅮ디져, 어셔 윤·양 두 요녀를 즛두다리라 ᄒᆞ니, 양시 계오 경신을 출혀 공쥬 모녀의 악악ᄒᆞᆫ 거동을 보ᄆᆡ, ᄌᆞ긔 등이 ᄉᆞᆯ 도리 망연ᄒᆞᆫ디라. 출하리 통완분히ᄒᆞᆫ ᄠᅳᆺ을 낫토아 공쥬와 귀비의 허믈을 들추고져 ᄒᆞ여, 블연이 아미를 거ᄉᆞ리고 소ᄅᆡ를 놉혀, 귀비를 향ᄒᆞ여 왈,

“귀비 공쥬의 투긔를 도아 아등을 일시의 죽이고져 ᄒᆞ여, 공쥬와 궁인 등이 샹명을 위됴ᄒᆞ여 아등으로ᄡᅧ 츄경지 못믈 귀신을 삼으려 ᄒᆞ더니, 공쥐 발【42】검ᄒᆞ여 아등을 지르려 ᄒᆞ다가 실슈ᄒᆞ여 ᄉᆞᄉᆞ로 손이 상ᄒᆞ엿거ᄂᆞᆯ, 공쥐 가지록 ᄆᆡᆼ낭지언을 쥬츌ᄒᆞ여 윤부인이 디르다 발악ᄒᆞ니, 귀비 공쥬의 말만 고디드러 우리 등을 급히 죽이믈 죄와, 거죄 장ᄎᆞᆺ 혼살(混殺)1259)코져 ᄒᆞ니, 우리 녀ᄌᆞ의 연약ᄒᆞ므로 궁녀 등의 흉댱(凶壯)ᄒᆞ믈 당ᄒᆞᆯ 길히 업ᄉᆞ니, 쇽절업시 못 가온ᄃᆡ 맛ᄎᆞ려니와, 비명참ᄉᆞᄒᆞᆫ 원혼이 한을 먹음어, 억만(億萬)의 보슈ᄒᆞ기를 ᄉᆡᆼ각ᄒᆞ리니, 귀비ᄂᆞᆫ 모로미 블의를 먼니 ᄒᆞ고, 인덕을 슝상ᄒᆞ여 복을 길우며 덕을 드리워, 당ᄂᆡ를 됴심ᄒᆞᄂᆞᆫ 거시 맛당ᄒᆞᆫ디라. 아등이 공쥬【43】의 뎍인이나, 실노 ᄒᆞᆫ 조각 허믈을 지으미 업고, 각각 요악ᄒᆞᆫ 비ᄌᆞ를 두어 참참ᄒᆞᆫ 누명을 시러시나, 황샹이 특은을 드리오샤 죽기를 샤ᄒᆞ시고, 구가의 ᄂᆡ이졀혼ᄒᆞ여 친경의 맛기를 명ᄒᆞ시니, 아등이 구가의 가디 못ᄒᆞᆷ도 통원ᄒᆞᄂᆞᆫ ᄇᆡ어ᄂᆞᆯ, 귀비 공교로운 요졍을 결납ᄒᆞ여 날을 후려오미 크게 블

1259)혼살(混殺) : 몰살(沒殺)함.

“야텬(夜天)이 조림(照臨)ᄒᆞ고 신명이 ᄌᆡ방(在傍)ᄒᆞ니 ᄉᆞᄅᆞᆷ이 비록 알 니 업다 ᄒᆞ고, 블인악ᄉᆞ을 즐긴 후ᄂᆞᆫ 앙화 업지 아니리니, 김귀비 비록 존대ᄒᆞ나 ᄂᆡ ᄯᅩᄒᆞᆫ 상문지녀로 외조 명뷔라. 당당ᄒᆞᆫ 뎡궁 낭낭이시라도 무죄히 무인심야의 외조명부을 간ᄃᆡ로 박(迫)ᄒᆞ여 죽이지 못ᄒᆞ시리니, ᄒᆞ물며 나의 ᄉᆡᆼᄉᆞᆯ지【28】권이 귀비게 ○○[잇디] 아니니, 괴이히 구지 말나.”

귀비 윤부인의 말을 듯고 익노ᄒᆞ여 궁노을 ᄭᅮ지져 어셔 윤·양을 박ᄉᆞᆯᄒᆞ라 ᄒᆞ니, 양시 겨유 정신을 ᄎᆞ려 공주 모녀의 악악ᄒᆞᆫ 거동을 보ᄆᆡ ᄌᆞ긔 등이 ᄉᆞᆯ 도리 업ᄂᆞᆫ지라. 출ᄒᆞ리 통완분히ᄒᆞᆫ ᄠᅳᆺ을 나토아 공주와 귀비의 허물을 들추고져 ᄒᆞ여, 발연이 아미을 거ᄉᆞ리고 소ᄅᆡ을 놉혀 귀비을 향ᄒᆞ야 왈,

“귀비 공주의 투긔을 도아 아등을 일시의 죽이고져 ᄒᆞ여, 상명을 위조ᄒᆞ여 우리로ᄡᅧ 못물 귀신을 삼으려 ᄒᆞ여, 공쥐 발검ᄒᆞ여 아등을 질으려 ᄒᆞ다가 ᄉᆞᄉᆞ로 《실족‖실수》ᄒᆞ여 ᄉᆞᄉᆞ로 손이 상ᄒᆞ엿거ᄂᆞᆯ, 공주 ᄆᆡᆼ낭지셜을 주츌ᄒᆞ여 윤부인이 질릇다 발악ᄒᆞ니, 귀비 공주의 말만 미더 우리 등을 급히 모ᄉᆞᆯ(謀殺)코져 ᄒᆞ니, 우리 녀ᄌᆞ의 연약ᄒᆞ므로 궁녀의 《츙장‖흉장(凶壯)》ᄒᆞ믈 당ᄒᆞᆯ 길 업ᄉᆞ니, 속절업시 지듕(池中)의셔 맛초[ᄎᆞ]려니와, 비명참ᄉᆞᄒᆞᆫ 원혼이 한을 먹음어 쳔만년의 복슈ᄒᆞ기을 ᄉᆡᆼ각ᄒᆞ리니, 귀비ᄂᆞᆫ 모로미 블의을 멀니 ᄒᆞ고 인덕을 슝상ᄒᆞ여 복을 길우며 덕을 드리워 장ᄂᆡ을 조심ᄒᆞᄂᆞᆫ 거시 맛당ᄒᆞᆫ지라. 쳡등이 공주의 젹인이나 실노 ᄒᆞᆫ 조각 죄지오미 업고, 각각 요악ᄒᆞᆫ 비ᄌᆞ을 두어 츰츰ᄒᆞᆫ 누명을 시르나, 황상이 특은을 드리오ᄉᆞ ᄂᆡ미 졀혼ᄒᆞ믈 명ᄒᆞ시니, 쳡등이 구가을【29】 의졀ᄒᆞᆷ도 통원ᄒᆞ거ᄂᆞᆯ, 낭낭이 공교로온 요졍을 ᄉᆞ괴여 쳡등을 후려오시미 크게 불법을 ᄒᆡᆼᄒᆞ시고, 셕혈의 가도온 지 삼ᄉᆞ 삭의 ᄒᆞᆫ 술 물도 주지 아냐 ᄌᆞ진키을 죄오신 ᄇᆡ여니와, 쳡 등의 명이 하날긔 달니고 귀인긔 달니지 아닌지

법패힝을 힝ᄒᆞ고, 셕혈의 가도완 지 삼ᄉᆞ삭의 ᄒᆞᆫ 술 물도 주지 아냐, ᄌᆞ딘키를 죄이던 ᄇᆡ어니와, 아등의 명이 하날의 달니고 귀비긔 잇지 아닌디라. 아등이 금일가지 ᄉᆞ라 이심도 ᄯᅩᄒᆞᆫ 범연ᄒᆞᆫ【44】 일이 아니어늘, 엇디 텬의를 아지 못ᄒᆞ고, 이러틋 쳔ᄌᆞ히 죽이려 ᄒᆞᄂᆞ뇨?”

언파의 셩음이 녈녈ᄒᆞ고 긔운이 단엄ᄒᆞ여, 일개 쇼녀ᄌᆞ의 위의 완연이 님하 샤군ᄌᆞ의 풍이 가ᄌᆞᆨᄒᆞᆫ디라. 궁인등이 비록 귀비의 당이나 윤·양 이부인의 용화긔질과 쳔연뎡슉ᄒᆞᆫ 위의를 항복ᄒᆞ여 감히 ᄒᆡᄒᆞᆯ 뜻이 업ᄉᆞᄃᆡ, 귀비ᄂᆞᆫ 양시의 말을 드르ᄆᆡ 분긔 하날이라도 ᄡᅦ칠 ᄃᆞᆺᄒᆞ니, 친히 칼흘 들고 윤·양 이부인을 지르려 달녀드니, 최상궁이 븟드러 왈,

“낭낭과 옥쥬ᄂᆞᆫ 톄위를 상ᄒᆡ오지 마르시고, 놉히 좌를 일우샤【45】 위의를 존듕히 ᄒᆞ시면, 쳡이 당당이 윤·양 이녀를 쾌히 단검으로 질너 죽ᄂᆞᆫ 거동을 보시게 ᄒᆞ오리니, 낭낭은 근노치 마르쇼셔.”

귀비 즉시 손의 쥐엿던 칼흘 최상궁을 주어 밧비 햐슈(下手)ᄒᆞ라 ᄒᆞᆫᄃᆡ, 상궁이 상인(霜刃)을 번득여 몬져 윤시긔 다라드러, 모든 궁인으로 윤시를 븟드러시라 ᄒᆞ고, 바로 그 목을 향ᄒᆞ여 디르려 ᄒᆞ거늘, 윤부인이 몸을 ᄉᆡ혀 젼후 좌위의 위립(圍立)ᄒᆞᆫ 궁비를 믈니치며, ᄲᆞᆯ니 상궁의 가졋던 바 칼흘 아ᄉᆞ 나ᄂᆞᆫ ᄃᆞ시 그 왼 귀를 버혀 왈,

“네 공쥬의 보모로 쥬인을 위ᄒᆞᆫ 튱셩이 범연ᄒᆞᆫ 거ᄉᆞᆫ 아니【46】로ᄃᆡ, 공쥬의 덕을 빗ᄂᆡ며 복을 길너 그 안향키를 권장ᄒᆞ며, 블의를 원슈ᄀᆞᆺ치 ᄒᆞ여 뎡도와 인덕으로ᄡᅧ 쥬인을 보좌ᄒᆞᄂᆞᆫ 거시 가위위듀튱셩(可謂爲主忠誠)이어늘, 너 쳔ᄒᆞᆫ 요녜 공쥬의 덕을 ᄀᆞᆷ초고 악을 도와 젹블션(積不善)을 크게 힝ᄒᆞ며, 범ᄉᆞ의 암밀 간힐키를 쥬ᄒᆞ여, 조걸위학(助桀爲虐)1260)ᄒᆞ니, 널노 인ᄒᆞ여 공쥬

1260)조걸위학(助桀爲虐) : 폭군 걸(桀)을 도와 백성을 못살게 군다는 뜻으로, 못된 사람을 부추기어 악한 짓을 더 하게 함을 이르는 말.

라. 아등이 금일가지 ᄉᆞ라 이심도 ᄯᅩᄒᆞᆫ 범연ᄒᆞᆫ 일이 아니여늘 엇지 텬의을 아지 못ᄒᆞ고 이러틋 죽이려 ᄒᆞ시ᄂᆞ뇨?”

언파의 셩음이 녈녈ᄒᆞ고 ᄉᆞ긔 단엄ᄒᆞ여 일ᄀᆡ 소녀ᄌᆞ의 위○[의] 완연이 님하 ᄉᆞ군ᄌᆞ의 풍이 가ᄌᆞᆨᄒᆞ니, 궁인 등이 비록 귀비의 당이나, 윤·양의 용화긔질과 쳔연ᄒᆞᆫ 위의을 항복ᄒᆞ여 감히 ᄒᆡᄒᆞᆯ 뜻시 업ᄉᆞᄃᆡ, 귀비ᄂᆞᆫ 양시의 말을 드르ᄆᆡ 분긔 하날이라도 ᄉᆡ칠 듯ᄒᆞ니, 친히 칼을 들고 윤·양을 질으려 ᄒᆞ니 최녀 븟드러 왈,

“낭낭과 옥주ᄂᆞᆫ 쳬후을 존듕ᄒᆞᄉᆞ 놉히 좌를 일워 계시면, 신쳡이 당당이 윤·양 이녀을 쾌히 칼노 질너 죽ᄂᆞᆫ 양을 보○○○[시게 ᄒᆞ]리니, 낭낭은 근노치 마르소셔.”

귀비 즉시 쥐엿던 칼을 최녀을 준ᄃᆡ, 최녜 몬[모]든 궁인으로 윤시을 븟드러시라 ᄒᆞ고, 다라들며 바로 그 목을 향ᄒᆞ야 지르려 ᄒᆞ거늘, 윤부인이 몸을 ᄉᆡ혀 좌우 궁비을 물니치며 최녀의 가진 칼을 아ᄉᆞ, 나ᄂᆞᆫ ᄃᆞ시 그 왼 귀를 버혀, 왈,

“네 공주의 보모로 주인을 위ᄒᆞᆫ 츙셩이【30】 범연ᄒᆞᆫ 거산 아니로ᄃᆡ, 공주의 덕을 빗ᄂᆡ며 복을 길너 안향키을 권장ᄒᆞ여, 블의을 원슈 갓치 ᄒᆞ미 올커늘, 네 요녀 ○[스]ᄉᆞ로 공주의 덕을 감초고 악을 도와 젹블션(積不善)을 크게 힝ᄒᆞ며, 범ᄉᆞ의 암밀 간힐ᄒᆞ기을 주ᄒᆞ니, 널노 인ᄒᆞ여 공주 그릇 되기을 면치 못ᄒᆞᆯ지라. 우리 ᄒᆞᆫ갓 ᄎᆞᆷ화의 ᄉᆡᆼ지믈 통원ᄒᆞᆯ 분 아냐, 타일 공주의 적악을 ᄀᆞᆷ초지 못ᄒᆞᆯ 바을 그윽이 ᄎᆞ셕ᄒᆞᄂᆞ니, ○[내] 비록 일ᄀᆡ 아녀ᄌᆞ로 용녁이 업ᄉᆞ나 너 갓튼 목숨은 족히 ᄉᆡᆫ을 거시로ᄃᆡ, ᄉᆞᆯ인ᄒᆞᄂᆞᆫ

더욱 그릇 되기를 면치 못홀디라. 아등이 흔갓 참화의 섄디믈 통원홀 쏜 아니라, 타일 공쥬의 블인지힝이 맛춤닉 곰초이디 못홀 바를 그윽이 추셕후느니, 내 비록 일개 으녀즈로 용녁【47】이 업소나, 너 깃툰 불퉁불의읫 목숨을 족히 슨홀 거시로딕, 살인후는 거죄 부인의 셩덕이 아니므로, 허다 죄과를 다ᄉ리디 아니코, 다만 왼귀를 업시후믄 타일 혹주 너의 악식 드러나므로 좃추, 아등이 셕혈의 가도여 욕을 밧다가 급히 죽이랴 후믹, 네 귀를 버힌 말이 너의 스ᄉ로 복초후미 되게 후랴 뎡후엿느니, 귀비와 공쥐 비록 엄후고 녕이 급후나, 네 감히 날을 죽이지 못후리라."

거죄 부인의 셩덕이 아니므로, 허다 죄과을 다ᄉ리지 아니코 다만 왼귀을 업시후믄, 타일 혹주 너의 악식 드러나므로 좃추 아등이 셕혈의 가도엿다가 급히 죽이려 후믹, 네 귀을 버힌 말이 스ᄉ로 복초후미 되게 후랴 졍후엿느니, 귀비와 공쥐 비록 엄후고 영이 급후나 네 감히 날을 죽이지 못후리라."

문양이 보모의 귀를 윤시 버히믈 보고 대로대분후여, 여러 궁인으로 최상궁을 구【48】호후라 후고, 모비로 더브러 친히 나리다라 니를 갈며, 윤·양 등을 지르려 후다가, 윤시의 녀력(膂力)이 부인 듕 용식믈 괴로이 넉일 쏜 아니라, 비록 궁녀 등이 삼셔 둣 후여시나, 윤부인이 몸을 날려 다라날가 두리는 의식 업지 아냐, 츄경지 계오 슈십 보는 격후여시므로, 윤·양등 을 묘랑의 말과 깃치 츄경디의 모라너흐려 후므로, 귀비와 공쥐 윤·양의 등을 밀고 건댱흔 궁녜 압흐로 다릭여, 임의 물가의 다드르니, 이쩌 츈삼월 초슌이라. 궐경 후원의 빅화는 만발후여 향긔【49】를 비와트며, 계궁소월(桂宮素月)은 벽공의 한가후여 낫깃치 붉히니, 츈경의 화려후미 가히 보암즉 후딕, 윤·양 이부인은 참참흔 화익을 니를 거시 업순디라. 윤부인과 양부인이 츄셩[경]디의 좌우를 널니 보믹, 대위(大雨) 년후여 오다가, 금일 비로소 청명후나, 츈쉬 창일후여 못 가온딕 사름이 흔 번 쌘지믹, 다시 살기를 바라지 못홀디라.

문양이 보모의 귀 버히믈 보고 대노후여 여러 《후인॥궁인》으로 상궁을 구호후라 후고, 모비로 더부러 친히 나리다라 니을 갈며 윤시 등을 질으고져 후다가, 윤시의 녀력(膂力)이 부인 즁 《요식॥용식》믈 그윽이 술릴 분 아니라, 비록 궁녀 등이 삼셔닷 후엿시나, 부인이 몸을 날녀 다라날가 두리는 의식 업지 아냐, 추경지 수십 보는 격후엿는지라. 이의 윤·양의 등을 밀고 건장흔 궁녀 압흘 《다려॥다릭여》 임의 물【31】가의 다드르니, 이쩌 츈숨월 초슌이라. 궐닉 후원의 빅화○[는] 난만후여 향긔을 토후며, 계궁소월(桂宮素月)은 원근의 낫갓치 발그니, 츈경의 화려후미 가히 보암즉후딕, 윤·양 이부인은 참참흔 화익을 이를 거시 업는지라. 츄경지의 다드라 좌우을 둘너 보니, 대우(大雨) 연일 오다가 금일 비로소 청명후니, 츈쉬 창일후여 ᄉ롬이 흔 번 쌘지믹 다시 술기을 바라지 못홀지라.

윤·양 이부인이 복으를 분산치 못후고, 친당과 구가의 ᄉ화(死禍)를 고치 못후여, 쇽졀업시 공쥬 모녀의 독슈를 닙어 어별(魚鼈)의 밥이 되게 후【50】나, 비록 쳔균대량이나 궁텬비원이 잘 업ᄉ리오. 셜난 삼모

윤·양 이부인이 복으을 분산치 못후고 친당과 구가의 ᄉ화(死禍)을 고치 못후여, 쇽졀업시 공주의 독수을 입어 어별(魚鼈)의 밥이 되게 후니, 비록 쳔균딕량이나 비원치 아니리오. 져 간당이 몬져 셜난 숨모녀을

녀를 건댱ᄒᆞᆫ 궁인이 뒤흘 미러 일시의 츄경디의 ᄲᅥ디니, 이부인이 블승비도ᄒᆞ나, 귀비ᄂᆞᆫ 두어 궁녀로 양시를 밀치고, 공쥬ᄂᆞᆫ ᄉᆞ오 궁인으로 더브러 딘력ᄒᆞ여 윤부인 등을 밀쳐, 두 부인과 셜난 등이 다 못 가온ᄃᆡ ᄲᅥ디니, ᄎᆞ호(嗟乎) 셕ᄌᆡ(惜哉)라. 윤・양 이부인의 텬향아딜과 슉ᄌᆞ명풍이 고왕금ᄂᆡ의 독보ᄒᆞᆫ 셩녀슉완이어ᄂᆞᆯ, 귀비와 공쥬의 독ᄒᆞᆫ 슈단이 맛ᄎᆞᆷᄂᆡ 물의 밀치기를 됴흔 일ᄀᆞᆺ치 ᄒᆞ여, 옥보방신을 쳔댱슈【51】심의 ᄌᆞᆷ으니, 능히 살기를 바라지 못ᄒᆞᆯ디라. 텬신이 만일 공쥬 모녀의 간흉극악을 살피며, 윤・양 이부인의 청츈참ᄉᆞᄒᆞ믈 도라보미 이실진ᄃᆡ, 엇디 간흉악인으로 앙화를 밧디 아니며, 슉녀명염으로 ᄒᆞ여금 복녹을 누리지 못○○[ᄒᆞ게] ᄒᆞ리오.

귀비와 공쥬ᄂᆞᆫ 윤・양 이인과 셜난 등을 일시의 물의 모라너코, 그윽이 즐겨 침궁으로 도라오ᄃᆡ, 최상궁이 귀를 버히고 앏흠도 니긔디 못ᄒᆞ거니와, 듕회 듕 나기 어려오믈 일ᄏᆞ르니, 귀비와 문양이 위로ᄒᆞ며 극진 구호ᄒᆞ라 ᄒᆞ니, 신묘랑이 공【52】쥬를 향ᄒᆞ여 하례 왈,

"귀쥐 이제ᄂᆞᆫ 강뎍을 다 소멸ᄒᆞ여 계시니, 일광텬하(一匡天下)ᄒᆞᄂᆞᆫ 경ᄉᆡ라. 빈되 위ᄒᆞ여 엇디 하례치 아니리잇고?"

공쥐 쇼왈,

"윤・양 등을 닐위여 일시의 셔르져 죽이믄 다 ᄉᆞ부의 공이라. 내 타일 듕히 갑흐믈 긔약ᄒᆞ노라."

귀비 탄왈,

"뎍인은 업시ᄒᆞ여시나, 부마의 후ᄃᆡ를 엇디 못ᄒᆞ리니 므어시 깃브리오. 문양은 모로미 ᄉᆞ부로 더브러 츌궁ᄒᆞ여 윤・양・니 등의 ᄡᅴ를 업시 ᄒᆞ고, 뎡ᄌᆞ의 ᄆᆞ음을 낫고와 그 후ᄃᆡ를 도모ᄒᆞ라."

공쥐 역탄 왈,

"윤・양 등을 업시ᄒᆞ니 일이 쾌활ᄒᆞ【53】나, 실노 뎡군의 ᄠᅳᆺ을 두로혈 길히 업ᄉᆞ니, 다만 쇼녀의 박명을 슬허ᄒᆞᄂᆞ이다."

묘랑이 쇼왈,

일시의 미러 못 속의 너흐니, 이소져 참연비도ᄒᆞ믈 이긔지 못ᄒᆞᆯ[ᄒᆞ]거ᄂᆞᆯ, 귀비ᄂᆞᆫ 두어 궁녀로 양시을 밀고, 공주ᄂᆞᆫ ᄉᆞ오 궁인으로 진녁ᄒᆞ여 윤부인 등을 밀쳐 못 가온ᄃᆡ ᄲᅥ지니, ᄎᆞ호(嗟乎) 셕ᄌᆡ(惜哉)라. 윤・양 이부인의 쳔향아질과 숙ᄌᆞ명풍이 고왕금ᄂᆡ의 독보○[ᄒᆞᆫ] 셩녀여날, 공주 모녀의 독ᄒᆞᆫ 수단의 맛ᄎᆞᆷᄂᆡ 물의 밀치기을 조헌[흔] 일 갓치 ᄒᆞ니, 쳔신이 만일 져 모녀의 간흉극악을 ᄉᆞᆯ피며 윤・양 이부인의 청츈의 참ᄉᆞᄒᆞ믈 도라볼진ᄃᆡ, 엇지 숙녀명염으로 ᄒᆞ여금 복녹을 누리지 못○○[ᄒᆞ게] ᄒᆞ리오.

공주 모네 윤・양과 셜난 등을 일시의 물의 더지고, 그윽이 즐거오믈 이긔지 못ᄒᆞ여 침궁의 도라오ᄆᆡ, 최네 귀을【32】 버히고 압픈 건 ᄎᆞ치ᄒᆞ고, 듕회 즁 나기 어려오믈 일카르니, 공주 모네 위로ᄒᆞ며 극지[진]이 구호ᄒᆞ니, 묘랑이 공주을 ᄃᆡᄒᆞ여 왈,

"귀쥐 이제ᄂᆞᆫ 강젹을 다 소멸ᄒᆞ시니 일광천하(一匡天下)ᄒᆞ시ᄂᆞᆫ 경ᄉᆡ라. 빈되 위ᄒᆞ여 치하ᄒᆞᄂᆞ이다."

공주 소왈,

"윤・양 등을 다 죽이믄 ᄉᆞ부의 공이라. 내 타일 듕히 갑흐믈 긔약ᄒᆞ노라."

귀비 탄왈,

"비록 젹인을 업시 ᄒᆞ엿시나, 부마의 후ᄃᆡ을 엇지 ○[못]ᄒᆞ리니 무어시 깃브리오. 문양은 모로○[미] ᄉᆞ부로 더부러 출궁ᄒᆞ여, 윤・양 등의 씨을 업시 ᄒᆞ고 뎡군의 마음을 낙고와 그 은ᄋᆡ을 도모ᄒᆞ라."

공쥐 역탄 왈,

"윤・양 등을 업시ᄒᆞ믄 일시 쾌활ᄒᆞ나, 실노 뎡군의 ᄠᅳᆺ을 두로혈 길은 업ᄉᆞ니, 다만 소녀의 박명을 슬허ᄒᆞᄂᆞ이다."

묘랑이 쇼왈,

"빈되 부마 노야를 보ᄋᆞᆸ든 못ᄒᆞ엿거니와, 빈도의 약을 쓰면 텰셕도 녹을 듯ᄒᆞ리니, ᄒᆞ믈며 사ᄅᆞᆷ의 ᄆᆞᄋᆞᆷ이야 엇디 근심 ᄒᆞ리잇고? 뎡도위의 ᄯᅳᆺ을 변ᄒᆞ여 후(厚)ᄒᆞ던 금슬이 소(疎)ᄒᆞ여, 박(薄)ᄒᆞ던 곳의 후(厚)ᄒᆞ게 ᄒᆞ믄, 다 빈도의게 잇ᄂᆞ니, 념녀 마르쇼셔."

공쥐 대열ᄒᆞ여 ᄌᆡ삼 칭샤를 ᄒᆞ고 ᄒᆞᆫ가지로 궁으로 나오고져 ᄒᆞ더라.

ᄎᆞ셜,·벽화산 츄월암 혜원니괴(尼姑) 도ᄒᆡᆼ이 점점 놉고 신술이 긔이ᄒᆞ여, 안ᄌᆞ셔 만니 밧【54】글 짐작ᄒᆞᄂᆞᆫ디라. ᄆᆡ양 벽화산이 경샤의셔 지근ᄒᆞ니, ᄒᆡᆼ인이 번잡ᄒᆞ믈 깃거 아냐, ᄉᆞ오십니를 ᄯᅥ나가 은화산이란 곳의 젹은 암ᄌᆞ를 일워, 명왈 활인ᄉᆡ라 ᄒᆞ고, 슈십개 뎨ᄌᆞ로 더브러 셰월을 보ᄂᆡ나, ᄆᆡ양 윤부인을 닛디 못ᄒᆞ여 그 운슈와 길흉을 혜아린즉, ᄋᆡᆨ회 점점 괴이ᄒᆞ믈 ᄎᆞ셕ᄒᆞ고, 취암의 ᄌᆞ로 왕ᄂᆡᄒᆞ여 경샤 쇼식을 듯더니, 일일은 혜원이 취월암의 니르러 츈경을 유완ᄒᆞ다가, 화림(花林)의셔 잠간 조을ᄆᆡ, ᄇᆡᆨ의 관음대ᄉᆡ 현셩ᄒᆞ여 왈,

"뎨ᄌᆡ ᄉᆞ오년 젼의 월아셩(月牙星)을【55】 쳥ᄒᆞ여 다려와, 산ᄉᆞ의 슈삼삭을 머믈웟더니, 이졔 ᄯᅩ 월아셩과 문창셩(文昌星)이 화란을 만나 ᄂᆡᆨ슈디화를 당ᄒᆞ엿ᄂᆞ니, 모로미 금일 셩듕의 드러가, 궐졍 북궁이란 곳의 안으로 좃ᄎᆞ 흐르ᄂᆞᆫ 물이 이실 거시니, ᄃᆡᆨ히여 안ᄌᆞ, 여러 인명을 구ᄒᆞ여 활인ᄉᆞ로 다려가게 ᄒᆞ라."

언파의 ᄎᆡ운을 멍에ᄒᆞ여 셔남다히로 가시거ᄂᆞᆯ, 혜원이 놀나 ᄭᆡ여 좌우를 살피ᄆᆡ 화류춍니(花柳叢裏)의 봄 ᄉᆡ소ᄅᆡ ᄲᅳᆫ이오, 사ᄅᆞᆷ이 업ᄂᆞᆫ디라 윤부인이 반드시 참화 만나시믈 짐작ᄒᆞ고, 옷술 곳쳐 도셩의 드러가, 그윽이 궐졍 북궁【56】을 인ᄒᆞ여 흐르ᄂᆞᆫ 물줄기 밧그로 큰 ᄂᆡ히 되고 물이 호호히 흐르ᄂᆞᆫ 곳으로 좃ᄎᆞ, 밤이 깁도록 사ᄅᆞᆷ의 나오기를 기다리더니, 삼경이 깁흔 후 물 ᄀᆞ온ᄃᆡ로 좃ᄎᆞ 밀니여 일시의 나오ᄂᆞᆫ 거시 이시니, 혜원이 본ᄃᆡ 물의 ᄯᅱ여드러도 죽디 아니며 공듕의 치다라도 나려지지아냐, 신

"빈되 뎡노야을 뵈ᄋᆞᆸ든 못ᄒᆞ엿거니와, 빈도의 약을 쓰면 쳘셕도 녹을 거시니, 사ᄅᆞᆷ의 마음이야 엇디 근심 ᄒᆞ리잇고. 뎡도위의 ᄯᅳᆺ을 변ᄒᆞ여 후ᄒᆞ던 금슬이 변ᄒᆞ여 박ᄒᆞ고 소ᄒᆞ던 금슬이 친ᄒᆞ게 ᄒᆞ믄, 빈도의게 잇ᄂᆞ니 념녀 마르소셔."

공쥐 대열ᄒᆞ여 ᄌᆡᄉᆞᆷ 칭션ᄒᆞ고 ᄒᆞᆫ가지로 궁으로 나오고져 ᄒᆞ더라.

화셜, 벽화산 추월암의 혜원니괴(尼姑) 도ᄒᆡᆼ이 졈졈 놉고 신술○[이] 긔이ᄒᆞ여, 안져셔 만니 밧글 짐작ᄒᆞᄂᆞᆫ지라. ᄆᆡ양 벽화산이 지근 경ᄉᆞᄒᆞ여, ᄒᆡᆼ인의 번잡ᄒᆞ믈 깃거 아냐, ᄉᆞ오십니을 더 나가 은화산이라ᄂᆞᆫ 곳의 젹은【33】 암ᄌᆞ를 일워, 명왈 활인ᄉᆞ라 ᄒᆞ고, 슈십 졔ᄌᆞ로 셰월을 보ᄂᆡ나, ᄆᆡ양 윤부인을 잇디 못ᄒᆞ여 그 운수와 길흉을 혀아린즉, ᄋᆡᆨ회 졈졈 괴이ᄒᆞ믈 ᄎᆞ셕ᄒᆞ고, 취암의 ᄌᆞ로 왕ᄂᆡᄒᆞ여 경ᄉᆞ 소식을 듯더니, 일일은 혜원이 ○[취]월암의 이르러 츈경을 유완ᄒᆞ다가, 화림(花林)의셔 잠간 조을ᄆᆡ, ᄇᆡᆨ의 관음이 현셩ᄒᆞ여 왈,

"졔ᄌᆡ ᄉᆞ오년 젼의 월아셩(月牙星)을 쳥ᄒᆞ여 다려와 산ᄉᆞ의 슈삼삭 머무러더니, 이졔 ᄯᅩ 월아셩과 문창셩(文昌星)이 화란을 만나 ᄋᆡᆨ수지ᄋᆡᆨ을 당ᄒᆞ엿ᄂᆞ니, 모로미 금일 드르[러]가, 궐졍 북궁이란 곳의 안으로 좃ᄎᆞ 흐르ᄂᆞᆫ 물이 잇실 거시니, 직희여 안ᄌᆞ 여러 인명을 구ᄒᆞ여 《화린ᄉᆞ‖활인ᄉᆞ》로 가게 ᄒᆞ라."

언파의 ᄎᆡ운을 멍에ᄒᆞ여 셔남다히로 가거ᄂᆞᆯ, 혜원이 경각ᄒᆞ여 좌우을 살피ᄆᆡ 화류명셩(花柳明盛)ᄒᆞ고 ᄉᆞᄅᆞᆷ이 업ᄂᆞᆫ지라. 윤부인이 반드시 ᄎᆞᆷ화 만나믈 짐ᄌᆞᆨᄒᆞ고, 옷술 곳치고 도셩의 드러가 그윽ᄒᆞᆫ 궐졍 북궁을 인ᄒᆞ여 흐르ᄂᆞᆫ 물줄기 밧그로, 큰 ᄂᆡ히 되고 물이 호호히 흐르ᄂᆞᆫ 곳《으로‖의셔》, 밤이 깁도록 ᄉᆞᄅᆞᆷ 나오기을 기다리더니, ᄉᆞᆷ경이 깁흔 후 물 가온ᄃᆡ로 좃ᄎᆞ 밀니여 일시의 나오ᄂᆞᆫ 거시 잇시니, 혜원이 본ᄃᆡ 물의 들어도 죽지 아니코 공즁의 소ᄉᆞ도 나려지지아냐, 신이ᄒᆞ미 만ᄉᆞ의 무블토[통]지ᄒᆞᄂᆞᆫ

이ᄒᆞᆫ 법술이 만ᄉᆞ의 무블통지ᄒᆞᄂᆞᆫ 고로, 슈듕의 사ᄅᆞᆷ이 이시믈 알고 즉시 진언을 념ᄒᆞ여 슈듕의 드리다르니, 셜난의 삼모녜 ᄲᅢ졋ᄂᆞᆫ 고로, 혜원이 다 구ᄒᆞ여 평디의 올녀 노코 다시 윤・양 이부인을 ᄒᆞᆷᄭᅴ 구ᄒᆞ여, 혜원이【57】 각각 녑히 ᄭᅵ고 평디의 나오ᄆᆡ, 슈고로오믈 아지 못ᄒᆞ고 혹ᄌᆞ 부인ᄂᆡ와 셜난 등을 구치 못ᄒᆞ미 이실가 초조ᄒᆞ여, ᄆᆡᆨ후를 술피ᄆᆡ 다 목숨이 긋지 아녀시니, 대희ᄒᆞᄃᆡ, 일간 방샤를 엇디 못ᄒᆞ여 두 부인과 셜난을 ᄊᆞ히 누이고 그 슈족을 쥐므르며 회싱ᄒᆞ믈 텬신ᄭᅴ 암튝ᄒᆞ더니, 이윽고 노듀 오인이 다 입으로 물을 무슈히 토ᄒᆞ고 눈을 ᄯᅥ 좌우를 보거늘, 혜원이 윤부인 알패 나아가 합장ᄇᆡ례 왈,

"취월암 혜원 니고ᄂᆞᆫ ᄇᆡ알ᄒᆞᄋᆞᆸᄂᆞ니, 부인이 암ᄌᆞ의 슈삼삭을 머므르시다 도라가션지 계오 뉵년【58】이라. 빈도의 유무를 거의 ᄉᆡᆼ각ᄒᆞ실소이다."

부인이 현난ᄒᆞᆫ 정신이나 혜원을 보ᄆᆡ 반갑고, 젼일 급화의 다시 구ᄒᆞ마 ᄒᆞ던 일이 ᄉᆡᆼ각{ᄒᆞ}이 나, 긔운이 혼혼ᄒᆞ여 쳐연 탄식고 능히 말을 ᄂᆡᄎᆞ1261) ᄒᆞ지 못ᄒᆞᄂᆞᆫ디라. 양시 ᄯᅩ 겻틔 누어 정신을 슈습디 못ᄒᆞ니, 혜원이 그 근본을 듯디 아니나 엇디 모로리오. 이의 양부인ᄭᅴ ᄇᆡ례 왈,

"빈되 비록 부인ᄭᅴ 쳐음으로 현알ᄒᆞ나 결ᄒᆞ여 히로온 승니(僧尼) 아니니, 부인은 안심ᄒᆞ시고 긔운을 슈습ᄒᆞ샤, 윤부인으로 더브러 그윽ᄒᆞᆫ 곳의 잠간 피ᄒᆞ셤즉 ᄒᆞ니, 즉【59】금은 문을 날 길히 업ᄉᆞ나, ᄉᆡᄇᆡᆨ 북이 동ᄒᆞ거든 빈도를 ᄯᆞᆯ와 죵용ᄒᆞᆫ 암ᄌᆞ로 가샤이다."

양시 혜원의 말을 드르ᄆᆡ ᄌᆞᄀᆡ 등을 구ᄒᆞ민 줄 디긔ᄒᆞ여 감은ᄒᆞ나, 삼ᄉᆞ삭 셕혈의 간고를 격고, 다시 슈파(水波)의 밀몰ᄒᆞᆫ1262) 정신이 어득ᄒᆞ여 답디 못ᄒᆞ니, 혜원이 냥부

1261)ᄂᆡᄎᆞ다 : 내차다. 앞이나 밖으로 향하여 차거나 힘껏 밀어내다.

1262)밀몰ᄒᆞ다 : 밀리고 몰리고 하여 심하게 부대끼다.

고로, 수듕의 ᄉᆞᄅᆞᆷ【34】 잇ᄉᆞ믈 알고 즉시 진언을 념ᄒᆞ여 수듕의 드러다르니, 셜난의 ᄉᆞᆷ모녀 ᄲᅢ졋ᄂᆞᆫ 고로, 혜원이 다 구ᄒᆞ여 평지의 놋코 다시 윤・양 이부인을 함긔 구ᄒᆞ여, 각각 엽히 ᄭᅵ고 평지의 나오ᄆᆡ, 수고로오믈 아지 못ᄒᆞ고, 혹ᄌᆞ 부인네와 셜난 등을 구치 못ᄒᆞ미 잇시[실]가 초조ᄒᆞ여, ᄆᆡᆨ후을 술피ᄆᆡ 다 목숨이 ᄭᅳᆫ치 아냐시니, ᄃᆡ희ᄒᆞᄃᆡ, 일간 방ᄉᆞ을 엇지 못ᄒᆞ여 두 부인과 셜난을 ᄶᅡ히 누히고 그 수족을 주무르며 회싱ᄒᆞ믈 쳔신긔 암축ᄒᆞ더니, 이윽고 노주 오인이 입으로 물을 무수이 토ᄒᆞ고, 눈을 ᄯᅥ 좌우을 보거날, 혜원이 윤부인 압히 나아가 합장ᄇᆡ례 왈,

"취월암 혜원 니고ᄂᆞᆫ ᄇᆡ알ᄒᆞᄋᆞᆸᄂᆞ니 부인이 암ᄌᆞ의 수숨삭 머무다가 도라가션 지 겨유 뉵년이라. 빈도의 유무을 거의 짐작ᄒᆞ실소이다."

부인이 정신을 ᄎᆞ려 혜원을 보ᄆᆡ 반갑고 젼일 급화의 다시 구ᄒᆞ마 ᄒᆞ던 일이 《싱각ᄒᆞ나‖싱각이 나》, 긔운이 혼혼ᄒᆞ여 쳑연 탄식고 능히 말을 ᄂᆡ지 못ᄒᆞᄂᆞᆫ지라. 양시 ᄯᅩ 겻히 누의[어] 《젼신‖정신》을 수습지 못ᄒᆞ니, 혜원이 그 근본을 듯지 못ᄒᆞ여시나 엇지 모로리오. 이의 양부인긔 ᄇᆡ례 왈,

"빈되 비록 부인긔 쳐음으로 뵈오나, 결코 히로온 승이(僧尼) 아니니, 부인은 안심ᄒᆞ시고 긔운을 수습ᄒᆞᄉᆞ 윤부인으로 그윽ᄒᆞᆫ 곳【35】의 잠간 피ᄒᆞ염즉 ᄒᆞ니, 지금은 문을 날 길이 업ᄉᆞ나, ᄉᆡ벽 북이 동ᄒᆞ거든 빈도을 ᄯᆞ라 조용ᄒᆞᆫ 암ᄌᆞ로 가ᄉᆞ이다."

양시 혜원의 말을 드러[르]ᄆᆡ ᄌᆞ긔 등을 구ᄒᆞ민 줄 지긔ᄒᆞ여 감은ᄒᆞ나, ᄉᆞᆷᄉᆞ삭 셕혈의 간고을 격고, 다시 수파의 밀닌 정신이 아득ᄒᆞ여 답지 못ᄒᆞ니, 혜원이 양부인을 구호ᄒᆞ며 셜난 등이 인ᄉᆞ을 출혀 피ᄎᆞ 알아보고 깃부믈 이긔지 못ᄒᆞ되, 슌초군(巡哨軍)을 두려 긴 셜화을 펴지 못ᄒᆞ더니, 이윽고 윤부인이 정신을 수습ᄒᆞ여 대로변의 누어시믈

인을 구호ᄒᆞ며 현잉 등이 인ᄉᆞ를 출혀 피ᄎᆡ 아라보고 깃브믈 니긔디 못ᄒᆞᄃᆡ, 슌초군(巡哨軍)을 두려 긴 셜화를 긴졀이 펴디 못ᄒᆞ더니, 이윽고 윤부인이 계오 졍신을 슈습ᄒᆞ여 대로변의 누어시믈 한심 ᄎᆞ악ᄒᆞ여, 혜원을 븟드러 니러 안ᄌᆞ【60】 하루(下淚) 탄왈,

"대ᄉᆞ를 니별ᄒᆞ연 디 여러 셰월이 되어시ᄃᆡ, ᄆᆡ양 암ᄌᆞ의셔 후ᄃᆡᄒᆞ던 은혜를 념념블망(念念不忘)ᄒᆞ나, 대ᄉᆞ의 청졍(淸淨)ᄒᆞᆫ ᄌᆞ최 홍진의 님치 아니니, 닐위여 쳥치 못ᄒᆞ고, ᄒᆞᆫ갓 놉흔 도덕을 흠앙ᄒᆞ여 나의 미ᄅᆡᄉᆞ를 ᄒᆞᆫ번 뭇고져 ᄒᆞᄃᆡ, ᄠᅳᆺ ᄀᆞᆺ지 못ᄒᆞ믈 한ᄒᆞ더니, 금야의 슈듕원혼을 다시 ᄉᆞᆯ오시니, 은혜 듕여태산(重如泰山)[1263]이오 덕여하히(德如河海)[1264]라 엇디 미리 아라 급ᄒᆞᆫ 명ᄆᆡᆨ을 구ᄒᆞᄂᆞ뇨?"

혜원이 관음(觀音)[1265]이 현셩ᄒᆞ샤 니르시던 바를 고ᄒᆞ니, 부인이 ᄎᆞ탄ᄒᆞᆫᄃᆡ, 혜원이 활인암으로 가기를 쳥ᄒᆞ니, 부인이 탄왈, 【61】

"대ᄉᆞ의 구활디덕이 ᄇᆡᆨ골난망지은(白骨難忘之德)이라. 엇디 ᄯᆞ라가고져 아니리오마ᄂᆞᆫ, 친당과 구가의 과상(過傷)ᄒᆞ심과 의려(疑慮) 간졀ᄒᆞ시리니, 만일 친구가의 ᄉᆡᆼ존ᄒᆞ믈 고치 아니코 산ᄉᆞ(山寺) 무륜지인(無倫之人)이 된즉, 구가 합문이 날노뼈 므ᄉᆞᆫ 사ᄅᆞᆷ으로 알니오. 출하리 양부인은 양부로 보ᄂᆡ고 쳡은 옥화산으로 가고져 ᄒᆞᄂᆞ니, 엇더타 ᄒᆞᄂᆞ뇨?"

혜원이 함쇼 왈,

"부인의 명쳘ᄒᆞ시므로뼈 오히려 미ᄅᆡᄉᆞ를 아디 못ᄒᆞ시니, 빈되 위ᄒᆞ여 ᄒᆞᆫ번 고ᄒᆞ리이다. 이졔 비록 화ᄋᆡᆨ을 버셔나시나, 다시 져

1263)듕여태산(重如泰山) : 태산과 같이 무겁다.
1264)덕여하히(德如河海) : 덕(德)이 큰 강과 바다처럼 넓고 크다.
1265)관음(觀音) : 관세음보살(觀世音菩薩). 아미타불의 왼편에서 교화를 돕는 보살. 사보살의 하나이다. 세상의 소리를 들어 알 수 있는 보살이므로 중생이 고통 가운데 열심히 이 이름을 외면 도움을 받게 된다.

ᄒᆞᆫ심 ᄎᆞ악ᄒᆞ여, 혜원을 븟드러 이러 안ᄌᆞ, 하루(下淚) 탄왈,

"ᄃᆡᄉᆞ을 니별ᄒᆞ연 지 여러 셰월이 되엿시ᄃᆡ, ᄆᆡ양 암ᄌᆞ의셔 후ᄃᆡᄒᆞ던 은혜을 블망(不忘)ᄒᆞ나, ᄃᆡᄉᆞ의 놉흔 ᄌᆞ최 홍진(紅塵)의 님치 아니니, 일위여 쳥치 못ᄒᆞ고, ᄒᆞᆫ갓 놉흔 도을 흠앙ᄒᆞ여 나의 미ᄅᆡᄉᆞ을 ᄒᆞᆫ 번 뭇고져 ᄒᆞᄃᆡ 여의치 못ᄒᆞ더니, 금야의 수즁원혼《으로 ‖ 을》 다시 ᄉᆞᆯ온 은혜 ○○[즁여]태산(重如泰山)[1066]이오, 덕이[여]하히(德如河海)[1067]라, 엇지 미리 알아 급ᄒᆞᆫ 명을 구ᄒᆞ뇨?"

혜원이 관음(觀音)[1068]이 현셩ᄒᆞ여 이르던 바을 고ᄒᆞ니, 양시 ᄎᆞ탄ᄒᆞᆫᄃᆡ, 혜원이 활인암으로 가기을 쳥ᄒᆞ니, 부인이 ○○[탄왈],

"ᄃᆡᄉᆞ의 구활지덕이 ᄇᆡᆨ골난망(白骨難忘)이라. 엇지 ᄯᆞ라가고져 아니리오마ᄂᆞᆫ, 친당과 구가의 과상(過傷)ᄒᆞ심과 의려 과ᄒᆞ시리니, 엇지 친구가(親舅家)의 ᄉᆡᆼ존ᄒᆞ믈 고치 아니코, 산ᄉᆞ(山寺) 무륜지인(無倫之人)이 되리오."

혜원이 함소 왈,

"부인【36】의 명찰ᄒᆞ시므로 오히려 미ᄅᆡᄉᆞ을 아지 못ᄒᆞ시니, 빈되 위ᄒᆞ여 ᄒᆞᆫ번 고ᄒᆞ리이다. 이졔 비록 화ᄋᆡᆨ을 버셔낫시나,

1066)듕여태산(重如泰山) : 태산과 같이 무겁다.
1067)덕여하히(德如河海) : 덕(德)이 큰 강과 바다처럼 넓고 크다.
1068)관음(觀音) : 관세음보살(觀世音菩薩). 아미타불의 왼편에서 교화를 돕는 보살. 사보살의 하나이다. 세상의 소리를 들어 알 수 있는 보살이므로 중생이 고통 가운데 열심히 이 이름을 외면 도움을 받게 된다.

곳의 나아가 친당과 구【62】가의 싱존을 고ᄒᆞ시미 부인의 도린즉 맛당ᄒᆞ시나, 간인의 독슈를 다시 만난즉 버셔나고져ᄒᆞ나 밋디 못ᄒᆞ리니, 모로미 빈도로 더브러 산ᄉᆞ의 도라가, 삼년을 기다려 풍운의 길시를 만나 영화로이 도라가실지니, 굿ᄐᆞ여 가고져 아니시ᄂᆞᆫ 바를 권ᄒᆞ미 블가ᄒᆞ나, 이ᄂᆞᆫ 텬슈를 [믈] 아르실디니이다."

윤부인이 혜원의 신긔ᄒᆞ믈 모로지 이닛ᄂᆞᆫ 빅오, ᄌᆞ긔 만일 옥화산의 가 ᄉᆞ라시믈 뎡부의 고ᄒᆞᆫ즉, 공쥐 알고 또 모의ᄒᆞ여 죽일디라. 금야의 요힝 면ᄉᆞᄒᆞ여 타일 길시를 기다리미 올흔 고로, 양【63】부인을 도라보아 왈,

"혜원법ᄉᆞᄂᆞᆫ 아등의 은인이라. 여러 가지로 산문의 나아가기를 권ᄒᆞ니 ᄉᆞ셰 난안ᄒᆞᆫ디라. 부인의 뜻이 엇더ᄒᆞ시니잇가?"

양시 ᄃᆡ왈,

"쳡은 범의게 믈녓던 사ᄅᆞᆷ이라, 졍신이 모황(暮荒)ᄒᆞ여 소견이 업ᄉᆞ니, 대ᄉᆞ의 디휘 ᄀᆞᆺᄐᆞ여[1266] ᄒᆡ로오미 업게 ᄒᆞ쇼셔."

윤부인이 침음(沈吟) 반향(半晑)의 개연이 혜원을 ᄃᆡᄒᆞ여 ᄒᆞᆫ가지로 활인ᄉᆞ로 가믈 허ᄒᆞ고, 양시를 ᄃᆡᄒᆞ여 냥가 블효를 탄ᄒᆞ나, 일이 이의 밋쳐시니 ᄒᆞᆫ가디로 산문의 가기를 니르니, 양시ᄂᆞᆫ 본ᄃᆡ ᄉᆞ싱거취를 윤부인과 달니ᄒᆞᆯ 뜻이 업ᄂᆞᆫ【63】 고로, 비ᄉᆞ고어를 아니코 다만 ᄒᆞᆫ가지로 가믈 일ᄏᆞᆺ고, 셜난 삼모녜 인ᄉᆞ를 출혀, 현잉은 법ᄉᆞ를 싱각고 반기믈 니긔지 못ᄒᆞ고, 옥난 등은 혜원의 어질믈 드른 고로 활인ᄉᆞ의 의지ᄒᆞᆯ 바를 크게 깃거ᄒᆞ더니, 써 뎡히 효계 창명ᄒᆞ고 ᄉᆡᄇᆡᆨ[1267] 북이 ᄌᆞ로 동ᄒᆞ니, 혜원이 윤·양 두 부인과 셜난 등으로 더브러 쳔쳔이 힝ᄒᆞ여 남문을 ᄂᆡ다르니, 발셔 날이 ᄇᆞᆰ고져 ᄒᆞᄂᆞᆫ디라.

윤·양 이부인이 대로샹의 힝ᄒᆞᆯ 바를 ᄎᆞ악 한심ᄒᆞᄃᆡ, 일이 이의 밋쳐ᄂᆞᆫ 쇼쇼 념치를 도라보디 못ᄒᆞ여, 담을 크게 ᄒᆞ고 ᄆᆞᄋᆞᆷ

1266)ᄀᆞᆺᄐᆞ여 : 같이 하여.

1267)ᄉᆡᄇᆡᆨ : 새벽.

다시 져 곳의 나아가 친당과 구가의 싱존을 고ᄒᆞ시미 부인의 도리[린]즉 맛당ᄒᆞ시나, 간인의 독수을 다시 만난즉, 버셔나고져 ᄒᆞ나 밋지 못ᄒᆞ리니, 모로미 빈도로 더브러 산ᄉᆞ의 나아가, ᄉᆞᆷ년을 기다려 풍운의 길시을 만나 영화로 도라가실지니, 굿ᄒᆞ여 가고져 아니시ᄂᆞᆫ 바을 권ᄒᆞ미 블가ᄒᆞ나, 쳔수을 알으실지니이다."

윤부인이 혜원의 신긔ᄒᆞ믈 모로지 이닛ᄂᆞᆫ 빅오. ᄌᆞ긔 만일 옥화산의 가 ᄉᆞ라시믈 뎡부의 고ᄒᆞᆫ즉 공주 알고 또 모의ᄒᆞ여 죽일지라. 금야○[의] 요힝 면ᄉᆞᄒᆞ여 타일 길시을 기다리미 올흔 고로, 양부인을 도라보아 왈,

"혜원법ᄉᆞᄂᆞᆫ 아등의 은인이라 여르[러] 가지로 산문의 나아가기을 권ᄒᆞ니 ᄉᆞ셰난쳐ᄒᆞᆫ지라. 부인의 뜻지 엇더ᄒᆞ뇨?"

양시 ᄃᆡ왈,

"쳡은 범의게 믈녀던 ᄉᆞᄅᆞᆷ이라, 졍신이 모황(暮荒)ᄒᆞ여 소견이 업ᄉᆞ오니, ᄃᆡᄉᆞ의 지휘 갓트여[1069] ᄒᆡ로오미 업게 ᄒᆞ소셔."

윤부인이 침음(沈吟) 반향(半晑)의 ᄀᆡ연이 혜원을 ᄃᆡᄒᆞ여 ᄒᆞᆫ가지로 활인ᄉᆞ로 가믈 허ᄒᆞ고, 양시을 ᄃᆡᄒᆞ여 양가(兩家) 블효을 탄ᄒᆞ나, 일이 이의 밋쳐시니 ᄒᆞᆫ가지로 산문의 가기을 이르ᄆᆡ, 양시ᄂᆞᆫ 본ᄃᆡ ᄉᆞ싱거취을 윤부인과 달니ᄒᆞᆯ 뜻지 업ᄂᆞᆫ 고로, 여【37】러 말 아니코, 다만 ᄒᆞᆫ가지로 가믈 일컷고, 셜난 ᄉᆞᆷ모녜 인ᄉᆞ을 ᄎᆞ려, 혜원의 어질믈 드른 고로 활인ᄉᆞ의 의지ᄒᆞᆯ 바을 크게 깃거ᄒᆞ더니, 이ᄶᅴ 뎡히 효계(曉鷄) 초명(初鳴)ᄒᆞ고 ᄉᆡ벽 북이 ᄌᆞ로 동ᄒᆞ니, 혜원이 윤·양 두 부인과 셜난 등으로 더브러 쳔쳔이 힝ᄒᆞ여 남문을 ᄂᆡ다러니, 발셔 날이 밝ᄂᆞᆫ지라.

윤·양 이부인이 대노상(大路上)의 힝ᄒᆞᆯ 바을 ᄎᆞ악 한심ᄒᆞᄃᆡ, 일이 이의 밋쳐ᄂᆞᆫ 소소 염치을 도라보지 못ᄒᆞ여, 담을 크게 ᄒᆞ고 ᄆᆞᄋᆞᆷ을 구지 졍ᄒᆞ여, 운발을 푸러 낫출

1069)갓트여 : 같이 하여.

을 구지 뎡ᄒᆞ【64】여, 운발을 프러 옥면을 ᄀᆞ리오고, 혜원과 유랑 모녀 ᄀᆞ온ᄃᆡ ᄡᅡ히여 취월암의 몬져 오ᄆᆡ, 혜원이 앗춤 ᄌᆡ(齋)1268)를 됴히 ᄒᆞ여 셜난과 두 부인의 긔아를 구ᄒᆞ고, 이날 취암의셔 쉬고 명일 은화산 활인ᄉᆞ로 도라오니, 혜원의 모든 뎨ᄌᆡ 동구 밧긔 나와 ᄉᆞ부를 마ᄌᆞ 드러와, 두 부인의 쳔태만광이 ᄒᆡ샹 명월쥬와 년디의 부용 ᄀᆞᆺᄐᆞ믈 보ᄆᆡ 대경 칭찬ᄒᆞ고, 윤부인은 젼일 규슈 졔 본 ᄇᆡ라, 혹 아라보리 이셔 일시의 합장ᄇᆡ알ᄒᆞ여 반기믈 마디 아니니, 혜원이 뎨ᄌᆞ를 명ᄒᆞ여【66】 호란(胡亂)1269)이 구지 말나 ᄒᆞ고, 즉시 유벽ᄒᆞᆫ 당샤를 갈ᄒᆡ여 포진을 뎡히 ᄒᆞ고, 만권셔를 옴겨 ᄡᅡᆨᄒᆞᆫ 후 두 부인과 셜난 등을 머므러 유랑 등으로 부인을 ᄯᅥ나지 말나 ᄒᆞ고, 혜원이 두 부인 밧드는 정셩이 나날 ᄉᆡ로와 부쳐를 존경ᄒᆞᆷ과 다르지 아니코, ᄆᆡ양 겻ᄐᆡ셔 됴ᄒᆞᆫ 말솜으로 쟝ᄂᆡ 즐거울 바를 일ᄏᆞ라, 미ᄅᆡᄉᆞ를 목젼의 버럿ᄂᆞᆫ ᄃᆞ시 ᄒᆞ고, 두 부인 복ᄋᆡ 다 긔특ᄒᆞᆫ 남ᄌᆡ믈 닐너 위로ᄒᆞ믈 마지 아니 ᄒᆞ고, 이 부인이 니고의 냥ᄌᆡ(糧資)를 허비치 아니려 ᄉᆡᆨᄉᆞ(色絲)를 모화 슈노키를 잠심ᄒᆞ여 시샹의 화ᄆᆡ【67】ᄒᆞ려 ᄒᆞ니, 혜원이 혹ᄌᆞ 닛블가 념녀ᄒᆞ여 암듕의 냥ᄌᆡ 넉넉ᄒᆞ믈 고ᄒᆞᆫᄃᆡ, 이 부인이 한가ᄒᆞ미 됴치 아니믈 닐너 낫인ᄌᆞᆨ 슈 노키의 ᄌᆞᆷ심ᄒᆞ고, 밤인ᄌᆞᆨ 셩현셔를 박남ᄒᆞ여 슬픈 심회를 스ᄉᆞ로 억졔ᄒᆞ나, 냥가 친위(親位)예 블효를 슬허ᄒᆞ고 각각 유치(幼稚)의 교염(嬌艶)ᄒᆞ믈 닛디 못ᄒᆞ나, 혜원의 후은을 각골감은ᄒᆞ여, 혹 언두의 일ᄏᆞ른즉 혜원이 블감ᄒᆞ믈 칭ᄒᆞ고, 이부인이【68】 년ᄒᆞ여 슈를 노화 시샹의 화ᄆᆡᄒᆞᄆᆡ, ᄌᆡ조의 신긔ᄒᆞᆷ과 슈질(繡紩)의 긔이ᄒᆞ믈 황홀ᄒᆞ여, 시샹(市上) 대고(大賈)와 상부(相府) 후가(侯家)의셔 쳔금을 앗기지 아냐 닷토아 ᄉᆞ니, ᄎᆞ

1268)ᄌᆡ(齋) : 불교에서 정오(正午)를 지나지 아니한 식사를 이르는 말.

1269)호란(胡亂) : 한데 뒤섞여 어수선하고 분간하기 어려움.

가리오고, 혜원과 유랑 모녀 가온ᄃᆡ ᄊᆞ이여 힝ᄒᆞ여 취월암의 몬져 오ᄆᆡ, 혜원이 아춤 ᄌᆡ(齋)1070)을 조히 ᄒᆞ여 부인과 셜난의 긔아을 구ᄒᆞ고, 이날 취암의셔 쉬고 명일 은화산 활인ᄉᆞ로 도라오니, 혜원의 모든 제ᄌᆡ 동구 밧긔 나와 ᄉᆞ부을 마ᄌᆞ 드러와, 이 부인의 쳔태만광이 ᄒᆡ산[상] 명월주와 연지의 부용 갓트물 보ᄆᆡ ᄃᆡ경칭찬ᄒᆞ고, 윤부인은 젼일 규수 졔 본 ᄇᆡ라, 혹 아라보리 잇셔, 일시의 합장ᄇᆡ알ᄒᆞ여 반기믈 마지 아니니, 혜원이 졔ᄌᆞ을 명ᄒᆞ여 요란(擾亂)이 구지 말나 ᄒᆞ고, 즉시 유벽ᄒᆞᆫ 당ᄉᆞ을 갈ᄒᆡ여 포진을 졍히 ᄒᆞ고, 만권셔을 옴겨 ᄊᆞᆨᄒᆞᆫ 후, 두 부인과 셜난 등을 머므러 유랑 으로 부인을 ᄯᅥ나지 말나 ᄒᆞ고, 혜원이 두 부인 밧드ᄂᆞᆫ 졍셩이 날노 ᄉᆡ로와 부쳐을【38】 존경ᄒᆞᆷ과 다르지 아니코, ᄆᆡ양 겻ᄒᆡ셔 조ᄒᆞᆫ 말솜으로 장ᄂᆡ 즐거올 바을 일카라, 미ᄅᆡᄉᆞ을 목젼의 버럿ᄂᆞᆫ ᄃᆞ시 ᄒᆞ고, 이 부인의 복ᄋᆡ 다 긔특ᄒᆞᆫ 남ᄌᆡ을[믈] 일너 위로ᄒᆞ믈 마지 아니 ᄒᆞ고, 이 부인이 니고의 양ᄌᆞ(糧子)을 ○…**결락 15자**…○[허비치 아니려 ᄉᆡᆨᄉᆞ(色絲)을 모화 수노키을] 잠심ᄒᆞ여, 시상의 화ᄆᆡᄒᆞ려 ᄒᆞ니, 혜원이 혹ᄌᆞ 잇블가 염녀ᄒᆞ여 암듕의 양ᄌᆡ 넉넉ᄒᆞ믈 고ᄒᆞᄃᆡ, 이 부인이 한가ᄒᆞ믈[미] 조치 아니믈 일너, 낫인ᄌᆞᆨ 수 놋키의 잠심ᄒᆞ고 밤인ᄌᆞᆨ 션현셔(先賢書)을 박남ᄒᆞ여 슬푼 심회을 스ᄉᆞ로 억제ᄒᆞ나, 양가 친젼(親前)의 블효을 슬허ᄒᆞ고, 각각 유치(幼稚)의 교염(嬌艶)ᄒᆞ믈 잇지 못ᄒᆞ나, 혜원의 밧드ᄂᆞᆫ 졍셩이 간측(懇惻)ᄒᆞ여 관음을 존경ᄒᆞᆷ 갓트니, 부인이 연ᄒᆞ여 수노ᄒᆞ 시상의 화ᄆᆡᄒᆞᄆᆡ, ᄌᆡ조의 신긔ᄒᆞᆷ과 수질(繡紩)의 긔이ᄒᆞᆷ을 황홀ᄒᆞ여, 시상(市上) ᄃᆡ고(大賈)와 상부(相府) 후가(侯家)의셔 쳔금을 앗기지 아냐 다토아 ᄉᆞ니, ᄎᆞ고로 암듕의 금은이 흘너드러 양ᄌᆡ 넉넉ᄒᆞ되, 혜원은 이승(異僧)이라 ᄌᆡ물을 ᄉᆞ랑치 아니ᄒᆞ고, 오직 두 부인 밧드ᄂᆞᆫ 졍셩이 가지록 더으고, 이

1070)ᄌᆡ(齋) : 불교에서 정오(正午)를 지나지 아니한 식사를 이르는 말.

고로 암듕의 금은이 흘너드러 냥지 넉넉ᄒᆞ듸, 혜원은 이승(異僧)이라 직리를 ᄉᆞ랑치 아니ᄒᆞ고, 오딕 냥부인 밧드는 졍셩이 가지록 더으고, 냥부인의 익회 슈히 소멸ᄒᆞ믈 튝ᄒᆞ고, 두 부인으로 ᄒᆞ여금 불젼의 ᄒᆞᆫ번 녜빅를 폐치 말나 ᄒᆞ므로, 윤부인은 젼ᄌᆞ의 빅례ᄒᆞ미 잇ᄂᆞᆫ 고로 양부인으로 더브러 불젼의 녜알ᄒᆞ고 침소로 도라올식, 빙ᄌᆞ옥골이 쇄연긔려ᄒᆞ믄 니【69】르도 말고, 찬난ᄒᆞᆫ 광휘 식로이 태양의 빗출 아ᄉᆞ니, 암듕 니괴 황홀 칭찬ᄒᆞ믈 결을치 못ᄒᆞ니, 원닉 혜원이 냥부인의 승니를 괴려(乖戾)[1270]히 넉이믈 아ᄂᆞᆫ 고로, 뎨ᄌᆞ를 ᄌᆞ로 부인 침소의 가지 못ᄒᆞ게 ᄒᆞ고, ᄌᆞ긔 스ᄉᆞ로 유랑 모녀로 더브러 두 부인의 요뎍ᄒᆞᆫ 심ᄉᆞ를 위로ᄒᆞ더라.

이ᄣᅴ 평남휘 윤부 위태부인과 뉴시의 용심을 모로디 아닛ᄂᆞᆫ 고로, 쇼미의 신싱ᄋᆞ를 슌히 닉여 주믈 의심ᄒᆞ여 ᄋᆞ히 골흠의 졔요툑ᄉᆞ(制妖逐邪)ᄒᆞᄂᆞᆫ 부작을 ᄲᅧ 취오니, 이ᄂᆞᆫ 공쥬를 그윽이 의심ᄒᆞ여 원녀를 두미러니, 문양공쥐 신묘랑【70】을 다리고 궐졍으로셔 나와 묘랑은 숨어시라 ᄒᆞ고, ᄌᆞ긔ᄂᆞᆫ 존당 구고긔 빅알ᄒᆞ믹, 태부인과 금후 부뷔 됴흔 ᄉᆞ식으로 볼 ᄯᆞ름이오, 각별 말이 업ᄉᆞ니, 공쥐 이윽이 뫼셧다가 믈너날 제, 현긔 삼남믹와 뎡슉녈의 신싱ᄋᆞ 등을 잠간 다려가랴 ᄒᆞ니, 금후 부뷔 막고 보닉지 아니미 됴치 아냐, 각각 그 유뫼 그 심졍을 아ᄂᆞᆫ 고로 즉시 다려오라 ᄒᆞ고, 공쥬를 좃ᄎᆞ 보닉니, 문양이 궁의 다려와 긔이ᄒᆞᆫ 과픔과 ᄋᆞ히 됴히 넉이ᄂᆞᆫ 노리개를 주고, ᄀᆞ마니 신묘랑 다려 그 작인이 엇던고 보라 ᄒᆞ니, 묘랑이 몸을 변ᄒᆞ【71】여 궁ᄋᆞ의 모양으로 나와 ᄉᆞᄋᆞ(四兒)를 보믹, 이 믄득 작인의 싱셩ᄒᆞ미 텬디됴홰(天地造化)오, 일월녕긔(日月靈氣)라. 비상ᄒᆞᆫ 픔격과 특이ᄒᆞᆫ 상뫼 만고의 희한ᄒᆞ니, 져희 요술이 비록 하날의 오로고 ᄯᅡ 쇽의 ᄲᅵ지ᄂᆞᆫ 진죄 잇셔도, 능히 히키 어려올 ᄲᅮᆫ 아니라, 골흠의 ᄒᆞᆫ 조각 조

부인의 익회 수히 소멸ᄒᆞ믈 츅ᄒᆞ며, 두 부인으로 ᄒᆞ여금 불젼의 ᄒᆞᆫ번 녜을 폐치 말나 ᄒᆞ니, 윤부인은 젼ᄌᆞ의 빅례ᄒᆞ미 잇ᄂᆞᆫ 고로, 양부인으로 더부러 《불경‖불젼》의 녜알ᄒᆞ고 침소로 도라올식, 빙ᄌᆞ옥골이 태양의 빗출 아스니 암듕 니괴(尼姑) 황홀 칭찬ᄒᆞ믈 결을치【39】 못ᄒᆞ더라.

이ᄣᅴ 평남후 윤부 위틱부인과 뉴시 용심을 모로지 아닛ᄂᆞᆫ 고로, 소믹의 신싱ᄋᆞ을 수히 닉여 주믈 의심ᄒᆞ여 ○…**결락 30자**…○[ᄋᆞ히 골흠의 제요툑ᄉᆞᄒᆞᄂᆞᆫ 부작을 ᄲᅧ 취오니, 이ᄂᆞᆫ 공쥬을 그윽이 의심ᄒᆞ여] 원녀을 두미러니, 문양공쥐 신묘랑을 다리고 궐졍의셔 나와 묘랑은 숨엇시라 ᄒᆞ고, ᄌᆞ긔ᄂᆞᆫ 존당 구고긔 빅알ᄒᆞ믹, 틱부인과 금후 부부 조흔 ᄉᆞ식으로 볼 ᄯᆞ름이오, 각별 말이 업ᄉᆞ니, 공쥐 이윽이 뫼셧다가 물너날 제, 현긔 ᄉᆞᆷ남믹와 뎡시의 신싱아을 잠간 다려가랴 ᄒᆞ니, 금후 부뷔 막고 보닉지 아니미 고이ᄒᆞ여 각각 그 유모 그 심졍을 아ᄂᆞᆫ 고로 즉시 다려오라 ᄒᆞ고, 공쥬을 좃ᄎᆞ 보닉니, 문양이 궁의 다려와 긔이ᄒᆞᆫ 과품과 ᄋᆞ히 조히 역이ᄂᆞᆫ 노리긔을 주고, 가마니 신묘랑 불너 그 ᄌᆞᆨ인이 엇더ᄒᆞᆫ고 보라 ᄒᆞ니, 묘랑이 몸을 변ᄒᆞ여 궁아의 모양으로 나와 ᄉᆞᄋᆞ(四兒)을 보믹, 이 믄득 작인의 싱셩ᄒᆞ미 쳔지조화(天地造化)와 일월영긔(日月靈氣) 비상특이ᄒᆞ여○…**결락 11자**…○[상뫼 만고의 희한ᄒᆞ니, 저희] 요술이 비록 하날의 오르고 ᄯᅡ 속의 ᄲᅵ지ᄂᆞᆫ 직조 잇셔도, 능히 히키 어려올 분 아니라, 각각 고롬의 ᄒᆞᆫ 조각 조희을 차시니, 범인은 모르나 묘랑은 이상ᄒᆞᆫ

1270)괴려(乖戾) : 사리에 어그러져 온당하지 않음.

희를 ᄎᆡ여시니, 범인은 모로나 묘랑은 이상ᄒᆞᆫ 요졍이라, 그 조희 ᄀᆞ온ᄃᆡ 뇽필부작(龍筆符作)1271)이 두렷ᄒᆞ여, 졔요튝귀ᄒᆞᄂᆞᆫ ᄌᆡ죄 이시믈 아ᄂᆞᆫ 고로, 잠간 보ᄆᆡ ᄆᆞ음이 ᄎᆞ고 ᄲᅧ 빨힌 ᄃᆞᆺᄒᆞ여, 신ᄉᆡᆨ이 변ᄒᆞ여 즉시 협실노 드러가더니, 현긔 등이 상부로 도라간 【72】 후, 묘랑이 공쥬긔 고ᄒᆞᄃᆡ,

"기ᄋᆞ 등이 작인이 ᄒᆞ나토 용우치 아니니 근심될 ᄲᆡᆫ 아니라, 그 골흠의 찬 거시 가장 심상치 아닌 부작이라. 그거ᄉᆞᆯ ᄎᆡ와 둔ᄌᆞᆨ 빈도의 술법을 ᄂᆡ기 어려오니, 옥쥬 승간ᄒᆞ여 글너 바리쇼셔."

공쥬 쇼왈,

"이ᄂᆞᆫ 아조 쉬운 일이니, 내 당당이 글너 업시ᄒᆞ리라."

ᄒᆞ고 이후 그 부작을 글너 바리ᄃᆡ, 병뷔 나간 ᄯᆡ오, 공쥬의 간능ᄒᆞᆫ ᄒᆡᆼᄉᆡᆨ 여러 이목의 보리 업ᄉᆞᆫ디라. 원ᄂᆡ 슌태부인이 현긔 삼남ᄆᆡ와 슉녈의 유ᄌᆞ를 다 ᄌᆞ긔 침뎐의셔 유모를 맛져 ᄌᆞ게 ᄒᆞᄂᆞᆫ디라.

묘랑이 야심 후 태원뎐의 드러【73】가니, 태부인과 방듕 졔인이 바야흐로 쳣ᄌᆞᆷ이 몽취(夢醉)ᄒᆞ니, 진짓 사ᄅᆞᆷ이 드러가도 모를 거시어ᄂᆞᆯ, 묘랑은 나ᄂᆞᆫ 즘ᄉᆡᆼ이 되여 문틈으로 좃ᄎᆞ 방듕의 드러가ᄃᆡ, 여러 ᄋᆞ희를 ᄒᆞᆫ 번의ᄂᆞᆫ 힘이 밋디 못ᄒᆞᆯ 거시오, 여러슌 왕ᄂᆡᄒᆞᆯ 즈음은, 사ᄅᆞᆷ이 ᄭᆡ여 탈누(脫漏)ᄒᆞᆯ가 두려, 진언을 념ᄒᆞ여 ᄒᆡ ᄃᆞᆺ기 견의ᄂᆞᆫ 슌태부인으로브터 모든 비ᄌᆡ 다 동혀 져가도 모로게 ᄒᆞᆫ 후, 공쥬의 쳥을 몬져 좃고져 ᄒᆞ여, 현긔 운긔를 녑히 ᄒᆞ나식 ᄭᅵ니, ᄎᆞᄋᆞ 등이 만일 용이ᄒᆞᆯ진ᄃᆡ, 묘랑의 신긔ᄒᆞᆫ 요술의 거의 후리여 아모란 줄 모를 거시【74】로ᄃᆡ, ᄎᆞᄋᆞ 등은 ᄉᆡᆼ셩ᄒᆞᆫ ᄇᆡ 특이ᄒᆞᆫ디라. 각각 유모를 브르나 인ᄉᆞ블셩이 되여 능히 ᄭᆡᄃᆞᆺ디 못ᄒᆞᄂᆞᆫ디라. 묘랑이 방ᄌᆞ무인(放恣無人)이 냥ᄋᆞ를 녑히 ᄭᅵ고 문양궁으로 도라오니, 공

1271)뇽필부작(龍筆符作) : 용이 쓴 부작. *부작(符作) : =부적(符籍). 잡귀를 쫓고 재앙을 물리치기 위하여 붉은색으로 글씨를 쓰거나 그림을 그려 몸에 지니거나 집에 붙이는 종이.

요물이라. 그 조희 듕 뇽필부ᄌᆞᆨ(龍筆符作)1071)이 두렷ᄒᆞ여, 졔요츅귀ᄒᆞᆫ[ᄒᆞ]ᄂᆞᆫ 거죄 잇시믈 아ᄂᆞᆫ 고로, 잠간 보ᄆᆡ ᄆᆞ음이 ᄎᆞ고 ᄲᅧ 져린 듯ᄒᆞ여, 신ᄉᆡᆨ이 변ᄒᆞ여 즉시 협실노 드러가더니, 현긔 등이 상부로 도라간 후, 묘랑이 공쥬긔 고ᄒᆞᄃᆡ,

"기ᄋᆞ 등의 작인이 ᄒᆞ나도 용우치 아니니 근【40】심될 분 아니라, 그 고롬의 찬 거시 가장 심상치 아닌 부ᄌᆞᆨ이라. 그것ᄉᆞᆯ ᄎᆡ와 둔ᄌᆞᆨ 빈도의 술법을 ᄂᆡ기 어려오니, 옥주 ᄯᆡ을 타 글너 바리소셔."

공주 소왈,

"이ᄂᆞᆫ 아조 쉬온 일이니, ᄂᆡ 당당이 글너 업시ᄒᆞ리라."

ᄒᆞ고, 이후 그 부ᄌᆞᆨ을 글너 바리ᄃᆡ 부ᄆᆡ 나간 ᄯᆡ오, 공주의 간능ᄒᆞᆫ ᄒᆡᆼᄉᆡᆨ 여러 이목의 보리 업ᄂᆞᆫ지라. 원ᄂᆡ 슌ᄐᆡ부인이 현긔 ᄉᆞᆷ남ᄆᆡ와 슉녈의 유ᄌᆞ을 다 ᄌᆞ긔 침당의셔 유모을 맛겨 ᄌᆞ게 ᄒᆞᄂᆞᆫ지라.

묘랑이 야심 후 ᄐᆡ원당의 드러가니, ᄐᆡ부인과 방듕 졔인이 바야호로 쳣 ᄌᆞᆷ이 몽취(夢醉)ᄒᆞ니, 진짓 ᄉᆞᄅᆞᆷ이 드러가도 몰을 거시어ᄂᆞᆯ, 묘랑은 나는 즘ᄉᆡᆼ이 되여 문틈으로 좃ᄎᆞ 방듕의 드러가, 여러 ᄋᆞ희을 ᄒᆞᆫ 번의ᄂᆞᆫ 힘이 밋지 못ᄒᆞᆯ가 저허ᄒᆞ며, ᄯᅩ 왕ᄂᆡᄒᆞᆯ 즈음의 ᄉᆞᄅᆞᆷ이 ᄭᆡᆯ가 두려, 진언을 념ᄒᆞ여 ᄒᆡ ᄃᆞᆺ기 견의ᄂᆞᆫ 슌ᄐᆡ부인으로부터 모든 비ᄌᆡ 다 동혀 져가도 모로게 ᄒᆞᆫ 후, 공주의 쳥을 몬져 좃고져 ᄒᆞ여 현긔 운긔을 엽히 ᄒᆞ나식 ᄭᅵ니, ᄎᆞᄋᆞ 등이 만일 요[용]이ᄒᆞᆯ진ᄃᆡ 묘랑의 요술의 거의 후리여 아모란 줄 모을 거시로ᄃᆡ,○…**결락 13자**…○[ᄎᆞᄋᆞ 등은 ᄉᆡᆼ셩ᄒᆞᆫ ᄇᆡ 특이ᄒᆞᆫ지라] 각각 유모을 불으나 인ᄉᆞ블셩이 되여 능히 ᄭᆡᄃᆞᆺ지 못ᄒᆞᄂᆞᆫ지라. 묘랑이 방ᄌᆞ무인(放恣無人)이 양ᄋᆞ을 엽히 ᄭᅵ고 문양궁으로 도라오니, 공쥐 이 아을

1071) 뇽필부ᄌᆞᆨ(龍筆符作) : 용이 쓴 부작. *부작(符作) : =부적(符籍). 잡귀를 쫓고 재앙을 물리치기 위하여 붉은색으로 글씨를 쓰거나 그림을 그려 몸에 지니거나 집에 붙이는 종이.

쥬와 최상궁이 크게 깃거ᄒᆞ더라.【75】

친히 안고 우어 왈,

"ᄉᆞ부의 지조는 만고의 업ᄉᆞ리니, 하날이 날을 도아 윤·양·니 슴부인을 멸ᄒᆞ고 그 소싱을 다 업시케 ᄒᆞ니, 엇지【41】 깃부지 아니리오."

묘랑이 《교수 ‖ 요수(搖首)》 왈,

"주언(晝言)은 조문(鳥聞)ᄒᆞ고 야언(夜言)은 셔문(鼠聞)○○[ᄒᆞᆫ다][1072] ᄒᆞ야[니], ᄎᆞ언을 경솔이 마르소셔."

1072)주언(晝言)은 조문(鳥聞)ᄒᆞ고 야언(夜言)은 셔문(鼠聞)ᄒᆞᆫ다 : '낮말은 새가 듣고 밤 말은 쥐가 듣는다'는 뜻으로, 아무도 없는 데서도 말을 항상 삼가고 조심해야 한다는 말.

ᄎᆞ셜 묘랑이 방ᄌᆞ무인히 냥ᄋᆞ를 녑희 끼고 문양궁으로 도라오니 공쥬와 최상궁이 크게 깃거 칙칙 칭찬ᄒᆞᄃᆡ 묘랑의 ᄌᆡ조ᄂᆞᆫ 귀신도 측냥치 못ᄒᆞ리로다 최상궁 왈,

“냥ᄋᆞ를 잡아와시니 디디한즉 쥬체 어려오리니 ᄉᆞ부ᄂᆞᆫ 어셔 가 ᄌᆞ염을 마ᄌᆞ 잡아오라 이 밤이 가디 아나셔 셔ᄅᆞ져 업시ᄒᆞ리라.”

ᄒᆞ니 공쥬의 ᄯᅳᆺ이 ᄯᅩ 최녀와 ᄀᆞᆺᄐᆞ여, {즉ᄀᆡᆨ으로셔} 묘랑이 ᄯᅩ ᄌᆞ염을 잡아오거든 삼아를 ᄒᆞᆷ긔 죽이려 ᄒᆞᄂᆞᆫ 고로, 묘랑이 총총이 상부의【1】 다시 가, ᄌᆞ염과 뎡슉녈의 ᄉᆡᆼᄋᆞ를 안고 태원뎐 문도 닷지 아냐 황연이 열고 나오ᄃᆡ, 가ᄂᆡ(家內) 알 니 업ᄉᆞ니, 현긔 삼남ᄆᆡ와 윤가 ᄋᆞᄌᆡ 쇽졀업시 독슈의 맛ᄎᆞᆫ가 ᄎᆞ하를 보라.

묘랑이 ᄌᆞ염과 윤ᄋᆞ를 ᄒᆞᆷ긔 안아 공쥬긔 헌ᄒᆞ니 공쥐 쇼왈,

“삼ᄋᆞᄂᆞᆫ 브득이 업시코져 ᄒᆞ거니와 윤ᄋᆞᄂᆞᆫ ᄉᆞ뷔 므ᄉᆞᆫ 혐원으로 죽이려 ᄒᆞᄂᆞ뇨.”

묘랑이 우어 왈,

“ᄉᆞᄋᆡ(四兒) 다 빈도ᄂᆞᆫ ᄆᆡ온 일이 업ᄉᆞᄃᆡ, 뎡ᄋᆞ 삼인은 옥쥬의 디극히 바라ᄉᆞᄂᆞᆫ 바를 좃ᄎᆞ 평ᄉᆡᆼ ᄌᆡ조를 다○[해] 졍녁(精力)을 허비ᄒᆞ여 다려오ᄃᆡ, 상부인(上府人)이 알 니 업게 ᄒᆞ엿고, 윤ᄋᆞᄂᆞᆫ 빈도의 친절ᄒᆞᆫ 바 뉴부【2】인○[이] 여ᄎᆞ여ᄎᆞ 쳥ᄒᆞ므로 ᄯᅳᆺ을 좃ᄎᆞ 후려와시나, 타인과 다른 졍명(正明)이 이셔 죽이미 ᄀᆞ장 어려올가 ᄒᆞᄂᆞ이다.”

공쥐 쇼왈,

“비록 영명(英明)ᄒᆞ나 므어시 어려오리오. 긔특ᄒᆞᆫ 념나(閻羅)[1272]의 잡혀시니, 단명박복을 니를 ᄇᆡ 업ᄉᆞ니, 유ᄋᆞ를 슈고치 아냐 입ᄀᆡᆨ(立刻)의 업시 ᄒᆞ리니, ᄉᆞ부ᄂᆞᆫ 믈우(勿憂)ᄒᆞ라.”

묘랑이 미우를 공교로이 찡긔며 왈,

“옥쥬 말ᄉᆞᆷ이 올흐시나, 빈도ᄂᆞᆫ 옥쥬와

1272)념나(閻羅) : 염라대왕(閻羅大王).

공쥐 ᄃᆡ열ᄒᆞ야 그 유공ᄒᆞ믈 쳔만 ᄉᆞ례ᄒᆞ며 운긔 현긔을 깁흔 방듕의 감초고, ᄯᅩ ᄌᆞ염을 잡아오거든 함긔 죽이려 ᄒᆞᄂᆞᆫ 고로, 묘랑이 다시 상부의 가 ᄌᆞ염과 윤어ᄉᆞ ᄋᆞᄌᆞ을 안고, ᄐᆡ원당 문도 닷지 아니코 나오ᄃᆡ 알니 업ᄉᆞ니, 현긔 ᄉᆞᆷ남ᄆᆡ와 윤아을 속졀업시 독슈의 맛출 ᄯᆞ름이라.

묘랑이 ᄌᆞ염과 윤아을 안고 궁의 이르니, 공주 소왈,

“삼ᄋᆞᄂᆞᆫ 부득이 ᄂᆡ 업시코져 ᄒᆞ거니와 윤ᄋᆞᄂᆞᆫ ᄉᆞ뷔 므ᄉᆞᆷ 혐원으로 죽이려 ᄒᆞᄂᆞ뇨?”

묘랑이 우어 왈,

“ᄉᆞᄋᆡ(四兒) 다 빈도의게 ᄆᆡ온 일 업ᄉᆞᄃᆡ, 뎡아 ᄉᆞᆷ인은 공주의 지극히 바라시ᄂᆞᆫ 바을 좃ᄎᆞ 평ᄉᆡᆼ ᄌᆡ조을 다ᄒᆞ미오, 졍녁을 허비ᄒᆞ여 다려오ᄃᆡ 상부(上府) 졔인이 알 니 업게 ᄒᆞ고, 윤아ᄂᆞᆫ 빈도의 친절ᄒᆞᆫ 바 뉴부인○[이] 여ᄎᆞ히 쳥ᄒᆞ므로 그 ᄯᅳᆺ즐 조ᄎᆞ 후려왓나이다. 밧비 업시 ᄒᆞ여 여러 이목의 의심을 일위지 말게 ᄒᆞ소셔.”

공쥐 소왈,

“ᄉᆞᄋᆡ 다 수ᄉᆞᆷ세 어린 것과 수월 유ᄋᆡ라. 죽이미 입각(立刻)의 잇시리니 ᄉᆞ부ᄂᆞᆫ 믈우(勿憂)ᄒᆞ라.”

묘랑이 미우을 찡긔고 왈,

“옥쥬의 말ᄉᆞᆷ이 올호나, 맛ᄎᆞᆷᄂᆡ 젹불션(積不善)이니, 빈도ᄂᆞᆫ 옥주의 태산갓치 밋ᄂᆞᆫ

뉴부인의 태산ᄀᆞᆺ티 밋ᄂᆞᆫ 바를 져바리디 못ᄒᆞ여 악ᄉᆞ를 힝ᄒᆞ나, 텬신을 두려ᄒᆞᄂᆞ이다."

공쥬 묘랑의 불열ᄒᆞ믈 민망ᄒᆞ여, 그 ᄆᆞᄋᆞᆷ을 깃기며 타일 크게 상ᄉᆞ(賞賜)【3】를 닐우고 부쳐롤 밧드러 복녹을 튝원ᄒᆞ리라 ᄒᆞ니, 묘랑이 요언으로 공쥬를 격동ᄒᆞ고, 금은을 낙가 욕심을 ᄎᆡ오려 ᄒᆞ니, 최시 쇼왈,

"법ᄉᆞ의 무궁ᄒᆞᆫ 은덕은 말노 니를 ᄇᆡ 아니라. 후일의 옥쥐 크게 갑흐시리니, ᄉᆞ부ᄂᆞᆫ 다만 옥쥬 슈복이 완젼ᄒᆞ시믈 도모ᄒᆞ고, 옥ᄀᆞᆺ튼 긔린을 슈히 탄ᄉᆡᆼ케 ᄒᆞ소셔."

묘랑 왈,

"상궁이 비록 니르지 아니나 내 엇디 졍셩이 범연ᄒᆞ리오. 딘심극녁(盡心極力)ᄒᆞ여 복녹을 튝원ᄒᆞ고 농당의 경ᄉᆡ 잇게 ᄒᆞ리라."

최녀와 공쥐 그 은덕을 샤례ᄒᆞ고 ᄉᆞᄋᆞ를 밧비 죽이믈 쳥ᄒᆞ니, 묘랑【4】왈,

"비록 슈삼셰 유ᄋᆞ와 강보 ᄒᆡᄌᆡ나 일시의 목숨을 ᄭᅳᆫ키 어려오니, 현긔 등을 소ᄅᆡ 못ᄒᆞᄂᆞᆫ 암약을 먹여 농듕의 너허 ᄒᆡ슈의 씌오ᄂᆞᆫ 거시 올흘가 ᄒᆞᄂᆞ이다."

공쥐 즉시 현긔 등 삼ᄋᆞ의 입을 버리고 암약 일죵식 먹인 후, 큰 피농(皮籠)1273)의 너허 의봉[복]농(衣服籠)ᄀᆞᆺ티 봉쇄(封鎖)ᄒᆞ여 궁노 녀환이 최녀의 얼딜(孼姪)1274)노 극악흉패ᄒᆞ미 ᄎᆞ마 못ᄒᆞᆯ 일이라도 능ᄉᆞ로 ᄒᆞᄂᆞᆫ디라. 농을 주어 ᄉᆡᄇᆡ 북이 동ᄒᆞ거든 즉시 강외의 가 흉용(洶湧)ᄒᆞᆫ 강슈의 더디고 오라 ᄒᆞ고 ᄇᆡᆨ은 오십냥을 상샤ᄒᆞ니, 환이 대열ᄒᆞ여 농을 씨고 외궁의 나와 ᄉᆡᄇᆡ를 등ᄃᆡᄒᆞᆯ식, 군관 한【5】튱은 한상궁 뎨남이오, 용녁과 ᄉᆞᄌᆡ(射才) 검술이 츌인ᄒᆞ므로, 군문의 ᄆᆡ이여 병부의 신통ᄒᆞᄂᆞᆫ ᄇᆡ오, 문양궁 외ᄉᆞ(外事)를 미더 맛디ᄂᆞᆫ ᄌᆡ니, 튱이 ᄆᆡ양 궁듕의 슉딕ᄒᆞ더니, ᄎᆞ일 여러 동뉴 각각 졔집으로 도라가ᄃᆡ, 튱이 외궁의 고요히 잇다가 녀환이 큰 농을 가져 ᄂᆡ궁으로 ᄌᆞᆺᄎᆞ

1273)피농(皮籠) : 짐승의 가죽으로 만든 큰 함.

1274)얼딜(孼姪) : 서질(庶姪). 형제의 본부인이 아닌 첩이 낳은 아들.

바을 져바리지 못ᄒᆞ여 불의을 힝ᄒᆞ나, 쳔신을 그윽이 두리ᄂᆞ이다."

공주 묘랑의 불열ᄒᆞ믈 민망ᄒᆞ여, 호언으로 그 마음을 깃기며 타일【42】 듕히 갑흘 바을 니르며, 최녀 ᄯᅩᄒᆞᆫ 위로 왈,

"ᄉᆞ부의 무궁ᄒᆞᆫ 수고와 은덕은 말노 일을 ᄇᆡ 아니라, 후일 옥쥐 크게 갑흐시리니, ᄉᆞ부ᄂᆞᆫ 다만 옥주의 수복이 완젼ᄒᆞ믈 도모ᄒᆞ고, 옥 갓튼 긔린을 수히 탄ᄉᆡᆼ케 ᄒᆞ소셔."

묘랑 왈,

"상궁이 비록 니르지 아니나 내 엇지 졍셩이 범연ᄒᆞ리오. 진심극녁(盡心極力)ᄒᆞ여 복녹을 츅원ᄒᆞ고 농장의 경ᄉᆡ 잇게 ᄒᆞ리니 근심치 말으소셔."

공주와 최시 희열ᄒᆞ여 은덕을 ᄉᆞ례ᄒᆞ고 ᄉᆞᄋᆞ을 밧비 죽이믈 쳥ᄒᆞ니, 묘랑 왈,

"비록 수숨세 유ᄋᆞ와 강보 ᄒᆡᄌᆡ나 일시의 네 목숨을 죽이기 어려오니, 찰ᄒᆞ리 현긔 등을 소ᄅᆡ 못ᄒᆞᄂᆞᆫ 암약을 먹이리라."

ᄒᆞ고, 이의 현긔 등의 입을 어긔오고1073) 암약을 부은 후, 큰 농(籠)1074)의 휘모라 너허 의롱(衣籠)갓치 ᄒᆞ고, 봉쇄ᄒᆞ믈 긴긴이 ᄒᆞ여 궁노 듕 ○○[녀환] 흉인을 막기니 이ᄂᆞᆫ 최녀의 질ᄌᆡ(姪子)라. 극악흉패ᄒᆞ미 아모 잔잉 ᄑᆡ악지ᄉᆞ《을‖라도》 능ᄉᆞ로 ᄒᆞᄂᆞᆫ지라. 농을 주어 ᄉᆡ벽 북이 동ᄒᆞ거든 강변의 나아가 흉용(洶湧)ᄒᆞᆫ 강수의 드리치라 ᄒᆞ고, ᄇᆡᆨ은 오ᄇᆡᆨ냥을 상ᄉᆞᄒᆞ니, 흉인이 ᄃᆡ열ᄒᆞ여 농을 지고 외궁의 나와 효종(曉鐘)을 등ᄃᆡ ᄒᆞᆯ식, ᄎᆞ시 수직군관 한총은 한상궁 제남(弟男)이오, 용녁과 검술이 과인ᄒᆞ여 문양궁 외ᄉᆞ을 맛기ᄆᆡ, 총이 ᄆᆡ양 궁즁을 수직ᄒᆞ더니, ᄎᆞ일 여러 동뉴 제집으로 도라가ᄃᆡ ᄒᆞᆯ노 잇더니, 문득 녀환 흉인이 큰 농을 지고

1073)어긔오다 : ①어긋나다. ②(입 따위를) 억지로 벌리다.

1074)농(籠) : 옷이나 물건을 넣어 두는 데 쓰이는 상자.

나오며 희긔 만안ᄒᆞ여 기ᄌᆞ 계등과 므ᄉᆞᆫ 말ᄒᆞ며, 입을 힐우기고 눈을 금젹여 거동이 괴이ᄒᆞ니, 한튱이 홀연 ᄆᆞᄋᆞᆷ이 요동ᄒᆞ여, 문득 녀환을 브르니, 환이 농을 ᄒᆞᆫ 구셕의 노코 나오거늘, 한튱이 쇼왈,

"내 혼자 셔ᄌᆡ의 이시니 요뎍(寥寂)ᄒᆞ고 금야 슉ᄃᆡᆨ ᄎᆞ례 네게 이시니, 믈너가디 말나."

녀환 왈,

"비록 슉ᄃᆡᆨ ᄎᆞ례 【6】 나 나쁜 아니라 옥쥬의 녕으로ᄡᅧ, 져 농을 디고 ᄉᆡ비 강외로 가ᄂᆞ니, 슉딕 차례나 칠팔인식 차례를 돌니니, 쳥컨ᄃᆡ 급야란 날을 ᄎᆞᆺ디 말나."

튱이 쇼왈,

"연즉 ᄎᆞᆺ디 아니려니와 져 농을 디고 강외 뉘게 가ᄂᆞ뇨?"

환이 ᄐᆡᆷ음 왈,

"옥쥐 강외의 친졀ᄒᆞ신 후ᄇᆡᆨ(侯伯)의게 젼ᄒᆞ라 ᄒᆞ시ᄃᆡ, 그 ᄐᆡᆨ사(宅舍)를 아디 못ᄒᆞ니, ᄉᆡ비 궁비 다시 ᄀᆞᄅᆞ치ᄂᆞᆫ ᄃᆡ로 차ᄌᆞ 가게 ᄒᆞ엿ᄂᆞ이다."

튱이 뎡ᄉᆡᆨ 왈,

"여언이 엇디 이ᄀᆞᆺ티 몽농ᄒᆞ뇨? 강외 후ᄇᆡᆨ의 ᄐᆡᆨᄉᆡ라 ᄒᆞ니, 그 셩시를 모로고 ᄎᆞ자 가리오. 농듕의 무 【7】 어시 드럿ᄂᆞ뇨? 보ᄂᆡᄂᆞᆫ 곳도 모로ᄂᆞᆫ 녈노 ᄒᆞ여금 듕보를 맛뎌 보ᄂᆡ시미 ᄀᆞ장 위ᄐᆡᄒᆞ니, 너의 동뉴 슈삼인을 다리고 가라."

환이 혹자 누셜ᄒᆞᆯ가 겁ᄒᆞ여 ᄃᆡ왈,

"내 비록 용녈ᄒᆞ나 경사 인물이라 엇디 강외 집을 못ᄎᆞᄌᆞ리오. 관인은 ᄇᆞ졀업ᄉᆞᆫ 근심을 마르쇼셔."

튱이 본ᄃᆡ 영오(穎悟) 명쾌ᄒᆞᆫ 고로 환의 슈상한 긔ᄉᆡᆨ을 ᄀᆞ장 의혹하여, 뎡ᄉᆡᆨ 왈,

"옥쥐 녈노ᄡᅧ 의복농을 맛져 보ᄂᆡ시ᄆᆡ 나의 간예ᄒᆞᆯ 바ᄂᆞᆫ 아니어니와, 노애 날을 명ᄒᆞ샤 궁듕 ᄆᆡᄉᆞ를 간찰(看察)ᄒᆞ여, 여등의 그르미 이신즉 몬져 다ᄉᆞ리고 후의 알외라 ᄒᆞ시니, 네 비록 작죄 업ᄉᆞ나 듕보(重寶) 너 【8】 ᄒᆞᆫ 농을 허슈히[1275] 홀노 가져가디

1275)허슈히 : 허소(虛疎)히. 허술히. 소홀(疏忽)히.

ᄂᆡ궁으로셔 나오며 【43】 희긔 만안ᄒᆞ여 입을 희롱이고 눈을 금젹여 거동이 괴이ᄒᆞᆫ지라. 총이 의괴ᄒᆞ여 흉인을 브르니, 흉인이 농을 ᄒᆞᆫ 구셕의 ᄂᆞᆺ코 오거ᄂᆞᆯ, 총이 소왈,

"네 지고 가ᄂᆞᆫ 거시 무엇시며 희ᄉᆡᆨ이 만안ᄒᆞ엿ᄂᆞ뇨?"

흉인이 답왈,

"옥쥐 의농(衣籠)을 주시며 분부ᄒᆞ시ᄃᆡ, 옥주 친졀ᄒᆞ신 후ᄇᆡᆨᄀᆡ[이] 강○[외]의셔 ᄉᆞ니 갓다 드리라 ᄒᆞ시기로 가ᄂᆞ이다."

총이 의혹ᄒᆞ여 갈오ᄃᆡ,

"져 농의 무어시 드럿ᄂᆞᆫ지 모로거니와 너 홀노 가기 위ᄐᆡᄒᆞ니, 너의 동뉴 슈ᄉᆞᆷ인을 다리고 가미 조흘노라."

흉인이 소왈,

"내 비록 용녈ᄒᆞ나 경ᄉᆞ인물이라. 관인은 근심을 마르소셔."

총이 본ᄃᆡ 총명ᄒᆞᆫ지라. 흉인의 수상ᄒᆞ믈 보고 가장 의혹하여 이의 뎡ᄉᆡᆨ 왈,

"옥주 녈노쎠 농을 막겨 보ᄂᆡ시ᄆᆡ 나의 간예ᄒᆞᆯ ᄇᆡ 아니나, 노야 날을 명ᄒᆞ샤 궁즁 ᄆᆡᄉᆞ을 《간참‖간찰(看察)》ᄒᆞ여, 여등ᄇᆡ(汝等輩) 그르미 이신즉 몬져 다ᄉᆞ리고 후의 알외라 ᄒᆞ시니, 네 비록 작죄 업ᄉᆞ나 즁ᄒᆞᆫ 농을 너 혼ᄌᆞ 허수히[1075] 가져가지 못ᄒᆞ

1075)허수히 : 허소(虛疎)히. 허술히. 소홀(疏忽)히.

못ᄒᆞ리니, 동뉴와 ᄒᆞᆫ가디로 보호ᄒᆞ여 가라 ᄒᆞ미 엇디 그르리오."

환이 외람방ᄌᆞ하여 군관뉴를 능멸ᄒᆞᄂᆞᆫ 고로, 농듕 삼ᄋᆞ를 한튱이 알가 두려 처음은 말을 순히 답ᄒᆞ다가, 튱의 여러 번 디리히 니르믈 당ᄒᆞ여ᄂᆞᆫ 문득 분노ᄒᆞ여, 낫출 븕히고 몸의 ᄉᆡᆨ혀 왈,

"관인이 비록 노야의 명으로 외ᄉᆞ를 술피나 ᄂᆡᄉᆞᄂᆞᆫ 간예ᄒᆞᆯ ᄇᆡ 아니라, 의농(衣籠)을 일흐나 죄ᄎᆡᆨ이 내 몸의 잇고, 관인긔 아란곳[1276] 업ᄉᆞ리니, 브졀업시 덤벙이디 마르쇼셔."

언파의 농을 드러메고 제 집으로 다르려 ᄒᆞ거늘, 튱이 【9】 분노ᄒᆞ여 나ᄂᆞᆫ 드시 녀환을 ᄯᆞ라가, 농을 ᄉᆡᆨ혀 앗고 상토를 풀쳐 잡고 ᄎᆞ기를 마이ᄒᆞ여, 왈,

"내 ᄒᆡ로운 말을 니르디 아냐, 듕보를 너흔 농이면, 강외 모로ᄂᆞᆫ 집을 ᄉᆡᄇᆡ 가미 위ᄐᆡᄒᆞ여 동뉴를 다리고 ᄀᆞ라 ᄒᆞ미어늘, 엇디 블슌ᄒᆞᆫ 말노 어리게 굴기를 이ᄃᆡ도록 하리오. 내 비록 옥쥬긔 죄ᄎᆡᆨ을 밧ᄌᆞ오나 너의 블슌ᄒᆞ믈 노야긔 알외여, 의농을 내 맛다 강외의 젼ᄒᆞ리라."

환이 농을 아이고 허리를 ᄎᆞ이여 놀납고 알프믈 견ᄃᆡ디 못ᄒᆞ나, 튱의 위인이 명달ᄒᆞ니 농듕의 사ᄅᆞᆷ이 드러시믈 알가 두려, 분을 즘고 낫빗출 화【10】히ᄒᆞ여, 우어 왈,

"관인이 브졀업ᄉᆞᆫ 일의 간예ᄒᆞ시ᄆᆡ 우연이 심증이 나미라. 굿ᄐᆞ여 블공ᄒᆞᆫ 뜻이 아니니 원컨ᄃᆡ 식노ᄒᆞ고 농을 도로 주쇼셔."

튱이 그농을 아술 제 은연이 사ᄅᆞᆷ의 숨소ᄅᆡ 들니고, 농이 궁그러[1277] 의복 너흔 농이 아니오, ᄀᆞ장 무거워 슈상ᄒᆞᆫ디라. 의심이 ᄆᆡᆼ동ᄒᆞ니 엇디 도로 줄 니 이시리오. 눈을 브릅ᄯᅳ고 ᄭᅮ지져 왈,

"너의 상시 힝ᄉᆡᆨ 어질믈 보디 못ᄒᆞ엿더니, 금야의 디고 가ᄂᆞᆫ 농이 반드시 의복농

리니, 동뉴와 ᄒᆞᆫ가지로 가져가라 ᄒᆞ미 엇지 그르리오."

흉인이 쳐음은 혹ᄌᆞ 누셜ᄒᆞᆯ가 져허 뭇ᄂᆞᆫ 바을 공슌이 ᄃᆡ답ᄒᆞ다가, 이러틋 지리히 무로믈 보고, 믄득 분노ᄒᆞ여 낫출 불키고 ᄲᅥᆯ쳐 왈,

"관인이 비록 노야 명으로 외ᄉᆞ을 엄촐(嚴察)ᄒᆞ나, ᄂᆡᄉᆞᄂᆞᆫ 간예ᄒᆞᆯ ᄇᆡ 아니라. 농을 일허도 죄ᄎᆡᆨ이 관인의게 잇지 아니코 ᄂᆡ게 잇시리니, 부졀업시 덩벙이지 마르소셔."

언필의 농을 지고 제 집으로 가려 ᄒᆞ거ᄂᆞᆯ, 총【44】이 ᄯᅩᄒᆞᆫ ᄃᆡ로ᄒᆞ여 나ᄂᆞᆫ 다시 ᄯᆞ라, 농을 앗고 상토을 풀쳐 잡고 ᄭᅮ지져 왈,

"○[ᄂᆡ] 너다려 ᄒᆡ로운 말을 아니 ᄒᆞ고, 동뉴로[를] 다리고○…**결락 26자**…○[가라 ᄒᆞ미어ᄂᆞᆯ, 엇지 블슌ᄒᆞᆫ 말노 어리게 굴기을 이ᄃᆡ도록 하리오.] ᄂᆡ 비록 옥주긔 죄을 입을지라도, 너의 불슌ᄒᆞ물 노야긔 ○[고]ᄒᆞ고, 농을 ᄂᆡ 맛타 가져가리라."

ᄒᆞ고 농을 아스니, 흉인이 분긔을 이긔지 못ᄒᆞ나 총의 위인이 명달ᄒᆞ니, 농 즁의 ᄉᆞᄅᆞᆷ이 드럿시물 알가 두려, 분을 ᄎᆞᆷ고 우셔 왈,

"관인이 부졀업ᄉᆞᆫ 일의 간예ᄒᆞ시니 우연이 심증 나미오, 굿ᄒᆞ여 불공ᄒᆞ미 아니니 원컨ᄃᆡ 식노ᄒᆞ고 농을 도로 주소셔."

ᄒᆞ거날, 총이 그 농을 안을 졔 은연이 ᄉᆞᄅᆞᆷ의 숨소ᄅᆡ 들니고 농이 궁그러 의복 너흔 《거동∥농》이 아니오, 가장 무거온지라. 심니의 의혹ᄒᆞ니, 엇지 도로 주리오. 눈을 브릅ᄲᅧ 즐 왈,

"네 힝ᄉᆡᆨ ᄒᆞᆫ 일도 어질물 보지 못ᄒᆞ더니, 이 농이 결단코 의복 너흔 농이 아니오, ᄉᆞᄅᆞᆷ의 숨소ᄅᆡ 들니니 필연 흉ᄒᆞᆫ 거죄 잇시미라. 비록 ᄂᆡ궁의셔 너을 맛기신 농이라도 의심이 동ᄒᆞ여[니], 명일 노야긔 알외고 농을 ᄲᅧ혀 본 후 너을 쳐치ᄒᆞ리라."

1276)아란곳 : 아랑곳. 일에 나서서 참견하거나 관심을 두는 일.

1277)궁글다 : ①착 달라붙어 있어야 할 물건이 들떠서 속이 비다. ②내용이 부실하고 변변치 아니하다.

이 아니오, 사ᄅᆞᆷ의 숨소ᄅᆡ 들니니 반ᄃᆞ시 흉험ᄒᆞᆫ 괴ᄉᆡ(怪事) 이시미라. 비록 ᄂᆡ궁의셔 너를 맛디신 농이【11】라도, 나의 의심이 동ᄒᆞ니, 명일 노야긔 알외고 농을 ᄡᅧ혀 본 후 너를 쳐티ᄒᆞ리라."

환이 궁흉대악이나, 져의 압히 굽으믈 인ᄒᆞ여 말이 쾌티 못ᄒᆞ고, 튱이 쳐음브터 농 가져가ᄂᆞᆫ 곳을 므러 거동이 슈상ᄒᆞ여, 져의 악ᄉᆞ를 알오미 잇ᄂᆞᆫ가 ᄌᆞ겁ᄒᆞ니, 쳔인이 본ᄃᆡ 송ᄇᆡᆨ의 구드미 드믄디라. 문득 눈을 두려시 ᄯᅳ고 면ᄉᆡᆨ이 여토ᄒᆞ여 왈,

"농듕의 든 바ᄂᆞᆫ 아디 못ᄒᆞ고, 다만 옥쥬의 분부로 강외의 두라 ᄒᆞ시ᄆᆡ, 오ᄃᆡᆨ 명을 좃출 ᄯᆞᄅᆞᆷ이러니, 관인이 이러틋 대ᄉᆞ로이 구르시고, 농듕의 사ᄅᆞᆷ이 드럿다 작언(作言)ᄒᆞ시니, 나ᄂᆞᆫ 아모란 줄 모르던 ᄇᆡ【12】라. 소유를 옥쥬긔 고ᄒᆞᆯ ᄲᆞᆫ이로소이다."

튱이 환의 의아ᄒᆞᄂᆞᆫ 거동을 보고, 소ᄅᆡ를 놉혀 대즐 왈,

"너ᄂᆞᆫ 날노ᄡᅧ 이 농듕의 든 바를 모로ᄂᆞᆫ가 녁여도, 나ᄂᆞᆫ 발셔 분명이 아ᄂᆞ니, 네 거ᄌᆞᆺ 발명ᄒᆞ나 명일 노애 농을 상고ᄒᆞ시면, 너를 엄형추문ᄒᆞ시리니, 모로미 날다려 ᄌᆞ시 닐너 죄를 면ᄒᆞ라."

환이 한튱의 말이 이 ᄀᆞᆺ기의 밋쳐ᄂᆞᆫ, 발셔 아ᄂᆞᆫ 줄 짐작ᄒᆞ여, 만일 부매 알미 된즉 능히 ᄉᆞ디 못ᄒᆞᆯ디라. 경악ᄒᆞ미 일신을 ᄡᅥ러 포악을 ᄀᆞᆷ쵸고, 튱을 ᄃᆡᄒᆞ여 울며, ᄋᆡ걸 왈,

"관인의[이] 임의 농듕의 든 바를 아라시니, 내 다시 긔이디 못【13】ᄒᆞᄂᆞ니, 과연 옥쥐 윤·양·니 삼부인 쇼ᄉᆡᆼ을 다 멸ᄒᆞ려 하여, 괴이ᄒᆞᆫ 신승을 ᄉᆞ괴여 이 공ᄌᆞ와 ᄋᆞ쇼져를 후려와, 말 못ᄒᆞᄂᆞᆫ 암약을 먹여 농의 너허 ᄉᆡᄇᆡ 강의 가 믈의 ᄊᆡ오라 ᄒᆞ시니, 내 ᄎᆞ마 블의악ᄉᆞ를 힝치 못ᄒᆞ여, 아모리 ᄒᆞᆯ 줄 몰나 초민ᄒᆞᄂᆞ이다."

튱이 그 ᄆᆡ져의 원억히 찬출ᄒᆞ믈 ᄆᆡ양 슬허ᄒᆞ고, 공쥬의 블인을 딤작ᄒᆞ던 바의, ᄎᆞ언을 드르ᄆᆡ 경심ᄎᆞ악ᄒᆞ여 모골이 숑연ᄒᆞ니, 즉ᄀᆡᆨ의 병부긔 고코져 ᄒᆞᄃᆡ, 외궁 초관(哨

녀환 흉인이 궁흉ᄃᆡ악이나, 져의 압히 굽으믈 인ᄒᆞ여 말이 쾌치 못ᄒᆞ고, 총이 쳐음브터 농 가져가ᄂᆞᆫ 곳을 무러 거동이 슈상ᄒᆞ여, 졔의 악ᄉᆞ을 알오미 잇ᄂᆞᆫ가 조겁(早怯)[1076]ᄒᆞ니, 쳔인이 본ᄃᆡ 송ᄇᆡᆨ의 ᄀᆞᆺ으미 젹은지라. 문득 눈을 두렷시 ᄯᅳ고 면ᄉᆡᆨ이 여토ᄒᆞ여 왈,

"농즁의 든 바ᄂᆞᆫ 아지 못ᄒᆞ고, 오직 옥【45】주 명을 좃출 ᄯᆞᄅᆞᆷ이러니, 관인이 이러틋 ᄃᆡᄉᆞ로이 구르시고, 농듕의 ᄉᆞᄅᆞᆷ이 드릇다 작언(作言)ᄒᆞ시니, 나ᄂᆞᆫ 아모란 줄 모르던 ᄇᆡ라 소유을 옥주긔 고ᄒᆞᆯ ᄲᆞᆫ이로소이다."

총이 환의 실ᄉᆡᆨᄒᆞᄂᆞᆫ 거동이 만만 수상ᄒᆞ믈 보고 소ᄅᆡ을 놉혀 ᄃᆡ즐 왈,

"너ᄂᆞᆫ 날노써 이 농듕의 든 바을 모로ᄂᆞᆫ가 녁여도, 나ᄂᆞᆫ 발셔 분명이 아나니 네 거잣 발명ᄒᆞ나 명일 노야 농을 상고ᄒᆞ시면, 너을 엄형추문ᄒᆞ시리니, 모로미 날다려 ᄌᆞ셰○[이] 이르면 죄을 면ᄒᆞ리라."

환이 한총의 말이 이러틋 명명ᄒᆞ니, 만일 남후의 알미 된즉 졔 능히 ᄉᆞ지 못ᄒᆞᆯ지라. 경악 낙담ᄒᆞ여 이의 총을 ᄃᆡᄒᆞ여 울며 ᄋᆡ걸 왈,

"관인의[이] 임의 농듕의 든 거술 알아시니, 다시 긔이지 못ᄒᆞᆯ지라. 과연 옥주 윤·양·니 ᄉᆞᆷ부인 소ᄉᆡᆼ을 다 멸ᄒᆞ려 하여 괴이ᄒᆞᆫ 신승을 ᄉᆞ괴여 공ᄌᆞ와 ᄋᆞ소져을 후려와 말 못ᄒᆞᄂᆞᆫ 암약을 먹여 농의 너허 ᄉᆡ벽○[의] 가 ○[강]믈의 ᄊᆡ오라 ᄒᆞ시니, ᄂᆡ ᄎᆞ마 불의악ᄉᆞ을 힝치 못ᄒᆞ여, 아모리 ᄒᆞᆯ 줄 몰나 ᄒᆞᄂᆞ이다."

총이 그 ᄆᆡ져의 원억히 찬출ᄒᆞ믈 슬허ᄒᆞ고, 공주의 불인을 짐죽ᄒᆞ던 바의, ᄎᆞ언을 드르ᄆᆡ 경심ᄎᆞ악ᄒᆞ여 모골이 송연ᄒᆞ니, 즉

1076)조겁(早怯) : 지레 겁을 먹음.

官)[1278]으로 닉궁ᄉ를 아른 체ᄒ미 범남ᄒ고, 그 악힝을 졔 몬져 들쳐 닉면, 병부는 명빅ᄒ【14】믈 상샤홀 빅나, 셩샹과 태ᄌ 졔왕이 다 져를 미안이 넉일 즈음의[은] ○○[져의] 《인명∥일명》을 살히홀 거시오. 한상궁이 어딜믈 인ᄒ여 간당의 히를 바드니, 내 쏘 공쥬를 믜이여 환을 취○[케]ᄒ미 《블가ᄒᆫ 고로∥불가타 ᄒ여》, 이윽이 상냥ᄒ여 농을 도로 환을 디우고 손을 닛그러, 골오ᄃᆡ,

"네 비록 ᄉ죄(死罪)이시나, 내 ᄌ연 도모ᄒ여 일이 슌편케 ᄒ리니 념네 말고 날을 ᄯ라오라."

언필의 외궁은 여러 대감과 궁노 등으로 딕희라 ᄒ고, 급급히 환을 다리고 문을 닉ᄃ라 가ᄃᆡ, 튱은 군관의 믹인 빅라 슌라의 잡힐 일이 업고, 녀환은 효용이 남다른 고로, 농을【15】 디고 가ᄃᆡ 슌시군을 만나디 아냐 임의 동문의 니르니, 한튱 등이 잠간 디류홀 ᄉ이의 계셩이 악악ᄒ고[1279], 효괴 동ᄒ여 문을 여ᄂᆞᆫ디라.

튱이 환을 다리고 쌜니 집의 가, 그윽ᄒᆫ 방듕의 드러와 농(籠) 좀은 거슬 비트러 색히고 여러 본즉, 이공ᄌ와 ᄋ쇼졔 바야흐로 반싱반ᄉᄒ여 입으로 피를 흘니고 거의 딘홀 돗하니, 튱이 참연잔잉ᄒ믈 니긔디 못ᄒ여, 회생단으로 삼ᄋ를 극딘히 구호ᄒ고, 튱의 쳐 양시 본ᄃᆡ 무ᄌᄒ여 범ᄋ를 보아도 과ᄋᆡᄒᄂᆞᆫ디라. ᄒ물며 현긔 ᄌ염은 삼셰 히ᄋᆡ나 칠팔셰 쇼ᄋ의 신댱【16】이오, 션풍옥골이 만고 무비커놀, 운긔는 싱디 긔년이 못ᄒᄃᆡ 뇽봉ᄌ딜(龍鳳資質)이 병부여풍이라. 찬난한 광치 사름을 놀닉니, 양시 긔이코 아름다오믈 형상치 못ᄒᄃᆡ, 그 명이 딘홀 돗 위틱ᄒ믈 참연ᄒ여 됴흔 ᄌ리의 편히 누이고, 슈족을 쥐므르고 약물을 년속ᄒ여 흘니니, 삼ᄋᆡ 다 독ᄒᆫ 물을 토ᄒ고 ᄀ장 오린

각의 병부긔 고코져 ᄒᄃᆡ, 외궁 초관(哨官)[1077]으로 닉궁ᄉ을 아른 쳐[체]ᄒ미 범남ᄒ고, 그 악을 졔 몬져 들쳐 닉면 병부는 그 명빅【46】ᄒ믈 상ᄉᄒ려니와, 셩상과 틱자 졔왕이 미안이 넉일 즈음의 져의 일명을 술히홀 거시오. 한상궁이 어질물 인ᄒ여 간당의 히을 바다시니, 닉 쏘 공주을 뮈이여 히을 부르미 불가타 ᄒ여, 이윽이 상냥ᄒ다가 농을 도로 환을 지우고 손을 익그러 왈,

"네 비록 ᄉ죄(死罪) 잇시나 닉 ᄌ연 도모ᄒ여 일이 슌편○[케] ᄒ리니 념녀 말고 날을 ᄯ라오ᄅ."

언파의 외궁은 여러 틱감과 궁인 등으로 직희라 ᄒ고, 급급히 환을 다리고 문을 닉다라 가ᄃᆡ, 총은 군관이라 슌나의 잡힐 빅 업고, 녀환은 효용이 과인ᄒᆫ 고로, 농을 지고 가ᄃᆡ 슌시군을 만나지 아니ᄒ여 임의 동문의 이르니, 한총 등이 잠간 지류홀 ᄉ이 계셩이 악악ᄒ고[1078], 북이 동ᄒ여 문을 여ᄂᆞᆫ지라.

총이 환을 다리고 쌜니 집의 와 그윽ᄒᆫ 방즁의 드러와 농을 열고 본즉, 이공ᄌ와 아소져 바야호로 반싱반ᄉᄒ여 입으로 피을 흘니고 거의 진홀 듯ᄒ니, 총이 츰연ᄒ믈 이긔지 못ᄒ여 회싱단을 먹여 숨아을 극진히 구호ᄒ고, 총의 쳐 양시 본ᄃᆡ 무ᄌᄒ여 범아을 보아도 과ᄋᆡᄒᄂᆞᆫ지라. ᄒ물며 현긔 ᄌ염은 숨셰 ᄋᆡ나 칠팔셰 소아의 산[신]장이오, 션풍옥골이 만고 무비커놀, 운긔는 싱지 긔년이 못ᄒᄃᆡ 뇽봉ᄌ질(龍鳳資質)이 병부여풍이라. 찬난ᄒᆫ 광치 ᄉ롬을 놀닉니, 양시 긔이코 아름다【47】오믈 형상치 못ᄒᄃᆡ, 그 명이 진홀 듯` 위틱ᄒ믈 츰연ᄒ여 조흔 ᄌ리의 누이고, 수족을 쥐무러며 약물을 연ᄒ여 흘니니, 숨ᄋᆡ 다 독ᄒᆫ 물을 토ᄒ고 이윽ᄒᆫ 후 졍신을 ᄎ리거늘, 한총 부뷔 보

1278)초관(哨官) : 조선 시대에, 한 초(哨; 약 백 명을 단위로 하던 군대의 편제)를 거느리던 종구품 무관 벼슬.

1279)악악ᄒ다 : 몹시 기를 쓰며 자꾸 소리를 내지르다.

1077)초관(哨官) : 조선 시대에, 한 초(哨; 약 백 명을 단위로 하던 군대의 편제)를 거느리던 종구품 무관 벼슬.

1078)악악ᄒ다 : 몹시 기를 쓰며 자꾸 소리를 내지르다.

후 정신을 출히거ᄂᆞᆯ, 한듕 부뷔 보긔ᄒᆞᆯ 미듁으로 삼ᄋᆞ를 먹이며, 운긔ᄂᆞᆫ 조모를 불러 우다가 듁을 마시ᄃᆡ, 현긔와 ᄌᆞ염은 좌우를 ᄉᆞᆯ피고, 눈물이 비 ᄀᆞᆺᄐᆞ여 말을 아니ᄒᆞ고 듁을 먹디 아니커ᄂᆞᆯ, 듕과 양시 온가지【17】로 다ᄅᆡ며 긔특ᄒᆞᆫ 보물을 ᄀᆞᆺ쵸 ᄂᆡ여주ᄃᆡ, 밧디 아니ᄒᆞ고 ᄀᆞᆯ오ᄃᆡ,

"내 집이 츄운산이니 도라가게 ᄒᆞ라."

ᄒᆞ고 보ᄎᆡ니, 듕의 부뷔 소ᄅᆡ를 낫초아 ᄀᆞᆯ오ᄃᆡ,

"츄운산의 너희를 ᄒᆡᄒᆞ리 잇셔 이졔 도라간즉 죽이리니, 브졀업시 슬허말고 츄운산의 갈 ᄉᆡᆼ각을 말나."

인하여 쳔만 가디로 다ᄅᆡ니, 현긔 ᄌᆞ염이 실노 즐기디 아니나 듁음을 마시고 우름을 긋치니, 듕의 부뷔 대열ᄒᆞ여 보호ᄒᆞ믈 극진히 ᄒᆞ니, 원ᄂᆡ 양시ᄂᆞᆫ 참졍 양문광의 셔녀(庶女)오, 양평댱 셔딜(庶姪)이라. 위인이 뇨됴ᄌᆞ혜(窈窕慈惠)ᄒᆞ여 명문규녀 여풍(餘風)이로ᄃᆡ, 년긔 삼십【18】의 ᄒᆞᆫ낫 ᄌᆞ네 업ᄉᆞ니, 듕이 ᄆᆡ양 탄ᄒᆞ고 양씨 슬허ᄒᆞ더니, ᄎᆞ 삼ᄋᆞ를 보ᄆᆡ 감히 ᄌᆞ식이라 못ᄒᆞ나, 극딘ᄒᆞᆫ 졍이 아모 곳으로 좇ᄎᆞ 나ᄂᆞᆫ 줄을 아디 못ᄒᆞ고, ᄒᆞ믈며 ᄌᆞ염은 양부인 쇼ᄉᆡᆼ으로 죵슉딜디의(從叔姪之義) 이시니, 양시 더욱 깃거하ᄃᆡ, 혹ᄌᆞ 공쥐 알미 이실가 두려 깁흔 곳의 삼ᄋᆞ를 두고[니], 듕의 집이 번잡디 아니ᄒᆞ므로 알니 업더라.

듕이 일ᄇᆡᆨ냥 은ᄌᆞ를 ᄂᆡ여 환을 주어 왈,

"너의 죄를 노야긔 고ᄒᆞᆫ즉 샤디 못ᄒᆞᆯ ᄇᆡ로ᄃᆡ, 요힝 ᄋᆞ공ᄌᆞ 삼남ᄆᆡ 명이 딘치 아녀시니, 긋ᄐᆞ여 너를 죽게 ᄒᆞᆯ 거시 아닌고로 공ᄌᆞ와 쇼져를 내 집【19】의 ᄀᆞᆷ쵸고, 너를 도라보ᄂᆡ노니, 네 이졔 져 농을 내게 잡히고 악ᄉᆡ 발각ᄒᆞ믈 옥쥬긔 고ᄒᆞᆫ즉, 너희 공이 업고 도려혀 죄를 바들 ᄲᆞᆫ 아니라, 옥쥐 노심초ᄉᆞᄒᆞ여 신샹(身上) 딜(疾)을 닐위실 ᄃᆞᆺ하니, 아ᄃᆡᆨ 슌편ᄒᆞᆯ 도리로 공ᄌᆞ 삼남ᄆᆡ를 강슈의 씌온 줄노 고ᄒᆞᆫ 후, 이런 말을 함구블츌ᄒᆞᆯ딘ᄃᆡ, 네게 죄업고 옥쥬 ᄆᆞᄋᆞᆷ이 평ᄒᆞ

긔ᄒᆞᆯ 미죽으로 ᄉᆞᆷ아을 먹이ᄆᆡ, 운긔ᄂᆞᆫ 조모을 불너 우다가 죽을 마시ᄃᆡ, 현긔와 ᄌᆞ명[염]은 좌우을 ᄉᆞᆯ피고 눈물이 비 가트여 말을 아니 ᄒᆞ고, 죽도 ○○[먹지] 아니커ᄂᆞᆯ, 총과 양시 온 가지로 다ᄅᆡ며 긔특ᄒᆞᆫ 보물을 갓초 ᄂᆡ여 쥬ᄃᆡ, 밧지 아니ᄒᆞ고, 갈오ᄃᆡ,

"ᄂᆡ 집이 취운산이니 도라가게 ᄒᆞ라."

ᄒᆞ고 보ᄎᆡ니, 총의 부뷔 소ᄅᆡ○[을] 낫초아 갈오ᄃᆡ,

"취운산의 너희을 ᄒᆡᄒᆞ리 잇셔 이졔 도라간 즉 죽이리니, 부졀업시 슬허말고 취운산의 갈 ᄉᆡᆼ각을 말나."

인ᄒᆞ여 쳔만 가지로 달ᄂᆡ니, 현긔 ᄌᆞ염이 실노 질기지 아니나, 죽을 마시고 울음으 긋치니 초[총]의 부뷔 ᄃᆡ열ᄒᆞ여 보호ᄒᆞ믈 극진이 ᄒᆞ니, 원ᄂᆡ 양시ᄂᆞᆫ ᄎᆞᆷ졍 양문광의 셔녀(庶女)오, 양평장의 질(姪)이라. 위인이 요조자혜(窈窕慈惠)ᄒᆞ여 명문귀녀의 풍이로ᄃᆡ, 년긔 ᄉᆞᆷ십의 일ᄀᆡ ᄌᆞ네 업ᄉᆞ니, 총이 ᄆᆡ양 탄ᄒᆞ고 양시 슬허ᄒᆞ믈 마지 아니ᄒᆞ다가, ᄎᆞ ᄉᆞᆷ아을 보ᄆᆡ 감히 ᄌᆞ식이라 이르지 못ᄒᆞ나, 연ᄋᆡ지심(憐愛之心)이 어ᄃᆡ로 좃ᄎᆞ 나는 줄 ᄊᆡ닷지 못ᄒᆞ며, 허물며 ᄌᆞ염은 양【48】부인 소ᄉᆡᆼ으로 종숙질지졍분(從叔姪之情分)이 잇시니, 양시 더둑 ᄉᆞ랑ᄒᆞ고 깃거ᄒᆞᄃᆡ, 혹ᄌᆞ 공쥐 알오미 잇슬가 두려 깁흔 곳의 ᄉᆞᆷ아을 감초아 두고[니], 총의 집이 본ᄃᆡ 번잡ᄒᆞ미 업ᄂᆞᆫ 고로 아모 알니 업더라

총이 일ᄇᆡᆨ양 은ᄌᆞ을 ᄂᆡ여 환을 주어 왈,

"너의 죄을 노야긔 고ᄒᆞᆫ즉 반드시 ᄉᆞ지 못ᄒᆞᆯ ᄇᆡ로ᄃᆡ, 요힝 ᄋᆞ공ᄌᆞ ᄉᆞᆷ남ᄆᆡ 명이 진치 아냐시니 슌편ᄒᆞ미 조흔지라. ᄂᆡ 널로 더부러 일궁의 종ᄉᆞᄒᆞᄂᆞᆫ지라. ᄂᆡ 너을 죽게 ᄒᆞ미 불가ᄒᆞᆫ 고로, 공ᄌᆞ○[와] 소져을 ᄂᆡ집의 감초고 너을 도라보ᄂᆡᄂᆞ니, 네 이졔 농을 ᄂᆡ게 잡히고 악ᄉᆡ 발각ᄒᆞ믈 옥주긔 고ᄒᆞᆫ즉, 너의 공이 업고, 도로혀 죄을 바들 분이니, 이런 말을 함구블츌ᄒᆞ여 죄을 면ᄒᆞ고, 일ᄇᆡᆨ냥 은ᄌᆡ 소소(小小)ᄒᆞ나 의복이나 보ᄐᆡ고 블의악ᄉᆞ을 먼니 ᄒᆞ라."

시리니, 너는 내 당부를 져바리디 말고, 일빅냥 은지 쇼쇼(小小)ᄒᆞ나, 의복이나 보틱고 블의악ᄉᆞ를 먼니 ᄒᆞ라."

환이 은ᄌᆞ를 바드미 흔힝(欣幸)ᄒᆞ나, 경겁ᄒᆞ여 져의 심ᄉᆞ를 믹밧ᄂᆞᆫ가 의심ᄒᆞ여, 안식을 졍티 못ᄒᆞ여, 【20】 ᄀᆞᆯ오ᄃᆡ,

"관인의 말솜을 드르미 아모리 ᄒᆞᆯ 줄 모르ᄂᆞ니, 아디 못게이다. 공ᄌᆞ 등을 이곳의셔 길너 댱ᄂᆡ를 엇디려 ᄒᆞ시ᄂᆞ뇨?"

튱이 쇼왈,

"너는 아모 념녀 말고 도라가라."

환이 이외 은ᄌᆞ를 어드미 만심 흔열ᄒᆞ여 슌슌 빅샤ᄒᆞ고, ᄌᆡ삼 쳥ᄒᆞ여 타일 져의 죄 드러나디 아니케 ᄒᆞ라 ᄒᆞ니, 튱이 쇼왈,

"네 니르디 아니ᄒᆞ나 내 옥쥬긔 히로온 말을 ᄒᆞ디 아니리니, 너는 이런 ᄉᆞ식을 낫토디 말나."

환이 대희 쾌락ᄒᆞ여 은ᄌᆞ를 품고 취운산으로 도라가니, 튱이 공쥬의 교악(狡惡)을 ᄎᆞ셕ᄒᆞ며 공ᄌᆞ 등 밧드는 졍셩이 디극ᄒᆞ여, 양시를 맛져 보호케 ᄒᆞ【21】고 운긔를 유모를 뎡ᄒᆞ여 졋ᄉᆞᆯ ᄉᆞᆺ지 말고져 ᄒᆞᄃᆡ, 운긔 음식과 찬션을 먹고 다른 유모의 졋ᄉᆞᆯ 먹디 아니ᄒᆞ니, 튱의 부비 병들가 념녀ᄒᆞ더라.

공쥐 삼ᄋᆞ를 쳐티ᄒᆞ고, 묘랑이 《유ᄋᆞ‖윤ᄋᆞ》를 즉긱의 죽이고져 ᄒᆞ니, 대귀인 ᄉᆞᄋᆞ를 블의예 잡아오미 졍신이 어둡고 긔운이 블평ᄒᆞ여 식경이나 업ᄃᆡ엿다가, 니러나 졍신을 슈습ᄒᆞ고 윤ᄋᆞ를 거두어 등 우히 업고, 아아히 공듕의 소ᄉᆞ니 간 바를 아디 못ᄒᆞᆯ디라. 경긱의 셔문 밧 옥셕교의 나아가 교ᄒᆞ(橋下)의 물이 흐르믈 보고 밧비 드리치며 싱각ᄒᆞᄃᆡ, 아조 죽이디 아【22】니나 계오 싱셰 일삭 히ᄌᆡ(孩子) 져 슈듕의 드러 엇디 살니오. ᄒᆞ고 도라가니 ᄎᆞᄋᆞ의 명을 구활ᄒᆞᆫ ᄌᆞ는 하인야(何人耶)오[1280]?

원ᄂᆡ 셔문의 옥셕교의 일위 명환이이시니 셩명은 소문환이라. ᄃᆡᄃᆡ 명문거족이니 일즉 등과ᄒᆞ여 벼슬이 도찰ᄉᆞ 간의태우를 겸ᄒᆞ여 물망ᄌᆡ덕(物望才德)이이 됴야의 ᄉᆞᆺ아

1280)하인야(何人耶)오 : 누구인가?

환이 은ᄌᆞ을 바드미 흔힝(欣幸)ᄒᆞ나 경겁ᄒᆞ여 져의 심ᄉᆞ을 시험ᄒᆞ는가 ○○○○[의심ᄒᆞ여] 안식을 졍치 못ᄒᆞ여, ᄀᆞᆯ오ᄃᆡ,

"○○○[관인의] 말솜을 드르미 아모리 ᄒᆞᆯ 줄 모로ᄂᆞ니, 아지 못게라, 공ᄌᆞ 등을 이곳의셔 길너 쟝ᄂᆡ을 엇지려 ᄒᆞ시ᄂᆞ뇨?."

총이 소왈,

"너는 아모 념녀 말고 도라가라."

환이 이외 은ᄌᆞ을 어드미 만심 ᄃᆡ열ᄒᆞ여 슌슌ᄒᆞ며[여], 은ᄌᆞ을 품고 취운산의 도라가니, 총이 공주의 교악(狡惡)을 ᄎᆞ셕ᄒᆞ더라.【49】

어시의 공주 솜ᄋᆞ을 쳐치ᄒᆞ고, 묘랑이 윤ᄋᆞ을 즉각의 죽이고져 ᄒᆞ니, ᄃᆡ귀인 ᄉᆞ아을 블의에 잡아오미 졍신이 어둡고 긔운이 불평ᄒᆞ여 식경이나 업ᄃᆡ엿다가, 이러나 졍신을 수습ᄒᆞ고 윤아을 거두어 등의 업고, 아아히 나가 교하(橋下)의 물이 흐르물 보고, 밧비 드리치며 싱각ᄒᆞᄃᆡ, 아조 죽이지 아니나 겨유 싱셰 일삭 히ᄌᆡ(孩子) 져 수즁의 드러 엇지 살니오 ᄒᆞ고 도라가니, ᄎᆞᄋᆞ의 명을 구ᄒᆞᆫ ᄌᆞ는 수야(誰耶)오[1079]?

원ᄂᆡ 셔문 옥셕교의 일위 명환이 잇시니, 셩명은 소문환이라. ᄃᆡᄃᆡ 명문거족이니 일즉 등과ᄒᆞ여 물망ᄌᆡ덕(物望才德)이 조야의 진동ᄒᆞ고, 부인 쳘시는 ᄃᆡ가(大家) 슉녀로

1079)수야(誰耶)오 : 누구인가?

나고, 샤듕(舍中)의 부인 텰시는 대가(大家) 슉녀로 ᄉᆡᆨ광이 찬난ᄒᆞ고 셩ᄒᆡᆼ이 뇨됴ᄒᆞ여 만ᄉᆡ 츌인ᄒᆞ니, 태위 공경듕ᄃᆡᄒᆞ여 화락ᄒᆞ연 디 십년의, 삼ᄌᆞ 일녀를 ᄉᆡᆼᄒᆞ니, 녀ᄋᆞᄂᆞᆫ ᄉᆡᆼ셰 계오 삼칠일이라. 텰부인이 산후 유질ᄒᆞ여 태위 의약을 극진히 【23】 닐위고 구호ᄒᆞ미 디극ᄒᆞ여, 친히 산측(産側)의셔 범ᄉᆞ를 보살피ᄂᆞᆫ 밧ᄌᆞᄂᆞᆫ 다른 연괴 아니라. 계모 녀시 용심이 브졍ᄒᆞ고 ᄒᆡᆼᄉᆡ 간험ᄒᆞ여, 텰부인 ᄆᆡ워ᄒᆞ믈 원슈ᄀᆞᆺ치 ᄒᆞ고 태우 못 죽이믈 통한ᄒᆞᄃᆡ, 큰변을 짓디 못ᄒᆞ믄 태우 부뷔 셩회 츌○[인]ᄒᆞᆫ 연괴라. 이러므로 태위 부인 분산디시를 당ᄒᆞ여 ᄆᆞ옴을 노치 못ᄒᆞ미러니, 일야는 부인이 ᄀᆡᆼ반을 딘식ᄒᆞ고 상요의 누으ᄆᆡ, 태위 ᄯᅩᄒᆞᆫ 셔칙을 베고 잠간 조으더니, ᄉᆞ몽비몽간의 오ᄎᆡ샹운이 옥셕교를 두로고, 셩신(星辰)이 젼후로 나렬ᄒᆞᆫᄃᆡ, 기ᄅᆡ 만여댱이나 ᄒᆞᆫ 옥【24】뇽이 눈ᄀᆞᆺᄐᆞᆫ 닌갑을 거ᄉᆞ리고 여의듀를 므러 산악ᄀᆞᆺᄐᆞᆫ 긔셰를 발ᄒᆞ여 반공(半空)의 소ᄉᆞ니, 동남 ᄎᆡ운 사이로 좃ᄎᆞ ᄒᆞᆫ 션관이 손의 ᄇᆡᆨ옥을 잡고 태우를 향ᄒᆞ여 닐오ᄃᆡ,

"텬긔 비밀ᄒᆞ니 미리 누셜치 아니나 져 옥뇽이 군가(君家)의 광ᄎᆡ를 일우며 태음셩(太陰星)과 텬뎡 연분이라. 일시 명되 괴이ᄒᆞ여 ᄉᆡᆼ디 슈삭의 요졍의 ᄒᆡ를 바다 교하(橋下)의 곤ᄒᆞ나, 타일 부귀복녹이 무량(無量)ᄒᆞ리니, 십삼년을 됴히 길너 그 부모를 ᄎᆞᆺ게 ᄒᆞ라."

태위 ᄃᆡ왈,

"ᄭᆡᄃᆞᆺ디 못ᄒᆞᄂᆞ니, 아디 못게라, 태음셩은 누구를 니르미오? 옥뇽이 ᄯᅩ 엇디 나의 문호【25】의 광ᄎᆡ를 일위리라 ᄒᆞᄂᆞ뇨?"

션인(仙人)이 쇼왈,

"내 임의 아라드를만치 닐럿ᄂᆞᆺ니 다시 니를 거시 이시리오. 모로미 옥뇽을 밧비 구ᄒᆞ라."

언필의 태우의 등을 미니, 태위 업더디ᄂᆞᆫ ᄃᆞᆺᄒᆞ여 놀나 ᄭᆡ도ᄅᆞ니, 션관의 말솜과 옥뇽의 긔이ᄒᆞᆫ 형상이 안젼(眼前)의 버럿ᄂᆞᆫ ᄃᆞᆺᄒᆞ니, 텰부인 몽ᄉᆡ ᄒᆞᆫ가디라. 부뷔 괴이히

ᄉᆡᆨ광이 찬난ᄒᆞ고 셩졍이 요조ᄒᆞ여 만ᄉᆡ 츌인ᄒᆞ니, ᄐᆡ위 공경즁ᄃᆡᄒᆞ여 화락ᄒᆞ연 지 십년의, 슴ᄌᆞ일녀을 ᄉᆡᆼᄒᆞ니, 녀ᄋᆞᄂᆞᆫ ᄉᆡᆼ셰 겨유 슴칠일이라. 쳘부인이 산후 유질ᄒᆞ니, ᄐᆡ위 의약을 극진이 다ᄉᆞ려 산측(産側)을 ᄯᅥ나지 아니 ᄒᆞ더니, 일일은 ᄐᆡ위 일몽을 어드니, 문득 셔긔몽농(瑞氣朦朧)ᄒᆞ여 일위 션인이 이르러 갈오ᄃᆡ,

"지금 옥뇽이 셔문 옥셕교하의 위ᄐᆡᄒᆞ니, 밧비 구ᄒᆞ라. 옥뇽이 ᄉᆡᆼ어 슈삭의 요졍의 ᄒᆡ을 바다 교하(橋下)의 곤ᄒᆞ나, 타일 부귀 공명이 무량(無量)ᄒᆞ리니 십년을 조히 길너 그 부모을 찻게 ᄒᆞ라. ᄯᅩᄒᆞᆫ ᄐᆡ음셩과 쳔ᄉᆡᆼ 연분이니 명【50】심불망(銘心不忘)ᄒᆞ고 밧비 구ᄒᆞ라."

언필의 ᄐᆡ우의 등을 미니, ᄐᆡ위 경각(驚覺)ᄒᆞᄆᆡ 션관의 말이 귀의 징징ᄒᆞ고, 쳘부인 몽ᄉᆡ ᄯᅩ ᄒᆞᆫ가지라. 부뷔 고이히 넉여 셔로 이로고 ᄐᆡ위 친히 촉을 들고 니러셔며

녁여 셔로 니르고, 태위 친히 촉을 들고 니러셔며 왈,

"아모커나 옥셕교의 므어시 잇는가 보리라."

부인이 쇼왈,

"군ᄌᆡ ᄆᆡ양 허탄ᄒᆞ믈 니르시더니, 금야ᄂᆞᆫ 엇디 친히 셕교를 샹고ᄒᆞ려 ᄒᆞ시ᄂᆞ뇨?"

태위 답왈,

"ᄎᆞ몽이【26】 결단코 헛되디 아닐 ᄃᆞᆺᄒᆞ니, 교ᄒᆞ를 친히 가보려 ᄒᆞᄂᆞ이다."

이의 녀ᄋᆞ 유모 화파를 다리고 밧긔 나와 교변(橋邊)의 니르니, 과연 긔이ᄒᆞᆫ 셔광이 찬난ᄒᆞ여 다리를 덥헛고, 쳥풍이 니러나며 온화ᄒᆞᆫ 긔운이 ᄀᆞ득ᄒᆞ여, 크게 젼일과 다르거ᄂᆞᆯ 경동ᄒᆞ여 본즉 슈삭 ᄒᆡᄌᆞ(孩子)라. 대경 참연ᄒᆞ여 화파로 ᄒᆞ여금 품어 바로 부인 팀소의 드러와 져즌 거슬 풀고, 태위 ᄌᆞ긔 옷슬 버셔 ᄋᆞ히 몸을 ᄡᆞ며 얼골을 보니, 광ᄎᆡ 찬난ᄒᆞ여 일월이 ᄠᅥ러딘 ᄃᆞᆺ 와ᄌᆞᆷ미(臥蠶眉)ᄂᆞᆫ 옥 무은 텬졍(天庭)의 빗겨시니, 단봉(丹鳳) 냥안(兩眼)은 영긔 발양ᄒᆞ여 츄슈 긴강의 ᄉᆞ양(斜陽)이 빗췬 ᄃᆞᆺ, 년협(蓮頰)이【27】 풍만ᄒᆞ고, 넉 ᄉᆞ(四) 쥬슌(朱脣)이 긔려승졀ᄒᆞ여 졀셰ᄒᆞᆫ ᄌᆞᄐᆡ를 가져시니, 늠녈ᄒᆞᆫ 풍광이 강보 히ᄌᆞ ᄀᆞᆺ디 아냐, 구각이 셕대ᄒᆞ고 상뫼 당당ᄒᆞ여 대귀ᄒᆞᆯ 격죄라. 태위 대찬 왈,

"우리 금야 대몽을 인ᄒᆞ여 ᄎᆞᄋᆞ를 어드ᄆᆡ, 풍ᄎᆡ 긔골이 실노 본 바 쳐음이라. 반ᄃᆞ시 타일 비상ᄒᆞᆫ 귀인이 되리니, 그 근본 셩시를 알 길히 업ᄉᆞ물 탄ᄒᆞ고, 뉘 집이 므ᄉᆞᆫ 변으로 이런 긔ᄌᆞ를 일헛ᄂᆞᆫ고. 세샹ᄉᆞ를 측냥치 못ᄒᆞ리로다."

텰부인이 ᄯᅩ한 ᄌᆞ시 보고 긔이코 ᄉᆞ랑ᄒᆞ물 결을티 못ᄒᆞ여 ᄎᆞ탄 왈,

"ᄎᆞᄋᆞ의 부뫼 이시며 업ᄉᆞ믄 아디 못ᄒᆞ거니와, 져ᄀᆞᆺᄐᆞᆫ 작인픔격으【28】로 교하의 ᄡᅢ디기 실노 ᄉᆡᆼ각 밧기라. 어나 곳의셔 ᄎᆞᄋᆞ를 일헛ᄂᆞᆫ고? 그 부모디심이 참졀ᄒᆞ리로다."

소공이 그 ᄉᆞ라시믈 만심환열ᄒᆞ여 화파로

왈,

"아모커나 옥셕교의 무어시 잇ᄂᆞᆫ고 보리라."

부인이 소왈,

"군ᄌᆡ ᄆᆡ양 허탄ᄒᆞ믈 이르시더니, 금야ᄂᆞᆫ 엇지 친히 셕교을 상고ᄒᆞ랴 ᄒᆞ시ᄂᆞᆫ요?"

공이 ᄃᆡ왈,

"ᄎᆞ몽이 결단코 헛되지 아닐 듯ᄒᆞ니, 교ᄒᆞ을 친히 가보려 ᄒᆞᄂᆞ이다."

이의 녀ᄋᆞ 유모 화파을 다리고 밧긔 나와 교변(橋邊)의 이르니, 과연 긔이ᄒᆞᆫ 셔광이 찬난ᄒᆞ여 다리을 덥피[헛]고, 쳥풍이 이러나며 온화ᄒᆞᆫ 긔운이 가득ᄒᆞ여, 크게 젼일과 다르거ᄂᆞᆯ 경동ᄒᆞ여 본 즉, 슈삭 ᄒᆡ아(孩兒)라. ᄃᆡ경 참연ᄒᆞ여 화파로 ᄒᆞ여금 품어 바로 부인 침소의 드러와 져즌 거술 풀고, ᄐᆡ위 ᄌᆞ긔 옷슬 버셔 아희 몸을 ᄊᆞ며 얼골을 보니, 광ᄎᆡ 찬난ᄒᆞ여 이로 형언치 못ᄒᆞᆯ지라. ᄐᆡ위 ᄃᆡ찬 왈,

"우리 금야 ᄃᆡ몽을 인ᄒᆞ여 ᄎᆞ아을 어드ᄆᆡ, 풍ᄎᆡ 긔골이 실노 본 바 쳐음이라. 반다시 타일 비상ᄒᆞᆫ 귀인이 ○○[되리]니. 그 근본 셩시을 알 길이 업고 뉘 집이 무ᄉᆞᆫ 변으로 이런 긔ᄌᆞ을 일헛ᄂᆞᆫ고. 셰상ᄉᆞ을 측냥치 못ᄒᆞ리로다."

쳘부인이 ᄯᅩ한 ᄌᆞ세 보고 긔이코 ᄉᆞ【51】랑ᄒᆞ물 결을치 못ᄒᆞ여 ᄎᆞ탄 왈,

"ᄎᆞ아의 부모 잇ᄉᆞ며 업ᄉᆞ믄 아지 못ᄒᆞ려니와 져갓튼 작인품격으로 교하의 ᄡᆞ지기 실노 ᄉᆡᆼ각 밧기라. 어ᄂᆡ 곳의셔 ᄎᆞ아을 일헛ᄂᆞᆫ고. 부모지심이 참졀ᄒᆞ리로다."

소공이 그 ᄉᆞᄅᆞ시믈 만심환열ᄒᆞ여 화파로

졋ᄉᆞᆯ먹이라 ᄒᆞ고, 부인다려 왈,

"ᄎᆞᄋᆡ 만일 범ᄋᆡᆫ(凡兒)즉 교하 물의셔 발셔 죽어실 거시로ᄃᆡ, 능히 사라 우리의 어든 ᄇᆡ 되니, 이 필연 져의 댱원(長遠) 대귀ᄒᆞᆯ 징되(徵兆)라. 부인은 본ᄃᆡ 유되 풍족ᄒᆞ니 녀ᄋᆞ를 먹이고, ᄎᆞᄋᆞ를 화파를 맛져 기르게 ᄒᆞ라."

부인 왈,

"쳡의 뜻도 그러ᄒᆞ거니와 원간 냥ᄋᆞ를 ᄒᆞᆫ 곳의 두어 졋ᄉᆞᆯ 난호게 ᄒᆞ고, 쳡이 보살펴 길너ᄂᆡ리이다."

소공 왈,

"부인의 말이 올커니와 부인 몸이 다【29】ᄉᆞᄒᆞ여 ᄌᆞᆷ시를 여가티 못ᄒᆞ거ᄂᆞᆯ, 어나 결을의 냥ᄋᆞ를 두어 졋ᄉᆞᆯ 난호게 ᄒᆞ리오. 화파를 맛져 기르게 ᄒᆞ라."

부인이 그러히 넉여 부뷔 셔로 ᄃᆡᄒᆞ여, ᄋᆞ히 골격이 만고무빵ᄒᆞ믈 흠ᄋᆡᄒᆞ니, 우연이 어든 ᄇᆡ 친ᄉᆡᆼ의 감치 아닌 졍이 잇ᄂᆞᆫ디라. 공이 윤ᄋᆞ의 명을 '몽농'이라 ᄒᆞ고 신ᄉᆡᆼ 녀ᄋᆞ의 명을 '봉난'이라 ᄒᆞ여, 냥ᄋᆞ의 비상ᄒᆞ믈 ᄋᆡ듕ᄒᆞ여 그윽이 ᄉᆡᆼ각ᄂᆞᆫ 뜻이 이시ᄃᆡ, 몽농의 근본과 셩시를 알 길히 업셔 민민 블낙ᄒᆞ고, 녀시 용심이 궁흉ᄒᆞ여 태우의 삼개 긔린이 옥슈신월(玉樹新月) ᄀᆞᆺ고, 신ᄉᆡᆼ녀ᄋᆡ 쳔고 희한ᄒᆞᆫ 용ᄉᆡᆨ이어ᄂᆞᆯ, 다시 몽농을 어더 기【30】르믈 통한분히ᄒᆞ여, ᄆᆡ양 태우다려 미우믈 삥그여 왈,

"네 져믄 나히 삼ᄌᆞ 일녀를 두어 미딘ᄒᆞ미 업고, 누ᄃᆡ 봉ᄉᆞᄒᆞᄂᆞᆫ 몸으로 ᄂᆡ외 빈ᄀᆡᆨ의 호번ᄒᆞᆷ과, 가ᄂᆡ 용도의 물 흐르 ᄃᆞᆺ ᄒᆞ미 누만금을 ᄡᆞ하도 넉넉디 못ᄒᆞ거든, 브졀업ᄉᆞᆫ 근본 모로ᄂᆞᆫ ᄋᆞ히조ᄎᆞ 괴로이 보호ᄒᆞ여, 필ᄇᆡᆨ(疋帛) 미곡(米穀)이 ᄡᅳ이ᄂᆞᆫ 줄 생각디 못ᄒᆞᄂᆞ뇨?"

공이 모친 심ᄉᆡ 괴이ᄒᆞ믈 탄ᄒᆞ나, 일호 블슌ᄒᆞᆫ ᄉᆞᄉᆡᆨ을 아니코, 오ᄃᆡᆨ 화열ᄒᆞᆫ 말솜으로 응ᄃᆡᄒᆞ여, 몽농의 친ᄉᆡᆼ 부모를 슈히 ᄎᆞ자 도라보닐 바를 고하나, 딘실노 공의 부

졋ᄉᆞᆯ 먹이라 ᄒᆞ고, 부인다려 왈,

"ᄎᆞᄋᆡ 만일 범ᄋᆡᆫ(凡兒)즉 교하 물의셔 발셔 죽어실 거시로ᄃᆡ, 능히 ᄉᆞᄅᆞ 우리의 어든 ᄇᆡ 되니, 일후 장원(長遠) ᄃᆡ귀ᄒᆞᆯ 증죄(徵兆)라. 부인은 본ᄃᆡ 유되 풍족ᄒᆞ니 녀ᄋᆞ을 먹이고, 화파ᄂᆞᆫ ᄎᆞ아을 먹여 기르게 ᄒᆞ라."

부인 왈,

"쳡의 뜻도 그러ᄒᆞ거니와 원간 양아을 ᄒᆞᆫ 곳의 두어 졋슬 난호게 ᄒᆞ고 쳡이 보살펴 길너ᄂᆡ리이다."

소공 왈,

"부인의 말이 올커니와 부인 몸이 다ᄉᆞᄒᆞ여 ᄌᆞᆷ시을 여가치 못ᄒᆞ거ᄂᆞᆯ, 어ᄂᆡ 결을의 양아을 두어 졋슬 난호게 ᄒᆞ리오. 화파을 맛겨 기르게 ᄒᆞ라."

부인이 그러히 넉여 부뷔 셔로 ᄃᆡᄒᆞ여 ᄋᆞ히 골격이 무쌍ᄒᆞ믈 흠ᄋᆡᄒᆞ니, 우연이 어든 ᄇᆡ 친ᄉᆡᆼ의 감치 아닌 졍이 잇ᄂᆞᆫ지라. 공이 윤아의 명을 '몽농'이라 ᄒᆞ고, 신ᄉᆡᆼ 녀ᄋᆞ의 명을 '봉난'이라 ᄒᆞ여, 양ᄋᆞ의 비상ᄒᆞ물 ᄋᆡ듕ᄒᆞ여 그윽이 ᄉᆡᆼ각ᄂᆞᆫ 뜻지 잇시ᄃᆡ, 몽농의 셩시와 근본을 몰나 민민(憫憫) 블낙(不樂)ᄒᆞ더라. 원ᄂᆡ 소공의 계모 여시 쳔【52】셩이 간흉ᄒᆞ여 ᄐᆡ우 부부을 ᄉᆞᆷ키고져 ᄒᆞ나, ᄐᆡ우 부부의 츙졀ᄃᆡ효로 오히려 부지ᄒᆞ미 되엿더니, 여시 ᄐᆡ우의 삼ᄀᆡ 긔린이 옥수신월 갓고 신ᄉᆡᆼ녀ᄋᆡ 쳔고 희한ᄒᆞᆫ 용ᄉᆡᆨ이어ᄂᆞᆯ, 다시 몽농을 어더 기르믈 통한분히ᄒᆞ여, ᄆᆡ양 ᄐᆡ○[우]을 보고 미우을 ᄶᅵᆼ그여 왈,

"너 져믄 나히 삼ᄌᆞ 일녀을 두어 미진ᄒᆞ미 업고, 누ᄃᆡ 봉ᄉᆞᄒᆞᄂᆞᆫ 몸으로 ᄂᆡ외빈ᄀᆡᆨ의 호번ᄒᆞ므로 가ᄂᆡ 용도의 물 흐르 듯 ᄒᆞ미 누만금을 ᄊᆞᄒᆞ도 넉넉지 못ᄒᆞ거든, 브졀업시 근본 모르는 아히좃ᄎᆞ 괴로이 보호ᄒᆞ여, 미곡(米穀) 필ᄇᆡᆨ(疋帛)이 쓰이ᄂᆞᆫ 줄 엇지 생각지 못ᄒᆞᄂᆞ뇨?"

공이 모친 심ᄉᆞ 괴이ᄒᆞ믈 탄ᄒᆞ나, 일호 불슌ᄒᆞᆫ ᄉᆞᄉᆡᆨ을 아니코, 오즉 화열ᄒᆞᆫ 말솜으로 응ᄃᆡᄒᆞ여, 몽농의 친ᄉᆡᆼ 부모을 수히 ᄎᆞᄌᆞ 도라보ᄂᆡ믈 고ᄒᆞ나, 진실노 공의 부부

뷔 몽농 편ᄋᆡᄒᆞ미 틴ᄌᆞ(親子)의 나리디 아니니, 이 또 하날이 【31】 유의ᄒᆞ시미러라.

어시의 취운산 졍부의셔 금휘 효신을 당ᄒᆞ여 학ᄉᆞ 등 졔ᄌᆞ로 더브러 태원뎐의 드러오ᄆᆡ, 디게를 황연이 여럿고. 시녀 양낭빅 좀을 ᄭᆡ니 업ᄉᆞ니, 금휘 심니(心裏)의 경아ᄒᆞ여 급히 방듕의 드러오니, 모틴{이}으로브터 졔시네 다 혼혼이 인ᄉᆞ를 바렷고, 현긔 등 누엇던 ᄌᆞ리 뷔여시니, 금휘 대경ᄒᆞ여 괴이ᄒᆞ믈 니긔디 못ᄒᆞᆯ ᄎᆞ, 딘부인이 쇼니시로 더브러 드러오거ᄂᆞᆯ, 금휘 모틴 상하의 안ᄌᆞ며 왈,

"금일 시녀 등 ᄐᆡ만ᄒᆞ미 이 ᄀᆞᆺᄐᆞ여 디금 니러나디 아니코, 존당 문을 다 여러시ᄃᆡ 아모도 다드리 업ᄉᆞ니, 이ᄀᆞᆺ티 ᄐᆡ만 ᄒᆞ믈 평ᄉᆡᆼ 쳐【32】음으로 보ᄂᆞᆫ디라. 어히 업고 긔괴(奇怪)ᄒᆞ여이다."

진부인이 경ᄒᆡᄒᆞ여 졔시녀를 슉ᄃᆡᆨ 비ᄌᆞ 등을 흔드러 ᄭᆡ오라 ᄒᆞ고, 현긔 등 누엇던 ᄌᆞ리를 보ᄆᆡ 간 곳이 업ᄉᆞ니, ᄎᆞ악 경ᄒᆡᄒᆞ믈 니긔디 못ᄒᆞᄃᆡ, 존괴 경동ᄒᆞ실가 두려 오ᄃᆡᆨ 각각 그 유모를 ᄭᆡ와 손ᄋᆞ 등의 거쳐를 므르니, 졔녀 등이 동뉴의 ᄭᆡ오믈 인ᄒᆞ여 눈을 ᄯᅥ보니, 발셔 효신이 되여시믈 경황ᄒᆞ여 급히 옷슬 거두쳐 닙고, ᄉᆞ죄를 디은 ᄃᆞᆺ 아모리 ᄒᆞᆯ 줄 모로ᄂᆞᆫ디라. 금후와 딘부인이 시녀 등의 창황ᄒᆞ믈 보고 손ᄋᆞ 등 ᄌᆞ리 뷔여시믈 만분【33】경ᄒᆡ하여, 간 곳을 므른ᄃᆡ 머리를 숙여 아디 못ᄒᆞ므로 ᄃᆡᄒᆞ니, 금후부뷔 대경 ᄎᆞ악ᄒᆞ여 모든 시녀를 명ᄒᆞ여 여러 당듕과 문양궁가디 어더보라 ᄒᆞ고 면ᄉᆡᆨ이 여토(如土)ᄒᆞ니, 태부인이 눈을 ᄯᅥ 좌우를 보고 희미히 니르ᄃᆡ,

"노뫼 잠이 곤ᄒᆞ여 디금 좀을 ᄭᆡ디 못ᄒᆞ여시나, 현긔 등은 본ᄃᆡ 잠이 젹은 ᄋᆞᄒᆡ라 발셔 ᄭᆡ여실 거시니, 엇디 알패 업ᄂᆞ뇨?"

금휘 존후를 뭇ᄌᆞᆸ고 날호여 ᄀᆞᆯ오ᄃᆡ,

"ᄉᆞᄋᆡ 반ᄃᆞ시 ᄌᆞ위 상하의셔 ᄌᆞ실 거시로ᄃᆡ, 져희 유모들이 간 곳을 모로오니, 쇼ᄌᆡᆨ ᄎᆞᆺᄉᆞ오나 아모 ᄃᆡ도 잇디 아니【34】니, 경악ᄒᆞ믈 니긔디 못ᄒᆞ리로소이다."

몽농 편ᄋᆡᄒᆞ미 친ᄌᆞ의 나리지 아니니, 이 또ᄒᆞᆫ 하날이 유의ᄒᆞ미러라.

어시의 취운산 뎡부의셔 금후 효두(曉頭)의 학ᄉᆞ 등 졔ᄌᆞ을 다리고 ᄐᆡ원당의 드러오ᄆᆡ, 지게을 활[황]연이 열○[엇]고, 시녀《양당비‖양낭빅》 좀을 ᄭᆡ니 업ᄉᆞ니, 금휘 경아ᄒᆞ여 급히 방듕의 드러오니, 모친으로부터 졔시녀 다 혼혼히 인ᄉᆞ을 바렷고, 현긔 등 누엇든 ᄌᆞ리 뷔엿ᄂᆞᆫ지라. 금휘 대경ᄒᆞ여 고이ᄒᆞ믈 이긔지 못ᄒᆞᆯ ᄎᆞ, 진부인이 소니시로 더브러 오【53】거ᄂᆞᆯ, 금휘 모친 상하의 안ᄌᆞ며 왈,

"금일 시녀 등 ᄐᆡ만ᄒᆞ미 여ᄎᆞᄒᆞ여 지금 니러나지 아니코, 존당 문을 다 여러시ᄃᆡ 아모도 닷으리 업ᄉᆞ니, 이갓치 ᄐᆡ만 ᄒᆞ믄 평ᄉᆡᆼ 처음으로 보ᄂᆞᆫ지라. 《오니‖어히》업고 긔괴(奇怪)ᄒᆞ여이다."

진부인이 경황ᄒᆞ여 졔시녀로 숙직 비ᄌᆞ 등을 흔드러 ᄭᆡ오고, 현긔 등 누엇든 ᄌᆞ리을 보ᄆᆡ 간 곳이 업ᄉᆞ니, ᄎᆞ악 경ᄒᆡᄒᆞ믈 이긔지 못ᄒᆞᄃᆡ, 존괴 경동ᄒᆞ실가 두려 오족 각각 유모을 ᄭᆡ와 손ᄋᆞ 등 거쳐을 무르니, 졔녀 등이 동뉴의 ᄭᆡ이[오]믈 인ᄒᆞ여 눈을 ᄯᅥ보니, 발셔 효신이 되엿시믈 경황ᄒᆞ여 급히 이러나, ᄉᆞ죄을 지은 듯 아모리 ᄒᆞᆯ 줄 모로ᄂᆞᆫ지라. 금후와 진부인이 시녀 등의 창황ᄒᆞ믈 보고, 손ᄋᆞ 등 ᄌᆞ리 뷔여시믈 만분 경ᄒᆡ하여 간 곳을 므르ᄃᆡ, 머리을 숙여 아지 못ᄒᆞ○○○○[므로 ᄃᆡᄒᆞ]니, 금후 부부 ᄃᆡ경 ᄎᆞ악ᄒᆞ여 모든 시녀을 명ᄒᆞ여 여러 당듕과 문양궁가지 어더보라 ᄒᆞ고, 면ᄉᆡᆨ이 여토(如土)ᄒᆞ니, ᄐᆡ부인이 눈을 ᄯᅥ 좌우을 보고 희미히 니로ᄃᆡ,

"노뫼 잠이 곤하여 지금 좀을 ᄭᆡ지 못ᄒᆞ엿시나, 현긔 등은 본ᄃᆡ 잠이 젹은 ᄋᆞᄒᆡ라 발셔 ᄭᆡ엿실 거시니, 엇지 압히 업ᄂᆞ뇨?"

금휘 존후을 뭇잡고 날호여 ᄀᆞᆯ오ᄃᆡ,

"ᄉᆞᄋᆡ 반ᄃᆞ시 ᄌᆞ위 상하의셔 잣슬 거시로ᄃᆡ, 졔 유모들이 간 곳을 모로오니, 경악ᄒᆞ믈 이긔지 못ᄒᆞ리로소이다."

태부인이 대경ᄒᆞ여 밧비 금니를 헷치고, 냥안이 두렷ᄒᆞ여, ᄀᆞᆯ오ᄃᆡ,

"이 므ᄉᆞᆷ 말이며 엇던 일고? 작야의 유모로 상하의셔 ᄌᆞ거ᄂᆞᆯ, 내 어로만져 편히 눕도록 ᄒᆞᆫ 후 ᄌᆞᆷ을 드러시니, 그 ᄋᆞ이 어ᄃᆡ로 갓단 말고?"

시녀 등으로 하부와 딘부와 문양궁을 다 보ᄂᆡ여 ᄎᆞᄌᆞ 보ᄃᆡ, 그림ᄌᆞ도 업ᄉᆞ믈 고ᄒᆞ니, 태부인과 공의 부부의 창감ᄒᆞ믄 니르디 말고, 합문 샹히 믈끌 틋 경황ᄎᆞ악ᄒᆞ미 모양치 못ᄒᆞ니, 져마다 낙담상혼ᄒᆞ여 엇디 ᄒᆞᆯ 바를 모로고, ᄉᆞᄋᆞ의 유모ᄂᆞᆫ 오ᄃᆡ 죽기를 등ᄃᆡ【35】ᄒᆞ여 스ᄉᆞ로 일악(一惡)[1281] 대죄를 디은 ᄃᆞᆺ, 가듕 경ᄉᆡᆨ이 크게 비황(悲況)ᄒᆞᆫ디라.

태부인은 노인의 약ᄒᆞᆫ 심경의 괴이ᄒᆞᆫ 변을 당ᄒᆞ여 ᄉᆞᄋᆞ를 목젼의 죽인 ᄃᆞᆺ, 소ᄅᆡ를 일우디 못ᄒᆞ고, 쳔항(千行) 누쉬(淚水) 의상을 ᄌᆞᆷ으니 긔운이 엄ᄋᆡ(奄碍)ᄒᆞᆯ ᄃᆞᆺ ᄒᆞᆫ디라. 금휘 ᄉᆞᄋᆞ를 일코 참졀통상ᄒᆞᆫ 심ᄉᆞ의 모친의 과상ᄒᆞ시믈 보ᄆᆡ, 여러 가디 ᄎᆞ악ᄒᆞ믈 니긔디 못ᄒᆞᄃᆡ, 쳔만 강인(强忍)ᄒᆞ여 화열ᄒᆞᆫ ᄉᆞ식과 호언으로 모친을 위로ᄒᆞ고, 일변 윤부의 히ᄋᆞ 일흐믈 통ᄒᆞ여, 노복으로 방방곡곡이 두로 도라 ᄎᆞ자, ᄉᆞ오일의 소식을 아라ᄂᆡ리 이시면 일싱을 방냥(放良)[1282]ᄒᆞ고 쳔금 상을 주【36】리라 ᄒᆞᄃᆡ, 노복 등이 귀신의 슬긔 업ᄉᆞᆫ디라. 한튱의 집의 삼ᄋᆞ 이시며 소태우 부듕의 윤ᄋᆞ 이시믈 엇디 알니오. 종일 ᄎᆞᆺ다가 못ᄒᆞ여 헛도이 도라오고, 병부ᄂᆞᆫ 영태ᄉᆞ 뎡공의 쳥ᄒᆞ므로 셩ᄂᆡ의 드러갓다가 밤을 디ᄂᆡ고 늦게야 도라오ᄆᆡ, 발셔 ᄉᆞᄋᆞ를 일헛ᄂᆞᆫ디라.

ᄎᆞ악ᄒᆞ믈 니긔디 못ᄒᆞᄃᆡ 존당 부모의 슬허ᄒᆞ시믈 민망ᄒᆞ여 비ᄉᆡᆨ을 낫토디 아냐, 이셩화긔로 위로ᄒᆞ여 ᄉᆞᄋᆡ 다 작인이 심상치 아니니, 결단코 독슈의 맛디 아닐 줄 고ᄒᆞ

1281)일악(一惡) : 가장 악독한 악행 또는 그러한 악행을 저지른 사람.
1282)방냥(放良) : 노비를 놓아주어 양인(良人)이 되게 하던 일.

ᄐᆡ부인이 대경ᄒᆞ여 밧비 금【54】니을 허[헷]치고, 양안이 두렷ᄒᆞ여 ᄀᆞᆯ오ᄃᆡ,

"이 므ᄉᆞᆷ 말이며 엇진 일고? 작야의 유모로 상하의셔 ᄌᆞ거ᄂᆞᆯ, ᄂᆡ 어로만져 편히 눕도록 ᄒᆞᆫ 후, ᄌᆞᆷ을 들어시니, 그 ᄋᆞ이 어ᄃᆡ로 갓단 말고?"

시녀 등으로 하부 진부와 문양궁을 다 보라 ᄒᆞᄃᆡ 그림ᄌᆞ도 업ᄉᆞ니, ᄐᆡ부인과 공의 부부 참담ᄒᆞᆷ은 니르도 말고, 합문 샹히 믈끌 ᄃᆞᆺ 경황ᄒᆞ미 비ᄒᆞᆯ ᄃᆡ 업고, 져마다 낙담상혼(落膽喪魂)ᄒᆞ여 스ᄉᆞ로 일악(一惡)[1080] ᄃᆡ죄을 지은 ᄃᆞᆺ, 가듕 경ᄉᆡᆨ이 크게 비황(悲況)ᄒᆞᆫ지라.

○[ᄐᆡ]부인은 노인의 약ᄒᆞᆫ 심경의 괴이ᄒᆞᆫ 변을 당ᄒᆞ여 ᄉᆞ아을 목젼의 죽인 ᄃᆞᆺᄒᆞ여, 천항(千行) 누쉬(淚水) 의상을 젹시니, 금휘 ᄉᆞ아을 일코 참졀통상ᄒᆞᆫ 심ᄉᆞ의 모친의 과상ᄒᆞ시믈 보고, 여러 가지 ᄎᆞ악ᄒᆞ믈 니긔지 못ᄒᆞᄃᆡ, 쳔만 강잉(强仍)ᄒᆞ여 화열ᄒᆞᆫ ᄉᆞᄉᆡᆼ[ᄉᆡᆨ]으로 모친을 위로ᄒᆞ고, 일변 윤부의 히아(孩兒) 일으믈 통ᄒᆞ고, 노복《을‖으로》 방방곡곡의 두루 도라 ᄎᆞᄌᆞ, ᄉᆞ오일의 소식을 알아ᄂᆡ리 이시면 일ᄉᆡᆼ을 방냥(放良)[1081] ᄒᆞ고 쳔금 상을 주리라 ᄒᆞᆫᄃᆡ, 노복 등이 귀신의 슬긔 업ᄂᆞᆫ지라. 한총의 집의 ᄉᆞᆷ아 잇시며 소ᄐᆡ우 부듕의 윤아 잇시믈 엇지 알니오. 종일 찻다가 못ᄒᆞ여 헛도이 도라오고, 병부ᄂᆞᆫ 영ᄐᆡᄉᆞ 뎡공이 쳥ᄒᆞ므로 셩ᄂᆡ의 드러갓다가 밤을 지ᄂᆡ고 늣게야 도라오니, ᄉᆞ아을 일헛ᄂᆞᆫ지라.

ᄎᆞ악ᄒᆞ믈 니긔지 못ᄒᆞᄃᆡ 존【55】당 부모의 슬허ᄒᆞ시믈 민망ᄒᆞ여 비ᄉᆡᆨ을 낫토지 아냐, 이셩화긔로 위로ᄒᆞ여 ᄉᆞᄋᆡ 다 작인이 심상치 아냐 결단코 독수의 맛지 아닐 줄

1080)일악(一惡) : 가장 악독한 악행 또는 그러한 악행을 저지른 사람.
1081)방냥(放良) : 노비를 놓아주어 양인(良人)이 되게 하던 일.

고, 하쇼져와 졔뎨로 더브러 언쇠 ᄌᆞ약ᄒᆞ여, 부부ᄉᆞ졍과 부ᄌᆞ【37】텬뉸을 모로ᄂᆞᆫ ᄃᆞᆺᄒᆞ니, 금후ᄂᆞᆫ 그 팀위ᄒᆞᆫ 녁냥과 상활ᄒᆞᆫ 인물을 두ᄀᆞᆺ기나, 조모와 모친은 도로혀 비인졍으로 아라 그 심디를 측냥티 못ᄒᆞ고, 윤태우ᄂᆞᆫ ᄋᆞᄌᆞ 실니ᄒᆞᆫ 소식을 듯고 즉시 운산의 나와 경참ᄒᆞ믈 일ᄏᆞᄅᆞᄃᆡ, 원ᄂᆡ 위인이 병부와 방불ᄒᆞ여 심니의 쳔슈만한(千愁萬恨)의 괴로오미 이시나, 외모의 ᄉᆞ식ᄒᆞ미 업고, ᄋᆞᄌᆞ를 일허 통졀ᄒᆞᆫ 심ᄉᆡ 니를 거시 업ᄉᆞ나, 비쳑ᄒᆞ미 업서 튱텬디긔(衝天之氣)와 하일디위(夏日之威) 영쥰의 긔상이 당당ᄒᆞ고 대댱부의 풍이 늠늠ᄒᆞ니, 태부인과 딘부인이 눈물을 ᄲᅳ려 왈,

"녀ᄋᆡ【38】 망측ᄒᆞᆫ 죄루를 시러 원뎍ᄒᆞ나 일개 골육을 끼쳐 내 집의 머므르니, 쥬야의 참졀ᄒᆞᆫ 심ᄉᆞ를 금억ᄒᆞ여 유ᄋᆞ를 어로만져 무ᄉᆞ히 ᄌᆞ라기를 튝원ᄒᆞ더니, 일야디ᄂᆡ의 ᄉᆞᄋᆞ를 다 일흐니, 놀랍고 참통ᄒᆞ믈 형상치 못ᄒᆞ고, 윤ᄋᆞᄂᆞᆫ 옥누항의 두던들 실니ᄒᆞᄂᆞᆫ 변이 업술 거슬, 브졀업시 다려와 일흔 비 되니, 딘실노 현셔를 ᄃᆡᄒᆞᆯ 낫치 업도다."

태위 도로혀 화히 웃고, 위로 왈,

"ᄉᆞᄉᆡ(事事) 텬명이라. 인력으로 도망티 못ᄒᆞᆸᄂᆞ니 유ᄋᆞ를 실산ᄒᆞ미 참졀ᄒᆞ오나, 존문과 쇼싱의 집이 다 블힝ᄒᆞᆫ ᄯᅢ【39】를 당ᄒᆞ여 골육을 실니ᄒᆞ오니, 셰간의 드믄 변괴오나 원간 현긔 등 삼인과 쇼싱의 유지 용이ᄒᆞᆫ 상모ᄂᆞᆫ 아니ᄋᆞᆸ고, 슈화의 너허도 ᄌᆞ연 ᄉᆞ라날 도리 잇ᄉᆞ오리니, 일이 이의 밋츤 후ᄂᆞᆫ 통상(痛傷)ᄒᆞ여 무익ᄒᆞ온디라. 타일의 됴흔 시졀을 기다리시고, 니합(離合)과 화복(禍福)이 뎡쉬(定數) 이시물 싱각ᄒᆞ샤 브졀업시 심녀티 마르쇼셔."

태부인과 딘부인이 그 활달한 말을 듯고 긔상을 아름다이 넉이나, 윤·양 등의 거쳐 모롬과 녀ᄋᆞ의 원뎍ᄒᆞ믈 슬허ᄒᆞᄂᆞᆫ ᄀᆞ온ᄃᆡ, ᄉᆞᄋᆞ를 실니ᄒᆞ미 각골통도ᄒᆞ니 남휘 조모와 모친【40】을 위로ᄒᆞ고, 금후ᄂᆞᆫ 시녀 등 죄만흐물 엄히 다사리라 ᄒᆞ며, ᄉᆞᄋᆞ의 유모ᄂᆞᆫ

고ᄒᆞ고, 하소져와 졔졔로 더부러 언쇠 ᄌᆞ약ᄒᆞ여, 부ᄌᆞ쳔뉸을 모로는 듯ᄒᆞ니, 금후ᄂᆞᆫ 그 침듕ᄒᆞᆫ 식냥(識量)1082)과 상활ᄒᆞᆫ 이[인]물을 두ᄀᆞᆺ기나, 조모와 모친은 도로혀 비인졍으로 알아 그 심지을 측냥치 못ᄒᆞ고, 윤ᄐᆡ우ᄂᆞᆫ 아ᄌᆞ 실니ᄒᆞᆫ 소식을 듯고 즉시 운산의 나와 경참ᄒᆞ믈 일커르ᄃᆡ, 원ᄂᆡ 위인이 뎡후와 방불ᄒᆞ여, 심니의 쳔슈만한(千愁萬恨)○[의] 괴로오미 잇시나, 외모의 ᄉᆞ식ᄒᆞ미 업고, 아ᄌᆞ을 일허 통졀ᄒᆞᆫ 심ᄉᆡ 니을 거시 업시[스]나 비쳑ᄒᆞ미 업시[서], 튱쳔지긔(衝天之氣)와 하일지위(夏日之威) 영쥰의 긔상이 당당ᄒᆞ고 ᄃᆡ장부의 풍이 늠늠ᄒᆞ니, ᄐᆡ부인과 진부인이 눈물을 ᄲᅮ려 와[왈],

"녀ᄋᆡ 망측ᄒᆞᆫ 죄루을 시러 원젹ᄒᆞ나 일기 골육을 끼쳐 ᄂᆡ 집의 머무러니, 주야의 참졀ᄒᆞᆫ 심ᄉᆞ을 금억ᄒᆞ여 유아을 어로만져 무ᄉᆞ히 ᄌᆞ라기을 축원ᄒᆞ더니, 일야간의 ᄉᆞ아을 다 일으ᄆᆡ 경참ᄒᆞ믈 형상치 못ᄒᆞ고, 윤아ᄂᆞᆫ 옥누항의 두던들 실니ᄒᆞᄂᆞᆫ 변이 업슬 거슬, 부졀업시 다려와 일흔 비 되니, 진실노 현셔을 ᄃᆡᄒᆞᆯ 낫치 업도【56】다."

ᄐᆡ위 도로혀 화히 웃고 위로 왈,

"ᄉᆞᄉᆡ(事事) 쳥[쳔]명이라, 인녁으로 도망치 못ᄒᆞᆸᄂᆞ니 유아을 실니ᄒᆞ미 참졀ᄒᆞ오나, 조[존]문과 소싱의 집이 다 블힝ᄒᆞᆫ ᄯᅢ을 당ᄒᆞ여 골육을 실니ᄒᆞ오니, 셰간의 드믄 변괴오나 원간 현긔 등 삼인과 소싱의 유ᄋᆡ 용이ᄒᆞᆫ 상모ᄂᆞᆫ 아니ᄋᆞᆸ고, 수화의 너허도 ᄌᆞ연 ᄉᆞ라날 도리 잇ᄉᆞ오리니,, 일이 이의 밋찬 후ᄂᆞᆫ 통상ᄒᆞ여 무익ᄒᆞ온지라, 타일 조흔 시졀을 기ᄃᆞ리시고 브졀업시 싱각지 마르소셔."

ᄐᆡ부인과 진부인이 그 활달한 말을 듯고 긔상을 아름다이 넉이나, 윤·양 등의 거쳐 모름과 녀ᄋᆞ의 원젹ᄒᆞ믈 슬허ᄒᆞᄂᆞᆫ 가온ᄃᆡ, ᄉᆞ아을 실니ᄒᆞ미 각골통도ᄒᆞ니 남휘 조모와 모친을 위로ᄒᆞ고, 금후ᄂᆞᆫ 시녀 등 ᄐᆡ만ᄒᆞ물

1082)식냥(識量) : 식견과 도량을 아울러 이르는 말.

품고 ᄌᆞ던 ᄋᆞᄒᆡ 거쳐를 모로노라 ᄒᆞ미, 더욱 슈상ᄒᆞ니 엄형츄문코져 ᄒᆞ거ᄂᆞᆯ, 남휘 간왈,

"ᄉᆞᄋᆞ 등 유모ᄂᆞᆫ 위인이 간악디 아니 ᄒᆞ오니 결단코 ᄒᆡ홀 니 업ᄉᆞᆸ고, 시녀 등이 상시 조심ᄒᆞ여 태만ᄒᆞᆫ 일이 업ᄉᆞᆸ던 ᄇᆡ니, 엇디ᄒᆞ여 금일 효신(曉晨)이 되도록 니러나디 아냐, 존당 슉덕을 그러ᄐᆞᆺ 완만이 ᄒᆞ리잇고마ᄂᆞᆫ, 반드시 기듕 각별ᄒᆞᆫ 변이 이셔, 후려가며 져 시녀 등의 졍신을 혼미케 ᄆᆡᆫᄃᆞ라 날이 ᄉᆡ도록 아디 못ᄒᆞ게 ᄒᆞ오미니, 무죄ᄒᆞᆫ 시【41】녀 등을 엄티ᄒᆞ오미 무익홀가 ᄒᆞᄂᆞ이다."

금휘 병부의 말이 올흔 줄 ᄭᆡᄃᆞ라, ᄉᆞᄋᆞ의 유모와 졔시녀를 다 샤ᄒᆞ고 오딕 비분ᄒᆞ믈 니긔디 못ᄒᆞ니, 합가의 슈운(愁雲)이 참참ᄒᆞ더라. 졔시녜 참담ᄒᆞᆫ 듕 죄를 면ᄒᆞ여 영힝 튝슈(祝手)ᄒᆞ나, ᄉᆞᄋᆞ의 거쳐 ᄉᆡᆼ존을 몰나 크게 슬허ᄒᆞ더라. 날이 져문 후 윤태위 도라 가고, 남휘 고요히 외헌의 독좌ᄒᆞ여 ᄌᆞ긔 ᄇᆡ항(配行)의 ᄋᆡᆨ회 괴이ᄒᆞᆫ믈 ᄎᆞ셕ᄒᆞ고, ᄌᆞ녀의 교연(嬌然)ᄒᆞ믈 ᄉᆡᆼ각ᄒᆞ여, 윤·양과 삼ᄋᆡ 상뫼 긔이ᄒᆞ물 미더 ᄉᆞ디를 면홀가 바라나, 인ᄉᆞ로 니르면, 냥부인과 ᄌᆞ녜 다【42】 죽기 쉬온디라. 댱부의 쳘셕심장이나 참연ᄒᆞᆫ 회포를 니긔디 못ᄒᆞ여, 슈셩탄식의 눈물의 ᄶᅥ러져 공쥬를 분한ᄒᆞ미 골돌ᄒᆞ여, 대쇼환난이 다 문양의 작악이믈 짐작ᄒᆞᄆᆡ, 공쥬를 엄형츄문ᄒᆞ여 간졍을 들쳐 ᄂᆡᆯ 줄 모로리오마ᄂᆞᆫ, 범간 일을 ᄯᆡ를 기다리ᄂᆞᆫ 고로 급히 셔도디 아니려 ᄒᆞ미라.

이부인 텬향아딜과 션풍옥모를 그윽이 ᄉᆞ상(思想)ᄒᆞ여, 태산 ᄀᆞᆺ튼 은졍을 셔리담아[1283] 그 ᄉᆡᆼᄉᆞ를 우렴(憂念)ᄒᆞ미 비길 곳이 업고, ᄌᆞ녜 능히 독슈를 버셔나 어나 곳의 잇ᄂᆞᆫ고? ᄉᆡᆼ각ᄂᆞᆫ 의ᄉᆡ 이의 밋쳐ᄂᆞᆫ 녈홰니【43】러나 공쥬를 고ᄃᆡ[1284] 업시ᄒᆞ고, 쳐ᄌᆞ의 거쳐를 몸소 두로 도라 ᄎᆞᆽ고져 ᄒᆞ나

1283)셔리담다 : (생각이나 느낌 따위를) 차곡차곡 간직하다.

1284)고ᄃᆡ ; 곧. 즉시.

엄히 다ᄉᆞ리라 ᄒᆞ며, ᄉᆞ아의 유모ᄂᆞᆫ 품고 ᄌᆞ던 아희 거쳐을 모로노라 ᄒᆞ미, 더욱 슈상ᄒᆞ니 엄형츄문코져 ᄒᆞ거ᄂᆞᆯ, 남휘 고왈,

"ᄉᆞ아 등 유모ᄂᆞᆫ 결단코 위인이 간악지 아니 ᄒᆞ오니 ᄉᆞ아을 ᄒᆡ홀 니 업ᄉᆞᆸ고, 시녀 등은 상시 조심ᄒᆞ여 ᄐᆡ만ᄒᆞᆫ 일이 업ᄉᆞᆸ더니, 엇지ᄒᆞ여 금일 효신이 되도록 니러나지 아냐, 존당 숙직을 그러ᄐᆞᆺ 완만이 ᄒᆞ리잇고? 반다시 기듕 각별ᄒᆞᆫ 변이 잇셔, 후려가랴 졔 시녀 등의 젼[졍]신을 혼미케 ᄆᆡᆫ드러 날이 ᄉᆡ도【57】록 아지 못ᄒᆞ게 ᄒᆞ오미니, 무죄ᄒᆞᆫ 시녀 등을 엄치ᄒᆞ오미 무익홀가 ᄒᆞᄂᆞ이다."

금휘 병부의 말이 올흔 줄 ᄭᆡᄃᆞ라, 《ᄉᆞ오‖ᄉᆞ아》 유모와 졔시녀을 다 샤ᄒᆞ고, 오직 비분ᄒᆞ믈 니긔지 못ᄒᆞ니, 합가의 슈운(愁雲)이 참참ᄒᆞ더라. 졔시녜 듕죄을 면ᄒᆞ니 영힝 축수(祝手)ᄒᆞ나, ᄉᆞ아의 거쳐 ᄉᆡᆼ존을 몰나 크게 슬허ᄒᆞ더라. 날이 져문 후 윤ᄐᆡ우 도라 가고, 남휘 고요이 외헌의 독좌ᄒᆞ여 ᄌᆞ긔 ᄇᆡ항(配行)의 ᄋᆡᆨ회 괴이ᄒᆞ믈 ᄎᆞ셕ᄒᆞ고, ᄌᆞ녀의 교연(嬌然)ᄒᆞ믈 ᄉᆡᆼ각ᄒᆞ여, 윤·양과 삼ᄋᆡ 상뫼 긔이ᄒᆞ믈 미더 ᄉᆞ지을 면홀가 바라나, 인ᄉᆞ을 이르면, 냥부인과 ᄌᆞ녀 다 죽기 쉬온지라. 장부 쳘셕심장이나 참연ᄒᆞᆫ 회포을 이긔지 못ᄒᆞ여, 수셩탄식의 눈물 ᄶᅥ러져 공주을 분한ᄒᆞ미 골돌ᄒᆞ여, ᄃᆡ소환란이 다 문양의 작얼이믈 짐작ᄒᆞᄆᆡ, 공주을 엄형츄문ᄒᆞ여 간졍을 들쳐 ᄂᆡᆯ 줄 모로리오마ᄂᆞᆫ, 범간 일을 ᄯᆡ을 기다리ᄂᆞᆫ 고로 급히 셔드지 아니려 ᄒᆞ미라.

니[이]부인 쳔향아질과 션풍옥모을 그윽이 ᄉᆞ상(思想)ᄒᆞ여, ᄐᆡ산 갓튼 은졍을 셔리담아[1083] 그 ᄉᆡᆼᄉᆞ을 우려ᄒᆞ미 비길 곳지 업고, ᄌᆞ녀 등이 독수을 버셔나 어ᄂᆡ 곳의 잇ᄂᆞᆫ고. 열홰 이러나 공주을 고ᄃᆡ[1084] 업시코져 ᄒᆞ나 여의치 못ᄒᆞ니, 뎡히 밋칠 듯 초장ᄒᆞ믈 이긔지 못ᄒᆞ더【58】라. 이ᄯᆡ 심복 시

1083)셔리담다 : (생각이나 느낌 따위를) 차곡차곡 간직하다.

1084)고ᄃᆡ ; 곧. 즉시.

뜻과 ᄀᆞᆺ디 못ᄒᆞ니, 뎡히 밋출 ᄃᆞᆺ 취ᄒᆞᆫ ᄃᆞᆺ 희허 초장ᄒᆞ믈 니긔디 못ᄒᆞ더니, 심복 시노 뎡필이 맛촘 셩ᄂᆡ의 갓다가, 우연이 경참졍 부듕을 디나ᄆᆡ ᄉᆞᄋᆞ를 야간의 일흐믈 고ᄒᆞ니, 경공 부부 부ᄌᆡ 윤·양의 화ᄋᆡᆨ을 드른 후로ᄂᆞᆫ 슉혜쇼져의 젼졍을 더욱 우려ᄒᆞᄂᆞᆫ ᄇᆡ러니, 다시 그 ᄌᆞ녀를 마자 일흐믈 드르니 심골이 셔늘ᄒᆞ여 병부 왕ᄂᆡ를 막ᄌᆞ르ᄆᆡ, 녀ᄋᆞ를 영영 ᄀᆞᆷ초아 공쥬로 ᄒᆞ여금 아조 아디 못ᄒᆞ게 ᄒᆞ려 결단ᄒᆞ고, ᄎᆞ시 경시랑 츈긔 소【44】쥬ᄌᆞᄉᆞ로 나가ᄂᆞᆫ디라. 경공이 짐ᄌᆞᆺ 녀ᄋᆞ를 ᄋᆞᄌᆞ 힝거의 ᄌᆞᆾᄎᆞ 소쥐로 가믈 팅(稱)ᄒᆞ고, 셔간을 병부긔 븟티고 가마니 집의 숨어시라 ᄒᆞ니, 쇼졔 병부의 셩졍을 아ᄂᆞᆫ 고로 ᄌᆞ긔 소쥐 가믈드르면 크게 블열ᄒᆞᆫ 줄 알오ᄃᆡ, 부모 념녜 과도ᄒᆞ시믈 민망ᄒᆞ고 역시 병부의 왕ᄂᆡ를 깃거ᄒᆞ디 아니ᄒᆞ므로, 슈일 후 소쥐로 발힝ᄒᆞᄂᆞᆫ 소유를 베퍼 셔간을 닷가 경필을 맛디니, 필이 가져와 틈를 엿더니, 병부의 혼ᄌᆞ 고요히 이시믈 보고 셔간을 올니니, 병뷔 바다보ᄆᆡ 이곳 경공 부녀의 셔간이라.

공의 셔간은 대개 부마 왕ᄂᆡ ᄌᆞᄌᆞ니,【45】 혹ᄌᆞ 문양궁의셔 알오미 이신즉 녀ᄋᆞ의 참홰 머디 아닐디라, 브득이 ᄋᆞᄌᆞ로 ᄌᆞᆾᄎᆞ 소쥐로 보ᄂᆡ믈 닐넛고, 쇼져 셔간은 오딕 부모명으로 거거를 ᄯᆞ라 소쥬로 발힝ᄒᆞ믈 닐너시니, 병뷔 비록 윤·양과 ᄌᆞ녀를 실산ᄒᆞ여 거쳐를 모로나, 오히려 일분 위로ᄒᆞᄂᆞᆫ ᄇᆡ 경시의 ○○○[잇더라].

노 보필경이 맛촘 셩ᄂᆡ의 갓다가 우연이 경참졍 부듕을 지나ᄆᆡ, ᄉᆞ아을 야간의 일흐믈 고ᄒᆞ니, 경공 부부 부ᄌᆡ 윤·양의 화ᄋᆡᆨ을 드른 후로ᄂᆞᆫ 슉혜소져의 젼졍을 더욱 우려ᄒᆞ던 ᄇᆡ러니, 다시 그 ᄌᆞ녀을 마자 일흐믈 드르ᄆᆡ 녀아을 영영 ᄀᆞᆷ초아 공주로 ᄒᆞ여금 아지 못ᄒᆞ게 ᄒᆞ려 결단ᄒᆞ고, ᄎᆞ시 경시랑 춘긔 소주ᄌᆞᄉᆞ로 가ᄂᆞᆫ지라. 경공이 짐짓 녀아을 아ᄌᆞ 힝거의 조ᄎᆞ 소주○[로] 가물 칭(稱)ᄒᆞ고, 셔간을 병부게 붓치며 가마니 집의 숨엇시라 ᄒᆞ니, 소졔 병부의 셩졍을 아ᄂᆞᆫ 고로 ᄌᆞ긔 소주 가믈드르면 크게 블열ᄒᆞᆯ 줄 아르ᄃᆡ, 부모 념녀 과도ᄒᆞ시물 민망ᄒᆞ고 역시 병부 왕ᄂᆡ을 깃거아닛ᄂᆞᆫ 고로, 수일 후 소쥬로 발힝ᄒᆞᄂᆞᆫ 소유을 베퍼 셔간을 닷가 경필을 쥬니, 필이 가져와 틈을 엇[엿]더니, 병부 홀노 잇시믈 보고 셔간을 올니니, 병뷔 바다보ᄆᆡ 이곳 경공 부녀의 셔간이라.

공의 셔간은 ᄃᆡᄀᆡ 부마 왕ᄂᆡ ᄌᆞᄌᆞ니 혹ᄌᆞ 문양궁의 안 ᄇᆡ 된즉, 녀아의 《화ᄉᆡᆨ∥화ᄋᆡᆨ》이 머지 아닐지라. 브득이 아ᄌᆞ을 ᄌᆞᆾᄎᆞ 소주로 보ᄂᆡ물 일캇고, 소져 셔간은 오작 부모명으로 거거을 ᄯᆞ라 소주로 발힝ᄒᆞ물 일너시니, 병부 비록 윤·양과 ᄌᆞ녀을 실산ᄒᆞ여 거쳐을 모로나, 오히려 일분 위로ᄒᆞᄂᆞᆫ ᄇᆡ 경시의 잇더라.【59】

셰ᄌᆡ 갑인(甲寅) 동(冬) 십월 망일(望日)에 창농[뇽] 노수(老叟) 샤(寫) 우(于) 향남셔실(香南書室).

명주보월빙 권지십ᄉᆞ 종【60】

○○○○○○○[차셜 남휘 경시의] 션연아태와 슉ᄌᆞ혜힝을 ᄋᆡ듕ᄒᆞ며, ᄋᆞᄌᆞ의 농닌 ᄀᆞᆺ튼 픔격을 과ᄋᆡᄒᆞ여 일삭의 슈삼ᄎᆞ를 구ᄎᆞ히 틈을 어더 경부의 가더니, 문득 아으라히 소쥬로 가믈 하딕ᄒᆞ여시니, ᄌᆞ긔 왕ᄂᆡ를 ᄉᆡᆫ코 깁히 숨으려 ᄒᆞ민 줄 디긔ᄒᆞᄃᆡ, 혹ᄌᆞ 만분의【46】 일이나 소쥬로 가ᄂᆞᆫ가 악연실망ᄒᆞ여, 명일 경공 부ᄌᆞ를 보고 쇼져를 보ᄂᆡ디 못ᄒᆞᆯ 줄 니르려 ᄒᆞ엿더니, 일이 공교ᄒᆞ여 태부인이 현긔 등 ᄉᆞᄋᆞ를 일코 심ᄉᆞ를 과상ᄒᆞ여, 셩딜ᄒᆞ여 상요의 누으ᄆᆡ, 금휘 황황초민(遑遑焦悶)ᄒᆞ여 일야 병측을 ᄯᅥ나디 못ᄒᆞ고, 약음과 듁물을 친히 맛보아 ᄇᆡᆨᄉᆞ의 모친 ᄯᅳᆺ을 맛초며, 병부 등 졔ᄌᆞ를 명ᄒᆞ여 셰상 긔담미어를 모된긔 고ᄒᆞ여 ᄒᆞᆫ번 우으시게 ᄒᆞ여, 비록 어린 공ᄌᆞ 등이라도 모친을 ᄯᅥ나디 못ᄒᆞ게 ᄒᆞ니, ᄒᆞ믈며 병부와 혹ᄉᆞ야 여측 밧긔 엇디 움즉일 의ᄉᆞ【47】를 ᄂᆡ리오. 이러므로 병뷔 경ᄌᆞᄉᆞ를 문외의 뎐별치 못ᄒᆞ고, ᄌᆞ식 금후긔 하딕고져 뎡부의 니르나, 금휘 친환을 일ᄏᆞ라 잠간 보고 즉시 병부 등을 다리고 안흐로 드러가니, 병뷔 어ᄃᆡ 가 ᄌᆞᄉᆞ다려 쇼져 거취를 니르리오.

다만 ᄌᆞᄉᆞ의 위인이 출가ᄒᆞᆫ 누의를 관읍의 다려가디 아닐 바를 미드며, 쇼졔 결연이 ᄌᆞ긔 허락을 듯디 아니ᄒᆞ고 소쥬로 힝치 못ᄒᆞᆯ 거시므로, 조모 환후의 우황(憂惶)ᄒᆞ여 타려(他慮)를 두디 못ᄒᆞ더니, 경ᄌᆞ식 출ᄒᆡᆼᄒᆞ연 디 일슌이 되고, 태부인이 효ᄌᆞ 현손의 동측ᄒᆞᆫ 정셩과 쥬야 초조하믈 도【48】로혀 민망ᄒᆞ여, 심ᄉᆞ를 널니고 ᄉᆞᄋᆞ를 닛기를 위쥬ᄒᆞ여 십여일 후 병셰 잠간 나으니, 가듕이 대열ᄒᆞ고 금휘 졔ᄌᆞ를 슈일 몸을 쉬라 ᄒᆞ니, 병뷔 거즛 운화ᄉᆞ 풍경을 잠간 보고 도라오믈 고ᄒᆞ여, 슈삼일 유완ᄒᆞ라 ᄒᆞᄂᆞᆫ 명을 어드ᄆᆡ, 즉시 하딕고 바로 경부의 니르니, 경공이 ᄌᆞᄉᆞ를 먼니 보ᄂᆡ고 홀연ᄒᆞ여

명쥬보월빙 권지십오

차셜 남휘 경시의 션년아ᄐᆡ와 숙ᄌᆞ혜힝을 ᄋᆡ즁ᄒᆞ며, 아ᄌᆞ의 농닌 갓튼 픔격을 ᄋᆡ즁ᄒᆞ며[여] 일삭○[의] 슈숨 번을 구ᄎᆞ히 틈을 어더 경부의 가더니, 문득 아으라히 소ᄌᆔ로 가[감]을 하직ᄒᆞ여시니, ᄌᆞ긔 왕ᄂᆡ을 ᄉᆡᆫ고 깁히 숙[숨]으려 ᄒᆞ미[민] 줄 지긔ᄒᆞᄃᆡ, 혹ᄌᆞ 만분의 일니[이]나 소ᄌᆔ로 갈가 악연(愕然) 실망ᄒᆞ여, 명일 경공 부ᄌᆞ를 보고 소져을 보ᄂᆡ지 못ᄒᆞᆯ 쥴 니르려 ᄒᆞ여[엿]더니, 일이 공교ᄒᆞ여 ᄐᆡ부인이 현긔 등 ᄉᆞ아을 일호[코] 심ᄉᆞ을 과상ᄒᆞ여, 셩질ᄒᆞ여 ᄉᆞᆼ 우의 누으ᄆᆡ, 근[금]휘 《왕‖황황》초민(遑遑焦悶)ᄒᆞ여 일야 병측을 ᄯᅥ나지 못ᄒᆞ고, 약물과 쥭음을 맛보아 ᄇᆡᆨᄉᆞ의 모친 ᄯᅳᆺ을 맛초며, 병부 등 졔ᄌᆞ을 명ᄒᆞ여 ᄒᆞᆫ번 우으시게 ᄒᆞ여, 비록 어린 공ᄌᆞ 《드니‖등이》라도 모젼을 ᄯᅥ나지 못ᄒᆞ게 ᄒᆞ니, 허몰며 병부와 혹ᄉᆞ야 여측 박긔 엇지 움즉일 의ᄉᆞ을 ᄂᆡ리오. 이러무로 병부 경ᄌᆞᄉᆞ을 문외의 젼별치 못ᄒᆞ고, ᄌᆞ식 금후게 하직고져 뎡부의 니르나, 금휘 친환을 일커러 ᄌᆞᆷ간 보고 즉시 병부 등을 다리고 안흐로【1】 드러가니, 병부 어ᄃᆡ 가 ᄌᆞ식다려 소져 거취을 니르리오.

다만 ᄌᆞᄉᆞ의 위인이 츌가ᄒᆞᆫ 누의을 관부의 다려가지 《아일‖아닐》 바을 미드며, 소져 결연이 ᄌᆞ긔 허락을 《쥬지‖듯지》 아니ᄒᆞ고 소ᄌᆔ로 힝치 못헐 거시무로, 조모 환후의 우황(憂惶)ᄒᆞ여 타려(他慮)을 두지 못ᄒᆞ더라. 경ᄌᆞ식 출ᄒᆡᆼᄒᆞ연 지 일슌이 되고, ᄐᆡ부인이 효ᄌᆞ 현손의 동측ᄒᆞᆫ 정셩과 쥬야 초조ᄒᆞᆷ을 《도오려‖도로혀》 민망ᄒᆞ여, 심ᄉᆞ을 널니고 ᄉᆞ아을 이[잇]긔를 위쥬ᄒᆞ야 십여일 후 병셰 잠간 나으니, 가듕이 ᄃᆡ열ᄒᆞ고 금휘 졔ᄌᆞ을 슈일 쉬라 ᄒᆞ니, 병부 거즛 운화ᄉᆞ 풍경을 ᄌᆞᆷ간 보고 도라오믈 고ᄒᆞ여, 슈숨일 유완ᄒᆞ라 ᄒᆞᄂᆞᆫ 명을 어드ᄆᆡ, 즉시 ᄒᆞ직고 경부의 니르니, 경공이 ᄌᆞᄉᆞ로

셔헌의셔 이ᄌᆞ의 시젼을 술피더니, 뎡병부의 와시믈 보고 반ᄃᆞ시 녀ᄋᆞ를 소쥬로 간 줄 알니라. 쥬의를 뎡ᄒᆞ고 즉시 쳥ᄒᆞ여 셔로 볼ᄉᆡ, 공이 태부인 환휘 ᄎᆞ경ᄒᆞ시믈 팅하(稱賀)ᄒᆞ고, ᄉᆞᄋᆡ 일야디【49】간 실니ᄒᆞ믈 ᄎᆞ셕ᄒᆞ여 ᄒᆞ니, 병뷔 흔연이 공의 말을 ᄃᆡ답ᄒᆞ다가, 홀연 탄식 왈,

"쇼ᄉᆡᆼ이 삼ᄋᆞ와 ᄉᆡᆼ딜을 일시의 실니ᄒᆞ고 ᄆᆞ음이 여취여광(如醉如狂)ᄒᆞ여 참졀ᄒᆞ믈 니긔디 못ᄒᆞᄋᆞᆸᄂᆞ니, 텬뉸ᄌᆞᄋᆡ는 다 ᄒᆞᆫ가디라. ᄒᆞ물며 쇼ᄉᆡᆼ은 삼ᄋᆞ를 일코, 당시ᄒᆞ여는 부ᄌᆞ의 졍을 펼 곳이 녕녀의 쇼ᄉᆡᆼ ᄲᅮᆫ이라. 금일은 ᄒᆞᆫ갓 악댱긔 ᄇᆡ현키만 위ᄒᆞ미 아니오, 유ᄋᆞ를 보려 왓ᄂᆞ이다."

공이 짐즛 니르ᄃᆡ,

"ᄌᆞ녀 실니ᄒᆞᆫ ᄆᆞ음이 온젼치 못ᄒᆞ나, 엇디 졍신이 져려ᄒᆞ여 녀ᄋᆞ 모ᄌᆞ를 집의 잇는가 넉이ᄂᆞ뇨? 녀ᄋᆡ 경셩의 이신 후는 챵ᄇᆡᆨ의 왕【50】ᄂᆡ ᄌᆞᆺ고, 문견인의 입을 막디 못ᄒᆞ여 군이 내 집 동상이믈 젼파ᄒᆞᆫ즉, 녕엄이 알고 챵ᄇᆡᆨ을 다ᄉᆞ리면 오히려 젹은 일이어니와, 문양궁의셔 알면 반ᄃᆞ시 녀ᄋᆞ 모ᄌᆡ 맛ᄎᆞ리니, 여러 가디로 ᄉᆞ량ᄒᆞ여 됴ᄒᆞᆫ 도리를 엇디 못ᄒᆞ고, ᄇᆞ득이 돈ᄋᆞ를 좃ᄎᆞ 소쥬로 보ᄂᆡ미, 낫ᄎᆞ로 하딕디 못ᄒᆞ고 ᄯᅳᆺ을 군의게 통ᄒᆞ엿더니, 녕존당 환후의 우황ᄒᆞ믈 인ᄒᆞ여 군의 답간을 보디 못ᄒᆞ여시니, 대개 챵ᄇᆡᆨ의 ᄆᆞ음의도 희롭디 아냐 말니는 거죄 업던가 ᄒᆞᄂᆞ니, 유ᄋᆞ를 부ᄌᆞ디졍으로 보고져 ᄒᆞ미야 엇디 괴이ᄒᆞ리오마는, 발셔 소쥬【51】로 가시니, 돈ᄋᆡ 기관(棄官)ᄒᆞ고 도라올 시졀을 기다리라."

병뷔 공의 ᄢᅦ치믈 드르ᄃᆡ 그러히 넉이미 업고 ᄌᆞ약히 쇼왈,

"악댱은 쇼ᄉᆡᆼ을 삼셰 쳑동(尺童)으로 아라 ᄆᆡᆨ밧는 긔롱이 이ᄀᆞᆺᄐᆞ시니, 참괴ᄒᆞ와 답ᄒᆞᆯ 말ᄉᆞᆷ을 아디 못ᄒᆞ거니와, 텬위 옥당(玉堂) 한원(翰苑)의 쳥현을 ᄌᆞ임ᄒᆞ는 명ᄉᆞ로, 녜의를 슈련ᄒᆞ믈 텬셩의 타난 ᄇᆡ라. ᄯᅩᄒᆞᆫ 쥰쥰(蠢蠢) 무식(無識)ᄒᆞᆯ[ᄒᆞᆫ] 필부와 ᄀᆞᆺ디

[을] 먼니 보ᄂᆡ고 홀연ᄒᆞ야 셔헌의셔 아ᄌᆞ의 시젼을 술피더니, 뎡후의 왓시믈 보고 반다시 녀아을 소쥬로 간 쥴 알니라, 쥬의을 졍ᄒᆞ고 즉시 쳥ᄒᆞ여 셔로 볼ᄉᆡ, 공이 《취[ᄐᆡ]부인 환휘 ᄎᆞ경ᄒᆞ시믈 칭하(稱賀)ᄒᆞ고 ᄉᆞᄋᆡ 일야지간 실니ᄒᆞ믈 ᄎᆞ셕ᄒᆞ여 ᄒᆞ니, 병부 흔연이 공의 말을 ᄃᆡ답ᄒᆞ다가,【2】홀연 탄식 왈,

"소ᄉᆡᆼ이 ᄉᆞᆷ아와 ᄉᆡᆼ질을 일시의 실니ᄒᆞ○[고] ᄆᆞ음니[이] 여취여광(如醉如狂)ᄒᆞ여 ᄎᆞᆷ졀ᄒᆞ을[믈] 이긔지 못ᄒᆞᄋᆞᆸᄂᆞ니, 쳔윤ᄌᆞᄋᆡ는 한 가지라. 허물며 소ᄉᆡᆼ은 ᄉᆞᆷ아을 일코 당시ᄒᆞ여는 부ᄌᆞ의 졍을 펼 곳지 녕네의 소ᄉᆡᆼ 분이라. 금일은 한갓 악장긔 ᄇᆡ현키만 위한게 아니오 유아를 보려 왓나니다."

공이 짐즛 니오[로]ᄃᆡ,

"ᄌᆞ녀 실니한 마음은 편치 못ᄒᆞ나, 엇지 져러틋 ᄒᆞ야 ᄂᆡ[녀]아 모ᄌᆞ을 집의 잇는가 역이나냐? 녀아 경셩의 잇는 후는 챵ᄇᆡᆨ의 와[왕]ᄂᆡ ᄌᆞᆺ고, 문견인의 입을 막지 못ᄒᆞ여 군이 ᄂᆡ 집 동상이믈 젼파ᄒᆞᆫ즉, 영엄이 알고 챵ᄇᆡᆨ을 다ᄉᆞ리면 오히려 젹은 일이어니와, 문양궁의셔 알면 반다시 조치 아니리니, 여러 가지로 ᄉᆞ량ᄒᆞ여 조흔 도리을 엇지 못ᄒᆞ여 부즉이 돈아을 조ᄎᆞ 소쥐로 보ᄂᆡ미, ᄒᆞ직을 낫ᄎᆞ로 못ᄒᆞ고 ᄯᅳᆺ즐 군의게 통ᄒᆞ엿더니, 녕존당 환후의 우황ᄒᆞ믈 인ᄒᆞ여 군의 답간을 보지 못ᄒᆞ여시니, ᄂᆡ지[ᄃᆡᄀᆡ] 챵ᄇᆡᆨ의 ᄆᆞ음의도 희롭지 아냐 말니는 거죄 업는가 ᄒᆞ여던지라. 유아을 부ᄌᆞ지졍으로 보고져【3】ᄒᆞ기야 엇지 고니[이]ᄒᆞ리오마는, 발셔 소쥐로 갓스니, 돈ᄋᆡ 기관(棄官)ᄒᆞ고 도라올 시졀을 긔다리라."

병뷔 공의 ᄢᅦ치믈 드으[르]ᄆᆡ 그러이 녁이니[미] 업고 ᄌᆞ약히 소왈,

"악장은 소ᄉᆡᆼ을 ᄉᆞᆷ셰 쳑동(尺童)으로 아라 ᄆᆡᆨ밧는 거동이 이갓트시니, 참괴ᄒᆞ와 답ᄒᆞᆯ 말ᄉᆞᆷ을 아지 못ᄒᆞ거니와, 쳔휘[위] 옥당(玉堂) 한원(翰苑)의 쳥현을 ᄌᆞ심[임]ᄒᆞ는 명ᄉᆞ로, 예의을 슈련ᄒᆞ믈[미] 팅셩[쳔셩(天性)]의 나타는 ᄇᆡ라. ᄯᅩᄒᆞᆫ 쥰쥰(蠢蠢) 《구

아니ᄒᆞ니, 츌가ᄒᆞᆫ 누의를 관읍의 다려가 인언(人言)을 취티 아닐 거시오. 형인(荊人)의 인ᄉᆞ(人士)[1285]도 쇼싱이 용우ᄒᆞ나 그 쇼텬이라, 거쥐를 임의로 못ᄒᆞ오리니, 거ᄌᆞᆺ 가노라 ᄒᆞ고 하딕셔간을 븟쳐 가【52】부의 ᄯᅳᆺ을 엿보니, ᄉᆔ녀의 쳥한ᄒᆞᆫ 덕이 아니라. 쇼싱이 블승히연ᄒᆞ여이다. 악댱이 엇디 녜의를 모로시ᄂᆞᆫ ᄃᆞᆺᄒᆞ와, 가듕이 이러ᄐᆞᆺ ᄒᆞᆫ 힝ᄉᆞ를 쥰칙ᄒᆞ샤 부도의 온젼ᄒᆞᆫ 사ᄅᆞᆷ이 되게 아니 ᄒᆞ시ᄂᆞ니잇가?"

공이 져의 일호도 고디 듯디 아니믈 도로혀 민망ᄒᆞ여, 너모 왕녀 ᄌᆞᄌᆞ 공쥬의 알오미 될가 근심ᄒᆞ여, 영영이 ᄣᅦ치려 뎡식 왈,

"챵빅은 엇디 사ᄅᆞᆷ을 의심ᄒᆞ여 고디 듯디 아니미 이ᄃᆡ도록 하ᄂᆞ뇨? 돈ᄋᆡ 츌가ᄒᆞᆫ 누의를 다려가미 ᄒᆞᆫ갓 져의 ᄌᆞ별ᄒᆞᆫ 우ᄋᆡ{ᄋᆡ}로ᄡᅥ 비롯ᄒᆞ미 아니라. 녀ᄋᆞ의 남다른 난안디ᄉᆡ(難安之事)【53】 만흔 고로 브득이 힝ᄒᆞ미오. 우리 ᄯᅩᄒᆞᆫ 져의 남ᄆᆡ 힝신의 굿ᄐᆞ여 피난ᄒᆞᆫ 허물이 업술가 ᄒᆞ여, ᄉᆞ졍을 ᄭᅳᆺ쳐 ᄌᆞ녀를 다 원니(遠離)ᄒᆞ고, 뎡히 괴로온 심회를 니긔디 못ᄒᆞ노라."

병뷔 한가히 우ᄉᆞ며, 쇼졔 가디 아니코 이시므로ᄡᅥ 욱여, 유ᄋᆞ를 보아디라 지삼 쳥ᄒᆞᄃᆡ, 공이 ᄒᆞᆫ갈ᄀᆞᆺ치 거졀ᄒᆞ여 의심되거든 왼 집을 다 뒤여보라 ᄒᆞ니, 병뷔 바야흐로 자녀를 실니ᄒᆞ며 윤·양·니를 ᄉᆞ상ᄒᆞ며 심쇄 셩홀 ᄲᅮᆫ 아니라, 경시로 더브러 셩혼 삼지의 여산듕졍(如山重情)을 ᄆᆡ양 펴디 못ᄒᆞ여 각별ᄒᆞᆫ ᄯᅳᆺ이 있거늘, 경공이 요악ᄒᆞᆫ 공쥬를【54】 두려 ᄌᆞ긔 왕녀를 막고져 ᄒᆞ믈 두로 분완ᄒᆞ여, ᄂᆡ쇼 왈,

"부부ᄂᆞᆫ 일일디간의도 그 ᄆᆞ음을 안다 ᄒᆞᄂᆞ니, 녕녀의 위인이 결단코 가부의 말을 듯디 못ᄒᆞᆫ 젼은 오라비를 ᄯᆞ라 가ᄂᆞᆫ 거죄 업술가 ᄒᆞ엿더니, 악댱이 이ᄃᆡ도록 욱이시니, 쇼싱이 이제ᄂᆞᆫ 녕ᄋᆞ로ᄡᅥ 아니 갓다 츼

1285)인ᄉᆞ(人士) : '사람'을 낮잡아 이르는 말.

식∥무식(無識)》한 필부와 갓지 아니ᄒᆞ니, 츌가ᄒᆞᆫ 누의을 관읍의 다려가 인언(人言)을 취치 《아일∥아닐》 거시오, 형인(荊人)의 인ᄉᆞ(人士)[1085]는 소싱이 용우ᄒᆞ나 그 소쳔이라, 거취을 임의로 못ᄒᆞ오리니, 거즛 가노라 ᄒᆞ고 하직셔간을 부쳐 가부의 ᄯᅳᆺ슬 엿보니, ᄉᆔ여의 쳥한ᄒᆞᆫ 덕니[이] 아니라. 소싱이 블승히연ᄒᆞ여니[이]다."

공이 져흐 일호도 고지 듯지 아니믈 도로혀 민망ᄒᆞ여, 너모 왕녀 ᄌᆞ○[ᄌᆞ] 공쥬의 알오미 될가 근심ᄒᆞ여, 영영이 ᄣᅦ치려 정식 왈,

"챵빅은 엇지 의심ᄒᆞ여 고지 듯지 아니미 여ᄎᆞᄒᆞ고[뇨]? 돈ᄋᆡ 츌가ᄒᆞᆫ 누의를 다려가미 ᄒᆞᆫ갓 져의 ᄌᆞ별한 우ᄋᆡᄋᆡ로ᄡᅧ 《비로스미∥비롯ᄒᆞ미》 아니라. 녀아의 형세 남다른【4】 《남안지ᄉᆡ∥난안지ᄉᆡ(難安之事)》 만흔 고로 브득이 힝ᄒᆞ미오. 우리 ᄯᅩᄒᆞᆫ 져의 남ᄆᆡ 힝신의 굿ᄒᆞ여 큰 허물이 업술가 ᄒᆞ여, ᄉᆞ졍을 ᄭᅳᆫ쳐 ᄌᆞ녀를 다 원이(遠離)ᄒᆞ고 《쳥히∥졍히》 《널온∥괴로온》 심회를 니긔지 못ᄒᆞ노라."

병뷔 한가히 우ᄉᆞ며, 소졔 가지 아니코 잇스무로ᄡᅧ 우겨, 유아을 보아지라 직슴 쳥ᄒᆞ되, 공이 ᄒᆞᆫ갈 갓치 거졀ᄒᆞ여 의심되거든 원[왼] 집을 다 뒤여보라 ᄒᆞ니, 병뷔 바야흐로 자녀을 실니ᄒᆞ여, 윤·양·니를 ᄉᆞ상(思想)ᄒᆞ여 심쇄 셩홀 ᄲᅮᆫ 아니라, 경시로 더브러 셩흔[혼] 슴지(三載)의 여산즁경(如山重情)를[을] ᄆᆡ양 펴지 못ᄒᆞ여 각별ᄒᆞᆫ ᄯᅳᆺ이 잇더니, 경공이 요악ᄒᆞᆫ 공쥬를 두려 ᄌᆞ기 왕녀를 막고져 ᄒᆞ믈 두로 분완ᄒᆞ여, ᄂᆡ소 왈,

"부부ᄂᆞᆫ 일일지간의도 그 마음을 안다 ᄒᆞᄂᆞ니, 녕녀의 위인이 결단코 가부의 말을 듯지 못ᄒᆞᆫ 젼 오라비을 ᄯᆞ라 가ᄂᆞᆫ 거죄 업술가 ᄒᆞ엿더니, 악장이 이ᄃᆡ도록 욱이시니 소싱이 이제ᄂᆞᆫ 영여로ᄡᅧ 아니 갓다 되[죄]

1085)인ᄉᆞ(人士) : '사람'을 낮잡아 이르는 말.

우디 못ᄒᆞᆯ디라. 다만 소항쥐는 인ᄌᆡ(人材) 영걸(英傑)이 ᄉᆡᆼᄒᆞᆫ 곳이니, 녕ᄋᆞ의 얼골이 결빅ᄒᆞ고 입이 함홍(含紅)ᄒᆞ여 풍뉴미랑(風流美郞)을 틱고져 ᄒᆞ미 쉬오려니와, 유ᄋᆞ는 쇼싱의 골육이라. 쇼쥐 갈 일이 업ᄉᆞ니 반ᄃᆞ시 두고 갈디라. 명공은 ᄯᆞᆯ을 타쳐의 향의(向意)ᄒᆞ나 외【55】손을 즈르잡아[1286] 그 아비를 보디 아니치 못ᄒᆞ리니, ᄲᆞᆯ니 ᄂᆡ여 주쇼셔."

언파의 노긔 가득ᄒᆞ여 묵묵ᄒᆞᆫ 미우의 한셜(寒雪)이 비비(霏霏)ᄒᆞ니, 공이 그 취광ᄒᆞᆫ 말을 족슈(足數)[1287]치 아니려 다만 닐오ᄃᆡ,

"내 블명ᄒᆞ여 닐노서 사ᄅᆞᆷ만 넉엿더니 ᄒᆞ는 말인즉 실셩발광치 아냐시면 금슈의 쇼견이라. ᄒᆡ연ᄒᆞ믈 니긔디 못ᄒᆞᄂᆞ니, 여ᄌᆞ(汝子)를 소쥐로 가 ᄎᆞᄌᆞ라."

병뷔 공의 말을 듯고 대로ᄒᆞ여, 벽샹의 걸닌 단검을 ᄲᆡ혀 난간을 즛마으고 고셩 왈,

"공이 날을 금슈 ᄀᆞᆺ다 ᄒᆞ나 나는 실노 공을 무상(無狀)히 넉이ᄂᆞ니, ᄒᆞᆫ ᄯᆞᆯ을 두고 셰가(勢家)의 파라 부귀를 도모ᄒᆞ려 ᄒᆞ다가,【56】날 ᄀᆞᆺᄐᆞᆫ 셔랑을 어더 과ᄒᆞᆫ 줄을 아디 못ᄒᆞ고, 소욕(所慾)이 ᄎᆞ디 못ᄒᆞ믈 분완ᄒᆞ여, ᄯᆞᆯ노ᄡᅥ 유ᄌᆞ식ᄒᆞᆫ 가부를 바리고 짐즛 소항쥐 호걸을 갈회라 보ᄂᆡ니, 그 심ᄒᆡᆼ(心行)이 츄ᄒᆞ고 더러오미 구두의 올니기 아니 ᄭᅬ으니, 경가 음녜 소쥐로 개뎍ᄒᆞ라 가는 즈음이면, 나의 골육을 아조 죽여 업시치 아냐신즉 이곳의 이시리니, 즉긱의 ᄂᆡ여오면 오히려 좀좀코 이시려니와, ᄋᆞᄌᆞ를 ᄂᆡ디 아닌즉 소쥐 아냐 만니라도 ᄯᆞ라가 음부의 머리를 ᄒᆞᆫ 칼노 버혀 공을 뵈고, 내 ᄆᆞᄋᆞᆷ을 쾌히 ᄒᆞ리라."

언파의 노목을 빗겨 공을 보며 잠미를 거ᄉᆞ리니, 위【57】풍이 참엄ᄒᆞ여 바로 보기

1286)즈르잡다 : ①막자르다. 막다. 거절하다. ②졸라 잡다.

1287)족슈(足數) : 꾸짖거나 참견하여 말함.

오지 못ᄒᆞᆯ지라. 다만 소항쥐는 인ᄌᆡ(人才) 녕걸(英傑)이 ᄉᆡᆼᄒᆞᆫ 곳이니, 영아의 얼골이 결빅ᄒᆞ고 입이 함홍(含紅)ᄒᆞ여 풍유미랑(風流美郞)을 틱고져 ᄒᆞ미 쉬오려니와, 유아은 싱의 《흘육‖혈육》이라. 소쥐【5】갈 일이 업ᄉᆞ니 반다시 두고 갈지라. 명공은 ᄯᆞᆯ을 타쳐의 향의(向意)ᄒᆞ나, 외손를[을] 《즐즐잡아‖즈르잡아[1086]》 그 아비를 뵈니[이]지 아니치 못ᄒᆞ리니, ᄲᆞᆯ이[니] ᄂᆡ여 주소셔."

언파의 노긔 가득ᄒᆞ여 묵묵ᄒᆞ미 미우의 한셜(寒雪)○[이] 비비(霏霏)ᄒᆞ니, 공이 그 취광ᄒᆞᆫ 말을 독[족]슈(足數)[1087]치 아니려, 다만 이로ᄃᆡ,

"ᄂᆡ 블명ᄒᆞ여 널노ᄡᅧ 사ᄅᆞᆷ만 녀겻더니 ᄒᆞ는 말인작 실셩발광치 아냐시면 금슈의 소견이라. ᄒᆡ연ᄒᆞ믈 니긔지 못ᄒᆞᄂᆞ니, 녀아(汝兒)을 소쥐로 가 ᄎᆞᄌᆞ라."

병뷔 공의 말을 듯고 ᄃᆡ로ᄒᆞ여, 벽샹의 결인 단검을 ᄲᆡ혀 난간을 짓마으고 고셩 왈,

"공이 나을 금슈갓다 ᄒᆞ나 나은 실노 공을 무ᄉᆞᆼ(無狀)이 녀기난니, ᄒᆞᆫ ᄯᆞᆯ을 두고 셰가(勢家)의 파라 부귀을 도모ᄒᆞ려 ᄒᆞ다가, 날갓ᄐᆞᆫ 셔랑을 마ᄌᆞ 과ᄒᆞᆫ 쥴은 아지 못ᄒᆞ고, 소욕이 ᄎᆞ지 못ᄒᆞ믈 분완ᄒᆞ여, ᄯᆞᆯ노ᄡᅧ 유ᄌᆞ식ᄒᆞᆫ 가부을 바리고 짐짓 소항쥐 호걸을 갈히려 보ᄂᆡ니, 그 식[심]힝(心行)이 츄ᄒᆞ고 더러오미 구두의 올이기 아니코[ᄭᅬ]오니, 경가 《유녀‖음녀》 소쥐로 ᄀᆡ젹ᄒᆞ라 가는 즈으[음]이면, 나의 골육을 아조 죽여 업시치 아냐신즉 이곳의 잇시리니,【6】즉기[긱]의 ᄂᆡ여노으면 오히려 좀좀코 잇시려니와, 블연즉 소쥐 아냐 만니라도 ᄯᆞ라가 음부의 머리를 ᄒᆞᆫ 칼노 버혀 공을 뵈고, ᄂᆡ 마음을 쾌히 ᄒᆞ리라."

언파의 노목을 빗겨 공을 보며 잠미를 거ᄉᆞ리니, 위풍이 춤엄ᄒᆞ여 바로 보미 무셔온

1086)즈르잡다 : ①막자르다. 막다. 거절하다. ②졸라 잡다.

1087)족슈(足數) : 꾸짖거나 참견하여 말함.

무셔온디라. 공이 져의 실졍이 아니ᄆᆞᆯ 디긔ᄒᆞ므로, 듁팀을 나와 몸을 디혀 왈,

"비례물시(非禮勿視)ᄒᆞ고 비례물쳥(非禮勿聽)은 셩인의 디극ᄒᆞᆫ 경계라. 너의 누언(陋言)과 흉패ᄒᆞᆫ 거동이 군ᄌᆞ의 뎡시ᄒᆞᆯ ᄇᆡ 아니니, 내 ᄎᆞ마 아니ᄭᅩ아 보디 못ᄒᆞ노니, 네 광언망셜이 나ᄂᆞᆫ ᄃᆡ로 욕ᄒᆞ나, 내 집은 말ᄌᆡ 쳔비라도 ᄒᆞᆫ번 뎍인ᄒᆞᆫ 후 다시 개뎍ᄒᆞᄂᆞᆫ 규귀 업ᄉᆞ니, 일즉 그런 일을 아디 못ᄒᆞ엿더니 너ᄂᆞᆫ 이십 쇼년으로셔 음흉 악ᄉᆞ도 남달니 아ᄂᆞᆫ디라. 모로미 패악디셜을 날다려 니르디 말고 네 스ᄉᆞ로 ᄂᆡᆨ이 아라 두라."

병뷔 광긔(狂氣) 나ᄂᆞᆫ ᄃᆡ로 ᄒᆞᄃᆡ 공【58】이 조금도 노치 아닛ᄂᆞᆫ 녁냥을 항복ᄒᆞ나 ᄉᆞᄉᆡᆨ디 아니코, 유ᄋᆞ를 어셔 ᄂᆡ여오라 ᄌᆡ촉ᄒᆞ며 욕셜이 슷디 아니ᄒᆞᄃᆡ, 공이 ᄒᆞᆫ 번 누은 후ᄂᆞᆫ 다시 드른 쳬ᄒᆞ미 업ᄉᆞ니, 혼ᄌᆞ 욕ᄒᆞᆷ도 무미ᄒᆞᆯ ᄌᆞ음의 참졍원의 급ᄒᆞᆫ 공ᄉᆡ 잇셔, 여러 참디졍ᄉᆡ 관부의 모다 경공을 쳥ᄒᆞ니, 공이 즉시 관복을 ᄀᆞᆺ초고 위의를 거ᄂᆞ려 마을[1288]노 향ᄒᆞ니, 병뷔 공을 즐욕ᄒᆞ다가 드른 체 아니코 관부로 향ᄒᆞᄆᆞᆯ 도로혀 가쇼로와, 날호여 우음을 먹음고 시녀를 불너 악모긔 쳥알ᄒᆞᆯᄉᆡ, 원ᄂᆡ 병부의 발검격난(拔劍擊欄)ᄒᆞᆷ과 공을 면욕(面辱)ᄒᆞᄆᆞᆯ 경공과 ᄉᆞ후ᄒᆞᄂᆞᆫ 동ᄌᆡ 보아시나, ᄂᆡ당【59】의셔 아득히 모로ᄂᆞᆫ디라.

1288)마을 : 관아(官衙). 관청(官廳).

지라. 공이 져의 실정 아니ᄆᆞᆯ 지긔ᄒᆞ고, 쥭침을 나와 《목‖몸》을 지혀 왈,

"비례물시(非禮勿視)ᄒᆞ고 비례물청(非禮勿聽)은 셩인의 지극ᄒᆞᆫ 경계라. 너의 누언(陋言)과 흉피ᄒᆞᆫ 거동이 군ᄌᆞ의 졍시헐 ᄇᆡ 아니니, ᄂᆡ ᄎᆞ가[마] 아니ᄭᅩ아 보지 못ᄒᆞᆯ지라. 네 광언망셜이 나ᄂᆞᆫ ᄃᆡ로 욕ᄒᆞ나, ᄂᆡ 집은 말ᄌᆡ 쳔비라도 ᄒᆞᆫ번 젹인ᄒᆞᆫ 후 다시 개젹ᄒᆞᄂᆞᆫ 규귀 업ᄉᆞ니, 일즉 그런 일을 아지 못ᄒᆞ여더니, 너ᄂᆞᆫ 이십 소연으로셔 음흉악ᄉᆞ도 남달이 ᄌᆞᆯ 아ᄂᆞᆫ니라. 모로미 패악지셜를 날다려 니르지 말고, 너 스ᄉᆞ로 익이 아라 두라."

병뷔 광긔(狂氣) 《날‖나ᄂᆞᆫ》 ᄃᆡ로 ᄒᆞᄃᆡ, 공이 조금도 노치 아닛거날, 녁냥을 항복ᄒᆞ나 ᄉᆞᄉᆡᆨ지 아니코, 유아을 어셔 ᄂᆡ여오라 ᄌᆡ촉ᄒᆞ며 욕셜이 ᄉᆞᆫ[슷]지 아니ᄃᆡ, 공이 ᄒᆞᆫ 번 누은 후로 다시 드른 쳬ᄒᆞᄂᆞᆫ ○○[일이] 업ᄉᆞ니, 혼ᄌᆞ 욕【7】ᄒᆞᆷ도 무미ᄒᆞᆯ ᄌᆞ음의 참졍부의 급ᄒᆞᆫ 공ᄉᆡ 잇셔 여러 참지졍ᄉᆡ 관부의 모다 하리로 경공을 쳥ᄒᆞᄂᆞᆫ지라. 공이 이의 니러나 즉시 의ᄃᆡ와 관복를[을] 졍이 곳치고, 하리츄종과 위의을 거ᄂᆞ려 마을[1088]노 향ᄒᆞ니, 병뷔 공을 즐욕ᄒᆞ다가 드른 체 아니코 관부로 향ᄒᆞᄆᆞᆯ 도로혀 가소로와 ᄒᆞ니,【8】

1088)마을 : 관아(官衙). 관청(官廳).

화부인이 셔랑의 와시믈 드를 적마다 반갑고 귀듕ᄒᆞ여 마조 ᄂᆡ다라 보고져 ᄒᆞᆫᄃᆡ, 녀ᄋᆞ를 후정 심쳐의 옴기고, 영영 소쥬 보ᄂᆡ믈 일ᄏᆞ라 긔(欺)이랴 ᄒᆞ고, 공이 관부의 간 ᄡᅵ 병부를 보아 혹ᄌᆞ 말이 어긋날가 두려 칭병ᄒᆞ고 드러오기를 청치 못ᄒᆞ니, 병뷔 공이 나간 ᄡᅵ 악모를 ᄇᆡ견ᄒᆞ고 쇼져의 이시믈 아라ᄂᆡ려 ᄒᆞᄂᆞᆫ 고로, 다시 젼어 왈,

"쇼ᄉᆡᆼ이 본부의셔 효신의 드러와 죠참ᄒᆞ고 관부의 단녀오ᄆᆡ 날이 느져 허핍ᄒᆞ여 악모긔 현알ᄒᆞ고, 두어 잔 술을 구코져 ᄒᆞ엿더니, 보기를 괴로이 넉이실딘ᄃᆡ, 엇디 감히 강청ᄒᆞ리잇고."【60】

부인이 ᄎᆞ언의 밋쳐ᄂᆞᆫ ᄎᆞ마 ᄆᆡ몰치 못ᄒᆞ여 드러오기를 니르니, 병뷔 쳔쳔이 거러드러와 녜필의 공슈 졍좌ᄒᆞ며 근간 존후를 뭇ᄌᆞᆸ고, ᄌᆞᄉᆞ의 원노 힝역을 념녀ᄒᆞ여 도도ᄒᆞᆫ 졍셩이 반ᄌᆞ의 녜를 다ᄒᆞ니, 엇디 경공을 ᄃᆡᄒᆞ여 광언망셜노 즐욕ᄒᆞ던 줄 알니오. 부인이 병부를 본 적마다 아름답고 귀듕ᄒᆞ나, 공쥬의 간악을 두려 그 ᄌᆞ로 왕ᄂᆡᄒᆞ믈 원치 아니코, 녀ᄋᆞ를 아조 소쥬가믈 니르려 ᄒᆞᄂᆞᆫ 고로, 먼져 숨ᄋᆞ 실니ᄒᆞ믈 티위ᄒᆞ고, 버거 ᄋᆞ직 원노 힝역을 근심ᄒᆞ며, 녀ᄋᆡ ᄒᆞᆫ가디로 가믈 일ᄏᆞ라 가듕이 뎍【61】뇨ᄒᆞ믈 탄ᄒᆞ고, 슬ᄒᆞ의 다른 ᄌᆞ녜 업ᄉᆞ믈 슬허ᄒᆞ니, 병뷔 악모의 긔이ᄂᆞᆫ 말이 경공의 말과 ᄀᆞᆺᄐᆞ믈

명쥬보월빙 권지십육[오][1089]

어시의 뎡병뷔 경공을 즐욕ᄒᆞ다가 들은 쳬 아니코 관부로 향ᄒᆞ믈 보니 도로혀 가○[소]로와 날호여 우음을 《밋고‖먹음고》 시여을 불너 악모게 청널[알]홀ᄉᆡ, 원ᄂᆡ 병부의 《발직격ᄂᆞᆫ‖발검격난(拔劍擊欄)》 흠과 공을 멱[면]욕(面辱)ᄒᆞ믈 경공과 ᄉᆞ오인 셔동과[이] 보아시니[나] ᄂᆡ당의셔ᄂᆞᆫ 아득히 모로ᄂᆞᆫ디라.

화부인이 서랑 왓시믈 드을 적마다 반갑고 귀즁ᄒᆞ여 마조 ᄂᆡ다라 보고져 하되, 여아을 임의 후정 심쳐의 옴긔고, 녕녕 소쥬 보ᄂᆡ믈 일거[커]러 긔(欺)니[이]려 ᄒᆞ고, 공이 관부의 간 ᄡᅵ의 병부를 보아 혹ᄌᆞ 말니[이] 어긋나미 잇실가 두려, 다만 시여로 칭병ᄒᆞ고 드러오믈 청치 아니니, 병뷔ᄂᆞᆫ 공이 나간 ᄡᅵ○[을] 타, 악모게 ᄇᆡ○…결락21자…○[견ᄒᆞ고 소져의 잇시믈 아라ᄂᆡ려 ᄒᆞᄂᆞᆫ 고로, 다시 젼어] 왈,

"소ᄉᆡᆼ이 본부의셔 효신의 드러와 됴참ᄒᆞ고 관부의 《다니ᄆᆡ‖다녀오ᄆᆡ》, 날이 느져 허핍ᄒᆞ믈 니긔지 못ᄒᆞ여, 악모게 현알ᄒᆞ고 두어 잔 슐을 구고[코]져 ᄒᆞ여더니, 보긔을 괴로와 ᄒᆞ실진ᄃᆡ, 엇지 감히 청{얼}ᄒᆞ릿고?"

부인이 ᄎᆞ언의 밋쳐ᄂᆞᆫ 《츰미‖ᄎᆞ마》 ᄆᆡ믈[몰]치 못ᄒᆞ여 드러오긔을 청ᄒᆞ니, 병부 완완이 드러와 예필의 공슈 졍좌ᄒᆞ여 근간 존후을 뭇ᄌᆞᆸ고, ᄌᆞᄉᆞ의【9】 원노 힝녁을 념예ᄒᆞ여 도도하[ᄒᆞᆫ] 졍○[셩]이 반ᄌᆞ의 《비‖녜》를 다ᄒᆞ니, 엇지 경공을 ᄃᆡᄒᆞ여

1089) 원전의 권수 표시에 혼란이 있다. '권지십오'는 6쪽짜리 1책에 불과한데, '권지십육'은 72쪽, 42쪽, 152쪽짜리 3책이나 된다. 여러 명의 필사자가 하나의 원전을 나누어 필사하는 과정에서 생긴 오류로 보인다. 여기서는 이 『필사본 총서』 편자의 분권체제를 따라, '권지십오 8쪽'과 '권지십육 72쪽', '권지십육 42쪽'까지 3책 도합 122쪽을 '권지십오'로, 나머지 '권지십육 152쪽' 1책을 '권지십육'으로 분권하여 정리키로 한다. 쪽 번호도 이 분권체재를 따라 부여한다.

고디 듯는 일이 업셔, 우음을 ᄯᅴ여 ᄃᆡ왈,

“쇼싱이 앗가 악댱 말ᄉᆞᆷ을 듯ᄌᆞ오니, 형인을 소쥐 가믈 칭ᄒᆞ여 깁히 몸을 곰초아 피ᄒᆞ고져 ᄒᆞ미나, 일이 너모 궁극ᄒᆞ여 됴흔 증되 아니라. ᄒᆞ물며 실인의 도리도 싱다려 거취를 닐너 허언으로 속이디 아니미 올커놀, 거즛 소쥐 가믈 칭ᄒᆞ고 셔간을 븟쳐 깁히 은신ᄒᆞ니, 부부의 경의를 유렴치 아니미 셰ᄉᆞ를 모로는 연괴오나, 부ᄌᆞ 텬뉸디졍【62】은 가히 슷디 못ᄒᆞ오리니, 쇼싱이 삼ᄋᆞ를 실니ᄒᆞ고 심ᄉᆡ 여할여광(如割如狂)ᄒᆞ여, 바야흐로 디향키 어려오니, 유ᄋᆞ를 보고 가려 이의 니르럿더니, 악댱은 소쥐로 가믈 니르샤 온 가디로 속이시나, 쇼싱이 그러치 아니믈 여러 가디로 닷토아, 비로소 속이디 못ᄒᆞ샤 바른ᄃᆡ로 닐너 계시거늘, 악뫼 엇디 외ᄃᆡᄒᆞ시ᄂᆞ니잇고? 싱이 실노 평일 바라던 ᄇᆡ 아니라. 실인이 소쥐로 가믈 칭ᄒᆞ여 싱의 왕ᄂᆡ를 막음도 괴이커놀, 유ᄋᆞ를 곰초아 부ᄌᆞ 블상견(不相見)케 ᄒᆞ미, 그 ᄯᅳᆺ이 이상ᄒᆞᆫ디라. 쇼싱이 ᄒᆞᆫ번 보아 그 소견을 므러 알녀【63】 ᄒᆞᄂᆞ이다.”

언파의 쇼안이 쥰졀ᄒᆞ고 위의 믁믁ᄒᆞ여 부인의 답언을 기다리디 아니코, 시녀를 명ᄒᆞ여 유ᄋᆞ를 다려오라 ᄒᆞ니, 경공이 딘실노 녀ᄋᆡ 후졍 벽쳐의 이시믈 니름 ᄀᆞᆺ고 병부의 거동이 분명이 아랏는 형상이라. 부인이 다시 핑계치 못ᄒᆞ고 유ᄋᆞ를 다려오라 지촉ᄒᆞ

광언픽셜노 즐욕ᄒᆞ든 줄 알이[니]오. 부인이 병부을 볼 젹마다 아을[름]답고 ᄉᆞ랑홈을 니긔지 못ᄒᆞ나, 공쥬의 간악를[을] 두려 그 ᄌᆞ로 왕ᄂᆡᄒᆞ믈 원치 아니 ᄒᆞ고, 여아를 아조 소쥐가으[므]로 쳐우려 ᄒᆞ는 고로, 면[먼]져 숨아 실이[니]○○[ᄒᆞ믈] 치위ᄒᆞ고, 버기[거] 아ᄌᆞ의 원노 힝녁을 근심ᄒᆞ며, 여ᄋᆡ 한가지로 가믈 일기[ㅋ]라 가즁이 젹요ᄒᆞ믈 탄ᄒᆞ고, 슬하의 다른 ᄌᆞ여 업ᄉᆞ믈 슬허ᄒᆞ니, 병부 악모의 긔니[이]는 말이 경공의 말과 다름미 업ᄉᆞ믈 본[보]ᄃᆡ, 일분 고지 듯는 일이 업셔, 우음을 ᄯᅴ여 ᄃᆡ왈,

“소싱이 앗가 악장 말ᄉᆞᆷ을 듯ᄌᆞ오니, 실인이 소쥐 가를[믈] 《인‖칭》ᄒᆞ여 굅히 몸을 감초아 피ᄒᆞ고져 ᄒᆞ미나, 일이 너모 《규극‖궁극》ᄒᆞ여 됴흔 징죄 아니라, 허물며 실인의 도리 소싱다려 거취를 일너 허언으로 속이지 아니미 올기[커]날, 거짓 소쥐 가믈 칭ᄒᆞ고 셔간를[을] 븟쳐 벽쳐의 ᄌᆞ최를 감초니, 부부의 경의을 유려[렴]치 아니미 셔[셰]ᄉᆞ로[를] 모로는 연괴오나, 부ᄌᆞ 쳔뉸지졍은 가히 슷지 못ᄒᆞ오리니, 소싱이 숨아를【10】 실니ᄒᆞ고 심ᄉᆡ 여할여광(如割如狂)ᄒᆞ여 ᄇᆡ야흐로 지향키 어려오ᄆᆡ, 유아을 보고 가려 이의 니○[르]럿더니, 악장이 쳐음은 소쥐로 가믈 니르ᄉᆞ 온 가지로 속니[이]시다가, 소싱이 그러치 아니믈 여러 가지로 다토아 비로소 속니[이]지 못ᄒᆞᄉᆞ 바른ᄃᆡ로 닐너 게시니, 악모 엇지 외ᄃᆡᄒᆞᄉᆞ 깁피 은익고져 ᄒᆞ시난니○[잇]가? 싱이 평일 바라던 ᄇᆡ 아니라. 실인이 소쥐 가믈 칭ᄒᆞ고 싱의 왕ᄂᆡ을 막음도 고이키[커]늘, 유이[아]을 감초아 부ᄌᆞ 블상견[견] ᄒᆞ미 그 ᄯᅳᆺ이 괴숭ᄒᆞᆫ지라, 소싱이 한번 보아 그 쥬의을 무러 알려 ᄒᆞ는이다.”

언파의 소안니 쥰졀ᄒᆞ고 위의 뭉뭉[묵묵]ᄒᆞ며[여] 부인의 답언을 기다리지 아니코, 시여를 명ᄒᆞ여 유아를 다려오라 ᄒᆞ니, 시여 등이 유아 다려오을[믈] 부인긔 품달치 못ᄒᆞ고, 병뷔의 명를[을] ᄯᅩ한 거역지 못ᄒᆞ고[여], 아모리 홀 쥴 몰○○[나 ᄒᆞ]니, 부인

믈 민박(憫迫)ᄒᆞ고, 시ᄋᆞ 등이 ᄯᅩ 유ᄋᆞ 다려 오믈 부인긔 픔달ᄒᆞ여 병부의 명을 역디 못ᄒᆞ고, 아모리 ᄒᆞᆯ 줄 몰나 ᄒᆞ니, 부인이 ᄉᆞ셰 긔이디 못ᄒᆞᆯ 줄 그윽이 ᄋᆡ돌와ᄒᆞ나, ᄉᆞ식디 아니코 기리 탄왈,

"군ᄌᆡ 쇼녀 칙망ᄒᆞ미 ᄉᆞ리 당연ᄒᆞ니 쳡의 【64】 모녜 므ᄉᆞᆷ 말을 ᄒᆞ리오마ᄂᆞᆫ, 원간 져의 형셰 남달나 그윽ᄒᆞᆫ 념녜 다른 일이 아니라, 셩혼 삼ᄌᆡ의 골육을 ᄭᅵ쳐시나 디금 구고의 모로ᄂᆞᆫ 며ᄂᆞ리로, ᄆᆡ양 공구ᄒᆞᆫ ᄯᅳᆺ이 잇ᄂᆞᆫᄃᆡ, 윤부인과 양뎔의 화ᄋᆡᆨ을 드르ᄆᆡ 경악ᄒᆞ믈 니긔디 못ᄒᆞ여, 몸을 ᄀᆞᆷ초아 공쥬의 모로ᄂᆞᆫ 빈 되고져 ᄒᆞ니, 이 ᄯᅩ 궁극ᄒᆞᆫ 졍니라. 굿ᄐᆞ여 현셔를 ᄆᆡ바다 ᄯᅳᆺ을 엿고져 ᄒᆞ미 아니니, 군은 괴이히 넉이디 말나."

병뷔 흠신 ᄃᆡ왈,

"악모 말ᄉᆞᆷ이 맛당ᄒᆞ시나, 녕녀의 도리 맛ᄎᆞᆷᄂᆡ 부도의 온슌ᄒᆞ믈 엇디 못ᄒᆞ엿ᄂᆞᆫ디라. 쇼싱이 블고이취ᄒᆞ미 여러 셰월 【65】이 되도록, 신상의 큰 죄를 시름 ᄀᆞᆺᄐᆞᄃᆡ, 디금 친젼의 고치 못ᄒᆞ여시나 허믈이 ᄉᆡᆼ의게 잇고 실인의 죄 아니니, 녀ᄌᆡ 가부를 경만(輕慢)[1289]ᄒᆞᆯ 빈 아니오. 공쥬의 위인을 보도 아냐셔 그 ᄒᆡ를 바들가 두리믄 더욱 블가ᄒᆞᆫ디라. 공쥐 비록 존귀ᄒᆞ나 만승도 쇼ᄉᆡᆼ의 호방을 막디 못ᄒᆞ샤, 임의 녕녀 취ᄒᆞ믈 아라 계시ᄃᆡ 별단 칙죄 업ᄉᆞ니, 공쥐 간ᄃᆡ로 사ᄅᆞᆷ을 죽일 거시 아닌ᄃᆡ, 실인이 조겁(早怯)[1290]ᄒᆞ미 쳔연ᄒᆞᆫ 셩되 아니니이다."

부인이 다시 말을 못ᄒᆞ고 호쥬셩찬으로 ᄃᆡ접ᄒᆞ니, 병뷔 슈십빅를 년ᄒᆞ여 거후르고 금은옥긔(金銀玉器)의 가ᄃᆞᆨᄒᆞᆫ 셩찬 【66】을 권ᄒᆞᆯ 나의[1291] 업시 다 셔르져[1292] 먹은 후, 상을 믈니고 시녀 등이 후졍의 가 유ᄋᆞ를 다려오니, ᄋᆞ히 난 디 계오 삼ᄉᆞ삭이로

1289)경만(輕慢) : 교만한 마음에서 남을 하찮게 여김.

1290)조겁(早怯) : 지레 겁을 먹음.

1291)나의 : 나위. 더 할 수 있는 여유나 더 해야 할 필요.

1292)셔릇다 : 거두어 치우다. 정리(整理)하다.

이 당ᄎᆞ○[시]ᄒᆞ여, ᄉᆞ셰 긔니[이]지 못ᄒᆞᆯ 쥴 그윽이 ᄋᆡ다라와 ᄒᆞ나, ᄉᆞ싀지 아니고 기리 탄왈,

"현셔 여아 칙망ᄒᆞ미 ᄉᆞ리 당연ᄒᆞ니 쳡의 모여 므ᄉᆞᆫ 말○[을] ᄒᆞ리오마[만]은 원가[간] 져의 형셰 남달나, 셩혼 ᄉᆞᆷᄌᆡ의 골육을 ᄶᅵ쳐시나 지금 구고의 모로시ᄂᆞᆫ 며ᄂᆞ리로 ᄆᆡ양 《구구∥공구(恐懼)》 【11】 ᄒᆞᄂᆞᆫ ᄯᅳᆺ이 잇거날, 윤{양}부인과 양뎔의 화ᄋᆡᆨ를 드르ᄆᆡ 불승경악ᄒᆞ여, 이의 몸을 감초와 공쥬의 모ᄅᆞᄂᆞᆫ 빈 되고져 ᄒᆞ더니, 이 ᄯᅩ 궁극ᄒᆞᆫ 졍이라. 굿ᄒᆞ여 현셔로 ᄆᆡ바다 ᄯᅳᆺ을 《역고져∥엿고져》 ᄒᆞ미 아니니, 현셔ᄂᆞᆫ 고니[이]히 여긔지 말나."

병뷔 흠신 ᄃᆡ왈,

"악모 말ᄉᆞᆷ이 맛당ᄒᆞ시나, 영여(令女)의 도리 맛ᄎᆞᆷᄂᆡ 부도의 온슈[슌]ᄒᆞ믈 엇지 못ᄒᆞᆯ지라. 시여로 영여[녀] 잇ᄂᆞᆫ 곳을 가르치소셔."

ᄃᆡ, 영호쥰발(英豪俊拔)ᄒᆞ미 농닌(龍麟)의 톄격으로 슈앙(秀昂)ᄒᆞᆫ 의푀(儀表) 나날 ᄉᆡ로오니, 경공 부뷔 댱니보옥(掌裏寶玉)으로 아라 귀듕 년ᄋᆡᄒᆞᄂᆞᆫ ᄇᆡ라. 병뷔 텬뉸 ᄌᆞᄋᆡ로ᄡᅧ ᄋᆞᄌᆞ의 비상ᄒᆞ미 졈졈 더ᄒᆞᄆᆡ, 대희하여 황홀ᄒᆞᆫ ᄉᆞ랑을 도으니, 믁믁ᄒᆞ던 얼굴이 쇼ᄋᆞ를 보ᄆᆡ 츈풍화긔(春風和氣) 발ᄒᆞ여 쥬순호티(朱脣皓齒) 찬연ᄒᆞ니, 경공은 맛ᄎᆞᆷᄂᆡ 녀ᄋᆡ 소쥐 가시믈 긔이거ᄂᆞᆯ, 부인은 ᄌᆞ긔 휼듕(譎中)의 ᄡᆡᆨ져 유ᄋᆞ를 슌히 ᄂᆡ여오고, 녀ᄋᆡ 소쥐 가기【67】로 칭ᄒᆞ여 만만 브득이 몸을 ᄀᆞᆷ초민 줄 닐너, ᄌᆞ긔 분노ᄒᆞ믈 민망이 넉이ᄂᆞᆫ 형상을 도로혀 가쇼로이 넉여, 이윽이 말ᄉᆞᆷᄒᆞ며 ᄋᆞᄌᆞ를 어로만져 년ᄋᆡᄒᆞ다가, 날이 느ᄌᆞᄆᆡ 시녀를 압셔라 ᄒᆞ고 후졍으로 향ᄒᆞᆯᄉᆡ, 악모긔 고왈,

"쇼ᄉᆡᆼ이 슈삼일 존부의 머물니니, 도라 갈 ᄶᆡ 다시 현알ᄒᆞ리이다."

부인이 흔연이 ᄃᆡ답ᄒᆞᄂᆞᆫ 가온ᄃᆡ나 조심이 듕ᄒᆞ여, 혹ᄌᆞ 공쥬의 알미 이실가 념녀ᄒᆞ더라.

병뷔 시녀를 압셰워 쇼져 침소를 ᄎᆞᄌᆞᄆᆡ, 깁고 그윽ᄒᆞ여 밧기 아득히 멀고, 누각이 표묘(縹渺)1293)ᄒᆞᄃᆡ 슈목과 화림 ᄉᆞ이의 이셔 범연이 보아ᄂᆞᆫ 사람【68】의 쳐ᄒᆞ믈 아디 못ᄒᆞᆯ 거시오. 쥬렴을 디우며 창호를 여디 아냐 은연이 두문샤긱(杜門謝客)ᄒᆞᆫ 거동이라. 병뷔 개호 입실ᄒᆞ니 쇼졔 오륙 시ᄋᆞ와 유랑으로 더브러 팀션(針線)을 다ᄉᆞ리다가 병부를 보고 경ᄋᆞᄒᆞᄃᆡ, ᄉᆞᄉᆡᆨ디 아니코 쳔연이 니러 마ᄌᆞ니, 병뷔 술이 잠간 취ᄒᆞ여 옥면의 홍광이 오르고, 봉목의 광치 더옥 찬난ᄒᆞ여 먼니셔브터 냥안을 흘녀 쇼져를 보ᄆᆡ, ᄆᆡᆼ녈ᄒᆞᆫ 안광과 엄쥰ᄒᆞᆫ ᄉᆞᄉᆡᆨ이 사ᄅᆞᆷ으로 ᄒᆞ여금 블감앙시ᄒᆞᆯ ᄇᆡ라. 유랑과 졔시녜 디온 죄 업시 막블젼뉼ᄒᆞ여 청사로 퇴ᄒᆞ고, 쇼져ᄂᆞᆫ 비록 눈【69】들미 업ᄉᆞ나 병부의 노ᄉᆡᆨ을 엇디 모로리오. 무ᄉᆞ무려히 병부의 안기를 기다려 먼니 좌를 일워 봉관을 숙이고 ᄡᅣᆼ미를 낫초아 오딕 알플 볼 ᄲᆞᆫ이

1293)표묘(縹渺) : 아득히 멀어 희미한 모양.

언파의 후졍으로 향ᄒᆞᆯ ᄉᆡ, 부이[인]긔 고왈,

"소ᄉᆡᆼ이 슈ᄉᆞᆷ일 존부의 머무르《더니‖리니》도라 갈 ᄶᆡ 다시 현알ᄒᆞ리니[이]다."

부인이 흔연 ᄃᆡ답ᄒᆞ나 조심이 즁ᄒᆞ여, 혹ᄌᆞ 공쥬의 과[알]오미 잇슬가 염여ᄒᆞ더라.

병뷔 시여를 압세워 소졔 침소를 ᄎᆞᄌᆞᄆᆡ, 깁고 그윽ᄒᆞ여 밧기 아득히 멸[멀]고, 누각이 표묘(縹渺)1090)헌ᄃᆡ 슈목과 화렴[림]《이의니며‖ᄉᆞ이의 이셔》범연이 보아ᄂᆞᆫ ᄉᆞ람의 쳐ᄒᆞ믈 아지 못ᄒᆞᆯ 거시오, 쥬렴을 지우며 창호을 여지 아냐 《여면이‖은연이》 두문샤긱(杜門謝客)ᄒᆞᆫ 거동이라. 병뷔 지ᄀᆡ를 열고 드러가니, 소져 오륙 시아와 유랑으로 더브러 침션을 다ᄉᆞ리다가 병뷔를 보고 경아ᄒᆞᄃᆡ, ᄉᆞᄉᆡᆨ지 아니코 쳔연이 니러나 마ᄌᆞ니, 병뷔 술이 즘간 취ᄒᆞ여 봉목【12】의 광치 더옥 찬난ᄒᆞ여 머[멀]리셔《붓쳐‖브터》 양안을 흘여 소져를 보며[ᄆᆡ], ᄆᆡᆼ열한 안광과 엄쥰ᄒᆞᆫ 안ᄉᆡᆨ이 ᄉᆞ람으로 ᄒᆞ여금 블감앙시ᄒᆞᆯ ᄇᆡ라. 유랑과 졔시여지은 죄 업시 막블젼뉼ᄒᆞ여 청ᄉᆞ로 퇴ᄒᆞ고, 소져은 비록 눈을 들미 업ᄉᆞ나 병뷔 노ᄉᆡᆨ을 보되, 무ᄉᆞ무려히 병뷔 안기을 기다려 먼니 좌을 일워, 봉안을 숙이고 쌍미을 낫초오고

1090)표묘(縹渺) : 아득히 멀어 희미한 모양.

라. 병뷔 노목을 빗겨 냥구 숙시ᄒᆞ다가, 홀연 ᄉᆞ창(紗窓)을 열치고 ᄒᆞᆫ번 소ᄅᆡᄒᆞ여 경부 시노 등을 브르니, 원문 ᄃᆡ숙 노ᄌᆞ ᄉᆞ오인이 응명ᄒᆞ거ᄂᆞᆯ, 병뷔 형장긔구를 나오라 ᄒᆞ며 호령ᄒᆞᄆᆡ, 슈유의 긴 ᄆᆡ와 너븐 곤장(棍杖)을 단단이1294) 정하의 ᄃᆡ후ᄒᆞ미[ᄆᆡ], 졔뇌 한츌쳠븨(汗出沾背)하여 딘딧 쥬인 아니물 ᄭᆡᄃᆞᆺ디 못ᄒᆞ고 두리미 비길 ᄃᆡ 업ᄉᆞ니, 이ᄂᆞᆫ 병부의 호령이 뇌정(雷霆) ᄀᆞᆺ고 위풍이 규규(赳赳)ᄒᆞ【70】여 하류쳔심(下類賤心)의 무셔오미 극ᄒᆞᆫ 연괴라. 병뷔 노ᄌᆞ를 명ᄒᆞ여 유랑과 시녀를 다 잡아 나리와 정ᄒᆞ의 ᄭᅮᆯ니고, 유랑을 슈죄 왈,

"네 부인이 ᄉᆞ족부녀로ᄃᆡ, 셩힝이 공교롭고 간ᄉᆞᄒᆞ여 쳥의하쳔(靑衣下賤)의 픔질이 잇셔, 가부를 블경ᄒᆞ며 범ᄉᆞ를 ᄌᆞ힝ᄒᆞ여, 내 ᄆᆞ음을 엿보고 거ᄌᆞᆺ 셔간으로 소쥐 가믈 일ᄏᆞ라 하딕ᄒᆞ고, 이졔 후경의 ᄀᆞᆷ초여시니 아니 이곳이 소쥐(蘇州)냐? 내 본ᄃᆡ 간악교샤(奸惡狡詐)ᄒᆞᆫ 녀ᄌᆞ를 통한분히ᄒᆞᄂᆞ니, 이 반ᄃᆞ시 너의 몹쁠 졋술 먹어 쳔인이 디아비 ᄆᆡᆨ밧ᄂᆞᆫ 버릇슬 달므미라. 모로미 여듀의 죄의 ᄃᆡ신으로 벌을 바드【71】라."

언필의 그 답언을 기다리디 아니코 시노를 호령ᄒᆞ여 ᄆᆡ를 들나 ᄒᆞ니, 유랑의 위인이 튱근ᄒᆞ여 일즉 작죄ᄒᆞᄂᆞᆫ ᄇᆡ 업ᄉᆞ니, ᄋᆞ시로브터 ᄉᆞ십이 거의로ᄃᆡ 희미ᄒᆞᆫ 태장을 밧디 아녓다가 듕장을 불시의 당ᄒᆞ니, 술의ᄉᆞ 업ᄉᆞ나 어ᄃᆡ가 ᄒᆞᆫ 말인들 원민ᄒᆞ믈 발명ᄒᆞ리오. 다만 혀를 믈고 눈을 ᄀᆞᆷ아 반죽엄이 되어시ᄃᆡ, 병부의 호령이 늠녈ᄒᆞ여 개개 고찰ᄒᆞ니, 이ᄂᆞᆫ 쇼졔 셩졍이 ᄂᆡᆼ졍 녈일ᄒᆞ여 ᄌᆞ긔 위풍으로도 구쇽기 어려온 고로, 짐ᄌᆞᆺ 유랑을 듕티ᄒᆞ여 그 절민초조ᄒᆞ믈 보려ᄒᆞᄃᆡ, 경시 맛ᄎᆞᆷᄂᆡ ᄒᆞᆫ 소ᄅᆡ 샤죄ᄒᆞ미 업고 안【72】존 곳을 곳치디 아냐, 홍슈를 뎡히 ᄭᅩ자 병부의 거동을 못 보ᄂᆞᆫ 듯, 그 호령을 못 듯ᄂᆞᆫ 듯, 옥안이 더욱 ᄂᆡᆼ담ᄒᆞ니,

1294)단단이 : 여러 단으로. 단; 짚, 땔나무, 채소 따위의 묶음.

압플 볼 ᄯᆞᆯ음이라. 병뷔 노목을 빗게[겨] 양구 숙시타가, ᄉᆞ창(紗窓)을 열치고 ᄒᆞᆫ번 소ᄅᆡᄒᆞ여 경부 시노 등을 브르니, 원문 직숙 노ᄌᆞ ᄉᆞ오인이 ᄲᆞᆯ니 응명ᄒᆞ거날, ᄒᆞ녕[령]ᄒᆞ여 형장긔구을 나오라 ᄒᆞ니, 슈유의 긘 ᄆᆡ와 넙분 곤장(棍杖)을 청하(廳下)의 ᄃᆡ후ᄒᆞ여 졔뇌 한츌쳠븨(汗出沾背)ᄒᆞ니, 진짓 쥬인 아니물 ᄭᆡ닷지 못ᄒᆞ고 두리미 비헐 ᄃᆡ 업ᄉᆞ니, 이ᄂᆞᆫ 병부 호녕[령]이 노[뇌]셩 갓고 위풍이 규규(赳赳)ᄒᆞ여 하류쳔심(下流賤心)의 무셔오미 극한 연괴라. 병뷔 노ᄌᆞ을 명ᄒᆞ여 유랑 시아을 다 잡아 나리라[와] , 청하의 ᄭᅮᆯ이이고 유랑을 슈죄 왈,

"네 쥬인이 ᄉᆞ족부여로ᄃᆡ 셩힝이 공교롭고 간ᄉᆞᄒᆞ여 쳥의하류(靑衣下類)의 픔질이 잇셔, 가부을 블경ᄒᆞ【13】고 범ᄉᆞ을 ᄌᆞ힝ᄒᆞ여, ᄂᆡ 마음을 엿보고, 거짓 셔간으로 소쥐 가믈 일카라 하직ᄒᆞ고, 이에 감초아시니 아니 이곳이 소쥐(蘇州)냐? ᄂᆡ 본ᄃᆡ 간악모ᄉᆞ(奸惡謀事)ᄒᆞ[ᄒᆞᆫ] 여ᄌᆞ로[를] 통완분히ᄒᆞᄂᆞ니, 이 반다시 너의 못슬 《거슬∥졋슬》 먹여 쳔인이 지아비 ᄆᆡᆨ밧ᄂᆞᆫ 《벌술∥버릇슬》 달무미라. ○○○[모로미] ○[여]쥬의 죄에 ᄃᆡ신으로 ᄐᆡ벌(笞罰)을 바드라."

언필의 그 답언을 기다리지 아니코 시노을 호령ᄒᆞ여 ᄆᆡ을 들나 ᄒᆞ니, 유랑의 위인의 츙근ᄒᆞ여 일작 ᄐᆡ벌을 모로다가 불시의 당ᄒᆞ니, 술 어[의]ᄉᆡ 업ᄉᆞ나, 어ᄃᆡ가 일언을 ᄀᆡ구허리오. 병부의 호령이 뉴[늠]열ᄒᆞ여 ᄀᆡᄀᆡ 고찰ᄒᆞ니, 이난 소져 셩졍이 ᄂᆡᆼ졍열일ᄒᆞ여 그 쳘[절]민초조ᄒᆞ믈 보려 ᄒᆞᆫᄃᆡ, 그 호령이 엄할 ᄉᆞ록 조금도 구속ᄒᆞ미 업셔 한월이 빙셜의 《비씨ᄂᆞᆫ∥비치ᄂᆞᆫ》 듯, 숑ᄇᆡᆨ이 츄ᄉᆞᆼ을 씌엿ᄂᆞᆫ 듯, 말 붓치긔 어려온지라. 소져 본ᄃᆡ 유모 귀즁ᄒᆞ미 모친 버금으로 ᄒᆞ나, 병뷔의 과도히 즐타ᄒᆞ믈 탄ᄒᆞ니, 구구히 ᄉᆞ죄치 아니려 홈으로 유모의 위ᄐᆡᄒᆞ믈 착급《포쳔∥초젼》ᄒᆞᄃᆡ,【14】 외모ᄂᆞᆫ 안일단숙ᄒᆞ여 금옥의 견고ᄒᆞ믈 가져시니, 병뷔 눈을 흘여 그 ᄂᆡᆼᄂᆡᆼᄒᆞᆫ 풍도을 보고, 부ᄃᆡ 구속ᄒᆞ려 ᄒᆞᄂᆞᆫ지라. 유랑을 듕형일ᄎᆞ을 더ᄒᆞ

한월(寒月)이 빙셜의 바이는 둧, 송빅이 츄상을 씌엿는 둧, 말 붓치기 어려온디라. 본디 유모 귀듕후미 모친 버금으로 후나, 병부의 과도히 즐타후믈 한훌디언졍, 구구히 개구후여 샤죄치 아니려 뎡후고, 유모의 위틱후믈 착급 초젼후디, 외모는 안일 단숙후여 금옥의 견고후믈 가져시니, 병뷔 눈을 흘녀 그 닝초(冷峭)[1295]훈 풍도를 보고 브디 구속후려 후는디라. 유랑을 듕형일추(重刑一次)를 더후여 닉치고,【73】 시녀 등을 다 티죄후여 언언(言言)이 다 쇼져 디신으로 마주라 후여, 쇼져로 후여금 욕되고 괴롭도록 후디, 쇼졔 힝혀도 분노후는 말을 입 밧긔 닉디 아니코, 또 샤죄홈도 업셔 일양 닝담훈디라. 병뷔 졔녀를 다 티죄후고 시뇌 물너 가믹, 오히려 분노를 다 프디 못후여 시녀 등을 호령후여 부인의 잠(簪)이를 쌔히고 듕계(中階)의 나리오라 후디, 경시 또 움죽일 의싀 업수니, 병뷔 크게 호령후여 쇼져를 나리오디 아니면 수죄를 녕(令)후리라 후니, 위풍이 늠녈(凜烈)후고 안뫼 참엄후여 태산의 밍회(猛虎)오, 풍운을 졔회(際會)[1296]후는 농(龍)이【74】라. 댱밍(壯猛)훈 거동이 훈 조각 인졍인들 이셔 뵈리오. 고디 사름을 죽일 둧후니, 져네 각각 듕장을 밧고 만일 쇼져를 하당치 못훈즉 죽기를 면치 못할 줄노 아라, 일시의 톄읍 이걸후여 젼후 좌우로 쇼져를 붓들고 듕계를 향후니, 병뷔 심니의 징그라이 녁이더라.【75】

여 닉치고 시여 등을 다 치죄후여 언언니 소져 딕신으로 마주라 후여, 소져로 후여금 욕되고 괴롭도록 훈디, 경시 힝혀도 분노한 말을 입 밧게 닉지 아니코, 또 수죄홈도 업셔 일양 닝담훈지라. 병뷔 져[졔]녀을 다 치죄후고 시뇌(侍奴) 물너 가믹 오히려 쾌치 못후여, 시녀 등을 호령후여 부인의 《자미‖잠이》을 쌔히고 《쥬게‖즁계》의 나리오라 후디, 경시 움즉일 의스 업스니 병뷔 크게 호령후여, 소져[졔]을 나리오지 아니면 수죄을 녕(令)후리라 후니, 위풍○[이]틱산밍호(泰山猛虎) 갓탄지라. 졔여(諸女) 각각 즁장○[을] 맛고 만일 소져을 하당치 못훈즉 죽긔을 면치 못할 쥴노 알아, 일시의 체읍 익걸후여 젼후좌우로 소져를 붓들고 《쥬게‖즁계》로 향후니, 병뷔 심이(心裏)의 징그려 여기고

1295)닝초(冷峭) : 태도나 행동이 냉정하고 엄함.
1296)졔회(際會) : 좋은 때를 당하여 만남.

명듀보월빙 권디삼십칠

어시의 병뷔 심니의 징그라이 넉이고, 분노를 작위ᄒᆞ난 가온ᄃᆡ나, 쇼져를 ᄋᆡ듕ᄒᆞᄂᆞᆫ ᄆᆞ음은 여텬디무궁(如天地無窮)ᄒᆞᆫ디라. 경시 죽기를 그음ᄒᆞ여 하당치 말고져 ᄒᆞᄃᆡ, 병부의 셩화(盛火) ᄀᆞᄐᆞᆫ 지촉과 욕된 말이 무슈ᄒᆞ고, 졔녀의 경ᄉᆡᆨ이 슈참(愁慘)ᄒᆞ여 져마○[다] 살기를 쳥ᄒᆞ니, ᄉᆞ셰 브득이 욕되고 분ᄒᆞᆫ 거ᄉᆞᆯ ᄎᆞᆷ아 계의 나려셔ᄆᆡ, 약한 긔딜은 난쵀 향긔를 겸ᄒᆞ고, 고은 얼골은 향년(香蓮)이 광풍을 당ᄒᆞᆫ ᄃᆞᆺ, 팔ᄌᆞ아황(八字蛾黃)[1297]의 잠간 슈우(愁憂)ᄒᆞᆫ 빗출 동ᄒᆞ고, 효셩빵안(曉星雙眼)의 【1】 츄슈징셰(秋水澄勢)[1298]를 녕(零)ᄒᆞ여[1299] ᄌᆞ긔 몸이 이러ᄐᆞᆺ 욕되고 괴로오믈 그ᄋᆞᆨ이 슬허ᄒᆞ니, 긔려ᄒᆞᆫ ᄐᆡ도와 승졀(勝絶)ᄒᆞᆫ 염광(艶光)이 더옥 비상ᄒᆞ여 어엿븐 거동이 우희[1300]염ᄌᆞᆨᄒᆞᆫ디라. 병뷔 흠ᄋᆡ(欽愛)ᄒᆞᄂᆞᆫ ᄆᆞ음과 견권(繾綣)ᄒᆞᄂᆞᆫ 졍을 니긔디 못ᄒᆞᄃᆡ, ᄒᆞᆫ ᄎᆞ례 보치려 ᄒᆞ엿ᄂᆞᆫ 고로 분연 고셩 왈,

"그ᄃᆡ 무례ᄒᆞᆫ 죄과를 니르려 ᄒᆞᆫ즉 죵일죵야 ᄒᆞ나 능히 다 못ᄒᆞ려니와 그 대강을 니르리라. 인연이 긔구ᄒᆞ여 운남을 뎡벌ᄒᆞ고 절강으로 작노(作路)ᄒᆞ여 그ᄃᆡ 집의 니르ᄆᆡ, 그ᄃᆡ 부친이 날을 ᄉᆞ랑하고 텬위 졍후(情厚)ᄒᆞ여 피ᄎᆞ 심곡(心曲)을 긔일 거시 업ᄂᆞᆫ고【2】로, 우연히 쳥혼ᄒᆞᄆᆡ 허락을 어더, 길이 머러 친젼의 고치 못ᄒᆞ고 그ᄃᆡ를 취ᄒᆞ나, ᄒᆡᆼ게(行車) 밧브므로 총총이 도라올ᄉᆡ, 그ᄃᆡ 부친과 언약을 두어 개츈 후 샹경을

1297)팔ᄌᆞ아황(八字蛾黃) : 눈썹을 그리고 분을 바른 얼굴. 팔자(八字)와 아황(蛾黃)은 각각 눈썹과 얼굴에 바르는 분(粉)을 말함.
1298)츄슈징셰(秋水澄勢) : 가을 물의 맑은 기운. 여기서는 가을 물처럼 맑은 눈물.
1299)녕(零)ᄒᆞ다 : 빗방울이 떨어지다.
1300)우희다 : 움켜쥐다. 손안에 꽉 잡고 놓지 아니하다.

노분을 작위ᄒᆞᄂᆞᆫ 즁, 소져을 ᄋᆡ즁ᄒᆞ난 마음○[은] 여쳐[쳔]지무궁(如天地無窮)이라. 경시 죽기을 그음ᄒᆞ여 병뷔의 셩화(盛火) 갓치[튼] ᄉᆡ[지]촉과 욕된 말이 무슈ᄒᆞ고, 졔ᄂᆡ[녀]의 경ᄉᆡᆨ이【15】 슈ᄎᆞᆷ(愁慘)ᄒᆞ여, 져마다 소져긔 슬기을 쳥ᄒᆞ니, 셰 브득니[이] 욕되고 분한 거ᄉᆞᆯ ᄎᆞᆷ아 계ᄒᆞ(階下)의 나려셔ᄆᆡ, 약ᄒᆞᆫ 기질은 난쵀 향긔을 겸ᄒᆞ고, ○[고]온 얼골은 《향ᄂᆡ‖향년(香蓮)》이 광풍을 당ᄒᆞᆫ 듯, 팔ᄌᆞ아황(八字蛾黃)[1091]의 잠간 슈유[우](愁憂)ᄒᆞᆫ 빗《도로‖출》 동ᄒᆞ고, 효령[셩]쌍안(曉星雙眼)의 츄슈징픠(秋水澄波)은 《빙‖녕(零)[1092]》ᄒᆞ여 ᄌᆞ긔 몸이 이러탓 욕되고 《괴오로믈‖괴로오믈》슬허ᄒᆞ니, 긔려한 ᄐᆡ도와 졀승ᄒᆞᆫ 념광(艶光)이 더옥 비승ᄒᆞ여, 어엿분 거동이 우히[1093]념즉한지라. 병뷔 취안을 긔우려 흠ᄋᆡ(欽愛)ᄒᆞᆫ 마음과 건[견]권(繾綣)ᄒᆞ난 졍을 이긔지 못ᄒᆞᄃᆡ, ᄒᆞᆫ ᄎᆞ려[례] 보ᄎᆞ[치]려 ᄒᆞᄂᆞᆫ 고로, 분연 고경[셩] 왈,

"그ᄃᆡ 무례ᄒᆞᆫ 죄과을 이로려 헌즉 죵일죵야ᄒᆞ나 능히 다 못ᄒᆞᆯ지라. 기간 지난 바 ○[셰]ᄉᆞ 곡졀을 긋ᄒᆞ여 일ᄏᆞ라 알비 아니라, 그ᄃᆡ 비록 여ᄌᆞ나 ᄉᆞ리을 알진ᄃᆡ, 《호ᄋᆡ‖호의(狐疑)》 만흔 부형을 위로ᄒᆞ고 장ᄂᆡ식되어가믈 볼 분이여날, 년기 유츙ᄒᆞᆫ ᄃᆡ 공교로은 의ᄉᆞ난 슉셩ᄒᆞ여, 절강셔 상경ᄒᆞᆯ 졔 짐짓 슈일을 쳐치[져] ᄒᆡᆼᄒᆞ여 아니오믈 챵ᄒᆞ고, ᄂᆡ 마음을 엿보다가 마ᄎᆞᆷ 나의 고지듯지 아니믈 인ᄒᆞ여, 그ᄃᆡ 왓시믈 ᄎᆞᄌᆞᄂᆡ여 ᄂᆡ 스ᄉᆞ로 왕ᄂᆡᄒᆞ니, 남녀의 졍【16】이 합ᄒᆞ은[믄] ᄉᆞᆼ하노위(上下老幼) 다 덧덧한 일

1091)팔ᄌᆞ아황(八字蛾黃) : 눈썹을 그리고 분을 바른 얼굴. 팔자(八字)와 아황(蛾黃)은 각각 눈썹과 얼굴에 바르는 분(粉)을 말함.
1092)녕(零)ᄒᆞ다 : 빗방울이 떨어지다.
1093)우히다 : 움켜쥐다. 손안에 꽉 잡고 놓지 아니하다.

청ᄒᆞ엿더니, 일이 공교ᄒᆞ여 그 ᄉᆞ이 원치 아닛는 공쥬를 취ᄒᆞ나, 부귀를 탐ᄒᆞ고 그ᄃᆡ를 블관이 넉여도 그ᄃᆡ 부형의 일인즉, 언약을 져바리디 말고 그ᄃᆡ를 다려 즉시 샹경훌 거시어놀, 그ᄃᆡ 부친이 당부의 얼골이 녀ᄌᆞ의 ᄆᆞᄋᆞᆷ으로, ᄆᆡ양 대의를 ᄉᆡᆼ각디 못ᄒᆞ고 셰쇄ᄒᆞᆫ 곡졀만 술펴 당치 아닌 근심과 쇼쇼ᄒᆞᆫ 념녀를 노치 못ᄒᆞᄂᆞᆫ 궁상이라. 그ᄃᆡ 비록 녀【3】ᄌᆞ나 ᄉᆞ리를 알딘ᄃᆡ, 호의 만흔 부형을 위로ᄒᆞ고 당ᄂᆡᄉᆡ 되여가물 볼 쁜 이어놀, 년긔 유튱ᄒᆞᄃᆡ 공교로온 의ᄉᆞᄂᆞᆫ 슉셩ᄒᆞ여, 졀강셔 샹경훌 제 짐즛 슈일을 쳐져 ᄒᆡᆼᄒᆞ여, 《내॥아니》 오믈 칭ᄒᆞ고 내 ᄆᆞᄋᆞᆷ을 엿보다가, 맛춤ᄂᆡ 나의 고디 듯디 아니믈 인ᄒᆞ여 그ᄃᆡ 와시믈 ᄎᆞ자ᄂᆡ여, 내 스ᄉᆞ로 왕ᄂᆡᄒᆞ니 남녀의 졍이 합ᄒᆞᆫ 상하노쇠 다 덧덧ᄒᆞᆫ 일이로ᄃᆡ, 그ᄃᆡ 괴려ᄒᆞᆫ 나의 듕ᄃᆡ를 원슈ᄀᆞᆺ치 알며 나의 왕ᄂᆡ를 싀호의 ᄌᆞ최로 아라, 쥬야 ᄉᆡᆼ각ᄂᆞᆫ 비 ᄃᆡᄒᆞ여 아니 보기를 원ᄒᆞ며, 녕형이 소쥬를 향ᄒᆞᄆᆡ 쳔니【4】 도로의 득달이 어려올 쁜 아니라, 츌가ᄒᆞᆫ 누의를 임소로 다려갈 규구(規矩)ᄂᆞᆫ 가장 드믄 일이라. 아모리 속이고져 ᄒᆞ여도 내 삼셰쳑동이 아니니 고디 드를 니 업거놀, 그ᄃᆡ 부친의 인ᄉᆞ 모로기ᄂᆞᆫ ᄯᆞᆯ의 교악을 돕고, 그ᄃᆡᄂᆞᆫ 요악ᄒᆞ미 심ᄒᆞ여 거즛 소쥬 가노라 하ᄃᆡᄒᆞᄂᆞᆫ 셰간을 보ᄂᆡ고, 이곳의 숨어 폐륜(廢倫) ᄉᆞ셰(辭世)ᄒᆞ믈 달게 넉이니, 아디 못게라, 뎡챵ᄇᆡᆨ의 쳐실되믈 욕되게 넉여 부분뉸의를 ᄉᆡᆼ각디 아니코 삼오청츈의 두문블츌ᄒᆞ여 인뉸의 참예치 말고쳐 ᄒᆞ미냐? 반ᄃᆞ시 쥬의 이실 거시니, 그ᄃᆡ 부친이 날을【5】 원거ᄒᆞ라 ᄒᆞᄂᆞᆫ 곡졀이 이실 거시니, 모로미 ᄲᆞᆯ니 니르라."

경시 져의 말을 답디 아닌즉 더욱 욕셜이 무궁훌디라. 분노를 춤고 안셔히 ᄃᆡ왈,

"쳡의 블응누딜(不能陋質)이 군ᄌᆞ 고안의 블합ᄒᆞᆫ ᄉᆡ로이 니를 비 아니라. 여러 가디 형셰 난쳐ᄒᆞ여 구구히 화를 피ᄒᆞ며 몸이 무ᄉᆞ키를 도모ᄒᆞᄆᆡ, 젼후디ᄉᆡ 다 군ᄌᆞ긔 득

로ᄃᆡ, 괴려ᄒᆞ은[믄] ᄂᆡ의 즁ᄃᆡ을 원슈 가치 알며, ᄂᆡ의 왕ᄂᆡ을 싀호 ᄌᆞ최로 아라, 쥬야 ᄉᆡᆼ각난 비 ᄃᆡ면 안키을 원ᄒᆞ며, 녕형이 소쥐로 향ᄒᆞᄆᆡ 쳐[쳔]리 도로의 득달이 어려올 쁜 아니라, 츌가한 누의을 임의로 다려가는 규○○[구ᄂᆞᆫ] ○[드]문 일이어날, 아모리 쇽이고져 ᄒᆞ나, ᄂᆡ 삼셰 유아 아니니 고지 드[들]을 일 업거날, 그ᄃᆡ 부친의 인ᄉᆞ 모로기난 ᄯᆞᆯ의 교앙(驕昂)을 돕고, 그ᄃᆡ도 요악홈미 심ᄒᆞ여 거짓 소쥐 가노라 ○… **결락31자**…○[하ᄃᆡᆨᄒᆞᄂᆞᆫ 셰간을 보ᄂᆡ고 이곳의 숨어 폐륜(廢倫) ᄉᆞ셰(辭世)ᄒᆞ믈 달게 넉이니, 아디 못게라] 이 졍츙ᄇᆡᆨ의 쳐실되믈 욕되니[이] ○○[녁여] 여ᄌᆞ 윤의을 ᄉᆡᆼ각지 아니코, 삼오청츈의 두문불츌ᄒᆞ여 《어윤॥인륜(人倫)》의 참예치 말고져 ᄒᆞ미냐? 어ᄃᆡ 풍유 학ᄉᆡ 잇셔 졍창ᄇᆡᆨ을 바리고져 ᄒᆞ미냐? 반다시 쥬의 잇실 거시니 알고져 ᄒᆞ고, 또 그ᄃᆡ 부친이 날을 원슈로 알나 ᄒᆞ난 곡졀이 무숨 곡졀인지, 모로미 ᄲᆞᆯ니 이르고 호발도 은의[닉](隱匿)치 말나."

경시 져 말을 답지 아니한직 더옥 욕셜이 무궁훌지라. 분노을 춤고 《안더니॥안셔이》 ᄃᆡᄒᆞ여 갈오ᄃᆡ,

"쳡의 불능누질(不能陋質)이 군ᄌᆞ의게 불합ᄒᆞ은[믄] ᄉᆡ로이 일을 비 아니라. 형셰【17】 난쳐ᄒᆞ여 항ᄉᆞᆼ 술피[펴] 몸이 무ᄉᆞ기[키]을 도모ᄒᆞᄆᆡ, 만히 군ᄌᆞ의 칙언을 역

죄ᄒᆞᆫ디라. 엇디 감히 좌우를 티죄ᄒᆞ시믈 한ᄒᆞ리잇고마ᄂᆞᆫ, 쳡이 비록 무상ᄒᆞ나 가엄(家嚴)의 탓시 아니어ᄂᆞᆯ, 군ᄌᆡ 가친을 욕ᄒᆞ믈 됴흔 일ᄀᆞᆺ치 ᄒᆞ시니 이 도시 쳡의 어디디 못ᄒᆞᆫ 연괴라. 누를 탓ᄒᆞ며 므어ᄉᆞᆯ 한【6】ᄒᆞ리오. 디어 욕셜이 하슈(河水) 머러 귀를 씻디 못{한}ᄒᆞ고, 이곳의 올므믄 젼혀 군의 왕ᄂᆡ를 긋쳐 문견ᄌᆞ(聞見者)의 이목을 막아, 일향 소쥐 가믈 칭ᄒᆞ고 군ᄌᆞᄀᆡ 하딕ᄒᆞᄂᆞᆫ 셔간을 보ᄂᆡ미 올치 아닌 줄 아오ᄃᆡ, 금슈도 제 몸을 ᄉᆞ랑ᄒᆞᄂᆞ니 쳡도 일분 인심이라. 부모ᄀᆡ 남ᄆᆡ 냥인 ᄲᆞᆫ이니 외로온 부모를 노리의 기리 밧들고 놀나온 일을 뵈디 말고져 ᄒᆞ므로, 의ᄉᆡ 궁극ᄒᆞ여 소쥐 가믈 칭ᄒᆞ미니, 이 밧긔 다른 소견이 업ᄂᆞᆫ디라. 군ᄌᆡ 가엄으로ᄡᅥ 당치 아닌 념녀를 ᄒᆞ신다 ᄒᆞ나, 양져와 윤・니 냥 부인이 ᄀᆡ이ᄒᆞᆫ 죄루를 시러 니이졀혼(離異絶婚)ᄒᆞ고【7】 화익이 쳡쳡ᄒᆞ여 양져와 윤부인의 거쳐 ᄉᆞ싱을 디금 모로시니, 군ᄌᆞ 가실이 다 그럴 거ᄉᆞᆫ 아니어니와, 부모의 구구ᄒᆞᆫ ᄉᆞ졍으로ᄡᅥ 엇디 념녀ᄒᆞ미 괴이타 ᄒᆞ리오."

옥셩(玉聲)이 낭낭(朗朗) 쇄연(灑然)ᄒᆞ여 딘쥬를 금반의 구을니ᄂᆞᆫ 듯, 용화의 ᄀᆡ이ᄒᆞ믄 ᄇᆡᆨᄐᆡ 은연 뉴츌ᄒᆞ여 보ᄇᆡ로운 품격과 어리로온 ᄐᆡ되 볼ᄉᆞ록 눈을 옴기기 앗가온디라. 병부의 ᄆᆞ음이 금셕이 아니어니 슉녀명염의 이ᄀᆞᆺ치 아름다오믈 견권 황홀치 아니리오마ᄂᆞᆫ, ᄆᆡ양 쇼져 픔격이 강녈ᄒᆞ여 한업시 너르고 무궁이 화(和)ᄒᆞ믄 윤부인긔 블급ᄒᆞ나, ᄂᆡᆼ담ᄒᆞᆫ 셩졍【8】으로 유열ᄒᆞᆫ 곳의 닐위며 강녈ᄒᆞᆫ ᄀᆡ습(氣習)으로ᄡᅥ 온슌ᄒᆞ기를 밧고려 ᄒᆞᄂᆞᆫ디라. 다함1301) 봉목(鳳目)을 놉히 ᄯᅳ고 ᄭᅮ디져 왈,

"그ᄃᆡ의 살ᄉᆞ디긔(殺射之氣)1302) 맛촘ᄂᆡ 복을 바드며 슈를 누리디 못ᄒᆞᆯ ᄲᆞᆫ 아니라, 청상(靑孀)으로 신혼(晨昏) 톄읍(涕泣)을 면

1301)다함 : 다만. 또한. 그저.

1302)살ᄉᆞ디긔(殺射之氣) : 말이나 시선으로 상대편을 매섭게 쏘아붙이거나 쏘아보는 기세.

ᄒᆞ리오잇가만, 쳡이 비록 무ᄉᆞᆼᄒᆞ나 가엄의 타시 아니여날, 군ᄌᆡ 가친 즐욕ᄒᆞ믈 죠흔 일 갓치 ᄒᆞ시니 이 도시 쳡의 어지지 못한 연고라. 누을 탓ᄒᆞ며 무어슬 한ᄒᆞ리오. 지어 욕설은 하쉬(河水) 《미리 ‖ 머러》 귀 씻지 못ᄒᆞ믈 흔ᄒᆞ고, 이의 을[올]므믄 젼혀 군의 왕ᄂᆡ을 끈쳐 문견ᄌᆞ(聞見者)와[의] 이목을 막아, 일향 소쥐 가믈 청[칭]ᄒᆞ고 군ᄌᆞᄀᆡ 하직ᄒᆞᄂᆞᆫ 셔간을 보ᄂᆡ미 올치 아닌 쥴 알오ᄃᆡ, 금슈도 제 몸을 ᄉᆞ랑ᄒᆞ난이 쳡도 일분 인싱이라. 남ᄆᆡ 양인 ᄲᆞᆫ이니 외로온 부모을 노ᄂᆡ[리]의 기리 밧들고 놀나온 일○[을] 보지 말고져 《ᄒᆞ올 ‖ ᄒᆞ므로》, 의ᄉᆡ 궁극ᄒᆞ야 소쥐 감을 칭ᄒᆞ미니, 니밧게 다은[른] 소건[견]이 업ᄂᆞᆫ지라. 군ᄌᆞ 가엄으로ᄡᅧ 당치 아인[닌] 근심을 흔다 ᄒᆞ시나, 양 져(姐)와 뉸・이 양부인이 고이ᄒᆞᆫ 되(罪)을 실어 ○○○○○○[니이졀혼(離異絶婚)ᄒᆞ고], 화익이 쳡쳡ᄒᆞ여 윤부인○[과] 양져 거쳐 싱ᄉᆞ을 지금도 모로시니, 군ᄌᆞ 가실이 다 그럴 거ᄉᆞᆫ 아니어이[니]와, 부모의 구구한 ᄉᆞ졍으로ᄡᅧ 엇지 염녀ᄒᆞ미 고이타 ᄒᆞ실잇고?"

《유셩 ‖ 옥성(玉聲)》이 낭낭(朗朗) 솨[쇄]연(灑然)ᄒᆞ여 《지쥬 ‖ 진쥬(眞珠)》을 금반의 구을이ᄂᆞᆫ【18】 듯, 용화의 ᄀᆡ니[이]ᄒᆞ믄 ᄇᆡᆨᄐᆡ 은연 유츌ᄒᆞ여 볼ᄉᆞ록 눈 옴기기 앗가온지라. 병뷔 마음이 금셕이 아니라, 슉여 《명녁 ‖ 명염》이 이갓치 아름다오믈 엇지 황홀치 아니리오마난, ᄆᆡ양 소져 픔격이 강열ᄒᆞ여, 한 업시 니[너]르고 무궁이 화ᄒᆞ믄, 윤부인긔 블금[급]ᄒᆞᆫ 곳이 만으믈 미흑[흡]ᄒᆞ여, ᄂᆡᆼ담ᄒᆞ믈 유○[열]한 곳의 일위여 강열한 긔습으로ᄡᅧ 온슌흠과 밧고리[려] ᄒᆞ난지라, 봉목(鳳目)○[을] 놉히고 ᄯᅩ ᄭᅮ지져 왈,

"그ᄃᆡ의 ○○○○[살ᄉᆞ디긔(殺射之氣)1094)] 신슈이쳬(身首離體)을 면치 못ᄒᆞᆯ 듯ᄒᆞ니, 창ᄇᆡᆨ을 나모라고 다른 호걸을 구ᄒᆞ여도 일싱화락ᄒᆞ미[여] 안한키을 바라지 못

1094)살ᄉᆞ디긔(殺射之氣) : 말이나 시선으로 상대편을 매섭게 쏘아붙이거나 쏘아보는 기세.

치 못흔듯 ᄒᆞ니, 챵빅을 나모라고 다른 호걸을 구ᄒᆞ여도 일싱 화락ᄒᆞ여 안한키를 바라디 못ᄒᆞ리니, 모로미 셩졍을 곳쳐 온유화열키를 쥬ᄒᆞ고, 빈부(背夫) 난뉸(亂倫)흔 더러운 계집이 되디 마람즉 ᄒᆞ니, 아디 못게라, 그듸 내 왕녀를 즐겨 아니미 부부ᄉᆞ졍이 쇼욕의 브족ᄒᆞ여 일듸 옥인을 바라는 연괴냐?"

쇼졔 져의 말마【9】다 욕이 무궁ᄒᆞ물 보믹, 분한ᄒᆞ여 츄파의 빵누를 먹음고 말을 아니 ᄒᆞ니, 병뷔 《심셩‖심졍(心情)[1303]》이 나, 듕계의 셰워두고 조르고 보치는 말이 아니 밋촌 곳이 업더니, 이윽고 뎡당 시녜 셕반(夕飯)을 가져 니르믹, 상을 밧고 비로소 쇼져의 오로기를 명ᄒᆞ여 셕반을 딘식ᄒᆞ라 ᄒᆞ니, 쇼졔 분뇌 막힐 ᄃᆞᆺᄒᆞ나 어듸 가결을[1304] 의식 나리오. 다만 날호여 당의 올나 슉연이 공슈단좌 ᄒᆞ여 ᄉᆞ식디념이 몽니의도 업ᄉᆞ니, 병뷔 힝혀 약딜이 상홀가 념녀ᄒᆞ므로, 짐즛 ᄉᆞ디져 식반을 나오로록 직쵹ᄒᆞ는 거동이 이상ᄒᆞ고 싀험ᄒᆞ여, 그 명을 역흔즉, 고듸 죽【10】일 ᄃᆞᆺ 보기의 무셔오니, 경시 괴롭고, 분한을 춤고 식반을 녜ᄉᆞ로이 나오니 병뷔 잠간 즐욕을 긋티고 식상을 물닌 후, 쇼져를 향하여 일호쥬를 구ᄒᆞ니 쇼졔 져의 과음ᄒᆞ미 싀를 출히디 아니ᄒᆞ믈 민망이 녁이나, 능히 말니디 못ᄒᆞ여 시녀로 ᄒᆞ여금 뎡당의 긔별ᄒᆞ여 술을 가져오라 하니, 시녜 즉시 일호쥬를 밧드러 알패 노흐니, 병뷔 병지 드러 거후르고 날이 어둔 후, 쵹을 붉히고 팀금을 포셜ᄒᆞ여 웃옷술 버셔 후리친 후, 상요리 나아갈싀, 쇼져로 팔흘 쥐므ᄅᆞ라 ᄒᆞ니 쇼졔 분완ᄒᆞ듸 역디 못ᄒᆞ며 팔을 쥐므르믹, 두 살빗【11】치 빅옥을 탁ᄒᆞ고[1305] ᄀᆞᆺ가이 듸홀ᄉᆞ록 더옥 빗난디라. 쇼져의 손 밋그러오미 형옥(衡玉)[1306]을 다ᄉᆞ린 ᄃᆞᆺ, 향염흔 긔질이 놉고

ᄒᆞ리니, 모로미 셩졍을 곳쳐 온유화열키을 쥬ᄒᆞ고, 빈부(背夫) 난뉸(亂倫)흔 더러온 게집이 되지 《말미 ᄉᆞ‖마람 즉》ᄒᆞ니, 아지 못게라, 그듸 ᄂᆡ 《왕시‖왕녀》을 즐겨 아니미 부부 ᄉᆞ졍이 소욕의 부족ᄒᆞ여 일듸 옥인○[을] 바라난 연괴냐?"

소져 욕이 무궁ᄒᆞ믈 보고 분한ᄒᆞ여 츄파의 쌍누을 머[먹]음고 말을 아니ᄒᆞ니, 병뷔 심졍(心情)[1095]이 나, 즁게(中階)의 셰워 두고 조록[로]고 보치은[는] 말이 아니 미출고지 업더니, 이윽고 졍당 시여 셕반을 가져 니르믹, 병뷔 ᄉᆞᆼ을 밧고 비로소 오르기을 명ᄒᆞ【19】여 셕반을 진식ᄒᆞ라 ᄒᆞ니, 소져 분뇌ᄒᆞ나 엇지 결울 의식 나리오. 당의 올나 슉연이 공슈단좌ᄒᆞ여 《ᄉᆞ싀지역‖ᄉᆞ식지염(事食之念)》이 몽이(夢裏)의도 업ᄉᆞ니, 병뷔 힝혀 약질이 ᄉᆞᆼ할가 념여ᄒᆞ므로, 짐즛 ᄉᆞ지져 식반을 나오도록 ᄒᆞ난 거동이 이ᄉᆞᆼᄒᆞ고, 그 명을 녁흔즉 고듸 쥭일 듯 무셔오니, 경시 《고집고‖괴롭고》, 분한을 참고 식반을 《여ᄉᆞ로이‖예ᄉᆞ로이》 나오니, 병뷔 즐욕을 그치고 식ᄉᆞᆼ을 믈인 후, 홀연 소져을 향ᄒᆞ여 일호쥬을 구ᄒᆞ니, 소져 저 《광음‖과음(過飮)》ᄒᆞ미 싀을 출히지 아니믈 민망이 너기나, 능히 말니지 못ᄒᆞ여 시여(侍女)로 ᄒᆞ여금 뎡당의 가 슐을 가져오라 ᄒᆞ니, 즉시 일호쥬을 밧드러 압픽 노흐믹, 병뷔 주호○[싀] 셔드러 나리 거후르고 날이 어두오믹 쵹을 블힌[1096] 후 시여로 침금을 포셜ᄒᆞ라 ᄒᆞ고, 웃옷술 버셔 후리친 후 ᄉᆞᆼ요의 나아갈 싀, 소져로 팔을 쥬무르라 ᄒᆞ니, 소져 부[분]한ᄒᆞ되 감히 녁지 못ᄒᆞ여 나아가 팔을 쥬무르믹, 부부의 술빗치 빅셜의 탁ᄒᆞ믈[1097] 우으며, 긔이흔 격됴 갓가니[이] 듸눌[홀] ᄉᆞ록 더옥 빗나난지라.

1303)심졍(心情) : 좋지 않은 심사. 마음속에 품고 있는 생각이나 감정.
1304)결우다 : 겨루다. 서로 버티어 승부를 다투다.
1305)탁ᄒᆞ다 : 닮다.
1306) 형옥(衡玉) : 형산(荊山)에서 나는 옥.

1095)심졍(心情) : 좋지 않은 심사. 마음속에 품고 있는 생각이나 감정.
1096)블히다 : 밝히다.
1097)탁ᄒᆞ다 : 닮다.

ᄆᆞᆰ아, 션원(仙苑) 옥익(玉液)1307)을 맛보며, ᄇᆡᆨ티만광이 당부로 ᄒᆞ여금 황홀ᄒᆞᆯ ᄇᆡ라. 작위(作爲)ᄒᆞᄂᆞᆫ[든] ○○[분노] 츈셜 ᄀᆞᆺ고, ᄋᆡ듕 견권ᄒᆞ미 무궁ᄒᆞᄃᆡ, 오히려 엄졀이 칙ᄒᆞ며 보치기를 마디 아냐, ᄎᆞ후 쳔만 난안디식 이셔도 피ᄒᆞᆯ 의ᄉᆞ를 ᄂᆡ디 못ᄒᆞ게 ᄒᆞ더라.

경공이 관부의 가 공ᄉᆞ를 쳐결ᄒᆞ고 본부의 도라오ᄆᆡ, 부인이 마쟈 셔랑의 말을 일일히 젼ᄒᆞ고, 후정의 가 유랑과 시녀를 듕티ᄒᆞ며 녀ᄋᆞ 보치ᄂᆞᆫ 바를 니르니, 경공은 병뷔 분노를 ᄯᅴ여【12】 도라간가 넉엿더니, ᄎᆞ언을 듯고 어히 업,셔 도로혀 우어 왈,

“셔헌의셔 날을 여ᄎᆞ여ᄎᆞ 욕ᄒᆞ고, 녀ᄋᆡ 소ᄎᆔ 가디 아녀시믈 니르더니, 내 나간 ᄯᅵ를 타 부인의 쇽을 ᄲᅡᆸ아, 녀ᄋᆡ 후정의 이시믈 알고 짐즛 후일을 경계코져 ᄒᆞ여 녀ᄋᆞ를 보치니, 이제ᄂᆞᆫ ᄒᆞᆯ일 업ᄂᆞᆫ디라. 화복길흉이 ᄌᆡ텬ᄒᆞ니 엇디 ᄒᆞ리오. 우리 ᄇᆞ졀업시{시} 왕ᄂᆡ를 막으려 속인 ᄇᆡ 되어시니, 챵ᄇᆡᆨ이 심홰 셩ᄒᆞᆫ 바의 만만ᄒᆞᆫ 녀ᄋᆞ를 만나시니 ᄆᆞ음ᄃᆡ로 ᄒᆞ려니와, 녀ᄋᆞ를 져도 념녀ᄒᆞᄂᆞ니 우리ᄂᆞᆫ 다시 아른 체 말 거시라.”

부인이 녀ᄋᆞ의 일ᄉᆡᆼ이 안한치 못ᄒᆞᆯ가【13】 ᄒᆞ나, 은졍이 여산ᄒᆞ믈 도로혀 깃거 손ᄋᆞ를 픔어 숙팀ᄒᆞ니라.

1307)옥익(玉液) : 옥에서 나는 즙. 마시면 오래 산다고 하여 도가에서는 선약으로 친다. 」=옥액경장.

소져의 셤슈의 ᄆᆡᆺ그러오미 형옥을 다【20】ᄉᆞ린 듯, 향념(香艶)ᄒᆞᆫ 긔질이 놉고 ᄆᆞᆰ아 《셔원∥션원(仙苑)1098)》의 《유익∥옥액(玉液)》을 맛보며 진속화식(塵俗火食)을 념ᄒᆞ난 듯, ᄇᆡᆨ티쳔관[광]이 풍유장부로 ᄒᆞ여금 황홀 탐혹할 ᄇᆡ라. 작위ᄒᆞ든 분노 츈셜 갓고 견권의 즁ᄒᆞ미 무궁헌ᄃᆡ, 오히려 엄졀이 칙ᄒᆞ며 싀험(弑險)이 보치기를 마지 아냐, ᄎᆞ우난 쳔만 가지 난안지식 잇셔도 피ᄒᆞᆯ 의ᄉᆞ○[를] ᄂᆡ지 못ᄒᆞ게 ᄒᆞ더라.

경공이 관부의 가 공ᄉᆞ을 쳐결ᄒᆞ고 본부의 도라오ᄆᆡ, 부인이 마ᄌᆞ 셔랑의 말을 일일이 젼ᄒᆞ고, 후정의 가 유랑 시아을 즁치ᄒᆞ며 녀ᄋᆞ 보치난 바을 니르니, 경공은 병뷔 분노을 ᄯᅴ고 도라간가 넉겻더니1099) ᄎᆞ언을 듯고 어히업셔 도로혀 우어 왈,

“셔현[헌]의셔 날 여ᄎᆞ여ᄎᆞ 욕ᄒᆞ고 여아 소ᄎᆔ 가게 아냐시믈 니르더니, ᄂᆡ 나간 ᄯᅵ을 ○[타] 부인 속을 섀바, ᄂᆡ[녀]ᄋᆡ 후원의 잇시믈 알고 짐짓 후일을 경ᄆᆡ[계]코져 시아 등을 즁타ᄒᆞ나, 여아을 보치여 져의 심화을 플여ᄒᆞ니, 이졔난 ᄒᆞ[ᄒᆞᆯ]일 업난지라. 제 말 곳[갓]타여 화복길흉(禍福吉凶)이 ᄌᆡ쳔ᄒᆞ니 장ᄂᆡ만 볼 ᄲᅮᆫ이라. 져의 부부ᄉᆞ졍은 즁커날, 우리 부졀 업시 왕ᄂᆡ을 막○[ᄌᆞ]르며 녀ᄋᆞ 거ᄎᆔ을【21】 쇽인 ᄇᆡ 되어시니, 창ᄇᆡᆨ○[이] 《ᄇᆡ아흐로∥바야흐로》 심화 셩ᄒᆞᆫ ᄇᆡ의 ○○[만만]ᄒᆞᆫ 녀아을 맛나시니, 광긔 《난나ᄃᆡ로∥나난ᄃᆡ로》 ᄒᆞ려이와, 여아 몸은 져도 염녀ᄒᆞ여 병드지 아니게 ᄒᆞ리니, 우리난 이런 일을 다시 이[아]른 체 말 거시라.”

부인이 잠소ᄒᆞ나 여아 일ᄉᆡᆼ이 안한키 어려오믈 그윽히 탄ᄒᆞ며, 병뷔 왕ᄂᆡ을 두리난 가온ᄃᆡ나 그 부부의 쌍유(雙遊)ᄒᆞ난 ᄌᆞ미을 두굿게[겨] 셕반을 ᄎᆞ려 보ᄂᆡ고, 손아을 친이 품고 ᄌᆞ며 후졍의 보ᄂᆡ지 안터라.

1098)옥익(玉液) : 옥에서 나는 즙. 마시면 오래 산다고 하여 도가에서는 선약으로 친다. 」=옥액경장.
1099)넉기다 : 여기다. ⇒너기다.

병뷔 슈일을 후정의셔 좌와(坐臥)의[를] 경시와 ᄒᆞᆫ가디로 ᄒᆞ니, 슈히 도라가믈 결연ᄒᆞᄃᆡ, ᄯᅩᄒᆞᆫ 구구ᄒᆞ여 년년ᄒᆞᆫ 거동이 업셔 댱부의 긔상이라. 경공 부뷔 아름다오믈 니긔디 못ᄒᆞ나, 공이 ᄋᆡ셔를 후정의셔 보ᄂᆞᆫ 일 업고, 병뷔 나와 보미 업셔, ᄎᆞ후ᄂᆞᆫ 원문으로 좃ᄎᆞ 왕ᄂᆡ{케} 《ᄒᆞ고‖ᄒᆞ니》, ᄀᆞᆺᄐᆞ여 경공을 슌슌(循循)1308) ᄇᆡ현(拜見)치 아니려 ᄒᆞ미러라. 이ᄂᆞᆫ 공이 ᄌᆞ가 ᄌᆞ최를 딘정으로 졀박히 넉이ᄂᆞᆫ 연괴러라.

병뷔 본부의 도라가 요악ᄒᆞᆫ 공쥬를 듕회듕도 볼 뜻이 ᄉᆞ연ᄒᆞ나, 부【14】젼의 운화산 풍경을 도라보고 오믈 고ᄒᆞ엿ᄂᆞᆫ 고로, 긔한을 어긔오디 못ᄒᆞ여 슈삼일 후 부듕으로 도라올ᄉᆡ, ᄀᆞᆺᄐᆞ여 쇼져다려 니르ᄂᆞᆫ 말이 업시 도라오믄, 경시 ᄎᆞ후ᄂᆞᆫ 아모ᄃᆡ도 ᄌᆞ최를 ᄀᆞᆷ초디 못ᄒᆞᆯ 줄 디긔ᄒᆞ여, 비록 부친을 긔이고 밤으로 월셩ᄒᆞ여 왕ᄂᆡᄒᆞᆯ디라도, 경부의 ᄌᆞ로 오려 ᄒᆞᄂᆞᆫ 의ᄉᆡ니, 경시 병부의 뜻을 거의 짐작ᄒᆞ여 블안 민박ᄒᆞ믈 니긔디 못ᄒᆞᄃᆡ, 감히 ᄉᆞᄉᆡᆨ디 못ᄒᆞ여 ᄎᆞᆷ고 견ᄃᆡ기를 위쥬ᄒᆞ며, 졈졈 강녈ᄒᆞᆫ 긔습을 바리고 은유나즉ᄒᆞ며, 비록 구괴 아디 못ᄒᆞᄂᆞᆫ 며나리 되여시나 가부를 승슌ᄒᆞ믄,【15】 범ᄉᆞ의 그 뜻을 어긔오디 못ᄒᆞᆯ 줄 아라, ᄌᆞ긔 명도 신셰ᄂᆞᆫ 부운의 더디고, 병부의 닛그ᄂᆞᆫ ᄃᆡ로 ᄒᆞ며 일이 되여 가믈 보려 ᄒᆞ므로, 괴로이 슈우 쳑쳑ᄒᆞ미 업ᄉᆞᄃᆡ, 부모의 념녀를 졀민ᄒᆞ여 ᄆᆡ양 청화아셩(淸和雅聲)1309)으로 위로ᄒᆞ나, ᄉᆞ실의 도라온즉 미우를 펼 적이 업더라.

병뷔 취운산의 도라와 존당부모긔 ᄇᆡ알ᄒᆞ고 삼ᄉᆞ일 존후를 ᄆᆞᆺᄌᆞ오니, 태부인이 ᄌᆞ긔

1308)슌슌(循循) : ①그때그때마다. ②전례나 원칙 따위를 그때그때마다 따라서 행하거나 지킴.

1309)청화아셩(淸和雅聲) : 맑은 화기와 아름다운 목소리.

병뷔 슈삼일을 쥬야 후정의셔 경시을 《문히‖엄히》히 즐칙ᄒᆞ난 즁도, 졍이 환혹(幻惑)1100)ᄒᆞ여 안ᄌᆞᄆᆡ 무릅을 년ᄒᆞ여 안고 누으ᄆᆡ 베긔를 한가지로 ᄒᆞ여, 마음ᄃᆡ로 화낙(和樂)지 못ᄒᆞ고 슈히 도가가믈 결년ᄒᆞ여 ○○[ᄒᆞᄃᆡ], ᄯᅩ한 구구ᄒᆞ여 쥬졉든 거동이 업셔, 장부긔상이 광풍제월 갓트니, 경공 부부 아람답고 긔니[이]ᄒᆞᆷ{이 ᄃᆡ범ᄒᆞᆷ}을 니긔지 못ᄒᆞ나, 공이 후졍의 가 셔로 보은[는] 일이 업고, 병뷔 나와 공의게 보난 ᄇᆡ 업셔, ᄎᆞ후난 원문을 왕ᄂᆡᄒᆞ여 소져 침소의 왕ᄂᆡ게 ᄒᆞ고, ᄀᆞᆺᄒᆞ여 병뷔로 슌슌(循循)1101) ᄇᆡ견(拜見)치 아니려 ᄒᆞ니, 이ᄂᆞᆫ 공이 병뷔의 ᄌᆞ최를 진졍으로 졀박히 녁이난 년괴라.

병뷔【22】 본부의 도라가 《요역‖요악》한 공쥬를 《즁히 풍도 볼 뜻이 ᄉᆞ닌ᄒᆞ나 부친화‖즁회 듕도 볼 뜻이 ᄉᆞ연ᄒᆞ나 부젼의 운화산》풍경을 도라 보고 오믈 고ᄒᆞ엿난 고로, 슈삼일 후 부즁의 도라갈 ᄉᆡ, 구타여 소져다려 니르난 말이 업시 오믄, 경시 ᄎᆞ후난 ᄌᆞ회[최]를 감초지 못할 쥴 지긔ᄒᆞ여, 비록 부친을 긔니[이]고 밤으로 월셩ᄒᆞ여 왕ᄂᆡ할지라도, 경부의 ᄌᆞ로 올 의ᄉᆞ라. 경시 병뷔의 뜻을 거의 짐ᄌᆞᆨᄒᆞ여 블안 민박ᄒᆞᆫᄃᆡ, 감히 ᄉᆞᄉᆡᆨ지 못ᄒᆞ여 참고 견ᄃᆡ긔을 위쥬ᄒᆞ며, 온유 나즉ᄒᆞ여 비록 구괴 아지 못ᄒᆞ난 며ᄂᆞ리 되어시나, 가부을 승슌ᄒᆞᆷ은 범ᄉᆞ의 그 뜻을 어기오지 못ᄒᆞᆯ 쥴 아라, ᄌᆞ긔 명도와 신셰을 부운의 더지고 병뷔의 잇그난 ᄃᆡ로 ᄒᆞ여, 일리[이] 되여가믈 보려ᄒᆞ난 고로 괴로이 슈우쳑쳑ᄒᆞ미 법[업]ᄉᆞᄃᆡ, 부모의 념예를 졀민ᄒᆞ여 ᄆᆡ양 청화아셩(淸和雅聲)1102)으로 위로ᄒᆞ나, 《소실‖ᄉᆞ실》의 도라온 즉 미우을 펼적 업더라.

병뷔 본부의 니르러 존당부모게 ᄇᆡ알ᄒᆞ고

1100)환혹(幻惑) : 사람의 눈을 어리게 하고 마음을 어지럽게 함.

1101)슌슌(循循) : ①그때그때마다. ②전례나 원칙 따위를 그때그때마다 따라서 행하거나 지킴.

1102)청화아셩(淸和雅聲) : 맑은 화기와 아름다운 목소리.

긔운은 더 나으믈 니르나, 날이 갈ᄉᆞ록 ᄉᆞᄋᆞ의 존망거쳐를 모르고 여할ᄒᆞᆫ 심ᄉᆞ를 뎡티 못ᄒᆞ니, ᄐᆡᆨ샹(宅上)의 놉흔 화긔 만히 감ᄒᆞ여 젼일의 비치 못ᄒᆞᆯ디라. 병뷔 참연ᄒᆞᆫ 회푀 무궁ᄒᆞ나 존당【16】 부모의 슬허ᄒᆞ시믈 민망ᄒᆞ여, 유열ᄒᆞᆫ ᄉᆞᄉᆡᆨ과 화평ᄒᆞᆫ 소ᄅᆡ로 ○○[위로]ᄒᆞ믈 마디 아니ᄒᆞ고, 단연이 쳐ᄌᆞ를 녀렴ᄒᆞᄂᆞᆫ ᄉᆞᄉᆡᆨ을 낫토디 아니니, 딘짓 털셕 ᄀᆞᆺᄐᆞᆫ 대댱뷔라. 금휘 ᄋᆞᄌᆞ의 긔ᄉᆡᆨ을 어려이 넉이고, 남달니 번화를 취ᄒᆞ던 ᄆᆞ음으로ᄡᅧ 윤·양·니를 다 업시 ᄒᆞ고 ᄌᆞ녀의 ᄉᆞ싱거쳐를 모로미 되고, 공쥬의 간힐ᄒᆞ미 맛ᄎᆞᆷᄂᆡ 병부의 ᄇᆡ위 아니믈 탄ᄒᆞ며, 냥ᄌᆞ의 신셰 괴로오믈 심니(心裏)의 탄ᄒᆞ더라.

어시의 위ᄉᆡ 샹명을 인ᄒᆞ여 초디의 나아가 초왕을 보고 나명(拿命)을 젼ᄒᆞ니, 왕이 대로하여 혜오ᄃᆡ,

"내 본ᄃᆡ 쳔승을 염ᄒᆞ고 만니강산을【17】 취코져 ᄒᆞ연 디 오라ᄃᆡ, 군신분의를 ᄃᆡᆨ히여 만히 ᄎᆞᆷᄂᆞᆫ ᄇᆡ러니, 혼군이 무도ᄒᆞ여 하원경 등 파리 목숨 ᄀᆞᆺᄐᆞᆫ 거시 죽으믈 인ᄒᆞ여, 날을 잡혀 뭇고져 ᄒᆞ니, "녕위계구(寧爲鷄口)언졍 무위우후(無爲牛後)라" ᄒᆞ엿ᄂᆞ니, 내 엇디 손을 뭇거 힘힘히 혼군의 나ᄅᆡᄒᆞᄂᆞᆫ 명을 응슌ᄒᆞ여 ᄉᆞ화를 당ᄒᆞ리오. 출하리 군긔 갑병을 거ᄂᆞ려 황셩을 ᄌᆞᆺᄇᆞᆲ고, 만승위를 아ᄉᆞ 우리 태조 무덕(武德)1310)황뎨 슈고ᄒᆞ여 어드신 텬하를 타인의 손의 보ᄂᆡ디 아니미 올토다."

의ᄉᆡ 이의 밋쳐 문무신뇨를 모화 블궤를 상의ᄒᆞ니, 대댱군 초슝이 본ᄃᆡ 초왕의 통우ᄒᆞ믈 각별이 닙어 몸을【18】 죽여 갑ᄒᆞᆯ 뜻이 잇고 용ᄆᆡᆼ이 절뉸ᄒᆞ믈 미더, 대국 위엄을 아디 못ᄒᆞ고 초왕의 반역디심을 도도아 병을 니르혀 황셩을 향ᄒᆞ믈 권ᄒᆞ고, 위ᄉᆞ를 몬져 가도와 초국 위풍을 빗ᄂᆡ쟈 ᄒᆞ

1310)무덕(武德) : 중국 당나라 고조(高祖) 이연(李淵)의 연호. 송 태조 조광윤(趙匡胤)은 건덕(乾德)이란 연호를 썼다.

숨ᄉᆞ일 존후을 뭇ᄌᆞ오니, ᄐᆡ부인이 ᄌᆞ긔 긔운은 더 나으믈 니러[르]나, 날이 갈ᄉᆞ록 ᄉᆞᄋᆞ의 존망거쳐을 모르고 녀활[할](如割)한 심ᄉᆞ을 졍치 못ᄒᆞ니, ᄐᆡᆨᄉᆞᆼ(宅上)【23】{ᄉᆞᆼ}의 놉흔 화긔 만히 감ᄒᆞ여 젼일의 비치 못ᄒᆞ니, 병뷔 참연ᄒᆞᆫ 회푀 무궁ᄒᆞ나 죤당부모의 셜워ᄒᆞ시믈 민망ᄒᆞ여, 유열한 ᄉᆞᄉᆡᆨ과 화편[평]ᄒᆞᆫ 소ᄅᆡ로 위로ᄒᆞ믈 마지 아니ᄒᆞ고, 단연이 쳐ᄌᆞ ᄂᆡ념(內念)ᄒᆞ난 ᄉᆡᆨ을 나토지 아니니, 진짓 쳘셔[셕](鐵石) 장부라. 금휘 아ᄌᆞ의 긔ᄉᆡᆨ을 어려니[이] 여긔고, 남달이 번화로[를] 취ᄒᆞ던 ᄆᆞ음으로셔 쳐ᄌᆞ의 거쳐을 모로고, 공쥬의 간힐ᄒᆞ미 맛ᄎᆞᆷᄂᆡ 병뷔의 ᄇᆡ위 아니믈 탄ᄒᆞ여, 져의 신셰 괴로오믈 한탄ᄒᆞ더라.

션시의 위ᄉᆡ ᄉᆞᆼ명을 인ᄒᆞ여 초지의 나아가 초왕을 보고 나명(拿命)을 젼ᄒᆞ니, 왕이 ᄃᆡ로ᄒᆞ여 혜오ᄃᆡ.

"ᄂᆡ 본ᄃᆡ 쳔승을 녁(逆)ᄒᆞ고 만니강손을 취코져 ᄒᆞ연 지 오ᄅᆡ되, 군신분의를 직히여 만니[이] ᄎᆞᆷ난 ᄇᆡ더니, 혼군이 무도ᄒᆞ여 하원경 등 파리 목심1103) 갓튼 거시 쥭음을 인ᄒᆞ여, 날을 잡혀 뭇고져 ᄒᆞ니 '영위계구(寧爲鷄口)언졍 무위우후(無爲牛後)라' ᄒᆞ여난니, ᄂᆡ 엇지 손을 묵거 힘힘히 혼군의 나ᄅᆡᄒᆞᄂᆞᆫ 명을 응슌ᄒᆞ여 ᄉᆞ화을 당ᄒᆞ리오. ᄎᆞ[출]하리 군긔 《합병‖갑병》을 거나려 황셩을 《ᄌᆞᆺᄇᆡ뺘‖ᄌᆞᆺᄇᆞᆲ고》 만승위를 《마ᄌᆞ우회 ᄑᆡᆨ‖아ᄉᆞ 우리 ᄐᆡ조》무덕(武德)1104)【24】황졔 슈고ᄒᆞ여 어드신 쳔하을 타인의 손의 보ᄂᆡ지 아니미 올토다."

《어ᄉᆡ‖의ᄉᆡ》 이의 미쳐 문무신뇨을 모화 불궤을 ᄉᆞᆼ의ᄒᆞ니, ᄃᆡ장군 쵸슝이 본ᄃᆡ 쵸왕의 ᄎᆞᆼ우ᄒᆞ믈 각별이 입어, 몸을 쥭여 갑ᄒᆞᆯ 뜻이 잇고, 용ᄆᆡᆼ○…**결락16자**…○[이 절뉸ᄒᆞ믈 미더 대국 위엄을 아디 못ᄒᆞ고], 쵸왕의 반역지심《으로 라나‖을 도도아》 병

1103)목심 : 목숨.

1104)무덕(武德) : 중국 당나라 고조(高祖) 이연(李淵)의 연호. 송 태조 조광윤(趙匡胤)은 건덕(乾德)이란 연호를 썼다.

니, 왕이 올히 넉여 즉시 위ᄉᆞ를 하옥ᄒᆞ니, 위관(衛官)이 블승분완ᄒᆞ나 외로온 몸이 블과 슈십인 하리 ᄲᅳᆫ이라, ᄒᆞᆯ 길히 업셔 힘드렁이[1311] 옥니(獄裏)의 곤ᄒᆞ믈 면치 못ᄒᆞ니, 이 소유를 황셩의 고ᄒᆞᆯ 길이 업ᄉᆞ믈 더욱 슬허하더라.

하리 슈인이 위사(衛士)의 잡히믈 보고 ᄀᆞ마니 도망ᄒᆞ여 고국의 도라와 위싀 초왕의게 잡혀 하옥ᄒᆞ믈 금의부의【19】 고ᄒᆞ니, 《딕금오 ‖ 집금오(執金吾)[1312]》 이히 대경ᄒᆞ여 텬졍의 쥬달ᄒᆞᆫᄃᆡ, 샹이 대로ᄒᆞ샤 왈,

"초왕의 무상ᄒᆞ미 이 ᄀᆞᆺᄐᆞ니 그 죄 만ᄉᆞ유경(萬死猶輕)이라. 졔 발셔 위샤를 가도고 나명(拿命)을 밧디 아닌 후ᄂᆞᆫ, 모역디심이 반ᄃᆞᆺᄒᆞᆫ디라. 딤이 대댱을 보ᄂᆡ여 문죄코져 ᄒᆞ노라."

병부상셔 표긔댱군 뎡텬흥이 쥬왈,

"신이 쳐음브터 초젹(楚敵)이 슌히 잡혀 오디 아닐 줄 텬졍의 쥬ᄒᆞ엿습더니, 이졔 혜아리미 마ᄌᆞᆺᄂᆞᆫ디라. 폐하ᄂᆞᆫ 아딕 병혁을 동치 마르시고, 초디졀도ᄉᆞ(楚地節度使) 쥬문(奏聞)이 분명ᄒᆞ여 초왕의 반상을 ᄌᆞ시 아온 후, 댱슈를 보ᄂᆡ샤 초국을 치게【20】 ᄒᆞ쇼셔."

샹이 연지(然之)[1313]ᄒᆞ샤, 초디 졀도ᄉᆞ 쥬문을 기다리시더니, 과연 오라디 아냐 졀도ᄉᆡ 초왕의 반상(叛狀)을 쥬문ᄒᆞ여, 바야흐로 긔병ᄒᆞ여 변경을 범코져 ᄒᆞ여시믈 알외니, 샹이 대로ᄒᆞ샤 문무를 모흐시고 초디 졀도ᄉᆞ의 쥬문을 보라 ᄒᆞ신 후, 옥음을 나리와 ᄀᆞᆯ오ᄉᆞᄃᆡ,

"딤이 박덕브ᄌᆡ로 대위를 니어, 억만챵싱의 부뫼 되여 ᄉᆞ힉(四海) 구듀(九州)의 교홰 널니 힝치 못ᄒᆞᆫ 연고로, 이졔 초왕이 디친

1311)힘드렁이 : 심드렁히. 할 수 없이. 부질없이. 마음에 탐탁하지 않게 여기는 모양.
1312)집금오(執金吾) : 중국 한나라 때에, 대궐 문을 지켜 비상사(非常事)를 막는 일을 맡아보던 벼슬.
1313)연지(然之) : 그러하다고 생각하다.

을 니르혀 황셩을 향ᄒᆞ믈 권ᄒᆞ고, 위ᄉᆞ《로 믄져 갈라 ‖ 를 몬져 가도와》 초국 위풍을 빗ᄂᆡᄌᆞ ᄒᆞ니, 왕이 올히 여계[겨] 즉시 위ᄉᆞ을 하옥ᄒᆞ니, 위간[관](衛官)이 블승분완ᄒᆞ나 외로온 몸이 불과 슈십인 ᄒᆞ리 ᄲᅳᆫ이라. 할 길 업셔 힘힘히[1105] 옥이(獄裏)의 곤ᄒᆞ믈 면치 못ᄒᆞ여, 이 소유을 황셩○[의] 고ᄒᆞᆯ 도리 업ᄉᆞ믈 더욱 슬어 ᄒᆞ더라.

하리 슈인이 가마니 도쥬ᄒᆞ여 고국의 도라와 위싀 쵸왕의게 잡혜[혀] 하옥ᄒᆞ믈 금오부(金吾府)○[의] 고ᄒᆞ니, 집금오(執金吾)[1106] 이회[히] ᄃᆡ경ᄒᆞ여 천졍의 쥬달ᄒᆞ니, ᄉᆼ이 ᄃᆡ로 왈,

"쵸왕의 무ᄉᆼᄒᆞ미 여ᄎᆞᄒᆞ니 그 죄 만ᄉᆞ유경(萬死猶輕)이라. 졔 발셔 위ᄉᆞ을 가도고 ᄂᆡ 명을 밧지 아니ᄒᆞᆫ 후난, 난녁지심(亂逆之心)이 반듯ᄒᆞᆫ지라. 짐이 ᄃᆡᄌᆼ을 보ᄂᆡ여 문죄코져 ᄒᆞ노라."

병뷔ᄉᆼ셔 표긔장군 뎡텬흥이 츌반 쥬왈,

"신이 쳐음붓터 쵸젹(楚敵)이 슌이 잡【25】혀오지 아일[닐] 쥴 뎐[텬]경(天廷)의 알외엿ᄉᆞᆷ[삽]더니, 이졔 혀아리미 마졋난지라. 폐하난 아직 병혁을 동치 마르시고 초지졀도ᄉᆞ(楚地節度使) 쥬문(奏聞)이 분명ᄒᆞ여 초왕의 반ᄉᆼ을 ᄌᆞ시 《알왼 ‖ 아온》 후, 장슈을 보ᄂᆡᄉᆞ 쵸국을치게 ᄒᆞ소셔."

ᄉᆼ이 년지(然之)[1107]ᄒᆞᄉᆞ 토[초]지 졀도ᄉᆞ 쥬문을 긔다리시더니, 과연 오ᄅᆡ지 안냐 졀도ᄉᆞ 초왕의 반ᄉᆼ(叛狀)을 쥬문ᄒᆞ여시되, ᄇᆞ야흐로 긔병ᄒᆞ여 변경을 범코져 ᄒᆞ믈 알외여시니, ᄉᆼ이 ᄃᆡ로ᄒᆞᄉᆞ 문무을 모흐시고 초지 졀도ᄉᆞ 쥬문을 보라 ᄒᆞ신 후, ᅇᅩᆨ음을 나리오ᄉᆞ 갈오ᄉᆞᄃᆡ,

"짐이 박덕무ᄌᆡ로 ᄃᆡ위을 《일어 ‖ 이어》 억만 ᄎᆼᄉᆡᆼ(蒼生)의 부모 되어, ᄉᆞ힉(四海) 구쥬(九州)의 교화○[를] 널이 힝치 못ᄒᆞᆫ

1105)힘힘히 : 할 수 없이. 부질없이.
1106)집금오(執金吾) : 중국 한나라 때에, 대궐 문을 지켜 비상사(非常事)를 막는 일을 맡아보던 벼슬.
1107)년지(然之) : 그러하다고 생각하다.

간(至親間)의 반상이 분명ᄒᆞ니, 실노뻐 이런 블힝이 업ᄂᆞᆫ디라. 마디 못ᄒᆞ여 병혁을 니르혀 문죄ᄒᆞ리니, 삼공 이히 상의【21】ᄒᆞ여 맛당ᄒᆞᆫ 대댱을 보ᄂᆡ게 ᄒᆞ라.”

제신이 초왕의 무상ᄒᆞ믈 아니 통히ᄒᆞ리 업셔, 일시의 소ᄅᆡ를 년ᄒᆞ여 대병을 모라 초국을 토츌(討黜)1314)ᄒᆞ믈 주ᄒᆞᄆᆡ, 용녁이 강댱ᄒᆞᆫ 무반 대댱을 보ᄂᆡ쟈 ᄒᆞ리도 잇고, 디혜 유여ᄒᆞᆫ 문관을 보ᄂᆡ여 초국을 쥬멸(誅滅)ᄎᆞ1315) ᄒᆞᄂᆞ니도 이셔, 의논이 구일(口一)1316)티 못ᄒᆞ더니, 홀연 반부듕(班部中)1317) 일위 쇼년이 홍포(紅袍) 옥ᄃᆡ(玉帶)로 탑하의 브복ᄒᆞ니, 신댱이 언건(偃蹇)ᄒᆞ여 팔쳑 오촌이오, 냥비과슬(兩臂過膝)ᄒᆞ여 늠연(凜然) 댱슉(壯肅)ᄒᆞ미 대댱부 위풍이라. 옥면(玉面)은 츄월 명광을 거두고 봉안의 영긔(靈氣) 동인(動人)ᄒᆞ미 훤훤1318)ᄒᆞᆫ 신ᄎᆡ와 슈려ᄒᆞᆫ 용【22】쇄 딘승상(晉丞相)1319) 관옥디모(冠玉之貌)1320)를 우으며 두샤인(杜舍人)1321) 헌하디풍(軒荷之風)1322)을 나모라니, 힝디동용(行止動容)1323)의 녜뫼 빈빈ᄒᆞ며 덕쇄 슉슉(肅肅)ᄒᆞ여 쳔고 명현군ᄌᆡ라. 이의 소ᄅᆡ를 뎡히ᄒᆞ여, 쥬왈,

“초뎍이 나명(拿命)을 위월(違越)ᄒᆞ고 위ᄉᆞ를 가도며 반역을 ᄭᅬᄒᆞ미 만살디죄오니, 이제 셩샹이 대댱을 보ᄂᆡ여 문죄코져 ᄒᆞ시니, 쇼신이 년쇼무ᄌᆡ로 흉뎍을 소탕ᄒᆞᆯ ᄌᆡ략

1314)토츌(討黜) : 토벌하여 내침.
1315)ᄎᆞ: ᄒᆞᄌᆞ의 줄임말.
1316)구일(口一) : 일구(一口). 여러 사람의 말이 하나같이 똑같음.
1317)반부듕(班部中) : 문신(文臣)과 무신(武臣)이 품계에 따라 늘어서 있는 반열(班列) 가운데서.
1318)훤훤 : 시원함.
1319)딘승상(晉丞相) : 중국 서진(西晉)의 미남자 반악(潘岳).
1320)관옥디모(冠玉之貌) : 관옥처럼 아름다운 모습. 관옥은 관(冠)을 꾸미는 옥.
1321)두샤인(杜舍人) : 중국 만당(晩唐)때 시인 두목지(杜牧之). 중서사인(中書舍人)에 올랐고, 중국의 대표적 미남자로 꼽힌다.
1322)헌하디풍(軒荷之風) : 헌걸차게 핀 연꽃과 같은 아름다운 풍채.
1323)힝디동용(行止動容) : 몸을 움직여 하는 모든 행동과 용모를 통틀어 이르는 말.

년괴로, 이제 기[지]친간 쵸왕의 반ᄉᆞᆼ이 분명ᄒᆞ니, 실노쎠 이런 불힝이 업난지라. 브득니 긔병(起兵) 문죄ᄒᆞ리니, ᄉᆞᆷ공 이히 ᄉᆞᆼ의ᄒᆞ여 맛당한 ᄃᆡ즁을 보ᄂᆡ게 ᄒᆞ라.”

제신이 초왕의 《문상 ‖ 무상(無狀)》ᄒᆞ믈 통히치 《아리니 ‖ 아니리》업셔, 일시의 《소ᄃᆡ로 ‖ 소ᄅᆡ를》 연ᄒᆞ여 ᄃᆡ병을 모라 쵸국을 도뉵[륙]ᄒᆞ믈 쥬ᄒᆞᄆᆡ, 용녁이 강장ᄒᆞᆫ 무반 ᄃᆡ즁을 보ᄂᆡᄌᆞ ᄒᆞ니도 잇고, 지려[혜] 뉴여ᄒᆞᆫ 문관을 보ᄂᆡ여 쵸군을 쥬멸(誅滅)ᄎᆞ1108) ᄒᆞ니도 잇셔,【26】 의논이 구일(口一)1109)치 못ᄒᆞ더니, 홀연 일위 소연(少年)이 홍포(紅袍) 옥ᄃᆡ(玉帶)로 탑하의 부복ᄒᆞ니, 신장이 언건(偃蹇)ᄒᆞ여 팔쳑오톤[촌](八尺五寸)이오, 냥비과슬(兩臂過膝)ᄒᆞ녀[여] 늠년(凜然)《장슈 ‖ 쟝슉(壯肅)》ᄒᆞ미 ᄃᆡ장부 위풍이라. 옥면(玉面)은 츄월 명광을 거두고 봉안(鳳眼) 녕긔(靈氣) 동인(動人)ᄒᆞ니, 쳑당[탕](滌蕩)한 신ᄎᆡ(身彩)와 슈려ᄒᆞᆫ 용쇄 슉슉ᄒᆞ여 쳔고현달군ᄌᆞ(千古顯達君子)1110)라. 이의 소ᄅᆡ을 뎡히 ᄒᆞ여 쥬왈,

“도젹이 다[나]명(拿命)을 블공(不恐)ᄒᆞ고 위ᄉᆞ을 가도며 반역을 ᄭᅬᄒᆞ미 만슐지죄라. 이제 셩ᄉᆞᆼ이 ᄃᆡ장을 보ᄂᆡ여 문죄코져 ᄒᆞ시니, 신이 연소무ᄌᆡ(年少無才)ᄒᆞ나 흉젹을 소탕할 지략이 업ᄉᆞ닛[릿]가? 청긴[컨]ᄃᆡ 일지병을 빌이시면, 역신을 쥬멸ᄒᆞ여 우흐로 국가 근심을 덜고, ○…결락11자…○[아ᄅᆡ로 신의 ᄉᆞ슈(私讐)을 갑고져] ᄒᆞᄋᆞᆸ나니, 외람ᄒᆞ오나 감히 신으로쎠 쵸지을 치게 ᄒᆞ시믈 바라난니다.”

1108)ᄎᆞ: ᄒᆞᄌᆞ의 줄임말.
1109)구일(口一) : 일구(一口). 여러 사람의 말이 하나같이 똑같음.
1110)쳔고현달군ᄌᆞ(千古顯達君子) : 벼슬이나 명성, 덕망 등이 세상에서 더할 나위 없이 높은 사람.

이 업ᄉᆞ오나, 청컨ᄃᆡ 일디(一支) 병을 빌니시면, 역뎍을 쥬멸ᄒᆞ여 우흐로 국가 근심을 더옵고, 아ᄅᆡ로 신의 ᄉᆞ슈(私讐)을 갑고져 ᄒᆞ옵ᄂᆞ니, 비록 외람ᄒᆞ오나 신으로ᄡ 초디를 치게 ᄒᆞ시믈 바라【23】ᄂᆞ이다."

샹이 대희ᄒᆞ샤 ᄌᆞ시 보시니, ᄎᆞᄂᆞᆫ 니부시랑(吏部侍郞) 홍문샤인(弘文舍人) 하원광이라. 샹이 밋쳐 답디 ᄋᆞ여셔, 뎡병뷔 돈슈 주왈,

"원광이 신ᄌᆞ ᄃᆡ분을 다ᄒᆞ고 ᄊᆡ를 타 ᄉᆞ슈를 갑고져 ᄒᆞ오미니, 원광의 ᄌᆡ덕이 닙공승젼ᄒᆞ오미 반ᄃᆞᆺᄒᆞ오리니, 복원 셩명은 원광의 말을 윤허ᄒᆞ샤, 다시 초뎍을 념녀치 마르쇼셔."

샹이 쇼왈,

"원광이 ᄌᆞ원 출뎡ᄒᆞ미 이 ᄀᆞᆺ고 텬흥이 원광 알오미 ᄇᆞᆰ은디라, 딤이 엇디 초뎍을 근심ᄒᆞ리오."

ᄒᆞ시고 즉일의 하원광으로 뎡초대원슈(征楚大元帥)를 봉ᄒᆞ샤 옥부금인(玉斧金印)을 주시고 부원슈 이하를 션참후계(先斬後啓)ᄒᆞ라 ᄒᆞ시니, 원【24】쉬 고관대작을 샤양코져 ᄒᆞ나 임의 대원슈를 뎡ᄒᆞᆫ 후ᄂᆞᆫ 본ᄃᆡ이 당하(堂下)[1324]로 잇디 못ᄒᆞᆯ 고로, 오ᄃᆡ 신ᄌᆞ의 튱절을 다ᄒᆞ여 초왕을 죽여 국환을 덜고, 아ᄅᆡ로 삼형의 원ᄉᆞᄒᆞᆫ 한을 풀녀 뎡ᄒᆞ엿ᄂᆞᆫ 고로, 봉쟉ᄒᆞ시믈 슌슈ᄒᆞ며 홍포옥ᄃᆡ(紅袍玉帶)로ᄡ 대댱의 융복(戎服)을 밧고며, ᄌᆡ샹의 관ᄌᆞ(貫子)[1325]를 두려시 붓치고, 뎐폐의 ᄇᆡ례 슉샤ᄒᆞᄆᆡ, 명셩 도혹의 군ᄌᆡ 변ᄒᆞ여 쇼년 댱군의 긔위 춍쥰(聰俊)[1326]ᄒᆞ고, 의푀 늠연ᄒᆞ여 뇽호의 픔격과 닌봉의 긔딜이 셰ᄃᆡ의 독보ᄒᆞᆯ 대군ᄌᆡ라. 뎐상뎐하 만목이 원슈 신상을 뽀아, 등과ᄒᆞ연디 계오 달이 넘엇거ᄂᆞᆯ, 어ᄂᆞ ᄉᆞ이 작위 숭

1324)당하(堂下) : 당하관(堂下官). 당하의 품계에 있는 벼슬아치.

1325)관ᄌᆞ(貫子) : 망건에 달아 당줄을 꿰는 작은 단추 모양의 고리. 신분에 따라 금(金), 옥(玉), 호박(琥珀), 뿔 따위의 재료를 사용하였다

1326)춍쥰(聰俊) : 슬기롭고 영리하며 풍채가 빼어남. 또는 그런 사람.

ᄉᆞᆼ이 ᄒᆞᆫ연ᄒᆞᄉᆞ 보시니 《인난‖이난》 이부시랑(吏部侍郞) 홍문사인(弘文舍人) 하원광이라. ᄉᆞᆼ이 미쳐 답지 못ᄒᆞ여셔 뎡병뷔 쥬왈,

"원광이 신ᄌᆞ 직분을 다할 ᄊᆡ을 타 ᄉᆞ슈(私讐)ᄒᆞ옵고져 ᄒᆞ난 ᄇᆡ오니, 원광의 ᄌᆡ덕이 입공승젼은 반듯ᄒᆞ올지라. 원 폐하난 져의 소원을 윤허ᄒᆞ시고 다시 도젹을 념여○[치]이[마]르소셔."

ᄉᆞᆼ이 소왈,

"원광의 ᄌᆞ원【27】청병ᄒᆞ미 이 갓고 텬흥이 원광 알오미 ᄇᆞᆰ을지라. 짐이 엇지 도젹을 근심ᄒᆞ리오."

ᄒᆞ시고 즉일의 하원광으로셔 ᄃᆡᄉᆞ마 문현[연]각ᄐᆡ학ᄉᆞ 숨노도춍병 평쵸ᄃᆡ원슈(大司馬 文淵閣太學士 三路都總兵 平楚大元帥)을 ᄒᆞ이ᄉᆞ 《인징‖인검(印劍)[1111]》을 주시고 부원슈 이하을 션참후계(先斬後啓)ᄒᆞ라 ᄒᆞ시니, 원슈 고관ᄃᆡ작을 ᄉᆞ양코져 ᄒᆞ나 님히[1112] ᄃᆡ원슈을 청ᄒᆞᆫ 후난, ○…**결락12자**…○[본ᄃᆡ이 당하(堂下)[1113]로 잇디 못ᄒᆞᆯ 고로], 봉작ᄒᆞ시믈 슌슈ᄒᆞ여 홍포옥ᄃᆡ(紅袍玉帶)로ᄡ ᄃᆡ장의 융복(戎服)을 《밧고셔‖밧고며》, ᄌᆡ창[상]의 관ᄌᆞ(貫子)[1114]을 두려시 붓치고, 《쳔젼‖젼폐(殿陛)》의 《비무‖ᄇᆡ무(拜舞)》 슉ᄉᆞᄒᆞᄆᆡ, 명셩군ᄌᆡ 변ᄒᆞ여 소연장군의 긔위 풍쥰(豊俊)[1115]ᄒᆞ고 이[의]푀 늠연ᄒᆞ여 용호의 픔격과 인봉(驎鳳)의 긔질이 셰ᄃᆡ의 독보할 ᄃᆡ군ᄌᆡ라. 천[젼]

1111)인검(印劍) : 대원수 금인(金印)과 상방검(尙方劍)

1112)님히 : 이미.

1113)당하(堂下) : 당하관(堂下官). 당하의 품계에 있는 벼슬아치.

1114)관ᄌᆞ(貫子) : 망건에 달아 당줄을 꿰는 작은 단추 모양의 고리. 신분에 따라 금(金), 옥(玉), 호박(琥珀), 뿔 따위의 재료를 사용하였다

1115)풍쥰(豊俊) : 당당하고 뛰어남.

고【25】ᄒᆞ고 위권이 늠늠ᄒᆞ여 대원○[슈] 금인을 요하의 빗기고 ᄇᆡᆨ만듕을 총녕(總領)ᄒᆞ니, 상뫼 당당ᄒᆞ고 위의 슉슉ᄒᆞ여 바라보ᄆᆡ 엄연이 두리온디라. 인인이 하공의 유복ᄒᆞ믈 칭션ᄒᆞ여 비록 삼ᄌᆞ를 참ᄉᆞᄒᆞ나, 원슈 ᄀᆞᆺ튼 ᄋᆞ들을 두어 그 아름다오미 타인의 용이ᄒᆞᆫ 십ᄌᆞ를 우을디라. 져마다 블워ᄒᆞ고, 샹이 특별이 하공을 뎐젼의 브르샤 옥ᄇᆡ의 향온을 반샤ᄒᆞ시고, ᄋᆞᄃᆞᆯ 잘 나하시믈 칭샤ᄒᆞ시니, 하공이 어쥬를 거후로고 계슈 샤은ᄒᆞ여 블감ᄒᆞ믈 쥬ᄒᆞᄆᆡ, 은연이 비루를 먹음어 셕ᄉᆞ를 ᄉᆡᆼ각고 그윽이 슬허ᄒᆞ더라.

이날 하원쉬 교댱(敎場)의 나와 부댱과 션봉 이【26】하를 다 ᄌᆞ모(自募)바다[1327] ᄌᆡ조를 시험ᄒᆞ고, 삼만 졍병을 졈고ᄒᆞ여 날이 져므ᄂᆞᆫ디라. 텬졍의 물너나믈 주ᄒᆞ여 ᄇᆡ샤ᄒᆞ고, 부친을 뫼셔 궐문을 나ᄆᆡ 만되 다 뒤흘 조ᄎᆞ 각각 부듕으로 향ᄒᆞ고, 하원슈의 ᄒᆡᆼ거를 ᄯᆞ로ᄂᆞᆫ 《군명‖군병》이 젼ᄎᆞ후옹(前遮後擁)ᄒᆞ여 대로의 메여시니, 위의 거륵ᄒᆞ미 만셰 친ᄒᆡᆼ이나 이의 더으던 못ᄒᆞᆯ디라. 원쉬 너모 분요ᄒᆞ믈 깃거 아냐, 댱ᄉᆞ군졸을 녕(令)ᄒᆞ여 각각 그 부모와 쳐ᄌᆞ를 니별ᄒᆞ고 삼일티ᄒᆡᆼ(三日治行)ᄒᆞ여 초디로 ᄒᆡᆼ케ᄒᆞ라 니르고, ᄌᆞ긔ᄂᆞᆫ 급히 부친을 뫼셔 본부로 도라오니, 됴부인이 ᄋᆞᄌᆞ의 츌뎡ᄒᆞ믈 듯고 경녀ᄒᆞ며, 져믄【27】 나ᄒᆡ 댱임(將任)을 감당키 어려오며, 초왕의 만ᄃᆡ 원슈를 소탕ᄒᆞ여 국가 근심을 덜고, ᄉᆞᄉᆞ 원슈를 갑흔즉 깃브려니와, 흉덕의 ᄒᆡᄒᆞ믈 닙어 삼ᄌᆞ의 참ᄉᆞ를 보고 ᄯᅩ 원슈의 ᄌᆞ원 츌뎡ᄒᆞ믈 ᄋᆡᄃᆞᆯ와, 길흉을 미리 졈복디 못ᄒᆞ고, 심혼이 요란ᄒᆞ믈 니긔디 못ᄒᆞ더니, 국공이 원슈를 다리고 드러와 원쉬 일일디ᄂᆡ 모친의 긔후

1327)ᄌᆞ모(自募)받다 : 초모(招募)하다. 의병이나 군대에 자원하여 입대할 사람을 모집하다.

ᄉᆞᆼ젼하(殿上殿下) 만목이 다 원슈신장[상]을 쏘아, 등과ᄒᆞ연 지 긔[겨]유 달이 넘거날, 어ᄂᆡ ᄉᆞ니[이] 작위 슝고ᄒᆞ고 위권이 늠즁ᄒᆞ여, ᄃᆡ원슈 금인을 요하의 빗긔고 ᄇᆡᆨ만즁(百萬衆)을 통녕ᄒᆞ니, ᄉᆞᆼ묘[모](相貌) 당당ᄒᆞ고 위의 슉슉ᄒᆞ여 바라보ᄆᆡ 위념[엄](威嚴)이 두려온지라. 인인니 하공의 유복ᄒᆞ믈 칭션ᄒᆞ여, 비록 ᄉᆞᆷᄌᆞ를 ᄎᆞᆷ망ᄒᆞ나 원슈 갓튼 아들○[을] 두러[어], 그 아름다오미 타인의 용이ᄒᆞᆫ 십ᄌᆞ을 우을【28】지라. 져마다 블워ᄒᆞ고, ᄉᆞᆼ이 특별이 하공을 현[뎐]젼(殿前)의 블으ᄉᆞ 옥ᄇᆡ의 향은을 반ᄉᆞᄒᆞ시고, 아들 줄 나으시믈 《층시‖칭샤》ᄒᆞ시니, 하공이 어쥬을 거우르고 ᄇᆡᄉᆞᄒᆞ여 블감ᄒᆞ믈 쥬ᄒᆞᄆᆡ, 은연이 《비츄를‖비루(悲淚)》를 먹음어 셕ᄉᆞ을 ᄉᆡᆼ각ᄒᆞ고 그윽이 슬어ᄒᆞ더라.

이날 하원슈 교장(敎場)의 나아와 부장과 션봉 니[이]하로 ᄌᆡ죄을 시험ᄒᆞ고 ᄉᆞᆷ만졍병을 졈고ᄒᆞᄆᆡ 날이 져믄지라. 텬졍의 믈너나을[믈] 쥬ᄒᆞ여 ᄇᆡᄉᆞᄒᆞ고, 부친을 뫼셔 궐문의 나ᄆᆡ 만됴 다 뒤을 됴ᄎᆞ 각각 본부로 향ᄒᆞ고, 하원슈의 ᄒᆡᆼ거을 ᄯᆞ르난 구[군]ᄉᆡ 젼ᄎᆞ후옹(前遮後擁)ᄒᆞ여 ᄃᆡ로의 버여[러]시니, 거록ᄒᆞ미 만셰 《칭ᄒᆡᆼ니나‖친ᄒᆡᆼ이나》 이예서 더ᄒᆞ지 못ᄒᆞᆯ지라. 원슈 너모 분요ᄒᆞ믈 깃거 아니ᄒᆞ여, 하녕(下令)ᄒᆞ야 그 부모쳐ᄌᆞ을 작별ᄒᆞ고 ᄉᆞᆷ일치ᄒᆡᆼ(三日治行)ᄒᆞ여 쵸지로 향케 ᄒᆞ라 ᄒᆞ고, ᄌᆞ긔은[는] 급히 부공을 모셔 본부로 도라오니, 됴부인이 ᄋᆞᄌᆞ의 츙[츌]졍(出征)ᄒᆞ믈 듯고 경연[려](驚慮)ᄒᆞ여, 《졀무아릐 장님을‖졀믄 아ᄒᆡ 장임(將任)을 》감당키 어려오며, 초왕의 만ᄃᆡ 원슈을 소탕ᄒᆞ여 국가 근심을 덜고 ᄉᆞ슈(私讐)를 갑흐면 깃브련이와, 흉젹의 ᄒᆡ을 입어 ᄉᆞᆷᄌᆞ의 참ᄉᆞ을 보고 ᄯᅩ 원슈의 ᄌᆞ원청병ᄒᆞ믈【29】 ᄋᆡ달나, 길흉을 미리 졈복지 못ᄒᆞ고 심혼이 요요(擾擾)ᄒᆞ던니[1116], 국공의[이] 원슈을 다리고 드러와, ○○[원쉬] 모

1116)요요(擾擾)ᄒᆞ다 : 걱정이 되어 마음이 불안하고 어수선하다.

를 뭇ᄌᆞ오며 츌뎡ᄒᆞᄂᆞᆫ 바를 고ᄒᆞ여, 융복(戎服)ᄒᆞᆫ 가온ᄃᆡ 늠연ᄒᆞᆫ 상뫼 텬일이 의의(猗猗)ᄒᆞ며 태산이 암암(巖巖)ᄒᆞ여, 작인의 비상ᄒᆞ미 대개 슈화 듕이라도 ○○[념여] 업슬 거시로ᄃᆡ, 됴부인은 초왕 두ᄌᆞ의 ᄆᆞ음이 놀나와 밧비 원슈【28】의 손을 잡고 눈물을 흘녀, 왈,

"오ᄋᆡ 참화여ᄉᆡᆼ으로 고토의 ᄉᆡᆼ환ᄒᆞ여, 몸이 청운의 올나 봉익을 더위잡음도 쳔만 긔약디 아닌 일이오, 웃듬은 뎡병부의 대은이라. 갈ᄉᆞ록 몸을 조심ᄒᆞ여 스ᄉᆞ로 보호ᄒᆞᆯ 도리를 극진히 ᄒᆞ여, 우리 ᄉᆡᆼ젼의 조고만 딜양(疾恙)도 디ᄂᆡ디 말며, 비록 슈삼삭 니별이라도 맛ᄎᆞᆷᄂᆡ 써나디 아님만 ᄀᆞᆺ디 못ᄒᆞᆫ 디라. 초왕과 김탁 흉인으로써 여형 등을 참망ᄒᆞ니, 원슈를 니를딘ᄃᆡ 쌔를 바ᄋᆞ고 살흘 싹가 념통과 간을 회먹ᄂᆞᆫ 즈음이라도, 오히려 디원을 다 풀기 어려온ᄃᆡ, 일이 ᄆᆞ음ᄃᆡ로 되디 아니ᄒᆞ【29】고, 병긔ᄂᆞᆫ 흉디라, 십칠셰 쇼년이 촉디 흉디의셔 뉵칠년을 디ᄂᆡᄆᆡ 문견이 업ᄂᆞᆫ디라. 힝여 텬ᄌᆡ(天才) 용이키를 면ᄒᆞ여, ᄒᆞᆨ문이 유여ᄒᆞ므로 농방의 고등ᄒᆞ나, 쳔병만마 듕의 흉봉(凶鋒)을 소탕할 디혜 모략이 쉽디 아니커ᄂᆞᆯ, 엇디 국가 듕ᄉᆞ를 소리히 뎡ᄒᆞ여 츌뎡을 ᄌᆞ원ᄒᆞᆯ 니 이시리오. 너를 보ᄂᆡ고 우리의 한업ᄉᆞᆫ 념녀와 무궁ᄒᆞᆫ 근심을 어이 ᄎᆞ마 견ᄃᆡ리오."

원쉬 모친의 과도히 슬허ᄒᆞ심과 졀박히 념녀ᄒᆞ시믈 민망ᄒᆞ여, 안ᄉᆡᆨ을 화히 ᄒᆞ고 소ᄅᆡ를 유열이 ᄒᆞ여 왈,

"ᄌᆞ위 이 ᄀᆞᆺ치 념녀ᄒᆞ시미 쇼ᄌᆡ 젼혀 블민용우ᄒᆞ여 국가 대ᄉᆞ를 그【30】룻ᄒᆞᆯ가 근심ᄒᆞ시나, 쇼ᄌᆡ 비록 박덕 블쵸ᄒᆞ오ᄃᆡ, 초디를 딘뎡치 못ᄒᆞ오며, 슈인의 머리를 버히디 못ᄒᆞᆯ가 념녀ᄂᆞᆫ 업ᄉᆞ오니, 다만 니측ᄒᆞᄂᆞᆫ 졍니 버히ᄂᆞᆫ ᄃᆞᆺᄒᆞ오나, 승젼ᄒᆞ여 도라오ᄂᆞᆫ 날 깃브믄 쳐음 아니 가니와 비치 못ᄒᆞ오리니, 언마ᄒᆞ여 도라오리잇가? 복원 ᄌᆞ위ᄂᆞᆫ

친게 일일지ᄂᆡ 존후을 뭇ᄌᆞ오며 《츙경‖츌경》ᄒᆞ난 바를 고ᄒᆞ여, 융복(戎服) 가온ᄃᆡ 《앙년‖늠연》ᄒᆞᆫ 상뫼 쳔일이 《의니‖의의(猗猗)》ᄒᆞ며 ᄐᆡ손이 암암(巖巖)ᄒᆞ여, 작인의 비ᄉᆞᆼᄒᆞ미 ᄃᆡ가[개] 슈화 ᄌᆞᆼ니[이]라도 념여 업실 거○[시]로되, 됴부인의[은] 초왕 두ᄌᆞ의 마음이 놀나와 밧비 원슈의 소[손]을 잡고 누슈을 흘여, 왈,

"참화여ᄉᆡᆼ으로 《쵸‖고토》의 ᄉᆡᆼ환ᄒᆞ여 몸이 청운의 올나 봉익의 더위 잡음도 쳔만 긔약지 아니[닌] 일이오, 뎡병뷔의 ᄃᆡ은이라. 갈ᄉᆞ록 몸을 죠심ᄒᆞ여 보호ᄒᆞᆯ 도리을 극진이 ᄒᆞ여, 우리 ᄉᆡᆼ젼의 죠고만ᄒᆞᆫ 지[질]양(疾恙)도 지ᄂᆡ지 말며, 비록 슈ᄉᆞᆷᄉᆡᆨ 이별이라도 맛ᄎᆞᆷᄂᆡ 써나지 《알일만‖아님만》 갓지 못헌지라. 쵸왕과 김탁 흉인으로써 너[네] 형등을 ᄎᆞᆷ망ᄒᆞ니, 원슈을 일으[을]진ᄃᆡ 쎄흘 마흐고 술을 싹그며 념통과 간을 회먹을 지음이라도, 오히려 지원을 다 풀기 어려오ᄃᆡ, 일이 마음ᄃᆡ로 좃지 아니ᄒᆞ고, 병긔은 흉지라. 십팔셰 소년이 촉지 궁항(窮巷)의셔 뉵칠연을 지ᄂᆡᄆᆡ 아는 ᄀᆞᆺ[것]과 본 거시 업난지라. 힝허[혀] 쳔ᄌᆡ(天才) 용우기[키]을 면ᄒᆞ여 학문이【30】 유려[여](裕餘)ᄒᆞᆷ으로 용방의 고등ᄒᆞ나, 쳔병만마 ᄌᆞᆼ의 흉봉을 소탕ᄒᆞᆯ 지뫼 쉽지 아니커날, 엇지 국가 ᄌᆞᆼᄉᆞ을 소혹[홀]히 쳥ᄒᆞ녀[여] ᄃᆡ장○[을] 자원ᄒᆞᆷ니[이] 니[이]시리오. 너을 보ᄂᆡ고 우리 한업슨 념녀와 무궁한 근심을 어니[이] ᄎᆞᆷ아 계[견]ᄃᆡ리오."

○○[원쉬] 화셩유어로 위로 왈,

"ᄌᆞ위 이 갓치 념녀ᄒᆞ시미[나], 히ᄋᆞ 비록 불쵸박덕이오나 쵸지을 진정치 못ᄒᆞ며, 슈인의 머리을 버히지 못한[할]가 념녀난 입[업]숩나니, 다○[만] 이칙[친](離親)ᄒᆞ난 졍이 베히난 듯 ○○○[ᄒᆞ오나], 승젼반ᄉᆞᄒᆞ난 날 깃○[븜]은 쳐음 아니 가므로 비치 못ᄒᆞᆯ니이[니], 언마ᄒᆞ여 친젼의 봉ᄇᆡ(奉拜)ᄒᆞᆯ니잇가? ᄌᆞ위은 무루(勿憂)ᄒᆞ소셔."

물우 소려ᄒᆞ쇼셔."

부인이 ᄋᆞᄌᆞ의 ᄌᆡ덕을 미드나, 니졍이 결연ᄒᆞ고, 혹ᄌᆞ 흉덕을 소탕치 못ᄒᆞᆯ가 근심이 깁흐니, 원쉬 위로ᄒᆞ여 옥면뉴풍으로 슬하의 엄연(儼然)ᄒᆞ미 볼ᄉᆞ록 ᄉᆡ로오니, 셕년 슬픈 일은 왕ᄉᆡ오 즐거오미 극ᄒᆞᄃᆡ, 국공 부뷔 졀ᄎᆞ공근ᄒᆞ여 비약(卑弱)기를 위쥬ᄒᆞ고, ᄋᆞᄌᆞ【31】 등을 경계ᄒᆞ여 온슌키를 니르ᄂᆞᆫ디라. 국공이 딜악(嫉惡)을 여슈(如讐)ᄒᆞ며 뎡딕ᄒᆞ미 남과 다른 고로, 간당의 음히를 바다 삼ᄌᆞ를 업시 ᄒᆞ니, 이러므로 졔ᄌᆞ를 화홍유열ᄒᆞ라 ᄒᆞ미러라.

부인이 ᄋᆞᄌᆞ의 ᄌᆡ덕을 미드나 이졍(離情)이 결연ᄒᆞ고, 혹ᄌᆞ 흉젹을 소탕치 못ᄒᆞᆯ가 두려온 근심이 깁흐니, 원슈 호원[언] 관위ᄒᆞ며 하소져 《형난‖학낭》소어(謔浪笑語)로 부모 질긔시믈 요구ᄒᆞ며, 원상 등 슴이 금슈ᄎᆡ의(錦繡彩衣)로 슬하의 늠[넘]노라 옥면풍화(玉面豊和){루}와 녕호[오]발취(穎悟拔聚)ᄒᆞ미 블ᄉᆞ록 ᄉᆡ로○[오]니, 셩[셕]년(昔年) 슬픈 일은 지닌 일리[이]오, ᄉᆡ로니[이] 즐거오미 범연치 아니나, 군[국]공 부뷔 일향 졀ᄎᆞ【31】공근ᄒᆞ여 겸손비약(謙遜卑弱)기로 쥬위ᄒᆞ고 ᄌᆞ라난 ᄋᆡ[ᄋᆞ]자(兒子)○[을] 경계ᄒᆞ여 쳥금[검](淸儉) 화홍(和弘)키로[를] 니르ᄂᆞᆫ지라. 원ᄂᆡ 국공이 질악(嫉惡)을 녀슈(如讐)ᄒᆞ며 강명열일(剛明烈日)ᄒᆞ미 남과 다른 고로, 간당의 침히을 바다 슴ᄌᆞ을 업시ᄒᆞ니, ᄎᆞ고로 졔ᄌᆞ을 화용[홍]유녈(和弘愉悅)ᄒᆞ라 ᄒᆞ미러라.

원쉬 부친을 뫼셔 ᄇᆡᆨ일졍의 나와 밤을 디날ᄉᆡ, 금평후 부ᄌᆡ 모다 년팀(連枕)ᄒᆞ여 니졍을 펴며, 원슈를 당부ᄒᆞ여 흉봉을 소탕ᄒᆞ고 개가를 울녀 슈히 도라오라 ᄒᆞ더니, 하공이 윤츄밀의 그릇되믈 탄ᄒᆞ여 왈,

"윤명쳔은 발셔 쳔양하(泉壤下)의 도라간디 오라거니와, ᄉᆡ로이 일ᄏᆞ라 비회를 도을 ᄲᅮᆫ이오 유익ᄒᆞ미 업거니와, 명강은 몸은 ᄉᆞ라시나 ᄆᆞ음인즉 죽으니와 다르디 아냐, 거디【32】 당황ᄒᆞ고 힝ᄉᆡ 괴이ᄒᆞ여 평일 상쾌ᄒᆞ던 픔되 업ᄉᆞ니, 나히 쇼년 ᄀᆞᆺ고 셩졍이 기쥬호ᄉᆡᆨ(嗜酒好色)ᄒᆞᄂᆞᆫ 무리 ᄀᆞᄐᆞ면 혹ᄌᆞ 쥬ᄉᆡᆨ의 외입(外入)ᄒᆞ다 니르려니와, 이ᄂᆞᆫ 그러치 아니코 ᄒᆞᆫ낫 희쳡이 업고 술을 과음치 아니ᄃᆡ, 젼ᄌᆞ로 비컨ᄃᆡ 다른 사ᄅᆞᆷ이 되어시니, 반드시 향슈치 못ᄒᆞᆯ 증되라 념녀ᄒᆞ노라."

원슈 부공을 뫼셔 ᄇᆡᆨ일졍의 나와 밤을 지날ᄉᆡ, 금후 부ᄌᆞ 모다 연침(連枕)ᄒᆞ여 이졍을 페며, 원슈을 당부ᄒᆞ여 흉봉을 소탕ᄒᆞ고 ᄀᆡ가을 블너 슈니[이] 도라오라 ᄒᆞ더니, 하공이 윤츄밀의《그표되을‖그릇되믈》탄ᄒᆞ여 왈,

"윤명쳔은 쳔양하(泉壤下)의 도라간 지 오릐니, 《ᄉᆡ오니‖ᄉᆡ로이》 일ᄏᆞ라 비회을 《르흘‖도을》ᄲᅮᆫ이어니와, 명강은 그 몸이 ᄉᆞ라시나 마ᄋᆞᆷ인즉 쥭으니나 다르지 아냐, 힝ᄉᆡ 고니[이]ᄒᆞ여 평일 ᄉᆞᆼ쾌ᄒᆞᆫ {이}품되 업ᄉᆞ니, 나히 소연[년] 갓고 셩졍이 호주탐ᄉᆡᆨ(好酒貪色)ᄒᆞᄂᆞᆫ 무리 갓ᄒᆞ면 혹ᄌᆞ 쥬ᄉᆡᆨ의 《임ᄒᆞ다 일일려이와‖외입(外入)ᄒᆞ다 일을려니와》, 니난 그러치 아니코, 젼ᄌᆞ로 비ᄒᆞ면 다른 ᄉᆞ람이 되어시니, 이 반다시 향슈치 못ᄒᆞᆯ 징죄라, 일일 념녀ᄒᆞ노라."

금휘 하공이 오히려 뉴시 극악을 아디 못ᄒᆞ고, 츄밀의 그릇된 곡졀을 몰나, 이러ᄐᆞᆺ 념녀ᄒᆞ믈 드르ᄆᆡ, 타문 부녀의 허물을 언두의 올니디 아니려, 역시 윤공의 병이 괴이

금후 하공의 오히려 뉴시 금[극]악을 아지 못ᄒᆞ고, 츄밀의 그릇된 곡졀을【32】 몰나 이럿틋 념여ᄒᆞ믈 드르ᄆᆡ, 타문 부녀의 허믈을 언두의 올니지 아니려, 녁시 츄밀의

ᄒᆞ믈 ᄎᆞ셕ᄒᆞᆯ ᄯᆞ름이니, 병뷔 츰디 못ᄒᆞ여 웃고 하공긔 고ᄒᆞᄃᆡ,

"윤공의 환후【33】와 상심(喪心) 실셩(失性)ᄒᆞ신 증셰ᄂᆞᆫ 굿ᄐᆞ여 의약으로 효험 볼 일이 아니오, 윤년슉(緣叔)이 ᄆᆞ음을 뎡ᄒᆞ여 ᄂᆡ당을 ᄯᅥ나시면 스ᄉᆞ로 나을 거시로ᄃᆡ, 이를 능히 못ᄒᆞ시니 엇디 쾌소ᄒᆞᆯ 시졀을 바라리잇고?"

하공이 경아ᄒᆞ여 문(問) 기고(其故)ᄒᆞ니, 병뷔 밋쳐 ᄃᆡ치 못ᄒᆞ여셔, 금휘 냥안을 길게 ᄡᅧ, 병부를 보아 왈,

"군직 눈으로 친히 보디 못ᄒᆞᆫ 일과 듯디 못ᄒᆞᆫ 일을 짐작ᄒᆞ여 ᄌᆞ딘(自陳)치 못ᄒᆞᄂᆞ니, 엇디 가히 괴이ᄒᆞᆫ 말을 ᄒᆞᄂᆞ뇨?"

병뷔 머리를 숙이고 말을 못ᄒᆞ{ᄂᆞ}니, 하공이 쇼왈,

"형과 쇼졔 ᄂᆡ외ᄒᆞᆯ 일이 업거ᄂᆞᆯ 엇디 챵ᄇᆡᆨ의 말을 막ᄌᆞᄅᆞᄂᆞ뇨?"

금휘 답왈,

"돈ᄋᆞ【34】의 말을 막으미 아니라, 명강이 유딜ᄒᆞ므로 외헌의 잇디 못ᄒᆞ고 ᄂᆡ당의 머믈거ᄂᆞᆯ, 텬ᄋᆡ 아뷔 벗을 긔쇼(譏笑)ᄒᆞ여 ᄋᆡ쳐ᄒᆞᄂᆞᆫ 병으로 ᄎᆡ오니 엇디 괴이치 아니리오."

하공이 쇼왈,

"형의 말도 올커니와 명강의 픔딜은 쇼뎨 닉이 아ᄂᆞᆫ ᄇᆡ라. 쇼년디시로브터 ᄂᆡ당 팀닉(沈溺)을 괴로이 녁여 ᄆᆡ양 외루의 쳐ᄒᆞ던 거시러니, 이졔 비록 신딜이 이시나 ᄌᆞ딜이 남달니 인효ᄒᆞ니, 구병ᄒᆞᄂᆞᆫ 도리 극딘ᄒᆞᆯ 거시어ᄂᆞᆯ ᄂᆡ루의 박혀시미 ᄀᆞ장 괴이토다."

금휘 맛ᄎᆞᆷᄂᆡ 뉴시의 악힝을 니르디 아니터라.

원쉬 년ᄒᆞ여 슈야(數夜)를 부젼의 시팀【35】ᄒᆞ고 ᄉᆞ침을 ᄎᆞ자 윤시를 볼 ᄯᅳᆺ이 업ᄉᆞ니, 하공 왈,

"녀ᄌᆞ의 가부 위ᄒᆞᄂᆞᆫ 졍으로ᄡᅧ 만니 타국

병이 고니[이]ᄒᆞ믈 《ᄎᆞ셜‖차셕》○[ᄒᆞᆯ] 짜름이니, 병뷔 츰지 못ᄒᆞ여 웃고 하공긔 고ᄒᆞᆫ[ᄒᆞ]ᄃᆡ,

"윤공의 환후와 상심(喪心) 실셩(失性)ᄒᆞ신 증셰난 굿ᄒᆞ여 의약으로 효험 볼 일니[이] 아니오, 윤연슉(緣叔)이 ᄆᆞ음을 뎡ᄒᆞ여 ᄂᆡ당을 ᄯᅥ나시면 스ᄉᆞ로 나르[으]실 거시오ᄃᆡ, 이을[를] 능히 못ᄒᆞ시니 엇지 《쾌소ᄒᆞ시여 졀‖쾌소ᄒᆞᆯ 시졀》을 보릿고?"

하공이 경ᄋᆡ[아]ᄒᆞ여 문긔고(問其故) ᄒᆞ니, 병뷔 미급ᄃᆡ(未及對)의 금휘 양안(兩眼)을 《기녀‖길게》 ᄡᅧ 아ᄌᆞ을 보고 정ᄉᆡᆨ 왈,

"군직 친견친문(親見親聞)치 못한 일과 말을 짐작ᄒᆞ여 ᄌᆞ진(自陳)치 못ᄒᆞ나니, 엇지 고이ᄒᆞᆫ 말을 ᄒᆞ나뇨?"

병뷔 머리을 슉이고 다시 말을 못ᄒᆞ니, 하공이 소왈,

"형과 소졔로 ᄂᆡ외ᄒᆞᆯ 일 업거날 엇지 충ᄇᆡᆨ의 말을 막ᄌᆞ로나뇨?"

금휘 답왈,

"돈아○[의] 말을 막음이 아니라, 명강의 뉴딜ᄒᆞ므로 외당의 잇지 못ᄒᆞ고 ᄂᆡ당의 머믈거날, 텬ᄋᆡ 아비 벗을 긔소(譏笑)ᄒᆞ여 ᄋᆡ쳐ᄒᆞ난 병으로 치오니 엇지 괴치 아니○[리]요."

하공이 소왈,

"형의 말도 올커니와 명강의 픔질은 소졔님의 아난 ᄇᆡ라. 소년지기[시](少年之時)로 븟터 ᄂᆡ당 침익(沈溺)을 괴로니[이] 녀기【33】ᄆᆡ, ᄆᆡ양 ○○[외루]의 쳐ᄒᆞ던 거시러니, 이졔 비록 신질이 닛시나 ᄌᆞ질이 남달이 《신호‖인효》ᄒᆞ니, 구병○○[ᄒᆞᄂᆞᆫ] 도리 극진ᄒᆞᆯ 거시여날 ᄂᆡ후[루]의 박혀시미 가장 괴니[이]토다."

금휘 맛ᄎᆞᆷᄂᆡ 뉴시 악힝을 니르지 아니터라.

원슈 연ᄒᆞ여 《쥬야‖슈야(數夜)》을 부젼의 시침ᄒᆞ고 ᄉᆞ침을 ᄎᆞᄌᆞ 뉴[윤]시을 볼 ᄯᅳᆺ이 업ᄉᆞ니, 하공 왈,

"여ᄌᆞ의 가부 위ᄒᆞ난 졍으로써 말[만]니

의 흉봉을 당ᄒᆞ여 가ᄂᆞᆫ 곳을 념녀치 아닐 ᄇᆡ 업슬디라. 모로미 금야란 현부를 위로ᄒᆞ고 명일 발힝케 ᄒᆞ라."

원쉬 니측ᄒᆞᄂᆞᆫ 하졍을 고ᄒᆞ여, ᄉᆞ침의 드러갈 ᄯᅳᆺ이 업ᄉᆞ믈 고ᄒᆞ려 ᄒᆞᄃᆡ, 부공이 ᄆᆡ양 윤시를 박ᄃᆡᄒᆞᄂᆞᆫ가 념녀ᄒᆞ시니, 범ᄉᆞ의 박졍ᄒᆞ믈 낫토디 아니려 ᄒᆞ므로, 오딕 명을 슌슈ᄒᆞ여 야심 후 윤부인 팀실의 드러가 셔로 ᄃᆡᄒᆞᄆᆡ, 쇼져의 어리로온 ᄐᆡ도와 풍완ᄒᆞᆫ 용뫼 슈려쇄락ᄒᆞ여, 윤염(潤艶)ᄒᆞᆫ 광ᄎᆡ 암실의 어롱디니[1328], 원쉬 몽ᄉᆞ를 엇고 부【36】인이 반드시 유신(有娠)ᄒᆞᆯ 줄을 짐작ᄒᆞᆫ 후ᄂᆞᆫ, 젼일ᄀᆞᆺ치 은졍이 ᄆᆡᆨᄆᆡᆨ디 아니ᄒᆞ여 부부눈의를 폐치 아니ᄒᆞᄃᆡ, 오히려 ᄒᆞᆫ 구셕의 측ᄒᆞ고 아니ᄭᅩ은 ᄯᅳᆺ이 플니디 아냐, 윤시를 ᄃᆡᄒᆞᆫ즉 상모긔딜(相貌氣質)과 동용힝ᄉᆡ(動容行事) 남달니 아ᄅᆞᆷ답기로ᄡᅥ, 사ᄅᆞᆷ의 ᄎᆞ마 못ᄒᆞᆯ 음악디ᄉᆡ 이시믈 ᄎᆞ셕ᄒᆞ여 능히 측냥치 못ᄒᆞᄃᆡ, 친의(親意)를 승슌ᄒᆞ여 임의 드러와 져를 보ᄆᆡ, 기리 무양ᄒᆞ믈 당부ᄒᆞ미 올흐니, 이에 부모를 뫼셔 감디(甘旨) 봉양의 태만치 아니믈 쵹(促)ᄒᆞᄆᆡ 흔연이 집슈 왈,

"우리 '비웅(飛熊)의 샹셔(祥瑞)'[1329]를 응ᄒᆞ여 긔린(騏驎)[1330]의 댱몽(場夢)[1331]을 어드므로브터, 부인이 반드시 ᄐᆡ긔 이실디【37】라. 분산 젼 ᄉᆡᆼ이 도라오려니와, 잉부ᄂᆞᆫ ᄀᆞ장 조심ᄒᆞ미 올흐니, 몸을 보호ᄒᆞ여 삭슈를 ᄎᆡ와 옥 ᄀᆞᆺ튼 긔린을 ᄉᆡᆼᄒᆞ여 부모의 깃그시믈 닐위라."

1328)어롱디다 : 아롱지다. 아롱아롱한 점이나 무늬가 생기다.

1329) 비웅(飛熊)의 샹셔(祥瑞) : 아들을 낳을 복되고 길한 조짐. *비웅(飛熊); 아들 낳을 꿈을 말함. 『시경(詩經)』 「소아(小雅)」 <사간(斯干)>에 "길몽이 무언가 하면, 작은곰·큰곰과 작은뱀·큰뱀이로다. 아버지께서 꿈을 점치니, 작은곰·큰곰은 남아를 낳을 상서요, 작은뱀·큰뱀은 딸을 낳을 상서로다(吉夢維何 維熊維羆 維虺維蛇 大人占之 維熊維羆 男子之祥 維虺維蛇 女子之祥)." 라고 한 데서 온 말.

1330)긔린(騏驎) : 하루에 천 리를 달린다는 말. 여기서는 천리마처럼 뛰어난 사내아이를 뜻함.

1331)댱몽(場夢) : 일장몽(一場夢). 한바탕 꿈.

타국 흉봉을 당ᄒᆞ야 가난 곳을 염여치 아니[닐] ᄇᆡ 업슬지라. 모로미 금야은 형[현]부을 위로ᄒᆞ고 명일 발힝커[케] ᄒᆞ라."

원슈 이칙[친](離親)ᄒᆞ난 하졍을 고ᄒᆞ여 ᄉᆞ침의 드러갈《ᄉᆡ 범ᄉᆞ을‖ᄯᅳᆺ이 업ᄉᆞ믈》 고ᄒᆞ려 ᄒᆞᆫᄃᆡ, 부친이 ᄆᆡ양 뉴[윤]시을 박ᄃᆡᄒᆞ난가 염여ᄒᆞ시니, 오즉 명을 슌슈ᄒᆞ여 밤이 깁흔 후 윤시 침소의 ○○○[드러가] 셜[셔]로 ᄃᆡᄒᆞᄆᆡ, 소져○○○○○[의 어리로온] ᄐᆡ도와 풍완슈려ᄒᆞᆫ 용뫼 슈려솨[쇄]락(秀麗灑落)ᄒᆞ여, 윤염(潤艶)ᄒᆞᆫ 광ᄎᆡ은 암실의 《잇동지니‖어롱지니[1117]》 원슈 몽ᄉᆞ을 엇고난 부인이 반다시 유신(有娠)ᄒᆞᆯ 쥴 짐ᄌᆞᆨᄒᆞᆫ 후ᄂᆞᆫ, 젼일 갓치 은졍이 ᄆᆡᆨᄆᆡᆨ지 아냐, 윤시을 ᄃᆡᄒᆞᆫ 즉 ᄉᆞᆼ모긔질(相貌氣質)과 동용○[ᄒᆡᆼ] 힝ᄉᆡ 남달나[니] 아름답긔○[로]ᄡᅧ, ᄉᆞ람의 ᄎᆞᆷ아 못ᄒᆞᆯ 음악지ᄉᆡ 이시믈 ᄎᆞ셕ᄒᆞ여 《측연치‖측냥치》 못ᄒᆞ되, 친의(親意)을 승【34】슌ᄒᆞ여 ○○○○○[임의 드러와] 져을 보ᄆᆡ, 기리 무양ᄒᆞ믈 당부ᄒᆞ미 올흐ᄆᆡ, 부모을 뫼셔 봉양의 ᄐᆡ만치 못ᄒᆞᆷ을 《측‖쵹(促)》ᄒᆞ며, 흔연 집슈 왈,

"우리 '비웅(飛熊)의 ᄉᆞᆼ셔(祥瑞)'[1118]을 응ᄒᆞ여 긔린(騏驎)[1119]의 장몽(場夢)[1120]을 어드므로브터 부인이 반다시 ᄐᆡ긔 잇실지라. 분ᄉᆞᆫ 젼 ᄉᆡᆼ이 도라오려이와, 잉부ᄂᆞᆫ ○[가]장 죠심ᄒᆞ미 올흐니, 몸을 보호ᄒᆞ여 ᄉᆞᆨ슈을 ᄎᆡ와 옥 ᄀᆞᆺ탄 긔린을 ᄉᆡᆼᄒᆞ여 부모의 긧그시믈 일위라."

1117)어롱지다 : 아롱지다. 아롱아롱한 점이나 무늬가 생기다.

1118)비웅(飛熊)의 ᄉᆞᆼ셔(祥瑞) : 아들을 낳을 복되고 길한 조짐. *비웅(飛熊); 아들 낳을 꿈을 말함. 『시경(詩經)』 「소아(小雅)」 <사간(斯干)>에 "길몽이 무언가 하면, 작은곰·큰곰과 작은뱀·큰뱀이로다. 아버지께서 꿈을 점치니, 작은곰·큰곰은 남아를 낳을 상서요, 작은뱀·큰뱀은 딸을 낳을 상서로다(吉夢維何 維熊維羆 維虺維蛇 大人占之 維熊維羆 男子之祥 維虺維蛇 女子之祥)." 라고 한 데서 온 말.

1119)긔린(騏驎) : 하루에 천 리를 달린다는 말. 여기서는 천리마처럼 뛰어난 사내아이를 뜻함.

1120)장몽(場夢) : 일장몽(一場夢). 한바탕 꿈.

윤시 쳔연이 손을 ᄉᆡᆨ히고 묵묵무언ᄒᆞ여 봉관을 숙이고 팀졍(沈靜) 위좌(危坐)ᄒᆞ니, 슉슉ᄒᆞᆫ 위의 츄텬이 놉흐며, 녈일(烈日)이 상빙(霜氷)의 바ᄋᆡ는 ᄃᆞᆺ, 님하 ᄉᆞ군ᄌᆞ의 풍이 가ᄌᆞᆨᄒᆞ나, ᄯᅩ 화평ᄒᆞ고 너그러오미 일만 화신(花信)이 츈원의 ᄆᆞ르녹은 ᄃᆞᆺ, 승졀ᄒᆞᆫ ᄐᆡ되 블가 형언이라.

원쉬 비록 간부(姦婦)의 음흉ᄒᆞᆫ 졍젹으로 ᄎᆡ오나, 졈졈 냥ᄋᆡᆨ(兩厄)1332)이 딘ᄒᆞ여 부부화락이 온젼ᄒᆞᆯ 긔약이 머디 아닌 고로, ᄌᆞ연 은근ᄒᆞᆫ ᄯᅳᆺ이 동ᄒᆞ여 닛그러 나위(羅幃)예 나아가ᄆᆡ, 옥부방신의 이【38】향이 만실ᄒᆞ니, 댱부의 졍이 황홀ᄒᆞᆯ ᄇᆡ로ᄃᆡ, 일심(一心)의 측ᄒᆞ믄 가히 플니디 아니니, 딘실노 흠ᄉᆡ러라.

하공이 ᄋᆞᄌᆞ의 금슬디졍이 엇던고 보고져 ᄒᆞ여, 원슈의 유모를 ᄎᆡᆷ원각의 보ᄂᆡ여 그 부부간 ᄉᆞ어를 탐쳥ᄒᆞᄆᆡ, ᄋᆞᄌᆞ의 은근ᄒᆞᆫ 졍이 윤시긔 박디 아니믈 영ᄒᆡᆼᄒᆞ고, 긔몽을 어더 유신키를 죄오믈 드르니, 더옥 두굿기고 아름다오믈 니긔디 못ᄒᆞ더라.

명됴의 원쉬 부모긔 신셩ᄒᆞ고 인ᄒᆞ여 하ᄃᆡᆨ을 고ᄒᆞᆯᄉᆡ, 됴부인이 상니디회(相離之懷)를 금치 못ᄒᆞ여 왈,

"네 본ᄃᆡ 옥골 션ᄇᆡ오, 유학을 힘ᄡᅥ 공안(孔顔)1333)의 도덕셩ᄒᆡᆼ을 효측ᄒᆞ라 ᄒᆞᆫᄌᆞᆨ, 거의 우러러 ᄇᆡ호려니【39】와 손오양져(孫吳穰苴)1334)의 용ᄆᆡᆼ과 병법은 실노 소여(疏如)ᄒᆞᆯ디라. 일ᄌᆞᆨ 뉵도셔(六韜書)1335)를 본 일이 업ᄉᆞ니, 엇디 흉뎍 쥬멸키를 바라리오. 모로미 삼가 조심ᄒᆞ여 국디대ᄉᆞ를 그르게 말고 슈히 개가를 울녀 도라오라."

1332)냥ᄋᆡᆨ(兩厄) : 두 사람의 사나운 운수.

1333)공안(孔顔) : 공자(孔子)와 안자(顔子).

1334)손오양져(孫吳穰苴) : 중국 춘추 전국 시대의 병법가인 손무(孫武)·오기(吳起)·사마양저(司馬穰苴)를 아울러 이르는 말.

1335)뉵도(六韜) : 중국 주(周)나라 태공망이 지은 병법서(兵法書). 무경칠서의 하나로 문도(文韜), 무도(武韜), 용도(龍韜), 호도(虎韜), 견도(犬韜), 표도(豹韜)의 6장으로 되어 있다. 6권 60편.

윤시 쳔연이 손을 ᄉᆡᆨ히고 묵묵히 봉관을 슉이고 《침견의좌 ‖ 침졍위좌(沈靜危坐)》ᄒᆞ니, 슉슉ᄒᆞᆫ 위의 츄쳔이 놉흐며, 열일(烈日)이 ᄉᆞᆼ빙(霜氷)의 바아난 ᄃᆞᆺ, 임하 ᄉᆞ군ᄌᆞ 품이 가ᄌᆞᆨᄒᆞ나, ᄯᅩ 화평ᄒᆞ고 누[너]그러오미 일반(一般) 화신(花信)이 츄쳔의 무로 녹은 ᄃᆞᆺ, 졀승한 ᄐᆡ되 불가형언이라.

원슈 비록 간부(姦婦)의 음흉ᄒᆞᆫ 졍젹으로 ○○○[ᄎᆡ오나], 졈졈 냥ᄋᆡᆨ(兩厄)1121)이 진ᄒᆞ여 부부화락이 온젼ᄒᆞᆫ 긔약이 머지 아닌 고로, ᄌᆞ연 은근한 ᄯᅳᆺ이 동ᄒᆞ여 ○○○[나위(羅幃)예] 나아가ᄆᆡ, ○○○○○[옥부방신(玉膚芳身)의] 이ᄒᆡᆼ(異香)이 만실ᄒᆞ니, 쟝부○[의] 졍의(情誼)의 황홀할 ᄇᆡ로되, 《일시 ‖ 일심(一心)》의 측ᄒᆞ믄 가히 플이지 아니니 진실노 흠ᄉᆡ더라.

하공이 아ᄌᆞ의 금실지졍이 엇더한고 알고져 ᄒᆞ여, 원슈의 유모을 ᄎᆡᆷ원각의 ○○○[보ᄂᆡ여] 부부간 ᄉᆞ니[어](私語)을 탐쳥【35】ᄒᆞ여, ᄋᆞᄌᆞ의 은졍이 윤시게 박지 아니믈 녕ᄒᆡᆼᄒᆞ고, 긔몽을 어더 유신키을 죄오니 더우[옥] 두○[굿]기고 아람다오믈 이기지 못ᄒᆞ더라.

명죠의 원슈 부모게 신셩ᄒᆞ고 인ᄒᆞ여 하직을 고ᄒᆞ[ᄒᆞᆯ]ᄉᆡ 됴부인 왈,

"너[네] 본ᄃᆡ 옥골 션ᄇᆡ오. 유학을 셤겨 공ᄆᆡᆼ(孔孟)1122)의 도덕 션ᄒᆡᆼ을 호[효]칙ᄒᆞ라 ᄒᆞᆫ작, 거의 우러러 ᄇᆡ호려이와 손오양져(孫吳穰苴)1123)의 용ᄆᆡᆼ과 병법은 실노 소여(疏如)ᄒᆞᆯ지라. 일ᄌᆞᆨ 뉵도(六韜)1124)을 바라본 일이 업ᄉᆞ니, 엇지 흉젹○[을] 즉[쥬]멸(誅滅)키 바라리요. 모로미 숨가고 됴심{됴심}ᄒᆞ여 국가 ᄃᆡᄉᆞ을 그르기[게] 말고 슈히

1121)냥ᄋᆡᆨ(兩厄) : 두 사람의 사나운 운수.

1122)공ᄆᆡᆼ(孔孟) : 공자(孔子)와 맹자(孟子)

1123)손오양져(孫吳穰苴) : 중국 춘추 전국 시대의 병법가인 손무(孫武)·오기(吳起)·사마양저(司馬穰苴)를 아울러 이르는 말.

1124)뉵도(六韜) : 중국 주(周)나라 태공망이 지은 병법서(兵法書). 무경칠서의 하나로 문도(文韜), 무도(武韜), 용도(龍韜), 호도(虎韜), 견도(犬韜), 표도(豹韜)의 6장으로 되어 있다. 6권 60편.

원쉬 모친의 과려ᄒᆞ시믈 민박ᄒᆞ여 니친이 싱ᄂᆡ 쳐음이라. 심ᄉᆡ 참연ᄒᆞ믈 마디 아니며 도라 쇼ᄆᆡ를 보아, 왈,

“우형이 초디를 평뎡ᄒᆞ고 도라오노라 ᄒᆞ면, 거의 뉵칠삭이나 되리니, 그 ᄉᆞ이 이곳을 ᄯᅥ나디 말고, 부모감디를 윤시로 더브러 한셔온닝을 ᄡᅴ의 어긔디 말고, 현ᄆᆡ 구가의셔 오기를 직촉ᄒᆞ거든, 윤시로 ᄒᆞ여금 ᄉᆞ정을 고ᄒᆞ여, 우형이 환됴ᄒᆞᆫ 후 나아갈 ᄯᅳᆺ【40】을 통ᄒᆞ라.”

쇼제 ᄃᆡ왈,

“쇼ᄆᆡ ᄉᆞ정인즉 부모슬젼을 ᄯᅥ나고져 ᄒᆞ리잇고마ᄂᆞᆫ, 쇼ᄆᆡ 발셔 귀령ᄒᆞ연 디 슈삭이라. 존당이 여러 슌(巡)1336) 직촉ᄒᆞ시니, 도리의 안연이 잇디 못ᄒᆞᆯ디라. 거거의 회정시(回征時)가디 잇기를 엇디 바라리잇가?”

원슈 탄왈,

“현ᄆᆡ 도리 ᄆᆡ양 친당의 이실 거ᄉᆞᆫ 아니로ᄃᆡ, 정ᄉᆡ 남 ᄀᆞᆺ디 못ᄒᆞ여 누년 부모 슬하를 니측ᄒᆞ여 셩혼 후 쳐음으로 모드니, 윤부의셔 너의 ᄉᆞ정을 술핀즉 엇디 우형 도라올 ᄉᆞ이를 허치 아니리오마ᄂᆞᆫ, 발셔 여러 번 직촉ᄒᆞ여시면 가려니와, ᄌᆞ로 왕반ᄒᆞ여 부모 뇨뎍ᄒᆞ시믈 위로ᄒᆞ라.”

쇼제 슌슌 응ᄃᆡ하고 거거의 만니 츌뎡【41】을 념녀ᄒᆞ여 슈히 승젼 환됴키를 청ᄒᆞ니, 원쉬 쇼왈,

“우형으란 물려ᄒᆞ고 현ᄆᆡ나 기리 무양ᄒᆞ여 웃ᄂᆞᆫ 낫ᄎᆞ로 셔로 보게 ᄒᆞ라.”

이러틋 담화ᄒᆞ여 날이 느ᄌᆞ니, 무궁ᄒᆞᆫ 경과 한업ᄉᆞᆫ 회포를 ᄎᆞᆷ고 부모긔 ᄇᆡ샤ᄒᆞᆯᄉᆡ, 하공이 그 졀ᄒᆞ기의 밋쳐ᄂᆞᆫ 손을 잡고 왈,

“오ᄋᆡ 디혜와 지조를 ᄉᆡᆼ각고 ᄌᆞ원 츌정ᄒᆞ여, 슈인(讐人)의 간과 념통을 ᄂᆡ여 보슈(報讐)ᄒᆞ기를 바라니, 여뷔 ᄯᅩᄒᆞᆫ 밋ᄂᆞᆫ ᄇᆡ라. 병

1336)슌(巡) : 번(番). 차례.

긔ᄀᆞ(凱歌)로 도라오라.”

원슈 모친의 과려ᄒᆞ시믈 민박○[ᄒᆞ]고 니친이 ᄉᆡᆼᄂᆡ 쳐음이라. 심ᄉᆞ 츰연ᄒᆞᆷ을 이기지 못ᄒᆞ나, 강잉ᄒᆞ여 안ᄉᆡᆨ을 화히ᄒᆞ고 위로ᄒᆞ믈 마지 아니며, 소져을 보아 왈,

“《우탕‖우형》이 《소질‖초지(楚地)》을 평졍ᄒᆞ고 오노라 ᄒᆞ면, 긔에[거의] 뉵칠ᄉᆞᆨ니[이]나 되리니, 그 ᄉᆞ니[이] 이곳을 ᄯᅥ나지 말고 부모 봉양을 윤시로 더브러 한셔온닝을 ᄡᅴ의 어기오지 말며, 현ᄆᆡ 구가의셔 오기를 직촉ᄒᆞ거든 윤씨로{셔ᄉᆞ} ᄒᆞ여금 현ᄆᆡ ᄉᆞ졍을 고ᄒᆞ녀[여] 우형이 승경한 후 나아가난 ᄯᅳᆺ을 품ᄒᆞ라.”

소져 ᄃᆡ왈,

“소ᄆᆡ ᄉᆞ정인즉 부모 《실하‖슬하》을 ᄯᅥ나고【36】져 ᄒᆞ리ᄀᆞ마은, 소ᄆᆡ 발셔 이곳의 이션 지 슈ᄉᆞᆨ이라. 존당니[이] 여러 슌(巡)1125) 직촉ᄒᆞ시니, 도리의 안연이 잇지 못ᄒᆞ리니, 거거의 회졍지시(回征之時)ᄭᆞ지 잇기을 엇지 바라리잇고?”

원슈 《한‖탄》 왈,

“현ᄆᆡ 도리 ᄆᆡ양 친당의 잇슬 기[거]ᄉᆞᆫ 아니로ᄃᆡ, 뎡ᄉᆡ 남 갓지 못ᄒᆞ여 뉴연[누년(累年)] 부모 슬하을 《니칙‖니측(離側)》ᄒᆞ여 셩혼 후 쳐음으로 모드니, 윤부의셔 너의 ᄉᆞ졍를 술핀 즉 엇지 우형의 도라올 ᄉᆞ니[이]을 허치 아니리오마ᄂᆞᆫ, 발셔 여러 번 직촉ᄒᆞ여시면 ᄀᆞ려니와 ᄌᆞ로 왕반ᄒᆞ여 부모의 뇨적ᄒᆞ시믈 위로ᄒᆞ라.”

소져 슌슌 응ᄃᆡᄒᆞ고 거거의 만니 츌졍을 념여ᄒᆞ여 슈니[이] 승젼 《환도‖환됴(還朝)》키을 청ᄒᆞ니, 원슈 소왈,

“우형으란 물녀ᄒᆞ고 현ᄆᆡ나 기니[리] 무양ᄒᆞ여 웃난 낫ᄎᆞ로 셔로 보게 ᄒᆞ라.”

이럿틋 ᄒᆞ여 날이 느ᄌᆞ니, 무궁한 경과 한업난 회포을 참고 부모게 ᄇᆡᄉᆞᄒᆞ[ᄒᆞᆯ]ᄉᆡ, 하공이 졀ᄒᆞ긔을 밋쳐난 손을 잡고 왈,

“아ᄌᆡ ᄌᆡ죠와 지혜을 ᄉᆡᆼ각고 ᄌᆞ원츌젼ᄒᆞ여, 슈인(讐人)의 간과 염통을 ᄂᆡ여 보슈ᄒᆞ기를 바라니, 여뷔 ᄯᅩ한 밋나[난] ᄇᆡ라. 병

1125)슌(巡) : 번(番). 차례.

긔ᄂᆞᆫ 흉디라 조금이나 소루ᄒᆞ면 국가대ᄉᆞ를 그릇ᄒᆞᄂᆞᆫ ᄇᆡ니, 모로미 삼가 파뎍ᄒᆞ고 슈히 도라오라."

원쉬 ᄇᆡ샤 슈명ᄒᆞ고 ᄌᆡ삼 셩톄 안강하시믈 튝ᄒᆞ여, 효ᄌᆞ의 도도ᄒᆞᆫ 졍셩이 비길 곳이 업ᄉᆞᆫ디라. 공【42】의 부뷔 ᄋᆞᄌᆞ의 가ᄂᆞᆫ 심ᄉᆞ를 돕디 아니려 회포를 쳔만 금억ᄒᆞ고, 부인은 눈물을 춤으며 공은 비ᄉᆡᆨ을 곰초아 니별홀ᄉᆡ, 원쉬 다시금 하딕ᄒᆞ고 부부 남ᄆᆡ 작별ᄒᆞᄆᆡ, 거름을 두로혀 밧그로 향ᄒᆞ니, 니측ᄒᆞᄂᆞᆫ 심ᄉᆡ 버히ᄂᆞᆫ ᄃᆞᆺ, 봉목의 함누(含淚)ᄒᆞ고, 원상 등이 뒤흘 ᄯᆞ라 니졍의 슬프믈 니긔디 못ᄒᆞ니, 원쉬 삼뎨를 어로만져 됴히 잇기를 당부ᄒᆞ고, 즉시 삼군 댱ᄉᆞ를 거느려 궐하의 하딕ᄒᆞ니, 샹이 만긔를 휘동ᄒᆞ여 교외의 젼별코져 ᄒᆞ시더니, 맛춤 옥톄 블안ᄒᆞ시므로 황친 국쳑과 문무 됴신으로 문외의 나아가 원슈를 보ᄂᆡ라 ᄒᆞ시고, 하딕을 당ᄒᆞ여 인견ᄒᆞ샤 옥ᄇᆡ(玉杯)【43】의 향온을 친히 잡아 취토록 권ᄒᆞ시며, 위유 왈,

"딤의 소탁(所託)과 경의 소임ᄌᆞ(所任者)ᄂᆞᆫ 국디대ᄉᆡ야(國之大事也)라. 일젼(一戰)의 종샤 안위와 만민 ᄉᆡᆼ살이 달녀시니, 경은 힘ᄡᅳ고 조심ᄒᆞ여 역뎍을 쥬멸ᄒᆞ고 개가를 울녀 도라오라."

인ᄒᆞ여 상방청농검(尙方靑龍劍)[1337]을 주샤 부원슈 이하 위령ᄌᆞ를 션참후계ᄒᆞ라 ᄒᆞ시니, 부댱이ᄒᆡ 다 실ᄉᆡᆨᄒᆞ고 원쉬 ᄇᆡ샤은 왈,

"신슈브ᄌᆡ(臣雖不才)오나 셩샹 홍복을 힘닙ᄉᆞᆸ고 제댱의 도으므로 초구(楚寇)를 가히 근심치 아니 ᄒᆞ오리니, 복망 폐하ᄂᆞᆫ 초디를 다시 녀렴치 마르쇼셔."

샹이 ᄌᆡ삼 무위(撫慰)ᄒᆞ시고 위험디디의 보ᄂᆡ믈 앗기샤 우어 왈,

"딤이 경을 어든 디 계오 ᄃᆞᆯ이 넘엇거ᄂᆞᆯ, 이제 만니타국의【44】 흉봉을 당ᄒᆞ여 보

1337)상방청농검(尙方靑龍劍) : 청룡을 새긴 상방검. 상방검은 임금이 전장에 나가는 장수에게 내린 검을 말한다.

긔은 흉지라. 죠금이라도 소홀헌즉 국가 ᄃᆡᄉᆞ 그른[릇] ᄒᆞ난 ᄇᆡ니, 모르미 ᄉᆞᆷ가 파젹ᄒᆞ고 슈니[이] 도라오라."

원슈 ᄇᆡᄉᆞ 하직ᄒᆞ고 ᄌᆡᄉᆞᆷ 셩쳬 안강ᄒᆞ【37】시믈 츅ᄒᆞ여, 효ᄌᆞ의 도도한 셩졍이 비길 곳 업ᄉᆞᆫ지라. 공의 뷔뷔(夫婦) 아ᄌᆞ의 가난 심ᄉᆞ을 돕지 아니려 회포을 춤고 이별ᄒᆞ[홀]ᄉᆡ, 원슈 다시곳[금] ᄒᆞ직고 부부 남ᄆᆡ 작별ᄒᆞᄆᆡ, 거름을 두루혀 밧그로 향ᄒᆞ니, 이측ᄒᆞ난 심ᄉᆡ 버히난 듯, 봉목의 함누ᄒᆞ고, 원ᄉᆞᆼ 등이 ᄃᆡ[뒤]흘 싸라니, ○[니]졍(離情)의 슬푸믈 이긔지 못ᄒᆞ니. 원슈 ᄉᆞᆷ제를 어로만져 죠히 잇긔을 당부ᄒᆞ고, 즉시 ᄉᆞᆷ군장ᄉᆞ을 거나려 녜○[궐](詣闕) ○…결락13자…○[하직ᄒᆞ니 ᄉᆞᆼ이 만긔를 휘동ᄒᆞ여] 《교의외‖교외의》 젼별코져 ᄒᆞ시더니, 마츰 옥쳬 불안ᄒᆞ시므로, 황진[친]군[국]쳑과 문무 졔신○○[으로] 《문무‖문외(門外)》의 나아가 원슈을 보ᄂᆡ라 ᄒᆞ시고, 그 하직을 당ᄒᆞ여 인견ᄒᆞᄉᆞ 옥ᄇᆡ의 향은[온]을 침[친]히 잡아 취토록 권ᄒᆞ시며 위루[로]왈,

"짐의 소탁(所託)과 경의 소님[임](所任)은 국가ᄃᆡᄉᆞ(國家大事)라. 한 ᄊᆞ홈의 동ᄉᆞ안위와 만민ᄉᆡᆼ술이 달여시니, 경은 힘쓰고 됴심ᄒᆞ여 역젹을 멸ᄒᆞ고 슈히 도라오라."

인ᄒᆞ여 ᄉᆞᆼ방청용긔[검](尙方靑龍劍)[1126]을 주샤 위형[령]ᄌᆞ(違令者)을 참ᄒᆞ라 ᄒᆞ시니, 부장 이ᄒᆡ 《마‖다》 실ᄉᆡᆨᄒᆞ고 원슈 《논슈상고‖ᄌᆡᄇᆡ 사은ᄒᆞ고》 왈,

"신슈부ᄌᆡ(臣雖不才)나 셩상 홍복○[을] 힘닙ᄉᆞᆸ고 졔장의 도으믈 힘입ᄉᆞ와 도젹을 가히 근심치 아니ᄒᆞ오리니, 복망폐하은 초지를 다시【38】 셩녀치 마르소셔."

ᄉᆞᆼ이 ᄌᆡᄉᆞᆷ 무위(撫慰)ᄒᆞ시고 험지의 보ᄂᆡ믈 앗긔ᄉᆞ 우어 왈,

"짐이 경을 어던 지 졔유[1127] ᄃᆞᆯ이 너머

1126)상방청농검(尙方靑龍劍) : 청룡을 새긴 상방검. 상방검은 임금이 전장에 나가는 장수에게 내린 검을 말한다.

1127)졔유 : 겨우.

ᄂᆡ미, 진실로 위ᄐᆡ롭고 조심된디라. 경의 특이ᄒᆞᆫ ᄌᆡ덕을 밋ᄂᆞᆫ ᄇᆡ어니와, 나힌즉 십칠세 쇼년이라. 혹ᄌᆞ 인심을 딘복디 못ᄒᆞᆯ가 두리ᄂᆞ니, ᄒᆞᆫ갓 인덕(仁德)을 힘ᄡᅳ디 말고 위엄을 빗ᄂᆡ여 ᄉᆞ졸을 딘복(鎭服)하고, 은위(恩威)를 병힝케 ᄒᆞ라.”

원쉬 슌슌 ᄉᆞ샤(謝辭) 슈명ᄒᆞ고 날이 느ᄌᆞ므로 하딕ᄒᆞ니, 어슈로 하원슈의 손을 잡으샤 텬안이 결연ᄒᆞ믈 씌여 계시니, 은영이 인셰의 읏듬이라. 원쉬 셩은을 감격ᄒᆞ미 각골ᄒᆞ더라.

호통 삼ᄎᆞ의 대군이 믈미 ᄃᆞᆺ 궐문을 나 셩외로 나올ᄉᆡ, 원쉬 몸의 황금슈젼포(黃錦繡戰袍)의 ᄌᆞ금갑(紫金甲)을 써닙고 머리의 슌금봉시(純金鳳翅) 투고를 쓰며, 요하의 냥【45】디ᄇᆡᆨ옥ᄃᆡ(兩枝白玉帶)를 둘러 청총옥셜마(靑驄玉雪馬)1338)를 ᄐᆞ고, 우슈의 슈ᄌᆞ긔(帥字旗)를 잡으며 좌슈의 상방검을 드러, 댱졸을 녕ᄒᆞ여 젼후좌우로 힝ᄒᆞ니, 안광은 삼군을 빗쵀고, 위풍은 회음후(淮陰侯)1339) 쥬아부(周亞夫)1340)의 디난디라. 션풍옥골의 문ᄉᆞ 셩인(聖人)이 밧괴여 엄연ᄒᆞᆫ 대댱이 되ᄆᆡ, 힝군디뉼의 뎡숙홈과 대오의 졔졔ᄒᆞ미 유ᄎᆞ법도(有次法度)1341)ᄒᆞ여 쳔병만ᄆᆡ 대로샹의 메이고, 누른 쁫글이 폐일(蔽日)ᄒᆞᆫ ᄀᆞ온ᄃᆡ, 검극도창(劍戟刀槍)이 상셜 ᄀᆞᆺ고 원슈의 풍뉴신광이 만고 무뎍이라. 경셩 ᄉᆞ민이 엇개 ᄀᆡ야이고1342) 눈이 밤븨여, 관경ᄒᆞᄆᆡ 정신이 어리고 춤이 마를 ᄃᆞᆺᄒᆞ여, 뎡국공이 우흐로 삼ᄌᆞ를 참망ᄒᆞ나 져【46】 ᄀᆞᆺ튼 ᄋᆞ돌을 두어시니 쥭히 셕ᄉᆞ를 슬허ᄒᆞᆯ ᄇᆡ

1338)청총옥셜마(靑驄玉雪馬) : 옥이나 눈처럼 하얀 청총마(靑驄馬). 청총마는 털이 흰 백마(白馬)로,, 갈기와 꼬리부분이 파르스름한 빛을 띠고 있다.

1339)회음후(淮陰侯) : 중국 한(漢)나라 개국공신 한신(韓信)의 작위(爵位).

1340)쥬아부(周亞夫) : 중국 전한(前漢) 전기의 무장, 정치가. 오초칠국(吳楚七國)의 난을 평정해 공을 세웠고 승상에 올랐다.

1341)유ᄎᆞ법도(有次法度) : 차례와 법도가 있음.

1342)ᄀᆡ야이다 : 붐비다. 부딪치다.

거날, 이졔 말이타국(萬里他國)의 흉봉을 당ᄒᆞ여 보ᄂᆡ미, 진실로 위ᄐᆡ롭고 근심된지라. 경의 특니(特異)한 ᄌᆡ됴를 밋난 《ᄇᆡ여언이와‖ᄇᆡ어니와》, 나힌 오즉 십칠 소연(少年)니라. 혹ᄌᆞ 인심을 진졍치 못ᄒᆞᆯ가 두려[리]나니, ᄒᆞᆫ갓 인덕(仁德)을 힘쓰지 말고 위념[엄](威嚴)을 빈[빗]ᄂᆡ여 ᄉᆞ졸을 진복ᄒᆞ고 은위을 병힝ᄒᆞ라.”

원슈 슌슌슈명ᄒᆞ고 날이 느ᄌᆞ므로 ᄒᆞ직ᄒᆞ온ᄃᆡ, ᄉᆞᆼ이 집슈 결년(缺然)ᄒᆞ시니, 은연[영](恩榮)이 일셰의 웃씀1128)이라. 원슈 셩은을 감격하미 각골ᄒᆞ더라.

호동[통] ᄉᆞᆷᄎᆞ의 ᄃᆡ군이 물미듯 궐문 밧○[글] 나 셩외로 나올 ᄉᆡ, 원슈 몸의 홍금슈젼포(紅錦繡戰袍)의 ᄌᆞ금갑(紫金甲)을 쪄입고 머리의 슌금봉시(純金鳳翅) 투고을 쓰며, 요하의 ᄇᆡᆨ옥(白玉) 뒤1129)를 두르고 {좌하의} 《청용옥셜마‖청총옥셜마(靑驄玉雪馬)1130)》을 ᄐᆞ고, 우슈의 져근 기를 잡으며 좌슈의 상방겸[검](尙方劍)을 드러 장졸를[을] 녕ᄒᆞ여 젼우[후]좌우(前後左右)로 힝ᄒᆞ니, 션풍옥골의 문ᄉᆞ셩인(文士聖人)이 밧고여 ○[의]연ᄒᆞᆫ ᄃᆡ장이 되ᄆᆡ, 힝군ᄆᆡᄃᆡ오(行軍馬隊伍)의 졔졔ᄒᆞ미 유차법도(有次法度)1131)ᄒᆞ여 쳔병만ᄆᆡ ᄃᆡ도ᄉᆞᆼ(大道上)의 몌니[이]고, 누른 뒷글1132)이 헤[폐]일(蔽日)ᄒᆞᆫ 가온ᄃᆡ, 검극도창(劍戟刀槍)이 상셜 갓고, 원【39】슈의 풍유신광이이 만고의 무젹이라. 경셩 만민이 엇게 《냐니고‖ᄀᆡ야이고1133)》 눈이 밤뷔녀[여] 《관셩‖관경》ᄒᆞᄆᆡ 정신이 어리고 칭찬한는 소ᄅᆡ 진동ᄒᆞ여 츔이 《바을듯‖마를듯》ᄒᆞ야, 정국공이 우흐로 ᄉᆞᆷᄌᆞ을 ᄉᆞ[츰]망ᄒᆞ나 져 갓튼

1128)웃씀 : 으뜸.

1129)뒤 : 띠.

1130)청총옥셜마(靑驄玉雪馬) : 옥이나 눈처럼 하얀 청총마(靑驄馬). 청총마는 털이 흰 백마(白馬)로,, 갈기와 꼬리부분이 파르스름한 빛을 띠고 있다.

1131)유ᄎᆞ법도(有次法度) : 차례와 법도가 있음.

1132)뒷글 : 티끌.

1133)ᄀᆡ야이다 : 붐비다. 부딪치다.

업다 ᄒᆞ더라.

힝ᄒᆞ여 문외의 니르니, 녈후(列侯) 구공(九公)[1343]과 만됴 문뮈 일졔히 모다 댱막을 일우믹, 연ᄎᆞ(宴遮)를 빅셜ᄒᆞ여 잔을 잡아 원슈를 젼별ᄒᆞ니, 샹이 어악을 보닉여 계신 고로, 균텬광악(鈞天廣樂)[1344]은 하ᄂᆞᆯ을 흔들고 팔딘셩찬(八珍盛饌)은 상마다 가득ᄒᆞ여, 만됴문뮈 작ᄎᆞ로 뎡좌ᄒᆞ고, 원싞 삼군댱ᄉᆞ를 거ᄂᆞ려 잠간 참연ᄒᆞᆯᄉᆡ, 날니ᄂᆞᆫ 잔은 분분ᄒᆞ고 파뎍승젼ᄒᆞ여 슈히 환됴ᄒᆞ라 ᄒᆞᄂᆞᆫ 말ᄉᆞᆷ은 긋디 아냐 닛다히고, 원슈를 원니ᄒᆞ믈 아니 결연ᄒᆞ리 업더라.

윤츄밀이 됴졍인ᄉᆞ로 ᄯᅩᄒᆞᆫ 이에 왔더니, 일분 ᄉᆞᄅᆞᆷ의 ᄆᆞᄋᆞᆷ【47】이 이셔 셔랑의 특이ᄒᆞᆫ 풍치와 긔상을 흠ᄋᆡᄒᆞ여 손을 잡고, 위로 왈,

"오날ᄂᆞᆯ 현셔의 힝ᄉᆡᆨ이 대댱부의 쾌ᄉᆡ오, 남ᄋᆞ의 ᄉᆞ업일 ᄲᅮᆫ 아니라, 우흐로 국가근심을 덜고 아릐로 ᄉᆞ슈를 갑흘 조각이라. 현셔의 지덕으로ᄡᅥ 언마ᄒᆞ여 흉뎍을 쥬멸ᄒᆞ고 개가를 울녀 도라오리오마ᄂᆞᆫ, 병긔ᄂᆞᆫ 흉디라. 모로미 몸을 조심ᄒᆞ여 만니타국의 구치ᄒᆞᄂᆞᆫ 병이 업게 ᄒᆞ라."

원싞 몸을 굽혀 ᄉᆞ샤ᄒᆞ고, 그 ᄉᆞ이 존휘 안녕ᄒᆞ시믈 쳥ᄒᆞᆫ 후, 긴 셜화를 펴디 아니ᄒᆞ더라. 일ᄉᆡᆨ이 반오의 원슈를 작별ᄒᆞᆯᄉᆡ 원싞 팔흘 드러 만좌의 하딕 왈,

"미말 쇼싱을 위ᄒᆞ여 만됴 존【48】공의 쳔금디구를 굴ᄒᆞ샤 젼별ᄒᆞ시믈 당ᄒᆞ니, 우흐로 셩은의 관유ᄒᆞ시믈 황감ᄒᆞ고, 아릐로 졔공의 후의를 감샤ᄒᆞᄋᆞᆸᄂᆞ니, 종일 담화ᄒᆞ나 니회의 결연ᄒᆞ믈 싱각ᄒᆞ믹, 풍악의 ᄯᅳᆺ이 업ᄉᆞ니, 쳥컨딕 녈위 존공은 셩샹을 뫼셔 기리 안락ᄒᆞ쇼셔."

졔공이 년셩ᄒᆞ여 만니 힝군을 무ᄉᆞ 득달ᄒᆞ여 닙공승젼ᄒᆞ믈 일ᄏᆞ라, 일시의 몸을 니

1343)구공(九公) : 구경(九卿). 삼정승(三政丞) 육판서(六判書)를 함께 이르는 말.

1344)균텬광악(鈞天廣樂) : 하늘에 닿을 정도로 큰 음악소리.

아들이 이시니 족히 셕ᄉᆞ을 《슬허흠니 업더라‖슬허ᄒᆞᆯ 빅 업다 ᄒᆞ더라》.

만조쳔관이 일졔의[이] 원슈을 젼별ᄒᆞ니, 《ᄉᆞ‖ᄉᆼ》이 어젼 풍악을 보닉게신고로 《소틘관악‖균텬광악(鈞天廣樂)[1134]》은 하날을 흔들고, 팔진경장(八珍瓊漿)은 ᄉᆼ마다 가등[득]ᄒᆞ여, 만조문뷔[뮈] 작ᄎᆞ로 졍좌ᄒᆞ고, 원슈 ᄉᆷ군 장ᄉᆞ를 거나려 잠간 츔연(參宴)ᄒᆞ니, 《날이노‖날니ᄂᆞᆫ》잔은 분분ᄒᆞ되 파젹승젼ᄒᆞ녀[여] 슈이 환조ᄒᆞ라 ᄒᆞ난 말○[은] 긋지 아냐, 인인이 다 원슈을 원니ᄒᆞ믈 아니 결연ᄒᆞ리 업더라.

윤츄밀이 됴쳥[정] 이[인]ᄉᆞ로 ᄯᅩ한 니의 나왓더니 일분 ᄉᆞ람의 마음○[이] 잇셔 셔랑의 쳔고의 특이한 풍치와 긔ᄉᆼ을 흠ᄋᆡᄒᆞ여 손을 잡으며 우어 왈,

"금일 현셔의 힝ᄉᆡᆨ이 ᄃᆡ장부의 쾌ᄉᆡ오 남아의 ᄉᆞ업일 ᄲᅮᆫ 아니라, 우흐로 국가 근심을 들[덜]고 아릐로 ᄉᆞ슈을 갑플 조각이라. 현셔의 지조로ᄡᅧ 얼마ᄒᆞ여 흉젹을 《쇠멸‖소멸》ᄒᆞ리오만[마]난, 병긔는 흉지라, 모로미 죠심ᄒᆞ여 말니(萬里) 젼진의 《구한난‖구치하ᄂᆞᆫ》 병이 업게 ᄒᆞ라."

원슈 몸【40】을 굽혀 ᄉᆞᄉᆞᄒᆞ고, 그 ᄉᆞ니[이] 존후 안ᄀᆼᄒᆞ시믈 쳥ᄒᆞ고, 긴 셜화를 페[펴]지 아니 ᄒᆞ더라. 일ᄉᆡᆨ이 반오의 원슈을 보닉[닐]ᄉᆡ, 원슈 팔을 드러 만조공경의 《쳔금ᄉᆡ쳐‖쳔금지구를 굴ᄒᆞ샤 젼별ᄒᆞ심》을 샤샤ᄒᆞ고, 하공은 국쳬로 인ᄒᆞ여 문외의 송별ᄒᆞ는{ᄒᆞ} 거시 올흐되, 칭병불닉ᄒᆞ고 금휘 부ᄌᆞ 왓난지라. 원슈 금휘게 하직 왈,

1134)균텬광악(鈞天廣樂) : 하늘에 닿을 정도로 큰 음악소리.

러 원슈를 보낼ᄉᆡ, ᄎᆞ일 하공은 국톄(國體)로 인ᄒᆞ여 문외의 숑별ᄒᆞᄂᆞᆫ 거시 올흐나, 칭병 블ᄂᆡᄒᆞ고 금후 부직 나왓ᄂᆞᆫ디라. 원쉬 금후 슬젼의 ᄇᆡ샤 하ᄃᆡᆨ 왈,

“년딜이 비록 만니 츌뎡ᄒᆞ오나 가친의 참연ᄒᆞ신 심ᄉᆞ를 위【49】로ᄒᆞ샤, 됴셕 상죵ᄒᆞ실 바ᄂᆞᆫ 년슉과 듁쳥 형뎨 등을 밋ᄌᆞᆸᄂᆞᆫ디라. 년슉은 그 ᄉᆞ이 안강ᄒᆞ시고 별원의 ᄌᆞ로 왕ᄂᆡᄒᆞ시믈 바라ᄂᆞ이다.”

금휘 집슈 왈,

“비록 니르디 아니나 됴왕모ᄅᆡ(朝往暮來)ᄒᆞ여 ᄌᆞ의 나간 ᄣᆡ를 타, 녕엄의 뇨뎍ᄒᆞ믈 위로치 아니리오. 오ᄃᆡᆨ 국가 대ᄉᆞ를 그르게 말나.”

원쉬 ᄉᆞ샤ᄒᆞ고 듁쳥과 윤텽문 형뎨로 각별ᄒᆞᆫ 니졍을 베퍼 집슈 의의ᄒᆞ여 분슈ᄒᆞᆯᄉᆡ, 군졍시 급ᄒᆞ므로 대군을 휘동ᄒᆞ여 초디로 향ᄒᆞ니, 위덕은 졔갈(諸葛)[1345]을 ᄯᆞ로고 힝군긔률이 엄슉ᄒᆞᆫ디라. ᄆᆞᆯ은 비룡 ᄀᆞᆺ고 댱슈ᄂᆞᆫ ᄆᆡᆼ호 ᄀᆞᆺᄐᆞ니, 금괴(金鼓) 졔명(齊鳴)ᄒᆞ고 검극이 상셜 ᄀᆞᆺᄐᆞ여 디나ᄂᆞᆫ 바의 초목을 【50】 블범ᄒᆞ니, 만됴 졔공이 먼니 바라보고 원슈의 긔이ᄒᆞ믈 탄복ᄒᆞ더라.

금평후 부직 바로 하부의 와 하공을 보고 원슈의 위덕을 칭디ᄒᆞ니, 하공이 심니의 깃거 니졍이 결연ᄒᆞᆯ디언졍 파뎍ᄒᆞᆯ 바ᄂᆞᆫ 근심치 아니 ᄒᆞ더라.

하원쉬 초디로 향ᄒᆞᆫ 후, 샹이 하공을 각별ᄒᆞᆫ 은통을 뵈샤 상방어션(尙方御膳)과 황봉어쥬(黃封御酒)를 보ᄂᆡ샤 니졍을 위로ᄒᆞ시ᄂᆞᆫ 듕ᄉᆡ(中使) 도로의 니어시니, 인신의 엇기 어려온 은영이라. 하공이 황공 감은ᄒᆞ여 혹ᄌᆞ 가득ᄒᆞ면 넘ᄢᅵᄂᆞᆫ 환이 이실가 두려, 날노 공근 겸손ᄒᆞ믈 위쥬ᄒᆞᄆᆡ, 도로혀

1345)졔갈(諸葛) : 중국 삼국 시대 촉한의 정치가 제갈량(諸葛亮; 181-234). 자(字)는 공명(孔明). 시호는 충무(忠武). 뛰어난 군사 전략가로, 유비를 도와 촉한(蜀漢)을 세웠다

“년질이 《말이흉졍‖만리츌졍》을 ᄒᆞ오나 가친의 침[참]연ᄒᆞᆫ 심ᄉᆞ을 위로ᄒᆞ샤 죠셕상견ᄒᆞ실 ᄇᆡᄂᆞᆫ 연슉과 츙ᄇᆡᆨ 곤계 등을 밋ᄉᆞᆸ난지라. 년슉은 그ᄉᆞ니[이] 안강ᄒᆞ시고 별원○[의] 일일왕ᄂᆡᄒᆞ시믈 《ᄇᆞ아난니다‖바라나이다》.

금휘 집슈왈,

“ᄌᆞ의 비록 일르지 아○[니]나 조왕모ᄅᆡ ᄒᆞ니, ᄌᆞ의 가ᄂᆞᆫ ᄣᆡ을 타 녕영[엄]의 젹뇨ᄒᆞ믈 위로치 아니리오. ᄌᆞ의은 념여을 ᄇᆞ리고 조심ᄒᆞ여 국ᄉᆞ을 그르게 말나.”

원슈 샤샤ᄒᆞ고 쥭쳥과 윤형[쳥]문 형뎨로 작별ᄒᆞ니, 경을 《베혀‖베퍼》 집슈의의ᄒᆞ여 분슈ᄒᆞᆯᄉᆡ, 군졍시 금흠으로 ᄃᆡ군을 휘동ᄒᆞ여 촉지로 힝ᄒᆞ니, 위덕은 졔갈(諸葛)[1135]을 싸르고 힝군《거라려‖긔률이》엄슉ᄒᆞᆫ지라. 이의 《졔ᄋᆞ‖졔군이》 졔졔(齊齊)히 힝ᄒᆞᆯᄉᆡ, 말은 비용(飛龍) 갓고 장슈은 ᄆᆡᆼ호 갓트니, 금괴(金鼓) 졔명(齊鳴)ᄒᆞ고 검극이 ᄉᆞᆼ셜 갓트미[여], 지나ᄂᆞᆫ 겸[바]의 포[초]목을 불범ᄒᆞ고【41】 츄(雛)[1136]흘 앗기니, 만조 졔공이 먼니 ᄇᆞ라보고 원슈○[의] 기니[이]ᄒᆞ믈 탄복ᄒᆞ더라.

금평휘 부ᄌᆞ 바로 하부의 와 국공을 보고 원슈 덕을 칭지ᄒᆞ니, 하공이 심이(心裏)의 깃거 ○[니]졍이 결연ᄒᆞᆯ지언졍 파젹헐 바ᄂᆞᆫ 근심치 아니ᄒᆞ더라.

하원슈 쵸지로 힝한 후, ᄉᆞᆼ이 하공을 각별ᄒᆞᆫ 은춍을 뵈ᄉᆞ 상방어션(尙方御膳)과 황봉어쥬(黃封御酒)을 보ᄂᆡ샤 ○[니]졍을 위로ᄒᆞ시고[니], 특별ᄒᆞᆫ 쳔은이 비ᄒᆞ리 업고, 은근위유ᄒᆞ시ᄂᆞᆫ 즁ᄉᆡ 도로○[의] 이어시니, 인신의 엇긔 《이러은‖어려온》 춍ᄋᆡ라. 하공이 황공감은ᄒᆞ여 혹ᄌᆞ 가득ᄒᆞ면 넘치ᄂᆞᆫ

1135)졔갈(諸葛) : 중국 삼국 시대 촉한의 정치가 제갈량(諸葛亮; 181-234). 자(字)는 공명(孔明). 시호는 충무(忠武). 뛰어난 군사 전략가로, 유비를 도와 촉한(蜀漢)을 세웠다

1136)츄(雛) : 병아리.

겸퇴ᄒᆞ미 과도ᄒᆞ더라.

윤부의셔 【51】 ○○[뉴시] 하쇼져를 친당의 편히 두믈 만분 통히ᄒᆞ여, 고모(姑母)를 촉ᄒᆞ여 어셔 브르라 ᄒᆞ니, 태부인이 거ᄌᆞᆺ 그리웨라 ᄒᆞ고 하시를 브르니, 윤시 비록 쇼고(小姑)의 ᄉᆞ졍을 고ᄒᆞ나 블쳥ᄒᆞ고 ᄌᆡ쵹ᄒᆞᄂᆞᆫ디라. 하시 브득이 친졍을 ᄯᅥ나 구가로 나아가ᄆᆡ, 일쳔댱 굴형의 ᄲᆡ진 ᄃᆞᆺ 남다른 회푀 잇ᄂᆞᆫ 줄 부모긔도 ᄉᆞᄉᆡᆨ디 못ᄒᆞ고, 다만 냥가 부모긔 ᄇᆡ샤ᄒᆞ고 도라갈ᄉᆡ, 하공 부뷔 결연ᄒᆞ믈 측냥치 못ᄒᆞ고, 금평후 부부ᄂᆞᆫ 윤부 가변을 아ᄂᆞᆫ 고로 양녀를 위ᄒᆞ여 념네 등한치 아니 ᄒᆞ더라.

하쇼졔 구가의 도라오ᄆᆡ 태흉과 뉴시 ᄆᆞ음ᄃᆡ로 조로고 보ᄎᆡ디 못ᄒᆞᄂᆞᆫ 바ᄂᆞᆫ, 현ᄋᆞ쇼져의 【52】 안면을 거리ᄶᅧ ᄉᆡ훤이 보ᄎᆡ디 못ᄒᆞ여, 물고 못 먹ᄂᆞᆫ 고기 ᄀᆞᄐᆞ여, 남 모르게 고요히 졸나 죽일 ᄃᆞ시 ᄒᆞ며, 여러 이목이 업ᄉᆞᆫ즉 경ᄀᆡᆨ의 죽일 ᄃᆞᆺ 음식도 잘 주지 아니며, 녜 업던 허믈과 아닌 말이[을] 날노 쥬츌(做出)ᄒᆞ여 온가지로 돕ᄂᆞᆫ ᄌᆞᄂᆞᆫ 셕상셔 쳐 경ᄋᆡ라. 졈졈 극악 간교ᄒᆞ미 기모의 우히라. 하·댱의 쳔만 고상은 니르도 말고, 태우 형뎨의 못견ᄃᆡᆯ 경계 날노 더으고 시로 층가ᄒᆞ니, 실노 보젼키 어렵더라.

화셜 뎡쇼졔 혜쥐 댱ᄉᆞ로 향ᄒᆞᆯᄉᆡ, 도뢰 뇨원ᄒᆞ여 여러 쳔니라. 경샤의셔 츌ᄒᆡᆼᄒᆞᆯ ᄯᆡ의 ᄇᆡᆨ홰 셩개ᄒᆞ며 초목이 무셩ᄒᆞ더니, 뎍디의 나아 【53】 가ᄆᆡ 츈홰 ᄯᅥ러디고 일긔 졈졈 훈화ᄒᆞ여, 원노 ᄒᆡᆼ발의 한고(寒苦)ᄒᆞ미 잇디 아니ᄒᆞᄃᆡ, 원억ᄒᆞᆫ 죄루를 시러 누쳔니 타향의 찬츌ᄒᆞᄂᆞᆫ 졍ᄉᆡ ᄌᆞ못 슬프거ᄂᆞᆯ, ᄒᆞ믈며 뎡쇼져의 디극ᄒᆞᆫ 셩효로ᄡᅧ 존당 부모긔 ᄒᆞᆫ 일도 효를 닐위디 못ᄒᆞ고, 참참한 죄명과 험난ᄒᆞᆫ 화ᄋᆡᆨ이 남의 업ᄉᆞᆫ 경계로, 친당의 무궁ᄒᆞᆫ 블회 니긔여 ᄡᆞ흘 곳이 업ᄉᆞᆯ디라. 평ᄉᆡᆼ 인효와 녜의를 심ᄉᆞᄒᆞ던 ᄇᆡ 그린 ᄯᅥᆨ이 되고, 대효를 펼 곳이 업ᄉᆞ니, 비록 텬

환이 잇실가 두려 날노 공근겸회[퇴]ᄒᆞ믈 위쥬ᄒᆞ더라.

윤부의셔 뉴시 하시을 수월ᄌᆡ 편이 두려[어], 시랑과 ᄒᆞᆫ가지로 가 부부화락이 관져시(關雎詩)을 념(念)즉ᄒᆞ믈 블승통한ᄒᆞ여, ᄐᆡ노(太老)을 쵹ᄒᆞ여 하시을 블르니, 비록 윤시 소고의 ᄉᆞ졍를[을] 고ᄒᆞ나 블쳥ᄒᆞ고 ᄎᆡ[ᄌᆡ]쵹ᄒᆞ난지라. 하시 블[브]득이 친졍을 ᄯᅥ나 구가로 도라가ᄆᆡ, 일쳔장 굴헝의 ᄲᅡ진 듯, 남다른 회포을 부모게 ᄉᆞᄉᆡᆨ지 못ᄒᆞ고, 다만 《녕가‖냥가(兩家)》 부모긔 ᄇᆡ시[ᄉᆞ](拜辭)ᄒᆞ고 도라갈ᄉᆡ, 하공부뷔 블승결연ᄒᆞ고, 금후 부부은 윤부 ᄀᆞ변○[을] 아ᄂᆞᆫ 고로 양여을 위ᄒᆞ여 념녀 등한치 【42】 아니ᄒᆞ더라.

하시 구가의 도라오ᄆᆡ 위·뉴 마음ᄃᆡ로 《죠을고 보ᄎᆡ미‖조로고 보ᄎᆡ지 못ᄒᆞ미》 잇ᄂᆞᆫ 바ᄌᆞ(者)[1137]ᄂᆞᆫ, 현아 소져의 안면을 《거리치ᄶᅥ‖거리ᄶᅧ》 ᄉᆡ원이 보ᄎᆡ지 못ᄒᆞ여[나], 이목이 업ᄉᆞᆫ 곳의ᄂᆞᆫ 경각의 쥭일 듯 ○…결락00자…○[음식도 잘 주지 아니며, ᄯᅩ] 소져의 업ᄉᆞᆫ 허물과 《아인‖아닌》 말을 쥬츌ᄒᆞ녀[여] 온가지로 돕난 ᄌᆞ난 셕승셔 쳐 경ᄋᆡ라. 졈졈 극악간교ᄒᆞ미 기모의 우히라. 하·장의 쳔만 고승은 니르도 말고 ᄐᆡ후[우] 곤계이[의] 《못견ᄃᆡ도‖못견ᄃᆡᆯ》 경게(境界)ᄂᆞᆫ 시일노 층가ᄒᆞ니, 실노 보젼키 어렵더라.

화셜 뎡소져 혜쥬 장ᄉᆞ 젹소로 향ᄒᆞᆯᄉᆡ 도뢰 《려러‖여러》 쳔이[리]라. 경ᄉᆞ의셔 츌ᄒᆡᆼᄒᆞᆯ ᄯᆡ의 ᄇᆡᆨ화 셩ᄀᆡᄒᆞ며 쵸목이 무셩ᄒᆞ더니, 젹소의 일으ᄆᆡ 츈회[화] ᄯᅥ러지고 일긔 졈졈 《운화‖훈화(薰和)》ᄒᆞ여 원노 ᄒᆡᆼ발의 한고(寒苦)ᄒᆞ미 업ᄉᆞᄃᆡ, 원억ᄒᆞᆫ 죄루○[을] 시러 누만니 타향의 찬츌ᄒᆞᄂᆞᆫ 졍ᄉᆡ ᄌᆞ못 슬프거날, 허물며 뎡소져의 지극ᄒᆞᆫ 셩효로ᄡᅧ 존당 부모긔 한 일도 효을 일위지 못ᄒᆞ고, 참참ᄒᆞᆫ 죄명과 험난ᄒᆞᆫ 화(禍), 남의 업ᄉᆞᆫ 경계로 친정 존당의 무궁ᄒᆞᆫ 불회 ᄉᆞ

1137) ᄌᆞ(者) : 접사. 의존명사 '바'의 뒤에 붙어 '것'의 뜻을 더하는 접미사.

감됴림디하(天監照臨之下)1346)의 귀심(歸心)이 화복ᄉᆞᄉᆡᆼ간(禍福死生間)의 이시나, ᄌᆞ긔 신셰와 명도를 혜아리ᄆᆡ ᄎᆞ악 비졀ᄒᆞ믈 니긔디 못ᄒᆞ고, 조모와 부모ᄂᆞᆫ 오히려 졔거【54】거(諸哥哥)의 화셩유어로 위로ᄒᆞ여 니ᄌᆞ미 계시려니와, 존고 조부인의[은] 참황ᄒᆞᆫ 심ᄉᆞ를 긴 셰월의 술을디라. 맛ᄎᆞᆷᄂᆡ 화익을 소멸하고 가ᄂᆡ를 딘뎡ᄒᆞ여, 태부인과 뉴부인을 감화ᄒᆞ여, 조숀고식(祖孫姑媳)과 부부 동긔 일가의 모다 줄길 길히 업ᄂᆞᆫ디라. 망망ᄒᆞᆫ 댱ᄂᆡᄉᆞ를 예탁기 어려오니, 비회 층가ᄒᆞ여 연연 옥장이 날로 ᄉᆞ히믈1347) 면치 못ᄒᆞᄃᆡ, 시랑이 호언 관위ᄒᆞ여 힝도를 조심ᄒᆞ니, 쇼졔 명도를 한탄ᄒᆞ나 거거의 디극ᄒᆞᆫ 우ᄋᆡ디졍을 감동ᄒᆞ여 심ᄉᆞ를 강인ᄒᆞ나, 혹 블평ᄒᆞᆫ 곳이 이시면 슈일식 힝거 머추니1348), 이러므로 일지 쳔연ᄒᆞ여 황능묘(黃陵廟)1349)의 다ᄃᆞ라 시【55】랑이 쇼져다려 왈,

"우리 즐거이 힝ᄒᆞᄂᆞᆫ ᄇᆡ 아니니 풍경을 유람ᄒᆞ여 쾌ᄒᆞᆫ 심ᄉᆡ 업ᄉᆞ려니와, 임의 황능묘를 디나며 고적을 보디 못ᄒᆞ미 블가ᄒᆞᆫ디라. 금일 이곳의 머므러 ᄌᆞ고 셩현의 ᄌᆞ최를 관경ᄒᆞ리라."

쇼졔 탄왈,

"뎨슌(帝舜)은 대효의 셩군이시오, 이비(二妃)1350)ᄂᆞᆫ 만고 셩비시라. 그 ᄌᆞ최를 가히 구경코져ᄒᆞ여도 쉽디 못ᄒᆞ려니와, 쇼ᄆᆡ ᄀᆞᆺ튼 비루ᄒᆞᆫ 위인이 황능묘의 ᄇᆡ현ᄒᆞ미 블가ᄒᆞᆫ가 ᄒᆞᄂᆞ이다."

시랑이 역 탄왈,

1346)텬감됴림디하(天監照臨之下) ; 하늘이 굽어보는 가운데 있음.
1347)ᄉᆞ히다 : 사위다. 다 타버리다. 불이 사그라져서 재가 되다.
1348)머추다 : 멈추다.
1349)황능묘(黃陵廟) : 중국 순(舜)임금의 두 왕비 아황(娥皇)과 여영(女英)을 제사하는 사당(祠堂). 호남성(湖南省) 소상강(瀟湘江) 가에 있다.
1350)이비(二妃) : 중국 순(舜)임금의 두 왕비이자 요(堯)임금의 두 딸인 아황(娥皇)과 여영(女英).

[ᄊᆞ]흘 곳지 업순지라. 평ᄉᆡᆼ 인효화슌을 쥬ᄒᆞ여 녜의을 심ᄉᆞᄒᆞ던 ᄇᆡ, 그린 쩍이 되고, ᄃᆡ효을 펼 고지 업ᄉᆞ니, 비록 텬감조림지하(天監照臨之下)1138)의 귀신(鬼神)이 화복ᄉᆞᄉᆡᆼ○○[지간](禍福死生之間)이[의]【43】이시나, ᄌᆞ긔 신셰 명도을 허[혜]아려 비졀ᄒᆞ고, 조모와 부모ᄂᆞᆫ 오히려 졔거거(諸哥哥)의 화셩유어로 위로ᄒᆞ여 이ᄌᆞ미 계시려이[니]와, 존고 됴부인○[은] 참화익(慘禍厄)을 소멸ᄒᆞ고 가ᄂᆡ을 진졍ᄒᆞ녀[여] 위・유을 감화ᄒᆞ여[고], 조손고식(祖孫姑媳)과 부부 동긔 일가의 모다 질길길 업난지라. 《상상∥망망》ᄒᆞᆫ 쟝ᄂᆡᄉᆞ를 여[예]탁(豫度)ᄒᆞᄆᆡ, 비회 층가ᄒᆞ여 연연 옥장이 날노 ᄉᆞ회1139)을[믈] 면치 못ᄒᆞᄃᆡ, 시랑이 호언관위ᄒᆞ여 힝거을 조심ᄒᆞ니, 소져 명도을 한탄ᄒᆞ나 거거의 지극한 우ᄋᆡ지졍을 감동ᄒᆞ여 심ᄉᆞ을 《감응∥강잉》ᄒᆞ나, 혹 블힝한 곳이 이시면 슈일식 힝거을 머츄니1140) ᄎᆞ고로 일지 《텬언∥쳔연》ᄒᆞ여 황능묘(黃陵廟)1141)의 다ᄃᆞ라 시랑이 소져다려 왈,

"우히[리] 《즐긔미이∥즐거이》 힝ᄒᆞᄂᆞᆫ ᄇᆡ 아니니 이 풍경을 유람ᄒᆞ여 쾌ᄒᆞᆫ 심ᄉᆡ 업ᄉᆞ려이와, 임의 황능묘을 지ᄂᆡ○[며] 고젹을 보지 못ᄒᆞ미 블가ᄒᆞᆫ지라. 금일 이곳의 머므러 ᄌᆞ고 셩현의 ᄌᆞ최을 완경ᄒᆞ리라."

소졔 탄왈,

"슌은 ᄃᆡ효○[의] 셩군이오, ○[이]비(二妃)1142)ᄂᆞᆫ 만고의 셩비시라. 소ᄆᆡ 갓치 비츄ᄒᆞᆫ 위인이 황능의 ᄇᆡ현ᄒᆞ미 불가ᄒᆞᆯ가 ᄒᆞ나니다."

시랑이 녁탄 왈

1138)텬감됴림지하(天監照臨之下) ; 하늘이 굽어보는 가운데 있음.
1139)ᄉᆞ회다 : 사위다. 다 타버리다. 불이 사그라져서 재가 되다.
1140)머츄다 : 멈추다.
1141)황능묘(黃陵廟) : 중국 순(舜)임금의 두 왕비 아황(娥皇)과 여영(女英)을 제사하는 사당(祠堂). 호남성(湖南省) 소상강(瀟湘江) 가에 있다.
1142)이비(二妃) : 중국 순(舜)임금의 두 왕비이자 요(堯)임금의 두 딸인 아황(娥皇)과 여영(女英).

"고슈(瞽瞍)와 상모(象母)[1351]의 ᄉᆞ오나오므로 대슌(大舜) 곳 아니면 감화치 못ᄒᆞ려니와, 네 구가 조모 슉당ᄀᆞᆺ치 이심ᄒᆞ믄 상모와 고슈의셔 ᄇᆡᆨᄇᆡ 승이라. 현ᄆᆡ의 찬츌ᄒᆞᆫ 근본이 위·뉴 냥【56】부인의 작희라. 엇디 윤부 가ᄂᆡ 온젼ᄒᆞ믈 바라리오. 슈연이나 ᄉᆞ원 ᄉᆞ빈의 출텬대효ᄂᆞᆫ 뎨슌(帝舜) 증삼(曾參)[1352]이 ᄌᆡ셰ᄒᆞ시나 더으디 못ᄒᆞ시리니, 텬도의 슌환홈 곳 이시면 ᄉᆞ원 등이 거의 흉포ᄒᆞᆫ ᄌᆞ모와 악악ᄒᆞᆫ 양모를 감화ᄒᆞ여, 텬는의 변이 다시 업술가 바라ᄂᆞ니, 현ᄆᆡ 엇디 ᄌᆞ쳐 죄인ᄒᆞ여 누얼을 븟그리ᄂᆞ뇨?"

인ᄒᆞ여 시랑과 쇼졔 황능묘의 ᄇᆡ알ᄒᆞᄆᆡ, 남ᄆᆡ 감화ᄒᆞ여 두어 줄 눈물이 나리믈 ᄡᅵᄃᆞᆺ디 못ᄒᆞ고, 쇼져ᄂᆞᆫ 더욱 이비(二妃)의 셩덕과 슌텬ᄌᆞ(舜天子)의 일월디덕을 일ᄏᆞ라, 탁셰의 다시 이 ᄀᆞᆺᄐᆞᆫ 셩군이 나디 못ᄒᆞᆯ 바를 ᄎᆞ셕ᄒᆞ더라.

ᄎᆞ야의 시랑이 공ᄎᆡ(公差)로 더브러 외샤의 슉ᄐᆡᆷ【57】ᄒᆞ고, 쇼져ᄂᆞᆫ 홍션 등 비ᄌᆞ로 더브러 황능묘 겻ᄐᆡ 집 잡아 디닐ᄉᆡ, 황능묘 풍경과 소상강(瀟湘江)[1353] 흉용ᄒᆞᆫ 믈소ᄅᆡ 사ᄅᆞᆷ의 심회를 도으니, 쇼졔 먼니 경샤를 텸망ᄒᆞ여 ᄉᆞ친디졍이 간졀ᄒᆞᆯ ᄲᅳᆫ 아니라, 신ᄉᆡᆼ 유치를 더디고 아득히{아득히} 나려와, 위태부인 고식의 용심을 ᄉᆡᆼ각건ᄃᆡ 반ᄃᆞ시 ᄀᆞ만ᄒᆞᆫ 가온ᄃᆡ 히ᄒᆞ미 업디 아닐디라. 모ᄌᆡ 능히 산 낫ᄎᆞ로 보기 어려오믈 슬허ᄒᆞ

1351)상모(象母) : 순(舜) 임금의 이복동생인 상(象)의 어머니. 포악한 계모의 전형이다.

1352)증삼(曾參) : 중국 노나라의 유학자. 자는 자여(子輿). 공자의 덕행과 사상을 조술(祖述)하여 공자의 손자인 자사(子思)에게 전하였다. 후세 사람이 높여 증자(曾子)라고 일컬었으며, 저서에 ≪증자≫, ≪효경≫ 이 있다.

1353)소상강(瀟湘江) : 중국 호남성(湖南省)에서 발원한 소수(瀟水)와 광서성(廣西省)에서 발원한 상강(湘江)여 호남성에 있는 동정호(洞庭湖)에서 만나 이루어진 강. 주로 호남성 동정호 지역을 일컫는 말로 경치가 아름답고 소상반죽(瀟湘班竹)과 황릉묘(黃陵廟) 등 아황(娥皇) 여영(女英)의 이비전설(二妃傳說)이 전하는 곳으로 유명하다.

"고슈(瞽瞍)와 상모(象母)[1143]의 ᄉᆞ오나믈 ᄃᆡ슌 곳 아니면 감화치 《못ᄒᆞ녀거이와∥못ᄒᆞ엿거니와》, 네【44】 구가 조모 슉당 갓치 이심ᄒᆞ믄 ᄉᆞᆼ모와 고슈의 ᄇᆡᆨᄇᆡ 승이라. 현ᄆᆡ의 찬츌근본이 위·뉴의 작희라. ○○[엇지] 윤부 가ᄂᆡ 온젼ᄒᆞ믈 ᄇᆞ라리오. 년이나 ᄉᆞ원 ᄉᆞ빈의 츌텬ᄃᆡ효은 《슌증ᄃᆡᄌᆡ셰겨∥대슌(大舜) 증ᄌᆞ(曾子)[1144] ᄌᆡ셰(在世)》ᄒᆞ시나 더으지 못ᄒᆞ시리니, 텬도의 슌환홈 곳 이시면, ᄉᆞ빈이 거의 흉포ᄒᆞᆫ 조모와 악악ᄒᆞᆫ 양모을 감화ᄒᆞ여, 《쳔츄∥쳔는(天倫)》의 《번∥변》이 다시 업슬가 ᄇᆞ라나니, 현ᄆᆡ 엇지 《ᄌᆞ긔최인∥ᄌᆞ쳐 죄인》ᄒᆞ여 누얼을 붓그리ᄂᆞ뇨?"

인ᄒᆞ여 시랑과 소져 황능묘의 ᄇᆡ알ᄒᆞᄆᆡ, 시랑과 소져 감회ᄒᆞ여 두어 쥴 눈물을 나리믈 ᄡᅵᄃᆞᆺ지 못ᄒᆞ고, 소져은 더옥 이비의 셩덕○[과] 슌(舜) 쳔ᄌᆞ의 일월지덕을 일ᄏᆞ라, 탁셰의 다시 이ᄀᆞᆺᄒᆞᆫ 셩군이 나지 못ᄒᆞᆯ가 념녀ᄒᆞ더라.

어시의 뎡시랑이 {ᄎᆞ마 위}공ᄌᆡ[ᄎᆡ](公差)로 더브러 《의ᄌᆞ∥외ᄉᆞ(外舍)》의 슉침ᄒᆞ고, 소져은 홍션 등으로 황능묘 겻히 집 잡아 지닐ᄉᆡ, 황능묘 풍경과 《숌강∥ᄉᆞᆼ강(湘江))[1145]》 흉융ᄒᆞᆫ 물소ᄅᆡ ᄉᆞᄅᆞᆷ의 슈회을 도으며[니], 소져 먼니 경셩을 쳠망ᄒᆞ여 ᄉᆞ친지졍이 간졀ᄒᆞᆯ ᄲᅮᆫ 아니라, 신ᄉᆡᆼ유치라[를] 더지고 아득히 나려와, 위ᄐᆡ부인 고식의 용심을 ᄉᆡᆼ각건ᄃᆡ 반다시 가만ᄒᆞᆫ 즁 히ᄒᆞ미 업지 아닐지라. 모ᄌᆡ【45】 능히 ○○[ᄉᆞᆫ 낫]

1143)상모(象母) : 순(舜) 임금의 이복동생인 상(象)의 어머니. 포악한 계모의 전형이다.

1144)증ᄌᆞ(曾子) : 이름은 삼(參), 자는 자여(子輿). 중국 노나라의 유학자. 공자의 덕행과 사상을 조술(祖述)하여 공자의 손자인 자사(子思)에게 전하였다. 후세 사람이 높여 증자(曾子)라고 일컬었으며, 저서에 ≪증자≫, ≪효경≫ 이 있다.

1145)ᄉᆞᆼ강(湘江)) : 소상강(瀟湘江). 중국 광서성(廣西省)에서 발원하여 호남성(湖南省) 동정호(洞庭湖)에서 소수(瀟水)와 만나 소상강을 이룬다. 따라서 소상강은 주로 호남성 동정호 지역을 일컫는 말로, 이 지역은 경치가 아름답고 소상반죽(瀟湘班竹)과 황릉묘(黃陵廟) 등 아황(娥皇) 여영(女英)의 이비전설(二妃傳說)이 전하는 곳으로 유명하다.

다가, 윤태우 형졔의 위란훈 신셰와 참참훈 곡경을 혜아리미, 텬신이 보됴치 아닐 딘딕 술미 어려온디라. 즈긔 몸이 비록 댱스디계의 다드라시나 무음인즉 경샤의 이셔, 쳔스만상흐여도 위·뉴 양부인을 감화흐【58】여 윤태우 형뎨 인눈이 온젼훈 사람이 되기를 바라디 못홀디라. 우우(憂憂)히 봉황미(鳳凰眉)를 찡긔여, 촉하의셔 주역팔과(周易八卦)를 버려 친(親) 구(舅) 냥가의 유즈를 위흐여 길흉을 츄졈흐미, 이 본딕 별츌(別出)훈 직죄라. 신긔치 아닌 곳이 업스므로 졈스의 긔특흐미 아니 맛는 곳이 업는디라. 츄졈 냥구의 훈 과1354)를 어더 그윽이 헤건딕 즈긔 익회 흉흐믄 니르도 말고, 부모의 운싊 손우를 실니흐여 즈손으로뻐 근심을 노치 못흐고, 윤태우의 익회 딘홀 날이 머럿고, 슬하의 유치를 일허 신셕의 참통흐믈 픔을 듯흐니, 쇼졔 스스로 낫빗치 변흐믈 씨둧디 못흐【59】고, 츄슈징쳥(秋水澄淸)이 써러디믈 면치 못흐여, 냥구 후 탄왈,

"유우를 취운산의 다려오던 날 내 무옴이 즈겁(自怯)흐여 괴이흐믈 결을치 못흐더니, 우리 부모 슬하의 무스히 길니믈 엇디 못흐여, 발셔의 독슈의 화를 보아시리니, 나의 신셰 명되 형언흐여 니를 거시 업스나, 오히려 일골육을 깃쳐 비록 신싱 유익나 져의 작셩 긔딜이 용이치 아니니 바라미 젹지 아니터니, 간당의 독히 절절이 삐를 업시려 흐는디라, 엇디【60】 졈스와 다르리오. 이의 또 우리 부뫼 손우를 실니흐실 운쉬니 윤·양·니 삼인의 즈녀를 엇디 보젼흐여시리오."

언파의 상연 뉴톄흐니, 혜션이 위로 왈,

"부인이 젼후 곡경이 추마 못견딜 비로딕, 일즉 이러틋 과상흐시믈 보옵디 못흐엿

1354)과 ; 괘(卦). 중국 고대(古代)의 복희씨(伏羲氏)가 지었다는 글자. ≪주역≫의 골자가 되는 것으로, 한 괘에 각각 삼 효(爻)가 있고, 효를 음양(陰陽)으로 나누어서 팔괘(八卦)가 되고 팔괘가 거듭하여 육십사괘(六十四卦)가 된다.

즈[추]로 보기 어려오믈 슬히[허]흐다가, 윤히[틱]우 형졔의 위란훈 신셰와 참참흐[훈] 고[곡]경를 혜아리미, 현[쳔]신이 《보존‖보조(輔助)》치 아닐진딕 술미 어려온지라. 즈긔 몸이 비록 장스진의 다드을[라]시나, 마음인즉 경스의 잇셔, 쳔스만숭흐여도 위·뉴 양부인을 감화흐여 윤틱우 곤계 인눈이 온젼훈 스람되기을 브라지 못홀지라. 우우(憂憂)이 봉황미우(鳳凰眉宇)를 쯩기여, 쥬역팔괘(周易八卦)로 친구(親舅) 양가와 유즈을 위흐여 길흉을 츄념[졈]흐미, 본딕 《빅츌지죄‖별출재죄(別出才操)》라. 졈스의 신긔흐미 아니 밋는 곳이 업스나[니], 츄졈 양○○○[구의 훈] 괘(卦)1146)를 엇고 그윽히 ○[혜]건딕, 즈긔 운익○[의] ○[흉]흐믄 니르도 말고, 부모의 운슈 손아을 실이(失離)흐고, 즈손으로 근심을 《셰지‖노치》 못홀 시졀이라. 윤틱우의 익회 진홀 날이 머럿고 슬하 유치을 일허 신셕○[의] 춤통흐믈 픔을 듯흐니, 소져 스스로 낫빗출 변흐고 츄슈징쳥(秋水澄淸)이 써러지믈 면치 못흐니, 양구 후 탄왈,

"유아을 취운순으로 다려오든 날 닉 《지겹‖자겁(自怯)》흐녀[여] 고이흐믈 결을치 못흐더니, 우리 부모의 슬흐의 무스니[이] 《결미믈‖길니믈》 엇지 못흐여, 발셔 독슈의 화을 바다시리니, 나의 신셰 명되 니를 거시 업스나, 오히려【46】 일 골뉵을 끼쳐 비록 신싱 유아나 작셩 기질이 용이치 아니[닌] 비라. 엇지 졈스와 다을[르]리오. 이졔 또 우리 부뫼 손아을 실이(失離)흐실 운슈니 윤·양·○[니] 숨형[인](三人)의 즈녀를 엇지 보젼흐여시리오."

언파의 숭연 유체흐니, 혜션이 위로 왈,

"○○○[부인이] 젼우[후] 곡경이 추므 못견[견]딕실 비 만흐나, 일즉 이럿틋 흐시

1146)괘(卦) : 중국 고대(古代)의 복희씨(伏羲氏)가 지었다는 글자. ≪주역≫의 골자가 되는 것으로, 한 괘에 각각 삼 효(爻)가 있고, 효를 음양(陰陽)으로 나누어서 팔괘(八卦)가 되고 팔괘가 거듭하여 육십사괘(六十四卦)가 된다.

더니, 엇디 이졔 브졀업ᄉᆞᆫ 비회를 요동ᄒᆞ샤 과상ᄒᆞ시ᄂᆞ니잇고?"

쇼졔 쳐연 타루ᄒᆞ여 젼젼블ᄆᆡᄒᆞ다가, 야심ᄒᆞᄆᆡ 취팀ᄒᆞ여 잠간 졈목ᄒᆞᄆᆡ, ᄉᆞ몽비몽간의 쳥의녀동(青衣女童)이 알패 니르러, 졀ᄒᆞ여 왈,

"셩모낭낭(聖母娘娘)이 쇼졔를 쳥ᄒᆞ시더이다."

쇼졔 답왈,

"나ᄂᆞᆫ 인간의 미(微)ᄒᆞᆫ 사ᄅᆞᆷ으로 다시 몸의 살인 죄명이 잇거ᄂᆞᆯ, 엇디 감히 셩모낭낭긔 비알ᄒᆞ리오."

션동(仙童)이 지쵹ᄒᆞ여 왈,

"낭낭이 부인을 보고져 ᄒᆞ시ᄂᆞ니 샤양【61】치 말고 날을 좃ᄎᆞ오쇼셔."

쇼졔 ᄌᆞ연이 동신ᄒᆞ여 녀동을 좃ᄎᆞ ᄒᆞᆫ 곳의 다ᄃᆞ르니, 쥬궁패궐(珠宮貝闕)이 반공의 어ᄅᆡ엿고, 샹운셔애(祥雲瑞靄) 몽몽ᄒᆞ여 인셰 궁궐과 ᄀᆞᆺ디 아니ᄒᆞ더라. 녀동이 안ᄒᆞ로 드러 가더니 이윽고 나와 낭낭의 명으로 드러오믈 니르니, 긔이ᄒᆞᆫ 향취와 무궁ᄒᆞᆫ 셔광이 찬난ᄒᆞ거ᄂᆞᆯ, 뎐상 황금 교위 우히 일위 부인이 구장면복(九章冕服)[1355]과 칠보녕낙(七寶瓔珞)[1356]을 ᄀᆞᆺ초아 좌ᄒᆞ고, 아ᄅᆡ 또 교위 우히 ᄒᆞᆫ 부인이 의복 용뫼 참치(參差)ᄒᆞᆫ 부인이 좌ᄒᆞ엿더라. 녀동이 소ᄅᆡᄒᆞ여 낭낭긔 비알ᄒᆞ라 ᄒᆞ니, 쇼졔 가르치믈 좃ᄎᆞ 계하의셔 ᄇᆡ례ᄒᆞ니, 이비 명ᄒᆞ샤 뎐샹 쥬렴【62】을 거두라 ᄒᆞ시고, 갓가이 좌를 주어 안ᄌᆞ믈 명ᄒᆞ시니, 뎡시 샤양ᄒᆞ다가 마디 못ᄒᆞ여 좌의 나아가ᄆᆡ, 냥위 낭낭이 옥음을 여러 ᄀᆞᆯ오샤ᄃᆡ,

"과인은 뎨요의 냥 공쥬오, 뎨슌의 두 안

믈 보지 못ᄒᆞ엿더니, 엇지 이졔 브졀업ᄉᆞᆫ 비회을 《니르러‖이루어》 과ᄉᆞᆼᄒᆞ시ᄂᆞᆫ잇가?"

소져 타루ᄒᆞ여 젼젼불ᄆᆡ ᄒᆞ다가, 야심 후 잠간 취침ᄒᆞ여 졈목ᄒᆞ니, ᄉᆞ몽비몽간의 쳥의녀동(青衣女童)○[이] 압페 니르러, 졀ᄒᆞ여 왈,

"셩모낭낭(聖母娘娘)이 쳥ᄒᆞ시더이다."

소져 답왈,

"나는 인간의 미(微)한 ᄉᆞ람이라. 다시 살인 죄명이 잇거날 엇지 영[셩]모(聖母)○…**결락16자**…○[낭낭긔 비알ᄒᆞ리오." 션동(仙童)이 지쵹ᄒᆞ여 왈,]

"낭낭이 부인을 보고져 ᄒᆞ시나니 소져난 ᄉᆞ양치 말고 날을 좃ᄎᆞ 오소셔."

소져 ᄌᆞ연 몸을 동ᄒᆞ여 션동을 ᄯᅡ라 ᄒᆞᆫ 곳의 다ᄃᆞ르니, 쥬공[궁]ᄑᆡ젼(珠宮貝殿)의[이] 반공의 어ᄅᆡ엿고, 《ᄉᆞᆫ운계치‖상운셔애(祥雲瑞靄)》 몽몽ᄒᆞ여 인간 궁궐과 갓지 아니터라. 녀동이 안으로 드러가더니 이윽고 나와 낭낭 명으로 드러오믈 니르니, 소져 녀동을 ᄯᅡ라 젼젼의 니르ᄆᆡ 기니[이]ᄒᆞᆫ ᄒᆡᆼ(香) 이[ᄂᆡ]와 무궁【47】ᄒᆞᆫ 셔광이 ᄎᆞᆫ난ᄒᆞ거날, 소져 공슈ᄒᆞ고 셧더니, 《쳔상‖젼상》의 황금 교위 ○○[우히] 일위 부인이 구장명[면]복(九章冕服)[1147]과 칠보영낙(七寶瓔珞)[1148]을 갓초고 단좌ᄒᆞ엿고, 아ᄅᆡ로 또 교위의 의복 용뫼 침[참]치(參差)ᄒᆞᆫ 부인이 좌ᄒᆞ엿더라. 녀동이 명ᄒᆞ여 낭낭긔 비알ᄒᆞ니, 소져 가르치믈 조ᄎᆞ 계하의셔 ᄇᆡ례ᄒᆞᄃᆡ, 이비 명ᄒᆞ여 젼ᄉᆞᆼ의 쥬렴을 거두라 ᄒᆞ시고, 좌을 쥬어 아[안]지믈 명ᄒᆞ시니, 뎡시 ᄉᆞ양ᄒᆞ다가 마지 못ᄒᆞ여 좌의 나아가ᄆᆡ, 양위 낭낭이 옥음을 ᄂᆡ여 갈오ᄃᆡ,

"과인은 뎨요의 양공쥬라. 졔슌의 안ᄒᆡ니,

1355)구장면복(九章冕服) : 임금이나 왕비 등이 입던 예복(禮服)인 구장복(九章服)과 면류관(冕旒冠)과 곤룡포(袞龍袍)를 함께 이르는 말.

1356)칠보녕낙(七寶瓔珞) : 칠보로 만든 영락(瓔珞). 영락은 구슬을 꿰어 만든 장신구로, 목이나 팔 따위에 둘렀다.

1147)구장면복(九章冕服) : 임금이나 왕비 등이 입던 예복(禮服)인 구장복(九章服)과 면류관(冕旒冠)과 곤룡포(袞龍袍)를 함께 이르는 말.

1148)칠보영낙(七寶瓔珞) : 칠보로 만든 영락(瓔珞). 영락은 구슬을 꿰어 만든 장신구로, 목이나 팔 따위에 둘렀다.

히라. 셰샹을 바련 지 여러 쳔년이나, 명명훈 정녕은 오히려 알오미 업디 아니ᄒᆞ더니, 이졔 부인이 원억훈 죄루를 시러 이향만니(異鄕萬里)의 찬뎍ᄒᆞᄂᆞᆫ 힝식이 가히 슬프며 ᄎᆞ악ᄒᆞ거니와, 텬슈의 당당훈 바를 도망치 못훌 거시오. 위·뉴 이녀의 ᄉᆞ오나옴도 이상ᄒᆞ거니와, 원간 윤광텬 형뎨와 그ᄃᆡ 등의 읙회 ᄎᆞ악ᄒᆞ고, 젼셰과보를 ᄎᆞ싱화란(此生禍亂)으로 당ᄒᆞ니, 현마 엇【63】디 ᄒᆞ리오. 연이나 변고를 뎡(定)훈 후의 윤광텬 형뎨와 그ᄃᆡ 등의 효의를 빗닐 시졀이라. 셰한연후(歲寒然後)의 송빅디졀(松柏之節)을 아ᄂᆞ니, 위·뉴의 포악흠 곳 아니면 엇디 윤광텬 형뎨와 그ᄃᆡ 등의 츌텬대효를 더욱 빗ᄂᆡ리오.

금야의 그ᄃᆡ를 청ᄒᆞ믄 다른 연괴 아니라, 그ᄃᆡ 현심슉뎍과 셩ᄌᆞ광염이 텬디 일월정화를 아샤, 만고의 희한ᄒᆞ미 항복되나, 초년 읙회 비상ᄒᆞ믈 참연ᄒᆞ여 시러금 댱ᄂᆡᄉᆞ(將來事)를 잠간 베플니니, 그ᄃᆡ의 화란이 삼년을 견ᄃᆡ면 거의 풍운의 길시를 볼 거시오. 쳐음으로 싱ᄌᆞᄒᆞ여 텬눈의 디극훈 졍이【64】 범연훌 거ᄉᆞᆫ 아니로ᄃᆡ, 맛춤ᄂᆡ 그ᄃᆡ 부부의 읙회 미딘훈 연고(然故)로 유ᄋᆞ를 실니(失離)ᄒᆞ여, 발셔 소가의 어더 기르ᄂᆞᆫ 빈 되어시니, 십여년 후 텬눈이 단원(團圓)ᄒᆞ[1357]리니 과도히 통상(痛傷)훌 빈 아니라. 다만 뉴녀 교ᄋᆡ 댱ᄉᆞ왕의 뎡비되여 본국의 도라왔ᄂᆞ니, 댱ᄉᆞ왕의 극흉흠과 뉴교ᄋᆞ의 음일대악이 쳔승지복(千乘之福)을 누리디 못ᄒᆞ여, 타일 흉ᄉᆞ(凶死)훈 음귀 되믈 면치 못ᄒᆞ려니와, 아딕은 국도의 웅거ᄒᆞ여 셰권(勢權)이 강댱(强壯)ᄒᆞ니, 사름을 죽이려 ᄒᆞ미 파리 목숨이나 다르디 아닐 거시오, 부인이 비록 신명ᄒᆞ나 무심 듕 블의디변을 만난즉, 능히 잘【65】 방비ᄒᆞ미 어려온디라. 교ᄋᆞ의 무상 음패ᄒᆞ미 졔 시녀 금계로 변용ᄒᆞ여 ᄃᆡ신으로 윤부의 두고, 져는 개뎍(改

1357)단원(團圓)ᄒᆞ다 : 다 모이다. 모나지 아니하고 둥글둥글하다.

이 셰ᄉᆞᆼ○[을] 바린지 여러 쳔년니라. 명○[명](冥冥)훈 가온ᄃᆡ 오히려 알으미 업지 아니터니, 이졔 부인의 원억한 죄슈[루](罪累)을 시러 니향만니(離鄕萬里) 《찬역∥찬뎍》ᄒᆞ난 힝식이 엇지 슬푸지 아니리오만은, 쳔슈의 졍훈 바을 도망치 못훌 거시오, 위·뉴의 모녀의 ᄉᆞ오나옴{으로}도 이ᄉᆞᆼᄒᆞ거이[니]와, 원간 윤광쳔 형뎨와 그ᄃᆡ 등의 악[읙]회(厄會) ᄎᆞ악ᄒᆞ고, 젼셰과보로 금싱환란을 당ᄒᆞ니 현마 엇지 ᄒᆞ리오. 년(然)이나 변고를 졍(定)한 후의 윤광쳔 형제와 그ᄃᆡ 등 효의을 빛닐 시졀이라. 졔[셰]훈연후(歲寒然後)의 송빅지졀(松柏之節)을 아나니, 위·뉴의 포악흠 곳 아니면 엇지 윤광【48】쳔 형제와 그ᄃᆡ 등 츌쳔ᄃᆡ효을 빗ᄂᆡ리오.

금야의 그ᄃᆡ을 청ᄒᆞ믄 다란 연괴 아니라, 그ᄃᆡ 현심슉덕과 셩ᄌᆞ광염이 쳔지일월정화을 아ᄉᆞ 만고의 히한(稀罕)ᄒᆞ미 항복되나, 초연[년](初年) 읙회 비ᄉᆞᆼᄒᆞ믈 츰연ᄒᆞ여, 시러곰 장ᄂᆡᄉᆞ을 즘간 이을[르]리니, 그ᄃᆡ 화란이 ᄉᆞᆷ연을 지ᄂᆡ면 거의 풍운의 길시를 볼 거시오. 쳐음으로 싱ᄌᆞᄒᆞ여 텬운[눈](天倫)의 지극훈 졍이 범연훌 거ᄉᆞᆫ 아니로ᄃᆡ, 맛참ᄂᆡ 그ᄃᆡ 부부의 읙회 미진훈 연고로 유아을 실이(失離)ᄒᆞ여 발셔 소가의 어더 《위로ᄒᆞᄂᆞᆫ∥기르ᄂᆞᆫ》 빈 되엿시니, 십여연 후의 텬눈이 단원(團圓)[1149]ᄒᆞ리니 과도이 통ᄉᆞᆼ훌 일 아니니라. 다만 뉴녀 교ᄋᆡ 장ᄉᆞ왕의 《후졍∥졍비》되여 본국의 도라왓나니, 장ᄉᆞ왕의 극흉흠과 뉴시 교ᄋᆡ의 음일ᄃᆡ악이 쳔승지복을 누리지 못ᄒᆞ여, 타일 흉시(凶時) 음귀되믈 면치 못《ᄒᆞ여이와∥ᄒᆞ려니와》, 아즉은 국도의 웅거ᄒᆞ여 셰권이 강장ᄒᆞ니, ᄉᆞ람을 쥭이려 ᄒᆞ미 ᄑᆞ리 목심이나 다르지 아니리라. 부인이 비록 신명ᄒᆞ나 무심 즁 불의지변을 만난즉, 능히 잘 방비ᄒᆞ기 어려온지라. 교ᄋᆞ의 무ᄉᆞᆼ 음픠ᄒᆞ미 졔 시녀 금계로 변용ᄒᆞ여 ᄃᆡ시[신]ᄒᆞ야 윤부의 두고,

1149)단원(團圓)ᄒᆞ다 : 다 모이다. 모나지 아니하고 둥글둥글하다.

籍)ᄒᆞ여 댱ᄉᆞ왕의 은통을 바드미 되어시니, 그ᄃᆡ로 살인 죄슈로 최워, 가뉴녀 금계를 디른 요리(妖尼)의 간악ᄒᆞ미 뉴녀와 동심ᄒᆞ여 작변ᄒᆞ고, 그ᄃᆡ 목숨을 보젼ᄒᆞ여 이곳의 찬뎍ᄒᆞ믈 ᄆᆡ이 넉여, 교ᄋᆞ로 ᄒᆞ여금 그ᄃᆡ를 히ᄒᆞ라 통(通)ᄒᆞᆫ ᄌᆞᄂᆞᆫ 또ᄒᆞᆫ 대 뉴녜라. 그ᄃᆡ 뎍소의 일망(一望)을 머므디 못ᄒᆞ여 흉뎍의 화를 만나리니, 모로미 잘 방비ᄒᆞ여 간계의 버셔나라."

뎡쇼졔 브복 문파의 잠간 우러러 낭낭을 앙견ᄒᆞᄆᆡ, 졍졍ᄒᆞᆫ 셩덕이 외모의【66】 낫타나고, 위의 복식이 쳥결 싁싁ᄒᆞᆫ디라. 블승흠앙ᄒᆞ여 기리 ᄌᆡᄇᆡ 샤왈,

"쇼쳡은 진토의 아득ᄒᆞᆫ 인ᄉᆡᆼ이라. 고금을 아ᄂᆞᆫ 일이 업ᄉᆞ오ᄃᆡ, 오히려 잇다감 녁ᄃᆡ(歷代)를 상고ᄒᆞ와 이위 낭낭의 셩덕혜홰 크게 긔이ᄒᆞ시믈 우러와, 고금이 달나 능히 셩뎨(聖帝) 셩비(聖妃)의 대효디덕과 셩ᄃᆡ디티를 구경홀 길히 업ᄉᆞ오믈 탄돌 ᄎᆞ셕ᄒᆞᄋᆸ더니, 쇼쳡의 ᄒᆡᆼ신이 신기(神祇)를 져바리고 사ᄅᆞᆷ이 미ᄒᆞᆫ 연고로 살인대죄를 몸 우히 므릅쁘니, 죽으미 반ᄃᆞᆺᄒᆞ고 살기를 바라디 못ᄒᆞ거늘, 셩은을 힘닙ᄉᆞ와 일명을 보젼ᄒᆞ와 댱ᄉᆞ의 찬츌ᄒᆞ오니, 이의 황능묘【67】를 디나ᄋᆸᄂᆞᆫ 고로, 비루ᄒᆞᆫ ᄌᆞ최 셩묘의 ᄇᆡ알ᄒᆞ미 황공ᄒᆞ오나, 고젹을 잠간 관경코져 일야를 머므온 ᄇᆡ러니, ᄯᅳᆺ밧긔 몽혼(夢魂)을 인ᄒᆞ와 셩모 낭낭긔 ᄇᆡ알ᄒᆞᄋᆸ고, 미ᄅᆡᄉᆞ를 ᄇᆞᆰ히 니르샤 흉뎍의 불의디변을 졔방케 ᄒᆞ시니, 쇼쳡이 쇄신분골ᄒᆞ오나 셩은을 다 갑ᄉᆞᆸ디 못ᄒᆞ리소이다."

이비 참연 ᄋᆡ모ᄒᆞ샤 뎡시의 손을 잡으시고 위로 왈,

"구가의 브득디(不得志)ᄒᆞ며 가부의 위란ᄒᆞᆫ 신셰를 졀민 초조ᄒᆞ믈 보ᄆᆡ, 과인이 ᄆᆞ음의 크게 감창ᄒᆞ믈 니긔디 못ᄒᆞᄂᆞ니, 윤광텬 형뎨의 츌텬대효와 그ᄃᆡ 등의 텬셩의 낫타난 바 효우슉덕이, 맛ᄎᆞᆷᄂᆡ 위【68】·뉴

져【49】난 기적ᄒᆞ여 장ᄉᆞ왕의 은춍을 바드미 되어시나, 그ᄃᆡ을 술인 죄슈로 최워 가뉴녀 금계를 지픈[른] 요죄[되](妖道)의 간악ᄒᆞ미 유시와 동심ᄒᆞ여 작변ᄒᆞ고, 그ᄃᆡ 목심을 보젼ᄒᆞ여 이곳의 찬젹ᄒᆞ믈 위[ᄆᆡ]히 넉여, 교아로 ᄒᆞ여금 그ᄃᆡ을 히ᄒᆞ라 통(通)ᄒᆞᆫ 자난 또ᄒᆞᆫ 뉴시라. 그ᄃᆡ 젹소의 일망(一望)을 머므지 못ᄒᆞ여 흉젹의 화을 만나리니, 모로미 즐 방비ᄒᆞ여 간게(奸計)의 버셔나라."

졍소져 부복 문파의 즘간 우러러 낭낭을 앙견ᄒᆞᄆᆡ, 졍졍ᄒᆞᆫ 셩덕이 외모의 나타나고, 위의과[와] 복ᄉᆡᆨ이 졍걸[결] 씩씩한지라. 불승흠앙ᄒᆞ여 기니[리] ᄌᆡᄇᆡ ᄉᆞ왈,

"소쳡은 진토의 《아듬‖아득》ᄒᆞᆫ 인ᄉᆡᆼ이라. 고금을 아ᄂᆞᆫ 일이 업ᄉᆞ되, 오히려 잇다감 역ᄃᆡ(歷代)을 상고ᄒᆞ와 이위 낭낭의 승[셩]덕혜화(聖德惠化) 크게 기니[이]ᄒᆞ시믈 《우러러‖우럴오ᄃᆡ》, 고금이 달나 능히 《셩제경비‖셩졔셩비(聖帝聖妃)》의 ᄃᆡ효지덕과 셩ᄃᆡ지치을 누[구]경홀 길히 업ᄉᆞ믈 탄돌 ᄎᆞ셕ᄒᆞᄋᆸ더니, 소쳡의 ᄒᆡᆼ신이 신기(神祇)를 《졉리고‖져ᄇᆞ리고》 ᄉᆞ람이 미ᄒᆞᆫ 연고로 술인ᄃᆡ되을 몸 우히 무릅쓰니, 쥭으미 반닷ᄒᆞ고 술기을 ᄇᆞ라지 못ᄒᆞ거날, 승[셩]은(聖恩)을 힘입ᄉᆞ와 일명○[을]보젼ᄒᆞ여 상[장]ᄉᆞ의 찬츌ᄒᆞ오니, 이의 황능묘을【50】 지나ᄋᆸ난 고로 비루ᄒᆞᆫ ᄌᆞ최 능묘의 ᄇᆡ알ᄒᆞ오미 황공ᄒᆞ오나, 고적을 즘○[간] 관경코져 일야을 머무온 ᄇᆡ러니, ᄯᅳᆺ밧긔 몽혼을 인ᄒᆞ와 셩모낭낭게 ᄇᆡ알ᄒᆞᄋᆸ고, 미ᄂᆡᄉᆞ을 ᄇᆞᆰ히 《리으ᄉᆞ‖이르ᄉᆞ》 블의지변을 졔방케 ᄒᆞ시니, 소쳡이 분골쇠[쇄]신ᄒᆞ오나 셩은을 다 갑지 못ᄒᆞ리오[로]소이다."

이비 츰년[연]ᄒᆞᄉᆞ 뎡시을 손을 잡으시고 위로 왈,

"구가의 브득지(不得志)ᄒᆞ며 가부의 위란ᄒᆞᆫ 신셰을 졀민ᄒᆞ믈 보ᄆᆡ, 짐심이 블승감창ᄒᆞ나니, 윤광쳔 형졔의 츌쳔ᄃᆡ효을 하날이 감동ᄒᆞ시고 그ᄃᆡ 등 쳔셩의 나ᄐᆞ난 ᄇᆡ 효우슉덕이{라} 마ᄎᆞᆷᄂᆡ 원슈 앙[악]인(惡人)을

냥인을 감화ᄒᆞ여 가ᄂᆡ 온젼ᄒᆞ고, 복경이 늉늉ᄒᆞ여 휘적(后籍)의 존귀를 누리며, ᄌᆞ손이 만당ᄒᆞ고 영홰 졔미ᄒᆞ리니, 이 ᄡᅵ의 젹은 화익을 슬허 말나."

뎡쇼졔 슌슌 ᄌᆡᄇᆡ 샤은ᄒᆞᄆᆡ, 이비 좌우로 ᄒᆞ여금 ᄒᆞᆫ 그릇 ᄎᆞ와 두어 가디 과픔(果品)을 가져와 쇼져를 권ᄒᆞ니, 뎡시 ᄎᆞ를 마시고 과실을 맛보ᄆᆡ 긔운이 소쇄(蘇灑)ᄒᆞ며[1358] 후셜이 셔늘ᄒᆞ여 인셰 과픔과 ᄂᆡ도ᄒᆞ더라. 이윽고 뎡시 하딕을 고ᄒᆞᄆᆡ 이비 ᄌᆞ못 연연 ᄒᆞ샤, 지삼 타일 복녹을 니르시고, ᄀᆞᆯ오샤ᄃᆡ,

"그ᄃᆡ 금일 딤을 보미 범연ᄒᆞᆫ 몽ᄉᆞ로 아디 말고, 듕심의 티부(置簿)ᄒᆞ엿다가 후일 부뷔 상봉ᄒᆞ여 도라갈 ᄡᅵ의【69】 가히 이곳을 《들너게 ᄒᆞ라∥들너 가라》."

뎡시 ᄉᆞᄇᆡ 샤은 후 녀동을 ᄯᆞ라 도로 나오다가 스ᄉᆞ로 ᄭᆡᄃᆞ르니 침샹 일몽이라. 이비의 어언(語言) 셩덕(聖德)이 안모(眼眸)[1359]의 삼연(森然)ᄒᆞ고, 쥬궁패궐의 댱녀ᄒᆞ며 찬난ᄒᆞ미 다 눈 알패 머므럿ᄂᆞᆫ 듯, ᄎᆞ과(茶果)의 긔이ᄒᆞᆫ 맛시 입 가온ᄃᆡ 머므럿ᄂᆞᆫ디라. 비록 몽ᄉᆡ나 허탄치 아니믈 ᄉᆡᆼ각ᄒᆞᄆᆡ, 유ᄋᆞᄂᆞᆫ ᄌᆞ긔 졈ᄉᆞ와 ᄀᆞᆺ트여 일홀시 분명ᄒᆞ믈 혜아리ᄆᆡ, 참연통셕ᄒᆞ믈 니긔디 못ᄒᆞ고, 쇼뉴시 타셩의 개뎍ᄒᆞ여시믈 짐작ᄒᆞ여시나, 댱ᄉᆞ왕의 뎡비 되여시믄 쏘 모로ᄂᆞᆫ ᄇᆡ러니, 몽ᄉᆞ를 딘짓 거ᄉᆞ로 쳐오미 괴이ᄒᆞ나, 교ᄋᆡ 간흉극악이 ᄆᆡ달(妹妲)의 일뉘믈 혜아리ᄆᆡ, ᄉᆡ로이【70】 한심 ᄎᆞ악ᄒᆞ믈 니긔디 못ᄒᆞ고, 신ᄉᆡᆼ유ᄋᆞ의 ᄉᆞᄉᆡᆼ유무를 쾌히 아디 못ᄒᆞ여 종야 초젼 번민ᄒᆞ믈 마디 아니나, 임의 졈ᄉᆞ와 몽ᄉᆡ 다 유ᄋᆞ를 일흘 ᄃᆞᆺᄒᆞ니, 비록 보디 아니며 듯디 아니나 위·뉴 냥부인의 용심을 ᄉᆡᆼ각ᄒᆞ여 혜아리ᄆᆡ, 유ᄋᆞ를 취운산의 다려온 후, 간계를 ᄒᆡᆼᄒᆞ여 브ᄃᆡ 업시ᄒᆞ믈 디긔ᄒᆞ여, 쳔만(千萬) 촉쳐(觸處)의 담연(淡煙)[1360]ᄒᆞ믈 면치 못ᄒᆞ더니,

감화ᄒᆞ여, 가ᄂᆡ 온젼ᄒᆞ고 목[복]경(福慶)이 늉늉ᄒᆞ여 죤귀을 누리고, ᄌᆞ손이 망[만]당(滿堂)ᄒᆞ고 영홰 ○[졔]미(齊美)ᄒᆞ리니, 이 ᄡᅵ의 져근 화익을 슬허말나."

뎡소져 슌슌 ᄌᆡᄇᆡ ᄉᆞᄉᆞᄒᆞ니, 이비 좌우로 ᄒᆞ[ᄒᆞ]여금 ᄒᆞᆫ 그릇 ᄎᆞ와 두어가지 과픔을 가져 소져을 쥬니, 뎡시 ᄎᆞ와 실과을 맛보ᄆᆡ 긔운이 ᄉᆞᆼ쾌ᄒᆞ고, 후셜이 셔날ᄒᆞ여 인간 실과와 다르더라. 이윽고 뎡시 하직을 고ᄒᆞ니 이비 ᄌᆞ못 년년ᄒᆞᄉᆞ 왈,

"타일 복녹이 무궁ᄒᆞᆯ 거시니 그ᄃᆡ 금야의 짐을 보믈 《베민ᄒᆞᆫ∥범연한》 몽ᄉᆞ로 아지 말【51】고, 후일 부○○[부ᄉᆞᆼ]봉ᄒᆞ며[여] 도라갈 ᄃᆡ[ᄡᅵ] 이곳을 들어[려]가라."

뎡시 ᄉᆞᄇᆡ ᄉᆞ은 후 녀동을 ᄯᅡ라 도라 나올ᄉᆡ, 몸이 화림(花林)의 《결녀∥걸녀》 썰치다 스ᄉᆞ로 ᄭᆡ달으니 침ᄉᆞᆼ일몽이라. 이비의 《어시∥어언(語言)》 셩덕(聖德)이 《만모∥안모(眼眸)[1150]》의 ᄉᆞᆷ연(森然)ᄒᆞ고, 쥬궁 픽월[궐](貝闕)이 찰난ᄒᆞ미 라[다] 눈압픠 머무듯, 《차다∥차과(茶果)》의 기니[이]ᄒᆞ미 입의 향긔 긋지 아니 ᄒᆞ여난지라. 비록 몽ᄉᆞ나 허탄치 아니믈 ᄉᆡᆼ각ᄒᆞᄆᆡ, 유아은 ᄌᆞ긔 졈ᄉᆞ와 ᄀᆞᆺ타여 일흘시 분명ᄒᆞ믈 혜아리ᄆᆡ, 참녕[연] 통셕ᄒᆞ믈 니기지 못ᄒᆞ고, 소뉴시 타셩 기젹(改籍)ᄒᆞ여시믈 짐즉ᄒᆞ나 장ᄉᆞ왕의 뎡비 되믄 몰나더니, 몽ᄉᆞ을 진짓 일노 치미 고니[이]ᄒᆞ나, 교ᄋᆡ 간흉극악이 심ᄒᆞ믈 ᄉᆡᆼ각ᄒᆞᄆᆡ, ᄉᆡ로니[이] ᄒᆞᆫ심 ᄎᆞ악ᄒᆞ믈 이기지 못ᄒᆞ고, 신ᄉᆡᆼ유아 ᄉᆞᄉᆡᆼ유무을 과[쾌]히 아지 못ᄒᆞ여 죵야 쵸젼ᄒᆞ나, 님의 졈ᄉᆞ와 몽ᄉᆞ 다 일흔 듯ᄒᆞ니, 비록 보지 아니ᄒᆞ고 듯지 아니ᄒᆞ나 위·유의 용심을 ᄉᆡᆼ각진ᄃᆡ, 유아을 취운산의 다려온 후 간계을 ᄒᆡᆼᄒᆞ여 부지[디] 업시ᄒᆞ믈 지기ᄒᆞ여, 쵹쳐(觸處)의 《담열∥담연(淡煙)[1151]》ᄒᆞ믈 면

1358)소쇄(蘇灑)ᄒᆞ다 : 기분이나 몸이 상쾌하고 말끔하다.
1359)안모(眼眸) : 눈.

1150)안모(眼眸) : 눈.
1151)담연(淡煙) : 엷게 낀 안개. 안개가 낀 듯 흐릿함.

명됴의 시랑이 드러와 쇼져다려 평부를 므르며 기리 슬허 왈,

"금일 ᄉᆞ오십니만 힝ᄒᆞ면 뎍소의 니를디라. ᄆᆡ양 힝도의 디리ᄒᆞ믈 괴로이 넉이더니, 이졔ᄂᆞᆫ 냥일만 힝ᄒᆞ○[면] ○[되]려니와, 우형이 현ᄆᆡ를 누쳔【71】니 타향의 외로이 더디고 도라갈 바를 ᄉᆡᆼ각ᄒᆞ니, 출하리 경샤의셔 호힝 아님만 ᄀᆞᆺ디 못ᄒᆞ여, ᄆᆞᄋᆞᆷ이 버히ᄂᆞᆫ ᄃᆞᆺᄒᆞ도다."

쇼졔 도로혀 거거를 위로ᄒᆞ여 왈,

"쇼ᄆᆡ의 명되 궁험긔박ᄒᆞ여 사ᄅᆞᆷ의 견ᄃᆡ디 못ᄒᆞᆯ 화익과 죄명이 망극ᄒᆞᆫ 디경의 밋ᄎᆞ나, 오히려 압히 어둡디 아니니 인셰의셔ᄂᆞᆫ 죄루를 벗디 못ᄒᆞ나, 죽어 디하의 나아간즉, 귀신 뉴의ᄂᆞᆫ 더러온 일흠을 버술 거시니, 쳔만인이 쇼ᄆᆡ로ᄡᅧ 간흉 일악이라 ᄡᅳ디져도, 쇼ᄆᆡ ᄆᆞᄋᆞᆷ이 안안ᄒᆞ여 븟그러온 일이 업ᄉᆞᄃᆡ, 다만 존당 부모긔 무한ᄒᆞᆫ 브[블]효와 동긔예 참연ᄒᆞᆫ 념녀를 깃치니, 이거시 ᄎᆞᆷ디 못ᄒᆞᆯ 마【72】ᄃᆡ라. 원컨ᄃᆡ 거거ᄂᆞᆫ 쇼ᄆᆡ로ᄡᅧ 아이의 업ᄉᆞ니로 아르쇼셔."

시랑이 탄식고 즉시 힝거를 도로혀 댱ᄉᆞ 관읍 셩문 밧긔 니르니, 본읍 태쉬 금후의 문ᄉᆡᆼ으로 뎡시랑 등과 각별ᄒᆞᆫ 졍이 이시므로, 호쥬셩찬을 가셔 십니졍(十里亭)1361)의 나와 시랑을 마ᄌᆞ며, 윤태우 부인의 찬뎍을 티위(致慰)ᄒᆞ며, 죄루의 참참ᄒᆞ믈 놀나ᄂᆞᆫ디라. 시랑이 츄연 탄식고 ᄆᆡ뎨의 머믈 가ᄉᆞ를 뎡ᄒᆞ여 달나 ᄒᆞ니, 태쉬 금후 밧들믈 친숙딜 ᄀᆞᆺ튼 고로 그 녀ᄋᆞ를 편ᄒᆞᆫ 햐쇼(下所)1362)를 뎡ᄒᆞ여, 일흠이 젹쇠나 거쳐 의식디절을 풍비ᄒᆞ며, 햐쳐(下處) 광활ᄒᆞ고 냥미와 챤션을【73】 ᄀᆞᆺ초와 쇼져긔 보ᄂᆡᆫ 후, 뎡시랑을 관읍으로 드러가기를 간졀이 쳥ᄒᆞᄃᆡ, ᄆᆡ뎨의 외로오믈 념녀ᄒᆞ여 슈일 후 읍져로 드러가믈 ᄃᆡ답ᄒᆞ고, 즉시 잡은 곳의

1360)담연(淡煙) : 엷게 낀 안개. 안개가 낀 듯 흐릿함.

1361)십니졍(十里亭) : 고을로부터 10리쯤 떨어진 곳에 있는 정자나 여관.

1362)햐쇼(下所) : 하처(下處). 거처(居處).

치 못ᄒᆞ더니, 명죠의 시랑이 드려[러]와 평부를 무른 후, 긔리 슬허 왈,

"이졔 ᄉᆞ오십이[리]만 힝ᄒᆞ면 젹소의 니을[를]【52】지라. ᄆᆡ양 힝도을 지리히 너기더니, 이졔 당일만 힝ᄒᆞ려이[니]와 우형이 현ᄆᆡ을 누쳔리 타향의 더지고 도라갈 바을 ᄉᆡᆼ각ᄒᆞ니, 출아리 경ᄉᆞ의셔 호힝ᄒᆞ여 오지 아님만 갓지 못ᄒᆞ도다."

소져《도히려‖도로혀》거거을 위로 왈,

"소ᄆᆡ 명도 궁험긔박ᄒᆞ여 ᄉᆞ람의 견ᄃᆡ지 못○[ᄒᆞᆯ] 화익과 죄명이 망측ᄒᆞᆫ 지경의 밋ᄎᆞ나, 압ᄒᆡ 어둡지 아니나[니] 인셰의난 죄루을 벗지 못ᄒᆞ나, 쥭어 지하의 《나아만독‖나아간 즉》 귀신 누[뉴]의난 더러온 일홈을 버슬 거시니, 쳔만인이 소ᄆᆡ로ᄡᅧ 간흉 일악이라 ᄡᅮ지져도, 소ᄆᆡ 마음이 안안ᄒᆞ여 붓그려온 일이 업ᄉᆞᄃᆡ, 다만 부모와 죠모게 무한ᄒᆞᆫ 블효와 동기의 참연ᄒᆞᆫ 염녀을 씌치니, 이거시 착[참]지 못ᄒᆞᆯ 마ᄃᆡ라. 원컨ᄃᆡ 거거은 소ᄆᆡ로ᄡᅧ 《아니의‖이이의》 업ᄉᆞ니로 알르소셔."

시랑이 탄식고 즉시 힝거을 도로혀 장ᄉᆞᄶᅡ ○[관]읍 셩문 밧긔 니르니, 본읍 타[ᄐᆡ]슈 금형[평]후 문ᄉᆡᆼ으로 뎡시랑 등과 각별한 졍이 이시므로, 호쥬셩찬을 가져 십니졍(十里亭)1152)의 나와 시랑을 마ᄌᆞ며, ᄐᆡ우부인의 찬녁[젹]○[을] 치위(致慰)ᄒᆞ여 죄루의 참참○○[ᄒᆞ믈] 놀○[나]난지라. 시랑이 츄연 탄식고 ᄆᆡ졔의 머믈 가ᄉᆞ을 졍ᄒᆞ여 달나 ᄒᆞ니, ᄐᆡ슈 금후 밧드미 친【53】숙질 갓ᄒᆞᆫ 고로, 《ᄯᅩ‖그》 녀아을 편한[안]ᄒᆞᆯ 가ᄉᆞ를 졍ᄒᆞ여, 일홈이 뎍쇠나 거쳐○[와] 의식의 범졀은 《붕비‖풍비(豐備)》히 ᄒᆞ여, 햐쳐(下處) 광활ᄒᆞ고 양ᄆᆡ(糧米)와 진찬을 가초아 소져긔 보ᄂᆡᆫ 후, 시랑을 쳥ᄒᆞ여 관읍으로 드러가믈 쳥ᄒᆞᆫ ᄃᆡ, 소ᄆᆡ의 외로오믈 ○○○○[념녀ᄒᆞ여] 쥬[슈]일 후 읍졔(邑邸)로 드러가기을 니르고, 인

1152)십니졍(十里亭) : 고을로부터 10리쯤 떨어진 곳에 있는 정자나 여관.

니르니, 쇼져의 거괴(車轎) 발셔 안흐로 가고, 닌니 상한 녀ᄅᆔ(女流) 늙으니와 어린 ᄋᆞᄒᆡ를 닛그러 하쳐의 와, 경샤 공후 갑뎨의 ᄌᆡ상 규옥(閨玉) 귀쇼져를 구경ᄒᆞ려 ᄒᆞᄃᆡ, 시동이 엄히 막ᄌᆞ르고, ᄂᆡ당 근쳐의 모로ᄂᆞᆫ 사ᄅᆞᆷ을 드러오디 못ᄒᆞ게 ᄒᆞ여, 호령이 엄ᄒᆞ고 녀인(閭人)을 문안ᄒᆡ 드리디 아니 ᄒᆞ더라. 시랑이 쇼져의 거쳐를 ᄉᆞᆯ피며, 위로ᄒᆞ고 념녀ᄒᆞ미 비길 곳이 업셔 ᄒᆞ더라. 【74】

ᄒᆞ야 하쳐의 니르니 소졔 거교 발셔 안으로 드러가고, 인니(隣里) ᄉᆞᆼ한녀ᄂᆔ(常漢女類) 늙으니와 어린 ᄌᆞ는 경ᄉᆞ 상문후ᄇᆡᆨ가 ○○○[귀소져]을 구경코져, 뭇[못]난ᄌᆡ 슈을 혜치 못ᄒᆞᄃᆡ, 하리 등이 엄히 막ᄌᆞ을[르]고, 이곽이 외ᄐᆡᆨ(外宅)의셔 잡인을 드리지 아냐, 호령이 엄ᄒᆞ고, 시랑이 소졔의 거쳐을 ᄉᆞᆯ피며 보호ᄒᆞ여 념녀ᄒᆞᆷ미 비길 곳이 업ᄉᆞ니,

명듀보월빙 권디삼십팔

화셜 뎡시랑이 쇼져의 거쳐를 살피며 위로ᄒᆞ고 념녀ᄒᆞ미 비길 곳이 업셔ᄒᆞ니, 쇼졔 거거의 우려ᄒᆞ믈 민망ᄒᆞ여, 됴흔 ᄃᆞ시 ○○○[식음을] 나오며, ᄉᆞ식을 화히 ᄒᆞ며, 거디를 평상이 ᄒᆞᄃᆡ, 뎍소의 아으라히[1363] 나려오ᄆᆡ 쳔만ᄉᆡ 비황 ᄎᆞ악한디라. 연연(戀戀) 옥장(玉腸)이 셜셜이 ᄉᆞ히여 ᄌᆡ 되기를 면치 못ᄒᆞ고, 홍션 등 졔 시비 좌우의셔 ᄒᆞᆫ ᄢᅥ를 ᄯᅥ나디 아니ᄒᆞ고 위로ᄒᆞ믈 마디 아니ᄒᆞ며, 시랑이 ᄎᆞ마 밧비 도라가디 못ᄒᆞ여 일슌을 쇼져 뎍소의 머물ᄉᆡ, 당ᄉᆞ 태【1】쉬 시랑을 보라 날마다 나오고, 닌니 복거(伏居)ᄒᆞᆫ ᄉᆞ태우(士大夫)[1364]와 닌읍 ᄌᆞᄉᆞ 슈령이 뎡시랑의 쳥현아망을 크게 흠모ᄒᆞ여 쥬찬을 가져 못ᄂᆞᆫ 무리 낙역브졀(絡繹不絶)ᄒᆞ니, 시랑이 ᄀᆞ장 괴로이 넉여ᄒᆞᄃᆡ, 텬픔이 관홍인ᄌᆞᄒᆞᆫ 고로 보ᄂᆞ니마다 됴히 ᄃᆡ졉ᄒᆞ더라.

홀홀ᄒᆞᆫ 셰월이 얼픗 ᄉᆞ이의 디나ᄆᆡ, 시랑이 마디 못ᄒᆞ여 도라가려 홀ᄉᆡ, 남ᄆᆡ 분슈ᄒᆞᄂᆞᆫ 심ᄉᆡ 참연비상ᄒᆞ믈 니긔디 못ᄒᆞ여, 회푀 암암ᄒᆞ고 톄뤼 산산(潸潸)ᄒᆞ니 능히 말을 일우디 못ᄒᆞ고, 시랑의 슬허ᄒᆞ믄 오히려 쇼져의 더홈 ᄀᆞᄐᆞ니, 오열 탄셩 왈,

"사ᄅᆞᆷ이 동긔의 상쳑(喪慽)을 당ᄒᆞ며 골육이 쳔니 밧 애각(涯角)의 ᄯᅥ나ᄂᆞᆫ ᄌᆡ ᄒᆞ나 둘히 아【2】니로ᄃᆡ, 이ᄂᆞᆫ 오히려 녜ᄉᆞ롭거니와, 현ᄆᆡ로ᄡᅥ 원억ᄒᆞᆫ 죄과를 시러 당ᄉᆞ의 찬뎍죄슈를 삼고, ᄆᆡ양 ᄒᆞᆫ가디로 잇디 못ᄒᆞ여, 우형이 도라가ᄂᆞᆫ 졍이 버히ᄂᆞᆫ ᄃᆞᆺᄒᆞ니, 장ᄎᆞᆺ 이 ᄆᆞ음과 이 회포를 므어ᄉᆞ로 형상ᄒᆞ며 어ᄂᆞ 곳의 비ᄒᆞ리오. 바라고 밋ᄂᆞ니 현ᄆᆡᄂᆞᆫ 보신디계를 명찰이 ᄒᆞ여, 우리 존당

1363) 아으라히 : 아스라이. 아득하게. ⇒아ᄋᆞ라히.
1364)ᄉᆞ태우 : 사대부(士大夫). 태우는 대부(大夫)의 옛말. 조선시대에 대부는 정일품에서 종사품까지의 벼슬에 붙였다

소졔 거거의 우려ᄒᆞ믈 민망ᄒᆞ여, 조은 다시 식음을 나오며, ᄉᆞ식을 화히ᄒᆞ여 거지 평싱[상]ᄒᆞᄃᆡ, 젹소의 아오라히[1153] ᄂᆞ려오ᄆᆡ 쳔만ᄉᆡ 비황ᄎᆞ악ᄒᆞᆫ지라. 년년(戀戀)ᄒᆞᆫ 옥장(玉腸)이 졀졀이 ᄉᆞ히려[여][1154] ᄌᆡ되기을 면치 못ᄒᆞ여, 홍션 등 ᄃᆡ[졔] 시비 좌우의 시립ᄒᆞ여 ᄒᆞᆫ ᄢᅥ을 ᄯᅥ나지 《아냐코‖아니코》 위로ᄒᆞ며, 시랑이 ᄎᆞᄆᆞ 밧비 도라가지 못ᄒᆞ여 일슌을 머믈ᄉᆡ, 장ᄉᆞ ᄐᆡ슈 시랑을 보려 날마다 나오며, 닌이(隣里)○[의] 거ᄒᆞᆫ ᄉᆞᄐᆡ위(士大夫)[1155]며 난[닌]읍 ᄌᆞᄉᆞ 슈령이 뎡시랑의 쳥현아망【54】을 크게 흠앙ᄒᆞ여 쥬츤을 가져 몸소 니르니. 시랑이 가장 괴로니[이] 넉이나, 쳔픔이 화홍[홍]인ᄌᆞ(和弘仁慈)ᄒᆞᆫ 고로 보나니마다 조히 ᄃᆡ졉ᄒᆞ더라.

홀홀한 츈일이 얼픗 ᄉᆞ이 지나ᄆᆡ, 시랑이 마지 못ᄒᆞ여 도라갈려 홀ᄉᆡ, 남ᄆᆡ 분슈ᄒᆞ믈 창년비ᄎᆞᆼ(愴然悲愴)○[ᄒᆞ]믈 이기지 못ᄒᆞ여, 회푀 암암ᄒᆞ고 쳐[체]루 《삼삼‖산산(潸潸)》ᄒᆞ니 능히 말을 일우지 못ᄒᆞ고, 시랑의 슬허ᄒᆞ믄 오히려 소져도믄[곤] 더홈 갓ᄐᆞ니, 불승오열ᄒᆞ여 허희(歔欷) 탄식 왈,

"ᄉᆞ람이 동기 상쳔[쳑](喪慽)을 당ᄒᆞ며 골육이 쳔니ᄋᆡ각(千里涯角)의 셔로 ᄯᅥ나ᄂᆞᆫ 지 하나 둘이 아니로ᄃᆡ, 이은[는] 오히려 녜ᄉᆞ롭거이[니]와, 이졔 현ᄆᆡ로ᄒᆞ여금 원억ᄒᆞᆫ 죄명을 시러 장ᄉᆞ의 찬녁[젹](竄謫)한 일을 ᄉᆡᆼ각ᄒᆞ면, ᄆᆡ양 한가지로 닛지 못ᄒᆞ여 우형의 도라가는 졍이 버히난 ᄃᆞᆺᄒᆞ니, 이 마음과 이 회포을 무엇ᄉᆞ로 형ᄉᆞᆼᄒᆞ며 어ᄂᆡ 곳의 비ᄒᆞ리오. 바라고 밋는니 현ᄆᆡ은 명쳘

1153)아오라히 : 아스라이. 아득하게. ⇒아ᄋᆞ라히.
1154)ᄉᆞ히다 : 사위다. 다 타버리다.
1155)ᄉᆞ태위 : 사대부(士大夫). 태우는 대부(大夫)의 옛말. 조선시대에 대부는 정일품에서 종사품까지의 벼슬에 붙였다

부모의 참졀이 념녀ᄒᆞ시ᄂᆞᆫ 바를 ᄉᆡᆼ각ᄒᆞ라."

쇼제 거거의 도라가기를 님ᄒᆞ여 심장이 촌할(寸割)ᄒᆞ믈 비ᄒᆞᆯ 곳이 업ᄉᆞ나, 시랑의 과도히 슬허ᄒᆞ믈 도로혀 민망ᄒᆞ여, 안슈(眼水)를 거두고 가ᄉᆞᆷ을 어로만져 이윽이 ᄆᆞᄋᆞᆷ을 딘뎡ᄒᆞ여 츄연 ᄃᆡ왈,

"쇼ᄆᆡᄂᆞᆫ 텰셕ᄀᆞᆺ치 뎡ᄒᆞᆫ【3】 뜻이 발셔 살기를 위쥬ᄒᆞ여, 슈화듕(水火中)의 님ᄒᆞ여도 쳔ᄇᆡᆨ 가디로 보명ᄒᆞ믈 도모ᄒᆞ리니, 하고(何故)로 원앙ᄒᆞᆫ 죄루의 죽으리잇고? 거거ᄂᆞᆫ 쇼ᄆᆡ를 녀렴(慮念)치 마르시고, 원노의 보듕ᄒᆞ샤 무ᄉᆞ히 상경ᄒᆞ쇼셔."

인ᄒᆞ여 존당 부모와 존고긔 샹셔를 올니고, 날이 느ᄌᆞᄆᆡ 시랑의 도라가기를 ᄌᆡ쵹ᄒᆞ니, 시랑이 읍톄ᄒᆞ여 능히 쇼져를 ᄯᅥ나갈 뜻이 업ᄉᆞᄃᆡ, 시러곰 마디 못ᄒᆞ여 ᄌᆡ삼 쇼져를 당부ᄒᆞ여 몸을 보젼ᄒᆞ라 니르니, 쇼제 거거의 ᄆᆞᄋᆞᆷ을 헛트르디 아니려 ᄒᆞ여, 됴흔 ᄃᆞ시 ᄃᆡ답ᄒᆞ고 왈,

"존당과 부뫼 쇼ᄆᆡ의 이ᄀᆞᆺ치 안연ᄌᆞ약ᄒᆞ믈 아디 못ᄒᆞ시고, 반ᄃᆞ시 닛디 못ᄒᆞ시ᄂᆞᆫ 념네 큰 우【4】환을 삼으시리니, 거거ᄂᆞᆫ 쇼ᄆᆡ의 이ᄀᆞᆺ치 관위ᄒᆞᆯ 바를 일일히 고ᄒᆞ여, ᄇᆞ졀업시 슬허ᄒᆞ시ᄂᆞᆫ 일이 업게 ᄒᆞ쇼셔."

시랑이 탄왈,

"존당 부모의 참연비도(慘然悲悼)ᄒᆞ심과 동긔의 졍이 다 ᄒᆞᆫ가디로, 칼을 삼킨 ᄃᆞᆺ 슬프믈 니긔디 못ᄒᆞᆯ ᄇᆡ로ᄃᆡ, 맛춤ᄂᆡ 현ᄆᆡ의 ᄉᆞᆯᄂᆞᆫ ᄃᆞᆺᄒᆞᆫ 회포의 비길 ᄇᆡ 아니오, 우형이 너를 위ᄒᆞ여 원앙통도ᄒᆞ믈 측냥치 못ᄒᆞ나, 경샤의 올나간즉 ᄌᆞ연 니ᄌᆞ미 되여 흐르ᄂᆞᆫ 셰월을 호화의 ᄯᅳ이여1365) 보ᄂᆡ리니, 당ᄂᆡ 길흉은 알 길히 업거니와 여러 형뎨 남ᄆᆡ 가온ᄃᆡ 쵸년 간익이 현ᄆᆡᄀᆞᄐᆞ니 어이 이시리오."

쇼제 츄연 ᄃᆡ왈,

"만ᄉᆡ 명애라. 인력의 ᄆᆡᆺ출 ᄇᆡ 아니니 현【5】마 엇디 ᄒᆞ리잇고? 쇼ᄆᆡ 박복험흔(薄

1365) ᄯᅳ이다 : 뜨다. 뜨이다.

보신ᄒᆞ여 우리 마음○[의] 바라고 조○○○[모와 부]모의 참졀이 념녀ᄒᆞ시는 바을 ᄉᆡᆼ각ᄒᆞ여 잇지 말나."

소제 거거의 도라가믈 《니을여‖님ᄒᆞ여》 심장이 촌활(寸割)ᄒᆞ믈 도로혀 민망ᄒᆞ여, 안슈(眼水)을 거두고 가ᄉᆞᆷ을 어로마[만]져 니옥히 진졍ᄒᆞ며 쵸년[추연] ᄃᆡ왈,

"소ᄆᆡ는 쳘셕 갓치 졍【55】ᄒᆞᆫ 뜻이 ᄉᆞᆯ긔로 위쥬ᄒᆞ여, 슈화즁(水火中)의 임ᄒᆞ여도 쳔ᄇᆡᆨ가지로 보명ᄒᆞ믈 도모ᄒᆞ리니, 쳔만 ᄇᆞ라난니 거거는 《당당‖당댱(長長)》 원노의 보즁ᄒᆞ여 무ᄉᆞ니[이] ᄉᆞᆼ경ᄒᆞ소셔."

인ᄒᆞ여 존당 부모와 존고긔 ᄉᆞᆼ셔을 올니니, ᄂᆞᆯ이 느지ᄆᆡ 시랑이[의] 가긔을 ᄌᆡ쵹ᄒᆞ니, 시랑이 소져을 ᄎᆞ마 ᄯᅥ날 뜻이 《업셔‖업ᄉᆞᄃᆡ》, 마지 못ᄒᆞ여 ᄌᆡ슴 ᄒᆞ회(下會)을 당부ᄒᆞ여 몸을 보젼ᄒᆞ라 ᄒᆞ니, 소져 거거의 마음을 《혜트를지‖헛트르지》 아니랴 조흔 말노 답왈,

"존당과 부모 소ᄆᆡ 이 갓치 안년ᄌᆞ악[약](晏然自若)ᄒᆞ믈 모로시고, 잇지 못ᄒᆞ시난 염녀 큰 우환을 ᄉᆞᆷ으시리니, 거거ᄂᆞᆫ 소ᄆᆡ 이 갓치 과[관]위ᄒᆞᆯ ᄇᆞ을 일일이 고ᄒᆞ야 부졀업시 슬허ᄒᆞ시미 업게 ᄒᆞ소셔."

시랑 왈,

"존당과 부뫼 참연과ᄉᆞᆼ(慘然過傷)ᄒᆞ사[심]과 동긔 다 ᄒᆞᆫ가지로 칼을 삼킨 듯 슬프믈 참지 못ᄒᆞᆯ ᄇᆡ로ᄃᆡ, 마춤ᄂᆡ 현ᄆᆡ의 ᄉᆞᆯ는 듯ᄒᆞᆫ 회포의 비ᄒᆞᆯ ᄇᆡ 아니오, 우형이 너을 위ᄒᆞ여 원앙통도ᄒᆞ믈 형ᄉᆞᆼ치 못ᄒᆞ나, 경ᄉᆞ의 올나간 즉, ᄌᆞ연 니ᄌᆞ미 되어 흐르난 셰월을 호황[화]의 ᄢᅴ여1156) 지ᄂᆡ리니, 장ᄂᆡ 길흉은 《말 길‖알 길》 업거이[니]와, 여러 형제 남ᄆᆡ 즁 쵸년 간익이 현ᄆᆡ 갓트니 이[어]ᄃᆡ 잇시리오."

소져 ᄃᆡ왈,

"만ᄉᆡ 다 명ᄋᆡ[애]라.【56】 인역으로 ᄒᆞᆯ ᄇᆡ 아니니 엇지ᄒᆞ리오. 소ᄆᆡ 박복ᄒᆞ여 남의

1156) ᄢᅴ다 : 뜨다. 뜨이다.

福陰釁)ᄒᆞ여 남의 업ᄉᆞᆫ 변고를 당ᄒᆞ나, 누를 탓ᄒᆞ며 므어ᄉᆞᆯ 한ᄒᆞ리오."

시랑이 타루 비읍ᄒᆞ여 능히 몸을 니러나디 못ᄒᆞ더니, 일식이 반오의 공치 도라가믈 직촉ᄒᆞ니, 마디 못ᄒᆞ여 ᄆᆡ뎨를 당부ᄒᆞ여 보듕ᄒᆞ믈 쳔만번 니르고 톄루를 드러워 밧그로 나올ᄉᆡ, ᄒᆞᆫ 거름의 두번 도라보믈 면치 못ᄒᆞ니, 홍션 등 졔시비의 혈읍비도ᄒᆞ믄 모양ᄒᆞ여 견ᄃᆞᆯ 곳이 업ᄉᆞ더라. 도라가ᄂᆞᆫ ᄆᆞᄋᆞᆷ과 보ᄂᆡᄂᆞᆫ 졍이 참참ᄒᆞ여 경식의 슬프미 힝뇌 타루ᄒᆞᆯ더라. 시랑이 밧긔 나와 시비와 노복을 당부ᄒᆞ여 쇼져를 뫼시ᄆᆡ 태만치 말나 ᄒᆞ고, 니곽을 당부 왈, 【6】

"밧글 딕희믄 젼혀 그ᄃᆡ만 밋ᄂᆞ니, 모로미 잡인을 일졀 문젼의 드리디 말고, 노복을 계칙ᄒᆞ여 혹ᄌᆞ 블의디변이 이셔도 방비ᄒᆞ믈 엄히 ᄒᆞ라."

곽이 ᄇᆡ샤 슈명ᄒᆞᄆᆡ 시랑이 샹마할ᄉᆡ, ᄆᆞᆰ은 누쉬 삼삼ᄒᆞ여[1366] ᄇᆡᆨ포광삼을 젹시니, 하리 노복이 위ᄒᆞ여 슬허ᄒᆞ믈 마디 아니ᄒᆞ고, 본읍 태쉬 십니졍(十里亭)의 나와 숑별ᄒᆞᆯᄉᆡ, 시랑이 ᄀᆞ득이 당부ᄒᆞᄂᆞᆫ 말ᄉᆞᆷ이 다 ᄆᆡ뎨를 위ᄒᆞ여 각별 고렴ᄒᆞ믈 쳥ᄒᆞ니, 태쉬 슌슌 응답 왈,

"쇼뎨 비록 남녀디별(男女之別)이 엄격ᄒᆞ여 녕ᄆᆡ 부인긔 현알ᄒᆞ믈 쳥치 못ᄒᆞ나, 실노뻐 ᄆᆞᄋᆞᆷ인즉 밧들믈 범연이 아니코져 ᄒᆞᄂᆞ니, 현형은 이런 일의 부【7】졀업시 념녀치 말나."

시랑이 후의를 샤례ᄒᆞ고, 날이 느ᄌᆞ므로 태슈를 니별ᄒᆞ고 경샤로 향ᄒᆞ니라.

어시○[의] 뉴시 교ᄋᆡ 쳔고 간음대악의 흉계를 힝ᄒᆞ여, 금계로 ᄃᆡ신을 삼아 윤부의 머므르고, 댱ᄉᆞ왕으로 은졍이 여산약히(如山若海)ᄒᆞ여 왕이 귀국ᄒᆞ므로부터 교ᄋᆞ를 황혹(恍惑) 침닉(沈溺)ᄒᆞ미 더ᄒᆞ여, 안ᄌᆞᄆᆡ 손을 년ᄒᆞ고 누으ᄆᆡ 벼개를 ᄀᆞᆺ치 ᄒᆞ여 슈유블니(須臾不離)ᄒᆞᄂᆞᆫ ᄆᆞᄋᆞᆷ이 이시니, 교ᄋᆞ의

업ᄉᆞᆫ 변고을 당ᄒᆞ나 누을 한ᄒᆞ리오."

시랑이 쳑연타루ᄒᆞ여 능히 몸을 니러나지 못ᄒᆞ더니, 일식이 반오의 공지 도라가기을 직촉ᄒᆞ니, 마지못ᄒᆞ여 다시금 ᄆᆡ졔을 당부ᄒᆞ고 밧그로 나올ᄉᆡ, 쳬루녀루[류](涕淚如流)ᄒᆞ고 ᄒᆞᆫ 거름의 두 번 도라보믈 면치 못ᄒᆞ니, 홍션 등 데시비 흘[혈]읍비졀(血泣悲絶)ᄒᆞ는[믄] 모양ᄒᆞ여 《견딜‖견ᄃᆞᆯ》 곳이 업난지라. 도라가난 회포와 보ᄂᆡ난 졍이 힝노(行路)라도 눈물을 금치 못ᄒᆞᆯ지라. 시랑이 밧게 나 시비와 노복을 당부ᄒᆞ여 소져을 보호ᄒᆞ라 ᄒᆞ고, 니곽을 당부 왈,

"밧글 직히믄 그ᄃᆡ을 밋난니, 모로미 잡인을 일졀 문졍(門庭)의 드리지 말고, 노복을 신측(申飭)ᄒᆞ여 혹ᄌᆞ 불우[의]지변(不意之變)이 잇셔도 방비ᄒᆞ믈 《엄슉‖엄히》 ᄒᆞ라."

곽이 ᄇᆡᄉᆞ슈명ᄒᆞ니 시랑○[이] ᄉᆞᆼ마ᄒᆞᆯᄉᆡ, ᄆᆞᆰ은 ᄂᆔ슈 광ᄉᆞᆷ을 젹시니, 하리 츄종이 위ᄒᆞ여 슬어ᄒᆞ고, 본읍 ᄐᆡ슈 십니의 젼송ᄒᆞᆯᄉᆡ, 시랑이 가득이 당부ᄒᆞ난 말이 소ᄆᆡ을 위ᄒᆞ여 각별 고[보]호ᄒᆞ라 ᄒᆞ니, ᄐᆡ슈 슌슌음[응]답 왈,

"남녀지별이 《현젹하으로‖현격ᄒᆞ므로》 《뎡ᄆᆡ‖녕ᄆᆡ》 부인긔 현알ᄒᆞ믈 쳥치 못ᄒᆞ나, 엇【57】지 마음이냐[야] 범연ᄒᆞ리오. 현형은 죠금도 념녀치 말나."

시랑이 후의을 ᄉᆞ례ᄒᆞ고, 날이 느지ᄆᆡ ᄐᆡ슈을 이별ᄒᆞ고 경ᄉᆞ로 향ᄒᆞ니라.

어시의 뉴시 《모ᄋᆡ‖교ᄋᆡ》 쳔고간음ᄃᆡ악의 흉게[계]을 힝ᄒᆞ여, 금계○[로] ᄃᆡ신을 ᄉᆞᆷ아 뉸부의 《모을고‖머믈으고》, 장ᄉᆞ왕으로 은졍이 녀ᄉᆞᆫ약히(如山若海)ᄒᆞ여 왕이 귀국ᄒᆞ므로브터 교아를 《황후‖황혹(恍惑)》히 침익(沈溺)ᄒᆞ미 더ᄒᆞ니, 안ᄌᆞᄆᆡ 손을 연ᄒᆞ고 누으ᄆᆡ 베기을 갓치ᄒᆞ여 슈유블니(須臾不離)ᄒᆞ믈[니], 교아의 요음(妖淫) 《간혈‖간힐(奸黠)》ᄒᆞ미 《쳔고만ᄃᆡ‖쳔

1366)삼삼ᄒᆞ다 : 산산(潸潸)하다. 눈물이 줄줄 흐르다. 문물이 줄줄 흐르는 모양.

요음(妖淫) 간힐(奸黠)ᄒᆞ미 쳔교만틱(千嬌萬態)를 디어 왕을 잠가 은툥을 요구ᄒᆞ여, 댱부를 손 가온딕 농낙ᄒᆞ니, 왕이 비록 블인ᄒᆞ나 오히려 쾌활ᄒᆞᆫ 풍되 업디 아니터니, 졈졈 힝디(行止) 실셩(失性) 음황(淫荒)ᄒᆞ여 믹양 닉궁의 드러시니, 교익【8】 외람이 국도티졍(國都治政)[1367]을 간예ᄒᆞ여, 왕을 결치 못ᄒᆞᄂᆞᆫ 바와 싱각디 못ᄒᆞᄂᆞᆫ 바를 다 가르쳐, 문무 신뇨 작임(爵任) 츌뎍(黜陟)을 ᄉᆞᄉᆞ로 가음 알고져 ᄒᆞ니, 비록 쳔승디위 만승텬ᄌᆞ의 비티 못ᄒᆞᆯ 빅나 일국디쥬(一國之主)어ᄂᆞᆯ, 믹달(妺妲) ᄀᆞᆺᄐᆞᆫ 음악요녜(淫惡妖女) 국졍을 병탄ᄒᆞ며 왕을 그릇 믿ᄃᆞ니, ᄒᆞᆫ갓 인민의 원망ᄒᆞᆯ ᄲᅳᆫ 아니라, 교익 왕을 권ᄒᆞᄂᆞᆫ 빅 황셩을 함몰ᄒᆞ고 왕으로ᄡᅥ 만승디쥬(萬乘之主) 되라 ᄒᆞ니, 왕이 ᄯᅩᄒᆞᆫ 외람ᄒᆞᆫ ᄯᅳᆺ이 잇던 고로, 교ᄋᆞ의 말을 올히 녁여 문무 신뇨를 모화 흉역(凶逆)을 의논ᄒᆞ니, 승샹 됴겸과 어ᄉᆞ 젼곡이 만만 블가ᄒᆞ믈 쥬ᄒᆞ여 ᄀᆞᆯ오딕,

"뎐히 만승디위를 도【9】모코져 ᄒᆞ시나 텬명을 아디 못ᄒᆞ시고 인력으로 힝치 못ᄒᆞ리니, 금(今)애[1368] 대국 텬ᄌᆞ 셩덕을 일치 아냐 계시고, 문무신뇌 다 고인의 튱의를 가져 텬ᄌᆞ를 돕ᄉᆞ오믹, 국태민안을 닐위여 ᄉᆞ히 안락ᄒᆞ거ᄂᆞᆯ, 댱샤 쇼국이 셔어ᄒᆞᆫ 의ᄉᆞ를 닉엿다가 그릇될 ᄲᅳᆫ 아니라, 엇디 참화를 면ᄒᆞ리잇가?"

왕이 노ᄒᆞ여 간신(諫臣)을 즐퇴ᄒᆞ나, 그 말이 당연ᄒᆞᆫ디라 죽일 ᄯᅳᆺ은 업더니, 교익 왕을 도도아 됴셤 등이 모역 흉계를 픔어시므로, 큰 ᄯᅳᆺ을 막ᄌᆞᆯ나 군댱ᄉᆞ졸의 예긔(銳氣)를 최찰케 ᄒᆞ니 됴셤과 젼곡을 밧비 죽이라 ᄒᆞ니, 왕이 죵기언ᄒᆞ여 됴셤을【10】죽이려 위ᄉᆞ를 보닉여 나릭ᄒᆞ니, 됴셤과 젼곡이 왕비의 어디디 못ᄒᆞᆷ과 왕을 온가디로

1367)국도티졍(國都治政) : 나라의 모든 정사(政事).
1368)금(今)애 ; 지금.

교만틱(千嬌萬態)》을 지어 왕의 은춍을 요구ᄒᆞ여, 장부을 손 가온딕 《농낙∥농낙(籠絡)》ᄒᆞ니, 왕이 비록 불인ᄒᆞ나[1157] 오히려 쾌활ᄒᆞᆫ 픙[풍]되(風道) 업지 아니터니, 졈졈 힝지(行止) 실셩(失性)ᄒᆞ여 믹양 닉궁의 드러시니, 교익 외람이 국도치졍(國都治政)[1158]을 간네(干預)ᄒᆞ여, 왕의 결치 못ᄒᆞ난 바와 싱각지 못ᄒᆞ난 바을 다 가르쳐, 문무시[신]뇨 작님(爵任) 츌쳑(黜陟)을 ᄉᆞᄉᆞ로 가음 알고져 ᄒᆞ니, 비록 지위 만승천ᄌᆞ의 비치 못ᄒᆞ나 일국지쥐(一國之主)어날, 믹달(妺妲) 갓튼 음악요예(淫惡妖女) 국젹[졍]을 《변탄∥병탄》ᄒᆞ여 왈[왕]을 그릇 믿드니, 한갓 인민의 원망ᄒᆞᆯ ᄲᅮᆫ 아니라, 교익 왕을 권ᄒᆞ난 빅 황셩을 함몰ᄒᆞ고 왕으로ᄡᅧ 만승지쥐(萬乘之主) 되라 ᄒᆞ니, 왕이 ᄯᅩᄒᆞᆫ 교아의 말을 올【58】히 녀겨, 문무신뇨을 모화 흉역(凶逆)을 의논ᄒᆞ니, 승ᄉᆞᆼ 조셤과 어ᄉᆞ 젼곡이 만만 불가ᄒᆞ믈 쥬하여 갈오딕,

"젼하 만승지위을 도모코져 ᄒᆞ시나, 천명을 아지 못ᄒᆞ고 인녁을 힝치 못ᄒᆞ리니, 이졔 딕국 텬ᄌᆞ 셩덕을 일치 아녀 게[계]시고, 신히 다 고인의 츙을 가져 쳔ᄌᆞ을 돕ᄉᆞ오니, 국틱민안을 닐위여 ᄉᆞ히 안낙ᄒᆞ거날, 장ᄉᆞ 소국이 《셔의∥셔어(齟齬)》ᄒᆞᆫ 의ᄉᆞ을 닉엿다가난 크게 그릇될 ᄲᅮᆫ 아냐, 젼히 뎨실지친으로 천춍이 《눈눈∥뉴뉴》ᄒᆞ시미 은의를 다ᄒᆞ시니, 엇지 천승지국의 존귀을 녁고○[자] ᄒᆞ샤 블측ᄒᆞᆫ 화을 ᄌᆞ취ᄒᆞ리잇고?"

왕이 낫츨 블키고 《시신∥간신(諫臣)》 등을 즐퇴ᄒᆞ나, 그 말이 올흐니 쥭일 ᄯᅳᆺ은 업더니, 교익 왕을 도○[도]와 조셤 등이 《요녁∥모역》을 픈[품]은 고로 왕의 큰 ᄯᅳᆺ을 부잘나[1159] 군장ᄉᆞ졸의 여[예]기(銳

1157) 교정부호를 사용해 교정해 놓고 있다. 즉 '하나불인'으로 오기된 것을 '불인'에 각각 방점(ㆍ)을 붙이고 '하나' 앞에 방점 두 개를 붙여 놓아 순서를 교정해놓았다.
1158)국도티졍(國都治政) : 나라의 모든 정사(政事).
1159) 부자르다 : 부지르다. 부러뜨리다. 꺾다.

ᄡᅧ ᄭᅬ오ᄂᆞᆫ 바를 미리 알고, 밤을 당ᄒᆞ여 가마니 남ᄌᆞᄂᆞᆫ 녀복을 곳치며 녀ᄌᆞ는 남복을 개착ᄒᆞ여 가쇽과 일개 다 머리를 븨고 슈염을 업시 ᄒᆞ여, 각각 남승(男僧)과 니괴(尼姑) 되여 집을 ᄯᅥ나며 글을 디어 뷘 집의 븟티니, 그 ᄠᅳᆺ이 국군의 블인과 왕비의 요샤(妖邪)를 탄ᄒᆞ여 왕이 임의 대국을 반코져 ᄒᆞ므로, 져희ᄂᆞᆫ 왕을 반ᄒᆞ여 멸망디화를 취치 아니렷노라 ᄒᆞ고, ᄌᆞ최를 깁히 ᄀᆞᆷ초아 ᄒᆞ로밤 ᄉᆞ이 《삼강‖상강(湘江)[1369]》 ᄇᆡ를 ᄐᆞ고, 거쳐를 모로게 도망ᄒᆞ니, 위ᄉᆡ 잡으러 왓다【11】가 헛도이 도라와 왕긔 이 소유를 고ᄒᆞ니 왕이 대로ᄒᆞ여 그 븟티고 간 바 글을 ᄯᅥ혀다가 보고, 분긔 막힐 듯ᄒᆞᄃᆡ 거쳐를 아디 못ᄒᆞ니 장ᄎᆞᆺ 므어ᄉᆞᆯ 잡으리오. 교셔를 나리와 각도의 힝이(行移)[1370]ᄒᆞ여 됴셤과 젼곡을 잡아드리라 ᄒᆞ고, 션발졔인(先發制人)[1371]으로 텬됴의 표를 올녀, '승상 됴셤과 어ᄉᆞ 젼곡이 블궤(不軌)를 ᄭᅬᄒᆞ니가 도망ᄒᆞ여시니 대국의셔 팔방구듀(八方九州)의 심방(尋訪)ᄒᆞ여 역신을 잡게 ᄒᆞ쇼셔' ᄒᆞ고, 왕이 문무신뇨를 모화, '대국을 도모치 아닛ᄂᆞᆫ ᄌᆞᄂᆞᆫ 머리를 버히고 슈족을 이쳐(離處)ᄒᆞ여 분을 풀니라' ᄒᆞ니, 졔신이 다 두려 입을 열 니 업고, 왕의 ᄆᆞᄋᆞᆷ을【12】 맛치ᄂᆞᆫ ᄌᆞᄂᆞᆫ 슌슌이 일ᄏᆞ라 당슈를 쵸모ᄒᆞ고 군긔를 셩히 ᄒᆞᄃᆡ, 왕이 궁흉ᄒᆞ므로 ᄉᆞ긔를 알니 업고 대국의셔도 아득히 모로게 ᄒᆞ더라.

뉴교ᄋᆡ 신묘랑이 잇다감 왕ᄂᆡᄒᆞ여 슉모의 평문(平聞)[1372]과 부모의 소식을 알오미 잇더니, 임의 묘랑이 뎡시 되어 금계를 디르고, 뎡시로ᄡᅧ 살인죄슈를 삼아 댱ᄉᆞ의 안치ᄒᆞ믈 드르ᄆᆡ, 슉모의 당부를 기다리디 아나셔 뎡시를 죽일 ᄆᆞᄋᆞᆷ이 잇거ᄂᆞᆯ, 뉴부인의

1369)상강(湘江) : 소상강(瀟湘江).

1370)힝이(行移) : 행문이첩(行文移牒). 관청에서 문서를 발송하여 조회(照會)함.

1371)션발졔인(先發制人) : 남의 꾀를 사전에 알아차리고 일이 일어나기 전에 미리 막아 냄.

1372)평문(平聞) : 편안하게 잘 지내고 있는지에 대한 소식. =평부(平否). 안부(安否)

氣)을 ᄭᅬ찰케 《ᄒᆞ라‖ᄒᆞ다》 ᄒᆞ여, 밧비 쥭이라 ᄒᆞ니, 왕이 교ᄋᆡ 말을 죠ᄎᆞ 즉시 위ᄉᆞ을 보ᄂᆡ여 잡아 쥭이려 ᄒᆞ더라. 죠셤과 뎐곡이 왕의 불인ᄒᆞᆷ과 《황후‖왕후》의 간악을 알고, 기야의 남네 변복ᄒᆞ여 살[삭]발위승ᄒᆞ고 도망ᄒᆞᆯᄉᆡ, 글을 지어 붓치니 ᄃᆡ왕의 불인ᄒᆞᆷ과 왕후의 요ᄉᆞ을 탄ᄒᆞ여, 왕이 님의 ᄃᆡ국을 반코져 ᄒᆞᄆᆡ,【59】 져희 난 왕을 반ᄒᆞ여 멸망지화을 취치 아니려노라 ᄒᆞ고, 하로밤 ᄉᆞ니의 ᄉᆞᆼ강(湘江)[1160] ᄇᆡ을 타고 거쳐을 모로게 도망ᄒᆞ니, 위ᄉᆡ 잡으려 왓다가 졈즉니[이][1161] 도라가 왕기[긔] 이 소유을 고ᄒᆞ니, 그 글을 보고 노ᄒᆞ나 거쳐을 모르니 ᄒᆞᆯ 일 업셔, 각도의 힝니(行移)[1162]ᄒᆞ여 이인을 잡으라 ᄒᆞ고, 션발졔인(先發制人)[1163]으로 쳔됴의 《됴문‖표문》을 올녀, 승ᄉᆞᆼ 됴셤과 어ᄉᆞ 젼옥이 불괴[궤]지심(不軌之心)을 품엇다가 발긱[각](發覺)ᄒᆞ여 도망ᄒᆞ여시니, 팔방의 심방ᄒᆞ여 녁신을 잡게 ᄒᆞ소셔 ᄒᆞ고, 왕이 문무시[신]요을 모화 부종녕ᄌᆞ(不從令者)은 참ᄒᆞ리라 ᄒᆞ니, 다시 감히 입을 열ᄌᆡ 업난지라. 이의 장ᄉᆞ을 도모ᄒᆞ며 군긔을 쥰비ᄒᆞᆯᄉᆡ ᄉᆞ기비밀ᄒᆞ여 알 이 업더라.

뉴교ᄋᆡ 신묘랑이 왕ᄂᆡᄒᆞ므로 슉모의 《텽문‖평문(平聞)[1164]》과 부모의 소식을 듯더니, 임의 신묘랑이 졍시 되어 금계을 지르고 뎡시을 ᄉᆞᆯ인 죄슈로 장ᄉᆞ의 치오믈 드르ᄆᆡ, 슉모의 당부을 기다리지 아냐셔 뎡시

1160)상강(湘江) : 소상강(瀟湘江).

1161)졈즉이 : 겸연쩍게, 멋쩍게, 어색하게,

1162)힝니(行移) : 행문이첩(行文移牒). 관청에서 문서를 발송하여 조회(照會)함.

1163)션발졔인(先發制人) : 남의 꾀를 사전에 알아차리고 일이 일어나기 전에 미리 막아 냄.

1164)평문(平聞) : 편안하게 잘 지내고 있는지에 대한 소식. =평부(平否). 안부(安否)

만편(滿篇) 셔ᄉᆡ 다 뎡시를 죽이라 ᄒᆞ여시니, 교ᄋᆞ 요괴년이 묘랑을 도라 보ᄂᆡ고 가마니 뎡시 ᄒᆡᄒᆞᆯ 모ᄎᆡᆨ을 ᄉᆡᆼ각ᄒᆞᄆᆡ, 뎡시 위인이 남다【13】르고 졀힝이 크게 특이ᄒᆞ니 결단ᄒᆞ여 이셩을 셤길 ᄇᆡ 아니라. 출하리 왕을 쇠와 뎡시를 잡아다가 빈희를 뎡ᄒᆞ라 권ᄒᆞ려 ᄒᆞ니, 이는 뎡시 왕의 뜻을 승슌치 아니ᄒᆞ고 죽을 줄 혜아려, 짐즛 투긔 업ᄉᆞ믈 ᄌᆞ랑코져 ᄒᆞ여, 왕을 ᄃᆡᄒᆞ여 왈,

"댱ᄉᆞ의 ᄉᆡ로 뎍거 죄인 뎡시는 금평후 뎡연의 네오, 어ᄉᆞ 윤광텬의 조강이라. 쳡이 경샤의 이실 졔, 뎡시의 셩화를 닉이 드르니 용모긔질이 고왕금ᄂᆡ의 독보ᄒᆞᆯ ᄲᅳᆫ 아니라, 미혼젼 태ᄌᆞ비 간션의 참예ᄒᆞᄆᆡ, ᄇᆡᆨᄐᆡ동용(百態動容)이 긔이ᄒᆞ믈 뎨휘 아름다이 넉이샤 태ᄌᆞ비를 뎡코져 ᄒᆞ【14】시니, 뎡시 윤가의 빙폐를 바다시므로 졀힝을 닥희여 죽기를 그음ᄒᆞ여 샹의를 밧드디 아니니, 뎨와 휘 긔특이 넉이샤 슉녈비를 봉ᄒᆞ샤 졍문포장ᄒᆞ시고, 은권을 씌여 윤가의 속현ᄒᆞᄆᆡ, 윤광텬이 허랑방일(虛浪放逸)ᄒᆞ여 호쥬 탐ᄉᆡᆨᄒᆞ미 디ᄂᆡ볼 곳이 업ᄉᆞ니, 뎡시의 아름다오믈 공경치 아니ᄒᆞ고, 광텬의 조모 위시 싀험 표려ᄒᆞ여 손부를 거나리ᄆᆡ 은혜를 힝ᄒᆞ는 일이 업ᄉᆞ니, 뎡시 심홰 셩ᄒᆞ여 거의 밋출 둣ᄒᆞ다 ᄒᆞ믈 경샤의셔 드럿더니, 이졔 그 뎍인 뉴시를 죽인 죄로, 셩샹이 그 위인을 아르시는 고로, 감샤 뎡【15】ᄇᆡ하시미니 당ᄎᆞ시 ᄒᆞ여는 윤가를 깁히 원망ᄒᆞ고 쳐음의 빈 치례(采禮)1373)를 닥히여 태ᄌᆞ비 샤양ᄒᆞ믈 한ᄒᆞᆫ다 ᄒᆞ니, 쳡이 그윽이 ᄉᆡᆼ각건ᄃᆡ, 문왕(文王)이 셩군이샤ᄃᆡ 태샤(太姒) ᄀᆞᆺ툰 셩비를 두시고 삼쳔후궁을 ᄀᆞᆺ초시나, 남ᄌᆞ의 호신은 녜ᄉᆡ오, 셔인도 일쳐 일쳡은 셩교의 허ᄒᆞ신 ᄇᆡ라, 뎐히 텬승디쥐(千乘之主) 되샤 불민ᄒᆞᆫ 쳡으로 뎡비를 봉ᄒᆞ시고, ᄒᆞᆫ낫 궁희도 빈어(嬪御)의 두디 아니시니,

1373)치례(采禮) : =납폐(納幣). 혼인할 때에, 사주단자의 교환이 끝난 후 정혼이 이루어진 증거로 신랑 집에서 신부 집으로 보낸 예물. 보통 밤에 푸른 비단과 붉은 비단을 혼서와 함께 함에 넣어 신부 집으로 보낸다

쥭일 마음이 잇거날, 더옥 뉴시의 만편(滿篇) 셔ᄉᆡ 다 뎡시을 쥭이라 ᄒᆞ여시니, 교ᄋᆡ 모[묘]랑을 도라 보ᄂᆡ고 뎡시 ᄒᆡᄒᆞᆯ ᄇᆡ을 ᄉᆡᆼ각ᄒᆞᄆᆡ, 뎡시 위인이 남다을[르]고 졀힝이 특이ᄒᆞ니 결단ᄒᆞ여【60】이셩을 셤길 ᄌᆡ 아니라. 왕을 쇠여 뎡시을 잡아다가 《비회‖빈희》을 숨으라 ᄒᆞ니, 이난 뎡시 슌죵치 아냐 쥭을 쥴 알ᄆᆡ, 즘즛 투긔 업숨을 ᄌᆞ랑코져 ᄒᆞ미라. 왕을 ᄃᆡᄒᆞ여 왈,

"증ᄉᆞ의 춘젹한 뎡시은 금편[평]후 뎡연의 녀오, 어ᄉᆞ 윤광텬의 조강이라. 쳡이 경ᄉᆞ 쥬모의게 길일 뎍 뎡시의 셩화를 닉이 드르니, 용역[모]긔질이 고왕금ᄂᆡ의 독보ᄒᆞ고, 혼젼 ᄐᆡᄌᆞ비 간션의 참예ᄒᆞ여 뎨후 아람다니[이] 너기ᄉᆞ ᄐᆡᄌᆞ비을 뎡코져 ᄒᆞ시니, 뎡시 뉸가의 졍약ᄒᆞ므로 이ᄉᆞ역경[간](以死力諫)ᄒᆞ니, 뎨후 긔특이 여긔ᄉᆞ 슉열비로 졍문포장ᄒᆞ시난 은권을 씌여 ○○○○○○○[윤가의 속현ᄒᆞᄆᆡ], 윤광텬은 허랑방탕ᄒᆞ고 호쥬탐ᄉᆡᆨᄒᆞ여 뎡시을 공경치 아니ᄒᆞ고, 광텬의 조모 위시 싀험포려ᄒᆞ여 손부을 구박ᄒᆞ여 뎡시 《심회‖심화(心火)》 셩ᄒᆞ녀 거의 밋찰 듯ᄒᆞ다 ᄒᆞ믈 경ᄉᆞ의셔 드럿더니, 이졔 그 쳑[젹]인 뉴시을 쥭인 죄을[로] 감ᄉᆞ졍ᄇᆡᄒᆞ니, 당ᄎᆞ시(當此時)ᄒᆞ여난 윤가을 깁히 원망ᄒᆞ고, 쳐음 빈 언약을 직히여 ᄐᆡᄌᆞ비 ᄉᆞ양ᄒᆞ믈 극히 한ᄒᆞ다 ᄒᆞ니, 쳡이 그윽이 ᄉᆡᆼ각건ᄃᆡ, 문왕(文王)이 셩군이시ᄃᆡ ᄐᆡᄉᆞ(太姒) ᄀᆞᆺ틋[튼] 셩비을 두시고 참[삼]쳔후비(三千后妃)을 갓초시고[니], 남ᄌᆞ의 호신의 예ᄉᆞ【61】오며, 예ᄉᆞ 인도 일쳐일쳡은 셩교○[의] 허○[ᄒᆞ]신 ᄇᆡ라. 지금 남녜간 골눅이 업ᄉᆞ니, 국가의 이만 블힝이 업난지라. 쳡의 우견(愚見)은 ᄃᆡ왕이 무지모야(無知暮夜)1165)의 무ᄉᆞ을 거나려 영오한 궁비로 일승 교ᄌᆞ 가온ᄃᆡ 뎡시을 안아 궐ᄂᆡ의 다려다가, ᄃᆡ왕의 은혜로 《라ᄅᆡ니고‖다ᄅᆡ이고》 위엄으로 져히샤 뎡시을 빈희을 숨으시면, 쳡이 비록 ᄐᆡᄉᆞ의 너른 덕이 업ᄉᆞ나, 한ᄀᆞᆺ 뎡시난 조히 은위(恩威)

1165)무디모야(無知暮夜) : 밤에 남이 모르게.

쳡이 미양 대왕의 뎍막ᄒᆞ시믈 탄ᄒᆞᆯ ᄲᅳᆫ 아니라, 디금 남녀간 골육이 업ᄉᆞ니 국가의 이만 블힝이 업ᄂᆞᆫ디라. 쳡의【16】 어린 소견인즉, 대왕이 무디모야(無知暮夜)[1374]의 무ᄉᆞ 갑기(甲器)를 셩히 ᄒᆞ여, 영오ᄒᆞᆫ 궁비로 일승(一乘) 교ᄌᆞ 가온ᄃᆡ 뎡시를 안아 궐듕의 다려와, 대왕이 은혜로 다릐시고 위엄으로 져히샤 뎡시로 빈희를 삼으시면, 쳡이 비록 태ᄉᆞ의 너른 덕이 업ᄉᆞ나, ᄒᆞᆫ낫 뎡시ᄂᆞᆫ 됴히 은의로 거나릴 만ᄒᆞ오리니, 그 인물이 용쇽디 아니니, 살인악ᄉᆡ 이시나 쳡이 인의로ᄡᅥ 경계ᄒᆞᆫ즉, 뎡시 반ᄃᆞ시 ᄆᆞᄋᆞᆷ을 곳치리니, 개과칙션은 쳐음 어디니의셔 낫다 ᄒᆞ오니, 원컨ᄃᆡ 대왕은 그 만고무비(萬古無比)ᄒᆞᆫ ᄉᆡᆨ광긔딜과 환혁ᄒᆞᆫ 문미(門楣)[1375]를 ᄉᆡᆼ각ᄒᆞ샤,【17】 비록 뎡비ᄂᆞᆫ 블가ᄒᆞ나 ᄒᆞᆫ 빈희ᄂᆞᆫ 허물ᄒᆞᆯ ᄇᆡ 아니니, 셕(昔)애 딘상국부인(陳相國夫人)[1376]이 다ᄉᆞᆺ번 《개과 ‖ 개가》ᄒᆞ여시ᄃᆡ 진평(陳平)이 후ᄃᆡᄒᆞ엿ᄂᆞ니, 원(願) 대왕은 미쳡의 구구ᄒᆞᆫ ᄉᆞ정을 윤종ᄒᆞ실디니이다."

왕이 요녀의 간언을 드르ᄆᆡ, 희긔 미우를 움즉이고 웃ᄂᆞᆫ 입이 열니믈 면치 못ᄒᆞ여, ᄒᆞᆫ연 답왈,

"과인이 평생 흠모ᄒᆞᄂᆞᆫ ᄇᆡ 졀ᄉᆡᆨ슉녀의 방향이러니, ᄯᅳᆺ밧긔 현후를 취ᄒᆞ니 ᄉᆡᆨ덕혜홰 고(孤)[1377]의 소망의 과의라. 이제ᄂᆞᆫ 셔ᄌᆞ(西子)[1378] 왕댱(王嬙)[1379]ᄀᆞᆺ튼 용ᄉᆡᆨ과 임

1374)무디모야(無知暮夜) : 밤에 남이 모르게.

1375)문미(門楣) : ①문벌, 가문. ②창문 위에 가로 댄 나무. 그 윗부분 벽의 무게를 받쳐 준다.

1376)딘상국부인(陳相國夫人) : 중국 전한(前漢) 혜제(惠帝) 때의 좌승상(左丞相) 진평(陳平)의 아내 장씨(張氏). 그녀는 부잣집 딸이었으나 박복하여 다섯 번이나 시집을 갔지만, 그때마다 남편이 갑자기 죽어 아무도 그녀에게 장가들려 하지 않았다. 당시 가난한 총각이었던 진평이 그녀를 아내로 맞아, 부(富)를 얻고 출세하여 벼슬이 상국(相國)에 이르렀다.

1377)고(孤) : 예전에, 왕이나 제후가 자기를 낮추어 이르던 일인칭 대명사

1378)셔ᄌᆞ(西子) : 중국 춘추시대의 월(越)나라의 미인 서시(西施). 오나라에 패한 월나라 왕 구천이 서시를 부차에게 보내어 부차가 그 용모에 빠져 있는 사이에 오나라를 멸망시켰다.

로 거나일[릴]만 ᄒᆞ오리니, 그 인물이 용속지 아니니, 술인 악ᄉᆞ 잇시나, 쳡이 인의로ᄡᅧ 경계ᄒᆞᆫ 즉 뎡시 반다시 마음을 곳칠지라. ᄀᆡ과쳔션은 쳐음 ○○○○○[어디니의셔] 지나다 ○[ᄒᆞ]오니, 원컨ᄃᆡ ᄃᆡ왕은 그 만고무비ᄒᆞᆫ ᄉᆡᆨ광기질과 하[환]혁ᄒᆞᆫ 문미(門楣)[1166]을 ᄉᆡᆼ각ᄒᆞᄉᆞ 비록 졍비난 블가ᄒᆞ나 한 비[빈]희난 허물ᄒᆞᆯ ᄇᆡ 아니니, 셕의 진상국부인(陳相國夫人)[1167]이 다셧번 ᄀᆡ가하엿시되, 진평(陳平)이 후ᄃᆡᄒᆞ엿나니, 원(願) ᄃᆡ왕은 미쳡의 구구하[ᄒᆞᆫ] 샤경[졍]을 《운동 ‖ 윤종》ᄒᆞ실지니○[이]다."

왕이 요녀의 간언을 드르ᄆᆡ, 희긔 미우을 음즉이고 웃ᄂᆞᆫ 입을[이] 열이믈 면치 못ᄒᆞ여, ᄒᆞᆫ연 답왈,

"과인의 평ᄉᆡᆼ 흠모ᄒᆞᄂᆞᆫ ᄇᆡ 졀ᄉᆡᆨ슉녀의 방향이러니, 쳔만 ᄯᅳᆺ밧게 현후을 취ᄒᆞᄆᆡ ᄉᆡᆨ덕혜홰 고(孤)[1168]의 바라든 ᄇᆡ의 지난지라.【62】 이졔나[난] 셔ᄌᆞ(西子)[1169] 왕장(王嬙)[1170]과 ᄀᆞᆺ튼 용ᄉᆡᆨ과 님ᄉᆞ(姙似)[1171]

1166)문미(門楣) : ①문벌, 가문. ②창문 위에 가로 댄 나무. 그 윗부분 벽의 무게를 받쳐 준다.

1167)진상국부인(陳相國夫人) : 중국 전한(前漢) 혜제(惠帝) 때의 좌승상(左丞相) 진평(陳平)의 아내 장씨(張氏). 그녀는 부잣집 딸이었으나 박복하여 다섯 번이나 시집을 갔지만, 그때마다 남편이 갑자기 죽어 아무도 그녀에게 장가들려 하지 않았다. 당시 가난한 총각이었던 진평이 그녀를 아내로 맞아, 부(富)를 얻고 출세하여 벼슬이 상국(相國)에 이르렀다.

1168)고(孤) : 예전에, 왕이나 제후가 자기를 낮추어 이르던 일인칭 대명사

1169)셔ᄌᆞ(西子) : 중국 춘추시대의 월(越)나라의 미인 서시(西施). 오나라에 패한 월나라 왕 구천이 서시를 부차에게 보내어 부차가 그 용모에 빠져 있는 사이에 오나라를 멸망시켰다.

샤(姒似)[1380] 번월(樊越)[1381]ᄀᆞᄐᆞᆫ 덕이 잇ᄂᆞᆫ 숙녜라도 다시 향의(向意)ᄒᆞᆯ ᄆᆞᄋᆞᆷ이 업더니, 현비의 쳔거ᄒᆞᄂᆞᆫ 바 뎡【18】시ᄂᆞᆫ 과인이 황셩의 이실 젹브터 닉이 셩화를 드른 ᄇᆡ러니, 현비 ᄯᅩ 그 셩화를 ᄇᆞᆰ히 드르며 여ᄎᆞᄒᆞ다 ᄒᆞ니, 아디 못게라, 현비 어ᄃᆡ로 좃ᄎᆞ ᄌᆞ셔히 드르미 이ᄃᆡ도록 소연ᄒᆞ뇨?”

교ᄋᆡ 더욱 어질건[1382] 쳬ᄒᆞ여 낫빗ᄎᆞᆯ 온유히 ᄒᆞ여 샤례 왈,

“쳡의 블민ᄒᆞ믈 대왕이 허믈치 아니시고 이러ᄐᆞᆺ 과도히 칭션ᄒᆞ시니, 쳡이 븟그려 죽으리로소이다. 뎡시ᄂᆞᆫ 쳡의 친견ᄒᆞᆫ ᄇᆡ 아니나 아름다오믈 본 드시 아ᄂᆞᆫ 일이 이시니, 살인디명이 ᄎᆞ악ᄒᆞ나 대왕은 그 부형의 셰권과 ᄌᆡ용의 특이ᄒᆞ믈 살피샤 거두어 빈희의 가ᄌᆞ믈 가ᄋᆡᄒᆞ쇼셔.”

왕【19】이 흔흔이 댱염(長髯)을 어로만져 우어 왈,

“현비의 너른 덕냥과 셩덕혜홰 갓쵸 ᄡᅢ혀나믈 임의 아란디 오ᄅᆡ거니와, 그 듕의 더욱 투긔 업ᄉᆞ미 남 다르도다. 뎡시 졀ᄒᆡᆼ과 ᄉᆡᆨ광이 고의 드른 ᄇᆡ라. 텬ᄌᆞ의 졍문포장ᄒᆞ시미 그 졍졀을 아름다이 넉이시미니, 이제 뎡시 댱샤의 뎍거ᄒᆞ나 윤광텬 위ᄒᆞᆫ 본 ᄠᅳᆺ을 ᄃᆡ히여 과인의 빈희 되믈 원치 아닐딘ᄃᆡ 능히 ᄒᆞᆯ 일 업거니와, 본ᄃᆡ 호화의 ᄉᆡᆼ댱ᄒᆞ여 누쳔니 원도(遠道)의 안치를 괴로와 ᄒᆞ며 고의 부귀를 흠앙ᄒᆞᄂᆞᆫ ᄆᆞᄋᆞᆷ이 이시면 슌히 좃ᄎᆞ리니, 뉴시를 질너 죽이미 모질고【20】ᄉᆞ오납다 ᄒᆞ려니와, 고의 위풍을 두리

1379)왕댱(王嬙) : 왕소군(王昭君). 중국 전한 원제(元帝)의 후궁. 이름은 장(嬙). 자는 소군(昭君). 기원전 33년 흉노와의 화친 정책으로 흉노의 호한야 선우(呼韓邪單于)와 정략결혼을 하였으나 자살하였다. 후세의 많은 문학 작품에 애화(哀話)로 윤색되었다

1380)임샤(姙似) : 중국 주(周)나라 현모양처(賢母良妻)인 문왕의 어머니 태임(太姙)과 무왕(武王)의 어머니 태사(太姒)를 함께 이르는 말.

1381)번월(樊越) : 중국 초나라 장왕(莊王)의 비(妃)인 번희(樊姬)와 소왕(昭王)의 비 월희(越姬). 둘 다 어진 마음으로 남편의 정사를 간(諫)해 덕행으로 유망하다.

1382)어질건 : 어진. 마음이 너그럽고 착한.

《명월‖번월(樊越)[1172]》 갓튼 슉녀라도 다시 향의(向意)할 ᄉᆡᆼ각○[이] 업더니, 현이[비] 쳔거ᄒᆞᄂᆞᆫ 바 뎡시ᄂᆞᆫ 괴 황셩○[의] 이실 젹븟터 셩화난 익이 드른 ᄇᆡ라. 아지못계라, 현비 어ᄃᆡ로 조ᄎᆞ ᄌᆞ셔이 드러나요[뇨]?”

교ᄋᆡ 왈,

“뎡시은 쳡이 친견ᄒᆞ미 아니나, 아름다오믈 본 다시 아나니, ᄉᆞᆯ인지명이 비록 ᄎᆞ악ᄒᆞ나, 원 ᄃᆡ왕은 긔특ᄒᆞ믈 살피ᄉᆞ 거두어 빈희을 ᄉᆞᆷ으소셔.”

왕인 흔연이 장념(長髯)을 어로만져 우어 왈,

“현후ᄂᆞᆫ 과인 갓ᄒᆞᆫ 가우을 남의게 도라보ᄂᆡ고져 ᄒᆞ니, 원간 투긔난 업ᄉᆞ미 남다르도다. 뎡시의 의황[ᄒᆡᆼ]과 ᄉᆡᆨ광이 고의 드른 ᄇᆡ라. 텬ᄌᆞ의 졍문표장ᄒᆞ시미 그 졍졀을 아름다니[이] 녀기시미니, 뎡시 장ᄉᆞ의 젹거ᄒᆞ나 윤광텬 위한 본 ᄠᅳᆺ을 직이여 고의 빈희되믈 원치 아니[닐]진ᄃᆡ 능히 헐일 업거이[니]와, 본ᄃᆡ 호화의 ᄉᆡᆼ장ᄒᆞ여 누쳔이[리] 타향의 안치믈[를] 괴로워 ᄒᆞ여, 고○[의] 부귀을 흠앙ᄒᆞ난 마음이 ○[이]시면 슌이 조ᄎᆞ리니, 뉴시을 질너 쥭이미 모질고 ᄉᆞ오납다 ᄒᆞ려이와, 고의 위풍을 두리지 아닐 이 업ᄉᆞ니, 현후의 셩덕혜화을 감열ᄒᆞ면

1170)왕장(王嬙) : 왕소군(王昭君). 중국 전한 원제(元帝)의 후궁. 이름은 장(嬙). 자는 소군(昭君). 기원전 33년 흉노와의 화친 정책으로 흉노의 호한야 선우(呼韓邪單于)와 정략결혼을 하였으나 자살하였다. 후세의 많은 문학 작품에 애화(哀話)로 윤색되었다

1171)임샤(姙似) : 중국 주(周)나라 현모양처(賢母良妻)인 문왕의 어머니 태임(太姙)과 무왕(武王)의 어머니 태사(太姒)를 함께 이르는 말.

1172)번월(樊越) : 중국 초나라 장왕(莊王)의 비(妃)인 번희(樊姬)와 소왕(昭王)의 비 월희(越姬). 둘 다 어진 마음으로 남편의 정사를 간(諫)해 덕행으로 유망하다.

디 아니리 업ᄉᆞ니, 현후의 셩덕혜화를 감열ᄒᆞ여 ᄌᆞ연 개과칙션ᄒᆞᆷ도 업디 아니리니, 엇디 됴치 아니리오.”

교ᄋᆡ 교언녕ᄉᆡᆨ으로 샤례ᄒᆞ여 어셔 뎡시를 다려오라 ᄒᆞ니, 왕이 쇼왈,

“미인의 긔특ᄒᆞ믈 드르ᄆᆡ 고의 ᄯᅳᆺ이 더욱 밧브ᄃᆡ, 댱ᄉᆡ 비록 ᄒᆞᆫ가지 싸히나 대국 토디를 버혀 쇼국을 ᄇᆡ판(配判)ᄒᆞᄆᆡ, ᄉᆞ이의 큰 물이 ᄀᆞ리여 슌풍을 만나야 ᄒᆡᆼ션ᄒᆞ리니, 과인이 변신으로 의논ᄒᆞ여 뎡시를 다려오리라.”

교ᄋᆡ 왈,

“이 일이 굿ᄐᆞ여 뎡되 아니니, 대왕은 여러 신뇨로 번거히 의논치【21】 마르시고, 대왕이 친신ᄒᆞᆫ ᄌᆞ를 ᄀᆞᆯᄒᆡ여 의논ᄒᆞ쇼셔.”

왕이 교ᄋᆞ의 말마다 올흐믈 일ᄏᆞᆺ고, ᄀᆞ마니 영신을 불너 ᄎᆞᄉᆞ를 의논ᄒᆞ니, 영신이 본ᄃᆡ 왕의 ᄯᅳᆺ을 맛치ᄂᆞᆫ디라. 응셩 ᄃᆡ왈,

“뎐히 뎡시를 다려오고져 ᄒᆞ시면, 신이 비록 용녈ᄒᆞ오나 슈ᄇᆡᆨ긔를 거ᄂᆞ려 뎡시의 뎍소의 나아가 뎡시를 다려오리이다.”

왕이 대열ᄒᆞ여 영신으로 ᄒᆞ여금 슈ᄇᆡᆨ긔를 거ᄂᆞ려 가라 ᄒᆞ고, 영니ᄒᆞᆫ 궁인으로 일승 교ᄌᆞ를 주어 뎡시를 위력으로 잡아 교ᄌᆞ의 너허 도라오라 ᄒᆞ니, 영신과 궁인이 슈명ᄒᆞ여 텬됴(天朝)[1383] 댱ᄉᆞ로 나아갈ᄉᆡ, ᄉᆞ긔 비밀ᄒᆞ여 알 니 업【22】고, 영신이 효용ᄒᆞ며 쳐신이 능녀ᄒᆞ므로 뎡시 다려오믈 근심치 아니터라.

뎡쇼졔 시랑이 도라가고 누쳔니 타향의 외로이 더디여, 살인죄슈로 댱ᄉᆞ의 찬뎍ᄒᆞ믈 사ᄅᆞᆷ마다 셩은이라 일ᄏᆞᄅᆞ니, 누를 ᄃᆡᄒᆞ여 원억ᄒᆞ믈 폭ᄇᆡᆨ(暴白)ᄒᆞ리오. 쇽졀업시 연연ᄒᆞᆫ 심장을 ᄉᆞᆯ오며 참담ᄒᆞᆫ 심회를 형용치 못ᄒᆞᆯ ᄲᅳᆫ 아니라, 니곽이 밧글 ᄃᆡ희엿고, 본읍 태쉬 슌시군 십여인식 뎡ᄒᆞ여 밤인즉 슌나ᄒᆞ기를 게얼니 아니ᄒᆞᄃᆡ, 쇼졔 스ᄉᆞ로 우구ᄒᆞ고 두리온 ᄆᆞᄋᆞᆷ이 츈빙을 드ᄃᆡ며 림상

1383)텬됴(天朝) : 천자의 조정. 여기서는 천자가 다스리는 나라의 땅.

ᄌᆞ연 ᄀᆡ과쳔션ᄒᆞ리니, 엇지 죠치 아니리오.”

교ᄋᆡ 《묘원∥교언》【63】녕ᄉᆡᆨ으로 ᄉᆞ례ᄒᆞ고 슈이 다려오라 ᄒᆞ니, 왕이 소왈,

“미인의 긔특ᄒᆞ믈 드르니 과인의 ᄯᅳᆺ이 더옥 밧브되, 장ᄉᆞ지경○[의] 큰 믈이 가리여 슌풍을 맛나냐[야] ᄒᆡᆼ션ᄒᆞ니, 신뇨와 의논ᄒᆞ여 뎡시을 다려오리라.”

교ᄋᆡ 왈,

“이 일이 굿ᄒᆞ여 졍되 아니니, 번거니[이] 신뇨의계 의논치 마르시고 친진[신](親信)ᄒᆞᆫ ᄉᆞ람을 갈히여 보ᄂᆡ소셔.”

왕이 교ᄋᆡ의 말마다 유리ᄒᆞ믈 칭찬ᄒᆞ고 가마니 영신을 불너 ᄎᆞᄉᆞ을 의논ᄒᆞ니, 영신이 본ᄃᆡ 왕의 ᄯᅳᆺ을 맛치난지라. 으[응]셩 ᄃᆡ왈,

“젼히 뎡시을 가려오고져 ᄒᆞ시면 시[신] 슈부ᄎᆡ[ᄌᆡ](臣雖不才)나 슈ᄇᆡᆨ긔을 거니[나]려 뎡시 젹소의 나아가 다려 오리다.”

왕이 ᄃᆡ열ᄒᆞ여 즉시 슈ᄇᆡᆨ 군졸과 명[영]이ᄒᆞᆫ 궁녀을 ᄐᆡᆨᄒᆞ여 일승 교ᄌᆞ을 쥬어 뎡시을 우[위]역(威力)으로 잡아 교ᄌᆞ의 너허오라 ᄒᆞ니, 영신과 뎡병(精兵)이 즉시 믈○[을] 건너 뎡시의 젹소의 니르니[ᄃᆡ], 이난[날] 오ᄉᆞᆯ 밧고와 토민의 복ᄉᆡᆨ을 ᄒᆞ고 두로 단니며 뎡시의 소식을 듯보니, 본읍 ᄐᆡ슈 각별 고[보]호ᄒᆞ고, 용녁이 유명ᄒᆞ[ᄒᆞᆫ] 니곽이 밧글 직히여 문젼의 《장인∥잡인》을 엄금ᄒᆞᆯ ᄲᅳᆫ 아니라, 닌이(隣里) 녀ᄌᆞ도 뎡소져의 얼골을 보지 못ᄒᆞ며 셩음을 듯지 못ᄒᆞ다 ᄒᆞ여, ᄂᆡ외 《엄직∥엄격》ᄒᆞ고 문호 엄슈[슉]ᄒᆞ여 직히니 만타 ᄒᆞ니,【64】 영신이 심즁 ᄂᆡᆼ소ᄒᆞ여 혀오ᄃᆡ,

을 넘흔 듯ᄒᆞ여, 능히 방ᄒᆞ치 못ᄒᆞᄂᆞᆫ디라. ᄀᆞ마니 앗츰마【23】다 ᄌᆞ긔 운슈를 츄졈ᄒᆞ더니, 시랑이 도라간 십ᄉᆞ일이 넘디 못ᄒᆞ여 도뎍의 환이 이실 듯ᄒᆞᆫ디라. 쇼졔 즉시 시노를 명ᄒᆞ여 풀흘 븨여 드리라 ᄒᆞ여, 그윽ᄒᆞᆫ ᄃᆡ셔 초인(草人) 칠팔인을 ᄆᆡᆫᄃᆞ라 장쇽(裝束)ᄒᆞ여, 의복과 복식을 댱슈 모양을 ᄒᆞ여 목검과 투고를 ᄡᅳ이며 칼흘 쥐이니, 홍션 등이 의아ᄒᆞ여 곡졀을 뭇ᄂᆞᆫ디라. 쇼졔 탄왈,

"인ᄉᆡᆼ셰간의 괴롭고 구ᄎᆞᄒᆞ미 날ᄀᆞᆺᄐᆞ니 어ᄃᆡ 이시리오. 초댱(草將)을 ᄆᆡᆫ들미 보기의 슈상ᄒᆞ나 ᄡᅳᆯ 곳이 ᄌᆞ연 이시리니 브졀업시 뭇디 말나."

홍션 등이 크게 괴이히 넉이나 다만 다시 뭇디 못ᄒᆞ여, 쇼져의 ᄒᆞᄂᆞᆫ 거동을 볼 ᄯᆞᄅᆞᆷ이러니,【24】 ᄎᆞ일 황혼의 쇼졔 홍션으로 ᄒᆞ여곰 초인을 ᄂᆡ졍(內庭) 문 알프로 좃ᄎᆞ 뒤쟝원 아릐가디 버려 셰우고, 니곽의게 통ᄒᆞ여 왈,

"관인이 밧글 딕희미 범연홀 거ᄉᆞᆫ 아니로ᄃᆡ, 주야 나의 ᄆᆞ음이 위ᄐᆡ로오니, 읍져(邑底)의 드러가 슌시군 슈십 인을 더 어더 각각 집 뒤 뫼 아릐 ᄆᆡ복ᄒᆞ엿다가, 블의디변이 잇거든 힘ᄡᅥ 막ᄌᆞ르라."

니곽이 슈명ᄒᆞ여 즉시 읍뎌의 가 태슈긔 뵈고, 슌시군을 더 쳥ᄒᆞ니 태슈 쇼왈,

"부인의 머므시ᄂᆞᆫ 곳은 관읍셔 디쳑이오, 밤마다 슌시군 십여인식 문젼 좌우 젼후로 갈나 딕희니, 위【25】ᄐᆡ로온 일이 업ᄉᆞᄃᆡ, 후ᄇᆡᆨ이 도라가고 쳔니 원향(遠鄕)의 외로이 뉴찬ᄒᆞ시ᄆᆡ, ᄌᆞ연 ᄆᆞ음이 비황ᄒᆞ여 심번(心煩)ᄒᆞ시미 괴이치 아니ᄒᆞᄃᆡ, 엇디 슌시군을 더 보ᄂᆡ디 아니리오."

니곽이 샤례ᄒᆞ고 슌시군 삼십여인을 어더 쇼져의 분부ᄃᆡ로 각각 허여져 ᄆᆡ복ᄒᆞ여 ᄉᆞ긔를 술피더라.

ᄎᆞ셜, 영신이 슈ᄇᆡᆨ긔와 궁인을 거나려 믈을 건너 뎡쇼져 뎍쇼의 니르ᄃᆡ, 옷술 토민의 복식을 ᄒᆞ고 두로 단니며 소문을 듯보아 뎡쇼져의 소식을 알녀 홀ᄉᆡ, 본읍 태슈 각

별이 고렴ᄒᆞ고, 용녁이 유명ᄒᆞᆫ 니곽이 밧글 【26】 딕희여, 잡인이 문젼의 드디 못할 ᄲᅳᆫ 아니라, 닌니 녀인도 뎡쇼져의 얼골을 보며 소ᄅᆡ를 드르니 업다 ᄒᆞ여, ᄂᆡ외 엄격ᄒᆞᆷ과 문회(門戶) 엄숙ᄒᆞ여, 딕희 니 만흐믈 드르니, 영신이 듕심의 ᄂᆡᆼ쇼ᄒᆞ여 혜오ᄃᆡ,

"뎡시 비록 잡인을 드러지 아니며, 니곽이 딕희미 엄ᄒᆞ나, 나의 용녁이 만뷔 당치 못ᄒᆞᆯ거시오, 아모커나 뎡시의 ᄯᅳᆺ을 볼거시라."

ᄒᆞ고, ᄒᆞᆫᄌᆞ 깁의 글을 ᄡᅧ 살히 ᄆᆡ여 바로 뎡시 머무ᄂᆞᆫ 침실 압플 ᄡᅩ노라 ᄒᆞᆫ 거시, 그릇 뒤 쟝원 아ᄅᆡ 나려디니, 홍션이 맛춤 여측ᄒᆞ다가 살흘 보고 놀라 ᄆᆡᆫ 깁을 프니, 글 ᄡᅳᆫ 거시 잇【27】거ᄂᆞᆯ 즉시 방듕의 드러가 쵹하의셔 보니, ᄒᆞ여시ᄃᆡ,

"텬연이 긔특ᄒᆞ여 대국 금평후의 만금 교ᄋᆡ 이곳의 찬뎍ᄒᆞᄂᆞᆫ 변을 만나ᄆᆡ, 공교히 ᄇᆡᆨ년 군ᄌᆞ를 만날 시졀이라. 비록 살인디명이 ᄎᆞ악ᄒᆞ나, 부운ᄀᆞᆺᄐᆞᆫ 누얼을 물외의 더디고 됴히 하날 명을 슌ᄒᆞ여, 금누패궐(金樓貝闕)의 부귀를 누리며, 디존을 뫼시○[미] 엇디 즐겁고 다ᄒᆡᆼ치 아니리오. 모로미 헛도이 윤가를 ᄉᆡᆼ각디 말고, ᄉᆡ 연분이 듕ᄒᆞ믈 ᄉᆡᆼ각ᄒᆞ여 거ᄉᆞ릴 ᄯᅳᆺ을 두디 마르쇼셔."

하여시니, 홍션이 견필의 대경ᄒᆞ여 연고를 ᄭᆡᄃᆞᆺ디 못ᄒᆞ니, 쇼졔 보고 비례의 글인 줄【28】 알고, 홍션다려 왈,

"비록 보디 아니ᄒᆞ나 그 듕의 흉셜이 잇ᄂᆞᆫ 줄 디긔ᄒᆞᄂᆞ니, 글과 살흘 댱원 밧긔 ᄂᆡ여 보ᄂᆡ라."

션이 도라와 눈물을 흘녀 왈,

"인심이 이ᄃᆡ도록 부인으로 ᄒᆞ여곰 뎍소의도 편히 머므디 못ᄒᆞ시게 흉계를 디으미 이시니, 엇디 ᄎᆞ악 상심치 아니리잇가?"

"뎡시 비록 잡인을 드리지 아니며, 니곽이 직희미 잇시나, 나의 용녁이 만부부당(萬夫不當)이오, 슈ᄇᆡᆨ 군졸이 다 ᄌᆞᆫ약지 아니니, 한 여ᄌᆞ을 못잡아 갈이 잇시리오. 아모케나 뎡시 ᄯᅳᆺ을 볼 거시라."

ᄒᆞ고, ᄒᆞᆫᄌᆞ 깁의 글을 ᄡᅧ 술의 ᄆᆡ여 졍시 침젼으로 쏘노라 한 거시 그릇 뒤 장원 압ᄑᆡ 나려지니, 마츰 홍션이 여칙[측](如厠)ᄒᆞ여다가, 술을 보고 놀나 깁을 그르니, 쓴 거시 잇거날, 즉시 방즁의 드러가 촉하의셔 보니, ᄒᆞ여시되,

"인연이 기특ᄒᆞ여 ᄃᆡ국 금평후 만금 일여 이곳의 찬젹ᄒᆞᄂᆞᆫ 병[변]을 만나ᄆᆡ, 공교니[이] ᄇᆡᆨ연 군ᄌᆞ을 만날시졀이라. 비록 술인지명이 차악ᄒᆞ나, 부운 갓튼 《무일‖누얼》을 물○[외]의 더지고 죠히 쳔명을 슌ᄒᆞ여, 금누ᄎᆡ궐(金樓彩闕)의 부귀을 누리며, 지존을 뫼시미 엇지 질겁지 안코 다ᄒᆡᆼ치 아니리오. 모오[로]미 윤가을 헛도니[이] 《져ᄇᆞ리고‖ᄉᆡᆼ각디 말고》 ᄉᆡ 연분을[이] 즁ᄒᆞ믈 ᄉᆡᆼ각ᄒᆞ여, 거슬[1173] ᄯᅳᆺ을 두지 마르소셔."

ᄒᆞ여시니, 홍셔[션]이 견필의 ᄃᆡ경ᄒᆞ여 먼[면]여 토ᄉᆡᆨᄒᆞ여 연고을 ᄭᆡ닷지 못ᄒᆞ니, 소제 발셔 비례불법의 글인 쥴 알고, 홍션다려 왈,

"글을 보지 못ᄒᆞ여도 지기ᄒᆞ나니 깁과 술을 장원【65】 밧게 바리라."

홍션이 장원 밧게 바리고 도라와 눈물을 흘여 왈,

"인심 셰도의 흉ᄒᆞ미 이ᄃᆡ○[도]록 부인을 더지미 잇시니 엇지 ᄎᆞ악지 아니릿가."

1173)거슬다 : 거스르다.

쇼졔 탄왈,

"나의 명되 긔구ᄒᆞ여 이곳의도 편히 잇디 못ᄒᆞᆯ 줄은 임의 아랏ᄂᆞ니, 금야의 흉뎍으로 ᄒᆞ여금 영영 바라디 못ᄒᆞ게 ᄒᆞ고져 ᄒᆞᄃᆡ, 내 이곳을 써나기 젼은 온가디로 괴로이 ᄒᆞ리니 됴흔 계괴 업도다."

덩언간의 함셩이 대딘ᄒᆞ며 화광이 됴요ᄒᆞ고 무슈ᄒᆞᆫ【29】 도뎍이 창검을 빗기고 바로 뎡쇼져 방을 향ᄒᆞ여 드러오니, 쇼졔 임의 초당을 ᄆᆡᆫᄃᆞ라 방비ᄒᆞᆯ ᄲᅮᆫ 아니라, 귀신을 브리며 풍운을 졔회(霽會)[1384]ᄒᆞᄂᆞᆫ 술이 이셔, 쥬필 부작을 더져 역귀(疫鬼) 금도(禁盜)[1385]를 발(發)ᄒᆞ여, 문득 모딘 벽녁(霹靂)이 니러나며 뎍의 불을 써바리고, 난ᄃᆡ 업ᄉᆞᆫ 군병이 창검을 빗겨 도뎍을 ᄃᆡ뎍ᄒᆞ니, 영신이 쳔만 의외 군병이 슈업시 나오며, 모딘 광풍의 괴이ᄒᆞᆫ 운뮈(雲霧) ᄉᆞ식(四塞)ᄒᆞ여 홰불을 써 디쳑을 분변치 못ᄒᆞ고, 긔운이 어질ᄒᆞ나 영신이 용녁을 미더 졍신을 슈습ᄒᆞ여, 졔졸을 호령 왈,

"안흐로 나오ᄂᆞᆫ 군병이 만흐나 우【30】리 군ᄉᆡ ᄯᅩ 젹디 아니니 여등은 두리디 말나."

졔군이 악풍을 므릅ᄡᅧ 방을 향ᄒᆞ나, 초당이 ᄉᆡᆼ인의 의형을 비러 튱돌ᄒᆞ니, 영신이 듕문을 드디 못ᄒᆞ고, 신병의 신긔ᄒᆞᆫ ᄌᆡ조와 운무 ᄉᆞ이의 튱돌ᄒᆞ여, 분분이 나려오ᄂᆞᆫ 창날과 번득이ᄂᆞᆫ 칼ᄭᅳᆺ치 사ᄅᆞᆷ을 ᄒᆡ치 아니나, 능히 ᄃᆡ뎍디 못ᄒᆞ여 아모리 ᄒᆞᆯ줄 모로더니, 니곽이 임의 슌시군을 거나려 ᄆᆡ복ᄒᆞ엿다가, 도뎍의 돌입ᄒᆞ믈 보고 대경ᄒᆞ여 급히 관아의 통ᄒᆞ며, 군을 거나려 엄습ᄒᆞ여 뒤흘 ᄌᆞᆺ바르니[1386], 영신이 니곽의 드러오ᄂᆞᆫ 거ᄉᆞᆯ 두리디 아니ᄒᆞᄃᆡ, 신병의 ᄌᆡ죄 무궁【31】ᄒᆞ믈 당ᄒᆞ여 인귀(人鬼)를 분변키 어렵고, 믈너나고져 ᄒᆞ나 밧그로 니곽이 갈 길

1384)졔회(霽會) : 구름 따위를 걷거나 모이게 함.
1385)금도(禁盜) : 금도군관(禁盜軍官). 도둑 잡는 군사들을 지휘하던 벼슬아치.
1386)ᄌᆞᆺ바르다 : 짓밟다.

소져 탄왈,

"명되 《구구‖긔구》ᄒᆞ여 젹소의도 편이 잇지 못ᄒᆞᆯ 쥴은 임의 아라나니, 아모리 ᄉᆡᆼ각ᄒᆞ여도 죠흔 계괴 업도다."

정언간의 함셩이 ᄃᆡ작ᄒᆞ고 화광이 죠요ᄒᆞ며 무슈한 도젹이 ᄎᆞᆼ검을 들고 믈미듯 드러오니, 소져 임의 쵸장(草將)을 ᄆᆡᆫ다라 방비○[ᄒᆞᆯ] ᄲᅮᆫ 이[아]니라, 귀신을 브리며 풍우을 지희[휘]ᄒᆞ니, 남ᄌᆞ로 니르면 공ᄆᆡᆼ안증(孔孟顔曾)[1174]의 도덕으로 졔갈무후(諸葛武侯)[1175]의 지략을 겸ᄒᆞ여시니, ᄒᆞᆫ번 두[주]필 부죡을 더지니 문득 모진 바람이 젹화(敵火)을 써바리며, 무슈한 신병과 창검으로 도젹을 막ᄌᆞ르니, 영신이 쳔만 기악[약]지 아닌 군병이 슈업시 나오며, 모진 광풍의 고이한 운뮈ᄉᆞ식(雲霧四塞)ᄒᆞ여 홰불을 써{져} 지쳑을 분변치 못ᄒᆞ고, 기운이 어질ᄒᆞ나, 영신이 용역(勇力)을 미더 정신을 가다듬아 졔졸을 호녕(號令) 왈,

"안흐로 나오난 군병이 만흐나 우리 군ᄉᆡ ᄯᅩ한 젹지 아니ᄒᆞ니 여등은 힘을 다ᄒᆞ라."

졔군이 악풍을 무릅써 방즁을 향ᄒᆞ나, 쵸장이 역시 의구【66】히 ᄉᆡᆼ인의 형용을 비러 츙돌ᄒᆞ니, 영신이 능히 즁문의 듯[들]지 못ᄒᆞ고, 신병의 신츌ᄒᆞᆫ ᄌᆡ조 운무 즁의 츌몰ᄒᆞ여, 분분이 나려오난 창날과 번득이난 칼ᄭᅳᆺ치 ᄉᆞ람을 ᄒᆡ치 아니ᄒᆞ나, ᄃᆡ적지 못ᄒᆞ여 아모리 ᄒᆞᆯ 쥴 모로더니, 니곽이 임의 슌시군을 거나려 뒤 뫼 아ᄅᆡ ᄆᆡ복ᄒᆞ엿다가, 도젹의돌입ᄒᆞ믈 보고 ᄃᆡ경ᄒᆞ여 급히 관아의 통ᄒᆞ여, 일변 군을 거나려 압흘 엄습ᄒᆞ며, 그 뒤흘 지발프니,[1176] 연[영]신이 니곽의 드러오믈 두리지 아니ᄒᆞᄃᆡ, 신병의 ᄌᆡ됴 무

1174)공ᄆᆡᆼ안증(孔孟顔曾) ; 공자(孔子) 맹자(孟子) 안자(顔子) 증자(曾子)를 함께 이르는 말.
1175)졔갈무후(諸葛武侯) : 중국 삼국 시대 촉한의 정치가 제갈량(諸葛亮). 자(字)는 공명(孔明), 시호는 충무(忠武).
1176)지발프다 : 짓밟다.

ᄒᆞᆯ 막아 잡으려 ᄒᆞ니, 영신이 딘퇴를 임의치 못ᄒᆞ고, 평ᄉᆡᆼ 힘을 발ᄒᆞ여 니곽으로 더브러 죽도록 ᄡᅡ화 승부를 결ᄒᆞ고 뎡부인을 다려갈 의ᄉᆞ를 못ᄒᆞ여, 브졀업시 군졸을 거나려 이의 오믈 ᄋᆡ돌와 ᄒᆞᆯ ᄲᅳᆫ이라.

뎡쇼졔 니곽의 밧긔 와시믈 듯고 풍운과 신병을 니곽이 보믈 깃거 아니나, 이러치 아니면 뎍을 능히 물니치디 못ᄒᆞᆯ디라. 그ᄋᆞᆨ이 ᄌᆡ조 낫타ᄂᆡ믈 깃거 아니 ᄒᆞ더라. 니곽이 영신으로 더브러 ᄡᅡ홈을 삼경브터 계명토록 딘력ᄒᆞ여 ᄡᅡᆫ【32】거술 헷치니, 영신이 좌튱우돌ᄒᆞ여 능히 {버셔} 버셔나디 못ᄒᆞ고, 태쉬 임의 아라 친히 관군을 거나려와 영신을 잡으려 하더니, 영신이 몸을 ᄯᅱ여 곽의 ᄐᆞᆫ 말 다리를 디르니, 곽이 마하의 ᄣᅥ러디ᄃᆡ 용녁이 강ᄆᆡᆼᄒᆞ므로, 낙상ᄒᆞ여 알프믈 닛고 영신을 잡고져 ᄒᆞ더니, 신이 곽을 마하의 ᄣᅥ르치고 딘력ᄒᆞ여 ᄡᅡᆫ 거술 헷쳐 다라나ᄆᆡ, 창솟출 번득여 사ᄅᆞᆷ을 ᄒᆡᄒᆞ니, 군졸이 능히 ᄡᆞ라 참디못ᄒᆞ여 영신을 일코, 그 좃촌 바 군긔 슈ᄇᆡᆨ여긔와 궁인을 다 잡으니, 본읍 태【33】쉬 일일히 칼 메워 관읍으로 잡아가고, 곽이 시녀로 부인 긔운을 뭇ᄌᆞ오니, 쇼졔 비로소 풍운과 신병을 거두며 초댱을 업시 ᄒᆞ여, 사ᄅᆞᆷ의 슈상히 넉이믈 취티 말고져 ᄒᆞᄃᆡ, 발셔 신병의 쳡쳡홈과 운무의 괴이ᄒᆞ믈 니곽 등과 본읍 태쉬 본 ᄇᆡ 되어, 듕심의 뎡쇼져 ᄌᆡ조를 긔이히 넉이나, 언두의 일캇디 아니ᄒᆞ믄 쇼졔 괴로이 넉일가 ᄒᆞ미러라.

졔시녜 부인의 긔운이 평안ᄒᆞ시믈 니곽의게 젼ᄒᆞ고, 쇼져의 신출귀몰ᄒᆞᆫ ᄌᆡ조를 경복ᄒᆞ여 우러ᄂᆞᆫ 졍셩이 텬신으로 밀위더라. 본읍태쉬 도뎍【34】과 궁인의 모양의 녀ᄌᆞ를 잡아 도라와 밧비 엄형코져 ᄒᆞ더니, 태슈의 모부인이 곽긔(癨氣)[1387]로 환휘 위급

1387)곽긔(癨氣) : 곽란(癨亂). 음식이 체하여 토하고 설사하는 급성 위장병. 찬물을 마시거나 몹시 화

궁ᄒᆞ믈 당ᄒᆞ여 인귀을 분별키 어렵고, 믈너나고져 ᄒᆞ나 밧그로 니곽이 갈 질[길]을 막아 잡으려 ᄒᆞ니, 영신이 진퇴부득ᄒᆞ여 평ᄉᆡᆼ 힘을 다ᄒᆞ여 니곽으로 더브러 쥭도록 ᄡᅡ와, 승부을 결ᄒᆞ고 뎡부인을 다려가고져 ᄒᆞᄃᆡ, 힘이 진ᄒᆞ여 뎡부인 다려가기난 ᄉᆡ로니[이] 도라가기도 임의치 못ᄒᆞ여, 부졀업시 군ᄉᆞ을 거나려 이곳의 오믈 ᄋᆡ달나 ᄒᆞᆯ ᄲᅮᆫ이라.

뎡소져 니곽이 밧기 와시믈 알고, 풍운과 신병을 니곽이 알믈 깃거 아니나, 이러치 아니면 젹을 능히 믈이○[치]지 못ᄒᆞᆯ지라. 곽이 영신으로 ᄉᆞᆷ경 후브터 ᄡᅡ와 계명이 되도록 진【67】녁히 ᄡᅡᆫ 거술 즈치니, 영신이 좌츙우돌ᄒᆞ여 능히 버셔나지 못ᄒᆞ고, ᄐᆡ슈 ᄯᅩ 관군을 거나려 영신을 잡으려 ᄒᆞ더니, 영신이 몸을 ᄯᅱ여 곽의 탄 말 다리을 지르니, 곽이 마하의 나려지거날 영신이 틈을 타 다르[라]나니, 영신이 은신코, 조찬 바 군ᄉᆞ 슈ᄇᆡᆨ과 궁이[인] 육명○[을] 다 잡으니, 본읍 ᄐᆡ쉬 일일이 칼 메워 잡아가고, 곽이 시여로 ᄒᆞ여금 부인 긔운을 무르니, 소져 비로소 운무의[와] 신졸(神卒)을 거두고 《토장‖쵸장》을 업시ᄒᆞ여 ᄉᆞ람의 슈ᄉᆞᆼ이 여기믈 취치 말고져 ᄒᆞ나, 발셔 신병의 쳡쳡홈과 운무의 고이ᄒᆞ믈 곽 등과 본읍 ᄐᆡ쉬 본 ᄇᆡ라. 뎡소져 ᄌᆡ조을 긔이히 녀긔나 언두의 《이ᄀᆺ치‖일캇치》 아니문 소졔 괴로니[이] 녁길가 ᄒᆞ미더라.

졔시ᄋᆡ 부인이[의] 긔운이 평안ᄒᆞ시믈 젼ᄒᆞ고, 그 신츌귀몰한 ᄌᆡ조을 탄복ᄒᆞ여 우럿난 졍셩이 쳔신《을‖으로》밀위더라. 본읍 ᄐᆡ쉬 도젹을 악형코져 ᄒᆞ더니, 그 모부인 곽기(癨氣)[1177]로 환후 급ᄒᆞ니, 소ᄐᆡ쉬 젹뉴

1177)곽긔(癨氣) : 곽란(癨亂). 음식이 체하여 토하고 설사하는 급성 위장병. 찬물을 마시거나 몹시 화가 난 경우, 뱃멀미나 차멀미로 위가 손상되어 일

ᄒᆞ니, 소태쉬 덕뉴를 다 하옥ᄒᆞ고, 모친 환후를 구호ᄒᆞ더니, 일이 블힝ᄒᆞ여 태부인의 병이 더어 ᄎᆞ일 오시(午時)의 별세ᄒᆞ니, 태쉬 호텬벽용(呼天擗踊)1388)ᄒᆞ여 망극(罔極) ᄋᆡ통(哀慟)ᄒᆞ미 비ᄒᆞᆯ 곳이 없고, 당ᄉᆞ는 번국디계므로, 읍져(邑底) ᄃᆡ희ᄂᆞᆫ 관원이 장ᄉᆞᄂᆞᆫ ᄒᆞ로도 업디 못ᄒᆞ여, 소태슈ᄂᆞᆫ 별샤(別舍)로 옴고, 남쉬 츄관(秋官)1389)이 당샤 겸관(兼官)이 되여 소태슈 모부인의 티상(治喪)을 돕고 공ᄉᆞ를 ᄉᆞᆯ필ᄉᆡ, 남쉬 츄관 오셰웅은 위인이 간활능녀(奸猾凌厲)ᄒᆞ여, 본ᄃᆡ 댱샤왕으로【35】 이종형뎨(姨從兄弟) 고로, 셔로 방불(彷彿)ᄒᆞ여 디극ᄒᆞᆫ 사이러라. 영신이 니곽의게 ᄶᅩᆺ치여 계오 목숨을 보젼ᄒᆞ고, ᄡᅥᆫ거ᄉᆞᆯ 헷쳐 밧비 도망ᄒᆞ여 산곡간의 숨엇더니, 낫이 못ᄒᆞ여 소태쉬 ᄌᆡ상(在喪)ᄒᆞ고, 오츄관이 댱샤 겸관이 되여 읍져의 와시믈 듯고, 대열 왈,

"하날이 도와 소태쉬 ᄌᆡ상ᄒᆞ고, 오츄관이 이의 와시니 뎡시 다려가미 쉬오리로다."

ᄒᆞ고, 이에 갑쥬를 업시ᄒᆞ고 헌 옷ᄉᆞᆯ 두로 ᄭᅳ으러 닙으며 일목(一目)이 병든 쳬ᄒᆞ여, 댱샤 관문의 니르러, 관문을 두다려 왈,

"나ᄂᆞᆫ 남쉬 ᄇᆡᆨ셩이러니 맛춤 원억ᄒᆞᆫ 일이 이셔 졍ᄉᆞ를 고ᄒᆞ여디라."【36】

ᄒᆞᆫᄃᆡ, 관니 방ᄎᆞ(防遮) 왈,

"남쉬 추관이 맛춤 이곳의 겸관으로 ᄒᆞ여 계시나, 남쉬ᄌᆞ식 계시고 디금 겸관 태쉬 젼태슈 모부인 티상의 골몰ᄒᆞ여 계시니, 공ᄉᆞ를 쳐결치 못ᄒᆞᆫ다."

가 난 경우, 뱃멀미나 차멀미로 위가 손상되어 일어난다.

1388)호천벽용(呼天擗踊) : 하늘을 우러러 부르짖으며 가슴을 치고 발을 굴러 통곡함. 어버이의 상사(喪事)에 상제(喪制)가 가슴을 치고 발을 구르며 곡(哭)하는 예절.

1389)츄관(秋官) : 형관(刑官). 법률・사송(詞訟)・상언(上言) 따위의 일을 맡아보던 관아(官衙)의 우두머리.

을 다 하옥ᄒᆞ고 환후을 구호ᄒᆞ더니, 일리 불힝ᄒᆞ여 ᄐᆡ슈의 모부인이 ᄎᆞ일 오시(午時)의 별세ᄒᆞ니, ᄐᆡ슈 ○○○○[ᄋᆡ통(哀慟)ᄒᆞ미] 호천망극(昊天罔極)ᄒᆞ여 비ᄒᆞᆯ 곳이 업고, 장ᄉᆞ은 벽[번]국지경(藩國之境)【68】인 고로 읍져(邑底) 《ᄃᆡ회난‖직희ᄂᆞᆫ》 관원이 ᄒᆞ로도 장가[ᄉᆞ]을 비오지 못ᄒᆞ여, 소ᄐᆡ슈난 별ᄉᆞ(別舍)로 옴고, 남쥬 츄관(秋官)1178)이 겸관(兼官)이 되어 소ᄐᆡ슈 모부인 치ᄉᆞᆼ(治喪)을 돕고 공ᄉᆞ을 ᄉᆞᆯ필ᄉᆡ, 남쥬 츄관 오셰웅은 위인이 간활ᄒᆞᆫ지라. 녕신이 니곽의게 조치여 게우 목ᄉᆞᆷ을 도망○○[ᄒᆞ여] ᄉᆞᆫ곡의 ᄉᆞᆷ엇더니, 본읍 ᄐᆡ슈 친ᄉᆞᆼ을 당ᄒᆞ고 오츄관이 장ᄉᆞ 겸관○[이] 되어 읍져 가심을 듯고 손벽쳐 왈,

"ᄒᆞ날이 되게 ᄒᆞ여시니 이 ᄯᆡ 뎡시 다려가미 쉬오리라."

ᄒᆞ고, 이의 갑쥬을 업시ᄒᆞ고 현[헌] 오ᄉᆞᆯ 두루ᄭᅳ러 입으ᄆᆡ 일목(一目)이 병든 쳐[쳬]ᄒᆞ여 장ᄉᆞ 관문의 일으려[러], 관문을 두다려 왈,

"나은 남쥬 ᄇᆡᆨ셩이러니 츄관이 장ᄉᆞ 겸관이 되어 남쥬 관읍의 아니 게시니, 마ᄎᆞᆷ 원억ᄒᆞᆫ 일이 이셔 원장(原狀)1179)을 고ᄒᆞ여지라."

ᄒᆞ니, 관니 막고 드리지 아냐 왈,

"남쥬 츄관이 이곳의 겸관으로 왓시나, 남쥐은 ᄌᆞ식 계시니 엇지 츄관계 원장을 고ᄒᆞ리오. ᄯᅩᄒᆞᆫ 젼 ᄐᆡ슈 모부인 치ᄉᆞᆼ의 골몰ᄒᆞ니 아모 일도 결을치 못ᄒᆞᄂᆞ니라."

어난다.

1178)츄관(秋官) : 형관(刑官). 법률・사송(詞訟)・상언(上言) 따위의 일을 맡아보던 관아(官衙)의 우두머리.

1179)원장(原狀) : 소장(訴狀).

하여, 드리지 아니ᄒᆞ니, 영신이 슬피 비러 긋치지 아니니, 문니(門吏) 마디 못ᄒᆞ여 드려 보ᄂᆡ니, 영신이 댱샤국 대댱군으로셔 국왕의 명을 바다 뎡쇼져를 다리라 왓다가 일이 패루ᄒᆞ믈 ᄌᆞ초디죵(自初至終)히 베퍼 낭듕의 너코, 츄관 알패 츄쥐(趨走) 브복ᄒᆞ니 츄관이 비록 영신을 젼ᄌᆞ의 본ᄇᆡ나, 병인을 능히 아라보디 못ᄒᆞ니, 츄관이 이의 문왈,

【37】"남쥐ᄌᆞ식 계시거놀 어이 이 고을을 ᄎᆞᄌᆞ왓ᄂᆞ뇨."

영신이 ᄇᆡ왈,

"쇼인은 남쥐 ᄇᆡᆨ셩이 아니오, 경샤 오시듕 ᄐᆡᆨ 샹ᄉᆞ디노ᄌᆡ(上司之奴子)[1390]라. 관니 막고 드리디 아니ᄒᆞ거놀, 짐즛 남쥐 ᄇᆡᆨ셩이믈 핑계ᄒᆞ엿ᄉᆞᆸ더니, 쥬인의 봉셰(封書) 잇ᄂᆞ니이다."

언파의 셔간을 ᄂᆡ니 영신이 남쥐ᄇᆡᆨ셩이로라 ᄒᆞ고 쇼디를 올닌즉, 댱샤왕의 아름답디 아닌 계교를 관니 등이 알가 두려, 짐즛 오츄관의 친쳑 오시듕의 노ᄌᆡ믈 니르고, 셔간의 졍유를 베픈 바를 올니니, 오셰웅이 봉셔를 ᄣᅧ혀 본즉 이 믄○[득] 댱ᄉᆞ왕의 ᄉᆞ랑ᄒᆞᄂᆞᆫ 댱ᄉᆞ(壯士) 영신의 허다 졍셰(情書)오, 계【38】하의 셧ᄂᆞᆫ ᄇᆡ 영신이라. 여러 이목의 의심을 일위디 아니려 ᄒᆞ여 이리코 와시믈 짐작ᄒᆞ니, 원ᄂᆡ 물이 물을 좃ᄎᆞ며 뉘 뉴를 ᄊᆞ로ᄂᆞᆫ디라, 댱샤왕의 무상홈과 영신의 간능ᄒᆞ믈 오셰웅은 아름다이 넉이ᄂᆞᆫ지라, 셔간을 본 후 낭듕(囊中)의 쟝ᄒᆞ고 왈,

"시듕(侍中) 부듕(府中) ᄉᆞ디노ᄌᆡ(事知奴子)[1391]라. 참혹ᄒᆞᆫ 병인이 되여시니 인심의 츄연ᄒᆞᆫ디라, 아ᄃᆡᆨ 소태슈 모부인 초죵졔구(初終諸具)를 출히ᄆᆡ ᄌᆞ연 결을[1392]치 못ᄒᆞ

1390)샹ᄉᆞ디노ᄌᆡ(上司之奴子) : 상부(上府: 웃전殿)의 종.

1391)ᄉᆞ디노ᄌᆡ(事知奴子) : 일에 익숙한 노복(奴僕).

영신이 울며 왈,

"남쥬 ᄌᆞᄉᆞ 게시나 나의 원졍을 고치 못ᄒᆞ여, 츄관게 알왼 후 츄관이 ᄌᆞ식와 상의ᄒᆞ려 ᄒᆞ시나니, 엇지 마[막]기를 이ᄀᆞᆺ치 ᄒᆞ여 나의 졍ᄉᆞ을 고치 못ᄒᆞ게 ᄒᆞ【69】나뇨?"

문니 막지 못ᄒᆞ여 영신을 드려보ᄂᆡ니, 영신이 《상국‖장ᄉᆞ국》 ᄃᆡ즁으로 뎡시을 다리라 왓다가 니곽의게 ᄶᅩ친 ᄉᆞ연을 일봉 셔의 갓쵸어, 페낭즁(弊囊中)의 너고[코] 츄관 압ᄑᆡ 나아가니, 츄관이 영신을 젼ᄌᆞ의 보아시되 눈이 멀고 다리 져니 그 아묀 쥴 아지 못ᄒᆞ여 문왈,

"남쥬 ᄇᆡᆨ셩이 엇지 ᄌᆞᄉᆞ 읍져을 지나 장ᄉᆞ을 ᄎᆞ져 왓나뇨?"

영신이 ᄇᆡ{봉} 왈,

"소인은 남쥬 ᄇᆡᆨ셩이 아니라, 경ᄉᆞ 오시즁 ᄐᆡᆨ 노ᄌᆡ라. 이[위]관(衛官)이 문을 막고 드리지 아니ᄒᆞᄋᆞᆸ거날, 짐짓 남쥬 ᄇᆡᆨ셩이라 핑계ᄒᆞ엿ᄉᆞᆸ더니, 쥬인의 봉셔 예 왓[잇]나니다."

ᄒᆞ고, 소지을 올인직, 장ᄉᆞ왕의 아람답지 아닌 일을 관니 등이 알가 두려, 짐짓 오츄관의 친쳑 오시즁 ᄐᆡᆨ 노ᄌᆞ을[믈] 니르고, 셔간을 드리ᄆᆡ, 츄관이 봉셔을 ᄣᅧ여보니 믄득 장ᄉᆞ왕의 장ᄉᆞ 영신의 허다 졍셔오, 게하의 셔난 ᄌᆡ 영신이라. 여러 이목이 두려 변형ᄒᆞ믈 짐작고, 원ᄂᆡ 장ᄉᆞ왕의 무ᄉᆞᆼ홈과 영신의 간능ᄒᆞ믈 오셰웅은 가장 아람다니[이] 알ᄆᆡ, 셔간을 다 본 후 영신다려 왈,

"아즉 소ᄐᆡᆨ슈 모【70】부인 쵸상졔구(初喪諸具)을 출히ᄆᆡ 아모 일도 결을치 못ᄒᆞ니, 너ᄂᆞᆫ 가지 말고 머으[므]럿다가 조용한 ᄶᆡ 답간을 맛타 가라."

니, 너는 나의 친신이 브리던 거시니 물너 가디 말고 이의 잇셔 죵용히 답간을 맛타 가라."

영신이 샤례ᄒᆞ고 이날브터 츄관 겻ᄐᆡ 이셔 뫼시니, 하【39】리 등이 조금도 의심치 아니터라. 오셰웅이 좌위 고요ᄒᆞ믈 타 영신을 나아오라 ᄒᆞ여, 젼후곡졀을 ᄌᆞ세 므러 알고 궁인과 ᄉᆞ졸이 다 댱샤 옥듕의 가도여시믈 알고, 우음을 먹음어 왈,

"하날이 뎡시를 돕디 아냐 소태쉬 ᄌᆡ상ᄒᆞ미니, 이제는 뎡시 후려 가기와 댱사옥의 ᄉᆞ졸 노키는 내 손의 이시니 념녀 말나."

영신 왈,

"상공의 말숨이 맛당ᄒᆞ시나, 소태슈의 ᄌᆡ상ᄒᆞ시믈 발셔 됴정의 고ᄒᆞ여시니, 블급 삼ᄉᆞ삭의 댱샤태쉬 ᄉᆡ로 올디라. 그 ᄉᆞ이 상공이 겸관으로 계시니, 소태쉬 모부인의 입념 셩복을 디ᄂᆡ고 경샤로 반구(返柩)[1393] ᄒᆞᆫ 후 즉【40】시 여ᄎᆞ여ᄎᆞ ᄒᆞ쇼셔."

오셰웅이 올히 넉여 만구(萬口) 응슌(應順)ᄒᆞ더라.

슈일이 디나ᄆᆡ 소태쉬 모부인 셩복을 디ᄂᆡ고 경샤로 반구ᄒᆞᆯᄉᆡ, 태슈의 참참(憯憯)ᄒᆞᆫ ᄋᆡ곡(哀哭)과 오오열열(嗚嗚咽咽)ᄒᆞ여 망망이 ᄯᆞᆯ올 ᄃᆞᆺᄒᆞ니, 보ᄂᆞ니 위ᄒᆞ여 슬허ᄒᆞ고 위ᄐᆡ히 넉이더라. 오셰웅이 태쉬 샹경ᄒᆞ고 ᄉᆡ로 태쉬 오기 젼 용ᄉᆞ코져 ᄒᆞ니, 셰웅이 즉시 옥니를 불너 므러 왈,

"이곳의 뎍거ᄒᆞᆫ 뎡부인 가샤 돌입ᄒᆞᆫ 뎍슈(賊囚)를 어나 곳의 가도왓ᄂᆞ뇨?"

옥니 ᄃᆡ왈,

"젼관이 그 도뎍을 즉시 져쥬려 ᄒᆞ시다가, 태부인 환후의 황황ᄒᆞ여 밋쳐 간경을 뭇【41】디 못ᄒᆞ시고 다 하옥ᄒᆞ시니, 오십여 인인고로, 각각 가도디 못ᄒᆞ여 댱방(長房)의 가도앗ᄂᆞ이다."

츄관이 우문 왈,

영신이 ᄉᆞ례ᄒᆞ고 니날붓터 츄관의 겻ᄐᆡ셔 말ᄒᆞᆫᄃᆡ 하니[리] 등이 의심치 아니터라. 오셰웅이 죠용ᄒᆞᆫ ᄯᆡ을 ᄐᆞ 영신을 블너 《젼우골졀‖전후곡졀》○[을] ᄌᆞ시 알고 소왈,

"하날이 뎡시을 돕지 아냐 소ᄐᆡ우 ᄌᆡᄉᆞᆼᄒᆞ미니, 이졔 뎡시 다려가긔와 옥즁의 가치인 ᄉᆞ람 노키난 ᄂᆡ 손의 잇시니 념여 말나."

영신 왈,

"ᄉᆞᆼ공○○○[의 말숨]이 맛당ᄒᆞ시나, 옥슈[즁] 죄인을 임의로 방송치 못ᄒᆞ리니, ᄎᆞ라니[리] 모야의 옥문을 여려[러] 노흐시고 월옥도쥬ᄒᆞ라 ᄒᆞ여, 옥니를 별반 쳐치 ᄒᆞ소셔."

세웅이 즉시 옥니을 불너 문왈,

"이곳 뎡부인 젹거ᄒᆞᆫ 가ᄉᆞ 돌입한 젹유(賊類) 어ᄂᆡ 곳의 가도앗느요[뇨]?"

옥이[리] ᄃᆡ왈,

"젼관이 그 도젹을 즉시 죄쥬려 ᄒᆞ다가, ᄃᆡ부인 환후의 황황ᄒᆞ여 미쳐 간경을 뭇지 못ᄒᆞ시고, 다 하옥ᄒᆞ시니 오십여 인인 고로, 각각 가도지 못ᄒᆞ여 장방(長房)의 가도앗숨나니다."

츄관이 우문 왈,

1392)결을 : 겨를. 어떤 일을 하다가 생각 따위를 다른 데로 돌릴 수 있는 시간적인 여유. ≒틈.

1393)반구(返柩) : 객지에서 죽은 사람의 시체를 고향이나 제집으로 보냄. ≒반상(返喪.

"궁인은 어ᄃᆡ 가도왓ᄂᆞ뇨?"

옥니 ᄃᆡ왈,

"궁녀ᄂᆞᆫ 다른 녀인과 달나 다른 곳의 가도왓이다."

츄관 왈,

"궁인을 마자 댱방(長房)의 가도와 신관이 나려와 쳐결ᄒᆞ게 ᄒᆞ라."

옥니 슈명하여 궁인을 댱방 옥의 옴겨 가도왓더니, ᄎᆞ야의 오츄관이 만뇌구뎍(萬籟俱寂)한 후, 영신의 손을 닛그러 댱방 옥의 나아가 옥문을 ᄭᅢ쳐 바리고 댱샤 군졸을 ᄂᆡ여 노코, 아샤(衙舍) 원문으로 좃ᄎᆞ 슌시군이 모르게 도망ᄒᆞ라 당부ᄒᆞ고, 금은을 주어 각각 그윽ᄒᆞᆫ 산곡【42】간의 숨엇다가, 뎡시를 다려갈 ᄯᅢ ᄒᆞᆫ가디로 가게 ᄒᆞ라 ᄒᆞ니, ᄉᆞ졸과 궁인이 감샤 대열ᄒᆞ여 즉시 쥐 숨 듯 다라나고, 츄관은 영신으로 더브러 뎡침의셔 ᄌᆞᆷ이 깁흔 쳬ᄒᆞ니, 그 흉계를 아모도 알 니 업더라.

효신의 슌시군이 댱방 옥 알플 슌시ᄒᆞ다가 옥문이 황연이 ᄭᅢ여디고 오십여 인 죄쉬 간 곳이 업ᄉᆞ니, 크게 놀나 겻ᄐᆡ 옥니 잠이 깁허시믈 보고 흔드러 ᄭᅢ와, 죄슈 등의 거쳐를 아ᄂᆞᆫ가 모르니, 옥니 경황ᄎᆞ악ᄒᆞ여 왈,

"작셕의 죄슈 등의 밥을 주고, 문을 단단이 잠은 후 날이 덥기로, 압 ᄂᆡ물의 목욕ᄒᆞ고 도라와 송경 밋【43】ᄐᆡ셔 잠을 드럿더니, 그 ᄉᆞ이 죄슈들이 월옥(越獄)ᄒᆞᆯ 줄 어이 아라시리오."

슌시군이 역경 왈,

"우리 ᄯᅩ한 슌시ᄒᆞ기를 게얼니 아냐시ᄃᆡ, 죄슈 오십여 인이 도망ᄒᆞ믈 보디 못ᄒᆞ여시니 죄칙이 젹디 아닐더라, 이런 괴이한 익경이 업도다."

옥니 망극 경황ᄒᆞ여 명일 츄관긔 고ᄒᆞ니, 츄관이 거즛 노왈,

"궁인은 어ᄃᆡ 가도아나뇨?

옥니 ᄃᆡ왈,

"궁여난 다른 여인과 달나 다른 곳의 가도왓나니다."

츄관 왈,

"궁인을 마ᄌᆞ 장방의 가도아 신관○[이] 나려와【71】 처결키[케] ᄒᆞ라."

옥니 슈명ᄒᆞ여 궁인을 장방의 옴게[겨]더니, ᄎᆞ야의 오츄관이 만긔[뇌]구젹(萬籟俱寂)ᄒᆞᆫ 후, 영신○[의] 손을 잇그러 장방 옥의 나아가 옥문을 ᄭᅢ쳐바리고, 장ᄉᆞ 군졸을 ᄂᆡ여 노코[1180] 아ᄉᆞ(衙舍) 원문으로 죠ᄎᆞ 슌시군이 모로게 도망ᄒᆞ라 당부ᄒᆞ고, 금은을 쥬어 각각 그윽ᄒᆞᆫ ᄉᆞᆫ곡간의 숨어 뎡시을 다려갈 ᄯᅢ 한가지로 가게 ᄒᆞ라○○[ᄒᆞ니], ᄉᆞ졸과 궁인이 ᄃᆡ열ᄒᆞ여 즉시 쥐숨 듯 다라니[나]고, 츄관은 영신으로 《덥으러‖더브러》 경[뎡]침의 ᄌᆞᆷ이 깁흔 쳬ᄒᆞ니, 그 흉게 뉘 알이오.

효신의 슌시군이 장방 압흘 슌시ᄒᆞ다가 옥문이 황년(荒然)이 ᄭᅢ여지고 오십여인 죄슈 거쳐을 므[모]르니, 옥니 창황차악(惝怳嗟愕) 왈,

"작셕의 죄슈 등○[의] 밥을 쥬고 문을 단단이 잠은 후, 날이 덥거날 압ᄂᆡ의 못욕ᄒᆞ고 도라와 송경 밋히 잠을 드럿더니, 그 ᄉᆞ니 죄슈 등이 월옥ᄒᆞᆫ[ᄒᆞᆯ] 쥴 ᄯᅳᆺᄒᆞ여시리오."

슌시군이 역시 놀나 왈,

"우리 ᄯᅩ한 슌나○[을] 게을이 아녀시되 되슈 등 오십여 명이 도망ᄒᆞ믈 보지 못ᄒᆞ여시니 죄칙이 적지 아일[닐]지라. 이런 익경이 어ᄃᆡ 잇시리오."

옥이[리]ᄂᆞᆫ 지은 죄 업시 망극경힝[황]ᄒᆞ여 명일 츄관의 소유을 고ᄒᆞ니, 츄관이 노왈,

1180) [코노]로 잘 못 쓴 것을 교정부호('ᵒ' 와 '、') 를 사용하여 [코ᵒ노、]로 교정하였다. 'ᵒ'표시한 글자를 '、'표시한 글자와 순서를 바꾸라는 표시인 듯 함.

"이ᄂᆞᆫ 반ᄂᆞ시 옥니 등의 간ᄉᆞᄒᆞ미니, 죄슈 등의 금은을 밧고 노하시미니, 옥니를 엄형ᄒᆞᆯ 거시오, 버거 슌시군이 ᄌᆞᆷ을 탐ᄒᆞ여 슌나(巡邏)ᄒᆞ믈 브ᄌᆞ러니 못ᄒᆞᆫ 연괴라. 만일 슌초(巡哨)ᄒᆞ믈 엄히 ᄒᆞ여신즉 엇디 ᄒᆞ나토 잡디 못ᄒᆞ여시리오."

ᄒᆞ고【44】 즉시 옥니와 슌초군을 잡아드려 듕장을 더으니, 슌초군과 옥니 쳔만 원민(冤悶)ᄒᆞ나, 잘 딕히디 못ᄒᆞ미 큰 죄목이오, 옥니는 만흔 죄인을 다 일허시니 반ᄃᆞ시 죽을 줄노 혜아렷다가, 듕댱을 바둘디언졍 ᄉᆞ죄를 마련치 아니니 도로혀 힝심ᄒᆞ더라.

오셰웅이 영신으로 더브러 뎡시 잡아갈 계교를 힝ᄒᆞᆯᄉᆡ, 영신 왈,

"니곽의 용녁이 당ᄒᆞ고, 뎡시를 밧들미 튱의 노ᄌᆡ 쥬모를 위ᄒᆞᆷ ᄀᆞᆺ다 ᄒᆞ니, 니곽을 몬져 업시ᄒᆞᆫ 후 뎡쇼져를 다려갈가 ᄒᆞᄂᆞ이다."

츄관이 침음 냥구의 ᄒᆞᆫ ᄉᆡᆼ각디 못ᄒᆞᆯ 의ᄉᆞ를 ᄂᆡ여, 영신을 가ᄅᆞ【45】쳐 영니ᄒᆞᆫ 군ᄉᆞ로 ᄒᆞ여금 여ᄎᆞ여ᄌᆞᄒᆞ라 ᄒᆞ니, 영신이 오히려 헌 옷슬 벗디 아니코 일목이 병인인쳬ᄒᆞ여, 쥬을든[1394] 거동으로 관문을 왕ᄂᆡᄒᆞ니, 사ᄅᆞᆷ이 다 츄악ᄒᆞ믈 우ᄉᆞᄃᆡ 당사국 대댱이믄 아디 못ᄒᆞ더라. 영신이 ᄉᆞ졸 가온ᄃᆡ 목퇴란 군ᄉᆞ를 명ᄒᆞ여, 헌 옷슬 닙히며 머리를 플쳐 낫낫치 ᄭᅩ아 하날노 향케 ᄒᆞ며, 낫ᄎᆡ 거믄 칠을 더러이 ᄒᆞ여, 완연이 봉두ᄌᆡ면(蓬頭滓面)[1395]을 믠ᄃᆞ라, 걸인의 쥬져[1396]로 두로 단니며 음식을 비다가, 여ᄎᆞ여ᄎᆞᄒᆞᆫ 죽엄을 어더디고 뎡시 머므ᄂᆞᆫ 가샤로 가라 ᄒᆞ여 범ᄉᆞ를 긔걸ᄒᆞ고[1397], ○○

1394)쥬을들다 : 주을 들다. 주접들다. 잔병이 많아 잘 자라지 못하거나, 옷차림이나 몸치레가 초라하고 너절하다.

1395)봉두ᄌᆡ면(蓬頭滓面) : 머리키락이 마구 헝클어져 있는 쑥대강이 머리와 땟구정물로 범벅이 된 검고 더러운 얼굴.

1396)쥬져 : 주제. 꼴. 행색.

1397)긔걸ᄒᆞ다 : 시키다, 당부하다. 신칙(申飭)하다.

"너[니]ᄂᆞᆫ 옥이[리]의 간ᄉᆞᄒᆞ미라. 죄슈【72】의 금을 밧고 ᄂᆡ여 노화시니, 옥니 죄을 다ᄉᆞ일[릴] 거시오, 버거은 슌시군이 잠을 탐ᄒᆞ여○…결락 30자…○[슌나(巡邏)ᄒᆞ믈 브ᄌᆞ러니 못ᄒᆞᆫ 연괴라, 만일 슌초(巡哨)ᄒᆞ믈 엄히 ᄒᆞ여신즉 엇디 ᄒᆞ나토] 잡지 못ᄒᆞ여시리오."

○○[ᄒᆞ고], 즉시 옥니와 슌시군을 잡아드려 즁장을 더으니, 슌시군과 옥니 쳔만 원민ᄒᆞ나 줄 직히지 못ᄒᆞ미 죄목이오 옥니은 오히려 쥭지 아니믈 다힝이 녁이더라.

오셰웅이 영신으로 더브려[러] 뎡시 잡아갈 계교을 ᄉᆡᆼ각ᄒᆞᆯᄉᆡ 영신 왈,

"니곽의 용ᄆᆡᆼ이 과인ᄒᆞ고 뎡부인 밧들ᄆᆡ《츙효로‖츙의》 노ᄌᆡ 쥬모 밧듬 갓다 허니, 니곽을 면[먼]져 업시ᄒᆞᆫ 후 뎡부인을 다려 갈ᄀᆞ ᄒᆞ나니다."

츄관이 침음양구의 ᄒᆞᆫ 계교을 ᄉᆡᆼ각고 영신다려 왈,

"도망ᄒᆞᆫ 군ᄉᆞ 즁 녕니ᄒᆞᆫ ᄌᆞ을 ᄲᆡ여 여ᄎᆞ여ᄎᆞᄒᆞ라."

ᄒᆞ니, 영신이 오히려 헌 오슬 벗지 아냐 병인인 쳬ᄒᆞ고 관문의 왕ᄂᆡᄒᆞ니, ᄉᆞ람이 다 츄악ᄒᆞ믈 우ᄉᆞᄃᆡ, 장ᄉᆞ국 ᄃᆡ장이믈 모로더라. 영신이 뎨 ᄉᆞ졸 즁 목토란 군ᄉᆞ을 명ᄒᆞ여 헌 옷슬 입고, 머리○[를] 플쳐 나출 덥고, 얼골의 더러온 칠을 ᄒᆞ여, 《의연‖완연》이 《몽두ᄃᆡ면‖봉두ᄌᆡ면(蓬頭滓面)[1181]》을 믠다라 걸인의 쥬졔[1182]로 ᄉᆞ면을 단이며 음식을 비다가, 여ᄎᆞᄒᆞᆫ 쥬[죽]엄을 어더 지고 뎡시의 머우[무]난 ᄀᆞᄉᆞ로 가라 ᄒᆞ고, 뎐[뎌]난 읍져로 도라가니, 목히[퇴] 영신의 가라친 ᄃᆡ로 노즁○[의] 왕ᄂᆡᄒᆞ○[며]【73】 걸식ᄒᆞ더니, 마ᄎᆞᆷ 촌가의

1181)봉두ᄌᆡ면(蓬頭滓面) : 머리키락이 마구 헝클어져 있는 쑥대강이 머리와 땟구정물로 범벅이 된 검고 더러운 얼굴.

1182)쥬졔 : 주제. 꼴. 행색.

[뎌ᄂᆞᆫ] 읍져로 도라가니, 목픠【46】 영신의 가ᄅᆞ친ᄃᆡ로 노듕(路中)의 왕ᄂᆡᄒᆞ여 걸식ᄒᆞ더니, 맛춤 촌가의 ᄌᆞ식 업ᄉᆞᆫ 노괴 병이 듕ᄒᆞ다가, 맛춤ᄂᆡ 사디 못ᄒᆞ여 단명ᄒᆞ여시ᄃᆡ, 병셰 요괴로와 이상한 별증이 만턴 고로, 닌니 졔인이 드리와다 보리 업고, 노괴 친쳑이 업셔 념장ᄒᆞ리 업ᄉᆞ니, 목픠 거ᄌᆞᆺ 념장ᄒᆞ렷노라 일ᄏᆞᆺ고, 드러가 노고의 상시 닙던 옷슬 ᄆᆡ동혀[1398] 여러 이목 보ᄂᆞᆫᄃᆡ 고산의 뭇ᄂᆞᆫ 쳬ᄒᆞ고, 노고의 시신을 밤을 당ᄒᆞ여 ᄀᆞ마니 업고 ᄂᆡᄃᆞ르니, 촌낙이 소요(疎寥)[1399]ᄒᆞ여 알니 업더라. 목픠 ᄉᆡ도록 힝ᄒᆞ여 관읍 근쳐의 드러와 노고의 시신을 업고 단니며, 친뫼라【47】 ᄒᆞ여 음식을 비나, 목표의 상뫼 츄악 흉참ᄒᆞ믈 사ᄅᆞᆷ마다 더러이 넉여 음식도 주디 아니ᄒᆞᄂᆞᆫ디라. 목픠 뎡부인 머므ᄂᆞᆫ 문 밧긔 나아가 음식을 빌ᄆᆡ, 니곽이 외현의셔 즉시 찬션과 음식을 주라 ᄒᆞ니, 시노 등이 ᄂᆡ여다가 목표를 주니, 목픠 핑계ᄒᆞ여 ᄡᆞ홀 일이 업셔, 식음을 더러온 거시 드럿다 ᄒᆞ여 그릇슬 먼니 더디니, 긔명이 산산이 ᄭᆡ여딘디라. 목픠 대로 왈,

"내 비록 이 집의 와 밥을 빈들 엇디 이ᄃᆡ도록 더러온 거ᄉᆞᆯ 셧거 주ᄂᆞ뇨? 나의 구십 노뫼 여러 ᄭᅵ를 먹디 못ᄒᆞ고 긔아를 춤디 못ᄒᆞ시ᄆᆡ 마디 못ᄒᆞ여 노친【48】을 뫼시고 이의 왓거ᄂᆞᆯ, 사람 ᄃᆡ졉ᄒᆞᄂᆞᆫ 도리 이러틋 무상ᄒᆞ리오."

노복 등이 목표의 말을 듯고 어히업셔 도로혀 웃고 왈,

"음식과 딘찬을 주엇거ᄂᆞᆯ 더럽다 ᄒᆞᄂᆞᆫ 인ᄉᆡ 실셩ᄒᆞ엿ᄂᆞᆫ디라 원간 우리 ᄂᆡ여다가 준 바 음식이 녜 쇽의 너키 앗갑더니, 네 이ᄀᆞᆺ치 나모라 바리니 현마 엇디 ᄒᆞ리오. 다만 네 얼골이 흉참ᄒᆞ여 그 더럽기 비위 눅눅ᄒᆞ여 보기 어려온디라. ᄲᆞᆯ니 믈너가라."

1398)ᄆᆡ동히다 : 매고 동이다. 끈이나 실 따위로 감거나 둘러 묶다.

1399)소요(疎寥) : 외지고 고요함.

ᄌᆞ식 업난 노괴 병이 즁ᄒᆞ여 고힝이 신고ᄒᆞ다가 쥭거날, 병셰 요괴로와 시[신]질(身疾) 가온ᄃᆡ 고이한 별증이 만ᄒᆞᆫ 고로, ○[인]이(隣里) 졔인이 드러와 보지 못ᄒᆞ고, 노괴 친쳑도 업ᄉᆞ니, 시신을 《녕장∥념장(殮葬)》ᄒᆞ리도 업난지라. 목퇴 거듯[즛] 쥭으믈 념장ᄒᆞ려노라 ᄒᆞ고, 노고의 ᄉᆡᆼ시 입던 옷슬 ᄆᆡ동쳐[1183] 여러 이목의 보난 ᄃᆡ ᄀᆞᄉᆞᆫ(家山)의 뭇고, 밤을 당ᄒᆞ여 그 시신을 가마니 업고 ᄂᆡ다라니, 촌낙이 소요(疎寥)[1184]ᄒᆞ고 읍져 ᄉᆞ오십이[리]을 격ᄒᆞ여시으[므]로 슌시군이 업ᄉᆞᆫ지라. 목토의 흉ᄉᆞ을 알니 잇시리오. 목토 ᄉᆡ도록 힝ᄒᆞ여 관읍 근쳐의 다ᄃᆞ라 노괴의 시신을 업고 단니며 음식을 비니, 목토의 얼골이 츄악흠으로 음식도 쥬지 아니키[커]날, 목토 뎡부인 머우[무]난 ᄀᆞᄉᆞ 밧키 가 밥을 비니, 니곽이 외현[헌]의 잇다가 즉시 음식을 쥬라 ᄒᆞ니, 시노들이 찬션과 음식을 쥬거날, 목퇴 핑계ᄒᆞ여 ᄊᆞ홀 ○[일]이 업셔, 거즛 음식의 더러온 것 드럿다 ᄒᆞ여 그르ᄉᆞᆯ 먼니 더져 ᄭᆡ이고 ○[왈],

"ᄂᆡ 비록 이 집의 와 밥을 빈들 엇지 못 머[먹]을 거ᄉᆞᆯ 셧거 《쥬난지라∥쥬나냐?》 나의 구십 노고 여러 ᄭᅵ을 먹지 못ᄒᆞ고 긔아을 견ᄃᆡ지 못ᄒᆞ니, 마지 못ᄒᆞ여 노친을 묘[모]시고 이의 왓거ᄂᆞᆯ ᄉᆞ람 ᄃᆡ졉을 이럿틋 더러니 ᄒᆞ니 이 무ᄉᆞᆷ 도리오[뇨]?"

노복 등이 목토의 말을 어히 업셔 도로혀 웃고 왈,

"음식과 ᄎᆞᆫ션을 쥬엇거날 더럽다 ᄒᆞ난 인ᄉᆞ 실셩ᄒᆞᆫ【74】지라. 원간 우리 ᄂᆡ여다 쥰 바 음식이 너의 속의 넛키 앗갑더니, 네 도로혀 이럿틋 남으라[1185] 바리니 엇지 ᄒᆞ리오. 네 얼골이 츄악ᄒᆞ여 비위 《녹녹∥눅눅》헌지라. ᄲᆞᆯ이[니] 물너가라."

1183)ᄆᆡ동히다 : 매고 동이다. 끈이나 실 따위로 감거나 둘러 묶다.

1184)소요(疎寥) : 외지고 고요함.

1185)남으라다 : 나무라다.

목픠 발악ᄒᆞ고 문 압히 들녀들며 왈,

"아모리 살인ᄒᆞᄂᆞᆫ 모딘 녀ᄌᆞ의 노복인들 ᄉᆞ오납기 이ᄃᆡ도록 심ᄒᆞ뇨? 내 비록 걸식ᄒᆞᄂᆞᆫ 사ᄅᆞᆷ이나, 너희 【49】 무리를 다ᄉᆞ릴 ᄆᆞ음이 잇ᄂᆞ니, 나의 얼골이 엇더ᄒᆞ여 츄ᄒᆞ다 ᄒᆞᄂᆞ뇨?"

언필의 몸을 뛰여 드러오니, 노복이 대로ᄒᆞ여 날닌 막ᄃᆡ로 두다리며 ᄀᆞᆯ오ᄃᆡ,

"걸식ᄒᆞᄂᆞᆫ 무리로 단니며 밥을 엇디 못ᄒᆞ거ᄂᆞᆯ, 우리ᄂᆞᆫ 관인의 명을 슌슈ᄒᆞ여 만반(萬飯)1400)을 주엇거ᄂᆞᆯ 허무ᄒᆞᆫ 말노 못먹을 거ᄉᆞᆯ 주엇다 ᄒᆞ고, 감히 우리 쥬모를 욕ᄒᆞ니, 너를 발바 맛치리라."

좌우로 별학ᄀᆞᆺ치 즛두다리며 ᄆᆡᆺ이 나려디ᄂᆞᆫ 곳의 목표의 몸이 상ᄒᆞ니, 목픠 짐즛 코의 피를 ᄂᆡ여 노고의 낫치 가마니 바르며, 노고의 시신을 디고 잣바져 사ᄅᆞᆷ 죽인다 소ᄅᆡ 텬디 딘동ᄒᆞ여 【50】 왈,

"구십 노모를 ᄒᆞᆫ술 밥 어더 먹이려 ᄒᆞ다가 아조 죽거다1401)."

ᄒᆞ여 통곡ᄒᆞ니, 니곽은 디혜 잇ᄂᆞᆫ디라. 걸인의 형상이 슈상ᄒᆞ믈 의혹ᄒᆞ여 노복을 금ᄒᆞ여 닷토디 말나 ᄒᆞ더니, 오츄관이 이날 짐즛 부인 복거(伏居)ᄒᆞᆫ 가샤 겻ᄐᆡ 잇ᄂᆞᆫ 김효렴을 ᄎᆞ자보려 왓다가, 목표의 소ᄅᆡ를 듯고, 식인 일이라 쳐음 거즛 뎡부인 문젼의 드레ᄂᆞᆫ 놈을 잡아오라 ᄒᆞ여 하리를 보ᄂᆡ니, 목픠 노고의 시신을 업고 츄관 면젼의 드러가 혈읍 뉴톄 왈
,

"쇼인은 경샤 시샹(市上) 대괴(大賈)러니, 맛춤 아비 이 싸히 와 죽습거ᄂᆞᆯ 념쟝(殮葬)ᄒᆞ고, 구십 노뫼 긔갈을 견ᄃᆡ디 못ᄒᆞ니, ᄆᆞ【51】음의 통박비졀ᄒᆞ여 시러곰 업고 단니며 음식을 비러 연명ᄒᆞ더니, ᄉᆡ로 뎍거ᄒᆞᆫ

1400)만반(萬飯) : 온갖 반찬을 다 갖추어 잘 차린 밥.
1401) 죽거다 : 죽이다.

목퇴 발악ᄒᆞ고 문{왈} 압히 다라들며 왈,

"아모리 ᄉᆞᆯ인한 모진 여ᄌᆞ의 노복인들 ᄉᆞ오납기 이ᄃᆡ지 독ᄒᆞ뇨? ᄂᆡ 비록 걸식ᄒᆞ난 ᄉᆞ람이나 너희 갓튼 무리을 보면 쾌니[이] 다ᄉᆞ리고져 ᄒᆞ나니, ᄂᆞ의 얼골이 엇더ᄒᆞ여 츄ᄒᆞ고 녹녹(碌碌)ᄒᆞ여 뵈난뇨?"

언필의 몸을 뛰여 깁히 드러오니, 노복등이 ᄃᆡ로ᄒᆞ여 일시의 긴 ᄆᆡ와 날닌 치로 걸인을 짓두다리{니}며 왈,

"네 노승 결[걸]식ᄒᆞ난 무리로 《각후이‖가가호호이》 단이며 밥을 비러도 쥬리 업거날, 우리난 관인의 명을 슌슈ᄒᆞ여 옥식진찬(玉食珍饌)1186)을 쥬어든, 허무ᄒᆞᆫ 말노 못 먹을 거시 셧겻다 ᄒᆞ고 바리며, 감히 우리 쥬모을 ᄉᆞ픠을 범ᄒᆞ여○[다] 욕ᄒᆞ니, 너을 편긱의 즛바라 맛ᄎᆞ리라."

ᄒᆞ고 좌우젼후로 즛두다리며[니] ○[ᄆᆡ] ᄉᆡᆺ치 나려지난 바의 목토의 몸이 ᄉᆞᆼᄒᆞ니, 목퇴 짐짓 코피을 ᄂᆡ여 가마니 노고 낫치 발으며, 노고의 시신을 만져 ᄉᆞ람 쥭인다 크게 웨어 왈,

"구십 노모을 한숙 밥을 어더 먹이려 ᄒᆞ다가 이졔난 마ᄌᆞ 쥭이겟다."

ᄒᆞ여 크게 통곡ᄒᆞ니, 니곽은 지혜 잇난지라. 그 결[걸]인의 형ᄉᆞᆼ이 가장 슈ᄉᆞᆼᄒᆞ믈 의혹ᄒᆞ여 노복을 금ᄒᆞ여 다토지 말나 ᄒᆞ더니, 오츄관이 이날 짐짓 【75】 부인 북[복]거(伏居)ᄒᆞᆫ 가○[사] 겻히 잇난 김혼[효]렴을 ᄎᆞ쟈 보려 왓다가, 목토의 소ᄅᆡ을 듯고 별[벌]셔 시긴 일이라, 쳐음은 거즛 뎡부인 문졍의 《도폐ᄒᆞ난‖드레난》 놈을 잡아오라 ᄒᆞ여 하리을 보ᄂᆡ니, 목퇴 노고의 시신을 업고 츄관 면젼의 드러가 혈읍뉴체 왈,

"소인은 경ᄉᆞ 시장(市場) ᄃᆡ괴(大賈)러니, 마춤 아비 이 싸희 와 쥭삽거날 아비 시신을 념장(殮葬)ᄒᆞ고, 구십 노모의 기갈을 면치 못ᄒᆞ니, 마음의 통박비졀ᄒᆞ믈 니기지 못ᄒᆞ여 어미을 업고 단니며 결[걸]식 연명ᄒᆞ더니, 겨[젹]거한 뎡부인 가ᄉᆞ의 나아가 음

1186)옥식진찬(玉食珍饌) : 하얀 쌀밥과 진귀하고 맛있는 좋은 반찬.

뎡부인 가샤의 나아가 음식을 빌ᄆᆡ, 더러온 그릇ᄉᆡ 밥을 담고 우흔 옥밥이오 밋ᄎᆞᆫ 즌똥이오, 찬션의 괴이ᄒᆞᆫ 버레[1402] 죽은 거ᄉᆞᆯ 셧것거ᄂᆞᆯ, 쇼인이 아니ᄉᆞ와 음식을 바리고 나오려 ᄒᆞ오니, 그 노복등과 외헌의 잇ᄂᆞᆫ 관인 등이 쇼인을 ᄭᅮ디져 밥의 똥을 셧것셔도, 쇼인이 얼굴 도곤 됴흐니 먹으라 ᄌᆡ촉ᄒᆞᄋᆞᆸ거ᄂᆞᆯ, 쇼인이 어미 먹이디 아니믈 일ᄏᆞᆺ고 나오려 ᄒᆞᆫᄌᆞᆨ, 관인과 노복 등이 일시의 ᄌᆞᆺ두다려 어미를 죽여시니, 바라건ᄃᆡ 일월(日月) 노야ᄂᆞᆫ 쇼인의 궁측ᄒᆞᆫ 정ᄉᆞ와 원굴【52】ᄒᆞᆫ 정ᄉᆞ를 ᄉᆞᆯ피샤, 어미 만일 엄홀치 아냐 진실노 죽으미 잇거,든 원슈를 갑하주쇼셔."

츄관이 하리로 목표의 상쳐와 노고의 ᄉᆞ싱을 ᄌᆞ시 보라 ᄒᆞ니, 관니 등이 목표ᄂᆞᆫ 잠감 상ᄒᆞ여시나 어미ᄂᆞᆫ 아조 죽어시믈 알외니, 츄관이 졔 스ᄉᆞ로 디휘ᄒᆞᆫ 일이라 어이 범연이 다ᄉᆞ릴 니 이시리오. 즉시 관읍의 드러가 군관과 공ᄎᆡ를 발정(發程)ᄒᆞ여, 니곽과 여러 노복을 ᄒᆞ나도 남기디 말고 다 잡아오라 ᄒᆞ니, 관ᄎᆡ 문젼의 슈플ᄀᆞᆺ치 모다 츄관의 녕을 젼ᄒᆞ고, 살인죄슈 니곽과 여러 노복을 잡으라 왓노라 ᄒᆞ니, 니곽이 듕심의 분연통히ᄒᆞ여 즉ᄀᆡᆨ의 ᄉᆞᄆᆡ를【53】 ᄯᅥᆯ치고 관ᄎᆡ를 ᄌᆞᆺ두다리고 경샤로 도라가고져 ᄒᆞᄃᆡ, 윤태우와 금평후 부ᄌᆞ의 디극ᄒᆞᆫ 당부를 드러 부인을 뫼셔 이의 니르ᄆᆡ, 죽기를 그음ᄒᆞ여 밧글 ᄃᆡᆨ히고, 부인의 위란을 막ᄌᆞ르고져 ᄠᅳᆺ을 뎡ᄒᆞᄆᆡ 긋칠 ᄇᆡ 업ᄉᆞᆯ디라. 금일 노복 등이 ᄋᆡᄆᆡ히 죄루를 시러 걸인의 어미 죽엿다 말을 드르ᄆᆡ, 발명ᄒᆞᆯ 조각이 업게 되어시니, 졔 드러가 츄관 면젼의 젼후곡졀을 베퍼 걸인으로 일장 ᄃᆡ면 질정ᄒᆞ므로, 일읍 태슈의 명으로 잡혀가믈 통히ᄒᆞᄃᆡ, 분을 ᄎᆞᆷ고 졔노를 거ᄂᆞ려 관읍의 나아갈ᄉᆡ, 시녀로 ᄒᆞ여곰 쇼져긔 고ᄒᆞᄃᆡ,

"쳔만 긔약지 아닌【54】 일노ᄡᅥ 여러 노복과 곽이 잡혀가나, ᄋᆡᄆᆡᄒᆞ미 ᄇᆡᆨ옥 무하ᄒᆞ니, 부인은 요동치 마르시고 시녀 등으로

1402)버레 : 벌레.

식을 비난ᄃᆡ, 그릇 밋ᄐᆡ 즌 똥을 셕거 쥭은 버러지을 씌여 쥬읍기의, 소인이 아니ᄉᆞ아 음식과 츤션을 바리고 나오랴 ᄒᆞ니, 그 노복 등과 외현의 잇난 관인이라 ᄒᆞ나니 ᄭᅮ지져 왈, '밥의 똥이 셧계셔도 네 얼골도은[곤] 조흐니 먹으라' ᄌᆡ촉ᄒᆞ읍거날, 소인이 어미 먹지 아니믈 일ᄏᆞᆺ고 나오려 하온작, 관인과 노복이 일시의 ᄌᆞᆺ두다려 어미을 쥭여시니, 바라건된 노야난 소민의 궁측한 정ᄉᆞ을 ᄉᆞᆯ피샤 원슈을 갑파쥬소셔."

츄관이 하니[리]로 목퇴의 ᄉᆞᆼ쳐와 노괴의 ᄉᆞ싱을 ᄌᆞ셰니 보라 ᄒᆞ니, 관니 등이 목토ᄂᆞᆫ 잠간 ᄉᆞᆼᄒᆞ엿시나, 어미ᄂᆞᆫ 아죠 쥭엇시믈 고ᄒᆞ니, 츄관이 졔 스ᄉᆞ로 지휘ᄒᆞᆯ[ᄒᆞᆫ]【76】 일이라. 어이 범연이 다ᄉᆞ릴 이 잇시리오. 즉시 장ᄉᆞ 관읍의 드러ᄀᆞ 군관과 공ᄎᆡ을 발ᄒᆞ여 니곽과 여러 노복을 ᄒᆞ나도 남기지 말고 다 잡아오라 ᄒᆞ니, 관ᄎᆡ 문졍의 슈풀갓치 모다 츄관의 영을 젼ᄒᆞ고, ᄉᆞᆯ인죄수 니곽과 여러 노복을 잡으라 왓노라 ᄒᆞ니, 니곽이 분연통히 즁 ᄉᆞᄆᆡ을 ᄯᅥᆯ치고 관ᄎᆡ을 ᄌᆞᆺ두다리고 경ᄉᆞ로 도라ᄀᆞ고져 ᄒᆞᄃᆡ, 윤ᄐᆡ우와 금후 부ᄌᆞ{부ᄌᆞ}의 지극한 당부을 드러 부인을 뫼셔 이의 {잇기을} 이르ᄆᆡ, 쥭기을 그음ᄒᆞ여 밧글 직회[희]고 부인의 위란을 막ᄌᆞ르고져 ᄠᅳᆺ을 뎡ᄒᆞᄆᆡ 긋칠 ᄇᆡ 업ᄉᆞᆯ지라. 금일 노복 등이 ᄋᆡᄆᆡ히 죄루을 시러 걸인의 어미 쥭엿다 말을 드르ᄆᆡ, 발명ᄒᆞᆯ 조각이 업게 되어시니, 뎨 드러가 츄관면{젼의}젼예 젼후곡졀을 베퍼 걸인으로 일ᄌᆞᆼ 면질코져 ᄒᆞ나 분긔을 이기지 못ᄒᆞ고, ᄯᅩᄒᆞᆫ 일읍 ᄐᆡ슈의게 잡페[혀] 가미 통한ᄒᆞ나, 노복을 거나려 관아로 ᄂᆞ갈ᄉᆡ, 시여로 ᄒᆞ여금 소졔긔 이 소유을 고ᄒᆞ고 읍져로 드러ᄀᆞᄆᆡ, 츄관이 여러 노복과 니곽을 계ᄒᆞ의 ᄭᅮᆯ이고 걸인의 어미 쥭인 곡졀을 무르니, 니곽이 걸인의 불공지셜(不恭之說)과 ᄒᆞ난 거시 슈

밧글 딕히게 ᄒᆞ쇼셔."

쳥ᄒᆞ고 일시의 읍져의 니르ᄆᆡ, 츄관이 니곽과 여러 노복을 계하의 쑬니고, 걸인디모(乞人之母) 죽인 곡졀을 므르니, 니곽이 걸인의 불공이 구던 말이며, 이상이 굴ᄆᆡ 노복이 니ᄃᆞ라 친 바를 ᄌᆞ초디죵(自初至終)히 고ᄒᆞ고, 믄득 슈염을 어로만져 탄왈,

"쇼싱이 슈(雖) 용녈(庸劣)이나 하쳔ᄒᆞᆫ 무리 아니라. 엇디 평부(平夫) 노복 등과 ᄀᆞᆺ치 공의 명녕을 슌슈ᄒᆞ여 잡혀오리잇고마ᄂᆞᆫ, 평남후 뎡병부 상공의 대은을 입고 윤쳥문의 후히 ᄃᆡ졉ᄒᆞ믈 바다 실노뻐 져【55】바리디 못ᄒᆞᆯ디라. 뎡부인이 원억히 죄덕ᄒᆞ시ᄆᆡ 밧글 딕히고져 나려왓다가, 이런 곡경을 당ᄒᆞ니 어이 욕되믈 모르리잇고마ᄂᆞᆫ, 쇼싱이 젼후 슈말을 고치 아니면, 쇼싱의 원굴ᄒᆞ믈 공이 더욱 아르실 길이 업ᄂᆞᆫ디라. 밥의 ᄯᅩᆼ을 셧그며 찬션의 더러온 즘싱을 석거시믄 스ᄉᆞ로 눅눅ᄒᆞ고 슈고로와도 아닐 거시오, 샹공의 총명ᄒᆞ시므로뻐 걸인의 무상ᄒᆞ믈 거의 짐작ᄒᆞᆯ 바ᄂᆞᆫ 니르도 말고, 삼쳑동이라도 고디 드를 니 업ᄉᆞᆸᄂᆞ니, 쇼싱이 구구히 발명ᄒᆞᄂᆞᆫ 거시 아니라 올흔ᄃᆡ로 고ᄒᆞᄂᆞ이다."

츄관이 니곽의 상뫼 댱녀(壯麗)ᄒᆞ고 위풍이 늠늠ᄒᆞ여, 구쳑신댱의 엄위ᄒᆞᆫ 풍되 말【56】ᄒᆞ기 가장 어려오믈 괴로이 넉여, 왈,

"그ᄃᆡ 말이 비록 이 ᄀᆞᆺᄐᆞ여 원억ᄒᆞ믈 니르나, 걸인은 졔 어미를 죽엿다 ᄒᆞᄂᆞᆫ디라. 더욱 뇌괴(老姑) 만면이 두로 상ᄒᆞ여 죽어시니 살인이 분명ᄒᆞᆫ디라. 나ᄂᆞᆫ 아딕 당샤 졈관이 되어시나, 진짓 당샤 쥬현이 아니니 이런 옥ᄉᆞ를 쳐결ᄒᆞᆯ 거시 아니로ᄃᆡ, 임의 살인ᄒᆞᆫ 무리를 편히 두디 못ᄒᆞ여, 옥의 나리왓다가 신관이 나려와 쳐티케 ᄒᆞ리니, 날다려ᄂᆞᆫ 원앙여부를 니르디 말나."

니곽이 대분대로ᄒᆞ여 츄관을 ᄎᆞ바리고져 시브ᄃᆡ, 걸인디뫼 죽엇고 일이 대단ᄒᆞ여 살인듕식【57】라. 신관이 다 명쾌ᄒᆞ여 옥셕을 ᄀᆞᆯ히잡기를 바라ᄂᆞᆫ 고로 개연이 분노를 ᄉᆞᆼᄒᆞ믈 고히 녀길 ᄲᅮᆫ 아【77】니라, 부인을 욕ᄒᆞ니 그 ᄌᆞᆼ이 되여 ᄉᆞᆼ견을 편드러 써오던 셜화을 고ᄒᆞ고, 이어 슈념[염]을 어로만져 왈,

"소싱이 비록 용우(庸愚)ᄒᆞ나 오히려 하쳔ᄒᆞᆫ 무리 아니라. 엇지 뎡부 노복과 갓치 잡펴[혀]오뇌[료]만은, 평남후 뎡병부 노야의 ᄃᆡ은을 입고 ○○○○[윤쳥문의] 후ᄃᆡᄒᆞ믈 《위‖바다》 ᄎᆞ마 져바리지 못ᄒᆞ여, 뎡부인이 원억ᄒᆞᆫ 죄을[로] 《념‖젹거》ᄒᆞ시ᄆᆡ 밧글 직희고져 이곳의 나려 왓다가, 여ᄎᆞ 곡경을 당ᄒᆞ니 엇지 욕되지 아니리오마는, 이런 젼후슈말을 고치 아니면 원굴ᄒᆞ믈 상공이 모르실지라. 밥의 ᄯᅩᆼ을 셧그며 츤션의 버러지1187)을 셕긔난 스ᄉᆞ로 눅눅ᄒᆞ고 슈고로와도 아녀실 거시니, 샹공의 총명ᄒᆞ심으로써 결[걸]인의 무ᄉᆞᆼᄒᆞᆫ 바라[를] ᄇᆞᆰ히 아르시믄 이르도 말고, 솜쳑동이라도 고지 드르니 업솜나니, 소싱이 구구히 발명코져 ᄒᆞ미 아니라 올흔 ᄃᆡ로 고ᄒᆞᄂᆞᆫ이다."

츄관이 니곽을 보건ᄃᆡ 상뫼 장녜(壯麗)ᄒᆞ고 위풍이 늠늠ᄒᆞ여, 구쳑장신의 엄졍한 체도(體度) 가장 어려와 뵈믈 괴로이 너거[겨] 왈,

"그ᄃᆡ 아모리 원억ᄒᆞ믈 니르나, 걸인은 졔 어미을 쥭엿다 ᄒᆞ난지라. 더욱 노괴(老姑) 만면이 다 ᄉᆞᆼᄒᆞ여 쥭어시니, 나은 아직 장ᄉᆞ 겸관이 되엿시나 진짓 장ᄉᆞ 쥬현이 아니니, 이【78】런 옥ᄉᆞ을 쳐결ᄒᆞᆯ 거시 아니로ᄃᆡ 임의 ᄉᆞᆯ인ᄒᆞᆫ 무리을 그져 두지 못ᄒᆞ여 ᄒᆞ옥ᄒᆞ여다가, 신관이 와 쳐치ᄒᆞ기을 기ᄃᆞ일 거시니, 날다려은 원앙ᄒᆞ믈 이르지 말나."

니곽이 분ᄒᆞ여 즉시 츄관을 쳐바리고 오고져 ᄒᆞᆫᄃᆡ, 걸인 뫼 임의 쥭엇고 일인즉 ᄉᆞᆯ인 악식라. 신관이나 명빅ᄒᆞ여 옥셕을 ᄀᆞᆯ히

1187)버러지 : 벌레.

씌여 가도이니, 츄관이 명ᄒᆞ여 뎡부 시노ᄂᆞᆫ 칼씌워 하옥ᄒᆞ고 니곽은 편히 가도라 ᄒᆞ니, ᄎᆞᄂᆞᆫ 곽의 위인을 긔ᄃᆡ(忌大)1403)ᄒᆞ미러라. 곽이 노복으로 옥의 나리ᄆᆡ 뎡쇼져 뎍소의 외졍 ᄃᆡᆨ힐 ᄒᆞᆫ낫 노ᄌᆡ 업ᄉᆞ니, 쇼져의 위ᄐᆡ롭고 두리워 ᄒᆞᆯ 바를 ᄉᆡᆼ각ᄒᆞ여, 일마다 소ᄐᆡ쉬 ᄌᆡ상(在喪)ᄒᆞ믈 ᄋᆡᄃᆞᆯ와 ᄒᆞ더라.

ᄎᆞ시 뎡쇼졔 니곽과 졔노를 살인디죄로 잡혀 보ᄂᆡ고, 너른 가샤의 시녀등만 이시니 블의디변을 더욱 두리며, 츄관의 용심이 괴이ᄒᆞ믈 의려【58】ᄒᆞ여, 반ᄃᆞ시 츄관이 뎍당과 친졀ᄒᆞ믈 디긔ᄒᆞᄆᆡ, ᄯᅩ 므슴 변괴 이실줄 짐작ᄒᆞ니, 근심을 능히 노치 못ᄒᆞ여 홍션 등 졔비ᄌᆡ 좌우를 일시도 ᄯᅥ나디 아니ᄒᆞ고 위로ᄒᆞ믈 마디 아니나, 쇼졔 방변(防變)ᄒᆞᆯ 도리를 ᄉᆡᆼ각ᄒᆞ여 흉뎍의 ᄒᆡ를 힘힘히 밧디 아니려 ᄒᆞᄂᆞᆫ 고로, 밤을 당ᄒᆞ여 상두(床頭)의 나아가나 옷ᄉᆞᆯ 그르디 아니ᄒᆞ고, ᄆᆡ양 쵹을 ᄇᆞᆰ혀 ᄉᆡ오더라.

영신이 니곽 등을 가도고, 오츄관으로 더브러 뎡쇼져를 다려갈 바를 의논ᄒᆞ니, 답왈,

"나의 디휘ᄃᆡ로 ᄒᆞ면 패ᄒᆞᆯ 니 업ᄉᆞ리라. 뎡쇼져의 문졍을 ᄃᆡᆨ히리 업ᄉᆞᆫ디라. 조각을 타【59】 거교와 궁인을 보ᄂᆡ여 그 뜻을 알고, 혹 슌(順)치 아니커든 위력으로 다려가미 므어시 어려오리오."

영신이 ᄃᆡ왈,

"궁인 듕 비록 녀ᄌᆡ나 힘 셴 ᄌᆡ 이시니 우격으로 다려오라 ᄒᆞ샤이다."

츄관 왈,

"그러나 뎡시 심상ᄒᆞᆫ 녀ᄌᆡ 아니라 금야의 궁인과 교부만 보ᄂᆡ라."

1403)긔ᄃᆡ(忌大) : 꺼리고 크게 여김.

기을 바라고 다시 발명치 아냐, 여러 노복으로 더브러 옥의 ᄀᆞᆺ치이니, 츄관이 노복 등을 칼을 씌워 가도ᄃᆡ, 니곽은 편이 가도라 ᄒᆞ여, 위력으로 ᄉᆞᆯ인이라 핍박지 못ᄒᆞ믄 이곽의 위인을 괴로니 너기미러라. 니곽과 노복 등이 옥즁의 ᄀᆞᆺ치여 괴롭기는 예ᄉᆞ오, 소져의 문졍 직힐 사람이 업ᄉᆞ니 잡뉴을 금ᄒᆞᆯ 기[길]이 업난지라. 소져 의외여 구구(懼懼)ᄒᆞ믈 ᄉᆡᆼ각건ᄃᆡ, 일마다 소ᄐᆡ슈 ᄌᆡᄉᆞᆼ(在喪)ᄒᆞ믈 ᄋᆡ다라 ᄒᆞ니라.

어시의 뎡소져 니곽과 졔노을 ᄉᆞᆯ인죄슈로 잡혀 보ᄂᆡ고, 너른 가ᄉᆞ을 시여만 다리고 불의지변을 더욱 두리고, 츄관의 용심이 고니[이]ᄒᆞ믈 의려ᄒᆞ여, 반다시 젹당과 친근ᄒᆞᆫ 쥴 지긔ᄒᆞᄆᆡ ᄯᅩ 무ᄉᆞᆫ 변괴 이실 쥴 근심ᄒᆞ여 의려 만단(萬端)ᄒᆞ니, 홍션 등 졔 시녀 위로ᄒᆞ고 일시도 ᄯᅥ나지 아냐 위로ᄒᆞ믈 지극이 ᄒᆞᄃᆡ, 소져 방비ᄒᆞᆯ 도리을 ᄉᆡᆼ각ᄒᆞ여 흉젹의【79】 {의}ᄒᆡ을 밧지 아니려 ᄒᆞ난 고로 밤을 당ᄒᆞᄆᆡ 상요의 나아가 오ᄉᆞᆯ 그르지 아니ᄒᆞ고, 시여 등을 감[잠]을 깁히 드지 말나 ᄒᆞ고, 쵹을 믈이지 아니 ᄒᆞ더라.

영신이 계교을 힝ᄒᆞ여 니곽 등을 잡아 옥의 가도고, 츄관으로 더브러 뎡소져 다려가기을 의논○○[ᄒᆞ니], 츄관 소왈,

"범ᄉᆞ을 ᄂᆡ 지위[휘]ᄃᆡ로 ᄒᆞ면 ᄑᆡ할 일이 업ᄉᆞ{이}리라. 이졔 니곽 등이 업ᄉᆞ니 뎡시 문졍을 직희여 잡뉴을 금단ᄒᆞᆯ ᄌᆡ 업ᄉᆞᆯ ᄲᅮᆫ 아니라, ᄂᆡ ᄯᅩᄒᆞᆫ 슌시군을 보ᄂᆡ지 아니하○[리]니, 이 조각을 타, 면[먼]져 《계교∥거교》와 궁녀을 보ᄂᆡ여 뎡시의 뜻을 알고, 혹ᄌᆞ 슌치 아니ᄆᆡ 잇거든 위셰로ᄡᅧ 일녀ᄌᆞ 후려ᄀᆞ미 무어시 어려오리오."

영신이 ᄃᆡ왈,

"궁인이 비록여ᄌᆞ나 힘셴 ᄌᆡ 잇시니, 뎡시 슌종치 아니면 위력으로 잡아 교ᄌᆞ의 담아 오라 ᄒᆞᄉᆞ이다."

츄관 왈,

"장군의 말이 올흐나 뎡시 심ᄉᆞᆼᄒᆞᆫ 여ᄌᆡ 아니라. 필경 험험히 ᄌᆞᆸ혀오지 아니리라."

【80】

영신이 댱샤국의셔 온 니영은 용녁이 잇ᄂᆞᆫ 고로, 뎡시를 위력으로 다려오믈 니르니, 영은 용녁이 잇ᄂᆞᆫ 고로 ᄃᆡ왈,

"쳡이 ᄉᆞ오인 교부만 다리고 죵용이 드러가 다려오기를 념녀ᄒᆞ리잇가?"

영신이 깃거 당부ᄒᆞ더라.

이날 교부를 다리고 뎡쇼져 머므ᄂᆞᆫ 곳의 니르니, 문호를【60】 구디 닷고 인젹이 뎍뇨ᄒᆞ여 완연이 뷘 집ᄀᆞᆺ거ᄂᆞᆯ, 궁인이 교부를 밧긔 셰우고 쟝원을 넘어 평디를 드ᄃᆡ고져 ᄒᆞ더니, 문득 열길이나 ᄒᆞᆫ 허졍(虛穽)[1404]의 ᄲᆞ딘디라. 무슈 분즙이 괴이며[여] 머리가디 ᄲᆞ디니 ᄎᆞ악ᄒᆞ미 비ᄒᆞᆯ ᄃᆡ 업고, 쳥텬ᄇᆡᆨ일의 ᄒᆞᆫ 뎡이 벽녁홰(霹靂花)[1405] 일신을 분쇄ᄒᆞᄂᆞᆫ ᄃᆞᆺ, 만신이 ᄌᆞᆺ울혀 반ᄉᆡᆼ반ᄉᆞᄒᆞ여 긔운을 ᄂᆡᄎᆞ디[1406] 못ᄒᆞ니, 경솔이 ᄒᆞᆯ노 월장ᄒᆞ믈 슬허ᄒᆞᆯ ᄯᆞᄅᆞᆷ이라.

원ᄂᆡ 이 함졍은 뎡쇼졔 뎍변을 두려, 이의 ᄂᆡ쟝원(內牆垣)[1407] 아ᄅᆡ 함졍을 파 졔시녀의 측간을 삼으니, 졔녜 괴이히 넉이나 쇼져ᄂᆞᆫ 유의ᄒᆞ여 함【61】졍의 ᄲᆞ디ᄂᆞᆫ 사ᄅᆞᆷ이 잇ᄂᆞᆫ가 ᄃᆡ히더니, ᄎᆞ야의 ᄂᆡ쟝원으로 좃ᄎᆞ 덜헉[1408]ᄒᆞᄂᆞᆫ 소ᄅᆡ 나며 사ᄅᆞᆷ의 소ᄅᆡ

1404)허졍(虛穽) : 허방다리. 함정(陷穽). 짐승 따위를 잡기 위하여 땅바닥에 구덩이를 파고 그 위에 약한 너스레를 쳐서 위장한 구덩이.

1405)벽녁홰(霹靂花) : 벼락불. 벼락이 칠 때에 번득이는 불빛.

1406)ᄂᆡᄎᆞ다 : 내차다. 앞이나 밖으로 향하여 차다.

1407)ᄂᆡ장원(內牆垣) : 밖 담장 안에 있는 안채에 둘러 친 담장. 안 담장.

1408)덜헉 : 덜컥. 덜커덕. 크고 단단한 물건이 맞부딪치는 소리.

어시의 ○○○[츄관 왈]

"뎡시 험험이 궁녀의게 잡혀오지 아니리니, 시험ᄒᆞ여 궁녀와 교ᄌᆞ을 보ᄂᆡ라."

영신이 즉시 장ᄉᆞ국의셔 온 이영을 보고 뎡시을 위녁으로 잡아올 말을 니르니, 이영은 본ᄃᆡ 용역○[이] 잇난 고로 니로ᄃᆡ,

"져젹은 브질 업시 군병을 거ᄂᆞ려 뎡소져의 젹소을 에워 ᄊᆞ기을 요란○[이] ᄒᆞ여, 뎡시도 못 잡아오고 장ᄉᆞᄐᆡ슈의게 잡히여 옥이(獄裏)의 곤ᄒᆞ엿거이[니]와, 쳡이 ᄉᆞ오인 교부만 다리고 조용히 드러ᄀᆞ면 뎡부인 후려오기을 염녀ᄒᆞ릿가?"

영신이 깃거 ᄌᆡ숨 당부ᄒᆞ더라.

ᄎᆞ야의 장ᄉᆞ국 궁인○[이] 교부을 다리고 뎡시 가ᄉᆞ의 니르니, 문호을 구지 닷고 인젹이 젹젹ᄒᆞ여 관[완]연이 빈 집 ᄀᆞᆺ거ᄂᆞᆯ, 궁인이 교부을 밧게 셰우고 용녁을 미더 장원을 게우 넘어 바야흐로 형[평]지을 듸듸고져 ᄒᆞ더니, 믄득 열길니나 ᄒᆞᆫ 허졍(虛穽)[1188]이라. 몸이 함졍의 ᄲᆞ지니 무슈한 분즙의 머리ᄭᆞ지 ᄲᆞ지니 ᄎᆞ악ᄒᆞᆫ 듕, 일신이 압프미 분쇄ᄒᆞ난 듯 반ᄉᆡᆼ반ᄉᆞᄒᆞ여 ᄉᆞᄉᆡᆼ을 졍치 못ᄒᆞ니, 심즁의 혼ᄌᆞ 드러오믈 뉘우치나 밋지 못ᄒᆞ고, 슬허할 ᄯᆞ름이더라.

원ᄂᆡ 뎡소져 블의지변을 두려 ᄂᆡ장원(內牆垣)[1189] 압ᄑᆡ 함졍을 파고, 시녀【81】등 칙간을 ᄉᆞᆷ아 ᄯᅩᆼ이 함졍의 고이엿더라. 졔 시비 소져의 원여(遠慮)은 모르고 ᄆᆡ양 고이 너기나 소저난 ᄌᆞ못 유의ᄒᆞ더니, ᄎᆞ야의 ᄂᆡ장원을 됴ᄎᆞ 무어시 나려지난 소ᄅᆡ나며 죽어가난 소ᄅᆡ 나거ᄂᆞᆯ, 소져 시녀 등으로 ᄒᆞ여금 무어시 ᄲᆞ졋난가 보라 ᄒᆞ니, 홍션 등이 ○○[촉을] 들고 나와 보니 과연 ᄉᆞ람이 ᄲᆞ져 쥭어가난지라. ᄃᆡ경ᄒᆞ여 소져

1188)허졍(虛穽) : 허방다리. 함정(陷穽). 짐승 따위를 잡기 위하여 땅바닥에 구덩이를 파고 그 위에 약한 너스레를 쳐서 위장한 구덩이.

1189)ᄂᆡ장원(內牆垣) : 밖 담장 안에 있는 안채에 둘러 친 담장. 안 담장.

미미히 들니거놀, 쇼져 홍션으로 ᄒᆞ여금 므어시 ᄡᆡ딘고 보라 ᄒᆞ니, 홍션 등이 쵹을 들고 함졍을 보ᄆᆡ 과연 ᄉᆞᄅᆞᆷ이 ᄡᆡ져 죽어가ᄂᆞᆫ디라. 대경ᄒᆞ여 급히 쇼져긔 고ᄒᆞ니 쇼제 가바야이 사ᄅᆞᆷ을 죽이디 아니랴 ᄒᆞ므로, 건당ᄒᆞᆫ 양낭을 명ᄒᆞ여 대삭(大索)[1409]을 함졍의 드리쳐 ᄡᆡ딘 ᄌᆞ를 건져ᄂᆡ라 ᄒᆞ니, 양낭(養娘)이 슈명ᄒᆞ여 대삭 ᄒᆞᆫ 숫출 함졍의 너허 왈,

"심야의 연고 업시 당원을 넘다가 함졍의 ᄡᆡ디믄, 징그라이 ᄒᆞ엿거니와 죄디경듕(罪之輕重)과 ᄉᆞ디곡졀(事之曲節)[1410] 【62】을 알고져 ᄒᆞ려 ᄒᆞᄂᆞ니, 함졍의 ᄡᆡ딘 도뎍이 만일 인ᄉᆞ를 출히량이면 대삭을 단단이 잡아 우히셔 잡아 다릐ᄂᆞᆫ[1411] ᄃᆡ로 나오게 ᄒᆞ라."

ᄒᆞ니, 니영이 비록 죽을디라도 평디를 다시 보고져 ᄒᆞ여, 대삭을 단단이 잡아 우히셔 ᄯᆞ으ᄂᆞᆫ ᄃᆡ로 나오나, 니영의 용녁이 당ᄒᆞ므로 무긔[1412] 남달나, 여러 양낭(養娘)이 딘력히 다릐여 평디의 ᄂᆡ여 노흐니, 이곳 당샤 옥의 가도왓던 궁인이로ᄃᆡ, 만신의 분즙이 다 피 ᄢᅴ온 ᄃᆞᆺᄒᆞ여, 머리와 낫ᄎᆞ로브터 더러온 ᄯᅩᆼ이 아니 무든 곳이 업ᄉᆞ니, 홍션 등 졔시녜 흉히 넉이며 왈,

"져적 본읍 태슈의 잡아 가도신 바 궁인과 도뎍【63】을 일타 ᄒᆞ거놀 드럿더니, 금야의 당원을 넘어 ᄂᆡ졍을 돌입ᄒᆞᄂᆞᆫ 거시 젹디 아닌 흉심이라. 시금의 소태쉬 ᄌᆡ상ᄒᆞ여 도라가시고, 신관이 나려오디 못ᄒᆞ여 게시니, 이 궁인을 깁히 가도아 신관을 기다려 듕티ᄒᆞ여 후환을 업시 ᄒᆞ리라."

쇼제 시녀등의 말을 듯고 몸을 움즉여 쳥샤의 나와 쵹을 ᄇᆞᆰ히고, 궁인을 계하로 나아오라 ᄒᆞ니, 니영이 일신의 분즙을 므릅ᄡᅳ고 졍신이 어득ᄒᆞ나, 본ᄃᆡ 용녁이 남다른

1409)대삭(大索) : 동아줄. 굵고 튼튼하게 꼰 줄.
1410)ᄉᆞ디곡졀(事之曲節) : 일의 사정이나 까닭.
1411)다릐다 : 당기다. 잡아당기다.
1412)무긔 : 무게.

기 고ᄒᆞ니, 소져 가뱌야이 ᄉᆞ람을 쥭이지 못ᄒᆞ여 건장한 양낭으로 ᄃᆡ삭(大索)[1190]을 함졍의 드리워 ᄡᆡ진 ᄌᆞ을 건지라 ᄒᆞ니, 양낭이 슈명ᄒᆞ여 ᄃᆡ삭 한 숫출 함졍의 너허 왈,

"심야의 무ᄉᆞᆫ 연고로 월장ᄒᆞ다가 ᄎᆞ경의 미ᄎᆞ나, ᄉᆞ지곡직(事之曲直)[1191]을 알고 쳐치ᄒᆞ려 ᄒᆞ나니, 함졍의 ᄡᅡ진 도젹은 만일 인ᄉᆞ을 출히거든 이 ᄃᆡ삭을 단단이 잡고 우히셔 다리난[1192] ᄃᆡ로 올아오라."

이영이 비록 쥭을지라도 평지의셔 분즙이나 씻고져 ᄒᆞ여, ᄃᆡ속을 손으로 단단이 잡고 우히셔 ᄯᆞ으난 ᄃᆡ로 달여 나오니, 이영이 용역이 장한 고로 남달이 무거워, 여러 양낭이 진역ᄒᆞ여 잡아 다릐여 게우 ᄂᆡ여 노흐니, 이곳 옥의 ᄀᆞᆺ치엿던 장ᄉᆞ국 궁인이라. 만신의 븐즙을 나리쎠시니, 홍션 등 졔시녀 놀나고 흉한 즁 믜이여겨 왈,【82】

"져젹 궁인과 도젹을 잡아 ᄀᆞ도왓다가 일탄 말을 드럿더니, 금야의 ᄯᅩ ᄂᆡ원○[을] ○[월]장한 ○○[거시] 흉심이 젹미[지] 아인[닌]지라. 시금의 소ᄐᆡ슈 뇨[노]야 ᄌᆡ장[상](在喪)ᄒᆞ여 도라가시고, 신관이 나려오지 아냐시니, 이 궁인을 기[깁]히 가도왓다가 신관의 쳐치을 기ᄃᆞ렬 ᄶᅧ시나, 즉긱의 쥭여 후환을 업시ᄒᆞ리라."

이ᄯᆡ 소져 시여 등의 고ᄒᆞ난 말을 듯고 몸을 움즉여 쳥ᄉᆞᆼ○[의] 나와, 쵹을 발기[키]고 궁인을 게하(階下)의 잡아 ᄂᆡ여오니, 녕이 비록 녀즁장ᄉᆞ(女中壯士)나 깁고 아득한 함즁의 ᄡᅡ져 븐즙을 므릅쓰니, 뉵뉵ᄒᆞ믄

1190)대삭(大索) : 동아줄. 굵고 튼튼하게 꼰 줄.
1191)ᄉᆞ디곡직(事之曲直) : 일의 옳고 그름.
1192)다리다 : 당기다. 잡아당기다.

고로 오히려 엄엄ᄒᆞ미 업셔, 잠간 졍신을 슈습ᄒᆞ여 뎡쇼져를 바라보니, 안모(顔貌) 오ᄎᆡ(五彩)1413)와 강【64】산의 뎡긔를 ᄀᆞᆺ초 거두어시니, 고으며 빗난 거ᄉᆞᆯ 의방ᄒᆞ여 비ᄒᆞᆯ 곳이 업고, 형언ᄒᆞ여 니르기 어려온디라. 니영이 황홀경복ᄒᆞᄂᆞᆫ 뜻이 무궁ᄒᆞ여, 혹ᄌᆞ 사ᄅᆞᆷ이 아니오 요디금뫼(瑤池金母)1414) 하강ᄒᆞ민가 의려ᄒᆞ고, 쳐ᄋᆞᆸ브터 영신의 군병을 막ᄌᆞᄅᆞᆷ과 함졍을 파두미 다 ᄉᆞᄅᆞᆷ의 ᄉᆡᆼ각디 못ᄒᆞᆯ 신이ᄒᆞ미 이시니, 일마다 쇽셰 부인이 아니믈 공구ᄒᆞ여 젼뉼ᄒᆞᄂᆞᆫ ᄆᆞᄋᆞᆷ이 니러나, 문득 댱샤왕이 흉음디계로 뎡부인을 다리라 보ᄂᆡ미, 텬신이 댱샤왕을 돕디 아니코 뎡쇼져의 피화디계(避禍之計)를 미리 ᄀᆞᄅᆞ치미 잇【65】ᄂᆞᆫ가 념녀ᄒᆞ며, 졔 아니 텬벌을 닙으민가 근심도 업디 아닌 고로, 분즙을 쎠디 못ᄒᆞ고 감히 머리를 드디 못ᄒᆞ니, 뎡쇼졔 므러 왈,

"져적 뎍환시의 네 ᄒᆞᆫ가디로 옴과 금야의 장원을 넘다가 함졍의 ᄲᆡ디미 반ᄃᆞ시 ᄉᆞ괴이시미라. 굿ᄐᆞ여 네 ᄆᆞᄋᆞᆷ으로 날을 ᄒᆡ치 아니리니, 모로미 간졍을 딕고ᄒᆞ여 죄를 더으디 말고, 월옥ᄒᆞ던 곡졀도 알외라."

니영이 혜오ᄃᆡ, 져 부인의 신긔ᄒᆞ미 이ᄃᆡ도록 화를 방비ᄒᆞᄂᆞᆫ 신이ᄒᆞ미 남다르니, 비록 젼젼곡딕(前前曲直)을 긔이고져 ᄒᆞ여도 모ᄅᆞᆯ니 업ᄉᆞᆯ 거시니, 올흔ᄃᆡ로 고ᄒᆞᆯ【66】거시라 ᄒᆞ여, 계오 입의 분즙을 ᄇᆡᆺ고 톄읍 왈,

"쳔쳡은 인가 비ᄌᆡ 아니오, 댱샤국왕의 신임 상궁이라. 부인의 죄뎍ᄒᆞ시믈 우리 뎐히 엇디 아르시리잇가마ᄂᆞᆫ, ᄂᆡ뎐(內殿) 낭낭이 대국의 계실졔 부인의 셩화(聲華)를 본ᄃᆞ시 아노라 ᄒᆞ샤, 살인디ᄉᆡ(殺人之事) 비록 흉참ᄒᆞ나, 이 부인의 본심이 아니오 화증이니 허물ᄒᆞᆯ 일이 아니라 ᄒᆞ샤, 우리 뎐하를 권ᄒᆞ며 우리 등을 보ᄂᆡ여 부인을 위력으로 다려와 빈어(嬪御)를 삼으라 ᄒᆞ시니, 우리

1413)오ᄎᆡ(五彩) : 파랑, 노랑, 빨강, 하양, 검정의 다섯 가지 색.

1414)요디금뫼(瑤池金母) : 서왕모(西王母).

이르도 말고 무거온 몸이 무심 즁 낙ᄉᆞᆼ을 즁이 ᄒᆞ여시니, 약한 녀ᄌᆞ ᄀᆞᆺ트면 발셔 죽어실 거시로ᄃᆡ, 이영은 흉믈니라. 오히려 엄홀치 아냐 이의 졍신을 슈습ᄒᆞ여 당샹을 우러러 보니, 뎡소져의 일월졍화(日月精華)와 미우(眉宇)의 팔광(八光)1193)이 ᄎᆞᆫ난 죠요ᄒᆞ여 고므[으]미 비ᄒᆞᆯ 곳지 업ᄉᆞ니, 영이 《황홀졍부‖황홀경복》ᄒᆞᄂᆞᆫ 뜻이 무궁ᄒᆞ여, ᄉᆞ람이 아니오 신션의 희롱인가 의려ᄒᆞ고, 쳐음의 영신의 군병 막ᄌᆞ름과 함졍○[을] 파두미 다 ᄉᆞ람의 ᄉᆡᆼ각지 못ᄒᆞᆯ 《이리라‖일이라》. 스ᄉᆞ로 공구ᄒᆞ고 젼율한 마음이 이러나이[니], 믄득 장ᄉᆞ왕이 《흉흠지게‖흉음지계》로 뎡소져을 다려가려 ᄒᆞ미 하날이 돕지 아닐지【83】라. ᄂᆡ 아니 쳔별[벌]을 닙어 븐즙을 이러틋 《쓰니‖쓰민가》○○○○○○○[근심도 업디 아닌 고로] 감히 머리을 드지 못ᄒᆞ니, 뎡소져 문왈,

"젼일 젹환시의 네 한가지로 옴과 이번 장원○[을] 넘다 함졍의 ᄲᆡ지미 필유ᄉᆞ괴라. 굿ᄒᆞ여 네 마음ᄃᆡ로 날을 ᄒᆡ코져 ᄒᆞ미 아닐 거신니 모오[로]미 《간쳥‖간졍(奸情)》을 직고ᄒᆞ라."

이영이 혜오ᄃᆡ 뎡부인의 신긔ᄒᆞ미 이ᄃᆡ도록 ᄒᆞ여 외화(外禍)을 방비ᄒᆞ미 여ᄎᆞᄒᆞ고, ᄂᆡ 비록 니르지 아니나 《모로니‖모ᄅᆞᆯ니》 업ᄉᆞᆯ 거시니 바란ᄃᆡ로 니르리라. ᄒᆞ여 이의 븐즙을 뜰며 쳬읍 ᄃᆡ왈,

"쳡은 인가 비쇽이 아니오. 장ᄉᆞ국왕의 신님샹궁이라. 부인이 죄젹ᄒᆞ시믈 젼하은 아지 못ᄒᆞ거날, 녀[ᄂᆡ]젼 낭낭이 ᄃᆡ국의 게실젹 부인의 셩화을 반[본]드시 이[아]노라 ᄒᆞᄉᆞ, ᄉᆞᆯ인지ᄉᆡ(殺人之事) 비록 흉ᄎᆞᆷᄒᆞ나, 부인의 본심이 아니오 허물할 일이 아니라 ᄒᆞᄉᆞ, 우리 젼하을 권ᄒᆞ여 장군 영신과 슈빅긔을 보ᄂᆡ여 쳔쳡으로 ᄒᆞ여곰 부인을 뫼셔오라 ᄒᆞ시더니, 일이 되지 못ᄒᆞ여 영장군이 ○○[져 젹] ᄊᆞ홈의 ᄒᆞᆫ 군ᄉᆞ도 즁문 안

1193)팔광(八光) : 눈썹의 광채. 팔(八)은 눈썹의 모양을 나타냄.

뎐히 대당군 영신과 슈빅긔를 보닉샤, 쳔쳡으로 ᄒᆞ여금 부인을 뫼셔오라 명ᄒᆞ시【67】더니, 일이 되디 못ᄒᆞ여 영당군이 져젹 ᄡᅡ흠의 ᄒᆞᆫ ᄉᆞ졸도 듕문 안을 넘디 못ᄒᆞ고, 힘힘히 쳔쳡과 오십여 군이 다 잡힌 빈 되여 하옥ᄒᆞ고, 영신이 쥐 숨 ᄃᆞᆺ 다라나니, 소태쉬 상화(喪禍)를 만나디 아냐시면, 졔인과 다ᄆᆞᆺ 쳡이 다 엇디 감히 월옥ᄒᆞᆯ 의ᄉᆞ를 닉리잇고ᄆᆞᄂᆞᆫ, 소태쉬 발셔 모부인 상구를 경샤로 반상ᄒᆞ시ᄆᆡ, 남쥐 츄관이 당샤 겸관으로 아딕 읍뎌의 계신디라. 원간 오츄관은 우리 뎐하와 이종지간이 되시ᄂᆞᆫ 고로, 영당군이 딘졍 셜화를 고ᄒᆞᄆᆡ, 오츄관이 극녁 쥬션ᄒᆞ여 오십여인을 다 닉여 노화 산곡간【68】의 숨어시라 ᄒᆞ고, 부인을 밧비 당샤국으로 보닉고져 ᄒᆞ샤, 여ᄎᆞ여ᄎᆞ 쇠ᄒᆞ여 니곽과 죵복을 다 하옥ᄒᆞ고, 교부와 쳔쳡을 보닉여 부인을 뫼셔오라 ᄒᆞ시니, 쳡이 어린 용녁을 밋고 일이 맛촘닉 올치 아닌 줄 모로디 아니ᄒᆞ딕, 튱즉딘명(忠卽盡命)이라. 국은을 닙어시○[니] 군왕을 위ᄒᆞ여 죽기를 도라보디 아니ᄒᆞ고, 부인을 위력으로 뫼셔가려 ᄒᆞ엿더니, 하날이 돕디 아니샤 패루ᄒᆞ고 부인을 뫼오ᄆᆡ, 쳡의 몸이 분즙의 ᄡᅥ러디고 함졍의 ᄲᅡ딘 빈나, 눈의 광ᄎᆡ 이시니 요디와 월궁을 구경ᄒᆞᆷ ᄀᆞᆺᄐᆞ니, 감히 블【69】의디ᄉᆞ를 다시 ᄉᆡᆼ각디 아니 ᄒᆞ오리니, 복원 부인은 대ᄌᆞ대비ᄒᆞ샤, 이 일이 쳔쳡의 스ᄉᆞ로 져즌 죄악이 아닌 바를 어엿비 넉이샤, 잔명을 용샤ᄒᆞ시믈 바라ᄂᆞ이다."

말노 좃ᄎᆞ 눈믈이 무슈히 흐르며 ᄯᅩ 닐오딕,

"우리 국군이 비록 황셩의 계실 졔 부인의 ᄉᆡᆨ모 덕힝을 드러 계시나, 귀국ᄒᆞ신 후ᄂᆞᆫ ᄉᆡᆨ 부인의 화월의 디난 용ᄉᆡᆨ이 계시니, 다시 미인을 유렴ᄒᆞᆯ ᄯᅳᆺ이 업거ᄂᆞᆯ, ᄉᆡᆨ 부인이 뎡궁이 되신 후의 부인의 용화ᄉᆡᆨ뎍을 여ᄎᆞ여ᄎᆞ 기리시고, 브딕 계교로 취ᄒᆞ여 뎍소고뎍【70】ᄒᆞᆫ ᄡᅥ의 탈취ᄒᆞ라 ᄒᆞ시니, 대왕이 영당군과 쳔쳡을 보닉시미니이다."

뎡쇼졔 쳥미파(聽未罷)의 노즐 왈,

을 드지 못ᄒᆞ고 부졀 업ᄉᆞᆫ 오십여군○…결락 9자…○[이 다 잡힌 빈 되엿다가] 월옥도쥬ᄒᆞᆫ지라. 남쥐 츄관이 장ᄉᆞ 견[겸]관으로 이시니, 원간 오츄관은 젼하 니죵(姨從)이 되시난 고로, 영장군이 진졍을 고하시ᄆᆡ, 오츄관이 쥬션ᄒᆞ여【84】 쳡 등을 옥밧긔 노하, 가만니 도망ᄒᆞ여 ᄉᆞᆫ곡간의 슘어시라 ᄒᆞ고, 부인을 밧비 장ᄉᆞ국으로 보닉고져 ᄒᆞ샤 여ᄎᆞᄒᆞ여 니곽과 모든 노복을 다 잡아 옥의 가도고, 쳔쳡과 교부을 보닉여 부인을 뫼셔오라 ᄒᆞ니, 쳔쳡이 어린 용역을 밋들[고], 《이리∥일이》 올치 아니믈 알오딕 츙직진명(忠卽盡命)이라, 쥭긔을 도라보지 아니ᄒᆞ고 부인○[을] 위력으로 뫼셔가려 ᄒᆞ엿더니, 하ᄂᆞᆯ이 돕지 아냐 픠쥬[루]ᄒᆞ고 부인을 뫼오ᄆᆡ[니], 쳔쳡의 일명○[을] 가ᄋᆡ(可愛)ᄒᆞ샤 힝혀 부인 혜튁으로 ᄉᆞ죄을 ᄉᆞᄒᆞ신 즉 다시 죄을 범치 아니리다."

"오슈미약(吾雖微弱)이나 당당ᄒᆞᆫ 명환대족이오 ᄉᆞ문명뷔라. 엇디 강포디뉴(强暴之類)를 간ᄃᆡ로 져허ᄒᆞ리오. 몬져 너를 듕옥의 엄슈ᄒᆞ엿다가 신관이 교구(交求)1415)ᄒᆞᄂᆞᆫ 날의 너○[의] 국군과 오츄관의 불의무상ᄒᆞᆫ 죄를 발각ᄒᆞ여 국법의 도라가게 ᄒᆞ리라."

니영이 부인의 오ᄅᆡ 가도아 두려 ᄒᆞ믈 더옥 황황망극ᄒᆞ여 고두(叩頭) ᄋᆡ걸 왈,

"쳡을 노흐신즉 도라가 국군긔 셰셰히 알외여 다시 감히 존위를 간범치 아니호리이【71】다."

쇼졔 본ᄃᆡ 져를 가도려 ᄒᆞ미 아니라, 짐ᄌᆞᆺ 말노뻐 시험ᄒᆞ여 니영《으로‖을》 저혀, ᄉᆡ 태쉬 오면 댱샤왕과 오츄관의 허물을 낫타ᄂᆡ여[려] 져를 가도아 두고져 ᄒᆞᄂᆞᆫ 뜻을 뵈미라. ᄌᆞ긔 화란이 아딕 딘(盡)치 못ᄒᆞᆫ 줄 ᄉᆡᆼ각ᄒᆞ여, 쾌히 니영을 노화 도라가라 ᄒᆞ여 왈,

"너를 가도아 너의 국왕의 무상ᄒᆞ믈 낫타ᄂᆡᆯ 거시로ᄃᆡ, 너의 졍원(情願)이 여ᄎᆞᄒᆞ니, 내 본ᄃᆡ 인명을 앗기ᄂᆞᆫ디라. 타일의 악ᄉᆡ ᄌᆞ연 발각ᄒᆞ기를 기다리고 너를 쾌히 도라보ᄂᆡᄂᆞ니, 네 영신과 오츄관을 보아든 간졍을 날다려 ᄃᆡᆨ고 ᄒᆞ믈 니르디 말고, 다만【72】 심야의 장원을 넘어 드러가니, 도뎍이라 ᄒᆞ여 모든 비ᄌᆡ 난타(亂打) 슈욕(數辱)ᄒᆞ다가, 져적 잡혀 갓던 궁인이라 ᄒᆞ여, 날이 ᄇᆞᆰ거든 관부로 보ᄂᆡ리라 ᄒᆞ고 가도거ᄂᆞᆯ, 급히 도망ᄒᆞ여 오다 ᄒᆞ라."

니영이 쇼져의 은덕을 블승감격ᄒᆞ여 머리를 두다려 후의를 ᄇᆡᆨᄇᆡ 샤례ᄒᆞ고 도라가니, 쇼졔 니영을 쾌히 허ᄒᆞ여 도라보ᄂᆡ고, 방듕의 드러와 옷ᄉᆞᆯ 그르고 잠을 편히 들거ᄂᆞᆯ, 시녀 등이 니영을 가도아 두디 아니믈 ᄋᆡ돌와 ᄒᆞ더라.【73】

뎡소져 ᄀᆡ연이 ᄉᆡᆼ각ᄒᆞᄆᆡ 화복이 무문(無門)ᄒᆞ고 길흉이 유슈(有數)ᄒᆞ니, 이 다 텬슈의 당한 ᄇᆡ라. ᄌᆞ기 화란이 아즉 진(盡)치 아니믈 짐작ᄒᆞ여, 쾌[쾌]히 이영을 도라가라 ᄒᆞ여 왈,

"여[너]을 가도와 왕의 무ᄉᆞᆼᄒᆞ믈 나타ᄂᆡᆯ 거시로ᄃᆡ, 너의 정원(情願)이 여ᄎᆞᄒᆞ니, ᄂᆡ 본ᄃᆡ 인명을 히ᄒᆞᆯ 묘리(妙理) 업ᄉᆞᆫ지라. 타일 ᄌᆞ연 악ᄉᆞ 발각ᄒᆞ기을 기ᄃᆞ려 너을 도라보ᄂᆡ나이[니], 영신과 오츄관을 ᄃᆡᄒᆞ여 간졍을 날다려 니르믈 직고치 말고, 심야의 담을 너머 가니 도적이라 ᄒᆞ여 모든 시비 난타(亂打) 구욕(詬辱)ᄒᆞ다ᄀᆞ, 날이 발그ᄆᆡ[면] 잡히여 갓든 궁인이라 ᄒᆞ여, 관부의 보ᄂᆡ려 가도기예, 도망ᄒᆞ여 왓노라 ᄒᆞ라."【85】

이영이 소져의 은덕을 블승감격ᄒᆞ여 고두 ᄇᆡᆨᄇᆡ ᄉᆞ례 왈,

"영신과 츄관을 보고 ᄒᆞᆯ 말이 업셔 발[바]로 쥬ᄒᆞ려 ᄒᆞ엿ᄉᆞᆸ더니, 부인○[의] 가ᄅᆞ치시미 여ᄎᆞᄒᆞ니, 엇지 감격지 아니리가? 천쳡은 ᄉᆞ죄을 범ᄒᆞ오ᄆᆡ 정신이 황란ᄒᆞ여 핑계ᄒᆞᆯ 말을 ᄉᆡᆼ각지 못ᄒᆞ여더니, 부인의 니르시ᄂᆞᆫ ᄃᆡ로 국군계 고ᄒᆞ여도, 쳡의 죄난 되지 아니기[리]로소이다."

1415)교구(交求) : 교대하여 추궁함.

명듀보월빙 권디삼십구

화셜 뎡쇼졔 니영을 쾌히 허ᄒᆞ여 도라보ᄂᆡ고, 방듕의 드러가 옷슬 그르고 잠을 편히 들거ᄂᆞᆯ, 시녀 등이 니영을 가도아 두디 못ᄒᆞ믈 ᄋᆡ돌와ᄒᆞ며, 금야의 쇼졔 편히 취팀ᄒᆞ믈 괴이히 넉인ᄃᆡ, 쇼졔 날호여 ᄀᆞᆯ오ᄃᆡ,

“댱샤 궁녀를 머므러 두어도 유익디 아니ᄒᆞ고, 금야의 나의 팀쉬 편ᄒᆞ믄 궁인이 작변ᄒᆞ므로 아라 흉뎍이 방심ᄒᆞᆯ 거시니, ᄯᅩᄒᆞᆫ 내 ᄆᆞ음이 편ᄒᆞ도다. 연이나 내 맛ᄎᆞᆷᄂᆡ 뎍소의 머므디 못ᄒᆞᆯ 거시오, 뎍환이 다시 이시리니 명됴의 다시 방비ᄒᆞ리【1】라.”

홍션 등 졔네 눈물을 흘녀 션견디명을 탄복ᄒᆞ고, 화란의 긔구ᄒᆞ믈 슬허ᄒᆞᄃᆡ, 쇼져ᄂᆞᆫ ᄆᆞ음을 널니 ᄒᆞ고 고요히 취팀ᄒᆞᄂᆞᆫ 듕이나, 뎍변을 방비ᄒᆞ여 탈신디칙(脫身之策)을 ᄉᆡᆼ각ᄒᆞ더라.

니영이 반ᄉᆡᆼ반ᄉᆞᄒᆞ여 도라오니, 교뷔(轎夫) 밧긔셔 기다련 디 오ᄅᆡ다가, 니영의 거동을 보고 대경ᄒᆞ여 연고를 므르니, 영이 만신의 분즙을 뵈며 우러 왈,

“하마 죽을 번ᄒᆞ여시니 ᄒᆡᆼ보를 일우기 어려온디라 교부ᄂᆞᆫ 날을 교ᄌᆞ의 담아가라.”

교뷔 코흘 ᄡᆞ고 아니ᄭᅩ으믈 니긔디 못ᄒᆞ여, 교ᄌᆞ의 올녀 메고 바회 틈으로 도라오니, 니영이 계오 옷슬 가라 닙으며 머리【2】의 분즙을 업시 ᄒᆞ고 금금(錦衾)의 ᄡᆞ

소져 이영을 쾌니[이] 보ᄂᆡ고 방즁의 드러와 잠을 들고져 ᄒᆞ거ᄂᆞᆯ, 시여(侍女) 등이 이영○[을] 가도지 못ᄒᆞ믈 크게 ᄒᆞᆫᄒᆞ고, 소져의 잠들믈 고히 여긔거날, 소져 왈,

“금야은 도적의 념여 업ᄉᆞᆫ 고로 잠간 ᄌᆞ고져 ᄒᆞ미오, 궁인은 녀ᄌᆡ라. ᄉᆞ람을 간ᄃᆡ로 쳐살(處殺)치 못ᄒᆞᆯ 거시오, 이후 간당이 발각할 젹 이영이 업지 못ᄒᆞ리니 ᄎᆞ고로 고히 보ᄂᆡ미라. 금일은 무ᄉᆞᄒᆞ나 명일은 블에[의]지변(不意之變)을 당ᄒᆞ리라.”

홍션이 휘류 왈,

“부인은 안ᄌᆞ셔 쳘이(千里)을 ᄉᆞ모ᄎᆞ시난 ᄎᆞᆼ명지혜 계시니, 흉젹의 엿보난 일을 줄 방비ᄒᆞ시거이[니]와, 마ᄎᆞᆷᄂᆡ 젹당은 셩ᄒᆞ고 부인은 소비 등 칠팔인 ᄲᅮᆫ이라. 흉젹의 작변을 장ᄎᆞᆺ 엇지코져 ᄒᆞ시나잇가?

소져 탄왈,

“블힝ᄒᆞ여 소ᄐᆡ쉬 아니 게시고, 오셰웅이 이곳 관원○[이] 되어 영신의 흉게을 도으니, 결단코 젹소의 잇지【86】못ᄒᆞ리오[로]다.”

홍션 등 졔시비 위ᄐᆡ롭고 슬프을[믈] 니기지 못ᄒᆞ나, 부인의 션견지명을 탄복ᄒᆞ고, 소져난 마음을 널여 고요니[이] 취침ᄒᆞ난 즁니[이]나, 젹변을 방비ᄒᆞ고 탈신지칙(脫身之策)을 ᄉᆡᆼ각ᄒᆞ더라.

이영이 반ᄉᆡᆼ반ᄉᆞᄒᆞ여 밧게 나오니, 교부 등이 기다리다가 영의 거동을 보고 놀나 연고을 무르니, 만신(滿身) 븐즙(糞汁)을 뵈며 우러 왈,

“하마 쥭을 번ᄒᆞ여 ᄒᆡᆼ보을 일우긔 어려우니, 교부은[는] 《낭‖나》을 교ᄌᆞ○[의] 담아 가라.”

교부 코을 ᄊᆞ고 교ᄌᆞ의 담아 바회 틈의 도라오니, 이영이 겨유 옷슬 가라입으며 머리의 븐즙을 업시ᄒᆞ고, 금이(衾裏)의 ᄉᆞ[ᄊᆞ]엿더니, 명일 영신이 ᄎᆞᄌᆞ 니르거늘, 영이

헛더니, 명일의 녕신이 ᄎᆞᄌᆞ 니르럿거ᄂᆞᆯ, 니영이 뎡쇼져의 ᄀᆞᄅᆞ친ᄃᆡ로 ᄃᆡ답ᄒᆞ고, 손으로 가슴을 쳐 왈,

"뎡부인을 다려가든 못ᄒᆞ고 일을 힝ᄒᆞᆫ즉 이ᄀᆞᆺ치 패루ᄒᆞᆯ ᄲᅮᆫ 아니라, 쳡은 강한ᄒᆞᆫ 비ᄌᆞ 등의게 죽도록 마자 죵신디질(終身之疾) 된가 ᄒᆞᄂᆞ이다."

영신이 크게 실망ᄒᆞ여 니영을 위로ᄒᆞ고, 다시 졔군을 거나려 모야(暮夜)의 위력으로 뎡시 다려오믈 니영과 의논ᄒᆞ고, 읍져의 드러가 츄관을 보고, 니영의 공을 일우디 못ᄒᆞ여 반ᄉᆡᆼ반ᄉᆞᄒᆞ여 교ᄌᆞ의 담겨 도라오믈 니르고, 명일 군【3】긔를 슈습ᄒᆞ여 뎡시 가샤를 에워ᄡᆞ고 뎡시를 탈취ᄒᆞ여 국도로 가믈 쳥ᄒᆞ니, 츄관이 허락ᄒᆞ고 져ᄂᆞᆫ 짐ᄌᆞᆺ 아른 쳬 아니려, 명일의 댱샤 관니 군졸을 거나려 습샤ᄒᆞᄂᆞᆫ 쳬ᄒᆞ여, 이십니 졍도를 나아가고 영신은 제 ᄉᆞ졸 슈ᄇᆡᆨ 인을 다리고 바로 뎡쇼져 뎍쇼로 나아가니라.

어시의 뎡쇼졔 니영을 도라보ᄂᆡ고, 다시 변이 이실 줄 혜아려, ᄀᆞ마니 홍션다려 왈,

"내 너를 다리고 몸을 잠간 피코져 ᄒᆞᄃᆡ 맛당이 머므럼즉ᄒᆞᆫ 곳이 업ᄉᆞ니, 너는 잠간 산곡간의 두로 살펴 우리 비쥬의 용신ᄒᆞᆯ 곳을 뎡ᄒᆞ라."

션이 슈명【4】ᄒᆞ여 즉시 나가거ᄂᆞᆯ, 쇼졔 ᄎᆡᆨ쉭 깁과 남글 삭여 ᄒᆞᆫ낫 미인을 ᄆᆡᆫᄃᆞ라 얼골의 분을 칠ᄒᆞ여 운환(雲鬟)을 ᄡᅱ오고 의상을 닙히ᄆᆡ, ᄇᆡᆨᄐᆡ(百態) 긔려ᄒᆞ고 쳔광(千光)이 소소ᄒᆞ여, 눈셥이 초월(初月) ᄀᆞᆺ고 냥안이 ᄉᆡ별1416)의 졍긔를 씌여, 홍슌(紅脣) 년협(蓮頰)이 경국ᄒᆞᆯ ᄉᆡᆨ뫼라. 몸 가온ᄃᆡ로 줄을 두어 나상ᄭᅵᆫ을 삼으니 사ᄅᆞᆷ이 나상(羅裳) ᄭᅵᆫ을 다린즉, 완연이 ᄉᆡᆼ인(生人)의 거름 ᄀᆞᆺ고, 노흔즉 좌를 일우ᄂᆞᆫ 형상ᄀᆞᆺᄐᆞ여, 비록 ᄌᆞ상명달ᄒᆞᆫ 안춍(眼聰)이라도 먼니 본즉 능히 딘가를 알 길히 업ᄂᆞᆫ디라. 졔네 쇼져의 만고무비(萬古無比)ᄒᆞᆫ ᄌᆡ조를 구경ᄒᆞ고, 더욱 긔이ᄒᆞ믈 결울치 못ᄒᆞ【5】더라. 쇼졔

1416)ᄉᆡ별 : 샛별. 금성(金星)을 일상적으로 이르는 말.

뎡소져 가ᄅᆞ친 ᄃᆡ로 고ᄒᆞ고, 가슴을 두다려 왈,

"뎡부인을 다려가든 못ᄒᆞ고 일을 힝ᄒᆞᆫ작이 갓치 ᄑᆡ루ᄒᆞᆯ ᄲᅮᆫ 아녀, 쳡은 강한 비ᄌᆞ 등의게 쥭도록 마ᄌᆞ 죵신지질(終身之疾)○[이] 될가 ᄒᆞ나니다."

영신이 크게 실망ᄒᆞ여 이영을 위로ᄒᆞ고, 다시 흉계로 셜분ᄒᆞ려 ᄒᆞ니, 엇지 젼두ᄉᆞ(前頭事)를 조금이나 ᄉᆡᆼ각ᄒᆞ리오. 모야(暮夜)의 뎡소져 다려오기을 의논ᄒᆞ고 읍져로 드러가, 츄관을 보고 이영의 일을 니르고, 명일 군긔을 슈습ᄒᆞ여 졔 스ᄉᆞ로 뎡부인을 탈취ᄒᆞ여 국도로 가려ᄒᆞ믈 의【87】논ᄒᆞ니, 츄관이 이리져리ᄒᆞ고 져난 아른 쳬 아니랴 ᄒᆞ여, 명죠의 장ᄉᆞ 관이(官吏)와 군졸을 거나려 슈십니 졍도의 가, 습ᄉᆞᄒᆞ난 쳬ᄒᆞ고, 영신○○○○[은 졔 ᄉᆞ졸]을 다리고 바로 소져 가ᄉᆞ(家舍)로 가니라.

ᄎᆞ시 뎡부인이 이영을 도라보ᄂᆡ고 다시 변이 잇실가 지긔ᄒᆞ고 홍션다려 왈,

"ᄂᆡ 너을 다리고 몸을 잠간 피코져 ᄒᆞᄃᆡ, 맛당이 머물 곳이 업ᄉᆞ니, 너난 두로 단여 암셕 ᄉᆞ니[이]라도 우리 노쥬 잇실 곳을 어드라."

션이 슈명ᄒᆞ고 즉시 나아간이라. 소져 ᄎᆡᆨ쉭 깁과 남글 ᄉᆡᆨ여 ᄒᆞᆫ낫 미인을 ᄆᆡᆫ다라, 얼골의 연분(鉛粉)1194)을 올니고 의ᄉᆞᆼ을 입히고, 속으로 쥴을 느리워, ᄉᆞ람이 쥴을 다ᄅᆡ면 완연이 ᄉᆡᆼ인(生人) 갓치 힝보ᄒᆞ고, ᄀᆞᆺ친즉 좌ᄒᆞ니, 비록 ᄌᆞ상명달ᄒᆞᆫ 안춍(眼聰)이라도 얼픗 보면 그 진가을 분별기 어려올지라. 그 속의 무거온 돌과 부작을 너허 믈의 들ᄆᆡ 즉시 가라안고, 다시 ᄉᆞ람이 찻지 못ᄒᆞ게 ᄒᆞ엿더라. 다만 경경(耿耿)ᄒᆞᆫ ᄇᆡ난 윤ᄐᆡ우로[를] 근심ᄒᆞ고, 아ᄌᆞ의 ᄉᆞᄉᆡᆼ을 아지 못ᄒᆞ여 슬프믈 니기지 못ᄒᆞ며, 지극한 효심으로ᄡᅧ 존당부모의 블효을 ᄭᅵ치오믈 한셕(恨惜)ᄒᆞ더라.

1194)연분(鉛粉) : 분(粉). 얼굴빛을 곱게 하기 위하여 얼굴에 바르는 화장품의 하나.

목인의 쇽의 돌을 너허, 믈의 드러도 즉시 가라안게 ᄒᆞᆫ 후, 두어필 깁을 ᄂᆡ여 노쥬의 남의를 일우니, 팀션(針線)의 능홈과 지조의 비상ᄒᆞ미 빅만ᄉᆞ의 츌범치 아닌 곳이 업ᄉᆞᄃᆡ, 다만 그 초년 화익이 험난ᄒᆞ여, 심장이 ᄉᆞᆲ는 기름과 븟는 블 ᄀᆞᆺ트여, 경경(耿耿)ᄒᆞᆫ 념녀을 노치 못ᄒᆞ믄 윤태우의 몸을 근심ᄒᆞ미오, 유ᄋᆞ의 ᄉᆞ싱을 아디 못ᄒᆞ여 초젼번민(焦煎煩悶)ᄒᆞᆫ 듕, 부모의 ᄌᆞ긔로 말미암아 우려ᄒᆞ실 바를 헤아리ᄆᆡ 블효를 더욱 슬허ᄒᆞ더라.

ᄎᆞ일 져믄 후 홍션이 도라와 산곡간 그윽ᄒᆞᆫ 곳이 만흐믈 고ᄒᆞ니, 쇼졔 바야【6】흐로 건복을 필역ᄒᆞ여 스ᄉᆞ로 녀복을 벗고 남의를 개착홀ᄉᆡ, 홍션으로 ᄯᅩ 남복을 닙으라 ᄒᆞ니, 홍션과 졔네 다 쇼져의 쥬의를 아디 못ᄒᆞ나, 아딕 니르는 ᄃᆡ로 홍션은 인가 셔동의 복식을 곳치ᄆᆡ, 쇼졔 남복을 개착ᄒᆞ니, 쇼져의 용화긔딜이 남복 가온ᄃᆡ 더욱 긔이ᄒᆞ여, 옥쳥딘군(玉淸眞君)1417)이 인셰의 하강홈 ᄀᆞᆺ고, 홍션의 영오ᄒᆞ미 진짓 쇼져긔 신임ᄒᆞ염즉 ᄒᆞ더라.

쇼졔 필연을 나와 존당 부모긔 샹셔 쓰기를 맛ᄎᆞᄆᆡ, 긴긴이 봉ᄒᆞ여 틍근ᄒᆞᆫ 냥ᄋᆞ(良兒)1418)를 맛디고 ᄌᆞ연 옥뉘(玉淚) 화협(花頰)의 죵횡ᄒᆞ여 왈,

"내 금일 이【7】곳을 ᄯᅥ나고져 ᄒᆞᄂᆞ니, 흉덕을 온가지로 방변(防變)ᄒᆞ여 화를 버셔나고져 ᄒᆞ나, 맛ᄎᆞᆷᄂᆡ 나의 ᄉᆞ라심1419) 곳 드르면 못견ᄃᆡ도록 히ᄒᆞ리니, 그 일이 공교롭기를 면치 못ᄒᆞ나 보젼디계(保全之計)를 싱각ᄒᆞ미라. 도적이 반ᄂᆞ시 군긔를 거나려 가샤를 에워ᄡᆞᆯ 거시니, 비ᄌᆞ 등은 먼니셔 뎍의 오는 거동을 보고, 져 목인을 여러히 닛그러 븟드러 진짓 쥬인으로 옹호홈 ᄀᆞᆺ치 뒤문으로 ᄂᆡᄃᆞ라, 상강(湘江) 가의 님ᄒᆞ면 뎍이 졈졈 갓가이 나아오리니, 너히 거ᄌᆞᆺ

ᄎᆞ일 황혼의 홍션【88】이 도라와 ᄉᆞᆫ곡 암실(巖室)의 그윽한 곳○[을] 어드믈 고ᄒᆞ니, 소져 ᄇᆡ야흐로 운환(雲鬟)을 플쳐 운고(雲-)1195)을 ᄡᅳ고 남복을 ᄀᆡ착ᄒᆞ며, 홍션은 인가 창두의 복식을 ᄒᆞ니 노쥬의 션풍단아ᄒᆞ며 쵸연ᄒᆞ미 ○○[진짓] ○[미]장부(美丈夫)라.

소져 필연을 나와 존당부모긔 ᄉᆞᆼ셔을 밧ᄎᆞᄆᆡ 긴긴이 봉ᄒᆞ여 츙근ᄒᆞᆫ 낙[냥]낭(養娘)1196)을 맛긔고 탄왈,

"도적의 흉계 블측(不測)ᄒᆞ리니, 일리 몽[공]교ᄒᆞ믈 면치 못ᄒᆞ나, 이리 아니면 할 일 업난지라. 도젹이 반다시 군기을 거나려 도립(突入)ᄒᆞ리니, 너희난 져 목인을 옹호ᄒᆞ여 뒤문으로 나, ᄉᆞᆼ강(湘江) ○[가]의 ○○○[님ᄒᆞ여] 도젹○[이] 보난 ᄃᆡ 목인을 밀쳐 믈의 너희[흐]면, 도젹이 뒤흘 ᄡᅡ로다ᄀᆞ 할 일 업셔 ᄒᆞ리니, 너희난 ᄉᆞᆷ가 ᄂᆡ 지위[휘]을 러[어]기지 말나. 나와 홍션은 ᄎᆞ지려 말고 ᄒᆞᆫ갈곳[ᄀᆞᆺ]치 쥭으믈 일ᄏᆞ라면, 오셰웅이 니곽 등을 방송ᄒᆞ리니, 즉시 경ᄉᆞ로

1417)옥쳥딘군(玉淸眞君) : 옥청궁(玉淸宮)에서 옥황상제를 섬기며 사는 신선.
1418)냥ᄋᆞ(良兒) : 양시아(良侍兒). 선량한 시녀.
1419)ᄉᆞ라심 : 살았음. 살아 있음.

1195)운고(雲-) : 멋스럽게 상투를 튼 머리. 고; 상투를 틀 때 머리털을 고리처럼 되도록 감아 넘긴 것
1196)냥낭(養娘) : 시녀. 여자 종. 주로 결혼한 여자 종을 일컫는 말.

져 목인을 붓들고 우ᄂᆞᆫ 쳬ᄒᆞ다가, ᄀᆞ마니 믈쇽의 밀치면 흉뎍이 죽으므로 알니니, 너희 여ᄎᆞ여ᄎᆞᄒᆞ여【8】 방인의 의심을 일위디 말고, 굿ᄐᆞ여 나와 홍션의 거쳐를 ᄎᆞᄌᆞ려 말고 ᄒᆞᆫ갈ᄀᆞᆺ치 죽으믈 일ᄏᆞᆺ고, 내 죽으믈 드른 후ᄂᆞᆫ 오셰웅이 니곽을 ᄂᆡ여노흘 거시니, 즉시 경샤로 도라가고 너희 이곳의 머므디 말나."

시녀 등이 ᄎᆞ언을 드르ᄆᆡ 악연 비졀ᄒᆞ믈 니긔디 못ᄒᆞ여 왈,

"쇼비 등이 비록 십년을 그음ᄒᆞᆯ디라도 쇼져의 환쇄(還刷)ᄒᆞ시ᄂᆞᆫ 날 뫼셔 샹경ᄒᆞ랴 ᄒᆞᄋᆞᆸᄂᆞ니, 쇼졔 엇디 져 홍션 일인만 다리시고 어ᄃᆡ로 향ᄒᆞ여 머믈고져 ᄒᆞ시ᄂᆞ니잇고?"

쇼졔 쳐연이 빵누를 드리워 ᄀᆞᆯ오ᄃᆡ,

"낸들 엇디 몬져 너희를 도라가라 ᄒᆞ리오마ᄂᆞᆫ, ᄉᆞ【9】셰 마디 못ᄒᆞ여 구ᄎᆞ히 일명을 보젼코져 ᄒᆞ미니, 여등은 도라가 부모긔 이뜻을 고ᄒᆞ여 과도히 념녀치 아니시게 ᄒᆞ라."

졔시ᄋᆡ 쇼져의 옷ᄉᆞᆯ 붓들고 오열쳬읍ᄒᆞ여 ᄎᆞ마 경샤로 갈 뜻이 업ᄉᆞ니, 쇼졔 ᄌᆡ삼 위로ᄒᆞ여 목인이 ᄂᆡ슈ᄒᆞ게 ᄒᆞᆯ 일을 닐너 패루치 말나 ᄒᆞ고, 홍션으로 더브러 어두오믈 타 가마니 문을 나니, 시녀 등이 문외의 숑별ᄒᆞᆯᄉᆡ 휘루비읍ᄒᆞ니, 쇼졔 손을 미러 슈상ᄒᆞ믈 말라 ᄒᆞ고, 슈히 샹경ᄒᆞ믈 니르니 졔시비 톄루 ᄇᆡ별 ᄒᆞ더라.

명일 영신이 군긔를 거나려 ᄲᆞᆯ니 나아오거ᄂᆞᆯ, 졔【10】녜 쇼져의 디휘ᄃᆡ로 목인을 붓드러 뒤문으로 ᄂᆡᄃᆞ르니, 영신이 먼니셔 보건ᄃᆡ 일위 부인이 뉵칠 개 시녀의게 붓들녀 힝보를 ᄲᆞᆯ니 옴겨 상강 가흐로 힝ᄒᆞ니, 휘황ᄒᆞᆫ ᄉᆡᆨ틔와 뎡졔ᄒᆞᆫ 복ᄉᆡᆨ이 화월의 명광과 명쥬의 고으믈 아ᄉᆞ 쳔고졀염(千古絶艷)이라. 영신이 황홀ᄒᆞ믈 니긔디 못ᄒᆞ여 ᄆᆞᆯ을 ᄎᆡ쳐 ᄯᆞᆯ오더니, 뎡부 시녀 등이 문득 소ᄅᆡ ᄒᆞ여 왈,

도라가라."

시비 등이 ᄎᆞ언을 듯고 악연 비졀 왈,

"소비 등이 십연을 그음ᄒᆞ여도 소졔 환ᄎᆞᄒᆞ시난 날 ᄒᆞᆫ가지로 ᄉᆞᆼ경ᄒᆞ려 ᄒᆞ옵나니, 소져 홍션 일인 만 다리고 어ᄃᆡ로 가시려 ᄒᆞ○[시]ᄂᆞ뇨?"

소졔 쳬연 탄왈,

"ᄂᆡᆫ들 너의 등을 엇지 면[먼]져 도라가라 ᄒᆞ리오만은, ᄉᆞ셰 마지 못ᄒᆞ미니 여등은 도라가 부모씌[께] ○[이] 뜻을 고ᄒᆞ여, 과도히 슬어[허] 마르【89】시계ᄒᆞ라."

졔 시여(侍女) ᄎᆞ마 소져의 옷ᄉᆞᆯ 잡고 놋치 못ᄒᆞ니, 소져 ᄌᆡᄉᆞᆷ 위로ᄒᆞ고 어두오믈 타 홍션으로 더브러 가연니 문을 나니, 뎨인이 엇지 그 동셔(東西)을 알니오.

명일 영신이 군기을 거나려 ᄲᆞᆯ이 나오거날, 모든 양낭이 목인을 붓드러 뒤문으로 ᄂᆡ다라니, 영신이 보건ᄃᆡ 육칠 시여 일ᄀᆡ 미인을 옹위ᄒᆞ여 거름을 ᄲᆞᆯ이 옴계 ᄉᆞᆼ강흐로 향ᄒᆞ니, 빙ᄌᆞ 옥틔의 쳔만 교염의[이] 기기묘묘ᄒᆞ여, 화월이 슈퇴(羞退)ᄒᆞ고 명듀(明珠) 보벽(寶璧)이 고으믈 《알일‖아일[1197]》지라. ᄒᆞᆫ번 보ᄆᆡ 황홀긔니[이]ᄒᆞ니, 비록 쥭긔을 그음ᄒᆞ여도 져 미인을 취ᄒᆞ여 졔 긔물(奇物)○[을] 숨고, 장ᄉᆞ왕을 쥬지 말고져 뜻이 니러나니, 말을 ᄎᆡ쳐 ᄲᆞᆯ

1197)아이다 : 빼앗기다.

"뎍당이 비록 무상ᄒᆞ나 부인의 여상졀의(如霜節義)1420)를 희딧디 못ᄒᆞ리니, 부인은 ᄉᆞᄉᆡᆼ을 가바야이 마르쇼셔."

뎍이 ᄎᆞ언을 듯고 더욱 착급【11】ᄒᆞ여 졔졸을 모라 나아가더니, 문득 미인의 손을 시녜 잡으며 허리를 븟드러 물의 드디 못○○[ᄒᆞ게] ᄒᆞ더니, 미인이 손을 ᄲᅳ리치며 몸을 소소치ᄂᆞᆫ 바의 미인의 텬향아ᄐᆡ(天香雅態) 쇽졀업시 간 바를 아디 못ᄒᆞ니, 졔녜 일시의 ᄉᆞ변(沙邊)을 두다려 통곡운졀ᄒᆞ니, 원ᄂᆡ 졔녜 쇼졔 집을 ᄯᅥ난 후 쾌히 슬프믈 펴디 못ᄒᆞ엿던디라. 일시의 통곡ᄒᆞᄆᆡ 눈물이 오월댱슈(五月長水) ᄀᆞᆺᄐᆞ니, 영신이 져 거동을 보ᄆᆡ 창감(愴感) 비졀(悲絶)ᄒᆞ믈 니긔디 못ᄒᆞ여, 션인(船人)을 ᄇᆡᆨ금을 주어 뎡쇼져를 건디라 ᄒᆞ나, 쇼졔 임의 목인의 부작을【12】 주어 물의 들며 엇디 못ᄒᆞ게 ᄒᆞ엿ᄂᆞᆫ디라. 션인이 헛되이 공환ᄒᆞ니 영신이 비록 갑슬 ᄎᆞᆺ디 아니나, 젼후 져의 심녁을 허비ᄒᆞᆫ ᄇᆡ 그린 ᄯᅥᆨ1421)이 되여 국군을 볼 낫치 업고, 미인의 ᄉᆡᆨ용을 황홀ᄒᆞ다가 경ᄀᆡᆨ의 슈ᄉᆞ(水死)ᄒᆞ믈 참졀ᄒᆞ여 역시 강슈를 향ᄒᆞ여 통곡ᄒᆞ니, 졔졸이 이목이 번다ᄒᆞ믈 말니고 그만ᄒᆞ여 국도로 도라가믈 쳥ᄒᆞ니, 영신이 ᄯᅩᄒᆞᆫ 아름답디 아닌 쇼문이 젼파ᄒᆞᆯ가 두려, 즉시 ᄉᆞ졸을 명ᄒᆞ여 각각 허여져 국도로 도라오라 ᄒᆞ고, 져ᄂᆞᆫ 오츄관 습ᄉᆞ(習射)ᄒᆞᄂᆞᆫ ᄃᆡ로 도라오니, 뎡부 시녜 더욱 ᄉᆞ변을 두다려 통【13】곡운졀ᄒᆞ니 ᄒᆡᆼ인이 위ᄒᆞ여 참연ᄒᆞ더라.

1420)여상졀의(如霜節義) : 서릿발 같이 단호한 절개.
1421)그린 ᄯᅥᆨ : 그림 속의 떡. 화중지병(畵中之餠).

니 ᄉᆞᆼ강으로 나오며, 눈을 미인의계 쏘아시니 모든 시여 미인을 븟들고 통곡 왈,

"도젹도 인심이라. 우리 부인의 녀샹명졀(如霜名節)1198)을 희지을 ᄂᆡᆯ 업ᄉᆞᆯ 거시니, 부인○[은] 잠간 ᄎᆞ무ᄉᆞ1199) 도젹의 동졍을 ᄎᆡ 아라 ᄉᆞᄉᆡᆼ을 결단ᄒᆞ소셔."

영신이 ᄎᆞ언을 듯고 더옥 ᄎᆞᆨ급ᄒᆞ여 밧비 나오더니, 모든 시여 미인의 손을 잡고 허리을 븟드러 임의로 물의 들지 못ᄒᆞ게 ᄒᆞ니, 미인이 한번 몸을 휘오쳐1200) 시여의 잡은 손을 ᄲᅮ니[리]치고, 잠간 속○[구]치더니1201), 다시 미인의 텬향아ᄐᆡ(天香雅態)을【90】 보지 못ᄒᆞ고, 시여의 일시의 호쳔통곡ᄒᆞ며 ᄉᆞ장을 두다리며 《혈식 ‖ 혈심(血心)》진졍으로 ᄯᅳᆯ을 듯, 셜우믈 니기지 못○○[ᄒᆞ니], 원ᄂᆡ 졔시여 소져을 이별ᄒᆞ고 슬푸미 각골ᄒᆞ니[나] 우지 못ᄒᆞ다ᄀᆞ, 목인을 물의 더지고 ᄌᆞ연 슬푸고, 소져의 ᄌᆡ덕은 남과 다르되 명되 기구ᄒᆞ여 노쥬 일ᄐᆡᆨ의 안거(安居)치 못ᄒᆞ믈 깁히 슬허ᄒᆞ니, 영신이 뎡부인을 탈취ᄒᆞ려 여러 가지로 계교을 ᄒᆡᆼᄒᆞᄆᆡ, 소ᄐᆡ슈 ᄌᆡᄉᆞᆼ(在喪)ᄒᆞ고 오츄관으로 더부러 동심모의ᄒᆞᄆᆡ, 긔특한 형세을 어더 두리며 거ᄎᆞᆯ 거시 업ᄉᆞ니, 방ᄌᆞ무인이 군긔을 거나려 뎡시 가ᄉᆞ(家舍)을 어워ᄊᆞ고1202) 위력으로 뎡시을 잡아 가고져 ᄒᆞ여더니, 목젼의 미인의 익슈지환(溺水之患)과 시여 등의 ᄋᆡ곡ᄒᆞᄂᆞᆫ 거동을 보니, ᄎᆞᆷ담ᄒᆞ고 놀나오믈 니기지 못ᄒᆞ여, 즉시 견[건]져 ᄂᆡᆯ 의ᄉᆞ을 두어, 션인을 금ᄇᆡᆨ을 쥬고 견[건]져 ᄂᆡ라 ᄒᆞ니, 슈즁의 익은 션인이 물의 드러 두로 찻되 엇지 못ᄒᆞ니, 영신이 비록 갑슬 찻지 아니나, 심역을 허비ᄒᆞ여 슈고ᄒᆞ다가, '그린 ᄯᅥᆨ'1203)이 되어 국군을 볼 낫치 업ᄉᆞᆯ ᄲᅮᆫ 아여[녀], 미인의 ᄉᆡᆨ용을 ᄋᆞᆺ계[겨] ᄎᆞᆷ졀비ᄉᆞᆼᄒᆞ믈 마지 아니니, 죵인(從人)이 위로ᄒᆞ여

1198)녀샹명졀(如霜名節) : 서릿발 같이 단호한 절개.
1199)ᄎᆞ무ᄉᆞ : 참으시어.
1200)휘오치다 : 몸을 굽혔다가 세게 일으켜 세우다.
1201)속구치다 : 솟구치다.
1202)어워ᄊᆞ다 : 에워싸다.
1203)그린 ᄯᅥᆨ : 그림 속의 ᄯᅥᆨ. 화중지병(畵中之餠).

영신이 오츄관을 보고 뎡시 슈ᄉᆞᄒᆞ믈 고ᄒᆞ니 츄관이 탄왈,

“계교ᄂᆞᆫ 사람이 ᄒᆡᆼᄒᆞ나 셩ᄉᆞᄒᆞ믄 하날의 달닌 ᄇᆡ라. 너ᄂᆞᆫ 도라가 왕형을 보거든 댱군의 슈고홈과 나의 합녁ᄒᆞᆫ 바를 고ᄒᆞ라.”

영신이 우우블낙(憂憂不樂)ᄒᆞ여 총총이 도라갈ᄉᆡ, 영신이 강변의 니르니 니영이 발셔 국도로 도라가ᄂᆞᆫ ᄇᆡ를 타더라. 영신이 즉시 ᄇᆡ의 올나 무ᄉᆞ히 월강ᄒᆞ여 본국의 도라오니, 댱샤왕이 영신을 보ᄂᆡ연 디 오ᄅᆡ되 소식이 업ᄉᆞ니, 기다리ᄂᆞᆫ ᄆᆞ음이 밋칠 듯ᄒᆞ던 바의, 영신이 도라와시믈 듯고 즉시【14】 블너 뎡시의 유무 거쳐를 므르니, 영신이 젼후 슈○[고]ᄒᆞ던 말과 오츄관으로 ᄒᆡᆼ계(行計)ᄒᆞ던 바를 일일히 고ᄒᆞ니, 댱샤왕이 크게 실망ᄒᆞ나 교ᄋᆡ 대열ᄒᆞ믈 니긔디 못ᄒᆞ여 왕다려 왈,

“뎡시 슈ᄉᆞᄒᆞ미 참졀ᄒᆞ오나 져의 명되 발셔 그러ᄒᆞ니 앗길 ᄇᆡ 업ᄂᆞᆫ디라. 영신과 궁인이 셩공ᄒᆞ미 업ᄉᆞ나 타국의 뉴쳐(留處)ᄒᆞ여 심녀ᄒᆞ믈 대왕은 ᄉᆞᆯ피쇼셔.”

왕이 연기언(然其言)1422)ᄒᆞ여 영신과 졔군을 샹샤ᄒᆞ고, 니영은 각별 금은으로 위로ᄒᆞ니, 니영이 뎡부인의 가ᄅᆞ치믈 좃ᄎᆞ 져의 소실(所失)은 ᄀᆞᆷ초이고 무슈ᄒᆞᆫ 상급을 어드니, 뎡쇼져를 감은 극골ᄒᆞ더라.【15】

오셰웅이 거즛 습샤ᄒᆞ기를 맛고 읍져의 도라와, 뎡시의 슈ᄉᆞᄒᆞ믈 비로소 드롬ᄀᆞᆺ치 ᄒᆞ여 놀나ᄂᆞᆫ 쳬ᄒᆞ여, 즉시 모든 션인을 블

1422)연기언(然其言) ; 그 말을 따름.

본국으로 도라가믈 쳥ᄒᆞ니, 영신이 혹ᄌᆞ 아름답지 못한 소문이 젼파ᄒᆞ여 쳔경【91】의 들일가 ○○[두려], 군즁의 영ᄒᆞ여 각각 허여져 국도로 모히라 ᄒᆞ고, 일시의 {일시의} 군기을 파ᄒᆞ여 도리[라]가니, 뎡부인 시여 등이 짐짓 ᄉᆞ면으로 두로 단니며 실셩호곡ᄒᆞ니, ᄒᆡᆼ인이 위ᄒᆞ여 슬허ᄒᆞ더라.

영신이 오츄관 습ᄉᆞ(習射)○○○[ᄒᆞᄂᆞᆫ 곳]의 니르러, ᄀᆞ마니 뎡시 슈ᄉᆞᄒᆞ믈 고ᄒᆞ고 헛도니[이] 도라가므로써 하즉ᄒᆞ니, 츄관이 탄왈,

“모ᄉᆞ(謀事)난 ᄌᆡ인(在人)이오, 셩ᄉᆞ(成事)난 ᄌᆡ쳔(在天)이라. 도라가 왕형긔 나의 합녁ᄒᆞ던 바을 고ᄒᆞ라.”

영신이 총총이 하직고 본국으로 향ᄒᆞ니라.

ᄎᆞ셜 장ᄉᆞ왕이 영신을 보ᄂᆡ고 일야 현망(懸望)ᄒᆞ더니, 영신이 도라와 젼후 슈고ᄒᆞ던 슈말과 오츄관과 동심ᄒᆡᆼ거ᄒᆞ던 ᄇᆞ을 일일이 고ᄒᆞ고, 뎡시 슈ᄉᆞᄒᆞ믈 일너 앗기을[믈] 마지 아니니, 왕은 크게 실망ᄒᆞ나, 교여난 쳔ᄇᆡᆨ가지로 죽이려 ᄒᆞ던지라. 암희ᄒᆞ여 왕긔 고왈,

“뎡시 슈ᄉᆞᄒᆞ나, 져의 명되 발셔 그러ᄒᆞ니 앗길 거[것] 업손지라. 영장군과 궁인 등이 비록 공은 니르[루]지 못ᄒᆞ여시나, ᄃᆡ왕을 위ᄒᆞ여 슈고ᄒᆞ미 만흐니, 모로미 장졸을 상ᄉᆞᄒᆞ고 《군인‖궁인》의[을] 즁상(重賞)《ᄒᆞ믈‖ᄒᆞ여》 위로ᄒᆞ소셔.”

왕이 교여의 말인직, ᄉᆞᄉᆞ언쳥(事事言聽)ᄒᆞᄂᆞᆫ지라. ᄉᆞ졸을 숭ᄉᆞᄒᆞ고 이영을 각별 금ᄇᆡᆨ을 쥬고 위문ᄒᆞ니, 영이 가지록 뎡부인【92】 은혜을 감격ᄒᆞ더라.

어시의 오셰웅이 습ᄉᆞ을 맛고 도라와, 뎡시 슈ᄉᆞᄒᆞ믈 쳐음 듯난 다시 놀나난 빗출 지어, 션인 등으로 뎡시 시신을 ᄎᆞᄌᆞ오ᄂᆞᆫ ᄌᆞ난 즁숭ᄒᆞ리라 ᄒᆞ니, 션인 등이 믈속의

너 뎡쇼져의 시신을 어든 즉 상ᄉᆡ(賞賜) 이시리라 ᄒᆞ나, 션인이 능히 엇디 못ᄒᆞ니, 츄관이 거즛 참졀ᄒᆞ여 뎡쇼져의 시녀다려 경악ᄒᆞ믈 니르고, 목픠 발셔 노고의 시신을 관문 밧긔 바리고 본국으로 도라가시므로, 니곽과 여러 시노를 가도아 두미 브졀업ᄉᆞᆫ 고로, 일시의 옥문을 나게 ᄒᆞ고, 니곽을 청ᄒᆞ여 뎡부인의 닉슈참ᄉᆞᄒᆞ믈 티위(致慰)ᄒᆞ며, 문득 탄왈,

"금평후 상공의 만금 소괴 이곳의 뎍거ᄒᆞ심도 괴이【16】ᄒᆞ거늘, 맛츰ᄂᆡ 슈ᄉᆞᄒᆞ시니 인심의 참연통졀ᄒᆞ미 엇디 범연 ᄒᆞ리오. 관인과 노복이 밧글 딕히디 못ᄒᆞ여 공교ᄒᆞᆫ 일노 가도인 ᄯᅢ라. 이졔 뎡부인이 슈ᄉᆞᄒᆞ시고, 걸인이 ᄯᅩ 작일 의겁ᄒᆞ여 기모의 시신을 길가의 바렷다 ᄒᆞ니, 이졔 숑쳑(訟隻)1423)이 죽엇고, 신관이 나려올딘ᄃᆡ 살인ᄒᆞᆫ 쟈 ᄃᆡ살(代殺)ᄒᆞ리니, 내 이 ᄯᅢ를 타 그ᄃᆡ를 쾌히 도라보ᄂᆡᄂᆞ니, 그ᄃᆡ는 나의 ᄯᅳᆺ을 알디어다."

니곽이 쇼져의 슈ᄉᆞᄒᆞᆫ 흉문을 드르ᄆᆡ 망극ᄒᆞ고 놀나오미 텬디 어둡는 ᄃᆞᆺᄒᆞᄃᆡ, 쇼져의 츌인ᄒᆞᆫ 디혜(智慧) 담냑(膽略)을 ᄉᆡᆼ각건ᄃᆡ, 힘힘히【17】 뎍화(賊禍)를 바다 ᄉᆞ장(沙場) 어육(魚肉)이 되디 아닐디라. 그윽이 일분 밋는 ᄇᆡ 이시ᄃᆡ, 츄관의 무상블인ᄒᆞ믈 분노ᄒᆞ여, 은연(殷然)이 호슈(虎鬚)1424)를 거ᄉᆞ리고 뎡ᄉᆡᆨ ᄃᆡ왈,

"명공이 비록 쇼ᄉᆡᆼ으로ᄡᅧ 살인죄슈로 밀위시나 ᄉᆡᆼ의 ᄋᆡᄆᆡᄒᆞ믄 하날이 아르시는 ᄇᆡ라. 조곰도 구겁디심(懼怯之心)이 업ᄉᆞ니, 신관태쉬 나려오거든 걸인으로 일장을 닷토아 원억ᄒᆞ믈 신셜코져 ᄒᆞ엿더니, 발셔 걸인

1423)숑쳑(訟隻) : 송사(訟事)하는 상대자.
1424)호슈(虎鬚) : 호랑이 수염. 거친 수염을 비유적으로 이르는 말.

드러 무슈이 ᄎᆞ지되 엇지 못ᄒᆞ니, 츄관이 거짓 ᄎᆞᆷ졀ᄒᆞ난 쳬ᄒᆞ여 뎡부인 시녀 등을 불너 ᄎᆞᆷ졀ᄒᆞ믈 니르고, 목퇴 발셔 노고의 시신을 ᄇᆞ리고 본국으로 가심으로, 니곽 등을 다 방송ᄒᆞᆯ ᄉᆡ, 니곽을 쳥ᄒᆞ여 뎡부인 슈ᄉᆞᄒᆞ믈 치위ᄒᆞ고, 믄득 탄왈,

"금평후 ᄉᆞᆼ공의 만금 교ᄋᆡ 이곳의 젹거ᄒᆞ심도 고이ᄒᆞ거날, 젹소도 보젼치 못ᄒᆞ여 슈ᄉᆞᄒᆞ시니, 인심의 ᄎᆞᆷ졀 통셕ᄒᆞ미 엇지 범연ᄒᆞ리오. 관인과 졔뇌 슈호ᄒᆞ엿다 일너도 능히 슈다 도젹을 졔어치 못ᄒᆞ려이와, 일이 고이ᄒᆞ여 관인과 노ᄌᆡ 다 ᄉᆞᆯ인 죄명으로 옥이(獄裏)의 갓친 ᄯᅢ, 젹변을 만나 부인이 긔셰ᄒᆞ시니, 엇지 한흡지 아니리오. 이졔 부인 슈ᄉᆞᄒᆞ여시나 ᄉᆞᆯ인 죄명이 듕난ᄒᆞ니, 신관 도님[임](到任) 후 죄뉼을 의논ᄒᆞᆯ진ᄃᆡ, 여러 ᄉᆞ람이 상ᄒᆞ려이와, 근일 드르니, 결[걸]인(乞人)○[이] 독질을 어더 쥭고 노고 시신을 ᄎᆞᄌᆞ리 업다 ᄒᆞ니, 보슈(報讐)ᄒᆞ리 업ᄉᆞᆯ지라. 관인과 노복을 놋나니, 관인은 나의 ᄯᅳᆺ을 알지어【93】다."

니곽이 소져의 흉음(凶音)을 드르니 ᄎᆞᆷ졀ᄒᆞ미 천지 아득ᄒᆞ여, 흡ᄉᆞ 친ᄉᆞᆼ을 만남 ᄀᆞᆺ트ᄃᆡ, 소져 츌인ᄒᆞᆫ 《담낙‖담냑(膽略)》이 그만 흉젹의게 속졀업시 강샹의 더져 《업복‖어복(魚腹)》의 장할 듯 시부지 아닌지라. 다만 츄관의 흉젹과 부동(符同)ᄒᆞ여 젼후 힝ᄉᆞ무ᄉᆞᆼᄒᆞ믈 짐작ᄒᆞᄆᆡ, 분앙ᄒᆞ믈 니기지 못ᄒᆞ여 늠연()凜然이 호슈(虎鬚)1204)을 거ᄉᆞ이[리]고 ᄃᆡ왈,

"상공이 비록 소ᄉᆡᆼ을 ᄉᆞᆯ인 죄명으로 치오나, 소ᄉᆡᆼ의 ᄋᆡᄆᆡᄒᆞ믄 하날이 아난 ᄇᆡ니, 조금도 구겁[겁](懼怯)ᄒᆞᆯ 일 업셔, 신ᄐᆡ슈 도임ᄒᆞ거든 결[걸]인과 일장을 닷토아 원억ᄒᆞ믈 신셜코져 ᄒᆞ엿더니, 임에 결[걸]인이 쥭어시니, 더브러 말할 ᄉᆞ람이 업ᄉᆞᆫ지라. ᄉᆞᆼ공

1204)호슈(虎鬚) : 호랑이 수염. 거친 수염을 비유적으로 이르는 말.

이 죽엇다 ᄒᆞ고[니] 이제ᄂᆞᆫ 더브러 말ᄒᆞᆯ 사ᄅᆞᆷ이 업ᄉᆞᆫ디라. 명공이 은혜로ᄡᅧ 쇼싱과 뎡부 노복을 ᄂᆡ여놋ᄂᆞᆫ ᄃᆞ시 ᄒᆞ시나, 쇼싱은 쳐음의【18】 취옥(就獄)디 아닐 일의 명공이 구박ᄒᆞ여 가도시믈 그윽이 원민(冤悶)ᄒᆞ여 ᄒᆞᄂᆞ니, 흉뎍의 무상 간휼ᄒᆞ미 쇼싱과 졔노의 업ᄉᆞᆫ ᄯᅵ를 타 변고를 일위미 필유묘ᄆᆡᆨ(必有妙脈)이라. 부인이 도뎍의 욕을 두려 스ᄉᆞ로 닉슈디화(溺水之禍)를 취ᄒᆞ시ᄆᆡ, 도뎍이 믈너나고 명공이 쇼싱과 노복을 ᄂᆡ여노흐시나, 부인의 신톄도 어둘 길히 업ᄉᆞ니, 쇼싱이 하면목(何面目)으로 금평후 부ᄌᆞᄭᅴ 뵈오며, 윤쳥문ᄭᅴ 비현ᄒᆞ리오. 이곳의셔 죽어가디 말고져 ᄒᆞᄂᆞ이다."

언필의 쳔항뉘(千行淚) 옷길슬 뎍시니, 오츄관은 위인이 비록 간활ᄒᆞ여 츄셰ᄒᆞ기를【19】 남달니 ᄒᆞᄂᆞᆫ 고로, 져의 니곽과 졔복을 가돈 ᄯᅵ의 뎡쇼졔 슈ᄉᆞᄒᆞ여시니, 금후부ᄌᆡ 그릇 녈이가 두려 니곽을 쳔만 위로ᄒᆞ여, 뎡부인 허장(虛葬)[1425]ᄒᆞᆯ 일을 의논ᄒᆞ니, 니곽이 다만 금평후ᄭᅴ 취픔(就稟)ᄒᆞ여 ᄒᆞᆯ 바를 일ᄏᆞᆺ고, 춍춍이 가샤의 도라와 양낭 등을 보고 부인의 슈ᄉᆞᄒᆞ미 딘뎍ᄒᆞᆫ가 므ᄅᆞ니, 양낭이 가마니 쇼져의 니ᄅᆞ던 바를 젼ᄒᆞ여 왈,

"이제ᄂᆞᆫ 뷘 집을 딕히미 브졀업ᄉᆞ니 경샤로 올나 가ᄉᆞ이다."

ᄒᆞᆫᄃᆡ, 곽이 대경 왈,

"부인이 비록 뎍화를 피코져 ᄒᆞ여 남복으로 문을 나시나, 홍션만 다리시고 아모 곳의 머믈 바를 아디 못【20】ᄒᆞ시리[니], 우리 어이 그만ᄒᆞ여 경샤로 가리오."

시녀 등이 ᄀᆞᆯ오ᄃᆡ,

"관인디언이 유리ᄒᆞ시나, 부인이 님힝의 당부ᄒᆞ시미 여ᄎᆞ여ᄎᆞᄒᆞ샤 힝혀도 머므디 말나 ᄒᆞ실 ᄲᅮᆫ 아니라, 남장으로 나가시ᄆᆡ 위틱로오미 업ᄉᆞᆯ가 ᄒᆞᄂᆞ이다."

니곽이 부인의 신명ᄒᆞ믈 아ᄂᆞᆫ디라. 당부

1425)허장(虛葬) : 오랫동안 생사를 모르거나 시체를 찾지 못하는 경우에 시체 없이 그 사람의 옷가지나 유품으로써 장례를 치름. 또는 그 장례.

은 은혜로이 소싱과 노복 등을 놋ᄂᆞᆫ 다시 ᄒᆞ나, 쳐음의 가도지 《아일‖아닐》 일의 상공이 위력으로 구박ᄒᆞ여 ᄒᆞ옥(下獄)ᄒᆞ믈 가장 원민(冤悶)ᄒᆞ여 ᄒᆞ나니, ᄎᆞ등ᄉᆡ(此等事) 필뉴묘ᄆᆡᆨ(必有妙脈)이라. 부인이 욕을 두려 익슈지환(溺水之患)을 ᄌᆞ취ᄒᆞ니, 도젹이 믈너나고 상공이 우리을 방송ᄒᆞ나, 부인의 시신도 어들 길이 업ᄉᆞ니, 소싱이 하면목으로 금평후 부ᄌᆞ을 뵈오며, 뉸틱우ᄭᅴ 비현ᄒᆞ리오."

언파의 쳔힝뉘(千行淚) 옷기슬 젹시니, 츄관의 인물이 비루(鄙陋)ᄒᆞ므로, 니곽 등을 잡아 가둘 ᄯᅵ의 뎡소【94】져 슈ᄉᆞᄒᆞ여시니, 금평후 부ᄌᆡ 그릇 여길가 두리고 니곽의 말이 져의 흉모을 아는 듯ᄒᆞ니, 이의 쳔만 위로ᄒᆞ고, 뎡부인 의복(議服)[1205]의 관곽을 갓쵸와 경ᄉᆞ로 운구ᄒᆞ믈 의논ᄒᆞ니, 곽이 부답ᄒᆞ고 밧비 부인 젹소의 도라와, 양낭 등을 보고 부인 슈ᄉᆞᄒᆞ시미 진젹ᄒᆞᆫ가 무르니, 양낭 등이 부인 거취을 젼ᄒᆞ고, 이졔난 빈집 직히미 부졀 업ᄉᆞ니 ᄉᆞᆼ경ᄒᆞᄌᆞ ᄒᆞ니,

곽이 탄왈,

"부인이 남복으로 홍션을 다리고 거쳐 업시 ᄀᆞᆺ시니, 그 머물 곳을 아지 못ᄒᆞ고 어이 그만ᄒᆞ여 경ᄉᆞ로 가리오."

시녀 등 왈,

"관인의 말ᄉᆞᆷ도 올커이[니]와 부인이 임힝의 여ᄎᆞ 당부ᄒᆞ실 ᄲᅮᆫ 아냐, 남복으로 나가 계시니 조금도 위틱ᄒᆞ시미 업ᄉᆞ리라."

니곽이 부인의 신명ᄒᆞ믈 아난지라. 당부ᄒᆞᆫ 바을 어기지 못ᄒᆞ여, 양구 사량(思量)ᄒᆞ

1205)의복(議服) : 복제(服制)를 차릴 일을 의논함. 복제(服制); 상복을 입는 일. 또는 상을 치르는 일.

ᄒᆞ고 가신 바를 뎍소의 머믈미 가치 아닌 고로, 이윽이 머리를 숙여 ᄉᆞ상(思想)ᄒᆞ다가 우어 왈,

"부인의 신츌귀몰ᄒᆞ신 디혜ᄂᆞᆫ 여견만니디춍(如見萬里之聰)1426)이 계시고 디혜 각별ᄒᆞ시니, 슈화(水火)도 위틱로오미 업ᄉᆞ려니와, 남장을 개착ᄒᆞ샤 홍션으로 문을 나시믄, 그윽이 머므르실 곳【21】을 뎡ᄒᆞ샤 익회딘ᄒᆞ믈 기다리시미니, 우리ᄂᆞᆫ 일죵 부인의 녕을 봉승ᄒᆞ리라."

ᄒᆞ고, 마디 못ᄒᆞ여 경샤로 도라갈 힝장을 출히며, 일변 ᄉᆞ변의 시녀 노복 등을 보ᄂᆡ여 대곡(大哭)ᄒᆞ여, 시신 ᄎᆞᆺ디 못ᄒᆞ믈 알니니, 오츄관이 댱샤왕의 타일 만승디쥐(萬乘之主) 되믈 바라ᄂᆞᆫ 고로 범ᄉᆞ의 졍셩을 다ᄒᆞ나, 뎡부 금평후 부ᄌᆞ의 권셰를 아딕 ᄯᆞ로디 못ᄒᆞᄂᆞᆫ디라. 니곽 등을 가도고 문졍의 슈호ᄒᆞᄂᆞᆫ 군ᄉᆞ를 업시ᄒᆞ여, 쇼졔 뎍변을 만나 슈ᄉᆞᄒᆞ미 되어시니, 금후의 그릇 녁이미 될가 블안(不安) 졀민(切悶)ᄒᆞ여, 날마다 니곽을 와보고 거ᄌᆞᆺ 졍져온1427) 쳬ᄒᆞ여, 뎡부【22】인의 의상이나 초혼(招魂)1428) 허장(虛葬)ᄒᆞᆯ 일을 의논ᄒᆞᄃᆡ, 니곽이 다만 임의로 못ᄒᆞ믈 일ᄏᆞᆺ고 ᄉᆞ오일 티힝ᄒᆞ여 경샤로 올나 가ᄃᆡ, 니곽이 니르기를 상강 ᄇᆡ를 타 힝ᄒᆞ며 쇼져의 시신을 어더 보렷노라ᄒᆞ니, 츄관이 초상졔구를 주어 보ᄂᆡ엿더니, 맛참 션인의 쳬 경샤로 올나가다가 듕노의셔 죽거ᄂᆞᆯ, 니곽이 오츄관의 준 바 의금관곽(衣衾棺槨)1429)을 주어 념장(殮葬)ᄒᆞ게 ᄒᆞ고, 말을 펴디오ᄃᆡ, 니곽이 뎡부인 신톄를 어더

다가 우어 왈,

"부인의 신츌귀몰ᄒᆞ미 여견만니(如見萬里)1206)ᄒᆞ고, 지혜 각별ᄒᆞ시니 슈화즁(水火中)이나 위틱ᄒᆞ미 업거이와, 남장을 ᄀᆡ착ᄒᆞ고 홍션을 셔동○[을] ᄃᆡ다라시니, 필연 익회 진할 ᄯᅢ을 기ᄃᆞ리미라. 우리난 일죵 부인 ○○○○[녕을 봉승]ᄒᆞ미 올흐니, 경ᄉᆞ로 ᄀᆞ리라"

ᄒᆞ고, 일변 힝니(行李)을 츌히며 일변 ᄉᆞ장(沙場)의 가 시신도 찾지 못ᄒᆞ믈 더욱 셜워ᄒᆞ니, ᄂᆔ 그 《우른‖우름》의 진가을 알이오. 오츄관이 장ᄉᆞ왕【95】의 만승지슈[쥬](萬乘之主) 되기을 ᄇᆞ라ᄂᆞᆫ 고로 범ᄉᆞ을 졍셩을 다ᄒᆞ나, 아즉 금후 부ᄌᆞ의 《위션‖위세(威勢)》을 당ᄒᆞ리 업난 고로, 불안(不安) 졀민(切悶)ᄒᆞ믈 마지 아냐, 날마다 니곽을 ○○○[와 보고], 경ᄉᆞ{경ᄉᆞ}로 올나갈 ᄉᆡ, ○○○○○○○[니곽이 니르기를], ᄉᆞᆼ강의 ᄇᆡ을 ᄯᅧ여 뎡부인 시신을 차지려노라 ᄒᆞ니, 츄관이 쵸ᄉᆞᆼ졔구(初喪諸具)을 ᄎᆞ려 쥬거ᄂᆞᆯ, 맛참 션인의 쳐 경ᄉᆞ로 올나가다가 쥭으니, 니곽이 츄관의 쥰 바 의금관곽(衣衾棺槨)1207)으로 《념빙‖념빈(殮殯)1208)》케 ᄒᆞ고, 말을 젼ᄒᆞ여 왈, '니곽이 뎡부인 시신○[을] 어더 관즁(棺中)의 념빙[빈](殮殯)ᄒᆞ여 경ᄉᆞ로 올나간다 ᄒᆞ니, 츄관과 장ᄉᆞ 제인이 다 고지 드러 그런가 여기더라. 츄관이 금평후 부ᄌᆞ긔 《졔문‖계문(啓聞)》ᄒᆞ여 뎡부인 젹환을 만나 슈ᄉᆞ(水死)ᄒᆞ믈 고ᄒᆞ니라.

1426)여견만니디춍(如見萬里之聰) : 만 리 밖의 일을 눈으로 보듯 아는 총명.

1427)졍져오다 : 정겹다. 정인 넘칠 정도로 매우 다정하다. -져오다; -겹다. '감정이나 정서가 거세게 일어남'의 뜻을 더하는 접미사.

1428)초혼(招魂) : 사람이 죽었을 때에, 그 혼을 소리쳐 부르는 일. 죽은 사람이 생시에 입던 저고리를 왼손에 들고 오른손은 허리에 대고는 지붕에 올라서거나 마당에 서서, 북쪽을 향하여 '아무 동네 아무개 복(復)'이라고 세 번 부른다.

1429)의금관곽(衣衾棺槨) : 상례에 쓰는 물품으로, 수의(壽衣)와 염습에 쓰는 이불, 시신을 넣는 관(棺)을 함께 이르는 말.

1206)여견만니(如見萬里) : 만 리 밖의 일을 눈으로 보듯 함.

1207)의금관곽(衣衾棺槨) : 상례에 쓰는 물품으로, 수의(壽衣)와 염습에 쓰는 이불, 시신을 넣는 관(棺)을 함께 이르는 말.

1208)념빈(殮殯) : 시체를 염습하여 관에 넣어 안치함.

관듕의 장념(葬殮)ᄒᆞ여 경샤로 반구(返柩)ᄒᆞ다 ᄒᆞ니, 오츄관과 댱샤 졔인이 다 그러히 넉이더라. ᄎᆞ시 츄관이 계문ᄒᆞ여 뎍거죄인 뎡시 슈ᄉᆞᄒᆞ믈 【23】 딘달(進達)ᄒᆞ니라.

이ᄯᆡ 뎡쇼졔 홍션으로 더브러 산듕 암혈의 슈일을 디ᄂᆡ고, 뎨삼일의 비로소 도로의 방황ᄒᆞ여 그윽ᄒᆞᆫ 암ᄌᆞ 도관을 어더 몸을 의디코져 ᄒᆞᆯᄉᆡ, 죵일토록 힝ᄒᆞ나 맛당이 머믈 곳을 엇디 못ᄒᆞ니, 산뇌(山路) 긔구험난(崎嶇險難)ᄒᆞ여 층암절벽(層巖絶壁)이 깍가디른 ᄃᆞᆺᄒᆞ고, 일긔 엄녈(嚴烈)ᄒᆞ니 쇼졔 쳔금귀딜노ᄲᅧ 엇디 험쥰ᄒᆞᆫ 길ᄒᆡ 힝보를 잘 닐위리오마ᄂᆞᆫ, 사ᄅᆞᆷ되오미 만ᄉᆡ 타류의 툐월(超越) 특이(特異)ᄒᆞ여, 몸 우ᄒᆡ 남복이 이시믈 미더, 삼촌(三寸) 금년(金蓮)을 ᄌᆞ약히 옴겨 힝ᄒᆞ던 바를 바리고, 농힝호보의 신긔ᄒᆞ믈 효측ᄒᆞ니, 긔구험노(崎嶇險路)의 다ᄃᆞ라ᄂᆞᆫ 홍션은 오히【24】려 발을 븟티디 못ᄒᆞᄃᆡ, 쇼졔 홍션을 닛그러 고봉쥰령을 평디 단님ᄀᆞᆺ치 넉이ᄂᆞᆫ디라. 죵일 힝ᄒᆞ여 ᄒᆞᆫ 곳의 다ᄃᆞ라ᄂᆞᆫ, 산형이 슈려ᄒᆞ고 경개 졀승ᄒᆞ여 낙낙댱송(落落長松)과 창창녹듁(蒼蒼綠竹)이 하날의 다ᄒᆞᆫ ᄃᆞᆺᄒᆞ고, 초목이 무셩ᄒᆞ거ᄂᆞᆯ, 임의 날이 어둡고 뫼히 깁흐니, 홀연 드르ᄆᆡ 포악ᄒᆞ고 녕한(獰悍)ᄒᆞᆫ 소ᄅᆡ로 사ᄅᆞᆷ을 호령ᄒᆞᄃᆡ,

"내 임의 ᄎᆞᆷ고 견ᄃᆡ기를 만히 ᄒᆞ여 너의 회과칙션ᄒᆞ기를 기ᄃᆞ리ᄃᆡ, 졈졈 포악ᄒᆞ여 무일가관(無一可觀)이라. 금일 너를 죽여 분을 풀니라."

ᄒᆞᄂᆞᆫ 소ᄅᆡ 들니ᄂᆞᆫ디라. 쇼졔 그 소ᄅᆡ 악악ᄒᆞ미 위·뉴 냥부인의 포악ᄒᆞ므로 ᄀᆞᆺᄐᆞ니, 쇼졔 듕심의 의아【25】ᄒᆞ여 혜오ᄃᆡ,

"원간 사ᄅᆞᆷ이 어디디 못ᄒᆞᆫ즉 셩음이 셔로 ᄀᆞᆺᄐᆞ미 이 ᄀᆞᆺ도다. 내 아모려나 가마니 나아가 거동을 보리라."

ᄒᆞ고 홍션으로 더브러 소ᄅᆡ 나ᄂᆞᆫ 곳을 ᄎᆞᄌᆞ 나아가 보니, 뫼흘 등져 일좌(一座) 대개(大家) 잇고, 좌우 댱원(牆垣)이 다 뉴리(琉璃)를 밀친 ᄃᆞᆺᄒᆞ거ᄂᆞᆯ, 원문(園門)을 너머 드러 슈목 ᄉᆞ이의 셔셔 보니, 듕년의 부인이

각셜 《영쥬‖혜쥬》소졔 홍션으로 더브러 ᄉᆞᆫ즁 암출(庵刹)의 슈일을 지ᄂᆡ고 졔삼일○[의] 비로소 도로의 방황ᄒᆞ여 고요한 도관 ᄉᆞ찰○[을] ᄎᆞᄌᆞ 의지코져 ᄒᆞᆯᄉᆡ, 죵일토록 힝ᄒᆞ여 맛당ᄒᆞᆫ 곳을 엇지 못ᄒᆞ고, ᄉᆞᆫ뇌(山路) 험쥰ᄒᆞ여 층암졀벽(層巖絶壁)이 석가지ᄂᆞᆫ[른] 듯ᄒᆞ고 일긔 엄열(嚴烈)ᄒᆞ니, 소졔 쳔금귀골노 험노.힝보을 어이 ᄌᆞ로 ᄒᆞ리오만은, 만ᄉᆡ 쵸월(超越) 특이(特異)ᄒᆞ고 몸 우ᄒᆡ 남의을 미더, 샴쵼금연(三寸金蓮)을 ᄌᆞ약히 옴기던 ᄇᆞ를 바리고, 뇽힝호보(龍行虎步)을 효측ᄒᆞ여, 긔구험노(崎嶇險路)의 홍션은 오히려 발붓치지 못ᄒᆞ되, 소져은 홍션을 니【96】글고 평지갓치 힝ᄒᆞ여 한 곳의 다다라난, ᄉᆞᆫ쳔이 슈려ᄒᆞ고 경ᄀᆡ 졀승ᄒᆞ며 창송녹쥭(蒼松綠竹)은 하날의 다핫난ᄃᆡ, 쵸목은 무셩ᄒᆞ고 님의 날이 져믈고 ᄉᆞᆫ이 《깁히ᄆᆡ‖깁흐ᄃᆡ》, 홀연 드르니 포악고 독한 소ᄅᆡ로 ᄉᆞ람을 호령ᄒᆞᄃᆡ,

"ᄂᆡ 임의 ᄎᆞᆷ고 견ᄃᆡ기를 만히 ᄒᆞ여, 너히 ᄀᆡ과칙션ᄒᆞ기을 긔다리되, 졈졈 불초포악ᄒᆞ여 날노 심ᄒᆞ니, 너을 쥭이리라"

ᄒᆞᆫ[ᄒᆞ]난 소ᄅᆡ 위ᄐᆡ부인과 뉴시 함독한 소ᄅᆡ ᄀᆞᆺ탄지라. 소져 심즁의 의아ᄒᆞ여 혜오ᄃᆡ,

"원간 ᄉᆞ람이 어지지 못ᄒᆞ면 음셩이 이갓도다. ᄂᆡ 아모기[거]나 그 거동을 보리라"

ᄒᆞ고, 홍션으로 더브러 소ᄅᆡ 나ᄂᆞᆫ 곳을 ᄎᆞᄌᆞ ᄀᆞ니, 뫼흘 등져 《일ᄌᆞ‖일좌(一座)》 ᄃᆡ각(大閣)이 잇고, 장원(牆垣)이 유리(琉璃)을 밀친 듯ᄒᆞᄃᆡ, 동ᄉᆞᆫ문(東山門)을 반ᄀᆡ(半開)ᄒᆞ여거ᄂᆞᆯ, 넌지시 드러가 슈목의셔 보니,

명부의 복식을 ᄀᆞᆺ초고 십이삼(十二三)은 ᄒᆞᆫ 연약ᄒᆞᆫ 녀ᄌᆞ를 놉흔 남긔 달고, 친히 텰편을 드러 머리로브터 일신을 혜디 아니코 즛두다리며, 간간이 니를 가라 왈,

"요년아 내 너와 므ᄉᆞᆫ 원쉬완ᄃᆡ, ᄒᆞᆫ번 화ᄒᆞᆫ 낫빗ᄎᆞ로 날을 보【26】ᄂᆞᆫ 일이 업고, 내 너를 못견ᄃᆡ게 ᄒᆞᄂᆞᆫ 거시 아니라, 젼졍을 념녀ᄒᆞ여 네 부친이 도라오디 못ᄒᆞᆫ 젼이라도, ᄇᆡᆨ년길ᄉᆞ(百年吉事)를 헛도이 아니려 뎡ᄒᆞ엿ᄂᆞ니, 셰웅이 년미삼십(年未三十)의 돈후군ᄌᆡ(敦厚君子)니, 구ᄒᆞ여도 그 ᄀᆞᆺ튼 셔랑이 쉽디 아니려든, 네 ᄆᆞᄋᆞᆷ이 엇더ᄒᆞ여 디ᄉᆞ위한(至死爲限)ᄒᆞ여 마다 ᄒᆞᄂᆞ뇨? 내 젼후의 너를 쳔번 달ᄂᆡ고 만번 개유ᄒᆞᄃᆡ, 날노 요악괴려(妖惡乖戾)ᄒᆞ니, 이런 요녀를 살와 두어 므엇ᄒᆞ리오."

이리 니르며 힘을 다ᄒᆞ여 두다리니, 머리 ᄭᆡ여져 피흐르고 만신이 젹혈이 님니(淋漓)ᄒᆞ여 경ᄀᆡᆨ의 딘ᄒᆞᆯ ᄃᆞᆺ, 보기의 경악ᄒᆞᄃᆡ【27】아모도 구ᄒᆞ리 업셔, 그 부인 겻ᄐᆡ 시녀 오뉵인이 이시ᄃᆡ 입을 여ᄂᆞᆫ 일이 업고, 면모의 살긔 등등ᄒᆞ여 독ᄉᆞ의 거동이오, 일희[1430] 형상이라. 뎡쇼졔 이를 보ᄆᆡ, 위·뉴 냥부인이 더욱 ᄉᆡᆼ각이 나ᄂᆞᆫ디라. ᄉᆡ로이 모발이 구숑(懼悚)ᄒᆞ고 ᄆᆞᄋᆞᆷ이 셔늘ᄒᆞ여, 다시 그 남긔 달닌 녀ᄌᆞ를 살피니 눈을 ᄀᆞᆷ고 입을 다다 만신의 흐르ᄂᆞᆫ 거시 셩혈이오, 인형이 되디 못ᄒᆞ엿고, 명ᄆᆡᆨ(命脈)이 슈유(須臾)의 위ᄐᆡᄒᆞᆫ디라. 쇼졔 홍션을 도라보아 참악(慘愕) 비상(悲傷)ᄒᆞ여 왈,

"텬디간의 져런 참담ᄒᆞᆫ 일이 어이 이시리오. 내 비록 용녁이 업ᄉᆞ나 져 부인의 ᄉᆞ오나오믈 졔【28】어ᄒᆞ며, 져 잔혹히 맛ᄂᆞᆫ ᄋᆞ희를 구ᄒᆞ여 올 거시로ᄃᆡ, 실노 머믈 곳을 뎡치 못ᄒᆞ여시니, 병ᄋᆞ를 다려다가 구호ᄒᆞ믈 엇기 어려오니 민망ᄒᆞ거니와, 인명이 슈유의 잇ᄂᆞᆫ 양을 보고 힘힘히 그져 디나리오."

홍션이 탄식 ᄃᆡ왈,

"져 부인의 ᄉᆡᆨ험ᄒᆞ미 만히 ᄀᆞᆺ튼 곳이 잇

1430)일희 : 이리.

일위 듕년 부인이 명부 복식을 갓초고, 십이삼은 ᄒᆞᆫ 녀ᄌᆞ을 남게 놉히 ᄆᆡ여 달고, 친히 쳘편을 들고 일신을 혜치 아니코 짓두다리며, 졀치교○[아](切齒咬牙)[1209] 왈,

"ᄂᆡ 널노 무슴 원슈관ᄃᆡ, 한번 화평한 낫ᄎᆞ로 나을 보ᄂᆞᆫ 일리 업고, ᄂᆡ 너을 못견ᄃᆡ고져 ᄒᆞ미 아니라, 네 젼졍을 념녀ᄒᆞ여 네 부친이 도라온 젼이라도 ᄇᆡᆨ연길ᄉᆞ(百年吉事)을 헛도이 못ᄒᆞ여, 셰웅이 연긔 ᄉᆞᆷ십【97】의 만ᄉᆡᆨ 가ᄌᆞᆨᄒᆞᆫ 군ᄌᆡ니 구ᄒᆞ여 엇기 어렵거날, 네 마음의 엇더ᄒᆞ여 쥭어도 셰웅의 쳐난 못되계노라 ᄒᆞ니, ᄂᆡ 젼후 일을 쳔번이나 달ᄂᆡ고 ᄀᆡ유ᄒᆞ되, 온슌인화ᄒᆞᆯ 젹이 업셔 날노 괴려ᄒᆞ니, ᄉᆞᆯ여두어 무엇ᄒᆞ리오."

셜파의 힘을 다ᄒᆞ여 피뉵(皮肉)이 후란(朽爛)토록 즛두다리니, 뉴혈이 피면(被面)ᄒᆞ고 경각의 쥭을 듯ᄒᆞᄃᆡ 구ᄒᆞ리 업고, 그 부인 좌우의 오뉵 시여 셧시되 면모의 ᄉᆞᆯ긔 등등ᄒᆞ여 《시갈ᄉᆞ호 ‖ ᄉᆞ갈시호(蛇蝎豺虎)》 갓탄지라. 소져 이을 보ᄆᆡ 위·뉴의 거동을 ᄉᆡᆼ각고 ᄉᆡ로이 구송(懼悚)ᄒᆞ여 그 남계 달인[린] 소져을 ᄉᆞᆯ펴보니, 눈을 감고 입을 다닷시니 인ᄉᆞ을 모름 ᄀᆞᆺ고, 명ᄆᆡᆨ(命脈)이 슈유(須臾)의 위ᄐᆡᄒᆞ니, 홍션을 도라보아 차악(嗟愕) 비ᄉᆞᆼ(悲傷) 왈,

"셰ᄉᆞᆼ의 져럿틋 참담ᄒᆞᆫ 일을 구치 아니리오. ᄂᆡ 비록 무용지ᄌᆡ(無勇之者)나, 져 부인의 ᄉᆞ오나오믈 믈이치고 참혹히 맛난 아ᄒᆡ을 구ᄒᆞ여 올 거시로ᄃᆡ, 다만 머믈 곳을 졍치 못ᄒᆞ여시니 져럿탓 상한 ᄋᆞᄒᆡ을 다려다가 구쳐(救處)할 긔리 업도다. 연이나 ᄉᆞ람의 명이 슈유의 잇시니 엇지 구치아니리오."

홍션이 탄식 ᄃᆡ왈,

"져 부인의 ᄉᆡᆨ험포악ᄒᆞ미 만히 갓ᄒᆞᆫ 곳이

1209)졀치교아(切齒咬牙) : 몹시 분하여 이를 갈음.

ᄉᆞᆸᄂᆞ니, 쇼비ᄂᆞᆫ 그 모질믈 보ᄆᆡ 옥누항 경ᄉᆡᆨ이 보ᄂᆞᆫ ᄃᆞᆺᄒᆞ이다."

쇼졔 그 녀ᄌᆞ의 위급ᄒᆞ믈 보고 쇼쇼 념치를 도라보디 못ᄒᆞᆯ ᄲᅮᆫ 아니라, 의긔 현심이 사ᄅᆞᆷ의 참혹ᄒᆞᆫ 화ᄋᆡᆨ을 목도ᄒᆞᄆᆡ, 자긔 몸의 당ᄒᆞ나 다르디 아냐, 시비곡딕을 의논치 아니ᄒᆞ고 밧비 구ᄒᆞᆯ 의ᄉᆡ 발【29】연ᄒᆞ니, 홍션다려 왈,

"내 이졔 져 녀ᄌᆞ를 구ᄒᆞ여 오리니 너ᄂᆞᆫ 잠간 이곳의 이시라."

홍션이 ᄃᆡ왈,

"부인의 남다르신 의긔 사ᄅᆞᆷ의 참화를 디ᄂᆡ여 보디 아니려 ᄒᆞ시미어니와, 근본 대쳬ᄂᆞᆫ 아디 못ᄒᆞᄃᆡ, 맛ᄂᆞᆫ 녀ᄌᆞ의 일신이 ᄒᆞᆫ 곳 셩ᄒᆞᆫ ᄃᆡ 업셔 피육이 후란(朽爛)ᄒᆞ고, 셩혈이 님니ᄒᆞ니, 구ᄒᆞ기를 범연이 ᄒᆞ여셔ᄂᆞᆫ ᄉᆞ디 못ᄒᆞ리니, 어나 곳의 누이고 병을 됴리ᄒᆞ게 ᄒᆞ려 ᄒᆞ시ᄂᆞ니잇가?"

쇼졔 밋쳐 답디 못ᄒᆞ고, 나ᄂᆞᆫ ᄃᆞ시 너른 ᄉᆞᄆᆡ를 ᄯᅥᆯ쳐 그 부인 알패 나아가, 소ᄅᆡ를 놉혀 왈,

"야텬(夜天)이 됴림(照臨)ᄒᆞ시고 신명이 ᄌᆡ방ᄒᆞ니, 사ᄅᆞᆷ이 블의악ᄉᆞ를 ᄒᆡᆼᄒᆞ【30】ᄆᆡ, 이목이 알 니 업다 ᄒᆞ여, 뎍뎍(寂寂) 심야(深夜)의 ᄒᆞᆫ 가지 혈육디신을 이ᄀᆞᆺ치 잔혹ᄒᆞᆫ 형벌노 밧비 죽이려 ᄒᆞ거니와, 텬신이 살피시미 소소ᄒᆞ니, 엇디 악인을 벌치 아니ᄒᆞ시며, 인명의 급ᄒᆞ믈 구치 아니ᄒᆞ리오."

언필의 봉미(鳳眉)를 거ᄉᆞ리고 셩안을 브릅ᄯᅥ, 그 부인의 손 가온ᄃᆡ ᄆᆡ를 아ᄉᆞ 먼니 더디고 부인을 밀치니, 뎡쇼졔 본ᄃᆡ 응디셜뷔(凝脂雪膚) 풍젼(風前)의 븟치일 ᄃᆞᆺᄒᆞ나, 용녁인즉 과인ᄒᆞ여 댱부를 우이 넉이나, 남다려 니르ᄂᆞᆫ 일이 업ᄉᆞ니, 일가 부모 동긔도 그 용(勇)을 아디 못ᄒᆞ니, 가인 ᄎᆞ환의 무리 엇디 알니오. 그 부인이【31】 것구러디고 쇼졔 냥비(兩婢)를 ᄭᅮ디져 녀ᄌᆞ를 글너 나리오ᄃᆡ, 인ᄉᆞ를 아디 못ᄒᆞ고 엄홀ᄒᆞ여 형ᄉᆡᆨ이 위급ᄒᆞ니, 쇼졔 블승참담ᄒᆞ여 즉시 안고 나오며 그 부인을 향ᄒᆞ여, 즐왈,

"여등 노쥐 ᄒᆞ나히나 일분 인심이 이실딘

잇ᄉᆞᆸ나니, 옥누황[항]이 ᄃᆡᆨ[더]옥 ᄉᆡᆼ각나니다."

소져 부답ᄒᆞ고 져 맛ᄂᆞᆫ【98】 아히을 구코져 ᄒᆞᄆᆡ, 소소 험[혐]의을 도라보지 아닐 ᄲᅮᆫ 아냐, 의긔 현심이 ᄉᆞ람의 ᄎᆞᆷᄎᆞᆷ(慘慘)ᄒᆞᆫ 화ᄋᆡᆨ을 보면 ᄌᆞ긔 당한 ᄃᆞᆺ 구할 ᄯᅳᆺ이 불이ᄃᆞᆺ ᄒᆞ니, 엇지 참으리오. 홍션다려 왈,

"ᄂᆡ 져 ᄋᆞ히을 구ᄒᆞ여 오리니, 너난 이곳의 잇시라."

홍션 왈,

"부인의 의긔 현심으로ᄡᅧ 져 ᄎᆞᆷ연한 거동을 ᄌᆞ못 보지 못ᄒᆞ시려이와, 건[근]본(根本) 귀쳔도 ○○○○○[아디 못ᄒᆞᄃᆡ], 져 여ᄌᆞ의 일신이 셩ᄒᆞᆫ 곳이 업셔 셩혈이 낭ᄌᆞᄒᆞ여 다만 위ᄐᆡᆨᄒᆞ니, 어ᄂᆡ 곳의 누이고 그 병을 됴리ᄒᆞᄌᆞ ᄒᆞ시나뇨?"

소져 부답고 나난다시 나아가 옥셩을 놉혀 왈,

"야쳔(夜天)이 조림(照臨)ᄒᆞ고 신명이 ᄌᆡ방ᄒᆞ니, ᄉᆞ람의 불예[의]악ᄉᆞ(不義惡事)을 알니 업다ᄒᆞ여도, 고요한 가온ᄃᆡ 쳔신의 ᄉᆞᆯ피미 명명ᄒᆞ니, 엇지 너의 ᄉᆞ오나오믈 《발‖벌(罰)》치 아니며, 인명의 위급ᄒᆞ믈 구치 아니리오."

언필의 봉황미(鳳凰眉)을 거ᄉᆞ리고 효셩(曉星) ᄽᅡᆼ안(雙眼)을 놉히 ᄯᅥ, 부인의 슈듕의 ᄆᆡ을 ᄋᆞᄉᆞ 먼니 더지고, 한팔노 부인을 밀치니 뎡소져 응지셜뷔(凝脂雪膚) 풍편(風便)의 븟치일 듯ᄒᆞ되, 본ᄃᆡ 녀력이 강장한 장부을 압두ᄒᆞᆯ ᄇᆡ나, 평ᄉᆡᆼ 그 부모도 아지 못ᄒᆞ더라. 그 부인이 소져긔 밀치여 츄풍낙엽(秋風落葉) 갓치 먼니 것구러지니, 소져 양슈을 치미러 그 여ᄌᆞ을 글너 나리니[며], 그 시녀 등을【99】 ᄭᅮ지져 왈,

"부인과 시여 여러히나 일분 인심이 잇실

ᄃᆡ 이ᄃᆡ도록 ᄉᆞ오납디 아닐 거시로ᄃᆡ, 비록 네 쥬인이 이ᄀᆞᆺ치 못ᄒᆞᆯ 일을 ᄒᆞᆫ들, 너희 등이 디셩(至誠) 간결(懇乞)ᄒᆞ여 악ᄉᆞ를 간치 아니ᄒᆞ고, 인명이 듕대ᄒᆞ믈 도라보디 아니니 엇디 후일이 무ᄉᆞᄒᆞ리오. 텬의 디공무ᄉᆞ(至公無私)ᄒᆞ시니, 흉인이 ᄒᆞᆫ번 참화를 당ᄒᆞ여 션죵치 못ᄒᆞ리라."

이리 니르며 나ᄂᆞᆫ ᄃᆞ시 원문을 나니, 거동이 이상ᄒᆞ여【32】 션풍도골(仙風道骨)이 ᄆᆞᆰ고 놉흔 격되(格調) 텬디의 슈츌ᄒᆞᆫ 졍화를 타나, 찬난ᄒᆞᆫ 광치 됴일(朝日)이 치운(彩雲)을 멍에ᄒᆞ여 부상(扶桑)[1431]의 소ᄉᆞ며, 쇄락ᄒᆞᆫ 신치 츄월이 쳥공(靑空)의 걸녓ᄂᆞᆫ ᄃᆞᆺ, 냥안을 놉히 ᄯᅳᄆᆡ 두 즑기[1432] ᄆᆞᆰ은 빗치 됴요(照耀)ᄒᆞ여 가을 믈결의 샤양(斜陽)이 흐르ᄂᆞᆫ ᄃᆞᆺᄒᆞ고, 단슌(丹脣) 화험[1433]의 ᄌᆞᄐᆡ 현요ᄒᆞ여, 팔치(八彩) 셔광(瑞光)과 오식(五色) 샹셰(祥瑞) 황황ᄒᆞ여 입으로 옴기기 어렵고, 그림으로 모샤(模寫)치 못ᄒᆞ리니, 만고무비(萬古無比)ᄒᆞ고 일셰의 독보ᄒᆞᆯ 식광이라. 낭음ᄆᆡᆼ셩(朗吟猛聲)이 고샹ᄆᆡᆼ녈(高爽猛烈)ᄒᆞ여 형옥(衡玉)을 두다리고, 뉵쳑신댱의 표연ᄒᆞᆫ 톄디(體肢) 바로 학을 모라 운각(雲閣)을 향ᄒᆞᄂᆞᆫ ᄃᆞᆺᄒᆞ니, 인셰 화식(火食)ᄒᆞᄂᆞᆫ【33】 사ᄅᆞᆷ이라 ᄒᆞ리오. 그 부인과 좌우 차환 등이 창황경악ᄒᆞ며 낙담상혼ᄒᆞ여, 무디모야(無知暮夜)[1434] 의 블의디ᄉᆞ를 힝ᄒᆞ다가, 텬션(天仙)이 강님ᄒᆞ여 부인을 ᄭᅮ딧고 쇼져를 아샤간가, 두렵고 놀나오미 만신이 ᄯᅥᆯ니고 이를 아오로디 못ᄒᆞ니, ᄎᆞ하인얘(此何人耶)[1435]오.

원ᄂᆡ 댱샤 희월촌의 일위 명환이 이시니, 셩은 남이오 명은 슉이오 ᄌᆞᄂᆞᆫ 이뵈라. ᄃᆡᄃᆡ 명문거족이오 교목셰개(喬木世家)[1436]러

1431)부상(扶桑) : ①중국 전설에서 해가 뜨는 동쪽 바닷속에 있다고 하는 상상의 나무. ②해가 뜨는 동쪽 바다.
1432)즑기 : 줄기.
1433)화험 : 꽃처럼 아름다운 뺨. 화검(花臉) 또는 화협(花頰)의 오기인 듯.
1434)무디모야(無知暮夜) : 아무도 모르는 어두운 밤.
1435)ᄎᆞ하인얘(此何人耶) : 이 사람은 누구인가.
1436)교목셰개(喬木世家) : 여러 대에 걸쳐 중요한

진ᄃᆡ 이ᄃᆡ도록 ᄉᆞ오납지 아니려든, 네 쥬인이 이 ᄀᆞᆺ치 못ᄒᆞᆯ 노ᄅᆞᄉᆞᆯ ᄒᆞᄃᆡ, 너의 시여등이 지셩 《간졀‖간결(懇乞)》ᄒᆞ여 악ᄉᆞ을 간치 아니코, 인명 즁ᄃᆡᄒᆞ믈 도라보지 아니니, 마ᄎᆞᆷᄂᆡ ᄎᆞᆷ화을 당ᄒᆞ여 《젼동‖션죵(善終)》치 못ᄒᆞ리라."

ᄒᆞ고, 나난 다시 원문으로조ᄎᆞ 나가니, 그 거동이 이ᄉᆞᆼᄒᆞ여 션풍옥골(仙風玉骨)의 ᄆᆞᆰ고 놉흔 격되(格調) 천지 슈츌ᄒᆞᆫ 졍화을 타나, ᄎᆞᆫ난한 광휘 《도일‖됴일(朝日)》이 치운(彩雲)을 멍에ᄒᆞ여 부ᄉᆞᆼ(扶桑)[1210]의 오르며, 안광(眼光)을 놉히 쏘ᄆᆡ ᄆᆞᆰ은 긔운이 놉히 비초고, 단슌화협(丹脣花頰)[1211]의 ᄌᆞᄐᆡ 《현효‖현요(眩耀)》ᄒᆞ여 닙으로 형상치 못ᄒᆞ여[며] 그림으로 모사키 어려오니, 만고을 기우려도 둘 업ᄉᆞᆫ 식광이오 일셰의 독보할 풍용(風容)이라. 낭음ᄆᆡᆼ셩(朗吟猛聲)이 ᄆᆡᆼ열ᄒᆞ여 형옥(衡玉)을 두다리고, 뉵쳑신장의 표연한 《쳐지‖체지(體肢)》ᄒᆞᆨ(鶴)을 모화 운간으로 《형‖향》ᄒᆞᆷ 갓타니, 엇지 인간 《홰식‖화식(火食)》ᄒᆞ난 ᄉᆞ람 ᄀᆞᆺ타리오. 그 부인과 시비 등이 낙담ᄉᆞᆼ혼(落膽喪魂)ᄒᆞ니, 무지모야(無知暮夜)[1212]의 불의지ᄉᆞ을 힝○[ᄒᆞ]다가, 텬션이 강님ᄒᆞ여 부인을 ᄭᅮ짓고 소져을 아셔가니, 놀납고 두려워 이을 아오르지 못ᄒᆞ니, ᄎᆞ하인야(此何人耶)[1213]오.

션시의 장ᄉᆞ 희월《ᄯᅴ‖ᄯᅳ》히 일위 명환이 잇시니, 셩은 남이【100】오, 명은 슉이오, ᄌᆞ은 이뵈라. 명문거족이오, 교목셰가로 공이 일즉 쳥운의 ○[고]등ᄒᆞ여 《셔ᄃᆡ‖셰

1210)부ᄉᆞᆼ(扶桑) : ①중국 전설에서 해가 뜨는 동쪽 바닷속에 있다고 하는 상상의 나무. ②해가 뜨는 동쪽 바다.
1211)단슌화협(丹脣花頰) : 붉은 입술과 꽃처럼 아름다운 뺨.
1212)무지모야(無知暮夜) : 아무도 모르는 어두운 밤.
1213)ᄎᆞ하인야(此何人耶) : 이 사람은 누구인가.

라. 남숙이 일죽 청운의 고등ᄒᆞ여 옥당(玉堂) 한원(翰苑)을 ᄌᆞ임(自任)ᄒᆞ니, 문당긔졀과 튱의ᄉᆞᄒᆡᆼ(忠義士行)이 셰ᄃᆡ의 츄앙ᄒᆞᄂᆞᆫ ᄇᆡ니, 샤듕(舍中)의 두 부인을 두ᄆᆡ, 원비 강시 숙녀의 명풍을 가져 ᄇᆡᆨᄉᆡ 현텰ᄒᆞ고, ᄎᆞ비 위시【34】 용뫼 졀셰ᄒᆞ나 은악양션(隱惡佯善)ᄒᆞ고 부졍간힐(不正奸黠)ᄒᆞ여, 말ᄉᆞᆷ이 현하(懸河)를 드리온 ᄃᆞᆺ, 타인의 어진 거ᄉᆞᆯ 깃거 아니ᄒᆞ고, 언족이식비(言足以飾非)ᄒᆞ여, 그른 것 ᄭᅮ미기를 이언(利言)1437)이 잘 ᄒᆞ니, 남공이 강부인을 듕대ᄒᆞ고 위시의 인물을 념녀ᄒᆞ나, ᄋᆡ증을 고로고로ᄒᆞ여1438) 위시로 부부눈의를 폐치 아니ᄒᆞᄃᆡ, 위시 ᄆᆡ양 강부인 통을 ᄉᆡ긔ᄒᆞ여 브ᄃᆡ 히홀 ᄠᅳᆺ이 잇더니, 강부인은 여러 ᄌᆞ녀를 나하 옥동화녜(玉童花女) 층층ᄒᆞᄃᆡ, 져ᄂᆞᆫ 일졈 혈쇽을 두디 못ᄒᆞ니, 더욱 분원ᄒᆞ여 가마니 져쥬를 ᄒᆡᆼᄒᆞ고, 간계를 발ᄒᆞ여 강부인과 그 ᄌᆞ녀 업시키를 ᄭᅬᄒᆞ더니, 남시 가운【35】이 블ᄒᆡᆼᄒᆞ며[고] 남공 부부의 명되 다험ᄒᆞ여, 위시의 독ᄒᆞᆫ 슈단이 강부인의 오ᄌᆞ 이녀를 슈삭디ᄂᆡ의 다 죽게 ᄒᆞᄃᆡ, 간졍이 드러나디 아니니 남공과 부인이 위시의 악ᄉᆡᆫ 줄은 아디 못ᄒᆞ고, 옥슈신월(玉樹新月) ᄀᆞᆺᄐᆞᆫ ᄌᆞ녀를 다 업시 ᄒᆞ고, 참달비통(慘怛悲痛)ᄒᆞ미 셩딜ᄒᆞ기의 밋쳣더니, 하날이 남시의 후ᄉᆞ를 ᄭᅳᆺ디 아니려 강부인이 ᄌᆞ녀를 다 업시 ᄒᆞᆫ 후 즉시 잉ᄐᆡᄒᆞ여 십삭이 ᄎᆞᆫ 후 ᄡᅣᆼ산(雙產) ᄌᆞ녀ᄒᆞ니, 공이 대열ᄒᆞ여 ᄋᆞᄌᆞ로ᄡᅧ 챵징이라 ᄒᆞ고, 녀ᄋᆞ로ᄡᅧ 희쥬라 ᄒᆞ여, ᄉᆞ랑ᄒᆞ미 댱샹디쥬(掌上之珠)1439)와 년셩디벽(連城之璧)1440) ᄀᆞᆺ더라.

벼슬을 지내 나라와 운명을 같이하는 집안.

1437)이언(利言) ; 말솜씨가 좋음. 말을 유리하게 잘 함.

1438)고로고로ᄒᆞ다 ; 두루 고르게 하다.

1439)댱샹디쥬(掌上之珠) : 손바닥 속의 구슬이라는 뜻으로 매우 사랑하도 소중이 여김을 뜻하는 말.

1440)년셩지벽(連城之璧) : =화씨지벽(和氏之璧). 중국 전국시대에 변화씨(卞和氏)라는 사람이 형산(荊山)에서 돌 위에 봉황이 깃들이는 것을 보고 얻었다는 천하의 이름난 옥을 말하는데, 후대에 진(秦)나라 소양왕(昭襄王)이 이 옥을 탐내, 자국의 15

ᄃᆡ》 츄앙ᄒᆞ난 ᄇᆡ라. ᄀᆞᄂᆡ(家內)의 두 부인을 두어시니 원비 강시난 숙녀의 《통∥풍》이 잇셔 ᄇᆡᆨᄉᆡ 현쳘ᄒᆞ고, ᄎᆞ비 위시난 용뫼 졀셰ᄒᆞ며 구변이 텬하을 드리옴 ᄀᆞᆺ타여, 타인의 어진 것도 깃거 아니코, ᄌᆞ긔 ᄉᆞ오나오믈 감쵸아 ᄀᆞᆫ능요악(奸能妖惡)이 쳔고 일인이라. 남공이 《장∥강》부인을 듕ᄃᆡᄒᆞ고 위시의 인믈○[을] 념녀ᄒᆞ나, ᄋᆡ증을 《텬ᄇᆡᆨ∥편벽》히 아니ᄒᆡ, 위시와 부부지의을 폐지 아니ᄃᆡ, 위시 강부인 춍셔[셰](寵勢)을 ᄉᆡ긔ᄒᆞ여 ᄆᆡ양 쥭일 ᄠᅳᆺ을 두엇더니, 강부인○[이] 여러 ᄌᆞ녀을 나하 옥동화녀 《장장∥쌍쌍》ᄒᆞ고, 위시난 일졈골육이 업ᄉᆞ니, 마음의 더옥 《눈ᄒᆡ∥분ᄒᆡ》ᄒᆞ여 그윽이 져쥬ᄉᆞ(詛呪事)을 ᄒᆡᆼᄒᆞ여 강부인 ᄌᆞ녀을 업시키로[를] 도모ᄒᆞᄆᆡ, 남시 가운이 불ᄒᆡᆼᄒᆞ여, 공이 셔화[하]지환(西河之患)1214)을 쳡쳡히 당ᄒᆞ여, 위시 독한 슈단이 강부인 오ᄌᆞ이녀을 슈삭 ᄂᆡ의 쥭게 ᄒᆞᄃᆡ, 간졍이 드러나지 아니므로, 남공과 강부인이 오히려 악ᄉᆡᆨ[신] 쥴 모ᄅᆞ고, 옥슈신월(玉樹新月) 갓튼 ᄌᆞ녀을 다 업시ᄒᆞ고 ᄎᆞᆷ통비졀(慘痛悲絶)ᄒᆞ미 실셩ᄒᆞ기의 밋쳐더니, 하날이 남시 후ᄉᆞ을 ᄭᅳᆺ치 아니려 강부인 혈속을 두어 그 셰ᄉᆞᆼ의 낫든 ᄌᆞ최【101】을 씨치려 ᄒᆞ여, ᄌᆞ녀을 다 업시 한 후, 즉시 잉ᄐᆡᄒᆞ여 십속만의 분만ᄒᆞᄆᆡ, ᄊᆞᆼᄐᆡᄌᆞ여(雙胎子女)를 ᄉᆡᆼᄒᆞ니, 공이 ᄃᆡ히ᄒᆞ여 ᄋᆞᄌᆞ은 창징이라 ᄒᆞ고, 여아은 희쥬라 ᄒᆞ여 귀듕ᄒᆞ미 만금보옥(萬金寶玉)의 비헐 ᄇᆡ 아니라.

1214)셔하지환(西河之患) : 자식을 잃은 환란. '서하의 환란'이라는 뜻으로, 공자(孔子)의 제자인 자하(子夏)가 서하(西河)에 있을 때 자식을 잃고 너무 슬픈 나머지 소경이 된 고사에서 온 말.

위시 강부인이 ᄉᆞ라 ᄌᆞ녀【36】를 ᄉᆡᆼ산ᄒᆞᄂᆞᆫ 줄 통완ᄒᆞ여, 다시 흉ᄉᆞ를 힝ᄒᆞ여 간계 아니 밋ᄎᆞᆫ 곳이 업ᄉᆞ니, 창징과 희쥐 세샹의 난 디 ᄉᆞ오삭의, 강부인이 병독(病毒)ᄒᆞ여 ᄌᆞ리의 니디 못ᄒᆞᆯᄉᆡ, 님망(臨亡)의 낭공긔 부탁ᄒᆞ여 ᄌᆞ녀를 강참졍긔 보ᄂᆡ여 기르라 ᄒᆞ니, 공이 ᄌᆞ녀를 《상영 ‖ 상명(喪明)[1441]》ᄒᆞ고 부인의 망ᄒᆞ믈 보니, 댱부(丈夫)의 털셕심장이나 ᄎᆞᆫ절ᄒᆞ믈 ᄎᆞᆷ지 못ᄒᆞ니, 만ᄉᆞ의 흥황이 업셔 부인을 쟝(葬)ᄒᆞ고, ᄌᆞ녀를 경샤 강참졍긔 의탁ᄒᆞ고 ᄌᆞ가ᄂᆞᆫ 위시와 노복을 거나려 댱샤 고향의 나려올ᄉᆡ, 남공의 벼슬이 니부시랑 도어ᄉᆡ러니, 텬졍의 표를 올녀 벼슬을 샤양【37】ᄒᆞ고 댱사의 복거ᄒᆞ연 디 십여년이라. ᄌᆞ녀를 다려올 의ᄉᆞ를 아니ᄒᆞ고 보고 올 ᄯᆞ롬이니, ᄀᆞᆺᄐᆞ여 위시를 의심ᄒᆞᆯ ᄇᆡ 아니라, 스ᄉᆞ로 ᄌᆞ녀를 다리고 잇기를 두려 댱셩ᄒᆞᆯ 동안 외가의 두어, 다시 요쳑(夭慼)[1442]을 보디 아니려 ᄒᆞ미러라.

위시 ᄆᆡ양 공을 ᄃᆡᄒᆞ여 창ᄋᆞ 남ᄆᆡ 다려오기를 니르나, 남공의 쥬의 ᄌᆞ녀를 다 셩취ᄒᆞᆫ 후 다려오려ᄒᆞ므로 위시의 말을 듯디 아니 ᄒᆞ더니, 남공이 기딕(棄職)ᄒᆞ연 지 십유여년의 됴졍이 ᄒᆡ마다 남숙을 블너 쓰시믈 쳥ᄒᆞ여, 듕ᄉᆡ 도로의 니어시ᄃᆡ, 응됴치 아니믈 블열ᄒᆞ시고, 챵징과 희쥐 샹셔ᄒᆞ여【38】 ᄉᆞ친지회(思親之懷)를 고ᄒᆞ여 샹경ᄒᆞ시믈 쳥ᄒᆞ여시니, 남공이 마디 못ᄒᆞ여 위시를 댱샤의 머므르고 ᄌᆞ긔ᄂᆞᆫ 텬문의 됴회ᄒᆞ고, ᄉᆞ졍의 ᄋᆡ고(哀告)ᄒᆞ여 환노의 뜻이 업ᄉᆞ믈 샤양ᄒᆞ여 도로 나려오랴 ᄒᆞ더니, 샹이 남숙으로ᄡᅥ 구쥐슌무ᄉᆞ(九州巡撫使)를 ᄒᆞ이샤, 쥬현방ᄇᆡᆨ(州縣方伯)의 현우를 슬피고 츌쳑을 임의로 ᄒᆞ라 ᄒᆞ시니, 공이 인신디도의 경샤의셔 편히 단니ᄂᆞᆫ 관딕과 달나, 구쥐슌무ᄉᆞ의 슈고로오므로ᄡᅥ 샤양ᄒᆞ믄 블가ᄒᆞᆫ 고

개 성(城)과 바꾸자는 제안을 했다는 데서, '연성지벽(連城之璧)'이라는 이름이 붙게 되었다 함.

1441)상명(喪明) : 아들의 죽음을 당함.

1442)요척(夭慼) : 자녀를 어려서 잃은 슬픔.

위시 강부인의 ᄉᆞ라 다시 ᄌᆞ녀○[을] ᄉᆡᆼᄒᆞ믈 보고 통한ᄒᆞ여, ᄯᅩ 흉ᄉᆞ을 힝ᄒᆞ여 쳔만간게(千萬奸計) 아니 밋출 곳이 업ᄉᆞ니, 강부인이 능히 보젼치 못ᄒᆞ여 ᄉᆞᆫ후(産後) ᄉᆞᆷᄉᆞ삭 만의 득병ᄒᆞ여 ᄌᆞ니[리]의 니지 못ᄒᆞᆯ ᄉᆡ, 임망(臨亡)의 공긔 청ᄒᆞ여 ᄌᆞ녀을 남부의셔 기ᄅᆞ지 말고, 그 거거 강ᄎᆞᆷ졍 집의셔 기르기을 청ᄒᆞ니, 공이 ᄌᆞ여을 다리고 부인의 기셰ᄒᆞ믈 보니, 만ᄉᆞ의 흥힝이 업셔 부인을 션녕의 장ᄒᆞ고 노복을 거나려 고향으로 나려올 ᄉᆡ, 공의 벼슬이 니부시랑 도어ᄉᆞ런니 ᄉᆞᆼ표(上表) 기직(棄職)ᄒᆞ고 복거(伏居) 장ᄉᆞ(長沙)ᄒᆞ연지 십여연이로ᄃᆡ, ᄌᆞ여 ᄃᆞ려올 의ᄉᆞ을 두지 아냐 일연의 두어 슌[1215]식 상경ᄒᆞ여 ᄌᆞ여을 볼 ᄯᆞ름이니, ᄀᆞᆺ타여 위시을 의심ᄒᆞ미[지] 안여, 스ᄉᆞ로 ᄌᆞ녀 다려[리]고 잇긔을 두려 장셩ᄒᆞᆯ 동안 《각기 ‖ 각거(各居)》ᄒᆞ고, 강ᄎᆞᆷ졍 부부의 은혜을 갑고져 ᄒᆞ미오, 목젼의 다시 요쳑(夭慼)[1216]을【102】보지 말고져 ᄒᆞ미라.

위시 ᄆᆡ양 공을 ᄃᆡᄒᆞ여 창징 남ᄆᆡ 다려오기을 쳔ᄒᆞᆫᄃᆡ, 공의 쥬의 ᄌᆞ녀을 셩취한 후 다려오려 위시 말을 듯지 아니터니, 공이 기직ᄒᆞ연지 십여년의 됴졍이 ᄒᆡ마다 블너 쓰기을 청ᄒᆞᆫᄃᆡ, 셩샹이 브르시난 안ᄆᆡ 도로의 니어시ᄃᆡ, 공이 나지 아니터니, 상이 즁ᄉᆞ을 보ᄂᆡᄉᆞ 연ᄒᆞ여 셰번을 브르시고, 맛ᄎᆞᆷᄂᆡ 오지 아니면 죄별[벌](罪罰)이 업지 아닐 쁜 아니라, 창징남ᄆᆡ ᄉᆞ친지회(思親之懷)을 상셔(上書)의 고ᄒᆞ여 상경ᄒᆞ시믈 청ᄒᆞ니, 공이 마지 못ᄒᆞ여 위시난 장ᄉᆞ의 두고 ᄌᆞ긔난 ᄉᆞᆼ경ᄒᆞ여 쳔문의 조현ᄒᆞ고, ᄉᆞ졍을 고ᄒᆞ여 출임의 뜻 업ᄉᆞ믈 쥬ᄒᆞ여 벼슬을 ᄉᆞ양ᄒᆞ고 장ᄉᆞ로 나려오려 ᄒᆞ더니, 상이 남숙을 구쥬슌무ᄉᆞ(九州巡撫使)를 ᄒᆞ니[이]ᄉᆞ, 쥬현방ᄇᆡᆨ(州縣方伯)을 슬펴 츌쳑을 임의로 ᄒᆞ라 ᄒᆞ시고, 인ᄉᆞᆫ을 쥬시니, 공이 브득이 상명을 밧ᄌᆞ와 구쥐로 갈ᄉᆡ, 일리[이] 공교ᄒᆞ여 강참졍이 운남 《교우ᄉᆞ ‖ 교유ᄉᆞ》로 나가고

1215)슌 : 번. 차례.

1216)요척(夭慼) : 자녀를 어려서 잃은 슬픔.

로, 샤은 퇴됴ᄒᆞ고 구쥐로 나아갈ᄉᆡ, 일이 공교ᄒᆞ여 강참졍이 운남 포졍ᄉᆞ로 가고, 부인 호시ᄂᆞᆫ 부상을 만나 셔쥐 본가로 나려가니, 챵징과【39】 희쥬ᄂᆞᆫ 표죵(表從) 등으로 더브러 강부의 머므더니, 강공이 부인의 셔쥐 가믈 듯고 즉시 군관과 안마를 보ᄂᆡ여 챵징을 운남으로 다려가 ᄌᆞ긔 안젼의 잇게 ᄒᆞ고, 희쥬ᄂᆞᆫ 강부의 머므더니, 댱샤의셔 위시이 소문을 듯고 교마(轎馬)와 가졍(家丁)을 보ᄂᆡ여 쇼져의 나려오기를 쳥ᄒᆞ니, ᄉᆞ의 비졀간곡ᄒᆞ여 만편셔ᄉᆞ의 능히 ᄢᅦ치디 못ᄒᆞᆯ 거시로ᄃᆡ, 쇼졔 스ᄉᆞ로 위시를 향ᄒᆞᆫ 졍셩이 나디 아니ᄒᆞ고 보고져 ᄠᅳᆺ도 업ᄉᆞ니, ᄉᆡᆼ셰 ᄉᆞ오삭의 ᄠᅥ나시니 피ᄎᆞ 얼골도 모를 ᄲᅮᆫ 아니라, 계모의 곳의 나아가미 위ᄐᆡ로온 듯 두리온 듯ᄒᆞ여, 그 션악을 밋쳐 아디 못【40】ᄒᆞ므로 즐겨 나려가디 아니하고, 회셔를 닷가 맛참 유질ᄒᆞ여 쳔니 댱졍의 나려갈 길히 업ᄉᆞ믈 고ᄒᆞ니, 위시 대로ᄒᆞ여 공교로운 계교로 남공의 필톄를 모ᄡᅥ 착실이 닉이니, 슈슌지ᄂᆡ의 완연이 ᄀᆞᆺ튼디라. 희쥬의게 셔간을 븟쳐 계모의 외로오믈 일ᄏᆞᆺ고, ᄆᆡ양 외가의 이실 거시 아니니 그만 ᄒᆞ여 댱샤로 나려가라 ᄒᆞ고, 만일 역명ᄒᆞᆫ즉 부녜 다시 보디 아니리라 ᄒᆞ고, 강참졍 댱ᄌᆞ 학ᄉᆞ의게 셔찰을 븟쳐 녀ᄋᆞ를 댱샤로 보ᄂᆡ라 ᄒᆞ여, ᄉᆞ에(辭語) 가장 슌편ᄒᆞ여 영니ᄒᆞᆫ 심복을 맛져 경샤의 가 머므러, 구쥐 왕ᄂᆡ를 맛초와 구쥐 하리 강부【41】의 젼ᄒᆞᄂᆞᆫ 셔간이 잇거든, 계교로 남공의 셔간을 앗고 이 셔간을 밧고와 강부의 드리라 ᄒᆞ니, 노ᄌᆞ 계동은 졔 아비 녀환이 문양궁 노ᄌᆞ로 경샤의 잇ᄂᆞᆫ디라. 가기를 샤양치 아니ᄒᆞ고 위시의 악ᄉᆞ를 돕ᄂᆞᆫ디라, 위시 ᄀᆞ장 듕히 넉일 ᄲᅮᆫ 아니라, 그 어미 무향은 위시 유뎨라. 남부의셔 댱샤로 나려올 졔 그 디아비 녀환을 ᄠᅥ나디 못ᄒᆞ여 경샤의 잇더니, 녀환이 근본은 김귀비 궁노로 문양궁의 쇽ᄒᆞᄆᆡ, 소임이 더욱 한가ᄒᆞᆫ 고로 무향이 ᄯᅩ 집을 일워 ᄌᆞᆼ용이 디ᄂᆡᄂᆞᆫ디라.

경샤의 올나와 어믜 집의 머믈ᄉᆡ, 무향이

부인 호시 부모상을 맛나 일시의 《치쥐∥셔쥐(徐州)1217)》 본부로 향ᄒᆞ고, 창징 남ᄆᆡ난 표죵(表從) 등으로 더브러 강부의 머무더니, 츰졍이 부인의 셔쥬 ᄀᆞ믈 듯고 군관안마을 보ᄂᆡ여 창징을 운남으로 다려와 ᄌᆞ긔 슬하의 두어 일시 ᄠᅥ나지 안코, 희쥬의게 셔간을 부쳐【103】무양(無恙)기를 당부ᄒᆞ더니, 위시 강공이 나가고 희쥬 표종만 의지ᄒᆞ여 이시믈 듯고, 교마(轎馬)을 보ᄂᆡ여 소져을 브르니, 소져 스ᄉᆞ로 마음의 위시을 위ᄒᆞ여 셩심이 업고, ᄉᆡᆼ셰 오삭의 ᄠᅥ나니 그 얼골도 아지 못ᄒᆞᆯ ᄲᅮᆫ 아냐, 계모의 곳의 나아가기 위ᄐᆡ론 듯, 두려온 듯, 그 현불초(賢不肖)을 아지 못ᄒᆞ므로 《길겨∥즐겨》 가지 아니코, 유질ᄒᆞ여 원졍의 발셥ᄒᆞᆯ 길 업사므로 회셔ᄒᆞ니, 위시 ᄃᆡ로ᄒᆞ여 공교한 ᄭᅬ을 ᄉᆡᆼ각고, 공의 필톄을 《못ᄡᅧ∥모ᄡᅧ》 숙습(熟習)ᄒᆞᄆᆡ 슈슴속 ᄂᆡ의 완연이 갓거날, 희쥬의게 셔간을 븟쳐 계모의{게} 외로○[오]믈 니르고, ᄆᆡ양 강부의 이실비 아니니, 그만ᄒᆞ여 도라가지 아니면 부여(父女) 다시 보지 아니리라 ᄒᆞ고, 츰졍의 장ᄌᆞ ᄒᆞᆨ사의게 셔간을 븟쳐 녀ᄋᆞ을 장사로 보ᄂᆡ라 ᄒᆞ여, ᄉᆞ의(辭意) 가장 슌편치 아니케 ᄒᆞ여, 심복노ᄌᆞ 녕니한 ᄌᆞ을 맛게[겨], 구쥬(九州) 왕ᄂᆡ(往來)을 《맛토와∥맛초와》 강부의 젼ᄒᆞ난 셔간이 잇거든 밧고아 젼ᄒᆞ라 ᄒᆞ니, 노ᄌᆞ 계동이 졔 아비 녀환은 문양궁 노ᄌᆞᄆᆡ 경ᄉᆞ의 가기를 즐기고, 위시 악ᄉᆞ을 도아 궁흉한 계모(計謀)을 고ᄒᆞᄆᆡ, 위시 ᄃᆡ희ᄒᆞ여 즁히 너길 ᄲᅮᆫ 아냐, 그 어미 문형은 위시의 《유쳐∥유졔(乳弟)》라. 남부의셔 장ᄉᆞ로 올제 그 아비 녀환을 ᄠᅥ나지 못ᄒᆞ여 경ᄉᆞ의 잇시니, 여환의 근본은【104】김구[귀]비 노ᄌᆞ로 문양궁의 쇽ᄒᆞᄆᆡ, 소임이 한가ᄒᆞ고 문향은 슈슴년 젼 장ᄉᆞ로 ᄂᆞ려오고 여환○[과] 자로 왕ᄂᆡ ᄒᆞ난지라. 문향은 젼후의 위시의 심복시여 되엿더라.

계동이 셔간을 가지고 경ᄉᆞ의 올나와 구

1217)셔쥐(徐州) : 중국 강소성(江蘇省)의 서북쪽에 있는 도시.

또 쥬졈을【42】 여러 힝인을 상겹ᄒᆞ며, 집이 또 강외 근쳐의 머디 아닌 고로 녀환의 부부모지 날마다 구쥐셔 오ᄂᆞᆫ 하인을 살펴, 유인ᄒᆞ여 술을 먹이고 취ᄒᆞ믈 타, 그 낭ᄃᆡ(囊袋)를 뒤여 남공이 강부의 보ᄂᆡᄂᆞᆫ 셔찰을 ᄲᅢ히고, 위시의 ᄆᆡᆫ든 바 위조 셔간을 밧고니, 공교ᄒᆞᆫ 쇠를 뉘 알니오.

구쥐 하인이 쳔만 무심코 강부의 나아가 글월을 올니니, 쇼제 야야의 글월을 반겨 피열ᄒᆞ여 공경 개간ᄒᆞᄆᆡ, 만편ᄉᆞ의(滿篇辭意) 엄슉ᄒᆞ여 ᄲᅡᆯ니 당샤로 나려가 고단ᄒᆞᆫ 계모를 위로ᄒᆞ믈 닐넛고, 강학ᄉᆞ의게 붓친 셔간이 언언 근니(近理)ᄒᆞ니,【43】 강학ᄉᆡ 의괴ᄒᆞ여 남공의 언약ᄒᆞ던 말솜과 다르믈 의심ᄒᆞ고, 쇼제 딘실노 즐겨 도라갈 의ᄉᆡ 업ᄉᆞ나, 셔듕 ᄉᆞ의 가장 쥰졀ᄒᆞ시니 엇디 시러곰 방변(防變)ᄒᆞ리오. 마디 못ᄒᆞ여 모든 표죵 ᄌᆞᄆᆡ를 니별ᄒᆞᆯᄉᆡ 연연의의(戀戀擬議)1443)ᄒᆞ여 쳥누(淸淚)를 금치 못ᄒᆞ더라.

쇼제 유모와 시녀를 거나려 발힝ᄒᆞᆯᄉᆡ, 강학ᄉᆡ 심복군관과 근실ᄒᆞᆫ 창두와 양낭을 글히여 반젼을 풍비히 ᄀᆞᆺ초와 당샤로 보ᄂᆡ니, 위시 쇼져를 강보의 ᄯᅥ나시니 그 나흘 혜아려 ᄌᆞ라시믈 짐작ᄒᆞ나, 이ᄃᆡ도록 당셩 슈미ᄒᆞ믄 ᄉᆡᆼ각디 아닌 ᄇᆡ라. ᄆᆡ오미【44】 고ᄃᆡ 삼킬 ᄃᆞᆺᄒᆞ나 강부 복쳡의 이목을 ᄭᅥ려 거ᄌᆞᆺ 흔감(欣感)져이1444) 반겨ᄒᆞᄂᆞᆫ ᄉᆡᆨ과 당셩ᄒᆞ믈 일ᄏᆞ라 두굿기ᄂᆞᆫ ᄉᆡᆨ이 쳔만 녜ᄉᆞ롭디 아니 ᄒᆞ더니, 강부 창두 시녀 등이 슈일을 머므러 하딕ᄒᆞ고 도라가니, 위시 ᄎᆞ일 시긱이 넘디 아냐셔 흘긔ᄂᆞᆫ 눈ᄡᅡᆯ과 가ᄂᆞᆫ 이발이 독ᄒᆞᆫ ᄇᆡ암과 셩닌 일희 ᄀᆞᆺᄐᆞ여, 고ᄃᆡ 므러 너흘1445) ᄃᆞᆺᄒᆞ니, 희쥬 쇼제 비록 강보의 ᄌᆞ모를 여희여시나 외구 강공 부부의 긔츌ᄀᆞᆺ치 무휼ᄒᆞ믈 닙어, 비환익락을 아디 못ᄒᆞ던 바로ᄡᅥ, 블의예 긔괴(奇怪) 참난(慘難)을 당ᄒᆞ니 연연약질이 장ᄎᆞᆺ 엇더 ᄒᆞ리

1443)연연의의(戀戀擬議) : 애틋한 마음을 품어 망설이고 주저함.

1444)-져이 : 접미사. '그러한 성질이 있음'의 뜻을 더하여 부사를 만드는 접미사.

1445)너흘다 : 물다. 물어뜯다. 씹다.

쥬 왕ᄂᆡ을 듯보아, 슌뒤 강부의 븟친 셔간을 밧고화 《쥰니‖노흐니》, 하리 곡졀을 모로고 강부의 뎐ᄒᆞ니, 소져와 학ᄉᆡ 슌무의 셔간으로 알고, 남소져 장ᄉᆞ로 가기을 면치 못ᄒᆞ여시니, 흑ᄉᆞ 소져을 ᄃᆡᄒᆞ여 왈,

"슉뷔 소ᄆᆡ ᄉᆞ랑ᄒᆞ시므로ᄡᅥ 일분이나 ᄒᆡ로오미 이시면 장ᄉᆞ로 가라 ᄒᆞ실 이 업고, 위시의 외로오믈 일카라ᄉᆞ 현ᄆᆡ을 급히 보ᄂᆡ라 ᄒᆞ시니, 명영(命令)을 엇지 위얼(違越)ᄒᆞ리오."

소져 심ᄉᆡ 여활ᄒᆞ여 말을 못ᄒᆞᄃᆡ, 부친 셔간이 어이ᄒᆞ여, 만일 장ᄉᆞ로 가지 아니면 다시 보지 아니려노라 ᄒᆞ여시니, 마지 못ᄒᆞ여 힝ᄒᆞᆯ ᄉᆡ, 호힝ᄒᆞ여 장ᄉᆞ의 니르니, 위시 강부인 소ᄉᆡᆼ이 져럿틋 긔이ᄒᆞ믈 보ᄆᆡ 경각의 숨킬 듯 ᄆᆡ우나, 즁인의 시비을 면코져 황홀이 ᄉᆞ랑ᄒᆞ난지라. 학ᄉᆡ 도라오고 일삭이 지ᄂᆡ니 작심이 숨일이라. 보치며 죠르며 ᄶᅮ지[짓]고 쳐, 못 견ᄃᆡ도록 ᄒᆞ려 쥬의을 뎡ᄒᆞ여 소져의 업ᄉᆞᆫ 허믈과 아인[닌] 말을 쥬츌(做出)ᄒᆞ여 흉픽싀험(凶悖猜險)이 무소【105】불위(無所不爲)1218)라. 소져로ᄡᅧ 음힝 악ᄉᆡ 잇다 ᄒᆞ여 무슈 즐타ᄒᆞᄃᆡ, 소져 일언을 발명치 아니코, 위시을 볼젹마다 간담이 《셜늘‖셔늘》ᄒᆞ여 쳔만곡경과 ᄎᆞ아(嵯峨)1219)한 화익을 ᄀᆞᆺ쵸 당ᄒᆞ니, 옥뫼 슈쳑ᄒᆞ고 향신이 표연(飄然)1220)ᄒᆞᆫ지라.

1218)무소불위(無所不爲) : 하지 못하는 일이 없음.

1219)ᄎᆞ아(嵯峨) : 산이 높고 험함.

1220)표연(飄然) : 바람에 날릴 듯함.

오. 딘실노 사ᄅᆞᆷ의【45】 견ᄃᆡ지 못ᄒᆞᆯ 고상과 참디 못ᄒᆞᆯ 곡경이 쳔셔만단(千緖萬端)이라. 위시 쇼져의 초츌 특이ᄒᆞ믈 더욱 ᄆᆡ이 녁여, 브ᄃᆡ ᄌᆞ심히 보ᄎᆡ여 견ᄃᆡ디 못ᄒᆞ여 죽도록 ᄒᆞ려 쥬의를 뎡ᄒᆞ고, 쇼져의 업ᄉᆞᆫ 허믈과 아닌 말을 스ᄉᆞ로 쥬츌(做出)ᄒᆞ여, ᄉᆡ험이 보ᄎᆡ미 아니 밋츤 곳이 업고, ᄯᅩ 음힝악ᄉᆡ 잇다 ᄒᆞ여 상강 션창(船廠)의 단니ᄂᆞᆫ 무뢰ᄇᆡ를 유졍ᄒᆞᆫ다 조로며 즐칙ᄒᆞᄃᆡ, 쇼졔 ᄒᆞᆫ 말 폭ᄇᆡᆨᄒᆞ미 업고 위시를 본 젹마다 심긔 셔늘ᄒᆞ여 상ᄃᆡᄒᆞ기를 딘졍으로 깃거 아니ᄒᆞ니, 비록 블슌히 언힐ᄒᆞ미 업고 치기를 당ᄒᆞ여 혈육이 상ᄒᆞᆯ디언졍 죽기를【46】 죄올 ᄉᆡᆫ이오, 구구히 쳑비ᄒᆞᄂᆞᆫ 거동이 업셔, 돌 ᄆᆞ음과 쇠 간장이 되어시나, 쳔만가디 곡경과 참참ᄒᆞᆫ ᄋᆡᆨ화를 당ᄒᆞ여, 옥뫼 슈약(瘦弱)ᄒᆞ고 향신이 표연ᄒᆞ니, 유모와 두 시비 주야 슬허 노쥐 셔로 붓드러 ᄉᆞᆯ 도리를 ᄉᆡᆼ각디 못ᄒᆞ더니, 위시 쇼져의 유모와 두 시녀를 깁히 가도와, 쇼져를 ᄃᆡᆨ히여 잇디 못ᄒᆞ게 ᄒᆞ고, 긔괴ᄒᆞᆫ 쳔역과 슈고로운 고역을 ᄀᆞᆺ초 ᄉᆡ이며, 쇼져의 아ᄅᆞᆷ다오미 녀공디ᄉᆞ와 ᄇᆡᆨ힝ᄉᆞ덕이 나모랄 거시 업ᄉᆞᄃᆡ, 연연 약딜이 딘ᄒᆞᆯ ᄃᆞᆺᄒᆞ니, 위시 교아쥴ᄆᆡ(咬牙叱罵)ᄒᆞ여 ᄉᆡ이ᄂᆞᆫ 일을 아니려 ᄒᆞ여 못견ᄃᆡᄂᆞᆫ 쳬ᄒᆞᆫ다 ᄒᆞ여 보ᄎᆡ고, 됴【47】셕 식음을 ᄡᅥ의 주ᄂᆞᆫ 일이 업셔 긔한(飢寒)의 지쳐 죽이려 하ᄆᆡ, 삼동(三冬)이 딘ᄒᆞ고 신년을 만나 삼츈이 딘ᄒᆞᄃᆡ, 죽ᄂᆞᆫ 일이 업ᄉᆞ니 위시 착급 분분ᄒᆞᆫ 가온ᄃᆡ, 남쥐 츄관 오셰웅은 위시의 ᄌᆡ죵 표딜(表姪)이니, 슉딜의 의 잇ᄂᆞᆫ디라.

소져 유모와 양시ᄋᆡ 쥬야 붓들고 슬허ᄒᆞ니, 위시 유모와 시녀을 깁히 가도와 한ᄃᆡ 잇지 못ᄒᆞ게 ᄒᆞ고, 쥬야 긔괴한 쳔녁(賤役)과 슈고을 시기되, 소져 ᄇᆡᆨᄉᆞ 가지○[록]덕이 진션진미ᄒᆞ여 능히 견ᄃᆡ니, 위시 더옥 ᄉᆡ기ᄒᆞ여 죠셕 식음을 ᄡᅥ의 쥬미 업셔 쥬려 쥭○[이]고져 ᄒᆞᄃᆡ, ᄉᆞᆷ동(三冬)이 진ᄒᆞ고, ᄯᅩ ᄉᆞᆷ츈이 맛도록 쥭난 일이 업ᄉᆞ니, 위시 착급ᄒᆞ여 분분(忿憤)ᄒᆞᆫ 가온ᄃᆡ, 남쥬 츄관 오셰웅은 위시의 표종질ᄌᆞ(表從姪子)라.

잇다감 남부의 와 위시를 문후ᄒᆞ더니, 남쇼져의 셩화를 듯고 위시를 ᄃᆡᄒᆞ여 보기를 청ᄒᆞᆫᄃᆡ, 위시 쇼져의 뎡졍ᄒᆞᆫ 규법(閨法)이 삼엄ᄒᆞ믈 아ᄂᆞᆫ디라, 오셰웅을 나와 볼 니 이시리오. 출하리 위력으로 뵈고져 ᄒᆞ여 셰웅을 ᄂᆡᆺ글고 쇼져방의 니르니, 쇼져 팀션을 다ᄉᆞ리다가 인뎍(人跡)이 이시믈 듯고 디게틈으로 ᄉᆞᆯ피【48】니, 위시 엇던 남ᄌᆞ를 다리고 드러오거ᄂᆞᆯ, 쇼져 대경ᄒᆞ여 뒤문으로

잇다감 남부의 왕ᄂᆡᄒᆞ여 위시을 보고 가더니, 소져의 셩화을 ᄋᆡᆨ이 듯고 위시을 ᄃᆡᄒᆞ여 소져 보기을 청ᄒᆞ니, 위시 소져의 규범(閨範) 경졍(貞靜)ᄒᆞ믈 아ᄂᆞᆫ 고로 위력으로 뵈고져 ᄒᆞ여, 셰웅을 다리고 소져 침소의 니르니, 소져 침션을 다ᄉᆞ리다가 인젹을 듯고 문틈으로 잠간 보니, 위시 모로난 남ᄌᆞ을 다리고 드러오거날, 소져 ᄃᆡ경ᄒᆞ여 뒤문으로 나가려 ᄒᆞ니 밧글 거럿거날, 금금

나가고져 ᄒᆞᆫᄌᆞᆨ 발셔 밧그로 거럿거ᄂᆞᆯ, 피ᄒᆞᆯ 길히 업셔 금금(錦衾)으로 낫출 ᄡᆞ고 움ᄌᆞᆨ이디 아니ᄒᆞ니, 셰웅이 쇼져의 얼골은 보디 못ᄒᆞᄃᆡ, 톄용의 ᄀᆡ이ᄒᆞ믈 황홀ᄒᆞ여 슉모를 눈주어 그 얼골을 들게 ᄒᆞ라 ᄒᆞ니, 위시 다라드러 쇼져의 금금을 ᄡᅢᆨ혀 앗고 낫출 들게 ᄒᆞ려 ᄒᆞᄃᆡ, ᄡᆞᄒᆡ 박아 죽기를 그음ᄒᆞ여 낫출 드디 아니니, 위시 어ᄌᆞ러이 두니리며 그 옷슬 다 ᄡᅳ져바려 낫출 ᄀᆞᆷ초디 못ᄒᆞ게 ᄒᆞᄃᆡ, 쇼졔 ᄒᆞᆫ 소ᄅᆡ 말이 업고 쳑쳑히 우ᄂᆞᆫ 바【49】도 업ᄉᆞ니, 셰웅이 상실ᄒᆞᆫ 디 ᄉᆞ오 년이로ᄃᆡ ᄌᆡ취치 못ᄒᆞ고, 다ᄉᆞᆺ 쇼희를 두어 의건을 소임ᄒᆞ며 ᄂᆡᄉᆞ를 찰임ᄒᆞ더니, 금일 남쇼져의 아ᄅᆞᆷ다온 톄디를 보고 황홀ᄒᆞ여 그 얼골을 마자 보고져 ᄒᆞᄃᆡ, 남시 낫출 드디 아니ᄒᆞ고, 위시ᄂᆞᆫ 져의 말을 듯디 아니믈 분노ᄒᆞ여, 그 몸이 상ᄒᆞ믈 헤디 아니ᄒᆞ고 슈업시 즛두다리니, 머리 씌여져 피 흐르ᄂᆞᆫ디라. 셰웅이 크게 앗겨 위부인긔 과도ᄒᆞ믈 말니고, 즉시 나와 위시를 ᄃᆡᄒᆞ여 져의 ᄉᆞ정을 다 고ᄒᆞ고 ᄌᆡ취를 구ᄒᆞ니, 위시 일언의 쾌허ᄒᆞ여 희쥬 ᄌᆞ긔【50】 말을 슌종ᄒᆞ거든 단장을 빗ᄂᆡ 다ᄉᆞ려 보ᄂᆡ고, 그러치 아니ᄒᆞ거든 즛두다려 다리고 졔 남쥬로 가마 ᄒᆞ니, 오츄관이 대열ᄒᆞ여 즉시 관읍의 도라와 궤듕의 모홧던 황금 삼천 냥을 위시긔 보ᄂᆡ니, 위시 본ᄃᆡ 금은 ᄉᆞ랑ᄒᆞ기를 졔 셩명도곤 ○[더]ᄒᆞᄂᆞᆫ 고로, 희쥬를 오가의 파라 삼쳔냥 금을 바드ᄆᆡ 블승영힝ᄒᆞ여, 쇼져를 ᄃᆡᄒᆞ여 오츄관의 풍신 용화와 문당ᄌᆡ조를 칭찬ᄒᆞ고, 비록 후취나 쇽ᄌᆞ의 원비도곤 쾌ᄒᆞ고 즐거오믈 닐너, 공이 환가 젼이라도 ᄌᆞ긔 쥬혼ᄒᆞ여 셩녜ᄒᆞ렷노라 ᄒᆞ니, 쇼져 위시의【51】 니르ᄂᆞᆫ 말을 ᄉᆞᄉᆞ의 ᄃᆡ답디 아냐 입을 열미 업ᄉᆞ며, 음힝악ᄉᆞ로 디목ᄒᆞ여도 구구히 폭ᄇᆡᆨᄒᆞ미 업더니, 부친이 도라오디 아냐셔 셩혼ᄒᆞ여 보ᄂᆡ고져 ᄒᆞ믈 보ᄆᆡ, 분완통히ᄒᆞ믈 ᄎᆞᆷ디 못ᄒᆞ여 뎡식 ᄃᆡ왈

(錦衾)으로 몸을 ᄊᆞ 움작이지 아니ᄒᆞ니, 【106】셰웅이 위시을 눈쥬어 얼골을 들계 ᄒᆞ라 ᄒᆞ니, 위시 다라드려 금금을 앗고 힘을 다ᄒᆞ여 얼골○[을] 들여 ᄒᆞᄃᆡ, 소져 머리을 ᄧᅡᄒᆡ 박아 쥭긔을 그음ᄒᆞ여 낫출 드지 아니니, 위시 어즈러이 두다리고 그 오ᄉᆞᆯ 믜치려[1221] ᄒᆞᄃᆡ, 소져 한마ᄃᆡ 말도 아니코 쳑쳑이 우난 일도 업ᄉᆞ니, 셰웅이 상실ᄒᆞᆫ지 ᄉᆞ오슉의 ᄌᆡ취치 못ᄒᆞ고, 다셧 소희을 두어 의건을 소임ᄒᆞ더니, 금일 소져의 쳬지을 보고 얼골을 보지 못ᄒᆞᄃᆡ, 위시 어즈러이 두다리믈 크게 앗기고, 위시을 ᄃᆡᄒᆞ여 ᄌᆡ실을 쳥ᄒᆞ니, 위시 쾌허 왈,

"희슈[쥬] 슌슌ᄒᆞ거든 보ᄂᆡ고 그러치 아니면 짓두다려 다리고 가리라"

ᄒᆞ니, 셰웅이 ᄃᆡ희ᄒᆞ여 도라가 황금ᄉᆞᆷ쳔 양으로 위시기 보ᄂᆡ이[니], 위시 금은 ᄉᆞ랑ᄒᆞ미 셩명(性命)의 더은 고로, 희쥬을 파라 금을 바다서 영힝ᄒᆞ여, 소져을 ᄃᆡᄒᆞ여 오츄관의 풍신용화을 칭찬ᄒᆞ며, ᄌᆡ죠 문별[벌](門閥)을 흐믓져○[이][1222] 니르고 비록 후취나 속ᄌᆞ의 원비도곤 쾌ᄒᆞ믈 일너, 남공이 도라오기 젼 ᄌᆞ기 《젼ᄉᆞ을 니라노라‖혼ᄉᆞ(婚事)을 니루려노라》ᄒᆞ니, 소져 져의 말을 ᄃᆡ답ᄒᆞᆯ ᄇᆡ 업고, ᄌᆞ긔로써 음힝악ᄉᆡ 잇다 ᄒᆞ니[나], 《이ᄃᆡ 폭박‖이ᄃᆡ도록 폭ᄇᆡᆨ(暴白)》ᄒᆞ미 업더니, 부친 도라오기 젼 오가 젹ᄌᆞ와 셩혼ᄒᆞ려 ᄒᆞ믈 보고 불승분완ᄒᆞ여,

1221)믜치다 ; 미어뜨리다. 세게 잡아당겨 찢다. 믜다; 찢다.

1222)-져이 : 접미사. '그러한 성질이 있음'의 뜻을 더하여 부사를 만드는 접미사.

,

"쇼녜ᄂᆞᆫ 규녜라. 혼ᄉᆞ의 간예ᄒᆞ미 넘치의 블가ᄒᆞ믈 모로디 아니ᄒᆞᄃᆡ, 대인의 도라오실 긔약이 머디 아니ᄒᆞ거늘, 그 ᄉᆞ이를 ᄎᆞᆷ디 못ᄒᆞ여 ᄌᆞ식을 가댱(家長)이 모로게 셩혼ᄒᆞ미 ᄉᆞ리의 블가ᄒᆞ믈 ᄭᆡᄃᆞᆺ디 못ᄒᆞ시ᄂᆞ니잇가? 쇼녜 ᄇᆡᆨᄉᆞ의 위월치 말고져 ᄒᆞ더니, 이 일의 다ᄃᆞ라ᄂᆞᆫ 죽어도 밧드디 못ᄒᆞᆯ소이다."

위시 대로【52】ᄒᆞ여 치며 져히고 다ᄅᆡ여 위력으로 보ᄂᆡ고져 ᄒᆞᄃᆡ, 쇼졔 죽기를 ᄌᆞ분ᄒᆞ여 듯디 아니ᄒᆞ니, 오셰웅은 아도 못ᄒᆞ고 죵슉모를 날마다 보ᄎᆡ여 친ᄉᆞ를 ᄌᆡ촉ᄒᆞ니, 위시 착급ᄒᆞ여 위력으로 다리고 남쥐 관아로 가려ᄒᆞ나, 쇼져 금금의 말니여 방문을 안흐로 걸고 작슈를 마시디 아니ᄒᆞ고, 죽으믈 원ᄒᆞ며 살기를 ᄉᆡᆼ각디 아니ᄒᆞ니, 위시 분노ᄒᆞ여 문을 ᄭᆡ치고 드리다라 쇼져의 쳥운 ᄀᆞᆺ튼 운환을 ᄭᅳ어 밧긔 나와, 죵일토록 즐욕 난타ᄒᆞ여 오가로 보ᄂᆡ랴 ᄒᆞᄃᆡ 맛ᄎᆞᆷᄂᆡ 긔절ᄒᆞ니, 위시 익익 대로ᄒᆞ여 아조 ᄌᆞᆺ불아 육장(肉醬)을【53】 ᄆᆡᆫ돌냐 ᄒᆞᄂᆞᆫ디라. 밤이 깁고 만뇌구뎍(萬籟俱寂)ᄒᆞ기의 님ᄒᆞᄆᆡ, 쇼져의 팔흘 ᄭᅳ어 뒤동산 아ᄅᆡ 다ᄃᆞ라 큰 소남긔 ᄆᆡ여 달고, 머리로브터 만신을 헤지 아니ᄒᆞ고 ᄌᆞᆺ두다리니, 남쇼져 청빙(淸氷) ᄀᆞᆺ튼 약딜이 십이셰 초츈을 당ᄒᆞ여, 연연요요(軟軟夭夭)1446)ᄒᆞ미 약ᄒᆞᆫ 버들 ᄀᆞᆺ튼디라. 비록 신댱톄디 슉셩ᄒᆞ여 미딘ᄒᆞ미 업시 다 ᄌᆞ라시나, 긔딜인즉 남달니 셤약ᄒᆞ니, 위시의 흉완 악착ᄒᆞᆫ 댱칙을 잘 견ᄃᆡ리오. 남긔 것구로 달니기를 님ᄒᆞ여, 임의 엄홀ᄒᆞ여 숨잇ᄂᆞᆫ 시신이 되어시니, 유모 시녀ᄂᆞᆫ 다 가도왓고, 노쇼비ᄌᆞᄂᆞᆫ 다 위【54】시의 심복이 되엿고, 혹 인심 쇼관(所關)으로 쇼져를 앗기리 이시나, 위시의 포악ᄒᆞ믈 두려 감히 구ᄒᆞ리 업더니, 쳔만 긔약디 아닌 뎡쇼져 위시를 즐칙ᄒᆞ고 쇼져를 다려가ᄃᆡ, 신샹의 건복(巾服)1447)이 잇고, 풍신용홰 딘셰(塵

1446)연연요요(軟軟夭夭) ; 여리고 아름다움.

1447)건복(巾服) : 옷갓. 웃옷과 갓을 아울러 이르는

졍싀 ᄃᆡ왈,【107】

"소여(小女)난 주[규]녀(閨女)라, 혼ᄉᆞ의 간녜ᄒᆞ미 불가ᄒᆞᆫ 쥴 모로지 아니ᄒᆞ나, ᄃᆡ인 도라오실 기약이 머지 아니거날 그 《ᄉᆞ일을‖ᄉᆞ이를》 ᄎᆞᆷ지 못ᄒᆞ여, 인뉸ᄃᆡᄉᆞ을 가장(家長) 모로게 ᄒᆞ시미 블가ᄒᆞ믈 ᄭᆡ닷지 못ᄒᆞ시니, 소녀 비록 쥭어도 이 일은 밧드지 못ᄒᆞ리로 소이다."

위시 ᄃᆡ로ᄒᆞ여 샹(常)업시1223) 즐타ᄒᆞ며 온 ᄀᆞ지로 져히ᄃᆡ 소져 쥭긔로 《ᄌᆞ문‖ᄌᆞ분》ᄒᆞ며 듯지 아니니, 오셰웅은 남씨 뜻을 아지 못ᄒᆞ고 날마다 슉모을 보ᄎᆡ니, 위시 소져의 뜻을 돌혀지 못ᄒᆞ여 위력으로 《ᄭᆡ리고‖다리고》 남쥐 관아로 가고져 ᄒᆞᄃᆡ, 소져 금금을 휘감고 침당을 안흐로 잠아 쥭기로 《긔역‖긔약》ᄒᆞ니, 위시 불승분로ᄒᆞ여 문을 박ᄎᆞ고 들어가 소져의 운발(雲髮)을 잡고 죵일토록 ᄌᆞᆺ두다려 일신이 셩한 곳이 업ᄉᆞᄃᆡ, 마ᄎᆞᆷᄂᆡ 오ᄀᆞ 혼ᄉᆞ의 다다르난 ᄆᆡᄆᆡ히 거졀ᄒᆞ니, 위시 소져을 쓸고 동ᄉᆞᆫ(東山)의 ᄀᆞ 남계 것구로 달고 만신을 두다리니, 소져 긔질이 남과 달나 쳠약ᄒᆞᄆᆡ 완연이 슘 잇난 시신이 되엿난지라. 소져 유모와 시아 등은 ᄀᆞᆺ치여 잇고, 또한 노비ᄌᆞ 등은 부인 심복이 되어 인심의 ᄎᆞ악ᄒᆞ나, 위시의 악악한 호령을 두려 구ᄒᆞ리 업더니, 쳔만 기약지 아닌 뎡소져 위시을 ᄭᅮ짓고 희쥬을 다려가【108】되, 몸 우희 건복이 잇고, 풍신용화 속인과 ᄂᆡ도ᄒᆞ믈 보ᄆᆡ, 반다시 하늘이 희쥬○[의] 잔잉ᄒᆞ믈1224) 슬펴 신인(神人)을 보ᄂᆡ여 아ᄉᆞ 가므로 아라, 위시 ᄃᆡ악이나 것구러○○○[졋다가] 침소의 도라와 심신을 뎡치 못ᄒᆞ난 가온ᄃᆡ, 오셰웅은 [이]○…**결락 11자**…○[쇼져의 업ᄉᆞ믈 알면 반ᄃᆞ시] 금을 도노[로] ᄎᆞ질가 쵸죠ᄒᆞ더라.

1223)샹(常)업다 : 보통의 이치에서 벗어나 막되고 상스럽다.

1224)잔잉ᄒᆞ다 : 자닝하다. 애처롭고 불쌍하여 차마 보기 어렵다.

世) 쇽인과 ᄂᆡ도ᄒᆞ믈 보ᄆᆡ, 반ᄃᆞ시 하날이 희쥬의 잔잉ᄒᆞ믈 ᄉᆞᆯ펴 신인(神人)을 보ᄂᆡ여 아사가므로 아라, 위시의 흉험대악이나 말을 못ᄒᆞ고 것구러졋다가, 팀소의 도라와 심신을 뎡치 못ᄒᆞᄂᆞᆫ 가온ᄃᆡ, 오셰웅이 쇼져의 업ᄉᆞ믈 알면 반ᄃᆞ시 금을 도로 ᄎᆞ줄가 두려 명일 말을 ᄂᆡᄃᆡ, 작야의 도뎍이【55】드러 가듕 긔용즙믈을 다 셔르져 가며, 쇼져를 실산ᄒᆞ다 ᄒᆞ고, 남쥐 츄관 오셰웅의게 이ᄃᆡ로 통ᄒᆞ니, 오셰웅이 남쇼져를 취치 못ᄒᆞ고 블의로 모흔 황금 삼천냥을 혓도이 일흐니, ᄋᆡ둛고 분ᄒᆞ믈 니긔디 못ᄒᆞ나 도로 ᄎᆞ줄 길히 업셔, 도로혀 슉모를 원망ᄒᆞ고 가ᄇᆡ야이 황금 보ᄂᆡᆫ 줄만 뉘웃ᄎᆞ나 밋디[1448] 못ᄒᆞ여 ᄒᆞ더라.

이ᄯᅴ 뎡쇼졔 남시를 녑히 쎠 나오ᄃᆡ, 남가 시비 등이 감히 일인도 ᄯᆞ라오리 업ᄉᆞ니, 뎡쇼졔 역시 방심ᄒᆞ여 홍션을 다리고 긔구ᄒᆞᆫ 산노로 힝ᄒᆞ여 슈리ᄂᆞᆫ 더 가더니, 밤이 졈졈 깁고 머믈 곳을 엇디 못ᄒᆞ여,【56】두로 헤다혀[1449] 계오 인가를 ᄎᆞ자 ᄉᆡ문을 두다려 사ᄅᆞᆷ을 브르니, 쥬인 노괴 나와 문을 여러 주며 왈,

"밤이 깁허 힝인이 긋쳣거ᄂᆞᆯ 존ᄀᆡᆨ은 어ᄃᆡ로 좃ᄎᆞ 이의 니르시뇨?"

홍션이 답왈 참쉬(站數)[1450] 머러 어두어시믈 일콧고, 은젼을 주어 식반을 구ᄒᆞ고 일야 머믈기를 청ᄒᆞ니, 노괴 ᄀᆡᆨ실을 셔르져 머믈게 ᄒᆞ고 식반을 출히라 드러가거ᄂᆞᆯ, 쇼졔 홍션으로 더브러 ᄀᆡᆨ실의 드러가, 남쇼져를 나리와 편히 누이고 ᄆᆡᆨ후를 ᄉᆞᆯ피니, 명ᄆᆡᆨ은 ᄉᆞᆺ디 아냐시나 일신이 피빗치 되어시ᄃᆡ, 작인ᄒᆞᆫ 바 이목구비와 ᄇᆡᆨ【57】ᄐᆡ만광이 툐셰(超世)ᄒᆞᆯ ᄲᅳᆫ 아니라, 존귀ᄒᆞᆫ 톄격과

말로, 흔히 예전에 남자가 정식으로 갖추던 옷차림을 말함.

1448)밋다 ; 미치다. 공간적 거리나 수준, 능력 따위가 일정한 선에 닿다.

1449)헤다히다 : 헤대다. 헤매다. 공연히 바쁘게 왔다갔다 하다. 갈 바를 몰라 이리저리 돌아다니다.

1450)참쉬(站數) ; 역참(驛站)과 역참 사이의 거리. 역참(驛站); 조선 시대에 역로(驛路)에 세워 국가가 경영하던 여관. 대개 25리마다 1참을 두었다.

이ᄯᅴ 뎡소져 남시을 엽히 쎠 나오되 남가 시비 일인도 ᄶᆞ라오리 업ᄉᆞ니, 소져 역시 방심ᄒᆞ여 홍션을 다리고 긔구(崎嶇)한 ᄉᆞᆫ노(山路)로 힝ᄒᆞ여 슈리을 가더니, 밤이 졈졈 깁고 머물 곳을 엇지 못ᄒᆞ여 방황ᄒᆞ다가, 계오 인ᄀᆞ을 ᄎᆞ져 ᄉᆡ문을 두다려 ᄉᆞ람을 브르니, 주인 노괴 나와 문을 여려[러] 쥬며 왈,

"밤이 깁퍼거날 존ᄀᆡᆨ은 어ᄃᆡ로조ᄎᆞ 이의 니르시나뇨?"

홍션이 ᄎᆞᆷ쉬(站數)[1225] 《말리∥머러》 어두오믈 일캇고, 은젼을 쥬어 식반을 구ᄒᆞ고 일야 머물기을 청ᄒᆞ니, 노괴 ᄀᆡᆨ방을 셔라져 머물계 ᄒᆞ고, 식반을 출히려 드러가거ᄂᆞᆯ, 소져 홍션으로 더브러 ᄀᆡᆨ실의 드러가 남소져을 나리와 누이고, ᄆᆡᆨ후을 ᄉᆞᆯ피○[니] 명ᄆᆡᆨ은 ᄉᆞ[ᄉᆞᆺ]지 아냐시나, 일신이 피빗치 되어시되, 작인ᄒᆞᆫ 바 이목구비와 ᄇᆡᆨᄐᆡ 쳔광이 초셰할 ᄲᅳᆫ 아니라, 존귀한 《쳐셕∥체격(體格)》과 유복한 상뫼 《슈환∥수한(壽限)》이 장원ᄒᆞ며, ᄯᅩ한 복녹이 늉늉ᄒᆞᆯ지라. 소져 그 ᄎᆞᆷ잔(慘殘)ᄒᆞ믈 평ᄉᆡᆼ【109】아던 바 ᄀᆞᆺ치 불ᄉᆞᆼ이 여계[겨], 즉시 낭즁으

1225)참쉬(站數) ; 역참(驛站)과 역참 사이의 거리. 역참(驛站); 조선 시대에 역로(驛路)에 세워 국가가 경영하던 여관. 대개 25리마다 1참을 두었다.

유복ᄒᆞᆫ 상뫼 슈한이 댱원ᄒᆞ며, 복녹이 늉늉ᄒᆞᆯ디라. 뎡쇼져 그 참혹(慘酷) 잔잉히[1451] 마ᄌᆞ시믈 츄연(惆然) ᄎᆞ셕(嗟惜)ᄒᆞ여 앗기ᄂᆞᆫ ᄆᆞ음이 평ᄉᆡᆼ 아던 바 ᄀᆞᆺᄐᆞ여, 냥듕의 쳥심단(淸心丹)을 ᄂᆡ여 ᄎᆞ의 화ᄒᆞ여 입의 드리오며 슈족을 쥐믈녀, 구호ᄒᆞ기를 극딘히 ᄒᆞᄃᆡ, 남쇼졔 즉시 ᄭᆡ디 못ᄒᆞ더니, 식경이나 디난 후의 숨을 두로고 눈을 ᄯᅥ 보더니, ᄌᆞ긔 겻ᄐᆡ 남ᄌᆞ 잇셔 구호ᄒᆞ믈 보고 대경ᄒᆞ여 ᄒᆞᆫ 소ᄅᆡ를 기리 늣기고[1452] 긔운이 엄엄ᄒᆞ여 다시 막힐 ᄃᆞᆺᄒᆞ니, 쇼져 그 손을 잡고 나죽이 니르ᄃᆡ, 【58】

"쇼져ᄂᆞᆫ 쳡으로ᄡᅧ 남ᄌᆞᆫ가 놀나디 말고 쳡의 소회를 드르라. 쳡이 경샤 사ᄅᆞᆷ으로 명셰(明世)의 혼ᄌᆞ 난니를 만나, 규리의 ᄌᆞ최 도로의 방황ᄒᆞ니, 녀ᄌᆞ의 낫 ᄀᆞ리오ᄂᆞᆫ 녜를 일코, ᄇᆡᆨ희(伯姬)[1453]의 죄인이 된디라. ᄎᆞ마 녀복으로 분쥬치 못ᄒᆞ여 남의(男衣)로 변톄 ᄒᆞ여시나, 딘실노 녀ᄌᆞ오, 남ᄌᆞ 아니라. 맛참 쇼져의 참익을 보ᄆᆡ 인심의 ᄎᆞᆷ디 못ᄒᆞ여, ᄆᆡᆫ 거ᄉᆞᆯ 그르고 구ᄒᆞ여 이에 다려왓ᄂᆞ니, 쳡이 결단ᄒᆞ여 쇼져긔 히로온 사ᄅᆞᆷ이 아니니, 모로미 근본과 셩시를 은휘치 말나."

남쇼졔 혼미ᄒᆞᆫ 가온ᄃᆡ나 뎡쇼져의 별츌쇄락(別出灑落)ᄒᆞᆫ ᄐᆡ도를【59】 보ᄆᆡ, ᄉᆡᆼᄂᆡ(生來)의 쳐음보ᄂᆞᆫ ᄉᆡᆨ광(色光)이라. 딘쇽의 화식디인이 아니오, 신션이 강님ᄒᆞ여 ᄌᆞ가를 희롱ᄒᆞ민가 의려ᄒᆞ고, 남ᄌᆞ 아닌 줄을 오히려 분명이 아디 못ᄒᆞ여 슈히 답디 못ᄒᆞ니, 뎡쇼졔 져의 의심ᄒᆞ믈 보고 홍션을 나아오라 ᄒᆞ여 팔흘 ᄲᅢ혀 쥬표를 뵈고, 다시 니르

1451)잔잉ᄒᆞ다 : 자닝하다. 잔인하다. 자닝하다; 애처롭고 불쌍하여 차마 보기 어렵다.

1452)늣기다 : 느끼다. 흐느끼다. 서럽거나 감격에 겨워 울다.

1453)ᄇᆡᆨ희(伯姬) : 중국 춘추시대 魯(노)나라 宣公(선공)의 딸. 송나라 恭公(공공)에게 시집갔다가 10년 만에 홀로 됐다. 궁궐에 불이 났을 때 관리가 피하라고 했으나 부인은 한밤에 보모 없이 집을 나설 수 없다고 고집해서 결국 불속에서 타 죽었다. 『열녀전(烈女傳)』 <정순전(貞順傳)>'송공백희(宋恭伯姬)' 조(條)에 기사가 보인다.

로 조ᄎᆞ 한 단약을 ᄂᆡ여, ᄎᆞ의 화ᄒᆞ여 입의 드리오고 슈족을 쥬므르니, 식경(食頃)[1226] 후 《숨음‖숨》을 ᄂᆡ쉬여 눈을 ᄯᅥ ○○○[보더니], ᄌᆞ긔 압희 남ᄌᆞ 구호ᄒᆞ물 보고 ᄃᆡ경ᄒᆞ여 일○[식]경(一食頃)을 늣기고[다][1227], 긔운이 엄엄ᄒᆞ여 다시 막히난 듯ᄒᆞ니, 소져 그 손을 잡고 나작이 일르되,

"소져난 쳡으로ᄡᅧ 남ᄌᆞᆫ가 놀ᄂᆡ지 마르소셔. 쳡은 경ᄉᆞ ᄉᆞ람으로 《텽계‖명셰(明世)》○[의] 독난(獨亂)을 만나, 음양을 변졔[체](變體)ᄒᆞ고 도노[로]의 방황ᄒᆞ더니, 마ᄎᆞᆷ 이 길노 지ᄂᆡ다가 소져의 ᄎᆞᆷ악을 보니, ᄎᆞᆷ아 보지 못ᄒᆞ여 구ᄒᆞ엿더니, 결단ᄒᆞ여 소져기 히로온 ᄉᆞ람 아니니 모로미 근본을 은익지 말라."

남소져 혼미한 즁 그 발츌쇄낙(拔出灑落)ᄒᆞ믈 보ᄆᆡ ᄉᆡᆼᄂᆡ(生來) 쳐음 보난 ᄉᆡᆨ광(色光)이라. 진속(塵俗)의 화식지인이 아니오, 신션이 강임 희롱ᄒᆞ민가 의심ᄒᆞ고, 남ᄌᆞ 아닌 쥴 오히려 아지 못ᄒᆞ여 슈이 답지 아니니, 뎡소져 져의 의심을 알고 홍션을 나오라 ᄒᆞ여, 그 비ᄉᆞᆼ(臂上) 쥬표을 븨고 왈,

1226)식경(食頃) : 밥을 먹을 동안이라는 뜻으로, 잠깐 동안을 이르는 말.

1227)늣기다 : 느끼다. 흐느끼다. 서럽거나 감격에 겨워 울다.

ᄃᆡ,

"ᄎᆞ녀ᄂᆞᆫ 쳡의 시녀 홍션이라. 비쥬 다 남의를 개착하엿ᄂᆞ니 쇼져ᄂᆞᆫ 의심치 말나."

홍션이 니어 ᄀᆞᆯ오ᄃᆡ,

"우리 부인은 경샤 금평후 뎡노야의 댱녜시고, 윤어ᄉᆞ의 원비시며, 병부상셔 평남후의 ᄆᆡ뎨시나, 쳔만 원억ᄒᆞᆫ 일노 댱샤의 찬뎍ᄒᆞ샤 뎍소【60】의 뉴ᄒᆞ시더니, ᄋᆡᆨ운이 쳡쳡ᄒᆞ샤 뎍소의도 안거치 못ᄒᆞ시고, 노쥬 음양을 변톄ᄒᆞ여 도로의 방황ᄒᆞ여 안뎡ᄒᆞᆫ 쳐소를 엇고져 ᄒᆞ더니, 맛춤 쇼져의 참화를 구ᄒᆞ여 이의 왓ᄂᆞ이다."

남쇼졔 뎡시와 홍션을 ᄌᆞ시 보니, 남ᄌᆡ 아닌 듯 시브고, 원간 금평후 뎡공의 녀ᄌᆡ 윤어샤 부인으로 살인디죄로 댱샤의 찬뎍ᄒᆞᆫ 쇼문이 일셰의 유명ᄒᆞ니, 댱샤(長沙) 녀리(閭里)의 모로리 업ᄂᆞᆫ디라. 남쇼졔 ᄯᅩᄒᆞᆫ ᄂᆡᆨ이 드르미 잇더니, 바야흐로 의심이 프러져 기리 탄식ᄒᆞ고 말을 시작고져 ᄒᆞ더니, 쥬괴 식반을 드리거ᄂᆞᆯ, 뎡쇼졔 상을 밧고【61】 다시 갑술 주고 일긔 미듁을 구ᄒᆞ니, 쥬괴 갑시 듕ᄒᆞ믈 보고 슈고를 닛고 급히 장만ᄒᆞ여1454) 이윽고 듁을 가져오니, 뎡부인이 오히려 식반을 먹디 아니ᄒᆞ고 상을 노핫더니, 듁을 바다 남시를 권ᄒᆞ며 ᄒᆞᆫ 가디로 먹을ᄉᆡ, 남쇼졔 눈물을 드리워 샤례 왈,

"쳡이 부인으로 더브러 일면디분(一面之分)1455)이 업고 쇼ᄆᆡ 평ᄉᆡᆼ(平生)1456)이어ᄂᆞᆯ, 부인의 의긔현심이 쳡의 위ᄐᆡᄒᆞᆫ 잔명을 급히 구ᄒᆞ시니, 쳡이 므ᄉᆞᆫ 사ᄅᆞᆷ이완ᄃᆡ 감샤ᄒᆞ미 젹으리잇고? '텬하의 무블시뎌부뫼(天下無不是底父母)라'1457) ᄒᆞ니, 쳡이 현효치 못ᄒᆞ여 계모의 ᄎᆡᆨ벌을 바드니, 븟그러온 낫출 드러 사ᄅᆞᆷ을 ᄃᆡᄒᆞᆯ ᄯᅳᆺ이【62】 업고, 가엄이

1454)장만ᄒᆞ다 : 필요한 것을 사거나 만들거나 하여 갖추다.

1455)일면디분(一面之分) : 한번 서로 얼굴을 본 인연. 분(分); 연분(緣分)

1456)평ᄉᆡᆼ(平生) : 일생(一生).

1457)텬하의 무블시뎌부뫼(天下無不是底父母)라 : 천하에 옳지 않은 부모는 없다

"ᄎᆞ인○[은] 쳡의 시녀 홍션이라. 노쥬 다 남의을 ᄀᆡ축ᄒᆞ여시니 소져은 의심치 말으소셔."

홍션이 이러 가로ᄃᆡ,

"우리 소져은 경ᄉᆞ 뎡금평후의 녀오, 윤ᄐᆡ우 원비시더니, 원억한 일노 장ᄉᆞ의 젹거ᄒᆞ시더니, ᄋᆡᆨ회 쳡쳡ᄒᆞ여 젹소의도 안거치 못ᄒᆞ【110】고 노쥬 변복ᄒᆞ고 도노[로]의 방황ᄒᆞ여 안졍한 쳐소을 구ᄒᆞ여 이곳의 왓던이라."

남시 져의 노쥬 거동이 남ᄌᆡ 아니《듯‖믈》보고, 원간 금평후의 여ᄌᆡ 윤ᄐᆡ우 ○[부]인으로 쟝ᄉᆞ의 죄젹ᄒᆞ믈 드러든 고로, 바야흐로 의심을 프러 말을 시작고져 ᄒᆞ더니, 쥬괴 식반을 드리거날, 뎡시 ᄯᅩ 갑슬 쥬고 일기(一器) 미쥭을 구ᄒᆞ니, 갑시 후한지라. 쥬괴(主姑)1228) 슈고을 혜지 아니코 즉시 작만ᄒᆞ여 왓거날, 쥭을 바다 남시을 권ᄒᆞ며, ᄒᆞᆫ가지로 머[먹]을ᄉᆡ, 남시 슈류(垂淚) ᄉᆞ례 왈,

"쳡이 부인으로 더브려[러] 일면부지(一面不知)1229)오ᄃᆡ, 부인의 의기현심이 쳡의 위ᄐᆡᄒᆞᆫ 잔명을 급히 구ᄒᆞ시니, 쳡이 무ᄉᆞᆫ ᄉᆞ람이완ᄃᆡ ᄀᆞᆷᄉᆞᄒᆞ미 져그리오. '쳔하의 무불시○[져]부모(天下無不是底父母)라'1230) ᄒᆞ오니, 쳡이 《현호‖현효》치 못ᄒᆞ여 계모의 ᄎᆡᆨ별[벌](責罰)을 ᄇᆞ드니, 븟그러온 낫출 드러 ᄉᆞ람 ᄃᆡᄒᆞᆯ ᄯᅳᆺ이 업고, 가엄이 도라오셔도 고ᄒᆞᆯ 말숨이 업나니다. 쳡은 《국‖곳》구쥬 슌무ᄉᆞ 남공의 소녀오, 문[운]남

1228)쥬괴(主姑) : 주인여자.

1229)일면부지(一面不知) : 만나 본 일이 전혀 없어 알지 못함.

1230)쳔하의 무블시져부모(天下無不是底父母)라 : 천하에 옳지 않은 부모는 없다.

도라오셔도 고ᄒᆞ올 말ᄉᆞᆯ이 업ᄂᆞ이다. 쳡은 ᄀᆞᆺ 구ᄌᆔ 슌무ᄉᆞ 남공의 쇼녜오, 운남 포졍ᄉᆞ(布政司)[1458] 강참뎡의 ᄉᆡᆼ딜(甥姪)이라. 명되 긔박ᄒᆞ여 ᄉᆡᆼ셰 ᄉᆞ오삭의 ᄌᆞ뫼 기셰ᄒᆞ시니, 혈혈ᄒᆞᆫ 남ᄆᆡ 표슉의 휵양ᄒᆞ시믈 닙더니, 맛ᄎᆞᆷ 가친이 구ᄌᆔ 슌무ᄉᆞ로 나가시고, 표슉이 운남의 뉴딘(留陣)ᄒᆞ시ᄆᆡ, 그 ᄉᆞ이 계모를 ᄇᆡ견코져 댱샤의 나려왓다가, 남ᄌᆔ 츄관 오셰웅이 블의무상(不義無狀)ᄒᆞ여 사ᄅᆞᆷ의 모녀디간을 상히오며, 가친이 환귀치 못ᄒᆞ신 ᄉᆞ이의 ᄌᆞ모를 달ᄂᆡ니, 부인의 심장이 ᄀᆞᆺ기 어렵고 ᄉᆞ리를 ᄉᆞ못기 쉽디 못ᄒᆞ여,【63】 위력으로 쳡을 구쇽ᄒᆞ여 남ᄌᆔ로 보ᄂᆡ고져 ᄒᆞᄆᆡ, 거죄 히연키를 면치못ᄒᆞᆫ ᄇᆡ라. 쳡이 인뉸 츌히믈 원치 아니ᄒᆞ고 죽기를 도라감ᄀᆞᆺ치 넉이ᄂᆞ니, 비록 부인의 구ᄒᆞ신 은혜 깁ᄉᆞ오나, 규녀의 도리 집을 ᄯᅥ나 망측ᄒᆞᆫ 누언을 ᄡᅵᆺ디 못ᄒᆞ리니, 명일 본부의 통ᄒᆞ여 다시 드러가고져 ᄒᆞᄂᆞ이다.”

옥음낭셩이 ᄆᆞᆰ고 어리로오며[1459] 아ᄅᆞᆷ다오믈 니긔디 못ᄒᆞ니, 뎡쇼졔 그 졍ᄉᆞ를 드르ᄆᆡ 참연ᄒᆞ믈 니긔디 못ᄒᆞᆯ ᄲᆞᆫ 아니라, 그 위인이 비쇽ᄒᆞ믈 ᄇᆞᆰ히 아라, 농담호구의 보ᄂᆡᆯ ᄯᅳᆺ이 업셔, 역시 함누 쳑연ᄒᆞ여 왈,

“쳡이 쇼져의【64】 셩효를 상히오며 ᄒᆡᆼ신의 ᄒᆡ롭기를 권ᄒᆞᄂᆞᆫ 거시 만만 블ᄉᆞ(不似)ᄒᆞ[1460]믈 모로디 아니ᄒᆞᄃᆡ, 이졔 녕대인이 국ᄉᆞ로 나가신 ᄉᆞ이의 쇼져의 죵신대ᄉᆞ를 그릇ᄒᆞ믄, 실노 앗갑고 ᄎᆞ악ᄒᆞᆯ ᄲᆞᆫ 아니라, 쇼져의 도리 녕대인 도라오시믈 기다렴 즉 ᄒᆞ거ᄂᆞᆯ, ᄉᆞᄉᆡᆼ을 가바야이 넉여 죽기를 ᄌᆞ분(自奔)ᄒᆞ[1461]거니와, 인ᄌᆡ 부모의 ᄉᆡᆼ아(生我)ᄒᆞ신 구로대은(劬勞大恩)을 갑ᄉᆞᆸ디 못ᄒᆞ고, ‘셔하(西河)의 셜우믈’[1462] ᄡᅵᆺ티고 초

1458)포졍ᄉᆞ(布政司) : 감영(監營). 조선 시대에, 관찰사가 직무를 보던 관아.

1459)어리롭다 : 아리땁다. 귀엽다.

1460)블ᄉᆞ(不似)ᄒᆞ다 : 닮지 않은 상태에 있다. 꼴이 격에 맞지 않아 아니꼽다.

1461)ᄌᆞ분(自奔)ᄒᆞ다 : 스스로 분주하게 움직이다.

1462)셔하(西河)의 셜움 : =셔하지탄(西河之嘆). 자식을 잃은 슬픔. ‘서하의 탄식’이라는 뜻으로, 공자(孔子)의 제자인 자하(子夏)가 서하(西河)에 있을

포졍ᄉᆞ(布政司)[1231] 강ᄎᆞᆷ졍의 ᄉᆡᆼ딜(甥姪)이라. 명되 긔박ᄒᆞ여 ᄉᆡᆼ셰 ᄉᆞ오ᄉᆞᆨ의 ᄌᆞ모 기셰ᄒᆞ시니, 혈혈ᄒᆞᆫ 남ᄆᆡ 표슉의 휵양ᄒᆞ시믈 입더니, 마ᄎᆞᆷ 가친이 구쥬 슌무ᄉᆞ을 나가시고, 표슉이 운남의 유진(留陣)ᄒᆞ시ᄆᆡ, 그 ᄉᆞ이 계모을 ᄇᆡ견코져 장ᄉᆞ의 나려왓다ᄀᆞ, 남ᄌᆔ 츄관 오셰웅이【111】 무ᄉᆞᆼ(無狀)ᄒᆞ여 ᄉᆞ람의 모녀간을 ᄉᆞᆼ히오며, 가친이 환귀치 못한 ᄉᆞ이의 ᄌᆞ모을 달ᄂᆡᆫ니, 부인의 심장이 ᄀᆞᆺ기 어렵고 ᄉᆞ리을 ᄉᆞ못기 쉽지 못ᄒᆞ여, 위력으로 쳡을 구속ᄒᆞ여 남ᄌᆔ로 보ᄂᆡ고져 ᄒᆞᄆᆡ, 거죄 히연《컬날‖키랄》면치 못ᄒᆞᆫ ᄇᆡ라. 쳡이 인뉸 츌히믈 원치 아니ᄒᆞ고, 죽기을 도라감 가티 녀긔나니, 비록 부인의 구ᄒᆞ신 은혜 깁ᄉᆞ오나, 규녀의 도리 집을 ᄯᅥ나 망측ᄒᆞᆫ 《눈언‖누언(陋言)》을 씻지 못하리니, 명일 본부의 통ᄒᆞ여 다시 드러가고져 ᄒᆞ나니다.”

옥음낭셩이 ᄆᆞᆰ고 아람다오니, 소져 그 졍ᄉᆞ을 드르ᄆᆡ ᄎᆞᆷ연ᄒᆞ믈 이긔지 못ᄒᆞᆯ ᄲᆞᆫ 아니라, 그 위인이 비속ᄒᆞ믈 ᄇᆞᆰ히 아라 용담호구의 보ᄂᆡᆯ ᄯᅳᆺ이 업셔 역시 함누 왈,

“쳡이 소져을[의] 《셩호‖셩효》의[을] ᄉᆞᆼ히오며 《희신‖ᄒᆡᆼ신》○[의] ᄒᆡ롭기를 권ᄒᆞ난 거시 만만 불ᄉᆞ(不似)ᄒᆞ[1232]믈 모로지 아니ᄒᆞᄃᆡ, 이졔 녕ᄃᆡ인이 국ᄉᆞ로 나가시고 이의 소져의 죵신ᄃᆡᄉᆞ을 그릇ᄒᆞ믄 실노 ᄎᆞ악ᄒᆞᆯ ᄲᆞᆫ 아니라, 소져의 도리 녕ᄃᆡ인 도라오시믈 긔다림직 ᄒᆞ거ᄂᆞᆯ, ᄉᆞᄉᆡᆼ을 경이 여겨 죽긔을 ᄌᆞ분(自奔)ᄒᆞ[1233]거이와, 인ᄌᆡ(人子) 부모의 ᄉᆡᆼ아구로지은(生我劬勞之恩)[1234]을 갑지 못ᄒᆞ고, 《ᄌᆞ아지통‖셔하지통(西河之痛)[1235]》을 씨쳐 불효을 어ᄂᆡ

1231)포졍ᄉᆞ(布政司) : 감영(監營). 조선 시대에, 관찰사가 직무를 보던 관아.

1232)블ᄉᆞ(不似)ᄒᆞ다 : 닮지 않은 상태에 있다. 꼴이 격에 맞지 않아 아니꼽다.

1233)ᄌᆞ분(自奔)ᄒᆞ다 : 스스로 분주하게 움직이다.

1234)ᄉᆡᆼ아구로지은(生我劬勞之恩) : 나를 낳아주시고 길러주신 어버이의 은덕.

목과 ᄀᆞᆺ치 스러져 무궁ᄒᆞᆫ 블효를 어나 곳의 ᄡᅥᄒᆞ리오. 쇼졔 비록 녀ᄌᆞ나 고ᄉᆞ를 모로디 아니리니, 셩인이 운(云)ᄒᆞ시ᄃᆡ, '대장즉쥬(大杖則走)ᄒᆞ고 쇼장즉슈(小杖則受)라'1463) ᄒᆞ여 계시니, 쇼져【65】의 슈쟝(受杖)ᄒᆞᄂᆞᆫ 경계ᄂᆞᆫ ᄉᆞ름의 당치못○[ᄒᆞᆯ]경상이라. 녕ᄌᆞ당이 목강(穆姜)1464)의 인ᄌᆞᄒᆞ믈 밋디 못ᄒᆞᆫ즉, 쇼졔 목숨을 ᄉᆞᆺ디 말고 디셩으로 감화ᄒᆞ미 올흐니, 엇디 죽기를 달게 넉여 녕대인긔 셔하디통(西河之痛)1465)을 일위고져 ᄒᆞᄂᆞ뇨? 쳡이 쇼져를 쳐음으로 만나ᄆᆡ 소견이 용우ᄒᆞ여 어딘 곳의 닐위디 못ᄒᆞ나, '디지쳔녀(智者千慮)의 필유일실(必有一失)이오'1466), '우지쳔녀(愚者千慮)의 필유일득(必有一得)이라'1467) ᄒᆞ니, 쇼져ᄂᆞᆫ 쳡의 말을 괴이히 넉이디 말고, 병을 됴리ᄒᆞ여 동셔남북의 쳡을 좃ᄎᆞ, 아딕 본부의 드러갈 의ᄉᆞ를 ᄂᆡ디 말나."

남쇼졔 쳥파의 ᄉᆞ셰 그러ᄒᆞᆯ ᄲᅮᆫ 아【66】니라, ᄌᆞ긔 죽디 아니려 ᄒᆞᆫ즉 다시 집의 도라가디 못ᄒᆞᆯ디라. 계모의 쥬윈즉 ᄌᆞ가를 브ᄃᆡ 업시코져 ᄒᆞᄂᆞᆫ 흉심이오, 오뎍의 음황ᄒᆞ미 ᄌᆞ긔를 더러일 거동이니, 위시ᄂᆞᆫ 블공ᄃᆡ텬디쉬(不共戴天之讎)1468)라. 모친과 닐곱

때 자식을 잃고 너무 슬픈 나머지 소경이 된 고사에서 온 말.

1463)대장즉쥬(大杖則走)ᄒᆞ고 쇼장즉슈(小杖則受)' : 작은 매는 맞되 큰 매는 도망하여 피함.

1464)목강(穆姜) : 중국 진(晉)나라 정문구(程文矩)의 아내. 성은 이(李)씨, 자(字)는 목강(穆姜). 전처 소생의 네 아들을 자신이 낳은 두 아들보다 더 사랑하여 훌륭하게 키웠다.

1465)셔하디통(西河之痛) : 자식을 잃은 슬픔을 이르는 말. 서하의 고통이라는 뜻으로, 공자(孔子)의 제자인 자하(子夏)가 서하(西河)에 있을 때 자식을 잃고 너무 슬픈 나머지 소경이 된 고사에서 유래하였다.

1466)디지쳔녀(智者千慮) 필유일실(必有一失) : 지혜로운 사람의 천 가지 생각 가운데도 한 가지 실수는 있기 마련이다.

1467)우지쳔녀(愚者千慮) 필유일득(必有一得) : 어리석은 사람의 천 가지 생각 가운데도 한 가지 쓸만한 생각은 있기 마련이다.

1468)블공ᄃᆡ텬디쉬(不共戴天之讎) : 하늘을 함께 이지 못할 원수라는 뜻으로, 이 세상에서 같이 살 수 없을 만큼 큰 원한을 사람을 비유적으로 이르

곳의 ᄡᅥ호리오. 소져 비록 녀ᄌᆞ나 고ᄉᆞ을 알이니, 셩인이 운(云)ᄒᆞ되, 【112】 'ᄃᆡ장ᄌᆞᆨ쥬(大杖則走)ᄒᆞ고 소ᄌᆞᆼᄌᆞᆨ슈(小杖則受)'1236) 라 ᄒᆞ여 계시니, 소져의 슈장(受杖)ᄒᆞᄂᆞᆫ 경계난 ᄉᆞ람의 당치 못ᄒᆞᆫ 경계라. 녕ᄌᆞ당이 목강(穆姜)1237)의 인ᄌᆞᄒᆞ믈 밋지 못ᄒᆞᆫᄌᆞᆨ, 소져 목슘을 ᄡᅳ치 말고 지셩 감화ᄒᆞ미 올흐니, 엇지 쥭기을 달계 녀게[겨] 녕ᄃᆡ인긔 셰[셔]하지통(西河之痛)1238)을 일위고져 ᄒᆞ난뇨? 쳡이 소져을 쳐음 만나ᄆᆡ, 소견이 용우ᄒᆞ여 어진 곳의 일우지 못ᄒᆞ나, '지지쳔녀(智者千慮)의 필유일실(必有一失)이오'1239), '우지쳔려(愚者千慮)의 필유일득(必有一得)이라1240) ᄒᆞ니, 소져는 쳡의 말을 고히 녀기지 말고 병을 조리ᄒᆞ여 동셔남북으로 ○○[쳡을] 조ᄎᆞ, 아직 본부의 드러갈 의ᄉᆞ을 말나."

남소져 쳥파의 ᄉᆞ셰 그러ᄒᆞᆯ ᄲᅮᆫ 아니라, ᄌᆞ긔 쥭지 아니려 ᄒᆞᆫ작, 다시 집의 도라ᄀᆞ지 못ᄒᆞᆯ지라. 계모의 쥬윈 작, ᄌᆞ가를 부ᄃᆡ 업시ᄒᆞᆯ 흉심이오, 오젹의 음황ᄒᆞ미 ᄌᆞ긔을 더러일 거동이라. 위시ᄂᆞᆫ 불공ᄃᆡ쳔지쉬(不共戴天之讎)1241)라. 모친과 일곱 동ᄉᆡᆼ을 쥭

1235)셔하지통(西河之痛) : 자식을 잃은 슬픔을 이르는 말. 서하의 고통이라는 뜻으로, 공자(孔子)의 제자인 자하(子夏)가 서하(西河)에 있을 때 자식을 잃고 너무 슬픈 나머지 소경이 된 고사에서 유래하였다.

1236)ᄃᆡ장ᄌᆞᆨ쥬(大杖則走)ᄒᆞ고 소ᄌᆞᆼᄌᆞᆨ슈(小杖則受) : 작은 매는 맞되 큰 매는 도망하여 피함.

1237)목강(穆姜) : 중국 진(晉)나라 정문구(程文矩)의 아내. 성은 이(李)씨, 자(字)는 목강(穆姜). 전처 소생의 네 아들을 자신이 낳은 두 아들보다 더 사랑하여 훌륭하게 키웠다.

1238)셔하지통(西河之痛) : 자식을 잃은 슬픔을 이르는 말. 서하의 고통이라는 뜻으로, 공자(孔子)의 제자인 자하(子夏)가 서하(西河)에 있을 때 자식을 잃고 너무 슬픈 나머지 소경이 된 고사에서 유래하였다.

1239)지지쳔녀(智者千慮) 필유일실(必有一失) : 지혜로운 사람의 천 가지 생각 가운데도 한 가지 실수는 있기 마련이다.

1240)우지쳔녀(愚者千慮)의필유일득(必有一得) : 어리석은 사람의 천 가지 생각 가운데도 한 가지 쓸만한 생각은 있기 마련이다.

동긔를 다 죽이믄 아디 못ᄒᆞ나, 위시 곳 ᄃᆡᄒᆞ면 심골이 셔늘ᄒᆞ니, 어ᄃᆡ로 좃ᄎᆞ 모녀의 은의(恩義) 이시리오. 금일 뎡부인은 쳐음 보ᄂᆞᆫ 빅나 용모ᄉᆡᆨ광을 흠앙경복ᄒᆞ고, 언힝동디를 ᄉᆞᆯ피건ᄃᆡ 비록 권도로 남의를 착ᄒᆞ여시나, 빈빈ᄒᆞᆫ 녜절과 명텰보신ᄒᆞᄂᆞᆫ 디뫼 ᄌᆞ긔의 힘힘히 죽기를 죄오ᄂᆞᆫ 졸약(拙弱)ᄒᆞ므로 비치 못ᄒᆞᆯ디라.【67】 이의 흠신(欠身)1469) 샤례 왈,

"쳡은 십이셰 유미(幼微)ᄒᆞᆫ 아ᄒᆡ라. 셰ᄉᆞ를 아디 못ᄒᆞ고 스ᄉᆞ로 위란ᄒᆞᆫ 경계의 다ᄃᆞ라, 구ᄎᆞ히 《투싱ᄒᆞᄂᆞᆫ 거 ‖ 투싱ᄒᆞᄂᆞ니》 출하○[리] 죽ᄂᆞᆫ거시 올흐믈 혜아렷더니, 부인의 ᄇᆞᆰ히 가ᄅᆞ치시미 이 ᄀᆞᄐᆞ시니, 삼가 명ᄃᆡ로 ᄒᆞ려니와, 부인이 역시 위란 듕의 거쳐를 뎡치 못ᄒᆞ시니, 쳡 ᄀᆞᄐᆞᆫ 병신을 다리고 어ᄃᆡ로 디향코져 ᄒᆞ시ᄂᆞ뇨?"

뎡부인이 져의 ᄌᆞ긔를 ᄯᆞᆯ오고져 ᄒᆞ믈 영힝ᄒᆞ여, 손을 잡고 ᄌᆡ삼 위로ᄒᆞ며 편히 눕기를 권ᄒᆞ여, 남시의 낫기를 기다려 그윽ᄒᆞᆫ 암ᄌᆞ 도관을 어더, 유학ᄒᆞᄂᆞᆫ 션빈 쳬ᄒᆞ여 머믈기를 ᄉᆡᆼ각고,【68】 남쇼져의 복ᄉᆡᆨ을 곳치고져 ᄒᆞ여, 은냥을 모화 홍션으로 ᄒᆞ여금 시샹(市上)의 가 두어 필 깁을 사오라 ᄒᆞ여, 남쇼져 댱단의 맛게 ᄒᆞᆫ벌 남의를 ᄀᆞ마니 디으며, 쥬인을 블너 일슌(一旬)만 머믈기를 쳥ᄒᆞ니, 노괴 ᄃᆡ왈,

"ᄀᆡᆨ실이 ᄇᆡ여시니 어렵든 아니ᄒᆞᄃᆡ, 우리 쥬인이 왕ᄂᆡᄒᆞ시니, 존ᄀᆡᆨ이 방을 아이실가 념녀ᄒᆞᄂᆞ이다."

홍션이 문왈,

"마마(媽媽)1470)의 쥬인이 뉘시며, 어ᄃᆡ 계시뇨?"

이믄 아지 못ᄒᆞ나, 위시 곳 ᄃᆡᄒᆞ면 심골이 젼뉼ᄒᆞ니 어ᄃᆡ로조ᄎᆞ 모녀의 은ᄋᆡ 잇시리오. 금일 뎡부인은 쳐음 본 빅나 용모 ᄉᆡᆨ광을 흠앙경복ᄒᆞ고, 언힝동지을 《ᄉᆞᆯ펴 ‖ ᄉᆞᆯ피건ᄃᆡ》 비록 권도로 남의을 ᄎᆞᆨᄒᆞ여시니[나], 빈빈ᄒᆞᆫ 쳬모와 명쳘오[보]신(明哲保身)ᄒᆞ난 지뫼, ᄌᆞ가의 힘힘이 쥭기을 죄오ᄂᆞᆫ 졸약ᄒᆞ므로【113】비치 못할지라. 이의 흠신(欠身)1242) ᄉᆞ왈,

"쳡은 십이셰 유미(幼微)한 아ᄒᆡ라. 셰ᄉᆞ을 아지 못ᄒᆞ고 스ᄉᆞ로 위란한 경계의 다다라, 구ᄎᆞ히 투ᄉᆡᆼ《ᄒᆞ미 ‖ ᄒᆞᄂᆞ니》 출하리 쥭는 거시 올흔 쥴 아라더니, 부인의 가라치시미 이 ᄀᆞᆺ타시니, 쳡 《ᄀᆞᆺ탓한 ‖ ᄀᆞᆺ탄》 병신을 다리고 어ᄃᆡ로 ᄀᆞ고져 ᄒᆞ시나뇨?"

뎡시 져의 ᄌᆞ긔○[를] ᄶᅡ라[르]고져 ᄒᆞ믈 영힝ᄒᆞ여 집슈 위로 《왈 ‖ ᄒᆞ며》 **○…결락8자…○**[편히 눕기를 권ᄒᆞ여], 남시 낫기을 기다려 그윽한 암ᄌᆞ 도관을 어더, 슈혹ᄒᆞ난 션비 쳬로 ᄒᆞ여○○○○○○○[머물기를 ᄉᆡᆼ각고], 남소져의 복ᄉᆡᆨ을 고칠ᄉᆡ, 은양(銀兩)을 모화 홍션으로 ᄒᆞ여금 시ᄉᆞᆼ(市上)의 ○[가] 두어필 깁을 ᄉᆞ오라 ᄒᆞ여, 남소져의 쳬에 맛계[게] 한별[벌] 남의을 지으며, 쥬괴다려 {왈} 일슌(一旬)만 《만미 ‖ 말미》을 쳥ᄒᆞ니, 노괴 ᄃᆡ왈

"ᄀᆡᆨ실이 ᄇᆡ여시니 어려[렵]든 아니되, 우리 쥬인이 왕ᄂᆡᄒᆞ시니 존ᄀᆡᆨ이 《밤 ‖ 방》을 아니[이]실가 념녀ᄒᆞ나니다."

홍션이 문왈,

"마고(麻姑)1243)의 쥬인이 뉘시며 어ᄃᆡ 계시뇨?"

는 말.

1469)흠신(欠身) : 공경하는 뜻을 나타내기 위하여 몸을 굽힘.

1470)마마(媽媽) : 나이 든 하녀. 벼슬아치의 첩을 높여 이르는 말. -마마; 임금과 그 가족들의 칭호 뒤에 쓰여, 존대의 뜻을 나타내던 말.

1241)불공ᄃᆡ쳔지쉬(不共戴天之讎) : 하늘을 함께 이지 못할 원수라는 뜻으로, 이 세상에서 같이 살 수 없을 만큼 큰 원한을 사람을 비유적으로 이르는 말.

1242)흠신(欠身) : 공경하는 뜻을 나타내기 위하여 몸을 굽힘.

1243)마고(麻姑) : ①노파. ②전설에 나오는 신선 할미. 새의 발톱같이 긴 손톱을 가지고 있다고 한다.

노괴 답왈,

"우리 노야는 견임 평당ᄉᆞ 화공이시니, 당샤의 찬덕ᄒᆞ션 디 칠년이라. 잇다감 관문의 드러가 삭망(朔望) 졈고(點考)1471) 참예ᄒᆞ시고, 예와 슈일식 머므시니, 예셔 【69】 삼십니졍(三十里程)의 계시니라."

홍션이 우문 왈,

"화노애 ᄌᆞ녀를 두어 계시냐?"

답왈,

"ᄌᆞ녜 여러히면 작ᄒᆞ랴마는 참쳑(慘慽)1472)을 무슈히 보시고, 늣게야 냥쇼져와 일공ᄌᆞ를 두어 계시나, 공ᄌᆞ는 유하(乳下)의 잇ᄂᆞ니라."

홍션 왈,

"화노애 혹ᄌᆞ 오셔도 우리 샹공이 ᄂᆡ외ᄒᆞᆯ 거시 아니오, 방ᄉᆡ 좁을딘ᄃᆡ 스ᄉᆞ로 피ᄒᆞ시리니, 마마는 일슌만 머믈게 ᄒᆞ쇼셔."

노괴 허락ᄒᆞ더라.

뎡부인이 남쇼져의 의상을 업시ᄒᆞ고, 건복(巾服)을 닙히고, 쥬야 구호ᄒᆞ여 남시 긔거를 임의로 ᄒᆞ며 상쳬 잠간 완합ᄒᆞᄆᆡ, 빙ᄌᆞ옥골이 날노 ᄉᆡ로오니. 뎡쇼제 깃브믈 니긔디 못ᄒᆞ【70】여 피ᄎᆞ 졍의 골육형뎨 아니믈 ᄊᆡ닷디 못ᄒᆞ여, 결약형ᄆᆡ(結約兄妹)ᄒᆞ여 뎡쇼져의 남시 ᄉᆞ랑ᄒᆞᄂᆞᆫ 졍과 남시 뎡부인 의앙ᄒᆞᄂᆞᆫ 졍이 샹하키 어렵고, 뎡부인은 남쇼져의 초츌ᄒᆞ믈 크게 긔특이 넉여, 그윽이 평ᄉᆡᆼ을 써나디 말고져 ᄒᆞ니, 홍션이 디긔ᄒᆞ고 남쇼졔 잠든 ᄊᆡ를 타, 부인긔 고ᄒᆞ여 ᄀᆞᆯ오ᄃᆡ,

"부인이 남쇼져를 일퇴디샹의 즐기고져 ᄒᆞ시거니와, 금(今)애 부인의 누명이 참참ᄒᆞ여 환쇄ᄒᆞ실 긔약이 업고, 남쇼져는 슌무노애 도라오신즉 즉시 본부로 가고져 ᄒᆞ시ᄂᆞᆫ가 시브니, 부인이 원을 일우지 못ᄒᆞ실가

1471)졈고(點考) : 명부에 일일이 점을 찍어 가며 사람의 수를 조사함.

1472)참쳑(慘慽) : 자손이 부모나 조부모보다 먼저 죽는 일.

노괴 답왈,

"우리 쥬인은 견임 《평징ᄉᆞ‖평장ᄉᆞ》화공이시니, 장ᄉᆞ의 ᄎᆞᆫ젹ᄒᆞ신지 뉵칠년이라. 잇다ᄀᆞᆷ 슈일식 머므러 가시니, 이곳의셔 ᄉᆞᆷ십니졍(三十里程)의 계시니라."

션이 우문 왈,

"화노야 ᄌᆞ녀을 두어 계시냐?"

○○[답왈]

"ᄌᆞ녜 《여러니변‖여러히면》 작ᄒᆞ라[랴]마난, ᄎᆞᆷ쳑(慘慽)1244)을 무슈니[히] 보시고 《늣계냐‖늣게야》양소져 일공ᄌᆞ을 두어 계시되, 공ᄌᆞ은 뉴하(乳下)의 계【114】시니라."

션 왈,

"화노야 혹ᄌᆞ 오셔도 우리 상공이 ᄂᆡ외ᄒᆞ실 거시 아니오, 방ᄉᆡ 《롭‖좁》을진ᄃᆡ, 스ᄉᆞ로 피ᄒᆞ시리니, 마고는 일슌만 머믈계 ᄒᆞ소셔."

노괴 허락ᄒᆞ니, 뎡시 남시 의ᄉᆞᆼ을 업시ᄒᆞ고 건복(巾服)을 입히고, 쥬야 구호ᄒᆞ여 긔거을 임의로 ᄒᆞ며 상쳬 잠간 완합ᄒᆞᄆᆡ, 《밍ᄌᆞ옥골‖빙ᄌᆞ옥골》이 날노 ᄉᆡ로오니 뎡소져 깃브믈 니긔지 못ᄒᆞ여 피ᄎᆞ 졍의 골뉵 ᄀᆞᆺ타여 결약제[ᄌᆞ]ᄆᆡ(結約姉妹)ᄒᆞ니, 피ᄎᆞ ᄉᆞ랑ᄒᆞ며 의앙하난 졍이 상하기[키] 어렵고, 뎡부인은 남소져의 쵸츌ᄒᆞ믈 크게 긔특이 녀계[겨], 그윽이 평ᄉᆡᆼ을 써나지 말고져 ᄒᆞ니, 홍션이 지기ᄒᆞ고 남소져 잠든 ᄉᆞ니 부인긔 고왈,

"○○○[부인이] 남소져로 일퇴ᄉᆞᆼ의 즐기고져 ᄒᆞ시건이와, 금후(今後) 부인의 누명이 참참ᄒᆞ여 환쇄ᄒᆞ실 긔약이 업고, 남소져은 슌무 노야 오시면 즉시 본부로 가고져 ᄒᆞ시난가 시브오니, 부인 원을 일오지 못ᄒᆞ실ᄀᆞ ᄒᆞ오니다."

1244)참쳑(慘慽) : 자손이 부모나 조부모보다 먼저 죽는 일.

ᄒᆞᄂᆞ 【71】 이다."

부인이 ᄀᆞᆯ오ᄃᆡ,

"댱ᄂᆡᄉᆞ를 미리 알기 어렵고, 내 ᄆᆞ음이 남시긔 가족ᄒᆞ여 변ᄒᆞᆯ 뜻이 업ᄉᆞ니, 아딕 ᄂᆡ두지ᄉᆞ(來頭之事)를 모로니, 일이 되여가믈 볼 ᄯᆞ름이라. 사ᄅᆞᆷ의 ᄉᆞ고(事故)를 아디 못ᄒᆞᄂᆞ니 남숀뮈 슈히 도라 오긴들 엇디 ᄡᅧ 미드리오."

홍션이 좀쇼 ᄃᆡ왈,

"부인의 셩덕과 디명ᄎᆞ텰(至明且哲)[1473] ᄒᆞ샤므로ᄡᅧ, 오히려 뎍인의 ᄒᆡ를 모로시거니와, 이제 누쳔니 댱샤의 뎍힝ᄒᆞ시미 눌노 인ᄒᆞ미니잇고?"

뎡쇼졔 탄왈,

"셰샹만ᄉᆡ 다 명애라. 뉴시 죽기로 내 몸의 망측ᄒᆞᆫ 누얼을 므릅ᄡᅥ거니와, 필경은 디원극통을 신셜ᄒᆞᆯ ᄶᅴ 【72】 이시리라."

비쥐 이러틋 문답ᄒᆞ다가 ᄌᆞ리의 나아갓더니, 날이 ᄇᆞᆰ으ᄆᆡ 쥬인이 됴반을 가져왓거ᄂᆞᆯ, 이 쇼졔 바야흐로 딘식ᄒᆞ더니, 홀연 밧긔셔 사ᄅᆞᆷ 브ᄅᆞᄂᆞ니 잇거ᄂᆞᆯ, 홍션이 나가 보니, ᄎᆞ하인야(此何人耶)오. 하회를 분ᄒᆡᄒᆞ라. 【73】

소졔 답왈,

"장ᄂᆡᄉᆞ을 미리 알기 어렵[렵]고, 나[아]심(我心)이 남시계 ᄀᆞ족ᄒᆞ여 변할 뜻이 업ᄉᆞ니, 아직 일리[이] 되어가믈 볼 ᄲᅮᆫ이라. ᄉᆞ람의 ᄉᆞ고을 아지 못ᄒᆞ나니, 남슌믜[뮈] 슈히 도라오긴들 미드리오."

홍션이 잠소 왈,

"부인의 셩덕이 오히려 젹인의 《힝‖히(害)》을 모ᄅᆞ시거니와, 이제 장ᄉᆞ 젹힝이 눌노 인ᄒᆞ미잇가?"

뎡소 【115】 져 탄왈,

"ᄉᆞᄉᆡ 명ᄋᆡ(命也)라. 뉴시 쥭기로 ᄂᆡ 몸의 망측ᄒᆞᆫ 누명을 ᄡᅧ거니와, 필경 지원극통ᄒᆞᆫ 일을 신셜ᄒᆞᆯ ᄶᅴ 이시리라."

ᄒᆞ더라. 명조 쥬괴 조반을 드리거날 이소져 진식ᄒᆞ더니, 홀연 밧계셔 ᄉᆞ람 브르나니 잇거날, 홍션이 나아가 보니,

1473)디명ᄎᆞ텰(至明且哲) : 지극히 밝고 총명함.

명듀보월빙 권디ᄉᆞ십

어시의 홍션이 나가보니 일위 쇼년이 눈건도복(綸巾道服)1474)으로 듁장(竹杖)을 집고 셧다가 ᄉᆞ매로셔 ᄒᆞᆫ댱 글을 ᄂᆡ여 주며 왈,

"텬디 비밀ᄒᆞ니 누셜ᄒᆞᆯ 거시 아니로ᄃᆡ, 네 부인이 이 글을 보시면 윤쳥문으로 ᄒᆞ여금 남가 ᄇᆡᆨ년 길긔를 일울 ᄊᆡ오, 부인이 안뎡ᄒᆞᆫ 쳐소를 어더 도로의 방황ᄒᆞ미 업ᄉᆞ리라."

언필의 동녁ᄒᆞᆯ 향ᄒᆞ여 두어보 거름의 간 바를 아디 못ᄒᆞᆯ너라. 홍션이 괴이히 녁여 드러와 쇼져긔 도인의 말을 고ᄒᆞ고 글월을 드리니, 쇼졔 바다 피열ᄒᆞᄆᆡ 필획【1】이 녕농ᄒᆞ고 ᄌᆞ톄 비범ᄒᆞ여 쇽인의 슈뎍(手迹)1475)ᄀᆞᆺ디 아니니, 글 뜻이 심원ᄒᆞ여 범인은 알기 어려오ᄃᆡ, 쇼져ᄂᆞᆫ 낫낫치 ᄒᆡ셕ᄒᆞ니, 대강 윤어ᄉᆞ와 뎡시의 복녹을 칭찬하고, 댱ᄌᆞ를 십삼년을 실니(失離)ᄒᆞ엿다가 ᄎᆞᄌᆞ리라 ᄒᆞ엿고, 뎡시 임의 녀화위남(女化爲男)ᄒᆞ여시니, 화가 친ᄉᆞ를 샤양치 말고 윤가의 셩명을 비러 화시를 취ᄒᆞ엿다가 타일 윤ᄉᆡᆼ의 뎨ᄉᆞ비를 삼고, 남시를 또 천거ᄒᆞ여 안항(雁行)1476)을 빗ᄂᆡ라 ᄒᆞ여시니, 쇼졔 견필의 깃거 아냐, 혜오ᄃᆡ,

"내 평ᄉᆡᆼ의 허망ᄒᆞ믈 ᄇᆡ쳑ᄒᆞ더니 엇디 ᄎᆞ셔의 허망ᄒᆞ미 이ᄀᆞᆺᄐᆞ뇨? 남【2】시를 구하여 다려와 타문의 보ᄂᆡ고져 아니믄 그 의용의 츌뉴ᄒᆞ믈 허심(許心)ᄒᆞ미오, 나의 녀화위남ᄒᆞ믄 마디 못한 일이어ᄂᆞᆯ, 입댱(入丈)ᄒᆞᄂᆞᆫ ᄀᆡ괴ᄒᆞᆫ 거조를 힝ᄒᆞ리오. 화가ᄂᆞᆫ 어ᄃᆡ 잇관ᄃᆡ 도인이 화시를 취(娶)ᄒᆞ라○○[ᄒᆞ난]고, 측냥치 못ᄒᆞ리로다."

팀음(沈吟) 유유(儒儒)1477)러니, 남쇼졔

1474)눈건도복(綸巾道服) : 비단으로 만든 두건을 쓰고 도인(道人)의 복색을 함.
1475)슈뎍(手迹) : 손수 쓴 글씨나 그린 그림. 또는 손수 만든 물건에 남은 자취나 흔적.
1476)안항(雁行) : 기러기의 행렬이란 뜻으로, 남의 형제를 높여 이르는 말.

일위 도인이 눈건도복(綸巾道服)1245)으로 쥭장(竹杖)을 집고 셧다가, ᄉᆞᄆᆡ로셔 ᄒᆞᆫ 장 글을 쥬며 왈,

"쳔지 비밀ᄒᆞ니 누셜ᄒᆞᆯ 거시 아니라. 네 부인이 이 글을 보시면 윤ᄐᆡ후[우]로 ᄒᆞ여금 화가의 ᄇᆡᆨ년가긔을 일울 ᄊᆡ요, 부인이 안졍ᄒᆞᆫ 쳐소을 졍ᄒᆞ여 도로의 방황ᄒᆞ시믈 엇지 아니리라."

언파의 동역흐로셔 향ᄒᆞ여 ᄀᆞᆫ 바을 아지 못ᄒᆞ[ᄒᆞᆯ]너라. 홍션이 고이히 녁여 밧비 드러와 소져긔 도인의 말을 고ᄒᆞ고 글을 드리니, 뎡소져 바다 보ᄆᆡ 필혹[획]이 영농ᄒᆞ고 ᄌᆞ쳬 비범ᄒᆞ여 속인의 슈젹(手迹)1246) ᄀᆞᆺ치 아니코, 뜻이 심원ᄒᆞ여 범뉴는 알기 어려오되, 소젼[져]ᄂᆞᆫ 낫낫치 ᄒᆡ득ᄒᆞ니 ᄃᆡ강 윤어ᄉᆞ와 뎡시의 복녹을 칭찬ᄒᆞ고 장ᄉᆞ[ᄌᆞ]을 십ᄉᆞ[ᄉᆞᆷ]년 실이(失離)ᄒᆞ여다가 ᄎᆞ지리라 ᄒᆞ엿고, 임의 녀화위남ᄒᆞ여시니, 윤가의 셩명을 비러 화씨을 취ᄒᆞ여다가 타일 윤ᄉᆡᆼ의 ᄉᆞᆷ빈(三嬪)을 ᄉᆞᆷ고, 또 남시을 천거ᄒᆞ여 안항(雁行)1247)을 빗ᄂᆡ라 ᄒᆞ여시니, 소져 견파의 혜오【116】ᄃᆡ,

"ᄂᆡ 허망을 배쳑ᄒᆞ더니, 차셔의 허망ᄒᆞ미 니러ᄒᆞ리오. 남시을 구ᄒᆞ여 타문의 아니 보ᄂᆡ려 ᄒᆞ믄 그 ᄌᆡ모 츌슈[뉴](出類)ᄒᆞ믈 허심《ᄒᆞ며‖ᄒᆞ미오》, 나의 녀화위남은 마지 못ᄒᆞᆫ 일이어날, 엇지 닙장(入丈)ᄒᆞ난 ᄀᆡ괴지ᄉᆞ을 힝ᄒᆞ리오. 화ᄀᆞ는 뉘완ᄃᆡ 취(娶)ᄒᆞ라 ᄒᆞ난고."

의괴ᄒᆞ여 침음(沈吟)더니 일혼○[의] 도

1245)눈건도복(綸巾道服) : 비단으로 만든 두건을 쓰고 도인(道人)의 복색을 함.
1246)슈젹(手迹) : 손수 쓴 글씨나 그린 그림. 또는 손수 만든 물건에 남은 자취나 흔적.
1247)안항(雁行) : 기러기의 행렬이란 뜻으로, 남의 형제를 높여 이르는 말.

무심코 머리를 두로혀 도셔(道書)를 보니 ᄌᆞ가와 화시 윤가의 인연이 잇고, 화시ᄂᆞᆫ 뎡부인이 취ᄒᆞ라 ᄒᆞ여시니, 화시 유무ᄂᆞᆫ 아디 못《ᄒᆞ니‖ᄒᆞ거니와》 ᄌᆞ가를 일ᄏᆞ라시니, 경히 눈든 줄을 뉘웃쳐 ᄒᆞ더라. 뎡쇼졔 ᄯᅩᄒᆞᆫ 도셔 ᄉᆞ의를 깃거 아니ᄒᆞ더니, 문득 일혼(日昏)의 도ᄉᆡ 다시 와 홍션【3】을 블너 왈,

"네 부인이 녀화위남(女化爲男)ᄒᆞ여 취쳐ᄒᆞ믈 깃거 아니려니와, 명명ᄒᆞᆫ 텬슈를 도망티 못ᄒᆞ리니, 화공이 블급슈일(不及數日)의 님ᄒᆞ리니, 쳥ᄒᆞᄂᆞᆫ 바를 믈니치디 말게 ᄒᆞ라."

홍션이 ᄃᆡ답ᄒᆞ고 드러와 쇼져긔 도ᄉᆞ의 말을 고ᄒᆞ고, 글을 드리니 뎡쇼졔 보고 더욱 블열ᄒᆞ여 슈히 ᄠᅥ나고져 ᄒᆞ더니, 남시 창체 오히려 낫디 못ᄒᆞ니 유유 민민ᄒᆞᄂᆞᆫ ᄉᆞ이의, 명일의 홀연 ᄉᆡ문이 드레며 쥬인 노괴 '노애 오신다' 딘동ᄒᆞ여 나가 마자 ᄀᆡᆨ실노 드러오거ᄂᆞᆯ, 뎡·남 이쇼져 피ᄒᆞ고져 ᄒᆞ더니, 화공이 발셔 ᄀᆡᆨ쳥(客廳)으로 올나 오다가, 눈을【4】 드러 두 쇼져의 션풍옥골을 바라보고 긔이ᄒᆞ고 아름다오믈 ᄂᆡ긔디 못ᄒᆞ여 팔흘 미러 안ᄌᆞ믈 쳥ᄒᆞ니, 이 쇼졔 화공을 만나니 블안(不安) 경괴(驚愧)ᄒᆞᄃᆡ, 담을 크게 ᄒᆞ고 ᄆᆞ음을 구디 잡아 녜필좌뎡(禮畢坐定)ᄒᆞ니, 원ᄂᆡ ᄎᆞ공(此公)은 젼임 동평당ᄉᆞ 《하뮈‖화뮈》라. 강명녈슉(剛明烈肅)ᄒᆞ여 ᄉᆞ군찰임(事君察任)의 딜악(嫉惡)을 여슈(如讐)ᄒᆞ니, 권귀(權貴)를 뮈이미 되여 당샤의 찬덕ᄒᆞ니, 태손(太孫)의 탄ᄉᆡᆼᄒᆞ신 은샤(恩赦)의 당당이 환쇄(還刷)ᄒᆞᆯ 거시로ᄃᆡ, 죄명이 범역(犯逆)의 잇ᄂᆞᆫ디라, 은샤를 닙디 못ᄒᆞ고, 댱샤의 슈졸(戍卒)이 되연 디 칠년의 몸 가디믈 촌민과 다르미 업셔, 삭망졈고(朔望點考)【5】의 몸소 참예ᄒᆞ니, 댱샤 태쉬 오ᄂᆞ니마다 젼일 쳥망(淸望)을 공경ᄒᆞ고 숭검(崇儉)ᄒᆞ믈 항복ᄒᆞ더라. 그러나 슈졸뉴의 셧거 졈고의 참예ᄒᆞ믈 도로혀 블안ᄒᆞ

ᄉᆡ 다시 와 홍션을 불너 왈,

"너의 부인이 녀화위남(女化爲男)ᄒᆞ여 화가 친ᄉᆞ(親事)를 깃거 아니ᄒᆞ거이[니]와, 명명ᄒᆞᆫ 쳔슈을 도망치 못 ᄒᆞᆯ 거시오, 미급슈일(未及數日)의 화공이 오리니 쳥ᄒᆞ난 바을 믈니치지 《말나‖말게 ᄒᆞ라》."

션이 드러와 소져기[긔] 고ᄒᆞ니, 뎡시 더옥 블열ᄒᆞ여 슈이 ᄠᅥ나가려 ᄒᆞ되, 남시 ᄎᆡ 낫지 못ᄒᆞ여 민민ᄒᆞ더니, 《명명이‖명일의》 ᄉᆡ문의[이] 도[드]레며 쥬괴 '노야 오신다' ᄒᆞ고, 마ᄌᆞ ᄀᆡᆨ실○[의] 드리거날, 이 소져 피코져 ᄒᆞ더니, 《황‖화》공이 쳥ᄉᆞᆼ(廳上)의 올나 두 소년의 션풍옥골{격}을 ○○[보고] 아름다오믈 이기지 못ᄒᆞ여, 팔을 드러 안ᄌᆞ믈 니르니, 이 소져 《황‖화》공을 맛나ᄆᆡ 블안ᄒᆞ믈 이기지 못ᄒᆞ되, 마지 못ᄒᆞ여 예필좌졍(禮畢坐定)ᄒᆞ니, 원ᄂᆡ ᄎᆞ인은 젼임 동평장ᄉᆞ 화뮈라. 강명열일(剛明烈日)ᄒᆞ여 ᄉᆞ군츌님(事君察任)의 질악(嫉惡)을 여슈(如讐)ᄒᆞ니, 《권긔‖권귀(權貴)》의 믜이미 되어, 장ᄉᆞ의 ᄎᆞᆫ젹ᄒᆞ연 지 칠년의, 몸 가지믈 촌민과【117】 다ᄅᆞ미 업셔 《삭망념구‖삭망뎜고(朔望點考)》의 ○○[몸소] ᄎᆞᆷ예《ᄒᆞ믈‖ᄒᆞ니》, ○○○○[댱샤 태쉬] 도로혀 블안ᄒᆞ여 말고져 쳥ᄒᆞ되, 공이 듯지 아니ᄒᆞ더니, 금일 졈고의 ᄎᆞᆷ예ᄒᆞ고 도라오다가 죠반을 찻고져 비ᄌᆞ 곳의 드러왓더니, 두 소년을 보고 불승ᄋᆡ경(不勝愛敬)ᄒᆞ여 ᄌᆞ긔 셩명을 면[먼]져 니르고, 양인 셩명과 연기(年紀)을 ᄆᆞ르니, 뎡소져 ᄃᆡ왈,

1477)유유(儒儒)ᄒᆞ다 : 어떤 일을 딱 잘라 결정을 내리지 못하고 어물어물한 데가 있다.

여, 과도ᄒᆞ믈 일ᄏᆞ라 말뉴ᄒᆞᄃᆡ, 공이 듯디 아니ᄒᆞ더니, 금일 졈고를 맛고 도라오다가 됴반을 ᄎᆞᆺ고져 비ᄌᆞ의 곳의 드러왓다가, 이 쇼져를 보고 냥인의 셩명과 년긔를 므ᄅᆞ니, 뎡쇼졔 ᄃᆡ왈,

"쇼ᄉᆡᆼ의 쳔ᄒᆞᆫ 셩명은 윤광운이오, 슈ᄌᆡ(豎子)의 셩명은 남희딩이니, 쇼ᄉᆡᆼ으로 더브러 결약형뎨(結約兄弟)ᄒᆞ여 동셔의 셔로 좃고져 ᄒᆞᄂᆞ니, 쇼ᄉᆡᆼ은 셰샹을 아란 디 십오년이오, 의뎨(義弟)[ᄂᆞᆫ]【6】 이뉵(二六)이라. 우연이 도로의셔 병을 어더 됴리키를 위ᄒᆞ여 이곳의셔 슌여(旬餘)를 머므더니, 의외의 합하긔 뵈오니 블승(不勝) ᄒᆡᆼ열(幸悅)ᄒᆞ이다."

화음봉셩(和音鳳聲)1478)이 쳥신쇄락(淸新灑落)ᄒᆞ고 안모(眼眸)의 명광이 오ᄎᆡ(五彩) 샹셔(祥瑞)를 거두어, 흑ᄉᆞ(黑紗) 당건(唐巾)1479) 아ᄅᆡ 졀인ᄒᆞᆫ 풍ᄎᆡ와 긔려ᄒᆞᆫ ᄌᆞᄐᆡ를 형언ᄒᆞ기 어렵거ᄂᆞᆯ, 봉됴(鳳鳥) ᄀᆞᆺᄐᆞᆫ 엇게의 쳥ᄉᆞ도포(靑紗道袍)를 ᄀᆞᆺ초고 신뉴(新柳) ᄀᆞᆺᄐᆞᆫ 허리의 흑ᄉᆞᄃᆡ(黑紗帶)를 둘너시며, 늠연념슬ᄒᆞᄆᆡ 고ᄉᆞ(高士) 명현(明賢)의 풍이 가죽ᄒᆞ여, 공ᄆᆡᆼ안증(孔孟顔曾)의 도덕 션ᄒᆡᆼ을 가져 만권 시셔를 가슴의 너허, ᄒᆡᆼ디동용(行止動容)의 녜뫼 빈빈ᄒᆞ고 법되 슉슉ᄒᆞ며, 바라【7】ᄆᆡ 의의커ᄂᆞᆯ, 남ᄉᆡᆼ의 ᄇᆡᆨ옥 ᄀᆞᆺᄐᆞᆫ 용화와 츄월 ᄀᆞᆺᄐᆞᆫ 풍뫼 슈려쇄연ᄒᆞ여. 복녹이 완젼ᄒᆞ니, 비록 윤ᄉᆡᆼ의 한업ᄉᆞᆫ 광ᄎᆡ와 무궁ᄒᆞᆫ 덕화를 밋디 못ᄒᆞ나, 범연이 니르면 일ᄃᆡ 군ᄌᆡ라. 화공이 ᄀᆞ득이 아름니오믈 니긔디 못ᄒᆞ여 거듀(居住)를 뭇고 각각 ᄂᆡ외 친당이 구존(俱存)ᄒᆞᆫ가 므ᄅᆞ니, 뎡시 ᄃᆡ왈,

"쇼ᄉᆡᆼ은 부모 존당이 ᄌᆡ당ᄒᆞ시나, 의뎨ᄂᆞᆫ 유하(乳下)의 친당을 실니ᄒᆞ여 부모를 ᄎᆞᆺ디 못ᄒᆞ엿ᄂᆞᆫ디라, 쇼ᄉᆡᆼ으로 더브러 일시 떠나믈 어려이 녁이ᄂᆞ이다."

1478)화음봉셩(和音鳳聲) : 부드럽고 아름다운 목소리. 봉성(鳳聲); 봉황의 소리라는 뜻으로, 아름다운 목소리를 비유적으로 이르는 말.

1479)당건(唐巾) : 예전에, 중국에서 쓰던 관(冠)의 하나. 당나라 때에는 임금이 많이 썼으나, 뒤에는 사대부들이 사용하였다.

"소ᄉᆡᆼ 셩명은 윤광은이오, 슈ᄌᆞ(豎子)의 셩명은 남희징이니, 소ᄉᆡᆼ으로 더브러 결약형졔(結約兄弟)ᄒᆞ여 동셔의 셔로 좃고져 ᄒᆞ나니, 소ᄉᆡᆼ은 셰ᄉᆞᆼ을 아란지 십오년이오, 의졔(義弟)는 이륵[륙](二六)이라. 우연이 도로의셔 병을 어더 조리키을 위ᄒᆞ여 이곳의 슌여(旬餘)을 머무더니, 합ᄒᆞ기[긔] 빅현ᄒᆞ오니 블승(不勝) ᄒᆡᆼ열(幸悅)ᄒᆞ여니[이]다."

황음봉셩(凰音鳳聲)1248)이 졍[쳥]신쇄락(淸新灑落)ᄒᆞ고 안모(眼眸)의 염광(艶光)이 오ᄎᆡ상셔(五彩祥瑞)을 거두어 흠[흑]ᄉᆞ(黑紗) 당건(唐巾)1249) 아ᄅᆡ 졀인한 풍ᄎᆡ○○○○[와 긔려ᄒᆞᆫ] ᄌᆞᄐᆡ을 현언키 어렵거날, 봉조(鳳鳥) 갓튼 엇게의 청ᄉᆞ도포(靑紗道袍)을 ᄀᆞᄒᆞ고, 신슈[뉴](新柳) 갓탓[탄] 허리의 흑ᄉᆞᄃᆡ(黑紗帶)○[를] 둘너, 늠연단좌ᄒᆞ여시니, 공ᄆᆡᆼ안증(孔孟顔曾)의 도덕 셩ᄒᆡᆼ을 가져 만권 시셔을 흉즁의 장ᄒᆞ여, ᄒᆡᆼ지동용(行止動容)의 녜모 빈빈ᄒᆞ고 범[법]되(法度)《슈슈∥슉슉(肅肅)》ᄒᆞ여 ᄇᆞ라ᄆᆡ 의의【118】ᄒᆞ고, 남ᄉᆡᆼ의 미옥 ᄀᆞᆺᄐᆞᆫ 용화와 츄월 갓튼 용뫼, 복녹이 완젼ᄒᆞ니, 비록 윤ᄉᆡᆼ의 한업ᄉᆞᆫ 광ᄎᆡ와 무궁한 도덕을 밋지 못하나, 일ᄃᆡ 군ᄌᆡ라. 공이 그 거쥬와 존당 뉴무를 므ᄅᆞ니, 뎡시 왈,

"소ᄉᆡᆼ은 부모존당이 ᄌᆡᄉᆞᆼ(在上)ᄒᆞ시고 의뎨ᄂᆞᆫ 유하의 부모○[을] 실이(失離)ᄒᆞ여 소ᄉᆡᆼ과 동거ᄒᆞ나니다."

1248)황음봉셩(凰音鳳聲) : '봉황(鳳凰)의 음성(音聲)'이란 뜻으로, 아름다운 목소리를 비유적으로 이르는 말.

1249)당건(唐巾) : 예전에, 중국에서 쓰던 관(冠)의 하나. 당나라 때에는 임금이 많이 썼으나, 뒤에는 사대부들이 사용하였다.

화공이 남ᄉᆡᆼ의 경ᄉᆞ를 츄연 왈,

"슈ᄌᆡ(竪子) 부모를 실니ᄒᆞ여시면 셩명○[을] 엇디 아ᄂᆞ뇨?"

남시 ᄃᆡ【8】왈,

"맛츰 아ᄂᆞ 니 이셔 니르거ᄂᆞᆯ 드러시미오. 부형의 친우를 좃ᄎᆞ 부모의 거쳐를 ᄎᆞᆺ고져 ᄒᆞ더니 블ᄒᆡᆼᄒᆞ여 기인이 기셰ᄒᆞ니, 더욱 부모를 ᄎᆞᄌᆞᆯ 길히 업셔 슬허ᄒᆞᄋᆞᆸᄂᆞ니, 십오셰 ᄎᆞ기를 기다려 텬하 구쥬를 다 도라 부모의 소식을 알녀 ᄒᆞᄂᆞ이다."

화공이 뎡쇼져다려 왈,

"윤현계(賢契)ᄂᆞᆫ 친당이 구존ᄒᆞ시면 므ᄉᆞᆷ 연고로 이 ᄯᅡ히 뉴락ᄒᆞᄂᆞ뇨?"

쇼졔 몸을 굽혀 ᄃᆡ왈,

"쇼ᄉᆡᆼ은 ᄒᆡᆼ신이 경박ᄒᆞ와 쳔만 긔약디 아닌 환을 만나니, 본이 경샤인이로ᄃᆡ 훤당(萱堂)을 뫼셔 즐기디 못ᄒᆞ고 누쳔니 애각의 뉴리ᄒᆞᄂᆞᆫ 경ᄉᆡᆨ이 잇ᄂᆞ이다."【9】

화공이 그 화 만난 곡졀을 므르니, 뎡시 심니의 ᄉᆡᆼ각ᄒᆞᄃᆡ, 도ᄉᆞ의 말이 신긔히 마ᄌᆞᄆᆞᆯ 경아ᄒᆞ여, '만일 쳥혼ᄒᆞᄂᆞᆫ 일이 이시면 나의 소원이 아니오, 하날이 윤군으로 ᄒᆞ여금 화가의 동상이 되게 뎡ᄒᆞ여시면, 내 아니라도 스ᄉᆞ로 인연이이실 거시니, 화공으로 ᄒᆞ여금 나의 봉변ᄒᆞ미 비상ᄒᆞᄆᆞᆯ 알게 ᄒᆞ여, 비록 날노ᄡᅧ 남ᄌᆞ로 아라도 혼ᄉᆞ를 구ᄒᆞᄂᆞᆫ 거죄 업게 ᄒᆞ리라' ᄒᆞ여, 탄식 ᄃᆡ왈,

"쇼ᄉᆡᆼ이 ᄉᆡᆼ셰디후(生世之後)의 괴로운 근심을 아디 못ᄒᆞ더니, ᄋᆡᆨ회 괴이ᄒᆞ여 여러 무뢰ᄇᆡ ᄡᆞ호ᄂᆞᆫ 곳을 디나다가, 두어 사ᄅᆞᆷ이 죽으ᄆᆡ 죄【10】명이 쇼ᄉᆡᆼ의게 도라와 큰 옥ᄉᆡ 되엿더니, 하날이 쇼ᄉᆡᆼ의 원억ᄒᆞᄆᆞᆯ 술피샤 요ᄒᆡᆼ 일명을 보젼ᄒᆞ나, ᄉᆞ류(士類)의 용납디 못ᄒᆞ여 ᄒᆞᆨ당(學堂)의 일홈을 폐ᄒᆞ고, 젼니의 도라가게 ᄒᆞ여시니, 명ᄉᆡᆨ이 죄명이나 굿ᄐᆞ여 찬츌(竄黜)은 아닌 고로 팔황(八荒)[1480]을 디나 소상강(瀟湘江)을 구경ᄒᆞ며 황능묘(黃陵廟)를 구경ᄒᆞ고져 이곳의 왓더니이다."

1480)팔황(八荒) : 여덟 방위의 멀고 너른 땅이라는 뜻으로, 온 세상을 이르는 말. ≒팔극·팔굉(八紘).

공이 츄연 왈,

"남슈ᄌᆡ(竪子) 부모를 실이ᄒᆞ엿시면 셩명을 어니[이] 아나뇨?"

남시 ᄃᆡ왈,

"마츰 부형의 친유[위] 잇셔 니라거날 기인으로 조ᄎᆞ 부모을 찻고져 ᄒᆞ더니, 블ᄒᆡᆼᄒᆞ여 기인이 기셰ᄒᆞ니, 소ᄉᆡᆼ이 십오셰 되거든 부모을 ᄎᆞᆺ고져 ᄒᆞ나니다."

공이 뎡시다려 왈,

"《텬게‖현계》존당이 구존ᄒᆞ시면 하고로 도로의 방황ᄒᆞ나뇨?"

소져 흠신 ᄃᆡ왈,

"소ᄉᆡᆼ은 ᄒᆡᆼ실이 경박ᄒᆞ와 쳔만 의외 환을 맛나니 본ᄃᆡ 경ᄉᆞ인으로 누쳔이(累千里) ᄋᆡ각의 뉴리ᄒᆞ나니다."

공이 연고을 므르니 소졔 심이(心裏)의 도ᄉᆡ의 말이 마ᄌᆞ을[믈] 의괴ᄒᆞ여, '만일 구혼ᄒᆞ면 ᄂᆡ 소원이 아니오, 하날이 뉸군과 뎡ᄒᆞ신 연분이면 ᄂᆡ 아니라도 스ᄉᆞ로 셩혼ᄒᆞ리니, ᄂᆡ 봉변ᄒᆞᄆᆞᆯ 비ᄉᆞᆼ이 일커러 구혼치 못ᄒᆞ게 ᄒᆞ니[리]라' ᄒᆞ고, 믄득 탄왈,

"소ᄉᆡᆼ의 ᄋᆡᆨ회 고이ᄒᆞ와 무뢰ᄇᆡ ᄡᆞ호난 곳을 지ᄂᆡ다가, ᄋᆡᄆᆡ히 ᄉᆞᆯ인죄슈의 결[걸]여 큰 옥ᄉᆞ 되엿더니, 하날이【119】원억ᄒᆞ믈 ᄉᆞᆯ피ᄉᆞ 일명을 보젼ᄒᆞ나, ᄉᆞ류(士類)의 용납지 못ᄒᆞ고 학당(學堂)의 제명ᄒᆞ여 ᄂᆡ치ᄆᆡ, ᄉᆞ희팔황(四海八荒)[1250]을 두루 단니더니 황능묘(黃陵廟)을 지나 소ᄉᆞᆼ강(瀟湘江)을 구경ᄒᆞ려 이곳의 왓나니[이]다."

1250)ᄉᆞ희팔황(四海八荒) : '사방의 바다와 여덟 방위의 너른 땅'이라는 뜻으로 온 세상을 이르는 말

화공이 청파의 크게 놀나 니르딕,

"즈고로 현인 군직 쇼인의 히를 바드며 셩인도 뉴언디참(流言之讒)[1481]을 면티 못ᄒᆞ엿ᄂᆞ니, 현계 살인디ᄉᆞᄂᆞᆫ 쳔만 념외라. 만싱이 현계를 처음으로 보나 긔특ᄒᆞᆫ 의표와 츌인ᄒᆞᆫ 셩힝이 ᄌᆞ연 아【11】라 뵈이ᄂᆞᆫ디라. 비록 디인디감(知人之鑑)이 업ᄉᆞ나, 청텬빅일(青天白日)은 노예하쳔(奴隷下賤)도 역디기명(亦知其明)이라[1482]. 현ᄉᆞ의 셩현유풍으로 살인디명을 드르니 우리 ᄀᆞᆺ튼 ᄌᆞ의 누명을 족히 니르리오."

쇼제 ᄀᆞᆯ오ᄃᆡ,

"쇼싱이 힝신이 독경(篤敬)치 못ᄒᆞ고 《초명 ‖ 총명》이 부족ᄒᆞ여 스ᄉᆞ로 낙미디액(落眉之厄)[1483]을 만나, 니친쳑(離親戚) 기부모(棄父母)ᄒᆞ고 쳔니타향(千里他鄉)의 의디 업시 표령(飄零)ᄒᆞ오니, 뎡쳐 업ᄉᆞᆫ ᄌᆞ최 우우냥냥(踽踽漾漾)[1484]ᄒᆞ여 텬하의 무가긱(無家客)[1485]이 되엿ᄂᆞ이다."

화공이 더욱 놀나며 ᄎᆞ셕ᄒᆞ여 니르ᄃᆡ,

"원ᄂᆡ 현계의 만난 ᄇᆡ 이러ᄐᆞᆺ 경참ᄒᆞ도다. 도ᄎᆞ(到此)의 도라갈 곳이 업술던ᄃᆡ, 만싱의 우쇠(寓所) 예셔 머【12】디 아니ᄒᆞ고 ᄌᆞ녜 어리니 날을 좃ᄎᆞ가미 엇더ᄒᆞ뇨?"

쇼제 이인(異人)의 가ᄅᆞ치던 ᄇᆡ ᄌᆞᄌᆞ히 마ᄌᆞ니 ᄎᆞ역텬의(此亦天意)라[1486]. 샤양ᄒᆞ여 면치 못ᄒᆞᆯ 줄 알고, 개연 샤례 왈,

"대인의 긔듕의셔 타향 고긱(孤客)을 이러ᄐᆞᆺ 무휼ᄒᆞ시니 엇디 태의(太意)를 밧드디 아니ᄒᆞ리잇고?"

화공이 대희ᄒᆞ여 쥬고(主姑)를 직촉ᄒᆞ여 됴션(朝膳)[1487]을 파ᄒᆞ미, 뎡쇼져와 다시 보

1481)뉴언디참(流言之讒) : 근거 없이 떠도는 말의 해(害).

1482)청텬빅일(青天白日)은 노예하쳔(奴隷下賤)도 역디기명(亦知其明)이라 : 맑은 하늘의 밝은 해는 노예나 신분이 낮고 천한 사람도 그 밝음을 안다.

1483)낙미디액(落眉之厄) : '눈썹에 떨어진 액'이란 뜻으로, 눈앞에 닥친 재앙을 말함.

1484)우우냥냥(踽踽漾漾) : 매우 외로이 세상을 떠돌아다님.

1485)무가긱(無家客) : 집 없는 나그네.

1486)ᄎᆞ역텬의(此亦天意)라 : 이 또한 하늘의 뜻이다.

공이 청파의 ᄃᆡ경 왈,

"ᄌᆞ고로 현인 군ᄌᆞ 소인의 《힝 ‖ 히》을 밧고 셩인도 《뉴지츔 ‖ 뉴언지참(流言之讒)[1251]》을 면치 못ᄒᆞ나, 현계 술인지명(殺人之名)은 쳔만 념외라. 비록 지인지감(知人之鑑)이 업ᄉᆞ나 《청쳔빅일 페망도 역기기명 ‖ 청쳔빅일(青天白日)은 노예하쳔(奴隷下賤)도 역지기명(亦知其明)[1252]》이라. 현계와[의] 셩현뉴풍으로 술인지명을 드르니 족히 노부의 누명을 니르니[리]오. 도ᄎᆞ(到此)의 도라 갈 곳이 업ᄉᆞ니, 만싱의 집이 녜셔 머지 아니ᄒᆞ고, ᄌᆞ여(子女) 《가권이 ‖ 어리니》 나을 죠ᄎᆞ 가미 엇더ᄒᆞ뇨?"

소제 도ᄉᆞ의 가라치든 ᄇᆡ ᄌᆞᄌᆞ이 마ᄌᆞ니 ᄎᆞ역《청으 ‖ 쳔의》(此亦天意)[1253]라. ᄉᆞ양ᄒᆞ여 면치 못ᄒᆞᆯ 쥴 알고 ᄀᆡ연이 ᄉᆞ왈,

"ᄃᆡ인이 긔즁의셔 타향 고긱(孤客)을 이러ᄐᆞᆺ 무휼ᄒᆞ시니, 엇지 ᄃᆡ[ᄐᆡ]의(太意)을 봉힝치 아니리오."

공이 ᄃᆡ희ᄒᆞ여 쥬고(主姑)을 ᄌᆡ촉ᄒᆞ여 조반을 파ᄒᆞ미, 뎡소져을 다시 보믈 일라[으]고 면[먼]져 도라가 부인과 의논ᄒᆞ려 ᄒᆞ더라.

1251)뉴언디참(流言之讒) : 근거 없이 떠도는 말의 해(害).

1252)청텬빅일(青天白日)은 노예하쳔(奴隷下賤)도 역디기명(亦知其明) : 맑은 하늘의 밝은 해는 노예나 신분이 낮고 천한 사람도 그 밝음을 안다.

1253)ᄎᆞ역텬의(此亦天意) : 이 또한 하늘의 뜻이다.

믈 니르고 몬져 도라가 부인과 의논ᄒᆞ려 ᄒᆞ더라.

어시의 화공이 간신의 ᄆᆡ이믈 닙어 당샤의 찬뎍ᄒᆞ던 디 칠년의, 다만 부뷔 셔로 의디ᄒᆞ나, 일죽 셔하(西河)의 쳑(慽)1488)을 셔로 보고, 만ᄂᆡ의 일ᄌᆞ 이녀를 두【13】어시니, 냥녜(兩女) 맛이오 ᄋᆞ직 유힉러라. 댱녀 빙화 ᄋᆞ시로브터 졀염의 삭시 잇더니, 졈졈 ᄌᆞ라 십삼셰의 니르ᄆᆡ, 도디기홰작작(桃之其華灼灼)1489)ᄒᆞ여 당톄시(棠棣詩)1490)를 노ᄅᆡᄒᆞ니, 옥모의용(玉貌儀容)과 텬향이딜(天香異質)이 툐월특이(超越特異)ᄒᆞ니, 쳔만과ᄋᆡ(千萬過愛)ᄒᆞᄃᆡ, ᄀᆞᆺ튼 ᄇᆡ우를 만나디 못ᄒᆞ여 퇴셔ᄒᆞᄂᆞᆫ 근심이 과도ᄒᆞ더니, 슈월 젼 이인(異人)을 만나 비셔(秘書)를 어더 보니,

"빙화의 ᄇᆡᆨ년가연(百年佳緣)이 윤가의 ᄆᆡ엿고, 텬슈(天數)를 도망치 못ᄒᆞ리니 윤가의 뎨ᄉᆞ 부실을 혐의치 말나. 타일 텬승 국모로 휘뎍(后籍)의 존(尊)을 누리고 ᄌᆞ손이 만당ᄒᆞ리니, 운화졈 ᄒᆡᆼᄀᆡᆨ(行客)을 ᄃᆡ녀쳐 바【14】리디 말고 동상(東床)을 쳥ᄒᆞ면, 하날이 뎡ᄒᆞᆫ 쉬 ᄌᆞ연 되리리라. 그윽ᄒᆞᆫ 가온ᄃᆡ 긔이ᄒᆞ미 이셔 허(虛)ᄒᆞᆫ 거시 실(實)이 되고 우은 거시 복이 되리라."

ᄒᆞ엿거ᄂᆞᆯ, 공이 비셔를 보고 괴이ᄒᆞ믈 결을치 못ᄒᆞ여, 윤성 가딘 ᄒᆡᆼ인을 유의ᄒᆞ니, 화공의 잇ᄂᆞᆫ 곳은 운교역이오, 노고의 집이 운화뎜이니, 화공이 이날 유의ᄒᆞ여 드러왓

어시의 화공이 간신의 ᄆᆡ이믈 입어 장ᄉᆞ의 츈젹ᄒᆞ연 지 칠년의, 다만 부뷔 셔로 의지ᄒᆞ나 일작 셔하(西河)의 쳑(慽)1254)을 ᄌᆞ조 보고 만ᄂᆡ의 일ᄌᆞ이여(一子二女)을 두어시니 여아 맛이오 버거 유하아ᄌᆞ(乳下兒子)라.【120】 댱여(長女) 빙홰 아시로브터 《졀염ᄌᆞᆨ심이‖졀염의 삭시》 잇더니, 졈졈 ᄌᆞ라 십ᄉᆞᆷ셰 되ᄆᆡ 도지기화ᄌᆞᆨᄌᆞᆨ(桃之其華灼灼)1255)ᄒᆞ여 장[당]쳬지화(棠棣之華)1256)을 ᄋᆞᆺ고져 ᄒᆞ니, 옥모ᄋᆡ용(玉貌愛容)과 쳔행[향]이질(天香異質)이 츄[쵸]월특이(超越特異)ᄒᆞ니, 공의 부뷔 쳔만과ᄋᆡ(千萬過愛)《ᄒᆞ더라‖ᄒᆞᄃᆡ》, ᄀᆞᆺ튼 ᄇᆡ우을 만나지 못ᄒᆞ여 퇴셔ᄒᆞ난 근심이 과도터니, 슈일 젼 이인(異人)을 맛나 비셔(秘書)을 어더보니,

"빙화의 ᄇᆡᆨ년가위(百年佳偶) 윤가의 ᄆᆡ엿고, 텬슈을 도망치 못ᄒᆞ리니 윤가 졔ᄉᆞ부실을 험[혐]의(嫌疑)치 말나. 타일 그 ᄌᆞ손의 쳥[쳔]승국모(千乘國母)로 휘젹(后籍)의 존귀로[를] 누리고 ᄌᆞ손이 만당ᄒᆞ리니, 운화졈 ᄒᆡᆼ각을 지ᄂᆡ쳐 보ᄂᆡ지 말고, 동ᄉᆞᆼ(東床)을 쳥ᄒᆞ면, 텬졍가위(天定佳偶) ᄌᆞ연 되리라. 그윽한 가온ᄃᆡ 기니(奇異)ᄒᆞ미 잇셔, 허(虛)한 거시 실(實)이 되고, 우은 거시 복이 되리라."

ᄒᆞ여거날, 《부인‖공》이 비셔을 ○○[보고] 《고니‖괴이(怪異)》ᄒᆞ믈 결을치 못ᄒᆞ여, 윤셩 《진가‖가진》 ᄒᆡᆼᄀᆡᆨ을 유의ᄒᆞ니, 화공의 잇는 곳은 ○[은]교역○○[이

1487)됴션(朝膳) : 아침 식사.

1488)셔하(西河)의 쳑(慽) ; =서하지탄(西河之嘆). 자녀를 잃은 슬픔.

1489)도디기홰작작(桃之其華灼灼) : 복숭아꽃이 활짝 피어 타는 듯이 붉음.

1490)당톄시(棠棣詩) : '당체(棠棣)'를 노래한 시라는 뜻으로, 『시경(詩經)』 <소남(召南)>편 '하피농의(何彼穠矣)' 시의 '何彼穠矣 棠棣之華(하피농의 당체지화; 어찌 저리도 아름다울까, 산 앵두나무의 활짝 핀 꽃)'을 가리킨다. 여기서 '산 앵두나무의 활짝 핀 꽃'은 제후에게 시집가는 공주의 화려한 행렬을 비유한 말.

1254)셔하(西河)의 쳑(慽) ; =서하지탄(西河之嘆). 자녀를 잃은 슬픔.

1255)도지기화ᄌᆞᆨᄌᆞᆨ(桃之其華灼灼) : 복숭아꽃이 활짝 피어 타는 듯이 붉음.

1256)당체지화(棠棣之華) : 산 앵두나무의 활짝 핀 꽃이란 뜻으로, 시집가는 신부의 화려한 행렬을 비유적으로 표현한 말. 『시경(詩經)』 <소남(召南)>편 '하피농의(何彼穠矣)' 시의 '何彼穠矣 棠棣之華(하피농의 당체지화; 어찌 저리도 아름다울까, 산 앵두나무의 활짝 핀 꽃)'에서 따온 말로, 여기서 '산 앵두나무의 활짝 핀 꽃'은 제후에게 시집가는 공주의 화려한 행렬을 비유적으로 표현한 말.

다가 뎡·남 이 쇼져를 만나니, 비셔의 '허(虛)흔 거시 실(實)흐며 우은 거시 복이 되리라' 흐믄, 뎡시 녀화위남(女化爲男)흐고 취쳐(娶妻)흐엿다가, 진짓 윤태위 취흔 후 실식 되○○○[믈 니르]미라.

오], ○○○○[은교역의] 운화졈○[이] 잇나니라. 노고의 집이 운화졈이러니, 화공이 이날 유의흐여 드러왓가다, 뎡·남 이소져을 만느믜, 비셔(秘書)의 '허(虛)흔 거시 실(實)이 ○[되]며, 우은 거시 복이 되리라' 흠은, 뎡시 녀화위남(女化爲男)흐고 취쳐(娶妻)흐엿다가, 후의 화시을 윤틔우기[긔] 쳔거흐여 그 졔슨 부실을 숨으면 복이 되리라 ○[는] 말《이 진젹흐다∥을 니르미라》. 【121】

명쥬보월빙 권지 십육[1257] 종【122】

1257)권수 표기에 오류가 있다. 즉 '권지십오'는 6쪽짜리 1책에 불과한데, '권지십육'은 72쪽, 42쪽, 152쪽짜리 3책이나 된다. 여러 명의 필사자가 하나의 원전을 나누어 필사하는 과정에서 생긴 오류로 보인다. 여기서는 이 『필사본 총서』 편자의 분권체제를 따라, '권지십오 8쪽'과 '권지십육 72쪽', '권지십육 42쪽'까지 3책 도합 122쪽을 '권지십오'로, 나머지 '권지십육 152쪽' 1책을 '권지십육'으로 분권하여 정리키로 한다. 쪽 번호도 이 분권체재를 따라 부여한다.

화공은 그 ᄂᆡ실(內實)은 아디 못ᄒᆞ고, 진짓 윤ᄉᆡᆼ으로 아라, 션풍이【15】딜(仙風異質)을 ᄋᆡ모ᄒᆞ여, 쳔금 쇼교(小嬌)로뻐 간구코져 ᄒᆞ니 이 ᄯᅩᄒᆞᆫ 우은 일이오. 윤ᄉᆡᆼ이 비록 긔이ᄒᆞ나 근본을 ᄌᆞ시 모로고 유의ᄒᆞᄂᆞᆫ 거시 허령(虛靈)ᄒᆞ나, 졔 쇼년이라, 타일 등양ᄒᆞ여 부귀복녹이 가ᄌᆞᆨᄒᆞ며 ᄌᆞ손이 만당ᄒᆞᆯ 즈음은 실ᄒᆞᆫ 편이 될 줄 혜아려, 뎡쇼져를 향ᄒᆞ여 집으로 간절이 쳥ᄒᆞ여, ᄀᆞᆯ오ᄃᆡ,

"만ᄉᆡᆼ이 팔ᄌᆡ 박ᄒᆞ여 여러 ᄌᆞ녀를 ᄒᆞ나토 셩취ᄒᆞ믈 보디 못ᄒᆞ고, 셔하(西河)의 탄(歎)을 보고, 이졔 유튱ᄒᆞᆫ 녀식(女息) 슈인과 강보유ᄌᆞ(襁褓乳子)[1491]를 두어 뎍니(謫裏) 고초를 위로ᄒᆞ더니, 현계의 아롬다오믈 보ᄆᆡ ᄎᆞ마 샤(辭)치 못ᄒᆞᄂᆞ니, 만ᄉᆡᆼ의 외로오믈 ᄉᆡᆼ각ᄒᆞ여 귀ᄒᆞᆫ ᄌᆞ최【16】 폐샤(弊舍)를 도라보믈 바라노라. 슈ᄌᆡ의 환휘 소셩(蘇醒)치 못ᄒᆞ여 힝거를 듕디ᄒᆞ미 이실딘ᄃᆡ, 만ᄉᆡᆼ의 거쳬 누츄ᄒᆞ나 오히려 늙은 비ᄌᆞ의셔 나으미 이시리니, 금일이라도 날을 좃ᄎᆞᄆᆡ 엇더ᄒᆞ뇨?"

쇼졔 화공의 간쳥ᄒᆞ미 여ᄎᆞᄒᆞ고, 그 슬하의 댱셩ᄒᆞᆫ ᄋᆞ돌이 업셔 가듕이 죵용ᄒᆞ믈 혜아리ᄆᆡ, 임의 져를 ᄂᆡ외치 못ᄒᆞ고 당면슈작(當面酬酌)[1492]ᄒᆞ미 이시니, 출하리 그 집의가 잠간 머므러 안뎡(安靜)ᄒᆞᆫ 쳐소를 듯보고져 ᄒᆞ므로, 흔연 샤례 왈,

1491)강보유ᄌᆞ(襁褓乳子) : 포대기에 쌓여 있는 젖먹이 아들.

1492)당면슈작(當面酬酌) : 서로 얼굴을 마주 보고 말을 주고 받음.

어시의 화시를 윤ᄐᆡ우긔 쳔거ᄒᆞ여 그 뎨사 부실을 삼으면, 과연 우은 거시 복되믈 니르미오. 두 여ᄌᆡ 모히ᄆᆡ, 허ᄒᆞ미 젹지 아니ᄒᆞ다가 진짓 윤ᄐᆡ위 ᄎᆔᄒᆞᆫ 후 실ᄉᆡᆨ 《되미라‖믈 니르미라》.

화공은 그 ᄂᆡ실(內實)은 아지 못ᄒᆞ고 진짓 윤ᄉᆡᆼ으로 아라, 션풍이질(仙風異質)을 ᄋᆡ모ᄒᆞ여 쳔금 쇼교(小嬌)로써 간구ᄒᆞ니, 이 ᄯᅩ 우은 일이오. 윤ᄉᆡᆼ이 비록 긔이ᄒᆞ나, 근본을 ᄌᆞ시 모로고 유의ᄒᆞᄂᆞᆫ 거시 허령(虛靈)ᄒᆞ나, 졔 소년이라, 타일 등양ᄒᆞ여 부귀복녹이 ᄀᆞ즉ᄒᆞ며 ᄌᆞ손이 만당ᄒᆞᆯ 즈음은 실ᄒᆞᆫ 편이 될 쥴 혜아려, 뎡쇼져를 향ᄒᆞ여 집으로 가믈 쳥ᄒᆞ여 ᄀᆞᆯ오ᄃᆡ,

"만ᄉᆡᆼ이 팔ᄌᆡ 박ᄒᆞ여 여러 ᄌᆞ녀를 ᄒᆞ나○[토] 셩취ᄒᆞ믈 보지 못ᄒᆞ고, 셔하(西河)의 탄(歎)을 보고, 이졔 유통[튱]ᄒᆞᆫ 녀식(女息) 슈인과 강보유ᄌᆞ(襁褓乳子)[1258]를 두어 젹니(謫裏) 고초를 위【1】로ᄒᆞ더니, 현게[계]의 아롬다오믈 보ᄆᆡ ᄎᆞ마 ᄉᆞ(辭)치 못ᄒᆞᄂᆞ니, 만ᄉᆡᆼ의 외로오믈 ᄉᆡᆼ각ᄒᆞ여 귀ᄒᆞᆫ ᄌᆞ최▌[1259] ②❬폐샤를 도라보믈 바라노라. 슈ᄌᆡ의 환휘 소셩치 못ᄒᆞ여 힝거를 즁지ᄒᆞ미 이실진ᄃᆡ 만ᄉᆡᆼ의 거쳐 누츄ᄒᆞ나 오히려 드러온 비ᄌᆞ의 ᄀᆞᆨ실의셔 나으미 이시리니 금일이라도 날을 조ᄎᆞᄆᆡ 엇더ᄒᆞ뇨?"

쇼졔 화공의 간쳥ᄒᆞ미 여ᄎᆞᄒᆞ고 그 슬하의

1258)강보유ᄌᆞ(襁褓乳子) : 포대기에 쌓여 있는 젖먹이 아들.

1259)필사순서에 오류가 있다. 원문은 ▌①❬거의-ᄃᆡᄒᆞ여 왈❭- ②❬폐샤를-겁을 내❭▌의 순서로 필사되어 있는데, 이를 서사문맥에 따라 ▌② - ①▌의 순서로 바로잡았다. 원문 ①은 341자, 2쪽 분량인데, ② 또한 365자로 2쪽 분량이다 이것은 이 책의 전사자가 편철이 잘못된 저본을 전사하면서 무심결에 저본의 오류를 발견하지 못하고 전사한데서 생긴 것으로 보인다. 즉 365자와 341자는 각각 저본의 1장(2쪽)분량이었을 것으로 추정되는데, 이것이 순서가 바뀌어 편철된 것으로 생각된다. 참고로 낙선재본 1쪽의 글자수는 198자 내외다.

"존션싱(尊先生)이 쇼싱 등의 용우ᄒᆞ믈 더럽다 아니시고 후의 여ᄎᆞᄒᆞ시니, 쇼싱이 엇디 존명을 밧드디 아니리잇【17】고? 연이나 쇼싱 등이 블학무식(不學無識)ᄒᆞ여 존대인 후의를 갑습디 못홀가 두리ᄂᆞ이다."

화공이 져의 허락을 어드니 만분 힝열ᄒᆞ여, 즉시 노ᄌᆞ를 분부ᄒᆞ여 안마를 ᄃᆡ후ᄒᆞ고 가기를 ᄌᆡ쵹ᄒᆞ니, 뎡쇼졔 개연이 남시로 더브러 노고를 하딕ᄒᆞ고 화공을 ᄯᆞ라 갈ᄉᆡ, 공이 ᄆᆞᆯ긔 오로고 이쇼졔 ᄆᆞᆯ기 오로ᄃᆡ, 뎡쇼져ᄂᆞᆫ 만ᄉᆞ의 신긔치 아니미 업ᄂᆞᆫ 고로 ᄆᆞᆯ ᄐᆞ기를 어려워 아니ᄃᆡ, 남시ᄂᆞᆫ 상체 낫디 못ᄒᆞ고 쳐음으로 ᄆᆞᆯ을 ᄐᆞᄆᆡ 두리고 겁ᄒᆞ여 거의 나려딜 둧ᄒᆞ니, 홍션이 븟드러 슈십니를 힝ᄒᆞ여 화부의 니르니, 화공이 몬져 외당【18】의 드러가 돗글1493) 펴, 그 쇼져 등을 쳥ᄒᆞ여 쥬ᄀᆡᆨ디례로 한담홀ᄉᆡ, 화공이 뎡쇼져의 ᄒᆞᆨ문을 시험ᄒᆞ여 고금을 의논ᄒᆞᄆᆡ, 뎡쇼졔 ᄌᆡ덕이 남다른 신긔ᄒᆞ미 긔특ᄒᆞ여, 우연이 말을 ᄂᆡᄆᆡ 개개히 뎡금미옥(精金美玉)이라. 고금을 논문(論問)ᄒᆞᄆᆡ, 고ᄉᆞ(古事)며 티국(治國) 티란(治亂)과 튱신 녈ᄉᆞ들의 인물 고하(高下)를 졔등(除等)1494)ᄒᆞ미 명달ᄒᆞ고, ᄆᆞ릅흘 ᄲᆞᆯ며1495) 낫빗출 슈렴ᄒᆞ며[여] 겸양ᄒᆞᄂᆞᆫ 도덕이 낫타나니, 화공이 경복ᄒᆞ믈 니긔디 못ᄒᆞ여, 비록 몸이 인간의 이시나 눈이 션경을 구경ᄒᆞᄂᆞᆫ 둧, 나의 빙홰 비록 아름다오나 오히려 남ᄌᆞ로 의논ᄒᆞ면 ᄎᆞ인을 밋【19】출 길히 업ᄉᆞ니, 윤싱이 ᄌᆡ취가디 ᄒᆞ여 ᄯᅩ 혼ᄉᆞ를 뎡ᄒᆞᆫ 곳이 이시믈 니르나, ᄎᆞ인이 현달 영귀ᄒᆞ미 쾌홀디라. ᄒᆞ믈며 이인의 비셰(秘書) 신긔ᄒᆞ여 빙화의 인연이 《화‖윤가》의 속ᄒᆞ믈 닐너

1493)돍 : 돗자리. 자리. ⇒돗.
1494)졔등(除等) : 등급을 나눔.
1495)ᄲᆞᆯ다 : 쓸다. 모으다.

뎡셩ᄒᆞᆫ ᄋᆞ들이 업셔 가즁이 죵용ᄒᆞ믈 혜아리ᄆᆡ, 임의 져를 ᄂᆡ외치【3】1260) 못ᄒᆞ고 당면슈족(當面酬酌)1261)ᄒᆞ미 이시니 출하리 그 집의 가 잠간 머믈어 안졍(安靜)ᄒᆞᆫ 쳐소를 듯보고져 ᄒᆞ므로, 흔연 샤례 왈,

"존션싱(尊先生)이 쇼싱 등의 용우ᄒᆞ믈 더럽다 아니시고 후의 여ᄎᆞᄒᆞ시니, 쇼싱이 읏지 존명을 밧드지 아니리잇고? 연이나 쇼싱 등이 블ᄒᆞᆨ무식(不學無識)ᄒᆞ여 존공의 후의를 갑습지 못홀가 두리ᄂᆞ이다."

화공이 져의 허락을 어드니 만분 힝열ᄒᆞ여 즉시 노ᄌᆞ를 분부ᄒᆞ여 안마를 ᄃᆡ후ᄒᆞ고 가기를 ᄌᆡ쵹ᄒᆞ니, 뎡시 가연이 남시로 더브러 노고를 하직ᄒᆞ고 화공을 ᄯᆞ를ᄉᆡ, 공이 ᄆᆞᆯ긔 오로고 이쇼졔 ᄆᆞᆯ기 오른ᄃᆡ, 뎡쇼져ᄂᆞᆫ 만ᄉᆞ의 신긔치 아니미 업ᄂᆞᆫ 고로 ᄆᆞᆯ타기를 어려워 아니ᄒᆞᄃᆡ, 남시ᄂᆞᆫ 상체 치 낫지 못ᄒᆞ고 쳐음으로 ᄆᆞᆯ을 ᄐᆞᄆᆡ 두리고 겁을 ᄂᆡ》②《거의 나려질 듯ᄒᆞ니, 홍션이 븟드려[러] 슈십니를 힝ᄒᆞ여 화부의 니르니, 화공이 몬져 외당의 드러가 돗슬1262) 펴고, 쇼져를 쳥ᄒᆞ여 쥬ᄀᆡᆨ지녜로 한담홀ᄉᆡ, 화공이 뎡쇼져[의] 학문을 시험ᄒᆞ여 고금을 의논ᄒᆞᄆᆡ, 뎡쇼졔 ᄌᆡ덕이 남다른 신긔ᄒᆞ미 긔특ᄒᆞ여, 우연이 말을 ᄂᆡᄆᆡ ᄀᆡᄀᆡ히 졍금미옥(精金美玉)이라. 고금을 논문(論問)ᄒᆞᄆᆡ, 역ᄃᆡ 고ᄉᆞ(古事)며 치국(治國) 치란(治亂)과 츙신 열ᄉᆞ들의 인물 고하를 졔등(除等)1263)ᄒᆞ미 명달ᄒᆞ고, 무릅흘 ᄲᆞᆯ며1264) 낫빗출 슈렴ᄒᆞ며[여] 겸양ᄒᆞᄂᆞᆫ 도덕이 낫타ᄂᆞ니, 화공이 경복ᄒᆞ 믈 니긔지 못ᄒᆞ여, 비록 몸이 인간의 이시나 눈이 션경을 구경ᄒᆞᄂᆞᆫ 듯, 나의 빙홰 비【2】록 아름다오나 오히려 남ᄌᆞ로 의논ᄒᆞ면 ᄎᆞ인을 밋출 길히 업ᄉᆞ니, 윤싱이 ᄌᆡ취가지 ᄒᆞ여 ᄯᅩ 혼ᄉᆞ를 졍ᄒᆞᆫ 곳이 이시믈

1260)'【1】-【3】-【2】-【4】'의 쪽 번호는 박순호본의 쪽 번호임.
1261)당면슈죡(當面酬酌) : 서로 얼굴을 마주 보고 말을 주고 받음.
1262)돗 : 돗자리. 자리. ⇒돍.
1263)졔등(除等) : 등급을 나눔.
1264)ᄲᆞᆯ다 : 쓸다. 모으다.

시니, 우리 빙화로 ᄉᆞ랑ᄒᆞ여 쟝니보옥(掌裏寶玉)ᄀᆞᆺ치 녁이나 텬의를 슌슈ᄒᆞ여 디ᄂᆡ리라 ᄒᆞ고, 뎡·남 이쇼져를 ᄃᆡᄒᆞ여 왈,

니르나, ᄎᆞ인이 현달 영귀ᄒᆞ미 쾌ᄒᆞᆯ지라. ᄒᆞ믈며 이인의 비셰(秘書) 신긔ᄒᆞ여 빙화의 《인년‖인연》이 《화‖윤가》의 《못‖속》ᄒᆞ믈 닐너시니, 우리 빙화를 ᄉᆞ랑ᄒᆞ여 쟝니보옥(掌裏寶玉)ᄀᆞᆺ치 녁이나, 쳔의를 슌슈ᄒᆞ여 지ᄂᆡ리라 ᄒᆞ고, 뎡·남 이쇼져를 ᄃᆡᄒᆞ여 왈,》❚

"존ᄀᆡᆨ을 ○○○[외당의] 머므르고 만ᄉᆡᆼ이 ᄂᆡ루의 드러가ᄂᆞᆫ 거시 인ᄉᆞ의 미안ᄒᆞ나, 《쇼져‖쇼녀》를 잠간 보고 나오리니, 현계ᄂᆞᆫ 허믈치 말나."

"존ᄀᆡᆨ○[을] 외당의 머믈【4】고 만ᄉᆡᆼ이 《ᄂᆡ측‖ᄂᆡ루》의 드러가ᄂᆞᆫ 거시 인ᄉᆞ의 미안ᄒᆞ나, 《쇼져‖쇼녀》를 잠간 보고 나오리니 현계ᄂᆞᆫ 허믈치 말나."

언파의 니러 드러가니 남시 ᄀᆞ마니 뎡쇼져 다려 니르ᄃᆡ,

언파의 니러 드러가니 남시 ᄀᆞ마니 뎡시 다려 니르ᄃᆡ,

"쇼뎨(小弟)의 위ᄐᆡᄒᆞᆫ 목숨을 져제 구ᄒᆞ시니 ᄌᆡᆨᄉᆡᆼ디은이 호대ᄒᆞ고,【20】 쇼뎨 형셰 다시 집으로 드러가미 위ᄐᆡ로와, 동셔의 ᄯᅩᆯ와 거취를 다 현져를 ᄯᆞ로고져 ᄒᆞ거니와, 화공이 져져로ᄡᅧ 동상을 청ᄒᆞᄆᆡ, 져제 샤양치 아니시고 이에 니르시믄 엇던 일이니 잇고?"

"쇼졔(小弟)의 위ᄐᆡᄒᆞᆫ 목숨을 져제 구ᄒᆞ시니 ᄌᆡᆨᄉᆡᆼ지은이 호ᄃᆡᄒᆞ고, 쇼뎨 형셰 다시 ○○○○○[집으로 드러]가미 위ᄐᆡ로와, 동셔○[의] 거취를 다 현형을 ᄯᆞ르고져 ᄒᆞ거니와, 화공이 형으로 동상을 청ᄒᆞᄆᆡ, 져제 ᄉᆞ양치 아니시고 이의[에] 니르시믄 엇진 일이니잇고?"

뎡쇼제 탄왈,

뎡시 탄왈,

"내 임의 댱신(藏身)ᄒᆞᄂᆞᆫ 녜를 일허 부도의 어긘 죄인이라. 노고의 집의 머믈던ᄃᆡ ᄀᆡᆨ샤의 《다나든‖드나든》 ᄇᆡ 잡되고 편치 아닐 ᄲᅳᆫ 아니라, 혹ᄌᆞ 현ᄆᆡ의 얼골을 아ᄂᆞᆫ ᄌᆡ 이셔, 녀화위남ᄒᆞ고 졈ᄉᆞ(店舍)의 다른 남ᄌᆞ로 더브러 머므ᄂᆞᆫ 바를 위부인긔 젼ᄒᆞ고[면], 현ᄆᆡ 다시 참화를 만날 거시오. 쳡이 ᄯᅩᄒᆞᆫ 궂기리니[1496], 여러가디 ᄉᆞ셰 난쳐ᄒᆞ여 남부와 ᄉᆞ【21】이 씌여 이곳의 머믈고져 ᄒᆞ믄, ᄆᆡ양 이시려 ᄒᆞᄂᆞᆫ 거시 아니라, ᄯᅩ 현뎨 창쳬(瘡處) ᄎᆞ셩(差成)ᄒᆞ기를 기ᄃᆞ려 안뎡ᄒᆞᆫ 쳐소를 엇고져 ᄒᆞ노라."

"내 임의 쟝신(藏身)ᄒᆞᄂᆞᆫ 예를 일허 부도의 어긘 죄인이라. 노고의 집의 머믈진ᄃᆡ ᄀᆡᆨ사의 《다나든‖드나든》 ᄇᆡ 잡되고 편치 아닐 ᄲᅳᆫ 아니라, 혹ᄌᆞ 현ᄆᆡ의 얼골을 아ᄂᆞᆫ ᄌᆡ 이셔, 녀화위남ᄒᆞ고 졈ᄉᆞ(店舍)의 다른 남ᄌᆞ로 더브러 머므ᄂᆞᆫ 바를 위부인긔 젼ᄒᆞ고[면], 현뎨 다시 참화를 만ᄂᆞ고, 쳡이 ᄯᅩ【5】ᄒᆞᆫ 국기리니[1265] 여러가지 ᄉᆞ셰 난쳐ᄒᆞ여 남부와 ᄉᆞ이 씌여 이곳의 머믈고져 ᄒᆞ믄, ᄆᆡ양 이시려 ᄒᆞᄂᆞᆫ 거시 아니라, ᄯᅩ 현뎨 창쳬(瘡處) ᄎᆞ셩(差成)ᄒᆞ기를 기ᄃᆞ려 안정ᄒᆞᆫ 쳐소를 엇고져 ᄒᆞ노라."

남쇼제 명도를 탄ᄒᆞ고 뎡쇼져ᄂᆞᆫ 화공이 혼인 청치 아니키를 바라더라.

남쇼제 명도를 탄ᄒᆞ고 뎡시ᄂᆞᆫ 화공이 혼인 청치 아니키을 바라더라.

화공이 ᄂᆡ루의 드러와 부인 쥬시를 ᄃᆡᄒᆞ여 윤·남 이ᄉᆡᆼ의 긔특ᄒᆞ믈 니르고, ᄀᆞᆯ오ᄃᆡ,

화공이 《ᄂᆡ측‖ᄂᆡ루》의 드러와 부인 쥬시을 ᄃᆡᄒᆞ여 윤·남 이ᄉᆡᆼ의 긔특ᄒᆞ믈 니르고, ᄀᆞᆯ오ᄃᆡ,

"ᄌᆡ작(再昨)의 이인을 만나 비셔를 어더

"ᄌᆡ작(再昨)의 이인을 만나 비셔를 어더

1496)궂기다 : 고생하다. 궂은일을 당하다. 죽다. ⇒ 국기다.

1265)국기다 : 고생하다. 궂은일을 당하다. 죽다. ⇒ 궂기다.

보고, 빙화의 인연이 윤가의 이시믈 짐작ᄒᆞ여시나, 실노 듕난ᄒᆞᆫ 바ᄂᆞᆫ 윤ᄉᆡᆼ이 ᄌᆡ취가지 ᄒᆞ고 ᄯᅩ 뎡ᄒᆞᆫ 곳이 잇다 ᄒᆞ니, 아녀를 져의게 청혼ᄒᆞᄂᆞᆫ 날은 뎨ᄉᆞ 부실이 되리니 셔운ᄒᆞ거니와, 윤ᄉᆡᆼ의 풍신ᄌᆡ화ᄂᆞᆫ 본 바 쳐음이【22】라. 부인은 잠간 외헌을 여어보아 션낭(仙郎)을 구경ᄒᆞ라.”

쥬부인이 즉시 외헌으로 왕ᄂᆡᄒᆞᄂᆞᆫ 문호의 쥬렴을 디우고 뎡·남 이인을 보ᄆᆡ, 옥골션풍과 빅ᄐᆡ만광이 이목의 현황ᄒᆞ니, 한업ᄉᆞᆫ 광ᄎᆡ 빅일이 당텬(當天)ᄒᆞ며 츄월이 계궁(桂宮)의 한가(閑暇)ᄒᆞᆷ ᄀᆞᆺᄐᆞᆫ디라. 눈이 바ᄋᆡ고[1497] 졍신이 요요ᄒᆞ여 어ᄃᆡ 고으며 므어시 더 빗난 줄을 창졸의 알니오. 쥬부인이 슘을 길게 쉬고 이윽이 눈을 옴기디 아니ᄒᆞ고 바라보기를 이윽이 ᄒᆞ다가, 팀소의 도라와 화공을 ᄃᆡᄒᆞ여 ᄀᆞᆯ오ᄃᆡ,

“윤·남 이ᄉᆡᆼ이라 ᄒᆞᄂᆞᆫ ᄌᆡ 풍신용홰 만고의 희한ᄒᆞ【23】니, 쳡은 실노 본 바 쳐음이라. 우리 ᄆᆡ양 빙화의 아름다오믈 스ᄉᆞ로 당셰의 독보ᄒᆞᆯ 줄 아랏더니, 윤ᄉᆡᆼ은 남ᄌᆡ로ᄃᆡ 곱고 빗나미 빙화의 셰번 우히니, 남슈ᄌᆡ라 ᄒᆞ리ᄂᆞᆫ ᄯᅩᄒᆞᆫ 윤ᄉᆡᆼ 아ᄅᆡ ᄒᆞᆫ 사ᄅᆞᆷ이라. 일노 보건ᄃᆡ 텬하의 옥인가ᄉᆡ(玉人佳士) 만흔가 ᄒᆞᄂᆞ이다.”

화공이 쇼왈,

“윤ᄉᆡᆼ이 외모풍신 쁜 아니라, 언논이 명달ᄒᆞ며, 동용거디(動容擧止) 유법ᄒᆞ믄 츄호도 얼골의 버셔나미 업ᄉᆞ니, 반ᄃᆞ시 타일 혼탁디셰(混濁之世)를 ᄇᆞᆰ힐 대현군ᄌᆡ라. 녀ᄌᆞ ᄀᆞᆺᄐᆞ면 휘뎍(后籍)의 부귀와 일면(一面) 왕낙(王樂)으로 영종ᄒᆞᆯ 상격을 가졋ᄂᆞ니, 비록 녀ᄋᆡ【24】 뎨ᄉᆞ 부실의 낫가오미 이시나, 이인의 비셔로 좃ᄎᆞᄂᆞᆫ 텬의를 슌슈ᄒᆞᄂᆞᆫ 거시 올흘가 ᄒᆞᄂᆞ이다.”

쥬부인은 젼후의 여러 ᄌᆞ녀를 상(喪)ᄒᆞ고 참쳑(慘慽)의 상ᄒᆞᆫ ᄆᆞ음으로 약ᄒᆞ미 남다른 고로, 빙화의 형뎨와 ᄋᆞ공ᄌᆞ의 길흉을 암특

1497)바ᄋᆡ다 : 빛나다. 부시다. 빛이나 색채가 강렬하여 마주 보기 어려운 상태에 있다. ⇒바외다.

보고, 빙화의 인년(因緣)이 윤가의 이시믈 짐작ᄒᆞ여시나, 실노 즁난ᄒᆞᆫ 바ᄂᆞᆫ 윤ᄉᆡᆼ이 ᄌᆡ취가지 ᄒᆞ고, ᄯᅩ 졍ᄒᆞᆫ 곳이 잇다 ᄒᆞ니, 아녀를 져의게 청혼ᄒᆞᄂᆞᆫ 날은 뎨ᄉᆞ 부실이 되리니 《셩신‖셔운》ᄒᆞ거니와, 윤ᄉᆡᆼ의 풍신ᄌᆡ화ᄂᆞᆫ 본바 쳐음이라. 부인은 잠간 외헌을 여어보아 션낭(仙郎)을 구경ᄒᆞ라.”

쥬부인이 즉시 외헌을【6】 왕ᄂᆡᄒᆞᄂᆞᆫ 문호의 쥬렴을 지우고 뎡·남 이인을 보매, 옥골션풍과 빅ᄐᆡ만광이 이목의 현황ᄒᆞ니, 한업ᄉᆞᆫ 광ᄎᆡ 빅일이 당텬(當天)ᄒᆞ며 츄월이 계ᄒᆞ(階下)의 만[한]가(閑暇)ᄒᆞᆷ ᄀᆞᆺᄐᆞᆫ지라. 눈이 바외고[1266] 졍신이 요요ᄒᆞ여 어ᄃᆡ 고으며 므어시 더 빗난 줄을 창졸의 알니오. 쥬부인이 슘을 길게 쉬고 이윽이 눈을 옴기지 아니ᄒᆞ고 ᄇᆞ라보기를 오ᄅᆡᄒᆞ다가, 침소의 도라와 화공을 ᄃᆡᄒᆞ여 ᄀᆞᆯ오ᄃᆡ

“윤·남 이ᄉᆡᆼ이라 ᄒᆞᄂᆞᆫ ᄌᆡ 풍신용홰 만고의 희한ᄒᆞ니, 쳡은 실노 본 바 쳐음이라. 우리 ᄆᆡ양 빙화의 아름다오믈 스ᄉᆞ로 당셰의 독보ᄒᆞᆯ 줄 아랏더니, 윤ᄉᆡᆼ은 남ᄌᆡ로ᄃᆡ 곱고 빗나미 빙화의 셰번 우히니, 남슈ᄌᆡ라 ᄒᆞ리ᄂᆞᆫ ᄯᅩᄒᆞᆫ 윤ᄉᆡᆼ 아ᄅᆡ ᄒᆞᆫ ᄉᆞᄅᆞᆷ이라. 일노 보건ᄃᆡ 텬하의 옥인가ᄉᆡ(玉人佳士) 만흔가 ᄒᆞ나이다.”

화공이 쇼왈,

“윤ᄉᆡᆼ【7】이 외모풍신 쁜 아이[니]라, 언논이 명달ᄒᆞ며 동용거지(動容擧止) 유법ᄒᆞ믄 츄호도 얼골의 버셔나미 업ᄉᆞ니, 반ᄃᆞ시 타일 혼탁지셰(混濁之世)를 ᄇᆞᆰ힐 ᄯᆡ[ᄃᆡ]현군ᄌᆡ(大賢君子)라. 녀ᄌᆞ ᄀᆞᆺᄐᆞ면 휘젹(后籍)의 부귀와 일면(一面) 왕낙(王樂)으로 영종ᄒᆞᆯ 상격을 가졋ᄂᆞ니, 비록 녀ᄋᆡ 뎨ᄉᆞ 부실의 앗가오미 이시나, 이인의 비셔로 조ᄎᆞᄂᆞᆫ 텬의를 슌슈ᄒᆞᄂᆞᆫ 거시 올흘가 ᄒᆞᄂᆞ이다.”

쥬부인은 젼후의 여러 ᄌᆞ녀를 상(喪)ᄒᆞ고 참쳑(慘慽)의 상ᄒᆞᆫ ᄆᆞ음《이‖으로》 약ᄒᆞ미 남 다른 고로, 슈쇼(數小) 자녀 계활을

1266)바외다 : 빛나다. 부시다. 빛이나 색채가 강렬하여 마주 보기 어려운 상태에 있다. ⇒바ᄋᆡ다.

ᄒᆞ여, 셰낫 ᄌᆞ녀를 위ᄒᆞ여 쇼쇼디ᄉᆞ(小小之事)의 념녜 만복ᄒᆞ고, 호의(狐疑) 무궁ᄒᆞ여 듀듀야야(晝晝夜夜)의 하날긔 빈튝(頻祝)ᄒᆞ여 ᄌᆞ녜 영귀ᄒᆞ믈 바라거ᄂᆞᆯ, 비셔 가온ᄃᆡ 윤가 ᄉᆞ실을 혐의치 말고 ᄇᆡᆨ년 길긔를 일우라 ᄒᆞ여시니, 혹ᄌᆞ 텬의를 역(逆)ᄒᆞ여 슈복의 ᄒᆡ로오미 이실가 ᄒᆞ여, 공을 권ᄒᆞ여 ᄀᆞᆯ오ᄃᆡ,

"상공이 【25】 비록 누쳔니 뎍ᄀᆡᆨ이 되여 계시나 가벌이 잠영거족이오, 녀ᄋᆡ 졀염슉녀로 녀ᄒᆡᆼ(女行) ᄉᆞ덕(四德)1498)이 일무쇼흠(一無小欠)1499)이라. 어ᄃᆡ가 ᄒᆞᆫ낫 가랑을 ᄀᆞᆯᄒᆡ디 못ᄒᆞ여 쇼년 유ᄉᆡᆼ의 여럿 ᄌᆡ 부빈을 주리잇고마ᄂᆞᆫ, 텬연이 듕ᄒᆞ면 이역쳔니(異域千里)라도 면치 못ᄒᆞᄂᆞ니, 상공이 운화졈의셔 만나시미 발셔 이인의 말과 ᄀᆞᆺᄐᆞ니, 상공은 호의치 마르시고 청혼ᄒᆞ여 보쇼셔."

공이 본ᄃᆡ 단독 일신이라. 슈족의 졍을 니ᄋᆞᆯ 동긔 업고, 경샤를 떠난 후ᄂᆞᆫ 친쳑과 붕우를 보디 못ᄒᆞ니, 대쇼ᄉᆞ를 부인과 의논ᄒᆞᄂᆞᆫ디라. 부인이 윤ᄉᆡᆼ을 보고 칭찬ᄒᆞ믈 깃거 즉시 밧긔 나와 【26】 윤·남 이ᄉᆡᆼ으로 한담ᄒᆞᆯᄉᆡ, 유ᄌᆞ를 안고 나와 어로만져 탄식 왈,

"만ᄉᆡᆼ이 여러 ᄌᆞ녜 다 잇던들 발셔 농손(弄孫)의 ᄌᆞ미를 보아실 거ᄉᆞᆯ, 젹앙이 듕ᄒᆞ여 층층ᄒᆞᆫ ᄌᆞ녀를 업시 ᄒᆞ고, 늣게야 이녀와 ᄎᆞᄋᆞ를 어더, 부ᄌᆞ의 졍이 텬뉸 밧긔 ᄌᆞ별ᄒᆞ미 잇ᄂᆞᆫ디라. ᄎᆞᄋᆞᄂᆞᆫ 댱셩ᄒᆞ미 머럿고 녀식 형뎨의 나히 이뉵과 십셰를 당ᄒᆞ여시니, 댱녀ᄂᆞᆫ 몬져 셩인(成姻)코져 ᄒᆞᄃᆡ, 궁향의 뎍ᄀᆡᆨ 죄슈로 이시니 혼인코져 ᄒᆞ리도 《잇∥업》거니와, 만ᄉᆡᆼ의 ᄆᆞᄋᆞᆷ의 찬 가랑을 만나디 못ᄒᆞ니, 젼뎐블낙(輾轉不樂)1500)

1498)ᄉᆞ덕(四德) : 여자로서 갖추어야 할 네 가지 덕. 마음씨[婦德], 말씨[婦言], 맵시[婦容], 솜씨[婦功]를 이른다

1499)일무쇼흠(一無小欠) : 한 가지의 작은 흠도 없음.

1500)젼뎐블낙(輾轉不樂) : 누워서 이리저리 몸을 뒤척이며 근심함.

주야 앙망ᄒᆞᄂᆞᆫ 마음의 빙화의 형뎨와 ᄋᆞ공ᄌᆞ의 길흉을 앙츅(仰祝)ᄒᆞ여 셰낫 ᄌᆞ녀를 위ᄒᆞ여 쇼쇼지ᄉᆞ(小小之事)의 념녜 만복(滿腹)ᄒᆞ고 호의 무궁ᄒᆞ여, 쥬쥬야야(晝晝夜夜)의 하날거[긔] 빈츅(頻祝)ᄒᆞ여 ᄌᆞ녜 영귀ᄒᆞ믈 ᄇᆞ라거ᄂᆞᆯ, 비셔 가온ᄃᆡ 윤가 ᄉᆞ실을 혐의치 【8】 말고 ᄇᆡᆨ년 길긔를 일우라 ᄒᆞ여시니, 혹ᄌᆞ 텬의를 녁ᄒᆞ여 슈복의 ᄒᆡ로오미 이실가 ᄒᆞ여, 공을 권ᄒᆞ여 ᄀᆞᆯ오ᄃᆡ,

"상공이 비록 누쳔니 젹ᄀᆡᆨ이 ○○○[되여 계]시나, 가벌이 잠영거족이오, 녀ᄋᆡ 졀염슉녀로 녀ᄒᆡᆼ(女行) ᄉᆞ덕(四德)1267)이 일무쇼흠(一無小欠)1268)이라. 어ᄃᆡ가 ᄒᆞᆫ낫 가랑을 ᄀᆞᆯᄒᆡ지 못ᄒᆞ여, 쇼년 유ᄉᆡᆼ의 여럿 ᄌᆡ 부빈을 주리잇고마ᄂᆞᆫ, 텬연이 즁ᄒᆞ면 이역쳔니(異域千里)라도 면치 못ᄒᆞᄂᆞ니, 상공이 운화졈의셔 만나시미 발셔 이인의 말과 ᄀᆞᆺᄐᆞ니, 상공은 호의치 말으시고, 청혼ᄒᆞ여 보쇼셔."

공이 본ᄃᆡ 단독 일신이라. 슈족의 졍을 니ᄋᆞᆯ 동긔 업고, 경ᄉᆞ를 떠난 후ᄂᆞᆫ 친쳑과 붕우를 보지 못ᄒᆞ니, ᄃᆡ쇼ᄉᆞ를 부인과 의논ᄒᆞᄂᆞᆫ지라. 부인이 윤ᄉᆡᆼ을 보고 칭찬ᄒᆞ믈 깃거 즉시 밧긔 나와 윤·남 【9】 이ᄉᆡᆼ으로 한담ᄒᆞᆯᄉᆡ, 유ᄌᆞ를 안고 나와 어로만져 탄식 왈,

"만ᄉᆡᆼ이 여러 ᄌᆞ녜 다 잇던들 발셔 농손(弄孫)의 ᄌᆞ미를 보아실 거ᄉᆞᆯ, 젹앙이 즁ᄒᆞ여 층층ᄒᆞᆫ ᄌᆞ녀를 업시 ᄒᆞ고, 늣게야 이녀와 ᄎᆞᄋᆞ를 어더, 부ᄌᆞ의 졍이 텬뉸 밧긔 ᄌᆞ별ᄒᆞ미 잇ᄂᆞᆫ지라. ᄎᆞᄋᆞᄂᆞᆫ 댱셩ᄒᆞ미 머럿고 녀식 형뎨의 나히 이뉵과 십셰를 당ᄒᆞ여시니, 댱녀ᄂᆞᆫ 몬져 셩인(成姻)코져 ᄒᆞᄃᆡ, 궁향의 젹ᄀᆡᆨ 죄슈로 이시니, 혼인코져 ᄒᆞ리도 《잇∥업》거니와, 만ᄉᆡᆼ의 ᄆᆞᄋᆞᆷ의 찬 가랑을 만나지 못ᄒᆞ니, 젼젼블낙(輾轉不樂)1269)

1267)ᄉᆞ덕(四德) : 여자로서 갖추어야 할 네 가지 덕. 마음씨[婦德], 말씨[婦言], 맵시[婦容], 솜씨[婦功]를 이른다

1268)일무쇼흠(一無小欠) : 한 가지의 작은 흠도 없음.

1269)젼뎐블낙(輾轉不樂) : 누워서 이리저리 몸을 뒤척이며 근심함.

ᄒᆞ믈 니긔디 못ᄒᆞ더니, 의외 현계를 만나 풍신 ᄌᆡ화를 보【27】ᄆᆡ, 블초ᄒᆞᆫ 녀식으로ᄡᅥ 혼인을 구ᄒᆞ미 외람ᄒᆞ믈 모로디 아니ᄒᆞ나, 임의 실듕의 여러 부인이 계셔 듕궤를 쇼임ᄒᆞ니, 아녀ᄂᆞᆫ 부실노 취ᄒᆞ여 우리 슬하의 머므르고 부부뉸의를 폐치 아닐 ᄶᅡ름이라. 원컨ᄃᆡ 현계ᄂᆞᆫ 만ᄉᆡᆼ의 궁측ᄒᆞᆫ 졍니를 도라보아 디극히 바라ᄂᆞᆫ 바를 ᄭᅳᆫ케 말나.”

뎡쇼졔 도셔(圖書)의 마ᄌᆞ미 공교ᄒᆞ믈 ᄭᆡᄃᆞ라, 하날이 뎡ᄒᆞ신 줄 알오ᄃᆡ, 텬셩이 녀ᄌᆞ의 남활ᄒᆞ믈 ᄇᆡ쳑ᄒᆞ여 고요 나ᄌᆞᆨᄒᆞ고 유한 졍뎡ᄒᆞ여, 소ᄅᆡ 규문 밧긔 나디 아니ᄒᆞ믈 원ᄒᆞ더니, 긔구ᄒᆞᆫ 환난을 만나 규듕 약딜이 쳔니의 뉴락ᄒᆞ며, 디어【28】 녀화위남ᄒᆞ기의 니르고, 화공의 쳥혼ᄒᆞᄂᆞᆫ 말ᄉᆞᆷ을 드르니 긔괴ᄒᆞ믈 니긔디 못ᄒᆞ나, 쳔연이 손샤ᄒᆞ여, ᄀᆞᆯ오ᄃᆡ,

“존공이 쇼ᄉᆡᆼ의 누츄ᄒᆞ믈 과히 아르샤, 쳔금옥슈(千金玉樹)로ᄡᅥ 동상을 유의ᄒᆞ시니, 도로의 분쥬ᄒᆞᄂᆞᆫ ᄒᆡᆼᄀᆡᆨ이 엇기 어려온 경ᄉᆡ라. 엇디 황감치 아니리잇고마ᄂᆞᆫ, 쇼ᄉᆡᆼ이 초취ᄒᆞ여 실인을 실산ᄒᆞᄆᆡ, ᄉᆞ(士)의 냥체 법이 아니로ᄃᆡ, 형셰 마디 못ᄒᆞ여 ᄌᆡ취ᄒᆞ니, 냥쳐의게 각각 ᄌᆞ식을 두엇고, 또 ᄋᆞ시 뎡약ᄒᆞᆫ 곳이 잇셔 기간의 ᄉᆞ괴 만하 취치 못ᄒᆞ고, ᄌᆡ실가디 어든 후ᄂᆞᆫ ᄉᆞ의 삼체 번져온[1501] 고로, 빙례만 보ᄂᆡ고 져집이 쇼ᄉᆡᆼ【29】의 등양ᄒᆞ기를 바라더니, 쇼ᄉᆡᆼ이 듕대ᄒᆞᆫ 누명을 시러 비록 죽기를 면ᄒᆞ나, ᄉᆞ류의 일홈을 ᄶᅥ혀 과갑(科甲)의 길흘 막앗고, 몸이 향곡의 니르러, 연졍[1502] 황셩 문녀(門閭)ᄂᆞᆫ 드디 못ᄒᆞ리니, 이 곳 젼졍을 맛ᄎᆞᆫ 사ᄅᆞᆷ이라. 션ᄉᆡᆼ이 엇디 녕ᄋᆞ 귀쇼져의 평ᄉᆡᆼ을 그른 곳의 취가코져 ᄒᆞ시ᄂᆞ니잇가? 실노 딘졍을 고ᄒᆞᄂᆞ니, 현문대가(賢門大家)의 인ᄌᆡ를 ᄐᆡᆨᄒᆞ쇼셔.”

공이 쇼왈,

“현계 나의 용우ᄒᆞ믈 혐의ᄒᆞ여 이러틋 츄

1501)번져오다 : 변스럽다. 변으로 여길 만하다. 이상하다.

1502)연졍 : 마침내, 끝내. 필경.

ᄒᆞ믈 니긔지 못ᄒᆞ더니, 의외 현계를 만나 풍신ᄌᆡ화를 보매, 블초ᄒᆞᆫ 녀식으로ᄡᅥ 혼인을 구ᄒᆞ미 외람ᄒᆞ믈 모르지 아니ᄒᆞ나, 임의 실즁의 여러 부인이 계셔 즁궤를 소임ᄒᆞ니, 아녀ᄂᆞᆫ 부실노 취ᄒᆞ여 우리 슬【10】하의 머믈고 부부뉸의를 폐치 아닐 ᄶᅡ름이라. 원컨ᄃᆡ 현계ᄂᆞᆫ 만ᄉᆡᆼ의 궁측ᄒᆞᆫ 졍니를 도라보아 지극히 바라ᄂᆞᆫ 바를 ᄭᅳᆫ케 말나.”

뎡시 도셔(圖書)의 마ᄌᆞ미 공교ᄒᆞ믈 ᄭᆡᄃᆞ라, 하날이 졍ᄒᆞ신 줄 알오ᄃᆡ, 텬셩이 녀ᄌᆞ의 《낭활‖남활(濫闊)》ᄒᆞ믈 ᄇᆡ쳑ᄒᆞ여 고요 나ᄌᆞᆨᄒᆞ고 유한 졍졍ᄒᆞ여, ○○[소ᄅᆡ] 규문 밧글 나지 아니ᄒᆞ믈 원ᄒᆞ더니, 긔구ᄒᆞᆫ 환난을 만나 규즁 약질이 쳔니의 뉴락ᄒᆞ며, 녀화위남ᄒᆞ기의 니르고, 화공의 쳥혼ᄒᆞᄂᆞᆫ 말ᄉᆞᆷ을 드르니 긔괴ᄒᆞ믈 니긔지 못ᄒᆞ나, 쳔연이 손샤ᄒᆞ여, ᄀᆞᆯ오ᄃᆡ,

“존공이 쇼ᄉᆡᆼ의 누츄ᄒᆞ믈 과히 아르셔, 쳔금옥슈(千金玉樹)로ᄡᅥ 동상을 유의ᄒᆞ시니, 도로의 분쥬ᄒᆞᄂᆞᆫ ᄒᆡᆼᄀᆡᆨ이 엇기 어려온 경ᄉᆡ라. 엇지 황감치 아니리잇고마ᄂᆞᆫ, 쇼ᄉᆡᆼ이 초취ᄒᆞ여 실인을 실산【11】ᄒᆞ매, ᄉᆞ(士)의 냥체 법이 아니로ᄃᆡ, 형셰 마지 못ᄒᆞ여 ᄌᆡ취ᄒᆞ니, 냥쳐의게 각각 ᄌᆞ식을 두엇고, 또 ᄋᆞ시 졍약ᄒᆞᆫ 곳이 이셔 기간의 ᄉᆞ괴 만하 취치 못ᄒᆞ고, ᄌᆡ실가지 어든 후ᄂᆞᆫ ᄉᆞ의 삼쳐 변져온[1270] 고로 빙례만 보ᄂᆡ고 져집이 쇼ᄉᆡᆼ의 등양ᄒᆞ기를 ᄇᆞ라더니, 쇼ᄉᆡᆼ이 즁대ᄒᆞᆫ 누명을 시러 비록 죽기를 면ᄒᆞ나, ᄉᆞ류의 일홈을 ᄶᅥ혀 과갑의 길흘 막앗고, 몸이 향곡의 니르러, 연졍[1271] 황셩 문ᄂᆡ(門內)ᄂᆞᆫ 드지 못ᄒᆞ리니, 이 곳 젼졍을 맛ᄎᆞᆫ 사ᄅᆞᆷ이라. 션ᄉᆡᆼ이 엇지 녕ᄋᆞ 귀쇼져의 평ᄉᆡᆼ을 그른 곳의 취가코져 ᄒᆞ시ᄂᆞ니잇가? 실노 진졍을 고ᄒᆞᄂᆞ니 현문대가(賢門大家)의 인ᄌᆡ를 ᄐᆡᆨᄒᆞ쇼셔.”

공이 쇼왈,

“현계 나의 용우ᄒᆞ믈 혐의ᄒᆞ여 이러틋 츄

1270)번져오다 : 변스럽다. 변으로 여길 만하다. 이상하다.

1271)연졍 : 마침내, 끝내. 필경.

탁(推託)ᄒᆞᄂᆞᆫ도다. ᄉᆞᄉᆞ로 젼졍이 그릇되믈 일ᄏᆞ로나, 현계의 복녹완○[젼]디상(福祿完全之相)이 결단ᄒᆞ여 챵하(窓下)의 골몰치 아니리니, ᄒᆞᆫ번 과옥(科屋)의 나 【30】 아간즉, 쳥운을 더위잡아 농문의 비등ᄒᆞ믄 손의 춤 밧고 긔약ᄒᆞᆯ디라. 임의 뎡약ᄒᆞᆫ 곳이 이시면 내 엇디 녀ᄋᆞ로ᄡᅥ 뎨삼 부인을 바라리오. 원컨ᄃᆡ 현계ᄂᆞᆫ 브졀업시 샤양치 말고 뎨ᄉᆞ 부실이라도 취ᄒᆞᆫ 후, 한ᄉᆞ(寒士)의 여러 쳐실이 괴이ᄒᆞ니, 이런 쇼문을 ᄂᆡ디 말고, 타일 군이 등양ᄒᆞ기를 기다려 ᄋᆞ녀로ᄡᅥ 윤시의 사ᄅᆞᆷ이 되여시믈 남이 알게 ᄒᆞᆯ디언졍, 우리 슬하의 두어 싱젼의 부녜 상니(相離)ᄒᆞᄂᆞᆫ 한이 업게 ᄒᆞ라."

뎡쇼졔 화공의 말이 이 ᄀᆞᆺ기의 밋쳐ᄂᆞᆫ, ᄌᆞ긔 녀ᄌᆡ믈[믄] 니르디[도] 말고 민박ᄒᆞ믈 니긔디 못ᄒᆞ여 다시 몸을 굽혀 【31】 ᄀᆞᆯ오ᄃᆡ,

"합하의 쇼싱 ᄉᆞ랑ᄒᆞ시ᄂᆞᆫ 후의 이 ᄀᆞᆺᄐᆞ샤, 쳔금 옥녀로ᄡᅥ 필부의 여럿 ᄌᆡ 부실을 혐의치 아니시니, 쇼싱이 므ᄉᆞᆫ 사ᄅᆞᆷ이완ᄃᆡ 감은ᄒᆞ믈 모로리잇가마ᄂᆞᆫ, 녕ᄋᆞ쇼져의 신셰 그릇되믄 니르도 말고, 쇼싱의 친당이 아니계시니, 인ᄌᆡ(人子) 엇디 인뉸대ᄉᆞ를 친젼의 고치 아니코 ᄌᆞ젼(自專)ᄒᆞ미 이시며, ᄉᆞ(士)의 냥쳐도 변괴어ᄂᆞᆯ ᄯᅩ 엇디 삼쳐를 취ᄒᆞᄂᆞᆫ ᄒᆡ연디ᄉᆡ(駭然之事) 이시리잇가? 쇼문을 ᄂᆡ디 말기를 니르시나, 군ᄌᆞ의 ᄒᆡᆼ신이 쳥텬ᄇᆡᆨ일 ᄀᆞᆺᄐᆞ리니, ᄉᆞᄉᆞ로 음황무도키를 취ᄒᆞ여 어ᄃᆡᆫ 안히를 ᄀᆞᆷ초와 쳐실의 슈를 사ᄅᆞᆷ의게 긔이리 【32】 잇고?"

화공이 웃고 년ᄒᆞ여 혼인을 간졀이 쳥ᄒᆞ기를 누누히 디ᄉᆞ위한(至死爲限) ᄒᆞ고 쳥ᄒᆞ기를 마디 아니니, 쇼졔 샤양ᄒᆞ여 엇디 못ᄒᆞᆯ 줄 알고, 다시 ᄉᆞ샤ᄒᆞ여 ᄀᆞᆯ오ᄃᆡ,

"합히 쇼싱으로ᄡᅥ 동상을 삼고져 ᄒᆞ시면, 경ᄉᆡ 요원ᄒᆞ나 친당의 소유를 알외와, 혹ᄌᆞ 허락ᄒᆞ시면 명을 밧들니이다."

공이 쇼왈,

"현계ᄂᆞᆫ 《녜긔∥녜의》 군ᄌᆡ라. 인뉸대ᄉᆞ를 ᄌᆞ젼(自專)치 아니려 ᄒᆞ미 맛당ᄒᆞ거니와,

탁(推託)ᄒᆞᄂᆞᆫ도다. ᄉᆞᄉᆞ로 젼졍이 그릇되믈 일ᄏᆞ르나, 현 【12】 계의 복녹완젼지상(福祿完全之相)이 결단ᄒᆞ여 챵하(窓下)의 골몰치 아니리니, ᄒᆞᆫ번 과옥(科屋)의 나아간즉, 쳥운을 더위잡아 농문의 비등ᄒᆞ믄 손의 춤 밧고 긔약ᄒᆞᆯ지라. 임의 졍약ᄒᆞᆫ 곳이 이시면 내 엇지 녀ᄋᆞ로ᄡᅥ 뎨삼취(第三娶)를 바라리요. 현계ᄂᆞᆫ ᄉᆞ양ᄒᆞ지 말고 뎨ᄉᆞ 부실노 취호ᄃᆡ, 현계 여러 쳐실이 고이ᄒᆞ니 쇼문을 ᄂᆡ지 말아, 뎨ᄉᆞ 부실노 취ᄒᆞ라,"

○○[ᄒᆞ여], 근졀이 쳥ᄒᆞ기를 누누히 지ᄉᆞ위한(至死爲限) ᄒᆞ고 쳥ᄒᆞ기를 마지 아니니, 쇼졔 ᄉᆞ양ᄒᆞ여 엇지 못ᄒᆞᆯ 줄 알고 다시 ᄉᆞᄉᆞ(謝辭)ᄒᆞ여 ᄀᆞᆯ오ᄃᆡ

"합히 쇼싱을 동상을 삼고져 ᄒᆞ시면, 경ᄉᆡ 요원ᄒᆞ나 친당의 소유를 알외와, 혹ᄌᆞ 허락ᄒᆞ시면 명을 밧들니이다."

공이 쇼왈,

"현계ᄂᆞᆫ 예의 군ᄌᆡ라 인뉸ᄃᆡᄉᆞ를 ᄌᆞ단(自斷)치 아니려 ᄒᆞ미 맛당ᄒᆞ거니와, 대슌(大

대슌(大舜)은 셩인이샤ᄃᆡ 요(堯)의 이녀를 블고이취(不告而娶)ᄒᆞ여 계시니, 이곳의셔 경식 아으라 ᄒᆞ여 왕반이 어려올 쁜 아니라, 녕당이 현계의 신취를 깃거 허ᄒᆞ실 니 업ᄉᆞ니, 일즉 나【33】의 바라미 ᄉᆞᆺ쳐디리니, 현계ᄂᆞᆫ 아녀를 몬져 취ᄒᆞ고 후의 등양ᄒᆞ여 작위 슝고ᄒᆞᆫ 후, 아녀로ᄡᅥ 뎨ᄉᆞ 빈실을 《줄‖삼을》 ᄯᆞ롬이라. 만싱이 현계를 ᄃᆡᄒᆞ여 허령ᄒᆞᆫ 말이 아니라, 현계의 상모와 위인을 깁히 미드미로다."

쇼졔 화공의 져러ᄒᆞ미 하날 ᄯᅳᆺ이오, 그 ᄆᆞ옴이 아닌 줄 혜아려, 샤양ᄒᆞ미 무익ᄒᆞᆫ디라. 아ᄃᆡ 남시로 더브러 화부의 잇다가, 풍운의 길시를 기ᄃᆞ려 윤태우긔 남·화 이인을 쳔거ᄒᆞ여 ᄇᆡᆨ년 안항(雁行)을 빗ᄂᆡ고, 존당을 셤기며 군ᄌᆞ를 밧들고져 ᄒᆞ므로, 이에 ᄇᆡᆨ샤 왈,

"쇼싱이 일개 유싱으로 여러 쳐실을 모화 법【34】을 넘기미 블안ᄒᆞ오나, 여러 번 존명을 역ᄒᆞ미 미안ᄒᆞ온 고로, 마디 못ᄒᆞ여 친당의 밋쳐 고치 못ᄒᆞ고, 몬져 취ᄒᆞ여 션싱의 디우(知遇)ᄒᆞ신 덕음을 갑습고져 ᄒᆞᄂᆞ이다."

화공이 대열ᄒᆞ여 만면희우(滿面喜優)로 년망(連忙)이 칭샤ᄒᆞ고, 돗 우히셔 뇌약(牢約)ᄒᆞ미, 공이 일시를 급히 넉이ᄂᆞᆫ 고로, 윤싱의 싱년일시를 므러 길월냥신(吉月良辰)[1503]을 퇵ᄒᆞ니, 혼긔 신쇽ᄒᆞ여 계오 칠팔일이 격ᄒᆞ니, 화공이 더옥 깃거 뎡시를 어든 녀셔(女壻)로 ᄃᆡ졉ᄒᆞ고, 남쇼졔 혈혈무의(孑孑無依)ᄒᆞ여 뎡쇼져를 ᄯᆞ라 단니믈 잔잉ᄒᆞ여, ᄌᆞ긔 집의 잇기를 니르니 남시 샤례ᄒᆞ고, 뎡쇼졔 ᄀᆞᆯ오ᄃᆡ,

"의【35】뎨의 셩졍이 고요ᄒᆞ여 외당이 번화ᄒᆞ믈 깃거 아니ᄒᆞ고, 쇼싱이 ᄯᅩᄒᆞᆫ 잡뉴(雜類)를 상졉ᄒᆞ기를 원치 아니ᄒᆞᄋᆞᆸ고, ᄒᆞ믈며 법외디ᄉᆞ(法外之事)를 ᄌᆞ힝ᄒᆞ여 녕녀를 신취ᄒᆞ미 ᄌᆞ못 블평ᄒᆞ온 ᄇᆡ라. 합ᄒᆞᄂᆞᆫ 쇼싱으로ᄡᅥ 존부의 머믈고져 ᄒᆞ시거든, 유벽ᄒᆞᆫ

1503)길월냥신(吉月良辰) : 운이 좋거나 상서가 서려 있어 혼인을 하기에 좋은 날.

舜)은【13】 셩인이ᄉᆞᄃᆡ 요(堯)의 이녀를 블고이취(不告而娶)ᄒᆞ시니, 이곳의셔 경식 요원ᄒᆞ여 왕반이 어려올 쁜 아니라, 녕당이 현계의 신취를 깃거 허ᄒᆞ실 니 업ᄉᆞ니, 일즉 나의 바라미 긋쳐지리니, 현계ᄂᆞᆫ 아녀를 믄져 취ᄒᆞ고, 후의 등양ᄒᆞ여 작위 슝고ᄒᆞᆫ 후, 아녀로ᄡᅥ 뎨ᄉᆞ 빈실을 《줄‖삼을》 ᄯᆞ롬이라. 만싱이 현계다려 허령ᄒᆞᆫ 말이 아니라, 현계의 상모○[와] 위인을 깁히 미드미로다."

쇼졔 화공의 져러ᄒᆞ미 하날 ᄯᅳᆺ이오, 그 ᄆᆞ음이 아닌 줄 혜아려, 샤양ᄒᆞ미 무익ᄒᆞ여 아직 남시로 더브러 화부의 잇다가, 풍운의 길시를 기ᄃᆞ려 윤태우긔 남·화 이인을 쳔거ᄒᆞ여 ᄇᆡᆨ년 안항(雁行)을 빗ᄂᆡ고, 존당을 셤기며 군ᄌᆞ를 밧들고져 ᄒᆞ므로, 이에 ᄇᆡᆨᄉᆞ 왈,

"쇼싱이 일기 유싱으로 여러 쳐실을 모화 법을【14】 넘기미 블안ᄒᆞ오나, 여러 번 존명을 역ᄒᆞ미 미안ᄒᆞ온 고로 마지 못ᄒᆞ여 ○○○[친당의] 밋쳐 고치 못ᄒᆞ고, 몬져 취ᄒᆞ여 션싱의 지우(知遇)ᄒᆞ신 덕음을 갑흐려 ᄒᆞᄂᆞ이다."

화공이 ᄃᆡ열ᄒᆞ여 만면희우(滿面喜優)로 년망(連忙)이 칭샤ᄒᆞ고, 돗 우히셔 뇌약(牢約)ᄒᆞ매, 공이 일시를 급히 넉이ᄂᆞᆫ 고로, 윤싱의 싱년일시를 므러 길월냥신(吉月良辰)[1272]을 퇵ᄒᆞ니, 혼긔 신속ᄒᆞ여 계오 칠팔일이 격ᄒᆞ니, 화공이 더옥 깃거 뎡시를 어든 녀셔(女壻)로 ᄃᆡ졉ᄒᆞ고 남쇼졔 혈혈무의(孑孑無依)ᄒᆞ여 뎡쇼져를 ᄯᆞ라 단니믈 잔잉ᄒᆞ여, ᄌᆞ긔 집의 잇기를 이르니 남시 샤례ᄒᆞ고, 뎡쇼졔 ᄀᆞᆯ오ᄃᆡ,

"의뎨의 셩졍이 고요ᄒᆞ여 외당이 번화ᄒᆞ믈 깃거 아니ᄒᆞ고, 쇼싱이 ᄯᅩᄒᆞᆫ 잡뉴(雜類)를 상졉ᄒᆞ기를 원치 아니ᄒᆞᄋᆞᆸ고, ᄒᆞ믈며 법외지ᄉᆞ(法外之事)를 ᄌᆞ【15】힝ᄒᆞ여 녕녀를 신취ᄒᆞ미 ᄌᆞ못 블평ᄒᆞ온 ᄇᆡ라. 합하ᄂᆞᆫ 쇼싱으로ᄡᅥ 존부의 머믈고져 ᄒᆞ시거든, 유벽ᄒᆞᆫ

1272)길월냥신(吉月良辰) : 운이 좋거나 상서가 서려 있어 혼인을 하기에 좋은 날.

곳의 일간 방샤를 뎡ᄒᆞ샤 외인을 일졀 드리디 마르시고, 형뎨 죵용이 쳐ᄒᆞ게 ᄒᆞ시면 슈삼년만 머므러, 누얼(陋孽)[1504]을 신원ᄒᆞᆫ 후 샹경ᄒᆞ려 ᄒᆞᄂᆞ이다."

화공이 언언이 졈두ᄒᆞ고 남쇼져를 ᄀᆞᄅᆞ쳐 닐오ᄃᆡ,

"슈ᄌᆡ의 풍ᄎᆡ긔딜이 셰ᄃᆡ의 희한ᄒᆞ니, ᄎᆞ녜 ᄌᆞ라기를 기다려 동상을 뎡코져 ᄒᆞᄃᆡ, 슈ᄌᆡ 친【36】당을 ᄎᆞᆺ디 못ᄒᆞ여 슬허ᄒᆞ니 아딕 혼취의 념이 업ᄉᆞ리로다."

남쇼져ᄂᆞᆫ 머리를 숙여 말이 업고 뎡쇼졔 ᄃᆡ왈,

"의뎨의 아름다오믄 쇼ᄉᆡᆼ의 바랄 ᄇᆡ 아니니, 합ᄒᆡ 동상의 마ᄌᆞ시면 문난의 광ᄎᆡ를 닐위시려니와, 의뎨의 ᄆᆞᄋᆞᆷ이 친을 ᄎᆞᄌᆞ 텬뉸의 한이 업ᄉᆞᆫ 후 슉녀를 맛고져 ᄒᆞ고, 친당의 도라가기 젼은 머리 희기의 당ᄒᆞ여도 인뉸을 ᄉᆡᆼ각디 아니ᄒᆞᄂᆞ이다."

화공이 인ᄌᆞ의 도리 맛당ᄒᆞ믈 칭찬ᄒᆞ며, 인ᄒᆞ여 셕반을 드리니, 화공이 뎡·남 이인을 권ᄒᆞᆫᄃᆡ, 이쇼졔 괴로오나 마디 못ᄒᆞ여 잠간 요긔(療飢)ᄒᆞ고, 상을 믈닌【37】 후 촉을 ᄇᆞᆰ히니, 이인이 화공을 ᄃᆡᄒᆞ여 닐오ᄃᆡ,

"쇼ᄉᆡᆼ 등이 무힝ᄒᆞ여 합하를 시텸치 못ᄒᆞ리니, 밤을 디ᄂᆡ게 일간 방샤를 빌니실가 ᄒᆞᄂᆞ이다."

화공이 즉시 니러 드러가며 니르ᄃᆡ,

"명일의 현계 등의 머믈 당샤(堂舍)를 뎡ᄒᆞ리니 금야ᄂᆞᆫ 예셔 헐슉(歇宿)ᄒᆞ라."

이인이 몸을 니러 공을 보ᄂᆡ고 화부 셔동을 다 믈너가라 ᄒᆞ고 홍션만 잇게 ᄒᆞ니, 화부 셔동이 다 깃거 믈너나더라.

화공이 안의 드러가 부인을 ᄃᆡᄒᆞ여 윤ᄉᆡᆼ의 풍신ᄌᆡ모를 흠ᄋᆡᄒᆞ여, ᄉᆞ실(四室)의 나ᄌᆞ믈 한치 아니ᄃᆡ, 부인은 녀ᄌᆞ의 션회(善懷)[1505]ᄒᆞ미 ᄇᆡᆨ【38】ᄉᆞ의 념녀를 노치 못ᄒᆞ여, 윤ᄉᆡᆼ의 몬져 취ᄒᆞᆫ 녀ᄌᆞ들이 혹ᄌᆞ 어

1504)누얼(陋孽) : 사실이 아닌 일로 뒤집어쓴 억울한 죄(罪).

1505)션회(善懷) : 근심이 많음.

곳의 일간 《양ᄉᆞ‖당사》를 정ᄒᆞ샤 외인을 일졀 드리지 마르시고, 형뎨 죵용이 잇게 ᄒᆞ시면 슈ᄉᆞᆷ년만 머므러, {실인} 누얼(陋孽)[1273]을 신원ᄒᆞᆫ 후 샹경ᄒᆞ려 ᄒᆞᄂᆞ이다."

화공이 언언이 졈두ᄒᆞ고 남쇼져를 ᄀᆞᄅᆞ쳐 니로ᄃᆡ,

"슈ᄌᆡ의 풍ᄎᆡ긔질이 셰ᄃᆡ의 희한ᄒᆞ니, ᄎᆞ녀 ᄌᆞ라기를 긔다려 동샹으로 정코져 ᄒᆞᄃᆡ, 슈ᄌᆡ 친당을 ᄎᆞᆺ지 못ᄒᆞ여 슬허ᄒᆞ니 아직 혼취의 념이 업ᄉᆞ리로다."

남쇼져ᄂᆞᆫ 머리를 숙여 말이 업고 뎡쇼졔 ᄃᆡ왈,

"의뎨의 아름다오믄 쇼ᄉᆡᆼ의 ᄇᆞ란[랄] ᄇᆡ 아니니, 합하 동상의 마ᄌᆞ시면 문난의 광ᄎᆡ를 일위시려니와, 의뎨의 ᄆᆞᄋᆞᆷ이 친을【16】 ᄎᆞᄌᆞ 텬뉸의 한이 업ᄉᆞᆫ 후 슉녀를 맛고져 ᄒᆞ고, 친당의 도라가기 젼은 머리 희기의 당ᄒᆞ여도 인뉸을 ᄉᆡᆼ각지 아니ᄒᆞᄂᆞ이다."

화공이 인ᄌᆞ의 도리{를} ○○○○[맛당ᄒᆞ믈] 칭찬ᄒᆞ며, 인ᄒᆞ여 셕반을 드리니, 화공이 이인을 권ᄒᆞ니, 이쇼졔 괴로오나 마지 못ᄒᆞ여 잠간 요긔(療飢)ᄒᆞ고, 상을 믈닌 후 촉을 ᄇᆞᆰ히니, 이소졔 화공을 ᄃᆡᄒᆞ여 이로ᄃᆡ,

"쇼ᄉᆡᆼ 등이 무힝ᄒᆞ여 ᄌᆞᆫ용을 시침치 못ᄒᆞ리니, 밤을 지ᄂᆡ기[게] 일간 《양ᄉᆞ‖방ᄉᆞ》를 빌니실가 ᄒᆞᄂᆞ이다."

화공이 즉시 니러 드러가며 니르ᄃᆡ,

"명일의 현계 ○○[등의] 머믈 당샤(堂舍)를 정ᄒᆞ리니, 금야ᄂᆞᆫ 예셔 헐소(歇所)ᄒᆞ라."

이인이 몸을 니러 공을 보ᄂᆡ고 화부 셔동을 다 믈너가라 ᄒᆞ고 홍션만 잇게 ᄒᆞ니, 화부 셔동이 다 깃거 믈너나더라.

화공이 안히 드러가 부인【17】을 ᄃᆡᄒᆞ여 윤ᄉᆡᆼ의 풍신ᄌᆡ모를 흠ᄋᆡᄒᆞ여, ᄉᆞ실의 나ᄌᆞ믈 한치 아니ᄃᆡ, 부인은 녀ᄌᆞ의 션회(善懷)[1274]ᄒᆞ미 ᄇᆡᆨᄉᆞ의 념녀를 노치 못ᄒᆞ여, 윤ᄉᆡᆼ의 몬져 취ᄒᆞᆫ 녀ᄌᆞ들이 어지지 못ᄒᆞᆯ가

1273)누얼(陋孽) : 사실이 아닌 일로 뒤집어쓴 억울한 죄(罪).

1274)션회(善懷) : 근심이 많음.

디디 못흘가 근심ᄒᆞ더라.

명일 화공이 윤・남 이쇼져를 인도ᄒᆞ여 취벽누라 ᄒᆞᄂᆞᆫ 곳의 니르니, 밧기 멀고 안히 그윽ᄒᆞ여, 뫼흘 등디며 슈목화림(樹木花林) ᄉᆞ이의 잇셔, 외인의 ᄌᆞ최 님치 아니코, ᄂᆡ당과 ᄂᆡ도ᄒᆞ여 ᄯᅡᆫ 집 ᄀᆞᆺᄐᆞ니, 이쇼졔 소원의 영합ᄒᆞ믈 힝열ᄒᆞ고, 화공이 당샤를 슈리ᄒᆞ여 윤・남 이쇼져를 머믈나 ᄒᆞ며, 만권시셔를 옴겨 ᄡᅡ코 셔동 ᄉᆞ오인으로 ᄉᆞ후ᄒᆞ게 ᄒᆞ니, 뎡쇼졔 쇼이샤왈(笑而謝曰),

"쇼싱의 셩픔이 여러 사름이 어ᄌᆞ러이 짓궤믈 깃거 ○○[아니]ᄒᆞ고, 싱의 집 법【39】녕이 쇼년셔싱은 ᄉᆞ후ᄒᆞᄂᆞᆫ 셔동이 일인의 넘디 아니ᄒᆞᄋᆞᆸᄂᆞ니, 여러 시동이 브졀업고 싱의 다려온 《녀지∥노지》 용녈치 아니니 여러 가동을 머므르디 마르쇼셔."

공이 윤・남의 뜻을 욱이디 못ᄒᆞ여 ᄌᆞ가 집 시동을 다 믈니치고 우왈,

"현계 아딕 남슈지로 더브러 이곳의 잇다가, 길일이 ᄉᆞ오일 격ᄒᆞ거든 운화졈으로 나아가 위의를 출혀 셩네케 ᄒᆞ라."

뎡쇼졔 ᄃᆡ왈,

"합하의 후의를 져바리디 못ᄒᆞ와 슬하 동상되기를 샤양치 못ᄒᆞ오나, 요란이 위의를 출혀 즐거이 입댱흘 의ᄉᆞᄂᆞᆫ 업ᄉᆞ오니, 합ᄒᆞᄂᆞᆫ 빈긱을 모호디【40】 마르시고 부문(府門)의 녜를 덜게ᄒᆞ 쇼셔."

화공이 ᄯᅩᄒᆞᆫ 웃고 니르ᄃᆡ,

"내 ᄯᅩᄒᆞᆫ 뎍거죄슈로 녀혼을 디ᄂᆡ미 요란이 빈긱을 모호리오. 현계ᄂᆞᆫ 안심ᄒᆞ라."

쇼졔 빅샤ᄒᆞ더라.

이러구러 혼긔 졈졈 갓가오니, 화공 부뷔 일졀 검박ᄒᆞ기를 취ᄒᆞ여, 혼구의 참남ᄒᆞᆫ 거시 업고, 화공이 윤싱을 ᄃᆡᄒᆞ여 빙믈(聘物)을 구ᄒᆞ니, 쇼졔 윤어ᄉᆞ의 납빙ᄒᆞᆫ 바 명듀를 가져시나, 예ᄉᆞ 보믈과 달나 션엄구(先嚴舅) 윤공이 션유ᄒᆞ다가 친히 어든 거신 줄 드러시ᄆᆡ, 범연이 ᄂᆡ여노치 못ᄒᆞ여 웃고 닐오ᄃᆡ,

"쇼싱의 입댱길ᄉᆞ(入丈吉事)ᄂᆞᆫ 천만의외오, 집 ᄡᅥ난 디 오릭니, 어ᄃᆡ가 녀ᄌᆞ의 패

근심ᄒᆞ더라.

명일 화공이 윤・남 이쇼져를 인도ᄒᆞ여 취벽누라 ᄒᆞᄂᆞᆫ 곳의 이르니, 밧기 멀고 안히 그윽ᄒᆞ여 뫼를 등지며 슈목화림(樹木花林) ᄉᆞ이의 이셔, 외인의 ᄌᆞ최 님치 아니코, ᄂᆡ당과 ᄂᆡ도ᄒᆞ여 ᄯᅡᆫ집 ᄀᆞᆺᄒᆞ니, 이쇼져 소원의 마ᄌᆞ믈 힝열ᄒᆞ고, 화공이 당ᄉᆞ를 슈리ᄒᆞ여 남・윤을 머믈나 ᄒᆞ며, 만권시셔를 옴겨 ᄡᅡ코 셔동 ᄉᆞ오인으로 ᄉᆞ후ᄒᆞ게 ᄒᆞ니, 뎡쇼졔 쇼이샤왈(笑而謝曰),

"쇼싱의 셩픔이 여러 ᄉᆞ름이 어ᄌᆞ러이 짓궤물 깃거 아니ᄒᆞ고, 싱의 집 법녕이 쇼년셔싱은 ᄉᆞ후ᄒᆞᄂᆞᆫ 셔동이 일인의 넘지【18】 아니ᄒᆞᄋᆞᆸᄂᆞ니, 여러 시동이 브졀업고, 싱의 다려온 노지 용녈치 아니니, 여러 가동을 머물지 마르쇼셔."

공이 윤・남의 뜻을 우기지 못ᄒᆞ여 ᄌᆞ가 ○[집] 시동을 다 믈니치고 우왈,

"현계 아직 남슈지로 더브러 이곳의 잇다가, 길일이 ᄉᆞ오일 격ᄒᆞ거든 운화졈으로 나아가, 위의를 출혀 셩네케 ᄒᆞ라."

쇼졔 대왈,

"합하의 후의를 져ᄇᆞ리지 못ᄒᆞ와 슬하 동샹되기를 샤양치 못ᄒᆞ오나, 요란이 위의를 출혀 즐거이 닙장흘 의ᄉᆞᄂᆞᆫ 업ᄉᆞ오니, 존공은 빈긱을 모호지 마르시고 부문(府門)의 예를 덜게 ᄒᆞ쇼셔."

화공이 ᄯᅩᄒᆞᆫ 웃고 니르ᄃᆡ,

"내 ᄯᅩᄒᆞᆫ 젹거죄슈로 녀혼을 지ᄂᆡ매 요란이 빈긱을 모호리오. 현계ᄂᆞᆫ 안심ᄒᆞ라."

쇼졔 빅ᄉᆞᄒᆞ더라.

이러구러 혼긔 졈졈 갓가오니, 화공 부뷔【19】 일졀 검박ᄒᆞ기를 취ᄒᆞ여, 혼구의 참남ᄒᆞᆫ 거시 업고, 화공이 윤싱을 ᄃᆡᄒᆞ여 빙믈(聘物)○[을] 구ᄒᆞ니, 쇼졔 윤어ᄉᆞ의 납빙ᄒᆞᆫ 바 명쥬를 가져시나, 예ᄉᆞ 보믈과 달나 션엄구(先嚴舅) 윤공이 션유ᄒᆞ다가 친히 어든 거신 줄 드러시매, 범연이 ᄂᆡ여노치 못ᄒᆞ여 웃고 니로ᄃᆡ,

"쇼싱의 입댱길ᄉᆞ(入丈吉事)ᄂᆞᆫ 천만의외오, 집 ᄡᅥ난 디 오릭니, 어ᄃᆡ가 녀ᄌᆞ의 패산

【41】산디뉴(貝珊之類)를 어드리잇고? 권도로 쇼ᄉᆡᆼ의 ᄇᆡᆨ옥건잠(白玉巾簪)으로 신믈을 삼고 혼셔ᄂᆞᆫ 뼈 드리리이다.”

화공 왈,

“업ᄉᆞᆫ 거ᄉᆞᆯ 엇디 블의예 판득(辦得)ᄒᆞ리오. 건잠이라도 빙녜(聘禮)를 삼고 혼셔ᄂᆞᆫ ᄡᅳᄂᆞᆫ 거시 올토다.”

뎡쇼제 즉시 머리의 ᄭᅩᄌᆞᆫ 건잠을 ᄲᅢ히고 혼셔를 뼈 빙믈을 삼으니, 공이 쇼져의 유모를 맛져 함듕(函中)의 간ᄉᆞᄒᆞ라1506) ᄒᆞ고, 윤ᄉᆡᆼ ᄀᆞᆺᄐᆞᆫ 대현군ᄌᆞ로 동상을 삼아 녀ᄋᆞ의 평ᄉᆡᆼ이 쾌ᄒᆞᆯ 바를 ᄒᆡᆼ열ᄒᆞ니, 뉘 도로혀 윤ᄉᆡᆼ이 아니오 뎡쇼져믈 ᄉᆞᆱ의나 ᄉᆡᆼ각ᄒᆞ리오.

길일이 다ᄃᆞ르ᄆᆡ, 뎡쇼제 남시ᄂᆞᆫ 화부의 두고 ᄌᆞ긔ᄂᆞᆫ 홍션만 다리고 운화졈의 와 약간【42】 위의를 ᄎᆞᆯ혀 대례를 ᄒᆡᆼᄒᆞᆯᄉᆡ, 화평댱이 녀혼 디ᄂᆡ믈 닌니 동향의 니르디 아녓고 빈ᄀᆡᆨ을 쳥치 아녀시니, 닌니(隣里)의셔 화가 길ᄉᆞ 디ᄂᆡ믈 망연이 아디 못ᄒᆞ더니, 길일의 신낭이 화부의 니르니, 비로○[소] 녀혼 디ᄂᆡ믈 알고 눈을 ᄢᅦ셔 신낭을 구경ᄒᆞᄆᆡ, 그 영풍옥골이 쳔만고 일인이라. 딘승상(晉丞相)1507)의 관옥디모(冠玉之貌)를 낫가이 넉이고, 《숑의‖송옥(宋玉)1508)》의 고으믈 더러이 넉이니, 텬디 강산의 슈츌ᄒᆞᆫ 졍화를 타나시며, 일월의 한업ᄉᆞᆫ 광휘를 거두어, 면모의 찬난ᄒᆞᆫ 셔광과 동작의 긔이ᄒᆞ믈 형상ᄒᆞ여 니르기 어려온【43】디라. 화부의 니르러 옥상(玉床)의 홍안을 뎐ᄒᆞ고 텬디의 ᄇᆡ례를 맞ᄎᆞ니, 화공이 친히 팔 미러 안히 드러가니, 금슈포딘(錦繡鋪陳)이 뎡

지뉴(貝珊之類)를 어드리잇고? 권도로 쇼ᄉᆡᆼ의 ᄇᆡᆨ옥건잠(白玉巾簪)으로 신믈을 삼고 혼셔ᄂᆞᆫ 뼈 드리리이다.”

화공 왈,

“업ᄉᆞᆫ 거ᄉᆞᆯ 엇지 블의에 판득(辦得)ᄒᆞ리오. 긘잠(巾簪)이라도 신물(信物)을 삼고 혼셔ᄂᆞᆫ ᄡᅳ난 거시 올토다.”

뎡쇼졔 즉시 머리의 ᄭᅩ진 건잠을 ᄲᅢ히고 혼셔를 뼈 빙믈을 삼으니 공이 쇼져의 유모를 맛져 함즁(函中)에 간슈ᄒᆞ라1275) ᄒᆞ고, 윤ᄉᆡᆼ 갓틋 옥인군【20】ᄌᆞ로 동샹을 삼아 여ᄋᆞ의 평ᄉᆡᆼ이 쾌헐 바을 ᄒᆡᆼ열ᄒᆞ니, 뉘 윤ᄉᆡᆼ이 아니요 뎡쇼져믈 알니요.

길일이 다다르ᄆᆡ, 뎡쇼져 남시ᄂᆞᆫ 화부의 두고 ᄌᆞ긔 홍션만 다리고 운화졈의 와, 약간 위의를 ᄎᆞᆯ혀 ᄒᆡᆼ녜ᄒᆞᆯᄉᆡ, 화평장이 녀혼 지ᄂᆡ믈 인니(隣里)의도 이르지 안코, 손을 또한 쳥ᄒᆞ치 아니ᄒᆞ니, 인인(隣人)이 막연부지(漠然不知)러라. 길일의 신랑이 화부에 다다르니, 비로소 녀혼 지ᄂᆡ믈 알고 눈을 씻고 신랑을 구경ᄒᆞᄆᆡ, 그 영풍골격이 쳔고 일인이라. 진승상(晉丞相)1276)의 관옥지모(冠玉之貌)를 낫가이 너기고, 《숑위‖송옥(宋玉)1277)》의 맑으믈 더러이 역이니, 쳔지 강산의 슈츌ᄒᆞᆫ 졍화○[를] 타나○[시]며, 일월의 한업ᄉᆞᆫ 광휘를 거두어, 면모의 찬란ᄒᆞᆫ 《스광‖서광》과 동작의 긔이ᄒᆞ믈 형용ᄒᆞ여 말하기 어려온지라. ○○○○○ [화부의 니르러] 옥상(玉床)의 홍안을 젼ᄒᆞ고, 쳔【21】지긔 ᄇᆡ례을 맞ᄎᆞ니, 화공이 팔 미러 안희 드러와 금슈포진(錦繡鋪陳) 안희 드러

1506)간ᄉᆞᄒᆞ다 : 간수하다. 건사하다. 간직하다. 물건 따위를 잘 거두어 보호하거나 보관하다.

1507)딘승상(晉丞相) : 중국 서진(西晉)의 미남자 반악(潘岳). 자는 안인(安仁). 승상을 지냈고 미남자의 대명사로 쓰인다.

1508)송옥(宋玉) : BC290-227. 중국 전국시대 초나라 문인. 중국의 대표적인 미남자의 한 사람이며, 사부(辭賦)를 잘하여 <구변(九辯)>, <초혼(招魂)>, <고당부(高唐賦)> 등의 작품을 남겼다. 굴원(屈原)과 함께 굴송(屈宋)으로 불렸으며 난대령(蘭臺令)을 지냈기 때문에 난대공자(蘭臺公子)로 불리기도 했다.

1275)간슈ᄒᆞ다 : 간수하다. 건사하다. 간직하다. 물건 따위를 잘 거두어 보호하거나 보관하다.

1276)진승상(晉丞相) : 중국 서진(西晉)의 미남자 반악(潘岳). 자는 안인(安仁). 승상을 지냈고 미남자의 대명사로 쓰인다.

1277)송옥(宋玉) : BC290-227. 중국 전국시대 초나라 문인. 중국의 대표적인 미남자의 한 사람이며, 사부(辭賦)를 잘하여 <구변(九辯)>, <초혼(招魂)>, <고당부(高唐賦)> 등의 작품을 남겼다. 굴원(屈原)과 함께 굴송(屈宋)으로 불렸으며 난대령(蘭臺令)을 지냈기 때문에 난대공자(蘭臺公子)로 불리기도 했다.

졔ᄒᆞᆫ 가온ᄃᆡ, 신낭의 한업ᄉᆞᆫ 광휘ᄂᆞᆫ 니르디 말고 뎡쇼졔 잠간 셩안(星眼)을 흘녀 화쇼져를 보니, 용화긔딜(容華氣質)이 츌어범뉴(出於凡類)ᄒᆞ여 일빵 아황봉미(蛾黃鳳眉)[1509]ᄂᆞᆫ 원산(遠山)이 희미ᄒᆞ고, ᄆᆞᆰ은 눈ᄡᅵ[1510]ᄂᆞᆫ 효셩(曉星)이 츄슈의 빗친 듯, 옥(玉) 무은 니마ᄂᆞᆫ 망월(望月)이 쳥텬의 빗겨시며, 도화냥협(桃花兩頰)[1511]은 일쳔 ᄌᆞᄐᆡ를 머므럿고, 단ᄉᆞ잉슌(丹砂櫻脣)은 모란이 니슬을 쎨친 듯, 뉴요봉익(柳腰鳳翼)[1512]과 뉵쳑신(六尺身)의 일신톄디(一身體肢) ᄌᆞ약(自若) 【44】 뇨라(姚娜)ᄒᆞᄃᆡ, 힝동이 유법ᄒᆞ고 녜뫼 신듕ᄒᆞ여 뇨됴슉녀의 ᄉᆞ덕셩힝이 가ᄌᆞᆨᄒᆞ니, 뎡쇼졔 심듕의 대열ᄒᆞ여 타일 윤어ᄉᆞ의게 쳔거ᄒᆞᄆᆡ 낫치 이실 바를 영힝ᄒᆞ며, 화공 부부ᄂᆞᆫ 녀셔의 상뎍ᄒᆞ믈 두굿겨 웃ᄂᆞᆫ 입을 주리디 못ᄒᆞ더라.

녜파의 신부를 븟드러 신방으로 드리고, 부인이 신낭을 볼ᄉᆡᆨ, 뎡시 반ᄌᆞ디녜(半子之禮)로 ᄇᆡ알ᄒᆞ고 쥬부인을 보니, 이 곳 어딘 부인이라. ᄉᆡᆨᄐᆡ 염녀(艶麗)ᄒᆞ여 표슉 낙양후 부인과 만히 방블ᄒᆞ니, 심하의 반가온 ᄯᅳᆺ도 업디 아냐 반드시 딘부인 친쳑인가 ᄒᆞ더니, 쥬 【45】 부인이 언단의 경샤의셔 즐기던 바를 니르며, 여러 ᄌᆞᄆᆡ 형뎨 각니(各離)ᄒᆞ여 쳔니 애각의 분니(分離)ᄒᆞ여 소식도 ᄌᆞ조 듯디 못ᄒᆞ믈 슬허ᄒᆞ고, 낙양후 부인도 형(兄)이믈 일ᄏᆞᄅᆞ니, 뎡쇼졔 그 형뎨 ᄀᆞᄐᆞ믈 ᄭᆡᄃᆞ라, 화시 어딘 부인의 교훈을 바다 부덕이 가ᄌᆞᆨᄒᆞᆯ 바를 짐작ᄒᆞ고, 화시와 딘시 이죵형뎨(姨從兄弟) 되니 일ᄐᆡᆨ디상(一宅之上)의 못ᄂᆞᆫ 날은 각별ᄒᆞᆯ 바를 깃거ᄒᆞ더라.

날이 져믈ᄆᆡ 뎡시를 신방으로 인도ᄒᆞ니, 쇼졔 심니의 가쇼로오믈 니긔디 못ᄒᆞᄃᆡ, ᄉᆞᄉᆡᆨ디 아니ᄒᆞ고 나아가 좌를 일우고 다시 볼ᄉᆞ록 화시의 션 【46】 연옥틔 ᄒᆞᆫ 곳도 무심

1509)아황봉미(蛾黃鳳眉) : 화장한 눈썹.
1510)눈ᄡᅵ : 눈매. 눈동자.
1511)도화냥협(桃花兩頰) : 복숭아꽃잎처럼 붉은 두 뺨.
1512)뉴요봉익(柳腰鳳翼) : 버들가지처럼 가는 허리와 봉의 날개처럼 날렵한 어깨.

가, 금슈포진이 정졔ᄒᆞᆫ 가온ᄃᆡ, 신낭의 한업ᄂᆞᆫ 광휘ᄂᆞᆫ 이르지 말고, 뎡쇼졔 잠간 셩안(星眼)을 흘녀 화시를 보니, 용화긔딜(容華氣質)이 츌어범뉴(出於凡類)ᄒᆞ여 일쌍 봉미(鳳眉)ᄂᆞᆫ 먼 뫼히 희미ᄒᆞ고, ᄆᆞᆰ은 눈씨[1278]ᄂᆞᆫ ᄉᆡ별[1279]이 츄슈의 빗친 듯, 옥(玉) 무은 니마ᄂᆞᆫ 망월(望月)이 쳥텬의 빗겨시며, 도화양협(桃花兩頰)[1280]은 일쳔 ᄌᆞᄐᆡ를 머므럿고, 단ᄉᆞ잉슌(丹砂櫻脣)은 모란이 니슬을 쎨친 듯, 뉴요봉익(柳腰鳳翼)[1281]과 표연(飄然)○[ᄒᆞᆫ] 신댱의 일신쳬지(一身體肢) ᄌᆞ약뇨라(自若姚娜)ᄒᆞᄃᆡ, 힝등이 유법ᄒᆞ고 녜뫼 신즁ᄒᆞ여 슉녀의 ᄉᆞ덕이 이시니, 뎡쇼졔 심즁에 대열ᄒᆞ여 타일 윤어ᄉᆞ의게 쳔거ᄒᆞᄆᆡ 낫치 이실 바를 영힝ᄒᆞ며, 화공 부뷔ᄂᆞᆫ 녀셔의 상젹ᄒᆞ믈 두굿겨 웃ᄂᆞᆫ 입을 주리지 못ᄒᆞ더라.

녜파의 신부를 【22】 븟드러 신방으로 드리고, 부인이 신낭을 볼ᄉᆡᆨ, 뎡시 반ᄌᆞ지녜(半子之禮)로 ᄇᆡ알ᄒᆞ고 쥬부인을 보니, 어진 부인이라. ᄉᆡᆨᄐᆡ 염녀(艶麗)ᄒᆞ여 표슉 낙양후 부인과 만히 방블ᄒᆞ니, 심하의 반가온 ᄯᅳᆺ도 업지 아녀 반드시 진부인 친쳑인가 ᄒᆞ더니, 쥬부인이 언단의 경ᄉᆞ의셔 즐기던 바를 니르며, 여러 형뎨, 남ᄆᆡ 각니(各離)ᄒᆞ여 쳔니 애각의 분니(分離)하믈 슬○[허]ᄒᆞ고, 낙양후 부인도 형(兄)이믈 《일근르니‖일ᄏᆞ르니》, 뎡쇼졔 그 형뎨 ᄀᆞᄐᆞ믈 ᄭᆡᄃᆞ라, 화시 어진 부인의 교훈을 바다 부덕이 가ᄌᆞᆨᄒᆞ믈 짐작ᄒᆞ고, 화시와 진○[시] 이죵형뎨(姨從兄弟) 되니, 일ᄐᆡᆨ지상(一宅之上)의 못ᄂᆞᆫ 날은 각별ᄒᆞᆯ 바를 깃거ᄒᆞ더라.

날이 져믈매 뎡시를 신방으로 인도ᄒᆞ니, 쇼졔 심니의 가쇼로오믈 니긔지 못ᄒᆞᄃᆡ, ᄉᆞᄉᆡᆨ지 아니ᄒᆞ고 나아가 좌를 일우고 다시 볼 【23】 ᄉᆞ록 화시와[의] 션연옥틔 ᄒᆞᆫ 곳도

1278)눈씨 : 눈매. 눈동자.
1279)ᄉᆡ별 : 샛별. 효성(曉星).
1280)도화양협(桃花兩頰) : 복숭아꽃잎처럼 붉은 두 뺨.
1281)뉴요봉익(柳腰鳳翼) : 버들가지처럼 가는 허리와 봉의 날개처럼 날렵한 어깨.

히 삼긴 곳이 업ᄉᆞ니, 도로혀 윤어ᄉᆞ의 쳐궁이 유복ᄒᆞ믈 힝열ᄒᆞ여 옥면의 화긔 이연(怡然)ᄒᆞ며, 좌를 갓가이 ᄒᆞ여 말숨을 일우믹 위극ᄒᆞᆫ 경이 낫타나니, 쥬부인이 친히 디게 밧긔 니르러 규시ᄒᆞ고 크게 두굿기며, 녀ᄋᆞ의 신셰 쾌ᄒᆞᆯ 바를 깃긔ᄒᆞ더라.

뎡시 화시를 희이이듕(喜而愛重)[1513]ᄒᆞ미 부부의 관져디락(關雎之樂)이 흡연ᄒᆞ나, 이셩디합(二姓之合)은 일우기 어려오니, 다만 ᄀᆞᆯ오ᄃᆡ,

"싱이 악당의 디우ᄒᆞ신 후의를 감격ᄒᆞ여 밋쳐 친당의 고치 못ᄒᆞ고 쇼져를 취ᄒᆞ니, 인ᄌᆞ의 도리 가치 아니ᄒᆞ고, 쇼져의 년긔 유튱【47】ᄒᆞ니, 슈삼년 디나기를 기다려 부부눈의를 완젼○[히] ᄒᆞ리니, 쇼져는 싱의 ᄆᆞ음을 거의 알녀니와, 악뫼 념녀ᄒᆞ실가 두리노라."

쇼제 운환(雲鬟)을 숙여 은연ᄒᆞᆫ 슈식이 이셔 옥면이 취홍(醉紅)ᄒᆞ니, 뎡시 심니(心裏)의 실쇼ᄒᆞ고, 화시의 온유ᄒᆞ믈 딘졍으로 ᄉᆞ랑ᄒᆞ여 써날 뜻이 업ᄉᆞ나, 남시 홍션만 다리고 외로이 이시믈 닛디 못ᄒᆞ여 닉당 왕닉를 드므리 ᄒᆞ고, 취벽누의 잇기를 만히 ᄒᆞ여[며], 화공 부부 셤기미 반ᄌᆞ의 도리 극딘하여, 부인긔는 각별 친후(親厚)ᄒᆞ나, 화공긔 다ᄃᆞ라는 공경ᄒᆞ미 디극ᄒᆞ니, 낫빗출 슈렴ᄒᆞ여 좌를 먼니 ᄒᆞ며, 공의 옷기숡[1514]을【48】 ᄌᆞ긔 좌셕의 다케 ○○[아니]ᄒᆞ니, 공이 ᄉᆞ랑ᄒᆞ는 가온ᄃᆡ 긔탄(忌憚)ᄒᆞ며, 공밍(孔孟) 이후 일인이라 ᄒᆞ여, 녀ᄋᆞ로뻐 져의 여럿지 부빈을 삼아시ᄃᆡ 조금도 한ᄒᆞ는 ᄆᆞ음이 업셔, 갈ᄉᆞ록 두굿기고 아름다오믈 니긔디 못ᄒᆞ고, 향곡의 잡뉘 니르러 신낭 보믈 구ᄒᆞ면, 화공의 ᄆᆞ음인즉 ᄌᆞ랑겸ᄒᆞ여 뵈고져 ᄒᆞ나, 뎡쇼제 일졀 사ᄅᆞᆷ을 보디 아니므로, 슌슌이 칭탁ᄒᆞ여 혹 나갓다 ᄒᆞ며 뵈이디 아니ᄒᆞ고, 얼픗ᄒᆞᆫ ᄉᆞ이 여러 일월이 되어, 녀름이 딘ᄒᆞ고 츄동을 당ᄒᆞᆯᄉᆞ

1513)희이이듕(喜而愛重) : 기뻐하고 사랑하여 소중히 대함.

1514)옷기숡 : 옷자락.

무심히 삼긴 곳이 업ᄉᆞ니, 도로혀 윤싱의 쳐궁이 복되믈 힝열ᄒᆞ여 옥면의 화긔 이연(怡然)ᄒᆞ며, 《파॥좌》를 갓가이 ᄒᆞ여 말숨을 일우매 위곡ᄒᆞᆫ 경이 낫타나니, 쥬부인이 친히 지게 밧긔 니르러 규시ᄒᆞ고 크게 두굿기며, 녀ᄋᆞ의 신셰 쾌ᄒᆞᆯ 바를 깃거ᄒᆞ더라.

뎡시 화시를 희이이즁(喜而愛重)[1282]ᄒᆞ미 부부의 관져지락(關雎之樂)이 흡년(洽然)ᄒᆞ나, 이셩지합(二姓之合)은 일위기 어려오니, 다만 ᄀᆞᆯ오ᄃᆡ,

"싱이 악당의 후의를 감격ᄒᆞ여 밋쳐 친당의 고치 못ᄒᆞ고 쇼져를 취ᄒᆞ니, 인ᄌᆞ의 도리 가치 아니ᄒᆞ고, 쇼져의 년긔 유츙ᄒᆞ니, 슈삼년 지나기를 기다려 부부눈의를 완젼○[히] ᄒᆞ리니, 쇼져는 싱의 ᄆᆞ음을 거의 알녀니와, 악뫼 염녀ᄒᆞ실가 두리노라."

쇼제 운환(雲鬟)을 숙여 은년(隱然)ᄒᆞᆫ 슈식이 이셔 옥면이 취홍(醉紅)【24】ᄒᆞ니, 뎡시 심의(心意)에 실쇼ᄒᆞ고, 화시의 온유ᄒᆞ믈 진졍으로 ᄉᆞ랑ᄒᆞ여 써날 뜻이 업ᄉᆞ나, 남시 홍션만 다리고 외로이 이시믈 닛지 못ᄒᆞ여, 닉당 왕닉를 드므리 ᄒᆞ고, 취벽누의 잇기를 만히 ᄒᆞ며, 화공 부부 셤기미 반ᄌᆞ의 도리 극진하여, 부인긔는 각별 친후(親厚)ᄒᆞ나, 화공긔 ○[다]달라는[1283] 공경ᄒᆞ미 지극ᄒᆞ니, 낫빗출 슈렴ᄒᆞ여 좌를 먼니ᄒᆞ며, 공의 옷깃슬 ᄌᆞ긔 좌셕의 다케 ᄒᆞ지 아니ᄒᆞ니, 공이 ᄉᆞ랑ᄒᆞ는 가온ᄃᆡ 긔탄(忌憚)ᄒᆞ며, 공밍(孔孟) 이후 일인이라 ᄒᆞ여, 녀ᄋᆞ로뻐 져의 여럿지 부빈을 삼아시ᄃᆡ 조곰도 한ᄒᆞ는 ᄆᆞ음이 업셔, 갈ᄉᆞ록 두굿기고 아름다오믈 니긔지 못ᄒᆞ고, 향곡의 잡뉘 니르러 신낭 보믈 구ᄒᆞ면, 화공의 ᄆᆞ음인즉 ᄌᆞ랑겸ᄒᆞ여 뵈고져 ᄒᆞ나, 뎡쇼제 일졀 사ᄅᆞᆷ을 보지 아니므로,【25】 슌슌이 칭탁ᄒᆞ여 혹 나갓다 ᄒᆞ며 뵈지 아니ᄒᆞ고, 얼픗ᄒᆞᆫ ᄉᆞ이 여러 일월이 되여 녀름이 진(盡)ᄒᆞ고 츄동

1282)희이이즁(喜而愛重) : 기뻐하고 사랑하여 소중히 대함.

1283)다달다 : 다다르다. 이르다.

록 윤싱의 도덕대현과 셩현유풍을[은] 흠이 업ᄉᆞ나, 빙화쇼져의 비홍이 업디【49】 아니니, 부뫼 쳐음은 념녀ᄒᆞ더니, 쇼졔 부모의 근심ᄒᆞ시믈 민망ᄒᆞ여 윤싱의 ᄒᆞ던 소유를 다 고ᄒᆞ니, 공이 칭션블이(稱善不已) 왈,

"윤싱은 녜의군ᄌᆞ라. 친당의 고치 아니ᄒᆞ고 취쳐ᄒᆞ믈 안심치 못ᄒᆞ미, 인ᄌᆞ디도(人子之道)의 블안ᄒᆞ여, 타일 부모의 명을 기다리미 쇼년 남ᄌᆞ의 춤기 어려온 힝ᄉᆡ라. 녀ᄋᆡ 아딕 이뉵(二六) 초츈(初春)의 디나디 아니ᄒᆞ엿고, 셔랑이 삼오(三五) 츈광(春光)이라. 젼졍이 만니(萬里) ᄀᆞᆺᄐᆞ니 그리 밧브리오."

부인이 ᄯᅩᄒᆞᆫ 그러히 넉여 녀ᄋᆞ의 금슬을 념녀치 아니ᄒᆞ고, 윤싱을 ᄋᆡ경(愛敬)ᄒᆞ미 친ᄉᆡᆼ 유ᄌᆞ(乳子)의 나리디 아니ᄒᆞᄃᆡ, 그 위인이 단엄 경슉【50】ᄒᆞ여 녜모 잡으미 삼엄ᄒᆞᆫ 고로, 감히 범연ᄒᆞᆫ 쇼년 셔싱으로 ᄃᆡ졉지 못ᄒᆞ고, 화쇼졔 뎡쇼져를 ᄀᆞᆺᄐᆞᆫ 녀ᄌᆞ믈 몽니의도 싱각디 못ᄒᆞ고, 부도를 극딘히 ᄒᆞ여 승슌군ᄌᆞᄒᆞᄂᆞᆫ 온슌ᄒᆞ미 향셕슉왕[완](香席淑婉)[1515]이라. 뎡쇼졔 더욱 ᄋᆡ경 칭복ᄒᆞ여 경의 심상치 아니ᄒᆞ고, ᄆᆡ양 남시를 ᄃᆡᄒᆞ여 화시의 아름다오믈 니르며, 취벽누의 고요히 쳐ᄒᆞ여 셩현셔를 잠심ᄒᆞ며 시ᄉᆞ를 음영ᄒᆞ니, 일즉 붓술 드러 글시 쓰ᄂᆞᆫ 일이 업고 아ᄂᆞᆫ 체ᄒᆞ기를 아니ᄃᆡ, 신긔ᄒᆞᆫ ᄌᆡ죄 만고를 기우려 이 ᄀᆞᆺᄐᆞᆫ 녀ᄌᆞ를 엇기 어려온디라. 인간 만물의 셩쇠(盛衰)를 무블통디(無不通知)ᄒᆞ니, ᄌᆞ긔 익회(厄會)【51】 긔괴ᄒᆞ여 과도히 슬허ᄒᆞᄂᆞᆫ 일은 업ᄉᆞ나, 위태부인과 뉴부인의 극악ᄒᆞ믈 싱각ᄒᆞ면 윤어ᄉᆞ의 형뎨 보젼키 어려오니, ᄎᆞ시ᄂᆞᆫ 능히 신샹의 딜환(疾患)이나 일위디 아니ᄒᆞ며, 참참ᄒᆞᆫ 변괴나 만나디 아녓ᄂᆞᆫ가. 념녜 이곳의 밋쳐ᄂᆞᆫ 심담이 놀납고 오ᄂᆡ 쵀졀ᄒᆞᄂᆞᆫ 돗, 츄연 탄식ᄒᆞ여 함누비졀(含淚悲絶)ᄒᆞ믈 ᄎᆞᆷ디 못ᄒᆞ고, 존고의 비황(悲況)ᄒᆞ신 심ᄉᆞ와

1515)향셕슉완(香席淑婉) : 현숙하고 아름다운 여자. 향석(香席) : '향기로운 자리'라는 뜻으로 여자를 비유적으로 표현한 말.

을 당홀ᄉᆞ록, 윤싱의 도덕대현과 셩현유풍을[은] 흠이 업ᄉᆞ나, 빙화쇼져의 비홍이 업지 아니니, 부뫼 쳐음은 념여ᄒᆞ더니, 쇼졔 부모의 근심ᄒᆞ시믈 민망ᄒᆞ여 윤싱의 ᄒᆞ던 말을 다 고ᄒᆞ니, 공이 칭찬 왈,

"윤낭은 예의군ᄌᆞ라. 친당의 고치 아니ᄒᆞ고 취쳐ᄒᆞ믈 안심치 못ᄒᆞ미, 블안ᄒᆞ여 타일 부모의 명을 기다리미 쇼년 남ᄌᆞ의 춤기 어려온 힝ᄉᆡ라. 녀ᄋᆡ 아직 이뉵(二六) 초츈(初春)의 셔랑이 삼오(三五) 츈광(春光)이라. 젼졍이 만니(萬里) ᄀᆞᆺᄐᆞ니 그리밧브리오."

부인이 ᄯᅩᄒᆞᆫ 그러히 넉여 녀ᄋᆞ의 금슬을 념녀치 아니ᄒᆞ고, 윤싱을 경ᄋᆡ(敬愛)ᄒᆞ미 친ᄉᆡᆼ 유ᄌᆞ(乳子)의 나리지 아니ᄒᆞᄃᆡ, 그 위인이 단엄 경슉ᄒᆞ【26】여 녜모 잡으미 삼엄ᄒᆞᆫ 고로, 감히 범연ᄒᆞᆫ 쇼년으로 ᄃᆡ졉지 못ᄒᆞ고, 화쇼졔 뎡쇼져를 조곰도 헐후(歇后)ᄒᆞ믈[1284] 몽니의도 싱각지 못ᄒᆞ고, 부도를 극진ᄒᆞ여 승슌군ᄌᆞᄒᆞᄂᆞᆫ 온슌ᄒᆞ미 향셕슉슉[완](香席淑婉)[1285]이라. 뎡쇼졔 더욱 ᄋᆡ경 칭복ᄒᆞ여 경의 심상치 아니ᄒᆞ고, ᄆᆡ양 남시를 ᄃᆡᄒᆞ여 화시의 아름다오믈 니르며, 취벽누의 고요이 쳐ᄒᆞ여 셩현셔를 잠심ᄒᆞ며 시ᄉᆞ를 음영ᄒᆞ니, 일즉 붓술 드러 글시 쓰ᄂᆞᆫ 일이 업고 아ᄂᆞᆫ 체ᄒᆞ기를 아니ᄃᆡ, 신긔ᄒᆞᆫ ᄌᆡ죄 만고를 기우려 이 ᄀᆞᆺᄐᆞᆫ 녀ᄌᆞ를 엇기 어려온지라. 인간 《말물∥만물》의 셩쇠(盛衰)을 무블통지(無不通知)ᄒᆞ니, ᄌᆞ긔 익회(厄會) 긔괴ᄒᆞ여 과도히 슬허ᄒᆞᄂᆞᆫ 일은 업ᄉᆞ나, 위태부인과 뉴부인의 극악ᄒᆞ믈 싱각ᄒᆞ면, 윤어ᄉᆞ의 형뎨 보젼키 어려오니, ᄎᆞ시ᄂᆞᆫ 능히 신샹의 질【27】환(疾患)이나 일위지 아니ᄒᆞ며, 참참ᄒᆞᆫ 변괴나 만나지 아얏[냣]ᄂᆞᆫ가. 염녀 이곳의 밋쳐ᄂᆞᆫ 심담이 놀납고, 츄연 탄식ᄒᆞ여 함누비졀(含淚悲絶)ᄒᆞ믈

1284)헐후(歇後)ᄒᆞ다 : 대수롭지 아니하다.

1285)향셕슉완(香席淑婉) : 현숙하고 아름다운 여자. 향석(香席) : '향기로운 자리'라는 뜻으로 여자를 비유적으로 표현한 말.

하·댱 이쇼져의 위태ᄒᆞᆫ 형셰를 슬허ᄒᆞ며, 존고의 셩톄를 영모ᄒᆞ고 유티(幼稚)를 그리ᄂᆞᆫ회푀 쳔만가디로 극심ᄒᆞᄆᆡ, 경샤를 텸망ᄒᆞ여 댱탄식(長歎息)이 니러나니, 이ᄯᅢ 남시 홍션의 언ᄂᆡ로 좃ᄎᆞ【52】 윤부 가변을 거의 드럿ᄂᆞᆫ 고로, ᄆᆡ양 호언으로 위로ᄒᆞ고, 부인은 남쇼져의 비원ᄒᆞᆫ 졍ᄉᆞ와 가변을 슬허ᄒᆞ고, 규슈의 ᄌᆞ최 번거히 화부의 머므ᄂᆞᆫ 줄 붓그려 타루ᄒᆞᆯ 젹이 만흐니, 뎡쇼졔 위로ᄒᆞ여 냥인의 디심(知心) ᄋᆡ듸(愛待)ᄒᆞᄂᆞᆫ 졍이 골육ᄀᆞᆺᄐᆞ니, 동포ᄌᆞᄆᆡ(同胞姊妹) 아니믈 ᄭᆡ돗디 못ᄒᆞᄂᆞᆫ디라.

남시ᄂᆞᆫ 부친이 국ᄉᆞ를 션티(善治)ᄒᆞ고 슈히 도라오시기를 기다리더니, 우연이 경샤로 좃ᄎᆞ 나려온 됴보(朝報)를 화공이 보고 취벽누의 보ᄂᆡ엿거ᄂᆞᆯ, 펴보니 남슌뮈 구쥬를 슌무ᄒᆞ고 도라와 다시 일본 왜국의 텬샤(天使)로 가다 ᄒᆞ여시니, 남쇼졔 집으로【53】 도라갈 긔약이 망연ᄒᆞ여, 만ᄉᆡ 뜻ᄀᆞᆺ디 못ᄒᆞ믈 슬허ᄒᆞ니, 뎡쇼졔 위로 왈,

"녕대인이 비록 텬샤로 외국의 나가 계시나, 평안ᄒᆞᆫ 시졀의 영화로이 샤환(仕宦)ᄒᆞ시니 각별 념녀 업고, 현뎨 도라갈 길히 업ᄉᆞ믈 한ᄒᆞ나, 만ᄉᆡ(萬事) 텬얘(天也)며 명야(命也)라, 현마 어이 ᄒᆞ리오. 나의 남다른 졍ᄉᆞ와 참참ᄒᆞᆫ 누얼 가온ᄃᆡ도 오히려 슐기를 도모ᄒᆞ고, 풍운의 길시를 바라ᄂᆞ니, 현뎨 비록 심ᄉᆡ 즐겁다 니르디 못ᄒᆞ나, 여러 가디 위름(危懍)ᄒᆞᆫ 념녀ᄂᆞᆫ 업ᄉᆞ리니, ᄎᆞᆷ고 견ᄃᆡ라."

남쇼졔 쳑연 함톄(含涕) 왈,

"져져의 명논(明論)이 맛당ᄒᆞ시나, 져져ᄂᆞᆫ 오히려【54】 부모 존당이 구존ᄒᆞ시고, 여러 동긔 계샤 즐거이 ᄌᆞ라신 ᄇᆡ라. 일시 익회 괴이ᄒᆞ여 부운 ᄀᆞᆺᄐᆞᆫ 누명을 시러시나, 타일 신ᄇᆡᆨᄒᆞ실 ᄯᅢ를 당하신즉, 영화로이 환쇄ᄒᆞ샤 친당의 봉ᄇᆡ(奉拜)ᄒᆞ시고, 동긔 ᄒᆞᆫ 당의 모히신즉 디난 화익은 일댱츈몽(一場春夢)이 되려니와, 쇼졔ᄂᆞᆫ 싱셰 ᄉᆞ오삭의 ᄌᆞ모를 됴별(早別)ᄒᆞ여 뉵아(蓼莪)의 통(

ᄎᆞᆷ지 못ᄒᆞ고, 존고의 비황(悲況)ᄒᆞ신 심ᄉᆞ와 하·댱 이쇼져의 위태ᄒᆞᆫ 형셰를 슬허ᄒᆞ며, 존고의 셩톄를 영모ᄒᆞ고 유치(幼稚)를 그리ᄂᆞᆫ 회푀 쳔만가지로 《근심이 ‖ 극심ᄒᆞᄆᆡ》, 경샤를 쳠망ᄒᆞ여 댱탄식(長歎息)이 니러나니, 이ᄯᅢ 남시 홍션의 언ᄂᆡ로 조ᄎᆞ 윤부 가변을 거의 드럿ᄂᆞᆫ 고로, ᄆᆡ양 호언으로 위로ᄒᆞ고, 부인은 남쇼져의 비원ᄒᆞᆫ 졍ᄉᆞ와 가변을 슬허ᄒᆞ고, 규슈의 ᄌᆞ최 버거히 화부의 머므ᄂᆞᆫ 줄 붓그려 탄식ᄒᆞᆯ 젹이 만흐니, 뎡쇼졔 위로ᄒᆞ여 냥인의 졍이 골육ᄀᆞᆺᄐᆞ니, 동포ᄌᆞᄆᆡ(同胞姊妹) 아니믈 ᄭᆡ돗지 못ᄒᆞᄂᆞᆫ지라.

남시ᄂᆞᆫ 부친이 국ᄉᆞ를 션치ᄒᆞ고 슈히 도라오【28】시기를 기ᄃᆞ리더니, 위연(偶然)이 경ᄉᆞ로 조ᄎᆞ 나려온 됴보(朝報)를 화공이 보고 취벽누의 보ᄂᆡ엿거ᄂᆞᆯ, 펴셔 보니 남슌뮈 구쥬를 슌무ᄒᆞ고 도라와 다시 《알본 ‖ 일본》 외국의 텬ᄉᆞ로 가다 ᄒᆞ여시니, 남쇼졔 집으로 도라갈 길히 망연ᄒᆞ여, 만ᄉᆡ 뜻ᄀᆞᆺ치 못ᄒᆞ믈 슬허ᄒᆞ니, 뎡쇼졔 위로 왈,

"영ᄃᆡ인이 비록 텬ᄉᆞ로 외국의 나가시나, 평안ᄒᆞᆫ 시졀의 영화로이 ᄉᆞ환(仕宦)ᄒᆞ시니 각별 염녜 업고, 현뎨 도라갈 길히 업ᄉᆞ믈 한ᄒᆞ나, 만ᄉᆡ 명이라. 현마 어이ᄒᆞ리오. 나의 남다른 졍ᄉᆞ와 참참ᄒᆞᆫ 누얼 가온ᄃᆡ도, 슐기를 도모ᄒᆞ고 풍운의 길시를 바라ᄂᆞ니, 현뎨 비록 심ᄉᆡ 즐겁지 못ᄒᆞ나, 여러 가지 《위루 ‖ 위름(危懍)》ᄒᆞᆫ 념녀ᄂᆞᆫ 업ᄉᆞ리니, ᄎᆞᆷ고 견ᄃᆡ라."

남쇼졔 쳑연 왈,

"져져의 명논(明論)이 맛당ᄒᆞ시나, 져져ᄂᆞᆫ 오히려 부모 존당이 구존ᄒᆞ시고,【29】 여러 동긔 계샤 즐거이 ᄌᆞ라신 ᄇᆡ라. 일시 익회 괴이ᄒᆞ여 부운 ᄀᆞᆺᄐᆞᆫ 누명을 시러시나, 타일 신ᄇᆡᆨᄒᆞ실 ᄯᅢ를 당하신즉, 영화로이 환쇄(還刷)ᄒᆞ샤 친당의 봉ᄇᆡ(奉拜)ᄒᆞ시고, 동긔 ᄒᆞᆫ 당의 모히신즉 지난 화익은 일댱츈몽이 되려니와, 쇼졔ᄂᆞᆫ 싱셰 ᄉᆞ오삭의 ᄌᆞ모를 조별(早別)ᄒᆞ여 《뉴아 ‖ 뉵아(蓼莪)》의 통

痛)1516)이 심곡의 ᄆᆡᆺ쳣ᄂᆞᆫ디라. 아득히 쳔양(天壤)을 격ᄒᆞ여, 영모ᄒᆞᄂᆞᆫ 졍니와 십삭 구로(劬勞)의 ᄉᆡᆼ아디은(生我之恩)을 갑습디 못ᄒᆞ고, ᄌᆞ모의 얼골도 모로ᄂᆞᆫ 디통이 ᄇᆡᆨ골이 딘퇴(塵土) 되나 플니디 아니리니, 어ᄂᆞ 시졀의 깃브고 즐거오믈 알니잇가?”

뎡【55】쇼졔 기리 탄식ᄒᆞ고, 셔로 위로ᄒᆞ여 화부의셔 일월을 허비ᄒᆞ며, 졀셰(節歲)를 뒤이ᄌᆞ미1517) 되더라.

어시의 경샤 뎡부의셔 시랑이 ᄆᆡ뎨를 댱샤 뎍소의 안둔ᄒᆞ고 경샤의 도라와 부듕의 니르니, 슌태부인과 금평후 부뷔 시랑의 무ᄉᆞ히 도라오기를 기다리다가, 슬하의 졀ᄒᆞ믈 당ᄒᆞ니 반갑고 깃브미 무궁ᄒᆞ나, 녀ᄋᆞ를 외로이 누쳔니 애각의 뎍거죄인으로 더디고 훌훌히 도라오믈 ᄉᆡᆨ로이 슬허, 태부인은 쇼져의 샹셔를 보며 시랑의 손을 잡고 톄루ᄒᆞ믈 마디 아니ᄒᆞ고, 딘부인이 역시 참연 뉴톄ᄒᆞ니, 시【56】랑이 쳔만 슈회를 구디 ᄎᆞᆷ아 쇼ᄆᆡ의 통텰관대ᄒᆞᆫ 식냥(識量)이 반ᄃᆞ시 명텰보신ᄒᆞᆯ 바를 일ᄏᆞ라 존당 부모를 위로ᄒᆞ나, 부모 동긔의 ᄆᆞ옴이 ᄒᆞᆫ가디라. 비졀ᄒᆞ믈 니긔디 못ᄒᆞ여 ○○[ᄒᆞ며], 그 ᄉᆞ이 현긔 등 삼ᄋᆞ와 윤태우의 유ᄌᆞ를 다 일허 ᄉᆞᄉᆡᆼ거쳐를 모로미 되어시니, 시랑이 통상ᄒᆞ미 ᄌᆞ긔 ᄌᆞ녀를 실니홈과 다르디 아니ᄒᆞ고, 존당과 금후 부뷔 각골비도ᄒᆞ미 일월이 밧괴일ᄉᆞ록 더으니, ᄐᆡᆨ상의 늉늉ᄒᆞᆫ 화긔 소삭(消索)ᄒᆞ여시나, 셰흥이 등과ᄒᆞ여 옥당금마(玉堂金馬)의 한원(翰苑) 명ᄉᆡᆨ 되여 긔졀(氣節) 쳥망(淸望)이 ᄉᆞ류의 츄앙ᄒᆞᄂᆞᆫ ᄇᆡ오, 취【57】쳐젼 십삼쇼년이라. 금평휘 비록 동셔의 구친(求親)ᄒᆞ믈 일ᄏᆞ르나 허혼ᄒᆞ미 업ᄉᆞ니, 날마다 쳔파만ᄆᆡ(千婆萬媒) 문졍을 드레여, 왕공후ᄇᆡᆨ(王公侯伯)과 황친국쳑(皇親國戚)의 유녀ᄌᆞ(有女者)ᄂᆞᆫ 닷토아 구친ᄒᆞ니 이로 응답기 어렵고, 슌태부인은 혹ᄉᆞ의 가

1516)뉵아지통(蓼莪之痛) : 어버이가 이미 돌아가시어 봉양할 길이 없는 효자의 슬픔. 『시경(詩經)』 《소아(小雅)》 편 <곡풍(谷風)>장 가운데 있는 ‘륙아(蓼莪)’시에서 온 말.

1517)뒤이ᄌᆞ다 : 뒤집히다. 바뀌다.

(痛)1286)이 심곡의 ᄆᆡᆺ쳣ᄂᆞᆫ지라. 아득히 텬양(天壤)을 격ᄒᆞ여 영모ᄒᆞᄂᆞᆫ 졍니와 십삭 구로(劬勞)의 은혜(恩惠)1287)를 갑지 못ᄒᆞ고, ᄌᆞ모의 얼골도 모로ᄂᆞᆫ 지통이 ᄇᆡᆨ골이 진퇴(塵土) 되나 《틀리지‖플리지》 아니리니, 어ᄂᆞ 시졀의 깃브고 즐거오믈 알니잇가?”

뎡쇼졔 기리 탄식ᄒᆞ고, 셔로 위로ᄒᆞ여 화부의셔 일월을 허비ᄒᆞ며, 졀셰(節歲)를 《치이‖뒤이》ᄌᆞ미1288) 되더라.

어시의 경ᄉᆞ 뎡부의셔 시랑이 ᄆᆡ뎨를 젹소의 안둔ᄒᆞ고 경ᄉᆞ【30】의 도라와 부즁의 니르니, 슌태부인과 금평후 부뷔 시랑의 무ᄉᆞ히 도라오기를 기ᄃᆞ리다가, 슬하의 졀ᄒᆞ믈 당ᄒᆞ니 반갑고 깃브미 무궁ᄒᆞ나, 녀ᄋᆞ를 외로이 누쳔니 애각의 젹거죄인으로 더지고 훌훌히 도라오믈 ᄉᆡᆨ로이 슬허, 태부인은 쇼져의 샹셔를 보며 시랑의 손을 잡고 쳬루(涕淚)ᄒᆞ믈 마지 아니ᄒᆞ고, 진부인이 역시 참연 유쳬ᄒᆞ니 시랑이 쳔○[만] 슈회(愁懷)를 구지 참아 쇼ᄆᆡ의 통쳘관ᄃᆡᄒᆞᆫ 식양(識量)이 반다시 명텰보신ᄒᆞᆯ 바를 일크라 존당 부모를 위로ᄒᆞ나, 부모 동긔 ᄆᆞ옴이 ᄒᆞᆫ 가지라. 비졀ᄒᆞ믈 니긔지 못ᄒᆞ여 ○○[ᄒᆞ며], 그 ᄉᆞ이 현긔 등 삼ᄋᆞ와 윤태우의 유ᄌᆞ를 다 일허 ᄉᆞᄉᆡᆼ거쳐를 모로ᄆᆡ 되어시니, 시랑이 동상ᄒᆞ미 ᄌᆞ긔 ᄌᆞ녀를 실니홈과 다르지 아니ᄒᆞ고, 존당과 금【31】후 부뷔 ᄀᆞᆨ골비도ᄒᆞ미 일월이 밧괴일ᄉᆞ록 더으니, ᄐᆡᆨ상의 늉늉ᄒᆞᆫ 화긔 소삭(消索)ᄒᆞ여시나, 셰흥이 등과ᄒᆞ여 옥당금마(玉堂金馬)의 한원(翰苑) 명ᄉᆡᆨ 되여 긔졀(氣節) 쳥망(淸望)이 ᄉᆞ류의 츄앙ᄒᆞᄂᆞᆫ ᄇᆡ오, 취쳐젼 십삼쇼년이라. 금평휘 비록 동셔의 구친ᄒᆞ믈 일코르나 허혼ᄒᆞ미 업ᄉᆞ니, 날마다 쳔파만ᄆᆡ(千婆萬媒) 문젼을 드레여, 왕공후ᄇᆡᆨ(王公侯伯)과

1286)뉵아지통(蓼莪之痛) : 어버이가 이미 돌아가시어 봉양할 길이 없는 효자의 슬픔. 『시경(詩經)』 《소아(小雅)》 편 <곡풍(谷風)>장 가운데 있는 ‘륙아(蓼莪)’시에서 온 말.

1287)구로(劬勞)의 은혜(恩惠) : 구로지은(劬勞之恩). 자기를 낳아서 기른 어버이의 은덕.

1288)뒤이ᄌᆞ다 : 뒤집히다. 바뀌다.

긔(佳期)를 일시 밧바ᄒᆞ거ᄂᆞᆯ, 학ᄉᆞᄂᆞᆫ ᄋᆞ시로브터 안고태악(眼高泰岳)ᄒᆞ여, 눈이 무산(巫山)과 월궁(月宮)을 낫게 넉이ᄂᆞᆫ디라. 금평휘 틱부(擇婦)의 념네 일시를 한가치 못ᄒᆞ여, 브ᄃᆡ 특이ᄒᆞᆫ 녀ᄌᆞ를 어더 셰홍의 풍ᄎᆡ를 져바리디 말며, 노친의 안젼긔화(眼前奇花)를 삼고져 ᄒᆞᄃᆡ, ᄯᅳᆺ깃디 못ᄒᆞ여, 시랑이 당【58】ᄉᆞ로셔 도라온 일슌의 벼슬을 도도아 태듕태우(太中大夫)를 ᄒᆞ엿더니, ᄯᅩ ᄉᆞ오일이 넘지 못ᄒᆞ여셔, 샹이 특디(特旨)로 녜부상셔를 졔슈ᄒᆞ시니, 이ᄂᆞᆫ 됴당 공논이 ᄒᆞᆫ 가디로 뎡닌홍의 쳥명도덕을 일ᄏᆞ라, 발셔 ᄌᆡ렬(宰列)의 거ᄒᆞ미 맛당ᄒᆞ믈 쥬ᄒᆞ엿ᄂᆞᆫ 고로, 녜부를 ᄒᆞ이시미라. 뎡닌홍이 디셩 ᄋᆡ걸ᄒᆞ여 벼슬을 샤양ᄒᆞᄃᆡ, 샹이 맛ᄎᆞᆷᄂᆡ 블윤ᄒᆞ시니, 인신의 도리 군명을 과도히 역ᄒᆞ여 블경ᄒᆞ미 가치 아닌 고로, 마디 못ᄒᆞ여 고두샤은ᄒᆞ고 딕임의 나아가니, 금평후의 삼ᄌᆞ 우흐로 몬져 등과ᄒᆞ여 병부ᄂᆞᆫ 문무의 대【59】용(大用)ᄒᆞ미 되어, 샹이 언언이 쥬셕고굉디신(柱石股肱之臣)으로 일ᄏᆞᄅᆞ시고, 닌홍이 ᄯᅩ 녜부의 오로니 언연(偃然)ᄒᆞᆫ ᄌᆡ상이 되어 위의 체톄(逮逮)[1518]ᄒᆞ고, 셰홍이 딘신명ᄉᆞ(縉紳名士)로 웃듬이 되니, 금평휘 블안숑구ᄒᆞ여 가디록 공근겸퇴(恭謹謙退)ᄒᆞ기를 쥬(主)ᄒᆞ며, 졔ᄌᆞ(諸子)를 경계ᄒᆞ여 튱신효뎨(忠信孝悌)ᄒᆞ며 쳥검졀ᄎᆞ(淸儉切磋)ᄒᆞ기를 당부ᄒᆞ니 졔ᄌᆞ 슈명ᄇᆡ샤ᄒᆞ더라.

어시의 평댱ᄉᆞ 양필광은 뎡병부 ᄎᆞ비 양시 부친이라. 평댱의 뎨이녀(第二女)의 년이 십삼이라. ᄉᆡᆼ셩ᄒᆞ믈 각별 긔이히 ᄒᆞ여, 텬디의 슈츌(秀出)ᄒᆞᆫ 졍화와 일월의 광휘를 타 나시니, 옥모화용(玉貌花容)이 빙졍【60】쇄락(氷晶灑落)ᄒᆞ여, 팔ᄎᆡ(八彩) 샹셔의 긔운이 녕녕(玲玲)[1519]ᄒᆞ니, 셜부옥골(雪膚玉骨)이며 뉴미셩안(柳眉星眼)이오, 월ᄋᆡᆨ화싀

1518)체체(逮逮) : 위의가 있는 모양.
1519)녕녕(玲玲) : 영롱(玲瓏)함. 아롱아롱함.

황친국쳑(皇親國戚)의 유녀ᄌᆞ(有女者)ᄂᆞᆫ ᄃᆞᆺ토아 구친ᄒᆞ니 이로 응답기 어렵고, 슌태부인은 혹ᄉᆞ의 가긔를 일시 밧바ᄒᆞ거ᄂᆞᆯ, 학ᄉᆞᄂᆞᆫ ᄋᆞ시로브터 안고태악(眼高泰岳)ᄒᆞ여 눈이 무산(巫山)과 월궁(月宮)을 낫게 넉이ᄂᆞᆫ지라. 금평휘 《칙부 ‖ 틱부(擇婦)》의 념녀 일시를 한가치 못ᄒᆞ여, 브ᄃᆡ 특이ᄒᆞᆫ 녀ᄌᆞ를 어더 셰홍의 풍ᄎᆡ를 져바리지 말며, 노친의 안젼긔화(眼前奇花)를 숨고져 ᄒᆞᄃᆡ, ᄯᅳᆺ깃지 못ᄒᆞ여,【32】 시랑이 당ᄉᆞ로셔 도라온 일슌의 벼술을 도도아 태즁태우(太中大夫)를 ᄒᆞ엿더니, ᄯᅩ ᄉᆞ오일이 넘지 못ᄒᆞ여셔 샹이 특지로 예부상셔를 졔슈ᄒᆞ시니, 이ᄂᆞᆫ 됴당 공논이 ᄒᆞᆫ 가지로 뎡닌홍의 《쳔명 ‖ 쳥명》 도덕을 일크라, 발셔 ᄌᆡ렬(宰列)의 거ᄒᆞ미 맛당ᄒᆞ믈 쥬ᄒᆞ엿ᄂᆞᆫ 고로, 녜부를 ᄒᆞ이시미라. 뎡닌홍이 지셩ᄋᆡ걸ᄒᆞ여 벼술을 샤양ᄒᆞᄃᆡ, 샹이 맛ᄎᆞᆷᄂᆡ 블윤ᄒᆞ시니, 인신의 도리 군명을 과도히 역ᄒᆞ여 블경ᄒᆞ미 가치 아닌 고로, 마지 못ᄒᆞ여 고두ᄉᆞ은ᄒᆞ고 직임의 나아가니, 금평후의 삼ᄌᆞ 우흐로 몬져 등과ᄒᆞ여 병부ᄂᆞᆫ 문무의 대용(大用)ᄒᆞ미 되어, 샹이 언언이 《쥬격고공지신 ‖ 쥬셕고굉디신(柱石股肱之臣)》을 일크르시고, 닌홍이 ᄯᅩ 녜부의 오로니 언연(偃然)ᄒᆞᆫ ᄌᆡ상이 되여 위의 톄톄(逮逮)[1289]ᄒᆞ고, 셰홍이 진신명ᄉᆞ(縉紳名士)로 웃듬이 되니, 금평휘 블안【33】숑구ᄒᆞ여 가지록 공근겸퇴(恭謹謙退)ᄒᆞ기를 쥬(主)ᄒᆞ며, 졔ᄌᆞ(諸子)를 경계ᄒᆞ여 튱신효뎨(忠信孝悌)ᄒᆞ며 쳥검졀ᄎᆞ(淸儉切磋)ᄒᆞ기를 당부ᄒᆞ니, 졔ᄌᆞ 슈명ᄇᆡ샤ᄒᆞ더라.

어시의 평댱ᄉᆞ《양궐광 ‖ 양필광》은 뎡병부 ᄎᆞ비 양시 부친이라. 평댱의 뎨이녀(第二女)의 년이 십삼이라. ᄉᆡᆼ셩ᄒᆞ믈 각별긔이히 ᄒᆞ여 텬지의 슈츌(秀出)ᄒᆞᆫ 《평화 ‖ 졍화(精華)》와 일월의 광휘를 타 나시니, 옥모화용(玉貌花容)이 빙졍쇄락(氷晶灑落)ᄒᆞ여, 팔ᄎᆡ(八彩) 샹셔의 긔운이 녕녕(玲玲)[1290]ᄒᆞ니, 셜부옥골(雪膚玉骨)이며 뉴미셩안(柳眉

1289)체체(逮逮) : 위의가 있는 모양.
1290)녕녕(玲玲) : 영롱(玲瓏)함. 아롱아롱함.

(月額花顋)며 단슌호치(丹脣皓齒)라. 동니부용(洞裏芙蓉)1520)이 ᄂᆡ픠고져1521) ᄒᆞ며 신월(新月)이 두렷고져 ᄒᆞ니, ᄇᆡᆨᄐᆡ만광(百態萬光)이 기형(其兄) 뎡병부 부인의 우히라. 신댱 톄형의 슉셩ᄒᆞ미 범뉴와 ᄂᆡ도ᄒᆞ니, 텬연ᄒᆞᆫ 긔딜은 난쵀 향긔를 토ᄒᆞ며, 희샹의 딘쥐 보광(寶光)을 먹음어 광ᄎᆡ 찬난ᄒᆞ니, 겸ᄒᆞ여 셩힝이 화슌ᄒᆞ고 ᄉᆞ덕이 뎡일(精一)ᄒᆞ여 임샤(姙似)의 덕과 조아(趙娥)1522)의 풍(風)을 ᄀᆞᆷ초아시니, ᄇᆡᆨᄉᆡᆨ 초월ᄒᆞ고 만ᄉᆡ 특이ᄒᆞ니, 양공 부부의 ᄉᆞ랑이 만금보옥의 비길 ᄇᆡ【61】 아니라.

댱녀로ᄡᅧ 평남후 ᄀᆞᆺᄐᆞᆫ 영쥰군ᄌᆞ를 ᄇᆡ(配)ᄒᆞ여 부부의 금슬이 화락(和樂) ᄎᆞ담(泚淡)1523)ᄒᆞ니, ᄌᆡ실의 구ᄎᆞᄒᆞ미 업ᄉᆞ믈 깃거ᄒᆞ다가, 의외의 문양공쥐 하가ᄒᆞ믈 인ᄒᆞ여 변괴 층츌ᄒᆞ니, 졀혼(絶婚) 니이(離異)ᄒᆞ여 친당의 편히 이시믈 바라디 못ᄒᆞ고, 일야디간의 흉악ᄒᆞᆫ 호픠 돌입ᄒᆞ여 ᄎᆞ가므로 디금의 시신도 ᄎᆞ디 못ᄒᆞ고, 참통ᄒᆞ미 흉격(胸膈)의 ᄇᆡᆨ인(白刃)이 걸닌 ᄃᆞᆺᄒᆞ거ᄂᆞᆯ, 다시 ᄌᆞ염을 마자 일허 녀ᄋᆞ의 골육을 업시 ᄒᆞ니, 한듕 부뷔 조심ᄒᆞ여 기르ᄂᆞᆫ 줄은 아디 못ᄒᆞ고, 댱녀의 팔ᄌᆡ 졀졀이 험난【62】ᄒᆞ믈 탄셕(歎惜)ᄒᆞ여, ᄎᆞ녀의 일ᄉᆡᆼ이나 안한ᄒᆞ고 죵용ᄒᆞᆫ ᄃᆡ 셩혼코져 ᄒᆞ여 {옥인}옥인군ᄌᆞ를 유의ᄒᆞ여 녀ᄋᆞ의 ᄇᆡᆨ년가약을 뎡코져 ᄒᆞᄃᆡ, 평댱의 고안의 드ᄂᆞᆫ ᄌᆡ 업고, ᄌᆞ연 양쇼져의 셩화ᄂᆞᆫ 연인(連姻) 졀친가로 좃ᄎᆞ 모로리 업ᄉᆞ니, 비록 향을 ᄀᆞᆷ초나 ᄂᆡ를 금키 어렵고, 나못치1524) 송곳이 ᄉᆞᆺ출 ᄀᆞᆷ초기 어려

1520)동니부용(洞裏芙蓉) : 골짜기 물속에 피어 있는 연꽃

1521)ᄂᆡ픠다 : 내피다. 활짝 피어나다. 밖으로 두드러지게 나타나다.

1522)조아(趙娥) : 열녀(烈女). 중국 후한(後漢) 주천인(酒泉人). 아버지가 같은 현에 사는 사람에게 살해되자, 10여년을 칼을 품고 기회를 노리다가 마침내 범인을 죽여 원수를 갚았다. <신속열녀전(新續列女傳)>에 나온다.

1523)ᄎᆞ담(泚淡) : 맑고 담담함.

1524)나못ᄎᆞ : 주머니. 자루

星眼)이오, 월ᄋᆡᆨ화싀(月額花顋)며 단슌호치(丹脣皓齒)라. 동니부용(洞裏芙蓉)1291)이 ᄂᆡ픠고져1292) ᄒᆞ며 신월(新月)이 두렷고져 ᄒᆞ니, ᄇᆡᆨᄐᆡ만광(百態萬光)이 기형(其兄) 뎡병부 부인의 우히라. 신쟝이 표연하고 톄형의 슉셩ᄒᆞ미 범뉴와 ᄂᆡ도ᄒᆞ니, 쳔연ᄒᆞᆫ 긔질은 난쵀 향긔를 토ᄒᆞ며, 희샹의 진쥐 보광【34】을 먹음어 광ᄎᆡ 찬난ᄒᆞ니, 겸ᄒᆞ여 셩힝이 화슌ᄒᆞ고 ᄉᆞ덕이 정일(精一)ᄒᆞ여 임ᄉᆞ(姙似)의 덕과 조아(趙娥)1293)의 풍을 《ᄉᆞᆷ초‖ᄀᆞᆷ초》와시니, ᄇᆡᆨᄉᆡᆨ 초월ᄒᆞ고 만ᄉᆡ 특이ᄒᆞ니, 양공 부부의 ᄉᆞ랑이 만금보옥의 비길 ᄇᆡ 아니라.

댱녀로ᄡᅧ 평남후 ᄀᆞᆺᄐᆞᆫ 군ᄌᆞ를 어더 부부의 금슬이 ᄌᆡ실의 구ᄎᆞᄒᆞ미 업ᄉᆞ믈 깃거ᄒᆞ다가, 의외의 문양공쥐 하가ᄒᆞ믈 인ᄒᆞ여 변괴 층츌ᄒᆞ니, 졀혼(絶婚) 니이(離異)ᄒᆞ여 친당의 편히 이시믈 바라지 못ᄒᆞ고, 일야지간의 흉악ᄒᆞᆫ 호픠 돌입ᄒᆞ여 ᄎᆞ가므로 지금의 시신도 ᄎᆞᆺ지 못ᄒᆞ고, ᄎᆞᆷ통ᄒᆞ미 흉격(胸膈)의 ᄇᆡᆨ인(白刃)이 《결닌‖걸닌》 ᄃᆞᆺᄒᆞ거ᄂᆞᆯ, 다시 ᄌᆞ염을 마자 일허 녀ᄋᆞ의 골육을 업시 ᄒᆞ니, 한즁 부뷔 조심ᄒᆞ여 길ᄂᆞᆫ1294) 줄은 아지 못ᄒᆞ고, 댱녀의 팔ᄌᆡ 졀졀이 험난ᄒᆞ믈 《탁셕‖탄셕(歎惜)》ᄒᆞ【35】여, ᄎᆞ녀의 일ᄉᆡᆼ이나 안한ᄒᆞ고 죵용ᄒᆞᆫ ᄃᆡ 셩혼코져 ᄒᆞ여, 옥인군ᄌᆞ를 유의ᄒᆞ여○…결락13자…○[녀ᄋᆞ의 ᄇᆡᆨ년가약을 뎡코져 ᄒᆞᄃᆡ], 평댱의 고안의 드ᄂᆞᆫ ᄌᆡ 업고, ᄌᆞ연 양쇼져의 셩화ᄂᆞᆫ 연인(連姻) 졀친가로 조ᄎᆞ 모로 리 업ᄉᆞ니, 비록 향을 ᄀᆞᆷ초나 ᄂᆡ를 금키 어렵고, 나못치1295) 송곳치 ᄉᆞᆺ출 ᄀᆞᆷ쵸기 어려오니, 명문

1291)동니부용(洞裏芙蓉) : 골짜기 물속에 피어 있는 연꽃

1292)ᄂᆡ픠다 : 내피다. 활짝 피어나다. 밖으로 두드러지게 나타나다.

1293)조아(趙娥) : 열녀(烈女). 중국 후한(後漢) 주천인(酒泉人). 아버지가 같은 현에 사는 사람에게 살해되자, 10여년을 칼을 품고 기회를 노리다가 마침내 범인을 죽여 원수를 갚았다. <신속열녀전(新續列女傳)>에 나온다.

1294)길ᄂᆞᆫ: 기르ᄂᆞᆫ.

1295)나못ᄎᆞ : 주머니. 자루.

오니, 명문거족의 유ᄌᆞᄌᆞ(有子者)ᄂᆞᆫ 양쇼져의 현미ᄒᆞ믈 흠앙(欽仰)ᄒᆞ며[여] 구혼ᄒᆞ리 문졍의 메여시ᄃᆡ, 양공이 녀ᄋᆞ의 유튱ᄒᆞ므로 밀막아 가바야이 허치 아냐, ᄒᆞᆫ 곳도 완뎡ᄒᆞᆫ 곳이 업ᄉᆞ믈 금평휘 모로디 아니ᄒᆞᄂᆞᆫ디라.【63】 일일은 평남후의 시팀ᄒᆞ믈 당ᄒᆞ여 태우와 졔ᄌᆡ 업ᄂᆞᆫ디라. 이의 남후다려 니르ᄃᆡ,

"젼일 드르니 양평댱의 ᄎᆞ녜 이셔 승어기형(勝於其兄)이오, 년긔 셰ᄋᆞ와 상뎍ᄒᆞ믈 그윽이 유의ᄒᆞ미 이시ᄃᆡ, 양공의 거동이 조금도 세ᄋᆞ를 가셔(佳壻)의 의향ᄒᆞ미 업고 혼ᄉᆞ 다히[1525]를 드노치 아니니, 그 뜻이 셰ᄋᆞ를 브죡히 녁이미라. 졔 만일 듯디 아니ᄒᆞ면 나의 쳥혼이 가장 무류ᄒᆞᆯ 고로, 아ᄃᆡᆨ 발구치 아니ᄒᆞ엿거니와, 원간, 양공이 혼ᄉᆞ를 뎡약ᄒᆞᆫ 곳이 업ᄉᆞ랴?"

남휘 복슈(伏首) ᄃᆡ왈,

"양평댱이 삼뎨를 유의치 아니믄 셰흥의 위인【64】이 군ᄌᆞ유풍이 브죡ᄒᆞ므로 그 소원의 블합ᄒᆞ미 이셔, 타의 향의ᄒᆞ고 우리 집과ᄂᆞᆫ 결친ᄒᆞ기를 ᄉᆡᆼ각디 아닛ᄂᆞᆫ가 시브이다. 연이나 양공의 ᄎᆞ녀ᄂᆞᆫ 셰샹의 희한ᄒᆞᆫ 슉녠가 시브ᄃᆡ, 양공의 ᄐᆡᆨ셔ᄒᆞᄂᆞᆫ 뜻이 옥인군ᄌᆞ를 ᄀᆞᆯ히여 죵요로이 다리고 이시련다 ᄒᆞ니, 삼뎨의 온듕치 못ᄒᆞ미 양공의 쇼원과 블합ᄒᆞᄃᆡ, 야애 당면ᄒᆞ샤 구혼ᄒᆞ실딘ᄃᆡ 엇디 허치 아니리잇고?"

금휘 미우를 ᄧᅵᆼ긔여 ᄀᆞᆯ오ᄃᆡ,

"셰흥의 블초ᄒᆞ미 광망무식(狂妄無識)기를 겸ᄒᆞ여 가취디ᄉᆡ(可取之事) 업ᄉᆞ니, 양공의 구혼치 아니미 가장 명【65】달ᄒᆞᆫ 쇼견이어ᄂᆞᆯ, 내 ᄉᆞ졍을 구애ᄒᆞ여 블미ᄒᆞᆫ ᄌᆞ식으로ᄡᅧ 남의 쳔금옥녀를 구ᄒᆞ미 념티의 괴이ᄒᆞᆯ가 ᄒᆞ노라."

남휘 고왈,

"삼뎨 년쇼디심의 범ᄉᆡ 온듕치 못ᄒᆞ오나, 굿ᄐᆞ여 하등이 아니라. 양공의 녀셰 되ᄆᆡ 외람ᄒᆞ미 업ᄉᆞ오리니, 엇디 구혼ᄒᆞ믈 ᄌᆞ져ᄒᆞ리잇고? 쇼ᄌᆡ 양공을 보고 므러보리이

1525)다히 : 따위, 등의 뜻을 나타내는 의존명사.

거족의 유ᄌᆞᄌᆞ(有子者)ᄂᆞᆫ 양쇼져의 현미ᄒᆞ믈 흠앙(欽仰)ᄒᆞ며[여] 구혼ᄒᆞ리 문졍의 메여시ᄃᆡ, 양공이 녀ᄋᆞ의 유츙ᄒᆞ《믈‖므로》 밀막아 가바야이 허치 아냐, ᄒᆞᆫ 곳도 완졍ᄒᆞᆫ 곳이 업ᄉᆞ믈 금평휘 모로지 아니ᄒᆞᄂᆞᆫ지라. 일일은 형[평]남후의 시침ᄒᆞ믈 당ᄒᆞ여 태우와 졔ᄌᆡ 업ᄂᆞᆫ지라. 이의 남후다려 니르ᄃᆡ,

"젼일 드르니 양평쟝의 ᄎᆞ녜 이셔 승어기형(勝於其兄)이오, 년긔 셰ᄋᆞ와 상젹ᄒᆞ믈 그윽이 유의ᄒᆞ미 이시ᄃᆡ, 양공의 거동이 조금도 세ᄋᆞ를 가【36】셔(佳壻)의 의향ᄒᆞ미 업고 혼ᄉᆞ 다히[1296]를 드노치 아니니, 그 뜻이 셰ᄋᆞ를 브죡히 녁이미라. 졔 만일 즐겨 듯지 아니ᄒᆞ면 나의 쳥혼이 ᄀᆞ장 무류ᄒᆞᆫ 고로, 아직 발구치 아니ᄒᆞ엿거니와, 원간 양공이 혼ᄉᆞ를 졍약ᄒᆞᆫ 곳이 업ᄉᆞ랴?"

남휘 부슈(俯首) ᄃᆡ왈,

"양평쟝이 삼뎨를 유의치 아니믄 셰흥의 위인이 군ᄌᆞ유풍이 브죡ᄒᆞ므로 그 소원의 블합ᄒᆞ미 이셔, 타쳐의 향의ᄒᆞ고 우리 집과 결친ᄒᆞ믈 ᄉᆡᆼ각디 아닛ᄂᆞᆫ가 ᄒᆞᄂᆞ이다. 연이나 양공의 ᄎᆞ녀ᄂᆞᆫ 셰샹의 희한ᄒᆞᆫ 슉녠가 시브오ᄃᆡ, 양공의 ᄐᆡᆨ셔ᄒᆞᄂᆞᆫ 뜻이 옥인군ᄌᆞ를 《표희여‖ᄀᆞᆯ히여》 죵요로이 다리고 이시련다 ᄒᆞ니, 삼뎨의 온즁치 못ᄒᆞ미 양공의 쇼원과 블합ᄒᆞᄃᆡ, 야애 당면ᄒᆞ샤 구혼ᄒᆞ실진ᄃᆡ 엇지 허치 아니리잇고?"

금휘 미우를 ᄧᅵᆼ긔녀[여]【37】 ᄀᆞᆯ오ᄃᆡ,

"셰흥의 블초ᄒᆞ미 광망무식(狂妄無識)기를 겸ᄒᆞ여 가취지ᄉᆡ(可取之事) 업ᄉᆞ니, 양공의 구혼치 아니미 ᄀᆞ장 ○[명]달ᄒᆞᆫ 쇼견이어ᄂᆞᆯ, 내 ᄉᆞ졍을 구ᄋᆡᄒᆞ여 불인(不仁)ᄒᆞᆫ ᄌᆞ식으로ᄡᅧ 남의 쳔금옥녀를 구ᄒᆞ미 념치의 괴이ᄒᆞᆯ가 ᄒᆞ노라."

남휘 고왈,

"삼뎨 년쇼지심의 범ᄉᆡ 온즁치 못ᄒᆞ오나 굿ᄐᆞ여 하등이 아니라, 양공의 녀셰 되ᄆᆡ 외람ᄒᆞ미 업ᄉᆞ오리니, 엇지 구혼ᄒᆞ믈 ᄌᆞ져ᄒᆞ리잇고? 쇼ᄌᆡ 양공을 보고 므러보리이

1296)다히 : 따위, 등의 뜻을 나타내는 의존명사.

다."

금휘 묵연브답이러라.

명일 양공이 맞초와 츄운산의 왓다가 딘부로 좃ᄎ 뎡아(鄭衙)의 니르니, 금휘 병부와 녜부로 더브러 외루의 잇다가 양공의 와시믈 듯고, 크게 반겨 드러오믈 청ᄒ여, 빈쥬 한훤 필의 오리【66】 보디 못ᄒ던 바를 니를ᄉ, 양공이 ᄀ오ᄃ,

"쇼뎨 녀식을 일허 그 시신도 ᄎ디 못ᄒ니, 일월이 갈ᄉ록 심신이 ᄎ악ᄒ여 비상통졀ᄒᄂ 듕, 어린 녀식이 년긔 이눅을 디나시나 부모의 졍으로뻐 ᄒ ᄌ식이나 젼졍이 온젼ᄒ기를 바라ᄂ 고로, 틱셔ᄒᄂ 념네 ᄌ못 한가치 못ᄒ여 오리 귀부를 말ᄆ암디 못ᄒ엿거니와, 형은 엇디 쇼뎨를 ᄎ디 아니ᄒ시더뇨?"

금평휘 ᄀ오ᄃ,

"우뎨(愚弟) 또ᄒ 봉친디하(奉親之下)의 ᄒ ᄡ 니측이 어려온 고로, 현형을 가 ᄎ자보디 못ᄒ엿거니와, 형이 녕녀의 화란을 우리 집【67】을 한ᄒ여 다시 《결친Ⅱ결친》디의(結親之義)를 ᄆ자 각별ᄒ 바를 싱각디 아니ᄒ고, 쳔금옥녀로뻐 타문의 보ᄂ려 ᄒ거니와, 원간 엇던 텬션 ᄀ튼 ᄉ회를 엇ᄂ고, 눈을 ᄢ셔 구경ᄒ리라."

언파의 호호히 우ᄉ니, 양공이 또ᄒ 박쇼왈,

"현형이 일즉 쇼뎨를 ᄃᄒ여 혼ᄉ를 구ᄒ다가, 댱녀의 굿기므로뻐 형의 집 탓ᄉ 삼아 혼인을 블허ᄒ고 타쳐의 신낭을 유의ᄒ면 형의 말이 가커니와, 형이 젼후의 우뎨를 ᄃᄒ여 쳥혼을 아니코 이런 말을 ᄒ니, 내 므ᄉ 명견으로 윤보의 ᄯ을 아라 쳥혼ᄒ리【68】오."

금평휘 빈미(嚬眉) 쇼왈,

"형이 평일 쇼뎨로 더브러 관포(管鮑)의 디음(知音)이 이시믈 니르더니, 이졔 당ᄒ여ᄂ 뎨심을 모로노라 ᄒ니, 엇디 관듕(管仲)이 ᄌ믈을 가져가ᄆ 포슉(鮑叔)이 그 ᄆ음을 알음과 ᄀᄐ미 이시리오."

뎡병뷔 그 약댱을 ᄃᄒ여 혼ᄉ를 쾌히 청

다."

금휘 묵연브답이러라.

명일 양공이 맞초와 츄운산의 왓다가 진부로 조ᄎ 뎡아(鄭衙)의 이르니, 금휘 병부와 예부로 더브러 《의후Ⅱ외루(外樓)》의 잇다가 양공의 왓시믈 듯고 크게 반겨 드러오믈 청ᄒ여, 빈쥬 한훤 《궐Ⅱ필》의 오리 보지 못ᄒ던 말을 니를ᄉ, 양공이 ᄀ오ᄃ,

"쇼뎨 녀식을 일허【38】 그 시신도 ᄎ지 못ᄒ니, ○○○○○○[일월이 갈ᄉ록] 심신이 ᄎ악ᄒ여 ○○○○[비상통졀]ᄒᄂ 즁, 어린 녀식이 년긔 이눅을 지나시나, 부모의 졍으로뻐 ᄒ ᄌ식이나 젼졍이 온젼ᄒ기를 ᄇ라ᄂ 고로, 틱셔ᄒᄂ 념네 ᄌ못 한가치 못ᄒ여 오리 귀부를 말ᄆ암지 못ᄒ엿거니와, 형은 엇지 쇼뎨를 ᄎ지 아니ᄒ시더뇨?"

평휘 ᄀ오ᄃ,

"우뎨(愚弟) 또ᄒ 봉친지하(奉親之下)의 ᄒ ᄡ ᄯ나기 어려온 고로 현형을 가보지 못ᄒ엿거니와, 형이 영녀의 《화락Ⅱ화란(禍亂)》을 우리 집을 한ᄒ여 다시 《졀친Ⅱ결친》지의(結親之義)를 ᄆ자 각별ᄒ 바를 싱각지 아니ᄒ고, 쳔금옥녀로뻐 타문의 보ᄂ려 ᄒ거니와, 원간 엇던 텬션 ᄀ튼 ᄉ회를 엇ᄂ고 눈을 씨셔 구경ᄒ리라."

언파의 호호히 우ᄉ니, 양공이 또ᄒ 박쇼왈,

"군형이 일즉 쇼뎨를 ᄃᄒ여 혼ᄉ를 구ᄒ다가, 댱녀의 굿기【39】므로뻐 형의 집 탓ᄉ 삼아 혼인을 블허ᄒ고 타쳐의 신낭을 유의ᄒ면 형의 말이 가거니와, 형이 젼후의 우뎨를 ᄃᄒ여 쳥혼을 아니코 이런 말을 ᄒ니, ᄂ 무산 명견으로 윤부의 ᄯ을 아라 쳥혼ᄒ리오."

평휘 빈미(嚬眉) 쇼왈,

"형이 평일 쇼뎨로 더브러 관포(管鮑)의 지음(知音)이 이시믈 니른[르]더니, 이졔 당ᄒ여ᄂ 뎨심을 모로노라 ᄒ니, 엇지 관즁이 ᄌ믈을 가지매 포슉(鮑叔)이 그 ᄆ음을 알미 이시리오."

뎡병뷔 그 약댱을 ᄃᄒ여 혼ᄉ를 쾌히 청

코져 ᄒᆞᄃᆡ, 임의 부공과 양공이 말ᄉᆞᆷ출 ᄂᆡ여 혼ᄉᆞ를 뎡코져 뜻을 빗최시니, ᄌᆞ긔 감히 간예치 못ᄒᆞᄃᆡ, 오딕 녜부로 더브러 의관을 슈렴ᄒᆞ여 좌의 뫼셔 말솜을 드를 ᄲᅳᆫ이라. 양공이 쇼식(笑色)이 흔연ᄒᆞ여 ᄀᆞᆯ오ᄃᆡ,

“쇼뎨 윤보로 더브러 듁마(竹馬)를 닛그러 ᄌᆞ라ᄆᆡ,【69】 글을 ᄒᆞᆫ가디로 공부ᄒᆞ여 동방(同榜)의 계디(桂枝)를 ᄭᅥᆨ그니, 우뎨의 블ᄉᆞ(不似)ᄒᆞᆫ 위인이 형으로 뺭(雙)ᄒᆞ디 못ᄒᆞ나, 형의 ᄆᆞ음을 모로ᄂᆞᆫ ᄇᆡ 아니러니, 윤뵈 이졔 관포(管鮑)의 디음(知音)이 아니믈 일ᄏᆞᄅᆞ니, 고인을 ᄯᆞ로기 어려오믈 알거니와, 형은 엇디 쇼졔의 발구치 못ᄒᆞᄂᆞᆫ 뜻을 모로ᄂᆞ뇨?”

금휘 쇼왈,

“쇼뎨 블민(不敏) 블명(不明)ᄒᆞ여 본ᄃᆡ 사ᄅᆞᆷ의 ᄆᆞ음을 모로거니와, 내 낭ᄌᆞ(曩者)[1526] 를 디ᄂᆡ여 보고 타쳐의 의혼ᄒᆞ니, 돈ᄋᆞ의 광망블인(狂妄不仁)ᄒᆞ미[믈] 형의[이] 나모라 바리니, 쇼뎨 므ᄉᆞᆫ 념치로 쳥혼ᄒᆞ리오마ᄂᆞᆫ, 그러나 우리 냥가의 졍분으로ᄡᅧ 인아(姻婭)의○[의(義)]【70】를 겹겹이 ᄆᆡᆺ고, 녕ᄋᆞ 쇼져의 셩화를 드르ᄆᆡ 외람이 슬하 식부를 삼고져 ᄒᆞ미라. 《형은∥쇼뎨》 셰ᄋᆞ의 위인이 텬홍만 못ᄒᆞ디 아닌가 ᄒᆞ○[노]라.”

양공이 금평후의 언시 이에 밋쳐ᄂᆞᆫ ᄯᅩᄒᆞᆫ 홀일업ᄂᆞᆫ디라. 웃고 ᄀᆞᆯ오ᄃᆡ,

“형이 쇼뎨 ᄆᆞ음을 나모라 ᄒᆞ여 짐작고 니르거니와, 오히려 이 일의 다ᄃᆞ라ᄂᆞᆫ ᄌᆞ셰○[이] 모로미라. 쇼뎨 댱녀로ᄡᅧ 챵빅의 직실을 혐의치 아니믄 타ᄉᆞ 아니라, 녀ᄋᆞ의 위인이 맛ᄎᆞᆷᄂᆡ 암약(暗弱)ᄒᆞ여 챵빅의 원위(元位)ᄂᆞᆫ 감당치 못ᄒᆞᆯ 고로, 윤부인을 취ᄒᆞᆫ 후 버거 녀ᄋᆞ를 취ᄒᆞ라 ᄒᆞ믄, 챵빅 ᄀᆞᆺᄐᆞᆫ 대군ᄌᆞ 영【71】쥰으로 ᄒᆞ여금 동상을 삼아 문난(門欄)의 광치를 닙위고, 쇼뎨 비록 직실디명(再室之名)이 이실디언졍, 안한무ᄉᆞ(安閑無事)ᄒᆞ여 듕궤(中饋)[1527]의 칙임과 봉

1526)낭ᄌᆞ(曩者) : 지난번.
1527)듕궤(中饋) : 안살림 가운데 음식에 관한 일을

코져 ᄒᆞᄃᆡ, 임의 부공과 양공이 말ᄉᆞᆷ출 ᄂᆡ여 혼ᄉᆞ를 졍코져 뜻을 빗최시니, ᄌᆞ긔 감히 간예치 못ᄒᆞᄃᆡ, 오직 녜부로 더브러 의관을 슈렴ᄒᆞ여 좌의 뫼셔 말솜을 드를 ᄲᅳᆫ이라. 양공이 쇼식(笑色)이 흔연ᄒᆞ여 ᄀᆞᆯ오ᄃᆡ,

“쇼뎨 윤보로 더브러 쥭마(竹馬)를 닛그러 ᄌᆞ【40】라ᄆᆡ, 글을 ᄒᆞᆫ가지로 공부ᄒᆞ여 동방(同榜)의 계지(桂枝)를 ᄭᅥᆨ그니, 우뎨의 블ᄉᆞ(不似)ᄒᆞᆫ 위인이 형을 쌍(雙)ᄒᆞ지 못ᄒᆞ나, 형의 ᄆᆞ음을 모로ᄂᆞᆫ ᄇᆡ 아니러니, 윤뵈 이졔 관포(管鮑)의 지음(知音)이 아니믈 일크르니, 고인을 ᄯᆞ로기 어려오믈 알거니와, 형은 엇지 쇼졔의 발구치 못ᄒᆞᄂᆞᆫ 뜻을 모로ᄂᆞ뇨?”

금휘 쇼왈,

“쇼뎨 블민 블명ᄒᆞ여 본ᄃᆡ 사ᄅᆞᆷ의 ᄆᆞ음을 모로거니와 내 낭ᄌᆞ(曩者)[1297]를 지ᄂᆡ여 보고 타쳐의 의혼ᄒᆞ니, 돈ᄋᆞ의 광망블인(狂妄不仁)ᄒᆞ미[믈] 형의[이] 나모라 ᄇᆞ리니, 쇼뎨 므ᄉᆞᆫ 염치로 쳥혼ᄒᆞ리오마ᄂᆞᆫ, 그러나 우리 냥가의 졍분으로ᄡᅧ 인아(姻婭)의 후의를 겹겹이 ᄆᆡᆺ고, 녕ᄋᆞ 쇼져의 셩화를 드르매 외람이 슬하 식부를 삼고져 ᄒᆞ미라. 《형은∥쇼뎨》 셰ᄋᆞ의 위인이 텬홍만 못ᄒᆞ지 아닌가 ᄒᆞ○[노]라.”

양공이 금평후의 언시 이에 밋쳐ᄂᆞᆫ【41】 ᄯᅩ ᄒᆞᆫ 홀일업ᄂᆞᆫ지라. 웃고 ᄀᆞᆯ오ᄃᆡ,

“형이 쇼뎨 ᄆᆞ음을 나모라 ᄒᆞ여 짐작고 니로거니와, 오히려 이 일의 《다녹∥다ᄃᆞ》라ᄂᆞᆫ ᄌᆞ시 모로미라. 쇼뎨 댱녀를 챵빅의 직실을 혐의치 아니믄 타식 아이[니]라. 녀ᄋᆞ의 위인이 맛ᄎᆞᆷᄂᆡ 암약(暗弱)ᄒᆞ여 챵빅의 원위(元位)ᄂᆞᆫ 누리지 못ᄒᆞᆯ 고로, 윤부인을 취ᄒᆞᆫ 후 버거 녀ᄋᆞ를 취ᄒᆞ라 ᄒᆞ믄, 챵빅 ᄀᆞᆺᄐᆞᆫ 대군ᄌᆞ 영쥰으로 ᄒᆞ여금 동상을 삼아 문난(門欄)의 광치를 닙위고, 쇼뎨 비록 직실지명(再室之名)이 이실지언졍, 안한무ᄉᆞ(安閑無事)ᄒᆞ여 즁궤(中饋)[1298]의 칙임과 봉

1297)낭ᄌᆞ(曩者) : 지난번.
1298)즁궤(中饋) : 안살림 가운데 음식에 관한 일을

ᄉᆞ봉친(奉祀奉親)의 슈고ᄒᆞ미 업슬 바를 깃거 ᄒᆞ미러니, 져의 명되 괴이ᄒᆞ여 셰샹의 희괴ᄒᆞᆫ 화를 만나 싱ᄉᆞ존망이 아으라ᄒᆞ니, 통한참상ᄒᆞ미 장ᄎᆞᆺ 엇더 ᄒᆞ리오. 이졔 형의 겹겹 인아의 졍을 ᄆᆡᄌᆞ며, 예ᄇᆡᆨ으로ᄡᅧ 챵ᄇᆡᆨ만 못ᄒᆞ지 아니ᄒᆞ라[다] ᄒᆞ나, 챵ᄇᆡᆨ은 만고를 기우려 ᄧᆞᆨ이 업ᄉᆞᆫ 위인이라."

금휘 왈,

"엇디 니름고?"

양공 왈,

"하ᄒᆡ지량(河海之量)과 태산(泰山)의 듕(重)이라. ᄆᆞ음이 샹쾌ᄒᆞ고【72】 쳔니를 예탁ᄒᆞᄂᆞᆫ 춍명이 별안간의 사ᄅᆞᆷ의 현블초를 빗최니, 이 엇디 년긔로 좃ᄎᆞ 더으미 이시리오. 텬셩의 타난 바 텬디일월졍긔(天地日月精氣)라. 이졔 예ᄇᆡᆨ은 풍뉴준걸노 용모 신치 화옥(花玉)의 빗난 거술 압두ᄒᆞ고, 문댱ᄌᆡ홰 ᄉᆞ마쳔(司馬遷)을 묘시ᄒᆞ여, 언논 긔졀이 경앙(景仰) 늠녈(凜烈)ᄒᆞ여 거의 기ᄇᆡᆨ(其伯)을 ᄯᆞᆯ올 ᄃᆞᆺᄒᆞᄃᆡ, 듁쳥의 인의디덕과 관대화홍ᄒᆞ믈 밋디 못ᄒᆞ고, 결증이 태과ᄒᆞ여 맛춤ᄂᆡ 녀ᄌᆞ로 ᄒᆞ여금 괴롭게 ᄒᆞᆯ 거시오, 죵요로온 셔랑이 되디 못ᄒᆞ리니, 쇼뎨의 어린 ᄯᆞᆯ이 슉녀의 방향을 아디 못ᄒᆞ고, 군ᄌᆞ의 건긔(巾器)를【73】 소임ᄒᆞᄆᆡ 허믈이 업디 아니리니, 밋디 못ᄒᆞᆯ 거시므로 감히 예ᄇᆡᆨ ᄀᆞᆺᄐᆞᆫ ᄉᆞ회를 바라디 못ᄒᆞ고, 일개 단ᄉᆞ(端士)를 구ᄒᆞ더니, 형이 나의 구혼치 아니믈 미안이 넉일ᄉᆡ 시러금 허ᄒᆞᄂᆞ니, 댱ᄂᆡ 블민ᄒᆞ여, 존문 고안의 블합ᄒᆞ나 우뎨의 탓ᄉᆞ로 아디 말나."

금휘 양공의 허락을 엇고 대열ᄒᆞ더라.【74】

ᄉᆞ봉친(奉祀奉親)의 슈고ᄒᆞ미 업슬 바를 깃거 ᄒᆞ미러니, 져의 명되 괴이ᄒᆞ여 셰샹의 희괴ᄒᆞᆫ 화를 만나 싱ᄉᆞ존망이 아으라ᄒᆞ니, 통한참상ᄒᆞ미 장ᄎᆞᆺ 엇더 ᄒᆞ리오. 이졔 형의 겹겹 인아의 졍을 ᄆᆡᄌᆞ며, 예ᄇᆡᆨ으로ᄡᅧ 챵ᄇᆡᆨ만 못ᄒᆞ지 아니ᄒᆞ다【42】 ᄒᆞ나, 챵ᄇᆡᆨ은 만고를 기우려 둘 업ᄉᆞᆫ 위인이라."

금휘 왈,

"엇지 니ᄅᆞᆷ고,"

양공 왈,

"하ᄒᆡ지량(河海之量)과 태산(泰山)의 즁(重)이라. ᄆᆞ음이 ○○○○[샹쾌ᄒᆞ고], 쳔니를 예탁ᄒᆞᄂᆞᆫ 춍명이 별안간의 사ᄅᆞᆷ의 현블초를 빗최니, 이 엇지 년긔로 조ᄎᆞ 더으미 이시리오. 텬셩의 타난 바 텬지일월졍긔(天地日月精氣)라. 이졔 녜ᄇᆡᆨ은 풍뉴준걸노 용모 신치 《화유‖화옥(花玉)》의 빗난 거술 압두ᄒᆞ고, 무[문]쟝ᄌᆡ홰(文章才華) ᄉᆞ마쳔(司馬遷)을 묘시ᄒᆞ여 언논 긔졀이 격앙(激昂) 늠녈(凜烈)ᄒᆞ여 거의 기ᄇᆡᆨ(其伯)을 ᄯᆞᆯ올 ᄃᆞᆺᄒᆞᄃᆡ, 쥭쳥의 인의지덕과 관대화○…**결락161자**…○[홍ᄒᆞ믈 밋디 못ᄒᆞ고, 결증이 태과ᄒᆞ여 맛춤ᄂᆡ 녀ᄌᆞ로 ᄒᆞ여금 괴롭게 ᄒᆞᆯ 거시오, 죵요로온 셔랑이 되디 못ᄒᆞ리니, 쇼뎨의 어린 ᄯᆞᆯ이 슉녀의 방향을 아디 못ᄒᆞ고, 군ᄌᆞ의 건긔(巾器)를 소임ᄒᆞᄆᆡ 허믈이 업디 아니리니, 밋디 못ᄒᆞᆯ 거시므로 감히 예ᄇᆡᆨ ᄀᆞᆺᄐᆞᆫ ᄉᆞ회를 바라디 못ᄒᆞ고, 일개 단ᄉᆞ(端士)를 구ᄒᆞ더니, 형이 나의 구혼치 아니믈 미안이 넉일ᄉᆡ 시러금 허ᄒᆞᄂᆞ니, 댱ᄂᆡ 블민ᄒᆞ여, 존문 고안의 블합ᄒᆞ나 우뎨의 탓ᄉᆞ로 아디 말나."]
{져긔 환희ᄒᆞ더라.} 금휘 양공의 허락을 엇고 대열ᄒᆞ여,

책임 맡은 여자. ᄂᆞ주궤(主饋).

책임 맡은 여자. ᄂᆞ주궤(主饋).

최 길 용

문학박사

전북대학교 겸임교수

전북대학교 인문학연구소 전임연구원

● 논 문

〈연작형고소설연구〉외 50여편

● 저 서

『조선조연작소설연구』 등 12종

校勘本 明珠寶月聘 ❷

초판 인쇄 2014년 2월 03일
초판 발행 2014년 2월 10일

교 주 | 최길용
펴 낸 이 | 하운근
펴 낸 곳 | 學古房

주 소 | 서울시 은평구 대조동 213-5 우편번호 122-843
전 화 | (02)353-9907 편집부(02)353-9908
팩 스 | (02)386-8308
홈페이지 | http://hakgobang.co.kr/
전자우편 | hakgobang@naver.com, hakgobang@chol.com
등록번호 | 제311-1994-000001호

ISBN 978-89-6071-362-8 94810
978-89-6071-360-4 (세트)

값 : 350,000원

이 도서의 국립중앙도서관 출판시도서목록(CIP)은 서지정보유통지원시스템 홈페이지(http://seoji.nl.go.kr)와 국가자료공동목록시스템(http://www.nl.go.kr/kolisnet)에서 이용하실 수 있습니다.
(CIP제어번호: CIP2014003411)